dicionário etimológico
da língua portuguesa

Lexikon | *obras de referência*

ANTÔNIO GERALDO DA CUNHA

dicionário etimológico da língua portuguesa

4ª edição revista e atualizada / 7ª impressão

© 2022, by Antônio Geraldo da Cunha
Direitos de edição da obra em língua portuguesa adquiridos pela Lexikon Editora Digital Ltda.
Todos os direitos reservados. Nenhuma parte desta obra pode ser apropriada e estocada em sistema de banco de dados ou processo similar, em qualquer forma ou meio, seja eletrônico, de fotocópia, gravação etc., sem a permissão do detentor do copirraite.

Lexikon Editora Digital Ltda.
Av. Rio Branco, 123 sala 1710 – Centro
20040-905 Rio de Janeiro – RJ – Brasil
Tel.: (21) 3190 0472 / 2560 2601
Veja também www.aulete.com.br – seu dionário na internet

Assistentes

Cláudio Mello Sobrinho   Júlio César Castañon Guimarães
Diva de Oliveira Salles   Rosana Figueiredo Cavalcanti
Gilda da Costa Pinto   Suelí Guimarães Gomes

1a edição – 1982   4a edição/ 3ª impress – 2012
2a edição – 1986   4ª edição/ 4ª impress – 2013
3a edição – 2007   4ª edição/ 5ª impress – 2015
4ª edição – 2010   4ª edição/ 6ª impress – 2019
4a edição/ 2ª impress – 2011

Imagem da capa: detalhe de trabalho do artista plástico Carlos Vergara – Piso, Série São Miguel, monotipia e pintura sobre lona crua, 191 x 217cm. Realizado numa série de visitas que o artista fez à Missão de São Miguel, noroeste do Rio Grande do Sul. Símbolo duradouro da ação missionária dos Jesuítas no Brasil, os Sete Povos foram fundados na derradeira onda colonizadora jesuíta na região sul, depois de terem sido fundadas dezoito reduções em tempos anteriores, todas destruídas pelos bandeirantes brasileiros e portugueses.

CIP-BRASIL. CATALOGAÇÃO NA FONTE
SINDICATO NACIONAL DOS EDITORES DE LIVROS, RJ

C98d Cunha, Antônio Geraldo da, 1924-1999
4.ed.   Dicionário etimológico da língua portuguesa / Antônio Geraldo da Cunha. - 4.ed. revista pela nova ortografia. - Rio de Janeiro : Lexikon, 2010.
            744p.

        Inclui bibliografia
        ISBN 978-85-86368-63-9

        1. Língua portuguesa - Etimologia - Dicionários. I. Título.

                                        CDD: 469.203
                                        CDU: 811.134.3'373.6(038)

E com razom o nome da virgẽ he maria: este nome digno de honrra tem tres enterpretaçoões em tres lingoageẽs. Em abraico enterpretase strella ou lumiador do mar. Em latim quer dizer per ethemollagia mar amargosso. Em lingoagem de syria quer dizer senhora.
1495 *Vita Christi* f.º 15

A vltima regra, que na lembrança deue ser a primeira seja, que trabalhemos sempre, por inuestigar a origẽ dos vocabulos. Porque pela etymologia delles, se sabe a orthographia, & pela bõa orthographia a etymologia.
1576 D. N. Leão *Orthographia* f.º *6l-61v*

ETYMOLOGÍA, s.f. Origem, raiz, e principio, donde se deriva alguma palavra.
1813 Morais *Dic.*

Às minhas netinhas
Maria Fernanda, Luciana e Priscila

Às netinhas que vieram depois
Mariana e Roberta

APRESENTAÇÃO

Com grande satisfação recebe o público consulente esta 4.ª edição do *Dicionário Etimológico da Língua Portuguesa* de Antônio Geraldo da Cunha, uma obra cujo sucesso editorial decorre não só de uma esmerada concepção estrutural, pautada em projeto prático e objetivo, como, e sobretudo, também do talento exponencial deste engenheiro químico que encontrou na filologia a vocação de uma vida.

Esta nova versão, preparada pela Lexikon Editora com a mais qualificada tecnologia editorial, traz como principal novidade a incorporação do *Suplemento* ao corpo do dicionário, uma aspiração do Autor que não pôde ser implementada nas edições anteriores. De modo geral, uma nova proposta de diagramação deverá tornar mais rápida a consulta aos verbetes, o que decerto agradará bastante aos que fazem do dicionário uma fonte de consulta ordinária.

A.G. Cunha, como especialista em matéria lexicográfica, tinha a exata dimensão das dificuldades enfrentadas pelos que se dedicam à árdua tarefa de elaborar um vocabulário etimológico, sobretudo em uma língua que se ressente ainda hoje da desejável pesquisa histórica na área dos estudos diacrônicos. À época da primeira edição do *Dicionário Etimológico da Língua Portuguesa*, o Autor já nos advertia quanto à temerária tarefa de que se ocupava, "tais e tantas são as dúvidas que ainda pairam em torno das origens e da história de boa parte do nosso vocabulário". Tais óbices naturalmente se multiplicam quando consideramos a vertente do português brasileiro, em que se inscrevem inúmeros vocábulos de línguas africanas e tantos outros de línguas indígenas cujo étimo infelizmente ainda não se pode precisar.

A preocupação de A.G. Cunha no tocante à origem dos denominados "empréstimos linguísticos", notadamente os de origem castelhana, francesa, italiana e inglesa (sem descurar de inúmeros termos advindos de fonte vária, tais como a de línguas asiáticas) revela-nos um filólogo atento ao fenômeno da mudança linguística e preocupado com a elaboração de um manual de consulta atualizado. Semelhante postura se observa igualmente na consignação de numerosos neologismos, alguns dos quais, conforme atesta o Autor, ainda não registrados nos dicionários contemporâneos. Por sinal, considerando a efervescente e constante alteração do léxico mediante entrada de novos termos advindos de línguas estrangeiras ou decorrentes dos mecanismos de criação lexical, pode-se afirmar que as exigências de atualização dos dicionários surgem no próprio momento de sua publicação.

Semelhante desafio ganha maior relevo se levarmos em conta o conjunto de vocábulos da linguagem científica, que constituem hoje uma prova linguística do fenômeno da globalização que tanto caracteriza nossa época. Trata-se de neologismos que ainda nos verdores de sua criação rapidamente se inscrevem no léxico de várias línguas, com as naturais adaptações fonéticas e morfológicas que cada uma delas impõe. A velocidade com que tais termos ganham espaço no texto escrito contemporâneo não escapou à atenta preocupação de A.G. Cunha, uma das evidências decisivas que nos autoriza a afirmar que este é certamente o mais atualizado dos dicionários etimológicos em língua portuguesa.

Passados três anos da 1.ª edição, enriqueceu-se o *Dicionário Etimológico da Língua Portuguesa* com o *Suplemento*, majoritariamente constituído por derivados, compostos e cognatos de vocábulos já presentes na feição original. Alguns dados etimológicos também foram alterados, mercê da pesquisa mais avançada que o Autor vinha incessantemente implementando, sempre no intuito de oferecer ao público um manual confiável e atualizado. Nesta 4.ª edição, que a Lexikon Editora ora traz a lume, fica o *Suplemento* definitivamente incorporado ao corpo do dicionário, de tal sorte que se aperfeiçoa editorialmente o projeto idealizado por A.G. Cunha. Por sinal, uma das raras críticas que se faziam à estruturação dos verbetes, atinente à ausência de informação sobre o texto-fonte de cada vocábulo, recebeu especial acolhida do Autor, a despeito das severas dificuldades que os estudos filológicos *lato sensu* enfrentam para o estabelecimento de datações confiáveis.

Não desconhecem os que se aventuram pelas sendas da etimologia quão ingrata é a tarefa de estabelecer a exata datação de dado termo no léxico da língua portuguesa, dadas as parcas obras que se dedicaram à investigação desta matéria. A.G. Cunha pautou-se em textos consagrados da etimologia galego-portuguesa, tais como o *Dicionário Etimológico*, de José Pedro Machado, obra que recebeu severa e enriquecedora crítica do filólogo Ramón Lorenzo em suas *Anotações ao Dicionário Etimológico de José Pedro Machado*. Dentre as fontes de A.G. Cunha no âmbito mais amplo da Romanística, decerto terá figurado o monumental *Diccionario Crítico Etimológico de la Lengua Castellana*, de Joan Corominas. Em todos os verbetes, entretanto, as datações obtidas nessas obras foram objeto de detalhado estudo, criteriosamente ratificadas ou retificadas pela pesquisa própria do Autor e sua equipe de auxiliares. Semelhante preocupação encontrou eco na posterior elaboração do *Suplemento*, que ora se incorpora ao texto do dicionário, de que resultou a retrodatação de milhares de vocábulos, tarefa que, segundo Cunha, em sua usual modéstia, representa "um pequeno passo para o estabelecimento de uma cronologia mais precisa do vocabulário português".

Sabemos que Antônio Geraldo da Cunha acalentava o sonho de levar a cabo um projeto mais ambicioso, consubstanciado em um novo *Dicionário Etimológico e Histórico da Língua Portuguesa*, com verbetes mais amplos, não adstritos aos significados e étimos das palavras, visto que extensivos aos fatos socioculturais que motivaram alterações semânticas, polissemias e empregos metonímicos, dentre outros fatos interessantes da história da língua.

Infelizmente, não pôde o Autor ver realizado este sonho, uma empreitada que, esperamos, um dia será acolhida por mãos competentes e denodadas, com renovadas forças para fazer avançar o trabalho de pesquisa etimológica em língua portuguesa. Com esta nova edição do *Dicionário Etimológico da Língua Portuguesa*, rendemos uma homenagem a Antônio Geraldo da Cunha, como preito de gratidão à memória deste brasileiro que soube como poucos dignificar os estudos linguísticos e o labor lexicográfico.

Junho de 2010.
Prof. Dr. Ricardo Cavaliere
Membro da Academia Brasileira de Filologia
Professor de Língua Portuguesa na Universidade Federal Fluminense

NOTA DA EDITORA

Esta nova edição da já consagrada obra de Antônio Geraldo da Cunha, o grande pesquisador da língua portuguesa, consolida o texto abrangente e preciso do autor e o inova em quatro importantes aspectos:

a) uma nova fixação gráfica, digitalizada, aumenta a legibilidade e dá às informações o caráter de banco de dados, permitindo um maior dinamismo e eficiência em sua revisão e atualização;

b) cuidadosa revisão de texto dirime possíveis falhas e imprecisões;

c) todo o texto é convertido segundo as novas regras de ortografia implementadas pelo Acordo Ortográfico de 1990, em vigor no Brasil desde 2009;

d) as informações do 'Suplemento' da edição anterior são incorporadas e intercaladas na ordem alfabética ao corpo principal, unificando a pesquisa e facilitando a busca.

Com isso, a Lexikon Editora Digital dá continuidade e vigor renovado a essa obra de pesquisa fundamental para a compreensão da origem e evolução dos vocábulos da língua portuguesa.

Rio de Janeiro, 2010.

SUMÁRIO

INTRODUÇÃO XV

SUPLEMENTO XXIV

ABREVIATURAS XXVII

SINAIS CONVENCIONAIS E SÍMBOLOS FONÉTICOS XXX

O DICIONÁRIO 1

SIGLAS DOS TEXTOS-FONTES DAS DATAÇÕES 693

REFERÊNCIAS BIBLIOGRÁFICAS 705

INTRODUÇÃO

(Note-se que as informações do Suplemento mencionado nesta Introdução à edição anterior foram incorporadas, na presente edição, ao texto principal, em ordem alfabética, constituindo esse texto, assim, um corpo único.)

1. OBJETIVOS. No estado atual da nossa lexicografia talvez fosse um pouco prematura a publicação de um *Dicionário Etimológico*, tais e tantas são as dúvidas que ainda pairam em torno das origens e da história de boa parte do nosso vocabulário. Acreditamos, porém, que o nosso *Dicionário* deverá contribuir para o desenvolvimento da lexicografia da língua portuguesa — e vir a ser útil a todos quantos o compulsarem —, não apenas pela soma de informações atualizadas que nele inserimos, como também pelo cuidado que dispensamos ao estabelecimento de critérios metodológicos, rígidos e coerentes, para a estruturação dos verbetes e para a sua redação, que foi vazada numa linguagem tão simples, clara e objetiva quanto possível.

1.1. Dedicamos também especial atenção ao aspecto material do *Dicionário*, programando-o de maneira a torná-lo de fácil e cômodo manuseio, pois nosso propósito é que ele venha a ser consultado por estudiosos dos mais variados campos do conhecimento humano, a saber: a) professores e estudantes de quaisquer disciplinas e, mais particularmente, os da área de Letras; b) linguistas e filólogos especializados em outras línguas e que desejam inteirar-se, rápida e concisamente, da etimologia de uma ou outra palavra portuguesa; c) cientistas e pesquisadores que militam nos campos das chamadas ciências exatas (matemática, astronomia, física etc.), das biociências (biologia e ciências correlatas), das geociências (geologia, petrologia, mineralogia etc.), das ciências sociais, políticas e econômicas, da psicologia, da lógica etc.; d) profissionais que exercem suas atividades nos diversos ramos da medicina, da advocacia, da engenharia etc. e, bem assim, nos setores técnicos e tecnológicos das indústrias siderúrgicas, metalúrgicas, petrolíferas, têxteis, farmacêuticas etc.; e) enfim, e de um modo geral, todos os estudiosos do Brasil, de Portugal e de todas as regiões onde se fala, onde se escreve, onde se lê ou onde se estuda a língua portuguesa.

2. AMPLITUDE DO REGISTRO. Apesar de não pretendermos exaurir todo o portentoso manancial do léxico português, incluímos no *Dicionário*, a par dos milhares de vocábulos do nosso patrimônio latino — que se documentam desde as origens do idioma —, inúmeros outros de procedência arábica, introduzidos durante e após o longo período de dominação dos árabes na Península Ibérica; foram incluídas, também, muitas centenas de vocábulos oriundos dos idiomas indígenas da África, da Ásia e da América, introduzidos na língua portuguesa a partir da segunda metade do século XV, com o início das grandes navegações, e que, particularmente no século imediato, assumiram, realmente, uma posição de certa relevância para o enriquecimento do nosso vocabulário; mereceram igualmente registro os empréstimos do castelhano, do francês, do italiano e do inglês, e vários outros, oriundos, através destes idiomas, das línguas de alguns povos com os quais os portugueses não chegaram a manter estreitas relações, como o alemão, o neerlandês, o sueco, o russo, o polaco, o húngaro etc.; especial atenção dedicamos também à inclusão de milhares de vocábulos da linguagem científica internacional, quase todos cunhados com elementos greco-latinos e introduzidos nestes dois últimos séculos, graças ao extraordinário desenvolvimento das ciências e das técnicas; refira-se, por fim, que foram consignados ainda numerosos vocábulos de criação muito recente, alguns dos quais ainda não foram integralmente assimilados, não tendo sequer merecido registro nos dicionários contemporâneos.

2.1. Como referimos anteriormente, apesar de não pretendermos esgotar todo o riquíssimo acervo vocabular da língua portuguesa, procuramos, na medida do possível e levando em conta a necessidade de nos cingirmos a um volume de proporções médias, oferecer ao consulente o maior número de informações úteis e atualizadas. Neste sentido, o *Dicionário* poderá vir a constituir-se num manual de rápida e proveitosa consulta.

3. TIPOS DE VERBETES. Para levarmos a bom termo o nosso propósito de reunir toda a informação lexicográfica disponível, cingindo-nos a um único volume de proporções médias e atendendo, ainda, às exigências de realizá-lo em prazo muito curto, fomos compelidos a estruturar o *Dicionário* de forma bastante concisa. Para tanto procuramos aproveitar todos os recursos que uma rica tipologia poderia nos oferecer (tipos em redondo, em itálico, em negrito, em versal e em versalete — letras do alfabeto grego, letras providas de diacríticos para a transliteração dos alfabetos não latinos — barras simples, barras duplas, setas etc.), a fim de que a redação de cada verbete pudesse reduzir-se a um número mínimo de linhas, sem prejuízo da clareza e da precisão indispensáveis em qualquer trabalho científico. Estamos certos de que o consulente irá familiarizar-se rapidamente com os critérios de registro adotados, pois que, embora aparentemente complexos, esses critérios foram seguidos com a necessária coerência na redação de toda a obra.

3.1. Três são as características para a rápida e imediata identificação de qualquer verbete: a) todo verbete é registrado em negrito; b) o vocábulo que intitula o verbete recua um ponto para a esquerda da coluna; c) entre dois verbetes consecutivos há sempre um espaçamento maior entre as linhas do que o que se verifica no interior do verbete.

3.2. Com o propósito de facilitar ao consulente o manuseio do *Dicionário*, julgamos oportuno adotar, também, a ordenação alfabética, que é a normal e a mais comum em obras deste gênero. Convém notar, porém, que certos verbetes mereceram tratamentos diferenciados, em face das suas características peculiares e, principalmente, em razão das vantagens que adviriam da reunião em um só verbete dos derivados, compostos e cognatos do vocábulo que intitula o verbete, para a melhor compreensão das origens e da história de cada um desses vocábulos. Manuseando o *Dicionário*, o consulente observará que existem seis tipos de verbetes, cuja estruturação examinaremos, com alguma minúcia, nos parágrafos seguintes.

3.3. O primeiro tipo de verbete é aquele em que se estudam a etimologia e a evolução histórica de um único vocábulo: v. *cossaco*.

3.4. No segundo tipo de verbete, que é intitulado por um vocábulo — geralmente por um vocábulo primitivo — estudam-se a etimologia e a evolução histórica desse vocábulo e, bem assim, os seus derivados, compostos e cognatos: v. *declarar* (e *declaração, declarador, declarante, declarativo, declaratório*). Convém assinalar que cada derivado (e/ou composto) é separado do que o precede (e do que se lhe segue) por uma barra dupla ||, e que o registro desses derivados (e/ou compostos) é feito em rigorosa ordem alfabética.

3.5. No terceiro tipo de verbete, que é intitulado por um elemento de composição (ou por um prefixo, ou por um sufixo), estudam-se a etimologia e a difusão desse elemento de composição, bem como os processos de formação de derivados e compostos portugueses, exemplificando-se esses processos com dois ou três derivados e/ou compostos em que esse elemento participa: v. **anti-**.

3.6. No quarto tipo de verbete, que é também intitulado por um elemento de composição (ou por um prefixo), estudam-se a etimologia e a difusão desse elemento de composição, registrando-se, por ordem alfabética e precedidos por uma seta especial ▶, os principais compostos em que esse elemento participa: v. **-bio-**.

3.7. O quinto tipo é o verbete remissivo simples, isto é, aquele em que se remete um vocábulo para um outro (**dação** → DAR); o consulente, para obter informações lexicográficas sobre o vocábulo **dação**; deverá consultar o vocábulo *dar*, onde ele se encontra estudado.

3.8. O sexto e último tipo é o verbete remissivo múltiplo, isto é, aquele em que se remetem dois ou mais vocábulos para um outro (**dedilh·amento, -ar, -ável, dedo** → DÍGITO); o consulente, para obter informações lexicográficas sobre os vocábulos *dedilhamento, dedilhar, dedilhável* e *dedo*, deverá consultar o vocábulo **dígito**, onde eles se encontram estudados.

4. NOMENCLATURA DOS VERBETES. Nos verbetes remissivos múltiplos adotamos o critério de indicar o primeiro dos vocábulos da série por extenso, separando o radical da desinência (ou do sufixo) por um ponto alto, a fim de que os demais vocábulos da série pudessem ser indicados apenas pela desinência (ou o sufixo), evitando assim uma repetição enfadonha do radical em todos os vocábulos da série e economizando, substancialmente, o espaço físico do *Dicionário*:

discurs·ar, -ivo, -o → DISCORRER.

Em remissões do tipo

dis·junt·ivo, -o → JUNTO,

além de separarmos por um ponto alto o radical do sufixo (ou da desinência), separamos também o radical do prefixo por um outro ponto alto, com o objetivo de ressaltar a presença do radical; cumpre observar que o segundo e os demais vocábulos da série são indicados apenas pelo sufixo (ou pela desinência), que deverá acoplar-se ao primeiro vocábulo da série, depois do último ponto alto referido.

Em caráter excepcional, quando era muito grande o número de vocábulos a serem remetidos, preferimos indicar apenas os três primeiros vocábulos da série e os três últimos, separando o primeiro grupo do segundo por reticências, assim:

quaderna, quadr·a, -ado ... -igúmeo, -ijugado, -íjugo → QUATRO.

No exemplo citado, o número de vocábulos eliminados pelas reticências eleva-se a 43 (quarenta e três), todos eles em rigorosa ordem alfabética, o que facilita a sua localização no verbete **quatro**.

4.1. *Constituição do verbete*. Com exceção dos verbetes remissivos, todos os demais apresentam, em linhas gerais, a seguinte constituição: a) o verbete abre com o registro do vocábulo (ou do elemento de composição, ou do prefixo, ou do sufixo), sempre assinalado em tipo negrito e recuado um ponto para a esquerda da coluna; b) segue-se a indicação de sua classe gramatical (ou a indicação de que se trata de um elemento de composição, um prefixo ou um sufixo); c) o terceiro elemento de caracterização é a definição do vocábulo, muitas vezes reduzida a uma simples identificação semântica; d) registra-se, a seguir, a data provável da primeira ocorrência do vocábulo na língua portuguesa e, com alguma frequência, as datas prováveis da primeira ocorrência de cada uma das suas diferentes variantes; e) segue-se a determinação do étimo imediato (e, com bastante frequência, também dos étimos remotos) do vocábulo português; f) nos verbetes em que se estudam, além do vocábulo que intitula o verbete, os seus derivados, compostos e cognatos, e, bem assim, naqueles em que se estudam, além do elemento de composição (ou do prefixo) que intitula o verbete, todos os seus compostos, omitiram-se ou reduziram-se ao mínimo as informações relativas à classe gramatical, à definição e à etimologia dos derivados e compostos, pois tais informações seriam muitas vezes redundantes, visto que a simples inclusão desses derivados e compostos no respectivo verbete já é um elemento de caracterização suficientemente claro.

4.2. *Título do verbete.* Adotamos no registro do vocábulo que intitula o verbete a ortografia oficial em vigor no Brasil. Em alguns poucos casos preferimos consignar no título do verbete duas formas variantes (**dáctilo, dátilo**), pois que ambas são de emprego comum.

4.3. *Classificação gramatical.* A classe gramatical do vocábulo em epígrafe é indicada de forma abreviada e as abreviaturas são as que vêm sendo comumente adotadas nos dicionários modernos.

4.4. *Definição.* Segue-se à indicação da classe gramatical a definição do vocábulo, quase sempre de forma sumária; muitas vezes, como já mencionamos anteriormente, preferimos reduzir a definição a uma simples identificação semântica. Com alguma frequência indicamos também o campo de interesse do vocábulo, particularmente quando seu uso fica adstrito a determinadas linguagens especializadas, como as da matemática (Mat.), da química (Quím.), da psicologia (Psic.) etc.

4.4.1 Convém assinalar, também, que as definições que inserimos no *Dicionário* têm como objetivo primordial auxiliar o consulente na identificação do vocábulo, dispensando-o, inclusive, da consulta a um dicionário de uso corrente.

4.5. *Datação.* Para *todos* os vocábulos estudados foi indicada a data provável da sua primeira ocorrência na língua portuguesa. Sob esse aspecto fomos extremamente rigorosos, pois não omitimos sequer uma data.

4.5.1 O fato, porém de havermos atribuído uma data de primeira ocorrência para determinado vocábulo não significa, de modo algum, que essa data não possa ser recuada. A lexicografia histórica portuguesa ainda se encontra numa fase de lamentável atraso. Comparados, então, com os das outras línguas de cultura, como o inglês e o alemão, o francês e o italiano — para só citar as mais conhecidas —, os nossos recursos para a datação dos milhares de vocábulos portugueses de diversa origem são, na realidade, muito parcos. Haja vista que ainda não dispomos de um dicionário do português medieval (nem mesmo de um simples índice do vocabulário desse período), que não conhecemos, com a devida amplitude, o material vocabular dos textos dos séculos posteriores e, mais lamentável ainda, que não dispomos sequer do dicionário dos grandes clássicos dos séculos XVI e XVII.

4.5.2 Apesar da carência de fontes de consulta que nos permitissem assinalar com maior precisão as datas da primeira ocorrência dos milhares de vocábulos aqui estudados, envidamos todos os esforços para ampliar, com nossas próprias pesquisas, os dados fornecidos pelas poucas obras lexicográficas portuguesas disponíveis. Em primeiro lugar, dada a sua abrangência, merece especial destaque o *Dicionário Etimológico da Língua Portuguesa* do filólogo português José Pedro Machado. Obra pioneira na datação do nosso vocabulário, esse dicionário, apesar das críticas que se poderiam fazer ao fato de que para milhares de vocábulos foi fácil, e ainda o é, recuar muitas datas aí assinaladas, constitui, sem dúvida, um *corpus* razoavelmente amplo para o estabelecimento da cronologia do vocabulário português.

4.5.3 Para a datação do vocabulário medieval foi-nos de grande utilidade o precioso trabalho do filólogo galego Ramón Lorenzo *Sobre cronologia do vocabulário Galego-Português* (*Anotações ao "Dicionário Etimológico" de José Pedro Machado*), onde são consignadas para mais de 8.000 referências a datas mais antigas do que as que haviam sido assinaladas pelo filólogo português na primeira edição do seu *Dicionário Etimológico*. Valiosa, também, foi a grande soma de informações que o filólogo galego inseriu no monumental glossário de sua obra *La Traducción gallega de la Crónica General y de la Crónica de Castilla*. Servimo-nos, ainda, do material do *Vocabulário histórico-cronológico do português medieval*[1], editado pela Fundação Casa de Rui Barbosa — órgão do Ministério da Educação e Cultura.

4.5.4 No tocante ao vocabulário do século XVI, pudemos aproveitar parte do material já por nós pesquisado, quando dirigimos, no Instituto Nacional do Livro, uma equipe de trabalho com o propósito de elaborar o *Dicionário da Língua Portuguesa do século XVI*, baseado em princípios históricos. Infelizmente, por motivos independentes de nossa vontade, esse projeto não pôde ser levado a bom termo, mas os índices integrais dos vocabulários de 140 obras quinhentistas que já havíamos preparado prestaram-nos valioso auxílio.

4.5.5 Para o vocabulário dos séculos XVII a XX não dispomos de nenhum levantamento vocabular exaustivo, razão por que fomos forçados a nos basear nas indicações do *Dicionário Etimológico* de José Pedro Machado, nas referências esparsas do dicionário de Morais (particularmente as das 5ª e 6ª edições), nas citações do dicionário de Domingos Vieira e, bem assim, nas nossas próprias pesquisas. No que diz respeito aos vocábulos que teriam sido introduzidos no século XIX, adotamos o critério de consultar uma coleção de dicionários editados nesse século, com o objetivo de indicar, pelo menos de maneira aproximada, as datas em que muitos milhares de vocábulos teriam sido pela primeira vez dicionarizados. O consulente deparará com frequência com as indicações de que tal ou qual vocábulo já ocorre em 1813, ou em 1844, ou em 1858, ou em 1871 (e 1873, 1874), ou em 1881, ou em 1899 — datas essas que correspondem aos seguintes dicionários:

1813 – MORAIS – *Dicionário* 2ª ed.
1844 – MORAIS – *Dicionário* 5ª ed.
1858 – MORAIS – *Dicionário* 6ª ed.
1871-1874 – D. VIEIRA – *Dicionário* 1ª ed.
1881 – C. AULETE – *Dicionário* 1ª ed.
1899 – C. FIGUEIREDO – *Dicionário* 1ª ed.

Quando não conseguimos encontrar um texto de data anterior ao século XIX para documentar determinado vocábulo — quer porque nossas fontes fossem insuficientes, quer porque o vocábulo é realmente de introdução muito recente na língua portuguesa —, e quando não o encontramos dicionarizado em nenhum dos dicionários do séc. XIX acima referidos, contentamo-nos em atribuir ao século XX a data de sua provável introdução no nosso idioma.

4.5.6 Para os vocábulos portugueses de procedência asiática consultamos ainda o monumental *Glossário luso-asiático*, de Monsenhor Sebastião Rodolfo Dalgado, sem dúvida uma das obras mais completas e bem elaboradas da lexicografia histórica portuguesa; para os vocá-

---

[1] Publicado em CD-ROM pela Fundação Casa de Rui Barbosa em 2006. Projeto de Antônio Geraldo da Cunha.

bulos portugueses de origem tupi servimo-nos das datações do nosso *Dicionário histórico das palavras portuguesas de origem tupi*, para cuja elaboração perlustramos algumas centenas de textos da língua portuguesa, desde o século XVI até nossos dias; e para os vocábulos portugueses de remota procedência eslávica utilizamos o material que reunimos para a elaboração do nosso trabalho *Influências eslávicas na língua portuguesa*, do qual chegaram a ser publicados quatro fascículos.

4.5.7 Nosso propósito foi colocar à disposição dos estudiosos, de maneira ampla, mas obviamente sem a necessária precisão, uma data provisória para a introdução de cada um dos milhares de vocábulos estudados. Em edições posteriores pretendemos rever todas essas datas e enriquecer o *Dicionário* com informações mais precisas, não apenas as que porventura nos forneçam os consulentes, mas também as que possamos averiguar em futuras pesquisas. De qualquer maneira oferecemos desde já uma informação razoavelmente ampla para a história do nosso vocabulário, certos de que estamos contribuindo, embora modestamente, para o progresso da lexicografia histórica portuguesa.

4.5.8 Cumpre referir, ainda, que, sempre que nossas pesquisas o permitiram, indicamos, além da data de primeira ocorrência de determinado vocábulo, as datas de primeira ocorrência de cada uma das suas variantes morfológicas e/ou meramente gráficas. Adotamos no *Dicionário* o critério de inserir entre duas barras simples a forma variante com que o vocábulo ocorre pela primeira vez no idioma, quando essa forma difere da do título do verbete; assim, na primeira ocorrência do verbo *diferir*, o vocábulo ocorre grafado *diffirir*, pelo que se adotou a seguinte indicação: | *diffirir* 1572 |. Quando o vocábulo ocorre com duas ou mais formas variantes e que uma delas corresponde à do título do verbete, consignamos primeiro essa forma e, a seguir, as demais, assim: | XIV, *dexar* XIII, *deyxar* XIII |; desse tipo de registro infere-se que o verbo *deixar* ocorre, assim mesmo grafado, no século XIV, e, com as grafias variantes *dexar* e *deyxar*, já no século XIII.

4.5.9 Quando o vocábulo ocorre documentado no idioma com um número muito grande de variantes, preferimos indicar apenas as três ou quatro mais antigas: | 1656, *-sa-* 1656, *-za- a* 1693 etc. |; trata-se, neste exemplo, do vocábulo *cossaco*, para o qual reunimos em nossos fichários nada menos do que doze variantes distintas. O consulente notará, ainda, folheando o *Dicionário*, que, tal como para o vocábulo *cossaco*, adotamos para muitos outros o critério de assinalar as variantes de forma abreviada, ressaltando apenas as características que as distinguem das demais; assim, a variante *cosaco*, com *s* simples, foi indicada por *-sa-*, e *cozaco*, com *z*, por *-za-*.

4.5.10 Uma ou outra vez, após detido e meticuloso exame do conjunto de todas as variantes de um dado vocábulo, verificamos que havia razões de ordem científica e, principalmente, de natureza metodológica, que nos aconselhavam a divisão desse conjunto em dois ou mais subconjuntos. Quando isso ocorreu, incluímos em cada um dos subconjuntos (designados com as letras do alfabeto grego: $\alpha, \beta, \gamma, \delta$ etc.) aquelas variantes que apresentam características comuns, características essas que as aproximam umas das outras e que, consequentemente, também as distinguem das variantes incluídas nos demais subconjuntos. As variantes da palavra *caleça*, por exemplo, foram agrupadas em três subconjuntos: α. *caleço* 1677, *-llessa* 1717 etc; β. *caleja* 1677, *-lleja* 1677 etc.; γ. *calexe* 1712, *-leche* 1717 etc. As variantes α indicam interferência do it. *calèsse, calèsso*; as variantes β foram influenciadas pelo a. fr. *calège*, e as variantes γ, pelo fr. *calèche*.

4.5.11 Refira-se, ainda, que, sempre que dispusemos dos elementos indispensáveis para a determinação das datas de primeira ocorrência de cada uma das diferentes acepções com que um vocábulo se documenta na língua portuguesa, adotamos o critério de assinalar cada uma dessas datas logo a seguir à sua respectiva acepção:

diligência *sf.* 'zelo, cuidado, atividade, providência, pesquisa, investigação' XIV; 'carruagem para transportar passageiros' XVIII.

O consulente observará que neste verbete *diligência*, logo após a indicação da data relativa à primeira acepção, adotou-se o ponto e vírgula para introduzir a segunda acepção. O ponto e vírgula é aqui usado para separar acepções distintas, desde que para cada uma delas tenha sido possível indicar a data de sua primeira ocorrência.

4.5.12 Pareceu-nos dispensável indicar, ao lado das datas de primeira ocorrência dos vocábulos, os nomes dos autores e/ou dos títulos das obras a que elas se referem, pois essa especificação iria provocar um aumento substancial do número de páginas do *Dicionário* e retardar bastante a sua publicação.

4.5.13 O consulente atento notará, por outro lado, que para alguns vocábulos — como *bonde, capoeira, gravata, igreja, janízaro* etc. —, oferecem-se informações de natureza histórico-etimológica mais amplas do que as que habitualmente constam dos demais vocábulos estudados. Isto decorre do fato de que essas palavras possuem uma história interessante e que, em nossas pesquisas, pudemos detectá-la com certa precisão, graças à existência de maiores e melhores fontes de consulta.

4.6. *Etimologia.* Considerando que o nosso *Dicionário* visa a atender também a um público não especializado, julgamos conveniente indicar de maneira bem sucinta a etimologia de cada um dos vocábulos estudados. Como referimos anteriormente, no estado atual da nossa lexicografia ainda subsistem muitas dúvidas em torno das origens de milhares de vocábulos, razão por que com muita frequência o consulente deparará com expressões como estas: origem desconhecida, etimologia incerta, étimo controverso etc. Dadas as proporções do *Dicionário* e levando em conta o público a que ele também se destina, julgamos que seria inoportuno tecer longas e minuciosas digressões sobre as diferentes hipóteses que têm sido aventadas pelos pesquisadores que nos precederam.

4.6.1 Nossa preocupação maior foi a de assinalar o étimo imediato do vocábulo português. Quando dispusemos de informações mais completas, mencionamos também os étimos remotos e procuramos determinar as condições de natureza histórica que propiciaram a adoção do vocábulo em português e, bem assim, estabelecer as suas principais vias de penetração.

4.6.2 Utilizamos, em princípio, como fontes básicas para a determinação das etimologias dos vocábulos portugueses, os dicionários e tratados etimológicos da língua portuguesa e os das demais línguas românicas (particularmente os do castelhano, do francês e do italiano), bem como os do latim e do grego.

4.6.3 Subsidiariamente consultamos, também, os dicionários ingleses, em razão não apenas da intensa penetração nesse idioma de vocábulos de origem greco-latina, mas principalmente pelo extraordinário avanço da lexicografia inglesa, sem dúvida uma das mais adiantadas do mundo. Consultamos, ainda, especialmente para aqueles vocábulos que se internacionalizaram, os dicionários etimológicos do alemão, do neerlandês, do sueco, do russo, do polaco, do búlgaro, do húngaro etc.

4.6.4 Com relação aos vocábulos portugueses oriundos dos idiomas da Ásia consultamos, também, além de outros, o monumental *Glossário luso-asiático*, de Monsenhor Sebastião Rodolfo Dalgado, ao qual já nos referimos antes, e o *Hobson-Jobson*, de Yule-Burnell. Para os vocábulos de origem tupi cingimo-nos às indicações etimológicas do nosso já citado *Dicionário histórico das palavras portuguesas de origem tupi*, onde o assunto foi estudado em data bem recente.

4.6.5 De par com os dicionários etimológicos das diversas línguas mencionadas, consultamos também inúmeros tratados especializados. Na Bibliografia indicam-se todas essas fontes de consulta; esclarecemos desde já que algumas delas foram utilizadas extensamente, enquanto que outras só o foram para a solução de alguns poucos problemas etimológicos.

4.6.6 Embora de proporções limitadas, consideramos conveniente adotar no *Dicionário*, para a transliteração de vocábulos de idiomas que não se utilizam do alfabeto latino (como o grego, o árabe, o russo etc.), sistemas de transliteração bastante rigorosos; sob este aspecto o *Dicionário* oferece ao consulente uma soma considerável de informações, particularmente àqueles que desejam aprofundar os seus conhecimentos, facilitando-lhes inclusive a consulta aos grandes dicionários estrangeiros.

4.7. *Derivados, compostos e cognatos.* Para melhor elucidar o consulente no tocante às íntimas correlações etimológicas entre vocábulos de mesma origem remota e, mais particularmente, com o objetivo de economizar o espaço físico do *Dicionário*, propiciando assim um melhor aproveitamento da matéria e a consequente inclusão de um maior número de vocábulos, reuniram-se num único verbete, como já mencionamos anteriormente, os principais derivados, compostos e cognatos do vocábulo em epígrafe. Um sistema rigoroso de remissões facilita a localização imediata de todo e qualquer vocábulo estudado no *Dicionário*.

4.7.1 Tal critério obrigou-nos a adotar uma tipologia especial, a fim de que o consulente pudesse apreender e assimilar com rapidez informações de certa relevância, quase sempre expressas numa linguagem extremamente concisa. Assim, por exemplo, quando incluímos no verbete **delicado** o vocábulo INdelicadEZA, registramos o IN- e o -EZA em versalete e o **-delicad-** em negrito. O registro em versalete indica que o consulente encontrará no *Dicionário*, na sua respectiva ordem alfabética, um estudo sobre o prefixo **in-** e outro sobre o sufixo **-eza**. Em vocábulos do tipo DES·ENdividAR (consignado no verbete **dever**) e dinamIZ·AÇÃO (consignado no verbete **-dinam(o)-**) indicamos, no primeiro caso, o radical **-divid-** em negrito e a desinência verbal -AR e os prefixos DES- e EN- em versalete; mas, a fim de caracterizar os dois prefixos DES- e EN-, separamo-los por um ponto alto; no segundo caso, indicamos em negrito o radical **dinam-** e em versalete o elemento sufixal -IZ- (do sufixo verbal -IZAR) e o sufixo -AÇÃO, separando também por um ponto alto o elemento sufixal -IZ- do sufixo -AÇÃO.

4.7.2 O consulente observará, quando manusear o *Dicionário* mais detidamente, que os elementos de composição, os prefixos e os sufixos mereceram um tratamento especial, tal a importância que eles assumem nesta obra, em face da metodologia adotada. Exemplos de tratamentos mais ou menos amplos e algo minuciosos oferecem, entre outros, os prefixos **a-** e **des-**, os sufixos **-ado** e **-eiro**, e os elementos de composição **-antrop(o)-** e **hip(o)-**.

4.7.3 De par com o sistema rigoroso de remissões a que já nos referimos, julgamos oportuno, também, mandar comparar entre si numerosos verbetes que apresentam algumas correlações de natureza etimológica e/ou de interesse histórico. Tais processos de inter-referências induzem o estudioso a confrontos úteis e proveitosos para um melhor conhecimento e um mais completo domínio da estrutura do vocábulo português.

5. CONCLUSÃO. Examinadas em linhas gerais as principais características do *Dicionário Etimológico da Língua Portuguesa*, o projeto mereceu, após detido exame, total aprovação da editora. Por isso queremos agradecer a confiança em nós depositada pelos seus Diretores e, bem assim, o integral apoio que nos proporcionaram durante todo o período de sua elaboração.

5.1. Especial agradecimento merecem, também, os assistentes Cláudio de Mello Sobrinho, Diva de O. Salles, Gilda da Costa Pinto, Júlio C. Guimarães e Suelí G. Gomes, que colocaram nas árduas tarefas que lhes foram cometidas, não apenas o melhor de sua inteligência, mas também todo o esforço e toda a dedicação que uma obra de tal complexidade exige, particularmente quando o prazo para sua execução é muito curto. Só quem já enfrentou tarefa semelhante poderá avaliar a soma de pesquisas e as muitas horas nelas despendidas para a determinação do étimo de um vocábulo, ou para a indicação da data de sua primeira ocorrência. Para redigir um verbete de umas poucas linhas manusearam-se, por vezes, dezenas de fontes de consulta, consumindo-se na sua redação preciosos minutos e, às vezes, até algumas horas. Não bastaram dedicação e esforço, foi necessário um pouco mais — foram necessárias uma grande abnegação e uma fina sensibilidade para solucionar os diferentes problemas que se apresentaram no curso de sua elaboração.

5.2. Estendemos os nossos agradecimentos também aos técnicos, digitadores, paginadores e revisores, que não mediram esforços para comporem, de forma realmente elegante, um texto extremamente difícil, onde os tipos alternam numa mesma linha com uma frequência quase irritante — ora redondo, ora itálico, ora negrito, ora versal, ora versalete — a par das letras do alfabeto grego, das letras com diacríticos e dos sinais especiais.

5.3. Oferecendo aos estudiosos o nosso *Dicionário* queremos deixar bem claro que, apesar de todo o cuidado que a ele dispensamos, estamos certos de que ainda necessita de muitas emendas, que se farão em próximas edições, caso ele venha a merecer a atenção e o interesse dos que o compulsarem.

Deo gratias.
Rio de Janeiro, 15 de abril de 1981

ANTÔNIO GERALDO DA CUNHA

SUPLEMENTO

(O texto abaixo analisa detidamente o conteúdo do Suplemento, introduzido na segunda edição, e mantido na terceira. Nesta quarta edição, todas as informações desse Suplemento foram inseridas, em ordem alfabética, no corpo principal, e foram marcadas com uma seta, para identificar sua origem.)

1. Lançado nos últimos dias do mês de julho de 1982, com uma tiragem de dez mil exemplares, o *Dicionário Etimológico* já se encontrava esgotado dois meses depois, surpreendendo ao Autor, aos seus Assistentes e à Editora, que providenciou imediatamente a sua reimpressão, também com uma tiragem de dez mil exemplares, a qual foi entregue às livrarias em fins de novembro do mesmo ano. Hoje, decorridos menos de três anos dessa última impressão, lançamos esta segunda edição, corrigida e ampliada.

1.1. A nosso ver, o sucesso editorial do *Dicionário* deve ser atribuído às características de sua apresentação gráfica, aos critérios metodológicos adotados na sua estruturação e, mais particularmente, à carência de obras similares no nosso mercado livreiro.

1.2. Concebido como obra de consulta para o *grande público*, o *Dicionário* despertou o interesse também dos especialistas, alguns dos quais, como os professores Adriano da Gama Kury, Evanildo Bechara, Isaac Nicolau Salum, José Alves Fernandes e Rosário Farani Mansur Guérios, ofereceram ao Autor preciosos subsídios com suas críticas objetivas e sempre pertinentes. Infelizmente, nem sempre pudemos adotar as suas sugestões, não porque não as considerássemos relevantes, mas sim porque este *Suplemento* já estava estruturado e em fase final de redação.

1.3. Não nutríamos ilusões quanto à precariedade do nosso empreendimento, pois, ao oferecermos ao público estudioso o nosso *Dicionário*, informávamos, em 1981, que "apesar de todo o cuidado que a ele dispensamos, estamos certos de que ainda necessita de muitas emendas, que se farão em próximas edições, caso ele venha a merecer a atenção e o interesse dos que o compulsarem".

2. A razão de ser deste *Suplemento* decorre, portanto, da necessidade imperiosa de aprimorar a obra. No corpo do *Dicionário* foram corrigidos os erros tipográficos da primeira edição (nas suas duas tiragens), reservando-se para este *Suplemento* todos os aditamentos.

2.1. Este *Suplemento* abrange: a) novos vocábulos, recolhidos posteriormente e que, por motivos vários, deixaram de ser incluídos na primeira edição; b) datas mais antigas para a introdução no vocabulário português de muitos milhares de vocábulos; c) correções etimológicas, sematológicas etc.

2.2. Dos inúmeros vocábulos aqui pela primeira vez registrados, a maioria se refere a derivados, compostos e cognatos do vocábulo que intitula o verbete, o qual já constava da primeira edição: *aborrecedoiro* e *aborrecedor* (no verbete *aborrecer*), *acapelado* (no verbete *capelo*) etc. Outros, em muito menor número, passam a constituir novo verbete: *antíctone, camões, hornaveque* etc. Outros verbetes, por fim, foram totalmente refundidos: *cataclismo, dataria* etc.

2.3. Das etimologias propostas na primeira edição, algumas foram aqui corrigidas: *ameixa, comodoro* etc. Não nos foi possível ampliar, como gostaríamos, as informações de natureza histórico-etimológica de milhares de vocábulos, pois isso implicaria também uma quase total refundição do *Dicionário*.

2.4. Com efeito, de acordo com a metodologia adotada, agrupamos num mesmo verbete os derivados, compostos e cognatos do vocábulo que intitula o verbete, sem desenvolver considerações histórico-etimológicas suficientemente amplas para a sua total compreensão por parte do consulente não especializado. Partimos do pressuposto de que a inclusão desses derivados, compostos e cognatos num dado verbete já seria um elemento de caracterização suficientemente claro. Nem sempre foi assim, contudo, pois algumas vezes a correlação etimológica entre os vocábulos consignados num mesmo verbete ou não é tão facilmente inferida, ou não é tão evidente.

2.5. A parte mais extensa deste *Suplemento* refere-se à retrodatação. A lexicografia histórica portuguesa ainda se encontra numa fase de lamentável atraso" — dizíamos na Introdução ao *Dicionário* e, mais adiante, acrescentávamos "Em edições posteriores pretendemos rever todas essas datas e enriquecer o *Dicionário* com informações mais precisas, não apenas as que porventura nos forneçam os consulentes, mas também as que possamos averiguar em futuras pesquisas".

2.6. As retrodatações que indicamos aqui para milhares de vocábulos, algumas das quais nos foram fornecidas pelo professor José Alves Fernandes, no seu artigo-resenha intitulado *Cronologia Vocabular da Língua Portuguesa* (in "Revista de Letras" da Universidade Federal do Ceará, v. 6, jan.-dez. 1983, p. 9-20), constituem um pequeno passo para o estabelecimento de uma cronologia mais precisa do vocabulário português. É claro que essas datas também estão sujeitas a revisão em futuras pesquisas.

2.7. A respeito da contribuição de José Alves Fernandes, e a exemplo do que vem fazendo na França Bernard Quemada, para a retrodatação dos vocábulos franceses, seria bastante oportuno que um grupo de estudiosos desse início à publicação de artigos visando à retrodatação dos vocábulos portugueses. Para a consecução desse objetivo seria necessário que esse grupo perlustrasse boa parte dos milhares de textos de língua portuguesa, literários ou não literários, detectando a ocorrência de vocábulos cujas datas fossem anteriores às que foram assinaladas nas obras de referência disponíveis, como as de Dalgado, José Pedro Machado, Ramón Lorenzo etc.

2.8. Adotamos neste *Suplemento* a indicação da sigla do texto-fonte que documenta o vocábulo (acompanhada da sua localização precisa na obra em causa), logo a seguir à data do texto. A propósito, cumpre referir que, apesar de havermos tentado justificar a ausência dessas referências aos textos na primeira edição do *Dicionário* (v. Introdução 4.5.12), não conseguimos convencer a todos os consulentes; alguns até mesmo argumentaram que melhor teria sido sacrificar outras partes da obra em benefício desse elemento de informação. Incluindo nos verbetes do *Suplemento* as referências aos textos-fontes das respectivas datações, pretendemos suprir essa lacuna do *Dicionário*, embora parcialmente.

2.9. Inserimos na relação das siglas apenas as dos textos que documentam os vocábulos estudados no *Suplemento*; assim, centenas de outros textos que foram utilizados na datação dos vocábulos no corpo do *Dicionário* deixam de constar da relação.

3. Apraz-nos deixar aqui consignados os nossos mais sinceros agradecimentos aos nossos assistentes Cláudio Mello Sobrinho, Diva de Oliveira Salles, Sueli Guimarães Gomes, Rosana Figueiredo Cavalcanti e Ronaldo Menegaz; estes dois últimos substituíram os antigos assistentes Gilda da Costa Pinto e Júlio César Castañon Guimarães, que participaram da primeira edição do *Dicionário*.

3.1. Especiais agradecimentos merecem também um sem-número de consulentes que nos transmitiram, por carta, por telefone e até mesmo pessoalmente, algumas palavras de carinho e de incentivo, mas que aqui não citamos nominalmente, não apenas porque a relação seria longa, mas principalmente porque não queremos correr o risco de vir a cometer a injustiça de omitir algum nome. A todos eles e a cada um em particular, toda a nossa gratidão.

4. Ao concluir esta nota introdutória, queremos referir ainda que, apesar das melhorias introduzidas nesta segunda edição, muito ainda há que corrigir e aditar.

Deo gratias,
Rio de Janeiro, 19 de outubro de 1985

ANTÔNIO GERALDO DA CUNHA

ABREVIATURAS

a. [como em a. fr.] = antigo [francês]
a [como em *a* 1584] = antes de
a. a. al. = antigo alto alemão
abrev. = abreviad·o, -a, abreviatura
a.C. = antes de Cristo
acad. = acadiano
acep. = acepç·ão, -ões
acus. = acusativo
adapt. = adaptação
adj. = adjetivo
adj. 2g. = adjetivo de dois gêneros
adj. 2g. 2n. = adjetivo de dois gêneros e dois números
adv.= advérb·io, -ial
Aeron. = (termo de) Aeronáutica
a. esl. ecles. = antigo eslavo eclesiástico
afric. = africano
al. = alemão
Alfaiat. = (termo de) Alfaiataria
alt. al. = alto alemão
alt., alter. = alteração
amer., americ. = americano
Anat. = (termo de) Anatomia
ant. = antig. o(s), -a(s)
ant. alt. al. = antigo alto alemão
antr., antrop. = antropônimo
Antropol. = (termo de) Antropologia
ár. = árabe
aram. = aramaico
arc. = arcaic·o(s), -a(s)
Arquit. = (termo de) Arquitetura
art. = artigo
Artilh. = (termo de) Artilharia
Astr. = (termo de) Astronomia
Autom. = (termo de) Automobilismo
b. [como em b. al.] = baixo [alemão]
Bíbl. = (termo) Bíblico
Bibliog. = (termo de) Bibliografia
Biol. = (termo de) Biologia

Bioq. = (termo de) Bioquímica
biz. = bizantino
Bot. = (termo de) Botânica
bras. = brasileirismo
búlg. = búlgaro
c [como em *c* 1636] = cerca de
cast. = castelhano
cat. = catalão
célt. = celta, céltico
cf. = confira
cheq. = cheque
chin. = chinês
cient. = científico
Cir. = (termo de) Cirurgia
cláss. = clássico
Com. = (termo de) Comércio
comp. = composição
conc. = concani
conj. = conjunção
Const. = (termo de) Construção
Constr. Nav. = (termo de) Construção Naval
contr. = contração
cp. = compare
Cul. = (termo de) Culinária
deprec. = depreciativo
der., deriv. = derivado(s)
desus. = desusado
dev., deverb. = deverbal
dial. = dialetal
Didát. = (termo de) Didática
dim., dimin. = diminutivo(s)
dinam. = dinamarquês
Dir. = (termo de) Direito
dór. = dórico
ecles. = eclesiástico
Econ. = (termo de) Economia
elem. = elemento(s)
elem. comp. = elemento(s) de composição
Eletr. = (termo de) Eletricidade

Embr. = (termo de) Embriologia
Encad. = (termo de) Encadernação
Escult. = (termo de) Escultura
esl. = eslavo
esp.-americ. = espanhol-americano
esp.-plat. = espanhol-platino
Estat. = (termo de) Estatística
Ét. = (termo de) Ética
etnôn. = etnônimo
EUA = Estados Unidos da América
expr., express. = expressão, expressivo
ext. = (acepção) extensiva
f., fem. = feminino
fam. = família(s)
Farm. = (termo de) Farmacologia
fig. = (acepção) figurada
Fil., Filos. = (termo de) Filosofia
Fís. = (termo de) Física
Fís. Nucl. = (termo de) Física Nuclear
Fisiol. = (termo de) Fisiologia
flam. = flamengo
Fonét. = (termo de) Fonética
Fotogr. = (termo de) Fotografia
Fotograv. = (termo de) Fotogravura
fr. = francês
fut. = futuro
Fut. = (termo de) Futebol
g. = gênero(s)
gen. = genitivo
Geogr. = (termo de) Geografia
Geol. = (termo de) Geologia
Geom. = (termo de) Geometria
germ. = germânico
gír. = gíria
gót. = gótico
gr. = grego
Gram. = (termo de) Gramática
hebr. = hebraico
Her., Heráld. = (termo de) Heráldica
hier. = hierônimo
hind., hindust. = hindustani
hisp. = hispânico
hisp.-amer., -americ. = hispano-americano
hisp.-ár. = hispano-árabe
Hist. = (termo de) História

Hist. Fil. = (termo de) História da Filosofia
Hist. Nat. = (termo de) História Natural
húng. = húngaro
id. = idem
Imp. (termo de) Imprensa
imp., imper. = imperativo
indic. = indicativo
infl. = influência
ing. = inglês
interj. = interjeição
intern. = internacional
irl. = irlandês
it. = italiano
jap. = japonês
Jur. = (termo de) Jurisprudência
lat. = latim
ling. = linguagem
Ling. = (termo de) Linguística
Lit. = (termo de) Literatura
Liturg. = (termo de) Liturgia
litúrg. = litúrgico
loc(s). = locuç·ão, -ões
Lóg. = (termo de) Lógica
longob. = longobardo
lus., lusit. = lusitano
m. [como em m. neerl.] = médio [neerlandês]
m. = masculino
magr. = magrebino
mal. = malaio
Mar. = (termo de) Marinha
Marinh. = (termo de) Marinharia
Mat. = (termo de) Matemática
Mec. = (termo de) Mecânica
med. = medieval
méd. [como em méd. ing.] = médio [inglês]
Med. = (termo de) Medicina
Met. = (termo de) Metrologia
Meteor. = (termo de) Meteorologia
Mil. = (termo) Militar
Min. = (termo de) Mineralogia
mit. = mitônimo
Mit., Mitol. = (termo de) Mitologia
mod. = moderno, modernamente
Mús. = (termo de) Música
n. = neutro

Náut. = (termo de) Náutica
neerl. = neerlandês
nom., nomin. = nomin·al, -ativo
nor. = norueguês
nórd. = nórdico
ocid. = ocidental
Odont. = (termo de) Odontologia
Ópt. = (termo de) Óptica
orig. = (acepção) original
Paleogr. = (termo de) Paleografia
p. adj. = particípio do adjetivo
part. = particípio
pass. = pass·ado, -iva
Pat., Patol. = (termo de) Patologia
perf. = perfeito
pers. = pers·a, -ico
pess. = pessoa
Pet. = (termo de) Petrologia
Petr. = (termo de) Petróleo
Pint. = (termo de) Pintura
pl. = plural
plat. = platino
Poét. = (termo de) Poética
pol. = polaco
Pol. = (termo de) Política
pop. = popular
port. = portugu·ês, -esa, -esas, -eses
pref. = prefixo(s)
prep. = preposição
pres. = presente
pret. = pretérito
pron. = pronom·e, -inal
prov. = provençal
p.s. = pessoa do singular
Psic. = (termo de) Psicologia
Piscan. = (termo de) Psicanálise
Psiq. = (termo de) Psiquiatria
Quím. = (termo de) Química
quimb. = quimbundo
rad. = radical
red. = redução
regr., regres., regress. = regressivo

Rel. = (termo de) Religião
Ret., Retór. = (termo de) Retórica
rus. = russo
s., sc. = *scilicet* 'a saber'
sânsc., sânscr. = sânscrito
séc(s). = século(s)
seg. = segund·o, -a
sérv. = sérvio
serv.-cr. = servo-croata
sf. = substantivo feminino
sf. 2n. = substantivo feminino de dois números
s2g. = substantivo de dois gêneros
sing. = singular
sm. = substantivo masculino
sm. 2n. = substantivo masculino de dois números
subfam. = subfamília
subst. = substantivo
suf. = sufixo(s)
sum. = sumeriano
superl. = superlativo
tam. = tamul
tard. = tardio
tárt. = tártaro
Teat., Teatr. = (termo de) Teatro
Teol. = (termo de) Teologia
Terat. = (termo de) Teratologia
Tip. = (termo de) Tipografia
top. = topônimo
trad. = tradução
turc. = turco
turc.-tárt. = turco-tártaro
ucran. = ucraniano
v. = veja
var(s). = variante(s)
vb. = verbo
verb. = verbal
Veter. = (termo de) Veterinária
voc(s). = vocábulo(s)
vulg. = vulgar
Zool. = (termo de) Zoologia

SINAIS CONVENCIONAIS

‖ Indica a separação de dois vocábulos consecutivos estudados em um mesmo verbete (v. Intr. 3.4).

| Indica a separação das variantes morfológicas e/ou meramente gráficas do vocábulo estudado (v. Intr. 4.5.8).

→ Indica que o(s) vocábulo(s) que precede(m) este sinal deve(m) ser procurado(s) no que se lhe segue (v. Intr. 3.7, 3.8). No interior do verbete, indica que o vocábulo que o precede interferiu na formação do que se lhe segue .

◆ Indica que os vocábulos que seguem este sinal contêm o prefixo (ou o elemento de composição) que intitula o verbete (v. Intr. 3.6).

* Indica que o vocábulo precedido deste sinal não está documentado e é, portanto, uma forma hipotética, reconstituída.

> Indica que o vocábulo que precede este sinal é o étimo do que se lhe segue.

< Indica que o vocábulo que precede este sinal deriva do que se lhe segue.

≥ Indica que o vocábulo que precede este sinal ou é o étimo do que se lhe segue, ou está com ele etimologicamente aparentado.

≤ Indica que o vocábulo que precede este sinal ou deriva do que se lhe segue, ou está com ele etimologicamente aparentado.

+ Indica a união de dois vocábulos (ou de um vocábulo e um elemento morfemático) para formação de um novo vocábulo.

... Nos verbetes remissivos múltiplos, indica o corte a que se procedeu na seriação alfabética dos vocábulos remetidos (v. Intr. 4).

⇨ Indica inserção de informação movida do suplemento na 3ª edição.

SÍMBOLOS E VALORES FONÉTICOS

č = ch do ing. *church*
ď, ḏ = th do ing. *then*
ḍ = d enfático
ğ = g do it. *agio* ou *j* do ing. *jail*
ġ = g do cast. *haga*
ḥ = h do ing. *horse*
ḫ = j do cast. *hijo*
i̯ = j do al. *Jahr*
ï = ü do al. *über*, com forte oclusão
ḳ = k enfático
ḹ = l/u do port. *mal/mau* (som intermediário entre *l* e *u*)
ṃ = m enfático
m̧ = mb do port. *limbo*
ñ = nh do port. *vinho*
ṇ = nd do port. *lindo*
ņ̃ = nj/nz do port. *banjo/banzo* (som intermediário entre *nj* e *nz*)
n, ṅ = ng do port. *pingo*
ṇ = n enfático
r̥ = vogal sanscrítica de pronúncia peculiar, intermediária entre *ă* e *ĕ*
ṣ = s enfático
š = x do port. *xadrez*
ṭ = t enfático
ṯ, ṭ = th do ing. *thing*
u̯ = w do ing. *water*
ü̯ = gu do port. *guerra*
ž = j do port. *janela*
ẓ = j do ing. *jail* (= ğ), porém mais enfático

′ ' ‛ : no árabe, indica forte aspiração;
: nas línguas eslávicas, indica a palatalização da consoante que o precede;
: no tupi e no quimbundo (e em outras línguas americanas e africanas), precede a sílaba tônica.

a[1] *sm.* 'primeira letra do alfabeto' XIII. Do lat. *a* (≤ gr. α), de origem fenícia.

a[2] *art. pron. f.* | XIII, *ha* XIII, *la* XIII | Do lat. *īlla*, através da var. arc. *la*, na qual se deu a queda do *l* pelo fato de ela se encontrar frequentemente em posição intervocálica na frase.

a[3] *prep.* XIII. Do lat. *ăd*, reduzido a *a* na baixa latinidade.

a[4] *conj.* XIV, Do lat. *āc.*

a[5], **ah** *interj.* XIII. Do lat. *ā, āh.*

à *contr.* da *prep.* A[3] com o *art. pron. f.* A[2], através do arc. *aa* | XIII, a XIII.

a- *pref.* de origens e funções distintas: (i) é redução de AD-, do lat. *ad-* (v. A[3]), nos verbos (e em seus particípios adjetivados) oriundos de substantivos — como *acaboclar* 'dar feição ou maneira de caboclo a' e *acaboclado* 'que tem feição ou maneira de caboclo', derivados de CABOCLO —, ou de adjetivos — como *acertar* 'tornar certo' e *acertado* 'que está certo', derivados de CERTO; (ii) ocorre como elemento prefixal na formação de certos verbos, como *alembrar* a par de *lembar*, em que o *a-* (a-protético) não altera o significado do voc.; (iii) é redução de AB-, do lat. *ab-*, em certos vocs. como *amove* (do lat. *āmŏvēre*), *aversão* (do lat. *āvērsĭo -ōnis*) etc.; (iv) corresponde ao pref. gr. α- (*a* privativo) em vocs. formados nas línguas modernas, como *acatólico* 'não católico', *apolítico* 'não político' etc., pelo modelo dos vocs. gr. *aképhalos* (*acéfalo*) 'sem cabeça', *átomos* (*átomo*) 'que não se divide, indivisível' etc.; o pref. gr. α- passa a αν- (*an* privativo) quando o voc. que se lhe segue inicia por vogal, como *anônymos* (*anônimo*) 'sem nome'. Cf. AB-, AD-, AN-.

-ã *fem.* do *suf.* -ÃO[2] (= -ANO < lat. *-ānŭ*), deriv. do lat. *-āna*, através do arc. *-āa: anã/ anão, coimbrã / coimbrão.*

ab- *pref.,* do lat. *ab-*, que se documenta em vocs. eruditos e semieruditos: (i) em substantivos que denotam 'renúncia, privação, negação, separação, afastamento no tempo e no espaço', como *abnegātiōnem* (> *abnegação*) 'renúncia'; (ii) em verbos que traduzem os conceitos de 'afastar, retirar, separar', como *ablĕgāre* (> *ablegar*) 'afastar, desterrar', e *abiŭgāre* (> *abjugar*) 'retirar do jogo'. O pref. *ab-* ocorre sempre diante 'de vogal, de *h* e das consoantes *d, l, n, r* e *s*; diante de *c* e *t*, passa a *abs-* (v ABS-) e, diante das labiais *m* e *b*, reduz-se a *a-*: v. A- (iii).

aba[1] *sf.* 'parte pendente de um objeto' | XIII, *abaa* XIV | De origem duvidosa; talvez se filie ao lat. *ălăpa*, através de uma forma *ăpăla, como se poderia depreender do port. ant. *abaa* || **abADA**[1] | *abaada* XIV || **abAR** 1858 || DESabADO 1813 || DESabAMENTO 1881 || DESabAR 1813 || DESabE 1813.
⇨ **aba**[1] — **abAR** | 1836 SC |.

aba[2] *sm.* 'designação dos padres das igrejas orientais' | *abaa* 1540 | Do aramaico *abba* 'pai' (origem remota de ABADE), através do gr. *abbā* e do lat. ecles. *ābbās.*

aba[3] *sf.* 'manto de beduínos' XVIII. Do ár. *'abā.*

abacá *sm.* 'bananeira das Filipinas' 1860. Do tagalo e bisaio *abaká*, pelo cast. *abacá.*

abaçanado *adj.* 'bronzeado pelo sol, tisnado' 1858. Adapt. do fr. *basané* || **abaçanAR** 1871.
⇨ **abaçanado** | 1836 SC |.

abacate *sm.* 'fruto do abacateiro (*Persea americana*)' XIX. Do nauatle *aṷa'katl*, com provável interferência do cast.*aguacate* || **abacaTEIRO** XIX || **abacateRANA** XX.

abacatuia *sf.* 'peixe de mar da fam. dos carangídeos' | *auacatohaya c* 1636 | Do tupi *aṷakatu'aĩa.*

abacaxi *sm.* 'fruto de uma planta bromeliácea (*Ananas sativus*)' *c* 1767; 'fig. coisa desagradável, problema de difícil solução' XX. Do tupi **iṷaka'ti* (< *i'ṷa* 'fruta + **ka'ti* 'recendente') || **abacaxiZ·AL** XX || **abaxaxiZ·EIRO** XX.
⇨ **abacharelado** → BACHAREL.

abacial *adj.* 'relativo a abade' 1533. Do lat. ecles. *abbātiālis.*

ábaco *sm.* 'pequeno tabuleiro para cálculos aritméticos' 'parte superior do capitel de uma coluna' 1712. Do lat. *ăbăcŭs*, deriv. do gr. *ábax -akos* 'mesa' e, este, do hebr. *'ābāq* 'pó'; a acepção primitiva do voc. gr. era 'pequena tábua coberta de areia (para uso dos matemáticos)' || **abáculo** 1871. Do lat. *ăbăcŭlŭs*, dimin. de *ăbăcŭs.*

abada[1] → ABA[1].

abada[2] *sf.* 'rinoceronte' | *c* 1605, *bada* XVI | Do mal. *badáq*, com queda do *-q*, de pronúncia quase imperceptível; na var. mais moderna houve aglutinação do art. f. A[2].

abade *sm.* 'superior de um convento, sacerdote' 1214. Do lat. ecles. *abbātem*, acusativo de *ābbās*, deriv. do gr. *abbā* e, este, do aramaico *abba* 'pai' (v. ABA[2]) || **abadEJO** 1647. Do cast. *abadejo*, dim. de *abad* || **abadESSA** | XIII, *badessa* XIII etc. | Do lat.

tard. *ābbātĭssă* ‖ **abad**IA XIII. Do lat. tard. *abbatīa* (cláss. *ābbātiă*).
abaetê *sm.* 'homem bom, varão ilustre, entre os índios do Brasil' | 1585, *abaête c* 1584 | Do tupi *aµae' te* (< *a'µa* 'homen + *e'te* 'verdadeiro, legítimo').
a·baf·a, **-ad·iço**, **-ado**, **-amento**, **ante,-ar**, **-o** → BAFO.
⇨ **abaf·ado, -amento** → BAFO.
a·baix·ado, -ador, -amento, -ar → BAIXO.
abaixamento → baixo.
abajur *sm.* 'quebra-luz' | *abaju* 1899, *abat-jour* 1880 etc. | Do fr. *abat-jour* |.
abalar *vb.* 'fazer oscilar' 'partir, fugir' XIII. De origem controvertida ‖ **abal**ADA 1712‖ **abal**AMENTO XV ‖ **abalo** 1562. Deverbal de *abalar* ‖ DES**abal**ADO XVII ‖ IN**abal**ÁVEL XVIII.
⇨ **abalar — abalo** | *a* 1542 JCASE 72.3 |.
⇨ **abalaustrar** → Balaústre.
a·baliz·ado, -ar → BALIZA.
abalroar → BALROA.
abana *sf.* 'veste de lã usada pelos árabes' | 1514, *abane* 1507 | Do berbere *a'aban*.
abanar *vb.* 'agitar, sacudir de um lado para outro' | XV *auanar* XV | Do lat. *evannare*, por *ēvănnĕrĕ* ‖ **aban**ADOR XV ‖ **aban**AMENTO | *aµa*- XV ‖ **aban**ICO 1712, Do cast. *abanico* ‖ **abano** | *auano* XV.
abancar → BANCO.
abandonar *vb.* 'renunciar, desistir de, entregar a' | XVI, *abaldõar* XIII *abaldoar* XIV | Do fr. *abandonner*, deriv. da expr. *être à bandon* 'estar à mercê de'; *bandon* prende-se a *ban* 'jurisdição', palavra de origem germânica ‖ **abandono** 1813. Do fr. *abandon*.
aban·ico, -o → ABANAR; **abar** → ABA[1].
abará *sm.* 'pequeno bolo de massa de feijão-fradinho, com cebola, sal e azeite de dendê' 1871. Do ioruba *aba'ra*.
⇨ **abaratar** → baratar.
a·barb·ado, -ar → BARBA.
abarca *sf.* 'calçado rústico' | XIV, *auarca* XIV | De origem pré-romana; cp. basco *abarka*.
abarcar *vb.* 'envolver, cingir com os braços' XV. Do lat.*abbrachĭcāre*, deriv. de *brăchĭum* 'braço'.
abaré *sm.* 'designação que os indígenas do Brasil davam aos jesuítas' *c* 1584. Do tupi *aµa're* ‖ **aba-r**UNA 1866; cp. ABUNA[2].
⇨ **abarreg·ado, -ar** → barregá.
⇨ **abarreirado** → barro.
a·barrot·ado, -amento, -ar → BARROTE.
abaruna → ABARÉ; **abasia** → BASE.
a·bast·ado, -ança -ar → BASTAR.
a·bastard·ado, -amento, -ar → BASTARDO.
abastecer *vb.* 'prover do necessário, suprir' | *bastecer* XIII | De origem controvertida; parece relacionar-se com BASTAR ou, talvez, com o antigo *bastir* (germânico *bastjan*), também documentado no séc. XIII ‖ **abastec**EDOR *adj. sm.* 1871 ‖ **abastec**IDO | *basteçido* XIV ‖ **abastec**IMENTO | *basteçemento* XIV ‖ RE**abastecer** XV ‖ RE**abastec**IMENTO XX.
abater *vb.* 'derrubar, prostrar, fazer cair por terra' XIV Do lat. tard. *abbat(u)ĕre* (do séc. VI, como também *abbattere*) ‖ **abat**IDO | XIV, *abatudo* XIII, *batudo* XIIII *abatydo* XV ‖ **abati·**MENTO | XV, *-ty-* XV.
abati *sm.* 'nome tupi do milho (e do arroz)' | *ubatin*

1587, *abaty* 1618 | Do tupi *aµa'ti* ‖ **abativi** *sm.* 'vinho de milho' | *abatiuy* 1663 | Do tupi *aµati'ï* (< *aµa' ti* 'milho' + *-ï*); cp. tupi *nana'ï* (< *na' na* + - *ï*; v. NANAUÍ).
abatis *sm.* 'trincheira formada com ramos e troncos de árvores entrelaçados' 1858; 'iguaria preparada com os miúdos da galinha, do peru etc.; cabidela' XX. Do fr. *abbatis*.
abativi → ABATI.
a·baul·ado, -amento, -ar → BAÚ.
abc, abecê *sm.* 'o alfabeto, os conhecimentos rudimentares de qualquer arte ou ciência' | *abc* XIV, *abeçe* XIV |;*ant.* letras que se escreviam entre dois textos iguais de um documento, no mesmo pergaminho, a fim de que cada outorgante ficasse de posse de um dos textos, depois de recortados, garantindo assim a sua legitimidade' | *abc* XIII, *abeçe* XIII | Do nome das três primeiras letras do alfabeto ‖ **abeced**ÁRIO XVI. Do lat. ecles. *abecedārius*, do nome das quatro primeiras letras do alfabeto.
abdicação *sf.* 'renúncia, resignação' XVI. Do lat. *abdicatiōne-* ‖ **abdicante** XX. Do lat. *abdicante* ‖ **abdic**AR XVI. Do lat. *abdĭcāre* ‖ **abdic**AT·ÁRIO XX ‖ **abdic**ATIVO XX. Do lat. *abdicatīvus* ‖ **abdic**AT·ÓRIO XX. Do lat *abdicatōrius* ‖ **abdic**A·TRIZ XX. Do lat. *abdicatrīcem*.
abdômen *sm.* 'cavidade do corpo humano e dos vertebrados em geral, que termina o tronco na parte inferior e começa no diafragma' XVII. Do lat. *abdōmen* (no gen. *abdōminis*) ‖ **abdom**IN·AL 1813 ‖ **abdom**INO·SCOP·IA 1871 ‖ **abdom**IN·OSO 1881.
abdução *sf.* 'desvio, afastamento' | *abducção* 1844 | Do lat. ecles. *abductiōnem* ‖ **abducente** 1858. Do lat. *abducentem* ‖ **abductor** 1813. Do lat. *abductor* ‖ **abduzir** XX. Do lat. *abdūcĕre*.
⇨ **abdução** | *abducção* 1836 SC |.
abebé, abedê *sm.* 'leque, símbolo de Oxum e Iemanjá, dos cultos afro-brasileiros' | XX, *abedê* XX | Do ioruba *abe'be*.
abeberar → BEBER.
abecê, abecedário → ABC; **abedê** → ABEBÉ.
abegão *sm.* 'administrador de uma fazenda ou de uma quinta' | *abegom* XIII | Do lat. *abĕgōnis* 'pastor' ‖ **abego**ARIA | XVII, *abogairya* XV.
⇨ **abegão — abegoaria** | 1562 jc |
abeirar → BEIRA.
abejaruco *sm.* 'abelharuco' 1647. Do cast. *abejaruco*, deriv. de *abeja* 'abelha'.
abelha *sf.* 'inseto himenóptero da fam. dos apídeos (*Apis mellifica* L)' | XIII, *abella* XIII, *avella* XIII | Do lat. *apīcŭla*, dim. de *apis* 'abelha' ‖ **abelh**AL XIX ‖ **abelharuco** XVII. Adapt. do cast. *abejaruco* ‖ **abelh**EIRA XVI ‖ **abelh**EIRO XVI ‖ **abelh**UDO XV.
abeliano *adj.* 'relativo às funções introduzidas na matemática por N.H. Abel' XX. Do fr. *abélien*, do nome do matemático norueguês N.H. Abel (1802-1829).
abelmeluco *sm.* 'semente do rícino' 1858. Do ár. *ḥabb al-mulûk*, por intermédio do lat. cient. *abelmeluchus*.
abelmosco *sm.* 'grão de almíscar' 1844. Do ár. *ḥabb al-músk*, por intermédio do lat. cient. *abelmoschus*.
⇨ **abelmosco** | 1836 SC, *abelmoscho* 1836 SC |.
a·bemol·ado, -ar → BEMOL.

abencerragem *sm.* 'homem opulento, poderoso' XIX. Do fr. *abencérage,* deriv. do ár. *aben-assarrāj* 'o filho do seleiro', nome de uma poderosa família árabe que teve preeminência em Granada, no século XV.
abençoar → BENZER.
aberém *sm.* 'bolo feito com massa açucarada de fubá de milho ou de arroz' XX. Do ioruba *abe'rin* (< *a'be* 'debaixo' + *'rin* 'úmido').
aberração *sf.* 'desvio, desacerto, deslocamento' XIX. Do fr. *aberration,* deriv. do lat. *aberrātiōne-* ‖ **aberrante** XVII ‖ **aberrar** XVII. Do lat. *aberrāre* ‖ **aberrativo** XIX ‖ **aberratório** XX.
aberta *sf.* 'abertura, fenda, greta' XVI. Substantivação do adj. *aberto* ‖ **aberto** XIII. Do lat. *apĕrtus,* de *apĕrīre* 'abrir' ‖ **abertura** | XIV, *abredura* XV | Do lat. *apĕrtūra* ‖ ENTRE**aberto** 1881 ‖ RE**aberto** 1881 ‖ RE**abertura** 1881. Cp. ABRIR.
a·besp·inh·ado, -amento, -ar → VESPA.
abessana *sf.* 'o primeiro sulco aberto pelo arado' | *abesana* 1858, *avessana* 1871, *bessana* 1871, *vessana* 1871 | Do cast. *abesana, besana,* deriv. do lat. **versana,* de *vĕrsāre* 'virar, remexer'.
abetarda *sf.* 'ave pernalta da fam. dos otídeos' | XV, *abatarda* XIV | Do lat. *avetarda-* 'ave lenta' ‖ **abetard**ADO XVII.
abeto *sm.* 'planta conífera da fam. das abietíneas' | XVI, *abete* XVI | Do lat. *abĭetem*; diretamente do nom. lat. *abĭes* procede o ant. port. *abies,* do séc. XV. V. ABIET(O)-.
⇨ **abetumado** → betume.
abetumar → BETUME.
abexim *adj. sm.* 'abissínio' XVI. Do ár. vulgar. *habšī*; v. ABISSÍNIO.
abibe *sm.* 'ave pernalta (*Vanellus cristatus*) da fam. dos caradriídeos' 1647. Provavelmente do lat. *ave-ibi-* 'ave íbis'.
abicado → BICO.
abieiro → ABIU.
abiet(o)- *elem. comp.,* do lat. *abiet-,* de *abĭes abietis* 'abeto', que se documenta em vários vocábulos introduzidos na linguagem científica internacional, a partir do séc. XIX ▶ **abiet**ÁCEA XX ‖ **abiet**ÂN·ICO XX ‖ **abiet**ÁRIO XX ‖ **abiet**ATO XX ‖ **abiet**ENA XX ‖ **abiét**ICO 1858 ‖ **abiet**INA 1858 ‖ **abiet**ÍNEO 1899 ‖ **abiet**INO XVII ‖ **abiet**ITE XX ‖ **abietó**L·ICO XX ‖ **abieto**MALEICO XX.
abigeato *sm.* '(Dir.) roubo de gado' 1871. Do lat. *abigeātus.*
⇨ **abigeato** | 1836 SC |.
-ábil, -abil·idade → -ÁVEL.
abio- *elem. comp.,* do gr. *ábios* 'sem vida' (v. -BIO-), que se documenta em vários vocábulos introduzidos na linguagem científica internacional, a partir do séc. XIX ▶ **abio**GÊNESE XIX. Do ing. *abiogenesis* (voc. criado por Huxley) ‖ **abio**GENÉT·ICO XX ‖ **abio**GEN·IA XX ‖ **abio**LOG·IA XX ‖ **abi**OSE XX ‖ **abiót**·ICO XX ‖ **abio**TO 1871; cp. gr. *abíōtos* ‖ **abio**TROF·IA XX.
abiscoitar → BISCOITO.
abismo *sm.* 'profundidade a que se não acha fundo' | XIV, *avismo* XV | Do lat. med. *abysmus,* de *abyssus* (<gr. *ábyssos* 'sem fundo'); diretamente do lat. *abyssus* procedem as ant. vars. *avisso* XIII e *abiso* XIV ‖ **abism**AL XVII ‖ **abism**AR XVII.

-abiss- *elem. comp.,* do lat. *abyssus* (<gr. *ábyssos*) 'abismo', que ocorre em alguns compostos eruditos, como hipo*abiss*al, por exemplo.
abissínio *adj. sm.* 'relativo à, ou natural da Abissínia' XX. Do topo *Abissínia.* Nos sécs. XVI-XVII ocorrem outras formas: *abassino* 1502, *abassi* 1572, *abessim* 1603 etc.; v. ABEXIM.
abita *sf.* 'peça no convés do navio para prender a amarra da âncora' | XVI, *habita* XVI | Do fr. *bitte,* deriv. do a. escandinavo *biti.*
abiu *sm.* 'fruto do abieiro, da fam. das sapotáceas' | *abio* c 1777 | Do tupi **a'ɥiu,* provavelmente ‖ **abi**EIRO 1881 ‖ **abiu**RANA | 1895, *abiorana* 1787.
abjeção *sf.* 'desprezo, infâmia' | *abjeiçom* XV, *abjecção* XVII | Do lat. *abjectio -ōnis* ‖ **abjeto** *adj.* 'desprezível, infame' | *abjecto* XV | Do lat. *abjectus.*
abjudicar *vb.* '(Dir.) tirar judicialmente ao possuidor ilegítimo o que pertence a outrem' 1844. Do lat. *abjūdĭcāre* ‖ **abjudic**AÇÃO 1871 ‖ **abjudic**ADO 1844.
⇨ **abjudicar** | 1836 SC ‖ **abjudic**ADO | 1836 SC |.
abjugar *vb.* 'tirar do jugo, separar' 1899. Do lat. *abjŭgāre.*
abjurar *vb.* 'renunciar solenemente a (religião, crença etc.)' XVI. Do lat. *abjūrāre* ‖ **abjur**AÇÃO XVI. Do lat. *abjūrātĭrō -ōnis* ‖ **abjur**ADO XVIII ‖ **abjur**ADOR 1899 ‖ **abjur**ANTE 1881 ‖ **abjur**ÁVEL XX.
ablação *sf.* 'extração, extirpação (de qualquer parte do corpo ou de um tumor)' XVIII. Do lat. tard. *ablatio -ōnis* ‖ **ablator** *sm.* 'o que faz a ablação' XX. Do lat. *ablator -ōris.*
ablactação *sf.* 'desmame, supressão da alimentação à base de leite materno (a uma criança)' XVI. Do lat. ecles. *ablactatio -ōnis* ‖ **ablact**ADO XVI ‖ **ablact**AR 1871. Do lat. ecles. *ablactare.*
ablaquear *vb.* 'escavar em torno do pé das plantas para que suas raízes recebam melhor a água da chuva ou da rega' XX. Do lat. *ablaqueare* ‖ **ablaque**AÇÃO 1871 ‖ **ablaque**ADO 1902.
ablativo *sm.* 'caso da flexão nominal latina (e de outras línguas) que exprime circunstância de lugar, de tempo, de modo etc.' XVI. Do lat. *ablativus.*
ablator → ABLAÇÃO.
ablegação *sf.* 'proscrição, extinção' XVII. Do lat. *ablegatio -ōnis* ‖ **ablegar** *vb.* 'desterrar, proscrever' XVIII. Do lat. *ablēgāre.*
ablução *sf* 'cerimônia (religiosa) que consiste na purificação por meio de lavagens (rituais)' XVIII. Do lat. *ablutio -ōnis* ‖ **abluente** 1858 ‖ **abluir** *vb.* 'lavar' XIX. Do lat. *abluĕre.*
abnegação *sf.* 'renúncia' XVI. Do lat. *abnegātio -ōnis* ‖ **abneg**ADO 1813 ‖ **abneg**AR 'renunciar a, rejeitar' XVI. Do lat. *abnegare* ‖ **abneg**ATIVO XIX.
abóbada *sf.* 'tipo de construção em forma de arco' 'tudo que é convexo e arredondado pela superfície exterior, côncavo e arqueado pela superfície interior' | XV, *boveda* XV, *aboueda* XV, *abobeda* XIV etc. | Do lat. **vŏlvĭta,* part. pass. de *volvĕre,* com aglutinação do art. A[2] ‖ **abobad**ADO ‖ *-boue-* XV, *-bobe-* XV ‖ **abobad**AR 1813 ‖ **abobad**ILHA. 1712.
⇨ **abóboda** — *abobad*AR | *abobodar* 1562 JC |.
a·bob·ado, -alhado → BOBO.
abóbora *sf.* 'fruto da aboboreira, planta da fam. das cucurbitáceas' XV. Do lat. *apopĕris (apopores*

no séc. VI) || **abobor**AL 1813 || **abobor**EIRA | 1813, *abobreira* 1813.
⇨ **abocanha, abocar** → boca.
abocanhar → BOCA.
⇨ **abofetado** → bufar.
aboiar[1] → BOIA; **aboiar**[2], **aboio** → BOI.
aboiz → BOIZ; **abojar** → BOJAR.
a·bolet·amento, -ar → BOLETO.
abolição *sf.* 'ação ou efeito de abolir, extinção' XVII. Do lat. *abolitĭō -ōnis* || **abolicion**ISMO 1871. Adapt. do ing. *abolitionism* || **abolicion**ISTA 1871. Adapt. do ing. *abolitionist* || **abolir** XVII. Do lat. *abolēre*.
abomaso *sm.* 'a quarta cavidade do estômago dos ruminantes' 1858. Do lat. *ab-omāsum*, através do fr. *abomasum*.
a·bomb·ar → BOMBA.
abominação *sf.* 'ação ou efeito de abominar, repulsão' XVI. Do lat. *abōminātĭō -ōnis* || **abomin**ADO XVI || **abomin**ANDO XVI. Do lat. *abōminandus* || **abomin**AR XVI. Do lat. *abōmināre* || **abomin**ÁVEL XV, *-abi* 1572 | Do lat. *abōmināblĭis* || **abomin**OSO 1572. Do lat. *ab-ōminōsus*.
⇨ **abominação** | *abominaçom* XV BENF 113.*18* |.
a·bon·ação, -ador, -ar, -o → BOM.
⇨ **abon·ador, -o** → bom.
⇨ **abonançar** → bonança.
abordagem *sf.* 'ação ou efeito de abordar' XVIII. Do fr. *abordage* || **abordar** 'abalroar, acometer' XV. Do fr. *aborder*.
aborígene *adj. s2g.* 'originário do país onde vive, nativo' XIV. Do lat. *aborīgĭnēs*.
aborrecer *vb.* 'sentir horror, odiar' | XVI, *aborrescer* XV, *avorrecer* XIII etc. | Do lat. *abhorrēscĕre* || **aborrec**IDO | *auo-* 1572 || **aborrec**IMENTO | *avorreçimẽto* XV, *avorreçymento* XV || **aborrec**ÍVEL | *avorricivis* pl. XIV, *avorrecivel* XV || **aborr**IDO |*avorrido* XIII || **aborrir** XVII. Do lat. *abhorrēre*.
⇨ **aborrecer** — **aborrec**EDOIRO | *auorrecedoyro* XV VITA 52d21 || **aborrec**EDOR | *auorreçedor* XV BENF 242.22 || **aborrec**ENTE | *auorrecente* XV SEGR 77v || **aborrec**IDO | XV MONT 110.*9*, *avorreçudo* XIII CSM 196.*10* || **aborrec**IMENTO | XV MONT 49.*14*, *auorrecimẽto* XIV ORTO 100.*10* |.
abortar *vb.* 'dar à luz antes do fim da gestação' | *auortar* XIII | Do lat. *abortāre* || **abort**IVO XVI. Do lat. *abortīvus* || **aborto** XVI. Do lat. *abortus*.
a·boto·ado, -adura, -amento, -ar→ BOTÃO.
abra *sf.* 'enseada com ancoradouro para embarcações' XIV. Do fr. *havre*, deriv. do m. neerl. *havene* 'porto'.
abracadabra *sf.* 'palavra cabalística, à qual se atribuía a propriedade de curar certas doenças' XVIII. Do lat. *abracadabra*, de origem grega || **abracadabr**ANTE 1899. Do fr. *abracadabrant*.
⇨ **abraçamento** → braço.
a·braç·ar, -o → BRAÇO.
a·brand·amento, -ar, -ecer → BRANDO.
abranger *vb.* 'cingir, abarcar, conter em si' XIII. De origem obscura || **abrang**ÊNCIA XX || **abran**GENTE XX.
⇨ **abranger** — **abrang**imento *sm.* 'abrangência' | XV SBER 123.*20* |.
a·bras·ador, -amento, -ar, -ear → BRASA.
abrasão *sf.* 'raspagem, esfoladura' 1858. Do lat. *abrāsĭō -ōnis* || **abras**IVO XX. Do fr. *abrasif*.

a·brasil·eir·ado, -amento, -ar → BRASIL.
abrenunciação *sf.* 'renúncia, repulsa' XVIII. Do lat. *abrenūntiātio -ōnis* || **abrenunciar** XVI. Do lat. *ab--renūntiāre* || **abrenúncio** | XIX, *abarruncio* XVI | Do lat. *abrenuntio*, primeira pessoa do indic. pres. de *ab-renūntiāre*.
ab-reptício *adj.* 'arrebatado' 1813. Do lat. **abrepticium*, formado sobre *abreptus*, part. de *abripĕre* 'arrebatar'.
abreugrafia *sf.* 'método de fixar por meio de máquina fotográfica a imagem observada pela radioscopia' XX. Do sobrenome do seu inventor, o médico brasileiro Manuel de *Abreu* (1894-1962), pelo modelo de *radiografia*.
abrev·iação, -iador, -iar, -iativo, -iatura → BREVE.
⇨ **abreviamento** → breve.
abricó *sm.* 'fruto do abricoteiro, da fam. das sapotáceas' | 1871, *abrieote* 1858 | Do fr. *abricot*, o qual, através do cat. *abercoc*, deriva do ár. *al-barqûq* (étimo imediato do port., ALBRICOQUE) || **abricot**EIRO 1899.
abri·deira, -dor → ABRIR.
abrigar *vb.* 'resguardar, proteger' XIII. Do lat. *aprīcāre* || **abrig**ADA 1500 || **abrigo** XIII || DES**abrig**ADO XVI || DES**abrig**ARA XVI || DES**abrigo** XVI.
abril *sm.* 'quarto mês do ano civil' XIII. Do lat. *aprīlem* || **abril**ADA XIX.
abrilhantar → BRILHAR.
abrir *vb.* 'descerrar, desunir, tornar patente, iniciar' XIII. Do lat. *apĕrīre* || **abrid**·EIRA XX || **abrid**·OR XIV || **abri**MENTO XV || ENTRE**abrir** 1873 || RE**abrir** 1881. Cp. ABERTA.
⇨ **abrir** — **abri**mento | XIV test 411 27 |.
abrochar → BROCHA.
ab-rogação *sf.* 'revogação de uma lei, supressão' XVIII. Do lat. *abrogātĭō -ōnis* || **ab-rogador** 1813. Do lat. *abrogātor -ōris* || **ab-rogar** XV. Do lat. *abrogāre* || **ab-rogativo** 1881. Do lat. *abrogatīvus*, de *abrogātus*, part. de *abrogāre* || **ab-rog**AT·ÓRIO 1813.
abrolho *sm.* 'nome de várias plantas rasteiras e espinhosas' XIV. De la1, *aperī oculos* 'abre os olhos (para não te ferires nos espinhos)' || **abrolh**AR XVI.
abroquelar → BROQUEL.
abrótono *sm.* 'planta da fam. das compostas (*Artemisia abrotonum* L.)' | *abrotano* XVII | Do lat. *abrotōnum*, deriv. do gr. *abrótonon* || **abrotonite** 1858. Do lat. *abrotonītes* (*vinum*), deriv. do gr. *abrotonítēs*.
abrunho *sm.* 'fruto do abrunheiro, da fam. das rosáceas' XVI. Do lat. *prūnum* 'ameixa' || **abrunh**EIRO 1813.
⇨ **abrunho** — **abrunh**eiro | 1562 jc |.
ab-rupção *sf.* 'ruptura' 1858. Do lat. *abruptĭō -ōnis*, pelo fr. *abruption* || **abrupto** ou **ab-rupto** XVIII. Do lat. *abruptus*.
abrutalhado → BRUTO.
abs- *pref.*, do lat. *abs-*, forma que toma o pref. *ab*- diante de *c* e *t: abscondĕre* (> port. ant. *absconder*), *abstinēntĭa* (> *abstinência*); v. AB-.
absceder *vb.* 'degenerar em abscesso, supurar' 1899. Do lat. *abscedĕre* || **abscesso** XVII. Do lat. *abscessus* || **abscisão** *sf.* 'corte' 1858. Do lat. *abscīsĭō -ōnis* || **abscissa** *sf.* '(Mat.) coordenada de um ponto sobre uma reta' | *abscisa* 1813 | Do lat. *abcīssa* (*līnĕa*).

abscôndito *adj.* 'escondido, oculto' XVI. Do lat. *abscondĭtus.* V. ESCONDER.
absconsa *sf.* 'pequena lâmpada velada, antigamente usada nos conventos' | *-cō-* XV | Do lat. *abscōnsa* 'escondida, secreta' || **absconso** *adj. sm.* XIX. Do lat. *abscōnsum.* V. ESCONDER.
absenteísmo *sm.* 'sistema de exploração de uma propriedade cuja gestão fica a cargo de um intermediário durante as constantes ausências do proprietário' 'ausência habitual, falta de assiduidade' XIX. Do fr. *absentéisme*, deriv. do ing. *absenteeism*, de *absentee* 'ausência' || **absenteíSTA** XX.
abside *sf.* 'recinto abobadado' XIX. Do lat. *absis -idis*; da forma lat. *absīda*, que é adaptação do acus. gr. *apsīda*, provém do a. port. *ousia*, documentado no sec. XIII.
absíntio *sm.* 'planta da fam. das compostas, aromática e de sabor amargo' 'bebida alcoólica preparada com as folhas dessa planta' | *absençio* XV | Do lat. *absinthĭum*, deriv. do gr. *apsínthion* || **absintiAL** | *abssemçiall* XV, *absençiall* XV.
absogro → SOGRO.
absoluto *adj.* 'independente, sem limites, sem restrições' | XIV, *asso-* XIV, *aso-* XIV etc. | Do lat. *absolūtus*, de *absolvĕre* || **absolutISMO** XIX. Do fr. *absolutisme* || **absolutISTA** XIX. Do fr. *absolutiste*.
absolver *vb.* 'perdoar, remir' | XIV, *aso-* XIII | Do lat. *absolvĕre* || **absolVIÇÃO** | *absolviçom* XV, *absolucion* XIV, *absoliçon* XV etc. | Do lat. *absolūtiōn -ōnis*; a forma mais moderna, com *-vi-*, teria sido influenciada pelo verbo.
absonar *vb.* 'dissonar, discordar' XX. Do lat. *ab--sŏnāre* || **absonÂNCIA** XX || **absonANTE** XX || **ábsono** XVII. Do lat. *ab-sŏnus.*
absorver *vb.* 'recolher em si, sorver, consumir' | *absoruer* XIV | Do lat. *absorbēre* || **absorção** XIX. Do lat. *absorptĭo -ōnis* || **absorvÊNCIA** 1813 || **absorVENTE** | *-ben-* XVII || REabsorção | *-pção* 1874 || REabsorver 1874.
abstêmio *adj. sm.* 'aquele que se abstém de bebidas alcoólicas, sóbrio' XVI. Do lat. *abstēmĭus.*
abster *vb.* 'privar-se, evitar' | XV, *absteer* XIV, *aster* XIV, *austeer* XV etc. | Do lat. *abstinēre* || **abstenção** XVIII. Do lat. *abstentĭō -ōnis* || **abstencioNISMO** XX. Provavelmente do fr. *abstentionnisme* || **abstencioNISTA** 1899. Provavelmente do fr. *abstentionniste* || **abstinência** | XIV, *astēença* XIII, *absteença* XIV, *esteença* XIV etc. | Do lat. *abstinēntĭa* || **abstinente** | XV, *abstente* XV, *austinente* XV | Do lat. *abstinēns -entis.*
absterger *vb.* 'limpar, purificar' XVII. Do lat. *abstergēre* || **abstergente** XVIII. Do lat. *abstergens -entis* || **abstersão** 1858 || **abstersivo** XVI.
abstin·ência, -ente → ABSTER.
abstrair *vb.* 'considerar isoladamente, apartar, alhear' |*-hir* XV | Do lat. *abstrăhĕre* || **abstração** | *-çō* XV, *-acção* XVI | Do lat. *abstractĭō -ōnis* || **abstracioNISMO** XX. Do fr. *abstractionnisme* || **abstracioNISTA** XX. Do fr. *abstractionniste* || **abstrativo** | *-activo* XVI | Do fr. *abstractif* || **abstrato** | *-acto* XVI.
abstruso *adj.* 'oculto, escondido' 'confuso, incompreensível' XVI. Do lat. *abstrūsus.*
absurdo *adj. sm.* 'disparatado, insensato' XVI. Do lat. *absurdus* || **absurdEZA** XIX || **absurdidade** XVII. Do lat. *absurdĭtās -ātis.*

abulia *sf.* '(Med.) alteração patológica que se caracteriza pela redução ou supressão da vontade' 1871. Do fr. *aboulie*, deriv. do gr. *aboulía* || **abúlICO** XX.
abuna[1] *sm.* 'bispo abissínio' 1521. Do amárico *abū-nā* (<*abū* 'pai' [= ár. *abū* 'id.'] + *nā* 'nosso' [= ár. *nā* 'id.']).
abuna[2] *sm.* 'nome que os indígenas do Brasil davam aos jesuítas, em alusão às suas vestes negras' 1654. Do tupi *a'ṵuna* (< *a'ṵa* 'homem' + *'una* 'preto, negro').
abundância *sf.* 'fartura, riqueza' | *auondança* XIII, *abundança* XIV etc. | Do lat. *abundantĭa* || **abundante** | *auondante* XV | Do lat. *abundāns -antis* || **abundar** | XV, *auondar* XIII etc. | Do lat. *abundāre* || **abundOSO** | 1572, *auondoso* XIII etc. || EXabundância XVII || EXabundante 1881 || exabundar XX || SUPERabundância | XVI, *sobreauondança* XV || SUPERabundante XVII || SUPERabundar | XVII, *sobreauondar* XV.
⇨ **aburacado** → BURACO.
aburacar → BURACO.
a·bur·gu·es·ado, -ar → BURGO.
abuso *sm.* 'mau uso, descomedimento' XVI. Do lat. *abūsus* || **abusADOR** XVIII || **abusão** | *-sam* XV, *-som* XIV | Do lat. *abūsĭō -ōnis* || **abusAR** XVI || **abusivo** XVIII. Do lat. *abūsīvus* || DESabusADO 1813 || DEsabusAR XVIII.
abutre *sm.* 'nome comum a várias aves falconiformes da fam. dos vulturídeos' | XVI, *abuter* XV, *uoytor* XIV, *vuytor* XIV etc. | Do lat. *vultur -ŭris.*
abutua *sf.* 'designação de várias plantas da fam. das menispermáceas' | 1782, *butua* 1681, *butúa* 1763 | Do tupi, provavelmente, mas de étimo incerto.
-aça → -AÇO.
a·cab·ado, -amento, -ar → CABO.
a·cabocl·ado, -ar → CABOCLO.
acabralhado → CABRA.
acabrunhar *vb.* 'abater, afligir' 1712. Talvez do lat. *caprōneāre* 'baixar a cabeça, conservar a cabeça baixa'.
acaçá *sm.* 'bolo de milho' 1871. Do ioruba ou, mais provavelmente, do jeje *aka'tsa.*
açacalar *vb.* 'polir, brunir' XVI. Do ár. *as-ṣaqāl.*
a·caçap·ado, -ar → CAÇAR.
⇨ **acaçapar** → caçar.
acácia *sf.* 'planta ornamental da fam. das leguminosas' XVI. Do lat. *acacĭa*, deriv. do gr. *akakía*, de origem egípcia.
açacu *sm.* 'planta da fam. das euforbiáceas, cuja madeira é bastante resistente à umidade e de cujo suco os índios do Brasil se utilizavam para capturar peixes' | *assacú* 1763, *assucú* 1763 | Do tupi *asa'ku.*
acacular → CACULO.
academia *sf.* 'orig. escola fundada por Platão e, por extensão, escola filosófica, estabelecimento de ensino etc.' | XV, *achademya* XV | Do lat. *academīa*, deriv. do gr. *akadē'meia*, de *Akadēmos*, herói grego que deu nome a um jardim em Atenas, onde Platão ensinava filosofia || **academiAR** XVII || **acadêmICO** | XV, *achademicus* XV | Do lat. *academĭcus.*
acafajestado → CAFAJESTE.

açafate *sm.* 'pequeno cesto, sem arco e sem asas' XVI. Do ár. *as-safaṭ* ‖ **açafata** *sf.* 'ant. dama a serviço da família real, encarregada de transportar no açafate lenços, toucados etc.' 1813.

acafelar *vb.* 'rebocar, cobrir com pedra e cal (uma parede, um muro)' XVI. Do ár. *qaffala* ‖ **acafel**ADO | *acafalado* XV ‖ **acafel**ADOR 1562 ‖ **acafel**ADURA 1562.

açafrão *sm.* 'planta da fam. das iridáceas' | *çaffram* XIV | Do ár. *az-zaʿfarān* ‖ **açafro**AR 1611 ‖ **açafro**EIRA XVII.

⇨ **açafrão** — **açafro**ADO | 1562 JC, *açafraado* XV SBER 138.*33* ‖ **açafro**AR 1562 JC |.

açaí *sm.* 'espécie de palmeira da subfam. das ceroxilíneas, cujo fruto é comestível e fornece uma bebida fermentada muito apreciada' | *assaí* 1763, *açay c* 1767, *uaçai c* 1777 etc. | Do tupi *ïu̯asa'i* ‖ **açaiz**·AL | *assaizal* 1877, *assahizal* 1882 ‖ **açaiz**·EIRO | *assahyseiro* 1886, *assaizeiro* 1928 etc.

acaiacá *sm.* 'planta da fam. das terebintáceas' | *acayacá* 1856 | Do tupi *akaḭa'ka*.

açaimo *sm.* 'cabrestilho que se põe no focinho dos animais para não morderem ou não comerem' | *açamo* XVI | De provável origem árabe ‖ **açaim**AR | 1562, *açamar* 1562.

a·caipir·ado, -ar → CAIPIRA.

açaí·z·al, -eiro → AÇAÍ.

acaju *sm.* 'mogno (Swietenia mahagony)' | *acajú* 1858 | Do fr. *acajou*, deriv. do tupi *aka'ĩu*; v. CAJU.

acajucatinga *sf.* 'espécie de cedro' | *acajacatinga* 1587 | Do tupi *akaḭuka'tiɲa*; v. CAJU.

acalcanhar → CALCÂNEO.

acalentar *vb.* 'adormecer (uma criança no colo), embalar, serenar, fazer calar' | XV, *acalantar* XIII | Parece relacionado com CALAR.

acalmar → CALMA.

a·calor·ado, -ar → CALOR.

a·cam·ado, -ar → CAMA.

acamaradar → CÂMARA.

açambarcar *vb.* 'monopolizar, assenhorar-se de' | XVI, *çambarcar* XV | De provável controversa ‖ **açambarc**ADOR XX ‖ **açambarc**AMENTO XX.

a·camp·amento, -ar → CAMPO.

⇨ **acampamento** → campo.

⇨ **acamurçado** → CAMURÇA.

a·canalh·ado, -ar → CANALHA.

acanavear → CÂNAVE.

a·canh·ado, -amento, -ar → CANHO.

-acant(o)- *elem. comp.*, do gr. *ákanthos* (≥ lat. *acanthus*), de *ákantha* 'espinho', que se documenta em vocábulos eruditos, alguns formados no próprio grego, como *acantóbolo*, e muitos outros introduzidos, a partir do séc. XIX, na linguagem científica internacional, particularmente no domínio da botânica ♦ **acanta** | *-tha* 1871 | Cp. gr. *ákantha* ‖ **acant**ÁCEA | *-th* 1858 | Do fr. *acanthacée* ‖ **acant**ÁCEO | *-th* 1899 ‖ **acant**ÁRIA XX. Do lat. cient. *acantharia* ‖ **acant**EFÍPIO | *-thephippio* 1871 ‖ **acantela** XX. Do lat. cient. *acanthella* ‖ **acant**IA | *-thias* 1871 | Do lat. cient. *acanthia*, deriv. do gr. *akanthías* ‖ **acânt**ICO XVI. Do lat. *acanthicus*, deriv. do gr. *akanthikós* ‖ **acânt**IDA | *-thides* 1871 | Cp. gr. *acanthís -ídos* ‖ **acant**INA | *-th-* 1471 | Cp. lat. *acanthinus*, deriv. do gr. *akánthinos* ‖ **acant**ITA

| *-thito* 1909 ‖ **acanto** XVI. Do lat. *acanthus*, deriv. do gr. *ákanthos* ‖ **acanto**BDÉL·IDO XX. Cp. lat. cient. *acanthobdella* ‖ **acantó**BOLO | *-thá-* 1858, *-thó-* 1909 | Cp. gr. *akanthobólos* ‖ **acanto**BÓTRIA | *-thobótrya* 1871 | Do lat. cient. *acanthobothrya* ‖ **acantobótrio** XX. Do lat. cient. *acanthobothrium* ‖ **acanto**CÁRP·ICO | *-thòcárpio* 1899 ‖ **acanto**CARPO | *-th-* 1871 | Do lat. cient. *acanthocarpus* ‖ **acanto**CÉFALO | *-thocéphalo* 1871 | Do lat. cient. *acanthocephalus* ‖ **acantó**CERO | *-th-* 1871 ‖ **acanto**CÍN·EO | *-thocino* 1871 ‖ **acanto**CISTO | *-thocýstidas* 1909 | Do lat. cient. *acanthocisthis* ‖ **acanto**CLÁD·IO | *-th-* 1899 | Do lat. cient. *acanthocladium* ‖ **acanto**DÁCTILO | *-thodáctylo* 1871 | Do lat. cient. *acanthodactylus* ‖ **acanto**DERME | *-thoderma* 1871 ‖ **acantó**FAGO | *-thóphago* 1871 ‖ **acanto**FILO | *-thóphylla* 1871 | Do lat. cient. *acanthophyllum* ‖ **acantó**FORO | *-thóphoro* 1871 ‖ **acanto**GLOSSO | *-thoglóssa* 1871, *-sso* 1909 | Do lat. cient. *acanthoglossus* ‖ **acant**OIDE | *-thoides* 1871 ‖ **acanto**LÉPIS | *-thólepis* 1871 ‖ **acantó**LOFO | *thólopho* 1871 ‖ **acanto**NEMA | *-thónemo* 1871 ‖ **acant**ÔNIX | *-thonyx* 1871 | Do lat. cient. *acanthonyx* ‖ **acanto**NOTO | *-thó-* 1871 | Do lat. cient. *acanthonōtus* ‖ **acant**OPTERÍG·IO | *-thopterygiáno* 1871, *-thopterygio* 1881 ‖ **acant**OSE XX. Do lat. cient. *acanthosis* ‖ **acanto**SPERMA | *-thospérma* 1871 ‖ **acanto**SPORO | *-thos-* 1871 ‖ **acantos**·SOMO | *-thósomo* 1871 ‖ **acantoz**·OIDE | *-tho-* 1909 ‖ **acant**URO | *-th-* 1871 | Do lat. cient. *acanthurus*.

ação *sf.* 'atuação, ato, feito, obra' | *acção* XVI, *auçô* XIV, *auçom* XIV, *auççom* XIV etc. | Do lat. *āctiō -ōnis* ‖ **acion**ADOR | *acci-* 1813 ‖ **acion**AR | *acci-* 1813 ‖ **acion**ÁRIO | *acci-* 1813 ‖ **acion**ISTA | *acci-* 1813 ‖ IN**ação** | *inacção* 1813 ‖ RE**ação** | *reacção* XVIII ‖ RE**acion**ÁRIO | *-acci* 1874.

-ação *suf. nom.* (= cast. *-ación* = fr. *-ation* [> ing. *-ation*] = it. *-azióne*), deriv. do lat. *-ātiō -ōnis*, que forma substantivos abstratos deverbais, com a noção básica de 'ação, ato', deduzidos dos particípios em *-ātus* (> -ADO) da primeira conjugação: ACETIL**ação**, CAPIN**ação**, DOMIN**ação**.

⇨ **acapelado** → CAPELO.

acapu *sm.* 'planta da fam. das leguminosas' | *acapú* 1883 | Do tupi *aka'pu* ‖ **acapu**RANA 1928.

acará[1] *sm.* 'designação de diversos peixes de água doce da fam. dos ciclídeos' 1587. Do tupi *aka'ra* ‖ **acará**-BANDEIRA 1895 ‖ **acara**PEBA | *carapeba* 1587 ‖ **acara**PITANGA | *carapitanga* 1587 ‖ **acara**PITINGA | *acaroapeti c* 1631.

acará[2] *sm.* 'pequeno bolo de feijão-fradinho moído, frito em azeite de dendê' 'pedaços de algodão embebidos em azeite, em chamas, que em certas ocasiões, hoje raras, devem ser engolidos, como prova de transe verdadeiro, por filhos de santos, nos rituais afro-brasileiros' 1899. Do ioruba *aka'ra* ‖ **acarajé** *sm.* 'bolo de feijão-fradinho, misturado com cebola picada e sal' 1899. Do ioruba *aka'ra* 'acará'[2] + *ìje* 'comida'.

acara·peba, -pitanga, -pitinga → ACARÁ[1].

a·car·eação, -ear → CARA.

acari[1] *sm.* 'peixe da fam. dos loricarídeos, também chamado cascudo' | 1817, *oaquari* 1587, *aguari c* 1594, *vacari c* 1777, *goacari* 1792 etc. | Do tupi *ü̯aka'ri*.

acari² *sm.* 'planta da fam. das leguminosas' 1857. Do tupi *aka'ri* ‖ **acari**CUARA | *acaricoára* 1833 ‖ **acari**ÚBA 1928.
acariciar → CARÍCIA; **acaricida** → ÁCARO.
acari·cuara, -úba → ACARI².
ácaro *sm.* 'denominação geral dos aracnídeos da ordem *Acarina*' 1871. Do lat. cient, *acarus*, deriv. do gr. *ákari*. Uma forma *acari* já se documenta em port. no séc. XVII e é a única consignada por Morais (em 1813) ‖ **acari**CIDA XX ‖ **acar**OIDE XX.
acarpetar → CARPETE.
a·carret·amento, -ar → CARRO.
⇨ **acarreto** → CARRO.
a·casa·l·ado, -amento, -ar → CASA.
acaso → CASO.
⇨ **acastanhado** → CASTANHA.
a·cataléct·ico, -o → CATALÉCTICO.
a·catalep·sia, -tico → CATALEPSIA.
acatar *vb.* 'obedecer, respeitar, venerar' XV. Do lat. **accaptāre*, de *captāre* ‖ **acat**AMENTO XV ‖ DES**aca**-tAMENTO XVI ‖ DES**acatar** XVI ‖ DES**acato** XVIII.
⇨ **acatar** | XIV TROY II. 194.7 ‖ DES**acato** | 1614 SGONÇ II.289.*16* |.
acatólico → CATÓLICO.
acauã *s2g.* 'ave de rapina da fam. dos falconídeos' | *oacaoam* 1587, *macauhan* 1800, *cahuam* 1817, *acauán* 1833 etc. | Do tupi *ua'kauã*.
a·caudilh·ado, -ar → COUDEL.
a·cautel·amento, -ar, -atório → CAUTELA.
acavalado → CAVALO.
-acaz → -AZ².
-ácea(s) *suf. nom.*, do lat. *-acea* (neutro plural *-āceus*) *-aceae* (feminino plural de *-āceus*), que se documenta em vocs. eruditos que designam famílias de plantas: *acantácea(s), rosácea(s)* etc. Cp. -AÇO, -AÇA.
acebolado → CEBOLA.
acedar *sm.* 'rede para pesca de sardinhas' | XV, *açoador* XV | Relaciona-se com o lat. *cētāria -īum* 'viveiro de peixes'.
aceder *vb.* 'concordar, aprovar' XVIII. Do lat. *accedĕre* ‖ **aced**ÊNCIA XX ‖ **aced**ENTE | *acc-* 1844.
⇨ **aceder** — *acedente* | *accedent* 1836 sc |.
acefalia *sf.* 'ausência congênita de cabeça' | *-ph-* 1858 | Do fr. *acéphalie* ‖ **acéfalo** | *-ph-* XIV, *açafolo* XIV | Do lat. *acephălus*, deriv. do gr. *aképhalos* 'sem cabeça'. O voc. *acéfalo* ocorre em alguns compostos, de uso muito restrito, na linguagem científica internacional.
aceir·amento, -ar, -o → AÇO.
aceitar *vb.* 'consentir em receber, estar de acordo' | *aceptar* XIV | Do lat. *aceptāre* ‖ **aceit**AÇÃO | *acc-* XVI, *aceptaçam* XVI ‖ **aceit**ADOR XVI. Do lat. *acceptātor -ōris* ‖ **aceit**ANTE | *acc-* XVI ‖ **aceit**ÁVEL | *aceptabell* XV, *acceptabele* XV etc. ‖ **aceite** 1813 ‖ **aceito** XVI. Do lat. *acceptus* ‖ IN**aceit**ÁVEL | *-acc-* 1873.
⇨ **aceitar** — **aceit**AÇÃO | *aceptaçom* XV LOPJ II. 262.*6* ‖ **aceit**ÁVEL | *aceptavil* XV BENT 27.*19* ‖ **aceito** | *accepto* XV VITA 18*d*25, *acepto* XV CONF 128*b*2, *açepto* XV IMIT XXIII. 22 |.
acelerar *vb.* 'tornar célere, apressar' | *acc-* XVI | Do lat. *accelerāre* ‖ **aceler**AÇÃO | *acc-* XVI | Do lat. *accelerātiō -ōnis* ‖ **aceler**ADOR | *acc-* 1813 ‖ **aceler**AMENTO | *acc-* XVI.

acelga *sf.* 'erva da fam. das quenopodiáceas' | XVI, *aselga* XVI, *açellca* XV | Do ár. *as -silqa*.
acém *sm.* 'carne do lombo do boi' XVI. Do ár. *as--semn*.
acenar *vb.* 'fazer acenos, sinais' 'chamar a atenção' XIV. Do lat. vulg. **accināre* ‖ **acen**AMENTO XV ‖ **aceno** XV.
⇨ **acenar** — **acen**AMENTO | *acenamēto* XIV ORTO 101.*8* |.
acender *vb.* 'pôr fogo a, fazer arder; animar, entusiasmar' XIII. Do lat. *accĕndĕre* ‖ **acend**ALHA | XV, *acendedalha* XVI ‖ **acend**EDOR XV ‖ **acend**IMENTO XV ‖ **aceso** XIII. Do lat. *accēnsu* ‖ RE**acender** 1874.
⇨ **acender** — **acend**IMENTO | XIV GRAL 56*a*9, *acendimēto* XIV ORTO 20.*20* ‖ RE**acender** | 1836 sc, *reaccendcr* 1836 sc |.
acendrar *vb.* 'limpar (com cinza), purificar' | *acc-* XVII | Do lat. **accinĕrāre* (formado de *cĭnis -ĕris* 'cinza'), com provável interferência do cast. *acendrar* ‖ **acendr**ADO XVII.
⇨ **acendrar** — **acendr**ado | 1557 *Frol.* 64.*20* |.
acensão *sf.* 'acendimento' XVII. Do lat. *accensiō -ōnis* ‖ **acenso** *sm.* 'na antiga Roma, oficial subalterno que acompanhava os magistrados' | *acc-* XVI | Do lat. *accēnsus.*
acento *sm.* 'tom de voz, inflexão' | *acc-* 1572 | Do lat. *accentus* ‖ **acentu**AÇÃO | *acc-* XVIII ‖ **acentu**AR XVI.
-áceo *suf. nom.*, do lat. *-āceus*, que ocorre na formação de adjetivos oriundos de substantivos, quase sempre com as noções de 'semelhança' e 'grandeza': *acantáceo, amiláceo, ocráceo* etc.
acepção *sf.* 'ato de receber, recepção, acolhimento' | *acc-* XVI | 'significado de uma palavra' | *acc-* XVI | Do lat. *acceptĭō -ōnis.*
acepilhar → CEPO.
acepipe *sm.* 'iguaria delicada, petisco' | XVII, *acipipe* XVII | do ár. *az-zebīb* 'passa de uvas'.
aceptilação *sf.* '(Dir.) quitação de dívida' XIX. Do lat. tard. *acceptĭlātiō -ōnis.*
acéquia *sf.* 'represa, açude, canal para irrigar' | *cequia* XIII | Do ár. *as-sāquiya.*
acerbo *adj.* 'ácido, áspero, árduo' XVI. Do lat. *acerbus* ‖ **acerb**IDADE XVI. Do lat. *acerbĭtās -ātis* ‖ EX**acerb**AÇÃO 1813. Do lat. *exacerbātiō -ōnis* ‖ EX**acerb**ADOR 1813 ‖ EX**acerb**AR XVIII. Do lat. *exacerbāre.*
a·cerc·a, -ar → CERCAR.
acertar, acerto → CERTO.
acervo *sm.* 'montão' 'conjunto de bens que integram um patrimônio' XVII. Do lat. *acervus.*
aceso → ACENDER.
acesso *sm.* 'chegada, ingresso' | *acc-* XVI | Do lat. *accessus* ‖ **acessão** | *acc-* XVII | Do lat. *accessĭō -ōnis* ‖ **acess**IBIL·IDADE 1899. Do lat. *accessibilĭtās -ātis* ‖ **acess**ÍVEL XVI. Do lat. *accessibĭlis* ‖ **aces**-SÓRIO | *acc-* XVI ‖ IN**acess**IBIL·IDADE | *-acc-* 1873 ‖ IN**acess**ÍVEL | *-acc-* XVII ‖ IN**acesso** | *-acc-* XVIII.
⇨ **acesso** — IN**acess**ÍVEL | *inasesibiles* pl. *c* 1541 JCASR 239.*24* |.
acéter *sm.* 'púcaro de beber água' XIV. Do ár. *as--saṭl.*
acetinado → CETIM.
acet(o)- *elem. comp.*, do lat. *acēt-*, de *acētum* 'ácido, azedo' 'vinagre', que se documenta em alguns vo-

cábulos formados no próprio latim, como *acetábulo*, e em' muitos outros introduzidos na linguagem científica internacional, a partir do séc. XIX, particularmente no domínio da química ♦ **acetabulária** XIX. Do lat. cient. *acētābŭlāria* || **acetábulo** XVII. Do lat. *acētābŭlum* || **acet**AL 1871 (voc. criado por Dobereiner, em 1833, de *acét*[*ico*] + *al*[*deído*]) || **acet**AL·AM·INA XX | **acet**AL·DE·ÍDO XX | **acet**AM·IDA | -*ido* 1899 | Do fr. *acétamide* || **acet**A·NIL·IDA | -*ido* 1899 | Do fr. *acétanilide* | **acet**AR 1881. Do lat. cient. *acētāre* || **acet**ATO 1846. Do lat. tard. *acētātus* || **acét**ICO 1844. Do fr. *acétique* (voc. criado, em 1787, por de Morveau) || **acet**I·FIC·AÇÃO 1858 || **acet**I·FIC·ADOR XX || **acet**I·FIC·AR 1858 || **acet**IL XX || **acet**ILA XX. Do fr. *acétyle* || **acet**IL·AÇÃO XX || **acet**IL·COL·INA XX || **acet**IL·ÊN·ICO XX. Do fr. *acétylènique* || **acet**IL·ENO | *acetylene* 1899 | Do fr. *acétylène*, deriv. do ing. *acetylene* (voc. criado por Davy, em 1836)||**acet**IL·MORF·INA XX||**acet**IL·SALIC·IL·ATO XX || **acet**IL·SALIC·ÍL·ICO XX || **acet**Í·METRO 1871 || **acet**INA 1871 || **acet**OFEN·ONA XX || **acet**OL 1858 || **acet**OMEL 1858 || **acet**ÔMETRO 1858 || **acet**ONA 1858. Do fr. *acétone* || **acet**ON·EM·IA 1899 || **acet**ON·ÊM·ICO XX || **acet**ÔN·ICO 1899 || **acet**ON·ÚR·IA 1899 || **acet**ON·ÚR·ICO XX || **acet**OSO XVI. Do lat. *acētōsus*.
⇨ **acet(o)-** — **acet**ATO | *acetate* 1836 SC || **acét**ICO 1836 SC || **acet**OSO | XV SEGR 31 |.
acha[1] *sf.* 'arma antiga, com formato de machado' XIII. Do fr. *hache*, deriv. do frâncico *hapja.
acha[2] *sf.* 'pedaço de madeira usado para lenha' | *achoa* XV | Do lat. *astŭla* 'lasca de madeira' (*astúla* > *astla* > *ascla* > *acha*).
achac·adiço, -ado, -ar, -oso → ACHAQUE.
ach·ado, -ador → ACHAR[1].
achagado → CHAGA; **achamento** → ACHAR[1].
achaque *sm.* 'causa, motivo, pretexto' 'queixa, mal-estar' XIV. Do ár. *aš-šakã* || **achac**AD·IÇO XVI || **achac**ADO XIV || **achac**AR XIV. Do ár. vulg. '*atšákkã* 'acusar', de *šákã* 'queixar-se' || **achac**OSO | *chacoso* XVI.
achar[1] *vb.* 'encontrar, descobrir' XIII. Do lat. *affeāre* 'soprar'. Explica-se a evolução semântica pelo fato de o voc. ter origem na linguagem dos caçadores: do sentido primitivo do lat. 'soprar' passou-se ao de 'sentir a proximidade da caça pelo odor, farejar' e, daí, 'descobrir, encontrar (a caça)' || **ach**ADO *adj. sm.* XIII || **ach**ADOR XIV || **ach**AMENTO XV.
⇨ **achar**[1] — **ach**AMENTO | *achaméto* XIV ORTO 191.*3* |.
achar[2] *sm.* 'conserva de frutas e raízes em salmoura e vinagre' 1563. Do persa *āčar*, provavelmente através do mal. *ačar*.
a·chat·ado, -amento, -ar → CHATO.
achegar *vb.* 'aproximar(-se) de, juntar(-se) a, reunir(-se) com' XIII. Do lat. *applicāre* || **achega** *sf.* 'aditamento' XVI || **acheg**ADO *adj. sm.* XV || **acheg**ADOR *adj. sm.* XIV || **acheg**A·MENTO XV. Cp. CHEGAR.
⇨ **achegar** — **acheg**AMENTO | *achegaméto* XIV ORTO 341.*12* |.
achicar[1] *vb.* 'esgotar (a água de uma embarcação), secar' XVII. Do lat. *excĭccāre*.
achicar[2] *vb.* 'tornar pequeno, diminuir' XX. Do cast. *achicar*, de *chico* 'pequeno'.
a·chinc·alh·amento, -ar, -e → CHINQUILHO.
achinesado → CHINÊS.

-acho *suf. nom.*, que provém, segundo tudo indica, da combinação do suf. *-asco* com o suf. lat. *-cŭlu*: *-asco* + *-cŭlu* > **ascŭlu* > *asc'lu* > *-acho*; ocorre na formação de diminutivos (*riacho*), quase sempre com noção depreciativa (*populacho*).
-ácia *sujo nom.*, do lat. *-ācĭa*, que se documenta em substantivos abstratos, de cunho erudito: *contumácia* (< lat. *contumācĭa*), *eficácia* (< lat. *efficācĭa*) etc. V. -AZ[1].
acica *sf.* 'bolsa' XVI. Do ár. *as-sikkā* 'dinheiro'.
acicate *sm.* 'espora' 'estímulo, incentivo' | *açycate* XVI | Do ár *as-sikkāt*.
acidente *sm.* 'acontecimento casual, ocorrência (infeliz)' XV. Do lat. *accĭdēns -entis* || **acident**AL XIV. Do lat. *accidentālis*.
acídia *sf.* 'frouxidão, negligência' | *accidia* XV, *aucidia* XV, *acedia* XVIII etc. | Do lat. *acēdĭa*, deriv. do gr. *akēdía* (ou *akedeía*) || **acidi**OSO XV.
ácido *adj. sm.* 'de sabor acre, azedo' '(Quím.) qualquer substância, íon ou molécula, capaz de ceder prótons, ou capaz de formar uma ligação covalente por recebimento de um par de eléctrons de uma base' XVII. Do lat. *acĭdus* || **acid**EZ XVIII || **acid**ÍFERO 1858 || **acid**IFIC·AÇÃO 1844 || **acid**IFICAR 1844 || **acid**IMETR·IA 1871 || **acid**ÍMETRO 1899 || **acid**ÓFILO XX || **acid**OSE XX || **acid**UL·AR 1844 || **acíd**ULO 1813. Do lat. *acidŭlus*.
⇨ **ácido** — **acid**IFIC·AÇÃO | 1836 SC || **acid**IFIC·ANTE | 1836 SC || **acid**IFIC·AR | 1836 SC || **acid**IFIC·ÁVEL | 1836 SC || **acid**UL·AR | 1836 SC |.
aciganado → CIGANO.
a·cim·a, -ar → CIMA.
a·ciment·ar → CIMENTO.
acinte *adv.* 'de propósito' XV. Do lat. *accinte*, ou da locução *ad sciente* 'com conhecimento, de (firme) propósito' || **acint**OSO 1813.
⇨ **acinte** | *aciente* XIII FUER II. 629, *aciinte* XIV ORTO 314.*28* etc. |.
a·cinz·ent·ado, -ar → CINZA.
acion·ador, -ar, -ário, -ista → AÇÃO.
acirologia *sf.* 'impropriedade de expressão' | *acy-* XVI | Do lat. *acyrologĭa*, deriv. do gr. *akyrología* (de *ákyros* 'impróprio').
acirrar *vb.* 'irritar, exasperar' 1881. Parece tratar-se de palavra expressiva, de origem onomatopaica || **acirr**ADO 1899 || **acirr**AMENTO XX.
acítara *sf.* 'cortina, reposteiro' XIII. Do ár. *as--sitāra*.
aclamar *vb.* 'proclamar, reconhecer (os méritos de), aplaudir' XVI. Do lat. *acclāmāre* || **aclamação** XVI. Do lat. *acclāmātĭō -ōnis*.
⇨ **aclamar** — **aclam**ADOR | *acclamador* 1680 AOCad II, 138.*23* |.
a·clar·ação, -ador, -ar → CLARO.
⇨ **aclimar** → clima.
a·clim·at·ação, -ar → CLIMA.
aclive *adj.* 'íngreme' | *acclive* XVI | Do lat. *acclīvis*.
acme *sm.* 'o ponto mais alto, o clímax' 1871. Do gr. *ákmē* 'cume', por via erudita.
acne *sf. e m.* 'erupção pustulosa' XX. Do fr. *acné*, deriv. do ing. *acne* e, este, do lat. cient. *acnē*, deduzido do gr. *ákmē* (> ACME), transcrito *áknē*, por erro do copista de um texto de Aécio (séc. VI); Fr. D. Vieira registra, em 1871, a forma *acnéa*.

-aço¹ *suf. nom.*, do lat. *-ācus*, que ocorre na formação de alguns derivados, que apresentam, quase sempre, uma conotação irônico-prazenteira (*cavaco* 'bate-papo, conversa ligeira') e/ou pejorativa (*velhaco*).
-aço² *suf. nom.*, do lat. *-acus* (≥ gr. *-akós*), que ocorre em alguns derivados com as noções básicas de 'origem' (*austríaco*) e de 'pertinência' (*demoníaco*).
aço *sm.* 'liga metálica de ferro e carbono' XIII. Deriv. regressivo de *aceiro¹* || **aceir**ADO *adj.* 'temperado com aço' | *aceyrado* XIV || **aceir**AMENTO 1899 || **aceir**AR¹ *vb.* 'temperar com aço' 1844 || **aceir**AR² *vb.* 'preparar o aceiro²' 1516 || **aceiro¹** *sm.* 'aço' XV. Do lat. tard. *aciarium*, de *aciēs* 'ponta, gume' || **aceiro²** *sm.* 'terreno desbastado em torno das matas para evitar a comunicação de incêndios' 1727. Do mesmo lat. tard. *aciarium*.
-aço, -aça *suf. nom.*, do lat. *-āceus, -ācea*, que formam derivados com as noções básicas de 'grandeza, coleção' (*barcaça, fumaça, ricaço*) e de 'intensidade' (*canhonaço, pistolaço*) e que, com frequência, assumem uma conotação irônica e/ou pejorativa.
acocorar → CÓCORAS.
açodar *vb.* 'apressar, acelerar' 1881. Parece tratar-se de palavra expressiva, de origem onomatopaica || **açod**ADO 1881 || **açod**AMENTO 1899.
⇨ **açodar** | 1562 JC | **açod**ADO | 1562 JC, 1614 SGonç II.390.*34. asodado* 1680 AOCad I.440.*25* || **açod**AMENTO | 1562 JC |.
a·cogul·ado, -ar → COGULO.
acoimar → COIMA.
açoite *sm.* 'chicote, flagelo' | *açoute* XIII | do ár. *as-saut* || **açoit**AD·IÇO | -*çou* XVI || **açoit**ADO | -*çou*- XVI || **açoit**ADOR | -*çou*- 1813 || **açoit**ADURA | -*çou*- 1813 || **açoit**AMENTO | -*çou*- XV || **açoit**AR | -*çou*- XIII. -*zou*- XIV. -*çoy*- XV || **açoit**EIRA 1899.
⇨ **açoite** — **açoit**ADO | *açoutado* XV CONT 167.*10*, *azoutado* XV INFA 44.*15* |.
acolá *adv.* 'lá, mais além' XIII. Do lat. *eccum illāc* 'eis ali'.
acolchetar → COLCHETE; **acolchoar** → COLCHA.
acolher *vb.* 'dar acolhida a, hospedar, recolher' | XIV, -*ller* XIII | Do lat. **accŏllĭgĕre* || **acolh**EDOR 1813 || **acolh**EITA XVI || **acolh**EITO XVI || **acolh**ENÇA XVI || **acolh**IDA XVI || **acolh**IMENTO | XV, -*lle*- XIV etc.
acólito *sm.* 'aquele que acompanha e serve aos superiores, auxiliar, ajudante' XVI. Do lat. ecles. *acolyt(h)us*, deriv. do gr. *akólouthos* || **acolit**AR | *acolythar* 1871 || **acolit**ATO 1813.
a·comet·edor, -er, -ida, -imento → COMETER.
a·comod·ação, -ado, -ar, -atício → COMODIDADE.
a·companh·ado, -amento, -ar → COMPANHIA.
⇨ **acompanh·ante, -ável** → COMPANHIA.
⇨ **acomplexionado** → complexo¹.
a·concheg·ado, -ante, -ar, -o → CONCHEGAR.
a·condicion·ado, -amento, -ar → CONDIÇÃO.
acônito *sm.* 'planta da fam. das ranunculáceas (*Aconitum napellus*) de propriedades terapêuticas' XVII. Do lat. *aconĭtum*, deriv. do gr. *akóniton* || **aco**nítICO 1858 || **aconit**INA 1858. Do fr. *aconitine*.
a·conselh·ador, -amento, -ante, -ar, -ável → CONSELHO.

acontecer *vb.* 'realizar-se inopinadamente, suceder, sobrevir' | XIV, -*eçer* XIII, -*esçer* XIV etc. | Do lat. **contigescĕre* (incoativo de **contĭgĕre*, do lat. cláss. *contĭngĕre*), através da var. *contecer*, hoje desusada, mas que se documenta com frequência no port. med., desde o séc. XIII || **acontec**IMENTO XV.
acoplar *vb.* 'ligar, conectar' XX. Do fr. *accoupler*, de *couple* (< lat. *cōpŭla*) || **acoplagem** XX. Do fr. *accouplage* || **acoplamento** XX. Do fr. *accouplement*.
açor *sm.* 'ave de rapina, diurna' XIII. Do lat. *acceptor -ōris* (cláss. *accipter*) || **açor**ADO *adj.* 'ávido, ardoroso (como o açor)' XVII || **açor**AR XVII.
⇨ **açor** — **açor**EIRO *sm.* 'o que cria, trata ou cuida dos açores' | 1261 (M²) |.
açorda *sf.* 'sopa de pão, temperada com azeite, alho etc.' XVI. Do ár. *aṯ-ṯurdā*.
acordar *vb.* 'resolver, convir, concordar' XIII; 'recobrar os sentidos, voltar a si, despertar do sono' XIII; 'recordar, lembrar' XIII; tornar-se cordato, prudente' XIII; 'conceder, outorgar' XIII; 'afinar as cordas de um instrumento de música' XVII. Do lat. **accordāre*, *de cor cordis* 'coração'; na última acepção, talvez do lat. **acchordāre*, de *chorda -ae* 'corda de um instrumento de música' || **acord**ADO *adj.* 'prudente, sensato' XIII || **acórdão** *sm.* '(Jur.) decisão proferida por tribunal coletivo' XVI || **acorde¹** *adj.* 'concorde' XVII || **acorde²** *sm.* 'complexo sonoro de três ou mais sons de frequências diferentes' 1871. Do fr. *accord* || **acordo** *sm.* 'resolução, concordância' XIII; 'ato de recobrar os sentidos, de despertar' XIII || DEsacordADO *adj.* 'sem sentidos' 'discordante' XIII || DEsacordar *vb.* 'opinar contra' XIV || DEsacordo *sm.* 'discordância' XIV.
acordeão *sm.* 'instrumento de música' | *accordeon* 1871 | Do fr. *accordéon*, deriv. do al. *Akkordion*, termo criado pelo seu inventor, Damian, em 1829.
acordo → ACORDAR.
açoriano *adj. sm.* 'relativo às, ou natural das ilhas dos Açores' 1868. De *Açor(es)* + -IANO.
acoroçoar → CORAÇÃO.
acorrentar → CORRENTE.
acorrer *vb.* 'socorrer, amparar' XIII. Do lat. *accŭrrĕre* || **acorr**IMENTO | XIII, -*rre*- XIV || **acorro** XIII. Deverbal de *acorrer*.
acortinar → CORTINA.
acossar *vb.* 'perseguir, ir no encalço de' XVI. Do lat. **accursāre* (de *cŭrsus -ūs*) ou, talvez, do a. port. *cosso* 'carreira, curso', já documentado no séc. XV || **acoss**ADO XVI || **acoss**ADOR 1813 || **acoss**AMENTO 1813.
a·cost·amento, -ar → COSTA.
a·costum·ado, -ar → COSTUME.
açoteia *sf.* 'terraço, mirante' | *açotea* XV, *çotea* XVI | Do ár. *as-suṯeiḥ*.
acotiledôneo → COTILÉDONE; **acotovelar** → COTOVELO.
açougue *sm.* 'lugar onde se vende carne, talho' XIII. Do ár. *as-sōq* 'mercado, feira' || **açoug**AGEM XV || **açoug**EIRO 1899.
acoutar → COUTO; **acovilhar** → COVIL.
⇨ **acovard·ado, -ar** → covarde.
acrania → CRÂNIO-.

acre[1] *adj. 2g.* 'ácido, áspero, árduo' XVII. Do lat. *ācre*.
acre[2] *sm.* 'medida agrária' 1871. Do ing. *acre*.
⇨ **acre**[2] | 1801 *in* ZT |.
a·credit·ado, -ar, -ável → CRER.
a·cresc·ência, -ent·ador, -ent·amento, -ent·ar, -ente, -er, -imo → CRESCER.
acrílico *adj. sm.* '(Quím.) relativo aos ácido e aldeído acrílicos' 'polímero derivado do aldeído acrílico' XX. Do fr. *acrylique*, termo criado por Claus, em 1862.
acrimônia *sf.* 'aspereza, grosseria' XVII. Do lat. *ācrimōnĭa* || **acrimoni**OSO XVIII.
acrisolar → CRISOL.
acr(o)- *elem. comp.*, do gr. *akro-*, de *ákron* 'extremidade, ponta', que se documenta em alguns compostos formados no próprio grego (como *acrópole*) e em muitos outros introduzidos, a partir do séc. XIX, na linguagem científica internacional → **acrobacia** 1899. Adaptação do fr. *acrobatie* || **acrobata** 1871 | Do fr. *acrobate*, deriv. do gr. *akrobátēs* || **acrob**ÁTICO 1858 | Do lat. *acrobatĭcus*, deriv. do gr. *akrobatikós* || **acrobat**ISMO 1899 || acroCÂRP·ICO XX || acroCARPO 1871. Cp. gr. *akrókarpos* || acroCEFAL·IA | -ph- 1899 || acroCEFÁL·ICO | -ph- 1909 || acroCÉFALO | -ph- 1871 | Do lat. cient. *acrocephalus* || acroCERÁUN·IO | *acroceráuneo* XVII | Do lat. *acroceraunius*, deriv. do gr. *akrokeráunia* || **acró**CERO 1871 || acroDIN·IA | -dy- 1871 | Do fr. *acrodynie* || **acro**FOB·IA | -ph- 1909 | Do fr. *acrophobie* || acroFON·IA XX || **acró**FORA | -phoro 1871 || **acró**GENO 1871 || acroGRAF·IA XX || acroGRAMA XX || acroÍTA XX (voc. criado por Hermann, em 1845) || **acroleína** 1871 | Do fr. *acroléine* (voc. criado por Brandes, em 1838) || **acró**LITO | -tho 1871 | Do lat. *acrolithus*, deriv. do gr. *akrólithon* || acroMAN·IA 1858 | Cp. gr. *akromanē's* || acroMEGAL·IA 1899. Do fr. *acromégalie* || acroMEGÁL·ICO 1909 || acroPATA XX || acroPAT·IA | -th- 1871 || acroPÁT·ICO 1871|| acroPÓD·IO 1899. Do lat. tard. *acropodium*, deriv. do gr. *akropódion* || **acró**PODO | -pode 1871 | Cp. gr. *akrópous -podos* || **acró**POLE 1877. Do lat. tard. *acropolis*, deriv. do gr. *akrópolis* || **acró**SPORO 1871 || acros·SARCO | *-sarca* 1871 || acros·SOF·IA | *acrosophía* 1871 | Cp. gr. *akrósophos* 'sapientíssimo' || **acró**STICO XVI | Do lat. *acrostichis -idis*, deriv. do gr. *akrostichís -ídos* || **acrostólio** XVII | Cp. gr. *akrostólion* || acroTÉR·IO XVII. Do lat. *acroterium*, deriv. do gr. *akrōtē'rion* || acroTERI·OSE 1871 || acroTOM·IA 1899|| acroTÔM·ICO XX.
⇨ **acr(o)- — acrobata** | 1836 SC || acroCERÁUN·IO | 1572 *Lus.* VI. 82 |.
acroama *sm.* 'canto harmonioso' XVII. Do lat. *acroāma*, deriv. do gr. *akróama* || **acroamát**ICO XIX. Do fr. *acroamatique*.
acromat(o)- *elem. comp.*, do gr. *achrō'mat-os* 'incolor' [v. -CROMAT(O)-], que se documenta em alguns vocs. introduzidos na linguagem científica internacional, a partir do séc. XIX. → **acromát**ICO | *achro-* 1813 || **acromat**INA 1899 || **acromat**ISMO || *achro-* 1871 || **acromat**IZAR | *-achromatisar* 1858 || **acrômato** XX || **acromat**OPS·IA | *achro-* 1871 || **acromat**ÓPS·ICO XX || **acromat**ÓPT·ICO 1899 || **acromat**OSE XX. V. ACROM(O)-, -CROM·, -CROMAT(O)-.
acrom(o)- *elem. comp.*, do gr. *achrōm-os* 'incolor' (de *chrōma -atos* 'cor'), que se documenta em alguns vocs. introduzidos na linguagem científica internacional, a partir do séc. XIX. **acrom**IA XX || **acromo** 1881 || **acromo**BACTERI·ÁCEA XX || **acromo**DERME | *achro-* 1871 || **acromo**DERM·IA | *achro-* 1871. V. ACROMAT(O)-, -CROM-, -CROMAT(O)-.
actin(o)- *elem. comp.*, do gr. *aktīn(o)-*, de *aktī's -ĩnos* 'raio', que se documenta em compostos eruditos, alguns formados no próprio grego, como *actinóforo*, e muitos outros introduzidos, a partir do século XVIII, na linguagem científica internacional, particularmente no domínio da botânica e, mais recentemente, no campo da físico-química nuclear, em decorrência da importância assumida pelo *actínio*, elemento químico de grande poder radioativo → **actín**IA 1858. Do lat. cient. *actīnĭa* (voc. introduzido na ling. cient. intern. por Browne, em 1756) || **actin**I·ÁRIO | 1909, *-arias* 1871 | Do lat. cient. *actīnĭārium*, no pl. *actīnĭāria* (tal como o anterior, introduzido também por Browne, em 1756) || **actín**ICO 1899. Do fr. *actinique* || **actin**ÍDEO XX || **actin**IDI·ÁCEA XX || **actin**IDI·ÁCEO XX || **actin**I·FORME 1871 || **actín**IO XX. Do lat. cient. *actinium* || **actin**ISMO 1899. Do fr. *actinisme* || **actino**BOL·ISMO 1871 || **actinóbolo** 1899. Do lat. cient. *actīnobolus*; cp. gr. *aktīnoboléō* 'lanço raios, irradio' || **actin**ÓFORO | -ph- 1871 | Do lat. cient. *actinophorus*, deriv. do gr. *aktīnophóros* || **actino**GRAF·IA |-ph- 1909 || **actin**ÓGRAFO | -ph- 1909 || **actino**LITA | *-the* 1871 | Do fr. *actinolithe* || **actino**MANC·IA 1899 || **actino**MANTE XX || **actino**MÂNT·ICO XX || **actino**METR·IA 1909 || **actino**MÉTR·ICO 1909 || **actino**METRO 1899. Do fr. *actinomètre*||**actino**MICET·ÁCEA XX||**actino**MICET·ÁCEO XX || **actino**MICETO | *-myceto* 1899, *-mycete* 1909 | Do fr. *actinomycète* || **actino**MICET·OSE XX || **actino**MIC·ÍD·IO XX. Cp. lat. cient. *actīnomyxidia* || **actino**MIC·OSE | *-my-* 1899 | Do fr. *actinomycose* || **actino**MORF·IA XX || **actino**MORF·ISMO XX || **actino**MORFO | -ph- 1871 | Do fr. *actinomorphe* || **actin**ÔN·IO XX || **actin**ÓPODE XX || **actino**PTERÍG·IO XX || **actino**SCOP·IA 1909 || **actino**SCÓP·ICO XX || **actino**STEL·IA XX || **actino**STÉL·ICO XX || **actino**STELO XX || **actino**STOMA |*-mo* 1871 || **actino**TAT·ISMO XX || **actino**TERAP·IA | -th- 1909 | Do fr. *actinothérapie* || **actino**TO 1858 | Do lat. cient. *actīnotus*, deriv. do gr. *aktīnōtós* || **actino**TOX·EM·IA XX || **actino**TROP·ISMO XX || **actino**ZO·ÁRIO 1871 || **actin**ULA XX || **actin**URO 1871.
açu, guaçu *adj.* 'grande, importante' | *assú* 1868 | Do tupi *a'su* (*u'su*, *üa'su*) 'grande'. O voc. tupi ocorre como elemento de composição em inúmeras palavras portuguesas: *ajuruaçu, amoré-guaçu, boioçu, inambuguaçu* etc.
acúbito *sm.* 'espécie de sofá usado pelos romanos durante as refeições' | *accubito* XVI | Do lat. *accubĭtum*.
açúcar *sm.* 'produto alimentar, de sabor doce, extraído, principalmente, da cana-de-açúcar e da beterraba' XIV. Do ár. *as-sukkar*, remotamente ligado ao sânscr. *šarkarā* || **açúcar**ADO XVI || **açúcar**AL XV || **açúcar**EIRO *sm.* 'almoxarife encarregado da guarda do açúcar' XV; 'recipiente para guardar o açúcar' XVI.
⇨ **açúcar — açúcar**ADO | *açaquarado* 1562 JC || **açúcar**AR | *açaquarar* 1562 JC |.

açucena *sf.* 'planta da fam. das amarilidáceas, de flores coloridas' xvi. Do ár. *as-sūsānā.*
açude *sm.* 'represa de água, barragem' xiii. Do ár. *as-sudd* ‖ açudADA xvi ‖ açudAGEM xx ‖ açudAR xx.
acudir *vb.* 'vir em socorro de, acorrer' xiii. Da antiga forma *recudir* (do lat. *recŭtĕre*), frequente no port. med., com troca de prefixo.
acuidade *sf.* 'agudeza, perspicácia' 1871. Do fr. *acuité*, do lat. *acūtus* 'agudo'.
açular *vb.* 'incitar, instigar' xvi. Parece tratar-se de palavra expressiva, de origem onomatopaica ‖ açulADOR xvi ‖ açulAMENTO 1813.
acúleo *sm.* 'objeto pontiagudo, aguilhão, ferrão' | xvi, *aculleo* xvi | Do lat. *aculĕus* ‖ aculeADO xvii ‖ aculeAR 1899 ‖ aculeIFORME 1871.
-áculo *suf. nom.*, do lal. *-ācŭlum*, que se documenta em substantivos de cunho erudito: *cenáculo* (< lat. *cēnācŭlum*), *tabernáculo* (< lat. *tabernācŭlum*) etc. V. -ALHO.
a·cultur·ação, -ado, -ar → CULTO¹.
açumagre → SUMAGRE.
acume *sm.* 'ponta aguçada' 'agudeza, astúcia' xvi. Do lat. *acūmen -ĭnis* ‖ **acuminar** xviii. Do lat. *acūmĭnāre.*
a·cumplic·iado, -iar → CÚMPLICE.
a·cumul·ação, -ador, -ante, -ar, -ativo, -o → CUMULAR.
⇨ **acunhado** → cunha.
acupuntura *sf.* 'método terapêutico que consiste na introdução de agulhas em pontos cutâneos precisos' | *-ctura* 1858 | Do fr. *acupuncture* ‖ **acupuntu**rADOR | *-ctur-* 1871 ‖ **acupuntu**rAR | *-ctur-* 1871.
acurar *vb.* 'cuidar com desvelo, esmerar-se' 1871. Do lat. *accūrāre* ‖ acurADO | acc- xvii | Do lat. *accūrātus.*
⇨ **acurralado** → CURRAL.
⇨ **acurv·ado, -amento** → curvo.
-acus- *elem. comp.*, do gr. *ákousis*, de *akoúein* 'ouvir', que se documenta em alguns vocs. da linguagem científica internacional, como *hipoacusia*, por exemplo. V. ACÚSTICA.
acusar *vb.* 'incriminar, culpar' xiii. Do lat. *accūsāre* ‖ acusAÇÃO | *-çõ* xiii | Do lat. *accūsātĭō -ōnis* ‖ acusADOR xiii. Do lat. *accūsātor -ōris* ‖ acusATIVO | *accu-* xvi | Do lat. *accūsatīvus* ‖ acusATÓRIO | *accu-* xvi.
⇨ **acusar** — *sm.* acusAMENTO 'acusação' | *accusamento* xiii FLOR 259 |.
⇨ **acuspinhado** → cuspir.
acústica *sf.* 'parte da física que estuda os sons' 1813. Do fr. *acoustique*, introduzido na linguagem científica, em 1701, pelo físico francês Sauveur, com base no gr. *akoustikós* 'que diz respeito ao ouvido' ‖ acústIco 1813.
⇨ **acústica** | 1784 *in* zt |.
acut- *elem. cómp.*, do lal. *acut-*, de *acūtus* 'agudo, penetrante', que se documenta em vocs. eruditos, alguns já introduzidos na linguagem científica internacional desde o séc. xvii ▸ acutANGUL·ADO 1871 ‖ acutANGUL·AR *adj.* 1871 ‖ acutÂNGULO xvii ‖ acutEN·ÁCULO 1871 ‖ acutiCAUD·ADO 1871 ‖ acutiCÓRNEO 1871 ‖ acutiFOLI·ADO 1871 ‖ acutiFÓLIO 1871 ‖ acutiLOB·ADO 1871 ‖ acutiLOBO xx ‖ acutiRROSTRO | *acutiróstreo* 1871.

acutiboia *sf.* 'cobra da fam. dos colubrídeos' | *acotyboia* 1763, *cutiboia* 1833 | Do tupi *akuti'ɱoia* (< *aku'ti* 'cutia' + *'ɱoia* 'cobra') ‖ **acuti**PURU *sm.* 'pequeno roedor da fam. dos ciurídeos' | 1899, *acotipurú c* 1777 | V. CUTIA.
acut·icaud·ado, -icórneo, -ifoli·ado, -ifólio → ACUT-.
a·cutil·ador, -amento, -ar → CUTELO.
acut·ilob·ado, -ílobo → ACUT-.
acutipuru → ACUTIBOIA.
acutirrostro → ACUT-.
ad- *pref.* do lat. *ad-*, que se documenta em vocs. eruditos e semieruditos, que denotam 'aproximação no tempo e no espaço, direção', como *adiacēre* (> *adjazer*) 'jazer ao lado'. O pref. *ad-* ocorre sempre diante de vogal, de *h* e das consoantes *b, d, j, m, q* e *v*; diante das consoantes c, *f, g, l, n, p, r, s,* e *t*, o *-d-* do pref. é geralmente assimilado; reduz-se a *a-* nos verbos portugueses (e em seus particípios adjetivados) oriundos de substantivos ou de adjetivos: V. A- (i).
-ada¹ *suf. nom.* (= it. *-ata* = cast. *-ada* > fr. *-ade* [> ing. *-ade*]), deriv. do lat. *-ātă*, fem. dos adjetivos em *-ātŭs* (> -ADO).
A. Forma substantivos de outros substantivos portugueses, com as acepções de: (i) multidão, reunião, coleção de: BOIada, CABOCLada, PAPELada; (ii) porção contida em: BOCada, COLHERada; (iii) duração prolongada: INVERNada, TEMPORada; (iv) qualidade, dito ou ato de: BAIANada, ESTUDANTada, PALHAÇada; (V) ato ou movimento enérgico: CARTada, SARAIVada; (vi) marca feita com um instrumento: PENada, PINCELada; (vii) ferimento ou golpe: DENTada, PUNHALada; (viii) produto alimentar: BANANada, FEIJOada, LIMONada.
B. Ocorre, também, nas mesmas acepções acima referidas, em vocs. portugueses deriv. do castelhano (EMPANada), do francês (PISTOLETada), do italiano (FACHada) etc. Cp. -ADO, -ATA, -ATO.
-ada², **-ade** *suf. nom.* (= cast., fr., it. *-ade* = ing. *-ad*), deriv. do lat. *-as -adis* e, este, do gr. *-ás -ádos*, que se documenta: (i) em coletivos, como DÉCada, MÔNada e, por extensão, OLIMPÍada; (ii) em patronímicos femininos, como DRÍade, NÁIade e, pelo modelo de *Ilíada*, em algumas formações portuguesas analógicas: BRASILÍada, HENRÍada, LUSÍada (cp. o biblônimo Os LUSÍadas).
adaga *sf.* 'espécie de punhal' | xiv, *daga* xv | De origem controversa ‖ adagADA xvi ‖ adagUEIRO xix.
adágio¹ *sm.* 'provérbio, sentença' | xvii, *adajo* xvii | Do lat. *adagium* ‖ **adagi**ÁRIO xx ‖ **adagi**EIRO xviii.
adágio² *adj. sm.* 'composição musical de andamento lento' 1844. Do it. *adàgio* 'lentamente'.
⇨ **adágio**² | 1836 sc |.
adail *sm.* 'ant. guia, chefe' | xiii, *adayl* xiv, *adalj* xiv etc. | Do ár. *ad-dalīl* 'guia, condutor'.
adamantino *adj.* 'que se assemelha ao aço ou ao diamante; duro, invencível' xvi. Do lat. *adamantīnus*, deriv. do gr. *adamántinos.*
adamascado → DAMASCO.
adamita *s2g.* 'membro de uma seita herética do séc. ii' xvi. Do lat. med. *adāmītae*, deriv. do gr. *adāmítai.*
adaptar *vb.* 'acomodar, arranjar, acertar' xvii. Do lat. *adaptāre* 'tornar apto', de *aptus* 'apto' ‖ **adap**tAÇÃO 1858 ‖ **adap**tÁVEL 1844.

⇨ **adaptar** — adaptÁVEL | 1836 SC |.
adarga *sf.* 'antigo escudo de couro' | XIV, *adagara* XIV, *darga* XV etc. | Do ár. *ad-dáraqa* || **adarg**ADO XV || **adarg**AR XVI || **adargu**EIRO | *adargeiro* XVI.
adarme *sm.* 'antiga medida de peso equivalente a, aproximadamente, 2 gramas' XVII. Do ár. hisp. *ad--dárham* (ár. *dírham*), deriv. do gr. *dráchma*.
adarrum *sm.* 'toque de atabaques e agogôs, em ritmo acelerado, nos cultos afro-brasileiros' XX. Do ioruba *ada'run*.
adarve *sm.* 'caminho estreito por trás das ameias de uma fortaleza' XIII. Do ár. *addarb*.
adastra *sf.* 'instrumento usado pelos ourives para endireitar anéis' 1712. De origem desconhecida.
-ade → -ADA².
adê *sm.* 'diadema de metal ou seda, usado pelos orixás Oxum, Iemanjá, Iansã e Nanã, nos cultos afro-brasileiros' XX. Do ioruba *a'de*.
adega *sf.* 'compartimento onde se guardam bebidas' XIII. Do lat. *apothēca*, deriv. do gr. *apothē̂kē* 'depósito, armazém'. Cp. BOTICA || **adegu**EIRO XVI.
⇨ **adega** — **adegu**EIRO | *adegeiro* XV ROBI 205.*19* |.
adejar *vb.* 'bater as asas, voar' XVI. De origem controversa || **adejo** XVIII.
adela → ADELO.
adelgaçar → DELGADO.
adelo -a *sm. f.* 'mercador(a) de trastes usados' | *adéés* pl. XIII, *adeella* f. XV | Do ár. *addallāl*.
adem *sf.* 'pato' | *āade* XIII, *adē* XIV | Do lat. *anas anătis*.
ademane *sm.* 'gesto, trejeito' | XVI, *adaman* XIII, *ademãaes* pl. XIV | De origem desconhecida.
aden(o)- *elem. comp.*, do gr. *adē̂n-, -énos* 'glândula', que, através do lat. tard. *adēn* (no acus. *adena*), foi introduzido, a partir do século XIX, na linguagem científica internacional, dando origem a inúmeros compostos, quase todos do domínio das ciências naturais e da medicina ▶ **aden**ACANTO | *-tho* 1871 | Do lat. cient. *adenacanthus* || **aden**ALG·IA 1858. Do fr. *adénalgie* || **aden**ÁLG·ICO 1871 || **aden**ANDRA | *-dro* 1871 | Do fr. *adénandre*, deriv. do lat. cient. *adenandra* || **aden**ANTERA | *-thero* 1871 | Do lat. cient. *adenanthēra* (voc. criado por Lineu, em 1737) || **aden**ANTO | *-tho* 1871 | Do lat. cient. *adenanthus* (de 1804) || **aden**EC·TOM·IA 1909. Do fr. *adénectomie* || **aden**EC·TOP·IA 1871 || **aden**ENFRAX·IA | *-emphr-* 1858 || **aden**IA 1871. Do fr. *adénie*, deriv. do lat. cient. *adenia* || **aden**I·FORME 1871 || **aden**INA XX. Do fr. *adénine* || **aden**ITE 1858. Do fr. *adénite*, deriv. do lat. cient. *adenītis* || **adeno**CONDR·OMA | *-chondrôma* 1909 || **adeno**DIÁST·ASE 1871 || **adeno**FARÍNG·EO | *-pharyngiano* 1871, *-pharýngeo* 1909 || **adeno**FARING·ITE | *-pharyngite* 1871 || **adeno**FILO 1871 | Do lat. cient. *adenophyllum* || **adeno**FLEIMÃO | *-phlegmão* 1909 | Do fr. *adénophlegmon* || **adeno**FORO | *-ph-* 1871 || **adeno**OFTALM·IA | *-phtal-* 1871 || **adeno**GRAF·IA | *-ph-* 1858 || **adeno**OIDE 1871. Do fr. *adénoïde* || **adeno**LIPOMAT·OSE 1909 || **adeno**LINF·ITE | *-lymph-* 1909 || **adeno**LOG·IA 1858 || **adeno**LÓG·ICO 1871 || **adeno**OMA 1871. Do fr. *adénome* || **adeno**MALAC·IA 1871 || **adeno**MENÍNG·E 1871 || **adeno**MIX·OMA | *-my-* 1909 || **adeno**ONC·OSE 1871 || **adeno**PATA || *-tha* 1899 || **adeno**PAT·IA | *-thia* 1899 || **adeno**SCLER·OSE 1871 || **aden**OSO XVIII. Do lat. *adenōsus* || **adenos**·SIN·QUITON·ITE | *-synchi-*

1871 || **adeno**STÊMONE 1871 || **adeno**STÍL·EA | *-tyleas* 1899 || **adeno**TOM·IA 1858 || **adeno**TÔM·ICO 1871 || **adeno**TRIQU·IA | *-triche* 1871, *-trichia* 1909 | Do fr. *adénothrichie*.
adenda, adendo → ADIR².
adensar → DENSO; **adentro** → DENTRO.
adepto *sm.* 'partidário, sectário' XVIII. Do lat. *adeptus*.
adequar *vb.* 'adaptar, tornar próprio, ajustar' | XVII, *adecar* XVI | Do lat. *adaequāre* || **adequ**AÇÃO XVIII. Do lat. *adaequātĭō -ōnis* || **adequ**ADO XVII || IN**adequ**ADO 1873.
adereçar *vb.* 'dirigir, encaminhar' 'consertar, ornar' XV. Do lat. **ad-dīrēctiāre*, de *dīrēctus*, part. de *dīrĭgĕre* 'dirigir, alinhar, endireitar' || **adereço** *sm.* 'ornato, enfeite' | XVIII, *aderenço* XV, *aderemço* XV || **endereçar** *vb.* 'dirigir, encaminhar' XIV. De *aderençar*, com troca de prefixo; do cruzamento de *aderençar* com *endereçar*, formaram-se, no port. med.: *aderençar* (séc. XIV) e *enderençar* (séc. XIII) e, deste, *enderençamento* (séc. XV) e *enderençado* (séc. XIII) || **endereço** 1858.
⇨ **adereçar** — **endereço** | 1836 SC |.
ader·êncla, -ente → ADERIR.
adergar *vb.* 'acontecer casualmente' 'combinar, ajustar' XIV. Do lat. **ad dirigĕre*, com troca da terminação *-igĕre* por *-icāre*.
aderir *vb.* 'estar ligado' 'abraçar (partido, ideia, seita etc.)' | *adherir* XVII | Do lat. *adhaerēre* || **ader**ÊNCIA | *adherencia* XVI | Do lat. *adhaerentĭa* || **ader**ENTE | *adherente* XVI || **adesão** | *adhesão* XVII | Do lat. *adhaesĭō -ōnis* || **ades**ISMO XX || **ades**ISTA XX || **adesi**VO | *adhesivo* 1871 | Do fr. *adhésif*, provavelmente.
⇨ **aderir** — **ader**ENTE | XV VERT 145.*25* |.
adernar *vb.* 'inclinar (a embarcação) sobre um dos bordos' XVI. De origem duvidosa.
ades·ão, -ismo, -ista, -ivo → ADERIR.
adestr·ador, -amento, -ar → DESTRO.
adeus → DEUS.
adiamento → DIA.
a·diant·ado, -amento, -ar, -e → DIANTE.
adi·ar, -ável → DIA.
adibe *sm.* 'chacal' | XV, *adiue* XVI | Do ár. *aḍ -ḍīb*.
adição¹ *sf.* 'ação de ir até' 'apresentação do herdeiro para receber a herança' | *adiçam* XVI | Do lat. *aditĭō -ōnis*. V. ADIR¹.
adição² *sf.* 'soma, acréscimo' | XVI, *adiçam* XIV, *adyçom* XV | Do lat. *additĭō -ōnis* || **adicion**ADOR XVII || **adicion**AL | *add-* 1858 || **adicion**AR 1712 || **adicion**ÁVEL | *add-* 1899. V. ADIR².
adicto *adj.* 'ligado, unido' 'afeiçoado' | *add* XVI | Do lat. *addictus*.
adido → ADIR².
adimplir *vb.* 'cumprir (uma obrigação), executar' XX. Do lat. tard. *adimplēre* || **adimpl**EMENTO 1899 || **adimpl**ENTE XX || IN**adimpl**EMENTO 1881 || IN**adimpl**ENTE XX || IN**adimpl**IR XX.
ádipe *sf. m.* 'gordura animal' XVII. Do lat. *adeps -ĭpis* || **adip**OSO 1813.
adir¹ *vb.* 'entrar na posse de herança' 1813. Do lat. *adīre*. V. ADIÇÃO¹.
adir² *vb.* 'acrescentar' | *ader* XIII | Do lat. *addĕre* || **adenda** XIX. Do lat. *addenda*, pl. de *addendum* || **adendo** XX. Do lat. *addendum* || **adido** *adj. sm.* | *add-* XVI. V. ADIÇÃO².

aditar[1] *vb.* 'acrescentar' XVII. Do lat. *addĭtāre, de addĭtus*, part. de *addĕre* ‖ **adit**AMENTO XVII. Do lat. *additāmentum* ‖ **adit**IVO XX. Do lat. *additīvus*, com provável interferência do fr. *additif*.
aditar[2] → DITA; **aditivo** → ADITAR[1].
ádito[1] *sm.* 'entrada, acesso' XVII. Do lat. *adĭtus*.
ádito[2] *adj. sm.* 'acrescentado' 'acréscimo, aditamento' XVII. Do lat. *addĭtus*, part. de *addĕre*. V. ADIR[2].
ádito[3] *sm.* 'o recesso mais secreto nos templos antigos, santuário' XVIII. Do lat. *adytum*, deriv. do gr. *ádyton*.
adivinhar *vb.* 'descobrir, predizer, vaticinar' | 1572, *adeuinhar* XIII, *adeuynhar* XIII etc. | Do lat. **ad-dīvīnāre* ‖ **adivinha** *sf.* | XVI, *ade-* XVI | Deriv. regressivo de *adivinhar* ‖ **adivinh**AÇÃO XV ‖ **adivinh**ADEIRO | *adevinhadeyro* XVI ‖ **adivinh**ADOR | *adeujñador* XIV ‖ **adivinh**AMENTO | *adeuinamento* XIV ‖ **adivinh**ANÇA | *adeuynhança* XIV, *adeuinança* XIV ‖ **adivinho** | *adeuinho* XIII, *deuynho* XIII.
⇨ **adivinhar** — **adivinha** | *adeuinha* XV LOPP 42.52, *adiuinha* XV CONF 121*b*20 ‖ **adivinh**AD·EIRO | *adiuinhadeyro* XV CONF 148*b*19 |.
adjacência *sf.* 'contiguidade, proximidade' XVI. Do lat. *adjacentĭa* ‖ **adjacente** | *aja-* XV ‖ **adjazer** XIX.
adjeção *sf.* 'adição, acréscimo' | *-cção* XVI | Do lat. *adjectĭo -ōnis* ‖ **adjetiv**AR | *-cti-* XVII ‖ **adjetivo** | *aieytiuo* XIV, *ajectiuo* XV, *ajetivo* XVI, *adiectiuo* XVI | Do lat. *adjectīvus* ‖ **adjeto** | *adjecto* 1858 | Do lat. *adjectus*.
adjudicar *vb.* 'conceder a posse a' XVI. Do lat. *adjūdĭcāre* ‖ **adjudic**AÇÃO XVII. Do lat. tard. *adjūdicātĭō -ōnis* ‖ **adjudic**ATÁRIO 1844 ‖ **adjudic**ATÓRIO 1844.
⇨ **adjudicar** — **adjudic**ATÁRIO | 1836 SC ‖ **adjudic**ATÓRIO | 1836 SC |.
adjunção *sf.* 'junção, associação' | *-cção* 1858 | Do lat. *adjunctĭō -ōnis* ‖ **adjunto** XVII. Do lat. *adjunctus*.
adjurar *vb.* 'jurar, conjurar' XVI. Do lat. *adjūrāre* ‖ **adjuração** XVII. Do lat. *adjūrātĭō -ōnis*.
adjutor, adjutório → AJUDAR.
adjuvar *vb.* 'auxiliar, ajudar' XIX. Do lat. *adjŭvāre* ‖ **adjuv**ANTE XVI ‖ **adjuv**ATO XIX. Do fr. *adjuvat* ‖ CO**adjuv**AÇÃO 1881 ‖ CO**adjuv**ANTE 1844 ‖ CO**adjuvar** 1833. Do lat. *cŏadjŭvāre*.
⇨ **adjuvar** — CO**adjuv**ANTE | 1836 SC |.
adminículo *sm.* 'ajuda, auxílio' 'apoio, suporte' | *aminiculo* XV, *adminiculu* XVI | Do lat. *adminicŭlum* ‖ **adminicul**ANTE | *amjncullante* XV ‖ **adminicul**AR[1] *vb.* 'ajudar, auxiliar' XX ‖ **adminicul**AR[2] *adj. 2g.* 'ajudante' XVII.
administrar *vb.* 'gerir, dirigir, governar' | XV, *ami-* XV, *menistrar* XV, *mi-* XV etc. | Do lat. *administrare* ‖ **administr**AÇÃO | *mjstraçõ* XIII, *aministraçon* XIV, *mjnjstraçõ* XV, *aministraçom* XV | Do lat. *administrātĭō -ōnis* ‖ **administr**ADOR | XIV, *amijstraador* XIII, *aministrador* XIV, *ministrador* XV etc. | Do lat. *administrātŏr -ōris* ‖ **administr**ANTE XVIII ‖ **administr**ATIVO XVIII. Do lat. *administrātīvus*, com provável interferência do fr. *administratif*.
admirar *vb.* 'causar admiração, extasiar' XV. Do lat. *admīrāri* ‖ **admir**AÇÃO | *-çom* XV | Do lat. *admīrātĭō -ōnis* ‖ **admir**ADOR XVI. Do lat. *admīrātŏr -ōris* ‖ **admir**ANDO XVI. Do lat. *admīrandus* ‖ **admir**ATIVO XVII. Do lat. *admīrātīvus* ‖ **admir**ÁVEL XVI. Do lat. *admīrābĭlis*.
⇨ **admirar** — **admir**ATIVO | 1576 SNLeo 77.5 |.
admiss·ão, -ível → ADMITIR.
admisto *adj.* 'misturado' XVII. Do lat. *admixtus*, de *admiscĕre* 'misturar'.
admitir *vb.* 'reconhecer como bom, aceitar, acolher' XVI. Do lat. *admittĕre* ‖ **admissão** XVI. Do lat. *admissĭō -ōnis* ‖ **admiss**ÍVEL XVII ‖ **admit**ÂNCIA XX. Do ing. *admittanee* ‖ IN**admiss**ÍVEL 1873 ‖ RE**admissão** 1874 ‖ RE**admitir** | *-ttir* 1899.
admoestar *vb.* 'aconselhar, advertir' | XVI, *amoestar* XIV | Do lat. pop. **admonestāre* (provável cruzamento de *admonēre* com *molestāre*) ‖ **admoest**AÇÃO | *amoestaçõ* XIV ‖ **admoest**ADOR XVII ‖ **admoest**AMENTO | *mõestamento* XIII, *amoestamēto* XIV.
admonir *vb.* 'advertir, admoestar' XVII. Do lat. *admonēre* ‖ **admonitor** XVII. Do lat. *admonĭtor -ōris* ‖ **admonitório** XVI. Do lat. *admonitōrĭum*.
adnata *sf.* 'túnica externa do globo ocular' XVIII. Feminino substantivado do adj. *adnato*, deriv. do lat. *adnātus* (= *agnātus*) 'que nasceu junto com'.
adnumerar *vb.* 'enumerar' XVIII. Do lat. *adnumerāre*.
-ado *suf. nom.* (= it. *-ato* = cast. *-ado* ≥ fr. *-ade* [> ing. *-ade*, *-ad*]), deriv. do lat. *-ātŭs* (fem. *-ātă*), que se documenta em adjetivos oriundos dos particípios dos verbos da 1ª conjugação (*ămāre/ămātŭs*); o suf. lat. *-ātŭs* ocorre também em temas nominais que designam partes do corpo humano (*brăcchĭātŭs*, *dēntātŭs*).
A. Forma substantivos de outros substantivos portugueses, com as acepções de: (i) território subordinado a um titular: BISP**ado**, COND**ado**; (ii) instituição, titulatura: ALMIRANT**ado**, DOUTOR**ado**.
B. Forma adjetivos de substantivos portugueses, com as acepções de: (iii) provido ou cheio de: AGU**ado**, BARB**ado**, DENTE**ado**; (iv) que tem o caráter de, que se assemelha a: ACABOCL**ado**, AMAREL**ado**; (v) que foi transformado em, ou que sofreu a ação de: EMPASTEL**ado**, ESBOFETE**ado**.
C. Ocorre, também, nas acepções acima referidas, em empréstimos do cast. (TABL**ado**), do it. (ESFUM**ado**) etc. Cp. -ADA[1], -ATA, -ATÓ.
adobe[1] *sm.* 'tijolo de argila misturado com palha e cozido ao sol' | 1562, *adoue* XV | Do ár. *aṭ - ṭūb*.
adobe[2] *sm.* 'grilhão, algema' | XVII, *adoua* XIV | Do ár. *ad - dobba* 'ferrolho'.
adoção → ADOTAR.
adoçar, adocicar → DOCE.
adoecer *vb.* 'ficar doente, enfermar' XIII. Do lat. **ad-dolescĕre*.
adoent·do, -ar → DOENÇA.
adoidado → DOIDO.
adolescência *sf.* 'período da vida humana entre a puberdade e a virilidade' | XIV, *adollacencia* XV | Do lat. *adolēscentĭa* ‖ **adolescente** XVI. Do lat. *adolēscēns -entis* ‖ **adolescer** XVII. Do lat. *adolescĕre*.
adônico *adj.* 'na poesia greco-latina, tipo de verso que tem um pé dáctilo e outro espondeu' XVII. Deriv. culto do lat. *Adōnis*, o amante de *Aphrodīta*. Diretamente do lat. *adōnĭus* procede o port. *adô-*

nio, já documentado no dicionário de Fr. D. Vieira (1871) || **adônis** *sm.* 'jovem de grande beleza e elegância' XVII. Como nome próprio, o voc. ocorre em Os *Lusíadas* (1572).
-ador, -adora → -DOR.
adorar *vb.* 'render culto (à divindade), venerar, amar extremosamente' | XIII, *aorar* XIII etc. | Do lat. *adōrāre* || ador*AÇÃO* | *-çom* XV | Do lat. *adōrātĭō -ōnis* || ador*ADO* XIII || ador*ADOR* XVI || ador*ATIVO* 1899. Do lat. *adōrātīvus* || ador*ÁVEL* XVI. Do lat. *adōrābĭlis*.
▷ **adorar** — ador*ADOIRO* | *adoradoyro* XV VITA 70*c*27 || ador*AMENTO sm.* 'adoração' | XV VITA 34.*27* |.
adormecer *vb.* 'pegar no sono, dormir' XIII. Do lat. *addŏrmīscĕre* || adormec*EDOR* XVI || adormec*IMENTO* XVIII.
▷ **adormecer** — **adormec**imento | 1562 JC |.
adorm·entar, -ir → DORMIR.
adornar *vb.* 'ornar, enfeitar' XVI. Do lat. *adornāre* || **adorno** XVII.
▷ **adornar** | XV ESOP 25.*15* |.
adotar *vb.* 'escolher, optar por' 'aceitar, acolher' 'perfilhar' | XV, *adoutar* XIV, *adoptar* XVI | Do lat. *adoptāre* || **adoção** | *adouçõ* XIV, *adopçõ* XV, *adopção* XVI | Do lat. *adoptĭō -ōnis* || **adot**IVO | *adoutiuo* XIV, *adoptivo* XVI | Do lat. *adoptīvus*.
▷ **adotar** — adot*AÇÃO sf.* 'adoção' | *adoctaçom* XV MONT 183.*2* |.
-adouro, -adoura → -DOURO.
adquirir *vb.* 'obter, conseguir' | XV, *aquirir* XV, *acquirir* XVI | Do lat. *adquirĕre* || **adquir**ENTE | *acquirente* XVII || **adquir**IÇÃO | *acquirição* XVI || **adquir**IDOR | *acquiridor* XVI || **aquis**IÇÃO | *acquisição* XVII || **aquis**IT·IVO XX || RE**adquirir** 1881 || RE**aquisição** | *reacquisição* 1881.
adrede *adv.* 'de propósito, intencionalmente' XIV. De origem controversa.
adrenalina *sf.* '(Quím.) substância cristalina incolor, encontrada no organismo animal e que desempenha importantes funções fisiológicas' XX. Do ing. *adrenalin*, voc. criado pelo médico e cientista japonês J. Takamine (que descobriu a substância nos EUA, em 1901), do lat. *ad-* (v. AD-) + *ren* 'rim' + *-al* (v. -AL) + *-in* (v. -INA), ou do ing. *adrenal* 'suprarenal' + *-in*.
adriça *sf.* 'cabo para içar (bandeira, flâmula, roupa etc.)' | XV, *driça* XVI | Do it. *drizza*, deriv. de *drizzare* 'levantar'.
adro *sm.* 'terreno em frente ou em torno da igreja' XIII. Do lat. *ātrĭum*.
ad-rogar *vb.* 'adotar, chamar a si' 1899. Do lat. *adrogāre* || **ad-rogação** 1871. Do lat. *adrogātĭō -ōnis* || **ad-rogador** 1871. Do lat. *adrogātor -ōris*.
adscrever *vb.* 'acrescentar a um escrito, inscrever' XIX. Do lat. *adscribĕre* || **adscrição** XIX. Do lat. *adscrīptĭō -ōnis* || **adscritício** | *-cript-* XVI | Do lat. *adscrīptĭcĭus* || **adscrito** | *-cript-* XVI.
adstringir *vb.* 'apertar, comprimir' XVII. Do lat. *adstringĕre* || **adstrição** | *-cção* XVII | Do lat. *adstrictĭō -ōnis* || **adstring**ÊNCIA XVII || **adstring**ENTE XVII || **adstrito** | *-cto* XVI | Do lat. *adstrictus*.
adua *sf.* 'rebanho' 1712. Do ár. *ad-dūlâ*.
aduana *sf.* 'alfândega' XIV. Do ár. *ad-diu̯ān* || **aduan**EIRO XVII.
aduar *sm.* 'grupo de tendas da população dos campos' XV. Do ár. *ad-dau̯u̯ âr*.
adubar *vb.* 'preparar, arrumar, adornar, guisar' XIII. Do a. fr. *adober* 'armar cavaleiro', deriv. do lat. **addŭbāre* e, este, do frâncico **dubban*. 'golpear, bater'; na Idade Média, era costume dar um pequeno golpe com a espada no ombro daquele que estava sendo armado cavaleiro || adub*AÇÃO* XX || adub*ADO* XIII || adub*AMENTO* XIV || **adubo** XIII.
adução → ADUZIR.
aducir *vb.* 'tornar macio o metal, para dar-lhe maior flexibilidade' 1712. Do fr. *adoucir*, de *doux* 'doce'.
aduela *sf.* 'tábua curva de tonel' | XV, *duella* XV | Do fr. *douelle*, dimin. de *douve*, deriv. do lat. tard. *dōga* 'recipiente'.
adufa *sf.* 'batente de porta' XV. Do ár. *adduffâ*.
adufe *sm.* 'espécie de pandeiro' XIII. Do ár. *ad-duff*.
adular *vb.* 'lisongear' XVI. Do lat. *adulāri* || **adulação** 1572. Do lat. *adūlātĭō -ōnis* || **adulador** XVI. Do lat. *adūlātor -ōris* || **adulatório** XVIII. Do lat. *adūlātōrĭus*.
▷ **adular** — adul*AÇÃO* | *adulaçom* XIV ORTO 61.*13*, *adullaçõ* XV VITA 96*b*15 || **adul**ADOR | XV VITA 102*b*20 |.
adulterar *vb.* 'deturpar, falsificar, corromper' 'cometer adultério' XVI. Do lat. *adulterāre* || **adulteração** 1813. Do lat. *adulterātĭō -ōnis* || **adulterador** XV. Do lat. *adulterātor -ōris* || **adulterino** | *-ryno* XV | Do lat. *adulterīnus* || **adultério** XIII. Do lat. *adulterĭum* || **adúltero** XIV. Do lat. *adultĕrum*.
adulto *adj. sm.* 'indivíduo que atingiu a idade da razão' XVI. Do lat. *adultus* 'crescido, desenvolvido', deriv. de *adolescĕre*.
adumbrar *vb.* 'sombrear, anuviar' XVI. Do lat. *adumbrāre*.
adunar *vb.* 'reunir, agrupar' 'submeter, subordinar' XVI. Do lat. *adunāre* || **adunação** XVI. Do lat. *adūnātĭō -ōnis* || CO**adunação** XVII || CO**adunar** 1813.
adunco *adj.* 'curvo' XVI. Do lat. *aduncus* || **adunc**IDADE 1899. Do lat. *aduncĭtās-ātis* || **adunc**IR·ROSTRO | *-iro-* 1871.
-adura → -DURA.
adurir *vb.* 'queimar, abrasar' XIX. Do lat. *adurĕre* || **adur**ÊNCIA XX || **adurente** XVII. Do lat. *adūrēns -entis* || **adustão** XVI. Do lat. *adustĭō -ōnis* || **adust**IVO XVII || **adusto** XVI. Do lat. *adustus*.
aduzir *vb.* '*ant.* trazer' | *aduzer* XIII |; na acepção de 'apresentar (argumentos), expor, alegar' o voc. é bem mais moderno. Do lat. *addūcĕre* || **adução** | *adducção* 1871 | Do lat. tard. *adductĭō -ōnis* || **adutivo** XVI. Do lat. **adductīvus* || **adutor** *adj. sm.* | *adductor* 1871 | Do lat. *adductor -ōris* || **adut**ORA *sf.* 'galeria destinada a conduzir as águas de um manancial para um reservatório' XX.
▷ **aduzir** — **adução** | *adducção* 1783 *in* ZT |.
adventício *adj. sm.* 'chegado de fora, estrangeiro, forasteiro' | XVI, *avijndiço* XIV, *aveendiço* XV, *avindiço* XV etc. | Do lat. *adventīcĭus* || **ádvena** *adj. s2g.* 'adventício' XVI. Do lat. *advĕna* || **adveniente** 1859 || **advent**ISMO XX. Do ing. *adventism*, de *advent* 'advento' || **advent**ISTA XX. Do ing. *adventist* || **advento** | XVI, *auento* XIII | Do lat. *adventus* 'chegada, vinda'. V. ADVIR.
advérbio *sm.* '(Gram.) palavra invariável que modifica um verbo, um adjetivo ou outro advérbio' |

XVI, *averbio* XVI | Do lat. *adverbĭum* || **adverbi**AL | *auerbial* XVI.
⇨ **advérbio** | *aduerbio* XV VITA 117b5 |.
adverso *adj.* 'contrário, oposto, desfavorável' | 1572, *averso* XVI | Do lat. *adversus* || **adversário** | 1562, *auerssayro* XIII, *auerssario* XIV etc. | Do lat. *adversārĭus* || **adversativo** XVI. Do lat. *adversātīvus* || adversidade | XV, *auerssydade* XV | Do lat. *adversĭtās -ātis* || **advert**ÊNCIA XVII || **advertir** XVI. Do lat. **advertīre*, por *advertĕre* || IN**advert**ÊNCIA 1813 || IN**advert**IDO XVIII.
⇨ **adverso** | *adversso* XV LOPJ II.389.*9* || **adversi**DADE | *auersidade* XIV ORTO 208.*17* || **advert**ÊNCIA | 1535 *in* CDP III.233.*29*, 1582 *Liv. Fort.* 5120 || IN**advert**ÊNCIA | *a* 1583 FMPin VI. 67.*14* || IN**advert**IDO | 1660 FMMelE 48.*16* |.
advir *vb.* 'suceder, ocorrer, sobrevir, provir' | *auiir* XIII, *auijr* XIII, *auir* XIII etc. | Do lat. *advenīre* | **avença** | XIII, *auenenza* XIII, *avenença* XIV, *auijnça* XIV etc. | Do lat. *advenientĭa* || DES**avença** | XV, *desavēençã* XIII, *desauijnça* XIV etc. || DES**avindo** | *dessauijdo* XIII, *desaujudo* XIV etc. || DES**avir** XIII. V. ADVENTÍCIO, AVIR.
advogar *vb.* 'defender, interceder em favor de' | XVII, *uogar* XIII, *aduocar* XVI | Do lat. *advocāre* || **advocação** XVI. Do lat. *advocātĭō -ōnis* || **advocacia** | 1813, *avogazia* XVIII || **advogada** *sf.*| *avogada* XIII, *vogada* XIII || **advogado** | XVI, *auogado* XIII | Do lat. *advocātus*. V. AVOCAR.
aedo *sm.* 'na Grécia antiga, poeta que recitava suas composições acompanhando-se com a lira' 1871. Do fr. *aède*, deriv. culto do gr. *aoidós* 'cantor'.
aer(o)- *elem. comp.*, do gr. *aero-* (lat. *aeri-*), de *aēr aéros* (lat. *āēr āĕrĭs*) 'ar', que ocorre em vários compostos formados no próprio grego (como *aeróbata*) e em muitíssimos outros vocábulos introduzidos na linguagem científica internacional, a partir do século XIX ♦ **aer**AÇÃO XIX, Do fr. *aération* || **aer**AGEM XX. Do fr. *aérage* || **aer**ANTO | *aérantho* 1870 | Do lat. cient. *aēranthēs* || **aer**AR XX || **aer**ELASTIC·IDADE XX || **aer**EM·IA XX. Do fr. *aérémie* XX; cp. *aeromoto* || **aer**ÊNQUIMA XX, Do fr. *aérenchyme* || **aer**ENDO·CARD·IA 1871 || **aér**EO | *aerio* 1572 | Do lat. *āerĭus*, deriv. do gr. *āérios* || **aer**ETM·IA | *aérethmia* 1871 || **aer**IAN·ISTA XX, Do fr. *aérianiste*, de *aérien* || **aerí**COLA 1811 || **aerí**FERO 1871 || **aeri**FIC·AÇÃO 1858 || **aeri**FIC·AR 1871 || **aeri**FORME 1844. Do fr. *aériforme* || **aer**ÍNEA 1871; cp. gr. *aérinē* || **aer**ITE 1871 || **aer**ÍVORO 1871. Do fr. *aérivore* || **aer**IZ·AÇÃO 1899 || **aer**IZAR | 1858, *-sar* 1871 || **aero**BAL·ÍST·ICA XX || **aero**BARCO XX || **aeró**BATA 1899; cp. gr. *āerobátēs* || **aeró**BIO | *aerobion* 1871 || **aero**BI·OSE 1909 || **aero**BI·ÓT·ICO XX || **aero**BLASTO || **aero**BUS XX. Do fr. *aérobus* || **aero**CÁRP·ICO XX || **aero**CELE XX. Do fr. *aérocèle*||**aero**CÊNTR·ICO XX||**aero**CISTO|*aérocystes* 1871 | Do fr. *aérocyste* || **aero**CLAVI·CÓRDIO | 1899, *aéroclavicorde* 1871 || **aero**CLUBE XX || **aero**COL·IA XX. Do fr. *aérocolie* || **aero**CONDENS·ADOR XX || **aerocreto** XX. Do ing, *aerocret* (de *aero-* + [*con*] *cret*) || **aero**DIAFANÔ·METRO | *-pha-* 1871 || **aero**DINÂM·ICA | *-dy-* 1858 || **aero**DINÂM·ICO | *-dy-* 1881 || **aeró**DINO XX || **aeró**DROMO 1913. Do fr. *aérodrome* || **aero**DUTO XX || **aero**ESPAC·IAL XX. Do fr. *aérospatial* || **aero**ESPAÇO XX || **aero**FAG·IA | *-pha-* 1909 | Do fr. *aérophagie* || **aeró**FAGO | *-pha-* 1899 | Do fr. *aérophage* || **aeró**FANO | *-pha-* 1858 | Cp. gr. *āerophanēs* || **aero**FILÁCIO XVIII. Formado pelo modelo de *gazofilácio* || **aero**FIL·ATEL·IA XX. Do fr. *aérophilatélie* || **aero**FILME XX || **aeró**FITO | *-phy-* 1871 | Do fr. *aérophyte* || **aero**FOB·IA | *-pho*1858 || **aeró**FOBO | *-pho-* 1871 | Do lat. *aerophŏbus*, deriv. do gr. *āerophóbos* || **aero**FONE XX || **aeró**FONO | *-pho-* 1871 | Cp. gr. *āeróphōnos* || **aeró**FORO | *-pho-* 1858 || **aero**FOTO XX || **aero**FOTO·GRAF·IA XX || **aero**FOTO·GRA·METR·IA XX || **aero**FOTO·GRA·MÉTR·ICO XX || **aero**GARE 1951. Do fr. *aérogare* || **aero**GASTR·IA XX. Do fr. *aérogastrie* || **aero**GASTRO 1871 || **aero**GEL XX || **aeró**GENO XX || **aero**GNOS·IA 1871 || **aero**GNOSTA 1899 || **aero**GNÓST·ICO 1899 || **aero**GRAF·IA 1793. Do fr. *aérographie* || **aero**GRÁF·ICO | *-phi-* 1871 || **aeró**GRAFO | *-pho-* 1899 || **aero**GRAMA 1913. Do fr. *aérogramme* || **aer**OIDE 1871. Do lat. *aeroides*, deriv. do gr. *āeroeidēs* || **aero**ÍDRO | *-hy* 1871 || **aero**IDRO·PAT·IA | *-hydropathia* 1871 || **aero**IDRO·TERAP·IA | *-hýdrothe-* 1909 || **aéro**LA 1871 || **aero**LÍT·ICO | *-thi-* 1899 || **aeró**LITO | 1844, *-lite* 1871, *-litho* 1858 || **aero**LOG·IA 1844. Do fr. *aérologie* || **aero**LÓG·ICO XX || **aeró**LOGO 1871 || **aero**MANC·IA XVII. Do fr. *aéromancie* || **aero**MAN·IA XX || **aero**MANTE 1813 || **aero**MÂNT·ICO 1813 || **aero**MEL 1871; cp. gr. *āerómeli* 'maná' || **aero**METR·IA 1793 || **aero**MÉTR·ICO 1871 || **aerô**METRO 1813 || **aero**MOÇA XX || **aero**MOÇO XX || **aero**MODEL·ISMO XX || **aero**MODEL·ISTA XX || **aero**MODELO XX. Do fr. *aéromodèle* || **aero**MOTO XX || **aero**MOTOR XX || **aero**NAUTA 1833, Do fr. *aéronaute* || **aero**NÁUT·ICA 1858 || **aero**NÁUT·ICO 1844, Do fr. *aéronautique* || **aero**NAV·AL XX. Do fr. *aéronaval* || **aero**NAVE 1913; cp. fr. *aéronef* || **aero**NAVEG·AÇÃO 1913 || **aero**NOM·IA XX || **aero**PAUSA XX || **aero**PISTA XX || **aero**PLANO 1899. Do ing, *aeroplane* || **aero**PLEUR·IA 1871 || **aero**PORTO 1928, Do fr. *aéroport* || **aero**PORTU·ÁRIO XX || **aero**POSTA 1881 || **aeró**SCAFO XX, Do fr. *aéroscaphe* || **aero**SCOP·IA 1909 || **aero**SCÓP·IO 1899 || **aero**SFERA | *-phe-* 1871 | Do fr. *aérosphère* || **aero**SSOL XX || **aero**SSOND·AGEM XX. Do fr. *aérosondage* || **aero**ST·AÇÃO 1844, Do fr. *aérostation* || **aero**STATA XX || **aero**STÁT·ICA 1858. Do fr. *aérostatique* || **aero**STÁT·ICO 1813 || **aeró**STATO | *aerostáte* 1813 | Do fr. *aérostate* || **aero**ST·EIRO 1871. Do fr. *aérostier* || **aero**TÁT·ICO XX || **aero**TÁXI XX || **aero**TECN·IA | *-tech-* 1899 , Do fr. *aérotechnie* || **aero**TERAPÊUT·ICA XX || **aero**TERAPÊUT·ICO XX || **aero**TERAP·IA | *-the-* 1899 || **aero**TERÁP·ICO | *-the-* 1899 || **aero**TERMO·DINÂM·ICA XX || **aero**TERR·ESTRE XX || **aero**TRANSPORT·ADORA XX || **aero**TRANSPORT·AR XX || **aero**TRANSPORTE XX || **aero**TROF·ISMO XX || **aero**TRÓP·ICO XX || **aero**TROP·ISMO 1909 || **aero**VIA XX || **aero**VI·ÁRIO XX || **aero**XID·ASE XX || **aero**ZO·ÁRIO 1899.
⇨ **aer(o)-** — **aerí**FERO | 1836 SC || **aeri**FORME | 1836 SC || **aeró**LITO | *aerolithe* 1836 SC || **aero**LOG·IA | 1836 SC || **aero**NÁUT·ICO | 1836 SC || **aero**ST·AÇÃO | 1836 SC |.
afã → AFANAR.
afabilidade → AFÁVEL.
afadigar → FATIGAR.
afagar *vb.* 'acariciar, adular' | XIV, *faagar* XIII, *afaagar* XIV | Do ár. *ḥalaq* || **afag**AMENTO | *afaagamento*

XIII, *faagamēto* XIII ‖ **afago** | XV, *faago* XIII, *afaago* XIV ‖ **fagu**EIRO | *falagueyro* XIII, *faagueyro* XIV | Da var. ant. *fago (faago)* + -EIRO.
a·fam·ado, -ar → FAMA.
afanar *vb.* 'procurar ou adquirir com afã, trabalhar, esforçar' | *affanar* XIII | Do lat. **afannāre*, relacionado com o lat. vulg. *afannae* 'bagatelas', com provável influência do provençal ‖ **afã** *sf.* 'esforço, fadiga' | *afan* XIII, *affam* XIII, *afam* XIII etc. | Deverbal de *afanar* ‖ **afan**OSO | XV, *affanoso* XIII.
afasia *sf.* 'perda da capacidade de transmitir ideias ou conceitos, não por lesão dos órgãos da fala, mas por perturbação nervosa' | *aphasia*, 1871 | Do gr. *aphasía*, com provável interferência do fr. *aphasie* ‖ **afás**ICO | *aphásico* 1899.
afastar *vb.* 'pôr de lado, apartar, distanciar' XIII. De origem obscura ‖ **afast**AMENTO XV.
afável *adj. 2g.* 'delicado, gentil, cortês' | XVIII, *affabil* XVI, *afabel* XVI | Do lat. *affābĭlis* ‖ **afabilidade** XV. Do lat. *affābĭlĭtās -ātis*.
⇨ **afazendado** → fazenda.
afazer → FAZER.
afazeres *sm. pl.* 'trabalhos, ocupações' | *aferes* XVI, *affares* 1712, *affaire* 1813, *afazeres* 1858 | Do fr. *affaire*; a forma atual foi influenciada por FAZER.
afear → FEIO.
afecção *sf.* 'alteração, moral ou física, que se origina de diversas causas' XVIII; 'estado mórbido, distúrbio patológico' XVII. Do lat. *affectĭō -ōnis* ‖ **afeição** *sf.* 'maneira de ser, disposição' | *afeiçom* XV |; 'simpatia, estima' XVI. Forma divergente de *afecção* ‖ **afeiço**DO[1] *adj.* 'feito à feição de, modelado' | XVI, *afeiçionado* XV ‖ **afeiço**ADO[2] *adj. sm.* 'dedicado, devotado' 1572 ‖ **afeiço**AR[1] *vb.* 'dar feição a, modelar' XVII ‖ **afeiço**AR[2] *vb.* 'tomar afeição por' 'provocar afeição em' XV ‖ **afeitação** *sf.* 'adorno, enfeite' XVII. Forma divergente de *afetação* ‖ **afeit**ADO *adj.* 'enfeitado, adornado' XV ‖ **afeit**AMENTO *sm.* 'preparação, elaboração' XIV; 'enfeite, adorno' XV ‖ **afeitar** *vb.* 'enfeitar, adornar' XV. Do lat. *affectāre*, frequentativo de *afficĕre*; V. *afetar* ‖ **afeite** *sm.* 'enfeite, adorno' XVI ‖ **afeito**[1] *adj.* 'afeiçoado, estimado' XV; 'preparado, elaborado' XVII; 'habituado, acostumado' XIX ‖ **afeito**[2] *sm.* 'estima, amizade' 1572 ‖ **afetação** *sf.* 'desejo ardente, ambição' | XVII, *affeitação* XVI |; 'falta de naturalidade, artifício' XVII. Do lat. *affectātĭō -ōnis* ‖ **afet**ADO *adj.* 'artificial' XVII; 'perturbado, atingido (por doença ou qualquer outro mal)' XIX ‖ **afet**ADOR *adj.* 'perturbador' | *afectador* XVII ‖ **afetante** *adj.* 'afetador' XVIII ‖ **afetar** *vb.* 'ambicionar' XVI; 'fingir, simular' XVII; 'mostrar, exteriorizar' XVIII. Do lat. *affectāre*; v. *afeitar* ‖ **afet**IV·IDADE *sf.* 'inclinação para amar' XIX ‖ **afet**IVO *adj.* 'relativo aos afetos' XVIII; 'amor de Deus pelos homens' XVII. Do lat. tard. *affectīvus* ‖ **afeto**[1] *adj.* 'sujeito a, dependente de' XVI; 'afeiçoado a' XVII. Do lat. *affectus* ‖ **afeto**[2] *sm.* 'sentimento de amizade' XVI. Do lat. *affectus* ‖ **afetu**OS·IDADE *sf.* 'carinho, ternura' XIX ‖ **afetu**OSO *adj.* 'carinhoso, afável' XVI. Do lat. *affectŭōsus* ‖ **aficionado** *adj. sm.* 'adepto ardoroso de (esportes, espetáculos etc.)' XX. Do cast. *aficionado* | DESafeição *sf.* 'inimizade, aversão' | *-ff-* XVII ‖ DESafeiçoado *adj.* 'disforme, esquisito' XV; 'inimigo' XVI ‖ DESafeiçoAR *vb.* 'tornar-se inimigo, perder a afeição' XVI ‖ DESafeito *adj.* 'desacostumado' XIII ‖ DESafetação *sf.* 'naturalidade, singeleza' | *-ffect-* 1813 ‖ DESafeto *adj. sm.* 'inimigo' | *-ffecto* XVIII. Cp. FATO[3], FAZER.
⇨ **afecção** | *afeyçōoes* (pl.) XIV ORTO 78.*9* ‖ **afeiço**AR[1] | *afeyçoar* 1536 FOIG 27.*19* ‖ **afeitar** | XIV DICT 115, *afeytar* XIII CJG 528 ‖ **afeite** | XV FRAD II.175.*10* ‖ **afeito**[1] | XIV GREG 3.12.*8* ‖ **afeto**[2] | *afecto* XV MONT 151.*24*, *afeito* XV FRAD I.150.*18*, *afeyto* XV REIX II.235.*50* |.
⇨ **afedorentar** → feder.
afélio *sm.* 'o ponto da órbita de um astro em que a sua distância ao Sol é máxima' | *aphelion* XVII | Do lat. cient. *aphēlium*, forjado por Kepler, com base num gr. **aphḗlios* (de *apó* 'longe de' + *hélios* 'sol').
afemia *sf.* 'afasia, impossibilidade de falar' 1890. Termo forjado por Brocca, com base num gr. **aphēmía* (de *a-* privativo [v. A-(iv)] + *-phēmía* [< *phemí* 'eu falo']).
afemin·ação, -ado, -ar → EFEMINAR.
aférese *sf.* '(Gram.) supressão de um fonema ou de um grupo de fonemas no início de uma palavra' | *apheresis* XVI | Do lat. tard. *aphaeresis*, deriv. do gr. *apháiresis -eōs* 'subtração' ‖ **aferét**ICO XX.
aferir *vb.* 'medir, avaliar, conferir' 1712. Do lat. **afferĕre* (cláss. *afferre* 'levar') ‖ **afer**IÇÃO | *aferição* 1754 ‖ **afer**IDO 1707.
⇨ **afermentando** → fermentar.
a·ferr·ar, -o, -olhar → FERRO.
⇨ **aferr·ado, -amento, -ar** → ferro.
⇨ **afervecer** → ferver.
a·ferv·entar, -orar → FERVER.
afet·ação, -ado, -ador, -ante, -ar, -iv·idade, -ivo, -o, -uos·idade, -uoso → AFECÇÃO.
a·fi·ação, -ado, -ador, -ar → FIO.
afianç·ar, -ável → FIAR[2].
⇨ **afiar** → fiar[2].
aficionado → AFECÇÃO.
afidalgado → FIDALGO.
afigurar → FIGURA.
afilar[1] *vb.* 'aferir, acertar' XVI. Do fr. *affiler*. deriv. do lat. pop. **affilare* (< *filum* 'fio') ‖ **afil**AÇÃO XVII ‖ **afil**ADO[1] 'aferido, acertado' XVI.
afilar[2] *vb.* 'tornar fino, adelgaçar' XVII. De AFILAR[1] ‖ **afil**ADO[2] *adj.* 'fino, adelgaçado' XVI.
⇨ **afilar**[2] — *afiliado*[2] | XV CESA II.105.*2* |.
a·filh·ado, -fil·iado, -fil·iar → FILHO.
⇨ **afilhamento** → filhar.
⇨ **afili·ado, -ar** → filho.
afim *adj. s2g.* 'que tem afinidade' 'parente' XVI. Do lat *affīnis* 'vizinho' ‖ **afinidade** | *affi-* XV | Do lat. *affīnĭtās -ātis*.
a·fin·ação, -ado, -ar → FIM.
⇨ **afinc·ação, -adiço, -ador** → fincar.
afinc·ado, -amento, -ar → FINCAR.
afinidade → AFIM.
afirmar *vb.* 'tornar firme, consolidar' 'declarar com firmeza, asseverar' XVI. Do lat. *affirmāre* ‖ **afirmação** | *-ffir-* XVI | Do lat. *affirmātĭō -ōnis* ‖ **afirm**ADO XV (o adv. *afirmadamente* já se documenta no séc. XIII) ‖ **afirm**ADOR XVI. Do lat. *affirmātor -ōris* ‖ **afirm**AMENTO XIV ‖ **afirm**ANTE | *-ffir-* 1813 ‖ **afirmativa** | *-ffir-* XVII ‖ **afirm**ATIVO | *-ffir-* XVI | Do lat. *affirmātīvus* ‖ REafirmar 1874.
⇨ **afirmar** — AfirmAÇÃO | *affirmaçom* | XV VITA 112*d*6, *afirmações* (pl.) XV FRAD II.270.*12* ‖ Afir-

mADO | XIV GALE 883.*12* || AfirmATIVO | *affirmatiuo* XV VITA 127*b*8, *afirmatiuo* XV VITA 106.*16* |.
afitar → FITAR.
⇨ **afiuz·ado, -a** → fiÚZA.
afivelar → FIVELA.
a·fix·ação, -ado, -ar, -o → FIXO.
aflar *vb.* 'soprar, bafejar' | *aff-* XVI | Do lat. *afflāre* || **aflante** | *aff-* XVIII || **aflato** XVIII. Do lat. *afflātus*.
aflautado → FLAUTA.
afligir *vb.* 'atormentar, mortificar' | *aff-* XVI, *afliger* XV, *afriger* XV etc. | Do lat. *afflīgěre* || **aflição** | *afliçom* XIV, *affriçam* XV, *afriçom* XV etc. | Do lat. *afflīctiō -ōnis* || **aflitIVO** | *afflictivo* XVI | Do fr. *afflictif* || **aflito** XV. Do lat. *afflīctus*.
⇨ **afligir** | XIV BARL 24.*30*,ORTO 286.*16*, *affliger* XIV ORTO 42.*18* etc. || **afligIDO** *p. adj.* 'aflito' | XV FRAD I.401.*3* etc. || **afligIMENTO** *sm.* 'aflição' | 1287 (v³) || **aflito** | *aflicto* XIV ORTO 104.*1*, *afflicto* XV ANTI 69.1 etc. |.
aflorar → FLOR.
afluir *vb.* 'correr para, convergir' | *affluir* 1813 | Do lat. *affluěre* || **afluência** | *aff-* XVI | Do lat. *affluentĭa* || **afluente** | *aff-* XVI | Do lat. *affluēns -entis* || **afluxo** | *aff-* XVII | Do lat. *affluxus*, part. de *affluěre*.
⇨ **afluir — afluente** *adj.* 'fluente' | XV SBER 138.*20* |.
afobar *vb.* 'apressar-se, precipitar-se' XX. De origem onomatopaica || **afobação** XX || **afobado** XX || **afobamento** XX.
afofié *sf.* 'pequena flauta de bambu, usada, às vezes, nos cultos afro-brasileiros' XX. Do ioruba *afofi'e*.
afogar *vb.* 'sufocar, asfixiar' | XIII, *affogar* XIII | Do lat. **affocāre* (cláss. *offōcāre*) || **afogadIÇO** XIV || **afogadILHO** 1712 || **afogADO** XVI || **afogADOR** XVII || **afogAMENTO** | *-mēto* XIV || DES**afogar** XVI || DES**afogo** XVIII.
⇨ **afogar — afogado** | xiii csm 11.*34*, 205.*40* |.
afogueado → FOGO.
afoito *adj.* 'ousado, corajoso' | *afouto* XIV | Do lat. *fautum*, de *favēre* 'favorecer, ajudar' || **afoitADO** | *-fou-* XVI || **afoitAR** | *-fou-* XVI || **afoitEZA** | *-fou-* XVI.
⇨ **afoito — afoitAMENTO** *sm.* 'afoiteza' | *afoutamento* XV MONT 162.*37*, *afoutamēto* XV YSAC 43.*21* || **afoitAR** | *afoutar* XV LOPJ II.36.*37* || **afoitEZA** | *fouteza* XV LOPJ II.39.*5* |.
afonia *sf.* 'perda da voz por lesão no órgão vocal' | *aphonia* XVIII | Do gr. *aphōnía*, por via erudita || **afônICO** | *aphonico* 1858 || **áfono** | *áphone* 1871 | Do gr. *áphōnos*, por via erudita.
⇨ **afonia — afôn**ico | *aphonico* 1836 sc |.
afora → FORA.
a·for·amento, -ar → FORO.
aforismo *sm.* 'sentença moral, máxima' | *amforismo* XV, *aphorismo* XVI | Do lat. *aphorismus*, deriv. do gr. *aphorismós* || **aforISTA** XVIII || **aforístico** | *aphoristico* 1844 | Do gr. *aphoristikós*, por via erudita.
⇨ **aforismo — aforístico** | *aphoristico* 1836 SC |.
aformosear → FORMOSO.
a·forr·ado -ar. → FORRO².
⇨ **afort·alecer, -ificado** → forte.
a·fortalez·ado, -amento, -ar → FORTE¹.
afortunado → FORTUNA.
afout·ado, -ar, -eza, -o → AFOITO.
⇨ **afracar** → fraco.
afrancesar → FRANCÊS.

afreguesar → FREGUÊS.
afresco *sm.* 'técnica de pintura, de origem italiana' 1844. Do it. *affrésco*, da expr. adv. *a frésco*.
⇨ **afresco** | 1571 FOIF 95.*19* |.
africano *adj. sm.* 'relativo à, ou natural da África' | XV, *aflicao* XIII, *affricano* XVI | Do lat. *africānus*, de *Afrĭca* || **africanISMO** XIX || **africanISTA** 1899 || **áfrico** *sm.* 'vento do sudoeste' XVI. Do lat. *afrĭcus*. No port. med. documentam-se, também, *abrego* (séc. XIII), *aurego* (séc. XIII) etc.
afrizita *sf.* 'variedade negra de turmalina' | *aphrizite* 1871 | Voc. criado pelo estadista e cientista brasileiro José Bonifácio de Andrada e Silva (1763-1838), em 1800, com base no gr. *áphrízō*, de *aphros* 'escuma', porque esse minério se assemelha a flocos de escuma.
afrodisíaco *adj. sm.* 'que excita os apetites sexuais' 1813. Do gr. *aphrodisiakós*, por via erudita || **afrodisia** | *aphro-* 1871 || **afrodita** | *aphro-* 1858.
a·front·a, -ado, amento, -ar → FRONTE.
afrouxar → FROUXO.
⇨ **afrouxamento** → frouxo.
afta *sf.* 'ulceração superficial das mucosas da boca' | *aphta* XVIII | Do lat. *aphtae -ārum*. fem. pl. de *aphta*, deriv. do gr. *aphthai* (de *aptō* 'inflamo, acendo') || **aftOSA** XVI || **aftOSO** | *aph-* 1844.
⇨ **afta — aftoso** | *aphthoso* 1836 sc |.
afugentar → FUGA.
⇨ **afum·ado, -adura, -ar** → fumo.
⇨ **afund·ador, -amento** → fundo.
afundar → FUNDO.
a·funil·ado, -ar → FUNIL.
afurá *sm.* 'bolo de arroz fermentado' XX. Do ioruba *afu'ra*.
agá¹ *sm.* 'nome da oitava letra do alfabeto' | *aha* 1536 | De origem latina, mas de étimo controverso.
agá² *sm.* 'dignidade militar entre os turcos' XVI. Do turco *ăġă* 'senhor, mestre', de origem mongólica.
agachar *vb.* 'abaixar, humilhar' XV. De origem controversa || **agachADO** XV || **agachAMENTO** 1899.
agadanhar → GADANHA.
⇨ **agalardo·ado, -ador, -ar** → GALARDÃO.
agalegado → GALEGO.
agaloado → GALÃO¹.
agáloco *sm.* 'aloés' XVI. Do gr. *agállochon*, de origem indiana.
agapanto *sm.* 'planta da fam. das liliáceas' | *-tho* 1871 | Do lat. cient. *agapanthus*, composto do gr. *agápē* 'amor' e *ánthos* 'flor'.
ágape sm. e *f.* 'refeição em comum, festa de confraternização' XIX. Do lat. ecles. *agape*, deriv. do gr. *agápē* 'amor'.
agareno *adj. sm.* 'descendente de Agar, escrava egípcia de Abraão' 1572. Do lat. *agarēnus*, deriv. do gr. *agarēnós*.
⇨ **agareno** | XIV ESTO 292.*14* (L¹) |.
agárico *sm.* 'espécie de cogumelo' XV. Do lat. *agarĭcum*, deriv. do gr. *agarikón*.
a·garr·ado, -amento, -ar → GARRA.
agasalhar *vb.* 'abrigar, proteger' XIV. Do gót. **gasalja* 'companheiro', através do lat. **adgasaliāre* || **agasalhADO** 1500 || **agasalhADOR** | *agua-* XV || **agasalhAMENTO** | *agua-* XV || **agasalho** XVI. Derivado regressivo de *agasalhar* || DES**agasalhADO** XVI || DES**agasalhAR** XVI.

⇨ **agasalhar** — **agasalh**ADO | XV LOPJ II.19.*26* etc. |.
⇨ **agast·ador** → gastar.
agast·amento, -ar → GASTAR.
ágata *sf.* 'variedade de calcedônia' | XVI, *achates* XIV, *agates* XVII | Do lat. *achātēs*, deriv. do gr. *achátēs*.
agauchado → GAÚCHO.
agave *sf.* 'planta da fam. das agaviáceas, que fornece o sisal ou agave' 1858. Do fr. *agave*, deriv. culto do adj. fem. gr. *agauē* 'admirável'.
-agem[1], **-agem**[2] *suf. nom.*, de origens distintas, mas de funções idênticas ou muito semelhantes: (i) *-agem*[1] | deriva do lat. *-āgo -agĭnis* e se documenta em alguns vocs. port. de imediata procedência latina, com as noções de 'estado, situação', 'ação' ou 'resultado da ação.': *imagem, voragem*; (ii) *-agem*[2] deriva do fr. *-age* ou do prov. *-atge*, os quais, por sua vez, se prendem ao lat. *-atĭcum* (> -ÁTICO); o suf. *-agem*[2] ocorre em numerosos vocs. port., alguns deles desde as origens do idioma (*linguagem, linhagem*), muitos outros introduzidos nos sécs. XVI (*coragem*), XVII (*carruagem*), XVIII (*abordagem*) e XIX (*arbitragem*) e, a atestar a sua grande vitalidade, em numerosíssimos vocs. de introdução muito recente (como *açudagem, alunissagem, defasagem*), alguns dos quais oriundos da linguagem coloquial, com conotações francamente populares e até mesmo chulas (*granfinagem, molecagem, pilantragem, sacanagem*).
agênci·a, -ador, -ar → AGIR.
agenda *sf.* 'caderneta de anotações' XIX: Do lat. *agenda*, nom. pl. de *agendus*, gerúndio de *ago agĕre* 'agir'.
agente → AGIR.
agigantado → GIGANTE.
ágil, -idade → AGIR.
ágio *sm.* 'diferença entre o valor nominal e o real da moeda' 1801. Do it. *àggio* || **agiota** 1858. Deriv. regress. de *agiotagem* || **agiot**AGEM 1844. Do fr. *agiotage* || **agiot**AR 1844. Do fr. *agioter*.
⇨ **ágio** — **agiot**AGEM | 1836 SC || **agiot**AR | 1836 SC |.
agir *vb.* 'obrar, operar, atuar' XIX. Do lat. *ago agĕre* || **agência** XVI. Do it. *agenzia* || **agenci**ADOR XVIII || **agenci**AR XVIII || **agente** XV. Do lat. *agēns -ēntis*, part. de *ago agĕre* 'agir' || **ágil** XVI. Do lat. *'agĭlis -e* || **agil**IDADE XVI. Do lat. *agilitās -ātis* || REagente 1871 || REagir 1844.
⇨ **agir** — **agenci**AR | 1680 AOCad I.130.7 |.
agitar *vb.* 'sacudir, perturbar' XVI. Do lat. *agĭtāre* || **agit**AÇÃO XVI. Do lat. *agitātĭō -ōnis* || **agit**ADOR XVI. Do lat. *agitātor -ōris* || **agit**ANTE XIX. Do lat. *agitante*, part. de *agĭtāre* || **agit**ÁVEL XVII. Do lat. *agitābĭlis -e* || EXagitar 1844. Do lat. *exagĭtāre*.
⇨ **agitar** — ex**agitar** | 1836 SC |.
aglaia *sf.* 'planta da fam. das meliáceas' 1871. Do lat. cient: *aglaia*, deriv. do gr. *agláïa* 'esplendor'.
áglia *sf.* '(Med.) cicatriz branca na córnea' 1858. Do lat. cient. *aglia*, deriv. do gr. *agliē*.
aglomerar *vb.* 'juntar, reunir, acumular' XIX. Do lat. *agglomerāre* || **aglomer**AÇÃO 1871. Do fr. *agglomération* || **aglomer**ADO XIX. Do fr. *aggloméré* || **aglomer**ANTE 1955 || **glomer**AR XVII. Do lat. *glomĕrāre* || **glomér**ULO XIX. Do lat. **glomerŭlu*, dim. de *glomus -ĕris* 'novelo' || **glomer**ULO·NEFRITE XX.
⇨ **aglomerar** — **aglomer**AÇÃO | *agglomeração* 1836 SC || **aglomer**ANTE | 1955 *in* ZT |.
a·gloss·ia, -o → -GLOSS(O)-.
aglutinar *vb.* 'ligar, reunir' XVII. Do lat. *agglūtĭnāre* || **aglutin**AÇÃO XVII. Do lat. *agglutinātĭō -ōnis* || **aglutin**ANTE 1813. Do fr. *agglutinant* || **aglutin**ATIVO XVII || **glúten** XIV. Do lat. *glŭten -ĭnis* || **glut**INA 1873 || **glutin**AR 1890. Do lat. *glūtināre* || **glutin**ATIVO XX || **glutin**OSO 1813. Do lat. *glūtinōsus*.
⇨ **aglutinar** — **glutin**ar | 1836 SC |.
agnado *adj. sm.* 'que é parente pelo lado paterno, afim' XVII. Do lat. *agnātus* || **agn**AÇÃO XVII.
a·gnat·ia, -o → -GNAT(O)-.
agnelina *sf.* 'pele de carneiro com lã' 1858. Do lat. *agnellīna*, fem. de *agnellīnus*, com provável interferência do fr. *agneline*.
agnome *sm.* 'alcunha, sobrenome' XVI. Do lat. *agnōmen -ĭnis* || **agnominação** 1844. Do lat. *agnōminātĭō -ōnis*.
⇨ **agnome** — **agnomin**AÇÃO | 1836 SC |.
agnosia *sf.* 'ignorância (especialmente a universal)' '(Med.) perda da capacidade de reconhecer os objetos' XIX. Do gr. *agnōsía*, pelo fr. *agnosie* || **agnóst**ICO XX. Do ing. *agnostic*, voc. criado por Huxley, com base no gr. *ágnōstos* 'ignorante' || **agnosto**ZÓ·ICO XX.
-agog(o)- *elem. comp.*, deriv. do gr. *agōgós* 'aquele que conduz' 'chefe', que se documenta em vocs. port. eruditos, muitos dos quais já formados no próprio grego (*demagogo, pedagogo* etc.) e outros criados nas línguas modernas de cultura (*emenagogo, litagogo* etc.).
agogô *sm.* 'instrumento musical usado nos cultos afro-brasileiros' XX. Do ioruba *ago'go*.
agomia *sf.* 'arma usada pelos mouros do Malabar, faca, punhal' | XIV, *agumya* XV, *gomya* XV, *gomia* XVI | Do ár. *kummīâ* || **agomi**ADA | *aagomijada* XV.
agomil *sm.* 'jarro para lavar as mãos' | 1813, *agomys* pl. XIV, *agumil* XIV | Do lat. *aquimināle -is*, provavelmente através de **aquimĭnĭle*.
agonfose *sf.* '(Med.) estado dos dentes abalados, ausência de dentes' | *agomphose* 1858 | Do lat. cient. *agomphōsis*, deriv. do gr. *a-* [v. A-(iv)] + *gómphōsis*.
agonia *sf.* 'angústia, sofrimento, ansiedade' | XVII, *agonya* XV | Do lat. *agōnĭa*, deriv. do gr. *agōnía* || **agoni**ADA XX || **agoni**ADO XVIII || **agôni**CO XX || **agon**ÍST·ICA *sf.* 1844. Cp. gr. *agōnistike* || **agon**ÍST·ICO XVII. Do lat. tard. *agōnisticus*, deriv. do gr. *agōnistikós* || **agon**IZ·ANTE | XVII, *-isante* XVII || **agon**IZAR | XVI, *-isar* XVII | Do lat. *agōnizāre*.
⇨ **agonia** — **agon**ÍST·ICA | 1836 SC |.
agonóteta *sm.* 'presidente dos jogos nacionais, na Grécia antiga' | XIX, *-theta* 1871 | Do lat. *agōnothĕta*, deriv. do gr. *agōnothétēs*.
agora *adv.* 'nesta hora, neste momento' XIII. Do lat. *hāc hōrā*.
agosto *sm.* 'oitavo mês do ano civil' XIII. Do lat. vulgo *agŭstus* (cláss. *augŭstus*).
agouro *sm.* 'predição do futuro, (mau) presságio' | XVI, *agoiro* XIII, *agoyro* XIII | Do lat. vulg. **agŭrium* (cláss. *augŭrium*) || **agour**ADOR | *-oi-* XIII || **agour**AR | *-oi-* XIII || **agour**EIRO | XVI, *aguyreyro* XIII, *agoyreyro* XIV || **agour**ENTO XVIII.

agraciar → GRAÇA.
agraço → AGRO¹.
agrad·ar, -ável, -ecedor, -ecer, -ecido, -ecimento, -o → GRATO.
⇨ **agrad·ecer, -ecível** → grato.
agraf·ia, -o → GRAFAR.
agrafo *sm.* 'gancho que serve para suturas cirúrgicas' XX. Do fr. *agrafe.*
a·gramat·ical, -icalidade, -ismo → GRAMÁTICA.
agrário *adj.* 'relativo ao campo' XVI. Do lat. *agrārĭus.* V. AGRI-.
agrav·ação, -ante, -ar, -ativo, -o → GRAVE.
agredir *vb.* 'atacar, brigar, assaltar' | 1871, *aggredir* 1858 | Do lat. *aggredī* || **agressão** XVII. Do lat. *aggressiō -ōnis* || **agressivo** XVII. Do lat. *aggressus*, com provável interferência do fr. *agressif* || **agressor** XVI. Do lat. *aggressor -ōris.*
agregar *vb.* 'reunir, associar, acumular' XV. Do lat. *aggrĕgāre* || **agregação** XVI. Do lat. *aggregātiō -ōnis* || **agregado** XVI || **agregativo** XVI || **des**agregação | XX, *desagregação* 1858 || **des**agregar | XX, *desaggregar* 1844.
⇨ **agregar** — **des**agregar | 1836 SC, *desaggregar* 1836 SC |.
agremi·ação, -ar → GRÊMIO.
agress·ão, -ivo, -or → AGREDIR.
agreste *adj.* 'relativo ao campo' XVI. Do lat. *agrestis -e* || **agrest**INO XX. Do lat. *agrestīnus.*
agri- *elem. comp.*, do lat. *agri-*, de *ager agri* (= gr. *agrós agrou*) 'campo', que se documenta em palavras eruditas, muitas delas formadas no próprio latim (como *agricultura*) e outras introduzidas, a partir do séc. XIX, na linguagem científica internacional ▶ **agrí**COLA XVII. Do lat. *āgrĭcŏla* || **agri**COL·AR | *-cu-* 1844 | Do lat. *agricolāre* || **agri**CULT·ADO XVI || **agri**CULT·AR XVI || **agri**CULT·ÁVEL 1799 || **agri**CULT·OR XVI. Do lat. *āgrĭcŭltŏr* || **agri**CULT·URA | XV, *agre-* XV | Do lat. *āgrĭcŭltūră* || **agri**MENS·ÃO 1844 || **agri**MENS·AR 1881 || **agri**MENS·OR 1844. Do lat. *āgrīmensōre* || **agri**MENS·ÓRIO 1858. Do lat. tard. *āgrīmensōrĭu* || **agri**MENS·URA 1844. Do lat. *ăgrīmēnsūră.* Cp. AGRO-.
⇨ **agri-** — **agri**COL·AR | 1836 SC || **agri**MENS·ÃO | 1836 SC || **agri**MENS·OR | 1795 *in* ZT, 1836 SC |. **agri**MENS·URA | 1784 *in* ZT, 1836 SC |.
agrião *sm.* 'erva da fam. das crucíferas' | XVI, *agrões* pl. XV | Talvez do lat. *agrĭon* (ou do lat. vulg. *acrio -ōnis*) 'rabanete, rábano agreste'; cp. gr. *ágrios* 'agreste'.
⇨ **agrigentino** *adj.sm.* 'próprio, natural de Agrigento, hoje Girgenti, na Sicília' | *agregentino* XV OFIC 109.7 | De *Agrigent(o)+ -INO.*
agriófago *adj. sm.* 'que se alimenta de animais silvestres' | 1899, *agrióphago* 1858 | Cp. gr. *agriophágoi.*
agro¹ *adj.* 'acre, azedo, ácido' XIV. Do lat. vulg. *acrus*, de *acer acris* || **agr**AÇO | XVI, *agraz* XIII || **agri**·DOCE 1813 || **agri**·DULCE XVII. Do cast. *agridulce* || **agro**DOCE XVI || **agr**URA XV.
⇨ **agro¹** — **agr**AÇO | XV LOPJ II.29.*36*, *agraz* XIII CSM 68.*52* |.
agro² *sm.* 'campo, terra cultivável' XIV. Do lat. *ager agri.* V. AGRO-.
⇨ **agro²** | XIII CSM 334.*26*, FLOR 337 etc. |.
agro- *elem. comp.*, do gr. *agro-*, de *agrós agrou* (= lat. *ager agri*) 'campo', que se documenta em palavras formadas no próprio grego (como *agrônomo*) e em outras introduzidas, a partir do séc. XIX, na linguagem científica internacional ▶ **agro**AÇUCAR·EIRO XX || **agró**BATA | *agrobáta* 1871 || **agró**DROMO 1871 || **agro**GEO·LOG·IA XX || **agro**GEO·LÓG·ICO XX || **agro**GRAF·IA | 1899, *-phia* 1871 || **agro**GRÁF·ICO | 1913, *-phi-* 1899 || **agró**GRAFO | 1913, *-pho* 1871 || **agro**INDÚSTR·IA XX || **agro**INDUSTR·IAL XX || **agro**LOG·IA 1858. Do fr. *agrologie* || **agro**LÓG·ICO 1871 || **agró**LOGO 1913 || **agro**MANC·IA XVII || **agro**MAN·IA XVIII || **agro**MAN·ÍACO 1871 || **agro**MANTE 1913 || **agro**MÂNT·ICO 1913 || **agrô**METRO XIX || **agro**NOM·ANDO XX || **agro**NO·METR·IA 1858. Do fr. *agronométrie* || **agro**NO·MÉTR·ICO XX || **agro**NOM·IA 1844 || **agro**NÔM·ICO 1844 || **agrô**NOMO 1844; cp. gr. *agronómos* || **agro**PECUÁRIA XX || **agro**PECUÁRIO XX || **agro**PIRO | 1913, *agropyron* 1871 | Do fr. *agropyrum* || **agro**QUÍM·ICA XX || **agro**VILA XX. Cp. AGRI-.
⇨ **agro-** — **agro**NOM·IA | 1836 SC || **agro**NÔM·ICO | 1836 SC || **agrô**NOMO || 1836 SC |.
agror *sm.* 'azedume, amargura, agrura' XX. Do lat. tard. *ācrŏr -ōris.*
agrostografia *sf.* 'ramo da botânica que estuda as gramíneas' | XX, *agrostiographia* 1871 | Cp. gr. *agróstographía* || **agrosto**LOG·IA 1858.
a·grup·amento, -ar → GRUPO.
água *sf.* 'líquido incolor, inodoro e insípido, essencial à vida' | XIII, *agoa* XIII, *auga* XIII, *augua* XIII etc. | Do lat. *ăqua.* No port. med. já se documentam quase todas as numerosas acepções que o voc. apresenta atualmente || **agu**AÇU·AL. 1813 || **agu**AC·EIRA XVII || **agu**AC·EIRO XVI || **agu**AC·ENTO XVII, *augaçemto* XV || **agu**ADA | XVI, *augada* XV || **agu**AD·EIRO *adj. sm.* | XVI, *augadeyro* XIII, *aaguadeyro* XIV, *agoadeyro* XIV etc. || **agu**AD·ILHA XVIII || **agu**AD·OURO | *aaguadoiro* 1400 || **agu**AGEM XVI || **agu**AMENTO 1813 || **agu**AR | *aaguar* XIII || **agu**AR·DENTE | XVI, *agua ardente* XV || **agu**ARRÁS | *agua-raz* 1813 | Provavelmente do cast. *aguarrás*, de *agua* e o lat. *rasis* 'pez em bruto' || **aqu**ÁRIO XVI. Do lat. *aquārĭus* || **aquático** 1572. Do lat. *aquātĭcus* || **aquátil** XVI. Do lat. *aquātĭlis* || **aqueduto** | *aqueductus* XVI, *guducho* (por *aguaducho*) XIV | Do lat. tard. *acquiductus* || **áqu**EO XVII || **aquosidade** | 1813, *agousidade* XVII || **aquoso** XVI. Do lat. *aquōsus* || **desagu**ADEIRO | *-goa-* 1813 || **desagu**ADOURO 1873 || **desagu**AMENTO | *-goa-* 1813 || **desagu**AR XVII.
⇨ **água** — **agu**ARRÁS | 1744 *in* ZT || **áqu**EO | *a* 1542 JCASE 35.*25* || **desagu**AR | 1624 SESILR 36*v*.21 |.
água-pé¹ *sf.* 'bebida de baixo teor alcoólico' XVIII. De ÁGUA + PÉ.
⇨ **água-pé¹** | *agua pee* 1440 MARR I.170.*29* |.
aguapé² *sm.* 'nome comum a várias plantas que flutuam nas águas paradas' | *c* 1698, *agua-pé c* 1727, *auapé* 1777 etc, | Do tupi *aüa'pe.*
aguapeaçoca *sf.* 'ave da fam. dos parrídeos, jaçanã' | 1587, *auapessoca c* 1631 | Do tupi *aüapea'soka.*
aguar → ÁGUA.
aguaraquiá *sf.* 'planta da fam. das solanáceas, ervamoura' | *guaraquigỹna c* 1584 | Do tupi *aüarakī'ïa.*
⇨ **aguard·ado, -ador, -amento, -ante** → GUARDAR.
aguardar → GUARDAR.

aguardente → ÁGUA.
aguarentar *vb.* 'cortar, diminuir, encurtar' | 1813, *agorentar* XVI | Talvez resulte da fusão de *aguar* com *agouro*.
aguarrás → ÁGUA.
aguazil *sm.* 'antigo funcionário militar e judicial' | XIII, *aluazijz* pl. XIII, *alguazil* XIII, *algazil* XIV etc. | Do ár. *alŭazīr*.
aguça *sf.* 'pressa, diligência' XIV. Do baixo lat. *acūtĭa*, deriv. de *acūtus* (> AGUDO) || **aguç**AMENTO XIV || **aguç**AR XIII. Do lat. **acūtiāre* (do baixo lat. *acutāre*) || **aguç**OSO XIII.
⇨ **aguça** | XIII (L¹) |.
agudo *adj.* 'terminado em ponta' 'fino, penetrante, sagaz' XIII. Do lat. *acūtus* || **agud**EZA XV.
⇨ **agudo** — **agud**eza | VIX ORTO 55.*32* etc. |.
aguentar *vb.* 'sustentar, suportar, tolerar' 1813, *aguantar* XVIII || Do it. *agguantare*.
aguerrir → GUERRA.
águia *sf.* 'ave falconiforme do gênero *Aquila*' XIII. Do lat. *áquila*.
aguilhão *sm.* 'ferrão, objeto de ponta aguçada' | *aguillon* XIII, *guilhom* XIV etc. | Do lat. **aquīleo -ōnis*, de *acŭleus* || **aguilh**ADA XVI. Do lat. vulg. **aquileāta* (por *aculeāta*, deriv. de *acŭleus*) || **aguilh**AR | -*llar* XIII || **aguilho**ADA XVI || **aguilho**AR XIV, *agilhoar* XIV, *aguillar* XIII, *agillar* XIV etc.
a·guis·ado, -ar → GUISA.
agulha *sf.* 'que tem ponta' 'instrumento que serve para coser, bordar, tecer etc.' XV. Do lat. **acūcula*, dim. de *acus -ūs* | **agulh**ÃO XVII || **agulh**EIRO | XIV, *agujeiro* XV || **agulh**ETA XV.
⇨ **agulha** | XIV GREG 3.34.*21*, ORTO 297.*33* etc., *agulla* XIII, CSM 199.*3* || **agulh**ADA | XIV GREG 3.33.*43* || **agulh**EIRA | XV FRAD 11.149.*15* |.
ah → A⁵.
ai *interj.* | XIII, *ay* XIII | Voc. de criação expressiva.
aí¹ *adv.* 'nesse lugar, nesse momento' | *hy* XIII, *y* XIII, *ahi* XVI etc. | Do lat. *ibī*, com provável interferência de *hīc*.
aí² *sm.* 'nome tupi da preguiça' | 1587, *ahû* 1618, *aíg* 1663 | Do tupi *a'ï*.
aia *sf.* 'preceptora' | XVI, *aya* XV | Do lat. *avĭa* || **aio** *sm.* 'preceptor' | *ayo* XIV | De *aia*.
-aico *suf. nom.*, deriv. do lat. *-aicus* (< gr. *-aikós*, oriundo de adjetivos em *-âios*), que ocorre em alguns vocs. port. com as noções de 'origem, procedência' (*hebraico*) e de 'pertinência' (*prosaico*).
aiereba *sf.* 'espécie de arraia (*Dasyatis orbicularis*)' | *agereba* c 1594 | Do tupi *aie'reŭa*.
ailanto *sm.* 'planta da fam. das simarubáceas' XX. Do lat. cient. *ailanthus*, adaptação do mal. *kãyulãngit* || **ailant**I·CULTURA XX.
ainda *adv.* 'também agora, e mais etc.' | XIII. *aynda* XIII, *einde* XIII, *inda* XIII etc. | Provavelmente da combinação dos vocs. lat. *ad + inde + ad*, ou da var. ant. *inda* com o pref. A-.
ainhum *sm.* 'doença oriunda da África, caracterizada pelo espessamento progressivo da pele e consequente formação de um anel fibroso em volta dos dedos, que acaba por decepá-los' XX. Do ioruba *ai'ñũ* 'serra'.
aio → AIA.
aipim *sm.* 'planta da fam. das euforbiáceas, mandioca-doce' | *a* 1576, *aypim a* 1576, *aipi c* 1584, *ajpi c* 1594 etc. | Do tupi *ai'pĩ*.
aipo *sm.* 'erva da fam. das umbelíferas' | *aaypo* XIV, *aypo* XV | Do lat. *apĭum -ĭī*.
airi *sm.* 'palmeira da subfam. das ceroxilíneas' | *c* 1607, *airu al*696 etc. | Do tupi *ai'rĭ* **airiz**·EIRO | *ayriseiro* 1678.
ajaezado → JAEZ.
ajajá *sf.* 'ave da fam. dos tresquiornitídeos (*Ajaja ajaja*)' | *ayaya c* 1584, *aiaiá* 1587, *agaga c* 1631 | Do tupi *aia'ia*.
ajardinar → JARDIM.
ajeitar → JEITO.
ajoelhar → JOELHO.
ajoujar *vb.* 'prender com ajoujo' 'unir, juntar' 1813. Do lat. *ad-jŭgāre* || **ajoujo** 'corrente para unir animais pelo pescoço' 1813.
ajudar *vb.* 'auxiliar, colaborar' XIII. Do lat. *adjūtāre* || **adjutor** XVII. Do lat. *adjūtor -ōris* || **adjutório** XV. Do lat. *adjūtōrĭum*; cp. *ajudouro* || **ajuda** XIII || **ajud**ADOR XIII. Do lat. tard. *adjūtatōrem* || **ajud**ANTE XIV. Do lat. *adjutans-antis* || **ajud**OURO | -*oiro* XIV, *oyro* XIV etc. | Do lat. *adjūtōrĭum* || CO**adjutor** XVI. Do lat. *cŏadjūtor -ōris* || CO**adjutor**IA XVI || DE**sajud**ADO XIV || DES**ajudar** XVI.
⇨ **ajudengado** → judeu.
a·juiz·ado, -ar → JUÍZO.
a·junt·amento, -ar → JUNTO.
ajuru *sm.* 'nome tupi do papagaio' | *ayurú* 1806, *jurú* 1817 | Do tupi *aiu'ru* | **ajuru**AÇU 1587 || **ajuru**CATINGA 1928 || **ajuru**CURAU | *ajurucurao c* 1584 || **ajuru**CURICA | *ayuruquuriqua c* 1631, *iuruquariqua c* 1631 || **ajuru**ETÊ | *agerueté* 1587, *haiuruhite c* 1631 || **ajuru**IM | *aiuruj c* 1594 || **ajuru**JU | *aiuruiu c* 1631.
a·just·ar, -ável, -e → JUSTO.
al *pron.* 'outra coisa, outra pessoa' XIII; *sm.* '(o) mais, (o) resto' XIV. Do lat. *alĭd* (var. de *aliud*), com a pronúncia vulgar *ale*.
al- → AL(O)-.
-al *suf. nom.*, do lat. *-ālis -āle*, que forma: (i) substantivos oriundos de outros substantivos, com as noções de (a) 'conjunto de plantas que recobrem certa porção de terra, plantação' (*ananasal, bananal, cafezal*) e (b) 'grande quantidade' (*areal, lamaçal*); (ii) adjetivos oriundos de substantivos, com a noção de 'relação, pertinência' (*campal, conjugal*). No antigo português eram muito mais frequentes formações do tipo *divinal, eternal, mundanal* etc., em que o suf. *-al* representa um processo de derivação pleonástico, uma vez que o acréscimo do suf. não altera os significados dos adjetivos *divino, eterno, mundano* etc. Cp. -AR².
ala *sf.* 'fileira, grupamento por afinidades (políticas, religiosas etc.)' XV. Do lat. *āla* 'asa' || **al**ADO¹ XVI. Do lat. *ālātus* || **al**AR¹ *adj.* 1899 || **al**AR² *vb.* 'dar asas, levantar asas' 'dispor em alas' XVI || **ál**EO XVI || **al**OTE 1899 || **ál**ULA 1899 || BI-**al**ADO 1871.
alabandita *sf.* 'mármore negro encontrado na cidade de Alabanda, na Ásia Menor' XX. Do fr. *alabandite*; V. -ITA.
alabar(-se) *vb.* 'louvar, gabar' 'jactar-se vangloriar-se' XIV. Do cast. *alabar*. deriv. do lat. tard. *alapāri*. No port. med. documentam-se *alabança* XIV, *alabamça* XV, também de origem castelhana.

alabarda *sf.* 'arma antiga, constituída de uma longa haste de madeira rematada em ferro largo e pontiagudo, atravessado por outro em forma de meia-lua' XVI. Do m. alto- al. *helmbarte*, pelo it. *alabarda* ‖ **alabard**EIRO XVI.
alabastro *sm.* 'rocha pouco dura, muito branca e translúcida, constituída de gipsita' | XIV, *-austro* XIV, *labastro* XIV | Do lat. tard. *alabaster alabastrum*, deriv. do gr. *alábast(r)os* ‖ **alabastrino** XVI. Do it. *alabastrino*.
alacranado → LACRAU.
álacre *adj.* 2g. 'alegre, jovial, animado' XX. Do lat. *alăcer alăcris* ‖ **alacr**IDADE XVI. Do lat. *alacritās -ātis*. V. ALEGRE¹.
alado¹ → ALA; **alado**² → ALAR³.
a·lag·ad·iço, a·lag·amento, -ar → LAGO.
alagoano *adj. sm.* 'relativo a, ou natural de Alagoas' XX. De *Alago(as)* + -ANO.
alalia *sf.* 'perda, total ou parcial, da articulação da palavra' 1858. Cp. gr. *alalía*, de *álalos* 'mudo'.
alamanda¹ *sf.* 'dança jovial e alegre de origem alemã' | XX, *aleman* 1871 | Do fr. *alemande*.
⇨ **alamanda**¹ ‖ *allamanda* 1836 SC, *allemanda* 1836 SC |.
alamanda² *sf.* 'designação comum a várias plantas da fam. das apocináceas' XX. Do lat. cient. *Allamanda*. nome dado por Lineu em honra do cientista francês Allamand.
alamar *sm.* 'enfeite de vestuário' XV. Do ár. *al-'amārâ*.
alambique *sm.* 'aparelho para destilação' XVI. Do gr. *ámbix -ikos*, pelo ár. *al-'anbīq* ‖ **alambic**ADO 1813.
alambor *sm.* 'suporte na base de uma construção de alvenaria' 1813. De origem controversa ‖ **alambor**ADO XVI.
alambra *sf.* 'álamo negro' 'resina extraída do choupo' XVII. Do ár. *al-'anbar*. V. ÂMBAR.
alambre *sm.* 'arame' XX. Do lat. tard. *aerāmen -ĭnis*, pelo cast. *alambre* ‖ **alambr**ADO XX ‖ **alambr**ADOR XX ‖ **alambr**AR XX ‖ **alambr**EADO XX. V. ARAME.
⇨ **alambre** — **alambr**ADO | 1898 *in* ZT |.
álamo *sm.* 'choupo-branco' | XVI, *alemo* 1572 | Do lat. **alamus* (cláss. *alnus -ī*) ‖ **alam**EDA XVI.
⇨ **álamo** | *alemo* XV ZURD 54.6. *allamo* XV MONT 33.22. *allemo* XV ZURD 70.11 |.
⇨ **alanceado** → lança.
alanita *sf.* 'mineral rico em cério' | *allanite* 1871 | Do ing. *allanite*, do sobrenome do cientista escocês T. Allan e suf. -ite (v. -ITA).
alantíase *sf.* 'botulismo (intoxicação por ingestão de enlatados)' XX. Cp. gr. tard. *allántion* ‖ **alantoi**DE | 1871, *allantoide* XVII | Cp. gr. *allantoeĭdēs* ‖ **alantóxico** | XX, *allantoxicon* 1871.
alão *sm.* 'grande cão de fila' | XIV, *alaao* XIV, *allão* XIV, *allaaons* pl. XIV, *allaano* XIV etc. | Do cast. *alano* (a. cast. *alán*), deriv. de um lat. **alanus*, de origem desconhecida.
a·lap·ar, -ardar → LAPA.
alar¹ ᵉ ² → ALA.
alar³ *vb.* 'içar, erguer' | XVIII, *allar* XV | Do fr. *haler* ‖ **al**ADO² XVI.
alaranjado → LARANJA.
alarde, alardo *sm.* 'orig. revista de tropas e, por extensão, aparato, ostentação' | 1438, *alardo* XIII | Do ár. *al-'ard* 'revista, resenha' ‖ **alarde**AD·EIRA XVI ‖ **alarde**ADO XVI ‖ **alarde**AD·OR XVII ‖ **alarde**A·MENTO XVI ‖ **alarde**AR XVI.
⇨ **alarde** — **alarde**ador | 1562 jc |.
alargar → LARGO.
⇨ **alargamento** → largo.
alarido *sm.* 'orig. grito de guerra dos muçulmanos e, por extensão, gritaria, algazarra' | XIV, *allarido* XIV | De origem controvertida, talvez árabe.
alarme *sm.* 'brado às armas' 'sinal para avisar de perigo' | 1899, *alarma* XIII | Do it. *all'arme* ‖ **alar**MANTE 1899 ‖ **alarm**AR 1871 ‖ **alarm**ISTA 1899.
alarve *sm.* 'árabe' '*ext.* homem grosseiro, rude' | XIV, *alaraue* XIV | Do ár. *al-'arab*. V. ÁRABE.
⇨ **alastrado** → lastro¹.
a·lastr·amento, -ar, -im → LASTRO¹.
alaúde *sm.* 'antigo instrumento musical de cordas dedilháveis, de origem oriental' | XV, *laúde* XIV | Do ár. *al-'aud*.
alavanca *sf.* 'máquina ou qualquer barra rígida capaz de girar em volta de um ponto fixo, e onde se estabelece um equilíbrio de momentos pela ação de duas forças: a potência e a resistência' | XVII, *lauanca* XIII | De origem controversa.
alazão *adj. sm.* 'diz-se de, ou cavalo que tem o pelo cor de canela' | XVI, *alaxam* XIII | Do ár. *al-'az'ar*, através do ár. hisp. *al-'azá'ár*.
alba → ALVA¹.
albacora *sf.* 'peixe da fam. dos tunídeos' | 1813, *albecora* XIV, *alboquora* XVI, *alvacora* XVII | De origem controversa.
albafar *sm.* 'antigo perfume extraído da raiz da junça' | 1813, *alfabor* 1813 | Do ár. *al- baķūr*.
⇨ **albanense** *adj.s2g.* 'relativo à, ou natural da cidade de Alba' | *albanemse* XV FRAD I.293.*1* |.
albanês *adj. sm.* 'relativo à, ou natural da Albânia' | XVI, *albanez* XVII | De *Albân(ia)* + -ês.
⇨ **albanês** — *albano* | 1538 dcast 24v19 |.
albará *sf.* 'planta herbácea, da fam. das canáceas' 1899. De étimo obscuro.
albarda *sf.* 'sela grosseira para bestas de carga' | XIV, *aluarda* 1457 | Do ár. *al-barda'a* ‖ **albard**ADO XVI ‖ **albard**ADURA XVI ‖ **albard**ÃO XIV ‖ **albard**AR XV ‖ **albard**EIRO | XVI, *-eyro* XVI ‖ **albard**ILHA XVI ‖ **albard**URA XV.
⇨ **albarda** — **albard**ADO | XV INFA 64.*31* ‖ **albard**AR | XIV TEST 43.6 |.
albarrã *sf.* 'torre saliente em castelos ou erguida ao longo das muralhas' | *alvarrãa* XV | Do ár. *al-barrān*.
albatroz *sm.* 'ave procelariforme, da fam. dos diomedeídeos' 1858. Do fr. *albatros*, proveniente do ing. *albatross*, o qual, por sua vez, deriva do port. ALCATRAZ.
albedo *sm.* 'fração da luz incidente que é difundida pela superfície' XX. Do lat. *albēdō -ĭnis*.
albente → ALVA¹.
alberca *sf.* 'terreno alagadiço tanque ou vala para reserva de água de regar a terra' | 1813, *alverca* XVI | Do ár. *al- bírka*.
albergar *vb.* 'acampar, pousar' 'hospedar, abrigar' XIII. Do a. prov. *albergar*, deriv. do gót. **haribergôn* 'hospedar' ‖ **alberg**ADA XIII. Do a. prov. *albergada* ‖ **alberg**AMENTO XV ‖ **alberg**ARIA XIII ‖ **albergue** XIII ‖ **albergu**EIRO | -*geyro* XIII, -*gueyro* XIII.

⇨ **albergar** — **alberg**ADOR | *abberguador* (*sic*) XV VITA 152*c*42 |.
albescente → ALVA[1].
albi- *elem. comp.*, do lat. *albi-*, de *albus -i* 'branco, alvo', que se documenta em vocs. eruditos, a partir do séc. XIX ♦ **albicante** 1871. Do part. do lat. *albĭcāre* || **albi**CAUDE | 1899, *albicauda* 1871 || **albi**CAULE 1871 || **albi**COLE | XX, *albicolle* 1871 || **álbido** XX. Do lat. *albĭdus* || **albi**FICAR 1899 || **albi**FLOR 1871 || **albina** 1871. Do lat. *albīna* || **albino** 1858. Do lat. *albīnus-ī* || **albi**RROS·ADO XX || **albi**RROSTRO XX, *albirostro* 1871 || **albi**STEL·ADO XIX || **alb**ITA 'tipo de feldspato' | XX, *albite* 1871 || **albo**CINÉREO XX.
alboque *sm.* '(Mús.) instrumento musical de sopro' | 1813, *albogue* XVII | Do ár *al- bûq.*
albor → ALVO.
albornoz *sm.* 'grande manto de lã usado pelos árabes' | XVI, *albarnoz* XV, *albernoz* XV | Do ár. *alburnûs.* V. BURNUS.
alboroque *sm.* 'refeição que se oferece quando se firma um contrato' | XX, *alborque* 1813 | Do ár. *al- burûk.*
albricoque *sm.* 'abricó' | XVI, *albacorque* XVI, *albocorque* XVI, *alboquerque* XVI, *alboquorque* XVI, *albucorque* XVI etc. | Do ár *al- birqûq*, deriv. do gr. bizantino *praikókion* e, este, do lat. *praecoquus* 'precoce' || **albricoqu**EIRO | *albocorqueiro* XVI.
albugem *sf.* 'mancha esbranquiçada que se forma nos olhos' XVII. Do lat. *albūgŏ -ĭnis* || **albug**ÍNEO XVI || **albu**GIN·OSO 1858.
álbum *sm.* 'volume próprio para colagem de fotografias, selos, recortes etc., ou destinado a receber autógrafos, versos etc.' 1881. Do lat. *album -i*, através do al. *Album* e do fr. *album*.
albume *sm.* 'clara de ovo' 'tecido nutritivo rico em substâncias alimentares, que envolve o embrião em muitas plantas' | XX, *albumen* 1813 | Do lat. *albūmen -ĭnis* || **album**INA *sf.* '(Quím.) qualquer membro de uma classe de proteínas solúveis em água e coaguláveis por aquecimento' 1844. Do lat. *albūmĭna*, pl. de *albūmen -ĭnis*, pelo fr. *albumme* || **album**I·NI·FORME 1871 || **album**IN·OIDE 1871. Do fr. *albuminoïde* || **album**IN·ÚRIA 1858. Do fr. *al buminurie*.
⇨ **albume** — **album**INA | 1836 SC |.
alburno *sm.* 'parte periférica e mais nova da madeira do tronco das árvores, onde as células realizam a condução da água' 1813. Do lat. *alburnum -ī.*
⇨ **alburno** | 1783 *in* ZT |.
alça → ALÇAR.
alcáçar, alcácer *sm.* 'antiga fortaleza ou castelo fortificado' | *alcaçar* XIII, *alcacer* XV, -çer XIV, *alcarcere* XIV etc. | Do àr. *álqaṣr* 'fortaleza, castelo'.
alcaçaria *sf.* 'alojamento para mercadores em trânsito, que dispunha de depósitos para mercadorias' XIV. Do ár. *qaisārîya* (de *Qáiṣar*, deriv. do antropônimo lat. *Caesar* 'César').
alcachofra *sf.* 'planta hortense da fam. das compostas' | XVI, *alcachofa* XVI, *alcachofre* XVI | Do ár. hisp. *ḫaršūfa.*
alcáçova *sf.* 'fortaleza' 'castelo da popa de embarcação de guerra' | XVI, *alcaçoua* XIV, *alcaçeva* XV | Do ár. *al- qasaba.*
alcaçuz *sm.* 'planta da fam. das leguminosas, cuja raiz é medicinal' XVI. Do ár. *'irq assūs* 'raiz do alcaçuz'.
⇨ **alcaçuz** | XV SEGR 49*v.* |.

alçada → ALÇAR.
alcadafe *sm.* 'vaso para medir o vinho e aparar as verteduras' | XVI, *alcadéfe* XVIII | Do ár. *al qudāf.*
alcaguete *s2g.* 'delator' XX. Do cast. *alcahuete*, deriv. do ár. *al- qaṷṷēd.* V. ALCAIOTE, ALCOVETA.
alcaico *adj.* 'tipo de verso criado pelo poeta grego Alceu' XVI. Do lat. *alcaicus*, deriv. do gr. *alkaikós.*
alcaide *sm.* 'antigo governador de castelo ou de província' 'antigo oficial de justiça' | XIII, *-cayde* XIII, *-calde* XIII, *-callde* XIV etc. | Na primeira acepção o voc. deriva do ár. *alqā'id* 'governador' e, na segunda, de *al-qāḍī* 'juiz'; em português, pelo menos a partir do séc. XIV, as duas acepções já se confundiam, usando-se *alcaide* | *alcalde* indiferentemente como 'governador' e como 'juiz' || **alcaid**ARIA | XIV, *alcaydaria* XIII || **alcaid**ESSA | *alcaydessa* XIII || **alcaid**IA | XVI, *alcaydia* XIV.
alcaiote *s2g.* 'delator, alcoviteiro' | *alcayota* XIII | Do ár. *al- qaṷṷēd.* através do ár. hisp. *al- qaṷṷód.* V. ALCAGUETE, ALCOVETA.
álcali *sm.* '(Quím.) qualquer hidróxido, ou óxido, dos metais alcalinos' XVII. Do ár. vulgar *qali*, através do b. lat. *alcali* || **alcali**IFIC·ANTE 1858 || **alcali**FICAR XX || **alcali**METRO 1858 || **alcali**NO | -*ka-* 1813 || **alca**IOIDE 1858.
alcamonia *sf.* 'espécie de bolo, feito geralmente de farinha, melaço, gengibre, cominho etc.' XVIII. Do ár. *al- kammūniiâ.* deriv. do aramaico *kammōnā* '(= hebr. *kammōn*, acad. *kamūnu(m)* etc.); da mesma origem semítica procede o gr. *kýminon* e, deste, através do lat. *cumīnum*, o porto COMINHO.
alcançar *vb.* 'chegar junto de alguém ou de alguma coisa que seguia ou corria à frente' 'atingir alguém ou alguma coisa' XIII. Cruzamento de *encalçar* (< lat. **incalciāre* 'perseguir correndo atrás') com o ant. *acalçar*, também do séc. XIII (< lat. **accalciāre*): *encalçar + acalçar > *ancalçar > alcançar*; a base comum é o lat. *calx calcis* 'calcanhar' || **alcance** | *alcáçe* XIV, *alcanço* XIV || **encalçar** XIV. Do lat. **incalciāre* || **encalço** XIV.
alcândora *sf.* 'poleiro' | XV, *alcândara* XIII | Do ár. *al- kándara* || **alcandor**AR 1844.
⇨ **alcândora** — **alcandor**AR | XV ANCO II.2.*1* |.
alcantil, -ada, -ado, -ar, -oso → CANTO[3].
alcanzia *sf.* 'bola, granada ou mealheiro de barro' XVI. Do ár. *al- kanzîa.*
alçapão → ALÇAR.
alcaparra *sf.* 'botão floral da *Capparis spinōsa* L., usado como condimento' XVI | Do moçárabe, aparentado com o lat. *cappări* e com o ár. *al- kábar* || **alcaparr**EIRA 1858 || **alcaparr**EIRO XVI.
alçar *vb.* 'suspender, elevar' XIII. Do lat. **altiāre*, de *altus* || **alça** XIII || **alç**ADA *sf.* 'rebeldia' XIV; 'apelação' 'tribunal a que recorrem as partes para a obtenção de justiça' XIII || **alç**ADOR XVII || **alç**AMENTO XIII || **alçapão** *sm.* 'porta ou tampa que dá entrada para o porão ou para o desvão do telhado' 'armadilha, gaiola' | XV, *-pom* XIV, *-paon* XV | De *alça + pom*, forma antiga de *põe*, do vb. *pôr* || **alce**[2] XX. Deriv. regress. de *alçar.*
alcaravão *sm.* 'ave da fam. dos ardeídeos' XVII. Do ár. *al-karaṷán.*
alcaravia *sf.* 'planta herbácea da fam. das umbelíferas' | 1813, *alcorouia* XVI | Do ár. hisp. *al-karaṷía*, aparentado com o gr. *káron.*

alcaraviz sm. 'tubo de ferro que conduz o ar do fole à forja' XVIII. De étimo controverso.
alcarrada sf. 'antiga máquina de guerra, catapulta' | *alcorada* XIV, *algarrada* XIV, *alguerrada* XIV etc. | Do ár. *al- 'arrāda*.
alcateia sf. 'bando de lobos' 'grupo de animais ferozes' | 1813, *alcatêa* XVI | Do ár. *al- qaṭai'â* (cláss. *al- qaṭī'â*) 'rebanho'.
alcatifa sf. 'tapete grande' XV. Do ár. *al- qaṭīfa* || **alcatif**ADO XVIII || **alcatif**AR XVII.
↪ **alcatifa** — **alcatif**ADO | 1540 FÁlv 90.*23* || **alcatif**AR | 1540 FÁlv 124.*17* |.
alcatira sf. 'planta da fam. das leguminosas' XIV. Do ár. *al- kaṭīrā*.
alcatra sf. 'peça de carne de rês' XVI. Do ár. *al- qaṭra*.
alcatrão sm. 'matéria inflamável, escura e viscosa, obtida pela destilação de várias substâncias orgânicas' | XVI, *-tram* XV, *algadrā* XIV etc. | Do ár. *al- qaṭrān* 'resina' || **alcatro**AR1881.
↪ **alcatrão** — **alcatro**AR | 1680 *in* ZT, *alguedrar* 1426 MARR I.469.*22* |.
alcatrate sm. 'série de pranchões que serve de remate dos revestimentos do casco de navios' XVI. Do ár. *al- qaṭrât*.
alcatraz sm. 'espécie de pelicano' XVI. Provavelmente do ár. *al- gaṭṭâs*.
alcatroar → ALCATRÃO.
alcatruz sm. 'vaso de barro, caçamba' 'manilha' XV. Do ár. *al- qādūs*, deriv. do gr. *kádos* || **alcatruz**AR XVII.
alcavala sf. 'tributo, imposto forçado' XV. Do ár. *al- qabāla*.
alce[1] sm. 'mamífero ruminante da fam. dos cervídeos' | XVI, *alte* XV | Do lat. *alcēs -is*, de provável origem germânica || **alci**CORNE XX.
alce[2] → ALÇAR.
alcicorne → ALCE[1].
alcíone sf. '(Mit.) ave fabulosa, que fazia o ninho sobre águas tranquilas' | XVI, *alciona* XVI, *alcião* XVII | Do lat. *alcyōn -ŏnis*, deriv. do gr. *alkyónē* || **alciôn**EO 1572. Do lat. *alcyŏnēus, alcyŏnĭus*.
alcmânico adj. 'verso composto de três dáctilos e uma cesura' 1871. Do lat. *alcmănĭcus*, deriv. do nome do poeta gr. *Alkmán*.
alcofa sf. 'tipo de cesto de vime ou de folha de palma' | XV, *alcopha* XIII | Do ár. *alquffā*.
álcool sm. 'líquido incolor, volátil, com cheiro e sabor característicos, muito usado na medicina doméstica' '(Quím.) função oxigenada (isto é, composta de carbono, hidrogênio e oxigênio) que se caracteriza pela presença de um grupo hidroxila (OH) ligado diretamente a um átomo de carbono' | *alcohol* XVII | Do lat. mod. *alcohol (vini)* de 'Paracelso (séc. XVI), deriv. do ár. vulg. *al -kohól* (cláss. *ai -kuhl*) 'pó muito fino para tingir as sobrancelhas', que se especializou para designar uma 'substância purificada, refinada'. Diretamente do ár. procede o a. port. *alcofor* (séc. XV), na acepção original de 'pó muito fino' || **alcoó**LATRA XX || **alcool**ISMO 1899 || **alcool**IZ·ADO | 1881, *alcoolisado* 1871 || **alcool**IZAR | 1881, *alcoholizar* 1813, *alcoolisar* 1871 || **alcoô**METRO 1871.
alcorão sm. 'livro sagrado dos muçulmanos' | *alcoran* XIII, *alcarão* XIV, etc. |; '*ext.* torre de mesquita de onde se convocam os crentes muçulmanos à oração' XVI. Do ár. *al- qur'ān*.
alcorça sf. 'massa de farinha e açúcar, com que se fazem ou cobrem doces' XVI. Do ár. *al- qúrṣa*.
alcorque sm. 'calçado com sola de cortiça' | XVI, *alquorque* XVI | Do ár. *al- qurq*.
alcouce sm. 'prostíbulo' XVII. De étimo controverso.
alcova sf. 'aposento, recâmara, quarto de dormir' | XVII, *-ba* XVII | Do ár. *al-qúbba*.
alcoveta -o sf. m. 'mulher, ou homem, que serve de intermediário em relações amorosas' | *alcoueta* XII, *-couueto* XII, *-couueta* XIII | Do ár. *al- qauuēd*; cp. ALCAGUETE, ALCAIOTE || **alcovit**AR | XVI, *-couvetar* XV, *-couuitar* XVI || **alcovit**ARIA | *-couuetarya* XIII || **alcovit**EIRA XVI || **alcovit**EIRO XVI || **alcovit**ICE 1844.
↪ **alcoveta** — **alcovit**EIRA | *alcouuiteira* 1452 MARR II.136.*17* || **alcovit**ICE | 1836 SC |.
alcunha sf. 'apelido' | XV, *alcoynha* XV | Do ár. *al- kúnya* || **alcunh**AR 1871.
aldeia sf. 'pequena povoação' | XIII, *aldea* XIII, *aldeya* XIII | Do ár. *aḍ- ḍay'a* || **alde**ADO XVII || **alde**ÃO XV || **alde**AR XVII.
↪ **aldeia** — **alde**ÃO | XIII CSM 65.*10* |.
aldeído sm. '(Quím.) função oxigenada (isto é, composta de carbono, hidrogênio e oxigênio) que se caracteriza pela presença do grupamento formila $-C\genfrac{}{}{0pt}{}{\nearrow O}{\searrow H}$, o qual pode estar ligado a um radical alifático ou aromático' | XX, *aldehyde* 1871, *aldehido* 1881 | Do lat. cient. *aldehyd*, de *alcohol dehyd*rogenatum, isto é, 'álcool privado de hidrogênio', provavelmente pelo fr. *aldéhyde*.
aldraba sf. 'trinco, ferrolho' XV. Do ár. *aldábba* || **aldrab**AR 1813.
↪ **aldraba** — **aldrab**ar | *aldrauar* 1562 JC |.
álea sf. 'sorte, risco' | XX, *aleia* 1899 | Do lat. *ālĕa*.
aleatório 1813. Do lat. *ālĕātŏrĭus*.
alecítico → LECITINA.
alecrim sm. 'planta da fam. das labiadas' XVI. Do ár. *al- iklīl*.
↪ **alecrim** | *c* 1538 JCasG 122.*26* |.
aléctico → LÉXICO.
alectória sf. 'pedrinha que se supunha formada no papo dos galos e a que se atribuíam virtudes maravilhosas' XVII. Do lat. *alectōrĭa*, deriv. do gr. *aléktōr* 'galo' || **alectoro**·MANC·IA 1858 || **alectoro**·MANTE 1899 || **alectoro**·MÂNT·ICO XX || **alectoro**·MAQU·IA 1899.
alefriz sm. 'entalhe feito em embarcações' XVIII. Do árabe provavelmente, mas de étimo controverso.
alegar vb. 'citar, mencionar como prova, apresentar como explicação ou desculpa' XIV. Do lat. *allēgāre* || **aleg**AÇÃO | *allegaçon* XIV | Do lat. *allēgātĭō -ōnis* | **aleg**ANTE | *allegante* 1813.
↪ **alegar** | XIII FLOR 541 |.
alegoria sf. 'exposição de um pensamento sob forma figurada' | XIII, *allegoria* XV | Do lat. *allēgoria*, deriv. do gr. *allēgoría* || **alegór**ICO | XV, *alegorico* XVI | Do fr. *allégorique* || **alegor**ISTA | *allegorista* 1813 | Do fr. *allégoriste* || **alegor**IZAR | *allegorizar* XVI, *allegorisar* XVII | Do fr. *allégoriser*.
alegrar[1] → ALEGRE[1]; **alegrar**[2] → LEGRA.
alegre[1] adj. 'animado, vivo' XIII. Do lat. vulg. **alícer *alécris*, correspondente ao clássico *alăcer*

alăcris || **alegr**AR[1] XIII || **alegr**ATIVO XX || **alegr**ETE[1] XIII || **alegr**IA XIII || **alegro** 1858. Do it. *allegro*.
⇨ **alegre**[1] — *alegro* | *allegro* 1836 SC |.
alegre[2] → LEGRA.
alegrete[1] → ALEGRE[1].
alegrete[2] *sm.* 'corpo de armas articulado' 1858. Do fr; *halecret*.
⇨ **alegrete**[2] | 1836 SC |.
aleia[1] → ÁLEA.
aleia[2] *sf.* 'alameda, fileira de árvores ou arbustos' XVIII. Do fr. *allée*.
aleijão *sm.* 'deformidade ou defeito físico ou moral' | XVI, *aleigom* XV, *aleijan* XV, *alejão* 1813 | Do lat. *laesiō -ōnis* || **aleij**ADO | XVI, *alleigado* XV || **aleij**AMENTO | XVI, *aleyjamento* XV || **aleij**AR | XVI, *alejar* 1813.
⇨ **aleijão** — *aleij*AR | *alleijar* XV ZURD 213.*21* |.
a·leit·ado, -ar, -ativo → LEITE.
aleive *sm.* 'ant. traição' 'calúnia, injúria' | XIV, *aleyue* XIII | De origem controversa; talvez do ár. *ajb* 'vício', ou do gót. *lēwjan* 'atraiçoar', através de *at- lēweins || **aleiv**OS·IA XIII || **aleiv**OSO | *aleyuosso* XIII, *-uoso* XIII etc.
aleli *sm.* 'planta ornamental da fam. das crucíferas' XVIII. De origem controversa, talvez árabe.
aleluia *sf.* '(Bíbl.) cântico de ação de graças' | *alleluya* XIII | Do lat. ecles. *allĕlūia* (= gr. *allēloúia*), do hebr. *hall^elūyāh* 'louvai a Deus'.
além *adv.* 'mais adiante' XIII. Do lat. (*ad*) *ĭllĭnc*.
alemão *adj. sm.* 'relativo à, ou natural da Alemanha' | XV, *aleiman* XIII, *aleimãa* XIII, *aleymão* XIV, *alemannu* XV etc. | Do lat. tard. *alemannus*.
alento *sm.* 'bafo, hálito, respiração' 'coragem, ânimo, força' XVI. Do lat. *anhēlĭtŭs -us*, ou deverbal de *alentar* || *alent*ADO XVII || *alent*AR XVI. Do lat. vulg. *alenĭtare < *anhelĭtare < *anhelāre* 'arfar', provavelmente || DEsalentADO 1813 || DEsalentAR 1813 || DEs**alento** 1813.
⇨ **alento** | XV CESA II.5§5.*4* |.
áleo → ALA.
alepidoto *adj. sm.* 'desprovido de escamas 1871. Cp. gr. *alepídōtos*.
alergia *sf.* 'aversão, repulsa' '(Med.) hipersensibilidade a determinadas substâncias e agentes físicos' XX. Do fr. *allergie* || **alérg**ICO XX || **alerg**ISTA XX. V. AL(O)-.
alerta *adv.* 'em atitude de quem vigia' XVII; *adj. 2g2n.* 'atento, vigilante' XVI. Do it. *all'erta* || **alert**AR 1813.
aletria *sf.* 'fios de massa de farinha com ovos' XVI. Do ár. *al-'iṭriya*.
aleur(o)- *elem. comp.*, do gr. *áleuron* 'farinha', que ocorre em alguns vocábulos introduzidos, a partir do século XIX, na linguagem científica internacional ▶ **aleur**IA 1871 || **aleur**ISMA | 1899, *-mo* 1871 || **aleur**ITE 1871 || **aleur**OLEUC·ITO 1909 || **aleur**OMANC·IA 1871 || **aleur**OMANC·IANO 1871 || **aleur**OMANTE 1899 || **aleur**OMÂNT·ICO XX || **aleur**ÔMETRO 1899 || **aleur**ONA 1899.
alevim *sm.* 'filhote ou forma embrionária dos peixes' XX. Do fr. *alevin* || **alev**INO XX.
alexandrino *adj. sm.* 'relativo a, ou natural de Alexandria' XVI; 'relativo a Alexandre Magno' XVI; 'tipo de verso de 12 sílabas' XIX. Do lat. *alexandrīnus*; na acepção de 'tipo de verso', o voc. deriva imediatamente do fr. *alexandrine*, do nome de *li Romans d'Alexandre*, famoso poema francês do séc. XII.
⇨ **alexandrino** | 1836 SC |.
alexandrita *sf.* 'mineral ortorrômbico, variedade de crisoberilo' XX. Do fr. *alexandrite*, de *Alexandre* I, imperador da Rússia, e *-ite* (v. -ITA).
alexia → LÉXICO.
alfa[1] *sm.* 'nome da primeira letra do alfabeto grego' | *alpha* XIV | Do lat. *alpha*, deriv. do gr. *álpha* e, este, do hebr. *āleph*.
alfa[2] *sf.* 'gramínea muito usada no fabrico do papel' 1899. Do fr. *alfa*, deriv. do ár. *halfā*.
alfa[3] *sm.* 'sacerdote senegalês' 1871. De origem africana, mas de étimo indeterminado.
alfabeto *sm.* 'disposição convencional das letras de uma língua' 'conjunto dessas letras' | *alphabeto* XVI | Do lat. *alphabetum -i*, deriv. do gr: *alphábēto* || **alfabet**AR XVIII || **alfabét**ICO 1813 || **alfabet**IZ·ADO XX || **alfabet**IZAR XX.
alface *sf.* 'planta hortense da fam. das compostas' | XVI, *alfaça* XIII | Do ár. *al-ḥaṣa*.
alfafa *sf.* 'planta forraginosa da fam. das leguminosas' | XIII, *alfarfa* XIII | Do ár. hisp. *alfásfaṣa*, provavelmente pelo cast. *alfafa*.
alfageme *sm.* 'orig. barbeiro que, além do seu ofício, afiava armas brancas e, por extensão, fabricante de armas brancas' | XIV, *-zeme* XIV etc. | Do ár. *al- ḥaǧǧām* 'barbeiro, sangrador'.
alfaia *sf.* 'enfeite, adorno' | XVI, *alfaya* XIII | Do ár. *al- hāiā, de *al- ḥaǧa* || **alfai**AR XIX.
alfaiate *sm.* 'costureiro' | XVI, *alfayate* XIII | Do ár. *al-ḥayyât* || **alfaiat**ARIA 1899.
alfândega *sf.* 'repartição pública encarregada de vistoriar bagagens e mercadorias em trânsito, e cobrar os direitos de entrada e saída' XVI. Do ár. hisp. *al- fúndaq* (cláss. *fúnduq*), deriv. do gr. *pandocheion* || **alfandega**GEM 1899 || **alfandeg**ÁRIO 1871 || **alfandegu**EIRO XIX.
⇨ **alfândega** | XV CART 57v, *alfandegua* 1392 DESC I. 198.*4* |.
alfanje *sm.* 'tipo de sabre' | XVI, *-ge* XV, *-ger* XIII || Do ár. *al- ḫanǧar*.
alfaque *sm.* 'banco de areia movediça, principalmente na foz dos rios' | XV, *alfaique* XVI | Do ár. *al-fakk*, provavelmente.
alfaqui *sm.* 'sacerdote e legista, entre os muçulmanos' | XIII, *-que* XIV etc. | Do ár. *al- faqīh* 'teólogo, jurisconsulto'.
alfaraz *sm.* 'cavalo árabe' XIV. Do ár. hisp. *alfarás* (*cláss. fáras*).
alfarrábio *sm.* 'livro antigo ou velho' XVIII. Do antrop. ár. *Al-Fārābi*, filósofo que viveu no séc. X, tornado símbolo do que é antiquado || **alfarrab**ISTA 1813.
alfarricoque *sm.* 'indivíduo insignificante, joão-ninguém' XVI. De origem obscura.
alfarroba *sf.* 'planta da fam. das leguminosas' XIV. Do ár. *al- ḥarrūba* || **alfarrob**AL 1858 || **alfarrob**EIRA XVI || **algarobo** XX || **algarroba** | *algaraua* XIV | Mesma origem ár. de *alfarroba*, pelo cast. *algarroba*.
alfavaca *sf.* planta hortense da fam. das labiadas' | XVIII, *alfauega* XIV, *alfauava* XVI | Do ár. hisp. *al- ḥabāqā*.

alfazema *sf.* 'planta aromática da fam. das labiadas' XVI. Do ár. *al- huzâmà.*
alfeça *sf.* 'machado, picareta' | XVIII, *alfereçe* XV, *alfeçe* XV | Do ár *al-fās.*
alfeire *sm.* 'chiqueiro, pocilga' | 1813, *alfeyre* XIII || Do ár. *al- ḥair* || **alfeir**EIRO | *-eyro* XIII.
alféloa *sf.* 'pasta doce com que se fazem vários artigos de confeitaria' | XVI, *alfelloa* XV | Do ár. *'alḥalāụâ* || **alfelo**EIRO XVI.
alfenide[1], **alfenim** *sm.* 'tipo de doce' | *alfenim* XVI, *alfini* XV, *alfeni* XVI, *alfenique* XVI | Do ár. *al- fānîd*, deriv. do persa *pānîd.*
alfenide[2] *sm.* 'liga metálica que imita a prata' 1881. Do fr. *alfénide*, do nome do químico *Halfen*, que inventou essa liga em 1850.
alferes *sm.* '*orig.* cavaleiro árabe e, mais tarde, o que conduzia a bandeira nos combates' 'ext. posto da hierarquia militar em Portugal e no Brasil' | *alferez* XIII, *alfferez* XIV etc. | Do ár. *al- fāris* 'cavaleiro'.
alfim[1] *sm.* 'peça do jogo de xadrez, que representa um elefante' XVI. Do ár. *al- fíl* 'elefante'.
alfim[2] → FIM
alfinete *sm.* 'pequena haste de metal, com uma extremidade aguçada e a outra em forma de cabeça, que serve para prender panos, papéis etc.' | 1813, *alfamete* XV, *alffenete* XV, *alfanete* XVI, *alfenete* XVI | Do ár. *al- ḥilâl*, com provável influência de *fino* || **alfinet**ADA 1858 || **alfinet**AR 1899 || **alfinet**EIRA 1899 || **alfinet**EIRO 1813.
alfitete *sm.* 'massa doce, que tem vários usos culinários' XVII. Do ár. *al- fitāt.*
alfofre *sm.* 'viveiro de plantas' | 1899, *alforbe* XVI, *alfobre* 1858 | Do ár. *al- ḥufar*, pl. de *ḥufrâ.*
alfombra *sm.* 'tapete espesso e fofo' 1813. Do ár. *al- ḥúmra.*
⇨ **alfombra** | *alfamar* XIII CSM 392.*21. alfanbar* XIV GRAL 5*b*26 || **alfombar**EIRO || *alfanbareiro* 1395 (v³) |.
alfonsia *sf.* 'ferrugem das searas, causada por uma espécie de fungo' 'alforra' XVIII. De origem obscura.
alfonsim *sm.* 'antiga moeda portuguesa' | XVI, *alfonsij* XIII, *alffonsii* XIII, *afonsij* XV, *alfomsii* XV | Do antrop. *Alfonso*, por *Afonso*, com provável influência árabe.
alforje *sm.* 'duplo saco, fechado nos extremos e aberto no meio' | 1899, *alforge* XVI, *alforja* 1871 | Do ár *al- ḥurǧ.*
⇨ **alforje** | *alforge* XIV TEST 159.*34* |.
alforra *sf.* 'ferrugem das searas, causada por uma espécie de fungo, 'alfonsia' | 1813, *alfora* XVIII | Do ár. *al- ḥurr.*
alforreca *sf.* 'agua-viva' XVIII. Do ár. *al- ḥurrāiqa.*
⇨ **alforreca** | *alfarequa c* 1538 JCasG 260.7, *alfareqa* Id.269.7 |.
alforria *sf.* 'liberdade concedida ao escravo xv. Do ar. *al- hurrūâ* || **alforri**ADO 1871 || **alforri**AR 1858.
alfoz *sm.* 'arrabalde, subúrbio' XIII. Do ar. *al- ḥāụz.*
alfridária *sf.* 'influência que os astrólogos árabes atribuíam a determinados astros durante certo número de anos' XVI. De um lat. **al- fridaria*, do ár. *al- farîḍaha.*
alfurja *sf.* 'pátio interno destinado a ventilar e iluminar cômodos de uma casa' | XVIII, *alfúgera* 1813,

alfuja 1813, *alfúrja* 1813, *alfugéra* 1844 | Provavelmente do ár. *al- fûrǧa.*
-alg- → -ALG(LA)-, ALGO-.
alga *sf.* 'fam. de plantas da classe das criptogâmicas' XVI. Do lat. *alga* || **alg**OSO XVIII. Do lat. *algōsus.*
algália[1] *sf.* 'licor de almíscar' 'almiscareiro' | XV, *algallya* XV | Do ár. *al- ǧâliya.*
algália[2] *sf.* 'sonda para extração de urina ou para exame de cálculos vesicais' | XVII, *argália* 1881 | Do lat. med. *algalia/argalia*, deriv. do gr. med. *argaleîon* (gr. *ergaleîon*).
algar *sm.* 'caverna, antro, gruta' XIII. Do ár. *al- ǧār.*
algara *sf.* 'incursão militar em território inimigo' XIII. Do ár. *al- ǧāra* || **algar**ADA XIV.
algaravia *sf.* 'a língua árabe e, por extensão, linguagem confusa e incompreensível, geringonça' | *algarauja* XIV | Do ár. *al- 'arabīyya* || **algaravi**ADA 1871 || **algaravi**ADO XIV || **algaravi**AR 1844. V. ARAVIA.
⇨ **algaravia** — **algaravi**AR | 1836 SC |·
algarismo *sm.* 'símbolo usado para a representação sistemática de números' | XVI, *algorismo* XVII | Do lat. med. *algorismus* (e *algorithmus*, por influência do gr. *arithmós* 'número'), deriv. do sobrenome do matemático ár. *al-Ḫuụārizmî*, que viveu no séc. IX.
alga·robo, -rroba → ALFARROBA.
algazarra *sf.* 'gritaria, vozearia, clamor' | 1813, *algazar* XVI, *algazara* XV | Do ár. vulg. *alḡazâra* 'loquacidade, ruído', deriv. de *gázzar* 'abundar' 'falar muito'.
álgebra *sf.* 'ramo da matemática' XVII. Do lat. med. *algebra*, deriv. do ár. *al-ǧabr* || **algébr**ICO 1844 || **algebr**ISTA XVII || **algebr**IZAR | 1899, *algebrisar* 1858.
⇨ **álgebra** | 1519 GNic 42.*18* || **algébr**ICO | 1836 SC |.
algema *sf.* 'instrumento de ferro com que se prendem os braços pelos pulsos' XV. Do ár. *al- ǧamâ'a* || **algem**ADO 1881 || **algem**AR 1813.
⇨ **algema** — **algem**ADO | 1836 SC |.
algeroz *sm.* 'calha que recolhe e encaminha as águas pluviais do telhado' | 1813, *aljaroz* XVI | De provável origem árabe.
-alges(ia)- *elem. comp.*, do gr. *-algēsía*, de *algós* 'dor', que se documenta em vocs. eruditos, alguns formados no próprio grego, como *analgesia*, e outros introduzidos na linguagem científica internacional, como *hipalgesia*, por exemplo. Cp. -ALG(LA)-, ALGO-.
-alg(ia)- *elem. comp.*, do gr. *-algía*, de *algós* 'dor', que se documenta em compostos eruditos, alguns formados no próprio grego, como *cardialgia*, e outros introduzidos na linguagem científica internacional, como *angialgia*, por exemplo. Cp. -ALGES(IA)-, ALGO-.
algibe *sm.* 'cisterna' 'cárcere, masmorra' | XVII, *aliube* XIII | Do cast. *aljibe*, deriv. do ár. *al- ǧubb* 'cisterna'; a var. mais antiga, *aljube*, é de imediata procedência árabe.
algibebe *sf.* 'vendedor de roupas e fazendas ordinárias' | 1813, *aljabeba* XVI, *aljabebe* XVI | Do ár. *al- ǧabbâb.*
algibeira *sf.* 'bolso' | 1813, *aljaueira* XV, *aljabeira* XVI | Do antigo *aljaveira* (< *aljav·a* + *-eira*), através de *aljabeira* (> **aljebeira* > **aljibeira* > *algibeira*).

álgido *adj.* 'muito frio, gélido' 1858. Do lat. *algidus* || **algid**EZ XIX.

algirão *sm.* 'abertura por onde os peixes entram na rede ou na armação' 1813. De origem controversa.

algo *pron. sm.* 'alguma coisa' 'bens, riqueza' XIII. Do lat. *alĭquod*.

algo- *elem. comp.*, do gr. *algós* 'dor', que ocorre em alguns vocábulos introduzidos, a partir do século XIX, na linguagem científica internacional ♦ **algo**FIL·IA | -*ph*- 1909 || **algó**FILO | -*ph*- 1899 || **algo**FOB·IA XX || **algó**FOBO XX || **algós**TASE 1909 || **algo**STÁT·ICO XX. Cp. -ALGES(IA)-, -ALG(IA)-.

algodão *sm.* 'conjunto de fios alvos, macios e compridos, que envolvem as sementes do algodoeiro' | *algodõ* XIII, -*dom* XIII, -*dam* XV etc. | Do ár. hisp. *al- quṭún* (cláss. *quṭn*) || **algodo**AL XVI || **algodo**EIRO 1813.

algor *sm.* 'frio veemente' 1858. Do lat. *algor -ōris*.

algoritmo *sm.* 'processo de cálculo ou de resolução de um grupo de problemas' | XX, *algorithmo* 1871 | Do lat. med. *algorismus* (e *algorithmus*, por influência do gr. *arithmós* 'número'), deriv. do sobrenome do matemático árabe *al-Ḫuṷarizmî*. V. ALGARISMO.

algoso → ALGA.

algoz *sm.* 'carrasco' 'pessoa cruel, desumana' XV. Do ár. *al- ġozz*; *Ġozz* era o nome de uma tribo turca, cujos indivíduos serviam de carrascos no império dos Almóadas.
⇨ *algoz* | XIV GREG 3.32.*14* etc. |.

alguém *pron. sm.* 'alguma pessoa' 'indivíduo importante' XIII. Do lat. *alĭquem*.

alguergue *sm.* 'pedra multicor usada em certos jogos' 'jogo das pedrinhas' XVI. Do ár. *alqerq*.

alguidar *sm.* 'vaso baixo, em forma de tronco de cone invertido' XVI. Do ár. *al- ġidâr*.

algum *pron. sm.* 'entre dois ou mais' XIII. Do lat. **alīcūnus* (< *alĭquis* + *ūnus*).

algur(es) *adv.* 'em algum lugar' | XVI, *algur* XIII | De origem duvidosa; talvez se relacione com *alhures*, com influência de *algum*.

-alha *suf. nom.*, do lat. *-ālĭa*, que forma: (i) substantivos oriundos de outros substantivos, com noção coletiva e, às vezes, também depreciativa (*borralha, gentalha*); (ii) substantivos provenientes de verbos, com a mesma noção coletivo-depreciativa (*acendalha, limalha*). Em alguns casos vem a ser o feminino analógico de -ALHO.

alhada → ALHO.

-alhaz → AZ².

alheio *adj.* 'estranho, afastado. arredado' | *aleno* XIII, *aleo* XIII, *alhẽo* XIII etc. | Do lat. *aliēnus* || **alhe**AMENTO | *alẽamento* XIII || **alhear** | *alear* XIII, *alenar* XIII | Do lat. *alienāre*.

alheta *sf.* 'encontro do painel da popa com o costado de embarcações' | XVII, *alhetu* XV | De origem controvertida.

-alho *suf. nom.*, do lat. *-ācŭlum*, que se documenta em substantivos oriundos de verbos (*espantalho*) ou de outros substantivos (*borralho*), que denominam 'objetos, utensílios' e que, muitas vezes, assumem uma conotação coletivo-depreciativa. Em alguns casos vem a ser o masculino analógico de -ALHA. V. -ÁCULO.

alho *sm.* 'planta hortense da fam. das liliáceas, cujo bulbo se emprega como condimento' XIII. Do lat. *al(l)ium*, de *alum* || **alh**ADA 1881.
⇨ **alho** — **alh**ADA | 1836 SC |.

alhur(es) *adv.* 'noutro lugar, noutra parte' | XIII, *allur* XIII | Do prov. *aliors*, provavelmente.

ali- *elem. comp.*, do lat. *ali-*, de *āla* 'asa', que se documenta em alguns vocs. eruditos formados no próprio latim, como *alígero*, e em alguns outros introduzidos na linguagem científica internacional, a partir do séc. XIX, particularmente no domínio da biologia ♦ **ali**CAÍDO 1858 || **alí**FERO XVII || **ali**FORME 1871 || **alí**GERO XVI. Do lat. *āliger* || **ali**NEGRO XVIII || **alí**PEDE XVII. Do lat. *ālĭpēs -ĕdis* || **ali**POTENTE XVIII || **ali**STRIDENTE 1844.
⇨ **ali-** — **ali**CAÍDO 1836 SC || **ali**STRIDENTE | 1836 SC |.

ali *adv.* 'naquele lugar' XIII. Do lat. *ad īllīc*.

aliá *sf.* 'fêmea do elefante' XVI. Do cingalês *aliyā*.

aliar *vb.* 'reunir, juntar, associar' | *alliar* XVI | Do lat. *alligāre*, talvez pelo fr. *allier* || **ali**ADO | XV, *alliado* XV || **aliança** | XV, *liamça* XIV, *liança* XV | Provavelmente do fr. *alliance*.
⇨ **aliar** | XV CESA II.§5.*1* |.

aliás *adv.* 'de outra maneira' 'do contrário' XVI. Do lat. *ălĭās*.

álibi *sm.* 'meio de defesa que prova a presença do réu, no momento do delito, em lugar diferente daquele em que este foi cometido' 1858. Do lat. *alĭbī*, possivelmente através do fr. *alibi*.

álibil *adj. 2g.* 'próprio 'para a nutrição' 1871. Do lat. *alibĭlis -e* || **alibil**IDADE 1871.

alicaído → ALI-.

alicate *sm.* 'ferramenta própria para prender ou cortar certos objetos' XVIII. Do ár. *al- laqqâṭ*.

alicerce *sm.* 'base, fundação, sustentáculo' | XVI, *aliçeçe* XIII, *alicece* XVI, *alicecer* XVI etc. | Do ár. *al-'isās* || **alicerç**AR 1899.

aliciar *vb.* 'atrair, seduzir, subornar' XVIII. Do lat. *allicĕre*, através de um **alliciāre-* || **alici**ADOR XX || **alici**AMENTO XX || **alici**ANTE XX || **alici**ENTE XIX.
⇨ **aliciar** — *aliciador* | *alliciador* 1836 sc |.

alidade *sf.* 'régua de astrolábio' | XVII, *alidada* XVII | Do ár. *al-'iḍâda*.

alienar *vb.* 'transferir para outrem o domínio de' 'alucinar, perturbar' XVI. Do lat. *aliēnāre* || **alien**ABIL·IDADE 1871 || **alien**AÇÃO XVI. Do lat. *aliēnătĭō -ōnis* || **alien**ADO XVI. Do lat. *aliēnātus* || **alien**ADOR 1871. Do lat. *aliēnātor -ōris* || **alien**ANTE XX || **alien**ATÁRIO 1871 || **alien**ATÓRIO XX || **alien**ÁVEL 1858 || **alien**ÍGENA XVI. Do lat. *aliēnĭgĕna* || **alien**ISTA 1871. Do fr. *aliéniste* || IN**alienar** XX || IN**alien**ÁVEL XVIII.

alí·fero, -forme → ALI-.

aligátor *sm.* 'réptil crocodiliano' | XX, *aligátor* 1858 | Do ing. *alligator*, que é adapt. do cast. *el lagarto* ou do porto *o lagarto*.

aligeirar → LIGEIRO.

alígero → ALI-.

alijar *vb.* 'desembaraçar-se de, livrar-se de, aliviar-se de' XVI. Do lat. *alleviāre*, provavelmente através do it. *leggiare*, ou do fr. *alléger*.
⇨ **alijar** — *alijação* | *c* 1608 NOReb 64.*39* |.

alimento *sm.* 'substância que, ingerida por um ser vivo, o alimenta ou nutre' XVI. Do lat. *alimentum -i* || **aliment**AÇÃO XVI || **aliment**AR XV || **aliment**ÍCIO XVII || SUPER**aliment**AÇÃO XX || SUPER**aliment**AR XX.

a·limp·adura, -amento, -ar → LIMPO.
a·lind·ado, -amento, -ar → LINDO.
alínea → LINHA.
ali·negro, -pede, -potente → ALI-.
a·linh·ado, -amento, -ar, -avar, -avo → LINHA.
⇨ **alinh·ador, -amento** → linha.
aliquanta *sf.* '(Mat.) quantidade que se contém em outra, mas que não a divide em partes iguais' XVII. Do lat. (*pars*) *aliquanta*.
alíquota *sf.* 'quantidade que se contém em outra e que a divide em partes iguais' XVI. Do lat. *alĭquot*.
⇨ **alíquota** | XV BENF 332.*9* |.
alisar → LISO.
alísio *adj. sm.* 'diz-se de, ou vento persistente que sopra sobre extensas regiões, de S.E. para o N.O. no hemisfério sul e de N.E. para o S.O. no hemisfério norte' | XX *alisêo* 1871 | De origem desconhecida.
a·list·abil·idade, a·list·amento → LISTA.
⇨ **alistamento** → lista.
alistão *sm.* 'pedra para construção' 1899. De origem controversa.
alistar → LISTA.
alistridente → ALI-.
aliteração *sf.* 'repetição de fonema(s) no início, meio ou fim de vocábulo simetricamente dispostos em uma ou mais frases ou versos' | 1899, *alliteração* 1871 | Do fr. *allitération* || **aliter**ANTE XX || **aliter**AR | 1899, *alliterar* XVII | Cp. LETRA.
⇨ **aliteração** | *alliteração* 1836 SC |.
aliviar *vb.* 'tornar mais leve, atenuar, suavizar' | *aliuear* XIV | Do lat. *allĕvĭāre*, de *lĕvis* 'leve'. A var. *aliuar*, do séc. XIV, prende-se ao lat. *allĕvāre* || **alivi**ADO | *aliuyado* XIV, *aliuado* XIV || **alívio** | *alliuio* XVI. V. LEVE.
⇨ **aliviar** | *aliuyar* XIII FUER IV.1238 etc. || **alivi**AMENTO | *aliuiamento* XIV GRAL 64*v*23 |.
alizaba *sf.* 'espécie de túnica usada pelos mouros' 1858. De origem controvertida.
alizar *sm.* 'guarnição de madeira para portas e janelas' 'rodapé' XVIII. Do ár. *al-'izār*.
alizari *sm.* 'raiz seca da ruiva ou da garança' XVIII. Do fr. *alizari*, deriv. do ár. *al-'aṣāra* || **alizar**INA 1858.
aljafra *sf.* 'seio ou bolso das redes de arrastar' 1899. De origem desconhecida.
aljamia *sf.* 'linguagem portuguesa (ou espanhola) mesclada com o árabe' 'texto português ou espanhol escrito em caracteres arábicos' | *aliamja* XIV, *algemia* XIV, *aljamya* XIV etc. | Do ár. *al-'ağamīja* || **aljami**ADO | *algemiado* XVII.
aljava *sf.* 'estojo onde se metiam as setas e que se trazia pendente do ombro' XIII. Do ár. *alğa'ba*.
aljazar *sm.* 'terreno seco, cercado de água do mar' | *aliazar* XIII | Do ár. *al-ğazar*.
aljôfar, aljofre *sm.* 'pérola' | *aliufar* 1256, *aljofar* 1258, *aljofar* XIV, *aljofre* XIV etc. | Do ár. *al-ğauhar* || **aljofar**AR XVII || **aljofr**AR XVII.
aljuba *sf.* 'tipo de veste árabe' XV. Do ár. *al-ğubba*. Cp. GIBÃO.
alma *sf.* 'essência imaterial do ser humano, espírito' XIII. Do lat. *anĭma* || **alm**EJAR XVII || DES**alm**ADO XVI.
almaço *adj.* 'tipo de papel' 1899. Do a. port. *a lo maço* (> *ao maço*), expressão que alude à maneira de fabricar este papel.

almádena *sf.* 'torre da mesquita de onde o almuadem chama os crentes para a oração' | *almudano* XIV | Do ár. *al-mād(a)nā*.
almadia *sf.* 'tipo de embarcação africana e asiática' XV. Do ár. *al-ma'diya*.
almadraba *sf.* 'armação para pesca do atum' | *almadraua* XIV | Do ár. *al-madraba*.
almadraque *sm.* 'almofada, colchão' XIV. Do ár. *al-maṭrah*.
almáfega *sf.* 'tecido grosseiro' | XVI, *almarfaga* XIII, *almaffega* XIV | Do ár. *al-marfaqā*.
almagre *sm.* 'argila avermelhada' 'sangue plebeu' | 1813, *almagra* XIV | Do ár. *al-máġra*.
almalha *sf.* 'novilha, bezerra' XIX. De um lat. *almalia*, por *anĭmālia*, pl. de *anĭmal* || **almalho** *sm.* 'novilho, bezerro' XVI.
⇨ **almalha** — **almalho** | *almallo* XIII CSM 51.*50* |.
almanaque *sm.* 'publicação que, além de um calendário completo, contém matéria recreativa e informativa' | 1899, *almenaque* XV, *almanach* XVII, *almanák* 1813 | Do ár. hisp. *almanâḫ*.
almandina *sf.* 'variedade de granada, pedra semipreciosa, de cor vermelha brilhante' XIX. No port. med. documentam-se *almadiga* e *almarina*, ambas no séc. XIV. Do lat. med. *almandina*, alteração do lat. tard. *alabandinus -a*, de *Alabanda*, cidade da Cária.
almanjarra *sf.* 'pau de nora, que o animal puxa para movimentá-la' XVI. Do ár. *al-mağarra*.
almarado *adj.* 'diz-se do touro que tem em volta dos olhos uma cor diversa da do resto da cabeça' 1881. De origem obscura.
almargem *sm.* 'prado natural, pastagem' XIV. Do ár. *al-marğ*.
almécega *sf.* 'resina de aroeira ou de lentisco' | XIV, *almástica* XIII | Do ár. *al-máṣṭaká*, deriv. do gr. *mastichē* || **almeceg**UEIRA XIX.
almeia[1] *sf.* 'dançarina egípcia' XIX. Do fr. *almée*, deriv. do ár. *'alūma*.
almeia[2] *sf.* 'bálsamo natural produzido no Oriente' XVIII. Do ár. *al-maị'a*.
almeida *sf.* 'abertura por onde entra a cana do leme' XVI. De origem controvertida.
almeirão *sm.* 'espécie de chicória' XVI. Talvez do ár. *amīrūm* (no andaluz *al-mīrūn*), deriv. do gr. *ámyron*; ou do moçárabe *amairón*, deriv. do lat. vulg. *amārio -ōnis, de *amārus* 'amargo'.
almejar → ALMA.
almenara *sf.* 'facho ou farol que outrora se acendia nas torres ou castelos para dar sinal ao longe' XV. Do ár. *al-menâra*.
almirante *sm.* 'oficial da armada; o posto mais elevado da marinha de guerra' XIII. Relacionado com o ár. *al-'amīr*, com um sufixo difícil de explicar. No port. med. documentam-se, ainda: *almiral* XIII, *armiral* XIII, *almiralho* XIII etc. || **almiranta** XVII || **almirant**ADO XVI.
⇨ **almirante** — **almirant**ADO | 1317 DESC 32.*7*, *almyrantado* XV ZURD 81.*30* |.
almíscar *sm.* 'substância aromática, segregada no baixo-ventre do macho do almiscareiro' | XV, *almizquere* XV, *almiscre* XVI etc. | Do ár. *al-misk*, deriv. do persa *mušk*, aparentado com o lat. *mūscum* e o gr. *moschos*. Diretamente do lat. *mūscum* procedem as vars. ant. *musgo* (séc. XIV) e *musco* (séc. XV) || **al-**

miscarADO XVI || almiscarAR 1813 || almiscarEIRA 1813 || almiscarEIRO 1871 || moscadEIRA | 1813, *muscadeira* 1813 || moscADO XX || moscatel XVI. Do it. *moscatello* || moscatelINA 1899 || muscadÍNEA 1899 || muscari 1871. Do lat. cient. *muscari*.
⇨ **almíscar** — almiscarEIRO | 1836 SC |.
almo *adj*. 'que cria, alimenta ou nutre' 1572. Do lat. *almus*.
almocábar → ALMOCÁVAR.
almocadém *sm*. 'antigo comandante de infantaria, na milícia árabe (e portuguesa)' XIII. Do ár. *al-muqáddem*.
almocafre *sm*. 'sacho de ponta usado na mineração' 1813. Provavelmente do ár. *al- mukáffir*.
almocávar *sm*. 'cemitério ou sepultura de mouros ou de judeus, na península ibérica' | XIII, *almocábar* XX | Do ár. *al-muqābar*, pl. de *maqabarâ*.
almoço *sm*. 'refeição usualmente feita no início da tarde' | *almorço* XV | Do a. port. *almorço*, deriv. do lat. vulg. *admŏrdium, de *admordēre* 'começar a morder' | **almoçAR** | XVI, *almorçar* XIII, *morçar* XIII etc.
almocreve *sm*. 'homem que conduz bestas de carga' XIII. De origem controversa, provavelmente árabe.
almoeda *sf*. 'leilão' XIII. Talvez do ár. hisp. *al-muhádda* (cláss. *al-miḥádda*), ou do ár. *al-munâda*, de *nadā* 'gritar'.
almofaça *sf*. 'escova de ferro para limpar cavalgaduras' | XVI, *almoface* XVI | Do ár. *al-mihássa*, pelo ár. hisp. *al-mahássa*.
⇨ **almofaça** | *almofaçe* XV CART 282 |.
almofada *sf*. 'estofado para encosto, assento ou ornato' XV. Do ár. hisp. *al-muhádda*.
⇨ **almofada** | *almafada* XIV MENI 54.*19* || almofadADO | 1783 *in* ZT |.
almofala *sm*. 'acampamento' XIII. Do ár. *al-mahallā*.
almofariz *sm*. 'recipiente em que se trituram substâncias sólidas' | XVII, *almafariz* XIV | Do ár. *al-miḥaras*, de *hâras* 'pisar'.
almofate *sm*. 'furador usado pelos correeiros para abrir buracos na sola' 1813. Do ár. *almuhaiṭ*.
almofeira *sf*. 'líquido escuro que escorre das azeitonas em talha' 1899. De origem obscura.
almofreixe *sm*. 'grande mala antiga de viagem' | XVI, *almafreixe* XIV | Do ár. *al-mafrāh*, talvez através do ár. magr. *al-mafrāš*.
almofrez *sm*. 'instrumento usado por sapateiros para cortar e furar' 1844. Do ár. *al-miḳraz*.
⇨ **almofrez** | 1836 SC |.
almogávar *sm*. 'soldado que fazia incursões em terras inimigas' 'cavaleiro mouro' | *-uar* XIII | Do ár. *al-muġāuir*.
⇨ **almogávar** — almogavARIA | *almogauaria* XV LOPJ II.58.*7* |.
almojávena *sf*. 'bolo ou torta de farinha e queijo' XVII. Do ár. *al-mujabanā*.
almolina *sf*. 'antigo jogo, espécie de cabra-cega' XVI. De origem desconhecida.
almôndega *sf*. 'bolinho de carne picada, cozido em molho espesso' | XVI, *aboudega* XVI | Do ár. *al-búnduqa*.
almorávida *adj. s2g*. 'tribo guerreira de Marrocos que dominou o sul da Península Ibérica até meados do séc. XII' | *-uide* XIV | Do ár. *al-murābiṭ*.

almorreimas *sf. pl*. 'hemorroidas' | XVII, *almorrãs* XVI | De um b. lat. *haemorrheuma*, composto do gr. *hâima* 'sangue' e *rheŷma* 'fluxo'.
⇨ **almorreimas** | *almoreymas* XV SEGR 52 |.
almotacé *sm*. '*ant*. inspetor encarregado da aplicação exata dos pesos e medidas e da taxação dos gêneros alimentícios' | XVI, *almotacell* XIV | Do ár. *al-muḥtásib* || **almotaçAR** XVII.
⇨ **almotacé** — almotaçARIA | 1375 DESC 149.*1* |.
almotolia *sf*. 'pequeno vaso de folha, usado principalmente para líquidos oleosos' | XVII, *almetolia* XIV, *amoltelia* XIV | Do ár. *almotalīīâ*.
almoxarife *sm*. '*ant*. administrador da fazenda real' 'funcionário encarregado da arrecadação, guarda e distribuição de mercadorias, seja em repartição pública, seja em empresas particulares' | XIII, *-mu-* XIII, *-moxe-* XIII etc. Do ár. *al-mušarif* || **almoxarifADO** XIV.
almuadem *sm*. 'muçulmano que anuncia a hora das preces' | XIX, *almóadão* XV, *almoedam* XV | Do ár. *al-mu'aḏḏin*.
almude *sm*. 'antiga medida de capacidade' XIII. Do ár. *al-mudd*.
alna *sf*. 'antiga medida de comprimento' XVI. Do cat. *alna*, de origem germânica.
⇨ **alna** | 1452 DESC S. 161.*27* |.
alno *sm*. 'amieiro' XVI. Do lat. *alnus -i*.
al(o)- *elem. comp.*, do gr. *allo-*, de *állos* 'outro, diverso', que se documenta em vocábulos eruditos, alguns formados no próprio grego, como *alomorfo*, e muitíssimos outros introduzidos, a partir do séc. XIX, na linguagem internacional, particularmente nos domínios das ciências naturais e da medicina ▶ **alESTES·IA** | *allesthesia* 1909 || **aloCARPO** | *allo-* 1871 | Do lat. cient. *allocarpus* || **alÓCERO** | *allo-* 1871 || **aloCINES·IA** | *allo-* 1909 | Do fr. *allocinésie* || **aloCLÁS·IO** | *allo-* 1909 | Do fr. *alloclase* || **aloCRO·ÍSMO** | *allochroismo* 1871 || **aloCRO·ÍTA** | *allochroite* 1871, *allochroito* 1899, *allocroíta* 1899 | Do lat. cient. *allochroitis* (voc. criado pelo estadista e cientista brasileiro José Bonifácio de Andrada e Silva [1763-1838], em 1800) || **aloCROMAT·IA** | *allochromasia* 1871, *-tia* 1909 || **aloCROMÁT·ICO** XX || **aloCROM·IA** XX || **aloCRÔM·ICO** XX || **alÓCTONE** XX || **alódapa** | *allodapa* 1871 | Do lat. cient. *allodapus*, deriv. do gr. *allodapós* || **aloEROT·ISMO** XX || **aloFANA** | *allophana* 1871, *allofana* 1899 | Do fr. *allophane*, deriv. do gr. *allophanēs* || **aloFÁN·ICO** | *allophânico* 1899 || **aloFILO** | *allophylla* 1871, *allophýllo* 1909 | Do fr. *allophyllus* || **alóFILO** | *allophýlo* 1909 | Do fr. *allophyle*, deriv. do lat. tard. *allophylus* e, este, do gr. *allóphylos* (de *állos* 'outro' + *phylḗ* 'povo, tribo') || **aloFTALM·IA** | *allophtalmía* 1909 | Do fr. *allophtalmie* || **aloFTÁLM·ICO** XX || **aloGAM·IA** XX. Do fr. *allogamie* || **alóGAMO** XX || **alóGENO** | *allógeno* 1909 | Do fr. *allogène* || **aloGON·IA** 1871 || **aloGON·ITO** | *allo-* 1909 | Do fr. *allogonite* || **alóGONO** | *allógone* 1871, *allógono* 1899 || **aloMORF·IA** | *allomorphía* 1871 | Do fr. *allomorphie* || **aloMÓRF·ICO** | *allomórphico* 1899 || **aloMORF·ITO** | *allomorphite* 1899, *allomorphito* 1909 | Do fr. *allomorphite* || **aloMORFO** XX. Cp. gr. *allómorphos* || **alÔNIMO** | *allonymo* 1858 || **aloPATA** | *allopatha* 1871 | Do fr. *allopathe* || **aloPAT·IA** | *allopathia* 1858 | Do fr. *allopathie*, deriv. do lat. med. *allopat(h)īa* e, este, do gr. *allopátheia*

|| aloPÁT·ICO | *allopathico* 1871 || aloPOLIP·OIDE XX
|| alóPORO | *alóporo* 1871 || alóPTERO | *allóptero*
1871 || aloQUIR·IA | *allochiria* 1909 || aloR·RITM·IA
| *allorhythmia* 1909 || alóSPORO XX || alos·SOMO XX
|| aloTÍP·ICO XX || alóTIPO XX || aloTRÓF·ICO | *allotróphico* 1899 || aloTROP·IA | *allotropia* 1871 | Do fr.
allotropie || aloTRÓP·ICO | *allotrópico* 1899 || alóTROPO | *allotropo* 1871. Cp. gr. *allótropos*.
⇨ **al(o)-** — alóFILO | *allophilo* 1525 ABEjP *21v* 15 || alÔNIMO | *allonymo* 1836 SC |.
alô *interj.* (serve para chamar a atenção e para saudação, especialmente ao telefone); *sm.* 'cumprimento' xx. Do ing. *hallo.*
alocução → LOCUTOR.
alódio *sm.* 'bens ou propriedades com isenção de direitos senhoriais' 1871. Do lat. tard. *alodium*, deriv. do frâncico *al- ōd.
aloés *sm. 2n.* 'planta medicinal da fam. das liliáceas' | XVII, *aloe* XIII, *aloee* XV | Do lat. *alŏē -ēs*, deriv. do gr. *álŏē* || aloÉT·ICO 1858 || aloeT·INA 1899.
alogia → LÓGICA.
a·loj·ado, -amento, -ar → LOJA.
a·long·ado, -amento, -ar → LONGO.
alote → ALA.
alotri(o)- *elem. comp.* do gr. *allotrio-*, de *allótrios* 'estranho, esquisito', que se documenta em alguns compostos introduzidos, a partir do séc. XIX, na linguagem científica internacional ♦ alotrioDONT·IA | *allo-* 1871 || alotrioFAG·IA | *allotriophagia* 1871. Cp. gr. *allotriophagía* || alotrioFÁG·ICO XX || alotrióFAGO | *allotrióphago* 1871 | Cp. gr. *allotriopháigos* || alotrióGNATO XX || alotrioLOG·IA | *allo-* 1871 | Cp. gr. *allotriología* || alotrioMÓRF·ICO XX || alotriOSM·IA | *allo-* 1909 || alotrioTECN·IA | *allo-* 1871 || alotrioTROF·IA XX.
a·lour·ado, -ar → LOURO¹.
alpaca *sf.* 'mamífero da fam. dos camelídeos' 'pelos desse animal' 'tecido obtido desses pelos' 1871. Do quíchua *p'aco*. Na acepção de 'liga metálica de aspecto semelhante à prata', é voc. recente (séc. XX) e talvez tenha a mesma origem.
⇨ **alpaca** | *alpaco* 1836 SC |.
alparavaz *sm.* 'franja, sanefa' XVI. Do ár. *al-baruāz* (ou *al-baruās*).
alparcar 'tipo de calçado' | XVII, *alpargata* XVII, *alpargate* XVII | Do ár. hisp. *al-parġāt*, pl. de *alpárga*, de origem pré-romana || **alparca** XVI. Do ár. hisp. *al-párġa*, de origem pré-romana; cp. ABARCA.
alpendre *sm.* 'pátio coberto, varanda' | XVI, *alpendere* XIII, *alpender* XIV, *alpĕdre* XVI | Deve relacionar-se com PENDER.
alperche *sm.* 'tipo de damasco' XVI. De origem controvertida; talvez de um dialeto moçárabe *alperġ, adapt. do lat. (*malum*) *persĭcum*.
alpestre *adj. 2g.* 'semelhante aos Alpes' 'alpino' XVI. Do it. *alpèstre*, deriv. do lat. med. *alpestris*, pelo modelo de *campestris, silvestris* etc. || **álpico** 1871. Do lat. *alpĭcus* || alpíCOLA 1871 || alpinISMO XX. Do it. *alpinismo* || alpinISTA XX. Do it. *alpinista* || **alpino** XX. Do it. *alpino*, deriv. do lat. *alpīnus* || alpORAMA 1899.
alpiste *sm.* 'planta da fam. das gramíneas, cujos grãos são usados para alimentação de pássaros' | XVII, *alpista* 1881 | Do cast. *alpiste*, forma moçárabe do lat. hisp. *pĭstum*, part. de *pinsĕre*.

alpondras *sf. pl.* 'pedras que atravessam um rio, de uma para outra margem' XVII. De origem controversa.
alporama → ALPESTRE.
alporc·a, -ar → PORCO.
al·quebr·ado, -ar → QUEBRAR.
⇨ **alquebrado** → QUEBRAR.
alqueire *sm.* 'medida de capacidade (≅ 16 litros)' 'medida de área' XII. Do ár. *al-kájl*.
alqueivar *vb.* 'lavrar a terra e deixá-la para que adquira força produtiva' | XVII, *alqueeuar* XIV | De origem controvertida, provavelmente árabe || **alqueive** | XVI, *alqueve* XV.
alquequenje *sm.* 'planta herbácea, medicinal, da fam. das solanáceas' | XVII, *alquequenge* XVII | Do fr. *alkékenge*, deriv. do ár. *alkākáng*, de origem persa.
alquermes → QUERMES.
alquicé *sm.* 'tipo de veste mourisca' XIII. Do ár. *alkisā'*.
alquilé *sm.* 'aluguel (em especial de cavalgadura)' | XVI, *alquiler* XIII, *alquier* XIII, *alquiel* XIII | Do ár *al- kirâ'*.
alquimia *sf.* 'a química da Idade Média' XVI. Do ár. *al-kīmiyâ*, de origem grega || **alquime** *sm.* 'ouro falso' 'alquimia, burla, engano' XVII. No séc. XIV ocorre *alaquime* na acepção de 'boticário' | alquímICO | *alchi-* XVI || alquimISTA || *-ysta* XV. V. QUÍMICA.
alquitara *sf.* 'tipo de alambique' 1881. Do ár. *alqaṭṭâra*.
alt·a, -anaria, -aneiro → ALTO.
altar *sm.* 'mesa onde se oficiam alguns cultos religiosos' XIII. Do lat. *altāre -is*, de *altus*.
altear → ALTO.
alteia *sf.* 'planta da fam. das malváceas' | 1899, *althea* XVII | Do lat. *althaea*, deriv. do gr. *althaía*.
alterar *vb.* 'modificar, transformar' XV. Do lat. *altĕrāre* || alterABIL·IDADE 1899 || alterAÇÃO | 1881, *alteraçom* XV | Do lat. *alterātĭō -ōnis* || alterANTE 1881 || alterATIVO XVI || alterÁVEL 1844 || INalterÁVEL 1813.
⇨ **alterar** — alterANTE | 1836 SC || alterÁVEL | 1836 SC || INalterÁVEL | 1660 FMMeLE 512.3 |.
altercar *vb.* 'discutir com ardor' XVI. Do lat. *altercāre* || altercAÇÃO XV. Do lat. *altercātĭō -ōnis* || altercADOR XVI. Do lat. *altercātŏr*.
alternar *vb.* 'revezar' XVI. Do lat. *alternāre* || alternAÇÃO XVI. Do lat. *alternātĭō -ōnis* || alternÂNCIA XX. Do fr. *alternance* || alternANTE || *alternans -antis* || alternATIVA XVI. Do fr. *alternative* || alternATIVO XVI. Do fr. *alternatif* || alterniFLÓREO 1899 || alterniFÓLIO 1899 || alterniPEDE 1871 || alterniPÉTALO 1899 || **alterno** XVII. Do lat. *altērnus*.
alteroso → ALTO.
alteza *sf.* 'orig. altura, elevação' XIII; 'título honorífico dado aos reis e aos príncipes' XV. Do lat. tard. *altītĭa*, de *altus*; na segunda acepção, houve, provavelmente, influência do it. *altezza*.
alti- *elem. comp.*, do lat. *alti-*, de *altus* 'alto', que se documenta em vocs. eruditos, alguns já formados no próprio latim, como *altívolo*, e outros introduzidos nas línguas modernas de cultura, desde o séc. XVI ♦ altiBAIXO(s) *adj. sm.* (*pl.*) XVI

|| alt**i**COLÚNIO | 1899, -*lumnio* 1858 || **altí**COMO 1899 || **alti**CORNÍ·GERO 1899 || **altí**LOQU·ÊNCIA XVII || **altí**LOQU·ENTE XVII || **altí**LOQUO XVII || **alti**METR·IA 1858 || **altí**METRO 1858 || **alti**MUR·ADO 1813 || **alti**PLANO XX || **alti**PLAN·URA XVI || **alti**POTENTE 1899 || **alti**RROSTRO | XX, *altirostro* 1871 || **alti**SSONANTE | XX, *altisonante* XVI | Do lat. *altĭsonans -antis* || **alti**SSONO | 1572, *altisono* 1572 || **alti**TON·ANTE | 1899, -*nnante* 1871 || **altí**VAGO 1813 || **alti**VOLANTE 1899 || **altí**VOLO 1844. Do lat. *altĭvŏlus*.
⇨ alti- — alt**i**METR·IA | 1784 *in* ZT || **altí**VOLO | 1836 SC |.
alto *adj. sm.* 'elevado' XIII. Do lat. *altus* || **alta** *sf.* XVI. De *alto* || **alt**AN·ARIA | 1899, *altenaria* XVI | Do cast. *altanería* || **alt**AN·EIRO XVII. Do cast. *altanero* || **alt**EAR XVI || **alt**ER·OSO XVI || **alt**ISTA XX. Do it. *altista* || **alt**I·TUDE 1871. Do fr. *altitude*, deriv. do lat. *altitūdo -ĭnis* || **alt**IV·EZ XVI || **alt**IV·EZA XIX || **altivo** XV || **alt**URA XIII. Do lat. tard. **altura*, de *altus*. A forma *altor* 'altura' documenta-se no séc. XVI.
⇨ alto — **alt**aneiro | XV ANCO II.15.2 |.
altor *adj. sm.* 'que ou o que nutre ou sustenta' 1899. Do lat. *altor -ōris* || **altriz** *sf.* | 1813, *altrix* XVII | Do lat. *altrīx -īcis*.
altruísmo *sm.* 'amor ao próximo, abnegação' XIX. Do fr. *altruisme* || **altru**ÍSTA XIX.
altura → ALTO.
aluá *sm.* 'doce feito de leite, açúcar, amêndoas pisadas e manteiga' XVI; 'bebida refrigerante, preferida pela maioria dos orixás, nos cultos afro-brasileiros' XX. Do ár. *al- ḥalāua*, étimo também de ALFÉLOA; na segunda acepção, o voc. deriva do quimb. *uálu'a*, proveniente do mesmo étimo árabe. Cumpre assinalar, porém, que em 1587, em texto relativo a Angola, já ocorre a var. *oalo*, na acepção de 'bebida fermentada, feita à base de milho, muito apreciada pelos negros em Angola'.
aluado → LUA.
alucinar *vb.* 'perder a razão, desvairar' | 1844, *allucinar* XVI | Do lat. *alūcināri* || **alucin**AÇÃO XVIII. Do lat. *alūcinātĭō -ōnis* || **alucin**ADOR 1899 || **alucin**ANTE XX || **alucin**ATÓRIO XIX || **alucin**Ó·GENO XX.
alude *sm.* 'massa de neve que se desagrega da montanha' XX. De origem pré-romana, através do cast. *alud*.
aludir *vb.* 'referir-se a, mencionar' | 1844, *alludir* XVI | Do lat. *allūděre* || **alusão** | 1899, *allusão* XVII | Do lat. *allūsĭō -ōnis* || **alus**IVO 1813. Do fr. *allusif*.
alufá *sm.* 'sacerdote do culto dos negros malês' XX. Do ioruba *alu'fa*.
alugar *vb.* 'ceder (ou tomar) mediante pagamento, por algum tempo, um imóvel, um objeto etc.' 'arrendar' XIII. Do lat. (*ad-*) *locāre*, de *lŏcus* 'lugar' || **alug**ADO 1813 || **alug**ADOR XIII || **aluguel** | XVII, -*guer* XVI | No séc. XIV documenta-se a var. *alugueiro* (*alugueyro*), deriv. normalmente de *alug(ar)* + *-eiro*; nas formas *aluguel* e *aluguer* parece ter havido interferência das vars. *alquiler* e *alquier*, de origem árabe; V. ALQUILÉ.
⇨ alugar — **aluguel** | *alluger* XIII FUER III. 1270 etc. |.
aluir *vb.* 'fazer vacilar, abalar' | XVII, *aloir* XVI | Do lat. *allūděre* 'brincar'; o sentido original do voc. evolucionou para 'mover-se' e, daí, para 'oscilar, fazer vacilar, abalar'.

⇨ **aluir** | *alloyr* XV ZURC 191.26, *luyr* XV CAVA 16.6 |.
álula → ALA.
alumbrar *vb.* 'iluminar' XIV. Do cast. *alumbrar* || **alumbr**ADO XVII || **alumbr**AMENTO XVII.
alúmen *sm.* '(Quím.) qualquer sulfato duplo de um metal trivalente e de um metal alcalino ou de amônio' | XVIII, *alumbre* XIV, *ahume* XIV | Do lat. *alūmen -ĭnis*.
⇨ **alumi·ado, -amento, -ante, -oso** → ILUMINAR.
alumiar → ILUMINAR.
alumínio *sm.* 'metal branco prateado, pouco denso, resistente à corrosão, que possui inúmeras aplicações' 1844. Do ing. *aluminum* (mais tarde alterado em *aluminium*), voc. criado por Davy, em 1812 || **alum**INA 1844 || **aluminí**·FERO 1899.
⇨ **alumínio** | 1824 *in* ZT || **alum**INA | 1836 SC.
a·lun·ação, -issagem → LUA.
aluno *sm.* 'aquele que recebe instrução e/ou educação' | XVI, *alumno* XVI | Do lat. *alumnus* -i.
alus·ão, -ivo → ALUDIR.
aluvião *s2g.* 'depósito proveniente do trabalho de erosão das enchentes' 'inundação' XVIII. Do fr. *alluvion*, deriv. do lat. *alluvĭō -ōnis* || **alúvio** XX. Do lat. *alluvĭum -ii*.
alva[1] *sf.* 'primeira claridade da manhã' XIII. Do lat. *alba*, fem. sing., ou neutro coletivo de *albus* 'alvo, branco'. Diretamente do lat. *alba*, documenta-se, em 1871, o voc. *alba* 'canção' poética trovadoresca, cantada ao romper da manhã' || **alb**ENTE XX || **albescente** XX. Do lat. *albescens -entis* || **alv**AÇÃO | XVI, *aluaçação* XV || **alv**AC·ENTO XVI || **alv**AD·IO XVI | Cp. ALVO.
alva[2] *sf.* 'túnica branca' XIII. Do lat. ecles. *alba*.
alva·ção, -cento, -dio → ALVA[1].
alvado *sm.* 'vão, buraco' XVI. Do lat. *alveatus*, de *alveus* 'escavação'.
alvaiade *sm.* '(Quím.) pigmento branco de carbonato de chumbo ou de óxido de zinco' | XV, *alvaialde* XIV, *aluayalde* XIV, *aluayade* XIII, *alvaade* XIII | Do ár. *al- bayâḍ* 'brancura'.
alvanel *sm.* 'pedreiro' | 1813, *alvaner* XVI, *alvanir* XVII | Do ár. vulg. *al- bannī* (cláss. *al-bannā*') || **alven**ARIA XVI.
alvar → ALVO.
alvará *sm.* 'autorização judicial para a prática de determinado ato' | 1813, *aluara* XIV, *aluala* XIV, *aluaral* XVI | Do ár. *al- barāā* 'cédula, recibo'.
alvaraz *sm.* 'lepra branca' 'manchas brancas' XIII. Do ár. *al- baras*.
alveáreo *sm.* 'colmeia' XVII. Do lat. *alveārĭum -ī*.
alvedrio *sm.* 'arbítrio' | 1813, *alvidrio* XIII | Do lat. *arbitrĭum -ī*.
alveitar *sm.* 'veterinário' XVI. Do ár. *al-baitār*, deriv. do gr. *hippiatrós*, à letra 'médico de cavalos' || **alveit**ARIA XIII.
⇨ **alveitar** | *alueitar* XV LOPJ II.157.23, *alueytar* XV VITA 138b 49 |.
alvejar → ALVO.
alvenaria → ALVANEL.
álveo *sm.* 'curso de água' 'sulco, escavação XVI. Do lat. *alvěus -i* || **alveol**ADO 1844. Do lat. *alveolātus* || **alveol**AR *adj.* 1858 || **alveoli**·FORME XX || **alvéolo** 1813. Do lat. *alveŏlus -i*.
⇨ **álveo** — **alveol**ADO | 1836 SC |.

alvião *sm.* 'enxadão, picareta' XV. De origem obscura.
alvino *adj.* 'relativo ao ventre ou aos intestinos' 1844. Do lat. *alvīnus*.
⇨ **alvino** | 1836 SC |.
alvíssara(s) *sf.* (*pl.*) 'prêmio que se dá a quem traz uma boa nova' | *aluissara* XIII, *-uy-* XIII, *-uisara* XIV, *uisera* XV etc. | Do ár. *al-bišārâ* || **alvissar**EIRO | XX, *alviçareiro* 1813.
alvitana *sf.* 'rede de pesca' XVII. Do ár. *al-biṭanâ*.
alvitr·ar, -e → ARBITRAR.
alvo *adj. sm.* 'muito claro, branco' XIV. Do lat. *albus* || **albor** XVII. Do lat. *albŏr -ōris*; v. *alvar* || **alv**AR XVI. Do lat. *albāre* || **alv**EJAR XVI || **alvor** *sm.* 'primeira claridade da manhã, alva¹', XIII. Do lat. *albŏr -ōris* || **alvor**ADA XV || **alvor**AR XV || **alvore**CER XV || **alvor**EJAR XIX || **alv**URA XIV || Ex**alv**IÇ·ADO 1813. Cp. ALVA¹.
alvoroço *sm.* 'agitação, sobressalto' XIII. Do ár. *alburūz* || **alvoroç**AMENTO XIV || **alvoroç**AR XIII || **alvorotar** XVI. Do cast. *alborotar* || **alvoroto** | *aloroto* XVI | Do cast. *alboroto*.
alvura → ALVO.
alxaima *sf.* 'acampamento mourisco' | XVI, *alcaima* XVI, *algaima* XVI, *alhaima* XVI | Do ár. *al- ḥaimâ*.
ama *sf.* 'mulher que amamenta filho alheio XIII. Do lat. *amma* || **amo** *sm.* 'dono de casa' XIII. Deriv. de *ama*.
-ama *suf. nom.*, provável alteração de -AME; também como este, forma substantivos a partir de outros substantivos, com noção de 'qualidade'; *mourama, dinheirama.* V. -AME.
amabilidade → AMAR.
amaciar → MACIO.
am·ado, -ador, -ador·ismo, -ador·ista, -ador·íst·ico, -adouro → AMAR.
amadurec·er, -ido, -imento → MATURAR.
âmago *sm.* 'cerne' XV. De origem controversa.
amainar *vb.* 'colher a(s) vela(s)' 'abrandar' XV. De origem obscura.
amaldiço·ado, -ar → MAL.
amálgama *s2g.* '(Quím.) liga de mercúrio com outro metal' 'mistura de elementos que, embora diversos, formam um todo' XVIII. Do lat. dos alquimistas *amalgama*, provavelmente deriv. do árabe, mas de étimo mal determinado || **amalga**MAR XVII.
a·mam·ent·ação, -ar → MAMA.
amancebar → MANCEBIA.
amanh·ã, -ecer → MANHÃ.
amanh·ar, -o → MÃO.
amansar → MANSO.
⇨ **amans·amento, -ável** → MANSO.
amante¹ → AMAR.
amante² *sm.* '(Mar.) correia, cabo' XVIII. Do lat. *himās -antis.* deriv. do gr. *himās -ántos*, com influência de AMANTE¹.
amanteigado → MANTEIGA.
amanuense *s2g.* 'escrevente, copista' XVII. Do lat. *āmanuēnsis -is.*
amapaense *adj. s2g.* 'relativo a ou natural do Estado do Amapá' XX. De *Amapá* + -ENSE.
amapola *sf.* 'planta da fam. das cactáceas' XX. Do cast. *amapola*, de origem moçárabe.
amar *vb.* 'querer bem, gostar' XIII. Do lat. *amāre* || **amabilidade** XVIII. Do lat. *amābĭlĭtās -ātis* || **amado** *adj. sm.* XIII. Do lat. *amātus* || **amador** XIII. Do lat. *amātor -ōris* || **amador**ISMO XX || **amador**ISTA XX || **amadorÍST·ICO** XX || **amad**OURO | 1813, *-oiro* XV | Do lat. *amātōrĭus* || **amante**¹ *adj. s2g.* | XV, *amāte* XIV | Do lat. *amāns -antis* || **amásia** 1813. Do lat. *amasia* || **amasi**ADO 1871 || **amasi**AR 1844 || **amásio** XVII. Do lat. *amāsĭus* || **amativo** XVI. Do lat. **amatīvus* || **amatório** XVII. Do lat. *amātōrĭus* || **amável** | *-vell* XV | Do lat. *amābĭlis* || **amavia** XIV. Do lat. **amabĭlia* || **amavio** XV. Do lat. **amabĭlium* || **amavi**OSO XV || DES**amado** XIII || DES**amar** XIII || IN**amável** 1873. Do lat. *inamābĭlis* || **mavi**OSO XV. Forma aferética de *amavioso*.
⇨ **amar** — **amasi**AR | 1836 SC |.
amáraco *sm.* 'manjerona-do-campo' XVII. Do lat. *amărăcus -i*, deriv. do gr. *amárakon*.
amaranto *sm.* 'gênero de plantas herbáceas da fam. das amarantáceas' XVI. Do lat. *amarantus -i*, deriv. do gr. *amáranton*.
amarelo *adj.* 'diz-se da cor do ouro, da gema do ovo etc.'; *sm.* 'a cor amarela em todas as suas gradações' | XIII, *amarello* 1572 | Do lat. hisp. **amarellus*, dim. do lat. *amărus* || **amarel**ADO | 1899, *amarellado* XVII || **amarel**ÃO XX || **amarel**AR | XX, *amarellar* 1881 || **amarel**ID·ÃO | 1899, *amarellidão* XVI || **amarel**INHA *sf.* 'jogo infantil' XX || **amarel**INHO | XX, *amarellinho* XVI || **amarílico** *adj.* 'relativo à febre amarela' XX.
⇨ **amarelo** — **amarel**ECER | XIV DICT 1305 || **amarel**EC·IMENTO | *amarelicimento* XV VIRG v.148 || **amarel**IDÃO | *amareledõo* XV SEGR 92, *amarelidom* XV VITA 112*d*30 etc. |.
amarfanhar *vb.* 'apertar, amarrotar' 1881. De origem controvertida.
amargo *adj. sm.* 'que tem sabor adstringente' XIII. De um lat. **amarĭcus*, do *amārus* || **amarg**AR XIII. Do lat. **amaricāre* || **amarg**OR XIII || **amarg**OS·EIRA 1858 || **amarg**OSO XIII. De um lat. **amărĭcōsu*, de *amārus* || **amarg**URA XIII || **amargur**ANTE XX || **amargur**AR XVI || **amar**ÍNEO 1858 || **amaro** XV. Do lat. *amārus* || **amar**UGEM XVI || **amarulento** XVII. Do lat. *amārulentus* || **amar**UME XX.
amarílico → AMARELO.
amarílis *s2g. 2n.* 'espécie de açucena' 1871. Do lat. cient. *amăryllis -ĭdis*, do antrop. *Amăryllis*, deriv. do gr. *Amarýllis* || **amarílide** XX || **amaril**IDI·FORME | XX, *amaryllidiforme* 1899.
amaríneo → AMARGO.
amarrar *vb.* 'ligar fortemente, atar, prender' XIV. Do fr. *amarrer*, deriv. do m. neerl. *aanmarren* || **amarr**AÇÃO 1813 || **amarr**ADO XIV || DES**amarr**AR 1813.
⇨ **amarrar** — **amarra** | XV ZURD 286.8 || **amarra**DURA | XV ZURD 289.*1* |. DES**amarr**AR | *c* 1539 JCASD 52.27 |.
amarrotar *vb.* 'apertar, comprimir, amarfanhar' 1844. Do a. cast. *marrotar* (hoje *malrotar*), de um adj. **manroto* 'rasgado com as mãos' || **amarrot**ADO 1844.
⇨ **amarrotar** | 1836 SC || **amarrot**ADO | 1836 SC I.
amar·ugem, -ulento, -ume → AMARGO.
amási·a, -ado, -ar, -o → AMAR.
a·mass·ador, -adouro, -adura, -ar → MASSA.
⇨ **amass·ador, -adouro, -ar** → MASSA.

amat·ivo, -ório → AMAR.
amatutado → MATAR.
amaurose *sf.* 'perda total ou quase total da visão' XVII. Do fr. *amaurose*, deriv. do gr. *amaurōsis* ‖ **amaur**ÓT·ICO 1871. Do fr. *amaurotique*, deriv. do gr. *amaurotikós*.
amáv·el, -ia, -io, -i·oso → AMAR.
⇨ **amazel·ado, -ar** → mazela.
amazona *sf.* 'mulher aguerrida, corajosa' mulher que monta a cavalo' XIV. Do lat. *amāzōn -ŏnis*, deriv. do gr. *amazōn* ‖ **amazon**ENSE *adj. s2g.* 'relativo a ou natural do Estado do Amazonas' XX ‖ **amazôn**ICO 1899. Do lat. *amazonĭcus* ‖ **amazôn**IO XVII. Do lat. *amazonĭus*.
ambages *sm. pl.* 'rodeios, evasivas' XVI. Do lat. *ambāgēs -ium* ‖ **ambag**IOSO 1844. Do lat. *ambāgiōsus*.
âmbar *sm.* 'substância sólida proveniente do intestino do cachalote' 'resina fóssil, utilizada na fabricação de vários objetos' | XV, *alambre* XIII, *alâmbar* XV, *ambra* XVI | Do ár. *al-'anbar*. V. ALAMBRA ‖ **am**brEAR XVII ‖ **ambr**ETA 1844. Do fr. *ambrette*.
⇨ **âmbar** — **ambr**eta | 1836 SC |.
ambi- *pref.*, do lat. *ambi-* 'de ambos os lados, ao redor de' (= gr. *amph(i)-*), que se documenta em vocábulos eruditos, alguns formados no próprio latim (como *ambígeno*) e outros introduzidos, a partir do século XIX, na linguagem científica internacional ▶ **ambi**DESTR·IA XX ‖ **ambi**DESTR·ISMO XX ‖ **ambi**DESTRO | 1899, -*dexter* XVII, -*dextro* XVIII | Do lat. tard. *ambidexter -trī* ‖ **ambi**ESQUERDO XVII ‖ **am**bÍGENO 1844. Do fr. *ambigène*, deriv. do lat. tard. *ambigenus* ‖ **ambi**LÁTERO XX ‖ **ambi**OP·IA 1871 ‖ **amb**ÍPARO 1858. Do fr. *ambipare* ‖ **ambis**·SÉXUO XX ‖ **ambi**STOM·ÍDEO XX ‖ **ambi**VALÊNC·IA XX. Do fr. *ambivalence*; deriv. do al. *Ambivalenz* (voc. introduzido na linguagem da psicanálise pelo psiquiatra suíço Eugen Bleuler, em 1910) ‖ **ambi**VALENTE XX ‖ **amb**ÍVIO 1899. Do lat. *ambĭvĭus*.
ambição *sf.* 'desejo veemente de alcançar aquilo que valoriza os bens materiais ou o amor-próprio' | XVI, *amiçon* XIII | Do lat. *ambitĭo -ōnis* ‖ **ambicio**NADO ‖ **ambicion**AR XVIII ‖ **ambicion**ÁVEL XX ‖ **am**bicIOSO XVI. Do lat. *ambitĭōsus* ‖ DES**ambição** XX.
ambi·destria, -destro → AMBI-.
ambiente *sm.* 'lugar, espaço, recinto'; *adj.* 'envolvente' XVII. Do lat. *ambi-ens -entis*, part. de *ambīre* ‖ **ambiência** 1881. Do fr. *ambiance* ‖ **ambient**AR XX ‖ DES**ambient**ADO XX.
ambi·esquerdo, -geno, -látero, -opia, -sséxuo, -stomídeo → AMBI-.
âmbito *sm.* 'contorno, periferia' 'espaço delimitado, recinto' XVI. Do lat. *ambĭtus-ūs*.
ambi·valência, -valente, -vio → AMBI-.
ambli- *elem. comp.*, do gr. *ambly-*, de *ambly's* 'fraco, gasto, (ângulo) obtuso', que se documenta em alguns compostos introduzidos, a partir do séc. XVIII, linguagem científica internacional ▶ **ambli**CARPO | -*bly*- 1871 | Do lat. cient. *amblycarpus* ‖ **ambli**CERO | -*bly* 1871 | Cp. lat. cient. *amblycera* ‖ **ambli**GNATO | -*blygnathe* 1871 | Do lat. cient. *amblygnathus* ‖ **ambli**GON·ITA | -*bly*- 1871 ‖ **ambli**GONO 1813 ‖ **ambli**OPE | -*bly*- 1844 | Do fr. *amblyope*, deriv. do gr. *amblyōpḗs* ‖ **ambli**OP·IA | -*bly* XVIII | Do lat. tard. *amblyōpia*, deriv. do gr. *amblyōpía*

‖ **ambli**ÓP·ICO XX ‖ **ambl**ÍPODE | *amblýpodes* 1909 | Do lat. cient. *amblypoda* ‖ **ambli**STEG·ITO | *amblystegito* 1909.
amblose *sf.* 'aborto' | 1899, *amblosia* 1871 | Do gr. *ámblōsis* ‖ **ambl**ÓT·ICO 1871.
ambos *adj. pron.* 'um e outro, os dois' XIII. Do lat. *ambo -ae -ō* (antigo dual).
ambre·ar, -ta → ÂMBAR.
ambrosia *sf.* 'manjar que dava e conservava a imortalidade dos deuses do Olimpo' 1572. Do lat. *ambrosĭa*, deriv. do gr. *ambrosía*.
ambuá *sm.* 'designação comum a diversos animais das fam. dos julídeos e dos polidesmídeos, espécie de lagarta' | *imbuá* 1587, *embuá* 1881 | Do tupi *aɱu'a*.
âmbula *sf.* 'vaso onde se guardam os santos óleos' | XVII, *anbulla* XV, *ampula* XVI | Do lat. *ampŭlla*. Cp. AMPOLA.
ambulacro *sm.* 'alameda de árvores em renques regulares' '(Zool.) membrana que serve como órgão locomotor em numerosos equinodermos' 1858. Do lat. *ambulācrum -i* ‖ **ambulacri**FORME 1871.
ambular *vb.* 'passear, vaguear, perambular' XX. Do lat. *ambulāre* ‖ **ambul**AÇÃO XX. Do lat. *ambulātĭō -ōnis* ‖ **ambul**ÂNCIA *sf.* 'veículo destinado a conduzir doentes e feridos' 'hospital móvel' 1844. Do fr. *ambulance* ‖ **ambul**ANTE XVII. Do lat. *ambulāns -antis*, part. de *ambulāre* ‖ **ambul**ATIVO XVII ‖ **ambul**ATÓRIO XVII. Do lat. *ambulātōrĭus* ‖ **ambul**ÍPEDE 1871 ‖ IN**ambul**AÇÃO XIX. Do lat. *inambulātĭō -ōnis*.
⇨ **ambular** — **ambul**ÂNCIA | 1836 SC |.
ambundo *adj. sm.* 'indígena banto de Angola' | XVI, *embundo* XVI | Do quimb. *'muno*.
ambustão *sf.* 'cauterização' 1871. Do lat. *ambustĭō -ōnis*.
-ame *suf. nom.*, do lat. *-āmen -āmĭnis*, que forma substantivos com noção de 'quantidade'; *madeirame*, *velame*. V. -AMA.
ameaça *sf.* 'intimidação' | XIV, *meaça* XIII | Do lat. *mĭnācia*, com aglutinação do art. f. A² ‖ **ameaç**ADO XVI ‖ **ameaç**ADOR XVII ‖ **ameaç**AR | XIII, *meaçar* XIII etc.
⇨ **ameaça** — **ameaç**ado | XIII FUER 1.313 |.
amealhar → MÉDIO.
ameba *sf.* 'organismo unicelular de forma inconstante' 1871. Do lat. cient. *amoeba*, deriv. do gr. *amoibé* ‖ **amiba** 'ameba' 1871. Imitação do fr. *amibe*, de mesma origem greco-latina.
amebeu *adj.* 'verso alternado, privativo da poética latina' | 1899, *amebeo* XVI | Do lat. tard. *amoebaeus*, deriv. do gr. *amoibâios*.
⇨ **amedront·ado, -amento, -ar** → medo.
amedrontar → MEDO¹.
ameia *sf.* 'frestas das muralhas das fortificações' | *amēa* XIII, *amea* XIV, *almea* XIV etc. | Do lat. *mĭnae -ārum* 'eminência', com aglutinação do art. f. A².
amêijoa *sf.* 'tipo de molusco' | XVI, *amegia* XVI, *ameja* XVI, *améjea* XVI, *amejoa* XVI | De origem controvertida ‖ **ameijo**ADA | XVII, *meyjoada* XV.
⇨ **amêijoa** | *ameijea* 1500 CAMI 6.3 ‖ **ameijo**ADA | *meyjoada* XV LOPJ I.150.*25* ‖ **ameijor**AR | XV VITA II. 25(M²) |.
ameixa *sf.* 'fruto da ameixeira' | XVI, *amexa* XVI, *almeixa* XVI, *ameixia* XVI | De um lat. **myxĭla* ou

*myxŭla, de *myxa*, deriv. do gr. *mýxa*, com aglutinação do art. A² || **amei**xEIRA *sf.* 'planta ornamental da fam. das rosáceas' | 1899, *ameixieira* 1572, *meixieyra* XVI.
⇨ **ameixa** | *ameixea* 1450 MARR I.419.*18*, *ameixia* 1455 MARR I. 251.*7* | Do lat.* *damasĭna* (> port. * *dameixia* → *de ameixia* → *ameixia* → *ameixa*), por *damascēna* '(ameixa) de Damasco', deriv. do gr. (*kokkymēlea*) *damaskēnē* || **amei**xEIRA | *ameyxeeyra* XIV TEST 351.*1* || **amei**xIAL | *amexial* XV COND 26d19 |.
amém *interj.* '(Bíbl.) assim seja' | *amen* XIII | Do lat. ecles. *āmēn* (= gr. *amḗn*), do hebr. *'amēn.*
amência *sf.* 'demência' XVII. Do lat. *āmentĭa.*
amêndoa *sf.* 'fruto de uma planta da fam. das rosáceas' | XVII, *almendra* XV | Do lat. *amygdăla*, deriv. do gr. *amygdálē* || **amendo**ADO XVI || **amendo**EIRA XVII || **amendo**EI·RANA 1899.
⇨ **amêndoa** | XIV TEST 135.*31* || **amendo**EIRA | XIV TEST 55.*2* |.
amendoim *sm.* 'nome de diversas plantas da fam. das leguminosas' | α. *mendubi c* 1584, *mindoim c* 1631, *menduí* 1702 etc.; β. *amendoí* 1587, *ameñdoim* 1618, *amendui* 1664 etc. | Do tupi *manu'ŭi*; as vars. β foram influenciadas pelo voc. AMÊNDOA.
ameno *adj.* 'suave, delicado, brando' XVI. Do lat. *amoenus* || **amen**IDADE XVI. Do lat. *amoenĭtās -ātis* || **amen**IZ·ADO | 1881, *amenisado* 1871 || **amen**IZAR 1813.
⇨ **ameno** — **amen**iz·ado | *amenisado* 1836 sc |.
amenorreia *sf.* 'ausência de menorreia ou menstruação' | 1899, *amenorrhêa* 1858 | Do fr. *amenorrhée*, deriv. do lat. cient. *amenorrhoea* (< gr. *a*-[v. A-(iv)] + *mḗn* 'mês' + *-rhoia* 'fluxo') || **amenor**RÉICO XX.
amentar¹ *vb.* 'prender com correias, atar' XVIII. Do lat. *amentāre* || **amenti**FERO 1899. Do fr. *amentifère* || **amenti**FORME 1899 || **amenti**LHO 1844. Do cast. *amentillo* || **amento** XX. Do lat. *āmentum -i*.
a·ment·ar², -e → MENTE.
⇨ **amentar**² → mente.
-amento → -MENTO.
⇨ **amerce·ador, -amento** → mercê.
amercear → MERCÊ.
americano *adj. sm.* 'relativo a ou natural da América, particularmente dos E.U.A.' XVII. De *Améric(a)* + -ANO || **american**ISMO 1899 || **american**ISTA 1899 || **american**IZ·ADO 1899 || **american**IZAR 1899 || **amerí**CIO *sm.* '(Quím.) elemento de número atômico 95' XX. Do lat. cient. *americium* || **amerín**DIO *adj. sm.* 'pertencente ou relativo ao indígena americano' XX.
amerissar *vb.* 'pousar (o hidroavião)' XX. De *ameriss(agem)* + -AR¹ || **ameriss**AGEM XX. Do fr. *amerrissage.*
a·mesquinh·amento, -ar → MESQUINHO.
amesendar → MESA.
a·mestr·ado, -ador, -ar → MESTRE.
⇨ **amestr·ado, -amento, -ar** → mestre.
ametista *sf.* 'pedra semipreciosa, variedade roxa do quartzo' | XX, *amatista* XVI, *amethista* XVI, *amethisto* XVII | Do lat. *amethystus -i*, deriv. do gr. *amethýstos.*
⇨ **ametista** | *amatista* XIV TROY I.325.*16*, *ametistus* XIV TEST 114.*11*, *matista* XIV TROY I.363.*36* |.

ametria¹ → METR(A)-.
a·metr·ia², -ope → METRO.
⇨ **amezinh·ado, -ar, -ável** → MÉDICO.
amial → AMIEIRO.
amianto *sm.* 'silicato natural hidratado de cálcio e magnésio' XVI. Do lat. *amiantus -i*, deriv. do gr. *amíantos.*
amiastenia → ASTENIA.
amiba → AMEBA.
amic·al, -ícia → AMIGO.
amicto *sm.* 'pano branco, bento, que faz parte dos paramentos para dizer missa' | XVI, *amito* XIV | Do lat. *amictus -ūs.*
amículo → AMIGO.
amida *sf.* '(Quím.) função nitrogenada (isto é, composta de carbono, hidrogênio, nitrogênio e, por vezes, oxigênio) que resulta da substituição de hidroxila dos carboxilácidos por grupamento amino' 1881. Do lat. científico *amida*, deriv. de amônia + -IDA.
amido *sm.* '(Quím.) polissacarídeo existente em numerosos vegetais, muito utilizado na alimentação, preparações farmacêuticas etc.' | XVII, *amidam* XVI | Do it. *àmido*, deriv. do lat. *amýlum -i* e, este, do gr. *ámylon.*
amieiro *sm.* 'planta ornamental da fam. das betuláceas' 1813. De um lat. **aminariu*, de origem desconhecida || **ami**AL 1813.
⇨ **amieiro** | *mieyro* XV CART 282v || **ami**AL *ameaaes* pl. XV MONT 112.*23* |.
amig·a, -ar, -ável → AMIGO.
amígdala *sf.* '(Med.) aglomerado de tecido linfoide entre os pilares do véu do paladar, ou na base da língua, ou ainda na rinofaringe' | 1813, *amygdala* XVI | Do lat. *ămygdăla -ae*, deriv. do gr. *amygdálē.* V. AMÊNDOA || **amigdal**ITE XX || **amigdal**OIDE XX.
⇨ **amígdala** — **amigdal**OIDE | *amygdaloyde* 1836 sc |.
amigo *adj. sm.* 'companheiro, colega' XIII. Do lat. *amīcus* || **amic**AL 1871. Do lat. *amīcālis -e* || **ami**cícia XVI. Do lat. *amīcitĭa* || **amí**CULO 1881. Do lat. *amīcŭlum -i* || **amiga** *sf.* 'colega' 'concubina' XIII. Do lat. *amīca* || **amig**AR XVII || **amig**ÁVEL | -*uel* XIII, -*uil* XIII || **inimícícia** XVI. Do lat. *inimicĭtĭa* || **ini**migo | XIII, *enmigo* XIII, *enmiigo* XIV, *enmijgo* XIII, *enemigo* XIII, *enmjgo* XIV, *inimiigo* XIV etc. | Cp. AMIZADE.
⇨ **amigo** — **amig**ANÇA | *amjgãça* XIV GALE 40.*42* || **amig**AR | XV CONF 136b13 |.
amil(o)- *elem. comp.*, do lat. *amylum* 'amido, farinha de trigo', deriv. do gr. *ámylon* 'id.', que se documenta em compostos introduzidos, a partir do séc. XVIII, na linguagem científica internacional, particularmente nos domínios da química e da biologia ▶ **amil**ÁCEO | 1858, -*my*- 1858 || **amil**ASE | -*my*- 1909 || **amil**ÊN·IO | *amyléna* 1871, *amylênio* 1899 | Do fr. *amylène* || **amíl**ICO | -*my*- 1871 || **amílí**·FERO XX || **amilo** XVII || **amilo**BACTÉR·IA | *amylobacterio* 1909 || **amilo**FÓRM·IO | -*my*- 1899 || **amilo**GÊNESE XX || **amilo**IDE | -*my*- 1871 || **amilo**ITO | -*my*- 1909 || **amil**ÓLISE XX || **amilo**LÍT·ICO XX || **amilo**MIC·INA | *amylomycina* 1909 || **amilo**PECT·INA XX || **amilo**PLASTA XX || **amilo**PLAST·ÍDIO XX || **amil**OSE XX.
⇨ **amil(o)-** — **amil**ÁCEO | *amylaceo* 1836 sc |.
amimar → MIMO.

amina *sf.* '(Quím.) função nitrogenada (isto é, composta de carbono, hidrogênio, nitrogênio e, por vezes, oxigênio) que resulta da substituição de átomos de hidrogênio do amoníaco (NH^3) por radicais de hidrocarboneto' XX. Do fr. *amine*, deriv. de *am(moniac)* 'amoníaco' + *-ine*; V. -INA ‖ **amino**ÁCIDO XX.
amissão *sf.* 'perda' XVII. Do lat. *āmissĭō -ōnis* ‖ **amis**sÍVEL XVII. Do lat. *āmissĭbĭlis -e* ‖ INa**missi**bIL·IDADE 1871 ‖ INa**miss**ÍVEL 1844. Do lat. *ināmissĭbĭlis -e*.
⇨ **amissão** — *ina*mISSÍVEL | 1836 SC |.
amistar *vb.* 'tornar-se amigo, conciliar-se' XVII. Do cast. *amistar* ‖ **amist**OSO 1899. Do cast. *amistoso* ‖ INa**mist**AR XVI. Do cast. *enemistar* ‖ INa**mist**OSO XX.
amiúde *adv.* 'com frequência' | XIV, *amjudo* XIV, *ameude* XIII, *amēude* XIII etc. | Do lat. *ad- minūtim* ‖ am**iud**ADO | *ameudado* XV ‖ am**iud**AR XVII.
⇨ **amiúde** — *amiud*AR | XV VERT 127.4, *ameudar* XV CAVA 130.29 |.
amizade *sf.* 'afeição, estima, ternura' | XIII, *amizidade* XV etc. | Do lat. *amīcĭtātem* (> *amizidade* > *amizdade* > *amizade*) ‖ IN**imizade** | XVII, *emmizade* XIII, *emjzade* XIV etc. ‖ IN**imiz**AR | XVI, *imiziar* XIV | Cp. AMIGO.
amnésia *sf.* 'perda total ou parcial da memória' 1858. Do fr. *amnésie*, deriv. do gr. *amnēsia* ‖ am**nésic**O XX. Do fr. *amnésique*.
amnícola *adj.* 2g. 'que vive junto a um rio' 1871. Do lat. *amnicŏla*.
âmnio *sm.* 'placenta' | XVII, *âmnios* 1858 | Cp. gr. *ámnion* ‖ **amnio**MANC·IA 1871 ‖ **amnio**MANTE 1899 ‖ **amnió**T·ICO 1871.
amo → AMA.
amochar → MOCHO¹.
amódita *adj. s.* 2g. 'diz-se de, ou planta ou animal que vive na areia' | *-yta* 1858 | Do lat. *ammodȳtēs*, deriv. do gr. *ammody'tēs*.
amoedar → MOEDA.
a·mofin·ação, -ar → MOFINO.
amoitar → MOITA.
amojar *vb.* 'ordenhar' 'encher-se de leite ou de suco' 1813. De origem controvertida.
amolar *vb.* 'afiar, aguçar' 'importunar, aborrecer' XVI. Do cast. *amolar* ‖ amol**AÇÃO** 1844 ‖ amol**ADO** 1813 ‖ amol**ADOR** 1813 ‖ amol**ANTE** XX.
⇨ **amolar** | XIV ESTO 37.10 (L¹), TROY I.237.25 ‖ amol**ADOR** | 1562 JC ‖ amol**ADURA** | 1562 JC |.
amoldar → MOLDE.
amolecado → MOLEQUE.
a·mole·cer, -cimento → MOLE.
⇨ **amolentar** → MOLE.
amolgar *vb.* 'deformar, abolar, achatar' XIII. De um lat. **ad-mollĭcāre*, deriv. de *mollis* 'mole'.
amoníaco *sm.* 'gás incolor, sintetizado a partir do nitrogênio e do hidrogênio, com importantes e variadas aplicações' | 1871, *ammoniaco* XVII | Do lat. *ammŏnĭăcum -i*, deriv. do gr. *Ammōniakós*, de *Ammōn* (epíteto de Júpiter), em alusão à existência de sal amoníaco nas proximidades do templo de Júpiter, na Líbia ‖ **amôn**IA ‖ *ammonia* 1844 ‖ **amôn**IO 1871 ‖ **amon**ITE *sf.* 'gênero de moluscos' 'explosivo cuja substância predominante é o nitrato de amônio' 1871. Do fr. *ammonite* ‖ **amoni**ÚR·IA XX ‖ **amon**ÔMETRO XX.
⇨ **amoníaco** | *armoniaco* XV CART 277v |.
amontoar → MONTE.

amor *sm.* 'afeição, carinho, simpatia' XIII. Do lat. *amōrem* ‖ **amor**ÁVEL XVII ‖ **amor**ICO XVIII ‖ **amorí**FERO XVII. Do lat. *amōrĭfĕrum* ‖ **amor**IO XV ‖ **amor**OSO XIII ‖ DES**amor** XIII. Cp. NAMORAR.
amora *sf.* 'fruto de uma planta da fam. das moráceas' XVI. Do lat. vulg. *mōra* (cláss. *mōrum -i*, deriv. do gr. *mōron*), com aglutinação do art. A² ‖ **amor**EIRA XVI ‖ **morina** *sf.* 'amora' XX. De mesma origem etimológica ‖ **mórula**² XX. Do lat. *mōrŭla*, dim. de *mōrum -i*.
⇨ **amora** | XV CESA III.18§2.2, *mora* XIII CSM 346.13 ‖ **amor**EIRA | XV PAUL 40.29, *moreira* Id. 37v2 |.
amoral → MORAL.
amorável → AMOR.
amordaçar → MORDER.
amoré *sm.* 'nome de diversos peixes da fam. dos gobiídeos' | 1878, *aimoré* 1587, *amoreta c* 1631, *amure c* 1631 | Do tupi *amo're* ‖ **amor**eATIM | *amoréatî c* 1584 ‖ **amor**eGUAÇU ‖ *aimorèoçu* 1587 ‖ **amore**POCU | *amoreta pocu c* 1631.
amoreguaçu → AMORÉ.
amoreira → AMORA.
amorenado → MORENO.
amorepocu → AMORÉ.
amorfo *adj.* 'sem forma definida' | XX, *amorpho* 1858 | Do fr. *amorphe*, deriv. do gr. *amorphos*. Cp. MORF(O)- ‖ **amorf**IA | XX, *amorphia* 1858 ‖ **amorfó**FITO | XX, *amorphóphyte* 1871.
⇨ **amorfo** | *amorpho* 1836 SC ‖ **amorf**IA | *amorphia* 1836 SC |.
amor·ico, -ífero, -io → AMOR.
amornar → MORNO.
amoroso → AMOR.
⇨ **amorreu(s)** *adj. sm.(pl.)* 'povo semítico, nômade, várias vezes mencionado no Antigo Testamento, que se instalou no séc. III a.C. nos desertos da Síria' | XIV TEST 73.27, *amoreo* XV ZURG 21c8 | Do lat. *Amŏrrhaei -ōram*, gr. *Amorraîos* (na Septuaginta), de origem hebraica (hebr. *emorî*).
amortalhar → MORTE.
a·mortec·edor, -er, -ido, -imento → MORTE.
a·mortiz·ação, -ado, -ar, -ável → MORTE.
a·mostr·a, -agem → MOSTRAR.
⇨ **amostr·a, -amento, -ança** → MOSTRAR.
amotinar → MOTIM.
amouco *sm.* 'aquele que, na Índia, jura morrer pelo seu chefe' 'indivíduo servil, fanático'; *adj.* 'desesperado' XVI. Do mal. *āmoq*.
⇨ **amouriscado** → mouro.
a·mov·er, -ível → MOVER.
amparar *vb.* 'proteger, sustentar, defender' | XIII, *an-* XIII, *em-* XIII, *en-* XIII etc. | Do lat. **antepărāre* ‖ **ampar**ADO | *an-* XIII, *en-* XIV etc. ‖ **ampar**ADOR XIV ‖ **amparo** | *em-* XV ‖ DES**ampar**ADO XIV, *desan-* XIII, *desen-* XIV etc. ‖ DES**ampar**AR | *desan-* XIII, *desen-* XIII, etc. ‖ DES**amparo** | XVI, *desem-* XIV, *desen-* XIV etc.
ampel(o)- *elem. comp.*, do gr. *ámpelos* 'vinha, uva', que se documenta em alguns compostos formados no próprio grego (como *ampelita*) e em muitos outros introduzidos, a partir do séc. XIX, na linguagem científica internacional ▶ **ampel**INA 1871 ‖ **ampel**ITA 1858. Do lat. *ampelītis -ĭdis*, deriv. do gr. *ampelîtis* ‖ **ampeló**GRAFO | *-pho* 1871 ‖ **ampelo**LOG·IA 1899.

ampère *sm.* 'unidade de medida de intensidade de corrente elétrica' XX. Do fr. *ampère*, do nome do físico francês A.M. Ampère (1775-1836) ‖ **ampe-rômetro** XX. Do fr. *ampèremètre*.
⇨ **ampère** | 1899 *in* ZT |.

ampletivo *adj.* 'diz-se do órgão vegetal que abraça ou enlaça outro' | *-plect-* 1858 | Do fr. *amplectif*, deriv. do lat. *amplecti*.

amplexo *sm.* 'abraço, enlaçamento' XVI. Do lat. *amplexus -ūs* ‖ **amplexi**CAULE 1871 ‖ **amplexi**FLO-RO | 1858, *-re* 1871 ‖ **amplexi**FÓLIO | *-lia* 1871.

ampliar *vb.* 'aumentar, acrescentar, exagerar' XVI. Do lat. *ampliāre* ‖ **ampli**AÇÃO XVI. Do lat. *ampliātiō -ōnis* ‖ **ampli**ADOR 1813 ‖ **ampli**ATI·FORME 1871 ‖ **ampli**ATIVO XVIII ‖ **ampli**DÃO 1813 ‖ **ampl**IFIC·AÇÃO XVI. Do lat. *amplificātōr -ōris* ‖ **ampl**IFICAR XVI. Do lat. *amplificāre* ‖ **ampl**ITUDE XVII. Do fr. *amplitude*, deriv. do lat. *amplitūdō -ĭnis* ‖ **amplo** XVI. Do lat. *amplus*.
⇨ **ampliar** — **ampli**AÇÃO | *ampleaçom* XV VITA 2c 20 |.

ampola *sf.* 'pequeno tubo, hermeticamente fechado, destinado a conter um líquido' | *āpola* XIV | Do lat. *ampŭlla* ‖ **ampu**LH·ETA | *ampulleta* XVII | Do cast. *ampolleta* ‖ **empola** *sf.* 'ampola' 'bolha' | XVI, *enpolla* XIV | Variante de *ampola*, com ligeira extensão de sentido; cp. também ÂMBULA ‖ **empo**lADO | XVI, *am-* XIII ‖ **empol**AR XVI.

amputar *vb.* 'cortar um membro do corpo, mutilar' 1844. Do lat. *ampŭtāre* ‖ **amput**AÇÃO 1844. Do lat. *amputātiō -ōnis*.
⇨ **amputar** | 1836 SC ‖ **amput**AÇÃO | 1836 SC |.

amuar *vb.* 'aborrecer, importunar' XVI. De A- + *mu* 'mulo' (< *muu* < lat. *mūlus -i*) + -AR¹ ‖ **amu**ADO 1813 ‖ **amuo** XVII.
⇨ **amudecer** → MUDO.

amuleto *sm.* 'pequeno objeto que se usa ou guarda por se acreditar em seu poder mágico' XVII. Do lat. *amulētum -i*.

amuo → AMUAR.

a·mur·a, -ada → MURO.

an- → A-(iv).

ana- *pref.*, do gr. *aná-*, que se documenta em compostos eruditos, quase todos formados no próprio grego, nas acepções de: (i) movimento de baixo para cima, elevação: *analecto* 'ant. escravo encarregado de levantar a mesa e arrumar a sala depois dos banquetes'; (ii) movimento inverso, inversão, transposição: *anagrama* 'palavra formada pela transposição das letras de outra'; (iii) ação de repetir, de novo, outra vez: *anáfora* 'repetição da mesma palavra no princípio de oração ou de versos consecutivos'; (iv) semelhança, identidade: *analogia* 'relação de identidade entre seres'; (v) separação, privação: *anacoreta* 'indivíduo que se separou do convívio dos homens, que vive retirado do mundo'.

-ana → -ANO.

aná *sm.* 'moeda divisionária da Índia' | *annás* pl. XIX | Do hindust. *ānā* ou *ānah* (= mar. *āṇā* = conc. *āṇó*).

anã → ANÃO.

anabatismo *sm.* 'seita cristã protestante que rejeita o batismo das crianças e rebatiza todos os seus adeptos' | *anabaptismo* 1844 | Do fr. *anabaptisme*, deriv. do gr. *anabaptismós* ‖ **anabat**ISTA | *anabaptista* 1844 | Do fr. *anabaptiste*.
⇨ **anabatismo** | *anabaptismo* 1836 SC ‖ **anabat**ISTA | *anabaptista* 1836 SC |.

anabena *adj. s2g.* 'diz-se de qualquer réptil que trepa em árvores' 1871. Do fr. *anabaena*, deriv. do lat. cient. *anabaena* e, este, do gr. *anabáinō* ‖ **anabeno**DÁCTILO | *anabenodactylo* 1871.

anabiose *sf.* 'morte aparente' XX. Do fr. *anabiose*, deriv. do gr. *anabíōsis*.

anabolismo *sm.* 'assimilação pela qual o organismo obtém a energia necessária para seu funcionamento' XX. Do fr. *anabolisme*, deriv. do lat. cient. *anabolismus*, introduzido na terminologia médica por Duncan Bulkley ‖ **anabóli**CO XX. Do fr. *anabolique*, deriv. do lat. tard. *anabolĭcus*.

anabrose *sf.* 'corrosão das partes sólidas do organismo animal por humor acre' 1858. Cp. gr. *anábrōsis -eos* ‖ **anabró**TICO 1871. Do fr. *anabrotique*, deriv. do gr. *anabíōsis*.

anacã *sm.* 'ave da fam. dos psitacídeos, espécie de papagaio' | *anacam* c 1584, *anacan* 1618 etc. | Do tupi *ana'kã*.

anacâmptico *adj.* '(Fís.) que reflete a luz ou o som' 1871. Do fr. *anacamptique*, deriv. do gr. *anakámptō* + *-ique* (v. -ICO).

anacatártico *adj.* 'que limpa mediante a expectoração, o vômito' | *-th-* 1813 | Do lat. tard. *anacatharticus*, deriv. do gr. *anakathartikós*.

anacefaleose *sf.* '(Ret.) recapitulação dos pontos principais de um discurso, de uma exposição escrita ou oral' | *-leosis* XVI | Do lat. *anacephaleōsis*, deriv. do gr. *anakephaláiōsis*.

anacenose *sf.* '(Ret.) apóstrofe dirigida diretamente aos ouvintes, pedindo-lhes a opinião' XX. Do lat. *anacoenōsis*, deriv. do gr. *anakóinōsis*.

anacíclico *adj.* '(Ret.) verso que se pode ler da esquerda para a direita ou vice-versa, sem sofrer alteração' | *-cy-* 1858 | Do fr. *anacyclique*, deriv. do gr. *anakyklikós*.

anáclase *sf.* 'inflexão articular' 'na metrificação, troca de lugar entre a sílaba longa no fim de um verso e a breve no começo do verso seguinte' 1871. Do fr. *anaclase*, deriv. do gr. *anáklasis*.

anaclisia *sf.* 'posição horizontal ou quase horizontal de um doente na cama ou numa cadeira inclinada' 1871. Cp. gr. *anáklisis*.

anacoluto *sm.* 'figura de sintaxe que consiste no emprego de um relativo sem antecedentes, ou na mudança abrupta de construção' | *-lútho* 1844 | Do lat. tard. *anacolūthon*, deriv. do gr. *anakólouthos* ‖ **anacolutia** *sf.* 'anacoluto' | *-th-* 1899.

anaconda *sf.* 'sucuri' | *anacondo* 1871 | Do tâmul *ānai-kondra* 'o que matou um elefante', provavelmente.

anacoreta *adj. sm.* 'religioso ou penitente que vive na solidão, em vida contemplativa' | *-rita* XVIII, *-acho-* XVI | Do lat. *anachorēta*, deriv. do gr. *anachōrētḗs* ‖ **anacoréti**CO | *-choretico* 1844 | Do fr. *anachorétique*, deriv. do lat. tard. *anachōrēticus* e, este, do gr. *anachōrētikós* ‖ **anacoret**ISMO | *-cho-* 1813.
⇨ **anacoreta** | *anacorita* XIV BENT 22.*37*, *anachorita* XV YSAC l7c 22 |.

anacreôntico *adj.* 'relativo ao poeta grego Anacreonte' XIX. Do lat. *anacreontĭcus*, do antrop. gr. *Anakréon -ontos*.
⇨ **anacreôntico** | 1836 sc |.
anacrônico *adj.* 'que contém confusão de data, quanto a acontecimentos ou pessoas' 'que está em desacordo com a moda, o uso, constituindo atraso em relação a eles' | *-chro-*. 1871 | Do fr. *anachronique* || **anacron**ISMO | *-chro-* XVIII || Do fr. *anachronisme*, deriv. do gr. *anachronismós* || **anacron**IZAR | *-chro* 1881.
anacruse *sf.* '(Mús.) notas iniciais dum ritmo, em tempo fraco, que antecedem o primeiro compasso' '(Lit.) sílaba(s) que vêm no princípio do verso grego e do latino, antecedendo o tempo forte do primeiro pé' XX. Do fr. *anacrouse* ou *anacruse*, deriv. do gr. *anákrousis* || **anacrúst**ICO XX. Cp. gr. *anakroustikós*.
anadiplose *sf.* 'repetição de palavra(s) do fim de um período, oração ou verso, no princípio do período, oração ou verso seguinte' 1844. Do lat. *anadiplōsis -is*, deriv. do gr. *anadíplōsis*.
⇨ **anadiplose** | 1836 sc |.
anafa *sf.* 'planta da fam. das leguminosas, semelhante à cevada' XX. Do ár. *an- nafalâ* || **anaf**ADO XVII || **anaf**AR XVI.
⇨ **anafa** | 1836 sc |.
anafaia *sf.* 'a primeira seda que o sirgo fia antes de formar o casulo' XVIII. Do ár. *annafāiâ*.
anáfega *sf.* 'espécie de macieira' | *anafegua* XVI | Do ár. *an- nabiqâ*, provavelmente.
anafil *sm.* 'antiga trombeta mourisca' XIV. Do ár. *an- nafīr*.
anafilaxia *sf.* '(Med.) aumento da sensibilidade do organismo animal a uma substância' XX. Do fr. *anaphylaxie*, composto do gr. *aná* 'em volta de' + *phy'laxis -eōs* 'defesa' || **anafilát**ICO XX. Do fr. *anaphylactique*.
anafonese *sf.* 'exercício vocal destinado a robustecer as vias respiratórias' | *anaphonèse* 1871 | Do lat. tard. *anaphṓnēsis*, deriv. do gr. *anaphōnēsis*.
anáfora *sf.* '(Retór.) repetição de uma ou mais palavras no início de dois ou mais versos' | *anaphora* 1844 | Do lat. *anaphŏra*, deriv. do gr. *anaphorá* || **anafór**ICO | *-ph-* 1871.
⇨ **anáfora** | *anaphora* 1836 sc |.
anafrodisia *sf.* 'ausência de apetite sexual' | *anaphrodísia* 1858 | Cp. gr. *anaphrodīsía*, do mit. *Aphrodí'te* || **anafrod**ITA | *anaphrodito* 1858. Cp. gr. *anaphróditos*.
anáglifo *sm.* 'figura que combina duas imagens obtidas de pontos diferentes e impressas em cores contrastantes e que, olhada através de lentes dessas cores, produz a ilusão de profundidade' | *-glypho* 1871 | Do fr. *anaglyphe*, do lat. *anaglýphus* e, este, do gr. *anáglyphos* || **anaglipto**GRAF·IA *sf.* 'sistema de escrita em relevo, inventado por L. Braille, para os cegos lerem' | *-glyptographia* 1899 | Do lat. *anaglyptographia*, composto do gr. *anáglypilos* 'cinzelado' + *graphía* [v. -GRAF(O)-].
anagnosta *sm.* 'escravo que era encarregado de ler em voz alta durante os banquetes de seus senhores' | *-te* 1871 | Do lat. *anagnōstēs*, deriv. do gr. *anagnṓstēs*.
anagogia *sf.* 'elevação espiritual, êxtase, enlevo' 1844. Do fr. *anagogie*, deriv. do lat. tard. *anagōgē* e, este, do gr. *anagōgḗ*. Diretamente do lat. *anagōgē* procedem as vars. port. *anagogé* e *anegogē*, já documentadas no séc. XV.
⇨ **anagogia** | *anagogē* XV TEOL 37.*19*, *anegogē* Id. 37.*6* || **anagóg**ICO | XV VITA 85*c 16* |.
anagrama *sm.* 'palavra ou frase formada pela transposição das letras de outra palavra ou frase' | *-mma* XVII | Do lat. med. *anagramma*, deriv. de um gr. **anágramma* || **anagram**ÁT·ICO | *-mmá-* 1871 || **anagram**AT·ISMO | *-mma-* 1858 | Do fr. *anagrammatisme*, deriv. do lat. tard. *anagrammatismus* e, este, do gr. *anagrammatismós* || **anagram**AT·IZAR | *-mma* 1858, *-tisar* 1871 | Do fr. *anagrammatiser*, deriv. do gr. *anagramatízō*.
anágua *sf.* 'saia de baixo' | *anagoa* XVI | Do cast. *enagua*, deriv. do taino de São Domingos.
anais *sm. pl.* 'história ou publicação organizada ano por ano' 'publicação periódica de ciências, letras ou artes' | *anaaes* pl. XV, *annaes* pl. XVI | Do lat. *annālēs -īum*.
anajá *sm.* 'palmeira da subfam. das ceroxilíneas; o seu fruto' | 1587, *anaja c* 1594, *naia c* 1631, *inaja c* 1698 etc. | Do tupi *ina'ja*.
anajé *sm.* 'ave de rapina' | 1876, *jnagē c* 1594, *enagé c* 1777, *enajê* 1865 etc. | Do tupi **ina'ie*; cp. INDAIÉ.
analecto *sm.* 'coleção de escritos' 1871. Do fr. *analecte*, deriv. do lat. *analecta -ôrum* e, este, do gr. *análektos*.
⇨ **analecto** | 1836 sc |.
analema *sm.* 'planisfério' 'base, contraforte' | *analémma* 1858 | Do lat. *analēmma -ătis*, deriv. do gr. *análēmma -atos* || **analem**ÁT·ICO | *-mma-* 1871.
analepsia *sf.* 'convalescença' 1858. Do fr. *analepsie*, deriv. do gr. *analēpsis -eōs* || **analepse** *sf.* 'convalescença' 1899. De mesma origem || **analépt**ICO 1844. Do fr. *analeptique*, deriv. do lat. tard. *analēpticus* e, este, do gr. *analēptikós*.
⇨ **analepse** — **analépt**ICO | 1836 sc |.
analfabeto *adj. sm.* 'que não sabe ler e escrever' | *analphabeto* XVII | Do lat. tard. *analphabētus*, deriv. do gr. *analphábētos* || **analfabet**ISMO | *analphabetismo* 1899.
analgesia *sf.* 'perda da sensibilidade à dor' 1871. Do fr. *analgésie*, deriv. do gr. *analgēsía*. V. -ALGES(IA)- || **analgés**ICO 1899.
analgia *sf.* 'analgesia' 1871. V. -ALG(IA)-.
análise *sf.* 'ação de decompor um todo em suas partes componentes' 'observação, exame' | *-lysis* XVIII | Do fr. *analyse*, deriv. do lat. cient. *analysis* e, este, do gr. *análysis* || **anali**SAR | *-ly-* 1881 | Do fr. *analyser* || **anali**STA | *-ly* 1871 | Do fr. *analyste*, deriv. do gr. *analýstēs* || **analít**ICO | *-ly-* 1871 | Do fr. *analytique*, deriv. do lat. *analýticus* e, este, do gr. *analytikós*.
⇨ **análise** — **anali**SAR | *analysar* 1836 sc || **analít**ICO | *analytico* 1836 sc |.
analogia *sf.* 'semelhança, similitude, parecença' XVI. Do lat. *analogīa*, deriv. do gr. *analogía* || **analóg**ICO XVI. Do lat. *analogīcus*, deriv. do gr. *analogikós* || **analog**ISMO XVIII. Do fr. *analogisme* || **analogíst**·ICO XVIII || **análogo** XVII. Do lat. *anălogus*, deriv. do gr. *análogos*.
anambé *sm.* 'pássaro da fam. dos cotingídeos' 1833, *uanambé c* 1777 | Do tupi **ųana'me*.

anamnese *sf.* '(Ret.) figura pela qual o indivíduo finge recordar-se de coisa esquecida' 'recordação' | *anamnesia* 1858 | Do fr. *anamnèse*, deriv. do lat. tard. *anamnēsis* e, este, do gr. *anámnēsis -eōs* || **anamnést**ICO | *-mnes* 1871 | Do fr. *anamnestique*, deriv. do gr. *anamnēstikós*.
anamorfose *sf.* '(Biol.) evolução contínua' '(Mat.) mapeamento de uma função' '(Ópt.) deformação de uma imagem formada por um sistema óptico, cuja ampliação longitudinal é diferente da transversal' 1813. Do fr. *anamorphose*, deriv. do gr. *anamórphōsis* || **anamorfót**ICO | *-phosico* 1881.
ananás *sm.* 'fruto do ananaseiro, *Ananas sativus*, da fam. das bromeliáceas' | 1587, *ananes* 1557, *ananaz* 1561, *anānas* 1563, *ananâz a* 1576, *nanâ c* 1584, *nanaz* 1585 etc. | Do tupi *na'na* || **ananas**AL | *ananazal* 1751 || **ananas**EIRO 1587.
anandro *adj.* 'diz-se das plantas destituídas dos órgãos masculinos' 1899. Cp. gr. *ánandros*; V. -ANDR(O)-.
anani *sm.* 'planta da fam. das gutíferas' | *ananim* 1833 | Do tupi *ĩyana'ni*; v. GUANANDI.
ananto *adj.* 'diz-se da planta que não dá flor' | *anantho* 1899 | Cp. gr. *ananthḗs*; V. -ANT(O)-.
anão *sm.* 'indivíduo de estatura muito abaixo da normal' | *naão* XIV | Do lat. *nānus -i*, deriv. do gr. *nánnos* || *anã* | *anaas* pl. XVI.
anapesto *sm.* '(Retór.) pé de verso grego ou latino formado de duas sílabas breves e uma longa' XVI. Do lat. *anapaestus -i*, deriv. do gr. *anápaistos* || **anapést**ICO 1844. Do lat. *anapaestĭcus*, deriv. do gr. *anapaistikós*.
⇨ **anapesto** — **anapést**ICO | 1836 SC |.
anaplasia *sf.* '(Cir.) técnica de restabelecer a forma normal de uma parte do corpo mutilada' | 1871, *anaplastia* 1871 | Do fr. *anaplasie*, deriv. do gr. *anáplasia*.
anapuru *sm.* 'espécie de papagaio' | 1610, *anapurú* 1576, *anapurû c* 1584 | Do tupi **anapu'ru*.
anarquia *sf.* 'falta de governo ou de outra autoridade capaz de manter o equilíbrio da estrutura política, social etc.' 'confusão, desordem' | *anarchia* XVIII | Do fr. *anarchie*, deriv. do gr. *anarchía* || **anárqu**ICO | *anarchico* 1813 || **anarquismo** | *anarchismo* 1871 | Do fr. *anarchisme* || **anarqu**ISTA | *anarchista* 1844 || **anarqu**IZ·AÇÃO XX || **anarqu**IZAR | *anarchisar* XIX | Do fr. *anarquiser*.
⇨ **anarquia** — **anarqu**ista | *anarchista* 1836 SC |.
anartria *sf.* '(Med.) impossibilidade de articular as palavras, conquanto não haja paralisia dos músculos da fonação' | *anarthria* 1871 | Do fr. *anarthrle*, deriv. do gr. *anarthría*.
anasarca *sf.* '(Pat.) edema generalizado' 'doença grave dos cavalos, bois e carneiros' XVI. Do fr. *anasarque*, deriv. do lat. med. *anasarc(h)a* e, este, do gr. *anásarx -arkós*.
anastático *adj.* 'diz-se do processo de reproduzir por transporte químico textos ou desenhos impressos' 1871. Do fr. *anastatique*, composto do gr. *anástato* + *-ique* (v. -ICO).
anastomose *sf.* 'comunicação, material ou artificial, entre dois vasos sanguíneos ou outras formações tubulares' 'passagem de fibras nervosas de um para outro nervo' | *-mosis* XVII | Do lat. tard. *anastomōsis*, deriv. do gr. *anastómōsis* || **anasto-**

mótICO XIX. Do lat. tard. *anastomōticus*, deriv. do gr. *anastomōtikós*.
anástrofe *sf.* '(Gram. e Ret.) inversão, mais ou menos forte, da ordem natural das palavras ou das orações' 'inversão' XVII. Do lat. *anastrŏphē -ēs*, deriv. do gr. *anastrophḗ* || **anastrof**IA *sf.* 'inversão visceral' | *-ph-* 1899.
anata *sf.* 'tipo de taxa paga à autoridade eclesiástica' | XIV, *annata* 1813 | Do it. *annata*.
anátema *sm.* 'excomunhão, maldição, reprovação enérgica' | *anathema* XIV | Do lat. *anathĕma -ătis*, deriv. do gr. *anáthema* || *anathematico* 1858 || **anatemat**IZAR | *-the-* XV | Do lat. *anathematizāre*, deriv. do gr. *anathematízō*.
anatocismo *sm.* 'capitalização dos juros de uma importância emprestada' 1844. Do lat. *anatocismus -i*, deriv. do gr. *anatokismós*.
⇨ **anatocismo** | 1836 SC |.
anatomia *sf.* '(Biol.) ciência que trata da forma e da estrutura dos seres organizados' | *ano-* XV | Do lat. *anatomĭa*, deriv. do gr. *anatomḗ* || **anatôm**ICO XVI. Do lat. *anatomĭcus -i*, deriv. do gr. *anatomikós* || **anatomo**PATO·LOG·IA XX || **anatomo**PATO·LÓG·ICO | *anátomò -pathologico* 1899 || **anatomo**PATO·LOG·ISTA XX.
anátropo *adj.* 'diz-se do óvulo que, tendo sofrido um movimento de 180°, torna-se invertido' | 1899, *anátropo* 1871 | Cp. gr. *anátropē* 'inversão'.
anavalhar → NAVALHA.
-ança, -ância *suf. nom.*, do lat. *-antia* (dos particípios em *-āns -antis* > -ANTE), que formam substantivos oriundos de verbos, com o significado de 'ação ou resultado da ação, estado': *lembrança, matança; observância, tolerância*.
anca *sf.* 'o quarto traseiro dos quadrúpedes' 'quadris' XIV. Do germ. **hanka*, com provável interferência do fr. *hanche* || **anqu**INHAS 1813 || DESancAR XVIII.
ancenúbio *sm.* 'matiz' XIX. Neologismo proposto para traduzir o fr. *nuance* pelo filólogo brasileiro Antônio de Castro Lopes (1827-1901), que assim se refere, em 1889, à sua criação: "E para que não haja dúvida alguma de que o neologismo portuguez traduz as mesmíssimas idéas que *-Nuance* em francez, engendremol-o com os mesmos elementos latinos, [...] *Anceps* (duvidoso) e *nubes* (nuvem). Corte-se o *-ps-* de *Anceps* (*Ance*), dando a *nubes* o sufixo *-io*; e teremos *Ancenubio*; [...]".
ancestral *adj. 2g.* 'relativo ou pertencente a antecessores, a antepassados' XIX. Do fr. *ancestral*, de *ancêtre* (< a. fr. *ancestre* < lat. *antecessor* 'antepassado, antecessor').
ancho *adj.* 'largo, amplo' XIII. Do lat. *amplus* (> AMPLO) || **anch**URA XIV.
⇨ **ancho** — **anch**AR | XIV DICT 195 || **anch**EZA | XIV ORTO 102.*15*, *anchesa* XV MONT 182.*27* |.
-ância → -ANÇA.
ancião *adj. sm.* 'idoso, velho' | XIII, *anciāao* XIV, *ançiano* XIV | Do a. fr. *ancien* (trissilábico), deriv. do lat. ecles. **anteanu* (< lat. *ante*) || **ancian**IDADE XVII. Adapt. do fr. *ancienneté* || **ancian**IA XVII.
ancila *sf.* 'escrava, serva' | *ancela* XIII, *ancilla* XVI | Do lat. *ancĭlla* || **ancil**AR *adj. 2g.* | *-llar* 1858.
ancil(o)- *elem. comp.*, do gr. *agkylo-*, de *agkýlos* 'curvo, anguloso, apertado, aderente', que se do-

cumenta em alguns compostos introduzidos, a partir do séc. XIX, na linguagem científica internacional ♦ anciloGLOSS·IA XX ‖ anciloGLOSSO | ancyloglossa 1871 ‖ anciloSTOM·ÍASE XX ‖ ancilÓSTOMO XX ‖ ancilÓTOMO | ancylótomo 1858.
ancinho sm. 'instrumento agrícola' | ancīho XIV | Do lat. vulg. incīnus (cláss. uncīnus -i).
anco sm. 'cotovelo ou enseada na costa' XVI. Do lat. ancus, deriv. do gr. agkōn.
ancôneo sm '(Anat.) músculo triangular da parte posterior da articulação do cotovelo' 1871. Do lat. cient. anconeus, deriv. do gr. agkōn.
âncora sf.'peça que aguenta a embarcação no fundeadouro' | XIII, ancolla XV | Do lat. ancōra, deriv. do gr. ágkyra ‖ ancorAÇÃO XIV ‖ ancorADOURO XVII ‖ ancorAGEM XIV. Do it. ancoràggio, deriv. de um lat. *ancorātium ‖ ancorAR | XIII, amcorar XVI ‖ ancorETA 1858.
ancusa sf.'planta ornamental da fam. das borragináceas' 1871. Do lat. anchūsa, deriv. do gr. ágchousa.
-anda → -ANDO.
andá sm. 'planta da fam. das euforbiáceas' c 1584. Do tupi a'ṉa (cp. tupi ña'nï 'azeite'; V. ANDIROBA) ‖ andá-AÇU | andaguaçu c 1594, andára-açu 1602 etc. | Do tupi aṉaüa'su (< a'ṉa 'andá' + üa'su 'grande').
and·aço, -ada, -ad·eira, -ad·eiro, -ad·or, -ad·ura → ANDAR.
andaime sm. 'orig. caminho ou passagem no alto de uma muralha, adarve; por extensão, armação com estrado, sobre o qual trabalham operários numa construção' | XVII, andaimo XV, andaymo XIV, andamho XIII etc. | De andar, com uma terminação ainda não suficientemente esclarecida; o étimo árabe add'âim 'vigas' não satisfaz.
andaina sf.'fileira, renque' XVI. Deve relacionar-se com o cast. andén, que corresponde a uma base românica *andagīne, de origem incerta, provavelmente alteração do lat. īndāgo -ĭnis.
andaluz adj. sm. 'relativo à, ou natural da Andaluzia' XIV. De Andaluz(ia) ‖ andaluzITA | andaluzite 1871.
andar vb. 'dar passos, caminhar' XIII. De origem controversa; a hipótese mais viável é a que liga o voc. port. ao lat. *ambĭtāre (do cláss. ambīre 'dar voltas, rodear') ‖ andAÇO XVI ‖ andADA XV ‖ andAD·EIRA | -eyra XIV ‖ andAD·EIRO 1813 ‖ andAD·OR XVI ‖ andAD·URA XIV ‖ andAMENTO XIV ‖ andANÇA XIII ‖ andANTE[1] adj. s2g 'que anda' XIII ‖ andANTE[2] adv. '(Mús.) de andamento entre adágio e alegro' sm. 'trecho musical nesse andamento' 1858. Do it. andante ‖ andar sm. 'passo' XIV ‖ andarEJO XVI ‖ andarILHO 1712 ‖ andEIRO XVII ‖ andEJAR XX ‖ andEJO XV ‖ DESandar XVI.
⇨ **andar** — andAÇÃO | andaçon XV SOLI 22.18 ‖ andADEIRO | andadeyro XIV ESTO 94.28 (L¹) ‖ andEIRO | XV COND 14b29 |.
andas sf. pl. 'ant. varais sobre os quais assentava uma espécie de cadeirinha, para transporte de passageiros' XIV. Do lat. amĭtes, pl. de ames.
⇨ **andas** | âmedes XIII CSM 218.30, XIV GRAL 115d16 |.
and·eiro, -ejar, -ejo → ANDAR.
andesita sf.'mineral tricíclico do grupo dos feldspatos' XX. Do fr. andesite, deriv. do topo Andes + -ite; v. -ITA ‖ andÍCOLA 1871. Do fr. andicole, deriv. do top. Andes ‖ andINO adj. s. 2g. 'relativo a, ou natural dos Andes' 1871. De And(es) + -INO.
⇨ **andesita** — andÍCOLA | 1836 SC |.
andirá sm. 'nome tupi do morcego' | andura 1587, andira c 1594 etc. | Do tupi aṉï'ra.
andiroba sf.'planta da fam. das meliáceas' | a 1667, jnhanduroba 1618, jandiroba 1730 etc. | Do tupi ñaṉï'roua (< ña'ṉï 'óleo, azeite' + 'roua 'amargo') ‖ andirobAL XX ‖ andirobEIRA 1895.
ândito sm. 'vestíbulo, corredor, galeria' XVI. Do it. àndito.
-ando, -anda suf nom., do lat. -andus -a -um (de gerundivos do tipo memorandus -a -um), que se documenta em alguns vocs. port. eruditos, como nefando, por exemplo, e que, modernamente, pelo modelo de doutorando (já documentado no séc. XVIII), adquiriu grande vitalidade na formação de novos derivados: agronomando -a, mestrando -a, professorando -a, vestibulando -a etc.
andor sm. 'padiola sobre a qual se conduzem imagens nas procissões' XVI. Do malaiala andola, deriv. do sânsc. hindola.
andorinha sf.'designação comum a várias espécies de aves passeriformes da fam. dos hirundinídeos' | XIV, andorÿia XIII, handarinhos pl. XVI | Do lat. *harundina, de harŭndo, por hirŭndo -ĭnis 'andorinha', com influência de ANDAR.
andorrano adj. sm. 'relativo a ou natural de Andorra' 1899. Do cast. andorrano.
andradita sf.'mineral do grupo das granadas' XX. Do ing. andradit, nome dado pelo mineralogista inglês Dana, em homenagem a J. B. de Andrada e Silva, estadista e cientista brasileiro.
andrajo sm. 'trapo, farrapo' XVII. Do cast. andrajo, de origem incerta ‖ andrajOSO XVII.
andrebelo sm. 'cabo destinado a içar e arrear mastros, vergas etc.' | andrebéllo 1871 | Do it. andrivèllo.
-andr(o)- elem. comp., do gr. andro-, de anér andrós 'homem, macho, viril', que se documenta em compostos eruditos, alguns formados no próprio grego (como andróctono) e outros introduzidos, a partir do séc. XIX, 'na linguagem científica internacional, particularmente nos domínios da medicina e da botânica ♦ andrANATOM·IA 1858 ‖ andrANTOS·SOMO XX ‖ andrEC·IA XX ‖ androANTOS·SOMO XX ‖ androCÉFALO XX. Do fr. androcéphale ‖ androCEFAL·OIDE | -pha- 1858 ‖ andrÓCERO 1871 ‖ androceu XX. Do lat. cient. androcēum, pelo modelo de gynǣcēum (GINECEU) ‖ andrÓCTONO | -ne 1871 Do lat. cient. androctonus, deriv. do gr. androktónos ‖ andródama | -mas 1871 Do lat. āndrŏdămăs -ăntĭs, deriv. do gr. androdámas -antos ‖ androDINAMO | -dyname 1871 ‖ androFAG·IA XX ‖ andrÓFAGO | -pha- 1899 | Cp. gr. androphágos ‖ androFOB·IA | -pho- 1871 ‖ andrÓFOBO | -pho- 1871 ‖ andrÓFORO | -pho- 1871 | Do fr. androphore ‖ androGÉNES XX ‖ androGENES·IA 1858 ‖ androGENÉS·ICO 1871 ‖ androGENÉT·ICO XX ‖ androGEN·IA 1871 ‖ androGÉN·ICO XX ‖ andrÓGENO XX ‖ androGIN·IA | gy-1871 ‖ androGÍN·ICO | -gy-1899 ‖ androGIN·ISMO | -gy- 1871 ‖ androGIN·IZAR | -gynisar 1916 ‖ andrÓGINO | -gy- XVI | Do lat. āndrŏgўnŭs, deriv. do

gr. *andrógynos* ‖ **andro**GINÓ·FORO XX ‖ **andr**OIDE | 1871, *-do* 1858 | Do fr. *androïde*, deriv. do gr. *androeidē's* ‖ **andró**LATRA 1899, Do fr. *androlâtre* ‖ **andro**LATR·IA 1899 ‖ **andro**LOG·IA 1909 ‖ **andro**LÓG·ICO XX ‖ **andro**MAN·IA 1813; cp. gr. *andromanía*‖**andro**MAN·ÍACA 1813‖**andro**MAN·ÍACO 1909 ‖ **andro**MERO·GON·IA XX ‖ **andro**PÉTALA 1871. Do fr. *andropétale* ‖ **andro**PLASMA XX ‖ **andro**PLÁSM·ICO XX ‖ **andro**POGÃO | 1899, *-gon* 1871 | Do fr. *andropogon* ‖ **andró**SACO | 1899, *-ce* 1871 | Do lat. *ăndrŏsăcĕs*, deriv. do gr. *andrósakes* ‖ **andró**SEMO | *-ma* 1858 | Do lat. cient. *androsaemon*, deriv. do gr. *andrósaimon* ‖ **andro**SFINGE ‖ *androsphinx* 1871 | Do fr. *androsphinx*, deriv. do gr. *andrósphigx* ‖ **andro**SPERMA XX ‖ **andro**SPÓRIO 1909. Do fr. *androspore* ‖ **andro**SSOM·IA XX ‖ **andro**STER·ONA XX ‖ **andro**STILO | *-tylium* 1871 ‖ **andro**TOM·IA 1844.
andrômina *sf.* 'artimanha, intrujice, impostura' | *endrómina* XIX | Do lat. *endrŏmis -ĭdĭs* 'manto com que se cobriam os atletas, depois dos exercícios', deriv. do gr. *endromís -idos*.
-ânea → ÂNEO.
anedota *sf.* 'relato sucinto de um fato jocoso ou curioso' XVIII. Do fr. *anecdote*, deriv. do gr. *anékdotos* 'inédito' ‖ **anedot**ÁRIO XX ‖ **anedót**ICO | *anedoctico* 1844 | Do fr. *anecdotique*.
anegar *vb.* 'afogar, inundar, submergir' XIV. Do lat. *ēnĕcāre* 'matar'.
anel *sm.* 'pequena tira circular, geralmente de metal, que se usa nos dedos como adorno ou símbolo' | XIII, *anees* pl. XV, *anes* pl. XV | Do lat. *ānnelus -i* ‖ **anel**AR[1] *vb.* 'dar forma de anel' | *annelar* 1813 ‖ **anelar**[2] *adj.* 2g. 'em forma de anel' | *annelar* 1813 ‖ **anel**ÍDEO 1899 ‖ **anel**IFORME XX ‖ **anel**ÍPEDE 1899 ‖ **an**ETE XV ‖ **anular**[2] | *anullar* 1616 | Do lat. *annulārĭus* ‖ **anul**OSO | *ann-* 1844.
anelar[3] *vb.* 'desejar ardentemente, aspirar a' | 1844, *anhelar* XVI | Do lat. *anhēlāre* 'respirar com dificuldade' 'estar ardente' ‖ **anel**AÇÃO ‖ *anhelação* 1899 ‖ *anhelante* 1813 | Do lat. *anhēlātĭŏ -ōnis* ‖ **anel**ANTE ‖ **anél**ITO | *anhelito* XVI | Do lat. *anhēlĭtus -i* ‖ **anelo** | *anhelo* XVII | Do lat. *anhēlus*.
anelho *adj.* 'que tem um ano' | *agnelia* XIII, *anelia* XIII, *anejo* XVI | Do lat. *annicŭlus*; a var. *anejo* indica influência castelhana, em razão do suf. -EJO.
anel·ídeo, -iforme, -ípede → ANEL.
anemia *sf.* 'diminuição da hemoglobina do sangue circulante' 1858. Do fr. *anémie*, deriv. do gr. *anaimía* ‖ **anêm**ICO 1871.
⇨ **anemia** | 1836 SC |.
anemo- *elem. comp.*, do gr. *anemo-*, de *ánemos* 'vento', que se documenta em alguns compostos introduzidos, a partir do séc. XVIII, na linguagem científica internacional ▶ **anemó**BATA 1858 ‖ **anemoceta** | *-te* 1871 ‖ **anemo**CLÁST·ICA XX ‖ **anemo**CÓRD·IO 1858 ‖ **anemo**COR·IA XX ‖ **anemo**CÓR·ICO XX ‖ **anemo**FIL·IA XX ‖ **anemó***philie* ‖ **anemó**FILO XX ‖ **anemo**GAM·IA XX ‖ **anemó**GAMO XX ‖ **anemó**GENO 1909 ‖ **anemo**GRAF·IA | *-ph-* 1858 | Do fr. *anémographie* ‖ **anemo**GRÁF·ICO | *-ph-* 1871 ‖ **anemó**GRAFO | *-ph-* 1899 | Do fr. *anémographe* ‖ **anemo**LOG·IA 1899 ‖ **anemo**LÓG·ICO XX ‖ **anemó**LOGO 1899 ‖ **anemo**METR·IA 1844 ‖ **anemo**MÉTR·ICO 1899 ‖ **anemô**METRO 1844 ‖ **anemo**METRÓ·GRAFO | *-pho-* 1858 ‖ **anemo**SCOP·IA 1871 ‖ **anemo**SCÓP·ICO XX ‖ **anemo**SCÓP·IO 1858 ‖ **anemó**SCOPO 1813 ‖ **anemo**TERAP·IA XX.
⇨ **anemo-** — **anemo**METR·IA | 1836 SC ‖ **anemô**METRO | 1783 *in* ZT |.
anêmona *sf.* 'erva exótica, ornamental, da fam. das ranunculáceas' | 1712, *anémola* 1813, *anemone* 1813 | Do fr. *anémone*, deriv. do lat. *anemōnē -ēs* e, este, do gr. *anemōnē*.
anencéfalo *adj. sm.* 'diz-se de, ou monstro privado de cabeça' | *anencéphalo* 1871 | Cp. gr. *anegképhalos*.
-âneo, -ânea *suf. nom.*, do lat. *-ānĕus -a*, que se documenta em vocs. eruditos de imediata procedência latina, como *espontâneo -ânea* (< lat. *spontănĕus -a -um*), *momentâneo -ânea* (< lat. *mōmentănĕus -a -um*) etc.
anepígrafo *adj.* 'diz-se de medalha, baixo-relevo etc., sem título ou inscrição' | *anepígrapho* 1858 | Do fr. *anépigraphe*, deriv. do gr. *anepígraphos*.
aneroide *sm.* 'barômetro metálico' | 1881, *anaeroide* 1871 | Do fr. *anéroïde*, voc. criado pelo francês L. Vidi, em 1844, com base nos elementos gregos *an-* [v. AN-] + *aer-* [v. AER(O)-] + -OIDE.
anestesia *sf.* '(Med.) perda total ou parcial da sensibilidade, que pode resultar de várias causas mórbidas, ou é conseguida de propósito para evitar a dor no curso das intervenções cirúrgicas' | *-thé* 1858 | Do fr. *anesthésie*, deriv. do gr. *anaisthēsía* ‖ **anestesi**ADO | *-the-* 1899 ‖ **anestesi**AR | *-the-* 1899 | Do fr. *anesthésier* ‖ **anestési**CO | *-thé-* 1871 | Do fr. *anesthésique*.
anete → ANEL.
aneto *sm.* 'erva da fam. das umbelíferas' 1858. Do lat. *anēthum -i*, deriv. do gr. *ánēthon*.
aneurisma *sm.* 'dilatação circunscrita de uma artéria' XVII. Do lat. tard. *aneurysma -ătis*, deriv. do gr. *anéurysma -atos*.
⇨ **anevoado** → NÉVOA.
anexim *sm.* 'provérbio' | XVI, *anexis* pl. XVI | Do ár. *an-našíd*.
anexo *adj. sm.* 'ligado, junto, contíguo' | XIV, *aneyxo* XIV | Do lat. *annexus*, part. de *annectĕre* 'unir' ‖ **anex**AÇÃO XVI ‖ **anex**ADO | XVI, *-nn-* 1813 ‖ **ane**XAR | XV, *anaxar* XIV, *enexar* XV etc.
⇨ **anexo** — **anex**ADO | *aneixado* 1430 VERD 238 (M[2]) |.
anf(i)- *pref.*, do gr. *amph(i)-*, de *amphí* 'de ambos os lados, ao redor de' (= lat. *ambi-*), e/ou de *ámphō* 'ambos, de uma e de outra espécie', que se documenta em palavras eruditas e semieruditas, algumas já formadas no próprio grego (como *anfiteatro*) e outras formadas nas línguas modernas (como *anfibiótico*) ▶ **anf**ACANTO | *amph-* 1871 | Do lat. cient. *amphacanthus*, deriv. do gr. *amphákanthos* ‖ **anf**ANTO | *amph-* 1858 ‖ **anf**ARÍSTERO | *amph-* 1871 | Do fr. *ampharistère*, deriv. do gr. *amphárísteros* ‖ **anf**EMÉRINO | *amphemerína* 1871 | Do fr. *amphémerine*, deriv. do gr. *amphēmĕrĭnŭs*, deriv. do gr. *amphēmérinos* ‖ **anf**ET·AM·INA XX. Do fr. *amphétamine* (por *amphéthylamine*, de *amphi-* + *ethyle* + *amine*) ‖ **anf**IARTROSE | *amphiárthrōse* 1858 | Do fr. *amphiarthrose* ‖ **anf**IASTER | *amphiáster* 1909 ‖ **anf**ÍBALO XX. Do lat. *āmphĭbălŭs*, deriv. do gr. *amphibállō* ‖ **anf**ÍBIO

| 1813, *amphibio* XVII | Do lat. *amphibius*, deriv. do gr. *amphibios* || **anf**ɪʙɪᴏ·ɢʀᴀꜰ·ɪᴀ | *amphibiographia* 1871 || **anf**ɪʙɪᴏ·ɢʀÁꜰ·ɪᴄᴏ | *amphibiográphico* 1844 || **anf**ɪʙɪÓ·ʟɪᴛᴏ | *amphibiólitho* 1871 || **anf**ɪʙɪᴏ·ʟᴏɢ·ɪᴀ | *amphi-* 1844 || **anf**ɪʙɪᴏ·ʟÓɢ·ɪᴄᴏ | *amphi-* 1871 || **anf**ɪʙɪÓ·ʟᴏɢᴏ | *amphi-* 1871 || **anf**ɪʙɪÓᴛ·ɪᴄᴏ XX. Do fr. *amphibiotique* || **anf**ɪʙʟÁsᴛ·ᴜʟᴀ | *amphi-* 1909 || **anf**ɪʙʟᴇᴍᴀ XX; cp. gr. *amphíblēma* | **anfiblestr**ɪᴀ | *amphi* 1871 | Cp. gr. *amphíblēstron* || **anfiblestro**ɪᴅᴇ | *amphi-* 1871 || **anf**ɪʙᴏʟ·ɪᴀ | *amphi-* 1858 | Do fr. *amphibolie*, deriv. do lat. *āmphĭbŏlĭa* e, este, do gr. *amphibolía* || **anf**ɪʙÓʟ·ɪᴄᴏ | *amphi-* 1844 || **anf**ɪʙÓʟ·ɪᴏ | *amphi-* 1909 || **anf**ɪʙᴏʟ·ɪᴛᴏ | *amphibólithe* 1844, *amphibolito* 1909 || **anf**ɪ́ʙᴏʟᴏ | *amphibola* XVII | Do lat. *āmphĭbŏlŭm*, deriv. do gr. *amphíbolos* || **anf**ɪʙᴏ·ʟᴏɢ·ɪᴀ | *amphi-* 1540 | Do lat. *āmphĭbŏlŏgĭa* || **anf**ɪʙᴏ·ʟÓɢ·ɪᴄᴏ 1540 || **anf**ɪʙᴏ·ʟᴏɢ·ɪsᴛᴀ | *amphi-* 1899 || **anf**ɪʙᴏʟ·ᴏɪᴅᴇ | *amphi-* 1871 || **anfíbraco** | 1899, *amphi-* 1858 | Do fr. *amphibraque*, deriv. do lat. *āmphĭbrăcŭs* e este, do gr. *amphibrachys* || **anf**ɪᴄÉꜰᴀʟᴏ | *amphicéphalo* 1858 | Cp. gr. *amphiképhalos* || **anf**ɪᴄÉʟ·ɪᴄᴏ | *amphi-* 1909 || **anf**ɪᴄÉʟ·ɪᴏ | *amphi-* 1909 || **anf**ɪᴄᴇʟᴏ | *amphi-* 1909 || **anficião** | *amphicyon* 1871 || **anficirto** | *amphicyrte* 1871 | Do lat. tard. *āmphĭcyrtŏs* e, este, do gr. *amphíkyrtos* || **anfícomo** | *amphicoma* 1871 | Cp. gr. *amphíkomos* || **anf**ɪᴄʀÂɴɪᴀ | 1899, *amphicránia* 1871 | Do lat. cient. *amphicrānia*, deriv. do gr. *amphíkrānos* || **anfictião** | *amphictyão* 1871 | Cp. gr. *amphiktyones* || **anf**ɪᴄᴛɪᴏɴ'ᴀᴛᴏ | *amphictyonato* 1871 || **anf**ɪᴄᴛɪᴏɴ·ɪᴀ | *amphictyonia* 1871 || **anf**ɪᴄᴛɪᴏɴ·ɪᴄᴏ | *amphictyónico* 1871 || **anf**ɪ́ᴅᴇᴏ | *amphi-* 1909, *amphidéon* XIX | Cp. gr. *amphídeōn* || **anf**ɪᴅᴇʀᴍᴇ | *amphi-* 1871 || **anfidesmo** | 1899, *amphi-* 1871 || **anfidete** | *amphi-* 1871 | Cp. gr. *amphídetos* || **anfidoro** | *amphi-* 1871 | Cp. gr. *amphídoros* || **anf**ɪᴅᴏxᴏ | *amphi-* 1871 | Do lat. tard. *āmphĭdŏxŭs*, deriv. do gr. *amphídoxos* || **anf**ɪᴅʀÔᴍ·ɪᴀ | *amphidromia* 1871 | Cp. gr. *amphidrómia* || **anf**ɪᴅʀÔᴍ·ɪᴄᴏ XX || **anfifão** | *amphiphón* 1871 | Cp. gr. *amphíphāō* || **anf**ɪɢᴀᴍᴏ | *amphi-* 1871 || **anf**ɪɢᴀsᴛʀᴏ | *amphi-* 1871 | Do fr. *amphigastre* || **anf**ɪɢÁsᴛʀ·ᴜʟᴀ | *amphi-* 1909 || **anf**ɪɢᴇɴᴏ | *amphígena* 1871 | Do fr. *amphigène*, deriv. do gr. *amphigenēs* || **anf**ɪɢᴏɴ·ɪᴀ | *amphi-* 1909 || **anfílofo** | 1899, *amphílopho* 1871 | Cp. gr. *amphílophos* || **anfiloma** | *amphílomo* 1871 || **anf**ɪ́ᴍᴀᴄʀᴏ | 1899, *amphi-* 1858 | Do lat. *āmphĭmăcrŭs*, deriv. do gr. *amphímakros* || **anf**ɪ́ᴍᴀʟᴏ | *amphimallo* 1871 | Do lat. *āmphĭmāllŭs*, deriv. do gr. *amphímallos* || **anf**ɪᴍɪx·ɪᴀ XX. Do fr. *amphimixie* || **anf**ɪɴᴇᴜʀᴏ XX. Do fr. *amphineure* || **anf**ɪᴏᴅᴏɴᴛᴇ | *amphiódon* 1871 || **anf**ɪᴏxᴏ XX || **anf**ɪᴘɪʀᴏ | *amphipyra* 1871 | Do fr. *amphipyre*, deriv. do gr. *amphípyros* || **anf**ɪᴘɴᴇᴜsᴛᴏ | 1899, *amphipneúste* 1871 | Do fr. *amphipneuste* || **anf**ɪ́ᴘᴏᴅᴇ | *amphi-* 1871 | Do fr. *amphipode* || **anf**ɪ́ᴘᴏ·ʀᴏ | *amphipore* 1871 || **anf**ɪᴘʀÓsᴛɪʟᴏ | 1899, *amphiprostylo* 1871 | Do fr. *amphiprostyle* || **anf**ɪᴘʀÓᴛ·ɪᴄᴏ XX || **anf**ɪ́ᴘᴛᴇʀᴏ | *amphiptera* 1858 | Do fr. *amphiptère* || **anf**ɪsʙᴇɴᴀ | *asibene* [sic] XV, *amphisbena* XVI, *amphisibena* XVI | Do fr. *amphisbène*, deriv. do lat. *āmphĭsbāenă* e, este, do gr. *amphísbaina* || **anf**ɪsʙᴇɴ·ɪ́ᴅᴇᴏ XX || **anf**ɪ́sᴄɪᴏ | 1813, *amphiscio* XVII | Do lat. tard. *amphiscĭus*, deriv. do gr. *amphískios* || **anf**ɪ́sᴅʀᴏᴍᴏ XX || **anf**ɪ́sᴍɪʟᴀ | *amphismelo* 1858, *amphismilo* 1871 || **anf**ɪssᴀʀᴄᴏ | *amphisárca* 1871

|| **anf**ɪssᴀᴜʀᴏ XX || **anf**ɪᴛÁʟᴀᴍᴏ | *amphi-* 1909 || **anf**ɪᴛᴀʟ·ɪᴛᴏ | *ámphithalíto* 1909 || **anf**ɪᴛᴇᴀᴛʀ·ᴀʟ | *amphitheatrál* 1871 || **anf**ɪᴛᴇÁᴛʀ·ɪᴄᴏ XX || **anf**ɪᴛᴇᴀ·ᴛʀᴏ | *amphi-* xv, *ēfitiantre* xv, *emfitiātres* xv, *anfitheatro* 1813 | Do lat. *āmphĭthĕātrŭm* e, este, deriv. do gr. *amphithéatron* || **anf**ɪᴛÉᴄɪᴏ XX || **anf**ɪᴛᴇɴᴏ XX || **anf**ɪᴛÉʀ·ɪᴏ | *amphitherion* 1871 | Do fr. *amphitérium* || **anf**ɪ́ᴛʀᴏᴘᴏ | *amphitrópe* 1871 || **anf**ɪÚʀ·ɪᴅᴀ | *amphi-* 1909 || **anf**ᴏᴅɪᴘʟᴏᴘ·ɪᴀ | *ampho-* 1871 || **anfófilo** | *amphóphilo* 1909 || **anf**ᴏʟᴏꜰÓ·ᴛʀɪᴄᴏ | *ampholophótricho* 1909 || **anf**ᴏʀᴀ | 1813, *amphora* XVII | Do lat. *āmphora*, deriv. do gr. *amphoréus*, haplologia de *amphiphoréus* (*amphi-* + *phérō* 'levo, carrego') || **anf**Óᴛᴇʀᴏ | *ampho-* 1871 | Do fr. *amphotère*, deriv. do gr. *amphóteros* || **anf**ᴏᴛᴏɴ·ɪᴀ XX. Do fr. *amphotonie* || **anf**Óᴛʀɪᴄᴏ | *amphótricho* 1909 | Do fr. *amphotriche*.

⇨ **anf(i)-** — **anf**ɪ́ʙʀᴀᴄᴏ | *amphibracho* 1836 ᴄ || **anf**ɪᴘʀÓsᴛɪʟᴏ | *amphiprostylo* 1783 in ᴢᴛ || **anf**ɪᴛᴇᴀᴛʀ·ᴀʟ | *amphitheatral* 1836 ᴄ |.

anfracto *adj. sm.* 'tortuoso, sinuoso' XVIII. Do lat. *anfractus* || **anfractu**ᴏs·ɪᴅᴀᴅᴇ 1858 || **anfractu**ᴏsᴏ XVIII. Do lat. *anfractuōsus*.

angária *sf.* 'ant. aluguel de besta, de carga' | *angueira* XIII | Do lat. tard. *angăriae*, deriv. do gr. *aggareía*.

angariar *vb.* 'obter, pedindo a um e a outro' 1844. Do it. *angariare*, deriv. do lat. tard. *angariăre* e, este, do gr. *aggaréuō*.

⇨ **angariar** | 1836 ᴄ |.

angarilha *sf.* 'revestimento de palha, vime etc., com o qual se protegem vasilhas de barro ou de vidro' XVI. Do cast. *angarilla*, deriv. de um lat. **angariellae*, dim. do lat. *angăriae*; cp. ᴀɴɢÁʀɪᴀ.

angaturama *sm.* '(homem) bom, franco, leal, entre os índios do Brasil' c 1607. Do tupi *aṇatu'rama*.

angél·ica, -ical, -icida, -ico, -ita, -itude, -izar, -ólatra → ᴀɴᴊᴏ.

angelim *sm.* 'nome, comum a, uma planta da fam. das artocarpáceas, da Índia, e a várias plantas da fam. das leguminosas, do Brasil' | 1813, *am-* XVI | Do tâmul *añjili*.

angeologia → ᴀɴᴊᴏ.

angico *sm.* 'planta da fam. das leguminosas, de madeira utilíssima' 1871. De origem controvertida.

angina *sf.* '(Pat.) qualquer inflamação, de caráter agudo, na garganta' '(Pat.) dor constritiva intensa, no peito, resultante, quase sempre, de moléstia coronariana' XVI. Do lat. *angina*, de *angĕre* 'apertar'.

angi(o)- *elem. comp.*, do gr. *aggeio-*, de *aggêion* 'vaso, recipiente', deriv. de *ággos* 'vaso (sanguíneo)', que se documenta em inúmeros compostos introduzidos, a partir do séc. XIX, na linguagem científica internacional, particularmente no campo da medicina ► **angi**ᴀʟɢ·ɪᴀ XX || **angi**ᴀ́ʟɢ·ɪᴄᴏ XX || **angi**ᴇᴄ·ᴛᴀs·ɪᴀ | 1899, *-sis* 1858 || **angi**ᴇᴄ·ᴛÁs·ɪᴄᴏ 1899 || **angi**ᴇᴄ·ᴛÁᴛ·ɪᴄᴏ XX || **angi**ᴇᴄ·ᴛᴏᴘ·ɪᴀ 1871 || **angi**ᴇɴꜰʀᴀx·ɪᴀ | *-emphr-* 1871 || **angi**ɪᴛᴇ | 1871, *angite* 1899 || **angio**ᴄᴀʀᴅ·ɪᴛᴇ 1909 || **angio**ᴄᴀʀᴘᴏ 1871 | Do fr. *angiocarpe* || **angio**ᴄᴇʀᴀᴛ·ᴏɴᴀ 1909 || **angio**ᴄᴏʟ·ɪᴛᴇ | *-cho-* 1909 || **angio**ɢᴇɴ·ɪᴀ 1871 || **angio**ɢʀᴀꜰ·ɪᴀ | 1899, *-ph-* 1858 | Do fr. *angiographie* || **angio**ɢʀÁꜰ·ɪᴄᴏ | *-ph-* 1871 || **angio**ʟᴇᴜᴄ·ɪᴛᴇ 1871 || **angio**ʟᴇᴜᴄᴏ·ʟᴏɢ·ɪᴀ 1909 || **angio**ʟɪɴꜰ·ɪᴛᴇ | *-lymph-* 1871 || **angio**ʟÍᴛ·ɪᴄᴏ | *-th-* 1909 || **angio**ʟᴏɢ·ɪᴀ 1813

| Do fr. *angiologie* || **angio**LÓG·ICO XX || **angio**-MA 1909. Do fr. *angioma* || **angio**MALAC·IA XX || **angio**NEUR·EC·TOM·IA 1909 || **angio**NEURÓT·ICO 1909 || **angió**NOMA 1899 || **angio**PAT·IA | *-th-* 1871 | Do fr. *angiopathie* || **angio**PÁT·ICO | *-th-* 1909 || **angio**PLER·OSE 1871 || **angió**PLOCE 1871 || **angio**PTER·ÍDEA 1909 || **angio**R·RAG·IA | *-rrha-* 1871 || **angio**R·REIA | *-rrhéa* 1871 || **angio**SCLER·OSE 1909 || **angio**SCOP·IA 1871 || **angio**SCÓP·IO 1858 || **angio**SE 1858 || **angio**SPASMO 1909 || **angio**SPÁST·ICO XX || **angio**SPERMA | 1813, *-mo* 1844, *-me* 1858 || **angio**SPERM·IA 1858 || **angio**SPÉRM·ICO 1899 || **angió**SPORO 1871 || **angios**·SARCO | *-osá-* 1909 | **angios**·SORO | *-osó-* 1909 || **angio**STEGNÓT·ICO 1871 || **angio**STEN·OSE | 1909, *-ósis* 1871 || **angio**STE·OSE 1871 || **angió**STOMA 1899 || **angio**STÔM·IDA 1909 || **angio**STROF·IA | *-ph-* 1909 || **angio**TÊN·ICO 1899 || **angio**TOM·IA 1858 || **angió**TRIBO 1909 || **angio**TRIPS·IA 1909.
anglesita *sf.* 'sulfato de chumbo natural, que se extrai das minas da ilha de Anglesey (Grã-Bretanha)' | *-ite* 1871 | Do ing. *anglesite*, deriv. de *Angles(ey)* + *-ite*; v. -ITA.
anglicano *adj. sm.* 'referente a, ou partidário do anglicanismo' XVII. Do ing. *anglican*, deriv. do lat. med. *anglicānus*, de *Anglī* ou *Anglīī -ōrum*, pelo modelo de *gallicānus* || **anglican**ISMO *sm.* 'religião cristã adotada oficialmente na Inglaterra, desde Henrique VIII' 1881. V. ANGLO.
anglicismo *sm.* 'palavra ou locução inglesa introduzida noutra língua' XIX. Do fr. *anglicisme* || **anglic**ISTA XIX || **anglic**IZAR XX || **ânglico** *adj. sm.* 'inglês' XVI. Do lat. med. *anglĭcus*.
⇨ **anglicismo** | 1836 sc |.
anglo *adj. sm.* 'inglês' XVII. Do lat. *Anglu*, sing. de *Anglī -ōrum* || **angló**FILO | 1899, *-ph-* 1899 | Do fr. *anglophile* || **angló**FOBO | *-ph-* 1871 | Do fr. *anglophobe* || **anglo**MAN·IA 1844. Do fr. *anglomanie*.
⇨ **anglo** — **anglo**MAN·IA | 1836 sc || **anglo**MANÍ·ACO | 1836 sc |.
angorá *adj. 2g.* 'diz-se de certa raça de gatos', cabras ou coelhos, notáveis por seu pelo comprido e fino, e animais desta raça' 1871. Do fr. *angora*, deriv. do topo *Angora* (hoje *Ankara*), cidade da Turquia.
angra *sf.* 'enseada' XV. De origem controvertida.
angu *sm.* 'papa espessa de farinha de milho, de mandioca ou de arroz, cozida com pouca água' 1844. 'Do ioruba *a'ŋu* || **anguz**·ADA 1899 || **angu**-ZÔ 1899.
angui- *elem. comp.*, do lat. *anguis -is* 'serpente, cobra', que se documenta em vocs. eruditos, alguns já introduzidos na linguagem científica internacional, desde o séc. XVII ▶ **angui**CIDA 1871 || **anguí**COMO XVIII. Do lat. *anguicŏmus* || **angui**FERO XVIII. Do lat. *anguĭfĕrum* || **angui**FORME XVIII || **angui**PEDE XVII. Do lat. *anguĭpes -pĕdis*.
anguiliforme *adj. 2g.* 'que tem forma de enguia' 1844. Do lat. cient. *anguilliforme* [< lat. *anguīlla* 'enguia' + *-iforme*; v. -FORM(E)-].
anguípede → ANGUI-.
ângulo *sm.* '(Geom.) figura formada por duas retas que têm um ponto comum' 'esquina, canto, aresta' XV. Do lat. *angŭlus -i* || **angul**AR[1] *adj.* 'relativo a ângulo(s)' XVI. Do lat. *angulāris -e* || **angul**AR[2] *vb.* 'andar, formando ângulo' 'enviesar' XX. Do lat. tard. *angulāre* || **angul**ÍCOLO XX || **angul**IR·ROSTRO | *-liros-* 1871 || **angul**OIDE | *-guilloide* 1871 || **anguloso** XVI. Do lat. *angulōsus*.
angusti- *elem. comp.*, do lat. *angŭstus* 'estreito, apertado, pontiagudo', que se documenta em vocs. eruditos, alguns já introduzidos na linguagem científica internacional, desde o séc. XIX ▶ **angusti**CLÁVIO | *-clave* 1871 | Do lat. *angusticlāvius* || **angusti**DENT·ADO 1871 || **angusti**FOLIO XX || **angusti**MANO 1871 || **angusti**PENE | *-penne* 1871 || **angustir**·ROSTRO XX. Do fr. *angustirostre*.
angústia *sf.* 'estreiteza, limite, restrição' 'ansiedade ou aflição intensa' XIV. Do lat. *angŭstia* || **angusti**ADO | *amgos-* XV, *angos-* XV || **angusti**ANTE XX. Do lat. *angustians -antis* || **angusti**AR | XV, *angustar* XIII | Do lat. *angustiāre* || **angusti**OSO XVIII || **angusto** | XIV, *angosto* XIV | Do lat. *angŭstus* || **angust**URA | XIV, *angostura* XIII.
angu·zada, -zô → ANGU.
anhã *sf.* 'castanha-do-pará' | *anha* 1618, *anhà* 1624 | Do tupi *a'ña* (< *'ña* < *'i'a* < *ĩ'a* 'cabaça, cuia') || **anha**ÍBA, **anhu**ÍBA | *junhuíba* 1624, *'anhauba c* 1631, *unhuíba* 1711, *inhahyba* 1817 | Do tupi *aña'ĩɥa* (< *a'ña* 'anhá' + *'ĩɥa* 'planta'), forma paralela de *añu'ĩɥa* 'canela'; nos textos dos sécs. XVII-XIX o voc. ora designa o castanheiro-do-pará, ora uma variedade de canela || **anhaib**ATÁ *sf.* 'planta da fam. das lauráceas' | *anhaibatāa* 1587, *inhuibatan* 1711, *inhuhybatan* 1817 | Do tupi *añaĩɥa'tã* (< *aña'ĩɥa + a'ĩã* 'duro').
anhangá *sm.* 'gênio do mal, diabo, entre os índios do Brasil' | 1675, *anhanga c* 1584, *anhāga* 1585, *anhāgua c* 1594 | Do tupi *a'ñaŋa* || **anhanga**QUIABO 'planta da fam. das bignoniáceas, também chamada pente-de-macaco e pente-do-diabo' 1587. Do tupi *añaŋaki'ɥaɥa* (< *a'ña'ŋa* 'diabo' + *ki'ɥaɥa* 'pente' || **anhang**UERA 'diabo velho' 1817. Do tupi *añaŋ'ɥera* (< *a'ñaŋa* 'diabo', + *'ɥera* 'que foi') || **anhangu**IARA 'feiticeira indígena' 1648. Do tupi *añaŋ'ĩara* (< *a'ñaŋa* 'diabo' + *ĩara* 'senhora').
anho *sm.* 'cordeiro' | XVI, *agno* XIII | Do lat. *agnus -i*.
anhuíba → ANHÁ.
anhuma *sf.* 'ave da fam. dos anhimídeos' | 1716, *anhigma c* 1584, *anime c* 1590, *anima c* 1594, *agnima* 1600, *anhume* 1716, *inhuma* 1716, *anhuva* 1800, *nháuma* 1956 | Do tupi *a'ñĩma* || **anhuma**-POCA, **anhu**POCA | *anhupoca* 1783, *anhuma-poca* 1872.
aniagem *sf.* 'tecido grosseiro, usado para confecção de fardos' XVIII. Provavelmente de um *niagem*, alter. de *linhagem*, com aglutinação do art. A[2].
anidrido *sm.* '(Quím.) função oxigenada (isto é, composta de carbono, hidrogênio e oxigênio), derivada de um ácido carboxílico, pela perda de uma molécula de água' XX. De *anidr(o)* + *-ido* || **anidro** | 1858, *-nhi-* 1871 | Cp. gr. *ánhydros* 'sem água' || **anidr**ITA | *anhydrite* 1858 || **anidr**OSE 1858.
⇨ **anidrido** — **anidro** | *anhydro* 1836 sc |.
anil[1] *sm.* 'corante azul, extraído de certas plantas da fam. das leguminosas' XVI. Do ár. *an-nīl*, deriv. do persa *nīlā* e, este, do sânscr. *nīlas* || **anil**EIRA 1881 || **anil**INA 1871. Do fr. *aniline*.
⇨ **anil**[1] | XIII DESC 12*b*12, *anjl* 1371 DESC S.295.*11* |.
anil[2] *adj.* 'velho, senil' XVI. Do lat. *anīlis -e*.

41

anilho *sm.* 'anel, de couro ou de metal, que serve para enlaçar o pescoço do animal' 1871. Do cast. *anillo*, deriv. do lat. *anĕllus* 'anel'.
⇨ **anilho** | 1836 SC |.
anim·ação, -ador, -adversão → ÂNIMO.
animal *adj. sm.* 'ser vivo organizado, dotado de sensibilidade e movimento' 'particularmente, em oposição ao homem, ser irracional' | XIV, *animallia* XIII, *-alha* XIV, *-alia* XIV, *alimaria* XIV, *alymaria* XV etc. | Do lat. *anĭmal*; as vars. *animalla*, *-lha*, *-lia* provêm do pl. lat. *anĭmālĭă*; as vars. *alimaria*, *alymaria* etc. derivam daquelas por dissimilação (n/1 → 1/n) e rotacismo (l/n → l/r): n/1 → l/n → l/r || **animal**EJO XVIII || **animal**ESCO 1899 || **animal**IDADE XV. Do lat. *animalitātem*.
anim·ante, -ar, -atógrafo, -ável → ÂNIMO.
anime *sf.* 'resina que escorre de várias plantas da fam. das leguminosas' XVI. De uma língua indígena da América do Sul, mas de étimo indeterminado.
ânimo *sm.* 'alma, espírito, mente' 'valor, coragem, força' XV. Do lat. *anĭmus -i* || **anim**AÇÃO XVI. Do lat. *animātĭō -ōnis* || **anim**ADOR 1813. Do lat. *animātor -ōris* || **anim**ADVERSÃO XVII. Do lat. *animadversĭō -ōnis* || **anim**ANTE XVII. Do lat. *anĭmāns -antis* || **anim**AR | XVI, *anymar* XV | Do lat. *anĭmare* || **animató**GRAFO | *-tho-* 1899 | Do fr. *animatographe* || **anim**ÁVEL XX || **animos**IDADE XVI. Do lat. *animōsĭtās -ātis* || **anim**OSO | XVI, *anjmoso* XV | Do lat. *animōsus* || DES**anim**AR XVII || DES**ânimo** XVIII || IN**anim**ADO XVII || IN**ânime** XVIII. Do lat. *inanĭmis -e* || RE**anim**AÇÃO 1881 || RE**anim**AR 1874.
⇨ **ânimo** — **anim**AÇÃO | *animaçom* XV INFA *2.10*, *anymaçom* XV ZURG *79.9* || **anim**ÁVEL | 1836 SC || RE**anim**AR | 1836 SC |.
aninga *sf.* 'planta da fam. das aráceas' 1654. Do tupi **a'niŋa* | **aning**AL 1886.
aninhar → NINHO.
ânion *sm.* '(Quím.) átomo ou grupo de átomos com excesso de carga negativa' 1871. Cp. gr. *aniôn -ontos* 'que sobe'.
anipnia → HIPN(O)-.
aniquilar *vb.* 'reduzir a nada, anular, deprimir' | 1813, *-chillar* XIV, *anihilar* XVI | Do lat. med. *annichilāre*, por *annihĭlāre* (de *nihil* 'nada') || **aniquil**AÇÃO 1813 || **aniquil**ADO 1813 || **aniquil**ADOR XIX || **aniquil**AMENTO XIX || **aniquil**ÁVEL XX.
⇨ **aniquilar** — **aniquil**AÇÃO | *anichilaçõ* XV YSAC *112.6* || **aniquil**ADO || *anichillado* XV VITA *169b2* || **aniquil**ADOR | 1836 SC || **aniquil**AMENTO | 1836 SC |.
aniridia → ÍRIS.
anis *sm.* 'erva da fam. das umbelíferas, muito usada na fabricação de xaropes' XVII. Do fr. *anis*, deriv. do lat. *anīsum* e, este, do gr. *ánison* | **anis**ETE | *-setta* 1844, *-seta* 1871, *sette* 1881 | Do fr. *anisette*.
⇨ **anis** — **anis**ETE | *anisetta* | 1836 SC |.
anis(o)- *elem. comp.*, do gr. *aniso-*, de *ánisos* 'desigual' (de *an-* privativo [v. AN-] + *ísos* 'igual' [v. ISO-]), que se documenta em vários compostos introduzidos, a partir do séc. XIX, na linguagem científica internacional ▸ **anis**ANTO | *-tho* 1871 || **anisoCÉFALO** | *-ph-* 1871 || **anisó**CERO 1871 || **anisoCIT·OSE** | *-cy-* 1909 || **aniso**COR·IA 1899 || **aniso**COTIL·IA XX || **anisoCÓTILO** XX || **aniso**CROM·IA | *-chr-* 1909 || **aniso**DÁCTILO | 1899, *-ty-* 1844 | Do fr. *anisodactyle*, deriv. do lat. cient. *anisodactylus* || **aniso**ODONTE 1871 || **aniso**FÍL·IA | *-phylleas* 1909 || **aniso**FILO | *-phylla* 1871, *-phyllo* 1899 | Do lat. cient. *anisophyllum* || **anisoGAM·IA** XX. Do fr. *anisogamie* || **aniso**LOBO XX || **aniso**MEL·IA XX || **aniso**MER·IA 1871 || **anis**ÔMERO 1871 || **aniso**METR·OP·IA 1899 || **aniso**METR·ÓP·ICO 1899 || **aniso**MORF·IA XX || **anis**OMÓRF·ICO XX || **anisoMORFO** XX || **aniso**PÉTALO | 1899, *-la* 1871 || **anisOP·IA** XX || **anis**ÓPODE 1909 || **anis**ÓPTERO XX || **aniso**SCÉL·IDA 1909 || **aniso**SPERMO XX || **anisó**SPORO XX || **aniso**STÊMONE 1871 || **aniso**STEMON·IA XX || **aniso**STIL·IA XX || **anis**ÓTOMO 1858 || **aniso**TROP·IA XX || **aniso**TRÓP·ICO 1899 || **anis**ÓTROPO 1909.
anistia *sf.* 'perdão geral' | *amn-* XVIII | Do lat. tard. *amnēstia*, deriv. do gr. *amnēstía* || **anisti**ADO | *amnis-* 1858 || **anisti**AR | *amnis-* 1858.
⇨ **anistia** — **anisti**ADO | *amnistiado* 1836 SC || **anistiAR** | *amnistiar* 1836 SC |.
anisto → HISTO-.
aniversário *adj. sm.* 'dia em que faz um ano, ou mais, que se deu certo acontecimento' | *anniversario* XIII, *aniuersayro* XIII, *ãniuersario* XIII etc. | Do lat. *anniversārĭus* || **aniversari**ANTE XX || **aniversari**AR XX.
anixo *sm.* 'gancho de ferro' 1813. Do lat. *annixus*.
anjo *sm.* 'ser espiritual, mensageiro entre Deus e os homens' | XIII, *ango* XIII, *angẽo* XIII, *angeo* XIII etc. | Do lat. ecles. *angĕlus*, deriv. do gr. *dggelos* 'mensageiro (de Deus)', que traduz o hebr. *mal'ak* || **angéli**CA XVII || **angel**IC·AL XIV || **angeli**·CIDA XVII || **angeli**CO XIV. Do lat. *angĕlicus*, deriv. do gr. *aggelikós* || **angel**ITA 1858 || **angel**ITUDE XX || **angel**IZ·AÇÃO XIX || **angel**IZAR XIX || **angeló**LATRA XX || **angeo**LOG·IA XX || **anjinhos** *sm. pl.* 'instrumento de tortura' | *-gi-* 1844 | Parece tratar-se de adaptação do fr. *engin* 'instrumento' (= port. *engenho*), com visível influência do dimin. de *anjo*, por uma associação irônica.
ano *sm.* 'tempo gasto pela Terra para dar uma volta em torno do Sol' XIII. Do lat. *annus* || **anos**IDADE | XVIII, *ann-* 1844 | Do lat. *annōsĭtās -ātis* || **an**OSO | XVIII, *ann-* 1844 | Do lat. *annōsus* || **anu**AL | *annuaes* pl. XVI, *annual* 1844 | Do lat. *annuālis -e* || **anu**ÁRIO | *ann* 1858 | Adaptação do fr. *annuaire* || **anu**IDADE | *annuidáde* XVIII | Adaptação do ing. *annuity* || **ânuo** XVI. Do lat. *annŭus*.
⇨ **ano** — **anual** | *ãnuaaes* pl. XV VITA *6d 27* |.
-ano, -ana *suf. nom.*, do lat. *ānus -āna*, que se documentam em adjetivos e em substantivos, com as noções de: (i) proveniência, origem: *pernambucano -a*, *romano -a*; (ii) sectário ou partidário de: *luterano -a*, *parnasiano -a*; (iii) relativo, semelhante ou comparável a: *bocagiano -a*, *camoniano -a*; (iv) coleção de obras de (ou sobre) um autor famoso: *camiliana*, *machadiana*; nesta acepção, ocorre sempre no feminino; (v) (na nomenclatura da química orgânica) hidrocarboneto saturado (alcano), cuja fórmula geral é C_nH_{2n+2}: *metano, octano, pentano* etc.; nesta acepção, ocorre quase sempre no masculino.
anódino *adj. sm.* 'que mitiga as dores, lenitivo' XVI. Do lat. *anŏdynus*, deriv. do gr. *anódynos* || **anodi**NIA 1899.
anódio *sm.* 'eletrodo positivo' 1899. Cp. gr. *án-odos* 'subida, acesso'.

anodonte(s) *adj. 2g. sm.* 'sem dentes' 'gênero de moluscos acéfalos' 1871. Do lat. *annodonta*, deriv. do gr. *anódontos*.
anófele(s) *adj. 2g. sm.* 'denominação comum aos insetos dípteros da fam. dos culicídeos' 'relativo a essa espécie de insetos' | *-phe-* 1871 | Do lat. *anōphēles*, deriv. do gr. *anōphelēs*.
anoftalmia *sf.* 'ausência congênita de um ou de ambos os olhos' | *-ph-* 1871 | Do fr. *anophtalmie*, deriv. do gr. *anóphtalmos* [de *an-* (v. AN-) + *ophtalmós* 'olho'] + *-ie*; v. -IA.
anoitecer → NOITE.
anojar → ENOJAR.
anomalia *sf.* 'irregularidade, anormalidade' XVII. Do fr. *anomalie*, deriv. do lat. *anōmalia* e, este, do gr. *anōmalía* || **anomali**FLORO | *anomaliflôr* 1871 || **anomali**PEDE 1871 || **anômalo** | *anō-* XVII | Do lat. *anōmalus*, deriv. do gr. *anṓmalós* || **anomo**CARPO 1899 || **anomo**CÉFALO | *-ph-* 1858.
⇨ **anomalia** | 1536 FOLG 84.3 |.
anominação *sf.* '(Ret.) alteração intencional de uma palavra para desvirtuar-lhe o sentido' | *anno-* 1871 | Do lat. *adnōmināti̇̄ō -ōnis*, trad. do gr. *paranomasia*.
anomo·carpo, -céfalo → ANOMALIA.
anonário *adj.* 'relativo a mantimentos' | *ann-* 1871 | Do lat.
anônfalo *adj.* 'a que falta umbigo' | *anomphalo* 1881 | Do gr. *an-* (v. AN-) + *omphalós* 'umbigo', por via erudita.
anônimo *adj. sm.* 'sem nome ou assinatura do autor' | *anonymo* XVII | Do lat. tard. *anōnymus*, deriv. do gr. *anōnymos* (< *an-* [v. A- (IV)] + *ónyma* 'nome') || **anonim**ATO | *-ny-* 1899 || **anoním**IA | *-ny-* 1899.
anoplotério *sm.* 'gênero de mamíferos paquidermes da época eocena' | *-therion* 1871 | Do lat. cient. *anoplotherium* (do gr. *ánoplos* 'desarmado' + *thḗr thērós* 'animal').
anorco *adj.* 'que não tem testículos' | *anorchido* 1858, *-de* 1871 | Do gr. *an-* (v. AN-) + *órchis -ios* 'testículos', por via erudita || **anorqu**IA XX.
anorexia *sf.* 'falta de apetite, inapetência' 1813. Do gr. *anorexía*, por via erudita.
anormal, -idade → NORMAL.
anortita *sf.* 'mineral triclínico, do grupo dos feldspatos' | *-thite* 1871 Do fr. *anorthite*, derivado do gr. *ánorthos* 'não direito' + *-ite* (v. -ITA) || **anórt**ICO XX.
anortose *sf.* 'perda ou ausência da propriedade de manter-se erétil' | *-tho-* 1871 | Do fr. *anorthose*, deriv. do gr. *ánorthos* 'inclinado' + -OSE.
anosfresia *sf.* 'ausência ou perda do olfato' | *-ph-* 1871 | Do gr. *an-* (v. AN-) + *ósphrēsis* 'olfato' + -IA, por via erudita.
ano·sidade, -so → ANO.
anosmia *sf.* 'perda ou enfraquecimento do olfato' 1858. Do fr. *anosmie*, deriv. do gr. *ánosmos* 'sem olfato' [de *an-* (v. AN-) + *osmē* 'odor'] + *-ie* (v. -IA).
a·not·ação, -ador, -ar → NOTA.
⇨ **anovel·ado, -ar** → novelo.
anquilose *sf.* 'diminuição ou impossibilidade de movimentos em uma articulação' 1899. Do fr. *ankylose*, deriv. do gr. *agkýlōsis -ēos*, de *agkylos* 'curvo'.

⇨ **anquilose** | *anchylose, ankylose* 1836 SC |.
anquinhas → ANCA.
ansa *sf. 'ant.* (Poét.) asa' 'pequena enseada abrigada' 1844. Do lat. *ansa* || **ansi·**FORME 1899.
anserino *adj.* 'semelhante ou relativo ao pato ou ao ganso' XX. Do fr. *ansérine*, deriv. do lat. *anserīnus* (de *anser -ĕris* 'ganso'); no port. med. ocorrem *anssar* (séc. XIII) 'ganso', de imediata procedência latina, e o dimin. *ansarinno* (séc. XIII) || **anseri**FORME XX. Do fr. *ansériforme*. deriv. do lat. *anser -eris* + *-forme* [v. -FORM(E)-].
ânsia *sf.* 'aflição, angústia' 'desejo ardente' | 1813, *ancia* XVI | Do lat. *anxīa* || **anseio** XIX || **ansi**AR XIV. Do lat. *anxĭāre* || **ansi**EDADE | 1813, *anci-* 1844 | Do lat. *anxĭĕtās -ātis* || **ansi**OSO | 1813, *anci-* XVI | Do lat. *anxĭōsus*.
ansiforme → ANSA.
anspeçada *sm.* 'antigo posto militar' | XVIII, *-pess-* 1844 | Do fr. *anspessade*, alteração, com aférese do *l-*, tomado pelo art. *le, la, les*, de *lancespessade* (documentado no séc. XVI), deriv. do it. *lancia spezzata*, à letra 'lança quebrada', designação do soldado de infantaria de certas tropas italianas; diretamente do italiano provém o a. port. *lanças speçadas*, documentado em 1564.
ant- → ANTE-, ANT(I)-, -ANT(O)-.
anta¹ *sf.* 'mamífero da fam. dos tapirídeos' XVI. Do ár. hisp. e afric. *laṃṭ*.
⇨ **anta**¹ | XV ZURG 292.5 |.
anta² *sf.* 'monumento sepulcral pré-histórico' XIII. Do lat. *anta*.
anta·canto, -ctínia → -ANT(O)-.
antagonismo *sm.* 'oposição de ideias ou de sistemas' 1858. Do fr. *antagonisme*, deriv. do gr. *antagṓnisma* || **antagon**ISTA XVII. Do lat. *antagōnista*, deriv. do gr. *antagōnistḗs* || **antagô**NICO 1899. Do cast. *antagónico*.
antálgico *adj.* 'contrário a dor' 'anestésico' 1858. De ANT(I)- + -ALG- + -ICO.
antanáclase *sf.* '(Ret.) figura que consiste em usar palavras quase semelhantes no som, mas diferentes ou opostas no sentido' 1844. Do lat. tard. *antanaclăsis*, deriv. do gr. *antanáklasis*.
⇨ **antanáclase** | 1836 SC |.
antanagoge *sf.* '(Ret.) figura pela qual se voltam contra o acusador os argumentos que lhe serviram à acusação' 1858. De ANT(I)- + gr. *anagōgḗ* (v. ANAGOGIA), por via erudita.
antártico *adj.* 'oposto ao polo ártico' XV. Do lat. *antarctĭcus*. deriv. do gr. *antarktikós*.
ante *prep.* 'diante de, em presença de' XIII. Do lat. *antĕ*.
ante- *pref.*, do lat. *antĕ*, que se documenta em vocs. eruditos ou semieruditos, nas acepções de 'precedente, anterior (no tempo e no espaço)', como *antemanhã, antemuro* etc.
-ante *suf. nom.*, do lat. *-āns -antis*, que forma adjetivos oriundos de verbos, com a noção de 'ação, qualidade, estado'; *desconcertante, enervante* etc.; alguns desses adjetivos podem ocorrer também substantivados: *declarante, feirante*.
anteambulone *sm.* 'escravo romano que andava à frente do senhor, abrindo-lhe caminho' XX. Do lat. *anteambŭlō -ōnis*.
antebraço → BRAÇO.

antecâmara → CÂMARA.
anteceder *vb.* 'preceder' XVI. Do lat. *antecēdĕre* ‖ **anteced**ÊNCIA XVII ‖ **anteced**ENTE | -*çe*- XVI | Do lat. *antecēdēns* -*entis* ‖ **antecess**OR XIII. Do lat. *antecěssōrem*.
⇨ **anteceder** — **antecedente** | XV MONT 205.*30* |.
antecipar *vb.* 'fazer, dizer, sentir etc. antes do tempo marcado ou oportuno' | XVI, *anticipar* XV | Do lat. *anticipāre* ‖ **antecip**AÇÃO XVI. Do lat. *anticipātĭō* -*ōnis*.
anteco *adj. sm.* 'habitantes da Terra que, estando no mesmo meridiano, têm igual latitude, mas uns do norte, outros do sul' XVI. Do lat. tard. *antoecus*, deriv. do gr. *ántoikos*.
antecor → CORAÇÃO.
antediluviano → DILÚVIO.
antedizer → DIZER.
anteferir *vb.* 'preferir, 'antepor' XVII. Do lat. **anteferere*, por *ante-ferre*.
antefixa *sf.* 'cada uma das telhas que servem de anteparo, nas cumeeiras ou nos beirais' 1871. Do fr. *antéfixe*, deriv. do lat. *antefixa*.
ante·gozo·ar, -o → GOZO¹.
antelação *sf.* '(Jur.) certo direito de preferência' | XVI, *antelaçion* XV | Do lat. med. *antelātiōnem*, deduzido de *antēlātus*, part. de *ante-ferre*.
antélice *sf.* '(Anat.) eminência do pavilhão da orelha' XX. Cp. gr. *anthélix -ikos*.
antélio *sm.* 'claridade refletida pelo Sol no lado oposto a ele' | -*lia* 1871 | Cp. gr. *anthélios*, *anthēlios* 'exposto ao sol'.
antelóqnio *sm.* 'prefácio' XVII. Do lat. *antělŏquĭum -ĭī*.
antelucano *adj.* 'feito antes da luz do dia' XIX. Do lat. *antělūcānus*.
antemanhã → MANHÃ.
antemão → MÃO.
antemeridiano *adj.* 'anterior ao meio-dia' XVII. Do lat. *antěměrĭdĭānus*.
antemural *adj. sm.* 'relativo ao antemuro, obra de fortificação construída à frente do muro principal de uma fortaleza' XVII. Do lat. *antēmūrāle -is* ‖ **antemuro** XVI.
antena *sf.* '*orig.* verga de uma vela bastarda' 'apêndice cefálico dos artrópodes' '*mod.* parte de um receptor que capta a energia eletromagnética etc.' | XIV, *entena* XIV, *antenna* 1803 | Do lat. *antēmna* 'verga da vela' ‖ **anten**EIRO XX ‖ **anten**Í·FERO | -*nni*- '1871.
antenupcial → NOIVA.
anteocupar *vb.* 'preocupar' XX. Do lat. *anteoccŭpāre* ‖ **anteocup**AÇÃO *sf.* 'ato ou efeito de anteocupar' 'prolepse' | -*occ*- 1858 | Do lat. *antěoccŭpātĭō -ōnis*.
antepaixão *sf.* '*ant.* preconceito' 'paixão que precede a reflexão' XVIII. Do lat. *antĕ-passĭō -ōnis*.
ante·par·ar, -o → PARAR.
ante·pass·ado, -ar → PASSAR.
⇨ **antepeito** → PEITO.
antepenúltimo *adj.* 'que precede imediatamente o penúltimo' 1813. Do lat. *antĕ-paenultĭmus*.
⇨ **antepenúltimo** | 1536 FOlG 58.*5*, 1615 FNun 69*v*16 |.
antepor *vb.* 'pôr antes' 'preferir' 'opor' | XVI, -*poer* XIV | Do lat. *antĕ - pŏnĕre*.

anteprojeto → PROJEÇÃO.
antera *sf.* '(Bot.) porção dilatada, sacular, que se acha no ápice do filete do estame e que contém, em seu interior, os grãos de pólen' XX. Do *fr. anthère*, deriv. do lat. cient. *anthēra* e, este, do gr. *anthērós* 'florido' ‖ **antér**ICO 1813. Do lat. cient. *anthericum*, deriv. do gr. *anthērikós* ‖ **anter**ÍDIO XX.
⇨ **antera** | *anthera* 1836 SC |.
anterior *adj. 2g.* 'que precede' 'que vem ou fica antes, no tempo e no espaço' XVI. Do lat. *antěrĭor -ōris* ‖ **anterior**IDADE XVII.
antes *adv.* 'anteriormente' | XIII, *ante* XIII | Do lat. *antě*, com -*s* adverbial (como em DEPOIS, MAIS, MENOS etc.).
antese *sf.* 'florescência' | *anthesis* 1858 | Do fr. *anthèse*, deriv. do gr. *ánthēsis*.
⇨ **antese** | *anthese* 1836 SC |.
antetempo → TEMPO.
antever *vb.* 'ver antes ou com antecedência' XV. Do lat. *antěvĭdēre* ‖ **antevid**ÊNCIA XVII ‖ **ante**VISÃO XX.
anteversão *sf.* '(Cir.) posição oblíqua do útero' 'desvio da massa de órgão para diante, mas não curvado em ângulo' 1858. Do lat. tard. *anteversĭō -ōnis* ‖ **antevert**ER XVII. Do lat. *antěvertěre*.
ante·vidência, -visão → ANTEVER.
ant(i)- *pref.* do gr. *ant(i)-*, de *antí* 'contra, diante de, em vez de', que se documenta em vocs. eruditos formados no próprio grego, como *antártico*, *antídoto* etc., e em muitíssimos compostos formados nas línguas modernas de cultura. De extraordinária potencialidade na língua portuguesa, ele é fonte quase inesgotável de um sem-número de compostos, tanto na terminologia das ciências e das artes, como na linguagem dos esportes e dos espetáculos em geral; mas é principalmente na política que ele vem sendo realmente produtivo. Cumpre observar que boa parte desses compostos tem vida efêmera, uma vez que sua difusão fica circunscrita a eventos históricos que lhes dão maior ou menor relevância em dado período. As doutrinas políticas têm adeptos e, naturalmente, também adversários: *comunista/anticomunista*, *fascista/antifascista*, *integralista/anti-integralista*, *nazista/antinazista*; assim também os políticos de maior renome: *getulista/antigetulista*, *hitlerista/anti-hitlerista*, *salazarista/antissalazarista* etc. Potencialmente, o pref. *anti*- pode dar origem a um número quase infinito de compostos, mas sua vitalidade estará sempre condicionada a fatores socioculturais contingentes. Registram-se em verbetes independentes, no seu respectivo lugar alfabético, apenas os compostos mais importantes, particularmente os que vieram formados do grego.
anticoncepcional → CONCEBER.
anticristo *sm.* 'segundo S. João 2.18, falso messias que virá pouco antes do fim do mundo para tentar estabelecer uma religião oposta à de Jesus Cristo' | *antecristo* XIII | Do lat. med. *antechristus* (com influência do adv. lat. *ante*), deriv. do lat. ecles. *antichristus* e, este, do gr. *antichristos*.
⇨ **antíctone(s)** *sm.* (*pl.*) 'artípoda' | *antichtone* 1538 DCast 73*v*23 | Do lat. *antichtones*, deriv. do gr. *antíchthōn*, de *antí*- 'oposto' + *chton* 'a Terra'.
antídoto *sm.* 'contraveneno' XVI. Do lat. *antidŏtum -i*, deriv. do gr. *antídoton*.

antífona *sf.* 'versículo cantado ou recitado, antes e depois de um salmo' | *antivãa* XIII, *-ffaa* XIV, *amtifona* XV | Do lat. *antiphōna*, deriv. do gr. *antíphōnos*.
antigo *adj. sm.* 'que existe há muito tempo' 'velho' | XIII, *antigoo* XIV etc. | Do lat. *antīquus*, através da var. *antigoo*; o fem. lat. *antīqua* deu origem à var. port *antigua* (documentada já em textos do latim bárbaro do séc. x e ainda comum em textos portugueses dos sécs. XV e XVI) || **antigu**IDADE | *-gue-* XIII, *-guy-* XIV | Do lat. *antiquitās -ātis* || **antiqu**ADO XVII. Do lat. *antiquātus* || **antiqu**ALHA XVI. Do fr. *antiquaille*, deriv. do it. *anticàglia* || **antiquário** XVI. Do lat. *antīquārĭus*.
antilogia *sf.* 'contradição' XVII. Do gr. *antilogía*. Cp. lat. med. *antilogium* || **antilóg**ICO XX. Cp. gr. *antilogikós*.
antílope *sm.* 'mamífero artiodáctilo ruminante, da fam. dos bovídeos' 1844. Do fr. *antílope*, deriv. do ing. *antelope*, nome dado por viajantes ingleses ao animal africano, em reminiscência do b. lat. *antilops*, deriv. do gr. *anthálōps -opos*, nome de um animal fabuloso ou mal conhecido.
antimônio *sm.* '(Quím.) elemento químico de número atômico 51' XVI. Do fr. *antimoine*, deriv. do lat. med. *antimōnium*, que parece ser adaptação do ár. *'ítmid* (< gr. *stímmi, stíbi*).
antinomia *sf.* 'contradição entre duas leis ou princípios' 'oposição recíproca' XVI. Do lat. *antinomĭa*, deriv. do gr. *antinomía* || **antinôm**ICO 1813.
antipapa *sm.* 'papa eleito irregularmente e não reconhecido pela Igreja' XV. Do baixo lat. *antipapa* || **antipap**ADO XVIII.
antiparástase *sf.* '(Ret.) figura pela qual se demonstra que o acusado seria digno de louvor, caso tivesse praticado a ação de que o acusam' | 1899, *-tasis* 1871 | Cp. gr. *antiparástasis*.
antipatia *sf.* 'aversão espontânea, repugnância' | *-th-* XVI | Do lat. *antipathīa*, deriv. do gr. *antipátheia* || **antipát**ICO | *-th-* 1813 || **antipat**IZAR | *-th-* 1881.
antiperístase *sf.* 'ação de duas qualidades contrárias, uma das quais aumenta a força da outra' | 1813, *-si* XVI | Do gr. *antiperistasis* (< *anti-* + *peristasis* 'circunstância'), por via erudita.
antípoda *adj. s2g.* 'habitante que, em relação a outro do globo, se encontra em lugar diametralmente oposto' | *-podes* pl. XIV, *-podas* pl. XVI, *-pode* 1813 | Do lat. *antipodes -um* pl., deriv. do gr. *antípodes*, pl. de *antipoús -podós*.
antiptose *sf.* '(Gram.) emprego de um caso gramatical por outro' | 1899, *-ptosis* XVI | Do lat. *antiptōsis -is*, deriv. do gr. *antíptōsis*.
antiqu·ado, -alha, -ário → ANTIGO.
antispase *sf.* '(Med.) revulsão' | *-asis* 1844 | Do lat. tard. *antispasis*, deriv. do gr. *antíspasis* || **antispást**ICO 1844. Do lat. tard. *antispasticus*, deriv. do gr. *antispastikós*.
⇨ **antíspase** | *antispasis* 1836 SC || **antispást**ICO | 1836 SC |.
antispasto *sm.* 'pé de verso grego' ou latino, composto de duas sílabas longas entre duas breves' 1871. Do lat. tard. *antispastus*, deriv. do gr. *antíspastos*.
antístite *sm.* 'sumo sacerdote pagão, na antiguidade' | *-tete* XVII | Do lat. *antistēs -ĭtis*.

antístrofe *sf.* 'a segunda parte da ode antiga' '(Gram.) mudança de sentido na associação de certas palavras, pela repetição delas em ordem inversa' | 1813, *-phe* 1813 | Do lat. *antistrŏphē -ēs*, deriv. do gr. *antistrophḗ*.
antítese *sf.* 'figura pela qual se salienta a oposição entre duas palavras ou ideias' | *-thesis* XVI, *-these* 1813 | Do lat. tard. *antithesis*, deriv. do gr. *antíthesis* || **antitét**ICO | *-thé-* 1844 | Do lat. *antithetĭcus*, deriv. do gr.' *antítheton -ikós*.
antítipo *sm.* 'tipo ou figura que representa outra' | *-tity-* 1813 | Do lat. tard. *antitypum*, deriv. do gr. *antítypon*.
antítrago *sm.* '(Anat.) saliência anteroinferior à entrada do ouvido externo' 1858. Do fr. *antitragus*, deriv. do gr. *antítragos*.
-ant(o)- *elem. comp.*, do gr. *antho-*, de *ánthos* 'flor', que se documenta em compostos eruditos, alguns formados no próprio grego (como *antologia*) e outros introduzidos, a partir do séc. XIX, na linguagem científica internacional, particularmente no domínio da botânica ♦ **ant**ACANTO | *-cántho* 1871 || **ant**ACTINIA | *-thact-* 1871 || **anto**CIÁN·ICO XX || **anto**CIAN·INA | *ánthocyanina* 1909 || **anto**CIANO XX || **antó**D·ICO XX || **antódio** | *anthodion* 1871 | Do lat. cient. *anthodium*, adapt. do gr. *anthódes* || **antó**FA-GO | *anthóphago* 1871 || **antoFÍL**·ICO XX || **antoFIL·ITA** | *anthophyllite* 1871, *ánthophyllito* 1909 || **antoFILO** | *antophyllo* 1871 || **antó**FILO | *anthóphilo* 1858 || **antó**FITO XX || **antó**FORO | *anthóphoro* 1871 | Do lat. *anthophoros*, deriv. do gr. *anthophóros* || **anto**GÊNESE | *anthogénese* 1909 || **antó**GENO XX || **anto**GRAF·IA | *anthographia* 1871 || **antoGRÁF·ICO** XX || **antoi**DE XX || **anto**LOG·IA | *antho-* 1858 | Do fr. *anthologie*, deriv. do gr. *anthología* || **anto**LOG·IAR XX || **antoLÓG·ICO** XX || **anto**LOG·ISTA | *antho-* 1899 || **antó**LOGO | *anthó-* 1858 || **anto**MAN·IA | *antho-* 1899 || **anto**MAN·ÍACO 1899 || **antó**PTERO XX || **ant**ORNITE | *anthórnis* 1871 || **anto**TAX·IA XX || **anto**ZO·Á-RIO | *anthozoario* 1871.
antolhos → OLHO.
antrac(o)- *elem. comp.*, do gr. *anthrako-*, de *ánthrax -akós* 'carvão', que se documenta em vocs. eruditos, alguns formados no próprio grego, como *antracoide*, e outros introduzidos na linguagem científica internacional, a partir do séc. XIX ♦ **antrac**EM·IA XX || **antrac**ENO | *-thracena* 1881 || **antrac**ÍFERO | *-thra-* 1858 || **antrac**ITO | *-thrácite* 1871, *-thracíta* 1871 || **antrac**LÍT·ICO XX || **antrac**OMAN·IA | *-thracomân-* 1899 || **antrac**OMANTE XX || **antrac**ÔMETRO | *-thracometro* 1871 || **antrac**OIDE | *-th-* 1871 | Cp. gr. *anthrakoeidḗs* || **antrac**OSE | *anthracosis* 1858 | Cp. gr. *anthrákōsis* || **antraz** *sm.* 'furúnculo' XVII. Do lat. *anthrax -ācis*, deriv. do gr. *ánthrax -akós*.
antro *sm.* 'caverna, abismo' 'casa ou lugar de perdição, corrupção, vícios' XVII. Do lat. *antrum -i*, deriv. do gr. *ántron*.
-antrop(o)- *elem. comp.*, do gr. *anthrōpo-*, de *anthrōpos* 'homem', que se documenta em numerosos compostos eruditos, alguns formados no próprio grego (como *antropófago*) e muitos outros introduzidos, a partir do séc. XVIII, na linguagem científica internacional ♦ **antrop**AGOG·IA XX || **antróp**ICO XX. Do fr. *anthropique*, deriv. do gr.

anthrōpikós ‖ **antrop**ISMO | *anthro-* 1890 | Cp. gr. *anthrōpismōs* ‖ **antropo**CÊNTR·ICO | *anthro-* 1899 ‖ **antropo**CENTR·ISMO XX ‖ **antropo**CENTR·ISTA XX ‖ **antropo**CÓR·IA XX ‖ **antropo**CÓR·ICO XX ‖ **antropo**FAG·IA 1793 | Do fr. *anthropophagie*, deriv. do gr. *anthrōpophagía* ‖ **antropo**FÁG·ICO XX ‖ **antropó**FAGO | 1813, *anthropophago* XVI | Do fr. *anthropophage*, deriv. do lat. *anthrōpŏphăgŭs* e, este, do gr. *anthrōpophágos* ‖ **antropó**FILO | *anthropophilo* XVIII ‖ **antropó**FITO XX ‖ **antropo**FOB·IA | *anthropophobia* 1899 ‖ **antropó**FOBO | *anthropóphobo* 1871 ‖ **antropo**GÊNESE XX ‖ **antropo**GENÊT·ICO XX ‖ **antropo**GEN·IA | *anthro-* 1858 ‖ **antropo**GÊN·ICO | *anthro-* 1899 ‖ **antropo**GEO·GRAF·IA XX ‖ **antropo**GEO·GRÁF·ICO XX ‖ **antropo**GRAF·IA | *anthropographia* 1858 | Do fr. *anthropographie* ‖ **antropo**GRÁF·ICO XX ‖ **antropo**GRIFO | *anthropogripho* XVIII ‖ **antrop**OIDE | *anthro-* 1890 | Do fr. *anthropoïde*, deriv. do gr. *anthrōpoeidēs* ‖ **antropó**LATRA | *anthro-* 1899 | Do fr. *anthropolâtre*, deriv. do lat. tard. *anthrōpŏlătra* e, este, do gr. *anthrōpolāthrēs* ‖ **antropo**LATR·IA | *anthro-* 1858 ‖ **antropo**LÁTR·ICO | *anthro-* 1899 ‖ **antropo**LOG·IA | *anthro-* 1813 ‖ **antropo**LÓG·ICO | *anthro-* 1871 ‖ **antropo**LOG·ISTA | *anthro-* 1899 ‖ **antropó**LOGO | *anthro-* 1899 | Do fr. *anthropologue*, deriv. do gr. *anthrōpológos* ‖ **antropo**MAGNÉT·ICO XX ‖ **antropo**MAGNET·ISMO | *anthro-* 1858 ‖ **antropo**MANC·IA | *anthro-* 1844 ‖ **antropo**MANTE XX ‖ **antropo**MÁNT·ICO XX ‖ **antropo**METR·IA | *anthro-* 1858 ‖ **antropo**MÉTR·ICO | *anthro-* 1871 ‖ **antropo**MORF·IA | *anthropomorphia* 1844 ‖ **antropo**MÓRF·ICO | *anthropomorphico* 1871 ‖ **antropo**MORF·ISMO | *anthropomorphismo* 1871 ‖ **antropo**MORF·ISTA | *anthropomorphista* 1899 ‖ **antropo**MORF·ITA | *anthropomorphita* 1844 | Cp. lat. *anthropomorphita* ‖ **antropo**MORF·IZAR | *anthropomorphisar* 1899 ‖ **antropo**MORFO | *anthropomorpho* 1871 | Do fr. *anthropomorphe*, deriv. do gr. *anthrōpómorphos* ‖ **antrop**ONÍMIA | *anthropononym-* 1887 (voc. criado por Leite de Vasconcelos) ‖ **antrop**ONÍM·ICO XX ‖ **antropó**NIMO XX ‖ **antropo**PAT·IA | *anthropopathia* 1858 | Cp. gr. *anthrōpopátheia* ‖ **antropo**PITECO | *anthropopitheco* 1899 | Do lat. cient. *anthrōpopithēcus* (voc. criado em 1838, por H. de Blainville) ‖ **antropo**SFERA XX ‖ **antropo**SSOCIO·LOG·IA XX ‖ **antropo**SSOCIO·LÓG·ICO XX ‖ **antropo**SOF·IA | *anthroposophia* 1858 ‖ **antropo**SÓF·ICO XX ‖ **antropo**SSOMATO·LOG·IA | *anthroposo-* 1871 ‖ **antropo**TE·ÍSMO | *anthropotheísmo* 1858 ‖ **antropo**TE·ÍSTA | *anthropotheísta* 1899 ‖ **antropo**TOM·IA | *anthropo-* 1858 ‖ **antropo**ZOICO XX.
⇨ **antrop(o)-** — **antropo**MORFIA | *anthropomorphia* 1836 SC ‖ **antropomorf**ITA | *anthropomorphita* 1836 SC |.
antúrio *sm.* 'nome comum a várias plantas da fam. das aráceas, todas ornamentais' |-*thurus* 1871 | Do lat. cient. *anthūrium* (do gr. *ánthos* 'flor' + *ourá* 'cauda').
anu *sm.* 'ave da fam. dos cuculídeos' | 1587, *anū c* 1594, *anū* 1618 etc. | Do tupi *a'nu*.
anu·al, -ário → ANO.
anúduva *sf.* 'ant.' imposto' XIII. Do ár. *annudbā*.
anuidade → ANO.
anuir *vb.* 'consentir, aprovar, condescender' | XVII,

annuir XVII | Do lat. *annuĕre* ‖ **anu**ÊNCIA | *annu-* 1881 | Do lat. *annuentīa*.
a·nul·abilidade, -ação, -ador, -ante, -ar¹, -atório → NULO.
anul·ar², -oso → ANEL.
anunciar *vb.* 'divulgar, dar a conhecer, noticiar' 'fazer promoção de um produto' | *anū-* XIV, *anoçiar* XV, *anuciar* XV, *annu-* XVI | Do lat. *annūntīāre* ‖ **anunci**AÇÃO | *annu-* XVI | Do lat. *annūntiātĭō -ōnis* ‖ **anunci**ADA | *annu-* XVI ‖ **anunci**ADOR | *annu-* XVI | Do lat. *annūntiātor -ōris* ‖ **anunci**AMENTO | *anoçi-* XV ‖ **anunci**ANTE | *annu-* XVI ‖ **anunci**ATIVO | *annu-* XVI ‖ **anúncio** | *annuncio* XVI | Do lat. tard. *annuntius*.
⇨ **anunciar** — **anunci**AÇÃO | XV CART 225, *annunciaçõ* XV VITA 9*b*43 |.
ânuo → ANO.
anurese *sf.* 'diminuição anormal da urina. que pode ir à supressão' 1871. Do fr. *anurèse*, de *an-* (v. AN-) + gr. *oúrēsis* 'urinar' ‖ **anur**IA 1871. Do fr. *anurie*, de *an-* (v. AN-) + gr. -*ouría* (*oûron* 'urina').
anuro *adj. sm.* 'desprovido de cauda' 1899. Do lat. cient. *anurus*, de *an-* (v. AN-) + gr. *ourá* 'cauda'.
ânus *sm. 2n.* '(Anat.) orifício na extremidade terminal do intestino, pelo qual se expelem os excrementos' | 1813, *áno* 1813 | Do lat. *anus -i* 'anel'.
anuviar → NUVEM.
anverso *sm.* 'a parte anterior ou principal de qualquer objeto que tenha dois lados opostos' 1813. Do lat. *anteversu*,' part. de *antevertĕre*.
anzol *sm.* 'pequeno gancho para pescar' | XVI, *ēzollo* XV, *anzolo* XVII De um lat. **hamiceŏlus*, dim. de *hāmus -i* 'gancho, anzol'.
ao combinação da prep. A³ com o art. pron. m. O¹. XIII.
-ão¹ *suf. nom.*, do lat. -*ō -ōnis*, que forma (i) substantivos oriundos de outros substantivos, com valor aumentativo: *portão*; (ii) substantivos provenientes de verbos, com valor individualizante (*fujão*), instrumental (*travão*) ou, com mais frequência, com noção de 'resultado de uma ação' (*encontrão*).
-ão² *suf. nom.*, do lat. -*ānus* (> -ANO), que, com o significado de 'proveniência, origem', ocorre na formação de substantivos, quase todos oriundos de nomes próprios de lugar: *alemão, beirão*. Cp. -Á, -ANO.
aonde → ONDE.
aoristo *sm.* 'tempo da conjugação verbal grega' XVII. Do lat. tard. *aŏristos*, deriv. do gr. *aóristos* 'indefinido'.
apache *adj. s.2g.* 'relativo ou pertencente à tribo indígena norte-americana de peles-vermelhas, famosos pela crueldade com que atacavam as cidades dos territórios do Texas, Novo México e Arizona, nos EUA' XX. Do ing. *apache*, deriv. de um idioma indígena do Novo-México: o termo foi difundido pelo jornalista francês Victor Morris que, em 1902, aplicou o voc. para denominar os malfeitores dos arredores de Paris.
apadrinhar → PAI.
apagar *vb.* 'fazer cessar o fogo, a luz ou o brilho' 'destruir, fazer desaparecer'. | XVI, -*gu-* XIV | De A- (i) + *pagar* (< lat. *pacare* 'pacificar') ‖ **apag**ADO XVI ‖ **apag**ADOR XVI ‖ **apag**AMENTO XVII.

⇨ **apagar** — **apag**ADO | XIV GREG 1.12.*1* || **apag**A-MENTO | XV VITA 79*c*23 |.
ápage *interj.* 'irra" XVIII. Do lat. *apăge* 'sume-te!, fora!', deriv. do gr. *ápage*, imperativo de *apágō* 'levar, afastar'.
apagogia *sf.* '(Fil.) redução de um problema a outro' 1858. Do fr. *apagogie*, deriv. do gr. *apagōgē* 'ato de levar, de conduzir, de fazer desviar do caminho direito'.
⇨ **apagogia** | 1836 SC |.
⇨ **apainelado** → PAINEL.
a·paixon·ado, -ar → PAIXÃO.
apalacetado → PALÁCIO.
apalachiano *adj.* '(Geol.) diz-se do tipo de relevo resultante do reinício da erosão, numa área anteriormente peneplanizada' XX. Do ing. *appalachian*, de *Appalachian Mountains*, na parte oriental dos EUA.
apalavrar → PALAVRA.
apalermado → PALERMA.
a·palp·ação, -adela, -ador, -ar → PALPAR.
⇨ **apalp·adiço, -amento** → palpar.
apanágio *sm.* 'propriedade característica, atributo' XVIII. Do fr. *apanage*.
apandria → AP(O)-.
apanhar *vb.* 'colher, recolher, segurar, levantar' XIV. Do cast. *apañar* || **apanh**ADO *sm.* 'aquilo que se apanhou ou juntou' XVI || **apanh**ADOR XVI || **apanh**AMENTO XV.
⇨ **apanhar** | *apannar* XIII CSM 315.*22* || **apanh**ADOR | *apanhodor* (*sic*) XV VITA 127*Cc* 15 |.
apaniguar *vb.* 'proteger, favorecer, sustentar' 1881. De A- (i) + **paniguar* (< lat. tard. *panificāre* '*dar pão') || **apanigu**ADO | XVI, *paniguado* XV, *apanigado* XIII.
apapá *sm.* 'peixe de água doce da fam. dos clupeídeos' 1886. Do tupi *apa'pa*.
apara, -deira, -dor → APARAR.
aparafusar → PARAFUSO.
⇨ **aparamentado** → paramento.
aparar *vb.* 'tomar, receber, segurar' 'desbastar' | XVI, *apparar* XIII | Do lat. *appărāre* || **apara** *sf.* 'fragmento de qualquer objeto que se desbasta' 'sobra de papel cortado nas margens' XVI || **apar**A-ÇÃO XX || **apar**AD·EIRA XX || **apar**ADOR XV
aparato *sm.* 'ostentação, luxo, pompa' | 1844, *apparáto* XVI | Do lat. *apparātus -ūs* || **aparat**OSO | *app-* XVII.
⇨ **aparato** | XV PAUL 10*v*9, 1538 DCast 69*v*1, *aparatu* XV SBER 70.*3* || **aparat**ADO | 1615 FNun 40*v*13 |.
aparecer *vb.* 'surgir, apresentar-se' | XIII, *appa-* XIII etc. | Do lat. *apparēscĕre* || **aparec**IMENTO | *-çe-* XIV, *aparicimēto* XV etc. || **aparência** 'aparição, aspecto ou maneira (com que ou como alguém ou alguma coisa aparece)' | *-emçia* XV, *-ença* XVI | Do lat. *appārentĭa* || **aparentar** XVII || **aparente** XVI || **aparição** | *appa-* XV, *apariço* XIII | Do lat. *appāritĭō -ōnis* || DES**aparecer** | XIV, *desparecer* XIV || DES**aparec**IMENTO XVI || RE**aparecer** | *-ppa-* 1874 || RE**aparição** | *-ppa-* 1874 || RE**aparec**IMEN-TO XX.
apareíba *sm.* 'mangue-vermelho' 1587. Do tupi *üapare'ïua*; V. GUAPARAÍBA.
aparelhar *vb.* 'reparar, organizar, enfeitar' XIII. Do lat. vulg. *apparĭcŭlāre* (de *apparāre* 'preparar') ||

aparelhADOR | *-lla-* XV || **aparelh**AGEM XX || **aparelh**AMENTO XV || **aparelho** XIV.
apar·ência, -entar, -ente, -ição → APARECER.
a·part·adiço, -ado, -ador, -amento, -ar, -e, -ear → PARTIR.
aparvalhado → PARVO.
apascentar *vb.* 'levar ao pasto' 'doutrinar, guiar' XVI. De A-(i) + *pascentar* (< lat. *pascente*, part. de *pāscere* 'pastar', + -AR[1]).
⇨ **apascentar** | *apaçemtar* XV FRAD I.75.*5*, *apaçentar* id. II.113.*31* |.
apatetado → PATA[1].
apatia *sf.* 'estado de insensibilidade, falta de energia' | *-th-* XVII | Do lat. *apathīa*, deriv. do gr. *apátheia* || **apát**ICO | *apathico* XVIII.
apátrida *adj. s2g.* 'que não tem nacionalidade' XX. Do fr. *apatride*, deriv. do gr. *ápatris -idos*.
apaulado → PALUDE.
⇨ **apaves·ado, -ar** → pavês.
a·pavor·ado, -amento, -ar → PAVOR.
a·paz·igu·ado, -amento, -ar → PAZ.
apé *sm.* 'amoreira silvestre' 1587. Do tupi *a'pe* || **apeí**BA *sf.* 'planta da fam. das tiliáceas' 1587. Do tupi *ape'ïua*.
apear → PÉ.
⇨ **apeçonh·ar, -entado, -entar** → PEÇONHA.
apedeuta *s2g.* 'pessoa ignorante, sem instrução' 1858. Cp. gr. *apaideutos*.
⇨ **apedeuta** | 1836 SC |.
a·pedr·ar, -ejamento, -ejar → PEDRA.
⇨ **apeg·adiço, -amento** → pegar.
a·peg·ar, -o → PEGAR.
apeíba → APÉ.
apeirar *vb.* 'jungir ao carro ou à charrua' 1813. De um lat. **appariāre* 'tomar par' || **apeiro** XVI.
⇨ **apeirar** | 1456 MARR II.524.*3* |.
apelar *vb.* 'invocar proteção ou testemunho' '*ext.* usar de qualquer expediente' XIII. Do lat. *appellāre* || **apel**AÇÃO | *-laçom* XIII, *-laço* XIV | Do lat. *appellātĭō -ōnis* || **apel**ANTE XVI || **apel**ATIVO | *app-* XVI | Do lat. *appellātīvus* || **apel**ATÓRIO | *app-* XVI | Do lat. *appellātōrĭus* || **apelo** 1871 || IN**apel**ÁVEL | *inapp-* 1873.
⇨ **apelar** — **apel**ATIVO | *appellatiuo* XV VITA 24*d*29 || **apelo** | 1836 SC |.·
apelidar *vb.* 'orig. convocar' XIV; 'dar nome a, alcunhar' XV. Do lat. *appellĭtāre* (frequentativo de *appellāre*) || **apelido** *sm.* 'orig. convocação' XIII; 'sobrenome, alcunha' XVII. De verbal de *apelidar*.
⇨ **apelidar** — **apelido** 'sobrenome, alcunha' | *appellido* 1576 DNLeo 64*v*15 |.
apelo → APELAR.
apenas *adv.* 'a custo, dificilmente' 'somente'; *conj.* 'logo que' | XIV, *apēas* XIII | De A-(i) + *penas*, de PENA 'castigo' e, este, do lat. *poena*.
apender → PENDÊNCIA.
apêndice *sm.* 'acréscimo, anexo' '(Anat.) parte acessória de um órgão, ou que lhe é contínua, mas distinta pela sua forma e posição' | *appendix* XVIII | Do lat. *appendix -ĭcis* || **apendic**ECTOM·IA XX || **apendic**IFORME | *app-* 1858 || **apendic**ITE | *app-* 1899 | Do fr. *appendicite*, deriv. do ing. *appendicitis* || **apendic**UL·ADO | *app-* 1858 || **apendíc**ULO XVII. Do lat. *appendĭcŭlum*, de *appendĭcŭla*.

⇨ **apêndice** — **apendic**UL·ADO | *appendiculado* 1836 SC |.
apendoar → PENDÃO.
apenso → PENDÊNCIA.
a·pep·sia, -tico → PEPS-.
apequenar → PEQUENO.
aperceber → PERCEBER.
aperema *sm.* 'espécie de cágado' 1833. Do tupi *ape'rema.*
apergaminhado → PERGAMINHO.
aperitivo *adj. sm.* 'que abre os poros' 'que abre o apetite' XVII. Do lat. tard. *aperitīvus*, de *aperīre* 'abrir' || **aperi**ENTE XVII. Do lat. *aperiēns -entis,* part. de *aperīre*, 'abrir'.
aperrear *vb.* 'fazer perseguir por cães' 'aborrecer' XVI. Do cast. *aperrear*, de *perro* 'cão' || **aperre**AÇÃO 1871 || **aperre**ADO XVI || **aperre**AMENTO 1813 || **aperreio** XX.
apertar *vb.* 'comprimir, segurar, agarrar com força' | XIII, *apretar* XIV | Do lat. *appĕctŏrāre* 'estreitar contra o peito' || **apert**ADO XIII || **apert**ADOR XVII || **apert**AMENTO XIV || **aperto** XV || **apert**URA XVII. || DES**apertar** XVIII || DES**aperto** 1844.
⇨ **apertar** — DES**aperto** | 1836 SC |.
a·pes·ar, -entar → PESO.
⇨ **apessoado** → pessoa.
⇨ **apestado** → peste.
a·petal·iforme → PÉTALA.
⇨ **apétalo** → PÉTALA.
apetite *sm.* 'vontade de comer' *'ext.* vontade, ânimo' 'sensibilidade' | *app-* XVI, *-tito* XIV | Do lat. *appetītus -us* || **apetecer** | *app-* XVI | De um lat. **appetescĕre*, incoativo de *appĕtĕre* || **apetecí**-VEL | *app-* 1813 || **apet**ÊNCIA | *app-* XVI | Do lat. *appetentĭa* || **apet**ENTE XX. Do lat. *appĕtēns -entis,* de *appĕtĕre* || **apetet**ÍVEL XVIII || **apetit**IVO | *app-* XVII || **apetit**OSO | *app-* XVI | IN**apet**ÊNCIA | *-app-* 1844 || IN**apet**ENTE XX.
⇨ **apetite** — **apet**ENTE | *appetente* 1836 SC || **apetit**IVO | *apetitiuo* 1532 JBarR 39.*2* || **apetito**SO | *apetytoso* XV REIX II.313.*15, appetitoso* 1532 JBarR 87.*4* || IN**apet**ÊNCIA | *inappetencia* 1836 SC |.
apetrecho, petrecho *sm.* 'qualquer objeto necessário à execução de algo' | *pertrecho* XV | Do cast. *pertrecho* || **apetrech**AR | 1881, *petrechar* XVII.
ápex → ÁPICE.
apezinhar → PÉ.
api- *elem. comp.*, do lat. *apis -is* 'abelha', que se documenta em alguns vocs. eruditos, a partir do séc. XIX ▶ **api**ÁRIO 1844. Do lat. *apiārĭus -īī* || **api**-CIDA XX || **apí**COLA | *apicula* 1858 | Do lat. *apicŭla,* dim. de *apis -is* || **api**CULT·OR 1871 || **api**CULT·URA 1871 || **apí**VORO 1872. Cp. ABELHA.
⇨ **api-** — **api**ÁRIO | 1836 SC |.
apiacá *sm.* 'espécie de vespa' 1928. Do tupi **apia'ka.*
apiário → API-.
apiastro *sm.* 'o mesmo que 'erva-cidreira' XVI. Do lat. *apiastrum -i.*
⇨ **apicaçado** → picar.
ápice *sm.* 'o ponto mais elevado' 'o mais alto grau' | *apice* XVI | Do lat. *apex -ĭcis* || **ápex** XVII | Do nom. lat. *apex* || **api**CIAD·URA 1844 || **api**CIFLORO | *-flor* 1871 || **api**CIFORME 1858 || **apí**CULO | 1858, *apiculum* 1871 | Do lat. *apicŭlum -ĭ,* dim. de *apex.*

⇨ **ápice** — **api**CIADURA 1836 SC || **apí**CULO | 1836 SC |.
apicida → API-.
apici·floro, -forme → ÁPICE.
apícola → API-.
apicu *sm.* 'brejo de água salgada à beira-mar' | *a* 1696, *apecu* 1596 | Do tupi *ape'kũ.*
apícula → API-.
apículo → ÁPICE.
api·cultor, -cultura → API-.
a·pied·ado, -ar → PIEDADE.
a·piment·ado, -ar → PIMENTA.
⇨ **apincenlado** → pincel.
a·pinh·ado, -ar → PINHO.
⇨ **apinhoado** → pinho.
apioide → PUS.
⇨ **ápiro** → pir(o)-.
apisto *sm.* 'caldo substancioso para doentes' *'fig.* conforto, auxílio' XVI. De origem controvertida.
apitar *vb.* 'tocar apito' XVI. De origem onomatopaica || **apito** *sm.* 'instrumento para assobiar, com que se dirigem manobras etc.' XV. Deriv. regressiva de *apitar.*
apívoro → API-.
aplacar *vb.* 'tranquilizar, serenar, apaziguar' XVI. De um lat. **applacāre*, de *placāre* 'apaziguar, acalmar' || IM**plac**ABIL·IDADE 1813. Do lat. *implācābĭlĭtās -ātis* || IM**plac**ÁVEL XVI. Do lat. *implācābĭlis -e.*
a·pla·inar, -nar → PLANO.
⇨ **aplanar** → plano
aplastar *vb.* 'desfraldar, desferir (vela)' *'bras.* fatigar-se, esfalfar-se' 1871. Do cast. *aplastar.*
aplaudir *vb.* 'aclamar, aprovar, elogiar' XVII. Do fr. *applaudir,* deriv. do lat. *applaudĕre* || **aplauso** | *app-* XVI | Do lat. *applausus -ūs.*
aplicar *vb.* 'justapor, sobrepor' 'pôr em prática' | *app-* XVI | Do lat. *applicāre* || **aplic**ABIL·IDADE 1871 || **aplic**AÇÃO | *app-* XVI | Do lat. *applicātĭō -ōnis* || **aplic**ADO | xv, *app-* 1813 || **aplic**ADOR XX || **aplic**AN-TE 1813 || **aplic**ATIVO 1813 || **aplic**ÁVEL | *app-* 1813 || IN**aplic**ABIL·IDADE | *inapp-* 1873.
⇨ **aplicar** | XV FRAD II. 81.*4, applicar* XV VITA 58*c* 14 etc. |.
apneia → PNEU-.
ap(o)- *prej.,* do gr. *apo-,* de *apó* 'longe de, separado de', que se documenta em vocs. eruditos, alguns formados no próprio grego (como *apocalipse*) e alguns outros introduzidos na linguagem científica internacional a partir do séc. XIX ▶ **ap**ANDR·IA XX || **apo**CROM·ÁT·ICO XX || **apo**DACRÍT·ICO | *-cry-* 1871 || **apo**FIL·ITA | *-phyllite* 1871 || **apo**FON·IA XIX. Registram-se, adiante, em verbetes independentes, no seu respectivo lugar alfabético, alguns dos principais compostos formados em grego, muitos dos quais chegaram ao português através do latim.
apocalipse *sm.* '(ReI.) visão de São João Evangelista, narrada no último livro do Novo Testamento' 'caos' | *apocalipsi* XIV, *-lise* XIV, *-llipsse* XV, *epocalisse* XV | Do lat. ecles. *apocalypsis,* deriv. do gr. *apokálypsis* 'revelação' || **apocalípt**ICO | *-ly* 1844 | Do fr. *apocalyptique,* deriv. do gr. tard. *apokalyptikós.*
⇨ **apocalipse** — **apocalípt**ICO | *apocalyptico* 1836 SC |.

apocatástase *sf.* '(Astr.) revolução periódica de um astro' XVIII. Do lat. tard. *apocatastasis*, deriv. do gr. *apokatástasis* 'restauração final'.
apócope *sf.* '(Gram.) supressão de fonema ou de sílaba no fim de palavra' | *-pa* XVI | Do lat. tard. *apŏcŏpé*, deriv. do gr. *apokopé* 'amputação'.
apócrifo *adj.* 'diz-se de fato ou obra sem autenticidade ou cuja autenticidade não se provou' XVI. Do lat. ecles. *apŏcrўphus*, deriv. do gr. *apŏkryphos* 'secreto, escondido'.
⇨ **apócrifo** | XV VITA 2*d* 21 |.
apo·cromático, -dacrítico → AP(O)-.
apodar *vb.* 'escarnecer, zombar, troçar de' XV. Do lat. tard. *appŭtāre*, deriv. de *pŭtare* 'avaliar, apreciar' || **apodo** XVI. Deriv. regressivo de *apodar*.
apoderar → PODER.
apodia → ÁPODO.
apodioxe *sf.* '(Ret.) figura pela qual se rejeita um argumento que se considera absurdo' | *-dióxis* 1844 | Do gr. *apodíōxis* 'repulsa', por via erudita.
⇨ **apodioxe** | *apodioxis* 1836 SC |.
apodítico *adj.* '(Fil.) diz-se do que é demonstrável ou do que é evidente, valendo, pois, de modo necessário' | *-dic-* 1813 | Do lat. tard. *apodīctĭcus*, deriv. do gr. *apodeiktikós* || **apodixe** *sf.* 'demonstração' XVII. Do lat. tard. *apodīxis*, deriv. do gr. *apódeixis* 'dedução, demonstração'.
apodo → APODAR.
ápodo *adj. sm.* 'que não tem pés' 1844; 'nome atribuído a vários grupos de animais desprovidos de patas' | *apode* 1858 | Do lat. cient. *apodus*, deriv. do gr. *ápous ápodos* 'sem pés' || **apodia** 1871. Cp. gr. *apodía*.
apódose *sf.* 'a segunda parte – complemento – de um período gramatical' 1858. Do lat. *apodŏsis -is*, deriv. do gr. *apódosis*.
⇨ **apódose** | 1836 SC |.
a·podre·cer, -cido, -cimento → PODRE.
⇨ **apodrecimento** → podre.
apófige *sf.* '(Arquit.) anel que cerca o fuste da coluna logo acima da base ou perto do capitel' | *-phy-* 1844 | Do lat. *apophўgis -is*, deriv. do gr. *apophygé*.
⇨ **apófige** | *apophyge* 1783 *in* ZT |.
apofilita → AP(O)-.
apófise *sf.* '(Anat.) eminência ou saliência, sobretudo de um osso' 1813. Do fr. *apophyse*, deriv. do lat. *apophysis* e, este, do gr. *apóphysis*.
apofonia → AP(O)-.
apogeu *sm.* '(Astr.) ponto de máxima distância da Terra, na órbita da Lua (ou de um satélite artificial da Terra)' *fig.* o mais alto grau' XVIII. Do lat. *apogēus*, deriv. do gr. *apógeios* 'afastado da Terra'.
apógrafo *sm.* 'reprodução dum escrito original' | *-pho* 1844 | Do lat. *apogrăphon -i*, deriv. do gr. *apógraphos*.
⇨ **apógrafo** | *apographo* 1836 SC |.
apoiar *vb.* 'dar apoio a' 'sustentar, amparar, defender' XV. Do cast. *apoyar*, deriv. do it. *appoggiare* e, este, do lat. *appŏdiāre (de *pŏdium* 'pojo, pedestal') || **apoio** XVII. Deriv. regress. de *apoiar*.
apojar *vb.* 'encher-se de leite ou de outro líquido' 1871. Do lat. *appódiāre, de *pŏdium* 'pojo, pedestal'. Do sentido de 'subir ao pedestal', saiu o de 'crescer' e, depois, o de 'intumescer' || **apoj**AD·URA 1813.
apojatura *sf.* '(Mús.) ornamento melódico que consiste na introdução de uma ou duas notas estranhas à harmonia' 1871. Do it. *appoggiatura*. V. APOJAR.
apólice *sf.* 'certificado escrito de uma obrigação mercantil' | *polici* 1511, *police* 1526 | Do fr. *police*, deriv. do it. *polizza*, que, por sua vez, deriva do lat. med. *apodixa*, e, este, do gr. biz. *apodeixis* 'prova'.
apolíneo *adj.* 'relativo a Apolo' XVI. Do lat. *apollĭnĕus*, de *Apollo -ĭnis*.
apólise *sf.* 'a parte final da missa grega' | *-ly-* 1858 | Do fr. *apolyse*, deriv. do gr. *apólysis*.
apolítico → POLÍTICO.
apologia *sf.* 'discurso para justificar, defender ou louvar' XV. Do lat. ecles. *apologĭa*, deriv.' do gr. *apologĭa* || **apolog**ÉT·ICO XVI. Do lat. ecles. *apologētĭcus*, deriv. do gr. *apologētikós* || **apolog**ISMO XX. Do lat. tard. *apologismos*, deriv. do gr. *apologismós* || **apolog**ISTA XIX || **apolog**IZAR XIX || **apólogo** XVII. Do lat. *apolŏgus -i*. deriv. do gr. *apólogos*.
⇨ **apologia** — **apolog**ÉT·ICO | XV SBER 91.*32* |.
aponeurose *sf.* '(Anat.) membrana fibrosa que reveste ou envolve os músculos' | *-nevróse* 1844 | Do fr. *aponévrose*, deriv. do gr. *aponeurōsis* || **aponeuro**LOG·IA | *-nevro-* 1871.
⇨ **aponeurose** | *aponevrose* 1836 SC |.
⇨ **apont·ador** → ponta.
a·pont·amento, -ar → PONTA.
apoplexia *sf.* '(Med.) afecção cerebral que se manifesta imprevistamente, acompanhada de privação dos sentidos e do movimento' XVI. Do lat. *apoplēxĭa*, deriv. do gr. *apoplēxía* || **apoplét**ICO XVII. Do lat. tard. *apoplēctĭcus*, deriv. do gr. *apoplēktikós*.
apoquentar → POUCA.
apor *vb.* 'pôr junto' 'justapor, sobrepor' | *apoer* XIII | Do lat. *appōnĕre* || **aposição** | *app-* XVII. Do lat. *appositĭō -ōnis* || **apositi**VO XX. Do lat. *appositĭvus* || **apósi**TO | *appo-* XVI | Do lat. *appositus* || **aposta** *sf.* 'ajuste entre pessoas que defendem opiniões contrárias, devendo aquele(s) que não estiver(em) com a razão pagar ao(s) outro(s) uma certa quantia ou outra coisa previamente convencionada' XVII. É o fem. substantivado de *aposto* || **aposta**DO *adj.* 'ajustado, concorde' XIII || **apost**ADOR 1899 || **apost**AMENTO *sm.* '*ant.* ornato, enfeite' XIV || **apost**AR *vb.* 'dispor, concertar' XIII; 'fazer aposta' XVII || **aposto** *adj. orig.* gentil, garboso, bem posto' XIII; *sm.* '(Gram.) substantivo ou expressão equivalente que se junta a outro substantivo para melhor caracterizá-lo' | *app-* 1881 || **apost**URA *sf.* 'compostura, gentileza' XIII.
aporia *sf.* '(Fil.) dificuldade, de ordem racional, que pode decorrer exclusivamente de um raciocínio ou de conteúdo dele' 'conflito entre opiniões' 1858. Do lat. *aporĭa*, deriv. do gr. *aporía* 'incerteza, perplexidade' || **apor**EMA *sm.* 'um dos aspectos do silogismo' XX. Do lat. tard. *aporēma*, deriv. do gr. *apórēma* || **apor**ISMO | 1871, *-ma* 1844.
⇨ **aporia** — **apor**ISMO | *aporisma* 1836 SC |.
a·porr·ear, -inhação, -inhado, -inhar → PORRA.
aportar *vb.* 'conduzir (o navio) ao porto, fundear' 'encaminhar' 'chegar, entrar' XIII. Do lat. *apportāre* 'trazer, transportar' 'causar, produzir'. Cp. PORTO.

aportuguesar → PORTUGUÊS.
após prep. 'depois de, atrás de'; adv. 'depois, em outro momento' XIII. Do lat. ad post.
a·posent·ado, -adoria, -ar → POUSAR.
aposição → APOR.
aposiopese sf. '(Gram.) interrupção intencional no meio de uma frase' XVII. Do lat. aposiōpēsis, deriv. do gr. aposiṓpēsis.
aposit·ivo, -o → APOR.
apossar → POSSE.
apost·a, -ado, -ador, -amento, -ar → APOR.
apóstase sf. '(Pat.) formação de abscesso' 1871. Do lat. tard. apostasis, deriv. do gr. apóstasis 'separação, abandono' || **apostasia** sf. 'abandono ou separação do corpo constituído ao qual se pertencia' 'abjuração da fé' | XV, apestosia XV | Do lat. tard. apostasia, deriv. do gr. tard. apostasía 'abandono de partido' | **apóst**ATA | XIV, aposteta XV | Do lat. tard. apostata, deriv. do gr. apostátēs 'desertor (da própria religião)' || **apostatar** XV. Do lat. tard. apostatāre, deriv. do gr. apostatéō 'renegar a própria fé'.
apostema sm. 'abscesso' XV. Do lat. apostēma -ātis, deriv. do gr. apóstēma -ātos || **apostem**AR XVI || **apostem**ÁTICO | -matica XVII || **postema** XVI. Forma aferética de apostema || **postem**ÃO 'navalha para abrir postemas' 1813.
apostila sl. 'adição ou correção de um manuscrito' 'recomendação à margem, acréscimo' 'pontos de aulas publicados em avulso' | -lia XIII | Do lat. med. postillā, de post illa 'em seguida' || **apostil**AR | -li- XVII | Do fr. apostiller.
apóstolo sm. 'cada um dos doze discípulos de Jesus Cristo, incumbidos por este da pregação do Evangelho' XIII. Do lat. apostŏlus, deriv. do gr. apóstolos 'enviado' (de apostellō 'eu envio') || **apostol**ADO adj. sm. XVI || **apostol**AR XVII || **apostol**IC·AL XIV || **apostól**ICO | XIV, apostoligo XIII | Do lat. apostŏlĭcus, deriv. do gr. apostolikós || **apostol**IZAR XIX.
⇨ **apóstolo** — **apostol**ADO | apostalado XV CONF 146a33 |.
apóstrofe sf. '(Ret.) figura que consiste em dirigir-se (em geral fazendo uma interrupção) a uma pessoa ou coisa real ou fictícia' | -ph- XVII | Do lat. tard. apostrophē e apostropha, deriv. do gr. apóstrophḗ || **apostrof**AR | -ph- XVIII || **apóstrofo** sm. 'sinal gráfico de elisão' | -ph- XVI | Do lat. tard. apostrŏphus, deriv. do gr.apóstrophos.
apostura → APOR.
apotegma sm. 'dito curto e sentencioso, aforismo, máxima' | apophthegma XVI | De um lat. *apophthegma, deriv. do gr. apóphthegma || **apotegmát**ICO | apophleg- 1871 || **apotegmat**ISMO | apophleg- XVIII.
⇨ **apotegma** — **apotegmata** | apophregimata XV OFIC 63.7 |.
apótema sm. '(Geom.) segmento de reta perpendicular baixada do centro de um polígono regular sobre qualquer dos seus lados' 'altura de uma face da pirâmide regular' 1813. Cp. gr. apóthema 'abaixamento'.
apoteose sf. 'deificação, glorificação' 'conjunto de honras ou homenagens tributadas a alguém' | -theóse XVIII | Do fr. apothéose, deriv. do lat. tard.

apotheōsis e, este, do gr. apothéōsis (< apotheóō 'deífico', de theós 'deus') || **apoteót**ICO | -th- 1899.
apótese sf. '(Cir.) posição que se deve dar a um membro fraturado, uma vez ligada a fratura' | -thesis 1858 | Do lat. apothĕsis -is, deriv. do gr. apóthesis.
apoucar → POUCO.
apózema sf. 'cozimento medicinal de vegetais, adoçado e clarificado' | -zi- XVI | Do lat. tard. apozĕma, deriv. do gr. apózema.
apraxia sf. '(Med.) incapacidade de executar movimentos, conquanto não haja paralisia' XX. Do fr. apraxie, deriv. do gr. apraxía 'inércia'.
aprazar → PRAZO.
a·praz·er, -ibilidade, -ível → PRAZER.
a·preç·amento, -ar, a·prec·iação, -iador, -iar, -iável, a·preço → PREÇO.
⇨ **apreciar** → preço.
apreender vb. 'apropriar-se (judicialmente)' 'segurar, prender' 'compreender' | apprehender XVII | Do lat. apprehendĕre. Cp. ĀPRENDER || **apreensão** | apprehensão XVII | Do lat. apprehēnsiō -ōnis || **apreens**IBIL·IDADE | apprehen- 1844 || **apreens**IVO adj. 'que apreende' 'preocupado, receoso' XVII. Do b. lat. apprehensivus || **apreens**OR | apprehen- 1844 || **apreens**ÓRIO | apprehen- 1844.
⇨ **apreender** — **apreensão** | aprenção a 1542 JCASE 55.20 || **apreens**IBIL·IDADE | apprehensibilidade | 1836 SC || **apreens**IVA | aprenssyva XV LEAL 238.14 || **apreens**OR | apprehensor 1836 SC || **apreens**ÓRIO | apprehensorio 1836 SC |.
apregoar → PREGAR².
⇨ **apreguiçar** → preguiça.
aprender vb. 'adquirir conhecimento' XIII. Do lat. apprehendĕre 'apanhar'. Cp. APREENDER || **aprendiz** | aprem- XV | Do a. fr. aprentiz || **aprendiz·ado** | app- 1871 || **aprendiz·agem** | app- 1899 || **desaprender** | -apprendér 1899 | No port. med. ocorre desaprender (séc. XIII) como var. de desprender 'soltar, desatar'.
⇨ **aprender** — **aprendiz·ado** | 1836 sc |.
a·present·ação, -ador, -ar, -ável → PRESENTE.
a·press·ado, -ar, -urado, -urar → PRESSA.
a·prest·ar, -os → PRESTAR.
aprimorar → PRIMEIRO.
apriorismo sm. '(Fil.) aceitação, na ordem do conhecimento, de fatores independentes da experiência' XX. Do fr. apriorisme, da loc. lat. a priori || **aprior**ISTA XX. Do fr. aprioriste || **apriorí**ST·ICO XX.
apriscar vb. 'prender, encurralar' XVI. De um lat. *apressĭcāre 'apertar, comprimir', de pressus, parto de premĕre || **aprisco** XVI. Der. regres. de apriscar.
⇨ **aprision·ado, -amento, -ar** → prisão.
aproar → PROA.
aprobativo adj. 'que aprova' | app- XVII | Do lat. approbatīvus || **aprobat**ÓRIO | app- XVI | Cp. PROVA.
aprofundar → FUNDO.
aprontar → PRONTO.
apropinquar vb. 'aproximar, avizinhar-se' | app- XVI | Do lat. appropinquāre || **apropinqu**AÇÃO | app- 1858 | Do lat. appropinquātiō ōnis |.
a·propri·ação, -ado, -ar → PRÓPRIO.

⇨ apropriamento → PRÓPRIO.
aprosexia *sf.* '(Med.) impossibilidade de fixar a atenção e perda da memória, observadas nos casos de fadiga possível' XX. Do fr. *aprosexie*, deriv. do gr. *aprosexía*.
a·prov·ação, -ador, -ar, ativo, -ável → PROVAR.
a·proveit·ador, -ar → PROVEITO.
aprovisionar → PROVER.
a·proxim·ação, -ado, -ar, -ativo, -ável → PRÓXIMO.
a·prum·ar, -o → PRUMO.
apside *sf.* '(Astr.) ponto da órbita de um astro, no qual este se encontra mais afastado, ou menos afastado, de seu centro de atração' 1813. Do lat. *apsis -idis* 'abóbada', deriv. do gr. *apsís -îdos* 'curvatura'.
⇨ apside | 1783 *in* ZT |.
áptero *adj. sm.* 'sem asas' 1858. Do fr. *aptère*, deriv. do gr. *ápteros*.
⇨ áptero | *apteres* pl. 1836 SC |.
apto *adj.* 'capaz, hábil, idôneo' | XV, *aucto* XIV, *auto* XV, *acto* XV | Do lat. *aptus* || **aptidão** XVII. Do lat. *aptītūdo -ĭnis* || IN**a**ptidão 1844 || IN**a**pto 1858 || IN**épcia** XVIII. Do lat. *ineptĭa* || IN**eptidão** 1813 || IN**epto** XVII. Do lat. *ineptus*.
apuí *sm.* 'nome de diversas plantas das fam. das moráceas e das gutíferas' XX. Do tupi **apu'i* || apui**RANA** 'planta da fam. das loganiáceas' XX ||
apui**Z'EIRO** | -*seiro* 1928.
apunhalar → PUNHO.
apupar *vb.* 'escarnecer, vaiar' XIV. De origem onomatopaica || **apupo** XIV.
a·pur·ação, -ador, -ar, -o → PURO.
⇨ aquadrilhado → quatro.
aquaforte *sf.* 'designação vulgar do ácido nítrico ou azótico' | *água-* 1899 | Do it. *acquaforte* || **aquafort**ISTA | *água-* 1899 | Do it. *acquafortista*.
⇨ aquaforte | *aguaforte* 1836 SC s.v. *agua* |.
aquarela *sf.* 'massa com que se prepara tinta' 'técnica de pintura' 1899. Do it. *acquarèlla* || **aqua**rel**ISTA** 1899.
aquário → ÁGUA.
a·quartel·amento, -ar → QUATRO.
aquát·ico, -il → ÁGUA.
aquecer *vb.* 'transmitir calor a' | *acaecer* XIV, *aquee-* XIV | Do lat. *calēscĕre*, incoativo de *calēre* || **aquec**EDOR *adj. sm.* XIX || **aquec**IMENTO 1858 || SUPER**aquecer** XX || SUPER**aquec**IMENTO XX.
⇨ aquecer — aquecimento | 1836 SC |.
aqueduto → ÁGUA.
aquele *pron. m.*, **aquela** *f.* 'pessoa ou coisa mais ou menos afastada de quem fala' XIII. Do lat. *eccu ĭlle*, *eccu ĭlla* || **aquilo** *pron.* 'coisa que se acha mais ou menos afastada de quem fala' | XIII, *aquelo* XIII etc. | Do lat. *eccu ĭllu*.
aquém *adv.* e *prep.* 'da parte de cá' XIII. Do lat. *eccum hīnc*.
aquentar → QUENTE.
áqueo → ÁGUA.
a·querenci·ado, -ador, -ar → QUERÊNCIA.
aqui *adv.* 'neste lugar, cá' XIII. Do lat. *eccum hīc*; v. CÁ.
aqui- *elem. comp.*, do lat. *aqui-*, de *aqua* 'água', que se documenta em alguns vocs. eruditos, a partir do séc. XIX ▶ aqui**COLA** 1899 || aqui**CULTURA** 1899 || aquí**FERO** 1899.

aquiescer *vb.* 'consentir, concordar, anuir' | *acq-* 1858 | Do lat. *ac-quiēscĕre* || **aquiesc**ÊNCIA | *acq-* 1858 || **aquiesc**ENTE | *acq-* 1871.
aquietar → QUIETO.
aquífero → AQUI-.
aquilão *sm.* 'o vento do norte, o norte' | XVI, *aaguion* XIII, *agyom* XIII, *aguyom* XIII etc. | Do lat. *aquĭlo -ōnis* || aquilon**AL** 1899. Do lat. *aquilōnālis -e* || aquilon**AR** *adj. 2g.* XVII. Do lat. tard. *aquilōnāris* || aquilôn**IO** XVII. Do lat. *aquilōnĭus*.
aquilária *sf.* 'gênero de plantas fanerogâmicas. da fam. das timeleáceas' 1871. Do lat. cient. *aquilaria*, de *aquĭla* 'águia' || aquil**INO** XVI. Do lat. *aquilīnus*, de *aquĭla* 'águia'.
aquilatar → QUILATE.
aquileu *adj.* '(Anat.) relativo ao tendão de Aquiles' | *achill-* 1871 | Do lat. *achillēus*, deriv. do gr. *achílleios*, de *Achilleús*, herói mitológico grego.
aquilia¹ → QUIL(O)¹-.
aquilia² →QUIL(O)²-.
aquilino → AQUILÁRIA.
aquilo → AQUELE.
aquilon· ai, -ar, -io → AQUILÃO.
aquinhoar → QUINHÃO.
aquiqui *sm.* 'espécie de macaco' | *c* 1594, *aquigquíg c* l584, *aquaqui* 1610, *aquequi* 1610 | Do tupi *akï' kï*.
aquis· ição, -it, ivo → ADQUIRIR.
aquos·idade, -o → ÁGUA.
ar *sm.* 'mistura gasosa que envolve a Terra, atmosfera' | *aire* XIII, *ayre* XIII, *aere* XIV, *aar* XIV etc. |; 'aparência externa' XV. Do lat. *āēr āĕris*; v. AER(O)- || ar**AGEM** 1844 || ar**EJ·ADO** 1813 || ar**EJ·AMENTO** 1899 || ar**EJAR** XVIII.
⇨ ar — **ar**agem | 1836 SC, *arage* Id. |.
-ar¹ *suf. verb.* (desinência dos infinitivos dos verbos da primeira conjugação), do lat. *-āre*, que forma verbos a partir de substantivos (*flertar, lustrar*) ou de adjetivos (*alegrar, baixar*), preferentemente com o reforço de prefixos (*adoçar, alinhar, embarcar, embotar*).
-ar² *suf. nom.*, do lat. *-ar -are* (var. de *-ālis -āle* > -AL.), que forma adjetivos oriundos de substantivos, com o significado de 'relação, pertinência': *escolar, espetacular.*
ar- forma que toma o pref. AD- diante de voc. iniciado por *r:* ar**RIB·AR**.
ara *sf.* 'mesa em que se faziam sacrifícios' 'altar' XIII. Do lat. *ara*.
ará *sf.* 'arara' 1865. Do tupi *a'ra*; v. ARARA.
árabe *adj. s2g.* 'relativo à, ou natural da Arábia' XVI. Do lat. *arabs -ăbis* || **arab**ESCO XVI: Do it. *arabesco* || **aráb**ICO | XIV, *arauigo* XIV, *arauygo* XIV, *arabigo* XIV || **aráb**IO | XVI, *araueo* XIV || **arab**ISMO 1858 || **arab**ISTA 1871 || **arab**IZAR | *-isar* 1858 ||
aravia *sf.* 'a língua árabe' 'linguagem arrevezada (difícil como o árabe)' | *arauya* XIV | Do ár. *'arabíya* 'a língua árabe' || aravi**AR** XX. Cp. ALARVE, ALGARAVIA.
⇨ árabe | XV PAUL 6.8 |.
arabutã *sm.* 'pau-brasil' | *arabutan* 1856 | Do fr. *arabouten*, deriv. do tupi *arapï 'tana* forma paralela de *ïmïrapï' taŋa* (<*ïmï' ra* 'pau, madeira' + *pï'taŋa* 'pardo, avermelhado').
⇨ arabutã | *arabutan* 1836 SC |.

araca sf. 'aguardente obtida pela fermentação do arroz e consumida principalmente na Índia' | 1813, *orraqua* 1514, *oraqua* 1514, *orraca* 1518, *urraca* 1585 etc. | Do con. *urāk*, deriv. do ár. *'arāq*. A forma mod. *araca* deve provir imediatamente do fr. *arack*, de mesma procedência árabe.
araçá sm. 'fruto do araçazeiro, da fam. das mirtáceas' | *arasazes* pl. 1561, *araçazes* pl. *a* 1576, *araçâ c* 1584 etc. | Da tupi *ara'sa* || **araça**EIRO XX || **araçaí** XX || **araça**RANA 'plantas das fam. das melastomatáceas e das rubiáceas' XX || **araçaz**·ADA 1899 || **araçaz**·AL 1881 || **araçaz**·EIRO 1587.
aração →ARAR.
araçarana → ARAÇÁ.
araçari sm. 'nome de várias aves da fam. dos ranfastídeos, aparentadas com o tucano' | *c* 1777, *arasari* 1618, *arasary c* 1631 etc. | Do tupi *arasa'ri*.
araçaz·ada, -al, -eiro → ARAÇÁ.
aracnídeo adj. sm. 'classe de animais do filo dos artrópodes' | *-chnidos* pl. 1871 | Do lat. cient. *arachnidae*, do lat. *arachnē-ēs*, deriv. do gr. *aráchnē* 'aranha' || **aracn**OIDE | *arach*-1844 | Do lat. *arachnoīdēs*, deriv. do gr. *arachnoeidēs* || **aracno**LOG·IA | *-ch-* 1858 | Cp. ARANHA.
⇨ **aracnídeo** — **aracn**OIDE | *arachnoide* 1836 SC |.
araçoia sf. 'saiote de penas usado pelas índias do Brasil' | *arasoya* 1851, *arassoia* 1865, *araçoia* 1933 | Do tupi **ara'soįa*.
aracu sm. 'nome comum a diversos peixes da fam. dos caracídeos' | *aracú* 1763 | Do tupi **ara'ku*.
aracuã sf. 'nome comum a diversas aves da fam. dos cracídeos, aparentadas com o jacu' | 1928, *aracoá* 1587, *aracoã c* 1594, *haracoa* 1618, *aracoa* 1624, *aracoam c* 1631, etc. | Do tupi *ara'kųã*.
ar·ado, -ador, -adura → ARAR.
aragem → AR.
aragonês adj. sm. 'relativo a, ou natural de Aragão' | *arangoes* XIV, *arangões* XIV, *arãgoes* XIV | De *Aragon* (var. ant. de *Aragão*) + -ÊS || **aragon**ITE 1871.
araguaguá sm. 'peixe de mar da fam. dos pristídeos; espadarte, peixe-serra' | *aragoagoa* 1587, *araguagua c* 1631 | Do tupi *araįa'ųa*.
araguaí sm. 'ave da fam. dos psitacídeos, espécie de maracanã' 1783. Do tupi *arağa'i*.
aramaçã sm. 'peixe da fam. dos pleuronectídeos, espécie de linguado' | 1789, *uramaçá* 1587, *aramaca c* 1631 | Do tupi *arama'sa*.
aramaico → ARAMEU.
arame sm. *'ant.* bronze, latão' 'fio de metal flexível' XIV. Do lat. *aierāmen-īnis* 'bronze' || **aram**IFÍ·IO XX || **aram**INA XX.
arameu sm. 'antigo povo que vivia em Aram' 'língua semítica falada por esse povo'; adj. 'natural de ou relativo aos arameus' 1871. Do lat. *Aramaeī -ōrum*, de *Aram*, antrop. e top. muito frequentes no Oriente || **aram**AICO 1871.
aram·ifício, -ina → ARAME.
arandela sf. 'nome de várias peças em forma de anel ou coroa, empregadas em lanças, candelabros etc.' | *-ll-* XV, *arondella* XV | Do cast. *arandela*.
aranha sf. 'animal artrópode aracnídeo, da ordem dos araneídeos' | XIV, *aranna* XIII | Do lat. *arãnĕa* || **arane**ÍDEO | *araneidos* pl. 1871 || **arane**ÍFERO 1871 || **arane**IFORME 1858. Cp. ARACNÍDEO e RONHA.

⇨ **aranha** — **arane**iforme | 1836 SC |.
aranzel sm. 'discurso prolixo e enfadonho' XVI. Do a. cast. *alanzel*, de provável origem arábica.
arão sm. 'taioba' XVIII. Do lat. *ărŏn*, deriv. do gr. *áron*.
arapapá sm. 'ave da fam. dos ardeídeos' | *arapápa c* 1777 | Do tupi *arapa'pa*.
arapari sm. 'planta da fam. das leguminosas' | *arapary* 1930 | Do tupi **arapa'ri* || **arapari**RANA XX || **arapariz**·AL XX.
arapiraca sf. 'planta da fam. das leguminosas' 1817. Do tupi **arapi'raka*.
araponga sf. 'pássaro da fam. dos cotingídeos' | α. *guigrapónga c* 1584, *guiraponga c* 1594 etc.; β. *guaraponga* 1783; γ. *hiraponga* 1730, *uiraponga* 1865; δ. *araponga* 1728 | Do tupi *ųïra'poŋa* (<*üï'ra* 'ave' + *'poŋa* 'sonante'); as vars. dos grupos α e γ procuram reproduzir com fidelidade a pronúncia do voc. tupi; na var. β houve provável interferência de GUARÁ[1]; na forma moderna (var. δ) houve redução de *ųï'ra* para *a'ra* || **arapong**ADO 1946.
arapuã sf. 'abelha da fam. dos meliponídeos' | *arapuá* 1865, *arapua* 1876 | Do tupi *eirapu'a* (<*e'ira* 'mel' + *apu'a* 'redondo') || **arapu**ADO 'zangado, impetuoso' 1946.
arapuca sf. 'armadilha para apanhar pássaros' 1865; *'ext.* negócio suspeito' 1872. Do tupi **ara'puka*.
arar vb. 'lavrar' XIII. Do lat. *arāre*. || **ar**AÇÃO XX. Do lat. *arātĭō -ōnis* || **ar**ADA *'terra lavrada'* XIII || **arado** sm. 'instrumento agrícola para lavrar a terra' XVII. Do lat. *arātrum* || **arad**OR XIII || **arad**URA XVII || **ara**TÓRIO 1844. Do lat. tard. *arātōrius* || **aratr**IFORME 1858 || **arave**ÇA XVIII. Do cruzamento dos vocs. lat. *arāre* e *vertere* || **ar**ÁVEL 1858.
⇨ **arar** — **ar**ADO | XIII FUER III. 1383, XIV TEST 171.*37* etc. || **arat**ÓRIO | 1836 SC || **ar**ÁVEL | 1836 SC |.
arara sf. 'nome comum a diversas aves de grande porte da fam. dos psitacídeos' 1576. Do tupi *a'rara* || **arara**ÚNA | 1872, *ararúna c* 1584, *arauna c* 1594 *araruna c* 1631.
arará sm. 'espécie de formiga; fêmea alada do cupim' 1587. Do tupi *ara'ra*.
araramboia sf. 'cobra da fam. dos boídeos' | 1956 *araboia* 1587, *arara-boya c* 1777 | Do tupi ** arara'moįa*.
araraúna →ARARA.
arari[1] sm. 'espécie de peixe' | *arares* pl. 1618 | Do tupi *ara'ri*.
arari[2] sf. 'variedade de arara' | 1928, *arary* 1938 | Do tupi **ara'ri*.
araribá sf. planta da fam. das leguminosas' | 1801, *araribe* 1618, *araribba* 1627, *araribá á* 1687, *ariribá e* 1735 | Do tupi **arari'ųa* || **ararib**AL XX.
araroba sf. 'planta da fam. das leguminosas, de que se extrai uma tinta de cor violeta' | 1899, *araruba* 1628 | Do tupi **ara'roųa*.
araruta sf. 'erva cultivada, da fam. das marantáceas' 'a fécula alimentar extraída dessa erva' 1871. De origem controvertida.
arataca[1] sm. 'variedade de beija-flor' | 1610, *aratagua e* 1594 | Do tupi **ara'taka*.
arataca[2] sf. 'armadilha para apanhar animais silvestres' 1663. Do tupi *ara'taka*.

arataciú sf. 'planta da fam. das euforbiáceas, de raízes aromáticas' | 1938, *aratassioia* 1886 | Do tupi, provavelmente, mas de étimo incerto.
araticum sm. 'nome comum a diversas plantas da fam. das anonáceas' | 1806, *araticû* c 1584, *araticu* 1587, *aratecu* c 1594, *araticú* 1663 *areticu* 1702 etc. | Do tupi *aratï'ku* || **araticu**EIRO 1881 || **araticumpanã** | *araticûpanã* c 1584, *araticupana* 1587, *aritucupana* 1587 | Do tupi **aratïkupa'nã*|| **araticun**Z·EIRO | *araticuseiro* 1813, *araticumzeiro* 1817.
ara·tório, -triforme → ARAR.
aratu sm. 'variedade de caranguejo' | 1587, *aratû* c 1584, *aratú* 1789 | Do tupi *ara'tû* || **aratu**ÉM 'variedade de camarão' 1587. Do tupi **aratu'ē* (< *ara'tu* + *e'ē* 'sápido, que tem muito sabor') || **aratu**RÉ 'variedade de camarão' 1587. Do tupi **aratu're*.
araucano adj. sm. 'relativo a ou natural de Arauco, no Chile' 1899. Do lat. modo *araucanus*, deriv. do topo *Arauco* || **arau**CÁRIA 'fam. de plantas coníferas' 1858.
arauiri sm. 'peixe da fam. dos caracídeos' | *arabori* 1587, *araueri* c 1631, *araguori* c 1631 | Do tupi *araye'ri*.
arauto sm. 'pregoeiro' XV. Do fr. *héraut*, deriv. do frâncico *hariwald 'emissário real'.
ar·av·eça, -el → ARAR.
aravia → ÁRABE.
araxá sm. 'alto chapadão, planalto' 1899. Do tupi **ara'ša*.
-araz → -AZ².
arbim sm. 'antigo tecido de lã, grosseiro, usado como luto' XVII. De origem controvertida.
arbitrar vb. 'julgar, determinar, decidir' XVI. Do lat. *arbitrāre* || **alvitre** XVI. Do lat. *arbitrĭum -ĭī*, com dissimilação: r/r → l/r || **alvitrar** 1813. Do lat. *arbitrāre* || **arbitr**AÇÃO 1881. Do lat. tard. *arbitratiōne* || **arbitr**ADOR XVI || **arbitr**AGEM 1871. Do fr. *arbitrage* || **arbitr**AL 1844. Do lat. *arbitrālis -e*. | **arbitr**AR·IEDADE 1844 || **arbitr**ÁRIO XVI. Do lat. *arbitrārius* || **arbitr**ATIVO 1871 || **arbítr**IO | XV, *aruydrio* XIV | Do lat. *arbitrĭum -ĭī* || **árbitro** | XVI, *aruidro* XIV | Do lat. *arbĭter -trī*. V. ALVEDRIO.
⇨ **arbitrar** — **alvitr**ADOR sm. 'árbitro' | *aluidrador* XV VITA 11.*42* || **alvitr**AR | *aluidrar* XIV DICT 324 || **alvitre** | *aluidro* XIII FUER.31 etc. || **arbitr**AÇÃO | 1836 SC || **arbitr**AL | 1836 SC || **arbitr**AR·IEDADE | 1836 SC |.
arbóreo adj. 'pertencente, relativo ou semelhante a árvore' XVII. Do lat. *arborĕus* || **arbor**ESCÊNCIA 1871 || **arbor**ESC·ENTE 1858. Do lat. *arborēscēns -ēntis*, part. de *arborēscĕre* || **arbor**ESCER 1899. Do lat. *arborēscĕre* || **arboreto** XX 'arvoredo'. Do lat. *arborētum -i* || **arborí**COLA XX || **arbori**CULTOR 1871 || **arbori**CULTURA 1858 || **arbori**FORME 1871 || **arbor**ISTA 1844 || **arbor**IZ·AÇÃO | -*isa-* 1844 | Do fr. *arborisation* || **arbor**IZAR | -*isar* 1871 | Do fr. *arboriser* || **arbús**CULA | 1899. -*lo* 1858 | Do lat. *arbúscula*, dim. de *arbor -ŏris* || **arbusti**FORME 1858 || **arbust**IVO 1813. Do lat. *arbustīvus* || **arbusto** XVII. Do lat. *arbustum*, v. ÁRVORE.
⇨ **arbóreo** — **arbor**ISTA | 1836 SC || **arbor**IZ·AÇÃO | *arborisação* 1836 SC || **arbús**CULA | *arbusculo* 1836 SC |.
arc- → ARQUEO-, ARQUI-.

arca sf. 'grande caixa de tampa chata' 'cofre, tesouro' | XIII, *archa* XIII, *arqua* XIV | Do lat. *arca* || **arca**BOUÇO XVI || **arc**AR XVII || **arc**AZ XVI || **arqu**EJ·ANTE 1813 || **arqu**EJAR XV || **arqu**EJO 1813 || **arqu**ETA XIV.
-arca suf. nom., do lat. tard. *-archa*, deriv. do gr. *-archēs* (de *archós* 'aquele que comanda' e, este, de *archein* 'comandar'), que se documenta em alguns vocs. port. eruditos: *monarca, tetrarca* etc.; V. -ARQUI(A).
arcabuz sm. 'antiga arma de fogo portátil, espécie de bacamarte' XVI. Do fr. *arquebuse*, deriv. do m. a. al. *hâkenbühse* (al. *Hakenbüchse*), m. neerl. *haecbus(se), hakebus(se)* || **arcabuz**AÇO | -*asso* 1638 || **arcabuz**ADA XVI || **arcabuz**AR XIX || **arcabuz**ARIA XVI || **arcabuz**EIRO XVI.
arcada¹ ᵉ ² → ARCO.
árcade adj. s.2g. 'relativo a ou natural de Arcádia, região da Grécia' 'membro da arcádia' XVI. Do lat. *Arcas -ădis*, deriv. do gr. *Arkás -ádos* || **arcád**IA sf. 'sociedade literária típica da última fase do classicismo, que reatualizou os ideais da cultura grega' XX. Do lat. *Arcadīa* || **arcád**ICO XVI. Do lat. *Arcadĭcus*, deriv. do gr. *Arkadikós*.
⇨ **árcade** — **arcád**IA | 1836 SC |.
arcaico adj. 'antiquado, obsoleto' | -*ch-* 1844 | Do lat. tard. *archaicus*, deriv. do gr. *archāikós*, de *archâios* (*archē* 'princípio') || **arca**ÍSMO | -*ch-* 1813 | Do lat. tard. *archaismus*, deriv. do gr. *archāismós* || **arca**IZ·ANTE XX || **arca**IZAR | -*chaï-* 1899.
⇨ **arcaico** | *archaico* 1836 SC |.
arcanjo sm. 'anjo de ordem superior' | *archangeo* XIII, *archango* XIII, *arquangeo* XIV, *arcágel* XIV etc. | Do lat. *archangĕlus*, deriv. do gr. *archággelos* || **arcangé**LICO | *archangelico* 1871 | Do lat. *archangelĭcus*.
arcano adj. sm. 'segredo, mistério' 'lugar misterioso' XV. Do lat. *arcānum -i*.
arção sm. 'peça arqueada e proeminente da sela' | *arções* pl. XIII, *arçon* XIII, *arçon* XIV | Do lat. *arcio -ōnis.
arcar → ARCA.
arcatura → ARCO.
arcaz → ARCA.
arce- → ARQUI-.
arcebispo sm. 'prelado de ordem superior ao bispo' XIII. Do lat. ecles. *archiĕpĭscŏpus*, deriv. do gr. *archiepískopos* || **arcebisp**ADO | XIV, *arçobispado* XIII || **arcebisp**AL XIV.
arcediago sm. 'eclesiástico investido pelo bispo de certos poderes numa diocese' XIII. Do lat. ecles. *archidiăcŏnus* || **arcediag**ADO | *arci-* XIV, *arçidianadego* XV.
archote sm. 'facho breado para iluminar' XVIII. Do cast. *hachote*.
arcí·fero, -forme → ARCO.
arcipreste sm. 'pároco investido de poder superior ao dos outros párocos numa diocese' | XIV, *arcepreste* XIII, *acipreste* XIV | Do a. fr. *arcipreste*, deriv. do lat. ecles. *archipresbўter*, deriv. do gr. *archipresbýteros* || **arciprest**ADO | -*tá-* 1881.
⇨ **arcipreste** — **arciprest**ado | 1836 SC |
arco sm. 'porção de uma curva compreendida entre dois pontos' XIV; 'arma para arremessar setas' XIII. Do lat. *arcus -us* || **arc**ADA¹ 'série de arcos' XVII.

Do it. *arcata*, deriv. do lat. med. *arcāta* || **arc**ADA² '(Mús.) golpe de arco nas cordas do violino' 1844. Do it. *arcata* || **arc**aTURA 1899. Do lat. *arcātūrae -ārum* || **arcí**FERO 1871 || **arci**FORME 1871 || **arcobotante** XVIII. Do fr. *arc-boutant* 'arco que reforça a parede' || **arco-íris** *sm. 2n.* 'fenômeno resultante da dispersão da luz solar em gotículas de água suspensas na atmosfera, e que é observado como um conjunto de arcos em circunferência, com as cores do espectro solar' 1813. De *arco* + mit. *Íris* (a mensageira da deusa Juno, que vinha do Céu caminhando por este arco) || **arqu**eAÇÃO 1684 || **arqu**eAR XVI || **arqu**EIRO | XIII, *-ch-* XV.
⇨ **arco** — **arc**ADA¹ | XV MONT 112.*9* || **arc**ADA² 1836 SC || **arc**AT·URA | 1868 *in* ZT |.
arconte *sm.* 'magistrado na Grécia antiga' | *-ch-* 1813 | Do lat. *archōn -ōntis*, deriv. do gr. *árchōn -ontos*.
arctar *vb.* 'apertar fortemente' 'reduzir, limitar' XVII. Do lat. *arctāre* || **arct**AÇÃO 1858.
arder *vb.* 'queimar, estar em chamas' XIII. Do lat. *ardēre* || **ard**EDOR XIII || **árdego** *adj.* 'impetuoso, ardente' XVII || **ard**ÊNCIA XVII || **ard**ENTE XIII. Do lat. *ardens -entis* || **ard**ENT·IA XVII || **ard**IDO¹ *adj.* 'queimado, crestado' XVI || **ard**ÍFERO 1858 || **ardor** *sm.* 'calor intenso' 'ímpeto, fervor' XIV. Do lat. *ardŏr -ōris* || **ard**oROSO XX.
ardido² *adj.* 'valente, corajoso' XIII. Do fr. *hardi*, part. de *hardir*, deriv. do germânico **hardjan* 'tornar duro' || **ardid**EZA *sf.* 'valentia, coragem' XV || **ard**IMENTO *sm.* 'valentia, coragem' XIV.
ardífero → ARDER.
ardil *sm.* 'astúcia, manha, estratagema' 1572. De origem controvertida || **ardil**EZA XVI || **ardil**OSO XVI.
⇨ **ardil** | XV ZURD 201.*23*, *ardill* XV LOPJ || 147.*22* |.
ardor, -oso → ARDER.
ardósia *sf.* 'rocha argilosa' 1844. Do fr. *ardoise*.
⇨ **ardósia** | 1783 *in* ZT |.
árduo *adj.* 'escarpado, espinhoso, áspero' 'trabalhoso, custoso' XIV. Do lat. *ardŭus* || **ardu**IDADE XVI. Do lat. *arduĭtās -ātis*.
are *sm.* 'unidade de medidas agrárias, equivalente a 100m²' 1858. Do fr. *are*, voc. criado em 1795, com base no lat. *ārĕa* 'superfície'.
⇨ **are** | 1828 *in* ZT |.
área *sf.* 'a medida de uma superfície' *fig.* campo de ação, esfera, domínio' XVI. Do lat. *ārĕa*.
⇨ **área** | XIV TROY II.84.*11* |.
are·al, -ar¹ → AREIA.
arear² *vb.* 'perder o rumo, desorientar-se' XVI. De origem controvertida || **are**ADO XVI.
areca *sf.* 'fruto da arequeira (*Areca catechu* L.), palmeira asiática' | 1513, *harequa* 1510, *areqa* 1534 etc. | Do malaiala *adekka* ou *adakka* || **arec**AL | *arequaes* pl. 1536 || **arequ**EIRA 1559.
⇨ **areca** — **arequeira** | *c* 1539 JCASD 135.*18* |.
areia *sf.* 'conjunto de partículas finas, de rochas em decomposição, que se encontram nos rios, no mar e nos desertos' | *arena* XIII, *arĕa* XIII, *area* XIII etc. | Do lat. *arēna* || **are**AL | XIV, *arĕal* XIII || **are**AR¹ XVII || **are**EIRO XIX || **are**ENTO XIX || **arena** *sf.* 'área central, coberta de areia, nos antigos circos romanos, onde combatiam os gladiadores e as feras' 'circo, anfiteatro, praça de touros' 1813. Do cast. *arena*, deriv. do lat. *arēna* || **aren**ÁCEO 1844. Do lat. *arēnācĕus* || **aren**AL XX. Do cast. *arenal* || **aren**ÁRIA 1871. Do lat. *arēnārĭa* || **aren**ATO 1881. Do lat. *arēnātus* || **aren**ÍCOLA 1858 || **areni**·FERO 1881 || **areni**·FORME 1844 || **aren**ITO XX || **aren**OSO | XIV, *areoso* XIV | Do lat. *arēnōsus* || **arn**ADO 1813. Do lat. *arēnātus* || **arn**EIRO XVII. Do lat. *arēnārĭum -ĭī*, por síncope e metátese || **arn**ELA XVI. Do lat. **arenella* (dim. de *arēna*), provavelmente.
⇨ **areia** — **are**EIRO | *c* 1541 JCASR 305.*9* || **are**ENTO | 1649 *in* GFer 164.*8* || **aren**ÁCEO | 1836 SC || **aren**ATO | 1836 SC || **areni**·FERO | 1836 SC || **areni**·FORME | 1836 SC |.
arej·ado, -amento, -ar → AR.
aren·a, -áceo, -al, -ária, -ato → AREIA.
arenga *sf.* 'alocução, discurso' 'discurso enfadonho' 'intriga, mexerico' XVI. Do prov. *arenga*, de origem germânica || **areng**AR XVII || **arengu**EIRO 1813.
⇨ **arenga** | 1452 LOPO 1.*4* |.
aren·ícola, -ífero, -iforme, oito, -oso → AREIA.
arenque *sm.* 'peixe teleósteo da fam. dos engraulídeos' | XIV, *-gue* XVI | Do fr. *hareng*, deriv. do lat. *(h)aringus*, de origem germânica.
areômetro *sm.* '(Fís.) aparelho para medição da massa específica dos líquidos ou dos sólidos' 1813. Do fr. *aréomètre*, composto do gr. *araiós* 'pouco denso' e *métron* 'medida'.
areopagita *sm.* 'membro do areópago, tribunal supremo ateniense' | XVI, *ariopagito* XV | Do lat. *arēopagites*, deriv. do gr. *areopagitēs* || **areópago** XVII. Do lat. *Areopăgus*, deriv. do gr. *Areios págos* 'colina de Ares', de onde 'tribunal sediado nessa colina'.
⇨ **areopagita** — **areópago** | 1589 *in* DA |.
areotectônica *sf.* 'arte de construir fortificações ou de fortificar um lugar' 1871. Do fr. *aréotectonique*, composto do gr. *áreios* 'relativo à guerra' e *tektonikē* 'arte de construir'.
arequeira → ARECA.
aresta *sf.* '(Geom.) segmento de reta comum a duas faces adjacentes de um poliedro' 'quina' | *arees-* XVI | Do lat. tard. *aresta*, por *arĭsta* 'barba de espiga' 'espinha de peixe' || **arest**OSO XVII. Do lat. *aristōsus* || **aristi**FORME 1871.
arestim *sm.* 'eczema ou tumor nos pés das cavalgaduras' 'dermatose pruriginosa' 1899. Do cast. *arestín*.
⇨ **arestim** | 1836 SC |.
arestoso → ARESTA.
arfar *vb.* 'respirar com dificuldade, ansiar, ofegar' XVI. Talvez do lat. vulg. **arefāre* (cláss. *arefacĕre* 'secar') || **arf**ANTE 1899.
argali *sm.* 'carneiro da Sibéria' 1871. Do fr. *argali*, deriv. do persa *argālī*.
argamassa *sf.* 'mistura de cal, areia e água que se emprega em obras de alvenaria' XIII. De origem controvertida.
arganaz *sm.* 'ratazana' XVI. De origem obscura.
arganel *sm.* '(Mar.) peça de ferro para engatar talha, amarra ou espia' | *-ganes* pl. XIV | Do cast. *arganel*.
argau *sm.* 'tubo de folha de cana para extrair líquidos' | *argão* XVI | Do lat. vulg. **argănum*, deriv. do gr. *órganon* 'instrumento', através do pl. *tà (ó)rgana*.

argel *adj. s.2g.* 'diz-se dos cavalos cujos pés traseiros são brancos' XVI. Do ár. *'arğál.*
argelino *adj. sm.* 'relativo à, ou natural da cidade de Argel ou da Argélia' XIX. Do top. *Argel* + -INO.
árgema *sm.* 'úlcera arredondada e superficial da córnea' 1858. Do lat. *argema -atis,* deriv. do gr. *árgema.*
argêmona *sf.* 'gênero de plantas da fam. das papaveráceas' | *argé-* 1858 | Do fr. *argémone,* deriv. do lat. *argemōnia* e, este, do gr. *argemónē.*
argênteo *adj.* 'prateado, de prata' 1572. Do lat. *argentĕus* || **argent**ADO 1813. Do lat. *argentātus* || **argent**ÁRIO 1899. Do lat. *argentārĭus* || **argentí**-FERO 1881 || **argenti**FÓLIO 1881 || **argent**INO^1 *adj.* 'argênteo' XVII. Do lat. *argentīnus* || **argent**INO^2 *adj. sm.* 'relativo à, ou natural da Argentina' XIX. Do top. *Argentina* || **argent**ITA XX || **argent**ITO XX || **argento** | XIV, *argem* XIII, etc. | Do lat. *argentum* || **argin·**ASE XX || **argin·**INA XX. Cp. ARGIR(O)-.
⇨ **argênteo** — **argent**ÁRIO | 1836 SC || **argentí·**FERO | 1836 SC |.
argila *sf.* 'tipo de barro, constituído de silicatos de alumínio hidratados' | 1813, *arzila* XV | Do fr. *argile,* deriv. do lat. *argīlla* e, este, do gr. *árgĭllos* || **argil**ÁCEO | *-lla-* 1813 | Do lat. *argillācĕus* || **argil**ÍFERO | *-ll-* 1871 || **argil**IFORME | *-llifó-* 1871 || **argil**OIDE | *-llo-* 1871 || **argil**OSO | *-lloso* XVI | Do lat. *argillōsus.*
argin·ASE, -INA → ARGÊNTEO.
argir(o)- *elem. comp.,* do gr. *árgyros* 'prata', que se documenta em alguns compostos formados no próprio grego (como *argírico*) e em alguns outros vocs. introduzidos na linguagem científica internacional a partir do séc. XIX ▶ **argir**ÂNTEMO | *-gyranthêma* 1871 || **argír**ICO | *-gy-* 1899 | Cp. gr. *argyrikós* || **argir**ISMO XX. Do fr. *argyrisme* | **argir**ÓCOMO | *-gy-* 1871 || **argir**ÓFILO | *argyrophyllo* 1871. Cp. ARGÊNTEO.
argiva *adj. sm.* 'relativo a, ou natural de Argos, antiga cidade do Peloponeso' 'o mesmo que grego' XVI. Do lat. *Argīvus,* deriv. do gr. *Argêios,* de *A'rgos.*
argola *sf.* 'anel metálico para prender ou puxar qualquer coisa' | *argolla* XIV | Do ár. *al-ġúlla.*
argonauta *sm.* 'tripulante lendário da nau mitológica Argo' *'ext.* navegador ousado' 1572. Do lat. *Argonauta,* deriv. do gr. *Argonáutēs.*
⇨ **argonauta** | 1538 DCAST 18.4 |.
argônio *sm.* '(Quím.) elemento químico gasoso, de número atômico 18, incolor e inodoro, encontrado na atmosfera terrestre e utilizado no enchimento de lâmpadas elétricas' XX. Do fr. *argon,* deriv. do gr. *argós -ón.*
argúcia *sj.* 'agudeza de espírito' 'sutileza de raciocínio ou da argumentação' XVI. Do lat. *argūtĭa* | **arguto** | 1572, *argudo* XIV | Do lat. *argūtus.*
argueiro *sm.* 'partícula leve, separada de qualquer corpo' 'grânulo, cisco' | *-guey-* XIII | De origem obscura.
arguir *vb.* 'repreender, censurar' 'examinar um aluno ou concorrente, interrogando ou questionando' XVI. Do lat. *arguĕre* || **argu**ENTE 1871 || **argu**IÇÃO XVIII. Do lat. tard. *arguitĭō -ōnis* || **argui**TIVO 1881.
⇨ **arguir** | *argujr* XIV DICT 230 || **argu**ENTE | 1836 SC |.

argumento *sm.* 'raciocínio pelo qual se tira uma consequência ou dedução' 'assunto, tema, enredo' | XIV, *arguymento* XIV | Do lat. *argūmentum -i* || **argument**AÇÃO XVI. Do lat. *argūmentātĭō -ōnis* || **argument**ADOR XVI. Do lat. *argūmentātor -ōris* || **argument**ANTE 1813 || **argument**AR XVI. Do lat. *argumentāre* || **argument**ATIVO XVII.
⇨ **argumento** → **argument**AR | *argumetar* XV VITA 92c6 |.
arguto → ARGÚCIA.
ária^1 *sf.* 'peça de música para uma só voz' XVIII. Do it. *ària* || **ari**ETA XVII. Do it. *ariétta* || **ari**OSO 1871. Do it. *ariōso.*
ária^2 *adj. s2g.* 'pertencente ou relativo aos árias, os mais antigos antepassados que se conhecem da fam. indo-europeia' | *airyas* pl. XIX, *áryas* pl. XIX | Do sânscr. *ārya* || **ari**ANO^1 'ária^2' 1871.
-aria *suf nom.,* proveniente da fusão do suf. lat. *-ārius* (> -ÁRIO) com o suf. gr. *-ia* [*-ār(ius)* + *-ia* → *-aria*], que se documenta em vocs. eruditos e semieruditos, com as noções básicas de: (i) oficina: *cutelaria, marcenaria;* (ii) estabelecimento comercial: *drogaria, sapataria;* (iii) coleção de objetos: *pedraria, quinquilharia;* (iv) ação enérgica e/ou de grande intensidade: *fuzilaria, pancadaria;* (v) atitude própria de certos indivíduos: *patifaria, pirataria.* O suf. *-aria* modifica-se, às vezes, em *-eria,* quer por influência do fr. *-erie (bijuteria),* ou do it. *-eria (galeria),* quer por influência da terminação *-e* dos substantivos a que se liga: leite/leiteria, sorvete/sorveteria. Esta oscilação *-aria/-eria* ocorre em português desde o período medieval.
-ária → -ÁRIO.
ariano^2 *adj. sm.* 'sectário do arianismo, doutrina de Ario, famoso heresiarca de Alexandria' | *arryano* XIV, *arryāao* XIV, *ariāao* XV | Do lat. ecles. *Ariānus,* do antrop. *Arius* || **arian**ISMO XIX.
árido *adj.* 'sem umidade, seco' 1572. Do lat. *ārĭdus* || **arid**EZ 1813.
arieta → ÁRIA^1.
aríete *sm.* 'antiga máquina de guerra para abater muralhas' 1572. Do lat. *arĭēs -ĕtis.*
⇨ **aríete** | *c* 1539 JCASD 135.27 |.
arietino *adj.* 'relativo ou pertencente a Áries' XVIII. Do lat. *arĭēs -ĕtis* 'carneiro (animal e signo zodiacal)'.
arilo *sm.* '(Bot.) designação comum às excrescências observadas na superfície de muitas sementes' | *-llo* 1871 | Do fr. *arille,* deriv. do lat. tard. *arillī,* pl. de *arīllus.*
⇨ **arilo** | *arilho* 1836 SC |.
aringa *sf.* 'campo fortificado, reduto dos sobas africanos' 1881. Provavelmente do cafre, mas de étimo indeterminado.
arinto *sm.* 'casta de uva branca' 1881. De origem obscura.
⇨ **arinto** | 1836 SC, *arinta* Id. |.
-ário *suf. nom.* (= cast. *-ario* = it. *-ario* = fr. *-aire* = ing. *-ary),* do lat. *-ārius* (fem. *-ária* [>-*ária*], neutro *-ārium*).
A. Forma substantivos de cunho erudito, oriundos de outros substantivos portugueses, com as noções básicas de: (i) indivíduo que pratica uma ação (incendi*ário*), que está incumbido de uma tarefa (mission*ário*) ou que exerce uma atividade (disco-

tec*ário*); (ii) indivíduo em favor do qual se exerce a ação ou que se beneficia dela (mandat*ário*); (iii) indivíduo que possui (propriet*ário*) ou que foi investido na posse de (dignit*ário*); (iv) indivíduo que fabrica objetos (oper*ário*) ou que os vende (antiqu*ário*); (v) indivíduo que faz parte de uma comunidade, que é membro de uma associação ou de um grupo (correligion*ário*, universit*ário*); (vi) indivíduo que manifesta uma determinada tendência ou demonstra um certo tipo de caráter (perdul*ário*, vision*ário*); (vii) lugar onde se guardam diferentes objetos (arm*ário*), onde se abrigam crianças recém-nascidas (berç*ário*), onde se criam animais (avi*ário*) ou onde se cultivam plantas (orquid*ário*); (viii) coleção de fórmulas (formul*ário*), de notícias (notici*ário*), de vocábulos (vocabul*ário*) etc.
B. Forma adjetivos de cunho erudito, oriundos de substantivos portugueses, com as noções de: (ix) relação, origem, procedência (arbitr*ário*, diário, honor*ário*). Alguns desses adjetivos foram posteriormente substantivados: *diário* 'caderno de anotações', *honorário(s)* 'vencimento(s) de um profissional liberal' etc.
C. Ocorre, também, nas mesmas acepções acima referidas, em vocs. de origem francesa (*comissário*), italiana (*empresário*) etc. v. -EIRO.
arioso → ÁRIA¹.
aripo *sm*. 'cavação e joeiramento de areia das ostreiras' XVII. Do malaiala *arippu* 'joeira, bateia' || ariPAR XVII.
ariramba *sf.* 'ave da fam. dos alcedinídeos' | 1886, *garirama* 1587, *arirama* 1874 | Do tupi **üari' rama.*
ariranha *sf.* 'mamífero carnívoro da fam. dos mustelídeos' | 1847, *arerã* 1587, *areranha* 1792 | Do tupi *are'rãia*.
arisco *adj*. 'abundante em areia' 'esquivo, desconfiado, arredio' XV. De origem controvertida; na primeira acepção, o voc. relaciona-se com *areia*, através da seguinte possível evolução: **arenisco* > **areisco* > *arisco*.
arista *sf*. 'barba da espiga de cereais' XX. Do lat. *arĭsta* || aristADO 1858. Do lat. *aristātus* || aristOSO 1899. Do lat. *aristōsus*. Cp. ARESTA.
aristarco *adj. sm.* 'crítico ou censor severo, mas judicioso' XVII. Do antrop. lat. *Aristarchus*, deriv. do gr. *Arístarchos*, célebre crítico grego.
aristiforme → ARESTA.
aristocracia *sf.* 'tipo de organização social e política em que o governo é monopolizado por uma classe privilegiada' 'fidalguia' XVII. Do fr. *aristocratie*, deriv. do lat. *aristocratia* e, este, do gr. *aristokratía* || aristocrATA XIX. Do fr. *aristocrate* || aristocrAT·ICO XVII. Do fr. *aristocratique*, deriv. do gr. *aristokratikós* || aristocrAT·ISMO XX || aristocrAT·IZAR XIX || aristoDEMO·CRAC·IA 1844 || aristoDEMO·CRATA 1871.
⇨ **aristocracia** — aristocrAT·ISMO | 1836 SC || aristoDEMO·CRAC·IA | 1836 SC |.
aristofânico *adj*. 'pertencente ou relativo a Aristófanes, comediógrafo grego' | *-ph-* 1899 | Do lat. tard. *Aristophanicus*, do antrop. gr. *Aristopháněs*.
aristolóquia *sf*. 'gênero de plantas trepadeiras, da fam. das aristoloquiáceas' | *aristogia* [sic] XVI | Do lat. cient. *aristolochia*, deriv. do gr. *aristolochia*.

aristotélico *adj*. 'pertencente ou relativo ao filósofo grego Aristóteles ou ao conjunto de suas doutrinas' XVI. Do lat. *Aristotelĭcus*, deriv. do gr. *Aristotelikós*.
aristu *sm*. 'prato de carne refogada com alguns legumes e de molho espesso' XX. Do ing. *irish stew*.
aritmética *sf.* 'parte da matemática em que se investigam as propriedades elementares dos números inteiros e racionais' | *arismetica* XIV, *aresmetica* XIV | Do lat. *arithmēthĭca*, deriv. do gr. *arithmētikē* '(de *arithmós* 'número') || aritMANC·IA *-th-* 1844 | Do fr. *arithmancie* || aritMANTE XX || aritmétICO XVII. Do lat. *arithmētĭcus*, deriv. do gr. *arithmētikós* || aritmoGRAF·IA | *arithmographia* 1871 | Do fr. *arithmographie* || aritmoLOG·IA | *-th-* 1858 | Do fr. *arithmologie* || aritmôMETRO | *arithmó-* 1858 | Do fr. *arithmomètre*.
⇨ **aritmética** — aritMANC·IA | *arithmancia* 1836 SC || aritmétICO | *arismetico* 1519 GNic 8v16, *arysmetico* Id. 35v3 |.
arlequim *sm*. 'personagem da antiga comédia italiana' 'farsante, truão, fanfarrão' XVII. Do it. *arlecchino*, deriv. do a. fr. *hellequin* ou *hierlekin* || arlequinADA XIX.
arma *sf*. 'instrumento de ataque e de defesa' XIII. Do lat. *arma* || armAÇÃO *-çam* XIV, *-çom* XIV || armADA *sf.* 'frota (de navios)' XIV. Do it. *armata* || **armadilha** | XIV, *-illa* XIII | Do cast. *armadilla* || **armadilho** XVII. Do cast. *armadillo* || armADO XIII || armADOR XIV || armADURA XXI. Do lat. *armātūra* || armAMENTO XVIII || armAR XIII. Do lat. *armāre* || armARIA XV || armEIRO | *-eyro* XIII || armÍFERO XIX. Do lat. *armĭfĕrum* || armÍGERO *adj. sm*. 1572. Do lat. *armĭgĕrum* || armILH·EIRO XVIII || armIPOTENTE XVII. Do lat. *armipotēns -entis* || armISSONO XVII. Do lat. *armisŏnus* || armIST·ÍCIO | *armesticio* XVIII | Do lat. diplomático moderno *armistitium* (formado pelo modelo de *justitium*), com provável interferência do francês || DESarmADO XIII || DESarmAMENTO 1798 || DESarmAR XIII || **inerme** 1572. Do lat. *inermis* || REarmAMENTO XX || REarmAR XX.
armão *sm*. 'o jogo dianteiro de uma viatura' 'carreta que rebocava as peças de artilharia' XVII. Do fr. *armon*.
armar, armaria → ARMA.
armário *sm*. 'móvel que se destina a guardar objetos' | *almaryo* XIV | Do lat. *armārĭum -ii* || **armarinho** *'bras*. loja de miudezas' 1881. O voc. adquiriu esta nova acepção porque houve época em que os artigos próprios desse tipo de loja eram vendidos nas ruas e, por isso, era necessário resguardá-los em armários.
armazém *sm*. 'depósito de mercadorias, de munições etc.' 'estabelecimento comercial de secos e molhados' | *almazem* XIII | Do ár. *al-máḫzan*, vulgarmente *al-maḫzēn* || armazenAGEM 1858 || armazenAMENTO 1871 || armazenAR XIX.
⇨ **armazém** — armazenAGEM | 1843 *in* ZT |.
armeiro → ARMA.
armela *sf*. 'anel ou peça metálica por onde se enfia o ferrolho para trancar a porta ou janela' XVII. Do lat. *armĭlla* 'bracelete, anel, argola' || **armila** *sf.* 'armela' 'bracelete' | XVI, *-ll-* 1813 | Do lat. *armĭlla* || armilAR *adj. 2g.* | *-ll-* 1813.
⇨ **armela** | *armella* 1456 MARR II.346.*33* |.

armelino *sm.* 'arminho (mamífero)'; *adj.* 'relativo ao armelino' | *-ll-* XVI | Do it. *armellino*, derivado, com dissimilação, do lat. *arměnīus* (*mus*) '(rato) armênio' || **armelina** *sf.* 'pele branca de armelino' XX.
⇨ **armelino** — **armel**ina | 1836 SC |.
armênio *adj. sm.* 'relativo à, ou natural da Armênia' | XVI. *-nyo* XIV | Do lat. *armenīus*, do top. *Armenīa*.
armento *sm.* 'rebanho, principalmente de gado bovino' XVII. Do lat. *armentum -i* || **arment**AL XVII. Do lat. *armentālis -e* || **armentio** XIII. Do lat. *armentīvus* || **arment**OSO 1844. Do lat. *armentōsus*.
⇨ **armento** — **arment**oso | 1836 SC |.
arméu *sm.* 'manojo de lã, de estopa ou de linha, que se põe de uma vez na roca' | *armeo* XVI | De origem obscura.
armezim *sm.* 'espécie de tafetá' XVIII. De origem controvertida.
arm·ífero, -ígero → ARMA.
armil·a, -ar → ARMELA.
armilheiro → ARMA.
arminho *sm.* 'mamífero das regiões polares' 'ext. a pele do arminho' | *armỹo* XIII, *armỹño* XIV | Do lat. *arměnīus* (*mus-*) '(rato) armênio'.
arm·ipotente, -íssono, -istício → -ARMA.
armole *sm.* 'tipo de erva hortense e silvestre' | *-les* XVI, *-la* 1813 | Do lat. *holus* 'legume, hortaliça' e *molle* 'brando, mole'.
armorial *sm.* 'livro onde vêm registrados os brasões' 1858. Do fr. *armorial*, deriv. do lat. *armāre*, pelo modelo do adj. *historial* 'relativo à história' || **armori**ADO XIX || **armori**AR XX.
armórico *adj. sm.* 'relativo à, ou natural da Armórica, parte da Gália que forma a Bretanha atual' | *-ricano* 1871 | Do lat. tard. *armoricus*.
arn·ado, -eiro, -ela → AREIA.
arnês *sm.* 'armadura completa dos antigos guerreiros' XIV. Do a. fr. *herneis*, hoje *harnais*, de origem germânica.
⇨ **arnês** — **arnes**ado | 1439 MARR I.506.*28* |.
arnica *sf.* 'erva alpestre da fam. das compostas, que foi muito empregada na medicina' 'a tintura extraída dessa planta' XVII. Do lat. cient. *arnica*, derivado, provavelmente, do gr. *ptarmikḗ*.
aro¹ *sm.* 'pequeno círculo, anel' 'arredores, vizinhança' XV. Do lat. *arvum* 'terra lavrada, campo', através de uma forma **arum*.
aro² *sm.* 'bras. taioba' 1881. Do lat. *arum*, deriv. do gr. *áron* 'nome de várias plantas, especialmente o *Arum italicum*'.
aroeira *sf.* 'planta ornamental da fam. das anacardiáceas' | *daaroeyra* XV, *adaaroeyra* XV | Do ár. *darū* 'lentisco' + -EIRA; na forma atual houve aférese do *da-*, confundido com a preposição: *daaroeira* → *da aroeira*.
aroma *sm.* 'odor agradável, perfume, fragrância' XVI. Do lat. *arōma -ătis*, deriv. do gr. *árōma -atos* || **aromát**ICO XVI. Do lat. tard. *arōmāticus*, deriv. do gr. *arōmātikós* || **aromat**IZAR XVI. Do lat. tard. *arōmatizāre*, deriv. do gr. *arōmatízō*.
⇨ **aroma** — **aromát**ICO | XIV ORTO 19.*12* etc. |.
arpão *sm.* 'conjunto formado por um ferro, com feitio de seta, fixado a um cabo, e que se destina a usos diversos, como a caça submarina, a pesca de peixes de grande porte etc.' | *arpões* pl. XV | Do fr. *harpon* || **arp**AR XVII. Do fr. *harper*, deriv. do frâncico **harpon* || **arpo**ADOR 1844 || **arpo**AR XVI.
⇨ **arpão** — **arpo**ador | 1836 SC |.
arpejo *sm.* '(Mús.) execução rápida e sucessiva de notas de um acorde, geralmente em instrumento de cordas' 1813. Do it. *arpeggìo* || **arpej**AR 1813. Do it. *arpeggiare*.
arpéu *sm.* 'gancho de ferro usado na abordagem' 'pequeno arpão' | *arpeo* XV | Do a. fr. *harpeau*, dim. de *harpe* 'garra'.
arpo·ador, -ar → ARPÃO.
arque- → ARQUI-
arqu·eação, -ear, -eiro → ARCO.
arquegônio *sm.* '(Bot.) órgão sexual feminino de plantas aperfeiçoadas' | *-chegono* 1871 | Do fr. *archégone*, deriv. do gr. *archḗ* 'princípio' + *gónos* 'geração'.
arquej·ante, -ar, -o → ARCA.
arqueo- *elem. comp.*, deriv. do gr. *archaio-*, de *archaios* 'antigo, primitivo', que se documenta em vocs. port. eruditos, muitos dos quais já formados no próprio grego (*árqueologia*) e outros criados nas modernas línguas de cultura (*arqueozoico*); *arqueo-* reduz-se a *arc-* em *arcaico* e seus correlatos (*arcaísmo, arcaizante, arcaizado* e *arcaizar*).
arqueologia *sf.* 'estudo de antiguidades, especialmente do período pré-histórico' | *-ch-* 1844 | Do fr. *archéologie*, deriv. do gr. *archaiología* || **arqueo**GRAF·IA | *archeographia* 1858 || **arqueó**GRAFO | *archeographo* 1858 || **arqueo**LÓG·ICO | *-ch-* 1844 | Do fr. *archéologique*, deriv. do gr. *archaiologikós* || **arqueó**LOGO | *-cheo-* 1858 | Do fr. *archéologue*, deriv. do gr. *archaiológos* || **arqueo**ZOICO XX.
⇨ **arqueologia** | *archeologia* 1836 SC || **arqueo**LÓG·ICO | *archeologico* 1836 SC || **arqueó**LOGO | *archologo* 1836 SC |.
arqueta → ARCA.
arquétipo *sm.* 'modelo de seres criados' 'padrão, modelo, protótipo' 1572. Do fr. *archétype*, deriv. do lat. *archetỳpum -i* e, este, do gr. *archétypon*.
arqui- *pref.*, deriv. do gr. *arch(i)-*, de *archós* 'aquele que comanda, chefe' (relacionado com *archein* 'comandar, chefiar'), que se documenta em vocs. port. eruditos, alguns formados já no próprio grego (*arquiteto*) e outros criados nas modernas línguas de cultura, onde, aliás, ele é bastante produtivo, ocorrendo em português inclusive junto a radicais vernáculos (*arquibancada, arquimilionário*) e até mesmo em formações populares (*arquiboçal, arquipatife*). O pref. (*arqui-* altera-se em *arc-* (*arcanjo*), *arce-* (*arcebispo*) e *arque-* (*arquétipo*); algumas dessas alterações já ocorrem no próprio grego, outras no latim medieval e outras, por fim, em francês e/ou em italiano, idiomas estes que serviram de veículos a inúmeros vocs. port. de remota procedência grega.
-arqui(a) *suf nom.*, do lat. tard. *-archia*, deriv. do gr. *-archía* 'tipo de governo', que se documenta em alguns vocs. port. eruditos, como *monarquia*, *tetrarquia* etc., e em seus derivados *monárquico*, *monarquismo* etc. V. -ARCA.
arqui·bancada, -banco → BANCO.
arqui·dioces·ano, -e → DIOCESE.

arqui·ducal, -duque, -duquesa → DUQUE.
arquiepiscopal *adj.* 2g. 'relativo ou pertencente a arcebispo' | *-ch-* XVI |. Do lat. tard. *archiepiscopus* (deriv. do gr. *archiepiskopos*) + -AL.
arquilóquio *sm.* 'tipo de verso da métrica clássica, inventado por Arquíloco, poeta grego' | *archiloquiano* 1871 | Do lat. *Archilochius*, deriv. do gr. *Archílochos.*
arquimagiro *sm.* 'cozinheiro-chefe' | *-ch-* 1899 | Do lat. *archimagīrus -ī*, deriv. do gr. *archimágeiros.*
arquimandrita *sm.* 'superior de mosteiro na Igreja Grega' | *archimādrite* XV | Do lat. ecles. *archimandrīta*, deriv. do gr. *archimandrī́tēs.*
arquipélago *sm.* 'agrupamento de ilhas em determinado ponto do oceano' | *archipelligo* XIV | Do it. *arcipèlago*, deriv. de um gr. bizantino **archipélagos* 'mar principal', alteração do gr. *Aigaîon pélagos* 'mar Egeu', por influência do pref. gr. *archi-*, que se documenta em inúmeros compostos eruditos (V. ARQUI-).
arquitetura *sf.* 'arte de edificar' 'as obras arquitetônicas dum país, duma época etc.' | *-chitec-* XVI | Do lat. *architectūra* || **arquitet**AR | *-chitec-* XVI | Do lat. *architectāri* || **arquiteto** | *-chitec-* XVI | Do lat. *architectus -i*, deriv. do gr. *architéktōn -onos* || **arquitetôn**ICO || *-chitectonico* XVI | Do lat. *architectonīcus*, deriv. do gr. *architektonikós.*
arquitrave → TRAVE.
arquivo *sm.* 'conjunto de documentos' 'lugar ou móvel onde se guardam documentos' | *-chi-* XVI | Do lat. *archīvum*, deriv. do gr. *archêion* || **arqui**VAMENTO XX || **arquiv**AR 1813 || **arquiv**ISTA | *-chi-* XVI.
arquivolta *sf.* 'moldura que guarnece um arco, esculpida nas próprias aduelas que o constituem' 'série de arcos que formam os portais de muitos edifícios românicos e góticos' | *-chi-* 1871 | Do it. *archivòlto*, deriv. do lat. med. *archivoltum.*
⇨ **arquivolta** | 1783 in ZT |.
arrabalde *sm.* 'subúrbio, arredores de uma povoação' | XV, *-ualde* XIII, *-ual* XIV, *araual* XIV etc. | Do ár. *ar-rabaḍ.*
arrábido *sm.* 'frade capucho do convento da Arrábida, em Setúbal (Portugal)'; *adj.* 'pertencente ou relativo aos arrábidos' XVIII. Do top. *Arrábida.*
arrabil *sm.* 'tipo de rabeca mourisca' | XVI, *rabil* XVI, *rabel* XVII | Do ár. *ar-rabād.*
arraia → RAIA.
arraial *sm.* 'acampamento militar' 'lugar de festas populares' 'lugarejo' | *arayal* XIV, *arreal* XIV, *reaall* XIV, *rrayal* XIV etc. | Provavelmente do adj. *real*, no seu sentido específico de 'acampamento do rei'.
arraigar *vb.* 'fixar, enraizar, aferrar' | XIV, *arreigar* XIV | De um lat. **arrādīcāre*, formado de *rādīcāre* 'criar raízes' || **arraig**ADO | XVII, *arreygado* XIII, *rraygado* XIII etc. || DES**arraig**ADO | *desarraygado* XIII || DES**arraigar** | *desaraygar* XIII, *dessareygar* XIII.
arrais *sm.* 'patrão de barco' | *arraiz* XIII, *arrayz* XIII etc. | Do ár. *ar-rā'is.*
⇨ **arrais** — **arrais**ARIA | *arraizzaria* 1377 DESC 158.4 |.
arrancar *vb.* 'ant. derrotar, vencer' 'retirar o que está fincado' | XIII, *arrincar* XIV | De origem controversa || **arranc**ADA XV || **arranco** XVII.
arranchar → RANCHO.

arranco → ARRANCAR.
arranhar *vb.* 'raspar de leve' 'ferir ou esfolar levemente' XVI. Possivelmente do cast. *arañar*, talvez deriv. de *arar*, com o sentido de 'fazer sulcos na pele' || **arranha-céu** *sm.* 'edifício de muitos pavimentos' XX. Tradução do ing. *sky-scraper* || **arranh**AD·URA XVII || **arranhão** 1881.
⇨ **arranhar** | XV ESOP 17.3 |.
arranjar *vb.* 'pôr em ordem, arrumar, compor' | *arren-* XIV | Do fr. *arranger*, de *ranger* e, este, de *rang*, deriv. do frâncico **hring* 'círculo, anel' || **arranj**ADO | *arranjadas* pl. XIV || **arranj**ADOR | *arrengador* XIII || **arranjo** XIX || DES**arranj**ADO XVI || DES**arranj**AR | XIV, *derranjar* XIV, *desarreniar* XIV etc. || DES**arranjo** XVI.
arras *sf. pl.* 'penhor' 'dote que o noivo assegura à esposa' XIII. Do lat. *arras.*
arrás *sm.* 'tapeçaria antigamente usada como ornamento de paredes, galerias etc.' | *arraz* XIII | Do top. *Arras*, cidade francesa que ficou famosa por suas tapeçarias.
ar·ras·ador, -amento, -ar → RASO.
ar·rast·ado, -amento, ar·rast·ar, -o → RASTO.
arrátel *sm.* 'antiga medida de peso' | *arratal* XIII | Do ár. *ar-raṭl.*
-arraz → AZ².
ar·razo·ado, -amento, -ar → RAZÃO.
⇨ **arrazo·ado, -ador** → RAZÃO.
arre *interj.* 'exclamação de cólera ou enfado' 'exclamação empregada para incitar as bestas a andarem' XVI. De origem expressiva.
arrear *vb.* 'pôr arreios em, aparelhar, adornar' | *arrayar* XVI | Do lat. vulg. **arrēdāre* 'prover', deriv. do gót. **rēths* 'conselho, previsão, provisão' || **arre**AMENTO XX || **arreio** *sm.* 'conjunto de peças necessárias ao trabalho de carga do equídeo' 'adorno' | *-yo* 1572 || **arri**EIRO | *arreeiro* XVII || DE-**sarre**AR 1881.
arreatar → ATAR.
ar·rebat·ador, -amento, -ar → REBATE¹.
⇨ **arrebatador** → rebate.
arrebém *sm.* 'tipo de cabo náutico' 'cabo fino e velho, usado para serviços de pouca importância' | *arrevem* XVI | De origem obscura.
ar·rebent·ação, -ado, -ar → REBENTAR.
arrebique *sm.* 'cosmético róseo para pintar o rosto' XVI. Do ár. *ar-rabīk* || **arrebic**ADO XVI || **arrebic**AR XIX.
⇨ **arrebique** | *arreuique* XV VITA 179*d*19 || **arrebic**AR | 1836 SC |.
ar·rebit·ado, -amento, -ar → REBITE.
arrebol → RUB(I)-.
arrecabe *sm.* 'corda ou cabo para puxar os arrastões de pesca' 1813. De origem obscura; talvez se relacione com *arrecadar*, com influência de *cabo* e/ou *caber.*
arrecada *sf.* 'brinco em forma de argola' | *-das* pl. XIV | De origem controvertida, provavelmente árabe.
arrecadar *vb.* 'ter ou guardar em lugar seguro' 'cobrar, receber' XIV. Provavelmente de A(i) + lat. vulg. tard. *recapitāre* — deriv. do lat. cláss. *receptāre*, mais tarde *recaptāre* —, devido à influência de *capitalis* 'bens' || **arrecad**AÇÃO | *arrecadaçō* XIII || **arrecad**ADOR | *recadador* XV.

arrecife → RECIFE.
arrécova → RÉCOVA.
arredar *vb.* 'afastar, separar' | XIII, *redrar* XIII | De *arredrar*, deriv. do lat. *ad retro* || **arred**AMENTO XV || **arredio** *adj.* XVIII.
ar·redond·ado, -ar → REDONDO.
arredor →REDOR[1].
arrefecer *vb.* 'tornar-se frio, esfriar' 'desanimar, desalentar-se' XIV. De A- (i) + *refrīgēscĕre* || **arrefec**IMENTO XIV || **arref**ENTAR *vb.* 'tornar um tanto frio' | *arrefeentar* XIV | Talvez do cruzamento de *arrefecer* e seu antônimo *aquentar*.
arregaçar → REGAÇO.
arregalar → REGALAR.
arreganhar *vb.* 'mostrar (os dentes), abrindo os lábios com expressão de cólera ou de riso' 'abrir, enrugando ou encrespando' XVI. Provavelmente de A- (i) + lat. *recaniāre* ou *recaneāre* (de *canius* ou *caneus*) 'fazer, proceder como os cães, no que toca à posição dos lábios encolhidos' || **arreganho** | *reganho* XV | Der. regress. de *arreganhar*.
arreio → ARREAR.
arreitar *vb.* 'despertar o apetite sexual em 'sentir desejos sexuais' | XIII, *arreytar* XIII | Do lat. *arrēctāre*, de *arrēctus*, part. de *arrĭgĕre*.
arreliar *vb.* 'aborrecer, irritar, impacientar-se' 1871. De origem incerta || **arrelia** 1871 || **arreli**ADO 1871.
arremangar → MANGA[1].
ar·remat·ação, -ante, -ar, -e → REMATAR.
arremedar *vb.* 'imitar grotescamente' XIV. De A- (i) + lat. *re-imĭtāre* || **arremed**ADOR XV || **arremedo** XVII.
ar·remess·ão, -ar, -o, ar·remet·er, -ida → REMESSA.
ar·rend·amento, -ar[1], **-atário** → RENDER.
⇨ **arrend·ação, -ador, -amento** — render.
arrendar[2] → RENDA[2].
arrendar[3] → RETER.
arrenegar → NEGAR.
arrepanhar *vb.* 'puxar, repuxar fazendo dobras ou rugas em' 'recolher, apanhar' 1858. Provável cruzamento de *arrebatar* e *apanhar* || RE**panh**AR 1858.
arrepelar → PELO.
arrepender *vb.* 'retratar(-se), voltar atrás' | XIV, *repentir* XIII, *arrepenter* XIV, *repeender* XIV, *repender* XIV etc. | Do lat. *repoenĭtēre* || **arrepend**IDO | *-peend-* XIV || **arrepend**IMENTO | *rrepentimento* XIV, *arrepeendymento* XIV, *arrepreendimento* XV etc. Anal.
arrepiar *vb.* 'levantar, eriçar, encrespar (cabelos, pelos etc.)' 'causar medo ou horror a' | *arra-* XV | Do lat. *horrĭpĭlāre* 'ter o pelo eriçado' || **arrepi**ADO | *arri-* XVI || **arrepi**ANTE XIX || **arrepio** *sm.* 'tremor resultante de frio, medo etc.' | *arri-* XVI | Der. regress. de *arrepiar*.
arrepsia *sf.* 'dúvida, incerteza, irresolução' | *arrhe-* 1871 | Cp. gr. *arrhepsia*.
arrequife *sm.* 'ferro agudo que se adapta à ponta de um pau para limpar o algodão' 1881. Do ár. *ar-rakīb* 'adaptado a outra coisa'.
arrestar *vb.* 'embargar' 'punir' | *arestrar* XV | Do lat. tard. *arrestāre* (de *restāre*), com provável influência do ant. fr. *arrester*, hoje *arrêter* || **arresto** XV. Der. regress. de *arrestar*.

arretar *vb.* 'fazer retornar, sustar a marcha de' XVII. Do lat. *arreptāre*, de *arreptus*, part. de *arrĭpĕre*.
ar·reves·ado, -ar → REVERSÃO.
arrevessar → REVERSÃO.
arriar *vb.* 'abaixar, descer (o que estava suspenso ou levantado)' XVI. Do cast. *arriar*, deriv. do lat. *arrēdāre* 'preparar, dispor'. Cp. ARREAR.
arriaz *sm.* 'fivela por onde se enfiam os loros dos estribos' | *arriaz* XIV | Do ár. *ar-ri'ās* 'punho de espada'.
arrib·a, -ação, -ada, -ar → RIBA.
arriçar *vb.* 'fazer erguer' 'tornar hirto' | XIII, *-zar* XIII | Do lat. *arrēctiāre* (*ērectiāre*), de *erēctus* || **arriç**ADO *adj.* 'esforçado, brioso' | *-zado* XIII.
arrida *sf.* 'pedaço de linha que prende a fasquia do toldo de embarcação miúda a bordo, a fim de mantê-lo em posição horizontal' 1858. Do fr. *ride*.
arrieiro → ARREAR.
arriel *sm.* 'argola de ouro usada por certos povos nas orelhas e no nariz' | *aries* pl. XVI | Do cast. *riel*, deriv. do cat. *riell* 'barra de metal fundido'.
arrife *sm.* 'recife' XV. Do ár. *ar-rīf* 'flanco de montanha'.
ar·rim·ar, -o → RIMA[3].
arrinconar → RINCÃO.
arriós *sm.* 'bala de arcabuz' | *-oz* XVI | De origem controvertida || **arriosca** *sf.* 'logro, cilada' 1844. De *arriola*, var. de *arriós*, com permuta sufixal.
⇨ **arriós** — **arriosca** | 1836 SC |.
ar·risc·ado, -ar → RISCO[1].
ar·ritm·ia, -ico → RITMO.
arrivismo *sm.* 'procedimento de quem quer vencer na vida de qualquer modo' XX. Do fr. *arrivisme* || **arriv**ISTA XX. Do fr. *arriviste*.
arrizo → RIZ(O)-.
arroba *sf.* 'antiga medida de peso correspondente a, aproximadamente, 15 quilos' | XIV, *arroua* XIV, *arroa* XIV etc. | Do ár. *ar-ruba*[c] (cláss. *rub*[c]).
arrobe *sm.* 'xarope ou compota de várias frutas' XV. Do ár. *ar-rubb* 'sumo de fruto cozido até ficar espesso'.
arrochar *vb.* 'apertar muito' 'exigir, criar dificuldades' XVI. De origem obscura || **arrocho** XVI.
ar·rod·ilhado, -ilhar → RODA.
arrofo *sm.* 'orifício no remate da tarrafa' 1813. De origem obscura.
arrogar *vb.* 'apropriar-se de, atribuir a si' XVI. Do lat. *arrŏgāre* || **arrog**ADOR 1881. Do lat. *arrogātor -ōris* || **arrog**ÂNCIA XVI. Do lat. *arrogantĭa* || **arrog**ANTE XVI. Do lat. *arrŏgāns -āntis*.
⇨ **arrogar** | XV CESA II.13 §3.2 || **arrog**ÂNCIA | XV VIRG II.127, *erogancia* XV VIRG II.126 || **arrog**ANTE | *arrogamte* XV ESOP 2.23. *arroguante* XV ESOP 2.26 |.
arroio *sm.* 'regato' XIII. Do lat. *arrugĭum*, de origem hispânica.
arrojar *vb.* 'arrastar' 'atirar', arremessar' XVI. Do cast. *arrojar*, deriv. de um lat. vulg. *rotulāre* 'rodar, fazer rodar' || **arroj**ADO XVII || **arrojo** *sm.* 'ato de arrojar' 'ousadia, atrevimento' | *rojo* XV.
ar·rol·ado, -amento, -ar[1] → ROL.
arrolar[2] → ROLO.
ar·rolh·ado, -ar →ROLHA.
ar·rombo·ador, -amento, -ar → ROMBO[2].
arrotar *vb.* 'soltar pela boca o ar do estômago' *fig.* vangloriar-se' | XVI, *rotar* XV | Do lat. *erŭptāre* (de

ērŭptus, part. de erumpĕre), em lugar de erŭctare || **arrot**AMENTO sm. 'arroto' | rotamento XV || **arroto** XIV. Der. regress. de arrotar.
ar·rot·eado, -eamento, -ear, -eia → ROTO.
arroto → ARROTAR.
arroubar vb. 'extasiar(-se), enlevar(-se), arrebatar (-se)' XVII. Do cast. arrobar, ligado a robar 'roubar' || **arroubo** 1881.
⇨ **arroubar** | XV FRAD I.174.21 || **arroub**AMENTO | XV FRAD II.96.7 |.
arroxeado →ROXO.
arroz sm. 'planta da fam. das gramíneas, cujo fruto, do mesmo nome, é importante alimento' 1500. Do ár. ar-ruzz || **arroz**AL XVII.
⇨ **arroz** | XV LOPJ II.180.5 |.
ar·rua·ça, -ceiro, -mento,- r¹ → RUA.
arruar² vb. 'grunhir, mugir' 1813. De origem onomatopaica.
arruda sf. 'designação comum a várias plantas da fam. das rutáceas' | XV, aruda XIV | Do lat. rūta.
arruela sf. 'chapa com um furo circular pelo qual se introduz o parafuso, a fim de que a porca não desgaste a peça que vai ser aparafusada' | XV, rroela XIV | Do ant. fr. roelle (hoje rouelle), deriv. do lat. tard. rotella, dim. de rŏta 'roda'.
arrufar vb. 'irritar' 'encrespar, arrepiar, rufar' | -ff- XIII | De origem obscura || **arruf**ADO XIII || **arrufo** XV. Der. regress. de arrufar.
arrúgia sf. 'canal para escoamento de águas, nas minas' 1881. Do lat. arrugĭa.
ar·ruin·ado, -ar → RUÍNA.
⇨ **arruin·amento** → rUÍNA.
arruivado →RUIVO.
arrulhar vb. 'cantar como os pombos e as rolas' 'dizer palavras amorosas, em tom meigo' XVII. Do cast. arrullar, de origem onomatopaica || **arrulho** XVII. Der. regress. de arrulhar.
arrumar vb. 'pôr em ordem' | aru- XV | Do fr. arrumer, deriv. do germ. rûm 'espaço'; talvez tenha sofrido a influência de arrimar || **arrum**AÇÃO XVII || **arrum**AD·EIRA XX || **arrum**AD·ELA XIX || **arrum**ADOR XV || DES**arrum**AÇÃO 1813 || DES**arrumar** XVII.
arsenal sm. 'armazéns e dependências para fabrico e/ou guarda de munições e petrechos de guerra' XVI. Do it. arsenale, deriv. da forma dialetal veneziana arsanà (latinizada em arsanatus) e, esta, do ár. dar-ṣinā 'a 'fábrica'.
arsênio sm. '(Quím.) elemento de número atômico 33, utilizado sob a forma de compostos em medicina' XX. Do lat. cient. arsenium, deriv. do lat. arsenĭcum || **arsênico** sm. 'designação corrente do arsênio' XVI. Do lat. arsenĭcum, deriv. do gr. arsenikós, de arsen 'másculo', em razão das poderosas propriedades tóxicas dos seus' compostos.
ársis sf. 2n. 'na metrificação latina, a parte do pé marcada pelo acento métrico' XVI. Do lat. arsis -is, deriv. do gr. ársis 'elevação'.
arsonvalização → DARSONVALIZAÇÃO.
arte sf. 'engano, malícia' 'conjunto de preceitos para a execução de qualquer coisa' XIII. Do lat. ars artis || **arte**FACTO adj. sem. XVII. Do lat. arte factus 'feito com arte' || **art**EIR·ICE | -çe XV, arteyrice XIV || **art**EIRO adj. 'astuto, ardiloso' XIII || **arteir**OSO | -ey- XIV || **art**ERIA sf. 'astúcia, ardil' XIII || **art**ISTA XVI. Talvez do it. artista, deriv. do lat. med. artis-ta || **artíst**·ICO XIX. Do fr. artistique. Cp. ARTESÃO, ARTIFÍCIO.
artelho sm. '(Anat.) articulação da perna com o pé' | XV, artillo XIV | Do lat. articŭlus -i.
artemão sm. '(Marinh.) mastro de popa em um navio de três mastros' 'vela mestra de um navio' | -ti- XV | Do lat. artĕmō -ōnis, deriv. do gr. artémōn -onos.
artemísia sf. 'gênero de plantas da fam. das compostas' | XVI, -misa XV, artamija XV | Do lat. artemīsĭa, deriv. do gr. artemisía.
artéria sf. 'cada um dos vasos que conduzem o sangue do coração a todas as partes do corpo' XV. Do lat. artērĭa, deriv. do gr. artēría || **arteri**AL 1813 || **arterio**GRAF·IA | -ph- 1858 | Do lat. cient. arteriographia || **arterio**LOG·IA 1844 || **arterio**SCLEROSE sf. '(Med.) esclerose, endurecimento das artérias' 1871. Do fr. artériosclérose || **arterio**SCLERÓT·ICO XX.
⇨ **artéria** — arteriolog·ia | 1836 SC |.
artesão sm. 'indivíduo que exerce, em geral por conta própria, uma arte, um ofício manual' | artesãao XV | Do it. artigiano || **artesan**AL XX || **artesan**ATO XX. Do fr. artisanat. Cp. ARTE, ARTIFÍCIO.
artesiano adj. 'diz-se do lençol de água subterrâneo' 1858. Do fr. artésien, do top. Artois onde foi aberto o primeiro poço deste gênero.
⇨ **artesiano** | 1836 SC |.
ártico adj. 'do norte, setentrional' XV. Do lat. arctĭcus, deriv. do gr. arktikós.
articular¹ vb. 'unir pelas articulações' 'juntar por cadeias' 'ligar, unir' XVI. Do lat. articulāre || **articul**AÇÃO XVII. Do fr. articulation, deriv. do lat. articulātĭō -ōnis 'formação de rebentos, de botões nas árvores' || **articul**ADO XV || **articul**ANTE XX || **articul**AR¹ adj. 2g. 'relativo às articulações' '(Gram.) que é da natureza do artigo' 1813. Do fr. articulaire, deriv. do lat. articulāris -e || **articul**ISTA adj. s2g. 'autor de artigos de jornal, revista etc.' 1871 || **artículo** sm. 'divisão de um trabalho escrito, artigo' '(Anat.) articulação' | articullo XV | Do lat. articŭlus -i || **articulo**SO XX. Do lat. articulōsus || **artigo** sm. 'mercadoria' 'escrito de jornal, revista etc.' | -goo XIV, artjgo XIV | '(Gram.) palavra variável que precede o substantivo, indicando-lhe o gênero e o número' XV. Do lat. artĭcŭlus -i [artĭcŭlu- > *artĭgŭlu- > artigoo > artigo] || DES**articul**AÇÃO 1871. Do fr. désarticulation || DES**articul**AR 1873. Do fr. désarticuler || IN**articul**ADO 1858 || IN**articul**ÁVEL 1881.
⇨ **articular¹** — articulANTE | 1836 SC || **articul**OSO | articulloso XV VITA 170c 11 |.
artifício sm. 'processo ou meio para se obter um artefato ou um objeto artístico' 'recurso engenhoso' 'astúcia' | -çio XIV, -tefficio XIV | Do lat. artificĭum || **artífice** sm. 'artesão, operário' 1572. Do lat. artĭfex -ĭcis || **artifici**AL adj. 2g. 'produzido pela arte ou pela indústria' 'não natural' 'dissimulado' | XIV, -te- XV | Do lat. artificiālis -e || **artifici**OSO XVI. Do lat. artificĭōsus || IN**artifici**AL XX. Cp. ARTE, ARTESÃO.
⇨ **artifício** — artífice | 1571 FOLF 72.11 || **artifici**ADOR | arteffĭçiador XV BENF 272.1 || **artifici**OSO XIII FLOR 15 |.
artigo → ARTICULAR.

artilharia *sf.* 'conjunto de peças, canhões etc., para lançar projetis a grande distância' 'uma das armas do Exército' | *-te-* XV | Do fr. *artillerie* || **artilh**AR | *-te-* XVI || **artilh**EIRO XVII.
artimanha *sf.* 'astúcia, artifício, ardil, manha' XVI. Provavelmente do cast. *artimaña*. Cp. ARTE.
artiodáctilo *adj. sm.* 'designação comum aos mamíferos que têm número par de dedos funcionais em cada membro' XX. Do fr. *artiodactyle*, deriv. do lat. *artiodactyla* e, este, 'do gr. *artio-*, de *ártios* 'par' + *dáktylos* 'dedo' || **artio**ZO·ÁRIO 1871. Do fr. *artiozoaire*.
artist·a, -ico → ARTE.
artófago *adj.* 'que prefere pão a outro alimento' | *-ph-* 1858 | De um lat. **artophagus*, deriv. do gr. *artophágos* 'que come pão' || **artó**LATRA 1871. Do gr. *ártos* 'pão' + -LATRA.
artola *sf.* 'espécie de padiola' 1899. Do cast. *artolas*.
artólatra → ARTÓFAGO.
artr(o)- *elem. comp.*, do gr. *arthro-*, de *árthron* 'articulação', que ocorre em vários compostos eruditos, quase todos introduzidos no português por via francesa ▶ **artr**ALG·IA | *-th-* 1858 | Do fr. *arthralgie* || **artr**ÁLG·ICO | *-th-* 1871 || **artr**ÉMBOLO | *-th-* 1871 | Cp. gr. *arthrémbolos* || **artr**ITE | *-th-* 1871, *-thritis* 1844 | Do fr. *arthrite*, deriv. do lat. tard. *ārthrītīs -ĭdis* e, este, do gr. *arthrītīs -itidos* || **artr**IT·IA | *-th-* 1871 || **artr**ÍT·ICO | *-th-* 1813 | Do fr. *arthritique*, deriv. do lat. tard. *ārthrītĭcŭs* e, este, do gr. *arthritikós*; diretamente do lat. procede a ant. var. port. *artetico*, do séc. XVI || **artr**IT·ISMO | *-th-* 1899 | Do fr. *arthritisme* || **artr**OBACTÉR·IA XX || **artr**OCÉFALO | *-thro-cepha-* 1858 || **artr**OCELE | *-th-* 1871 | Do fr. *arthrocèle* || **artr**OCNEMO | *-ma* 1871 | Do fr. *arthrocnémum*, deriv. do lat. cient. *arthrocnēmum* | **artr**OCONDR·ITE XX. Do fr. *arthrochondrite* || **artr**ÓDESE | *-th-* 1909 | Do fr. *arthrodèse* || **artr**ODIA | *-th-* XVII | Do fr. *arthrodie*, deriv. do gr. *arthrōdia* || **artr**ÓFILO | *arthróphyllo* 1871 || **artr**OGASTRO | *-th-* 1871 || **artr**OGRIP·OSE | *arthrogryphose* 1871 || **artr**OIDR·INA | *arthrohydrina* 1871 || **artr**OMENINGE | *-th-* 1871 || **artr**ÔMERO | *-th-* 1899 || **artr**ONCO | *-th-* 1871 || **artr**OPAT·IA | *arthropathia* 1871 | Do fr. *arthropathie* || **artr**ÓPODE | *-th-* 1871 | Do fr. *arthropode* || **artr**OSE | *-th-* 1858 | Do fr. *arthrose*, deriv. do gr. *arthrōsis* || **artr**OSPÓR·ICO XX || **artr**ÓSPORO XX || **artr**OSTRÁC·ICO | *-th-* 1909.
⇨ **art(o)-** — **artr**ITE | *arthritis* 1836 SC |.
aruaná *sm.* 'peixe de rio da fam. dos osteoglossídeos' | 1886, *aruana c* 1631, *araoaná* 1763, *arauná c* 1777 etc. | Do tupi **arua'na*.
arubé *sm.* 'espécie de tempero' 1899. Do tupi *aru'mẽ*.
arunco *sm.* 'gênero de plantas da fam. das rosáceas' 1881. De um lat. **aruncus*, deriv. do gr. *áryggos*.
arundíneo *adj.* 'feito de cana-de-açúcar' XVII. Do lat. *arundĭnĕus* || **arundin**OSO XVII. Do lat. *arundinōsus*.
arúspice *sm.* 'sacerdote romano que adivinhava o futuro mediante o exame das entranhas das vítimas' 1572. Do lat. *(h)ăruspex -ĭcis* || **aruspic**AÇÃO 1899 || **aruspic**INO XVII. Do lat. *(h)aruspĭcīnus* || **aruspício** XVII. Do lat. *(h)aruspicĭum -ī*.
arval *sm.* 'campo cultivado' | *arvaes* pl. XVI | Do lat. *arvālis -e* || **arv**ENSE *adj. 2g.* '(Bot.) diz-se das plantas que vivem em terras cultivadas pelo homem' 1858. Do lat. *arvum -i* 'terra lavrada' + -ENSE.
⇨ **arval** — **arv**ENSE | 1836 SC |.
arvelas *sf. pl.* '(Náut.) argolas que prendem as chavetas' 1844. De origem controvertida.
⇨ **arvelas** | 1836 SC |.
arvense → ARVAL.
arvícola *adj. s2g.* 'camponês' 1844. Do lat. *arvi-* (de *arvum* 'campo') + -COLA || **arvi**CULT·OR XX || **arvi**CULT·URA 1871.
⇨ **arvícola** | 1836 SC |.
arvoar *vb.* 'aturdir, estontear' XVII. De origem controvertida || **arvo**ADO 1813.
árvore *sf.* 'vegetal lenhoso cujo caule, chamado tronco, só se ramifica bem acima do nível do solo' XIII. Do lat. *arbor -ŏris* || **arvor**AR[1] 'içar' XV. Provavelmente do it. *arborare, alberare* 'guarnecer de árvores a nave' || **arvor**AR[2] 'arborizar' XV || **arvor**AR[3] 'ostentar, alardear' XX || **arvor**EDO XV || DES**arvor**AR XVI.
as- forma que toma o pref. AD- diante de voc. iniciado por s: **ass**ENT·IR.
ás *sm.* 'unidade de peso e de moeda entre os romanos' 'face do dado com um só ponto' 'carta de baralho' *fig.* pessoa exímia em determinada atividade' | XIII, *az* XVI | Do lat. *ās assis* 'unidade para dinheiro, pesos e medidas'.
asa[1] *sf.* 'parte saliente de vasos e de outros utensílios, que serve para segurá-las' 'alça' | *aza* XVI | Do lat. vulg. *āsa* (cláss. *ānsa*) || **as**ADO *adj. sm.* 'que tem asa, que dispõe de alça' XVI || **as**IR *vb.* 'segurar, agarrar' XVI.
asa[2] *sf.* 'órgão de voo das aves, dos insetos e de alguns outros animais' | XV, *aa(s)* XIII | Do lat. *āla*, refeito do pl. ant. *aas*, com influência de ASA[1]. Enquanto que em castelhano, francês e italiano existem dois vocs., morfológica e semanticamente distintos (lat. *ānsa* > cast. *asa*, fr. *anse*, it. *ansa:* 'parte saliente de vasos e de outros utensílios, que serve para segurá-los'; lat. *āla* > cast. *ala*, fr. *aile*, it. *ala:* 'órgão de voo das aves etc.'), em português os dois vocs. latinos, *ānsa* e *āla*, convergiram ambos para *asa*, assumindo o voc. port. conotações semânticas bastante variadas: 'asa da xícara', 'asa do pombo', 'asa do avião' etc. Cp. também ALA.
asafia *sf.* 'articulação viciosa e indistinta das palavras' | *-ph-* 1858 | Cp. gr. *asápheia* 'obscuridade'.
ásaro *sm.* 'planta europeia da fam. das aristoloquiáceas' XVII. Do lat. *asărum*, deriv. do gr. *ásaron*.
asbesto *sm.* '(Min.) variedade de anfibólio, composta de silicato de cálcio e de magnésio' XVIII. Do fr. *asbeste*, deriv. do lat. *asbestos -i* e, este, do gr. *ásbestos*.
-asca → -ASCO.
asca → ASQUEROSO.
ascárida *adj. s2g.* 'verme filiforme do intestino' XVIII. Do lat. cient. *ascarida*, deriv. do lat. med. e tard. *ascădis -ĭdis* e,este, do gr. *askarís -idos*.
ascender *vb.* 'subir, elevar-se' | XV, *acēder* XIV | Do lat. *ascendĕre* || **ascend**ÊNCIA *sf.* 'ascensão' 'série de gerações anteriores a um indivíduo' XVI || **ascend**ENTE *adj. s2g.* 'que sobe' 'antepassado' | XV, *ascendēte* XIV | Do lat. *ascendens -entis* || **ascensão** *sf.* 'subida' 'progresso' | *acensyo* XIII,

acensson XIII, *ascensom* XIV | Do lat. *ascēnsĭō -ōnis* ‖ **ascension**AL XVI ‖ **ascenso** *sm.* 'ascensão' XVI. Do lat. *ascēnsus -ūs* ‖ **ascens**OR *sm.* elevador' XIX. Do fr. *ascenseur* ‖ **ascens**OR·ISTA XX.
ascese *sf.* '(Ét.) exercício prático que leva à efetiva realização da virtude, à plenitude da vida moral' 1871. Do lat. tard. *ascēsis*, deriv. do gr. *áskēsis* ‖ **asceta** *adj. s2g.* 'que se consagra à ascese' 1844. Do fr. *ascète*, deriv. do lat. tard. *ascēta ascētēs* e, este, do gr. *askētés* ‖ **ascetério** 1858. Do lat. tard. *ascētērium*, deriv. do gr. *askētḗrion* 'mosteiro' ‖ **ascét**ICA *sf.* 'doutrina dos ascetas' 1899 ‖ **ascét**ICO XVIII. Do fr. *ascétique*, deriv. do gr. *askētikós* ‖ **ascet**ISMO XX. Do fr. *ascétisme*.
⇨ **ascese** — **asceta** | 1836 SC |.
ascídia *sf.* 'animal marinho ou organismo constituído por folhas de plantas carnívoras' 1858. Do fr. *ascidie*, deriv. do lat. cient. *ascidia* e, este, do gr. *askídia*, pl. de *askídion*, dim. de *askós*, 'odre' ‖ **ascídio** 'ascídia' 'espécie de saco ou uma resultante da transformação de uma folha ou do limbo' | *-dion* 1871 ‖ **asco**² *sm.* 'pequeno órgão saciforme encontrado em alguns fungos e liquens' XX. Cp. gr. *askós* 'odre' ‖ **ascó**SPORO | *-póreos* 1871.
áscios *sm. pl.* 'habitantes da zona tórrida, que não têm sombra ao meio-dia em duas épocas do ano' | *ascios* 1813, *áskios* 1813 | Do lat. *ascius*, deriv. do gr. *áskios*.
ascite *sf.* 'acúmulo de líquido na cavidade abdominal' | *ascites* XVII | Do lat. *ascītēs -ae*, deriv. do gr. *askītes* ‖ **ascít**ICO XVIII.
asclepiadeu *adj. sm.* 'tipo de verso grego e latino, constituído por quatro pés' | *-piadeo* XVIII ‖ Do lat. *Asclēpiādēum (metrum)*, deriv. do gr. *Asklēpiādeios*, do nome do poeta grego Asclepíades (ou Asclépio).
asco¹ → ASQUEROSO.
asco² → ASCÍDIA.
-asco (-asca) *suf. nom.*, de provável origem pré-romana ou, talvez, formado por analogia com o suf. -ESCO (< lat. *-īscu* < gr. *-iskos*), que se documenta em alguns vocs. port. com as noções de 'referência' ou 'semelhança' e que, por vezes, apresenta também uma conotação pejorativa: *borrasca, penhasco, verdasca* etc.
ascórbico → ESCORBUTO.
áscua *sf.* 'brasa viva' XVII. Provavelmente de origem pré-romana.
ascuma *sf.* 'pequena lança de arremesso' | *azcuma* XIII, *-cũa* XIII, *-cõa* XIII etc. | Do basco *azkona*, provavelmente.
⇨ **ascuma** — **ascum**ADA | *azcunada* XIV TROY II.92.9, *azcumada* XV LOPF 99.68, MONT 21.33 |.
-ase¹ *suf. nom.*, deriv. do gr. *-ãsis*, através do lat. *-ăsis*, que se documenta em vocs. que denominam 'processos' ou 'estados' mórbidos característicos de certas doenças, como em *elefantíase*, por exemplo, e que, originariamente, no grego, tinha o conceito genérico de 'processo' ou 'estado', como em *diástase* [gr. *diástasis* '(processo de) separação'].
-ase² *suf. nom.*, deduzido da terminação do voc. *diástase* (v. -ASE¹) e usado modernamente na terminologia da química na formação de compostos que denominam enzimas, como *lactase, maltase* etc.

asfalto *sm.* 'designação comum aos pirobetumes asfálticos, utilizados para pavimentação de estradas e impermeabilização' | *-ph-* XVI | Do fr. *asphalte*, deriv. do b. lat. *asphaltus* e, este, do gr. *ásphaltos* 'asfalto, betume' ‖ **asfalt**ADO | *-ph-* 1899 ‖ **asfalt**AR | *-ph-* 1899 ‖ **asfált**ICO | *-ph-* 1844.
asfixia *sf.* 'falta de ar, sufocação' 1813. Do fr. *asphyxie*, deriv. do gr. *asphyxía* ‖ **asfixi**ADO 1813 ‖ **asfixi**ANTE | *-phy-* 1844 ‖ **asfixi**AR | *-phy-* 1844.
⇨ **asfixia** — **asfixiar** | *asphyxiar* 1836 SC |.
asfódelo *sm.* 'planta semelhante ao nabo' 1813. Do lat. *asphodelus* e *asphodilos*, deriv. do gr. *asphódelos*.
asiano *adj. sm.* 'relativo à, ou natural da Ásia' 1572. Do lat. *asiānus*, deriv. do gr. *asianós* ‖ **asiano**LOG·IA XX ‖ **asiát**ICO XVIII. Do lat. *asiātĭcus*, deriv. do gr. *asiātikós*.
⇨ **asiano** — **aisát**ICO | *c* 1508 DPPer 17.4, 1538 DCast 9.28, *assiatico a* 1595 *Jorn.* 8.8 |.
asilo *sm.* 'casa de assistência social para pessoas desamparadas' 'guarida, proteção, abrigo' XVII. Do fr. *asile*, deriv. do lat. *asỹlum -i* e, este, do gr. *ásylon* 'lugar inviolável' ‖ **asil**ADO XIX ‖ **asil**AR XIX.
asimina *sf.* 'planta ornamental da fam. das anonáceas' | *-mino* 1871 | Do lat. cient. *asimīna* ‖ **asimin**EIRO 1899.
asin·al, -ário → ASNO.
asinha *adv.* 'depressa' | XIV, *asynha* XIV, *agĩa* XIII, *agỹa* XIII, *aginha* XIII etc. | Do lat. *agīna*.
asinino → ASNO.
asir → ASA¹.
asma *sf.* 'doença caracterizada por ataques repetidos de dispneia' XV. Do lat. *asthma -atis* e, este, do gr. *ásthma -atos* ‖ **asmát**ICO XVI. Do lat. *asthmaticus* e, este, do gr. *asthmatikós*.
asno *sm.* 'burro, jumento' *fig.* pessoa pouco inteligente' | XIV, *asnho* XIII | Do lat. *asĭnus-i* ‖ **asin**AL XX. Do lat. *asinālis -e* ‖ **asin**ÁRIO XVII. Do lat. *asinărĭus -ĭī* ‖ **asinino** XVI. Do lat. *asinīnus* ‖ **asna** *sf.* 'fêmea do asno' XIV; 'conjunto de peças de madeira ou de ferro, que sustenta a cobertura de um edifício' 1813. Do lat. *asīna* ‖ **asn**AL XIII. Do lat. *asinālis -e* ‖ **asnÁT**ICO XIX ‖ **asn**EIRA *sf.* 'ação tola, impensada' 'burrice, estupidez' XVIII ‖ **asneir**ENTO XX ‖ DES**asn**AR *vb.* 'tirar da ignorância, ensinar' XX.
aspa *sf.* 'instrumento de tortura, em forma de X' XV. De um gót. **haspa* 'dobradura' ‖ **asp**ADO *adj.* 'torturado na aspa' XVII; 'colocado entre aspas' 1871 ‖ **asp**AR *vb.* 'torturar na aspa' XV; 'colocar entre aspas' XVIII ‖ **aspas** *sf. pl.* 'sinais de pontuação com que se abre e fecha uma citação' 'vírgulas dobradas' 1871.
aspara·golita, aspar·go, -tico → ESPARGO.
aspecto *sm.* 'aparência exterior' 'lado, face, ângulo' | XVI, *-peito* XVII. Do lat. *aspectus -ūs* 'ato de olhar' 'aspecto' ‖ **aspectu**AL XX.
aspergir *vb.* 'borrifar, respingar' XVI. Do lat. *aspergĕre* ou *adspergĕre* ‖ **asperges** *sm. pl.* 'aspersão com água benta' XVI. É a segunda pessoa do sing. do fut. lat. do vb. *aspergĕre* ‖ **asperg**ILO *sm.* 'uma das formas de mofo mais comum' | *-llo* 1871 | Do fr. *aspergille*, deriv. do lat. *aspergillum* ‖ **aspersão** *sf.* 'borrifo, respingo' XVI. Do lat. *aspersĭō* ou *adspersĭō -ōnis* ‖ **asperso** *adj.* XVI. Do lat. *aspersus* ou *adspersus -ūs* ‖ **aspers**ÓRIO *sm.* 'instru-

mento com que se asperge água benta' 1813. Do lat. ecles. *aspersōrĭum.*
⇨ **aspergir** — **asperges** | XV CART 222*v*, LEAL 355.*13* |
aspermo *adj.* 'desprovido de sementes' | 1899. *-perme* 1871 | Do fr. *asperme*, deriv. do gr. *áspermos* 'sem sêmen ou semente' || **asperma**ISMO *sm.* '(Med.) impossibilidade ou dificuldade de ejacular esperma' 1858.
áspero *adj.* 'acidentado, irregular' 'desagradável, ríspido' XIV. Do lat. *asper aspĕrum* || **asper**EZA XIV || **asperi**CÓRNEO 1871 || **asper**IDADE XV. Do lat. *asperītās -ātis* || **asperi**FÓLIO | *-llia* '1871 || **aspér**ULA *sf.* 'planta ornamental da fam. das rubiáceas' 1899. Do lat. cient. *asperula* dim. de *asper*.
⇨ **áspero** — **asperi**FÓLIO | 1836 SC |.
asper·são, -so, -sório → ASPERGIR.
áspide *s2g.* 'espécie de serpente' 'animal cordado, réptil, da fam. dos viperídeos' | XVI, *aspe* XIV, *aspis* XV | Do lat. *aspis -ĭdis* 'escudo' deriv. do gr. *aspís -ídos* || **aspido**CÉFALO | *-ph-* 1871.
⇨ **áspide** | XIV TEST 335.*1* |.
aspirar *vb.* 'atrair (o ar) aos pulmões, respirar, cheirar' 'desejar, pretender' XV. Do lat. *aspīrāre* || **aspir**AÇÃO | *-çom* XV | Do lat. *aspīrātio -ōnis* || **aspir**AD·OR *adj. sm.* 1881 || **aspir**ANTE *adj. s2g.* XVI. Possivelmente do it. *aspirante*, deriv. do lat. *aspīrāns -antis* || **aspir**ATIVO XVII.
aspirina *sf.* '(Farm.) produto que contém ácido acetilsalicílico' XX. Do fr. *aspirine*, deriv. do al. *Aspirin*, voc. internacionalizado, criado pela química alemã, de A- [v. A-(iv)] + *spir-*, abrev. do nome da planta *Spiraea ulmaria* (para indicar que este produto de laboratório é diferente do que, na natureza, se encontra nas flores daquela planta) + *-in* (v. -INA).
asqueroso *adj.* 'nojento, repugnante' | XVI, *ascoroso* XVI | Do lat. vulg. *ascărōsus, por *escharosus, deriv. do lat. *eschăra* 'escara' e, este, do gr. *eschára* 'crosta' || **asca** *sf.* 'asco' 'mau cheiro corporal' 1813 || **asco**¹ 1813. Regress. de *asqueroso*.
⇨ **asqueroso** — **asco**¹ | 1614 SGONÇ II.47.*5* |.
assacar *vb.* 'caluniar' XIII. De origem controversa, mas provavelmente relacionado com SACAR || **assa**CAMENTO | *asa-* XIV.
assacate *sm.* 'sebo que se extrai do mesentério das reses' 1881. De origem obscura.
assa·do, -dura → ASSAR.
as·sal·ariado, -ariador, -ariar → SAL.
as·salt·ante, -ar, -o → SALTAR.
as·sanh·ado, -amento, -ar → SANHA.
assar *vb.* 'submeter à ação do calor, até ficar cozido e tostado' 'queimar, abrasar' XIII. Do lat. *assāre* || **assa**DO *adj. sm.* | XV, *asado* XV || **ass**ADOR XVII || **ass**AD·URA XVIII. Do lat. *assātūra*.
assassino *adj. sm.* 'que tira a vida a alguém, homicida' | XV, *asasino* XV | Do it. *assassino*, do ár. *haššašīn*, propriamente, 'bebedor de haxixe' || **assassin**ADO 1813 || **assassin**AR | *assasinar* XVII || **assassin**ATO XVII. Do fr. *assassinat* || **assassín**IO XVIII.
assaz *adv.* 'bastante' XIII. Do lat. *adsatis*, através do prov. *assatz*.
assear *vb.* 'limpar(-se)' XVII. De um lat. *assēdāre 'sentar, pôr as coisas em seu lugar', de *sēdēs -is* 'assento, morada, centro' || **asse**ADO | XVII, *assey-* 1813 || **asseio** | XVII, *asseyo* 1813 | Deriv. de *assear*.
assecla *s2g.* 'partidário, sectário, sequaz' XVII. Do lat. *assĕcla* ou *adsĕcla*.
assediar *vb.* 'perseguir com insistência' XVII. Do it. *assediare*, deriv. do lat. *adsidēre*, recomposto num *adsedēre || **assédio** XVII.
assegurar → SEGURO.
asseio → ASSEAR.
asselvajar → SELVA.
assembleia *sf.* 'reunião de pessoas para determinado fim' 'sociedade, corporação' 'congresso' XVII. Do fr. *assemblée*, part. pass. de *assembler*, deriv. do lat. *assĭmŭlāre. No port. med. ocorre *assembrar*, no séc. XIII, na acepção de 'reunir', deriv. também do lat. *assĭmŭlāre 'reunir'.
assemelhar → SEMELHAR.
⇨ **assenhor·ado, -ador, -amento, -ante, -izar** → SENHOR.
assenhorear → SENHOR.
assenso *sm.* 'assentimento' 1813. Do lat. *assēnsus -ūs*.
⇨ **assenso** | 1614 SGONÇ II.262.*10* |.
assentar *vb.* 'pôr sobre' 'apor, anotar' 'sentar' | XIII, *asseentar* XIII etc. | Do lat. vulg. *adsentāre, de *sĕdēre* 'estar sentado' || **assent**ADO XIV || **assent**AMENTO | XVI, *asseentamento* XIII, *aseent-* XIII, *asentamento* XV || **assente** *adj. s2g.* XVI. Der. regress. de *assentar* || **assento** *sm.* | XVI, *asento* XV | Der. regress. de *assentar* || **sent**AR *vb.* 'assentar' | XIII, *seen-* XIV | De *assentar*.
assentir *vb.* 'consentir, permitir, aprovar' XVII. Do lat. *assentīre*, de *sentīre* || **assenti**MENTO XVII.
assento → ASSENTAR.
as·sep·sia, -tico → SEPSIA.
asserto *sm.* 'proposição afirmativa, asserção, assertiva' XVI. Do lat. *assertum* || **asserção** XVII. *assertĭō -ōnis* || **assert**IVA XVI. Fem. substantivado de *assertivo* || **assert**IVO XX (o adv. *assertivamente* já aparece no séc. XVI) || **assert**ÓRIO XVI. Do lat. *assertōrĭus*.
⇨ **asserto** — **assert**IVO | 1836 SC |.
assertoar *vb.* '(Alfaiat.) cortar, talhar, dispor adequadamente' 1881. De origem controvertida; talvez se relacione com o lat. *assertum*, part. pass. de *assĕrĕre* 'ligar a'.
assessor *sm.* 'adjunto, auxiliar, assistente' XVI. Do lat. *assessor -ōris* || **assessor**AR XX || **assess**ÓRIO *adj.* 1858. Do lat. *assessōrĭus*.
⇨ **assessor** — **accessor** XV VITA 114.*44* |.
assestar *vb.* 'apontar, dirigir' | *essestar* XVI | Do it. *assestare*, provavelmente deriv. de *sèsto*, do lat. *sextus* 'a sexta parte do círculo, alvo de pontaria'.
⇨ **assetar** → seta.
asseverar *vb.* 'afirmar com certeza, assegurar' XVIII. Do lat. *assevērāre* || **assever**AÇÃO | *asseueraçoes* pl. XVIII Do lat. *assevērātĭō -ōnis* || **assever**ATIVO XVII.
assialia → SALIVA.
assíduo *adj.* 'constante, contínuo, ininterrupto' XVI. Do lat. *assidŭus* || **assidu**IDADE XVIII. Do lat. *assidŭĭtās -ātis*.
assim *adv.* 'desse, deste ou daquele modo' | XVI, *assi* XIII, *assy* XIII, *asym* XV | Do lat. *ad sīc*.

assimilar vb. 'tornar semelhante ou igual' 'apropriar-se, compenetrar-se de' 'fixar, aprender' 1813. Do fr. *assimiler*, deriv. do lat. *assimĭlāre* 'tornar semelhante', de *simĭlis -e* 'semelhante, parecido' || assimilABIL·IDADE 1899 || assimilAÇÃO | *-mu-* XVIII | Do fr. *assimilation*, deriv. do lat. *assimilātĭō -ōnis* || assimilADOR 1858. Do fr. *assimilateur* || assimilATIVO 1844. Do fr. *assimilatif* || assimilÁVEL 1858. Do fr. *assimilable* || DESassimilAÇÃO 1899 || DESassimilAR 1899 || INassimilÁVEL XX. Do fr. *inassimilable.*
⇨ **assimilar** — **assimilador** | 1836 sc |.
as·sin·ado, -alado, -alar, -ar, -atura → SIGNO.
assíndeto sm. 'ausência de conjunções coordenativas entre frases ou entre partes da mesma frase' | *asyndeton* 1881 | Do lat. *asyndĕton -i*, deriv. do gr. *asy'ndeton* 'sem conjunção'.
⇨ **assíndeto** | *asyndeton* 1836 sc |.
assírio adj. sm. 'relativo ou pertencente à antiga Assíria ou à sua civilização' 1572. Do lat. *Assirĭus*, deriv. do gr. *Assy'rios* || assirioLOG·IA XX.
⇨ **assírio** | XV ZURC 279.*12*, 1532 JBaTR 28.*9*, *assyrio* Id. 142.*15*, 1538 DCast 65v8 |.
assisado → SISO.
assistir vb. 'estar presente, ver, testemunhar' 'ajudar, socorrer' XVI. Do lat. *ad-sistĕre* ou *assistĕre*, de *ad + sistĕre*, reduplicação de *stāre* || assistÊNCIA XVI || assistENTE XV.
assistolia → SÍSTOLE.
as·soalh·ar¹, -o → SOLO.
assoalhar² → SOL¹.
assoante → SOM.
assoar → SOM.
assoberbar¹ → SOBERBO.
assoberbar² → BARBA.
assobiar vb. 'dar assobio(s), sibilar, silvar, trinar (a ave)' | *asouiar* XIV, *asseuiar* XIV, *assuuyar* XIV, *suuiar* XIV etc. | Do lat. *adsibĭlāre* || assobiAD·EIRA sf. 'ave' 1813 || assobiADOR | 1813, *assoviador* XVI || **assobio** | *assovio* XVI, *assobio* XVI, *aseuio* XIV, *asoujo* XIV, *asuuio* XIV etc.
assobradado → SOBRAR.
⇨ **assobradar** → sobrar.
as·soci·ação, -ar → SÓCIO.
assolar vb. 'devastar, arrasar, destruir' | *asolar* XVI | Do lat. *adsŏlāre* ou *assŏlāre* || assolAÇÃO XVII || assolADOR XVIII.
assoldadar → SOLDAR.
assolear vb. 'cansar por andar muito ao sol' 1899. Do casto *asolear*.
assomar vb. 'aparecer, surgir' XIII. Do lat. vulg. *assummāre*, de *summus* || assomo XVII.
as·sombr·ação, -amento, -ar, -o, -oso → SOMBRA.
assomo → ASSOMAR.
⇨ **assopramento** → soprar.
assoprar → SOPRAR.
assovi·ador, -ar → ASSOBIAR.
assuar vb. *ant.* reunir o povo para deliberar em comum ou para qualquer outro fim' 'vaiar, apupar' | *asuar* XIII, *assũar* XIII | Do adv. ant. *sum, sũu*, de *sub + unum* que, teoricamente, forma *ad-subunare* || assuADA | XIII, *assũada* XV | Fem. substantivado do part. de *assuar*.
assumir vb. 'tomar sobre si ou para si, responsabilizar-se' XVII. Do lat. *assūmĕre* || assumptÍVEL XVII || **assumpt**IVO 1858. Do lat. *assumptīvus* || assunção | *asumpçom* XIV, *assumpção* XV | Do lat. *assumptĭō -ōnis* || assuntAR vb. 'prestar atenção, sondar' | *assumptar* 1899 || assunto¹ adj. 'elevado' | *assumpto* XV | Do lat. *assumptus* || assunto² sm. 'matéria, tema, objeto' | XVII, *assumpto* XVIII | Do lat. *assumptus -ūs* || REassumIR 1783.
⇨ **assumir** — **assumpt**IVO | 1836 sc |.
as·surg·ente, -ir → SURGIR.
as·sust·adiço, -ador, -ar → SUSTO.
astasia sf. '(Med.) incapacidade de manter a postura vertical ou ereta' 1871. Do fr. *astasie*, deriv. do gr. *astasía* 'instabilidade' || astÁTICO 1871.
asteísmo sm. '(Ret.) expressão fina e delicada, levemente irônica, com que se disfarça o louvor sob a aparência de censura' 1881. De um lat. *asteismus 'linguagem polida', deriv. do gr. *asteismós* 'elegância, finura, espírito.
astenia sf. 'debilidade, fraqueza' | *-th-* 18441 Do fr. *asthénie*, deriv. do gr. *asthéneia* 'falta de vigor' || A·MIastenia XX || astenOP·IA XX. Do fr. *asthénopie* || astenoSFERA XX.
⇨ **astenia** | *asthenia* 1836 sc |.
-aster- elem. comp., do gr. *aster-*, de *astḗr* (≥ lat. *aster -ĕris*) 'estrela', que ocorre em alguns poucos vocs. eruditos, uma vez que este elemento sofreu a concorrência de -ASTR(O)-, também de origem grega, mas que se documenta em um número muito maior de compostos ♦ **astereôMETRO** XX || **asterisco** XVI. Do lat. med. *astĕriscus*, deriv. do gr. *asterískos* || **asterismo** XVII. Do gr. *asterismós* || **asteroide** 1844. Cp. gr. *asteroeidḗs*.
⇨ **-aster-** — **astereôMETRO** | 1836 sc || **asteroide** | 1836 sc |.
astigmatismo sm. '(Med.) deformação na superfície da curvatura do globo ocular, de que resultam diferença no grau de refração dos diversos meridianos e desvio nos raios luminosos' 1899. Do fr. *astigmatisme*, deriv. do ing. *astigmatism*, voc. criado pelo filósofo e físico inglês William Whewell (1794-1866), em 1849, para denominar o fenômeno 'óptico descoberto pelo médico e físico inglês Thomas Young (1773-1829) || astigmAÇÃO XX || astigmÁTICO XX || astigmôMETRO XX. Do fr. *astigmomètre*.
astilbe sm. 'planta ornamental da fam. das saxifragáceas' | *-bo* 1871 | Do lat. cient. *astilbē*, deriv. de *a-* [v. A- (iv)] + gr. *stilbós* 'brilhante'.
astracã sm. 'pele de cordeiro caracul, empregada em agasalhos e enfeites' | *-kan* XIX | Do fr. *astracan, astrakan*, grafia francesa do topo *Astracã*, cidade da Rússia, de onde provém esse tipo de pele.
astrágalo sm. '(Anat.) o osso do tarso, de forma quase cúbica' 1813. Do fr. *astragale*, deriv. do lat. tard. *astragălus* e, este, do gr. *astrágalos* 'vértebra'.
-astr(o)- elem. comp., do gr. *astro-*, de *ástron* (lat. *astrum*) 'astro', que se documenta, particularmente na linguagem científica, em palavras eruditas ou semieruditas, algumas já formadas no próprio grego (como *astronomia*), outras no latim (como *astroso*) e outras, constituindo a grande maioria, formadas nas línguas modernas (como *astronáutica*, do fr. *astronautique, astrosfera*, do al. *Astrosphäre* etc.) ♦ **astr**AL 1844. Do

lat. *astrālis* ‖ **ástr**EO XVII ‖ **ástr**ICO XVII. Do lat. *astrĭcus*, deriv. do gr. *ástrikós* ‖ **astrí**·FERO 1844. Do lat. *astrĭfĕrum* ‖ **astrí**·GERO 1858. Do lat. *astrĭgĕrum* ‖ **astr**IÔN·ICA XX ‖ **astro**ANTENA XX ‖ **astro**ARQUEO·LOG·IA XX ‖ **astro**ARQUEO·LÓG·ICO XX ‖ **astro**BIO·LOG·IA XX ‖ **astro**BIO·LÓG·ICO XX ‖ **astro**BLEMA XX ‖ **astro**BOL·ISMO 1871; cp. gr. *astrobolismós* ‖ **astró**BOLO 1899. Do lat. *astrŏbŏlos* ‖ **astro**BOTÂN·ICA XX. Do ing. *astrobotany*, adapt. do rus. *astrobotanika* (voc. criado por Tichov, em 1945) ‖ **astro**BOTÂN·ICO XX ‖ **astro**CÁRIO 1881 ‖ **astro**CARPO 1871 ‖ **astró**CINO 1858 ‖ **astro**CINO·LOG·IA 1858 ‖ **astro**CINO·LÓG·ICO 1899 ‖ **astró**CITO XX ‖ **astro**CLIMA XX ‖ **astro**COMA 1871 ‖ **astro**DENDRO ǀ -*dron* 1871 ‖ **astro**DERME 1871 ‖ **astro**FANÔ·METRO ǀ -*pha*- 1871 ‖ **astro**FÍS·ICA XX ‖ **astro**FÍS·ICO ǀ -*phy*- 1918 ‖ **astro**FITO ǀ -*phy*- 1871, -*phyta* 1844 ‖ **astro**FOB·IA ǀ -*pho*- 1899 ‖ **astró**FOBO ǀ -*pho*- 1899 ‖ **astró**FORO ǀ -*pho*- 1871 ‖ **astro**FOTO·GRAF·IA XX ‖ **astro**FOTO·GRÁF·ICO XX ‖ **astro**FOTO·METR·IA XX ‖ **astro**FOTO·MÉTR·ICO XX ‖ **astro**FOTÔ·METRO XX ‖ **astro**GEN·IA XX ‖ **astro**GÉN·ICO XX ‖ **astro**GEO·LOG·IA XX ‖ **astro**GEO·LÓG·ICO XX ‖ **astro**GNOS·IA 1858 ‖ **astro**GON·IA XX ‖ **astro**GÔN·ICO XX ‖ **astro**GRAF·IA XX ‖ **astro**GRÁF·ICO ǀ -*phi*- 1919 ‖ **astró**GRAFO XX ‖ **astr**OIDE 1858. Do fr. *astroïde* ‖ **astro**LÁBIO ǀ 1570, *estrolabio a* 1536 ǀ Do lat. med. *astrolabium*, deriv. do gr. *astrolábon* ‖ **astró**LATRA 1871 ‖ **astro**LATR·IA 1871 ‖ **astro**LÁTR·ICO XX ‖ **astró**LITO XX ‖ **astro**LOG·IA ǀ XIII, *estro*- XIII, *estreo*- XIV, *estrolosia* XIV etc. ǀ Do lat. *astrŏlŏgĭa*, deriv. do gr. *astrología* ‖ **astro**LÓG·ICO XVI. Do lat. *astrŏlŏgĭcus*, deriv. do gr. *astrologikós* ‖ **astró**LOGO ǀ XIV, -*lego* XIV, *estrologo* XIV etc. ǀ Do lat. *astrŏlŏgus*, deriv. do gr. *astrológos* ‖ **astro**MANC·IA 1871. Do fr. *astromancie*, deriv. do gr. *astromanteía* ‖ **astro**MANC·I·ANO 1871 ‖ **astro**MANTE XX ‖ **astro**MÂNT·ICO XX ‖ **astrô**METRA XX ‖ **astro**METR·IA 1871. Do fr. *astrométrie* ‖ **astro**MÉTR·ICO 1871 ‖ **astro**METR·ISTA XX ‖ **astrô**METRO 1871 ‖ **astro**NAUTA XX. Do fr. *astronaute* ‖ **astro**NÁUT·ICA XX. Do fr. *astronautique* (voc. criado pelo fr. J. H. Rosny aîné, em 1927) ‖ **astro**NÁUT·ICO XX ‖ **astro**NAVE XX; cp. fr. *astronef* ‖ **astro**NAVEG·AÇÃO XX ‖ **astro**NAVEG·ADOR XX ‖ **astro**NAVEG·AR XX ‖ **astro**NÍM·ICO XX ‖ **astrô**NIMO XX ‖ **astro**NOM·IA ǀ XIV, -*mya* XIV, *estrolomia* XIII, *estremonia* XIV, *estrenomya* XV, -*llomia* XV etc. ǀ Do lat. *astrŏnŏmĭa*, deriv. do gr. *astronomía* ‖ **astro**NÔM·ICO XVI. Do lat. *astrŏnŏmĭcus*, deriv. do gr. *astronomikós* ‖ **astro**NOMO ǀ XIV, *estro* XIV, *astronimo* XV, -*namo* XV etc. ǀ Do lat. *astrŏnŏmus*, deriv. do gr. *astronómos* ‖ **astro**QUÍM·ICA XX ‖ **astro**QUÍM·ICO XX ‖ **astro**SCÓP·IA 1858. Do lat. *astroscŏpĭa*, deriv. do gr. *astroskopía* ‖ **astro**SCÓP·IO 1881 ‖ **astro**SFERA XX. Do al. *Astrophäre* (voc. criado pelo cientista al. H. Fol, em 1891) ‖ **astr**OS·IA 1400. De *astroso* ‖ **astro**SO XIII. Do lat. *astrosūs* ‖ **astro**SOF·IA ǀ -*phia* 1858 ‖ **astro**STÁT·ICA 1881 ‖ **astro**TEO·LOG·IA XX ǀ *astro*TEO·LÓG·ICO XX ‖ **astro**ZOO·LOG·IA XX ‖ **astro**ZOO·LÓG·ICO XX.

⇨ **astr(o)-** — **astr**AL ǀ 1836 SC ‖ **astrí**·FERO ǀ 1836 SC ‖ **astró**FITO ǀ *astrophyte* 1836 SC ‖ **astro**NÔM·ICO ǀ *a* 1542 JCASE 82.*22* ǀ.

-astro *suf nom.* (= cast. -*astro*, it. -*astro*, a. fr. -*astre*, fr. -*âtre*, ing. -*aster*), do lat. -*aster*, que se documenta em substantivos com as noções de 'grandeza' 'intensidade' e quase sempre com conotação pejorativa: *medicastro, poetastro* etc.

astúcia *sf.* 'artimanha, -ardil, malícia' ǀ XV, *astuçya* XV ǀ Do lat. *astūtĭa* ‖ **astuci**OSO XVI ‖ **astuto** *adj*. XV. Do lat. *astūtus*.
⇨ **astúcia** — **astuci**OSO ǀ *astucjoso* XV ZURD 112.*32* ǀ.

asturiano *adj. sm*, 'relativo às, ou natural das Astúrias' ǀ *asturãno* XIV, -*ão* XIV, -*ano* XIV ǀ De *Astúri(as)* + -ANO.

astuto → ASTÚCIA.

ata[1] *sf.* 'relação ou memorial de fatos ocorridos' 'registro escrito no qual se relata o que se passou numa sessão, congresso etc.' ǀ XVII, *aucta* XIV ǀ Do lat. *ācta -ōrum* 'coisas feitas'.

ata[2] *sf.* 'fruta-de-conde' XVIII. De origem controvertida.

-ata *suf nom.* (≥ it. -*ata*), deriv. do lat. -*ātă* (> -ADA[1]), fem. dos adjetivos em -*ātŭs* (> -ADO), que se documenta, predominantemente, em palavras portuguesas de origem italiana: *bambochata, bravata, colunata* etc.

atá (andar ao-) *loco* 'andar sem rumo, vagar' 1618. Do tupi *aüa'ta* 'andar'.

-atã *elem. comp.*, do tupi *a'tã* 'duro, rijo', que se documenta em alguns vocs. port. de origem tupi: *anhaibatã, jacarandatã* etc.

atabafar → BAFO.

atabal *sm.* 'tímbale, tímpano' ǀ XIV, *tabal* XIII ǀ Do ár. hisp. *aṭ-ṭabal* (cláss. *aṭ-ṭabl*).

atabalhoar *vb.* 'aturdir, embaraçar, atrapalhar' XVII. De origem obscura ‖ **atabalho**ADO XVI.

atabaque *sm.* 'tímbale, tímpano' 'tambor' ǀ *atauaque* XIV ǀ Do ár. *aṭ-ṭabaq* 'prato' ‖ **atabaqu**EIRO ǀ -*eyro* XVI.

atabular *vb.* '*bras.* apressar, discutir, altercar' 1899. Voc. de criação expressiva, relacionado com *atabalhoar*, provavelmente.

atac·a, -ado ǀ -**ador** → ATACAR[1].

atacad·ista, -o[2] → ATACAR[2].

atacamita *sf.* 'mineral ortorrômbico esverdeado, constituído por cloreto básico de cobre' XX. Do fr. *atacamite*, deriv. do top. chileno *Atacama*.

atacar[1] *vb.* 'prender, unir, ligar fortemente' XIX. Relacionado provavelmente com *taco*; Cp. ATACAR[2] ‖ **ataca** XIX. Deverbal de ATACAR[1] ‖ **atac**ADO[1] XV ‖ **atac**ADOR XIX.

atacar[2] *vb.* 'investir, assaltar' 'ofender' 'estragar, corroer' XVI. Do it. *attaccare* ‖ **atac**ADISTA *adj. s2g.* 'que vende por atacado' XX ‖ **atac**ADO[2] *adj.* 'que sofreu ataque' *sm.* 'o conjunto do comércio grossista' 1813 ‖ **atac**ANTE XIX ‖ **ataque** XIX. Deriv. regress. de ATACAR[2] ‖ **inatac**ÁVEL 1858.

atadura → ATAR.

atafal *sm.* 'cinta larga, que prende dos lados da sela e serve de retranca' XIII. Do ár. magr. *aṭ-ṭafar* (cláss. *aṭ-afr*).

atafona *sf.* 'moinho manual ou movido por cavalgaduras' XV. Do ár. *aṭ-ṭaḥūna* ‖ **atafon**EIRO ǀ -*eyro* XVI.

atafulhar *vb.* 'abarrotar, empanturrar-se' XVII. De origem controvertida.

atalaia *sf.* 'sentinela, vigia' XIII. Do ár. *aṭ-ṭalā'i'a* ‖ **atalai**ADO ǀ -*lay*- XVI ‖ **atalai**ADOR ǀ XV, -*ayador* XIV ‖ **atalai**AMENTO XV ‖ **atalai**AR XVI.

⇨ **atalaia** — **atalaia**r | *atalayar* XIV ARIM 249 |.
a·talh·ar, -o → TALHAR.
atamancar → TAMANCO.
a·tan·ado, -ar → TANINO.
atapetar → TAPETE.
ataque → ATACAR².
atar *vb.* 'ligar, unir' XIII. Do lat. *aptāre* || AR·RE**atar** XVI || at**ADO** XIV || at**ADURA** XIV || **atilho** *sm.* 'aquilo com que se ata' XVI || DES**atar** XIII || RE**at**AMENTO XX || RE**atar** XVI.
atarantar *vb.* 'estontear(-se), confundir(-se), atrapalhar(-se)' XVIII. Do cast. *atarantar*, deriv. do it. *attarantare* e, este, de *taranta*, dim. de *taràntola* || **atarant**AÇÃO 1813 || **atarant**ADO 1881.
⇨ **atarantar** — **atarant**ADO | 1836 SC |.
ataraxia *sf.* 'estado de imperturbabilidade' 1858. Do fr. *ataraxie*, deriv. do gr. *ataraxía* 'tranquilidade'.
⇨ **ataraxia** | 1836 SC |
atarefado → TAREFA.
atarracar *vb.* 'preparar (a ferradura e o cravo), para acomodar o casco da cavalgadura' 'apertar muito, arrochar' XV. Provavelmente do ár. hisp. *aṭ-ṭaraq* 'golpear', do ár. *aṭ-ṭarrāqâ* 'martelo de ferrador' || **atarrac**ADO *adj.* 'arrochado' 'diz-se de pessoa baixa e gorda' 1813 || **tarraco** *adj. sm.* 'diz-se de, ou homem baixo e gordo' 1899. Der. regress. de *atarracar*.
atarraxar → TARRAXA.
a·tasca·deiro, -r → TASCA².
atassalhar → TASSALHO.
ataúde *sm.* 'caixão fúnebre, esquife' XIII. Do ár. *at-tābût*.
atauxiar → TAUXIA.
atavanado → TAVÃO.
ataviar *vb.* 'ornar, enfeitar, adereçar' | *-biar* XVI | Do gót. *taujan* 'fazer' 'enfeitar' || **atavio** | *-bio* XIV, *-uio* XVI | Der. regress. de *ataviar* || DES**ataviar** 1813.
atavismo *sm.* '(Biol.) tendência ao reaparecimento em um descendente, de um caráter não presente em seus ascendentes imediatos, mas sim em remotos' 1871. Do fr. *atavisme*, de *atavique* || **atávico** XIX. Do fr. *atavique*, deriv. do lat. *atăvus -i* 'antepassados'.
ataxia *sf.* 'falta de coordenação dos movimentos do corpo' 1844. Do fr. *ataxie*, deriv. do gr. *ataxía* 'desordem' || **atáxico** 1844. Do fr. *ataxique*.
⇨ **ataxia** | 1836 SC || **atáxico** | 1836 SC |.
atazanar → TENAZ.
até *prep.* 'indica limite a que se chega no espaço, no tempo, na ação, na quantidade ou intensidade' | *ata* XIII, *ate* XIII, *ataa* XIV etc. | Do ár. *ḥattā*.
atear → TEIA¹.
atecnia¹ *sf.* 'esterilidade' 1858. Cp. gr. *ateknía* 'falta de filhos'.
atecnia² → TECN(O)-.
ate·ísmo, -ísta → ATEU.
atelana *sf.* 'curta peça no gênero da farsa' | *atellanas* pl. 1871 | Do lat. *atellana (fabŭla)*.
⇨ **atelana** | *atellanas* 1836 SC |.
atelectasia *sf.* 'falta de dilatação' 'distensão incompleta dos pulmões' 1813. Cp. gr. *atelés* 'imperfeito' e *éktasis* 'dilatação' || **atelé**PODE 1871 || **atelo**CARD·IA XX || **atelo**MIEL·IA | *atelo-myelia* 1871.

-atel(ia) *elem. comp.*, que se documenta no voc. *filatelia* [v. -FIL(O)¹-] e seus derivados e compostos, com base no fr. *philatélie*, voc. criado pelo colecionador de selos, o francês Herpin, e por ele proposto em 1864 em *Le collectionneur de timbres-poste*; *-atelia* provém da loc. grega *ex ateleias* 'gratuitamente' (considerada arbitrariamente como o equivalente do fr. *franco de port* [= livre de taxa]), da prep. *ex*, que indica privação, e do genitivo do subst. fem. gr. *ateleia* 'imperfeito' 'isento de taxas', deriv. de *atelēs* 'idem'. Etimologicamente, portanto, o voc. *filatelia* significa 'amor por aquilo que é livre ou isento de imposto'.
ateliê *sm.* 'oficina de pintor, escultor, fotógrafo etc.' 1899. Do fr. *atelier*.
atelo·cardia, -mielia → ATELECTASIA.
atemorizar → TEMOR.
atenazar → TENAZ.
atenção *sf.* 'concentração da mente em algo que se faz, vê ou escuta' 'reflexão' | *att-* XVI | Do lat. *attentĭō -ōnis* || **atenci**OSO XIX || DES**atenção** XVII | DES**atenci**OSO 1844. Cp. ATENDER.
⇨ **atenção** — DES**atenci**OSO | *desattencioso* 1836 SC |.
atender *vb.* 'esperar, aguardar' 'dar atenção, auxiliar' XIII. Do lat. *attĕndĕre* || **atend**ENTE XX || **atend**ÍVEL XIX || **atent**ADO¹ *adj.* 'atento, vigilante' 'prudente, discreto' XVI || **atent**AR¹ *vb.* 'observar, olhar com atenção' XVI || **atento** *adj. sm.* 'que presta atenção' 'prudente' | XVI, *actento* XV | Do lat. *attĕntus* || DES**atender** XVII || DES**atent**AR XV || DES**atento** XVII. Cp. ATENÇÃO.
ateneu *sm.* 'lugar público onde os literatos, na Grécia antiga, liam as suas obras' 'academia científica ou literária' XVII. Do lat. *athēnaeum -i*, deriv. do gr. *Athēnaion*.
ateniense *adj. s2g.* 'relativo a ou natural de Atenas' XVII. Do lat. *atheniēnsis -e*.
⇨ **ateniense** | *atheniese* 1525 ABEjP 1v20, 1532 JBAFR 100.21 |.
atent·ado¹, -ar¹ → ATENDER.
atentar² *vb.* 'intentar, planear, cometer' | XVI, *atem-* XIV | Do lat. *attentāre* || **atent**ADO² *sm.* 'tentativa de perpetração de ato criminoso, ou o próprio ato' XVII || **atent**ATÓRIO | *att-* 1871 | Cp. TENTAR.
⇨ **atentar²** — **atent**ATÓRIO | *attentatorio* 1836 SC |.
atento → ATENDER.
atenuar *vb.* 'tornar tênue' 'adelgaçar, tornar menor' | *att-* XVII | Do lat. *attenuāre* || **atenu**AÇÃO | *att-* XVII | Do lat. *attenuātĭō -ōnis* || **atenu**ANTE | *att-* XVIII | Do lat. *attenuans -antis*.
ater *vb.* 'deter, reter' XVI. Do lat. *attĭnēre* 'ater' 'dizer respeito a' || **atin**ÊNC·IA XX || **atin**ENTE | *att-* 1813 | Do lat. *attinēns -entis*.
a·térm·ano, -asia, -ico → TERM(O)-.
ateroma *sm.* '(Med.) depósito de material gorduroso nas artérias' | *athe-* XVII | Do lat. *athērōma -atis*, deriv. do gr. *athéroma -atos*.
aterrar¹ → TERROR.
a·terr·ar², -issagem, -issar, -o, -oada → TERRA.
a·terror·izador, -izante, -izar → TERROR.
atestar¹ *vb.* 'afirmar ou provar em caráter oficial' 'testemunhar' XIV. Do lat. *attestāre* || **atest**AÇÃO | *-taçom* XVI | Do lat. *attestātĭō -ōnis* || **atest**ADO *adj.* 'que atestou'; *sm.* 'documento, testemunho'

XVI. Do lat. *attestātus* ‖ atest**ADOR** XVII. Do lat. *attestātor -ōris* ‖ atest**ANTE** XX ‖ atest**ATÓRIO** XX.
⇨ **atestar**¹ — atest**ANTE** | *attestante* 1836 SC |.
atestar² *vb.* 'encher até ao testo ou borda, abarrotar' 1813. De um lat. **attestāre*, de *testu* 'tampa ou vasilha de barro'.
ateu *adj. sm.* 'que não crê em Deus, ímpio' | *atheo* XVII | Do lat. *athĕos* ou *athĕus -i*, deriv. do gr. *átheos* ‖ ateí**SMO** | *ath-* XVI ‖ ateí**STA** XVII.'
ati *sf.* 'gaivota' 1587. Do tupi *a'ti* ‖ **atiati** | *atyaty* 1857 ‖ **atingaçu** | *atiaçu* 1587, *atiausu c* 1631 | Do tupi *atiṉa'su* 'gaivota'.
atiçar *vb.* 'espertar, atear (o fogo)' 'instigar, fomentar' | XV, *attiçar* XV | De um lat. **attītiāre*, de *titĭō -ōnis* 'tição, archote' ‖ atiç**ADOR** XVII.
-ático *suf. nom.*, do lat. *-atĭcum*, que se documenta em vocs. cultos, com a noção de 'relativo a, pertinente' 'característico de': *aquático, asnático, lunático* etc.; como nestes dois últimos exemplos, o suf. atribui por vezes aos derivados conotações irônicas ou burlescas. Por evolução normal, o suf. lat. deu origem ao suf. port. *-ádego/-ádigo*, que se documenta em inúmeros vocs. hoje arcaizados: *achádego, padroádigo* etc. Cp. -AGEM.
ático *adj. sm.* 'relativo à, ou natural da Ática' | XV, *att-* 1844 | Do lat. *attĭcus*, deriv. do gr. *attikós* ‖ atic**ISMO** | *att-* 1899 | Do lat. *attĭcismus -i*, deriv. do gr. *attikismós*.
⇨ **ático** | *attico* 1836 SC ‖ atic**ISMO** | *atticismo* 1836 SC |.
atilar *vb.* 'aperfeiçoar' 'tornar(-se) fino, esperto, hábil' XIX. De origem obscura ‖ atil**ADO** | *attilado* XVI ‖ atil**AMENTO** XVII.
atilho → ATAR.
atimia *sf.* 'desânimo, abatimento, prostração' | *athy-* 1858 | Cp. gr. *athȳmía*.
átimo → ÁTOMO.
atinar → TINO.
atin·ência, -ente → ATER.
atingaçu → ATI.
atingir *vb.* 'chegar até a, tocar, alcançar' XIV. Do lat. *attingĕre* ‖ **ating**ÍVEL | *att-* 1844 ‖ IN**ating**ÍVEL | *inatt-* 1844.
⇨ **atingir** — ating**ÍVEL** | *attingivel* 1836 SC ‖ IN**ating**ÍVEL | *inattingivel* 1836 SC |.
atípico → TIPO.
a·tir·adeira, -adiço, -ador, -ar → TIRAR.
atito *sm.* 'pio agudo das aves assustadas ou enfurecidas' 'assobio agudo e forte' XVI. De origem onomatopaica.
atitude *sf.* 'porte, jeito, postura' 'comportamento, procedimento' | *att-* XVIII | Do fr. *attitude*, deriv. do it. *attitùdine* e, este, do lat. vulg. *actitūdo -inis*, refeito pelo modelo do b. lat. *aptitūdo*.
ativo *adj.* 'que exerce ação, que age etc.' 'vivo, ágil' | *activo* XVI, *autiuo* XV | Do lat. *āctīvus* ‖ ativ**AÇÃO** | *acti-* 1881 ‖ **ativ**AR | *acti-* XVII ‖ **ativ**IDADE | *acti-* XVI | Do lat. *āctīvĭtās -ātis* ‖ ativ**ISMO** XX ‖ IN**ativ**IDADE 1873 ‖ IN**ativo** 1873 ‖ RE**ativo** 1874.
-ativo → -IVO.
atlante *adj. sm.* 'hercúleo, gigantesco' 'natural ou habitante da Atlântida, ilha ou continente que se acreditava ter existido e submergido em local do oceano Atlântico, a oeste de Gibraltar' XVII. Do lat. *Atlās -antis*, deriv. do gr. *Atlantes*, do nome do personagem mitológico *Atlas* ‖ **atlântico** *adj.* 'relativo ou pertencente aos montes Atlas, na África, ou ao oceano Atlântico' | *athl-* XVI | Do lat. *Ātlantĭcus*, deriv. do gr. *Atlantikós* ‖ **atlas** *sm. 2n.* 'coleção de mapas ou cartas geográficas em volume' XVII. Do nome do personagem mitológico *Atlas*, que era habitualmente representado com um gigante carregando sobre os ombros a abóbada celeste, e que figura na geografia de Mercator, em 1595. No port. med. ocorrem algumas referências aos montes Atlas (*athallāte*) e ao mitônimo (*atallas, athllas*), todas no séc. XV.
atleta *adj. s2g.* 'que pratica esporte' 'forte, robusto' | *ath-* XVI | Do lat. *āthlēta*, deriv. do gr. *āthletḗs* ‖ **atlético** | *athletico* XVI | Do lat. *āthlētĭcus*, deriv. do gr. *āthlētḗs -ikós* ‖ atlet**ISMO** XIX. Do fr. *athlétisme*.
atmo- *elem. comp.*, do gr. *atmo-*, de *atmós* 'gás, vapor', que se documenta em vários compostos introduzidos, a partir do séc. XIX, na linguagem científica internacional ▸ **atmo**CLÁST·ICO XX ‖ atmo**LÓG**·ICO XX ‖ atmo**META**·MORF·ISMO XX ‖ atmô-**METRO** 1881 ‖ **atmo**SFERA | *-ph-* XVIII ‖ **atmo**SFÉR·ICO | *-ph-* 1844 ‖ **atmo**SFERO·LOG·IA | *-ph-* 1871.
⇨ **atmo-** — atmô**METRO** | 1836 SC ‖ **atmo**SFÉR·ICO | *atmospherico* 1836 SC |.
ato *sm.* 'aquilo que se fez ou faz, ação' | *auto* XIV, *acto* XV | Do lat. *āctum -i* ‖ **auto**¹ 'ato' 'solenidade' 'peça teatral' 'documento legal' XIV. Forma divergente de *ato* ‖ **autu**AR XVI ‖ ENTRE**ato** XX. 'intervalo entre os atos de uma peça' | *-acto* 1858.
-ato *suf. nom.*, do lat. *-ātŭs* (neutro *-ātŭm*), de que se deriva, também, *-ado*. Em português, *-ato* ocorre em palavras de caráter erudito: (i) em substantivos que designam instituição, titularia: *baronato, cardinalato*; (ii) especificamente, na nomenclatura química, em nomes de sais e ésteres de oxiácidos cujos nomes terminam em -ICO: (ácido) *nitrico* → *nitrato* (de sódio); (ácido) *acético* → *acetato* (de metila). Talvez se relacione com este sufixo a terminação *-ato* que ocorre em nomes de animais de pequeno porte, como *carrapato, lobato* etc.
à toa → TOAR.
a·to·ada, -ar, -arda → TOAR.
atoalhado → TOALHA.
atochar *vb.* 'segurar com atocho ou cunha' 'entulhar' 'apertar cingindo' XVI. Do cast. *atocha*, deriv. do moçárabe *at-táuča* e, este, provavelmente, de um pré-romano **tautia* ‖ **atocho** XVI.
atol *sm.* 'recife de coral' | XX, *atoll* XIX | Do ing. *atoll*, deriv. do idioma indígena das Maldivas *atolu* e, este, do cingalês *ätul* 'dentro de'. O voc. foi introduzido na linguagem científica internacional pelo naturalista inglês Charles Darwin (1809-1882) em 1842.
atolar *vb.* 'meter ou enterrar em lamaçal' XV. De origem controvertida ‖ **atol**EIRO XVI.
atomatar → TOMATE.
átomo *sm.* 'orig. partícula mínima de matéria considerada indivisível' XV; '(Quím.) sistema energeticamente estável, formado por um núcleo positivo que contém nêutrons e prótons, e cercado de elétrons' 'a menor quantidade de uma substância elementar que tem as propriedades químicas de um elemento' XX. Do lat. *atŏmus -i*, deriv. do gr. *áto-*

mos 'indivisível' || **átimo** *sm.* 'instante, momento" XIX. Usado na expressão *num átimo* || **atôm**ICO 1858 || **atom**IZAR XX. Do ing. *to atomize.*
à tona → TOAR.
atonia *sf.* '(Med.) debilidade geral: fraqueza' 1813. Do lat. tard. *atŏnia*, deriv. do gr. *atonía*. Cp. TOM.
atônito *adj.* 'espantado, admirado, assombrado' XVI. Do lat. *attŏnĭtus.*
átono *adj.* 'sem acento tônico' 1899. Do lat. med. *atŏnus*, deriv. do gr. *átonos*. Cp. TOM.
atopetar → TOPE.
atópico → TOP(O)-.
ator *sm.* 'agente do ato' | *actor* XVI |; 'aquele que representa em espetáculos' | *actor* XVII | Do lat. *āctor -ōris* || **atr**IZ | *actrice* XVIII | Do lat. *āctrix -īcis.*
atorar → TORO.
atordoar *vb.* 'perturbar, aturdir, confundir' | XV, *atordar* XIV | De um lat. **atordonāre*, relacionado com *tonĭtrus -ūs* 'trovão'. No port. med. documenta-se também *atordeçer*, no séc. XIV || **atordo**ADOR XIX || **atordo**AMENTO XVI || **atordo**ANTE XX.
-atório → (T)ÓRIO.
atormentar → TORMENTO.
atrabílis *sf. 2n.* 'humor imaginário ou bílis negra, que se julgava ser a causa da melancolia' 1813. Do fr. *atrabile*, formado sobre o lat. *atrabilis* 'bílis negra' || **atrabili**ÁRIO XVII. Adaptação do fr. *atrabilaire.*
atração → ATRAIR.
atracar *vb.* 'amarrar ou encostar uma embarcação' XVI; 'entrar em luta corporal' 1813. Do it. *attracare* || **atrac**AÇÃO 1844 || DE**satracar** 1844.
⇨ **atracar** — **atrac**AÇÃO | 1836 SC || DE**satracar** | 1836 SC |.
a·traiç·oador, -oar → TRAIÇÃO.
atrair *vb.* 'trazer, puxar ou solicitar para si' 'seduzir, fascinar' | *atraher* XV, *atrayr* XV, *attrahir* XVI | Do lat. *attrahĕre* || **atr**AÇÃO | *atracção* XVII | Do lat. *attractĭō -ōnis* || **atra**ENTE | *atthraente* XVII || **atrat**IVO *adj. sm.* | *atractiuo* XV | Do lat. *attractīvus* || **atreito** *adj.* 'sujeito a, propenso' 1844. Do lat. *attractus*, part. de *attrahĕre.*
⇨ **atrair** — **atreito** | 1836 SC |.
a·trap·alhação, -alhado, -alhar → TRAPO.
atrás, atras·ado, -ar, -o → TRÁS.
atrativo → ATRAIR.
a·trav·ancamento, -ancar → TRAVE.
através, a·traves·sador, -sar → TRAVÉS.
atreito → ATRAIR.
a·trel·ado, -ar → TRELA.
atremar *vb.* 'acertar, atinar' 1813. De origem controvertida.
atrepsia *sf.* 'enfraquecimento infantil, causado por problemas de nutrição' XX. Do fr. *athrepsie*, deriv. de *a-* [v. A- (IV)] + gr. *threpsia* 'ato de alimentar'.
atresia *sf.* 'oclusão patológica de um orifício do corpo' | 1871, *atreósia* (sic) 1871 | Do fr. *atrésie*, deriv. de *a-* [v. A- (IV)] + gr. *trēsis* 'orifício'.
atrever *vb.* 'ousar, afoitar-se, arriscar-se' XIII. Do lat. *trĭbuĕre* || **atrev**IDO | *-uy-* XIV, *atrevudo* XIII etc. || **atrev**IMENTO | *-ve-* XIII, *-ui-* XIV etc.
atribuir *vb.* 'considerar como autor, como origem ou causa' | XV, *atribuyr* XV | Do lat. *attribuĕre* || **atribuição** | *att-* XVI | Do lat. *attribūtĭō -ōnis* || **atribuí**DO | *atribuado* XIV || **atribu**ÍVEL | *att-* 1871 ||

atributo *sm.* 'propriedade característica de um ser' | *att-* XV | Do lat. *atribūtus*, part. de *attribuĕre.*
⇨ **atribuir** — **atribu**ÍVEL | *attribuivel* 1836 SC |.
a·tribul·ação, -ado, -ar → TRIBULAÇÃO.
atributo → ATRIBUIR.
atricaude → ATRO.
atril *sm.* 'tipo de estante' 1881. Do cast. *atril*, do ant. *latril*, deriv. do b. lat. *lectorīle* e, este, do lat. *legĕre* 'ler'.
átrio *sm.* 'parte principal das casas romanas' 'vestíbulo, sala central, pátio interno' XVI. Do lat. *ātrĭum -īī.*
atrípede → ATRO.
atriquia *sf.* 'falta de pelos ou cabelos' | *-chia* 1871 | Cp. gr. *áthrix áthrichos* 'sem pelo ou cabelo' (*thríx trichós* 'pelo, cabelo').
atrito *sm.* 'fricção entre dois corpos' 'desavença, divergência' | *att-* XVI | Do lat. *attrītus -ūs* || **atrit**AR XX.
atriz → ATOR.
atro *adj.* 'negro, escuro' | *atra* fem. XVI | Do lat. *āter atra atrum* || **atri**CAUDE 1871 || **atrí**PEDE 1871 || **atró**PTERO 1871.
a·tro·ador, -ar → TROM.
atrocidade *sf.* 'crueldade, barbaridade, impiedade' XVI. Do lat. *atrŏcĭtās -ātis* || **atroz** *adj.* | XVII, *atroçes* pl. XV | Do lat. *atrōx -ōcis.*
atrofia *sf.* 'definhamento, falta ou redução no desenvolvimento, em geral por falta de alimento' | *-ph-* XVII | Do lat. *atrophía*, deriv. do gr. *atrophía* || **atrofi**ADO | *-ph-* 1881 || **atrofi**AMENTO XX || **atrofi**AR | *-ph-* 1844 || **atrófi**CO | *-ph-* XVII.
⇨ **atrofia** — **atrofi**ADO | *atrophiado* 1836 SC || **atrofi**AR | *atrophiar* 1836 SC |.
a·tropel·ação, -amento, -ar, -o → TROPEL.
atropina *sf.* '(Quím.) racêmico da hiociamina, usado como analgésico e dilatador da pupila' 1858. Do fr. *atropine*, deriv. do lat. cient. *atrŏpa* (do gr. *átropos* 'inflexível') + *-ine*; v. -INA.
átropo[1] *sm.* 'borboleta noturna' 1871. Do lat. cient. *atropus*, deriv. do gr. *átropos* 'não dobrável, inflexível' || **átropo**[2] '(Bot.) óvulo reto em que a micrópila está oposta ao funículo' XX.
atróptero → ATRO.
atroz → ATROCIDADE.
atual *adj. 2g.* 'orig. ativo, que age' 'que ocorre no momento em que se fala, no presente' | *actual* XV | Do lat. *āctuālis -e* || **atual**IDADE | *act-* XVI | Do lat. *actuālĭtās -ātis*, criação de Duns Scotus, deriv. de *āctuālis -e* || **atual**IZ·AÇÃO | *act-* 1871 | Do fr. *actualisation* || **atual**IZAR | *act-* 1871 | Do fr. *actualiser*, Cp. ATO, ATUAR.
atuar *vb.* 'exercer atividade ou estar em atividade, agir' | *act-* XVII | Do lat. med. *actuāre*, deriv. do lat. *āctus -ūs* 'ato' || **atuação** | *act-* XVII || **atu**ANTE | *act-* XVII || **atuari**AL XX. Do ing. *actuarial*, deriv. do lat. *actuārĭus* 'ligeiro', aplicado à transcrição de um livro || **actu**ÁRIO | *act-* 1871 | Do ing. *actuary*, deriv. do lat. *āctuārĭus -īī* 'escriba, guarda-livros, intendente militar' || **atu**OSO | *act-* XVII || *āctuōsus*. Cp. ATO, ATUAL.
atucan·ado, -ar → TUCANO.
atucupá *sf.* espécie de corvina' | *atucupa* 1587, *guotaquupa* e1631, *guotacupa c* 1631 | Do tupi *üatuku'pa.*

atulhar → TULHA.
atum *sm.* 'peixe teleósteo, da fam. dos tunídeos' | *atões* pl. XIV | Do ár. *at-tûn*, deriv. do lat. *thŭnnus -i* e, este, do gr. *thýnnos*.
⇨ **atumultuado** → tumulto.
-atura → (T)URA.
aturá *sm.* 'cesto' 1833. Do tupi *atu'ra*.
aturar *vb.* 'sofrer, suportar' 'perseverar' XIII. Do lat. *obtūrāre* ‖ **atur**ADOR XV ‖ **atur**ÁVEL XX.
aturdir *vb.* 'atordoar, perturbar, confundir' | *ator-* XV | Provavelmente do cast. *aturdir*, deriv. de *tordo*, nome de ave ‖ **aturd**IDO | *ator-* XIV ‖ **aturdi**MENTO 1844.
⇨ **aturdir** — **aturd**imento | 1836 SC |.
aturiá *sm.* 'planta da fam. das leguminosas' 1928. Do tupi **aturi'a*.
áucuba *sf.* 'gênero de plantas ampelídeas' 1899. Do lat. cient. *aucuba*, deriv. do jap. *aokiba*.
audácia *sf.* 'ousadia, coragem, atrevimento' XIV. Do lat. *audācĭa* ‖ **audaci**OSO 1858 ‖ **audaz** | XV, *audax* XV, *audace* 1572 | Do lat. *audāx -ācis*.
audi(o)- *elem. comp.*, do lat. *audi-*, de *audīre* 'ouvir', que se documenta em alguns vocs. formados no próprio lat. (como *audiência*) e em muitos outros introduzidos, já a partir do séc. XIV, na linguagem erudita ▶ **aud**IBIL·IDADE XX ‖ **audição** XVII. Do lat. *audītĭō -ōnis* ‖ **audi**ÊNCIA | *-entia* XIV | Do lat. *audientĭa* ‖ **audi**ENTE 1858. Do lat. *audiēns -entis*, part. de *audīre* ‖ **audi**MUDEZ XX ‖ **audi**ÔMETRO | *audimetro* 1871 ‖ **audit**IVO XVI. Do fr. *auditif* ‖ **audit**OR XVI. Do lat. *audītor -ōris* 'ouvinte' ‖ **audit**OR·IA XVII ‖ **audit**ÓRIO XVI. Do lat. *audītōrĭum -īi* ‖ **aud**ÍVEL XVI ‖ IN**audito** XVII. Do lat. *in-audītus* ‖ IN**aud**ÍVEL XIX.
auferir *vb.* 'colher, obter, ter, tirar' 1881. Do lat. *auferĕre*.
auge *sm.* 'culminância, apogeu' XV. Do ár. *'auǧ*.
augita *sf.* 'mineral monoclínico do grupo dos piroxênios' | *-gite* 1871 | Do lat. *augītēs*, deriv. do gr. *augĩtēs* (de *augé* 'brilho'), por via erudita.
augúrio *sm.* 'prognóstico, presságio, auspício' XVII. Do lat. *augurĭum -ĩi* ‖ **augur**AL XVI. Do lat. *augurālis -e* ‖ **augur**AR XVI. Do lat. *augŭrāre* ‖ **áugure** *sm.* 'sacerdote romano que predizia o futuro pelo canto e pelo voo das aves' 'adivinho' XVI. Do lat. *augŭr -ŭris*.
augusto *adj.* 'respeitável, venerando' XVI. Do lat. *augustus*, de *augŭr* 'consagrado pelos áugures' 'empreendido com bons augúrios' ‖ **august**AL XVI. Do lat. *Augustālis -e* ‖ **augustini**ANO *adj.* 'relativo a Santo Agostinho' XVII. Do lat. *Augustīnus -i* e -ANO ‖ **augustin**ISMO *sm.* 'corrente teológico-filosófica proveniente de Santo Agostinho' 1871.
aula *sf.* 'ant. corte, palácio' 'sala em que se leciona' 'lição de uma disciplina' XVI. Do lat. *aula* 'pátio, palácio' 'curral, gaiola', deriv. do gr. *aulḗ* 'pátio, morada'.
aulética *sf.* 'arte de tocar flauta ou aulo, entre os antigos gregos e romanos' 1858. Do lat. *aulēticus*, deriv. do gr. *aulētikḗ (téchnē)*, *aulētikós* ‖ **aulete** *sm.* 'flautista' 1858. Cp. gr. *aulētḗs*, de *aulós* 'flauta' ‖ **aulétr**IDA *sf.* 'flautista' 1871. Cp. gr. *aulētrís -ídos*.
⇨ **aulética** | 1836 SC ‖ **aulete** | *auletes* 1836 SC |.
áulico *adj. sm.* 'cortesão, palaciano' XVI. Do lat. *aulīcus*, deriv. do gr. *aulikós*, de *aulḗ* 'aula (no sentido de corte)'.

aulido *sm.* 'grito de animais, uivo' XVII. Do cast. *aullido*.
aumentar *vb.* 'ampliar, acrescentar'. XIV. Do lat. *augmentāre* ‖ **aument**AÇÃO | *aug-* XVI | Do lat. tard. *augmentātĭō -ōnis* ‖ **aument**ADOR | *aug-* XVI | Do lat. tard. *augmentātor -ōris* ‖ **aument**ATIVO | *aug-* XVI ‖ **aumento** 1572. Do lat. *augmentum -i*.
aunar *vb.* 'juntar, unir, adunar' XVII. Do lat. *adunāre* ‖ **aun**ADO XVII. O adv. *aunadamente* 'juntamente' já ocorre no séc. XIII.
aura *sf.* 'brisa, aragem, sopro' 'aplauso geral' 1572. Do lat. *aura*, deriv. do gr. *aúrā*.
aurantina *sf.* 'princípio amargo da casca das laranjas' 1871. Do lat. cient. *aurantium* (nome específico antigo da laranjeira) e -INA, por via erudita.
áureo *adj.* 'da cor do ouro, feito de ouro' '*fig.* belo, brilhante' XVI. Do lat. *aurĕus* ‖ **auré**OLA *sf.* 'pequeno círculo luminoso' XV. Do lat. *aureŏla*, dim. de *aurĕa* ‖ **aureol**AR[1] *adj.* 2g. 1871 ‖ **aureol**AR[2] *vb.* 1871 ‖ **aureo**MICINA XX. Do fr. *auréomycine*.
aur(i)- *elem. comp.*, do lat. *auri-*, de *aurum -i* 'ouro', que se documenta em alguns compostos formados no próprio latim (como *auricolor*) e em muitos outros introduzidos, a partir do séc. XVIII, na linguagem erudita ▶ **auri**CÍD·IA XVIII ‖ **áur**ICO 1871 ‖ **auri**COLOR XX. Do lat. *auricŏlor -ōris* ‖ **auri**COMO 1844. Do lat. *auricŏmus* ‖ **auri**CÓRN·EO | *-come* 1871 ‖ **auri**CRIN·ITO 1813 ‖ **aur**ÍFERO XVII. Do fr. *aurifère*, deriv. do lat. *aurifĕrum* ‖ **auri**FIC·AÇÃO 1871. Do fr. *aurification* ‖ **aur**ÍFICE XX. Do lat. *aurifex -ficis* ‖ **auri**FICO XVII ‖ **auri**FLAMA | *-flamma* XVI | Do lat. med. *aurea flamma* ‖ **auri**FULG·ENTE XVIII ‖ **auri**GIN·OSO 1858. Do lat. *aurīgĭnōsus* ‖ **auri**LAVR·ADO 1899 ‖ **auri**LUZ·IR XX ‖ **auri**RROS·ADO | *auriro-* XVII ‖ **auri**RRÓSEO | *auriró-* 1899 ‖ **auri**VERDE XIX ‖ **auri**VORO 1871 ‖ **auro**GÁSTR·EO | *aurigastro* 1871.
⇨ **aur(i)-** — **auri**COMO | 1836 SC ‖ **aur**ÍFERO | 1572 *Lus.* II.4 ‖ **auri**GIN·OSO | 1836 SC |.
aurícula *sf.* '(Anat.) cada uma das cavidades superiores do coração' 'apêndice em forma de orelha' 1844. Do lat. *auricŭla*, dim. de *auris* 'orelha' ‖ **auricul**AR *adj.* 2g. 1813. Do lat. *auriculāris -e* ‖ **auriculi**FORME 1871 ‖ **auricul**OSO 1858 ‖ **auri**FORME 1871.
⇨ **aurícula** | 1836 SC |.
aurí·fero, -ficação, -fice, -fico, -flama, -fulgente → AUR(I)-.
auriga *sm.* '(Poét.) cocheiro' 'constelação boreal vulgarmente chamada Cocheiro' XVI. Do lat. *aurīga*.
auri·ginoso, -lavrado, -luzir, -rrosado, -rróseo, -verde, -voro, aurogástreo → AUR(I)-.
auroque *sm.* 'mamífero ruminante da fam. dos bovídeos' | *aurochs* 1871 | Do fr. *aurochs*, deriv. do al. *Auerochs*.
aurora *sf.* 'período antes do nascer do sol, quando este já ilumina a parte da superfície terrestre ainda na sombra' 1572. Do lat. *aurōra*.
⇨ **aurora** | 1571 FOLF 96.27 |.
auscultar *vb.* 'aplicar o ouvido a (o peito, o ventre etc.) para conhecer os ruídos que se produzem dentro do organismo' 1871. Do fr. *ausculter*, deriv. do lat. *auscultāre* ‖ **auscult**AÇÃO 1858. Do fr. *auscultation*, deriv. do lat. *auscultātĭō -ōnis* ‖ **aus-**

cultADOR 1871. Do fr. *auscultateur*, deriv. do lat. *auscultātor -ōris*.
ausência *sf.* 'afastamento' 'inexistência, falta' | xv, *absentia* xiv | Do lat. *absentĭa* || **ausEN·TAR** xvi. Do lat. *absentāre* || **ausENTE** | xvi, *absente* xiv | Do lat. *absēns -entis*.
auspício *sm.* 'augúrio' xvi. Do lat. *auspicĭum ĭī* || **áuspice** *sm.* 'áugure' xvi. Do lat. *auspex -ĭcis* || **auspicIOSO** *adj.* 'de bom augúrio' xviii.
austero *adj.* 'rígido de caráter, severo, grave' 1572. Do lat. *austĕrus*, deriv. do gr. *austērós* || **austerIDADE** xvi. Do lat. *austērĭtās -ātis*.
austral *adj. 2g.* 'que fica ao lado do austro, ou sul' xiv. Do lat. *austrālis -e* || **australIANO** *adj. sm.* 'relativo à, ou natural da Austrália' 1871. Do top. *Austrália* || **austríFERO** 1844. Do lat. *austrĭfĕrum* || **austrINO** 1572 || **austro** *sm.* 'o vento sul' 'o sul' 1572. Do lat. *auster -trī*.
austríaco *adj. sm.* 'relativo à, ou natural da Áustria' xvii. Do top. *Áustria* (latinização do al. *Oesterreich* 'país do leste'); v. -ACO².
austr·ífero, -ino, -o → AUSTRAL.
autarquia *sf.* 'poder absoluto' 'governo de um Estado por seus concidadãos' 'entidade autônoma, auxiliar da administração pública' 1871. Do fr. *autarcie* (*autarchie*), deriv. do gr. *autárkeia* 'qualidade ou estado do que se basta a si mesmo ou do que executa qualquer coisa por si mesmo' || **autárquICO** xx.
autêntico *adj.* 'verdadeiro' | xiv, *outentico* xiv etc. | Do lat. *authentĭcus*, deriv. do gr. *authentikós* || **autenticAR** xviii. O part. adj. *outenticado* já ocorre no séc. xiv || **autenticI·DADE** || *auth-* 1813 || **INautenticIDADE** | *-then-* 1873 || **INautêntico** | *-then-* 1873.
autismo *sm.* '(Psiq.) fenômeno patológico caracterizado pelo desligamento da realidade exterior e criação mental de um mundo autônomo' xx. Do fr. *autisme*, deriv. do al. *Autismus*, voc. criado em 1911 pelo psiquiatra suíço E. Bleuler, com base no gr. *auto-*, de *autós* 'si mesmo' || **autíGENO** xx || **autISTA** xx. Do fr. *autiste*.
auto- *elem. comp.*, do gr. *auto-*, de *autós* 'de si mesmo, por si mesmo, espontaneamente', que se documenta em alguns compostos formados no próprio grego, como *autógrafo*, por exemplo, e em numerosos outros introduzidos nas línguas modernas a partir do séc. xix. Pelo modelo de *automóvel* (deriv. do fr. *automobile* 'que se move por si mesmo'), cuja forma abreviada *auto²* veio a constituir novo elemento de composição, formaram-se dezenas de outros compostos, tais como *autobus*, *autódromo* etc. ♦ **auto²** *sm.* 'automóvel' xx || **autoBIO·GRAF·AR** | *-ph-* xix || **autoBIO·GRAF·IA** | *-ph-* 1871 || **autobus** xx. Do fr. *autobus* || **autoCARRO** xx || **autoCÉFALO** | *-ph-* xvii || **autoCLAVE** 1871. Do fr. *autoclave* || **autoCLÍNICA** xx || **autoCOLIM·ADOR** xx || **autoCONTRATO** xx || **autoCÓPIA** xx || **autoCRAC·IA** 1844. Do fr. *autocratie*, deriv. do gr. *autokráteia* || **autoCRATA** 1844. Do fr. *autocrate*, deriv. do gr. *autokrátēs* || **autoCRÍTICA** 1899 || **autoCROM·IA** xx || **autóctone** | *-tocht-* 1881 || Do lat. *autochthōn -ŏnis*, deriv. do gr. *autóchthōn* || **autoDEFESA** xx || **autoDETERMIN·AÇÃO** xx || **autoDIDATA** | *-acta* 1871 | Do fr. *autodidacte*, deriv. do gr. *autodídaktos* || **autóDROMO** xx. Do fr. *autodrome* || **autoESTRADA** xx || **autóFAGO** | *-ph-* 1899 || **autoFECUND·AÇÃO** 1899 || **autoFERTIL·IZ·AÇÃO** xx || **autoFIL·IA** xx || **autoGAM·IA** xx || **autoGÊNESE** xx || **autóGENO** | *autògeneo* 1899 | Do fr. *autogène*, deriv. do gr. *autogenés* || **autoGIRO** xx. Do fr. *autogire* || **autoGRAF·AR** | *-phiar* 1871 || **autóGRAFO** 1712. Do fr. *autographe*, deriv. do gr. *autógraphos* || **auto-HEMO·TERAP·IA** xx || **autoINDUÇAO** xx || **autóLATRA** 1899 || **autoLATR·IA** 1881 || **autoLOT·AÇÃO** xx || **autoM·AÇÃO** xx || **autoMASTURB·AÇÃO** xx || **autoM·ÁTICO** 1844. Do fr. *automatique* || **autoM·AT·ISMO** 1844. Do fr. *automatisme* || **autoM·AT·IZAR** xx. Do fr. *automatiser* || **autôMATO** xvi. Do gr. *autómatos* || **autoMETAMORF·ISMO** xx || **autoMOBIL·ISMO** 1899. Do fr. *automobilisme* || **autoMOBIL·ISTA** xx. Do fr. *automobiliste* || **autoMÓRF·ICO** xx || **autoMORF·ISMO** xx || **autoMOTOR** xx || **autoMOTRIZ** xx || **autoMÓVEL** 1899. Do fr. *automobile* || **autÔNIMO** | *-ny-* 1899 || **autoNOM·IA** 1881. Do fr. *autonomie*, deriv. do gr. *autonomía* || **autÔNOMO** 1871. Do fr. *autonome*, deriv. do gr. *autónomos* || **auto-ÔNIBUS** xx || **autoPEÇA** xx || **autoPISTA** xx || **autoPLAST·IA** 1871. Do fr. *autoplastie* || **autÓPS·IA** 1847. Do fr. *autopsie*, deriv. do gr. *autopsía* || **autÓPTICO** 1871. Do fr. *autoptique*, deriv. do gr. *autoptikós* || **autoRRETRATO** xx || **autoSSERVIÇO** xx || **autoSSUFICI·ÊNCIA** xx || **autoSSUFICI·ENTE** xx || **autoSSUGESTÃO** | *-sugg-* 1899 || **autoSSUGESTION·ÁVEL** xx || **autóTIPO** xx || **autoTIPO·GRAF·IA** xx || **autoTRANSFORM·ADOR** xx || **autóTROFO** xx || **autoVIA** xx.

⇨ **auto-** — **autoCRAC·IA** | 1836 sc || **autoCRATA** | 1836 sc || **autóctone** | *autocthone* 1836 sc || **autoM·ÁTICO** | 1836 sc || **autoM·AT·ISMO** | 1836 sc || **autoNOM·IA** | 1836 sc || **autÔNOMO** | 1836 sc || **autÓPS·IA** | 1836 sc |.

auto¹ → ATO.
auto² → AUTO-.
auto de fé *sm.* 'cerimônia em que se proclamavam e executavam as sentenças do Tribunal da Inquisição' xvi. De AUTO 'ato' + DE + FÉ. O primeiro auto de fé foi realizado em Lisboa no dia 26 de setembro de 1540, mas então ainda era designado por *auto da samta jmquisyçam*; em 1541 aparece a expressão reduzida *auto da inquisiçam*; em 1544 ocorre, por fim, *auto da fee*, expressão que passou às demais línguas da Europa: fr. *autodafé* (1714), it. *autodafé* (séc. xviii), ing. *auto da fé* (1723), al. *auto da fé* (séc. xviii) etc.

autor *sm.* 'a causa principal, a origem de' 'inventor' 'escritor' | xv, *outor* xiii | Do lat. *auctor -ōris* || **autorAL** 1899 || **autorIA** 1813 || **COautor** | *coauctor* 1873 || **coautorIA** xx.

autoridade *sf.* 'direito ou poder de se fazer obedecer, de tomar decisões etc.' 'aquele que tem tal direito ou poder' | xiii, *outuridade* xiii, *outo-* xiii etc. | Do lat. *auctōrĭtās -ātis* || **autoritÁRIO** | *auc-* 1881 || **autoritAR·ISMO** xx || **autorIZ·AÇÃO** | 1844, *-sa-* 1871 || **autorIZ·ADO** xv || **autorIZAR** xvi. Do lat. med. *auctōrĭzāre* || **DESautorADO** | *desauth-* 1844, *desauct-* 1873 || **DESautorAR** xvi || **EXautorAÇÃO** | 1844, *exauct-* 1873.

⇨ **autoridade** — **autorIZ·AÇÃO** | *autorisação* 1836 sc || **DESautorADO** | 1836 sc || **DESautorIDADE** | 1660 FMMeIe 11.*26* || **DESautorIZAR** | 1571 FOlF 96.*11* || **EXautorAÇÃO** | 1836 sc |.

autuar → ATO.
autunal *adj. 2g.* 'outonal' | *autumnal* XVII | Do lat. *autumnālis -e.* Cp. OUTONO.
autunita *sf.* '(Min.) uranita' XX. Do fr. *autunite*, do top. *Autun*, cidade da França.
auxese *sf.* '(Rel.) hipérbole' 1858; '(Cit.) indução química ou física da mitose' XX. Do lat. tard. *auxēsis*, deriv. do gr. *auxēsis* 'crescimento, acréscimo'.
auxílio *sm.* 'ajuda, amparo, socorro' XV. Do lat. *auxilĭum -ĭī* || **auxili**ADO 1871. Do lat. *auxiliātus*, part. de *auxiliāre* ||**auxili**ADOR XVII. Do lat. *auxiliātor -ōris* || **auxili**AR¹ *vb.* XVIII. Do lat. *auxiliāre* || **auxili**AR² *adj. s2g.* XVII. Do lat. *auxiliāris -e* || **auxili**ÁRIO XVI. Do lat. *auxiliārĭus.*
⇨ **auxílio** — **auxili**ado | 1836 SC |.
auxina *sf.* '(Bol.) hormônio ou substância que promove o crescimento das plantas' XX. Do fr. *auxine*, deriv. do gr. *auxo-* (frequentemente *auxi-*), de *áuxē* 'crescimento' + -INA || **aux**ôMETRO 1899.
avacalhar → VACA.
aval *sm.* 'garantia pessoal que se dá de qualquer obrigado ou coobrigado em título cambial' 1858. Do fr. *aval*, deriv. do it. *avallo* e, este, do ár. *ḥaulā* 'mandato' || **aval**ISTA XX || **aval**IZAR XX. Do fr. *avaliser.*
avalanche *sf.* 'massa de gelo e neve que desce, violenta, pela encosta das montanhas' 1858. Do fr. *avalanche.*
⇨ **avanlanche** | 1836 SC |.
a·val·i·ação, -ador, -ar, -ável → VALER.
aval·ista, -izar → AVAL.
avançar *vb.* 'andar para a frente, adiantar-se' XVII. Do cat. *avançar*, deriv. de um lat. **abantiāre*, de *abante* 'adiante', composto das preposições lat. *ab* e *ante* || **avanç**ADA XVII || **avanç**ADO XIV || **avanço** XVII. Deverbal de *avançar.*
avania *sf.* 'vexame ou humilhação que os turcos infligiam aos cristãos' XVII. Do fr. *avanie*, deriv. do it. *avania*, que, por sua vez, provém do gr. med. *abanía* ou, mais provavelmente, do adj. turco *ḥaŭān* (< ár. *ḥauŭān* 'traição').
a·vantaj·ado, -ar → VANTAGEM.
avante *adj.* 'adiante, para a frente' XIII. Do lat. tard. *ăbante* || **avental**¹ *sm.* 'peça com que se resguarda a roupa' | *auantal* XIV || **vante** *sf.* 'a metade dianteira da embarcação' XVI.
avarandado → VARANDA.
avar·ento, -eza → AVARO.
avaria *sf.* 'dano, estrago, deterioração' XVI. Do it. *avaria*, provavelmente do ár. *'aŭārîya* 'mercadoria estragada' || **avari**ADO 1813 || **avari**AR 1813.
avaro *adj.* 'indivíduo que é excessivamente apegado ao dinheiro' XIV. Do lat. *avārus* || **avar**ENTO XIII || **avar**EZA XIV. Do lat. *avāritia.* No port. med. ocorre, também, *avarícia* (séc. XIV).
a·vassal·ar → VASSALO.
avatar *sm.* '(Fil.) reencarnação de um deus e, especialmente, no Hinduísmo, reencarnação do deus Víxnu' 'transformação, transfiguração' 1871. Do fr. *avatar*, deriv. do sânscr. *avatāra* 'descida (do céu à Terra)'.
ave *sf.* 'classe de animais vertebrados, revestidos de penas e com os membros anteriores transformados em asas' XIII. Do lat. *avis -is* || **avi**ÁRIO XVII. Do lat. *aviārĭum -ĭī* ||**avi**CEPTO·LOG·IA XX || **aví**COLA

1899 || **aví**CULA XVII || **avi**CUL·ÁRIO XX || **avi**CULT·OR 1899. Do fr. *aviculteur* || **avi**CULT·URA 1871. Do fr. *aviculture* || **avi**FAUNA XX.
⇨ **ave** — **avi**cepto·log·ia | 1836 SC |.
aveia *sf.* 'gramínea cultivada, que produz sementes ricas em substâncias nutritivas utilizadas na alimentação' | XIV, *auea* XIII, *auena* XIII | Do lat. *avēna -ae.* Cp. AVENA.
avejão *sm.* 'fantasma, assombração, aparição' 1813. De um lat. **avīsiōne*, forma protética do lat. *vīsio -ōnis* 'visão'; ou, talvez, do lat. **ad vīsiōnem.* A var. *abujão*, que se documenta no séc. XVII, teria sofrido a influência de *abusão* 'abuso, mau uso': V. ABUSO.
-ável *suf. nom.*, deriv. do lat. *-ābĭlis -ābĭle*, que já se documenta em adjetivos formados no próprio latim (como *amável*) e que forma em português adjetivos de temas verbais em *-a-*, ora com valor ativo (*durável* 'o que dura'), ora passivo (*louvável* 'o que é de louvar'). No port. med. ocorria, também, *-ábel* e *ábele*, formas mais próximas do étimo latino (como *aceptabell* e *acceptabele*, vars. do séc. XV). Cumpre observar que os substantivos derivados dos adjetivos em *-ável* retomam a forma etimológica (*-abilidade*), seguindo o modelo dos substantivos já formados no próprio latim (*amabilidade* < *amābilitās -ātis*); assim: *durável/durabilidade, louvável/louvabilidade* etc.
avelã *sf.* 'fruto da aveleira, planta da fam. das betuláceas' | *avelana* XIII, *aueleaa* XIV | Do lat. (*nux*) *abellāna* 'noz de Abella' cidade da Campânia || *-eyra* XIII || **avel**EIRA | XVI, *-lleyra* XIV.
avelhantado → VELHO.
avelórios *sm. pl.* 'miçangas, vidrilhos' 1813. Provavelmente do cast. *abalorio*, deriv. do ár. *billáuri* 'cristalino', de *bullâr* ou *billáur* 'cristal, berilo' e, este, do gr. *béryllos.* V. BERILO.
a·vel·udado, -udar → VELOSO.
ave-maria *sf.* 'oração em louvor da Virgem Maria e que começa com estas palavras' | *auemaria* XIII | Do lat. ecles. *Ave Maria*, do lat. *avē* (fórmula de saudação) e do antrop. *Maria.*
avena *sf.* 'antiga flauta pastoril feita, em geral, do talo da aveia' 1572. Do lat. *avēna.* Cp. AVEIA.
avenca *sf.* 'planta ornamental da fam. das polipodiáceas' XVI. Do lat. *vĭnca*, com prótese de A-.
avença → ADVIR.
avenida *sf.* 'logradouro mais largo e importante do que a rua' XVII. Do cast. *avenida*, deriv. do fr. *avenue.*
avental → AVANTE.
aventar → VENTO.
avent·ura, -ur·ado, -ur·ança, -ur·ar, -ur·eiro → VENTURA.
aventurina *sf.* 'variedade de quartzo' 1844. Do fr. *aventurine.*
a·verb·ação, -ador, -ar → VERBO.
averiguar *vb.* 'indagar, inquirir, investigar' XVI, *auergar* XIV | Do lat. tard. *verificāre* || **averigu**AÇÃO XVII || **averigu**ÁVEL XX.
a·vermelh·ado, -ar → VERMELHO.
averno *adj. sm.* '(Poét.) inferno' XVI. Do lat. *Avernus* 'lago dos infernos' || **avern**AL XVIII. Do lat. *avernālis -e.*

aversão *sf.* 'ódio, rancor' 'repugnância, repulsa' XVI. Do lat. *āversĭō -ōnis*.
avesso *adj.* 'contrário' XIII. Do lat. *advĕrsus*, part. de *advĕrtĕre* 'desviar, apartar'.
avestruz *s2g.* 'ave da fam. dos estrutionídeos, a maior das aves atualmente conhecidas' | *aue estruz* XIV, *estruz* XIII | Composto de AVE e de *estruz*. (= it. *struzzo* = a. prov. *estrutuz*), deriv. do lat. *strūthio -ōnis* e, este, do gr. *strouthós*.
⇨ **avexado** → vexar.
avezar → VEZO.
avia·ção, -dor[1] → AVIÃO.
avi·ador[2], **-amento** → VIA.
avião *sm.* 'aeródino com meios próprios de locomoção, e cuja sustentação se faz por meio de asas' XX. Do fr. *avion*, voc. criado por C. Ader, em 1890, com base no lat. *avis* 'ave' || **avi**AÇÃO XX. Do fr. *aviation* || **avi**ADOR[1] XX. Adapt. do fr. *aviateur*.
aviar → VIA.
avi·ário, -ceptologia, -cola, -cula, -culário, -cultor, -cultura, -fauna → AVE.
ávido 'que deseja ardentemente' XVI. Do lat. *avĭdus* || *avid*EZ 1844.
⇨ **ávido** — *avid*EZ | 1836 SC |.
avigorar → VIGOR.
a·vil·tamento, -tante, -tar → VIL.
a·vin·agrado, -hado, -har → VINHO.
avir *vb.* 'conciliar, harmonizar' | *auῦir* XIII, *auijr* XIII etc. | Forma divergente de *advir*, deriv. do lat. *advenīre*; v. ADVIR.
avisar *vb.* 'informar, prevenir' | *avy*- XIV | Do fr. *aviser*, deriv. do lat. *vīsum*, part. de *videre* 'ver, olhar' || *avis*ADO | XV, *havisado* XV etc. | **avis**AMENTO XIV || *aviso* | *aui*- 1572 | Deverbal de *avisar* || DES**avis**ADO XV || DES**avis**AMENTO | -*vy*- XV.
a·vist·ar, -ável → VER.
avitaminose → VIDA.
avito *adj.* 'que procede dos avós ou antepassados' XVIII. Do lat. *avītus*. Cp. AVÓ.
a·viv·amento, -ar → VIVER.
avizinhar → VIZINHO.
avo *sm.* '(Mat.) elemento vocabular que, nas frações, se acrescenta ao número que indica as partes alíquotas em que a unidade principal está dividida, quando esse número é superior a dez e não é potência de dez' XX. Deduzido da 'terminação de oit*avo*, popularmente interpretado como composto de *oit(o)* + *avo*.
avó *sf.* 'a mãe do pai ou da mãe' | XVI, *auoa* XIII, *auóó* XIII etc. | Do lat. vulg. *aviŏla*, dim. de *avia* || **avô** *sm.* 'o pai do pai ou da mãe' | XVI, *auoos* pl. XIII etc. | Do lat. vulg. **aviŏlus* (do fem. *aviŏla*). No plural, o voc. ocorre também como sinônimo de 'antepassados', como no port. atual, ou, ainda, referindo-se ao avô e à avó simultaneamente || **avo**ENGO XIII.
a·vo·ado, -ante, -ar → VOAR.
avocar *vb.* 'chamar, atrair' 'atribuir-se, arrogar-se' XV. Forma divergente de *advogar*, deriv. do lat. *advocāre* || **avoca**ÇÃO *sf.* '(Jur.) chamamento de uma causa a juízo superior' XVI. Do lat. *advocātĭō -ōnis* || **avoca**TÓRIO XVIII || **avoca**TURA XVIII. Cp. ADVOGAR.
avoengo → AVÓ.
avolumar → VOLUME.
avulsão *sf.* 'ato de arrancar, de extrair violentamente' 1858. Do lat. *āvulsĭō -ōnis* || **avulso** *adj.* XVII. Do lat. *āvulsus*, part. de *āvellĕre* 'arrancar'.
a·vult·ado, -ar → VULTO.
avuncular *adj.* 2g. 'pertencente ou relativo ao tio ou à tia materna' 1871. Do lat. *avuncŭlus -i* 'tio materno' || **avuncul**ADO *sm.* '(Etn.) autoridade que, entre numerosos povos, o irmão da mãe exerce sobre os sobrinhos' XX.
axadrezado → XADREZ.
axexê *sm.* 'ritual fúnebre dos candomblés, quando morre uma pessoa importante da comunidade religiosa' XX. Do ioruba *aže'žie*, de *iže'že* 'sétimo dia'.
ax(i)- *elem. comp.*, do lat. *axis -is*, deriv. do gr. *axo-*, de *áxōn* 'eixo', que se documenta em alguns compostos formados no próprio latim (como *axículo*) e em muitos outros introduzidos, a partir do séc. XIX, na linguagem científica internacional ▶ **axi**AL 1899 || **axí**CULO 1858. Do lat. *axicŭlus -ī* || **axí**FERO 1858 || **axi**FORME 1871 || **áxi**L || *axile* 1844 || **axí**PETO | 1844, -*peta* 1871 || **áxis** *sm.* '(Anat.) a segunda vértebra cervical' 1858. Do lat. *axis -is* || **axó**FITO | -*ph*- 1899 || **ax**OIDE 1844 || **axô**NIO XX.
⇨ **ax(i)-** — **áx**IL | *axile* 1836 SC || **axí**PETO | *axipete* 1836 SC || **ax**OIDE | 1836 SC |.
axila *sf.* 'cavidade exteroinferior, na junção do braço com o ombro' | -*lla* 1844 | Do lat. *axīlla* || **axil**AR *adj.* 2g. | -*llar* XVII || **axil**IFLORO | -*lliflore* 1871.
⇨ **axila** | *axilla* 1836 SC |.
axinita *sf.* 'mineral triclínico, constituído por borossilicato de alumínio e cálcio, com quantidades variáveis de ferro e manganês' | -*nite* 1871 | Do fr. *axinite*, voc. criado pelo mineralogista francês R.J. Haüy (1743-1822), com base no gr. *axínē* 'machado, hacha', devido à forma do cristal, talhado como o ferro de uma hacha.
axinomancia *sf.* 'adivinhação por meio de um machado' 1871. Do lat. *axīnomantĭa*, deriv. do gr. *axinomanteia*.
axioma *sm.* '(Fil.) premissa imediatamente evidente, que se admite como universalmente verdadeira, sem exigência de demonstração' XVII. Do lat. *axiōma -ătis*, deriv. do gr. *axíōma -ătos* || **axio**LOG·IA XX. Do fr. *axiologie*, deriv. do gr. *axía* 'valor' + -*logie*; v. -LOGIA || **axiom**ÁTICO 1871. Do fr. *axiomatique*, deriv. do gr. *axiōmatikós* || **axiô**METRO 1844 || **axi**ÓNIMO XX.
⇨ **axioma** — **axiô**METRO | 1836 SC |.
ax·ípeto, -is, -ófito, -oide → AX(I)-.
axolotle *sm.* 'animal cordado, anfíbio, da fam. dos ambistomídeos' | -*lótl* 1871 | Do nauatle *axolotl*.
axônio → AX(I)-.
axuá *sm.* 'planta da fam. -das lináceas' 1930. Do tupi **ašu'a*.
axuaju *sm.* 'diácono dos ritos malês muçulmanos' XX. De origem africana, mas de étimo indeterminado.
az *sf.* 'ala de exército, esquadrão' | XIII, *aaz* XIV | Do lat. *acĭes* -*ei*.
-az[1] *suf. nom.*, do lat. -*ăcem*, acusativo de -*āx* -*ācis*, que se documenta em adjetivos de cunho erudito: *contumaz* (< lat. *contumăcem*), *eficaz* (< lat. *efficăcem*) etc. v. -ÁCIA.
-az[2] *suf. nom.*, de origem expressiva (mas talvez etimologicamente relacionado com -AZ[1]) e de cunho nitidamente popular, que forma substan-

tivos com a noção básica de 'grandeza': *cartaz, roaz* etc. O suf. *-az²* combina-se com os sufixos -ACO¹ (< lat. *-ācus*), -ALHO (< lat. *-ācŭlum*) e AR² (< lat. *-ar -are*), todos três formadores de derivados, alguns dos quais com nítida conotação jocosa e/ou pejorativa, dando origem a quatro novos sufixos: (i) *-acaz* [< *-ac(o)¹* + *-az²*] como em *machacaz*; (ii) *-alhaz* [< *-alh(o)* + *-az²*] como em *facalhaz*; (iii) *-araz* (< *-ar²* + *-az²*) como em *montaraz*; (iv) *-arraz* (var. de *-araz*) como em *pratarraz*.

az·ado, -ador → AZO.

azáfama *sm.* 'muita pressa, urgência' 'agitação, atrapalhação' | *azafema* XVI | Do ár. *azzaḥma* 'pressa, balbúrdia'.

azagaia *sf.* 'lança curta de arremesso' | *-aya* XIV | Do berbere *az-zaġâya* || **azagai**ADA | *-ayada* XIV.

azaleia *sf.* 'planta da fam. das ericáceas, de flores muito ornamentais' | *azalêa* 1871 | Do lat. cient. *azalea*, criado por Lineu, do gr. *azaléā*, fem. de *azaléos* 'árido, seco'.

azambujo *sm.* 'espécie de oliveira brava, de madeira rija' | XVI, *zambujo* XVII | Do ár. hisp. *az-zabbûǧ* || **azambuj**EIRO | *-geiro* XV, *-geyro* XV.

azar¹ *sm.* 'fatalidade, revés, desgraça' XV. Do ár. *az-zahr* 'flor', vulgarmente 'dado', devido à flor que se pintava em uma de suas faces || **azar**ADO XX || **azar**AR XX || **azar**ENTO XX.

azar² → AZO.

azebre *sm.* 'azinhavre' | *azever* XIV, *acebar* XIV | Do ár. *aṡ-ṡíbar* 'aloés' 'suco de qualquer planta amarga' 'mirra'.

azedo *adj.* 'ácido, acre' XIII. Do lat. *acētum -i* 'vinagre' 'agudeza de espírito' || **azed**AR XVI || **azed**UME XVI || **azia** *sf.* 'acidez estomacal' XVI || **azi**ÚME XVII.

azeite *sm.* 'óleo de azeitona' XIII. Do ár. *azzáit* || **azeit**ADO 1813 || **azeit**AR 1813 || **azeitona** *sf.* 'fruto da oliveira' XIII. Do ár. *az-zaitūna*, *azeiton*ADO XVI.

azêmola *sf.* 'besta de carga que forma récua com outras' | XV, *-ela* XIII, *-alla* XIV etc. | Do ár. *az-zâmila* || **azemel** | XV, *azamell* XV || **azemel**EIRO | *-eyro* XIV, *azimilleyro* XIV etc.

azenha *sf.* 'moinho de roda, movido à água' XVII. Do ár. *as-sâniya*.

azereiro *sm.* 'planta ornamental da Península Ibérica, da fam. das rosáceas' XVIII. De um lat. **acerariu*, de *acer -ĕris* 'bordo, madeira de bordo' || **azer**EDO 1813.

azeviche *sm.* 'variedade compacta de linhito, usada em joalheria' *fig.* coisa muito negra' | *azaueche* XIV, *azeuyche* XV, *aziuiche* XV | Do ár. andaluz *az-zabīǧ*, equivalente a *az-zabâǧ* (cláss. *az-zábaǧ*) 'glóbulos negros'.

azevieiro *adj. sm.* 'esperto, ladino, finório' XVI. De origem controvertida.

azevinho *sm.* 'planta da fam. das aquifoliáceas' XVII. Dim. de um **azevo*, do lat. *aquifolium*, através de **acifoliu*, **acifolo*.

azia → AZEDO.

aziago *adj.* 'de mau agouro, azarento, agourento' XVI. De um lat. **aegytiācu*, em vez de *aegyptiācus* 'egípcio', voc. que, na Idade Média, designava certos dias infaustos, em alusão às pragas do Egito.

aziar *sm.* 'mordaça para bestas bravas' XV. Do ár. *az-ziyâr* 'mordaça'.

azienda *sf.* 'complexo de obrigações, bens, materiais e direitos que constituem um patrimônio' XX. Do it. *azienda*, deriv. do cast. *hacienda* (= port. *fazenda*).

ázigo *adj.* 'que não tem par' XVI. Cp. gr. *ázygos* 'não submetido ao jugo, não acasalado'.

ázimo *adj.* 'pão sem fermento' XIII. Do lat. *azymon -i*, deriv. do gr. *ázymos* 'sem fermento'.

azimute *sm.* '(Astr.) distância angular, medida sobre o horizonte' | *-muth* XVII | Do fr. *azimut*, deriv. do ár. *as-sumût*, pl. de *samt* 'paralelo'.

azinha *sf.* 'fruto da azinheira, planta da fam. das fagáceas' | *ancina* XIII, *anzina* XIV, *enzina* XIV etc. | Do lat. vulg. *īlīcīna* adj. fem. deriv. de *īlex -ĭcis* || **azinh**AL | *-all* XV || **azinh**EIRA | XIV, *azỹeira* XIII etc. || **azinh**EIRO XVI || **azinho** | *anzino* XIV.

azinhaga *sf.* 'caminho estreito, fora da povoação, no campo, entre muros, valados altos ou sebes' XVI. Do ár. *az-zinaiqâ* 'rua estreita'.

azinhal → AZINHA.

azinhavre *sm.* 'camada verde de hidrocarbonato de cobre que se forma nos objetos de cobre' | XIV, *aze-* XIV, *azenhabre* XIV | Do ár. *az-zinǧafr* 'óxido de cobre' || **azinhavr**AR XX.

azinh·eira, -eiro, -o → AZINHA.

-ázio *suf nom.*, divergente do suf. -AÇO (< lat. *āceus*), que forma substantivos portugueses com as noções básicas de 'grandeza' 'intensidade' e que, com frequência, apresentam conotações irônicas e/ou pejorativas: *copázio, gatázio* etc.

aziúme → AZEDO.

azo *sm.* 'motivo, ensejo, pretexto, ocasião' | *aazo* XIV | Do prov. *aize* || **az**ADO | XVI, *aazado* XV || **aza**DOR | *aazador* XVI || **azar²** *vb.* 'dar azo a' XV || DES-*azar*ADO XVI | DES*aazo* XVI.

azobenzol → AZOTO.

azorrague *sm.* 'tipo de açoite' XIV. De origem controversa.

azoto *sm.* '(Quím.) nitrogênio' | *azote* 1858 | Do fr. *azote*, voc. criado por Guyton de Morveau, em 1787, com base no gr. *(a)zōtikós* 'não vital', de que é um derivado regressivo || **azo**BENZ·OL | *-benzoile* 1871 || **azo**ICO 1899 || **azot**EM·IA XX. Do fr. *azotémie* 1871.

⇨ **azoto** | *azote* 1836 SC |.

azougue *sm.* 'designação vulgar do mercúrio' XIV; *fig.* pessoa muito viva e esperta' 1813. Do ár. *az-zâ'uq* || **azoug**ADO XVI.

azucrim *sm.* 'ente diabólico e molesto' XX. De origem desconhecida || **azucrin**ANTE XX || **azucrin**AR *vb.* 'importunar' XX.

azul *adj.* 'da cor do céu sem nuvens' | XIV, *azur* XIII | Do persa *lâžwârd*, através do lat. me. *azurium* e do fr. *azur* || **azul**ADO 1500 || **azul**ÃO *sm.* 'pássaro da fam. dos fringilídeos, de coloração geral azul' 1858 || **azul**AR XVIII.

azulejo *sm.* 'ladrilho vidrado, empregado para revestir paredes e compor painéis decorativos' | *azorecho* XV | Do cast. *azulejo*, deriv. do ár. hisp. *az-zuléiǧ* || **azulej**ADOR 1813 || **azulej**AR XVII.

B

bá → BABÁ¹.
bã *sm.* '(Hist.) antigo título dos chefes militares das províncias limítrofes da Hungria' | *bano* 1538 |; 'antigo título dos governadores da Croácia e da Eslovênia' | *bano* 1739, *ban* XIX | Do servo-croata *bân*, de origem altaica, através do it. *bano* (var. port. *bano*) e do fr. *ban* (var. port. *ban*) || **ban**ATO | *bannato* 1789 | Do fr. *bannat*.
baba *sf.* 'saliva que escorre da boca' | XVI, *baua* XIV | Do lat. *baba || **bab**ADO *sm.* 'folho pregueado, franzido ou godê, para guarnição de saias, toalhas etc.' XX. Provavelmente de *babar*, por estar caído como a baba do beiço || **bab**ADOURO 1813 || **bab**ÃO 1813 || **bab**AR XVI || **bab**EIRA | *baueira* XV || **bab**OSA *sf.* 'planta da fam. das borragináceas' XV || **bab**OS·EIRA 1858 || **bab**OSO XV || **bab**UGEM | *bagugem* XVI || **babuj**AR 1844.
babá¹ *sf.* 'pessoa encarregada de cuidar de criança(s)' XVI. Voc. expressivo da linguagem infantil || **bá** XVI. Redução de *babá*¹.
babá² *sm.* 'bolo' 1899. Do fr. *baba*, deriv. do pol. *baba*.
babá³ *sm.* 'pai de santo' XX. Do ioruba *ba'ba* 'pai, chefe' || **babal**aô XX. Do ioruba *babala'yo* || **baba**lORIXÁ XX. Do ioruba *babalori'ša* || **babaloxá** XX. Do ioruba *babalo'ša*.
babaça *s2g.* 'irmão (ou irmã) gêmeo' XX. Provavelmente do quimb., mas de étimo indeterminado.
babaçu *sm.* 'espécie de palmeira (*Orbignia martiana* Rodr.)' | *bagussú* 1869, *bagassú* 1869, *iuauassu* 1882, *babassú* 1930 etc. | Do tupi *ïɥaɥa'su* (< *ï'ɥa* 'fruto' + *ɥa'su* 'grande') || **babaçu**AL XX || **babaçuz**·AL XX.
babal·aô, -orixá, -oxá → BABÁ³.
bab·ado, -adouro → BABA.
bab·ão, -ar → BABA.
babaré, babaréu *sm.* 'barulheira, alarido, gritaria' | *babare* XVII | Do concani *baba-rê!*, vocativo de *bāb* 'pai'.
babatar *vb.* 'tatear, apalpar' XX. Do quimb. (*ku*, prefixo verbal) *babata*, provavelmente.
babeca *s2g.* 'bobo' | *baueca* XIII | Voc. de criação expressiva.
babeira → BABA.
babel *sf.* 'confusão de vozes ou de línguas' 'desordem, tumulto' | *Babel* XVII | Do top. bíblico *Babel*, em lat. *Babel* (indeclinável, ou -*ēlis*), sinônimo de *Babýlon -ōnis*, talvez diretamente do hebr. *Bābēl* || **babél**ICO 1899. Do fr. *babélique* || **babilônia** *sf.*

'cidade grande, sem planejamento urbano' XX. Do top. *Babilônia*, deriv. do lat. *Babylŏnĭa*, do gr. *Babylōnía* || **babilôn**ICO | *baby-* 1871 | Do lat. *Babylōnicus* || **babilôn**IO | 1899, *babilão* XIII | Do lat. *Babylōnĭus*.
⇨ **babel** — **babilôn**ICO | 1525 ABEjP 23v25.
babésia *sf.* 'espécie de animal protozoário, parasito dos glóbulos vermelhos de vertebrados' XX. Do lat. cient. *babesia* (de 1893), do nome do descobridor do animal, o vienense Victor Babes || **babesí**ASE XX.
babiaque *sm.* 'nome comercial da casca' da árvore-da-goma-arábica' XX. De origem obscura.
babilôn·ia, -ico, -io → BABEL.
babirussa *sm.* 'porco selvagem' 1858. Do malaio *bābirūsa* (de *bābi* 'porco' + *rūsa* 'veado'). Ao curioso porco-veado da ilha Celebes, na Indonésia, refere-se Gabriel Rebelo, em 1561, nestes termos: "Na ilha de Buro, [...] há huns porcos silvestres, a que chamão Ruças, [...] aos quaes nacem as prezas pera cima; [...]".
⇨ **babirussa** | *babirosa* 1836 sc |.
babos·a, -eira, -o → BABA.
babucha *sf.* 'tipo de chinela oriental' | *babouches* pl. XIX | Do fr. *babouche*, deriv. do ár. *bābûš* e, este, do persa *pāpûš* (composto de *pā* 'pé' e de um verbo que significa 'cobrir').
babugem → BABA.
babuíno *adj. sm.* 'espécie de macaco' | -*boyno* XVI || Do it. *babbuino*, deriv. do fr. *babouin*.
babujar → BABA.
bacaba *sf.* 'espécie de palmeira (*Oenocarpus bacaba* Mart.)' | 1833, *ubacába c* 1777, *bacába* 1817 | Do tupi **ïɥa'kaɥa* || **bacab**ADA 1871 || **bacab**AL 1899 || **bacab**EIRA 1871.
bacáceo → BAGA.
bacada → BAQUE.
bacalhau *sm.* 'peixe teleósteo da fam. dos gadídeos, cuja carne, seca e salgada, é muito utilizada na cozinha mundial' | -*lhão* XVI | De origem controvertida || **bacalho**ADA *sf.* 'golpe dado com o bacalhau' 1844; 'iguaria à base de bacalhau' 1899.
⇨ **bacalhau** — **bacalho**ADA 'golpe' | 1836 sc |.
bacamarte *sm.* 'ant. arma de fogo, de cano curto e largo, reforçado na coronha' XVII. Provavelmente do fr. *braquemart*, alteração do it. *bergamasco*, deriv. do top. *Bérgamo* ou, talvez, do neerl. *breeimes* 'cutelo'.
bacanal *sm.* 'festa em honra de Baco, deus do vinho' *ext.* festim licencioso' | *bacchanal* XVI |

Do lat. *Bacchānālĭa -ĭum*, ou de *Bacchānal -ālis* ‖ **bacana** *adj.* 2g. (Termo de gíria que expressa inúmeras ideias apreciativas) xx ‖ **bac**ANTE | *bacchante* 1844 | Do lat. *Bacchantes* pl., do part. *bacchāns -antis*, de *bacchārī* 'festejar Baco' ‖ **bá-qu**ICO xix. Do lat. *Bacchicus*, deriv. do gr. *Bakchikós* ‖ **báqu**IO *sm.* 'pé de verso grego ou latino, constituído por uma sílaba breve e duas longas' | *bacchio* 1881 | Do lat. *Bacchĭus*, deriv. do gr. *Bakchêios*.
⇨ **bacanal** — **bac**ANTE | *bacchante* 1836 sc ‖ **báqu**ICO | *bacchico* 1836 sc |.
bacará¹ *sm.* 'tipo de jogo carteado' | *bacca-* 1881 | Do fr. *baccara*.
bacará² *sm.* 'cristal em obra, proveniente de Baccarat, cidade da França' 1899. Do top. fr. *Baccarat*.
bácaro *sm.* 'planta de cuja raiz se extrai um óleo aromático' 1572. Do lat. *baccar* ou *bacchar -ăris* e *baccăris- is*, deriv. do gr. *bákkaris* ‖ **bacar**IJA xx ‖ **bacar**INA xx.
bacelo → BÁCULO.
bacharel *sm.* 'indivíduo que concluiu o curso superior' | *bachaler* xv, *bachiler* xv etc. | Do a. fr. *bacheler*, depois *bachelier* ‖ **bacharel**ADO 1813 ‖ **bacharel**ANDO 1899 ‖ **bacharel**AR 1813.
⇨ **bacharel** — **Abacharel**ADO | *abacherelado* 1532 JBarR 62.*23* |.
bacia → BACIO.
bacilo *sm.* 'bactéria em forma de bastonete' | *-llo* 1871 | Do lat. *bacillum -i*, dim. de *bacŭlum -i* 'bastão' ‖ **baci**FORME | *bacci-* 1871 ‖ **bacil**AR *adj.* 2g. | 1844, *bacci-* 1871 ‖ **bacil**EM·IA xx ‖ **bac**ÍVORO | *bacci-* xviii. Cp. BÁCULO, BAGA.
bacinete *sm.* *ant.* capacete de couro ou de ferro que cobria a cabeça à feição de elmo' xiv; '(Anat.) parte superior do ureter, dilatada em forma de funil, e que recebe a urina proveniente dos tubos uriníferos' xx. Do fr. *bassinet*.
bacio *sm.* 'bacia' 'urinol' | xiii, *bacino* xiv | Do lat. **baccīnum* (de *bacchinon*) ‖ **bacia** xiv.
bacívoro → BACILO.
baço¹ *sm.* '(Anat.) víscera glandular situada no hipocôndrio esquerdo' xiii. De origem incerta; talvez se relacione com o gr. *hēpátion* 'fígado', de que há vestígios no lat. *hēpătĭa* 'fígados' 'intestinos'.
baço² *adj.* 'sem brilho, embaciado' xvi. Do lat. *opācus* 'escuro', através de uma forma **opācius* ‖ EM**baç**ADO | *en-* xiv ‖ EM**baç**AR xvi ‖ EM**baç**AMENTO xvi.
bácoro *sm.* 'leitão' xiii. De origem controvertida.
bactéria *sf.* 'microrganismo unicelular, que se reproduz por cissiparidade' 1871. Do fr. *bactérie*, do lat. cient. *bactērium* e, este, do gr. *baktērion* ‖ **bacteri**CIDA 1899. Do fr. *bactéricide* ‖ **bacteri**EM·IA xx. Do fr. *bactériémie*‖**bacterio**FA·GO xx. Do fr. *bactériophage* ‖ **bacterio**LOG·IA 1899. Do fr. *bactériologie* ‖ **bacterio**LÓG·ICO xx. Do fr. *bactériologique* ‖ **bacterio**LOG·ISTA 1899. Do fr. *bactériologiste*.
bacu *sm.* 'peixe da fam. dos doradídeos' | *vacu* c 1631, *bacú* c 1777 | Do tupi **ua'ku*.
báculo *sm.* 'bastão usado pelos bispos' | xvi, *bagoo* xiv, *bago* xvii | Do lat. *bacŭlum -i*, dim. de *bacŭlum -i*, 'bastão, bengala' ‖ **bacelo** *sm.* 'vara de videira, que, plantada, reproduz a vinha' 1813. Do lat. *bacillum -i* 'varinha', dim. de *bacŭlum -i*. Cp. BACILO, BAGA.

bacupari *sm.* 'nome de diversas plantas das famílias das gutíferas, rubiáceas, eritroxiláceas e hipocrateáceas' | *vbacropari* 1618, *uracrupari* 1783, *uvacupari* 1792, *uvacupary*, 1817, *bacupari* 1833, *bacopari* 1872 | Do tupi **ĩuakupa'ri*. V. BACURI, BACURIPARI ‖ **bacupariz**·EIRO | *-co-* 1881.
bacurau *sm.* 'ave da fam. dos caprimulgídeos' | 1900, *bacuráo* 1863 etc. | Do tupi **uaku'raua*.
bacuri *sm.* 'planta da fam. das gutíferas' | *bacori* 1624, *paquori* c 1631, *bacorî a* 1667 etc. | Do tupi *ĩuaku'ri;* V. BACUPARI, BACURIPARI.
bacuripari *sm.* 'planta da fam. das gutíferas' | *bacoropari* 1587, *bachoripari* 1663 | Do tupi **ĩuakuripa'ri;* V. BACUPARI, BACURI.
bacurubu *sm.* 'planta da fam. das leguminosas' 1881. Do tupi **ĩuakuru'mu*.
badalo *sm.* 'peça de metal pendurada no interior do sino, chocalho etc.' xiv. Do lat. vulg. *batuacŭlum*, do lat. *battuěre* 'golpear, bater' ‖ **badal**ADA | *bade-* xvii ‖ **badal**AR xvii.
badameco *sm.* *ant.* pasta em que os estudantes transportavam papéis e livros' xviii. Da expressão lat. *vade mecum* 'vai comigo'.
badana *sf.* 'ovelha magra, velha e estéril' xvi. Do ár. *biṭâna* 'forro', vulgarmente *batâna*. Cp. ALVITANA.
badejo *sm.* 'designação comum a várias espécies de peixes da fam. dos serranídeos' | 1813, *abadejo* xvii | Do cast. *abadejo*, dim. de *abad*. V. ABADE.
baderna¹ *sf.* '(Marinh.) botão provisório que se faz no tirador de uma talha, no colhedor de uma enxárcia, em um brandal ou em qualquer cabo de laborar, a fim de que o tirador, colhedor, brandal ou cabo não corra no gorne em que labora' xviii. Do it. *badèrna*, de origem obscura.
baderna² *sf.* 'desordem, confusão' xx. De *Baderna*, nome de uma dançarina italiana que passou pelo Rio de Janeiro em 1851.
badiana *sf.* 'espécie de anis' 1844. Do persa *bādīān* 'anis'.
⇨ **badiana** | 1836 sc |.
badulaque *sm.* 'cabidela' xvi; 'berloque' xvii. De origem obscura; no sentido de 'berloque', talvez do cast. *badulaque*.
baeta *sf.* 'tecido felpudo de lã' xvi. Do ant. picardo *bayette*, deriv. do lat. *badĭus* 'baio' (primitivamente, este pano era de cor castanha) ‖ **baet**ILHA xvii.
bafafá *sm.* 'tumulto, confusão' xx. De origem onomatopaica ‖ **bafa** xx. De *bafafá*, por apócope.
bafo *sm.* 'ar exalado dos pulmões, hálito' xiii. De origem onomatopaica | A**baf**A | *-ffa* xvi ‖ A**baf**AD·IÇO xvi ‖ A**baf**AR xvi ‖ A**baf**AMENTO xvii ‖ A**baf**ANTE xii ‖ A**baf**AR xv ‖ A**baf**o xvi ‖ AT**aba**-**faR** xvi ‖ **baf**EJAR xiv ‖ **baf**EJO xviii ‖ **baf**IO xv ‖ **bafor**ADA xviii ‖ **baf**UGEM xvi ‖ DES·A**baf**AR xv ‖ DES·A**baf**O 1844 ‖ ES**bafor**IDO | *esbofarydo* xiv ‖ ES**bafor**IR xvii.
⇨ **bafo** — A**baf**A | xv LOPJ II.365.*13* ‖ A**baf**ADO | xv ZURD 270.*16* ‖ A**baf**AMENTO | xv ZURD 193.*16*, *abaffaměfo* xv VITA 159*c* 36 |.
baforeira *sf.* 'figueira-brava' xiii. Do lat. **biferaria*, de *bifer* 'que produz duas vezes por ano'.
bafugem → BAFO.
baga *sf.* 'fruto camoso e indeiscente' xv. Do lat. *bāca* ‖ **bac**ÁCEO xx ‖ **bac**ÍVORO | *bacci-* xviii ‖

bagAC·EIRA XVIII ‖ bagAÇO XIV ‖ bagalhoça 1899 ‖ baganha XVIII ‖ bagarOTE XX ‖ bago *sm.* 'cada fruto do cacho de uvas' XX; 'grão miúdo de chumbo' XVII ‖ bagULHO 1813 ‖ ESbagAÇ·AR XX. Cp. BACILO, BÁCULO.
⇨ baga — bagULHO | XV SEGR 42*v.* c 1608 NOReb 112.*29* |.
baga·nha, -rote → BAGA.
bagagem *sf.* 'conjunto de objetos pessoais que os viajantes conduzem em malas, caixas etc.' | XVI, *bagage* XVI | Do fr. *bagage* ‖ bagagEIRA *sf.* 'ajuda de custos para viagem' 1899 ‖ bagagEIRO 1899.
⇨ bagagem — bagagEIRO | 1836 SC |.
bagalhoça → BAGA.
bagana *sf.* '*bras.* guimba' 'alimento de má qualidade' XX. De origem obscura.
bagata *sf.* 'bruxaria' XVIII. Do hindust. *bhagata*, relacionado com o sânsc. *bhakta* 'devoto, cultor'.
bagatela *sf.* 'ninharia, coisa de pouco valor' | -*lla* XVIII | Do it. *bagatèlla*.
bagaxa *s2g.* 'aquele ou aquela que se prostituiu' XVII. Provavelmente do it. *bagàscia*.
bago → BAGA.
bagre *sm.* 'designação comum a várias espécies de peixes teleósteos, das fam. dos taquisurídeos e dos pimelodídeos' XVI. De origem controvertida.
bagual *adj.* 2*g.* 'diz-se do potro arisco ou recém-domado' XIX. Do esp. plat. *bagual*, possivelmente de origem guarani ‖ bagualhADA XX.
bagulho → BAGA.
bagunça *sf.* '*bras.* máquina para mover aterro' '*gír.* desordem, confusão' XX. Voc. de origem expressiva ‖ bagunçAR XX ‖ baguncEIRO XX.
baia *sf.* 'compartimento ou espaço, ao qual se recolhe o animal, nas cavalariças e estábulos' XX. Do quimb. *baia*, forma abreviada de *ribaia* 'tábua'.
⇨ baia | 1836 SC |.
baía *sf.* 'pequeno golfo, de boca estreita, que se alarga para o interior' | *baya* XV | Possivelmente do fr. *baie*, deriv. do cast. *bahia* e, este, do b. lat. *baia*.
baiacu *sm.* 'nome de diversos peixes da fam. dos tetrodontídeos' | 1587, *guamayacú* c 1584, *mayacú* 1576 etc. | Do tupi *ŷamaia'ku*.
baiano *adj. sm.* 'relativo à, ou natural da Bahia' | *bahi-* 1899 | Do top. Bahia ‖ baianADA XX ‖ baião *sm.* 'tipo de dança e canto popular' XX.
baiardo *sm.* '*ant.* espécie de defesa, constituída de toros ou pranchas colocadas em cais ou costado de embarcação, para amortecer os choques de um contra o outro' 1881. De origem obscura.
bailar *vb.* 'dançar' | *bay-* XIII, *bailhar* XV etc. | Do lat. tard. *ballāre* 'bailar', deriv. do gr. *pállō* 'eu salto' ‖ bailADA | *bay-* XIII ‖ baila·dEIRA | *bayladeira* XVI, *bailhadeyra* XVI ‖ bailADO 1871 ‖ baile *sm.* 'reunião em que se dança' | *bailo* XV, *balho* XV, *bailhe* XVII ‖ bailoMANIA 1899.
⇨ bailar — bailAD·EIRA | *balhadeyra* XIV ORTO 161.*15* ‖ bailADOR | *bailhadores* pl. XV OFIC 88.*18* |.
bailéu *sm.* 'tipo de estrado' 'andaime, jirau' XVI. Do malaio *bailai*.
bailio *sm.* 'nas antigas ordens militares, comendador' XV. Do fr. *bailli*, deriv. do lat. *bājŭlus -i*, através do a. fr. *baile* 'governador'.
bailomania → BAILAR.

bainha *sf.* 'estojo de espada' 'tudo o que tem a forma de dobra' | XIV, *baynha* XIII, *beyna* XIV, *veyna* XV | Do lat. *vagīna* → bainhEIRO *sm.* 'planta da fam. das anacardiáceas' 1813 ‖ DES·EMbainhAR XVI ‖ EMbainhAR XVII. Cp. VAGEM.
baio *adj. sm.* 'que tem a cor do ouro desmaiado' XIII. Do lat. *badĭus*.
baionesa *adj. sf.* 'diz-se de, ou certa casta de maçã parda' 1899. Do top. Baiona ‖ baionETA *sf.* 'arma branca que se adapta à boca do fuzil ou do mosquetão' 1769. Do fr. *baïonnette*, deriv. do top. fr. Bayonne (Baiona), cidade onde, primitivamente, se fabricava esta arma ‖ baionetADA 1846.
bairão *sm.* 'nome de duas festividades muçulmanas' | *bay-* XVII | Do turco *bairam*.
bairro *sm.* 'cada uma das partes em que se costuma dividir uma cidade' | XIV, *bairo* XIV, *barro* XIV etc. | Do ár. vulg. *barri* 'exterior' (cláss. *barrî*) ‖ bairrISMO XX ‖ bairrISTA 1871.
⇨ bairro — bairrISTA | 1836 SC |.
baitaca *sf.* espécie de papagaio' | 1918, *maitáca* 1721, *maritaca* 1806 | Do tupi *mai'ta*.
baiuca *sf.* 'taberna' XVIII. Do cast. *bayuca*.
baix·a, -ada, -ar → BAIXO.
baixa-mar → BAIXO.
baixel *sm.* '*ant.* barco ou navio' XIII. Do cat. *vaixeil*, deriv. do lat. *vascĕllum* 'vasinho' ‖ baixela *sf.* 'conjunto de pratos' | *bayxella* XIV, *baixella* XIV, *baxela* XV.
baixo *adj. sm.* 'pouco elevado' 'a parte inferior' XIII. Do lat. *bassus* (do séc. VIII). O voc. port. é usado com frequência nas locuções *abaixo de, debaixo de, embaixo de* etc. ‖ ABAIXO XIII ‖ ABAIXADOR XIV ‖ ABAIXAMENTO XV ‖ ABAIXAR XIII ‖ baixa XV ‖ baixADA 1881 ‖ baixa-mar *sf.* 'nível mínimo da curva da maré' | *baxa mar* XV ‖ baixAR XIII. Do lat. vulg. **bassiāre*, influenciado por *bassus* ‖ baixEZA XVI ‖ baixIO XV ‖ baixURA XV ‖ REbaixAMENTO 1844 ‖ REbaixAR XVI ‖ REbaixo 1813.
⇨ baixo — ABAIXAMENTO | XIV ORTO 247.*35*, *abaixamēto* XV VITA 53.*17*, *abayxamento* XV VITA 53*c21* ‖ baixEZA | *bayxeza* XIV ORTO 2.*28* ‖ REbaixAMENTO | 1836 SC |.
bajular *vb.* 'lisonjear, adular servilmente' XVIII. Do lat. *bajulāre* 'levar às costas' ‖ bajoujAR *vb.* 'bajular' 1899. Do lat. vulg. *bajoliāre*, de *bajulāre* ‖ bajoujICE XVI ‖ bajoujo *adj. sm.* 'que lisonjeia ridiculamente' XVI. Der. regress. de *bajoujar* ‖ bajulAÇÃO 1813 ‖ bajulADOR 1813.
-bal- → -BAL(O)-.
bala *sf.* 'projétil geralmente metálico, arredondado ou ogival, encaixado na cápsula do cartucho' XVII; '*bras.* certa gulosseima açucarada' XX. Do fr. *balle*, deriv. do it. *palla* e, este, do longobardo **ballo* ‖ balAÇO 1813 ‖ baladEIRA *sf.* '*bras.* atiradeira' XX ‖ balÁZIO 1813 ‖ balEAR 1899 ‖ balEIRO XX ‖ balÍST·ICA | *ball-* XVIII ‖ balUDA XX ‖ balUDO XX ‖ EMbalAR[3] *vb.* 'carregar com bala' XX.
balada *sf.* 'peça musical, outrora acompanhada de canto e dança' 'pequeno poema narrativo de assunto lendário ou fantástico' | *balata* XVII | Na primeira acepção, o voc. vem do prov. *ballada* 'dança', donde o fr. *ballade*, que é a origem do voc. em sua segunda acepção.
baladeira → BALA.

balaio *sm.* 'tipo de cesto de palha' | *-layo* XVI | Do fr. *balai*, de origem gaulesa.
balalaica *sf.* '(Mús.) espécie de guitarra russa de três cordas e caixa triangular' | XX, *-laïka* XIX, *-leiga* 1871 | Do rus. *balaláĭka*, pelo fr. *balalaïka*.
balança *sf.* 'instrumento com que se determina a massa ou o peso dos corpos' XIII. Do cast. *balanza*, deriv. do lat. vulg. *bĭlancia e, este, do lat. tard. *bilanx* 'com dois pratos, balança' || A**balan**ÇAR *vb.* 'determinar ou declarar o peso de, usando a balança' 'impelir' XVII || **balan**ÇAR *vb.* 'oscilar' 1813 || **balancê** *sm.* 'passo de quadrilha' 1844. Do fr. *balancé* || **balanc**EAR XVI || **balanc**ETE *sm.* 'balanço parcial de uma escrituração comercial' 'cálculo, avaliação' 1858 || **balanço** *sm.* 'ato ou efeito de balançar' XV; 'verificação ou resumo de contas comerciais' XVI. Provavelmente do ant. it. *balancio*, hoje *bilàncio* || C**ONTRA**balançAR *vb.* 'igualar em peso, equilibrar' 'contrapesar, compensar' 1844.
⇨ **balança** — CONTRA**balança**R | 1836 SC |.
balandra *sf.* 'tipo de embarcação antiga' 1813. Do fr. *balandre*, de *bélandre*, deriv. do neerl. *bijlander*.
balandrau *sm.* 'opa usada por algumas irmandades em cerimônias religiosas' | XVI, *-drao* XIII, *baládrão* XVI | De origem controvertida, talvez do lat. med. *balandrana*.
balangandã *sm.* 'ornamento ou amuleto, ordinariamente de metal, em forma de figas, medalhas, chaves etc.' | *barangandan* 1899 | De origem onomatopaica.
bálano *sm.* '(Anat.) glande' 'objeto com a forma aproximada de glande' 1858. Do lat. *balănus -i*, deriv. do gr. *bálanos* 'bolota, glande' || **balan**ITE 1858. Do fr. *balanite*, deriv. do lat. med. *balanītīs* || **balan**OIDE 1858 || **balan**ORRAG·IA | -rrha- 1871 || || **balan**ORRÁG·CO | -rrha- 1871 || **balan**ORREIA XX.
⇨ **bálano** — **balan**ITE | 1836 SC |.
balante → BALAR.
balão¹ *sm.* 'aeróstato' 'artefato de papel que se lança ao ar por ocasião das festas juninas' 1844. Do fr. *ballon*, deriv. do it. *pallone*.
⇨ **balão**¹ | *ballão* 1836 SC |.
balão² *sm.* 'tipo de embarcação oriental' XVI. Do tam.-malaiala *vaḷḷam* 'canoa feita do tronco de uma árvore'.
balar *vb.* 'dar balidos' 'dizer absurdos' XVII. Do lat. *bālāre* || **bal**ANTE XVII || **bal**IDO *sm.* 'grito de ovelha ou de cordeiro' XVII || **bal**IR *vb.* 'balar' 1881.
balata *sf.* '(Quím.) plástico natural comparável à guta-percha, e proveniente da secagem da seiva de certas sapotáceas' XVIII. Do caraíba insular *bálata* (ou do continental *paláta*).
balaústre *sm.* 'colunelo que sustenta, junto com outros iguais, uma travessa, corrimão ou peitoril' 'haste de madeira ou de metal, geralmente nas portas dos veículos coletivos, para auxiliar o passageiro a subir ou descer' | *balauste* XVI | Do it. *balaùstro* || **balaustr**ADA 1813.
⇨ **balaústre** — A**balaustr**AR | 1783 *in* ZT |.
balbuciar *vb.* 'articular imperfeitamente e com hesitação' XIX. Do lat. *balbūtīare* || **balbuci**ÊNCIA 1881 || **balbuci**ENTE XVII || **balbucio** XIX. Der. regress. de *balbuciar*.
⇨ **balbuciar** — **balbuci**ÊNCIA | 1836 SC |.

balbúrdia *sf.* 'vozearia, confusão, desordem' | 1813, *balborda* 1813 | De origem obscura; talvez se ligue ao radical de *balbuciar*.
balça *sf.* 'mata espessa' 'sebe' | *balsa* XVI | Do lat. *baltĕus* ou *baltĕum -i* 'boldrié, cinturão'.
balcão *sm.* 'varanda ou sacada, guarnecida de grade ou peitoril' 'móvel usado em lojas para atendimento do público' 'localidade da plateia situada entre os camarotes e a galeria' | *-com* XIV | Do it. *balcóne*, de origem germânica || **balcon**ISTA XX.
bald·a, -ado → BALDE².
baldão *sm.* 'má sorte, azar' 'injúria' |*-dón* XIII | Do cast. *baldón*, deriv. do a. fr. *bandon*.
baldaquim, baldaquino *sm.* 'tecido com que se forravam os dosséis' 'espécie de dossel sustentado por duas colunas, que serve de cúpula ou coroa de um altar, trono ou leito' | *baldoqui* XIV, *-toqui* XIV, *-doquim* XV, *-doquy* XV | Do it. *baldacchino*, deriv. de *Baldacco* 'Bagdá', de onde provinha o tecido.
balde¹ *sm.* 'vaso com o feitio de tronco de cone, para tirar água de poços, receber despejos etc.' XV. De origem controvertida || **balde**AÇÃO 1813 || **bald**EAR XVI || E**sbald**AR XX.
balde² (de —, em —) *loc. adv.* 'em vão, inutilmente'. As locs. *debalde* e *embalde* já se documentam no séc. XIV. Do ár. *baṭil* 'inútil, vão' || **balda** *sf.* 'defeito habitual, mania' XVIII || **bald**ADO XVI || **bald**AR *vb.* 'tornar inútil' XVI || **bald**IO XVI || **baldo** XVI.
⇨ **balde**² — **bald**IO | XV BERN 914 |.
baldrame *sm.* 'viga de concreto armado' 'alicerce de alvenaria' 1899. De origem controvertida.
baldréu *sm.* 'pelica para 'luvas' XIV. Do a. fr. *baldré*, hoje *baudrier*.
baldroca *sf.* 'trapaça, logro, fraude' 1813. Voc. de origem expressiva || **baldroc**AR 1813.
balduína *sf.* 'locomotiva' XX. Do ing. *Baldwin*, nome de uma firma fabricante de certo tipo de locomotivas.
balé *sm.* 'representação dramática em que se combinam a dança, a música e a pantomima' XX. Do fr. *ballet*, deriv. do it. *balléto*, dim. de *ballo* 'dança' || **baletô**MANO XX.
balear → BALA.
baleia *sf.* 'designação comum às espécies de mamíferos cetáceos, marinhos, da fam. dos balenopterídeos' | *balea* XIII | Do lat. *bālaena* ou *ballēna* || **bale**EIRA *sf.* 'embarcação' 1871 || **bale**EIRO 1844 || **bale**OTE 1881.
⇨ **baleia** — **bale**EIRO | 1836 SC |.
balela *sf.* 'boato' 1844. Talvez de *bala*, na acepção de projétil; tal como este, aquela também parte com grande velocidade e se difunde rapidamente.
⇨ **balela** | 1836 SC |.
balema *sf.* '(Mar.) cada um dos cabos que fixam os chicotes das ostagas de gáveas às vergas respectivas' 1881. De origem obscura.
⇨ **balema** | *balemas* pl. 1836 SC |.
baleote → BALEIA.
balesta, balestra *sf.* 'ant. trabuco' 'besta²' | *-ta* XIV | Provavelmente do it. *balèstra*, deriv. do lat. tard. *ballistra*, de *ballīsta*; v. BESTA² || **balest**ILHA *sf.* '(Náut.) instrumento usado pelos antigos navegadores para observar a altura dos astros' | *balhes-*

XVI | Do ant. cast. *balestrilla* (mod. *ballestilla*), dim. do lat. *ballīsta* 'balestra', devido à forma.
baletômano → BALÉ.
bal·ido, -ir → BALAR.
balista → BESTA²
balística → BALA.
baliza *sf.* 'estaca ou qualquer objeto que marca um limite' | *ballisa* XV | Provavelmente deriv. moçárabe do lat. *pălus -i* 'estaca, poste' || AbalizADO | -*sado* 1572 || AbalizAR | -*sar* XVI || balizAGEM | -*sagem* 1881 | Do fr. *balisage* || balizAMENTO XX || balizAR XVI.
balnear¹ *adj.* *2g.* 'relativo a banhos' XX. Do lat.
balneāris -e || **balne**AR² *vb.* 'banhar-se' XVIII || balneÁRIO 1871. Do lat. *balneāría -ōrum* || balneatÓRIO 1881. Do lat. *balneātōrīus* || baineoLOG·IA 1871 || balneoTERAP·IA | -*th*- 1899 | Cp. BANHAR.
bal(o)- *elem. comp.*, deriv. do gr. *bállō* 'arremesso, atiro', que se documenta em alguns compostos eruditos, como *aerobalística, anfíbalo* etc.; cp. -BOLO-.
balofo *adj.* 'gordo, volumoso' 'fofo' XVII. De origem obscura; talvez se relacione com BALÃO¹.
balona *sf.* 'peça do vestuário feminino antigo' XVI. Do cast. *valona* 'valã, flamenga'.
balordo *adj. sm.* 'sujo, imundo' 1899. Do it. *balórdo*.
⇨ **balordo** | 1836 SC |.
balouçar *vb.* 'balançar, oscilar' XVIII. De um lat. **ballocciāre* || **balouço** 1871 || **balouç**ADOR 1813.
⇨ **balouçar** — **balouço** | 1836 SC |.
balroa *sf.* 'espécie de gancho com que se abordam as embarcações' | *abalrroa* XVI | Do cast. *barloa*, deriv. do cat. *barlo* 'oblíquo' || AbalroAR XV.
balsa *sf.* 'tipo de embarcação' XIV. De uma base ibérica *balsa* 'vasilha'.
bálsamo *sm.* 'líquido aromático, com propriedades curativas, que flui de várias plantas' | *balssamo* XIII | Do lat. *balsămum*, deriv. do gr. *bálsamon* e, este, do hebr. *bóśem* (*baiam*) 'líquido resinoso' || balsâmICO XVI || balsamINA 1871. Do fr. *balsamine* || balsamITA 1871. Do fr. *balsamite* || EMbalsamADO | *bal*- XIV || EMbalsamAMENTO XX || EMbalsamAR XVI, *balsamar* XIII.
⇨ **bálsamo** — **balsam**INA | 1836 SC |.
balso *sm.* '(Marinh.) alça especial para içar uma pessoa ou um objeto' XVII. Do lat. *baltĕus* ou *baltĕum -i* 'cinturão' || **bálteo** *sm.* 'insígnia militar' 'tipo de cinto' XVII. Forma erudita de *balso*.
baluarte *sm.* 'fortaleza inexpugnável' | XVI, *belluarte* XVI | Do a. prov. *baloart*, a que corresponde o fr. do séc. XV *boulever*, hoje *boulevard*, deriv. do m. neerl. *bolwerc* 'reparo, trincheira'.
bal·uda, -udo → BALA.
baluma *sf.* '(Marinh.) cordinha delgada, que corre por uma bainha na extremidade das velas latinas' 1813. Do cast. *balumba*, antes *baluma*, deriv. do cat. *balum*, var. de *volum* e, este, do lat. *volūmen -ĭnis* 'embrulho, coisa enrolada' || AbalumADO 1627.
balurdo *sm.* 'parafuso grande que suporta a pedra nos lagares de azeite' 1813. De origem obscura.
balustrino *sm.* 'compasso de desenho com que se traçam pequenos círculos' XX. De origem obscura.
balzaquiano *adj. sm.* 'relativo ou pertencente ao escritor francês Honoré de Balzac' XX. Do antrop. *Balzac* || **balzaqui**ANA *adj. sf.* 'diz-se de, ou mulher de 30 anos, ou mais ou menos dessa idade' XX. Do antrop. *Balzac*, alusão ao romance de sua autoria, *A mulher de trinta anos*.
bamba *adj. s2g.* 'valentão' 'aquele que é autoridade em determinado assunto' 1899. Do quimb. *'mama'* 'exímio, mestre' || **bambamb**Ã XX.
bambão → BAMBO.
bambaré *sm.* 'confusão, algazarra' XX. Provavelmente do quimb., mas de étimo indeterminado.
bambê *sm.* 'renque de mato que forma linha divisória entre duas roças' XX. Provavelmete do quimb. *mama'mi* 'limite'.
bambear → BAMBO.
bâmbi *sm.* 'corça (*Cephalophus grimmia*) de Angola' 1681. Do quimb.'*mami*.
bambinar → BAMBO.
bambinela *sf.* 'tipo de cortina' 1844. Do it. *bandinèlla*, com influência de *bambo*.
⇨ **bambinela** | *bambinellas* pl. 1836 SC |.
bambo *adj.* 'frouxo, lasso, relaxado' XVIII. De uma raiz onomatopaica *bamb*, com uma significação geral de 'tremer' || bambÃO 1899 || bambEAR 1899 || bambIN·AR *vb.* 'esvoaçar' 1899 || bambolEAR XVII, *bamba*- XVII || bambolim *sm.* 'sanefa' 1813.
bambochata *sf.* 'orig. pintura que representa cenas populares ou burlescas' | *bambuchada* 1758 |; 'patuscada, orgia, estroinice' 1871. Do it. *bambocciata* 'pintura burlesca', deriv. de *bambòccio* e, este, de *bambo* 'simplório, ingênuo', em alusão ao pintor holandês P. van Laer (1592-1645), a quem os italianos alcunharam de Bambòccio || bambochAR XX.
bambo-lear, -lim → BAMBO.
bambu *sm.* 'gramínea caracterizada pelo colmo que atinge muitos metros de altura' | XVII, *mambu* XVI | De origem malaia, mas de étimo mal determinado, talvez oriundo de um idioma neoárico; cf. marata *bămbū* || bambuAL XVII || bambuAR XVIII.
bambúrrio *sm.* 'fortuna inesperada' 'acaso, sorte' 1881. Voc. de criação expressiva.
banal *adj. 2g.* 'dizia-se da coisa pertencente a senhores feudais, e de que os vassalos se serviam pagando um foro' XVIII; 'vulgar, trivial, corriqueiro' 1858. Do fr. *banal*, de *ban*, termo de feudalismo 'proclamação do suzerano', deriv. do frâncico **ban* e, este, do ant. alt. al. *ban* 'ordem sob ameaça, jurisdição' || banalIDADE 1858. Adaptação do fr. *banalité* || banalIZAR 1899. Do fr. *banaliser* ||
banho³ *sm.* 'proclama de casamento'. A palavra *ban* sofreu uma extensão do sentido, passando a significar 'proclama de casamento' e, em português, foi confundida com *banho¹*.
banana *sf.* 'fruto da bananeira, planta da fam. das musáceas' XVI; '*ext.* pessoa frouxa, palerma, sem energia' XVIII. De origem africana (termo da Guiné), mas de étimo indeterminado || bananADA 1899 || bananAL | *bananais* pl. 1585 || bananEIRA | -*neyra* XVI || bananiCULT·OR XX || bananiCULT·URA XX || bananÍVORO 1871 || bananzOLA *s2g.* 'banana (em sua segunda acepção)' 1813.
banato → BÃ.
banco *sm.* 'tipo de assento' XIII; '(Geog.) acidente geográfico' XV; 'estabelecimento bancário' 1508. Do germ. **bank*, através do lat. vulg.; na terceira

acepção, o voc. provém do it. *banco* || A**banc**AR *vb.* 'sentar' XIX || ARQUI**bancada** XX || ARQUI**banco** XVIII
banca 'assento' XVI. Do it. *banca* || **banc**ADA 1813 || **banc**AR XX || **banc**ÁRIO | 1552, *bam-* 1560 || **bancarrota** *sf.* 'falência' | *banco roto* XVI, *bancarota* XVIII | Do it. *bancarótta* || **banqu**EAR XVI || **banqu**EIRO 1512 || **banqu**ETA XVII || DES**banc**AR 1844. Cp. BANQUETE.
⇨ **banco** — DES**banc**AR | 1836 SC |.
banda[1] *sf.* 'lado (de navio), parte, margem' | *bamda* XV |; 'grupo, facção' 1813; 'grupo de músicos' XX. De origem controvertida; talvez se prenda ao prov. *banda*, deriv. do gót. *bandwa*, ou do germ. ocid. **banda* || **band**ADO | *bam-* XV || **band**EAR XV || **band**EJA XVI. Deriv. regress. de *bandejar* || **bande**JAR *vb.* 'aventar o trigo com bandeja' 1813. Deriv. de *banda*, no sentido de parte — mexer de uma parte para outra. Registram-se, a seguir, em verbetes independentes, outros vocs. que apresentam o radical *band-*, cuja íntima correlação etimológica com *banda*[1] parece evidente.
banda[2] *sf.* 'tira de fazenda ou de outro material que, numa veste, serve de ornamento ou acabamento' XIV. Do fr. *bande*, deriv. do frâncico **binda*, de *bindan* 'atar' || **band**OLA[2] *sf.* 'tipo de cinto' XVII || **bandol**EIRA *sf.* 'correia usada a tiracolo, à qual se prende a arma' XVI. Do cast. *bandolera*.
banda·lheira, -lho → BANDO.
bandarilha *sf.* 'farpa enfeitada que se crava no cachaço dos touros nas touradas' 1871. Do cast. *banderilla* || **bandarilh**AR 1858 || **bandarilh**EIRO 1858. Cp. BANDEIRA.
bandarra *sm.* 'vadio, vagabundo' XVIII; 'reunião festiva, multidão' 1899. Provavelmente criação expressiva, talvez relacionada com *bando*.
bandear → BANDA[1].
bandeira *sf.* 'pedaço de pano, com uma ou mais cores, às vezes com legendas, e que é distintivo de nação, corporação, partido etc. ' XIV. Talvez do cast. *bandera*, deriv. do gót. *bandwo* 'signo', que passaria a designar o estandarte distintivo de um grupo || **bandeir**ANTE 1871 || **bandeir**OLA 1813 || EM**bandeir**ADO XVI || EM**bandeir**AR 1572. Cp. BANDA[1].
band·eja, -ejar → BANDA[1].
bandido *sm.* 'salteador, malfeitor' XVI. Do it. *bandito*, deriv. de *bandire* 'exilar' e, este, do frâncico **bannjan* || **bandit**ISMO XIX. Do fr. *banditisme*.
bando *sm.* 'partido, facção' XIII. Do lat. *bandum*, deriv. do gót. *bandwa* || **band**ALH·EIRA 1899 || **band**ALHO 1813 || **band**ARIA *sf.* 'parcialidade' XIV || **band**EEIRO *adj.* 'parcial, flexível, volúvel' | XIV, *-eyro* XIII || **bandol**EIRO | *van-* XVI | Do cast. *bandolero* || DE**band**ADA 1881 || DE**band**AR *vb.* 'pôr em fuga ou fugir desordenadamente' 1881. Cp. BANDA[1].
⇨ **bando** — DE**band**ADA | 1836 SC | DE**band**AR | 1836 SC |.
bandó *sm.* 'tira de pano com que se cinge a cabeça' 'partes do cabelo que, em certo penteado feminino, assentam uma de cada lado da testa' 1858. Do fr. *bandeau* || **bandolina** *sf.* 'espécie de brilhantina'. Do fr. *bandoline*, composto de *bandeau* e do lat. *linĕre* 'untar'.
bando·la[2], **-leira** → BANDA[2].
bandolim *sm.* 'espécie de alaúde com quatro cordas duplas em uníssono' 1844. Do it. *mandolino*, dim. de *mandòla*, deriv. do lat. *pandūra* e, este, do gr. *pandoūra* 'alaúde de três cordas' || **bandola**[1] XX. Do it. *mandòla*, com influência de *bandolim*.
bandolina → BANDÓ.
bandoneom *sm.* 'espécie de acordeão' XX. Do cast. *bandoneón*.
bandulho *sm.* 'barriga, pança, intestinos' XVIII. De origem incerta.
bandurra *sf.* 'espécie de guitarra' XIV. Do cast. *bandurria*, deriv. do lat. tard. *pandurium* 'espécie de alaúde de três cordas' e, este, do lat. tard. *pandoūra*. Cp. BANDOLIM || **bandurr**EAR 1844.
banga[1] *sf.* 'casa ou abrigo malconstruído' XX. De origem obscura.
banga[2] *interj.* 'exprime zombaria, escárnio' XX. Voc. de criação expressiva.
bangalô *sm.* 'tipo de residência campestre, originariamente indiana' | *bungalow* 1838, *bangaló* 1866 etc. | Do ing. *bungalow*, deriv. do hindust. *baṅglā* (= conc. *baṅglô*).
bangue *sm.* 'espécie de cânhamo de que é preparado o haxixe' XVI. Do neoárico *bhang*, deriv. do sânsc. *bhangā*.
banguê *sm.* 'padiola' 'engenho de açúcar' XX. De origem africana, mas de étimo indeterminado; talvez do quimb. *ma'ŋe* || **banguez**EIRO XX.
bangue-bangue *sm.* 'filme norte-americano que retrata as lutas do faroeste' 'tiroteio' XX. Do ing. *bang-bang*.
banguela *adj. s2g.* 'desdentado' XX. Do top. *Benguela*, lugar onde os negros têm o hábito de arrancar os dentes incisivos das crianças de tenra idade.
banguelê *sm.* 'rolo' XX. De origem africana, talvez do quimb.
banguezeiro → BANGUÊ.
banguina *sf.* 'bras. égua' XX. De origem obscura.
bangula *sf.* 'certo barco de pesca' 1899. De origem africana, talvez do quimb.
bangulê *sm.* 'tipo de dança negra' XX. De origem africana, talvez do quimb.
banha *sf.* 'gordura animal, especialmente do porco' XVI. De origem controvertida.
banhar *vb.* 'imergir total ou parcialmente o corpo em líquido, especialmente água, para fins higiênicos, terapêuticos ou lúdicos' XIII. Do lat. *balneāre* || **banh**ADO *sm.* 'bras. pântano' XVI. Do cast. *bañado* || **banh**EIRA 1858 || **banh**EIRO 1871 || **banh**ISTA 1871 || **banho**[1] *sm.* 'ação de banhar' | XIV, *banno* XIII etc. | Do lat. vulg. *baneum* (de *balnĕum*) || **banho**[2] *sm.* 'prisão, presídio' XVII. Do it. *bagno* 'banho', pois, em Constantinopla, no séc. XVI, os cristãos aprisionados e destinados a remar nas galeras eram encerrados no velho edifício balnear da cidade.
⇨ **banhar** — **banh**EIRA | 1836 SC |.
banho[3] → BANAL.
banir *vb.* 'expatriar, desterrar' | *banyr* XIV | Do fr. *bannir* 'dar um sinal, proclamar' até o séc. XIII, quando tomou o sentido de 'condenar ao exílio'; o fr. é deriv. do frâncico **bannjan*, forma correspondente ao gót. *bandwjan*, da mesma raiz de *banda*[1], mas confundido com *ban* 'jurisdição' || **ban**IDO XVI || **ban**IMENTO 1899. Cp. BANAL, BANDA[1].

banjo *sm.* 'instrumento musical, de quatro a seis cordas, de origem norte-americana' 1899. Do ing. *bandore* 'bandura', alterado para *banjo* na pronúncia dos negros norte-americanos; cp. BANDURRA. Outra hipótese liga o ing. *banjo* ao quimb. '*m̃aza;* cp. BANZA.
banqueiro →BANCO.
banquete *sm.* 'banco(s) disposto(s) em volta das mesas, nos banquetes' XVI; 'refeição formal e solene, em que participam muitos convidados' XVI. Do fr. *banquet*, deriv. do it. *banchétto* || banquetEAR | XVII, *bam-* 1513. Cp. BANCO.
banquisa *sf.* 'campo de gelo' 1899. Do fr. *banquise*, provavelmente tradução do al. *Eisbank* 'banco de gelo'.
banto *adj. sm.* 'diz-se dos ou indivíduo dos bantos, raça negra sul-africana' | XX, *bantu* XX | Do cafre *ba* (pref. de pl.) + *ntu* 'homem', provavelmente.
banza *sf.* 'povoação dos negros africanos' 'residência dos sobas, ou chefes tribais na África' XVI. Em texto de 1581, lê-se: "Banzas [...] que são suas povoações". Do quimb. '*m̃aza*.
banzar *vb.* 'espantar, pasmar, surpreender' 1813, Do lat. **bilanceãre*, de **bilancia* 'balança'. Do significado primitivo de 'oscilar, mover-se como balança', passaria ao de 'ondear', de que resultaria o de 'ficar estonteado'; da significação intransitiva passaria à transitiva de 'espantar' || banzATIVO XX || banzé 'confusão' XIX || banzEAR XV || banzEIRO XVI.
banzo[1] *adj. sm.* 'triste, abatido' 'nostalgia dos escravos africanos' XIX. De origem africana; relaciona-se, provavelmente, com BANZA 'povoação dos negros africanos', em alusão às 'saudades da *banza*, da terra natal'.
banzo[2] *sm.* 'cada uma das peças ou vigas laterais das escadas, onde se apoiam os degraus' 1813. De origem obscura.
baobá *sm.* 'árvore gigantesca da fam. das bombacáceas' | *baobab* 1844 | Do fr. *baobab*, de origem africana.
⇨ **baobá** — *baobab* 1836 SC |.
baque *sm.* 'ruído de um corpo ao cair ou embater em outro' 'queda, tombo' XV. De origem onomatopaica || baquEADO 1813 || baquEAR XVI.
baquelita *sf.* 'resina sintética obtida pela condensação de fenóis com aldeído fórmico' | XX, *-lite* XX | Do fr. *bakélite*, do antrop. L.H. Baekeland (1863-1944), químico belga.
baqueta *sf.* 'pequena vara de madeira com que se percutem os tambores' 1813. Do it. *bacchétta*, de *bacchétto*, deriv. do lat. vulg. *baccus* 'bastão, maça'.
báqui·co, -o →BACANAL.
bar[1] *sm.* 'balcão ou local onde se servem bebidas' XX. Do ing. *bar* 'barra', de origem francesa; a razão do nome está no de existir, por vezes, entre o balcão e os clientes, uma balaustrada.
bar[2] → BAR(I)-.
baraço *sm.* 'corda, cordel' | *-ça* XIII | Do ár. *maraşa*, provavelmente || DES·EMbaraçADO | *-zado* XIV || DES·EMbaraçADOR 1858 || DES·EMbaraçAR XVI || DES·EMbaraço XVII || EMbaraçAR *vb.* 'impedir, estorvar' | XV, *-razar* XVI | EMbaraço XVI. Dev. de *embaraçar* || EMbaraçOSO XVI.

barafunda *sf.* 'confusão, balbúrdia, baderna' XVI. De origem obscura.
barafustar *vb.* 'entrar ou meter-se com violência' XVI. De origem obscura.
baragnose → BAR(I)-.
baralha *sf.* 'luta' XIII. Talvez do lat. **varalia* (de *vara*) || baralhAMENTO XX || baralhAR XIII || baralho *sm.* 'coleção de cartas de jogar' XVIII || EMbaralhAR XVII.
barambaz *sm.* 'coisa que está pendente, pendurada' 1813. Voc. de criação expressiva.
barandar *sm.* 'aparelho que serve para equilibrar pequenas embarcações, quando há mar grosso' XX. De origem obscura.
barão *sm.* 'varão' 'título de nobreza' | *baron* XIII, *barõ* XIV etc. | Do germ. **baro*. Nos vocs. adiante estudados fica patenteada a oscilação b-/v- (*baronia* / *varonia* etc.), que nem sempre implica sinonímia perfeita || baronATO 1881 || baronESA | *varoessa* XIV || baronETE XVII. Do ing. *baronet* || baronIA XVIII. Do fr. *baronnie* || varão *sm.* 'homem' | *uaron* XIII || varonIA 1813 || varonIL | XVII, *varõil* XIV, *varuyl* XIV || varonIL·IDADE XVI.
⇨ **barão** — baronETE | 1836 SC || baronIA | 1660 FMMElE 16.2 |.
barata[1] *sf.* 'inseto ortóptero onívoro, da ordem dos blatários' XVI. Do lat. *blatta*.
baratar *vb.* '*ant.* negociar (por qualquer preço), traficar' XIII. De origem controversa || barata[2] *sf.* '*ant.* engano, trapaça' XIII. Deverbal de *baratar* || baratARIA 1813. Do it. *baratteria* || baratEAMENTO 1813 || baratEAR 1813 || baratEIRO 1813 || baratEZA 1813 || barato *adj.* 'de preço baixo' XV; *adv.* 'por preço baixo' XX; *sm.* '*gír.* (em expressões do tipo *fulano é um barato*, *isto é um barato* etc.) exprime sempre conotações positivas em relação a pessoas, situações etc.' XX || DESbaratADO XIII || DESbaratAMENTO XIV || DESbaratAR *vb.* 'vender por qualquer preço, esbanjar, destruir' XIII || DESbarato XIV.
⇨ **baratar** — AbaratAR 'abater o preço' | 1634 MNor 218.30 || baratEAR | 1736 *in* GFer 220.31. *baratiar* Id. 220.9 || baratEZA | *c* 1608 NOreb 124.34 |.
báratro *sm.* 'abismo, precipício, voragem' 'o inferno' | *-thro* XVII | Do lat. *barăthrum -i*, 'abismo onde se lançavam os criminosos' 'os infernos', deriv. do gr. *bárathron* 'orifício profundo, abismo'.
barba *sf.* 'cabelos do rosto do homem' XIII. Do lat. *barba -ae* || AbarbADO XVI || AbarbAR *vb.* 'tocar com a barba ou queixo' XVI || AS·SObErbAR[2] *vb.* 'sobrecarregar (de serviço)' XX. De *a sob barba*, com influência de *soberba* || barbAÇAS 1844 || barbADA *sf.* 'o beiço inferior do cavalo' XVII; *gír.* (Turfe) cavalo considerado favorito num páreo' XX || barbADO XV. Do lat. *barbātus* || barbALHO | *Barbalho* (alcunha) XVI |; 'raiz das plantas' 1844 || barbAT·ANA *sf.* 'dobra da pele dos peixes sustida por esqueleto ósseo ou cartilaginoso' XVI. De uma forma *barbitana*, de *barbita* || barbATO XV. Do lat. *barbātus* || barbE·ADOR XX || barbEAR XVII || barbE·ARIA 1813 || barbEIR·AGEM XX || barbEIRO | *barueiro* XV || barbELA XV || barbUDO XVI || bárbULA *sf.* 'cada um dos pequenos filamentos laterais das penas' 1871. Do lat. *barbŭla*, dim. de *barba* || IMberbe XVIII. Do lat. *imberbis -e* ou *imberbus* 'que ainda não tem barba,

jovem' || REbarba 1813 || REbarbATIVO XVI. Do fr. *rébarbatif.*
⇨ **barba** — barb**AÇA** | 1836 SC || **barb**ALHO 'raiz das plantas' | 1836 SC || DES**barb**ADO | 1680 AOcad I.414 |.
barb·ado, -alho → BARBA.
barbacã *sf.* 'obra de fortificação avançada' | *barvacãa* XIII | Do ár.-persa *barbaḫḫane.*
barbante *sm.* 'cordel delgado' XVI. Do top. *Brabante,* por metátese.
barbaquá *sm.* 'armação, jirau'; *adj.* 'diz-se da erva-mate preparada nessa armação' | *barbacoa* XVI | De um idioma indígena da América do Sul, provavelmente do aruaque.
bárbaro *adj. sm.* 'entre os gregos e romanos, o que era estrangeiro' 'selvagem, grosseiro, inculto' | XIV, *-boro* XIV | Do lat. *barbarus,* deriv. do gr. *bárbaros* || **barb**ar**ESCO** XVI. Do it. *barbarésco* || **barb**ar**IA** | XIV, *ber-* XIV etc. || **barb**ár**ICO** XVI || **barb**ar**IDADE** 1813 || **barb**árie 1858. Do lat. *barbariēs -ēī* || **barb**ar**ISMO** XVI. Do lat. *barbarismus -i,* deriv. do gr. *barbarismós* || **barb**ar**IZAR** XVI. Do lat. tard. *barbarizāre,* deriv. do gr. *barbarízō* 'agir, falar como um estrangeiro ou um bárbaro' || **barbaro**LEX·IA 1871.
barbasco → VERBASCO.
barba·tana, -to → BARBA.
barbatão → BRAVO.
barbecho *sm.* '*a primeira lavra dada a um terreno*' 1871. Do cast. *barbecho* || **barbech**AR 1813. Do cast. *barbechar.*
⇨ **barbecho** | 1836 SC |.
barbeiro → BARBA.
barbeito *sm.* 'cômoro ou vale que divide uma propriedade de outra' XV. Do lat. *vervāctum -i* 'terra que se deixa em alqueive'.
barbela → BARBA.
barbelões *sm. pl.* 'bolhas ou tumores que se formam sob a língua do cavalo ou do boi' XVIII. Do fr. *barbillons.*
barbeta, barbete *sf.* '(Mar.) *ant.* parapeito que protegia um reparo de boca de fogo, a bordo de navio de combate' 1844. Do fr. *barbette.*
⇨ **barbeta** | 1836 SC |.
barb(i)- *elem. comp.,* do lat. *barbi-,* de *barba,* que se documenta em alguns compostos formados no próprio latim (como *barbígero*) e em muitos outros introduzidos, a partir do séc. XV, na linguagem erudita. ♭ **barbi**ALÇ·ADO 1899 || **barbi**CACHO | *berbi-* XVIII || **barbi**CHA XIX. Talvez do fr. *barbiche* || **barbí**FERO 1871 || **barbi**FORME 1858 || **barbí**GERO 1871. Do lat. *barbīger* || **barbi**LONGO 1899 || **bar**bi**LOURO XVIII** || **barbi**NEGRO 1858 || **barbi**RROSTRO | *barbirostro* 1871 || **barbi**RRUIVO | *barbiruivo* 1813 || **barbi**TESO XV.
barbiano *adj.* 'airoso, galhardo' XX. Do cast. *barbián,* provavelmente deriv. do cigano *barban* 'ar, vento' e, este, do hindust. *bara,* de mesmo sentido.
barbi·cacho, -fero, -forme, -gero → BARB(I)-.
barbi·longo, -louro, -negro, -rrostro, -rruivo, -teso → BARB(I)-.
barbilho *sm.* 'estorvo, embaraço, empecilho' XVI. De origem controvertida.
barbitúrico *sm.* '(Quím.) qualquer derivado do ácido barbitúrico pela substituição de um hidrogênio por um radical alquila ou arila' '*ext.* medicamento à base de barbitúrico' XX. Do fr. *barbiturique.*
barbotina *sf.* 'semente do absinto' 1871. Do fr. *barbotine.*
⇨ **barbotina** | 1836 SC |.
barb·udo, -ula → BARBA.
barca *sf.* 'tipo de embarcação' XIII. Do lat. tard. *barca,* de origem hispânica || **barc**AÇO XVI || **barc**AÇO XV || **barc**AGEM | *-je* XV || **barco** XIII || **barc**OLA 1899 || **barqu**EIRO 1813 || DES·EMbarcAR XV || DES· EM**bar**que 1813. Deverbal de *desembarcar* || EM**barc**AÇÃO *sf.* 'qualquer construção destinada a navegar sobre água' XVII || EM**barc**AD·IÇO 1844 || EM**barc**aDO XIV || EM**barc**aDOURO XVI || EM**barc**AR XVI || EM**bar**que 1802. Deverbal de *embarcar.*
⇨ **barca** — **barc**OLA || 836 SC || DES·EM**barc**AÇÃO | *desembarcasam c* 1539 JCasD 108.*16* || EM**barc**AÇÃO | 1567 in *Bul.* XVIII. 43 |.
barcarola *sf.* 'canção romântica dos gondoleiros de Veneza' 'ritmo ou melodia que sugere o balançar de uma barca' | *-rolla* 1844 | Do it. *barcaròla.* Cp. BARCA.
⇨ **barcarola** | *barcarolla* 1836 SC |.
barc·o, -ola → BARCA.
barda[1] *sf.* 'armadura de ferro para proteger o peito do cavalo' | XVI, *bardon* (aumentativo?) XIII | Do it. *barda,* deriv. do ár. *bárda'a.* Cp. ALBARDA.
barda[2] *sf.* 'tipo de sebe' XVI. De origem incerta, mas seguramente pré-romana, com o sentido primitivo de 'barreira, cerca' || **bard**AR XVI.
bardo *sm.* 'poeta heroico, entre os celtas e gálios' 1844. Do lat. *bardus -i,* de origem céltica.
⇨ **bardo** | 1836 SC |.
baregina *sf.* 'substância orgânica semelhante ao muco animal, encontrada nas águas sulfurosas quentes, em especial nas de Barèges' 1858. Do fr. *barégine,* deriv. do topo *Barèges.*
barestesia → BAR(I)-.
barga *sf.* 'cabana' XVIII; 'espécie de rede de pescar' 1871. De origem pré-romana, provavelmente céltica.
barganhar *vb.* 'trocar, negociar' 'vender com fraude' 1813. Do a. fr. *bargaignier,* hoje *barguigner,* ou do it. *bargagnare* || **barganha** 1813. Deverbal de *barganhar.*
bargante *adj. s2g.* 'velhaco, patife, devasso' | *bra-* XV | Do cast. *bergante* 'brejeiro' 'sem-vergonha', provavelmente relacionado com o gót. *brĩkan* 'romper'.
bar(i)-. *elem. comp.,* do gr. *barýs* 'pesado, grave, difícil' 'peso, gravidade', que se documenta em alguns compostos formados no próprio grego (como *barifonia*) e em muitos outros introduzidos, a partir do séc. XIX, na linguagem científica internacional. ♭ **bar**[2] *sm.* '(Fís.) unidade de medida de pressão' XX. voc. foi proposto por V. Bjerknes, para indicar a pressão de 10^6 bárias || **bar**AGN·OSE XX || **bar**ESTES·IA XX || **bári**a *sf.* '(Fís. e Met.) unidade cgs de pressão, equivalente a um décimo de newton por metro quadrado' XX || **bari**CENTRO XX || **bari**FON·IA XX | *barypho-* 1858 | Cp. gr. *baryphōnía* || **bari**LAL·IA XX || **bari**METR·IA | *bary-* 1871 || **bári**o *sm.* 'metal alcalino-terroso, de número atômico 56' 1844. Do fr. *baryum;* o voc. foi criado por H.

Davy em 1808, que assim o denominou em razão da grande densidade de seus compostos ‖ **bári**ON *sm.* '(Fís. Nucl.) designação genérica das partículas elementares pesadas' XX ‖ **bari**SFERA XX ‖ **ba**-RITA *sf.* 'sulfato de bário' | -*ytes* 1844 | O mineral foi descoberto em 1774 por Scheele. Bergman denominou-o 'terra pesante', que G. de Morveau e Lavoisier, em 1787, grecizaram em *barita*, de *bary's* 'pesante', *barytēs* 'peso' ‖ **barí**TONO | *bary-* 1844 | Do lat. tard. *barytonus*, deriv. do gr. *bary'tonos* ‖ **baró**GRAFO XX. Do fr. *barographe* ‖ **baro**LOG·IA 1881 ‖ **baro**MÉTR·ICO 1844. Do fr. *barométrique* ‖ **barô**METRO | 1813, *borometre* 1706 | Do fr. *baromètre* ‖ **baro**METRO·GRAF·IA | *-graphia* 1871 ‖ **baros**ÂNEMO 1858 ‖ **baros**CÓP·IO 1858. Do fr. *baroscope* ‖ **bar**ÚRIA XX.

⇨ **bar(i)-** — **bá**RIO | 1836 SC ‖ **bar**ITA | *barytes* 1836 SC ‖ **barí**TONO | *barytono* 1836 SC ‖ **baro**MÉTR·ICO 1836 SC |.

bariolagem *sf.* '(Mús.) modo especial de executar determinadas peças no violino, utilizando cordas soltas' XX. Do fr. *bariolage*.
barisfera → BAR(I)-.
barjuleta *sf.* 'mochila de couro ou de linhagem' | *barjo-* XVI | Talvez do cast. *barjuleta*.
barlavento *sm.* '(Mar.) direção de onde sopra o vento' | *abarlauento* XV, *balravento* XVI | De origem obscura ‖ **barlavent**AR | *-llavem-* XV.
barnabé *sm.* 'bras. funcionário público de categoria modesta' XX. Do antrop. *Barnabé*, nome do personagem de um samba lançado em 1947.
barnabita *adj.* 2g. *sm.* 'pertencente ou relativo aos barnabitas, congregação de S. Paulo, fundada em Milão em 1530' XX. Do it. *barnabita*, do antrop. *Barnaba*, deriv. do lat. *Barnabās*.

⇨ **barnabita** | 1836 SC |.

baró·grafo, -logia, -metro, -metrografia → BAR(I)-.
bar·onato, -onesa, -onete, -onia → BARÃO.
baros·ânemo, -cópio → BAR(I)-.
barqueiro → BARCA.
barr·a, -aca, -ação, -aco → BARRO.
barr·ado, -agem → BARRO.
barramaque *sm.* 'tecido de tela rica' XVIII. De origem obscura.
barr·anca, -anco, -aqueiro, -ar, -ear → BARRO.
barregã *sf.* 'concubina, amásia' | XIII, *barragãa* XIII etc. | De origem controversa ‖ **barreg**ANA *sf.* 'tecido de lã muito durável' XIX.

⇨ **barregã** — ABARREGADO | XV CONF 118*b*10 ‖ ABARREGAR | *aberregaar* 1345(V³) |.

barr·eira, -eirar, -eiro, -ejar → BARRO.
barrela *sf.* 'água onde se ferve cinza e que é usada para branquear roupa' XVII. De origem obscura. Cp. BARRILHA.
barrento → BARRO.
barrete *sm.* 'cobertura que se ajusta à cabeça, geralmente feita de tecido mole e flexível' XIV. Do fr. *barrette*, deriv. do it. *barretta* ‖ **barret**ADA 1813.
barrido → BARRIR.
barril *sm.* 'tipo de tonel' XIII. Do a. prov. *barril* ‖ **barrica** *sf.* 'vasilha em forma de pipa' 1813. Do fr. *barrique* ‖ **barric**ADA 1871. Do fr. *barricade* ‖ **barriga** *sf.* 'bojo, saliência' 'ventre' XV. De *barrica* ‖ **barrig**UDO | *barre-* XVI.

⇨ **barril** — **barric**ADA | 1836 SC |.

barrilha *sf.* 'cinza da barrilheira, empregada para fabricar soda' XVIII. Do cast. *barrilla*.
barrir *vb.* 'soltar barritos' XX. Do lat. *barrīre* ‖ **barr**IDO *sm.* 'barrito' XX ‖ **barr**ITO *sm.* 'o grito do elefante e de alguns outros animais' XX. Do lat. *barrītus -ūs*.
barro *sm.* 'tipo de argila' 'substância utilizada no assentamento da alvenaria de tijolo em obras provisórias, obtida pela mistura de argila com água' XIV. De origem pré-romana. Relacionam-se neste verbete uma série de vocábulos etimologicamente correlacionados, com o radical *barr-*, de origem pré-romana ‖ **barra** *sf.* 'debrum, fita' 'acúmulo de material aluviônico' 'entrada estreita de um porto' XIII ‖ **barraca** *sf.* 'construção ligeira, primitivamente feita de barro' XVII ‖ **barr**ACÃO 1871 ‖ **barraco** XX ‖ **barr**ADO XIII ‖ **barr**AGEM XX ‖ **barranca** *sf.* 'barranco' XIV ‖ **barranc**EIRA *sf.* 'ribanceira' XVI ‖ **barranco** *sm.* 'escavação' | XIII, *barramco* XV ‖ **barraqu**EIRO XX ‖ **barr**AR XVI ‖ **barr**EAR | *barear* XIV ‖ **barr**EIRA *sf.* 'argileira' 'parapeito' 1500 ‖ **barr**EIR·AR | *bareyrar* XV ‖ **barr**EIRO XIII ‖ **barr**EJAR XV ‖ **barr**ENTO XVI ‖ **barr**OCA *sf.* "monte de barro" XIII ‖ **barr**OCO¹ *sm.* 'barroca' 1871 ‖ **barr**OCO² *sm.* 'pérola de superfície irregular' 1813 ‖ **barr**OSO 1844 ‖ E**mbarr**AR *vb.* 'encerrar, encurralar' | *en-* XIV, *enbarar* XIV ‖ ES**barr**ADA 1813 ‖ ES**barr**AR *vb.* 'ir de encontro, topar, tropeçar' XVI ‖ ES**barr**O *sm.* 'inclinação dos ressaltos de uma parede' 1899; 'ação de esbarrar' XX ‖ ES**barr**OND·AR *vb.* 'romper, desmoronar' | *esbo-* XVI.

⇨ **barro** — A**barr**EIR·ADO | XV COND 48*b*32, *abarreyrado* XV ZURD 113.*32* ‖ **barr**EIRA | *barreyra* XIV TROY 1.204.*16* ‖ **barr**EJ·AMENTO | XV ZURG 255.7 ‖ **barr**OCAL | 1680 AOCAD 1.*71* ‖ **barr**OSO | 1836 SC |.

barr·oca, -oco¹ ᵉ ² → BARRO.
barroco³ *adj.* 'relativo, pertencente ou característico do estilo barroco, que floresceu, aproximadamente, dos fins do séc. XVI aos meados do séc. XVII, caracterizado por uma atmosfera artística e cultural carregada de conflito entre o espiritual e o terreno' 'ornamentado, rebuscado' XVII. De *barroco²* (V. BARRO) provavelmente; o sentido de 'estilo' teria recebido a influência do fr. *baroque* ou do it. *barôcco*, os quais, por sua vez, derivam do port. *barroco²*.
barroso → BARRO.
barrote *sm.* 'peça de madeira na qual se pregam as tábuas de assoalhos e tetos' 1813. Do fr. *barrot* ‖ A**barrot**ADO XVI ‖ A**barrot**AMENTO 1881 ‖ A**barrot**AR *vb.* 'encher de barrotes' 'encher em demasia' XVI.
barulh·ada, -ar, -eira, -o → EMBRULHO.
barúria → BAR(I)-.
bas·inérveo, -io, -iocestro, -iofaríngeo, -iofobia, -ioglosso, -iotribo, -ite, -ófilo → BASE.
basalto *sm.* 'tipo de rocha vulcânica' 1844. Do fr. *basalte*, deriv. do lat. *basaltēs -ae* ou *-is*, leitura errônea de *basanītēs* ‖ **basan**ITO *sm.* 'basalto' | XX, *-nite* 1871 | Do lat. *basanītēs*, deriv. do gr. *basanītēs*.

⇨ **basalto** | 1836 SC |.

basbaque → EMBASBACAR.
basco *adj. sm.* 'pertencente ou relativo ao País Basco' | *bazquos* pl. XIV | Do cast. *vasco*, der. regress. de *vascón* e, este, do lat. *Vascōnes -um*.

báscula *sf.* 'balança decimal' 'movimento análogo ao do básculo' xx. Do fr. *bascule* || **bascul**ANTE XX. De um *bascular, deriv. do fr. *basculer* || **básculo** *sm.* 'ponte levadiça, com contrapeso' 1871.
⇨ **báscula** — **bascul**ejar | *bascoleiar a* 1595 *Jorn.* 21.*19*, *bascolejar c* 1608 NOReb 224.*30* |.
base *sf.* 'tudo quanto serve de apoio ou fundamento' | 1601, *basis* XVI, *basa* XIV | Do lat. *basis -is*, deriv. do gr. *básis -eōs* 'ato de andar, marcha' 'cadência, ritmo' 'base, pedestal' || A**basia** *sf.* 'incapacidade para a marcha' XX || **bas**EAR 1858 || **bás**ICO 1871 || **bas**ÍDIO *sm.* 'órgão com dentículos onde se inserem os esporos de certos fungos' XX. Do lat. cient. *basīdium*, dim. do gr. *básis* || **basi**DIÓ·SPORO | *-poreos* 1871 || **bas**IFIC·AÇÃO 1871 || **basi**FIXO 1858 || **basi**NÉRV·EO 1858 || **bás**IO *sm.* '(Ant.) ponto craniométrico, na linha média da base do crânio, sob o bordo anterior do buraco occipital' XX || **basio**CESTRO 1871 || **basio**FARÍNG·EO | *basio-pharyngeo* 1858 || **basio**FOB·IA XX || **basio**GLOSSO XX || **basio**TRIBO XX || **bas**ITE XX || **bas**ÓFILO XX || EM**bas**AMENTO 1881 || EM**bas**AR XX.
⇨ **base** — EM**bas**AMENTO | *ēbasamēto* 1571 FOlIF 91.*3* |.
basílica[1] *sf.* 'igreja principal' XV. Do lat. *basilĭca*, deriv. do gr. *basilikḗ*.
basílica[2] *sf.* 'uma das veias superficiais do braço e antebraço' XVI. Do lat. med. *basilica*, deriv. do gr. *basilikós*.
basilicão *sm.* 'tipo de unguento supurativo' 1844. Do lat. med. *basilicon*.
⇨ **basilicão** | 1836 SC |.
basilisco *sm.* 'réptil fantástico em forma de serpente' | XIII, *basa-* XV |; 'antiga peça de artilharia' | XVI, *basa-* XVI | Do lat. *basiliscus -i*, deriv. do gr. *basilískos* 'reizinho' 'réptil' 'certo peixe do mar'.
bas·inérveo, -io, -iocestro, -iofaríngeo, -iofobia, -ioglosso, -iotribo, -ite, -ófilo → BASE.
basquetebol *sm.* 'tipo de esporte' XX. Do ing. *basket-ball* 'bola ao cesto'.
basta[1] *sf.* 'cordel para segurar o enchimento do colchão' XVIII. Do germ. *bastjan 'cerzir, espontear'. Cp. BASTIDA, BASTIDOR.
bast·a[2], **-ante** → BASTAR.
bastão *sm.* 'bordão' | *baston* XIII | Do lat. med. *bastō -ōnis*, de *bastum -i* 'bastão' || **baston**ADA 1844. Do fr. *bastonnade*.
⇨ **bastão** — **baston**ADA | 1836 SC |.
bastar *vb.* 'ser bastante, suficiente' 'satisfazer' XV. Do lat. med. *bastāre*, deriv. do gr. *bastázō* 'levar, sustentar (um peso)' || A**bast**ADO XIV; no port. med. ocorre, ainda, *abastoso* (séc. XV) || A**bast**AMENTO XIV || A**bast**ANÇA XIV || A**bast**AR *vb.* 'abastecer(-se)' XIII || **basta**[2] *interj.* 'não mais, cessar' XVIII || **bas**TANTE | XVI, *abas-* XVI || **basto**[1] *adj.* 'espesso, denso' 1500 || DES**bast**AR XVI || DES**baste** XVIII.
⇨ **bastar** — **basto**[1] | XIV GREG 4.20.*7* |.
bastardo *adj. sm.* 'que nasceu fora do matrimônio' 'degenerado da espécie a que pertence' XIV. Do a. fr. *bastard*, hoje *bâtard* || A**bastard**ADO 1813 || A**bastard**AMENTO XX || A**bastard**AR *vb.* 'alterar, corromper' 1813.
bastião *sm.* 'baluarte' | XVI, *bes-* XVI | Do it. *bastióne*, de *bastia* 'fortaleza'.
bastida *sf.* 'antiga máquina de guerra' 'trincheira de paus, paliçada' XIII. Do ant. *bastir* (< germânico *bastjan), documentado no séc. XIV. Cp. BASTA[1], BASTIDOR.
bastidor *sm.* 'caixilho de madeira onde se segura o tecido para bordar' XVII; '(Teat.) armação de cenário' XVIII. Do ant. *bastir* (séc. XIV),·. provavelmente deriv. do a. fr. *bastir* (hoje *bâtir*) e, este, do germ. *bastjan 'cerzir, pespontar' || **basto**[2] *sm.* 'no jogo do voltarete, o ás de paus' 1899. Cp. BASTA[1], BASTIDA.
basto[1] → BASTAR.
bastonada → BASTÃO.
-bat(a)- *elem. comp.*, do gr. *-batēs*, de *baínō* 'andar, caminhar', que já se documenta em compostos formados no próprio grego, como *acrobata*, por exemplo, e em alguns outros formados nas línguas modernas: *aeróbata, anemóbata* etc.
bata[1] *sf.* 'tipo de vestimenta' 1871. De origem obscura.
⇨ **bata**[1] | 1836 SC |.
bata[2] *sf.* 'ração de comida' 'gratificação' XVI. Do hindust. *bhata* (*bhatha* ou *bhātā*).
batalha *sf.* 'combate, luta, peleja' XIII. Do a. prov. *batalha*, deriv. do b. lat. *battalia* (lat. tard. *battuālĭa* 'esgrima') || **batalh**ADOR XIV || **batalh**ANTE XIV || **batalhão** *sm.* 'corpo de tropa' XVII. Do fr. *bataillon*, deriv. do it. *battaglióne* || **batalh**AR XIV.
batata *sf.* 'planta herbácea da fam. das solanáceas, cujos tubérculos são mundialmente empregados na alimentação' XVI. Do cast. *batata*, voc. antilhano, derivado, provavelmente, do taino || **batata**-RANA XX.
batavo *adj. sm.* 'relativo à, ou natural da Batávia, nome antigo da Holanda' XX. Do lat. *Batāvus* || **ba**-**távia** *sf.* '*ant.* pano fino de linho' 1899 || **bat**ÁVICO 1899.
⇨ **batavo** | *batauo* 1660 FMMelE 459.*4* |.
bate·ada, -ador, -ar → BATEIA.
bated·eira, -or, -ouro → BATER.
bátega *sf.* 'espécie de bacia metálica, antiga' XVI, *batyga* XVI |; 'aguaceiro, pancada de chuva' XVII. De origem obscura.
bateia *sf.* 'gamela de madeira usada no garimpo' XVIII. Provavelmente do cast. *batea*, de origem incerta, talvez deriv. do ár. *bâṭiya* 'gamela' || **bateia**ADA 1813 || **bate**ADOR XX || **bat**EAR | 1711, *-tiar* 1736.
batel *sm.* 'pequeno barco' XIII. Do a. fr. *batel* (hoje *bateau*), deriv. do anglo-saxão *bat* 'bote' || **bat**EIRA 1813 || **batel**ADA XVI || **batel**ÃO XVI. Do it. *batellone*, provavelmente.
bater *vb.* 'dar pancadas em' 'dar choques ou pancadas com' XIV. De um lat. *battĕre, de *battuĕre* || **bated**EIRA 1881 || **bat**EDOR XVII || **bate**DOURO 1813 || **bat**ENTE XV || **bater**IA *sf.* 'tipo de fortificação' | *bata-* XVI |; 'conjunto de utensílios de cozinha, de instrumentos de percussão de uma orquestra, de canhões etc.' XX. Do fr. *batterie* || **bater**ISTA XX || **bati**CU(M) | *batecu* XVIII | A forma *baticum* é mera var. nasalizada de *batecu* (< *bate + cu*) || **bat**IDA 1844 || **bat**IDO XVIII || **bati**MENTO XV || **bati**SSELA | *-tisella* XVI || **bato**[1] *sm.* 'jogo infantil' 1813 || **ba**-**tucajé** *sm.* 'ruído do conjunto dos atabaques, que acompanham as danças, nos cultos afro-brasileiros' XX. De *batuque* + ioruba *a'že* 'feiticeiro' || **batuc**ADA XX || **batuc**AR 1844 || **batuque** 1837 ||

batuquEIRO XX || EM**bate** *sm.* 'choque ou encontro violento' XVI || RE**bate**² XVI || RE**batE**R XVI.
⇨ **bater** — **batuc**AR | 1836 SC |.
batetê *sm.* 'comida feita de inhame cru, azeite e sal, que faz parte dos cultos afro-brasileiros' XX. Provavelmente do ioruba *bate 'te* (de *ba* 'bater' + *te 'te* 'rapidamente').
bat(i)- *elem. comp.*, do gr. *bathy-*, de *bathýs* 'profundo', que se documenta em alguns compostos introduzidos, a partir do séc. XIX, na linguagem científica internacional ♦ **bati**AL XX || **bati**ANESTES·IA XX || **bati**CARD·IA XX || **bati**METRO | *-thý-* 1899 || **bati**PLANCTO XX || **bati**SFERA XX || **bato**GRAF·IA XX || **bató**LITO XX || **batô**METRO | *-tho-* 1858.
bat·icum, -ida, -ido, -imento → BATER.
batímetro → BAT(I)-.
batina *sf.* 'veste dos abades, padres e estudantes de algumas escolas' | XVIII, *aba-* XVIII | Do lat. vulg. *abbatīna*, de *abbātīa* 'abadia'.
batiplancto → BAT(I)-.
batismo *sm.* 'sacramento no qual a ablução, a imersão ou a simples aspersão com água significa um renascer espiritual, com purificação de todos os pecados' | XIII, *bau-* XIII, *bap-* XIII etc. | Do lat. *baptismus -i*, deriv. do gr. *baptismós* 'imersão, ablução' 'batismo' || **batism**AL | *bap-* 1813 || **batista**¹ | *bap-* XIII, *bau-* XIII Do lat. ecles. *baptista* (referido sempre a S. João Batista), deriv. do gr. *baptistés* 'que batiza' || **batistério** *sm.* 'lugar em que se acha a pia batismal' | *bap-* XVI | Do lat. *baptistērĭum -ī*, deriv. do gr. *baptistērion* 'casa de banho' 'batistério' || **batiz**ADO | *bap-* XVI || **batiz**ADOR | *bau-* XV || **batiz**ANDO XX || **batizar** *vb.* | *bau-* XIII, *batiçar* XIII, *boutizar* XIV etc. | Do lat. *baptizāre*, deriv. do gr. *baptízō* 'mergulhar, imergir' || RE**batizar** XVII.
⇨ **batismo** — **batism**AL | *bastimal [sic]* 1532 JBArF 25.19, *bautismal* 1614 SGONÇ I.166.14 |.
batissela → BATER.
batista¹ → BATISMO.
batista² *sm.* 'certo tecido de cambraia' XX. Do fr. *batiste* (*batiche* em 1401), do antrop. *Baptiste*, nome do fabricante do tecido (Cambraia, séc. XIII).
⇨ **batista**² | 1836 SC |.
batistério, batiz·ado, -ador, -ar → BATISMO.
bato¹ → BATER.
bato² *sm.* 'ant. medida hebraica de capacidade' XVIII. Do lat. tard. *batus*, deriv. do gr. ecles. *bátos* e, este, do hebr. *bath*.
bato·grafia, -lito → BAT(I)-.
batologia *sf.* 'repetição inútil de uma palavra, frase ou pensamento' | *batt-* 1844 | Do fr. *battologie*, deriv. do gr. *battología*, do antrop. *Battos*, nome do rei de Cirene, que repetia sempre a mesma palavra.
⇨ **batologia** | *battologia* 1836 SC |.
batom *sm.* 'cosmético que serve para colorir os lábios' XX. Do fr. *bâton*.
batômetro → BAT(I)-.
batoque *sm.* 'boca ou buraco no bojo de pipas, tonéis etc.' XVI; 'pedaço de madeira (rolha etc.) com que se vedam os buracos das pipas' XVII. De origem incerta, talvez do gascão *bartoc* || EM**batoc**AR | XX, *-tu-* 1858.
batota *sf.* 'trapaça no jogo' 1871. De origem controvertida || **batot**EIRO 1899.

batráquio *adj. sm.* 'diz-se de, ou animal anuro, anfíbio, de cabeça fundida ao corpo e membros locomotores posteriores mais desenvolvidos' | *-trácio* 1858 | Do lat. cient. *batrachium*, deriv. do gr. *bathcheios* 'relativo à rã', de *bátrachos* 'rã' || **batrac**OIDE 1871.
⇨ **batráquio** | *batracio* 1836 SC |.
batuc·ada, -ajé, -ar → BATER.
batuíra *sf.* 'ave da fam. dos caradriídeos' 1918. Do tupi **matu'i*.
batuqu·e, -eiro → BATER.
batuta *sf.* 'bastão com que os maestros regem as orquestras' 1871; '*bras.* exímio' XX. Do it. *battuta* 'compasso'.
baú *sm.* 'tipo de caixa ou mala, com tampa convexa na parte externa' | *baul* XVI, *bau* XVII, *bahu* 1805 | Do ant. *baul*, deriv. do a. fr. *bahur* (hoje *bahut*), de origem obscura || A**baul**ADO 1844 || A**baul**AMENTO XX || A**baul**AR 1858 || EM**baul**AR XX.
⇨ **baú** — A**baul**ADO | 1836 SC || A**baul**AR | 1836 SC |.
baunilha *sf.* 'planta da fam. das orquidáceas, cuja essência é muito usada em confeitaria' | XVIII, *bai-* XVII | Do cast. *vainilla*, dim. de *vaina* 'bainha', deriv. do lat. *vagīna*. Cp. BAINHA.
bauxita *sf.* 'minério de alumínio' XX. Do fr. *bauxite*, do top. *Les Baux*.
bazar¹ *sm.* 'tipo de loja de comércio' | XVI, *basar* 1605, *pasar* 1605 etc. | Do pers. *bāzār* 'mercado permanente, rua de lojas'.
bazar² *adj. sf.* 'concreção calcária formada em várias partes do corpo de certos quadrúpedes' | XVI, *bezoar* XVI etc. | Do persa *pādzahr* ou *pāzahr* 'o que expele veneno, antídoto' (de *pād* 'protetor' + *zahr* 'pedra'), através do ár. *bāzahr*.
bazófia *sf.* 'vanglória, presunção' XVIII. Do it. *bazzòffia*.
⇨ **bazófia** | 1680 AOCad I.1849 |.
bazuca *sf.* 'tipo de arma antitanque' XX. Do anglo-americano *bazooka*.
-bdel- *elem. comp.*, do gr. *bdélla* 'sanguessuga' (*bdállō* 'mamar, sugar'), que já se documenta em vocs. formados no próprio grego (como *bdélio*) e em alguns outros introduzidos na linguagem científica internacional a partir do séc. XIX → **bdélio** *sm.* 'espécie de goma' 1502. Do lat. *bdellĭum -ī*, deriv. do gr. *bdéllion* || **bdel**OIDE XX. Do fr. *bdelloïde* || **bdelô**METRO | *-lló-* 1858.
beato *adj. sm.* 'beatificado' 'feliz' 'excessivamente devoto' XVI. Do lat. *beātus* || **beat**ICE 1813 || **beat**IFIC·AÇÃO XVI. Do lat. med. *beatificātĭō -ōnis* || **beat**IFIC·ADOR XVI. Do lat. *beātĭfĭcātor -ōris* || **beat**IFICAR *vb.* 'declarar ou tornar beato ou bem-aventurado' XVI. Do lat. *beatificāre* 'tornar feliz' || **beat**ÍFICO XVII. Do lat. *beātĭficus* || **beat**ITUDE | *-tetudo* XV | Do lat. *beātĭtūdō -inis*.
⇨ **beato** — **beat**IFICAR | XV SBER 59.25 || **beat**ÍFICO | XIV ORTO 141.6 |.
bebê *sm.* 'nenê, criancinha' 1899. Do fr. *bébé*, do antrop. *Bébé*, nome de um anão célebre (1739-1764) da corte de Estanislau Leczynski; para a sua difusão, contribuiu o ing. *baby*, também de origem francesa. O voc., de caráter onomatopaico, provém da linguagem infantil.
beber *vb.* 'engolir (líquido), ingerir' | XIV, *beuer* XIII | Do lat. *bĭbĕre* || A**beber**ADO | 1813, *abeve-* XV || A**be-**

berAR *vb.* 'dar de beber a' | *abeuerar* XIII | De um lat. **abbĭbĕrāre*, de *adbĭbĕrāre*, de *bĭbĕre* || **beb**ARRO XVI || **bebed**EIRA 1858 || **bebed**ICE | *-deçe* XIV || **bêbedo** | XIV, *beuedo* XIII | Do lat. *bĭbĭtum* || **bebed**OR | XVI *-ve-* XIV | Do lat. *bĭbĭtor -ōris* || **bebed**OURO | XVI, *bevedoiro* XVI || **beber**AGEM | XVI, *beuerageens* pl. XIV | Do fr. *breuvage*, deriv. de um lat. **biberacŭlum* || **beber**ICAR | *-rr-* 1813 || **beberr**ÃO XVI || **bebes** *sm. pl.* 'bebidas' 1899; usa-se, particularmente, na expressão *comes e bebes* || **beb**IDA 1813 || **beb**IDO XVI || **beb**ÍVEL XX || EM**bebed**AR | XV, *embeue-* XIV, *embeve-* XV etc. | No port. med. ocorrem, também, *embebedentar* e *embebedesçer*, ambos no séc. XIV || EM**beb**ER XVI. Do lat. *imbĭbĕre* 'beber, absorver, compenetrar-se' || EM**bevec**ER 'causar enlevo a' 1813 || EM**bevec**IDO XVI.

bêbera *sf.* 'variedade de figo' XVII. Do lat. *bĭfĕra* 'que produz duas vezes por ano'.

beca *sf.* 'veste talar, preta, usada por funcionários judiciais, catedráticos e formandos de grau superior' XIV. De origem controvertida.

bechamel *adj. sm.* 'tipo de molho' XVII. Do fr. *béchamel*, do antrop. *Béchamel*, gastrônomo francês do fim do séc. XVII.

beco *sm.* 'rua estreita e curta' XVI. Talvez de uma forma evolutiva do lat. *via* 'estrada, caminho, rua'.

bedame *sm.* 'tipo de instrumento usado em escultura e carpintaria' 1813. Talvez do fr. *bédane*, de *bec-d'âne*.

bedel *sm.* 'chefe de disciplina em escolas' XV. Do a. fr. *bedel* (hoje *bedeau*), deriv. do frâncico **bidal* 'oficial de justiça' (com troca de sufixo), da fam. do al. *Büttel* 'sargento, arqueiro',

bedelho *sm.* 'tipo de tranqueta ou ferrolho' 1881; 'trunfo pequeno em certos jogos de cartas' 1813. A expressão *meter o bedelho* 'intrometer-se' ocorre em 1871. De origem obscura || **belho** 1813. Forma sincopada de *bedelho*.

bedém *sm.* 'túnica mourisca, curta e sem mangas' XV. Do ár. *badan*.

beduíno *sm.* 'árabe do deserto' | *baduijs* pl. XVI, *biduino* XVI, *beduins* pl. XVIII | Provavelmente do it. *beduino*, deriv. do ár. *badayīn*, pl. de *badạu̯īy* 'campesino' 'que vive no deserto', de *badu̯* 'deserto'.

bege *adj. 2g. 2n. sm.* 'diz-se de, ou a cor amarelada como a lã em seu estado natural' XX. Do fr. *beige*.

begônia *sf.* 'designação comum a várias espécies de plantas da fam. das begoniáceas' 1871. Do fr. *bégonia*, do antrop. *Bégon*. O voc. foi criado pelo botânico Plumier (1646-1706), em homenagem a Michel de Bégon, intendente de São Domingos (Haiti), e aceito por Lineu em 1742.

begue, bei *sm.* 'título honorífico entre os turcos, correspondente a *dom* ou *senhor*, e usado, quase sempre, posposto ao nome próprio' | *coji*bequy 1513, *coje byquym* 1520, *bec* 1571, *Homarbei* XVI etc. | Do turco *bēg* (*bēk, bēi*) || **belarbegue** *sm.* 'begue dos begues, chefe dos begues' | *belerbey* 1552, *berlebi* 1593, *belarbegue* 1611, *belarbei* 1611 etc. | Do turco *beglar bēg* 'begue dos begues' (o turco *beglar* é o pl. de *bēg*).
⇨ **begue** — **belarbegue** | *belerbeio* 1538 DCast 58.22, *bellerbeio* Id.59.26 |.

beguino *sm.* 'frade mendicante' | XV, *ba-* XV | Do fr. *béguin* || **beguina** *sf.* 'religiosa dos Países Baixos e da Bélgica, que, sem pronunciar votos, vive em conventos' XV. Do fr. *béguine*.

begum *sf.* 'mulher de alta estirpe, no Hindustão' XVII. Do persa *begam*, fem. de *bēg*, do turco *bīgam* 'princesa', fem. de *big* 'príncipe'. Cp. BEGUE.

behaviorismo *sm.* 'restrição da psicologia ao estudo objetivo dos estímulos e reações verificadas no físico, com desprezo total dos fatos anímicos' XX. Do ing. *behaviourism*.

bei → BEGUE.

beiço *sm.* 'lábio' XIII. De origem obscura, talvez de um célt. **baikkion* 'boca (das bestas)' || DES**beiç**AR 1813 || EM**beiç**ADO 1873 || EMBEIÇAR 1858 || ES**beiç**AR XX.

beijar *vb.* 'tocar com os lábios em alguém ou alguma coisa' XIII. Do lat. *basiāre* || **beijo** XIII. Do lat. *bāsĭum -ī* || **beij**OCA 1813 || **beij**OCAR 1813 || **beijoqu**EIRO 1899.

beiju *sm.* 'bolo de farinha de mandioca' | *c* 1584, *beijú a* 1576, *bejú* 1618 etc. | Do tupi *mẹ'ĩu*.

beilhó *sm.* 'bolinho ou biscoito de farinha e abóbora' | *-lhoos* pl. XVI | De origem obscura.

beira *sf.* 'borda, margem, orla' XV. De origem incerta, talvez redução de *ribeira* que, por etimologia popular, teria sido interpretada como *rio + beira* (beira do rio) ou, talvez, como *re- + beira* (cp. *chão/rechão, canto/recanto*) || A**beir**AR 1858 || **beir**ADA 1899 || **beir**AL 1858 || **beir**AR 1899.

beirão *adj. sm.* 'relativo à, ou natural da Beira' 1813. Do top. *Beira*.

beirar → BEIRA.

beisebol *sm.* 'jogo de bola muito popular nos EUA' XX. Do ing. *baseball*.

bel *sm.* '(Fís.) unidade convencional para medir a relação entre grandezas associadas a movimentos periódicos' XX. Do antrop. ing. *Bell*, do nome do norte-americano Alexander Graham Bell (1847-1922).

beladona *sf.* 'planta medicinal e ornamental da fam. das. solanáceas' | *belladona* 1813 | Do it. *belladònna* 'bela mulher', porque a tinta de seu fruto, usada como cosmético, realçava a cor rosada do rosto.

belarbegue → BEGUE.

belatriz → BEL(I)-.

belbute *sm.* 'tecido de algodão aveludado' XVIII. Do ing. *velvet* || **belbut**INA 1858. Do ing. *velveteen*.

belchior *sm.* 'bras. mercador de objetos velhos e usados' 1899. Do antrop. *Belchior*, de um homem que estabeleceu no Rio de Janeiro a primeira casa de compra e venda de roupas e objetos usados.

beldade → BELO.

beldosa *sf.* 'tijolo vermelho para pavimentação' XX. Do cast. *baldosa*.

beldroega *sf.* 'planta da fam. das portulacáceas' XVIII; 'indivíduo tolo' (mais usado no pl.) XX. Do moçárabe **berdoloca*, var. de *berdilaca*, deriv. do lat. *portŭlāca*, de *portŭla* 'portinha' (o opérculo da semente desta planta lembra a forma de porta).
⇨ **beldroega** 'planta' | *beldroaga* 1614 SGonç 1.74.17 |.

beleguim *sm.* 'ant. oficial de justiça' 'agente de polícia' | XVI, *-guym* XV, *belyguym* XVI etc. | De origem obscura.

belemnita *sm.* 'molusco cefalópode fóssil, de forma cônica e simétrica' | *-nite* 1871 | Do fr. *bélemnite*, deriv. do gr. *belemnítes* (*lithos*) 'pedra em forma de dardo', de *bélemnon* 'dardo'.
beletrista *adj. s2g.* 'pessoa que cultiva as belas--letras' XX. Do fr. *bellettriste*, de *belles lettres*.
beleza → BELO.
belfa *sf.* 'ant. animal feroz, besta' 'excrescência carnosa que certos galináceos têm por baixo da cabeça' XIV. Do lat. *bellŭa* 'animal feroz, besta'.
belfo → BÍFIDO.
belga *adj. s2g.* 'relativo à, ou natural da Bélgica' XVI. Do lat. *belga* 'habitante da Gália belga'.
⇨ **belga** — **bélg**ICO | 1660 FMMeIE 362.*11* |.
belho → BEDELHO.
bel(i)- *elem. comp.*, do lat. *belli-*, de *bellum -i* 'guerra, combate', que se documenta em alguns compostos formados no próprio latim (como *bélico*) e em muitos outros introduzidos, a partir do séc. XVI, na linguagem erudita ▸ **bel**ATRIZ *adj. sf.* 'guerreira' | *bellatrice* 1813 | Do lat. *bellātrīx -īcis* || **bélic**O | *-llicas f. pl.* XVI | Do lat. *bellĭcus -a -um* || **belic**OSO | 1572, *bellicoso* 1525 | Do lat. *bellicōsus* || **belige**rÂNCIA 1899. Do fr. *belligérance*, de *belligérant* || **beliger**ANTE XVIII. Do fr. *belligérant*, deriv. do lat. *belligerāns -antis* || **belí**GERO 1572. Do lat. *bellĭger* || **belip**OTENTE XVII. Do lat. *bellipŏtēns -entis* || **belona** *sf.* 'a guerra' 1572. Do mit. lat. *Bellōna*, a deusa da guerra || **belo**NAVE XX || IM**bele** | *-belles* pl. 1572 | Do lat. *imbellis -e*.
beliche *sm.* 'espécie de leito' 'conjunto de duas ou três camas superpostas' XVII. De origem obscura; talvez represente o malaio *biliq kechil* 'alcova pequena'.
béli·co, -coso → BEL(I)-.
belida *sf.* 'névoa ou mancha esbranquiçada na córnea' XVI. De origem duvidosa.
beli·gerância, -gerante, -gero, -potente → BEL(I)-.
belisário[1] *adj.* 'pobre, desventurado, infeliz' 1871. Do antrop. *Belisário*, general de Justiano, o qual, após brilhantes vitórias, foi destituído de seus cargos e, cego, andava pelas ruas pedindo esmolas || **belisário**[2] *sm.* 'bras. ant. moeda de 50 réis, no tempo do Ministro Belisário de Sousa' XX. Do antrop. *Belisário* || **belisária** *sf.* 'quantia que o jogador de sorte dá ao que perdeu tudo, para que este ainda possa apostar' 1871.
beliscar *sf.* 'apertar (a pele) com as pontas dos dedos polegar e indicador' 'debicar' 'lambiscar' 1813. De um lat. **vellĭscāre*, por *vellĭcāre* 'picotar, rasgar, picar' 'debicar' 'mordiscar' 'beliscar' || **belisc**ADA XX || **belisc**ÃO 1813 || **belisc**O XVI. Der. regress. de *beliscar*.
beliz *adj. s2g.* 'esperto, ladino, endiabrado, sagaz' XVI. Do ár. *iblīs* 'o diabo'.
belo *adj.* 'bonito, encantador' 'elevado, sublime', 'bom, generoso' | *bel* XIII, *bello* XVI | Do lat. *bellus* || **bel**DADE XIII. Do a. prov. *beltat*, de *bel* 'belo' || **bel**EZA | *-ll-* XVI | Provavelmente do a. prov. *belleza* ou do it. *bellézza*, deriv. do lat. vulg. **bellitia* || EM**bel**ECER | *-ll-* 1844 || EM**belez**ADOR XX || EM**bele**ZAMENTO | *-ll-* 1844 || EM**belez**ANTE XX || EM**belez**AR | *-ll-* 1813.
⇨ **belo** — EM**bel**ECER | *embellecer* 1836 SC |.
belo·na, -nave → BEL(I)-.

beltrano *sm.* 'certa pessoa indeterminada' 1899. É usado na expressão 'fulano e beltrano'. Do antrop. cast. *Beltrano* (em porto *Beltrão*).
beluário *sm.* 'gladiador que combatia com feras no circo romano' | *-ll-* 1871 | Do fr. *belluaire;* do lat. *bellŭa* 'fera' || **belu**ÍNO *adj.* 'pertencente ou relativo a feras' | *-lluina* XVI | Do lat. *belluīnus -a -um* 'de animal, bestial'.
belveder *sm.* 'planta' | *-deres* pl. XVI |; 'pequeno mirante, terraço em local elevado' | *-dere* 1522 | Do it. *belvedère*.
belzebu *sm.* '(Bíbl.) satanás' | XV, *beelzebub* XV | Do lat. ecles. *beelzĕbŭb, -bŭl*, deriv. do gr. *beelzeboúl* e, este, do hebr. *ba'alz^{e}būl*, 'satanás ($\cong$ *ba'al-z^{e}būb* 'Senhor das moscas').
bem[1] *adv.* 'de maneira conveniente' XIII. Do lat. *bĕne* || **bem**[2] *sm.* 'virtude' 'felicidade' XIII. Do lat. *bĕne* || **ben**QUISTO *adj.* 'querido' | *bem-* 1572 || **bens** *sm. pl.* 'propriedade, possessão (de um indivíduo, de um grupo, de uma instituição etc.)' | *bees* XIII, *beis* XIII, *beës* XIV etc.
⇨ **bem** — **ben**QUISTO | XIV TROY I.163.*13*. *bemquisto* XIV ORTO 60.*39* |.
bemol *sm.* '(Mús.) sinal que indica dever ser abaixada de um semitom a nota que está à sua direita' XVII. Do it. *bemòlle*, composto de *be* 'nome da letra *b'* e *molle* 'mole', em contraposição a *be duro* ou *be quadro* || A**bemol**ADO XVI || A**bemol**AR 1813.
bem-te-vi *sm.* 'ave passeriforme da fam. dos tiranídeos' XIX. De origem onomatopaica.
bênção → BENZER.
bend·ito, -izente, -izer → BENZER.
bendengó *sm.* 'aerólito caído em Bendengó, no sertão da Bahia' XX. Do top. *Bendengó*.
bendenguê *sm.* 'dança de origem africana' XX. De origem africana, mas de étimo indeterminado.
beneditino *adj. sm.* 'diz-se de, ou monge da ordem de São Bento' | *-dictino* XVIII | Do antrop. *Benedito*.
benedito *sm.* 'bras. espécie de pica-pau' XX. Provavelmente de origem onomatopaica.
beneficência *sf.* 'ato, hábito ou virtude de fazer o bem' XVII. Do lat. *beneficentĭa* || **benefic**ENTE 1844 || **benefici**ADO | *-ff-* XIII || **benefici**AL XVI || **benefici**AR XVI || **benefici**ÁRIO 1844. Do lat. *beneficiārĭus* || **benefício** | XIII, *bena-* XIV | Do lat. *bĕnĕficĭum* || **benéf**ICO XVII. Do lat. *beneficus*. Cp. BEM.
⇨ **beneficência** | XV OFIC 30.*8*. *beneffĭcência* XV BENF 83.*22* || **benefic**ENTE | 1836 SC || **benefic**IAR | *-cyar* XV COND 11*c*8 || **benefici**ÁRIO | 1836 SC || **benefic**IOSO | 1660 FMMeIE 141.*8* |.
benemérito *adj. sm.* 'diz-se de, ou que merece o bem' 'digno de honras por serviços importantes ou procedimento notável' XVI. Do lat. *benemeritus*, de *bĕne* e *merĭtus*, part. de *merēre* 'merecer' || **benemer**ÊNCIA XVII || **benemer**ENTE XX. Cp. BEM.
beneplácito *sm.* 'consentimento, licença, aprovação' XVI. Do lat. *beneplacĭtum*. Cp. BEM.
⇨ **beneplácito** | VX VITA 107.*6* |.
benesse *s. 2g.* 'emolumento paroquial' | XVI *abenesee* XVI | Talvez do lat. *bĕne* 'bem' + *esse* 'ser'. Cp. BEM.
benevolência *sf.* 'boa vontade, complacência' | *beneuo-* XVI | Do lat. *benevolentĭa* || **benevol**EAR XVII || **benevol**ENTE 1871. Do lat. *benevolēns -entis* ||

benévolo | XVII, *benivolo* XVI | Do lat. *benevŏlus*, *benivŏlus*. Cp. BEM.
⇨ **benevolência** | *beni-* XV BENF 83.*21* || **benévolo** | *benyuollo* XV BENF 257.*19* |.
benfazejo *adj.* 'caridoso, benéfico' 1871. De *benfazer* (séc. XIV), modernamente *bem-fazer*, do lat. *bĕnĕfăcĕre* 'fazer o bem a'. Cp. BEM.
benfeitoria *sf.* 'ação de fazer o bem e o resultado dela' | *bem-* XV | Do lat. **benefactoria* || **benfei**TOR || *bem-* XVI | Cp. BEM.
⇨ **benfeitoria** | XIV GREG 2.8.*45* || **benfeit**OR | *bemffeytor* XIV BARL 33*v*27, *bemffeytor* XIV BARL 40.*30*, *benffeytor* XV BENF 61. *36* etc. |.
bengala *sf.* 'bastão' XVI. Do top. *Bengala*. A expressão *cana de Bengala* ocorre também no séc. XVI || **bengal**ADA XVII.
bengo *sm.* 'viela estreita e tortuosa' 'o que é pouco ou mal frequentado' XX. Do top. *Bengo*, povoação angolense.
bengue *sm.* 'bras. maconha' 1899. De origem obscura.
benigno *adj.* 'bondoso, benévolo, indulgente' | *benino* XV, *benygno* XV | Do lat. *benignus*. O adv. *benignamente* já ocorre no séc. XIV || **benign**IDADE | XIV, *benidade* XV etc. | Do lat. *benignĭtās -ātis*.
⇨ **benigno** | XIV ORTO 34.*2* |.
benjamim *sm.* 'o filho preferido' | *-min* 1844 | Do antrop. bíblico *Benjamim* (em lat. *Benjamin*), nome do filho mais novo de Jacó.
⇨ **benjamim** | *benjamin* 1836 SC |.
benjoim *sm.* 'bálsamo aromático, amarelo, utilizado na fabricação de perfumes e em medicina' | *benjoym* XV, *beijoi* XV | Do ár. *lubén ğáui* 'incenso, resina de Java' || **benj**EIRO 1858.
ben·quisto, -s → BEM.
ben·tinbo, -to → BENZER.
bentos *sm. pl.* '(Biol.) conjunto de seres vivos do fundo do mar ou dos lagos' XX. Do fr. *benthos*, deriv. do gr. *benthos* 'o fundo do mar'.
benzed·eira, -ura → BENZER.
benzeno *sm.* '(Quím.) hidrocarboneto de fórmula C_6H_6, líquido, incolor, volátil, usado como solvente e matéria-prima para obtenção de vários outros compostos' XX. Do fr. *benzène*, deriv. do lat. cient. *benzoe* 'benjoim' || **benz**INA *sf.* 'benzeno impuro' 1858. Do ing. *benzine* || **benz**OATO 1858. Do fr. *benzoate* || **benz**OICO 1844. Do fr. *benzoïque*.
⇨ **benzeno** — **benz**OATO | *benzoate* 1836 SC || **benz**OICO | 1836 SC |.
benzer *vb.* 'consagrar ao culto divino ou chamar o favor do céu' | XIV, *bēeizer* XIII, *beeyzer* XIV etc. | Do lat. *bĕnĕdīcĕre* | A**benço**AR XVI || **bênção** *sf.* 'ato de benzer ou de abençoar' | XV, *bēeyções* pl. XIII, *beeyçon* XIV etc. | Do lat. *benedictĭō -ōnis* || **bend**ITO XIV. Do lat. *benedictus* || **bendiz**ENTE XVIII || **bendizer** XIV || **bent**INHO *sm.* 'objeto de devoção' XVII || **bento** | XIII, *bēeito* XIII etc. | Do lat. *benedictus* || **benzed**EIRA 1813 || **benzed**URA 1813.
benz·ina, -oato, -oico → BENZENO.
beócio *adj. sm.* 'relativo à, ou natural da Beócia e, por extensão, ignorante, boçal, ingênuo' XIX. Do lat. *Boeōtĭus*, deriv. do gr. *Boiōtĭos*.
bequadro *sm.* '(Mús.) sinal que anula o efeito dos sustenidos e bemóis' 1813. Do it. *bequadro*.

beque[1] *sm.* 'estrutura saliente que forma a parte alta da proa dos navios antigos' XVI. Do fr. *bec*, deriv. do lat. *beccus* 'bico'.
beque[2] *sm.* 'zagueiro' XX. Do ing. *back*.
béquico *adj. sm.* 'diz-se de, ou medicamento contra tosse' | *bechicos* pl. XVII | Do lat. tard. *bēchicus*, deriv. do gr. *bēchikós*, de *bēx bēchós* 'tosse'.
bequilha *sf.* 'órgão auxiliar do trem de aterragem do avião' XX. Do fr. *béquille*.
berbere *sm.* 'povo da África Setentrional' | *berberijs* pl. XIV, *berberis* pl. XIV, *barbaris* pl. XIV | Do ár. *barbarī*, com interferência do lat. *barbărus*.
berbigão *sm.* 'molusco bivalve da fam. dos cardídeos' | *bergoões (sic)* pl. 1500, *bribigões* pl. 1508, *brigigões* pl. 1508 etc. | De origem incerta.
berço *sm.* 'pequeno leito para crianças' 'lugar de nascimento ou onde alguma coisa teve origem' XIII. Provavelmente do fr. ant. *bers*, deriv. do lat. pop. **bertium* ou **bercium* || **berç**ÁRIO XX.
bergamasco *adj. sm.* 'relativo a, ou natural de Bérgamo' XVI. Do it. *bergamasco*.
bergamota *sf.* 'tipo de pera' XVI. Do it. *bergamòtta*, deriv. do turco *beg armūdi* 'pera do príncipe'.
bergantim *sm.* 'antiga embarcação usada no Oriente pelos portugueses' | *-tins* pl. XVI, *bragam-* XV etc. | Do it. *brigantino*.
beribéri *sm.* 'polineurite endêmica, resultante de carência de vitamina B¹' | *berebere* 1559 | Do mal. *biri-biri*. O voc. port. é de imediata procedência malaia, como atesta a sua primeira ocorrência, em 1559, em carta escrita pelo padre Francisco Vieira, datada de Ternate, em pleno arquipélago malaio. É possível, contudo, em face da ocorrência do voc. em vários textos portugueses do séc. XVII relativos a Ceilão, que o cingalês tenha contribuído para a divulgação do voc. em português e em outros idiomas da Europa. Sua difusão maior ocorreu, todavia, após a publicação da obra *De medicina indorum*, do médico holandês Bontius, publicada em 1642.
berilo *sm.* 'mineral constituído de silicato de alumínio e berílio' 'pedra semipreciosa' | *beril* XIV, *-llo* XIV | Do lat. *bēryllus -ī*, deriv. do gr. *bĕryllos* || **berílio** *sm.* 'elemento químico, metálico, de número atômico 4' | *beryllo* 1858 | Do lat. cient. *beryllium*.
berimbau *sm.* 'instrumento de percussão' | *birimbao* XVI | De origem duvidosa, talvez africana.
berinjela *sf.* 'planta ornamental, da fam. das solanáceas, cujo fruto tem largo emprego na alimentação' 'o fruto dessa planta' | *bergengsa* XIV, *bringella* XV, *beringela* XVI | Talvez do cast. *berenjena*, deriv. do ár. *bādiğâna*, de origem persa.
berlinda[1] *sf.* 'tipo de coche' | XVIII, *-lina* 1717 | Do fr. *berline*, deriv. do top. *Berlim*, onde o veículo foi posto em moda, no último quartel do séc. XVII.
berlinda[2] *sf.* 'jogo infantil em que um dos participantes é alvo de comentários' 1871; '*ext.* (usado na expressão *estar na berlinda*) encontrar-se em situação ridícula' 1871. Do it. *berlina* 'zombaria', de provável origem germânica.
berloque *sm.* 'pingente, penduricalho' 1871. Do fr. *breloque*, de origem expressiva.
bermuda *sf.* 'espécie de calças curtas' XX. Do ing. *bermuda*, do top. *Bermudas*.

bernarda *sf.* 'revolta popular' 'motim, desordem' XIX. Abrev. de *Maria Bernarda*, denominação que se deu à revolta que ocorreu em Braga, Portugal, em 1862, em alusão, provavelmente, às irmãs bernardas, causa indireta da revolta.
bernardice *sf.* 'estupidez, asneira, tolice' XIX. De *Bernardo*, em alusão jocosa à glutonice e estupidez dos frades bernardos.
berne¹ *sm.* 'larva de inseto díptero da fam. dos oestrídeos' 1899. De origem incerta, talvez corruptela de *verme* ‖ **berni**CIDA XX.
bern·e², **-eo** → HIBÉRNICO.
bernicida→ BERNE¹·
berquélio *sm.* '(Quím.) elemento radiativo artificial, de número atômico 97' XX. Do lat. cient. *Berkelium*, de Berkeley, na Califórnia, EUA, onde este elemento foi produzido pela primeira vez, em 1950.
berrar *vb.* 'soltar berros, gritar, falar muito alto' XVI. De provável origem onomatopaica ‖ **berra** XVIII ‖ **berr**ANTE XX ‖ **berr**EIRO 1844 ‖ **berro**¹ 1813.
⇨ **berrar** — **barr**EIRO | 1836 SC |.
berro² *sm.* 'larva de certa mosca' 1899. De origem obscura.
berro³ *sm.* 'planta comestível, da fam. das escrofulariáceas' XX. De origem obscura.
bertalha *sf.* 'trepadeira da fam. das baseláceas, muito cultivada como hortaliça' 1881. Possivelmente relacionado com o lat. *vertĕre* 'voltar, virar, desviar'.
bertangil *sm.* 'tecido de algodão fabricado pelos cafres' | *bretamgis* pl. 1512, *betão gill* 1584 | De origem incerta.
bertoldo *adj. sm.* 'parvo, tolo' 1899. Do it. *bertoldo*, do antrop. *Bertoldo* ‖ **bertold**ICE XX.
besante sm. 'antiga moeda bizantina' | *bisante* XVI, *bizante* XVI | Do fr. *besant*, deriv. do lat. *bizantĭum* e, este, do gr. *byzánti(on)* 'moeda de Bizâncio'.
besigue *sm.* 'certo jogo de cartas' XIX. Do fr. *bésigue*.
besouro *sm.* 'inseto coleóptero' | XVII, *abesouro* XIV | De origem controversa.
besta¹ *sf.* 'animal de carga' XIII. Do lat. *bēstĭa* ‖ **besteARIA** XV ‖ **best**EIRA XX ‖ **best**IAL | -*yal* XV | Do lat. *bēstĭālis* -*e* ‖ **best**IAL·IDADE | *beste-* XV ‖ **bestial**IZAR XIX ‖ **bestia**LÓG·ICO XX ‖ **besti**ÁRIO 1858. Do lat. *bēstĭārĭus* ‖ **best**ICE XX ‖ **best**IFIC·AR XIX ‖ **best**UNTO XVIII ‖ DES·EM**bestado** 1813 ‖ DES·EM**best**AR 1813 ‖ EM**best**AR XV. Cp. BICHO.
⇨ **besta**¹ — **best**IAL | *bestiaaes* pl. XIV ORTO 169.*16* ‖ **best**IAL·IDADE | XIV ORTO 265.*33*. *besteallidade* XV ZURG 251.*9* ‖ **best**IÁRIO | 1836 SC |.
besta² *sf.* 'antiga arma para arremessar pelouros ou setas' | XV, *baesta* XIII, *balesta* XIV, *beesta* XIV | Do lat. *balĭsta* (*ballĭsta*) ‖ **bal**ISTA XX. Forma erudita, do lat. *balĭsta* (*ballĭsta*) ‖ **best**ARIA | -*rja* XV, *beesteria* XV ‖ **best**EIRO | *baesteiro* XIII, *beesteiro* XIV etc. | Do lat. *balĭstarius*.
⇨ **besta**² — **bal**ISTA | 1836 SC, *ballista* Id. ‖ **best**A·RIA | *beestaria* XIV TROY I.94.*9* |.
besuntar → UNGIR.
beta¹ *sf.* 'a segunda letra do alfabeto grego' 1871. Do lat. *bēta*, deriv. do gr. *bēta* ‖ **beta**TRON XX. Do fr. *bêtatron*, de *beta* + *-tron* (da terminação de *électron*).

⇨ **beta**¹ | 1836 SC |.
beta² *sf.* 'tipo de faixa' XVI. Do lat. *vitta* 'faixa, fita'.
bétel, bételе *sm.* 'planta sarmentosa e aromática, da fam. das piperáceas' | *betele* 1500 | Do malaiala *vettila*.
beterraba *sf.* 'planta da fam. das quenopodiáceas, dotada de grossa raiz tuberosa utilizada na alimentação' 1813. Do fr. *betterave*, de *bette* 'acelga' (do lat. *beta*) e *rave* 'nabo galego' (do lat. *rapa*).
betesga *sf.* 'rua estreita' XVI. De origem obscura.
betilho *sm.* 'cabresto que prende a boca do boi' 1813. Do lat *vecticulus*, dim. de *vectis* 'tranca'.
betoneira *sf.* 'máquina destinada ao preparo de concreto' XX. Do fr. *betonnière*.
betônica *sf.* 'planta da fam. das labiadas' 1813. Do lat. cient. *betonica*.
bétula *sf.* 'designação genérica de várias plantas da fam. das betuláceas' 1871. Do lat. *bētulla*.
⇨ **bétula** | 1836 SC |.
betume *sm.* '(Quím.) mistura de hidrocarbonetos, solúvel em solventes orgânicos' 'massa para tapar junturas etc.' | XIII, *bi-* XIV | Do lat. *bitūmen* -*ĭnis* ‖ A**betum**AR XVI ‖ **betum**AR 1813. Do lat. *bitūmĭnāre* 'cobrir ou impregnar de betume' ‖ **betum**OSO 1813. Do lat. *bitūmĭnōsus* ‖ EM**betum**AR XVI.
⇨ **betume** — A**betum**ADO *p.adj.* | XV VITA 156*d*31 ‖ **betum**AR | *bi-* XIV TEST 30.*18* ‖ **betum**OSO | *bi-* XIV ORTO 266.*21* |.
bexiga *sf.* 'reservatório situado na parte inferior do abdome e que recebe a urina vinda dos ureteres, lançando-a na uretra' XIV: 'varíola' | XVII, *vexiga* XIV | Do lat. *vessīca*, alteração de *vesīca* ‖ **bexig**OSO *adj. sm.* 'que tem bexiga ou varíola' 1813 ‖ **bexigu**ENTO *adj. sm.* 'bexigoso' 1813. Cp. VESÍCULA.
bezerro *sm.* 'vitelo, novilho' XIII. Tal como o cast. *becerro*, a voc. port. deve provir de um lat. hisp. *ibicerra, *ibicĭrra, deriv. de *ibex* -*ĭcis* 'camurça, cabra montês', em razão do caráter indômito e arisco de ambos os animais ‖ **bezerra** 1813 ‖ EM**bezerr**ADO 1813 ‖ EM**bezerr**AR *vb.* 'zangar-se, amuar, emburrar' XVIII.
⇨ **bezerro** — **bezerra** | XIV TEST 184.*20* |.
bi- *pref.*, deriv. do lat. *bi-*, de *bis* 'duas vezes', que se documenta em vocs. formados no próprio latim (como *bicolor* 'de duas cores') e em vários outros criados nas línguas modernas, como *biflexo* 'dobrado para dois lados' etc.
bialado → ALA.
biaribi *sm.* 'técnica dos índios do Brasil para assar a carne' | *biariby* 1663 | Do tupi *ɱiarĩ'ɱĩ*.
bias *sm.* 2*n.* '(Eletrôn.) tensão aplicada a um elétrodo de uma válvula eletrônica, e que determina as condições de funcionamento da válvula' 'em pesquisa sociológica e antropológica, distorção dos fatos, por causas inconscientes' XX. Do ing. *bias*, deriv. do fr. *biais*.
bibe *sm.* 'espécie de avental para crianças' 1899. Do ing. *bib*, talvez deriv. do lat. *bibĕre* 'beber'.
bibelô *sm.* 'pequeno objeto de adorno' XX. Do fr. *bibelot*.
bibi *sf.* 'princesa ou grande senhora muçulmana no Oriente' | XVI, *bebi* XVI | Provavelmente do hindust.-persa *bībī*.
⇨ **bíbio** | 1836 SC |.

bíblia *sf.* 'o conjunto dos livros sagrados do Antigo e do Novo Testamento' | *biblya* XIV, *-bria* XIV, *briuia* XIV | Do lat. ecles. *biblia*, deriv. do gr. *bibliá* 'os livros (santos)' || **bíbl**ICO 1844.
bibli(o)- *elem. comp.*, do gr. *biblio-*, de *biblíon*, dim. de *bíblos* 'livro', que se documenta em alguns compostos formados no próprio grego (como *bibliografia*) e em muitos outros introduzidos, a partir do séc. XVII, na linguagem erudita. ▶ **bibl**IÁTR·ICA 1871 || **biblio**CLASTA XX || **biblió**FAGO XX || **biblio**FILME XX || **biblió**FILO | *-ph-* 1844 | Do fr. *bibliophile* || **biblió**FOBO XX || **biblio**GRAF·IA | *-ph-* 1844 | Do fr. *bibliographie*, deriv. do gr. *bibliographía* || **biblio**GRÁF·ICO 1833 || **biblió**GRAFO XVIII. Do fr. *bibliographe*, deriv. do lat. tard. *bibliographus* e, este, do gr. *bibliográphos* || **biblio**LATR·IA XX || **biblio**MANC·IA 1871 || **biblio**MAN·IA 1813. Do fr. *bibliomanie* || **bibliô**MANO XIX. Do fr. *bibliomane* || **biblio**MANTE XX || **biblio**NIMO XX || **biblió**POLA 1844. Do fr. *bibliopole*, deriv. do lat. *bibliopōla* e, este, do gr. *bibliopóles* 'livreiro' || **biblio**TECA | XVII, *-the-* 1813 | Do fr. *bibliothèque*, deriv. do lat. *bibliothēca* e, este, do gr. *bibliothḗkē* || **biblio**TEC·ÁRIO | *-the-* 1813 | Do fr. *bibliothécaire*, deriv. do lat. *bibliothēcārius* || **biblio**TECN·IA XX. Do fr. *bibliothechnie* || **biblio**TECO·NOM·IA | *-the-* 1858 | Do fr. *bibliothéconomie*.
⇨ **bibli(o)-** — **biblió**FILO | *bibliophilo* 1836 SC || **biblio**GRAFIA | *bibliographia* 1836 SC || **biblió**POLA | 1836 SC |.
biboca *sf.* 'buraco, cova; *ext.* ruela ou logradouro frequentados por indivíduos de baixa condição social' 1870. Do tupi *ï'mï'moka* (< *ï'mï* 'terra, chão' + *'moka* 'abertura, fenda'); v. *ibiboca* || **biboc**AL XX || **biboqu**EIRA XX.
bíbulo *adj.* 'que bebe, que absorve líquidos' XVI. Do lat. *bibŭlus*.
bica → BICO.
bi·camer·ai, -alismo → CÂMARA.
bicar → BICO.
bicarbonato → CARVÃO.
bicéfalo *adj.* 'que tem duas cabeças' | *bicéphalo* 1871 | De BI- + -CÉ·FAL(O).
bíceps *sm. 2n.* (Anat.) designação comum a alguns músculos que têm dois ligamentos ou cabeças na parte superior' 1844. Do lat. *biceps* 'que tem duas cabeças'.
⇨ **bíceps** | 1836 SC |.
bicha → BICHO.
bichanar *vb.* 'segredar' 1899. Provavelmente de origem onomatopaica.
bichano → BICHO.
bichará *sm.* 'tecido de lã grossa' 'agasalho dessa lã' 1899. De origem obscura.
bicho *sm.* 'qualquer dos animais terrestres' | *bischo* XIV | Do lat. vulg. *bēstius*, de *bēstĭa* 'animal' || **bicha** *sf.* 'animal de corpo comprido, como a minhoca, a lombriga etc.' XVI; 'qualquer objeto comprido e pendente' 1813; 'fila de pessoas' 1871 || **bich**ANO 1813 || **bich**AR 1899 || **bich**AR·ADA XX || **bich**ARIA 1813 || **bich**AR·OCO 1813 || **bich**EIRA *sf.* 'ferida dos animais, cheia de bichos, vermes' 1899 || **bich**EIRO *sm.* 'anzol' XV; '*bras.* que banca ou vende talões de jogo do bicho' XX. Cp. BESTA¹.
bi·cicl·eta, -o → CICLO.

bicípete *adj. 2g.* 'que tem dois cumes, duas cabeças' XVI. Do lat. *biceps -cipĭtis*. Cp. BÍCEPS.
bico *sm.* 'proeminência córnea da boca das aves e de outros animais' XIII. Do lat. *beccus* || **A**bic**ADO** XVI || **bica** *sf.* 'torneira' XIV || **bic**AR *vb*, 'picar com o bico' 1881 || **bic**UDA *sf.* 'designação genérica de várias espécies de ofídios de focinho afilado' 1813 || **bic**UDO 1813 || **biqu**EIRA *sf.* 'remate que se ajusta à ponta de alguma coisa' XIV || **biqu**EIRO *adj.* 'que come pouco' XVI || DE**bic**AR *vb.* 'comer pouco' XVIII; 'escarnecer' 1881 || DE**bique** 1881. Dev. de *debicar* || EM**bic**AR XV.
bicolor *adj. 2g.* 'que tem duas cores' 1871. Do fr. *bicolore*, deriv. do lat. *bicŏlor -ōris*.
⇨ **bicolor** | 1836 SC |.
bicorne *adj. 2g.* 'que tem dois cornos' 1813. Do lat. *bicornis -e*.
bicromia *sf.* '(Fotograv.) ilustração a duas cores' XX. Do fr. *bichromie*.
bic·uda, -udo → BICO.
bicuíba *sf.* 'planta da fam. das miristicáceas' | *jgbicuibaca c* 1594, *ibicuibaca c* 1594, *ibicuygba* 1663, *bicuiva* 1716 etc. | Do tupi *ïmïku'ïua* || **bicuib**EIRA | 1871, *becoybeira* 1716, *ibicuibeira* 1817 || **bicuib**UÇU | *bicuhybussú* 1817, *bicuïbuçu* 1899.
bidê *sm.* 'aparelho sanitário, com feitio de bacia oblonga, para lavagem das partes inferiores do tronco' | *bidete* 1844 | Do fr. *bidet*. É também usual a var. prosódica *bidé*.
bíduo *sm.* 'o espaço de dois dias' XVIII. Do lat. *bīdŭum*.
biela *sf.* 'peça de máquina que faz a ligação do pistão com o eixo de manivelas' XX. Do fr. *bielle*. Cp. VIELA².
biênio *sm.* 'espaço de dois anos' | *-nnio* 1813 | Do lat. *biennĭum -ĭī* || **bien**AL *adj. 2g. sf.* 'diz-se de, ou qualquer evento que se realiza de dois em dois anos' | *-nnal* 1813 | Do lat. *biennālis -e*.
bifar *vb.* 'roubar, tirar dissimuladamente' 1858. De origem obscura.
bife *sm.* 'fatia de carne bovina, que é frita ou grelhada, e servida individualmente' 1844. Do ing. *beef* || **bifesteque** *sm.* 'bife' XX. Do ing. *beefsteak*.
⇨ **bife** | 1836 SC |.
bífero *adj.* 'que frutifica duas vezes ao ano' 1813. Do lat. *bifĕrum*.
bifesteque → BIFE.
bífido *adj.* 'fendido ou partido em dois' 1844. Do lat. *bifidus* || **belfo** *adj.* 'que tem o beiço inferior pendente' XVIII. Do cast. *belfo*, deriv. do lat. *bifidus*.
⇨ **bífido** | 1836 SC |.
biflexo → FLEXÃO.
bifloro → flor.
bifocal → FOCO.
bifólio → FOLHA.
bífore *adj.* 'que tem duas aberturas' 1871. Do lat. *bifŏris -e*.
biforme *adj. 2g.* 'que tem duas formas' XVII. Do lat. *biformis -e*.
bifronte *adj. 2g.* 'que tem duas frontes, duas caras' XVI. Do lat. *bifrŏns -ontis*.
bifurcar *vb.* 'separar, abrir ou dividir-se em dois ramos' 1844. Do lat. *bifurcum -i* 'bifurcação' + -AR¹ || **bifurc**AÇÃO 1844 || **bifurc**ADO 1844.

⇨ **bifurcar** | 1836 sc || **bifurc**AÇÃO | 1836 sc || **bifurc**ADO | 1836 sc |.
biga *sf.* 'carro romano de duas ou quatro rodas, puxado por dois cavalos' 1844. Do lat. *bīga* || **bigota** *sf.* 'antiga peça de embarcação' 1813.
⇨ **biga** | 1836 sc |.
bígamo *adj. sm.* 'que tem dois cônjuges simultaneamente' xv. Do lat. *bigămus -i* || **bigam**IA | *bygamia* XIV.
bigle *sm.* 'pequeno galgo' 1858. Do ing. *beagle.*
⇨ **bigle** | 1836 sc |.
bignônia *sf.* 'planta ornamental, cultivada, da fam. das bignoniáceas' 1871. Do fr. *bignone*, do antrop. *Bignon*, apelido de um abade francês, que foi bibliotecário de Luís XIV, a quem a planta foi dedicada.
bigode *sm.* 'barba que nasce sobre o lábio superior' xv. De origem controvertida || **bigod**EAR *vb.* 'iludir, enganar' 1881 || **bigod**EIRA *sf.* 'peça de couro com que se seguravam os bigodes' 1813; 'bigode farto' xx.
⇨ **bigode** — **bigod**EAR | 1836 sc |.
bigorna *sf.* 'peça de ferro sobre a qual se malham e amoldam metais' xvi. Do lat. *bicŏrnia*, pl. neutro de *bicornis -e* 'que tem dois cornos'.
bigorrilha *sm.* 'indivíduo reles, vil, desprezível' 1813. Provavelmente voc. expressivo.
bigota → BIGA.
bigotismo *sm.* 'falsa devoção' XVIII. Do fr. *bigotisme.*
biguá *sm.* 'ave pelicaniforme, também chamada corvo-marinho' | 1783, *migua* 1618, *bígaz* 1751 etc.' Do tupi *mi'üa.*
biguane *adj. 2g.* 'grande, vasto, enorme' xx. Do ing. *big one.*
bíjugo *adj.* 'puxado por dois cavalos' | -*ga* XVII | Do lat. *bijŭgus -a -um.*
bijupirá *sm.* 'peixe de mar da fam. dos raquicentrídeos' | *bigjuipirâ c* 1584, *beijupirá* 1587, *beijuý pira c* 1594 etc. | Do tupi *miũuipi'ra.*
bijuteria *sf.* 'objeto de adorno feminino' 'ramo da ourivesaria que trabalha com metal sem valor' | 1881, -*aria* XX | Do fr. *bijouterie.*
bil *sm.* 'na Inglaterra, o projeto de lei apresentado ao Parlamento' 'a lei promulgada' | *bíll* 1813 | Do ing. *bill.*
bilateral *adj. 2g.* 'que tem dois lados' 1871. Do fr. *bilatéral.*
bilbode *sm.* 'o disparar de muitas espingardas, umas depois das outras, sem intervalo sensível' 1844. Do fr. *billebaud.*
⇨ **bilbode** | 1836 sc |.
bilboquê *sm.* 'tipo de brinquedo' 1899. Do fr. *bilboquet.*
bilha *sf.* 'vasilha bojuda e de gargalo estreito, própria para conter líquidos potáveis' | XVII, *billa* XIII | Possivelmente do fr. *bille* 'pequeno bule', com provável origem no frâncico **bikkil.*
bilhão *num. sm.* 'mil milhões' XVIII. Do fr. *billion.*
bilhar *sm.* 'tipo de jogo' XVIII. Do fr. *billard* || **bilharda** *sm.* 'tipo de jogo infantil' 1813. De mesma origem que *bilhar.*
bilhete *sm.* 'carta ou mensagem breve e simples' 1813; 'senha de admissão em espetáculos, reuniões etc.' '(Com.) título de obrigação, nominal ou ao portador' 'cédula numerada de habilitação em jogos de rifa e loteria' 1844. Do fr. *billet* || **bilhet**EIRO 1871, | *bilhetiero* (sic) 1858 || **bilhet**ERIA *sf.* 'local onde se vendem bilhetes para entrada em espetáculos públicos, passagens etc.' xx.
⇨ **bilhete** | *c* 1644 *Aned.* 47 |.
bilhostre *sm.* '*deprec.* pessoa estrangeira' 'biltre, patife' | *Bi-* (alcunha) XVIII | De origem controvertida, talvez relacionado com *pilhar* 'roubar, saquear'.
bili·ar, -ário → BÍLIS.
bilimbi *sm.* 'planta cultivada, da fam. das oxalidáceas' | XIX, *balimba* XVI | Provavelmente do malaio *balimbing.*
bilíngue *adj. 2g.* 'que tem ou fala duas línguas' XVII. Do lat. *bilinguis -e.*
bílis *sf.2n.* 'líquido esverdeado, amargo e viscoso, segregado pelo fígado e que auxilia a digestão' '*fig.* mau humor, irritação, cólera' | *bile* 1813 | Do lat. *bīlis -is* || **bili**AR *adj. 2g.* 1871 || **bili**ÁRIO 1844 || **bili**OSO 1706. Do lat. *bīliōsus* || **bilir**·RUB·INA XX || **bilir**·RUBI·NEM·IA XX || **bilir**·RUBIN·ÚRIA XX || **biliverd**·INA 1871.
⇨ **bílis** — **bili**ÁRIO | 1836 sc |.
bilítero → LETRA.
bilontra *adj. 2g. sm.* 'velhaco, patife, espertalhão' 'diz-se de, ou indivíduo dado a conquistas amorosas' 1899. De origem controversa.
biloto *sm.* 'tora de madeira' | *-ll-* XVI | Do fr. *billot.*
bilro *sm.* 'peça semelhante ao fuso, usada para fazer rendas de almofada' 1813. De origem controvertida || **bilr**AR 1813 || **bilr**EIRA XX || **bilr**EIRO *sm.* 'planta da fam. das meliáceas' 1899.
biltre *adj. sm.* 'homem vil, abjeto, infame' XVIII. Do fr. *bélître*, deriv. do neerl. *bedelaer.*
bímano *adj.* 'que tem duas mãos' 1881. Do fr. *bimane.*
⇨ **bímano** | *bimanle* 1836 sc |.
bímare *adj. 2g.* 'situado entre, ou banhado por dois mares' xx. Do lat. *bimăris -e.*
⇨ **bímare** | *bimar* 1836 sc |.
bimba *sf.* 'coxa, nádega' 1881. De origem onomatopaica. Do radical *bimb-*, originam-se outros vocs., todos com o sentido geral de 'barulho, pancada' || **bimbalh**ADA 1813 || **bimbalh**AR *vb.* 'soar o(s) sino(s)' 1899 || **bimb**ARRA *sf.* 'grande alavanca de madeira' 1844 || **reb**imb**ar** 1899.
⇨ **bimba** — **bimb**ARRA | 1836 sc |.
bimembre *adj. 2g.* 'que tem dois membros' XVIII. Do lat. *bimembris -e.*
bimestre *adj. 2g.* 'que dura dois meses' *sm.* 'o período de dois meses' 1813. Do lat. *bimēstris -e* || BIMESTRAL 1899.
bimo *adj.* 'de dois anos, que vive dois anos' 1813. Do lat. *bīmus.*
bimotor → MOTOR.
binar *vb.* 'em sericicultura, juntar dois fios a' '(Agric.) dar segundo amanho a um terreno' 1899. Provavelmente do cast. *binar*, deriv. do lat. vulg. **bīnare*, de *binus* 'duplo' | **bin**ÁRIO *adj. sm.* 'que tem duas unidades, dois elementos' | *vi-* XVI | Do lat. *bīnārĭus* 'duplo', de *bini* 'de dois em dois'.
bingo *sm.* 'jogo semelhante ao loto' xx. Do ing. *bingo.*

binóculo sm. 'tipo de instrumento óptico' 1844. Do lat. cient. *bīnoculus*, voc. criado em 1645 pelo Padre de Rheita.
⇨ **binóculo** | 1836 SC |.
binômino adj. 'que tem dois nomes' XVI. Do lat. *binōmĭnis -e* || **binômio** sm. 'termo científico composto de dois nomes' '(Mat.) polinômio constituído por dois termos' 1844. Do lat. cient. *binōmium*, tradução feita por Gerardo de Cremona (séc. XII) do gr. *ekdy´ōonamátōn*.
⇨ **binômino** — **binômio** | 1836 SC |.
bínubo adj. 'casado em segundas núpcias' XX. Do lat. *binūbus -i*.
-bio- elem. comp., do gr. *bíos* 'vida', que se documenta em numerosos compostos da linguagem científica internacional, a partir do séc. XIX.
▶ **bio**ASTRO·NÁUT·ICA XX || **bio**ASTRO·NOM·IA XX || **bio**BIBLIO·GRAF·IA XX || **bio**BIBLIO·GRÁF·ICO XX || **bio**CEN·OSE XX. Do fr. *biocénose* e, este, do al. *Biozönose* (voc. criado pelo zoólogo al. K. A. Möbius, cerca de 1877) || **bio**CEN·ÓT·ICO XX || **bio**CICLO XX || **bió**CITO XX || **bio**CLIMA XX || **bio**CLIMATO·LOG·IA XX || **bio**CLIMATO·LÓG·ICO XX || **bió**CORO XX. Do al. *Biochore* (voc. criado por Köppen, em 1900) || **bio**DEGRAD·AÇÃO XX || **bio**DEGRAD·AR XX || **bio**DEGRAD·ÁVEL XX || **bio**DINÂM·ICA | -dy- 1871 || **bio**DINÂM·ICO XX || **bio**ESTATÍSTICA XX || **bio**ESTATÍSTICO XX || **bio**FAG·IA XX || **bió**FAGO XX || **bio**FIL·IA XX || **bio**FÍS·ICA XX. Do ing. *biophysics* || **bio**FÍS·ICO XX || **bió**FITO XX || **bio**FOB·IA | -pho- 1899 || **bio**FÓB·ICO XX || **bio**FOR·INA | -pho- 1900 || **bio**FOTO·GÊNESE XX || **bio**GÊNESE 1899. Do fr. *biogenèse*, adapt. do ing. *biogenesis* (voc. criado por Huxley, em 1870) || **bio**GENÉT·ICO XX || **bio**GEN·IA 1899 || **bio**GÊN·ICO XX || **bio**GEO·GRAF·IA | -phia 1926 || **bio**GEO·GRÁF·ICO XX || **bio**GRAF·AR | -phar 1881 || **bio**GRAF·IA | -phia 1825 || **bio**GRÁF·ICO | -phi- 1844 || **bio**GRAF·ISMO XX || **bió**GRAFO | -pho 1844 || **bió**LISE XX || **bio**LÍT·ICO XX || **bió**LITO XX || **bio**LOG·IA 1839. Do fr. *biologie* e, este, do al. *Biologie* (voc. criado por G. R. Treviranus, em 1802) || **bio**LÓG·ICO 1871 || **bio**LOG·ISTA 1871 || **bió**LOGO 1899 || **bio**LUMINESC·ÊNCIA XX || **bio**LUMINESC·ENTE XX || **bio**MECÂN·ICA XX || **bio**MECÂN·ICO XX || **bio**METR·IA XX || **bio**MÉTR·ICO XX || **biô**METRO 1871 || **bio**MORF·OSE XX || **bio**MORF·ÓT·ICO XX || **bi**ônica sf. XX. Adapt. do ing. *bionics* (voc. criado pelo norte-americano J. E. Steele, em 1960, e composto de *bio*[*logy*] + [*electro*]*nics*) || **biôn**ICO adj. XX || **bi**OPSE XX || **bi**OPS·IA XX. Do fr. *biopsie* (voc. criado pelo dermatologista E. H. Besnier, em 1879) || **bio**QUÍM·ICA | -chi- 1871 || **bio**QUÍM·ICO | -chi- 1899 || **bio**SFERA XX. Do al. *Biosphäre* (voc. criado por E. Suess, em 1875) || **bio**SSOCIAL XX || **bio**SSOCIO·LOG·IA XX || **biota**. Do fr. *biote*, deriv. do gr. *biotos* || **bio**TÁT·ICO XX || **bio**TAX·IA 1871 || **bio**TÁX·ICO 1871 || **bio**TAX·ONOM·IA XX || **bio**TECN·IA | -tech- 1871 || **bio**TÉR·IO 1913 || **biót**·ICO 1871. Do fr. *biotique*, deriv. do gr. *biōtikós* || **bio**TIPO XX. Do fr. *biotype*, deriv. do ing. *biotype* (voc. criado pelo geneticista dinamarquês W. L. Johannsen [1857-1927]) || **bio**TIPO·LOG·IA XX || **bio**TIPO·LÓG·ICO XX || **bio**TOM·IA XX || **bio**TÔM·ICO XX || **bio**TROP·ISMO XX.
⇨ **-bio-** — **bio**GRÁF·ICO | *biographico* 1836 SC || **bió**GRAFO | *biographo* 1836 SC |.
bioco → VÉU.

biombo sm. 'anteparo, tapume ou tabique móvel empregado para, num cômodo, dividir um espaço ou criar um recanto resguardado' | *beòbus* XVI, *byombo* XVII | Do jap. *biōbu*.
biotita sf. 'mineral monoclínico do grupo das micas' XX. Do fr. *biotite*, deriv. do antrop. *Biot;* o voc. foi criado em 1847, por J. F. L. Haussmann, em homenagem ao físico francês J. B. Biot (1774-1862).
bipartir vb. 'dividir em duas partes, dividir ao meio' XX. Do lat. *bipartīre* || **bipart**IÇÃO 1858.
bipatente adj. 'aberto de dois lados, ou para os dois lados' XVII. Do lat. *bipătēns -entis*.
bípede adj. s2g. 'diz-se de, ou animal que anda sobre dois pés' XVII. Do lat. *bipēs -ĕdis* || **biped**AL 1844. Do lat. *bipedālis*.
⇨ **bípede** — **biped**AL | 1836 SC |.
bipene sf. 'machadinha de dois gumes' XVII; adj. 2g. 'que tem duas asas ou dois gumes' | -*penne* 1813 | Do lat. *bipennis*.
biqueira, -eiro →BICO.
biquíni sm. 'maiô de duas peças, de dimensões bastante reduzidas' XX. Do fr. *bikini*, deriv. do top. *Bikini*, na Oceania.
bira sm. 'buraco cavado pelas crianças para o jogo do pião' XX. De origem obscura.
birbante sm. 'patife, biltre, tratante' XVII. Do it. *birbante*.
biribá sm. 'planta da fam. das anonáceas' | *biriua* c 1631, *beribases* (pl.) a 1667, *bribá* c 1777 etc. | Do tupi **m̃ĩrĩ´ ya* < * *m̃ĩra* 'embira' (forma paralela de *ï m̃ĩra* 'fibra, filamento') + *ï´ ya* 'fruta'; v. EMBIRA, IBIRIBA || **bi**ribaRANA XX || **bi**ribaZ·EIRO 1899.
biró sm. 'bocado' | *byró* XVIII, *viró* XVIII | De origem controvertida.
birosca sf. 'estabelecimento comercial modesto, no qual se vendem gêneros de primeira necessidade e bebidas alcoólicas' XX. Voc. de origem expressiva.
birra sf. 'teimosia, obstinação' XVI. Tal como o cast. *birria*, de um dialeto leonês, derivado, ao que parece, de um lat. vulg. *vĕrrĕa*, de *verres* 'verrasco', com o significado de 'teimosia, capricho' || **birr**ENTO XVI || EM**birr**AR XVI.
birreme sf. 'embarcação grega da Antiguidade, impelida a remos armados em duas ordens e por uma vela redonda' XVII. Do lat. *birēmis -e* 'que tem duas ordens de remos' 'navio de duas ordens de remos'.
birro sm. 'cacete, bordão' 'barrete' 1813. De origem obscura.
biruta[1] sf. 'aparelho que indica a direção dos ventos de superfície, empregado nos aeródromos' XX; adj. sm. 'gír. diz-se de, ou pessoa irrequieta, amalucada' XX. Voc. de origem expressiva.
biruta[2] sf. 'aparas de madeira' XX. Do cast. *viruta*.
bis sm. adv. 'duas vezes'; interj. 'outra vez' 1881. Do lat. *bis* || **bis**ADO 1899 || **bis**AR vb. 'pedir a repetição' 'repetir, atendendo ao pedido de bis' XX.
⇨ **bis** | 1836 SC |.
bisagra sf. 'dobradiça' | *vi-* XVI | Do cast. *bisagra*.
bisalho sm. 'ant. bolsinha para joias ou relíquias' XIII. Do lat. *bisacŭlu, em vez de *bisaccŭlu, dim. de *bisaccu, formação regular de *bis* + *saccus*, em lugar de *bĭsaccĭum -ii* 'alforje'.

bisão *sm.* 'mamífero ruminante da fam. dos bovídeos' | 1871, *bisonte* 1651| Do lat. *bisōn -ontis*, deriv. do gr. *bisōn* 'boi selvagem'.
bisar → BIS.
bisarma *sf.* '*ant.* espécie de alabarda' XIV. Tal como o cast. *bisarma*, do a. fr. *guisarme, wisarme*, que parece ter sido, inicialmente, nome próprio de uma arma; o fr. é de procedência germânica.
bisavô *sm.* 'pai do avô ou da avó | *bisauo* XIII, *bisauoo* XIV | De BIS(< lat. *bis*) + AVÔ.
bisbilhotar *vb.* 'mexericar, intrigar' 'investigar com curiosidade' 1881. Adaptação, com provável intercalação do suf. port. -OTE (*bisbilh-ot-ar*), de um *bisbilhar*, deriv. do it. *bisbigliare*, de origem onomatopaica || **bisbilhot**EIRO 1813. Adaptação do it. *bisbigliatore* || **bisbilhot**ICE 1881.
bisbórria → BORRA.
bisca *sf.* 'denominação de diversos jogos de cartas' 'pessoa de mau caráter e dissimulada' 1813. Provavelmente do it. *bisca* 'lugar onde se joga', do ant. *biscazza*, deriv. do lat. med. *biscatia*.
biscainho *adj. sm.* 'relativo à, ou natural de Biscaia' | *bisqueyno* XIV, *vizcayno* XIV | Do cast. *vizcaíno* 'natural de Biscaia'.
biscate *sm.* 'trabalho de pouca monta' 1899. Voc. de origem expressiva || **biscat**AR XX || **biscat**EIRO XX.
biscoito *sm.* 'bolinho doce feito à base de farinha de trigo' | *bizcoyto* XIV, *bizcouto* XIV | Talvez do a. fr. *bescuit*, deriv. do lat. *biscoctus* 'cozido duas vezes' || A**biscoit**AR *vb.* 'cozer como biscoito' 1813; 'conseguir, alcançar, ganhar' | *-cou-* 1844 || **biscoit**AR | *-cou-* XVI || **biscoit**EIRA XX || **biscoit**EIRO *-cou-* 1813 || **biscuí** | *biscuit* XX | Do fr. *biscuit*.
bisegre *sm.* 'utensílio usado pelos sapateiros, para brunir os saltos e rebordos da sola do calçado' 1813. Do fr. *bisaigüe*, deriv. do it. *biségolo* e, este, provavelmente, de um lat. vulg. *bisecus*, de *bi-* + *secāre* 'talhar'.
bisel *sm.* 'chanfradura' XVIII. Do a. fr. *bisel*, hoje *biseau*.
bismuto *sm.* '(Quím.) elemento de número atômico 83, metálico, branco, utilizado como medicamento sob a forma de compostos' | *-tho* 1844 | Do fr. *bismuth*, deriv. do lat. dos alquimistas *bisemuttum* (Agrícola, 1530), latinização do al. *Wismut*.
⇨ **bismuto** | *bismuth*, *bismutho* 1836 SC |.
bisnaga *sf.* 'planta da fam. das umbelíferas' XVII; 'pequeno esguicho de água aromatizada, usado nas antigas folias carnavalescas' 1899; 'tubo plástico ou de chumbo usado para embalagem' 'tipo de pão' XX. Do lat. *pastināca* 'a pastinaca, bisnaga (planta)' e 'certo peixe', através do moçárabe *bišnâqa, bištinâqa*.
bisnau *adj.* 'homem finório, astuto' 'pássaro bisnau' XIX. De origem obscura.
bisneto *sm.* 'filho de neto ou de neta' XIII. De BIS (<lat. *bis*) + NETO.
bisonho *adj. sm.* 'inexperiente, inábil' XVI. Do it. *bisógno*.
bispo *sm.* 'prelado que exerce o governo espiritual de uma diocese' | XIII, *obispo* XIV | Do lat. *epíscŏpus*, deriv. do gr. *epískopos* || **bisp**ADO *sm.* 'diocese' | XIII, *obispado* XIV | Do lat. *episcŏpātus* || **bisp**AL *adj. 2g.* 'espiscopal' XIII. Do lat. *episcŏpālis* || **bisp**AR¹ 'dirigir um bispado' XVI; 'perceber, avistar'

XVIII; 'surrupiar' XX || **episcopado** XIX. Forma erudita, do lat. *episcŏpātus* || **episcop**AL XIX. Forma erudita, do lat. *episcŏpālis* || **episcop**ISA XX || **epíscopo** 1899. Forma erudita, do lat. *epíscŏpus*.
⇨ **bispo** — EPISCOPAL | 1614 SGONÇ I.132.8 |.
bispote *sm.* 'urinol' XVIII. De origem controvertida; talvez se trate de um deriv. de BISPO com o suf. depreciativo -OTE.
bissemanal → SEMANA.
bissetriz *sf.* '(Geom.) reta que divide um ângulo ao meio' | *bissectriz* 1881 | Do fr. *bissectrice*.
bissexto *adj.* 'diz-se do ano que tem 366 dias' | *bisexto* XV | Do lat. tard. *bis(s)extus*.
bissílabo *adj.* 'que tem duas sílabas, dissílabo' XX. Do lat. *bisyllăbus* 'de duas sílabas'.
bisso *sm.* 'tecido de linho ralo' | *by-* XIV | Do lat. *byssus -i*, deriv. do gr. *bý'ssos* 'linho muito fino da Índia', de origem semítica.
bistorta *sf.* 'planta da fam. das poligonáceas, cuja raiz é retorcida duas vezes sobre si mesma' 1813. Do fr. *bistorte*, deriv. do lat. cient. *bistorta* 'duas vezes torta'.
bistre *sm.* 'mistura de fuligem e goma, empregada em pintura' 1813. Do fr. *bistre*.
bisturi *sm.* 'instrumento cirúrgico' | *-to-* 1813, *vistorí* 1840 | Do fr. *bistouri*, de origem incerta.
bisultor *adj. sm.* 'aquele que é duas vezes ultor ou vingador' XX. Do lat. *bisultor -ōris*.
bitácula *sf.* 'caixa que encerra a bússola e os corretores de desvio desta' | *bitacola* 1813 | Do cast. *bitácora*, deriv. do lat. *habitacŭlum* 'morada, residência'.
bitola *sf.* 'medida reguladora' 'padrão, modelo, norma' | XVI, *vitolla* 1603 | De origem controvertida || **bitol**ADO *adj.* 'que tem visão ou compreensão muito limitada' XX || **bitol**AR XX.
bivalve *adj. 2g.* 'que tem duas valvas' 1813. Do fr. *bivalve*, deriv. do lat.cient. *bivalvus*.
bivaque *sm.* 'tipo de acampamento militar' | 1844, *bioác* 1813 | Do fr. *bivouac*, deriv. do al. da Suíça *Biwacht* 'patrulha suplementar da noite'.
bívio *sm.* 'lugar onde se unem dois caminhos' 1858. Do lat. *bivĭus* 'que tem dois caminhos'.
⇨ **bívio** | 1836 SC |.
bizantino *adj. sm.* 'pertencente, relativo ou natural de Bizâncio' | *by-* 1844 | Do lat. *Byzantīnus* || **bizantin**ICE XX.
bizarro *adj.* 'gentil, nobre, generoso' XVII. Do cast. *bizarro*, deriv. do it. *biz'z'arro* 'iracundo, furioso, fogoso', de *biz'z'a* 'ira momentânea' || **bizarr**IA XVII.
⇨ **bizarro** | *bisaro a* 1595 *Jorn.* 72.6 || **bizarr**EAR 1680 AOCAD I.505 |.
blandícia *sf.* 'meiguice, brandura' 'afago, carícia' XVII. Do lat. *blanditīa* || **blandic**IOSO 1844 || **blandí**FLUO 1844. Do lat. *blandiflŭus* 'que fala com doçura' || **blandí**LOQUO XX. Do lat. *blandilŏquus* 'que usa palavras meigas'. Cp. BRANDO.
⇨ **blandícia** | *blădida* 1538 DCAST 34v25 || **blandic**IOSO | 1836 SC || **blandí**FLUO | 1836 SC |.
blasfêmia *sf.* 'palavra que ultraja a divindade ou a religião' 'ultraje contra pessoa ou coisa respeitável' | XIV, *brasfemya* XIV | Do lat. *blasphēmia*, deriv. do gr. *blasphēmía* 'palavra de mau agouro' 'palavra ímpia' 'calúnia, difamação' || **blasfem**A-

DOR XIV. Do lat. *blasphēmātor -ōris* || **blasfem**AR | *brasmar* XIII, *brasfemar* XIV | Do lat. *blasphēmāre* || **blasfemo** *adj.* 'blasfemador' | *-ph-* XVI | Do lat. *blasphēmus*.
blasonar *vb.* 'ostentar, alardear' | XVI, *brazo-*XVII | Do fr. *blasonner* 'celebrar' 'cobrir com o escudo' 'criticar' || **blason**ADOR 1813. Cp. BRASÃO.
blastema *sm.* '(Biol.) primórdio de células não diferenciadas, do qual se origina um órgão' 1858. Do fr. *blastème*, deriv. do gr. *blástēma -atos* 'germe, rebento'.
⇨ **blastema** | *blastemo* 1836 SC |.
blasto *sm.* '(Bot.) parte do embrião que se desenvolve por efeito da germinação' 1858. Do fr. *blaste*, deriv. do gr. *blastós* 'o que germina' 'gomo, botão' 'germe, germinação' || **blasto**CARPO 1858 || **blasto**DERMA | *-derme* 1871 || **blast**OMA XX || **blast**ôMERO 1899 || **blást**ULA *sf.* 'forma inicial embrionária, resultante da segmentação do ovo' 1899. Do lat. cient. *blastula*, dim. do gr. *blástē* 'germe', construído segundo o modelo dos nomes de outras partes do ovo, como *gástrula*, *mórula*.
blaterar *vb.* 'falar muito, tagarelar' XX. Do lat. *blatěrāre* ou *blattěrāre* || **blater**AÇÃO XX.
blau *adj. 2g. sm.* '(Heráld.) diz-se de, ou a cor azul dos brasões' | *blao* XVII | Do a. fr. *blau* (hoje *bleue*), deriv. do frâncico **blao*.
blefarite *sf.* 'inflamação das pálpebras' | *blepharotis* 1844 | Do fr. *blépharite*, deriv. do gr. *blepharîtis* 'pelos das pálpebras', de *blépharon* 'pálpebra' || **blefaro**PLEG·IA | *blephar*ŏ*plagia* 1899.
⇨ **blefarite** | *blepharotis* 1836 SC |.
blefe *sm.* 'ato de enganar, lograr' | *bluff* 1899 | Do anglo-americano *bluff* || **blef**AR XX.
-blema *elem. comp.*, do gr. *blēma -atos* 'tiro, lançamento (de dardo, de dado etc.)' 'golpe, ferida', que ocorre em alguns compostos eruditos, como *anfiblema*, *astroblema* etc.
blenda *sf.* 'mineral isonométrico, constituído de sulfeto natural de zinco, e que se apresenta sob a forma de cristais negros ou castanhos' 1871. Do fr. *blende*, deriv. do al. *Blende*.
⇨ **blenda** | *blende* 1836 SC |.
blen(o)- *elem. comp.*, do gr. *blenno-*, de *blénna -os* 'muco', ou *blénnos* 'humor viscoso', que se documenta em alguns compostos da linguagem médica internacional a partir do séc. XIX ♦ **blen**ENTER·ITE XX || **bleno**GENO XX || **blenor**RAG·IA | *blennorrhagia* 1844 || **blenor**REIA | *blennorrhea* 1844.
⇨ **blen(o)-** — **blenor**RAG·IA | *blennorrhagia* 1836 SC || **blenor**REIA | *blennorrhea* 1836 SC |.
bleso *adj.* 'que gagueja ou fala de modo confuso' XVI. Do lat. *blaesus* 'gago, que confunde as letras', deriv. do gr. *blaisós* 'que tem os pés ou as patas viradas para fora' 'revirado, contornado'.
blindar *vb.* 'revestir de chapas de aço, couraçar' 1871. Do fr. *blinder*, de *blinde*, termo de fortificação, deriv. do al. *blenden* 'cegar, tapar a vista'.
blocausse *sm.* 'primitivamente, espécie de cabana protegida de paliçada' 'hoje, construção blindada para defesa de um ponto particular' XIX. Do al. *Blockhaus* 'fortim, casa fortificada'.
bloco *sm.* 'massa volumosa e sólida de coisas' 'reunião de folhas de papel destacáveis' 'cada um dos edifícios que formam um conjunto de prédios' 'sociedade ou grupo de carnavalescos' XX. Do fr. *bloc*, deriv. do neerl. *bloc*. 'tronco abatido' || **bloqu**EAR *vb.* 'cercar, sitiar' 'obstar, impedir' XVII. Do fr. *bloquer* || **bloqueio** XVI. Deverbal de *bloquear*.
blusa *sf.* 'peça de vestuário' 1899. Do fr. *blouse* || **blusão** *sm.* 'camisa esporte folgada' XX. Do fr. *blouson*.
boa → BOM.
boá *sm.* 'tipo de estola de plumas' 1858. Do fr. *boa* 'grande serpente'.
boana *sf.* 'tábua delgada' 1813. De origem obscura.
boate → BOCETA.
boato *sm.* 'notícia anônima que corre publicamente sem confirmação' XVII. Do lat. *boātus -ūs* 'mugido' 'grito muito forte' || **boat**EIRO XX.
bobagem → BOBO.
bobina *sf.* 'carrinho de madeira ou metal para enrolar fio' 1881. Do fr. *bobine*, de origem onomatopaica || **bobin**ETE 1899. Do fr. *bobinette*.
bobo *adj. sm.* 'orig. indivíduo que, na Idade Média, divertia os reis e os grandes senhores' '*ext.* tolo, pateta' XVII. Do lat. *balbus* 'gago', com provável interferência do cast. *bobo* || AbobADO | 1813, *abou-* 1813 || AbobALH·ADO XX || **bob**AGEM | 1871, *-bage* 1844 || **bob**ICE 1844 || **bob**OCA 1899.
⇨ **bobo** — **bob**ICE | 1836 SC |.
bobó *sm.* 'comida africana feita com feijão mulatinho' 1899. De origem africana, provavelmente do fongbê *bovó*.
boca *sf.* 'cavidade na parte inferior da face, pela qual os homens e os outros animais ingerem os alimentos, e ligada com os órgãos da fonação e da respiração' XVI. Do lat. *bŭccam* || AbocanhAR XVI || **boc**ADO XIII || **bocaina** *sf.* 'depressão numa serra' 1899 || **boc**AL *sm.* 'abertura de vaso, frasco etc.' XV || **bocejar** *vb.* 'abrir a boca em sinal de aborrecimento ou sono' | XVI, *bucigiar* XIII || **boc**EJO | XVI, *-çy-* XVI | Dev. de *bocejar* || **boc**Ó *adj. s2g.* 'infantil, tolo' XX || **boc**ÓRIO XX || **boc**UDA XX || **boqu**EIRA *sf.* 'doença' 1844 || **boqu**EIRÃO *sm.* 'abertura de costa marítima, rio ou canal' XVI || **boqu**IABERTO XVI || **boqu**IABRIR XX || **boqu**ILHA *sf.* 'piteira' 1881. Do cast. *boquilla* || **boqu**IM *sm.* 'bocal de instrumento de sopro' 1813 || **buc**AL *adj. 2g.* 'relativo à boca' 1813 || **buço** *sm.* 'penugem no lábio superior' XVII || DES-**boc**ADO XVI || DES-**boc**AR XV || DES·EM**boc**ADURA *sf.* 'ato de desembocar' 'foz' 1844 || DES·EM**boc**AR *vb.* 'sair fora de' XVI || EM**boc**ADO XVI || EM**boc**AR XVI || EM**buç**ADO XVI || EM**buç**AR *vb.* 'enganar, iludir' 1899. Do cast. *embozalar* || EM**buç**AR *vb.* 'cobrir o rosto até os olhos' 'disfarçar, encobrir' XVI || EM**buço** XVI || RE**buç**ADO XVII || RE**buç**AR *vb.* 'embuçar' XVI || RE**buço** XVI. Dev. de *rebuçar*.
⇨ **boca** — AbocADO 'cheio até a boca' | 1634 MNor 125.*29* || AbocanhAR | XV BENF 331.*11*, MONT 45.*33* || AbocAR *vb.* 'chegar à boca' | 1614 SGonç I.73.*12* || DES·EM**boc**ADURA | 1836 SC || DES·EM**buç**ADO | 1660 FMMelE 166.*27* |.
boça *sf.* 'cabo arredondado, destinado a segurar certos objetos a bordo' XVII. Do a. fr. *boce*, hoje *bosse*. Na acepção geral de 'protuberância', o voc. port. *boça* já se documenta no séc. XV || **boc**ETE XVI. Do fr. *bossette* || **bócio** *sm.* 'hipertrofia da tireoide'

'papo' XVII || **bossa** *sf.* 'inchação, protuberância' 'aptidão, queda, vocação' XVIII. Do fr. *bosse* || bos-SAGEM 1899.
bocagiano *adj.* 'relativo a Bocage, ou próprio de seu estilo' 1833. De *Bocage* [sobrenome do poeta português Manuel Maria Barbosa du Bocage (1765-1805)] + -ANO.
bocaina → BOCA.
bocaiúva *sf.* 'variedade de palmeira' | *bocayuba* 1734, *bocayuva* 1792, *bocayúva* 1817 | Do tupi *moka'ïua*.
bocal → BOCA.
boçal *adj.* 2g. 'estúpido, rude, ignorante' XVI. De origem controvertida.
boçardas *sf. pl.* 'peças de reforço em embarcações' 1813 | *bu-* 1813 | De origem obscura.
bocaxim *sm.* 'tarlatana' | XVI, *-sis* pl. XV, *-sin* XV | Do árabe, provavelmente deriv. do turc. *boġasy* 'entretela'.
boc·ejar, -ejo →BOCA.
bocel *sm.* '(Arquit.) moldura estreita, em meia-cana, de diversas aplicações' XVII. Do a. fr. *bossel* (hoje *bosel*), deriv. do it. *bozzèlio*, dim. de *bòzza*.
boceta *sf.* 'caixinha redonda, oval ou oblonga' | XIV, *bu-* XIV, *buxeta* XIV, *bucheta* XIV, *bueta* XV etc. |; 'bras. chulo vulva' XX. Do lat. *bŭxis -ĭdis*, através do fr. *boîte*. O voc. fr. *boîte* entrou no port. duas vezes, mas com acepções distintas e diferentes adaptações prosódicas: o a. port. *bueta* (séc. XV) 'boceta, caixa' e, modernamente, *boate* (séc. XX) 'estabelecimento comercial, em geral de funcionamento noturno, com pista de dança e palco onde se apresentam artistas'.
bocete → BOÇA.
bocha *sm.* 'tipo de jogo' XX. Do cast. *bocha*.
boche *adj. sm.* 'deprec. alemão' XX. Do fr. *boche*, apócope de *Alboche*. O voc. entrou no port. com a guerra de 1914-1918.
bochecha *sf.* 'a parte mais saliente de cada uma das faces' XIV. De origem controvertida || **bochech**A-DA *sf.* 'sopapo' XVI || **bochech**AR 1858 || **bochecho** 1844. Der. regress. de *bochechar*.
bochinche *sm.* 'baile ou divertimento das camadas inferiores da sociedade' 1899. Do cast. *bochinche* 'tumulto, barulho' || **bochinch**EIRO XX. Do cast. *bochinchero*.
bochorno *sm.* 'ar abafadiço, sucofante' 'vento quente' XVI. De origem controvertida; talvez do lat. *vŭltŭrnus* 'vento' 'vento do Sul'.
bócio → BOÇA.
boc·ó, -ório, -uda → BOCA.
boda *sf.* 'celebração de casamento' | *voda* XIII | Do lat. *vota*, pl. de *votum -i* || **bodas** | *vodas* XIII. Cp. BODO.
bode *sm.* 'o macho da cabra' 'caprino em geral' XVI. De origem incerta || **bodum** *sm.* 'exalação fétida de bode não castrado' 'ext. transpiração mal-cheirosa' | *budū* XV.
⇨ **bode** | XV CESA III.1§13.3 |.
bodega *sf.* 'taberna, cantina' XIII. Do lat. *apothēca*, deriv. do gr. *apothḗkē* 'depósito, armazém' || **A**bo-degAR XIV || **bodegu**EIRO 1813 || **botica** *sf.* 'farmácia' | *bu-* XV | Divergente de *bodega*, talvez pelo fr. *boutique* || **botic**ÁRIO | *apotecayro* XV | Do lat. *apothēcārīus* || **butique** *sf.* 'loja sofisticada' XX. Do fr. *boutique*.

bodião *sm.* 'designação comum aos peixes teleósteos, faringognatos, da fam. dos escarídeos' XVI. De origem obscura.
bodo *sm.* 'distribuição de alimentos, roupas e dinheiro aos pobres, em dia festivo' XVI. Do lat. *votum -i* 'voto, promessa, oferenda'. Cp. BODA.
⇨ **bodo** | *uodo* XV BENF 259.*8* |.
bodoque *sm.* 'arco para atirar bolas de barro endurecidas ao fogo, pedrinhas etc.' 1813. O voc. port. talvez remonte, com visível extensão de sentido, ao ár. *bunduq* 'noz, avelã' 'bala de espingarda', deriv. do gr. *pontikón* '(noz) pôntica'.
bodum → BODE.
boêmio *adj. sm.* 'relativo à, ou natural da Boêmia' XVI: *sm.* 'capa, capote' XVI: *adj. sm.* 'que leva vida desregrada' | *bohe-* 1881 | Do fr. *bohème*, do top. *Bo-hême* 'Boêmia' || **boêmia** *sf.*'vida alegre e despreocupada' XIX. É também usual a prosódia *boemia*.
bôer *adj. s2g.* 'diz-se de, ou sul-africano descendente dos colonizadores holandeses' XX. Do neerl. *boer*.
bof·e, -etada, -ete → BUFAR.
bogari *sm.* 'planta da fam. das oleáceas, cultivada em jardins por seu valor ornamental' | 1844, *mogory* XVI, *mogarim* XVIII | Do concani-marata *mogri* (> *mogori* > *mogari* > *bogarí*), deriv. do sânsc. *mudgara*.
⇨ **bogari** | 1836 SC |.
bogomilo *sm.* '(Hist.) membro de uma seita búlgara da Idade Média, cuja doutrina era semelhante à dos maniqueus' | *bongomile* 1706, *bogomilio* 1826 | Do it. *bogomili* pl., deriv. do rus. *bogomĭl*, do nome de um pope *Bogomīl*^{k}, fundador da seita.
boi[1] *sm.* 'mamífero artiodáctilo, ruminante, da fam. dos bovídeos' XIII. Do lat. *bŏvem* || **A**boi**A**R[2] *vb.* 'guiar os bois com um canto triste' 1899 || **Aboio** XX. Der. regress. de *aboiar* || **boi**ADA | *boy-* XVI | **boi**AD·EIRO 1899 || **boi**OTA *sf.* 'testículo desenvolvido pela hidrocele, grande como o do boi' XX || **bosboque** *sm.* 'ant. bisão' 1858. Do lat. *bos bovis* 'boi' + al. *Bock* 'bode'. Cp. BOVINO.
⇨ **boi**[1] — **boi**ADA | *boyada* XV LOPJ II.177.*20* || **boi**A·DEIRO | 1836 SC |.
boi[2] *sm.* 'ant. homem que exerce baixos misteres, no Oriente' | *boy* 1511 | Do concani *bhôi* || **bói** *sm.* 'moço de recados' XX. Do ing. *boy*. Merece registro o fato de que os dois vocábulos, embora de origens distintas e de datações bastante diferenciadas, ocorram em português com a mesma acepção ou com acepções muito próximas.
boia *sf.* 'flutuador usado para balizamento, amarração de navios etc., e aguentado no seu lugar fundeado ou amarrado' | *boya* XV | De uma var. antiga ou dialetal do fr. *bouée*, provavelmente deriv. do frâncico **baukan* 'sinal, boia' || **A**boi**A**R[1] *vb.* 'boiar' | *aboyar* XVI || **boi**AR *vb.* 'flutuar' | XV, *boyar* XIII.
⇨ **boia** — **boi**ANTE | 1860 AOCad I.119, *boyante* XV LOPF 31.*14* |.
-boi(a)- *elem. comp.*, do tupi *mojɨa* 'cobra', que se documenta em inúmeros vocs. port. de origem tupi: *acutiboia, boicininga. jaquiranaboia* etc.
boião *sm.* 'tipo de vaso bojudo' | *boyão* XVI | De origem controvertida.
boiardo *sm.* '(Hist.) título conferido aos senhores de uma classe privilegiada da antiga aristocracia

russa: antigo título dos cavalheiros e dos nobres, na Romênia' | α. *boyarte* 1716, *boyard* 1739, *boiard* 1739 etc.: β. *bojar* 1727, *boiar* 1782 etc. | Do russo *boiare*, pl. de *boiarīn* 'grande senhor, nobre', através do fr. *boyard* (vars. α) e do al. *Bojar* (vars. β).
boiceira *sf.* 'a primeira estopa que se tira do linho' 1899. De origem obscura.
boicininga *sf.* 'cobra da fam. dos viperídeos, cascavel' | *c* 1584, *boiteninga a* 1576, *boitenj̃gua c* 1594 etc. | Do tupi *'mo̢i̢si'niṇa* < *'mo̢i̢a* 'cobra' + *si'niṇa* 'retinir' || **boicinim**PEBA | *boiciningbéba c* 1584, *boitenj̃peba c* 1594 | Do tupi *mo̢i̢sinī'peu̢a* < *mo̢i̢si'niṇa* + *'peu̢a* 'chato, plano'.
boicotar *vb.* 'punir, constranger, recusando sistematicamente relações sociais ou comerciais' 'criar embaraços aos negócios ou interesses de' xx. Do ing. *(to) boycott*, do antrop. *Boycott*, sobrenome do capitão C. C. Boycott, gerente de ricas propriedades na Irlanda, o qual, por volta de 1880, provocou, em consequência de suas exigências excessivas, uma recusa geral de trabalhar às suas ordens e ainda de com ele se efetuar qualquer tipo de transação || **boicote** xx. Do ing. *boycott*.
boina *sf.* 'espécie de boné, especialmente de lã' xix. Do cast. *boina*, tomado modernamente do basco.
boiobi *sm.* 'espécie de jiboia' | *boiubu* 1587 | Do tupi *mo̢i̢o'mĩ* < *'mo̢i̢a* 'cobra' + *o'mĩ* 'verde, azul'.
boioçu *sm.* 'espécie de cobra, sucuri' | *boaçu* 1618 | Do tupi *mo̢i̢u'su* < *'mo̢i̢a* 'cobra' + *u'su* 'grande' || **boioçu**PECANGA | *boicupecanga c* 1584, *bojoçupecangua c* 1594 | Do tupi **mo̢i̢usupe'kaṇa* < *'mo̢i̢a* 'cobra' + *u'su* 'grande' + *'peu̢a* 'chato'+ *'ka ṇa* 'espinha'.
boiota → BOI[1].
boipeba *sf.* 'cobra da fam. dos colubrídeos' | *boigbebe* 1610, *boyapeba c* 1777 | Do tupi *mo̢i̢'peu̢a* < *'mo̢i̢a* 'cobra' + *'peu̢a* 'chato'.
boipiranga *sf.* 'cobra-coral' | *boya-piranga c* 1777 | Do tupi **mo̢i̢api'rana* < *'mo̢i̢a* 'cobra' + *pi'raṇa* 'vermelho'.
boirel *sm.* 'pequena boia de cortiça' 1899. De origem obscura.
boitatá *sm.* 'fogo-fátuo' | 1872, *baetatá* 1706 etc. | Do tupi *ma̢eta'ta* < *ma̢'e* 'coisa' + *ta'ta* fogo; na var. *boitatá* houve intercorrência do tupi *'mo̢i̢a* 'cobra', que ocorre em inúmeros tupinismos.
boitauá *sf.* 'variedade de cobra' | *boyatauá c* 1777 | Do tupi **mo̢i̢ata'ü̢a* < *'mo̢i̢a* 'cobra' + *ta'ü̢a* '(barro) amarelo'.
boitiapuá *sf.* 'variedade de cobra' | *boytiapoá c* 1584, *boitiapóia* 1587, *boitimapoã c* 1594, *boitim apoá* 1610 | Do tupi *'mo̢i̢tĩa'poã* < *mo̢i̢a* 'cobra' + *'tĩ* 'focinho' + *a'poã* 'beiço, lábio superior'.
boiuna *sf.* 'espécie de cobra' | *boyuna c* 1584, *bajuna c* 1594 |; 'no folclore do Amazonas, entidade maléfica que persegue os homens e os animais' 1928. Do tupi *mo̢i̢'una* < *'mo̢i̢a* 'cobra' + *'una* 'preto, negro'.
boiz *sf.* 'armadilha para pássaros' | xvi, *aboys* xiii | De origem controversa.
bojar *vb.* 'ant. dar voltas em torno de uma ilha, península ou cabo' xv; 'fazer sobressair, formando bojo' 'salientar' 1813. Do cast. *bojar*, deriv. do cat. *vogir* e, este, do lat. *volvĕre* 'dar voltas' || Aboj AR *vb.* 'agarrar, segurar' xx || **bojo** *sm.* 'saliência arredondada' xvi || **boj**UDO 1813.
-bol- → -BOL(O)-.
bola *sf.* 'qualquer corpo esférico' xiv. Do lat. *bulla* || **bolacha** *sf.* 'tipo de bolo ou biscoito' xviii || **bo**lADA xvi || **bol**ADO 'ant. colado com bola de lacre' | -*adas* f. pl. xiv || **bol**AR *vb.* 'arquitetar, conceber' xx || **bolas** *s2g. 2n.* 'indivíduo imprestável, inútil' 1899; *interj.* 'designa enfado ou reprovação' 1899; *sf. pl.* 'rodelas de carvão amassadas com barro, para conservar o calor nos fogareiros' xx || **bolead**EIRAS *sf. pl.* 'aparelho, já em desuso, empregado para laçar animais, ou como arma de guerra, constituído de três bolas' xx. Adaptação do cast. *boleadoras* || **bol**EADOR *sm.* 'indivíduo que maneja as boleadeiras' 1899. Do cast. *boleador* || **bol**EAR *vb.* 'dar a forma de bola a' 1813. Do cast. *bolear* || **bolha** 'vesícula ou empola na pele' xv; 'glóbulo de ar que se forma nos líquidos quando em ebulição ou fermentação' 1899; '*adj. s2g.* 'pessoa amolante, enfadonha' 1899. Do lat. *bulla* || **bolo** *sm.* 'tipo de pastelaria' | -*llos* pl. xvi || **embol**ADA *sf.* 'engano com artifícios' | -*das* pl. xvi |; 'bras. forma poético-musical do Nordeste' xx || **embol**AR *vb.* 'iludir, enganar' xv; 'pôr bolas nos cornos de' 1813; '*bras.* cair, rolando com a bola' 'engalfinhar-se' xx || **rebol**ADO 1813 || **rebol**AR *vb.* 'fazer mover como uma bola' xvii || **rebol**EIRA[1] *sf.* 'a parte mais densa de uma seara' xx || **rebol**EIRA[2] *sf.* 'lodo que se acumula na caixa onde gira a pedra de amolar' xvii || **rebol**EIRO[1] *sm.* 'chocalho grande' xvii || **rebol**EIRO[2] *adj.* 'diz-se do gado que anda em redor das casas' xx || **rebolo** *sm.* 'mó de arenito, fixada num eixo giratório' xvii.
⇨ **bola** — bolEADO | *c* 1608 NOReb 196.*10* |.
bolandas *sf. pl* (usado na expressão *em bolandas* 'a toda pressa') xvii. Do cast. *volandas*.
bolandeira *sf.* 'grande roda dentada do engenho de açúcar' 1813. Talvez relacionado com o cast. *volandera*.
bol·ar, -as → BOLA.
bolçar *vb.* 'lançar fora' 'vomitar' | 1844, *bonssar* xiv | De um lat. **vomitiāre*, por *vomitāre* 'vomitar muito'.
⇨ **bolçar** | 1836 sc |.
bolchevique *adj. s. 2g.* '(Pol.) membro da facção extremista do partido social-democrático russo, o qual, depois da revolução de março de 1917, foi elevado ao supremo poder da extinta URSS | *bolsheviki, boesheviki* etc. 1917 | Do rus. *bol'ševík* (pl. *bol'ševikī*) < *bol'šíĭ* 'maior', comparativo de *ból'šóĭ* 'grande'; o voc. port. foi adotado diretamente do ing. *bolshevik*, como se depreende das variantes com *-sh-*, que já se documentam em port. em 1917, data da intradução do voc. russo nas línguas de cultura do Ocidente || **bolchevi**quISMO | *bolshevikismo* 1919 || **bolchevi**quISTA | *bolshevikista* 1917, -*kiste* 1917, *bolschivikista* 1917, || **bolchevi**SMO | 1918, *bolschevismo* 1921 | Cp. rus. *bol'ševízm* || **bolchevi**STA | *bolshevista* 1917 || **bolchevi**Z·AÇÃO xx || **bolchevi**Z·ADO 1929 || **bolchevi**Z·ANTE xx || **bolchevi**ZAR xx.
boldo *sm.* 'planta da fam. das monimiáceas' xx. De provável origem araucana.

boldrié *sm.* 'correia a tiracolo, à qual se prende a espada ou outra arma' 1813. Do fr. *baudrier*. Cp. BALDRÉU.
bole·adeiras, -ador, -ar → BOLA.
boleia *sf.* 'peça de pau fixa na lança da carruagem, e à qual se prendem os tirantes' 'assento do cocheiro' 1813. De origem controvertida || **bole**EIRO 1844.
⇨ **boleia** — **bole**EIRO | 1836 SC |.
bolero *sm.* '(Mús.) música e dança de origem espanhola' XVIII; 'espécie de casaco curto' XX. Do cast. *bolera*, de origem incerta.
boletim *sm.* 'publicação periódica, que, em geral, constitui órgão de divulgação de entidade oficial ou privada' XVII. Do it. *bollettino*.
boleto *sm.* 'requisição para que alguém dê alojamento a um ou mais militares' XVII. Do a. it. *bolletta* 'salvo-conduto' (hoje *bulletta*), dim. de *bolla* 'marca de selo para autenticar uma escrita' 'diploma', deriv. do lat. *bŭlla* 'borbulha, bola' || ABOLETAMENTO XVIII || ABOLETAR XVIII. Cp. BOLA.
boléu *sm.* 'queda, baque, trambolhão' | *-leo* XVI | Do cast. *voleo*, de *volar*, deriv. do lat. *vŏlāre* 'voar' 'correr, vir rapidamente' || EMboléu *sm.* (usado na loc. *andar aos emboléus* 'andar ao léu, à toa') XX.
bolha → BOLA.
boliche *sm.* 'jogo que visa a derrubar, com uma bola, um conjunto de balizas' XX. Do cast. *boliche* || **bolich**EAR XX || **bolich**EIRO XX. Do cast. *bolichero*. Cp. BOLA.
bólide *sf.* '(Astr.) meteoro de volume acima do comum que, ao penetrar na atmosfera, produz ruído e se torna muito brilhante' 1881. Do lat. *bolis -idis* 'meteoro ígneo, com forma de dardo' 'sonda marítima', deriv. do gr. *bolís -ídos* 'objeto que se lança' 'dardo' 'projétil'.
⇨ **bólide** | 1836 SC |.
bolina *sf.* '*ant.* cada um dos cabos que puxavam para vante a testa de barlavento das velas, a fim de que o vento fosse melhor aproveitado na navegação à bolina' | *-ljna* XV | 'chapa colocada por baixo da quilha, nas embarcações de vela' XX. Do fr. *bouline*, deriv. do ing. *bowline* || **bolin**AR *vb.* 'navegar à bolina' XVIII; '*chulo* procurar sorrateiramente contatos voluptuosos' XX.
⇨ **bolina** — **bolin**AR 'navegar à bolina' | 1660 FMMELE 236.*19* |.
bolívar *sm.* 'unidade monetária, e moeda, da Venezuela' XX. Do antrop. *Bolívar*, do nome de Simão Bolivar, general e estadista, libertador da Venezuela e da Colômbia e fundador da Bolívia.
boliviano *adj. sm.* 'relativo à, ou natural da Bolívia' 1899. Do top. *Bolívia*.
-bol(o)- *elem. comp.*, deriv. do gr. *-bólo*, var. de *bállō* 'atiro, arremesso', que se documenta em vocs. eruditos, quase todos formados no próprio grego: *anfíbolo* (e *anfibolia, anfibólio, anfibolito, anfibologia* etc.), *astróbolo* (e *astrobolismo*), *discóbolo* etc. Cp. -BAL(O)-.
bolo → BOLA.
bolômetro *sm.* '(Fís.) instrumento muito sensível, para medir calor radiante' XX. Do fr. *bolomètre*, deriv. do gr. *bolé* 'raio (de luz)' + METRO || **boló**GRAFO XX.
bolônio *adj. sm.* 'tolo, parvo, idiota' XVIII. Do top.

lat. *Bolonia*, por *Bonōnĭa* 'Bolonha' || **bolonh**ÊS 1758.
bolor *sm.* 'mofo' XVI. Do lat. *pallor -ōris* 'palidez' || **bolor**ENTO XVII.
⇨ **bolor** — **bolor**ENTO | 1562 JC |.
bolota *sf.* 'fruto que tem um pericarpo coriáceo, como a castanha, a noz etc.' | *be-* XV | Do ár. *ballûta*.
bolsa *sf.* 'objeto destinado a guardar dinheiro, papéis etc.' | XIII, *bolssa* XIII |; 'banco' | *borssa* XIV |; '(Anat:) cavidade em forma de saco' XX. Do lat. *bŭrsa*, deriv. do gr. *býrsa* 'pele preparada, couro' 'odre para vinho' 'tambor' 'pele de animal vivo' || **bols**ISTA XX || **bolso** *sm.* 'pequeno saco cosido à roupa, e que serve para guardar objetos pessoais ou como enfeite' | *bolsso* XV || **burs**ITE XX || DES·EM**bolsa**R XVI || DES·EM**bolso** | *-bolço* 1813 || EM**bolsa**R 1813 || RE·EM**bolsa**R 1858 || RE·EM**bolso** 1858.
bom, boa *adj.* 'que tem as qualidades adequadas à sua natureza ou função' 'benévolo, bondoso, benigno' | XIV, *bon* XIII, *bōo* XIII, *boa* XIII | Do lat. *bŏnus* || **bon**AÇÃO XVII || **bon**ADO XVII || ABO·NADOR 1813 || **bon**AR XVI || **bono** XVII || **bon**ACH·ÃO 1813 || **bon**ACH·EIRÃO 1813 || **bon**DADE XIII. Do lat. *bonĭtātem* || **bond**OSO 1881 || **boni**FIC·AÇÃO 1844. Do fr. *bonification* || **boni**FICAR 1844. Adaptação do fr. *bonifier*, deriv. do lat. *bonificare* || **bono**-**mia** 1858. Do fr. *bonhomie* || DES·A**bon**ADOR 1813 || DES·A**bon**AR XVIII || DES·A**bono** 1813 || EM**bon**AR 1813. Do cast. *embonar* || EM**bono** 1813. Do cast. *embono*.
⇨ **bom** — A**bon**ADOR | 1569 in *Studia* nº 8, 190 || A**bono** | 1571 FOlF 133.*16* || **boni**FIC·AÇÃO 1836 SC || **boni**FICAR | 1636 SC |.
bomba *sf.* 'projétil ou artefato explosivo, que provoca danos ou destruição' XVI; 'máquina para elevar água' | *bōba* XVI | Do it. *bómba*, de uma raiz onomatopaica *bomb*, deriv. do lat. *bombus* e, este, do gr. *bómbos* 'ruído surdo' 'barulho do trovão' || A**bomba**R XX || **bomb**ADA XX || **bombe**A-DOR[1] || **bombe**AR[1] XVIII || **bombeiro**[1] XVIII || **bombilha** *sf.* 'bomba (na sua segunda acepção)' XX. Do cast. *bombillo*. Cp. BOMBARDA.
bombachas *sf. pl.* 'calções largos' 1813. Do cast. *bombacha*, provavelmente do it. *bombace*, deriv. do lat. med. *bombāx -ācis*, do cláss. *bombyx -ӯcis* e, este, do gr. *bómbyx* 'inseto' 'instrumento ruidoso' 'seda, bicho-da-seda' || **bombacha** *sf.* 'espécie de flauta' XVIII.
bombarda *sf.* '*ant.* máquina de guerra' | *bon* XV | Do it. *bombarda* || **bombard**ADA XV || **bombard**EAR XVI || **bombardeio** *sm.* XV. Dev. de *bombardear* || **bombard**EIRO XV. Cp. BOMBA.
⇨ **bombarda** — ES**bombard**EAR | 1680 AOCAd I.530 |.
bombardão *sm.* 'antigo instrumento musical, semelhante a um oboé rústico' XX. Do it. *bombardone*, de *bombarda* || **bombard**INO *sm.* 'bombardão' XX. Do it. *bombardino*, de *bombarda*.
bombard·ear, -eio, -eiro → BOMBARDA.
bombardino → BOMBARDÃO.
bombástico *adj.* 'estrondoso, altissonante' 'empolado, extravagante, pretensioso' 1881. Do ing. *bombastic*.

bombazina *sf.* 'tecido de algodão, em riscas, que imita o veludo' XVIII. Do it. *bombagina*, deriv. do lat. *bombỹcīna*.
bomb·eador¹, **-ear**¹ → BOMBA.
bombear² *vb.* 'espionar o campo 'inimigo' 'seguir, observar, espreitar' 1899. Do cast. *bombear* ‖ **bomb**e**ADOR**² 1899 ‖ **bomb**EIRO² 1899.
bombeiro¹ → BOMBA.
bombeiro² → BOMBEAR².
bômbice *sm.* 'bicho-da-seda' | *-biz* XVII | Do lat. *bombyx -ỹcis*, deriv. do gr. *bómbỹx -ỹkos* 'bicho-da-seda'.
bombilha → BOMBA.
bombo *sm.* 'espécie de tambor' 1881. Do it. *bómbo*, deriv. do lat. *bambus* 'antigo préstito' e, este, do gr. *bómbos* 'zumbido', de origem onomatopaica ‖ **bumbo** *sm.* 'bombo' XIX.
bombom *sm.* 'guloseima de confeitaria, em geral de chocolate' | *bonbons* pl. XIX | Do fr. *bonbon*, repetição expressiva de *bon*. Cp. BOM.
bombordo *sm.* '(Mar.) o lado esquerdo da embarcação, considerando-se a proa como a sua frente' | XVI, *babordo* XV | Do fr. *bâbord*, deriv. do neerl. *bakboord*, com visível influência de BOM.
bonach·ão, -eirão → BOM.
bonança *si* 'bom tempo no mar' 'calmaria' | *bonaça* XIII | Possivelmente do cast. *bonanza*, deriv. do lat. vulg. *bonancia*, alteração do lat. *malacia* 'calmaria, bonança' e, este, do gr. *malakía* 'brandura', de *malakós* 'brando' ‖ **bonanç**OSO XVI.
⇨ **bonança** — ABONANÇAR | *c* 1538 JCASG 221.2 |.
bonapartismo *sm.* 'corrente de adeptos de Napoleão Bonaparte' 1871. Do fr. *bonapartisme*, do antrop. *Bonaparte* ‖ **bonapart**ISTA 1871. Do fr. *bonapartiste*.
bondade → BOM.
bonde *sm.* 'veículo urbano de transporte coletivo, que roda sobre trilhos e é movido a eletricidade, mas que, originariamente, era de tração animal' | 1876, *bond* 1868 | Do ing. *bond* 'vale, cautela de títulos a receber'. A alteração semântica decorre do seguinte fato histórico: em agosto de 1868, o Visconde de Itaboraí, ministro da Fazenda do Império do Brasil, emitiu o empréstimo nacional de juros pagáveis em ouro, operação financeira que teve grande êxito e atraiu a atenção da Corte; dois meses depois, a *Botanical Garden Railroad Company* inaugurou um novo serviço de transportes coletivos no Rio de Janeiro; para facilitar a cobrança das passagens, em razão da dificuldade de troco, a empresa norte-americana mandou confeccionar bilhetes (*bonds* em inglês) com o valor das passagens; o povo associou os *bonds* do empréstimo Itaboraí aos *bonds* da *Botanical Garden* e, logo depois, o nome do bilhete passou a designar o próprio veículo, associação esta facilitada pelo fato de nos bilhetes figurar, gravado a carimbo, o desenho do próprio veículo.
bondoso → BOM.
bonduque *sm.* 'planta da fam. das leguminosas, também conhecida como olho-de-gato' 1858. Do fr. *bonduc*, deriv. do ár. *bunduq*. Cp. BODOQUE.
boné *sm.* 'peça de vestuário para a cabeça, de copa redonda e com uma pala sobre os olhos' | 1871, *bonete* XVII | Do fr. *bonnet*.

⇨ **boné** | *bonete c* 1608 NOReb 122.*38* |.
boneca *sf.* 'figura de trapo, louça, plástico etc., que imita uma forma feminina e serve como brinquedo de criança' | XVII, *moneca* XIV | Tal como o cast. *muñeca*, de origem controvertida, provavelmente pré-romana ‖ EM**bonec**AR 1813.
bongar *vb.* 'procurar, buscar' 1899; 'buscar alguma coisa, no sentido espiritual' XX. Do quimb. *'boŋa* 'apanhar, pegar' + -AR¹.
bonific·ação, -ar → BOM.
bonifrate *sm.* 'boneco do teatro de fantoches' XVI. De origem controvertida.
bonina *sf.* 'planta ornamental da fam. das compostas, também conhecida como margaridinha' 1572. Do cast. *bonina*.
bonito *adj.* 'belo, formoso' XVI; 'peixe teleósteo, da fam. dos escombrídeos' XVI. Provavelmente do cast. *bonito*, de *bueno*. Cp. BOM.
bonomia → BOM.
bônus *sm. 2n.* 'prêmio ou vantagem que se concede aos portadores de determinados títulos, cupons etc.' 1881. Do lat. *bonus*, de *bonum -ī* 'bem (moral)' 'utilidade' 'vantagem' 'bom êxito'.
bonzo *sm.* 'sacerdote budista' | 1554, *bomze* 1548, *bôzo* 1578, *bouzo* 1578 etc. | Do jap. *bózu* 'religioso budista', com provável interferência de *bonsō* 'religioso ordinário ou ignorante'.
boqu·eira, -eirão, -iaberto, -iabrir, -ilha, -im → BOCA.
bórax *sm.* '(Quím.) borato de sódio decaidratado, cristalino, usado como antisséptico' 1813. Do fr. *borax*, deriv. do lat. med. *borax*, adapt. do ár. *baurāq (būraq)* e, este, do pers. *būrah*, *bōrak* 'nitro' ‖ **borac**ITA 1881 ‖ **bor**ATO *sm.* '(Quím.) qualquer sal do ácido bórico' | 1858, *-te* 1858 ‖ **bór**ICO 1858. Do fr. *borique* ‖ **boro** *sm.* '(Quím.) elemento de número atômico 5' 1858. Do fr. *bore*, de *borax*.
⇨ **bórax** — BORATO | *borate* 1836 SC |.
borboleta *sf.* 'designação comum aos insetos lepidópteros diurnos, cujas antenas são clavadas' | XVI, *berbereta* XVI | Provavelmente de um lat. **belbellita*, calcado em *bellus* 'bom, bonito' ‖ **borbolet**·ADOR XX ‖ **borbolet**EAR 1881.
⇨ **borboleta** — *berbeleta* XIV ORTO 309.*25* |.
borborigmo *sm.* 'ruído dos intestinos, produzido pelos gases' | *-ryg-* 1844 | Do fr. *borborygme*, deriv. do gr. *borborygmós* 'ruído dos intestinos'.
⇨ **borborigmo** — *borborygmo* 1836 SC |.
borborinbo *sm.* 'som confuso e prolongado de muitas vozes' XVI. De origem onomatopaica ‖ **burburinbo** XX. Var. de *borborinho*.
borbulhar *vb.* 'sair em, ou formar borbulhas, bolhas ou gotas frequentes' XVII. Talvez do cast. *borbollar*, de uma forma reduplicada **bolbollar*, deriv. do lat. *būllāre* 'ferver, formar bolhas' 'cobrir-se de bolhas', de *bulla* 'bolha' ‖ **borbot**ÃO *sm.* 'jorro, golfada, borbulhão' XVII. Der. regress. de *borbotar* ‖ **borbot**AR XVIII. Do cruzamento de *borbulhar* e *brotar* ‖ **borb**ULHA *sf.* 'bolha' | XVI, *bur-* XV. Der. regress. de *borbulhar* ‖ **borbulh**ANTE XVIII ‖ **brulho** *sm.* 'bagaço de azeitonas' 1871. Relacionado provavelmente com *borbulha*. Cp. BOLHA.
borc·ar, -o → REVOLCAR,
borda *sf.* 'beira, margem, orla' XVI. Provavelmente do fr. *bord*, deriv. do frâncico **bord* 'amurada

de barco' || bord**AD·EIRA** 1813 || bord**ADO** 1813 || bord**ADOR** 1813 || bord**ADURA** 1813 || **bordalo** sm. 'robalinho' 1813 || bord**AR** XVI. No port. med. ocorrem *borlado* (séc. XIV), *borladura* (séc. XIV) e *borlar* (séc. XV), 'nas acepções de *bordado, bordaqura* e *bordar*, respectivamente || RE**bord**AGEM sf. 'prejuízo causado aos navios que se abalroam' 1899 || RE**bord**ÃO adj. 'diz-se de vegetal bravio, silvestre, utilizado para sebe viva' 1813. De uma forma *reboldrão*, talvez deriv. do lat. **repullit(r) āre*. Com esse voc. designar-se-ia o produto ou ato de *reboldar, *rebordar || RE**bordo** sm. 'borda revirada' 1881 || RE**bord**OSA sf. 'repreensão' 1899; 'doença grave' 'situação desagradável' XX. Cp. BORDO¹.

⇨ **borda** | XIV TESTE 109.*12* || bord**AD·URA** VX LOPF 10.*34* |.

bordão¹ sm. 'cajado, bastão, vara' | *bordon* XIII, -*dom* XIV | Do lat. *burdōnem* 'mulo'. A evolução semântica decorre do fato de o bordão servir de muar ao peregrino || **bord**OADA XVII || **bordo**EIRA sf. 'bordoada' XX || ES**bordo**AR 1899.

bordão² sm. '(Mús.) nota grave, prolongada e invariável, que caracteriza certos instrumentos (gaita de foles, sanfona etc.)' XVIII. Do fr. *bourdon*, de formação onomatopaica.

bordar → BORDA.

bord·ejar, -ejo → BORDO¹.

bordel sm. 'ant. cabana' XV; 'ext. prostíbulo' XVI. Do fr. *bordel*, deriv. do prov. *bordel* ou do it. *bordèllo*.

bordo¹ sm. '(Mar.) cada uma das duas zonas em que o espaço em torno da embarcação é dividido pelo plano longitudinal dela' 'ato ou efeito de navegar em zigue-zague, à vela, recebendo o vento ora por um bordo, ora por outro' XIV. Provavelmente do fr. *bord*, deriv. do frâncico *bord 'amurada de barco' || **bord**EJAR XVII. Do it. *bordeggiare* 'navegar contra o vento', deriv. do fr. *bordoyer*, de *bord* 'bordo' || **bord**EJO XX. Dev. de *bordejar*. Cp. BORDA.

bordo² sm. 'planta da fam. das aceráceas' XV. De origem controvertida.

bordo·ada, -eira → BORDÃO¹.

boré sm. 'espécie de flauta dos índios do Brasil' 1846, Do tupi **mo're*.

bóreas sm. 'poét. o vento norte' 1572. Do lat. *borĕās*, deriv. do gr. *boréas* 'o vento do norte' 'região setentrional, o norte' || **bore**AL | *boreais* pl. 1572 | Do lat. *boreālis -e* 'do norte, setentrional'.

boreste → ESTIBORDO.

bórico → BÓRAX.

borla sf. 'obra de passamanaria formada por um suporte em forma de campânula, do qual pendem inúmeros fios' XVI. Do lat. vulg. *burrŭla* 'floco de lã', dim. de *burra* 'lã grosseira'. Cp. BORDA, BROSLAR.

bornal sm. 'saco de pano utilizado para transportar provisões, ferramentas etc.' 1813. De origem incerta || EM**bornal** 1813.

borne sm. 'peça metálica utilizada em instalações elétricas' 1858. Do fr. *borne*.

borneio sm. 'movimento circular horizontal para acertar a pontaria (do canhão)' 'lança antiga' 1813. Talvez deriv. de *borne*.

⇨ **borneio** — **borne**AR | *c* 1538 JCASG 162.*21* |.

boro → BÓRAX.

bororê sm. 'veneno com que os índios do Brasil empeçonhavam as flechas' | *c* 1767, *borarí* 1763 | De provável origem tupi.

bororo adj. s2g. 'diz-se de, ou indivíduo dos bororos, tribo indígena do interior do Brasil' 1899. De origem indígena. É também usual a var. prosódica *bororó*.

borra sf. *orig.* tecido grosseiro' 'substância sólida que, depois de haver estado em suspensão num líquido, se depositou' XIV. Do lat. *burra* 'burel, tecido grosseiro de lã' 'coisa grosseira ou sem importância' || BIS**bórr**IA sm. 'indivíduo ridículo, desprezível' 1813 || **borr**AÇ·AL sm. 'terreno pantanoso com pastagem' 'lameiro' 1899 || **borr**AC·EIRO | 1858, *borrasseiro* 1844 || **borr**ADOR 1572 || **borraina** sf. 'almofada interior dos arções das selas' XVII || **borr**ALHA sf. 'cinza' 1899 || **borr**ALH·ARA sf. 'ave passeriforme da fam. dos formicarídeos' XX || **borr**ALH·EIRA XVI || **borr**ALHO sm. 'borralha' XVI || **borr**ÃO 1813 || **borr**AR XIV || **borr**IÇO sm. 'chuvisco' 1844 || **borr**IFAR vb. 'regar, orvalhar' XIV | ES**borr**ALH·AR XVI || ES**borr**AT·AR vb. 'borrar' XX.

⇨ **borra** — **borr**AÇA | 1836 SC || **borr**AC·EIRO | 1836 SC || **borr**ALHA XIV GREG 1.30.*1* || **borrão** | 1635 MNor 264.*34* || **borr**IFADOR | *barrufador* 1704 Inv. 31 |.

borracha sf. *orig.* odre de couro bojudo, com bocal para conter líquidos' 'ext. substância elástica feita do látex coagulado de várias plantas' | *boracha* 1500 | Do cast. *borracha*, de *borracho*, de origem incerta || **borrach**EIRA 1844 || **borrach**EIRO 1844 || **borracho**¹ adj. sm. 'ébrio' 1813 || **borrach**UDO 1881 || ES**borra**CHADO XVII || ES**borrach**AR vb. 'fazer rebentar, pisar, esmagar' XVI.

⇨ **borracha** — **borach**EIRA | 1624 SESIR 40*v* || **borrach**EIRO | 1836 SC |.

borracho² → BORRO.

borrador → BORRA.

borragem sf. 'planta da fam. das borragináceas' 1813. Do fr. *bourrache*, deriv. do b. lat. *borrago -aginis* e, este, provavelmente, do ár. vulg. *būʿaráq* (ár. cláss. *ʾabūʿáraq*) 'sudorífico'.

borr·aina, -alha, -alhara, -alheiro, -alho, -ão, -ar → BORRA.

borrasca sf. 'furacão' 'tempestade no mar' XVII. Do it. *burrasca*.

borre·gada, -go, -lho → BORRO.

borr·iço, -ifar → BORRA.

borro sm. 'carneiro de entre um e dois anos' 1813. Do lat. *burrus* 'ruço, vermelho' || **borr**ACHO² sm. 'pombo implume, ou que ainda não voa' XVIII || **borr**EG·ADA XVI || **borr**EGO sm. 'cordeiro com menos de um ano' | -*re* XVI || **borr**ELHO sm. 'molusco gastrópode, de cor castanho-esverdeado' XVII.

borzeguim sm. 'botina cujo cano é fechado com cordões' | -*guij* XVI, -*gui* XVI, -*gi* XVI | Do a. fr. *brosequin*, hoje *brodequin*, deriv. do neerl. *broseken*, dim. de *brosen* 'calçados'.

bosboque → BOI¹.

bosníaco adj. sm. '(Hist.) pertencente ou relativo à Bósnia-Herzegovina 'soldado mercenário que servia em tropas irregulares nos antigos exércitos europeus, recrutado entre os habitantes da Bósnia' 1826. Do fr. *bosniaque*, deriv. do serv.-cr. *bosnjak*.

A par de *bosníaco*, documentam-se, também, os derivados vernáculos *bosnense*, em 1706, e *bosniense*, em 1717.
bosque *sm.* 'quantidade mais ou menos considerável de árvores dispostas proximamente entre si' | XVI, *bosco* XIII, *boosco* XIV | Do cat. *bosc*, de origem incerta || **bosqu**EJAR 1844 || **bosqu**EJO XVII.
⇨ **bosque** — **bosqu**EJAR | 1836 SC |.
boss·a, -agem → BOÇA.
bosta *sf.* 'excremento de qualquer animal' XVI. Talvez deriv. regress. de uma forma mais antiga **bostal*, oriunda de um lat. **bostāre* 'estábulo, curral para bois' || **bost**EIRO 1858.
bostela *sf.* 'pequena ferida com crosta, pústula' | *bustella* XIV | Do lat. vulg. *pŭstella*, de *pustŭla* 'pústula, bolha', com troca do sufixo.
bóston *sm.* 'modalidade de jogo carteado' 1844. Do anglo-americano *boston*, do top. *Boston*, onde esse jogo foi inventado.
⇨ **bóston** | 1836 SC |.
bóstrix *sm. 2n.* '(Bot.) inflorescência cimosa unípara, na qual as flores sucessivas se desenvolvem sempre do mesmo lado, mas em planos diferentes' | *-trico* 1858 | Do fr. *bostryche*, deriv. do lat. cient. *bostrychus* e, este, do gr. *bóstrychos* 'caracol' 'anel de cabelos'.
bota¹ *sf.* 'tipo de calçado' XIV. Do fr. *botte*, de origem incerta || **bot**INA *sf.* 'bota de cano curto, geralmente para homens' XVI. Do fr. *bottine*, de *botte*.
bota² *sf.* 'recipiente e antiga medida de capacidade' XV. Do lat. tard. *bŭttis* 'tonel, odre'.
botânica *sf.* 'parte da biologia que estuda as plantas' XVIII. Do fr. *botanique*, deriv. do gr. *botaniké* '(ciência) que trata das ervas, das plantas' || **botân**ICO *adj.* 'relativo à botânica' XVIII; *sm.* 'especialista em botânica' XVIII. Do lat. tard. *botanicus*, deriv. do gr. *botanikós* || **botan**ÓFAGO | *-ph-* 1871 || **botan**ÓFILO 1899 || **botano**GRAF·IA | *-ph-* 1858 || **botano**MANC·IA 1871 || **botano**MANTE XX.
⇨ **botânica** — **botano**MANC·IA | 1836 SC |.
botão *sm.* '*orig.* pequena saliência que, nos vegetais, dá origem a novos ramos, folhas ou flores' '*ext.* pequena peça que se usa para fechar ou enfeitar o vestuário' XIV. Do a. fr. *boton*, hoje *bouton* || Abot**ADO** 1813 || Abot**ADURA** | 1813, *botoadura* XIV || Abot**AMENTO** XX || Abot**AR** XIV || bot**OEIRA** 1813 || DES·Abot**OAR** XVI.
⇨ **botão** — Abot**OADO** | XV LEAL 239.*24*, MONT 182.*35* | DES·Abot**OAR** | XV CART 254.*5* |.
botar *vb.* 'deitar em, lançar fora, pôr, colocar' XIV. Do a. fr. *boter* 'golpear, empurrar, pôr' (hoje *bouter*), deriv. do frâncico **bōtan* 'empurrar, golpear' || botaréu *sm.* 'contraforte, pilastra, escora' | *-réos* pl. XVII | Do cast. *botarei*, deriv. do cat. *boterell* || bote² *sm.* 'golpe, cutilada, estocada' XVI || **bot**IC·ÃO *sm.* 'tenaz para arrancar dentes' 1813 || **boto**¹ *sm.* 'cetáceo da fam. dos platanistídeos e delfinídeos' 1813. De origem controversa; talvez se ligue a *boto*² | **boto**² *adj.* 'de gume embotado' 'rombo' XVI. O voc. talvez seja de criação expressiva || EMbot**AMENTO** XIV || EM**bot**AR XVI || RE**bot**ALHO *sm.* 'coisa sem valor' XV || RE**bot**AR *vb.* 'repelir, rechaçar' XVII.
⇨ **botar** — **boto**² | XIV ORTO 98.*10* || RE**bot**AR | XV LEAL 108.*2* |.

bote¹ *sm.* 'tipo de embarcação pequena' XV. Do a. ing. *bôt*, hoje *boat*, através do a. fr. *bot*.
bote² → BOTAR.
boteco → BOTEQUIM.
botelha *sf.* 'garrafa, frasco' | XVI, *botello* m. XIII | Do fr. *bouteille*, deriv. do lat. med. *bŭttīcŭla*, dim. do lat. tard. *bŭttis* 'tonel, odre' Cp. BOTA², BOTIJA.
botequim *sm.* 'casa pública onde se servem bebidas, lanches e refeições' 1858. Talvez do it. *botteghino* 'local de venda para bilhetes de teatro' 'banco de loto', de *bottéga* 'negócio (local e comércio)', deriv. do lat. *apothēca* e, este, do gr. *apothḗke* 'depósito, armazém' || **boteco** *sm.* 'botequim' XX || **botequin**EIRO 1881. Cp. BODEGA.
⇨ **botequim** | 1836 SC |.
botic·a, -ário → BODEGA.
boticão → BOTAR.
botija *sf.* 'vaso cilíndrico, de boca estreita, gargalo curto e uma pequena asa' XVII. Do cast. *botija*, deriv. do lat. med. *bŭttīcŭla*, dim. do lat. tardio *bŭttis* 'tonel'. Cp. BOTA², BOTELHA.
botina → BOTA¹.
botirão *sm.* 'rede de vime para a pesca da lampreia' 1813. De origem obscura.
boto¹ᵉ² → BOTAR.
boto³ *sm.* 'sacerdote do hinduísmo' XVI. Provavelmente do concani *bhat*, deriv. do sânscr. *bhatta* 'brâmane letrado'.
botoeira → BOTÃO.
botrioide *adj. 2g.* 'que tem forma de cacho' | *-try-* 1871 | Do ing. *botryoid*, deriv. do gr. *botryoeidḗ*, de *bótrys -yos* 'cacho'.
botulismo *sm.* 'alantíase' XX. Do fr. *botulisme*, deriv. do lat. *botŭlus -i* 'chouriço, salsicha'.
bouba → BUBÃO.
bouça *sf.* 'terreno inculto e montanhoso' 1813. Talvez do lat. *baltea*, pl. neutro de *baltĕus* ou *baltĕum -i* 'o que cinge'.
bovarismo *sm.* 'tendência de certos espíritos romanescos para emprestarem a si mesmos uma personalidade e/ou condição fictícia e desempenharem um papel que não combina com a realidade' XX. Do fr. *bovarysme*, do antrop. Ema *Bovary*, heroína do romance *Madame Bovary*, de Gustave Flaubert || **bovar**ISTA XX.
bovino *adj.* 'relativo ao, ou próprio do boi' 1572. Do lat. *bovīnus* || **bovino**CULT·OR XX || **bovino**TECN·IA XX. Cp. BOI¹.
boxe *sm.* 'jogo de murro em que dois contendores, usando luvas especiais, se defrontam' | *box* 1881 |; 'cada um dos compartimentos de um mercado, de uma garagem, de uma cavalariça etc.' 'compartimento do banheiro destinado ao banho de chuveiro' XX. Do ing. *box* || **boxe**ADOR XX || **boxe**AR XX.
bozó *sm.* 'tipo de jogo de dados' 'feitiço, magia negra' XX. Do quimb. *mọ'ṅo* 'tristeza'.
braç·a, -ada, -ad·eira, -agem, -ai → BRAÇO.
bracarense *adj. s2g.* 'relativo a, ou natural de Braga' XVI. Do lat. *Bracarēnsis -e*, do top. *Brācăra* 'Brácara', hoje Braga.
braço *sm.* 'cada um dos membros superiores do corpo humano' XIII. Do lat. *brac(c)hĭum* || A**braç**AR XIII || A**braç**O XV || ANTE**braço** 1844 || **braça** XIII || **braç**ADA XIII || **braç**AD·EIRA XVIII || **braç**AGEM | *braçagees* pl. XV || **braç**AL XIV || **braç**ARIA XV ||

brac**ear** XVII || brac**eiro** | -*ceyro* XIII || brac**ejar** XVI || **bracelete** XV. Do fr. *bracelet* || **bracelote** 1871 || sobraç**ar** XIII.
⇨ **braço** | **abraç**amento *sm.* 'abraço' | XIV ORTO 36.*20* || ante**braço** | 1836 SC || des·**abraçar** | 1660 FMMeIE 19.*26* |.
bráctea *sf.* 'folha de inflorescência, quase sempre de forma modificada' XVIII. Do lat. *bractĕa* 'folha de metal' 'raminho de ouro' || **bractei**FORME 1858.
bradar *vb.* 'exclamar, gritar' | *braa-* XIII | Do lat. **balat(e)rāre*, de *balătrō* || **brad**ADOR | *braa-* XIII || **brado** | XV, *braado* XIII | Deriv. regress. de *bradar*.
⇨ **bradar** — **brad**ANTE | *braadăte* XV VITA 169*c*25 |.
bradi- *elem. comp.*, do gr. *brady-*, de *bradýs* 'lento, tranquilo, indolente' 'de raciocínio demorado', que se documenta em alguns compostos formados no próprio grego (como *bradicinesia*) e em alguns outros introduzidos a partir do séc. XIX na linguagem científica internacional ♦ **bradi**CARD·IA | -*dyc-*1899 || **bradi**CINES·IA XX. Cp. gr. *bradykīnēsía* || **bradi**FAS·IA XX || **bradi**PEPS·IA | *bradypepsia* 1844/ Do fr. *bradypepsie* || **bradi**PODE | -*dypodo* 1871.
⇨ **bradi-** — **bradi**PEPS·IA | *bradypepsia* 1846 SC |.
brafoneira *sf.* 'parte das armaduras antigas, que protegia a região superior do braço e os ombros' XIII. Do cast. *brafonera, brafunera*, deriv. do cat. *braonera*, de *braó* 'parte do braço compreendida entre o ombro e o cotovelo' e, este, do frâncico *brado* 'pedaço de carne' 'parte carnosa do corpo'.
braga *sf.* 'calção, geralmente curto e largo, que se usava outrora' XV; 'grilheta' XVI. Do lat. *brāca* || **brag**ADO | XVI, *bar-* XVII | Do lat. *bracātus* || **brag**AL *sm.* 'a roupa branca de uma casa' 'pano com que se faziam bragas' XVI || **bragas** *sf. pl.* 'braga' XVI (mais usado do que *braga*). Do lat. *brācae -ārum* || **braguilba** *sf.* 'orig. abertura dianteira das bragas' 'ext. abertura dianteira de qualquer tipo de calça' XVII.
brama → BRAMAR.
brâmane *sm.* 'sacerdote hindu' XV. Do lat. *brachmānae* pl., deriv. do gr. *brachmānes* e, este, do sânscr. *brāhmanas*.
bramar *vb.* 'berrar, rugir, bradar' XIV. De uma raiz *bram-*, comum a todas as línguas românicas meridionais e a muitas germânicas e indo-europeias || **brama** XVI. Der. regress. de *bramar* || **bram**IDO XVI || **bram**IR *vb.* 'bramar' 1572.
⇨ **bramar** — **bram**IR | XIV GREG 3.5.*6* |.
branco *adj.* 'da cor da neve, do do leite etc.' XIII. Do germ. *blanck* || **branca** *sf.* 'antiga moeda' 1813; '*bras.* cachaça' XX || **branc**AC·ENTO 1813 || **branc**URA XIII || **branque**AMENTO 1844 || **branqu**EAR XV || EM**branqu**ECER XVI || EM**branque**CIMENTO XX || ES**branquiç**·ADO 1813 || ES**branquiç**·AR 1881.
⇨ **branco** — **branca** *sf.* 'antiga moeda' | XV VERT 142.*38* || **branc**AÇO *adj.* 'esbranquiçado'| *brancaso c* 1538 JCasG 185.*4 branquaso c* 1539 JCasD 144.*27, bramcaço c* 1541 JCasR 300.*14* || **branque**AMENTO | 1836 SC || ES**branquiç**·ADO 1813 || ES**branquiç**·AR 1836 |.
brandal *sm.* 'tipo de cabo usado a bordo' | -*dáes* pl. 1813 | Do cat. *brandal.*
brandão *sm.* 'grande vela de cera' 'círio, tocha' XVI. Do cat. *brandó*, deriv. do frâncico *brand 'tição'.
⇨ **brandão** | *brandõoes* pl. XV CESA III.1§12.*1 brandoões* pl XV ZURC 72.*34* |.

brandir *vb.* 'erguer (a arma) antes da arremetida ou disparo' XIII. Do fr. *brandir*, deriv. do a. fr. *brant* 'espada' 'ferro da lança' e, este, do frâncico *brand 'tição' e, posteriormente, 'lâmina de espada', por causa do brilho.
brando *adj.* 'tenro, macio' 'meigo, afável' | XIV, *blando* XIII | Do lat. *blandus* || A**brand**AMENTO XVI || A**brand**AR | XIV, *ablandar* XV || A**brand**ECER XVI || **brand**ECER | *blandeçer* XIV || **brand**URA | XIV, *blan-* XV.
⇨ **brando** — A**brand**AMENTO | XV MONT 77.*26* || **brand**EZA | XIV ORTO 345.*30, blan-* XIV Id. 39.*16* |.
branque·amento, -ar → BRANCO.
brânquia *sf.* 'guelra, órgão respiratório dos animais aquáticos' | *branchias* pl. 1844 | Do lat. *branchĭae* deriv. do gr. *brágchia* || **branqui**AL | -*chial* 1844 | Do fr. *branchial.*
⇨ **brânquia** | *branchius* pl. 1836 SC || **branqui**AL | *branchial* 1836 SC |.
braqu(i)-[1], **braqu(i)-**[2] *elem. comp.*, ambos de origem grega, mas de étimos distintos: (i) *braqu(i)-*[1], do gr. *brachiōn -onos* 'braço', que se documenta em alguns vocs. eruditos; (ii) *braqu(i)-*[2], do gr. *brachýs* 'curto, breve' que, como o anterior, ocorre em vocs. eruditos, usados todos introduzidos, a partir do séc. XIX, na linguagem científica internacional. Registram-se, a seguir, por ordem alfabética, os principais compostos desses dois elementos; para distingui-los, adotou-se o critério de indicar com (i), adiante do voc., os do primeiro grupo, e com (ii) os do segundo ♦ **braqui**A (ii) *sf.* 'sinal colocado sobre uma vogal, para indicar que é breve' | *bracchia* XVII || **braqui**AL (i) | -*chial* 1871 | Do lat. *brachiālis* || **braqui**ANTI·CLIN·AL (i) XX || **braqui**CÉFALO (ii) | -*chycéphalo* 1871 | Do fr. *brachycéphale*, deriv. do gr. *brachyképhalos* || **braqui**CERO (ii) | *brachy-*1871 | Do lat. cient. *brachycera* || **braqui**DÁCTILO (ii) | -*chydactylo* 1871 | Cp. gr. *brachydáktylos* || **braqui**ÉLITRO (ii) XX || **braqui**GRAF·IA (ii) | -*chygraphia* 1844 || **braqui**OTOM·IA (ii) XX || **braqui**PNEIA (ii) | -*chypnêa* 1858 || **braqui**PTERO (ii) | -*chyp-* 1858 || **braquiss**INCLIN·AL. (i) XX || **braqui**STÓCRONO (i) | -*chistochróna* 1871 | Do gr. *bráchistos*, superl. de *brachýs* + -CRONO || **braqui**ÚRO (ii) | -*chy-* 1871.
⇨ **braqu(i)-**[1], **braqu(i)-**[2] — **braqui**A | *brachia* 1576 DNLeo 78.*24* || **braqui**AL | *brachial* 1836 SC |.
brasa *sf.* 'carvão incandescente' XIV. De origem incerta || A**bras**ADOR XVI || A**bras**AMENTO 1813 || A**bras**AR XIV || A**bras**EAR | *abrasiada* XVI || **bras**EIRO | -*zeiro* XVI || ES**bras**EAR | -*ziar* 1813.
brasão *sm.* 'insígnia ou distintivo de pessoa ou família nobre' | XV, *blasão* XV | Do fr. *blason*.
braseiro → BRASA.
brasil *adj. s2g.* 'pau-brasil' XIV. Do it. *brasile*, de origem controversa; *ant.* designação com que os portugueses nomeavam os indígenas do Brasil (e a sua língua), usada com mais frequência no plural' | *brasis* pl. XVI | Do top. *Brasil* || A**brasil**EIR·ADO XIX || A**brasil**EIR·AMENTO XIX || A**brasil**EIR·AR XIX || **brasil**EIR·ENSE XVII || **brasil**EIR·ICE XIX || **brasil**EIR·ISMO 1899 || **brasil**EIR·ISTA XX || **brasil**EIRO 1833 || **brasil**ETE *sm.* 'planta da fam. das leguminosas' 1813 || **brasil**ÍADA 1815 || **brasil**IANA *sf.* 'coleção de livros, publicações, estudos acerca do Brasil' XX || **brasíl**ICO | -*ica* XVI || **brasil**IDADE XX || **brasi-**

lianISTA 'brasileirista' XX. Do ing. *brazilianist*, de *brazilian* 'brasileiro' e, este, de *Brazil* || **brasili**ENSE *adj. s2g.* 'brasileiro' 1833; 'relativo a, ou natural de Brasília, capital do Brasil' XX || **brasil**ÍNDIO XX || **brasí**LIO *adj. sm.* 'brasileiro' XX; *'sm.* certo mineral descoberto no Estado do Espírito Santo' XX || **brasilo**GRAF·IA XX || **brasi**LOG·IA XX.
braúna *sf.* 'árvore da fam. das leguminosas, cuja madeira é utilizada em construção' | *brauna* 1765, *brahúna* 1817 etc. | Do tupi *ĩmĩra'una* < *ĩmĩ'ra* 'madeira, árvore' + *'una* 'preto, negro'.
brauniano, browniano *adj.* 'diz-se do movimento caótico e desordenado que apresentam pequenas partículas sólidas em suspensão num meio líquido' XX. Do ing. *brownian*, do antrop. *Brown*, do nome do botânico inglês que descobriu esse movimento.
bravata *sf.* 'intimidação ou ameaça arrogante' XVI. Do it. *bravata* || **bravat**EAR XVII.
bravo *adj.* 'corajoso, valente, intrépido' 'feroz, selvagem' XIII, *interj.* 'viva! muito bem!' 1844. Do lat. *barbarus*. Na segunda acepção, é de imediata procedência italiana || **barbatão** *sm.* 'rês que, por ser criada nos matos, se torna bravia' 1899. Parece forma metatética de **brabatão*, deriv. de *brabo*, var. de *bravo* || **brav**EZA XIII || **brav**URA XIV || **bravo** XVI || **desbrav**ADOR XX || **desbrav**AR XVII || **embrav**ECER | XIV, *-becer* XX || **esbrav**EAR XVI || **esbrav**EJAR XVI.
⇨ **bravo** *interj.* | 1836 SC |.
breca¹ *sf.* '*ant.* sanha, furor, ira' XVII; 'cãibra' 1844. De origem obscura.
breca² *sf.* 'tipo de pescado' 1899. De provável origem moçárabe, mas de étimo incerto.
brecar → BREQUE.
brecha *sf.* 'fenda, lacuna, espaço vazio' XVII. Do fr. *brèche*, deriv. do a. a. al. *brecha* 'fratura'.
bredo *sm.* 'planta da fam. das amarantáceas' XVI. Do lat. *blitum -ī*, deriv. do gr. *blíton* 'bredo'.
bregma *sm.* '(Anat.) ponto, na superfície do crânio, onde se dá a junção dos ossos frontal e parietais' 1858. Do lat. *bregma -atis*, deriv. do gr. *brégma -atos* 'cume da cabeça'.
brejo *sm.* 'pântano' XVI. De origem controvertida || **brej**AL XIX. 'brejo grande' XX || **brejeir**AR 1858 || **brejeir**ICE 1858 || **brej**EIRO *adj. sm.* 'relativo ou pertencente ao brejo' 'brejo' | *bregeiro* XV |; 'brincalhão, malicioso' 1813.
brenha *sf.* 'matagal' XVI. De origem desconhecida, provavelmente pré-romana || **brenh**OSO 1813 || **embrenh**AR | *embra-* XV.
⇨ **brenha** | *branha* XV CESA III.14§22.3 |.
breque *sm.* 'freio' 1899. Do ing. *break* || **brec**AR XX.
bretanha *sf.* 'tecido fino de linho ou de algodão' XVIII. Do top. *Bretanha*, onde se fabricava esse tecido.
bretão *adj. sm.* 'relativo à, ou natural da Bretanha, na França' 'relativo aos povos celtas da Bretanha e da Grã-Bretanha' | *bertoões* pl. XV | Do fr. *breton*, deriv. do lat. *Brĭto -onis* || **britânico** *adj. sm.* 'relativo à, ou natural da Bretanha, na França' | *-tanni-* XVIII |; 'relativo à, ou natural da Grã-Bretanha' XIX. Do lat. *britannĭcus -ī*.
brete¹ *sm.* 'armadilha para apanhar pássaros' XVI. Do cast. *brete*, deriv. do prov. *bret* 'armadilha para pássaros' e, este, do gót. **brid* 'tábua' || **brete**² *sm.* '*bras.* pequeno curral para a tosquia' XX.
breu *sm.* 'substância semelhante ao pez negro, obtida pela evaporação parcial ou destilação da hulha ou outras matérias orgânicas' XIV. Do fr. *brai*, deriv.do gaulês **bracu* || **embre**AR² 1844.
⇨ **breu** — **bre**ADO | XV PAUL 8*v*26 || **embre**AR² 1836 SC |.
breve *adj.* 'de pouca duração, ou de pouca extensão ou tamanho' XIV. Do lat. *brevis* || **abrevi**AÇÃO XVI || **abrevi**ADOR XVI || **abrevi**AR | XIV, *abri-* XV || **abreviativo** 1899 || **abrevi**ATURA XVI || **breviário** *sm.* 'forma breve do ofício divino, ou prece da Igreja, para uso dos clérigos' | XIV, *briujajro* XIV, *briviario* XV | Do lat. *breviārĭum -ī* 'sumário, resumo' || **brevi**DADE XIV. Do lat. *brevĭtās -ātis*.
⇨ **breve** — **abrevia**MENTO *sm.* 'abreviação' | XV LOPF 158.34 || **brev**EZA | XV LEAL 70.10 |.
brevê *sm.* 'diploma conferido aos que terminam o curso de aviação' XX. Do fr. *brevet*, 'título, diploma', de *bref* 'breve', deriv. do lat. *brevis* || **brevet**AR XX. Do fr. *breveter*. Cp. BREVE.
brevi- *elem. comp.*, do lat. *brevi-*, de *brevis* 'breve, curto, conciso', que se documenta em alguns vocs. introduzidos, a partir do séc. XIX, na linguagem científica internacional ♦ **brevi**FLORO | *-flora* 1871 || **brevifoli**·ADO 1871 || **brevi**LÍNEO XX || **breví**PEDE 1858 || **brevi**PENE | *-penne* 1858 || **brevi**RROSTRO | *breviros-* 1858.
⇨ **brevi-** — **brev**ÍPEDE | 1836 SC || **brevi**PENE | *brevipenne* 1836 SC || **brevi**RROSTRO | *brevirostro* 1836 SC |.
brevi·ário, -dade → BREVE.
brevi·floro, -foliado, -líneo, -pede, -pene, -rrostro → BREVI-.
brial *sm.* 'espécie de túnica' XIII. Do a. prov. *blial*, de origem controversa.
brica *sf.* '(Heráld.) pequeno espaço quadrado, de esmalte diferente do do campo do escudo, localizado junto ao campo direito do chefe, e que serve para diferenciar as linhagens dos filhos segundos das dos primogênitos' 1813. De origem controvertida.
bricabraque *sm.* 'conjunto de diversos e velhos objetos de arte ou artesanato, antiguidade etc.' 'estabelecimento que compra e vende tais objetos' 1899. Do fr. *bric-à-brac*, de formação expressiva.
briche *sm.* 'tipo de tecido de lã' 1813. Talvez alteração do ing. *brítish* 'bretão'.
brida *sf.* 'rédea' XV. Do fr. *bride*, deriv. de uma forma germânica aparentada com o ing. *bridle*.
bridge *sm.* 'tipo de jogo de cartas' XIX. Do ing. *bridge*.
briga *sf.* 'luta, combate, desavença' | XV, *brigua* XV | Do fr. *brigue*, deriv. do it. *briga* e, este, do célt. **brīga* || **brig**ADOR 1813 || **brig**ALH·ADA XX || **brig**ÃO XVII || **brig**AR XIV || **brigu**ENTO 1813.
brigada *sf.* 'corpo militar' XVIII. Do fr. *brigade*, deriv. do it. *brigata* 'companhia' 'família' 'corpo de armas', de *briga* || **brigad**EIRO 1769. Do fr. *brigadier* 'oficial-general'. Cp. BRIGA.
brig·ador, -alhada, -ão, -ar → BRIGA.
brigue *sm.* 'antigo navio a vela' 1871. Do ing. *brig*, redução de *brigantine*, deriv. do it. *brigantino*.

⇨ **brigue** | 1836 SC |.
briguento → BRIGA.
brilhar vb. 'luzir, resplandecer, cintilar' XVII. Do cast. *brillar*, deriv. do it. *brillare* || **AbrilhANT·AR** 1813 || **brilhANTE** adj. 2g. 'que brilha' XVII; sm. 'diamante lapidado' 1813 || **brilhANT·INA** sf. 'pó ou cosmético com que se dá brilho' 1881 || **brilhANT·ISMO** 1844 || **brilho** 1813. Der. regress. de *brilhar* || **REbrilhANTE** 1899 || **REbrilhAR** 1881.
⇨ **brilhar** — **brilhANTISMO** | 1836 SC |.
brim sm. 'tecido forte de linho, algodão etc.' 1813. Do fr. *brin*, de origem desconhecida, talvez céltica.
brinco sm. 'brincadeira, brinquedo' 1572; 'adorno, enfeite' XVI; 'joia que se usa presa ao lobo da orelha ou pendente dela' XVII. Do lat. *vincŭlum* 'laço', através das formas **vinclu, *vincru, *vrinco* || **brincadEIRA** sf. 'ato ou efeito de brincar' 1844 || **brincALH·ÃO** 1871 || **brincAR** vb. 'divertir-se, entreter-se' XVI || **brinquEDO** 1844.
⇨ **brinco** | 1562 JC || **brincAD·EIRA** | 1836 SC || **brincAR** | XV ESOP 17.2 || **brinquEDO** | 1836 SC |.
brinde sm. 'palavras de saudação a alguém no ato de beber' XVII; 'oferta, dádiva' XVII. Do fr. *brinde*, abrev. da frase alemã *ich bringe dir's* 'ofereço-te' || **brindAR** vb. 'saudar' XVII; 'presentear' XVII.
brio sm. 'sentimento da própria dignidade' XIII. Do céltico **brígos* 'força, coragem' || **brioso** XIII || **DESbriADO** XX || **DESbrio** XVIII || **DESbrioso** 1899.
brio- elem. camp., do gr. *brýon* 'musgo, líquen', que se documenta em alguns vocs. introduzidos, a partir do séc. XIX, na linguagem científica internacional ♦ **briófito** XX || **brioLOG·IA** | bry- 1871 || **briônIA** | bry- 1871 | Do lat. cient. *bryōnia*, deriv. do gr. *bryōnía* 'serpentária' || **briozO·ÁRIO** | *bryozoarios* pl. 1881.
brioche sm. 'tipo de pãozinho muito fofo' XX. Do fr. *brioche*.
briófito → BRIO-.
brio·logia, -nia, -zoário → BRIO-.
briquete sm. 'massa ou tijolo composto de carvão em pó e de um aglutinante, usada como combustível' XX. Do fr. *briquette*, de *brique*.
brisa sf. 'vento brando e fresco' | *-za* m. XVI | Do fr. *brise*.
brisca sf. 'antiga carruagem de quatro rodas, semelhante a uma caleça, usada, especialmente, na Polônia e na Rússia' | *-ka* 1846 | Do fr. *briska*, deriv. do pol. *bryczka*.
brístol sm. 'espécie de pano de lã grosseiro' XV. Do top. *Bristol*, cidade inglesa onde, originariamente, era fabricado esse tecido.
britânico → BRETÃO.
britar vb. 'quebrar, fragmentar, partir' XIII. De origem germânica || **britAD·EIRA** XX || **britADO** XIII || **britADOR** XIII.
brizomancia sf. 'adivinhação pela interpretação dos sonhos' 1844. Do it. *briz'omancia*, formado do gr. *brízō* 'dormir, estar sonolento' + -MANCIA || **brizoMANTE** XX.
⇨ **brizomancia** | 1836 SC |.
broa sf. 'pão arredondado ou bolo feito de farinha de trigo, de fubá de milho, de farinha de arroz, de cará etc.' | XVI, *borōa* XIII | De origem incerta, provavelmente pré-romana || **EsboroADO** XVII || **EsboroAMENTO** 1844 || **EsboroAR** vb. 'reduzir a pó, destruir' XV. Cp. DESMORONAR.
⇨ **broa** — **EsboroAMENTO** | 1836 SC |.
broca[1] sf. 'instrumento que, com movimentos circulares, abre orifícios circulares' 1813. Do cat. *broca*, provavelmente de origem céltica || **brocAR** 1844.
⇨ **broca** — **brocAR** | 1836 SC |.
broca[2] sf. 'saliência na parte central e externa do escudo' XIV. Do fr. *boucle* 'parte saliente do escudo, anel'. Cp. BROQUEL.
brocado sm. 'rico tecido de seda com desenhos em relevo, realçados por fios de ouro ou de prata' XV. Do it. *broccato*, deriv. do cat. *brocat* || **brocatel** sm. 'tecido que imita o brocado, porém de menor valor' XVI. Do it. *broccatèllo*, deriv. do cat. *brocatell*.
brocar → BROCA[1].
brocardo sm. 'axioma jurídico' 'ext. axioma, aforismo, máxima, provérbio' XVI. Do lat. med. *brocardum -i*, alteração do antrop. *Burchardus*, nome do bispo de Worms (séc. XI), autor de uma coleta de direito canônico.
brocatel → BROCADO.
brocha sf. 'ant. fecho de metal' XIV; 'prego curto, de cabeça larga e chata' XVI. Do fr. *broche*, deriv. do lat. pop. *brocca*, feminino substantivado de *brocchus* 'saliente, pontudo'. V. BROXA || **AbrochAR** XVI || **brochADO** 1844 || **brochAGEM** XX. Do fr. *brochage* || **brochAR**[1] vb. 'fixar, pregar' 1871 || **brochAR**[2] vb. 'encadernar' 1844. Do it. *brocher* || **broche** sm. 'adorno provido de alfinete e fecho' 1813. Do fr. *broche* || **brochURA** 1844. Do fr. *brochure* || DES·**AbrochAR** 1813.
⇨ **brocha** — **brochAR**[2] | 1836 SC || **brochURA** | 1836 SC || **DESbrochAR** | 1614 SGONÇ I.399.5 |.
brócolos sm. pl. 'planta da fam. das crucíferas, amplamente cultivada como verdura' 1844. Do it. *broccoli*, pl. de *broccolo*.
⇨ **brócolos** | 1836 SC |.
bródio sm. 'refeição alegre' 1813. De origem incerta, talvez do it. *bròdo*.
broma[1] sf. 'parte da ferradura' XVII. De origem obscura.
broma[2] sf. 'inseto ou verme que rói a madeira' 1844. Do cast. *broma*, deriv. do gr. *brõma -atos* 'alimento' 'o que se rói' 'ato de devorar' || **bromADO** 1813 || **bromAR** 1813 || **bromatoLOG·IA** 1844.
⇨ **broma**[2] | 1836 SC || **bromatoLOG·IA** | 1836 SC |.
broma[3] adj. s2g. 'grosseiro, estúpido' XVIII. De origem controvertida.
brom·ado, -ar, -atologia → BROMA[2].
bromo sm. '(Quím.) elemento de número atômico 35' | 1871, *brome* 1858 | Do fr. *brome*, deriv. do gr. *brõmos* 'odor infecto' || **bromÍDR·ICO** | *bromhy*-1858 | Do fr. *bromhydrique* || **bromIDR·OSE** XX || **bromoFÓRMIO** 1871.
bronco adj. 'tosco, áspero, agreste' XVII; 'rude, rústico, ignorante' 1813. Do it. *brónco*, deriv. do lat. vulg. **bruncus*, cruzamento de *broccus* 'objeto pontiagudo' com *trŭncus* 'tronco' || **bronca** sf. 'gír. repreensão, censura' XX.
bronc(o)-, bronqu(i)- elem. comp., do gr. *brógchia*, pl. de *brógchos* 'brônquio', que se documen-

ta em vocs. introduzidos, a partir do séc. XIX, na linguagem médica internacional ▶ broncoCELE | *bronchocele* 1844 | Do lat. tard. *bronchocēlē*, deriv. do gr. *brogchokḗlē* || broncoGRAF·IA XX || broncoPNEUMON·IA XX. Do fr. *bronchopneumonie* || broncoSCOP·IA XX || broncoTOM·IA | *broncho-* 1844 || bronquECTAS·IA XX. Do fr. *bronchectasie* || brônquIO *sm.* '(Anat.) cada um dos canais em que se bifurca a traqueia, e que se ramificam nos pulmões' | *bronchio* 1813 | Do lat. *bronchium*, deriv. do gr. *brógchia*, pl. de *brógchos* || bronqUITE | -*chite* 1858 | Do fr. *bronchite*.
⇨ bronc(o)-, bronqu(i) — broncoCELE | *bronchocele* 1836 SC || broncoTOM·IA | *bronchotomia* 1836 SC |.
brontossauro *sm.* 'grande dinossauro extinto' XX. Do fr. *brontosaure*, deriv. do lat. cient. *brontosaurus* e, este, do gr. *brontḗ* 'trovão, trovoada' + SAURO.
bronze *sm.* 'liga metálica de cobre e estanho' | XVI, *bronço* XVI, *bronzo* XVI | Do fr. *bronze*, deriv. do it. *bronzo*, de origem incerta || bronzE·ADO 1813 || bronzE·AR 1844 || brônzEO XVI.
⇨ bronze — bronzEAR | 1836 SC |.
broque *sm.* 'nos fornos de fundição, tubo de tiragem de ar' 1813. De origem incerta; talvez se ligue a BROCA¹.
broquel *sm.* 'escudo antigo, redondo e pequeno' | *bru-* XVI | Do a. fr. *bocler* (hoje *bouclier*), de *bocle* 'guarnição de metal no centro do escudo' e, este, do lat. *bŭccŭla*, dim. de *bucca* 'boca' || AbroquelAR | XVII, *abru-* XVI. Cp. BROCA².
broslar *vb.* '*ant.* bordar, guarnecer, ornar' XVI. De uma forma germânica como **bruzdôn* 'abafar', aparentada com o a. al. *gaprortôn* || broslADO XVI. Cp. BORDA e BORLA.
brossa → BROXA.
brotar *vb.* 'lançar, produzir (o vegetal) rebentos, ramos, folhas, flores' XVI. Do prov. *brotar*, provavelmente deriv. do gót. **brūtôn* 'encher brotes', aparentado com o a.a.al. *brozzen* || **broto** XIX. Der. regress. de *brotar* || brotoEJA 1813.
brote *sm.* 'biscoito ou bolacha pequena, torrada, feita de farinha de trigo' XVII. Do neerl. *brood* 'pão'. Em 1681, em texto relativo a Angola, referindo-se à invasão dos holandeses, diz o seu autor: "Chegados [*os holandeses*] que forão á Cidade derão ao Governador [*português de Angola*] o seu mesmo Pallado por prisão, [...] dando lhe hum pequeno de brote, e esse bem ruim, [...]". O voc. continua em uso no nordeste do Brasil, onde teria sido introduzido por ocasião do domínio holandês (1636-1654).
brot·o, -oeja → BROTAR.
browniano → BRAUNIANO.
broxa *sf.* 'grande pincel para caiar' | *brocha* 1813 | Do fr. dialetal *brouche* (hoje *brosse*), deriv. do lat. pop. **brŭscia*, de origem desconhecida || **brossa** *sf.* '(Tip.) escova com que o impressor limpa a forma' | *broça* 1844 | Do fr. *brosse*.
bruaca → BURJACA.
brucelose *sf.* 'moléstia infecciosa comum aos bovinos, caprinos e suínos, por eles transmitida ao homem' XX. Do fr. *brucellose*, de *brucelle*, deriv. do lat. cient. *brucella* e, este, do antrop. *Bruce*, do nome de Sir David Bruce, cientista australiano que descobriu o agente causador da doença.

bruços *sm. pl.* (usado na loc. *de bruços* 'com o ventre e o rosto voltados para baixo, em posição horizontal') XVI. De origem controvertida || DEbruçAR XV.
⇨ bruços | XV INFA 52.*21* |.
bruega *sf.* 'chuva miúda e passageira' XIX. De origem obscura; talvez seja de formação expressiva.
brulho → BORBULHAR.
brulote *sm.* '*ant.* embarcação carregada de inflamáveis e explosivos' XVII. Do fr. *brûlot*, de *brûler*, deriv. do lat. vulg. **bustŭlare*, var. de *ustŭlāre* 'queimar'.
bruma *sf.* 'nevoeiro, neblina, cerração' XVI. Do lat. *bruma* 'inverno' || brumAL XVI. Do lat. *brūmālis -e* || brumÁRIO XIX. Do fr. *brumaire* || brumOSO 1858. Do lat. *brūmōsus*.
⇨ bruma — brumOSO | 1836 SC |.
brunir *vb.* 'polir, lustrar' | *bronido* XIII | Do fr. *brunir*, de *brun*, deriv. do germ. **brun* 'moreno' 'brilhante' || brunIDOR 1813 || brunIDURA 1813 || **bruno** *adj.* 'castanho' | *brŭu* XIV, *bruu* XIV.
brusca *sf.* 'planta lenhosa, da fam. das ramnáceas' XVII. Do lat. *ruscus* 'gilbardeira (planta)', cruzado com o nome gaulês da mesma planta, *brisgo*.
brusco *adj.* 'áspero, severo, ríspido' XIV. De origem incerta; talvez se trate de um adj. pré-romano.
bruto *adj.* 'tal como é encontrado na natureza' 'grosseiro, tosco' 'selvagem, bravio' XIV. Do lat. *brutus* || AbrutALH·ADO 1871 || brutAL XVI. Do lat. *brūtālis -e* || brutalIDADE XVIII brutaMONTE·S 1881 || bruti·FICARXX || EmbrutECER 1813 || EmbrutEC·IDO 1813 || EmbrutEC·IMENTO 1814.
⇨ bruto — brutEZA 'brutalidade' | XV IMIT 23.*3*, *a*1595 *Jorn.* 127.*12* || EmbrutEC·IMENTO | 1836 SC |.
bruxa *sf.* 'feiticeira, maga, mágica' XVI. De origem desconhecida, seguramente pré-romana || bruxARIA 1813.
bruxulear *vb.* '*orig.* procurar adivinhar os naipes no jogo de cartas' 'adivinhar' | *bruxo* 1813 |; 'oscilar frouxamente (chama ou luz)' 1844. Do cast. *brujulear*, de *brújula*, deriv. do it. *bùssola* e, este, do lat. vulg. *bŭxĭda*, oriundo do gr. *pyxída*, de *pyxís -idos*.
bubão *sm.* 'íngua' 'adenite' 1813. Do fr. *bubon*, deriv. do gr. *bubōn* 'tumor na virilha' 'tumor, pústula' || **bouba** *sf.* 'doença infecciosa' XVI. Der. regress. de *bubão* || bubônICA XIX. Do fr. *bubonique*, de *bubon* || bubonoCELE 1858.
⇨ bubão — bobonoCELE | 1836 SC |.
bubuia *sf.* 'ação de boiar, flutuar' 1895. Do tupi *mẽ'muia* 'leve' || bubuiAR 1899.
bucal → BOCA.
buçal *sm.* 'arreio da cabeça e do pescoço do cavalo' 1899. Do cast. *bozal*, de *bozo*, proveniente de um ant. derivado do lat. *bucca* 'boca'. Cp. BOCA.
bucaneiro *sm.* 'pirata, dos que infestavam as Antilhas nos sécs. XVI e XVII' 'caçador de bois selvagens' XIX. Do fr. *boucanier*, de *boucan* 'carne defumada', deriv. do tupi *moka'ẽ*. V. MOQUÉM.
bucéfalo *sm.* 'corcel de batalha' 'cavalo fogoso' | -*ph-* XVIII | Do zoônimo *Bucéfalo*, nome do cavalo de Alexandre Magno, deriv. do lat. *Būcephălās -ae*, ou *Būcephălus -i* e, este, do gr. *Boukephálās* 'que tem cabeça de boi (cavalo)'.
bucelário *adj.* 'que come biscoito' 'soldado que os imperadores romanos mantinham nas províncias,

que andava na vanguarda e na retaguarda' 'que tem forma de boca pequena' | *-lla-* 1844 | Do lat. *buccellarĭus, de *buccella* (dim. de *bucca*) 'boca pequena' 'bocado pequeno' 'pão pequeno distribuído aos pobres'. Cp. BOCA.
⇨ **bucelário** | *buccellario* 1836 SC |.
bucha *sf.* 'tampão' 1813. Talvez do a. fr. *bousche*, deriv. do lat. pop. *bosca || **bujão** *sm.* 'bucha' | *bujões* pl. 1858 |; *sm.* 'recipiente metálico para produtos voláteis' XX. Do fr. *bouchon*.
buchela *sf.* 'pequena tenaz ou alicate de que se utilizavam os ourives, joalheiros, esmaltadores etc.' 1813. De origem incerta.
bucho *sm.* 'estômago dos mamíferos e dos peixes' XIV. De origem controvertida; talvez seja de formação expressiva.
bucinador *adj. sm.* '(Anat.) diz-se de, ou músculo situado na espessura da bochecha, e que atua na mastigação e no ato de soprar' | *bucci-* 1899 | Do lat. *būcĭnātor -ōris* 'o que toca trombeta' 'corneteiro'.
⇨ **bucinador** | *bucci-* 1836 SC |.
bucle *sm.* 'anel que formam os cabelos frisados' 'pequena mecha de cabelo enrolado em forma de caracol' XX. Do fr. *boucle*, deriv. do lat. *būccŭla* 'guarnição de metal, de forma arredondada, no centro dos escudos'.
buco *sm.* 'designação comum de duas plantas medicinais da fam. das rutáceas' XX. De origem obscura.
buço → BOCA.
bucólico *adj.* 'campestre, pastoril' XVI. Do lat. *būcolĭcus*, deriv. do gr. *boukolikós*, de *boukólos* 'pastor de gado' || **bucol**ISMO 1899 || **bucol**ISTA 1899 || **bucol**IZAR XX.
bucrânio *sm.* 'ornamento arquitetônico greco-romano, inspirado numa cabeça descarnada de boi' 1881. Do lat. tard. *būcrānium*, deriv. do gr. *boukrânion* 'cabeça de boi'.
buçu *sm.* 'espécie de palmeira' | *bossú* 1763, *bussú* 1833 etc. | Do tupi **ŋu'su*.
budismo *sm.* '(Fil.) sistema ético, religioso e filosófico, fundado por Siddarta Gautama, o Buda' | *-ddis-* 1837, *-dhis-* 1881 | Do fr. *bouddhisme*, deriv. do antr. *Buddha*, part. do sânscr. *budh* 'despertado, acordado' '*fig.* esclarecido, iluminado' || **bud**ISTA | *-dhis-* 1874 | Do fr. *bouddhiste*.
bueiro *sm.* 'abertura, natural ou construída, por onde escoam águas' 1815. De origem controvertida; uma das hipóteses aventadas prende esse voc. ao lat. *bua* 'água, na linguagem infantil', outra, considera-a alteração de *fueiro*.
búfalo *sm.* 'mamífero ruminante, espécime dos cavicórneos' | XVI, *-llo* XIV, *-lho* XIV, **bubelo** XIV etc. | Do lat. tardio *būfălus* (class. *būbălus*), deriv. do gr. *boúbalos*.
bufar *vb.* 'expelir fortemente o ar pela boca e/ou pelo nariz' | XVI, *bofar* XVI | De um radical *buf-* com larga vida e representação românicas, de origem onomatopaica || **bofe** *sm.* '*pop.* pulmão' XV || **bofet**ADA *sf.* 'tapa com a mão espalmada, no rosto' XV. De *bofete* || **bofete** *sm.* 'bofetada leve' XVI. De *bofar*, em alusão ao movimento rápido do ar, no ato de esbofetear || **bufa** 1858. Dev. de *bufar* || **bufar**INHA·S *sf. pl.* 'quinquilharias' | 1813, *bafori-*

nhas XVIII || **bufar**INH·EIRO | *bofali-* XVI || **buf**IDO *sm.* 'som que se produz bufando' 1813 || **bufo**¹ XVII. Dev. de *bufar* || ESbofADO XVI || ESbofAR 1813 || ESbofetE·ADO 1813 || ESbofetE·AR XVI.
⇨ **bufar** | *bofar* XV LOPF 103.*104* || AbofetADO *p.adj.* 'esbofetado' | XV VITA 184*b*44 || **bufa** | 1836 SC |.
bufê, bufete *sm.* '*orig.* aparador' | *bufete* XVIII |; '*ext.* o serviço de iguarias e bebidas, em casamentos, reuniões etc.' XX. Do fr. *buffet*.
bufo¹ → BUFAR.
bufo² *adj. sm.* 'grotesco, cômico' | *-ffo* 1881 | Do it. *buffo*, voc. de criação expressiva, formado com o radical *buf-* || **bufão** XVI. Do it, *buffone*, aumentativo de *buffo*. Cp. BUFAR.
⇨ **bufo**² | XV SEGR 78 || **bufão** | *bofam* XIV ORTO 279.*18* |.
bufo³ *sm.* 'ave noturna da fam. dos estrigídeos' 1813. Do lat. vulg. *bufo* (cláss. *būbō -ōnis* 'mocho, coruja').
buftalmia *sf.* 'aumento de volume do globo ocular na primeira fase do glaucoma infantil' | *buph-* 1858 | Do fr. *buphthalmie*.
bugalho *sm.* 'galha arredondada ou coroada de tubérculos que se forma nos carvalhos' XIV. De origem incerta; talvez do célt. *bullāca 'pústula' || ESbugalhADO XVI || ESbugalhAR 1813.
buganvília *sf.* 'trepadeira lenhosa, da fam. das nictagináceas' | *bouganvile* XIX | Adapt. do fr. *bougainvillée*, deriv. do nome do navegador francês L.A. de *Bougainville* (1729-1811).
bugia *sf.* 'pequena vela de cera' | *bogia* XIII | Do top. *Bugia*, do ár. vulg. *Buğía* (cláss. *Buğāya*), nome da cidade de onde se trazia a cera || **bugi**AR *vb.* 'fazer gestos ou trejeitos que lembram os do bugio' XVI || **bugi**ARIA XVI, *bogyo* XV, *bugyo* XV.
⇨ **bugia** — **bugi**ARIA | *bogeerya* XV ZURD 310.*7* |.
buginga *sf.* 'objeto de pouco ou nenhum valor ou utilidade' | XVII, *mogi-* XVIII, *mugi-* XVIII | Provavelmente do cast. *bojiganga*, de *mojiganga* 'pequena companhia volante de farsantes'.
bugre *adj. s2g.* '*deprec.* designação genérica dada ao índio, especialmente o bravio e/ou guerreiro' '*ext.* rude, grosseiro' 1899. Do fr. *bougre*, deriv. do b. lat. *Bŭlgărus* 'búlgaro' 'herético, sodomita'. Em francês, o voc. designou, inicialmente, os búlgaros; depois foi empregado, depreciativamente, para denominar os heréticos e os sodomitas; por fim, foi aplicado aos índios da América, na acepção de 'selvagem, grosseiro'.
búgula *sf.* 'planta europeia da fam. das labiadas' 1858. Do fr. *bugle*, do b. lat. *bugula*.
buinho *sm.* 'vime' | *boinhos* pl. XV | Do lat. *budinus, de *buda -ae* 'relva' 'erva dos pântanos'.
buítra *sf.* 'peça dos antigos prelos' 1813. De origem obscura.
bujamé *sm.* 'instrumento de sopro, usado por indígenas angolanos' XVII; 'mestiço de mulato e negra, ou vice-versa' 1844. De origem africana, mas de étimo indeterminado.
⇨ **bujamé** 'mestiço' | 1836 SC |.
bujão → BUCHA.
bujarrona *sf.* '(Mar.) tipo de vela' 1858; 'insulto, afronta' 1899. Do cast. *bujarrón*, deriv. do b. lat. *Bŭlgărus* 'búlgaro', empregado como insulto, por

tratar-se de hereges pertencentes à Igreja ortodoxa grega. Cp. BUGRE.
bula *sf.* 'antigo selo de ouro, prata ou chumbo, pendente de documentos emitidos por papas e outros soberanos' 'carta pontifícia' | *bulla* XV, *bolla* XVII; 'impresso que acompanha um medicamento e contém informações acerca do mesmo' XX. Do lat. *bulla*.
bulbo *sm.* 'tipo de caule, dominado por grande gema terminal suculenta' | 1844, *bulbus* XVII, *bolbo* XVIII | Do lat. *bulbus -i*, deriv. do gr. *bolbós* 'cebola' || **bulbí**FERO | 1844, *bolbi* XVIII | Do lat. cient. *bulbifer* || **bulb**OSO 1844. Do lat. *bulbōsus*.
⇨ **bulbo** | 1836 SC || **bulbí**FERO | 1836 SC || **bulb**OSO | 1836 SC |.
buldogue *sm.* 'cão de fila de cabeça arredondada, de raça inglesa' | *buledogue* 1881 | Do ing. *bulldog* 'cachorro boi', devido à forma da cabeça.
bule *sm.* 'recipiente com tampa, asa e bico em que se serve chá, café etc.' XVIII. Provavelmente do malaio *búli* 'frasco'.
bulevar *sm.* 'rua larga, arborizada' 'avenida' | *boulevard* 1899 | Do fr. *boulevard*, deriv. do méd. neerl. *bolwerc*. Cp. BALUARTE.
búlgaro *adj. sm.* 'relativo à, ou natural da Bulgária' 1538. Do it. *bulgaro*, deriv. do lat. med. *būlgărus*, que reproduz o búlg. *b'lgarı̄n* (= a. esl. ecles. *bl'garı̄n'* = serv.-cr. *bùgarin* = rus. *bolgárı̄n*), deriv. do a. turco *bulgar* 'mestiço' (< *bulgamak* 'misturar').
bulh·a, -ento → BULIR.
bulimia *sf.* 'apetite insaciável' 1881. Do fr. *boulimie*, deriv. do gr. *boulīmía* 'fome devoradora' 'fome de boi'.
bulir *vb.* 'mover, agitar' | XIII, *bolir* XIII etc. | Do lat. *būllīre* 'ferver' || **bulha** *sf.* 'confusão de sons, ruído' XVIII. Do cast. *bulla*, de *bullir* || **bulh**ENTO 1813 || **bulício** | XVI, *boliço* XIII, *buliço* XIV etc. || **buliç**OSO | *bo-* XV || **buli**DOR XIV || REbuliçAR XX || REbuliço | *reboliçio* XV, *reboliço* 1572 || REbulIR XVII. Cp. BOLHA.
⇨ **bulir** — **bulh**AR 'fazer bulhar' | XV OFIC 184.*22* || **buliç**OSO | XIV ORTO 140.*6* |.
bumba *sm. interj.* 'ruído imitativo de pancada, estouro, queda etc.' 1813. De origem onomatopaica || **bumb**AR *vb.* 'surrar, espancar' XX || **bumbum** *sm.* 'estrondo contínuo' 1881.
bumbo → BOMBO.
bumbum → BUMBA.
bumerangue *sm.* 'arma de arremesso usada pelos indígenas australianos' XX. Do ing. *boomerang*, deriv. de um dialeto indígena australiano *wo-murrāng*.
bunda *sf.* 'as nádegas e o ânus' 1871. Do quimb. *'mu̧na*.
⇨ **bunda** | 1836 SC |.
buque *sm.* 'tipo de embarcação' | XX, *buco* XVII | Do cast. *buque*, deriv. do cat. *buc*. 'ventre' 'capacidade interior de algo' 'casco de navio' e, este, do frâncico *bŭk 'ventre'.
buquê *sm.* 'ramo de flores' 'aroma de certos vinhos' | *bouquet* 1881 | Do fr. *bouquet*.
buraco *sm.* 'depressão natural ou artificial da superfície externa de um corpo' | XVI, *furaco* XIV | De origem controvertida || AburacAR XVI || **buraca** *sf.*

'grande buraco' 1899 || **burac**ADO 1563 || **bura**quEIRA 1899 || EM**burac**AR XX || ES**burac**AR XVI.
⇨ **buraco** — A**bruc**ADO *p. adj.* 'esburacado' | XV CESA IV.2§23.*3* || **buraca** 'caverna' | XIV ORTO 44.*24* |.
buranhém *sm.* 'árvore da fam. das sapotáceas, cuja madeira foi muito usada na fabricação de navios' | *ubiraém* 1587, *buraem* 1618, *burayém* 1711 etc. | Do tupi *ı̧mı̧ra'eẽ*.
burato *sm.* '*ant.* tecido fino e transparente' XVI. Do it. *buratto*, com provável influência do fr. *burat*.
burbom *sm.* 'variedade de cafeeiro' XX. Do top. *Bourbon* (hoje ilha da Reunião), produtora de um café especial.
burburinho → BORBORINHO.
burel *sm.* 'tecido grosseiro de lã' XIII. Do a. fr. *burel* (hoje *bure*), deriv. do lat. pop. *būra, provável var. de *burra* 'lã ou coisa grosseira'.
burela *sf.* '(Heráld.) faixa estreita e repetida, no campo do escudo' XX. Do fr. *bureile* || **burel**ADO XX.
bureta *sf.* 'aparelho de medição de volume, empregado especialmente em química' XX. Do fr. *burette*.
burgau *sm.* 'molusco da fam. dos gastrópodes' | *burgó* 1844, *burgao* 1871 | Do fr. *burgau* || **burgaud**INA *sf.* 'nácar que se extrai da concha do burgau' | *-gan-* 1844, por erro tipográfico | Do fr. *burgaudine*.
⇨ **burgau** | *burgó* 1836 SC || **bugaud**INA | *-gan-* 1836 SC |.
burgo *sm.* 'na Idade Média, castelo, ou casa nobre, ou mosteiro etc., e suas cercanias, rodeados por muralhas de defesa, muitos dos quais vieram a se transformar em cidade' XIII. Do lat. *bŭrgus -i* 'castelo, fortaleza', deriv. do germ. *burgs 'cidade pequena, forte' || A**burgues**ADOR 1899 || A**burgues**AR 1899 || **burgo**MESTRE *sm.* 'o magistrado principal, nalguns municípios da Bélgica, Alemanha etc.' 1813. Do fr. *bourgmestre*, deriv. do m. al. *burgmeister* || **burguês** *sm.* 'indivíduo que se estabelecia nos burgos e, posteriormente, nas cidades em que estes se transformaram, que se caracterizava pelas duas atividades lucrativas' | XVI, *-ges* XIII, *borges* XIII | Do baixo lat. *burgensis*, de *bŭrgus* || **burgu**ESA | *-gesa* XIII || **burgues**IA | *-zia* 1881.
buri *sm.* 'espécie de palmeira' | *bori* 1587, *mury* 1886 | Do tupi **mu̧'ri*.
buril *sm.* 'instrumento de gravador, usado na execução de gravuras em metal e em madeira' XVI. Do cat. *burí*, talvez de origem pré-romana || **buril**ADO 1844 || **buril**AR 1844.
⇨ **buril** — **buril**ADO | 1836 SC || **buril**AR | 1836 SC |.
buriqui *sm.* 'macaco da fam. dos cebídeos' | *beriqui c* 1594, *berequig* 1610, *buriquí* 1817 | Do tupi *mı̧rı̃'ki*.
buriti *sm.* 'espécie de palmeira (*Mauritia vinifera* Mart.)' | α. *morety c* 1631, *moritim* 1667 etc.; β. *buriti* 1734, *bruti* 1792 etc. | Do tupi **mı̧rı̃'tĩ* || **buriti**AL 1872 || **buritir·**AL 1872 || **buriti**RANA 1913 || **buritiz·**ADA 1899 || **buritiz·**AL 1899, *meritizal* 1781, *buritisal* 1872 || **buritiz·**EIRO | 1881, *marotinzeiro* 1763.
burjaca *sf.* 'antigo saco de couro usado pelos caldeireiros ambulantes' | 1813, *bor-* 1844 | Do cast. *burjaca* 'bolsa de mendigo ou peregrino', de origem

incerta ‖ **bruaca** *sf.* 'saco ou mala para transporte de objetos e mercadorias sobre bestas' 1844.
⇨ **burjarca** — **bruaca** | 1836 SC |.
burla *sf.* 'dolo, fraude, logro' | XVI, *bulrra* XIV | Tal como o cast. *burla*, de origem desconhecida ‖ burlADOR| *bulrrador* XIV ‖ **burlão** *adj. sm.* 'trapaceiro' | XVI, *bulroões* pl. XV ‖ **burl**AR | XVI, *burilado* XIII ‖ burlARIA | *bulrraria* XVI ‖ **burl**ESCO *adj.* 'cômico, grotesco' XVII. Do it. *burlesco* ‖ **burl**ETA *sf.* 'comédia ligeira' 1844. Do it. *burletta*.
⇨ **burla** — **burl**ETA | 1836 SC |.
burnus *sm.* 'albornoz' 1871. Do fr. *burnous*, deriv. do ár. *burnûs*. Cp. ALBORNOZ.
burocracia *sf.* 'administração da coisa pública por funcionário sujeito a hierarquia e regulamentos rígidos, e a uma rotina inflexível' 1881; *'ext.* complicação ou morosidade no desempenho de tarefas' XX. Do fr. *bureaucratie*, de *bureau* 'oficina' ‖ **burocr**ATA XIX. Do fr. *bureauerate* ‖ burocrÁT·ICO 1871. Do fr. *bureaucratique* ‖ burocratIZAR XX ‖ DES**burocratiz**AÇÃO XX ‖ DES**burocrat**IZAR XX.
burro *adj. sm.* 'asno, jumento' *'ext.* teimoso. estúpido' XIV. Do lat. *burrus* 'ruço, vermelho' ‖ burrADA XVII ‖ **burr**EGO XX ‖ **burr**ICE 1881 ‖ **burr**ICO 1813. Do lat. *burrĭcus* 'cavalo pequeno' ‖ burrIFICAR XX ‖ **burr**IQU·ETE XX ‖ EM**burr**ADO 1813 ‖ EM**burr**AR XVII.
bursite → BOLSA.
burundanga *sf.*'palavreado confuso' XIX. Do cast. *burrundanga*.
buruso *sm.* 'resíduo de frutos espremidos, bagaço' 1813. Provavelmente do cast. *burujo*, de *orujo*, deriv. do lat. vulg. *volūcrum* (cláss. *involūcrum* 'envoltório'), de *volvěre* 'dar volta'.
-bus *suf. nom.*, deduzido da terminação de *ônibus* (< fr. *omnibus*), *que*, por influência do francês e do inglês (ídiomas em que essa terminação foi primeiro adotada como sufixo), se documenta em nomes de veículos: *aerobus, autobus* etc.
buscar *vb.* 'procurar' XIII. De origem duvidosa ‖ **busca** XIII. Deverbal de *buscar* ‖ **busc**ADOR XIV ‖ RE**busca** XVI ‖ RE**busc**ADO XVI ‖ RE**busca**MENTO XX ‖ RE**busc**AR XVI.
busilhão *sm. 'pop.* monte de roupa suja' 1881. De origem obscura.
busílis *sm. 2n.* 'o ponto principal da dificuldade de resolver uma coisa' XVII. Provavelmente do it. *busilli(s)*, deriv. da frase latina *in diebus illis* 'naqueles dias', mal entendida por alguém que, separando *in die*, perguntou o que significava *bus illis*.
bússola *sf.*'agulha magnética móvel em torno de um eixo que passa pelo seu centro de gravidade, usada para orientação' XVIII. Do it. *bùssola*.
busto *sm.* 'escultura ou pintura que representa a parte da figura humana que consta da cabeça, do pescoço e de uma parte do peito' XVIII;· 'a parte superior do corpo humano' 1881; 'os seios da mulher' XX. Do it. *busto*, deriv. do lat. *bustum* 'sepulcro, túmulo, monumento fúnebre' ‖ **bustiê** *sm.* 'peça do vestuário feminino' XX. Do fr. *bustier*, de *buste* ‖ bustuÁRIO 1844. Do lat. *bustuārĭus*.
⇨ **busto** 'a parte superior do corpo humano' | 1836 SC ‖ **bustu**ÁRIO 1836 SC |.
butargas *sf. pl.* 'ovas salgadas de peixe, em conserva' XVI. Do it. *bottarga*, deriv. do ár. *butâriḥ* 'ova de peixe salgada' e, este, do gr. *tárīchos* 'peixe salgado ou defumado'.
bute *sm.* 'bota de cano baixo' 1899; *'bras.* diabo' XX. Do ing. *boot* ‖ **but**EIRO *sm.* 'alfaiate de consertos' XX.
butiá *sm.* 'nome de várias espécies de palmeiras' 1899. Do tupi **m̥uti'a* ‖ **butia**TUBA XX ‖ **butiaz**·AL | *-sal* 1928 ‖ **butiaz**·EIRO | *-seiro* 1928.
butim *sm.* 'saque, pilhagem' XX. Do fr. *butin*, deriv. do méd. baixo al. *būte*.
⇨ **butim** | 1836 SC |.
bútio *sm.* 'tipo de tubo' 1871. De origem incerta.
⇨ **bútio** | 1836 SC |.
butique → BODEGA.
butírico *adj.* '(Quím.)'próprio do ácido butírico (ácido monocarboxílico, líquido xaroposo, incolor, com odor e gosto de manteiga rançosa)' XX. Do fr. *butyrique*, deriv. do gr. *boútyron* 'manteiga' ‖ **butir**ÁCEO *adj.* 'relativo à manteiga' | *buty-* 1858 ‖ **butir**ADA | *buty* 1858 ‖ **butirô**METRO XX. Do fr. *butyromètre*.
⇨ **butírico** — **butir**ADA | 1836 SC |.
bútomo *sm.* 'planta ornamental, da fam. das butamáceas' 1881. Do lat. tard. *bútomus -um*, deriv. do gr. *boútomos* 'junco florido'.
buvar *sm.* 'berço de mata-borrão' 'berço' XX. Do fr. *buvard*, relacionado com *boire* 'beber'.
buxo *sm.* 'planta da fam. das buxáceas, de madeira útil para marchetaria, torno, instrumentos musicais de sopro e instrumentos de desenho' XVI. Do lat. *buxus -i*, deriv. do gr. *pýxos* 'buxo'.
⇨ **buxo** 'planta' | XV PAUL 10.*12* |.
buzarete *adj. sm. 'ant.* indivíduo fátuo, tolo' 'dizse de, ou homem corpulento, barrigudo' | *buzarate* XVII | Forma dimin. de **buzara*, do prov. *buzara* 'barriga'.
buzegar *vb.* 'ventar com salpicos de chuva' XX. De origem obscura.
buzina *sf.*'designação comum a diversos tipos de trombeta de corno ou metal retorcido e que produz um único som, forte' | XVI, *bo-* XIV |; *'ext.* aparelho elétrico comum, de que são dotados alguns veículos para dar sinais de advertência' XX. Do lat. *būcĭna* ‖ **buzin**ADA XX ‖ **buzin**AR 1871.
búzio *sm.* 'designação comum às conchas de moluscos gastrópodes, nas quais sopram os pescadores para anunciar sua chegada ao porto ou transmitir notícias no mar' | *buzeo* XIV | Do lat. *būcĭnum* ‖ EM**buzi**ADO 1881 ‖ EM**buzi**AR *vb.* 'emitir (som) como buzina' 'enfadar-se, aborrecer-se' 1881.
buzo *sm.* 'tipo de jogo popular' XX. De origem africana, mas de étimo indeterminado.

C

cá *adv.* 'neste lugar, aqui' | XIII, *aca* XIII, *acaa* XIV, *aqua* XIV | Da var. ant. *aca*, deriv. do lat. *eccum hac* 'eis aqui'. No port. med. as vars. *aca* e *aco* (< lat. *eccum hoc*) concorriam com *aqui* e *cá*; v. AQUI.
cã[1] *sm.* '(Hist) *orig.* título específico dos sucessores de *Čingīz Ḫan* (Gengis Cã), que dirigiram os turcos, tártaros e mongóis na Idade Média' 'ext. título de vários chefes orientais' | *can* XIII, *cam* XV, *cham* 1502; *cão* 1512 etc. | Do turc. tárt. *ḫan*, de provável origem chinesa.
cã[2] → CÃS.
caamembeca *sf.* 'planta da fam. das poligaláceas' 1886. Do tupi **kaame' meka* < *ka'a* 'folha, mato, erva' + *me'meka* 'mole'.
caaobitinga *sf.* 'espécie de erva, também chamada língua-de-vaca' | *caaobetinga* c 1584, *caã obetĩga* c 1594 | Do tupi **kaaomĩ'tiŋa* < *ka'a* 'folha, mato, erva' + *o'mĩ* 'verde, azul' + *'tiŋa* 'branco'.
caapara *sf.* 'planta da fam. das tifáceas' | *capara* 1587 | Do tupi *kaa'para* < *ka'a* 'folha, mato, erva' + *a'para* 'torto'.
caapeba *sf.* 'nome de diversas plantas da fam. das piperáceas' | c 1594, *capeba* 1587 etc. | Do tupi *kaa'peua* < *ka'a* 'folha, mato, erva' + *'peua* 'chato'.
caapeno, caapepena *sm.* e *f.* 'técnica de sinalização usada pelos índios do Brasil' | *caapeno* c 1767, *caá-pepêna* 1833, *cahá pépéna* 1876 | Do tupi **kaa'pena* < *ka'a* 'folha, mato, erva' + *'pena* 'quebrar-se (como vara, flecha etc.)'.
caapiá *sf.* 'nome de várias plantas da fam. das moráceas' | 1587, *cayapiá* c 1584, *cajapia* c 1594 etc. | Do tupi **kaapĩ'a*.
caapiranga *sf.* 'nome de algumas variedades de plantas de que os índios do Brasil se utilizavam para tingir' | 1787, *capiranga* 1763, *cahapiranga* c 1777 | Do tupi **kaapi'raŋa* < *ka'a* 'folha, mato, erva' + *pi'raŋa* 'vermelho'.
caapoã *sf.* 'variedade de vespa' | *caapoam* 1587 | Do tupi *kauapu'ã*. Cp. CABA.
caataia *sf.* 'espécie de mostarda' | *caàtaya* 1663 | Do tupi *kaa'taia* < *ka'a* 'erva' + *'taia* 'ardido'.
caatinga *sf.* 'tipo de vegetação característica dos sertões do Nordeste do Brasil' | c 1584, *catinga* 1587 etc. | Do tupi *kaa'tiŋa* < *ka'a* 'mato' + *'tiŋa* 'branco' || **caating**AL XX || **caating**UEIRA | *catingueira* 1881 || **caating**UEIRO[1] 'habitante das caatingas' | *catingueiro* 1936 || **caating**UEIRO[2] 'caatingueira' | *catingueiro* 1918.

caba *sf.* 'nome tupi das vespas sociais' 1763. Do tupi *'kaua* || **caba**JUBA | *cabaojuba* 1587 || **caba**-TÃ 1587. Do tupi *kaua'tĩ* || **cabecê** 1587. Do tupi *kaue'sẽ*.
cabaça[1] *sf.* 'vasilha' | XV, *cabaacha* XIII, *-baaça* XV | De origem desconhecida, certamente pré-romana || **cabac**EIRA | *caabaceira* XIII || **cabaço**[1] *sm.* 'fruto da cabaceira' 1500.
cabaça[2] *sf.* 'gêmeo que nasce em segundo lugar' 'palerma, idiota' XX. Do quimb. *ka'basa*.
cabaço[1] → CABAÇA[1].
cabaço[2] *sm.* 'chulo o hímen' 'a virgindade da mulher' XVII. De CABAÇA[1].
cabaia *sf.* 'tecido de seda muito leve' 'tipo de túnica desse tecido' | *acabaya* XVI, *cabaya* XVI | Do ár. *qabā'* (dial. *qabāia*), deriv. do pers. *qäbä*.
cabajuba → CABA.
cabal → CABO.
cabala *sf.* '(Fil.) tratado filosófico-religioso hebraico, que pretende resumir uma religião secreta que se supõe haver existido com a religião dos hebreus' 'o conteúdo desse tratado, particularmente a decifração de um sentido secreto da Bíblia' 1525; 'conluio secreto entre indivíduos que trabalham para um mesmo fim' 1899. Do lat. med. *cabbala*, deriv. do hebr. *qabbālāh* 'tradição' || **cabal**AR XVIII. Do fr. *cabaler* || **cabal**ISTA | *cabalysta* XVIII Do fr. *cabaliste*.
⇨ **cabala** — **cabal**ISTA | 1523 JBAR 129.26 |.
cabaleta *sf.* 'trecho musical ligeiro, que se repete no fim de uma ária, dueto etc.' 1873. Do it. *cabalétta*.
cabalino → CAVALO.
cabalista → CABALA.
cabana *sf.* 'habitação precária e rústica' XIII. Do lat. tard. *capanna* || **caban**EIRA *sf.* 'prostituta' 1813 || **caban**EIRO *sm.* 'que mora em cabana' | XV, *-nero* XIII |; 'grande cesto de vime' 1881 || **cabano**[1] *sm.* 'cabaneiro (em sua segunda acepção)' 1813 || **cabano**[2] *sm.* 'membro de facções políticas que houve durante a Regência em alguns Estados do norte e do nordeste do Brasil' 1899.
cabano[3] *adj.* 'diz-se do bovino de chifres levemente inclinados para baixo, ou horizontais, e do equino de orelhas derrubadas' XX. De origem obscura.
⇨ **cabano**[3] | 1836 SC |.
cabaré *sm.* 'casa de diversões onde se bebe e dança e, em geral, se assiste a espetáculos de variedades' XX. Do fr. *cabaret*, deriv. do m. neerl. *cabret*.

cabatã → CABA.
cabaz *sm.* 'tipo de cesto de verga, junco, vime etc.' XIV. Do prov. *cabas*, deriv. do lat. pop. *capacius, de *capax -cis* 'que pode conter, capaz', de *capĕre* 'conter'.
cabeça *sf.* 'a parte superior do corpo dos animais bípedes e a anterior dos outros animais, onde se situam os olhos, o nariz, a boca, os ouvidos e importantes centros nervosos' XIII. Do lat. vulg. *capĭtĭa* (cláss. *capŭt*) || **cabeç**ADA XVII || **cabeç**AL XIII || **cabeç**ALHO 1813 || **cabeç**ÃO | -çõ XIII, -çon XIII || **cabec**EAR | -çear XIV || **cabec**EIRA | -çeira XIII, -çeyra XIV || **cabec**EIRO | -çeiro XIII, -çeyro XIV || **cabec**ILHA *sm.* 'chefe, caudilho' 1881. Do cast. *cabecilla* || **cabeço** 'cume arredondado de monte' XIV. Do lat. *capĭtĭum* || **cabeç**OTE 1899 || **cabeç**UDO XVI || **cabis**BAIXO XVI. Talvez adaptação do cast. *cabizbajo* || DES**cabeç**AR *vb.* 'decapitar' XIV || DES·EN**cabeç**AR *vb.* 'dissuadir' 1813 || EN**cabeç**ADO XVI || EN**cabeça**MENTO 1813 || EN**cabeç**AR *vb.* 'dirigir, chefiar' XVI || ES**cabeç**AR *vb.* 'decapitar' XIII.
⇨ **cabeça** — **cabeç**ADA | 1562 JC |.
cabecê → CABA.
cabec·ear, -eira, -eiro, -ilha, cabeç·o, -ote, -udo → CABEÇA.
cabedal → CAPITAL.
cabedelo → COUDEL.
cabelo *sm.* 'conjunto de pelos da cabeça humana' *ext.* pelos que nascem em qualquer parte do corpo humano' | XIII, -*lla* XIV | Do lat. *capĭllum* || **cabel**ADURA XIV || **cabel**EIRA | 1500, -*lley*- XV || **cabel**EIR·EIRO | -*llei*- 1881 || **cabel**UDA *sf.* 'planta ornamental da fam. das mirtáceas' 'o fruto dessa planta' | -*llu*- 1881 || **cabel**UDO | XIII, -*llu*- XVII || DES**cabel**ADO | -*lla*- XV || ES**cabel**ADO | XIV, -*lla*- XIV.
⇨ **cabelo** — **cabel**EIR·EIRO | 1836 SC |.
caber *vb.* 'poder ser contido' 'poder realizar-se, exprimir-se, suceder, dentro de um certo tempo' XIII. Do lat. *capĕre* || **cab**IMENTO 1844 || **cab**ÍVEL XX || DES**cab**IDO 1881 || DES**cab**IMENTO XX || IN**cab**ÍVEL XX.
⇨ **caber** — **cab**IMENTO | 1836 SC |.
cabide *sm.* 'móvel com pequenos braços, onde se penduram roupas, chapéus etc.' | XVII, *cavide* XVI | Provavelmente do radical ár. *qabaḍa* 'agarrar', mas na forma *qibāḍ*, pl. de *qibḍā* 'pega, cabo'.
cabidela → CABO.
cabido *sm.* 'conjunto ou corporação dos cônegos de uma catedral' | -*doo* XIII | Do lat. *capitŭlum -i*, dim. de *capŭt*. Cp. CABEÇA.
cabila *adj. s2g.* 'tribo de povos nômades' | XVI, *alcabela* XV || Do ár. *qabîla* 'tribo'.
cabimento → CABER.
cabinda *adj. s2g.* 'diz-se de, ou indivíduo dos cabindas, povo banto da região de Cabinda' XIX. Do top. *Cabinda*, na África.
cabine *sf.* 'compartimento, boxe, guarita' | XX, -*na* XX | Do ing. *cabin*, deriv. do fr. *cabine* || **cabin**EIRO XX.
cabisbaixo → CABEÇA.
cabiúna *sf.* 'planta da fam. das leguminosas' 1817. Do tupi **kaɥi'una*.
cabível → CABER.
cablar *vb.* 'telegrafar pelo cabo submarino' XX. Do fr. *câbler*, de *câble*, deriv. do prov. ou do norman-do *cable* e, este, do lat. tard. *capŭlum* 'corda'. V. CABO.
cabo *sm.* 'fim, confim, arremate, extremidade' XIII. Do lat. *capŭt* 'cabeça'. O voc. port. ocorre em diversas locuções: *a cabo, a cabo de, ao cabo, ao cabo de* etc. || A**cab**ADO *adj.* 'pronto, perfeito' XVI || A**cab**ADOR XIII || A**cab**AMENTO XIV || A**cab**AR XIII || **cab**AL XVII || **cabidela** *sf.* 'os miúdos da ave' '*ext.* guisado que se faz com esses miúdos e o sangue da ave' | *caba*- XVI || IN·A**cab**ADO XX || IN·A**cab**ÁVEL 1813.
⇨ **cabo** — A**cab**ADO | XIII CEF 78, CSM 409.*15* etc. || A**cab**AMENTO | XIII FLOR 875, *acabamẽto* XIV BARL 2*v* 13 etc. |.
cabochão *sm.* 'pedra talhada, comumente arredondada, polida, mas não facetada' | -*bu*- 1813 | Do fr. *cabochon*.
caboclo *sm.* 'índio, mestiço de branco com índio' 'indivíduo de cor acobreada e cabelos lisos' | 1781, *cauoucolo* 1645, *cabocolo* 1648 etc. | Do tupi **kari'ɥoka* (< *kara'iɥa* 'homem branco' + '*oka* 'casa') || A**cabocl**ADO 1872 || A**cabocl**AR 1899 || **cabocl**ADA 1899 || **cabocl**ISMO 1918 || **cabocl**ISTA 1928 || **cabocló**FILO | *caboclophilo* 1920.
cabograma *sm.* 'telegrama expedido por cabo submarino' XX. Do fr. *câblogramme*, deriv. do ing. *cablegram*, modelado sobre *telegram*. V. CABO.
cabotagem *sf.* 'navegação mercante' XVIII. Do fr. *cabotage*, de *caboter* || **cabot**AR XX. Do fr. *caboter*. Cp. CABO.
cabotino *adj. sm.* 'cômico ambulante' 'mau comediante' *fig.* indivíduo presumido, afetado, que procura chamar a atenção, ostentando qualidades reais ou fictícias' XIX. Do fr. *cabatin*, que parece representar o nome de um comediante ambulante, da época de Luís XIII || **cabotin**ISMO XX.
cabra *sf.* 'mamífero ruminante, a fêmea do bode' | *capra* XIV |; *sm.* 'bras. mestiço de mulato e negro' 'indivíduo, sujeito' XX. Do lat. *capra* || A**cabr**ALH·ADO XX || **cábr**EA *sf.* 'espécie de guindaste' | -*bria* XVI | Do lat. *caprea* 'cabra montês', porque esse instrumento lembra a figura do animal com as patas dianteiras erguidas || **cabr**EIRO 1813. Do lat. *caprārĭus* || **cabr**IL[1] *adj. 2g.* 'áspero, agreste' XX. Do lat. *caprĭlis -e* 'de cabra' || **cabr**IL[2] *sm.* 'curral de cabras' 1813. Do lat. *caprĭle -is* || **cabr**ITA *sf.* '*ant.* máquina de guerra com que se arremessavam pedras' 1813; 'cabra pequena' 1844 || **cabrit**AR *vb.* 'pular' 1899 || **cabrit**ILHA *sf.* 'couro curtido de cabrito' XX || **cabr**ITO *sm.* 'pequeno bode' XVI. Do lat. tard. *caprītus* || **cabr**OCHA *s2g.* 'mulato, mestiço' 1899. De *cabra*, em sua segunda acepção || **cabr**UM *adj. 2g.* 'gado caprino' XVI. Do lat. tard. *caprūnus* 'de cabra' || ES**cabr**EADO 1881 || ES**cabr**EAR 1881.
cabramo *sm.* 'peia com que se amarra o pé do animal bovino, caprino etc.' XVI. Do lat. *capulamine, de *capŭlum* 'cabo'.
cabre → CALABRE.
cábr·ea, -eiro → CABRA.
cabrestante *sm.* 'máquina destinada a içar a amarra da âncora' | -*amte* XV | De origem controvertida.
cabresto *sm.* 'arreio, freio' | XIII, -*bestro* XIV | Do lat. *capĭstrum* || **cabreste**ADOR XX || **cabrest**EAR 1899 || DES·EN**cabrest**AR 1813 || EN**cabrest**AR XVI.

cabril → CABRA.
cabriola *sf.* 'salto de cabra' 'cambalhota' XVII. Do fr. *cabriole*, deriv. do it. *capriola*, de *capriòlo* e,este, do lat. *capreŏlus* 'cabrito montês' || **cabriolAR** 1813.
cabriolé *sm.* 'tipo de carruagem' 1844. Do fr. *cabriolet*, de *cabriole*. V. CABRIOLA.
cabr·ita, -itar, -itilha, -ito, -ocha, -um → CABRA.
cabuia *sf.* 'planta com que se fazem liames, cordas, redes etc.' 1858. Do cast. *cabuya*, deriv. do taíno.
cábula *s2g.* 'estudante pouco assíduo' XIX. De origem obscura || **cabulOSO** *adj.* 'azarento' 'aborrecido, importuno' XX || EN**cabul**AÇÃO XX || EN**cabul**ADO XX || EN**cabul**AMENTO XX || EN**cabul**AR *vb.* 'envergonhar-se' XX.
cabungo *sm.* 'recipiente de matérias fecais, feito de madeira' 'indivíduo pouco asseado e/ou a quem não se dá nenhuma importância' XX. Provavelmente do quimb. *ki'buŋo*, com substituição do pref. *ki-* pelo pref. *ka-*, ambos diminutivos.
caburé *sm.* 'ave falconiforme' 1587; 'ave da fam. dos bubonídeos' *c* 1631; 'mestiço de negro e índia, cafuzo' 1878; 'caipira, matuto' 1936. Do tupi *kaṵu're*.
cabureíba *sf.* 'planta da fam. das leguminosas, de que se extrai um óleo com propriedades balsâmicas' | *caborahiba* 1576, *cabureigba c* 1584 etc. | Do tupi *kaṵure'ïṵa*.
caç·ada, -ador → CAÇAR.
caçamba *sf.* 'alcatruz' 'balde' XX. Do quimb. *ki'samu*, com substituição do pref. *ki-* pelo pref. *ka-*, ambos diminutivos || **caçamb**AR *vb.* 'pop. delatar, denunciar' XX || **caçamb**EIRO *adj.* 'adulador, bajulador' 'operário que conduz as caçambas' XX.
caçanje *adj. s2g.* 'orig. tribo indígena de Angola' | *cassange* 1881 |; *sm.* 'dialeto crioulo do português falado em Angola' XX; 'ext. português mal falado ou mal escrito'. Do top. *Caçanje*, onde se falava mal o português.
caçar *vb.* 'perseguir animais' 'procurar, buscar' XIII. Do lat. vulg. *captiāre* (cláss. *captāre*) || A**caçap**ADO 1813 || A**caçap**AR XVIII || **caça** XIII. Dev. de *caçar* || **caç**ADA XVI || **caçaD**OR XIII || **caç**ÃO *sm.* 'peixe' -ç*on* XIII || **caçapa** *sf.* 'caçapo' 1871; 'cada um dos seis buracos da mesa de sinuca' XX || **caçap**AR 1813 || **caçapo** *sm.* 'coelho novo' XVI || **caçar**ETA, **caçar**ETE *sf.* 'espécie de rede de arrasto' XX || **caç**AR *vb.* 'garrar, descair (a embarcação)' XVII. Forma divergente de *caçar* || **caceia** | *cacea* XVII | Der. regress. de *cacear* || **caçoO**EIRA *sf.* 'rede de arrasto' XX.
⇨ **caçar** — A**caçap**ADO | 1789 MS¹ |.
cacaracá (de-) *loc.* 'de pouca monta, insignificante' XVI. De provável origem onomatopaica.
cacarecos → CACO.
cacarejar *vb.* 'cantar (a galinha e outras aves de canto semelhante)' XVI. De origem onomatopaica || **cacarejo** 1881. Dev. de *cacarejar*.
caçar·eta, -ete → CAÇAR.
cacar·éus, -ia → CACO.
caçarola *sf.* 'panela de metal com bordas altas, cabo e tampa' | *cassa-* XVIII | Do fr. *casserole*, de *casse* 'caçarola', deriv. do prov. *cassa* e, este, do lat. pop. *cattia*.
cacatua *sf.* 'espécie de papagaio branco das Molucas' | 1630, *çagatua* 1561 | Do mal. *kakatūwa*.

cacau *sm.* 'fruto do cacaueiro, planta da fam. das esterculiáceas, de cujas sementes se prepara o chocolate' | *cacao* XVII | Do cast. *cacao*, deriv. do náuatle *kakáwa*, forma radical de *kakáwatl* || **cacau**EIRO 1899 || **cacaui**CULTOR XX || **cacaui**CULTURA XX || **cacauz·**EIRO 1881.
caçave *sm.* 'farinha de mandioca' | *caçabe* 1557 | Do cast. *cazabe*, deriv. do taíno *caçábi*.
cace·ar, cace·ia → CAÇAR.
caceta *sf.* 'espécie de vaso com um ralo no fundo, usado nas farmácias' 1813. Do cast. *caceta*, deriv. do cat. *casseta*.
cacete *sm.* 'bordão, porrete' 1831; *adj. s2g.* 'maçante' XX. Talvez dim. de *caço* 'vasilha com cabo', em alusão à pequena dimensão do cabo || **cacet**ADA 1844 || **cacet**EAÇÃO XX || **cacet**EAR 'importunar' 1899; 'bater com o cacete' XX || **casset**ETE *sm.* 'cacete curto, usado, em geral, por policiais' | XX, *cace-* XX | Do fr. *casse-tête*.
⇨ **cacete** — **cacet**ADA | 1836 SC |.
cacha → CACHAR.
cachaça *sf.* 'aguardente de cana-de-açúcar' 1711. De origem controvertida || **cachac**EIRO 1899.
cach·ação, -aço → CACHO.
cachada *sf.* 'queimada de mato' 1813. De origem obscura.
cachalote → CACHO.
cachão *sm.* 'borbotão' | *cachoens* pl. XVII | Do lat. *coctĭo -ōnis* 'cozedura, fervura' 'borbulhão, borbotão' || **cachoE**IRA *sf.* 'queda-d'água' XVI || EN**cachoeir**AR XX.
cachaporra *sf.* 'cacete' XVIII. De *porra* e um rad. *cach-*, de origem desconhecida.
cachar *vb.* 'ant. esconder, ocultar' XVI. Do fr. *cacher*, deriv. do lat. pop. **coacticāre* (cláss. *coactāre* 'comprimir') || **cacha** XIII. Der. regress. de *cachar* || **cachecol** *sm.* 'manta longa e estreita para agasalhar o pescoço' XX. Do fr. *cache-col*, de *cacher* || **cach**EIRA¹ *sf.* 'tipo de vestimenta antiga' | -*chey-* XVII || **cach**EIRO¹ *adj.* 'que se esconde' 1873 || **cach**enê *sm.* 'manta comprida e estreita para agasalhar o rosto até o nariz' | -*nez* 1873 | Do fr. *cachenez*, de *cacher* || **cach**ETA 1899 || **cachet**EAR *vb.* 'zombar' XX || **cachi**MANHA *sf.* 'ardil' 1813 || EN**cach**AR XVI || EN**cacho** XVI. Der. regress. de *encachar* || RE**cach**AR² XX.
cacharolete *sm.* 'mistura de várias bebidas alcoólicas' 1881. De origem obscura.
cache·col, cach·eira¹ → CACHAR.
cach·eira², -eiro² → CACHO.
cacheiro¹ → CACHAR.
cach·enê, -eta, -imanha → CACHAR.
cachimbo *sm.* 'aparelho para fumar' 1711. Provavelmente do quimb. *ki'šima* 'poço'; V. CACIMBA¹ || **cachimb**ADA 1873 || **cachimb**AR 1711.
⇨ **cachimbo** | 1680 AOCad I.425.7 |.
cachimônia → CACHO.
cachinar *vb.* 'rir às gargalhadas, por escárnio' 1873. Do lat. *cachinnāre*.
cacho *sm.* 'orig. pescoço' XIII; 'inflorescência formada de uma haste e que tem, ao lado, pedúnculos florais dispostos alternadamente' 'ajuntamento de pencas' XVI; 'anel de cabelo' 1881. Provavelmente do lat. vulg. **caccŭlus* (cláss. *caccăbus -i* 'panela, caldeirão') || **cach**AÇÃO *sm.* 'pancada no pescoço'

1813 || **cachaço** *sm.* 'porco' *'ext.* a parte posterior do pescoço' XIII || **cachal**OTE *sm.* 'mamífero cetáceo da fam. dos fiseterídeos, de cabeça com um terço do comprimento do corpo' | 1858, *cacholotte* 1858 || **cach**EADO 1844 || **cach**EAR 1844 || **cach**EIRA² *sf.* 'cacete, pau tosco' | *-xei-* XVI || **cach**EIRO² *sm.* 'cacheira²' 1899 || **cachimônia** *sf.* 'cabeça, cachola' XVIII || **cach**OLA *sf. 'pop.* cabeça' XVIII || **cach**OLETA *sf.* 'pancada na cabeça' 1813 || RE**cach**AR¹ XVIII.
⇨ **cacho** — **cach**EADO | 1836 SC || **cach**EAR | 1836 SC |.
cachoeira → CACHÃO.
cachopo *sm.* 'rapaz' XV; 'escolho, recife' XVI. De origem controvertida; talvez se ligue a CACHO || **cachopa** *sf.* 'moça' XVI.
cachorro *sm. 'orig.* filhote, cria de qualquer quadrúpede' *'ext.* cão' XIV. De origem incerta; talvez seja derivado do lat. vulg. **cattŭlus*, por reduplicação afetiva e diminutiva do lat. *catŭlus* 'cachorro' || **cachorr**ADA XVI.
cachorro-quente *sm.* 'sanduíche feito com um pão pequeno e salsicha quente' XX. Tradução do anglo--americano *hot-dog*.
cachucha *sf.* 'dança popular andaluza' 1858. Do cast. *cachucha*.
cachucho *sm.* 'peixe do mar das Antilhas' XVI. Do cast. *cachucho*.
cacifo *sm.* 'pequeno cofre' 'caixa' | 1813, *caffizes* pl. XIII, *gafiz* XIV | Do ár. *qafiz* 'medida de capacidade para secos' || **cacif**EIRA XIII || **cacif**EIRO XIII. Cp. CAFIZ.
cacimba¹ *sf.* 'cova que recolhe a água dos terrenos pantanosos' 'poço' | 1675, *quicima* 1575, *casima* 1681 | Do quimb. *ki'sĩma*, var. despalatizada de *ki'šĩma* 'poço'. Em texto de 1575, relativo a Angola, lê-se: "Não tê hũte de agoa, [...] mas em cada lugar que querẽ achão agoa doce muito boa, cavando hũa braça ou menos nesta area, e assi destas poças que elles chamão Quicimas, há grande copia, e algũas durão poucos dias porque se fazem salobras." Um século mais tarde, em 1675, o voc. ocorre, com sua forma atual, em texto relativo ao Brasil: "Saião por agoa de cacimbas do Recife".
cacimba² *sf.* 'nevoeiro úmido, chuva miúda' | *casibo* 1681 | Do quimb. *ki'šĩmo*, var. despalatizada de *ki'šĩmo* 'verão'; em texto de 1681, relativo a Angola, lê-se "[...] alguns elefantes por ser tempo de casibo, que he nestes Reinos de Angola o verão, [...]".
cacique *sm. 'orig.* chefe de tribo indígena na América Central e nas Antilhas' *a* 1557; *'ext.* chefe de tribo indígena no Brasil, morubixaba' 1769; 'chefe político' XIX. Do taíno de S. Domingos, pelo cast. *cacique*.
caco *sm.* 'fragmento de louça, vidro' 1813. De origem controvertida || **cacar**ECO(s) *sm. (pl.)* 'traste velho e/ou muito usado' 'coisa de pouco valor' 1873 || **cacaréus** *sm. pl.* 'trastes e utensílios velhos' | *-reos* pl. 1813 || **cac**ARIA *sf.* 'monte de cacos' XX || **caqu**EIR·ADA || **caqu**EIRO 1844 || ES**cac**AR *vb.* 'reduzir a cacos' XVI.
⇨ **caco** — **caqu**EIR·ADA | 1680 AOCad I.331.*17* || **caqu**EIRO | 1836 SC |.
caco- *elem. comp.*, do gr. *kako-*, de *kakós* 'mau, feio, sórdido, defeituoso', que se documenta em alguns compostos formados no próprio grego (como *cacoépia*) e em muitos outros introduzidos, a partir do séc. XIX, na linguagem científica internacional ▶ **cacodílio, cacodilo** *sm.* 'composto químico de odor nauseante' XX. Do fr. *cacodyle*, do gr. *kakṓdēs* 'que cheira mal' || **cacoépia** XX. Cp. gr. *kakoépeia* || **cacoete** *sm.* 'hábito repetitivo, mania' 1813. Do lat. tard. *cacoēthēs*, deriv. do gr. *kakoḗthēs* || **caco**FAG·IA XX || **cac**ÓFAGO 1873 || **cacófato(n)** | *-feton* XIV | Do lat. *cacophaton*, deriv. do gr. *kakóphaton* || **caco**FON·IA XVI. Do fr. *cacophonie*, deriv. do gr. *kakophōnía* || **caco**FONO·FOB·IA XX. Do gr. *kakóphōnos* + FOBIA || **caco**LOG·IA 1844. Do fr. *cacologie*, deriv. do lat. tard. *cacologia* e, este, do gr. *kakología* || **caco**LÓG·ICO 1873 || **cac**ÓLOGO 1844. Cp. gr. *kakológos* || **caco**PAT·IA | *-thia* 1858 | Do fr. *cacopathie*, deriv. do gr. *kakopátheia* || **cac**ÓRIO *adj. 'pop.* astuto, vivo, esperto' 1899 || **cac**ÓSTOMO 1873. Cp. gr. *kakóstomos* || **cacotanásia** | *cacotha-* 1899 | Do fr. *cacothanasie*, deriv. do gr. *kakothanasía* || **caco**TECN·IA | *cacotech-* 1844 | Do gr. *kakotechnía* || **caco**TIM·IA | *cacothy-* 1858 | Do fr. *cacothymie*, deriv. do gr. *kakothymía* || **caco**TROF·IA | *-phia* 1858 | Cp. gr. *kakotrophía*.
caçoar *vb.* 'zombar, troçar, escarnecer' 1844. De origem controvertida || **caço**ADA 1844.
cacodílio, cacodilo → CACO-.
caçoeira → CAÇAR.
caco-épia, -ete, -fagia, -fago, -fato(n), -fonia, -fonofobia, -logia, -lógico, -logo → CACO-.
caco-patia, -rio, -stomo, -tanásia, -tecnia, -timia, -trofia → CACO-.
cacto *sm.* 'designação comum a diferentes plantas de caule muito engrossado, em virtude das amplas reservas de água' 1858. Do lat. *cactus*, deriv. do gr. *káktos* || **cacti**FLORO 1873 || **cact**OIDE | *-toides* 1873.
caçula *adj. s2g.* 'o mais moço dos filhos ou dos irmãos' XIX. Provavelmente do quimb. *ka'zuli*.
caculo¹ *sm.* 'o que ultrapassa uma medida' 'excesso, demasia' XX. Alteração de *cogulo*, por influência de *cálculo* || A**cacul**AR XX. V. COGULO.
caculo² *sm.* 'gêmeo que nasce primeiro' XX. Talvez do quimb. *ka'kulo*.
caculo³ *sm.* 'certa ave africana' XX. De origem africana, mas de étimo desconhecido.
cacumbu *sm.* 'machado ou enxada já gasta ou imprestável' 1899. Provavelmente do quimb. *kakimu*.
cacúmen *sm.* 'a parte mais alta de tudo que termina em ponta' | 1873, *cacume* 1873 | Do lat. *cacŭmĕn -ĭnis* 'extremidade, ponta' || **cacumin**AL | *-naes* pl. 1873 | Do fr. *cacuminal*, deriv. do lat. *cacŭmĕn -ĭnis*.
cacundê *sm.* 'enfeite com que se guarnecem peças do vestuário feminino' | 1903, *cacondê* 1875 | Do tupi **kaaku'ŋa* < *ka'a* 'folha' + *ku'ŋaŋa* 'retorcido'.
caçununga *sm.* 'vespa social da fam. dos vespídeos' XX. Do tupi *kasu'nuŋa* < *'kaŋa* 'vespa' + *su'nuŋ* 'zunir'.
cada *pron.* XIII. Do lat. *cata*, deriv. do gr. *katá* 'de alto a baixo' 'durante' 'segundo'.
cadafalso *sm. 'orig.* estrado, andaime' | XVI, *cadafallsso* XV, *cadafayses* pl. XIV |; *'ext.* tablado ou

estrado erguido em lugar público, para sobre ele se executarem condenados' XVIII. Do cat. *cadafal* ou *cadafalc*, deriv. do prov. *cadafalcs* e, este, do lat. vulg. *catafalīcum, resultante do cruzamento de *catasta* 'estrado onde os escravos eram postos à venda' 'leito de ferro destinado a torturas' com *fala* 'torre de madeira'. Cp. CATAFALCO.
cadarço *sm.* 'cordão ou tecido de anafaia' XIII. Provavelmente do cast. *cadarzo*, deriv. de um lat. *cathartheum e, este, do gr. *kathartéon* '(seda) que deve ser purificada'.
cadaste *sm.* 'peça semelhante à roda de proa, e que fecha na popa o esqueleto da embarcação' | 1813, *co-* XVI | Do lat. *catasta* 'estrado onde se expunham os escravos à venda' 'leito de ferro destinado a torturas'.
cadastro *sm.* 'registro' XVIII. Do fr, *cadastre*, deriv. do prov. mod. *cadastre* e, este, do it. *catasto*, de *catàstico*, oriundo do gr. biz. *katástoichon* 'registro, inventário, lista, livro comercial', de *katà stoîchon* 'em ordem, ordenadamente' || **cadastr**AL 1873. Do fr. *cadastral* || **cadastr**AR XX. Do fr. *cadastrer*.
cadáver *sm.* 'o corpo sem vida, de homem ou de animal' XVI. Do lat. *cadāver -ĕris*. Do adj. pl. lat. *cadāverīna* procede o port. med. *caavrinha*, do séc. XIV (antes, no séc. XIII, *caavrya*), na acepção específica de 'corpo de animal morto, carniça'. || **cadavér**ICO 1813 || **cadaver**OSO XVIII. Do lat. *cadāverōsus*.
cadeia *sf.* 'corrente de anéis ou de elos de metal' 'prisão' | XVII, *cadēa* XIII, *cadea* XIV | Do lat. *catēna -ae* || **cadeado** *sm.* 'tipo de fechadura' XIII. Do lat. *catēnātus* 'ligado, preso com corrente' || DES·ENcadEAR 'soltar, desunir' XV | ENcadE·ADO | -*deiado* 1813 || ENcadE·AMENTO XV || ENcadEAR *vb.* 'ligar ou prender com cadeia' XV.
⇨ **cadeia** — ENcadeADO | *emcadeado* 1538 DCast 31.26 |.
cadeira *sf.* 'peça de mobiliário' XV; 'cátedra' XX. Do lat. *cathĕdra*, deriv. do gr. *kathédra* || **cadeiras** *sf. pl.* 'quadris' 1813 || DEScadeirADO 1813.
cadela → CÃO.
cadena *sf.* 'meio empregado para tirar dos chifres do touro, sem perigo, o laço que o prende' 1899. Do cast. *cadena*, deriv. do lat. *catēna -ae* 'cadeia, laço' || **caden**ETA XVI. Do cast. *cadeneta*.
cadência *sf.* 'compasso, harmonia' XVI. Do lat. *cadentia*, pl. neutro de *cadens -ēntis*, part. de *cadĕre* || **cadenci**ADO 1881 || **cadenci**AR XVIII. Cp. CAIR.
⇨ **cadência** — **cadenci**ADO | 1836 SC |.
cadeneta → CADENA.
cadente → CAIR.
cadern·a, -al → QUATRO.
caderno *sm.* 'qualquer conjunto de folhas de papel cortadas, coladas ou cosidas' | XIII, *quaderno* XIV | Do lat. *quaternus* 'quatro', sing. do distributivo *quaterni* 'quatro a cada um, quatro de cada vez'. Parece que os antigos cadernos compunham-se de quatro membranas || **cadern**ETA 1858 || ENcadernAÇÃO 1813 || ENcadernADO XVII || ENcadernADOR 1813 || ENcadernAR XIV.
cadete *sm.* 'aspirante a oficial' XVIII. Do fr. *cadet*, deriv. do gascão *capdet* 'chefe', e, este, do lat. *capitellum* 'cabecinha'.

cádi *sm.* 'juiz, entre os muçulmanos' XVI. Do fr. *cadi*, de *alcade*, deriv. do ár. *qāḍī* 'juiz'. Cp. ALCAIDE.
cadilho *sm.* 'planta de fruto espinhoso' 'fios, franja' XV; 'tigelinha com que se recolhe a seiva da seringueira' XX. Do cast. *cadillo* 'orig. cachorro', deriv. do lat. *catĕllus* 'cachorrinho'.
cadimo *adj.* 'destro, hábil' XV; 'usual, habitual' XVII. Do ár. *qadīmo* 'antigo, velho'.
cadinho *sm.* 'vaso utilizado em operações químicas a temperaturas elevadas' XVII. Do lat. *catīnus* 'prato, travessa, bacia'.
cadivo *adj.* 'muito maduro' 'caduco' XIX. Do lat. *cadīvus* 'que cai por si mesmo' 'epilético'.
cadmeu *adj.* 'diz-se das dezesseis letras do alfabeto primitivo dos gregos' 1873. Do lat. *Cadmēus* ou *Cadmēīus*, deriv. do gr. *kadmeīos* 'de Cadmo'.
cadmia *sf.* 'óxido de zinco que se deposita nas chaminés dos fornos durante a fusão desse metal' 1858. Do lat. *cadmēa -īa*, deriv. do gr. *kadméia* 'calamina ou pedra calaminar', mineral de zinco que se encontrava perto de Cadmo || **cádm**IO *sm.* '(Quím.) elemento de número atômico 48' 1858.
⇨ **cadmia** — **cádm**IO | 1836 SC |.
cado *sm.* 'ant. vaso de barro para guardar vinho e outras bebidas' 1844. Do lat. *cadus*, deriv. do gr. *kádos* 'vaso, bilha', de origem semítica.
cadoz *sm.* 'no jogo da pela, buraco onde a caída da bola acarreta a desclassificação do jogador' 'covil, toca' 1813. Do cast. *cadozo*, deriv. do ár. *qādûs* 'cubo, vaso, jarro'.
caduc·ar, -ário → CADUCO.
caduceu *sm.* 'bastão com duas serpentes enroscadas e com duas asas na extremidade superior (insígnia de Mercúrio, de arautos e antigos parlamentares)' | *caduceo* XVII | Do lat. *cadūcĕum -i*, deriv. do gr. dórico *kārȳ'keion*, de *kā'ryx*.
caduco *adj.* 'que cai, que está prestes a cair de maduro' 'decrépito' XVI. Do lat. *cadūcus* || **caduc**AR XVII || **cadu**cÁRIO *adj.* 'concernente a coisas ou direitos caducos' 'respeitante a bens que deixaram de ter dono' 1813. Do lat. *cadūcārius* || **caducIDA**DE XVIII || **caduqu**ICE 1899.
⇨ **caduco** — **caduc**AR | 1562 JC |.
caetê *sm.* 'nome de várias plantas de cujas folhas os índios do Brasil se utilizavam para diversos fins' | *caeté* 1587, *caheté* 1918 | Do tupi **kaae'te* < *ka'a* 'folha' + *e'te* 'verdadeiro, legítimo'.
cafajeste *adj. s2g.* 'diz-se de, ou indivíduo vulgar, desprezível' XIX. De origem controvertida; talvez seja de criação expressiva || AcafajestADO XX || cafajestADA 1899.
cafanga *sf.* 'melindre, susceptibilidade' 1899. De origem africana, mas de étimo indeterminado.
café *sm.* 'fruto do cafeeiro (*Coffea arabica* L.)' 'infusão desse fruto, depois de torrado e moído' 'estabelecimento comercial onde se vende e serve a bebida' | 1736, *caffé* 1717, *caoe* 1665, *câhua* c 1622 | Do it. *caffè* (*cavée* 1585), deriv. do turc. *qahvé* (séc. XIV) e, este, do ár. *qahwah*[t] 'vinho'; a ant. var. port. *câhua* provém diretamente do árabe || **cafe**EIR·AL 1858 || **cafe**EIRO 1844 || **cafei**·CULT·URA XX || **cafei**·CULT·URA XX || **cafe**ÍNA 1858. Do fr. *caféine* || **cafe**ÍSMO XX. Do fr. *caféisme* || **cafe**L·AMA 1899 || **cafe**L·ISTA 1899 || **cafe**O·CRAC·IA 1912 || **cafe**RANA

1881 || cafeT·AL *a* 1854 || cafeT·EIRA 1766. Do fr. *cafetière* || cafeT·EIRO XX || cafeT·ERIA XX. Do fr. *caféterie* || cafez·AL | 1844, *-sal* 1873 || cafez·EIRO[1] 'cafeeiro' | 1844, *-seiro* 1873 || cafez·EIRO[2] 'fazendeiro de café' XX || cafez·ISTA 1881.
⇨ **café** — cafeEIRO | 1836 SC || cafez·AL | 1836 SC || cafez·EIRO | 1836 SC |.
cafetã *sm.* 'veste talar usada pelos povos árabes e turcos' 'túnica longa' | *cafetão* 1627, *kaftan* 1837, *caftán* 1843 | Do fr. *caftan*, deriv. do turc. *qaftân*.
cafetal → CAFÉ.
cafetão → CÁFTEN.
cafe·t·eira, -eiro, -eria, cafe·z·al, -eiro, -ista → CAFÉ.
cafife *sm.* 'série de contrariedades' 'contínua falta de êxito' 'falta de ânimo, mal-estar' 1899. Talvez do quimb. *ka'fife* 'sarampo, moléstia sem gravidade, mas que aborrece muito o doente' || ENcafifADO 1899 || ENcafifAR *vb.* 'envergonha-(se), desgostar' 1899.
cáfila *sf.* 'grande quantidade de camelos' XVI. Do ár. *qâfila* 'caravana'.
cafiz *sm.* 'medida de capacidade para secos' | XIV, *caffiz* XIV | Do ár. *qafîz*. Cp. CACIFO.
cafona *adj. s2g. 'gír.* diz-se de, ou indivíduo que, com pretensão de elegância ou riqueza, é ridículo e de mau gosto' XX. Certamente do it. *cafóne* 'indivíduo humilde' 'vilão' 'tolo'.
cáften *sm.* 'aquele que vive à custa de meretrizes' 1899. Do lunfardo *cáften* || cafetÃO *sm.* 'cáften' XX || caftINA 1899. Fem. de *cáften*.
cafua *sf.* 'antro, cova, esconderijo' 1813. De origem obscura || **cafurna** *sf.* 'cafua' 1858. Provavelmente cruzamento de *cafua* com *furna* || ENcafuADO 1873 || ENcafuAR 1858.
cafunar → CAFUNÉ.
cafundó *sm.* 'cafua' 'lugar ermo e afastado, de acesso difícil' 1899. De origem africana, mas de étimo indeterminado.
cafuné *sm.* 'ato de coçar levemente a cabeça de alguém para fazê-lo adormecer' 1813. Talvez do quimb. *kafu'nu* 'cravar, enterrar' || cafunAR *vb.* 'impelir (a castanha de caju) com um piparote, em certo jogo infantil' XX.
cafungar *vb.* 'esmiuçar, catar' XX. De possível origem africana.
cafunge *sm.* 'moleque travesso e larápio' XX. De origem africana, mas de étimo indeterminado.
cafurna → CAFUA.
cafuzo *sm.* 'mestiço' | *-sa* 1881, *-so* 1899 | De origem incerta, talvez corruptela de *carafuso* || **cafuz** *s2g.* 'cafuzo' | *-fus* 1899.
cag·aço, -ada, -adela → CAGAR.
cágado *sm.* 'designação de várias espécies de reptis da ordem dos quelônios' XVI. De origem controvertida.
⇨ **cágado** | *caagado* XV ZURG 179.*11*, *caguado* XV ESOP 14.*1* |.
cagar *vb.* 'defecar' XIII. Do lat. *cacāre*, de formação expressiva || cagAÇO *sm.* 'medo' 1873 || cagADA XVIII cagadELA 1844 || cagAITEIRA *sf.* 'planta da fam. das mirtáceas, cujos frutos, comidos em excesso, produzem disenteria' 1899 || cagALH·ÃO *sm.* 'matéria fecal sólida' 1844 || cagALHO XVII || caganEIRA *sf.* 'diarreia' 1844 || cagANETA *sf.* 'caganeira' 1873 ||

caganinfância *sf.* 'bagatela' 1881. Cruzamento de *cagar* com *insignificância*, com interferência do voc. *infância* || cagÃO 1844 || cagAROLA *sm.* 'covarde, medroso' 1813 || caga·TÓRIO 1813 || caguINCHA *adj. s2g.* 'cagarola' 1899.
⇨ **cagar** — cagadELA | 1836 SC || cagALH·ÃO | 1836 SC || caganEIRA | 1836 SC || cagÃO 1836 SC |.
caiacanga *sm.* 'polvo (*Octopus vulgaris*)' | 1587, *caiaganga a* 1696 | Do tupi *kaia' kaŋa*.
cai·ação, -ado → CAIAR.
caiana *adj. sf.* 'diz-se de, ou espécie de cana-de-açúcar, originária de Caiena' XX. Do top. *Caiena*.
caiaque *sm.* 'pequena embarcação feita de peles de foca' XX. Do esquimó *q'ajaq*, através do ing. *kayak*.
caiar *vb.* 'pintar com tinta à base de cal, água e cola' 'dar cor branca a' 1813. Talvez de um lat. **canāre* 'tornar branco' (> **cãar* > *caear* > *caiar*), ou deriv. de *calear*, de *cal*. Cp. CAL || caiAÇÃO 1899 || caiADO | *cay-* XV.
caiarara *sm.* 'espécie de macaco da fam. dos cebídeos' | *c* 1777, *cairara* 1928, *cajarara* 1938 | Do tupi **kaja'rara* < *ka'i* 'macaco' + *a' rara* → arara'.
cãibra *sf.* 'contração espasmódica e dolorosa dos músculos' | XVI, *cambra* XV | Do fr. *crampe*, deriv. do frâncico **kramp*.
caibro *sm.* 'peça de madeira de seção retangular, empregado em armações de telhados, soalhos etc.' XV. De um lat. **capreu*, de *caprěa* 'espécie de cabra montês'.
caiçara *sf.* 'cerca tosca' | *caiçá* 1587, *caicara c* 1587, *caica c* 1596, *caissara* 1656 etc. | Do tupi *kaai'sa*.
caiçuma *sf.* 'bebida indígena do Brasil' | *caecuma* 1833 | De provável origem tupi.
caído → CAIR.
caieira → CAL[1].
caimão *sm.* 'espécie de jacaré americano' XVI. Do cast. *caimán*, de origem incerta; talvez de uma língua africana ou, mais provavelmente, do caribe.
caimento → CAIR.
caimito *sm.* 'abiu-do-pará' XX. Do aruaque haitiano *caymito* || caimitEIRO 1873.
cainça *sf.* 'ajuntamento de cães' XVI. Talvez do lat. *canitĭa*, de *canis -is*. Cp. CÃO || cainçADA XVI || cainçALHA 1858.
caipira *s2g.* 'indivíduo rústico, tímido' 'roceiro, matuto' 1872. De origem controvertida; admitindo-se que proceda do tupi, *caipira* poderia ser uma corruptela de *caipora*, com intercorrência de *curupira*, que justificaria a evolução *-pora* → *-pira* || AcaipirADO 1894 || AcaipirAR 1899 || caipirADA 1899 || caipirAGEM XX || caipirICE XX || caipirISMO XX.
caipora *adj. sm. e f.* 'entre os tupis, designava um ente sobrenatural de trazia infelicidade a quem o via; infelicidade, azar; infeliz, azarento' | 1855, *caapora c* 1767 etc. | Do tupi *kaa'pora* < *ka'a* 'mato' + *'pora* 'habitante de' || caiporICE XX || caiporISMO 1865 || ENcaiporADO 1899 || ENcaiporAR 1899.
⇨ **caipora** | 1836 SC |.
caíque *sm.* 'tipo de embarcação' XVIII. Do fr. *caïque*, deriv. do it. *caicco* e, este, do turc. *qãíq* 'barca'.
cair *vb.* 'corresponder a, tocar a' 'ir ao chão' | XIV, *caer* XIII | Do lat. *cadĕre* || **cadente** *adj. 2g.* 'que vai

caindo' 'cadenciado, ritmado' XVIII. Do lat. *cadens -ēntis* 'que tomba, que cai' || **caí**DO | 1572, *-hi-* XVI || **cai**MENTO | *-hi-* XVIII || DE**caí**DO || *decau-* XIII || DE**cai**MENTO | *-cay-* XV || DE**cair** XIII || DES**caí**DA | *-hi-* 1813 || DES**caí**DO XVI || DES**cai**MENTO XVI || DES**cair** | XVI, *descayr* XV || **queda** *sf.* 'baque, tombo' | XV, *caeda* XIII || RE**caí**DA XVII || RE**cair** 1813.
⇨ **cair** — RE**cair** | *rrecayr* XV VERT 145.*22* |.
cairel *sm.* 'fita ou galão estreito para debruar' | *cayreis* pl. XVI | Do prov. *cairel* 'adorno na borda de um traje', dim. de *caire* 'canto, esquina, borda', deriv. do lat. *quadrum* 'quadrado'.
cairi *sm.* 'iguaria feita com galinha e azeite de dendê' 1899. De possível origem africana.
cairo *sm.* 'fio precioso de uma árvore oriental' XVI. Do malaiala *kāyar* 'corda' ou do tam. *kayiru*.
cais *sm. 2n.* 'parte de um porto, onde se efetua o embarque e desembarque de passageiros e carga' | *cays* XIV | Do fr. *quai*, deriv. do gaulês *caio*.
caitetu *sm.* 'porco do mato da fam. dos taiaçuídeos' | α. *taiaçetu* 1610, *tahitetu* 1618 etc.;β. *cahetatū* 1730, *caitetú* 1789 etc. | Do tupi *taïte'tu*; V. TAIAÇU.
caixa *sf.* 'recipiente de madeira, papelão ou outro material, com faces geralmente retangulares ou quadradas, como uma arca, um estojo etc'. | *qajxa* XIV, *cajxa* XIV, *quaixa* XV | Provavelmente do cat. *caixa* ou do prov. *caissa*, deriv. do lat. *capsa* 'caixa, cofre' || **caix**ÃO *sm.* 'caixa grande' | *caxões* pl. XVI |; 'caixa para depositar os corpos dos mortos' 1881 || **caix**EIR AL XX || **caix**ETA XVI || **caix**ILHO *sm.* 'moldura' XVII || **caix**OTE 1844 || DES·EN**caix**AR | 1813, *-caxar* XVIII || DES·EN**caix**OT·AR 1844 || EN**caix**AR | XV, *-caxar* 1500 || EN**caix**e XVIII. Der. regress. de *encaixar* || EN**caix**ILH·AR XVI || EN**caix**OT·AMENTO XX || EN**caix**OT·AR 1858.
⇨ **caixa** — **caix**ÃO 'esquife de defuntos' | 1836 SC || **caix**OTE | 1836 SC || DES·EN**caix**OT·AR 1836 SC |.
cajá *sm.* 'fruto da cajazeira' | 1579, *caja* 1618, *caia c* 1631, *acayá* 1663 etc. | Do tupi *aka'ïa* || **cajaRA**-NA XX || **cajaz**·EIRA 'planta da fam. das anacardiáceas' 1728 || **cajaz**·EIRO 'cajazeira' | 1702, *caiazeiro* 1663 etc.
cajado *sm.* 'bordão' | XIV, *cayado* XIII | Do lat. vulg. hisp. **cajatus*, abrev. de *baculus *cajatus*, deriv. do lat. tard. *caja* || **cajad**ADA XVI.
cajarana → CAJÁ.
cajati *sm.* 'planta da fam. das lauráceas' | *cajaty* 1817 | Do tupi **kaja'ti*.
caja·z·eira, -eiro → CAJÁ
cajetilha *sm.* 'rapaz da cidade, vestido no rigor da moda e um tanto presumido' 1899. Do cast. *cajetilla*, de *caja* 'caixa'.
caju *sm.* 'fruto do cajueiro (*Anacardium occidentale*)' α. *acaiú c* 1584, *acaju* 1585 etc.; β *cajû a* 1576, *cajú* 1576, *caiu c* 1590 etc. | Do tupi *aka'ïu*; V. ACAJU || **caju**ADA 1878 || **caju**AL 1663 || **caju**EIR·AL 1878 || **caju**EIRO | 1587, *acajueiro* 1585 || **cajuí** 1587. Do tupi *akaïu'i* (< *aka'ïu* 'caju'+'*i*' pequeno')||**caju**PEBA1587||**caju**RANA XX||**cajuz**·AL 1648 || **cajuz**·EIRO | 1587, *-seiro* 1648.
cal *sf.* 'substância branca resultante da calcinação de pedras calcárias, usada nas argamassas' XIII. Do lat. vulg. *cals* (cláss. *calx -cis*) || **caí**EIRA *sf.* 'fábrica de cal' 1813 || **calc**ÁRIO 1844. Do lat. *calcārĭus* 'relativo a cal' || **calcin**AÇÃO 1813 || **calcin**ADO 1813 || **calcin**AR *vb.* 'calcificar, calejar' | *calçiar* XV |; 'transformar (o óxido de cálcio), para obter a cal' XVI. Do fr. *calciner* || **calcin**AT·ÓRIO 1813 || **calcin**ÁVEL 1813 || **cal**EAR *vb.* 'caiar' 1899 || **cal**EIRA² *sf.* 'sambaqui' 1873 || **cal**IÇA *sf.* 'pó ou fragmento de argamassa ressequida' 1813. V. CÁLCIO.
⇨ **cal** — **cal**IÇA | 1562 JC |.
cala *sf.* 'pequena enseada entre rochedos' XV. De origem pré-romana.
calabouço *sm.* 'prisão subterrânea' XVII. Do cast. *calabozo*, provavelmente deriv. do lat. vulg. *calafŏdium*, composto do pré-romano **cala* 'lugar protegido' 'cova' e do lat. *fŏdĕre* 'cavar'.
calabre, cabre *sm.* '(Marinh.) amarra de cabo' | *cabre* XVI, *caaure* XIV | Do ant. port. *caabre*, deriv. do a. fr. *caable* e, este, provavelmente, do lat. tard. *capŭlum* 'corda' || **calabr**ETE XV || **calabr**OTE 1813.
⇨ **calabre** — **calabr**OTE | 1680 AOCad I.472.*2* |.
calaça *sf.* '*ant.* porção de carne de porco que se pagava de foro' XIII. De origem obscura || **calaç**ARIA *sf.* 'preguiça, indolência' XVI || **calac**EAR XVI || **cal**ACEIRO XVI.
calacre *sm.* 'calote' 'apuros em matéria de dinheiro' 1899. De origem obscura || DES·EN**calacr**AR 1881 || EN**calacr**AR 1858.
cala·da, -do, -dura → CALAR.
calafetar *vb.* 'tapar, vedar' XIII. Do it. *calafatare*, provavelmente do ár. *qálfat*, de origem incerta; o voc. árabe talvez derive do lat. vulg. **calefare* (cláss. *calefacěre*) 'aquecer', por ser a operação de derreter o alcatrão, submetendo-o ao fogo, uma das mais importantes que pratica o calafate || **calafate** *sm.* 'indivíduo cujo ofício é calafetar' XIV || **calafet**AÇÃO XIII || **calafet**AMENTO XVIII || **calaf**AÇÃO XVII || **calefac**ĚRE || **calefaci**ENTE XX || **calef**ATOR XX.
calafrio *sm.* 'contração da pele e das fibras superficiais dos músculos, causada pelo frio' XVII. De formação duvidosa; provavelmente o primeiro elemento será *cale* (por assimilação do *e*), imperativo de *calēre* 'estar quente, estar doente', e o segundo talvez seja *frĭge*, imperativo de *frĭgěre* 'ter ou estar frio', com o significado conjunto de *esquentar* e *esfriar*.
calamar *sm.* 'lula' 1899. Do it. *calamaro*.
⇨ **calamar** | 1836 SC |.
calamidade *sf.* 'desgraça, catástrofe, flagelo' XVII. Do lat. *calamĭtās -ātis* || **calamit**OSO XVI. Do lat. *calamitōsus*.
calam·ídeo, -ífero, -iforme → CÁLAMO.
calamina *sf.* 'mineral ortorrômbico, constituído de silicato básico de zinco' 1813. Do fr. *calamine*, deriv. do lat. med. *calamīna*, deformação de *cadmēa* *-īa* 'cádmio'.
calam·istrado, -istro, -ita→ CÁLAMO.
calamitoso → CALAMIDADE.
cálamo *sm.* 'caule 'pedaço de cana ou caniço talhado em penha, outrora usado como instrumento de escrita em papiro' XIV. Do lat. *calămus*, deriv. do gr. *kálamos* 'caniço' 'qualquer objeto fabricado com caniço' 'pena de escrever' 'alfinete de cabelos' 'colmo, palha' || **calam**ÍDEO | *-mide* 1899 || **calam**ÍFERO 1899 || **calam**IFORME 1899 || **cala**-

mistrADO XVII || **calamistro** *sm.* 'ferro de frisar os cabelos' XX. Do lat. *calamistrum* || **calamīta**¹ *sf.* 'espécie de estoraque' XVII. Do fr. *calamite*, deriv. do lat. med. *calamīta* || **calamITA**² *sf.* 'antigo nome da magnetita' 1813. Do fr. *calamite*, deriv. do gr. med. *kalamíta*, de *kalamĩtēs* 'que é de colmo', de *kálamos* || **calamocADA** 'pancada na cabeça' XVI || **calamocAR** *vb.* 'bater na cabeça de' 1813.
calandra *sf.* 'conjunto vertical de cilindros de aço, destinado a fechar os poros e alisar o papel' 'máquina para lustrar tecidos etc.' 1813. Do fr. *calandre*, deriv. do prov. *calandra* e, este, do lat. pop. *calandra*, que remonta ao gr. *kálandra kalandros* 'espécie de cotovia'.
calandrínia *sf.* 'planta da fam. das portulacáceas, cultivada para fins ornamentais' 1873. Do lat. cient. *Calandrinia*, do antrop. *Calandrini*, em homenagem a J. L. Calandrini, botânico suíço (séc. XVIII) || **calandrini** *sf.* 'planta da fam. das gramíneas' XX.
calango¹ *sm.* 'raiz comestível da palmeira *Borassus flabelliformis*' XVII. Do tamul-malaiala *kilangu*.
calango² *sm.* 'designação comum a vários reptis lacertílios da fam. dos teídeos, principalmente os de pequeno porte' XX. Do quimb. *ka'laŋa*.
calão¹ *sm.* 'gíria caracterizada pelo uso de termos baixos e grosseiros' XIX. Adaptação do cast. *caló*, deriv. do cigano *caló* 'cigano'.
calão² *sm.* 'vasilhame, bilha' | *-loes* pl XVI | Do tamul-malaiala *kalam*.
calão³ *adj. sm.* 'preguiçoso, ocioso, indolente' 1873. Talvez extensão semântica de CALÃO¹.
calar *vb.* 'estar em silêncio, não falar' XIII 'abaixar, abater, arriar' XVI. Do lat. vulg. *callāre, (cláss. *calāre*, *chalāre*), deriv. do gr. *chaláō* 'afrouxar, fazer baixar' || **calADA** *sf.* 'silêncio total' XVI || **calADO**¹ *adj.* 'silencioso' XIII || **calADO**² *sm.* 'profundidade mínima de água necessária para a embarcação flutuar' 1899 || **calADURA** *sf.* 'ato ou efeito de calar, em sua segunda acepção' 1813 || **calAMENTO** *callamento* XV || **calUDA** *interj.* 'psiu' XIX || ESCALAR² *vb.* 'estripar e salgar (peixe)' XVI. De *calar*, em sua segunda acepção.
calásia *sf.* 'separação parcial entre a córnea e a esclerótica' | *cha-* 1873 | Cp. gr. *chálisis* 'ato de relaxar, de afastar, de entreabrir' |
calátide *sf.* '(Bot.) tipo de inflorescência, característico da fam. das compostas' | *-thida* 1873 | Do lat. cient. *calathis*, deriv. do gr. *kalathís -idos*, dim. de *kálathos* 'cestinho'.
calaveira *adj. s2g.* 'desocupado, ocioso, vadio' 1899. Do cast. *calavera*, deriv. do lat. *calvaria*, de *calvus* 'calvo' || **calaveirADA** XX. Do cast. *calaverada*.
calaza *sf.* '(Bot.) base da nucela do óvulo, onde termina o feixe vascular que veio através do funículo' | *chaláza* 1873 | Do fr. *chalaze*, deriv. do gr. *cháloza* 'granizo' 'grão que se forma nas pálpebras ou nos olhos' || **calázIO** *sm.* 'pequeno tumor no bordo livre das pálpebras' | *chalazeo* 1873 | Do fr. *chalazion*, deriv. do gr. *chalázion* 'certa pedra semelhante a um grão de granizo' || **calazoGAM·IA** XX.
calça *sf.* 'orig. calçado, sapato' 'peça do vestuário, tanto masculino como feminino' XIII. Do lat. vulg. *calcěa, de *calcěus* 'sapato' || **calçADA** *sf.* 'cami-nho ou rua revestida de pedra, saibro etc.' XVI || **calçadEIRA** 1873 || **calçADO** *adj. sm.* XVII || **calçadURA** XIV || **calçAMENTO** 1858 || **calçÃO** XVI || **calçAR** *vb.* XIII. Do lat. *calceāre* || **calceiFORME** 1873 || **calcELRO** XX || **calcETA** *ant.* 'grilheta' XVIII. Do cast. *calceta* || **calcetEIRO**¹ *sm.* 'empedrador' XVII. Do cast. *calcetero* || **calcetEIRO**² *sm.* 'indivíduo que faz e/ou vende calças' XVII || **calço** 1858 || **calçUDO** 1881 || DESCALÇAD·ELA 1899 || DESCALÇAR XIII || DESCALÇO XIII. Do lat. vulg. *discalceus.
⇨ **calça** — **calço** | 1836 SC |.
calcâneo *adj. sm.* 'diz-se de, ou osso do tarso que forma o calcanhar' 1844. Do lat. *calcānĕum -i* 'calcanhar' || ACALCANHAR *vb.* 'pisar com o calcanhar' XVII || **calcanhAR** *sm.* 'a parte posterior do pé, cuja estrutura óssea é formada pelo calcâneo' | XIV, *calcannar* XIII | De um lat. *calcaneāre 'relativo a calcanhar'.
calcanha → CALCAR.
calcanhar → CALCÂNEO.
calç·ão → CALÇA.
calcar *vb.* 'pisar com os pés' 'comprimir' XVI; *fig.* oprimir, humilhar' 1881; *ext.* reprimir, conter' XX. Do lat. *calcāre* || **calcanha** *sf.* 'mulher que varre os engenhos de açúcar' 1899 || **calcANTE** *sm.* 'sapato' 1899; *adj.* 2g. 'que calca' XX || **calcorrEAR** *vb.* 'andar muito' 'caminhar a pé' 1813. Do cast. *calcorrear* || RECALCAMENTO 1881 || RECALCAR 1813. Do lat. *recalcāre* || RECALQUE 1881. Der. regress. de *recalcar*.
calcário → CAL.
calcedônia *sf.* 'variedade de sílica' | *calçe-* XIV, *calçadonya* XIV, *calçadonyo* XIV | Do lat. *chalcědonía*, deriv. do gr. *chalkēdónios*, do top. *Chalkēdonía* 'Calcedônia' || **calcedônIO** *adj.* | *-dó-* 1844.
⇨ **calcedônia** — **calcedônio** | 1836 SC |.
calc·eiforme, -eiro → CALÇA.
calcemia → CÁLCIO.
calceolária *sf.* 'planta ornamental da fam. das escrofulariáceas' 1858. Do lat. cient. *calceolāria*, de *calceŏlus*, dim. de *calcěus* 'calçado, sapato', porque a planta lembra a ponta de uma pantufa.
calcês *sm.* '(Const. Nav.) parte de seção retangular, no extremo superior de um mastro ou mastaréu' | *-ceses* pl. XVI | Do it. *calcése*, deriv. do lat. tard. *calcēse*, adaptação do lat. *carchēsium* e, este, do gr. *karchésion* 'vaso para beber' 'parte superior do mastro, cesto da gávea'.
calc·eta, -eteiro → CALÇA.
calcídico *adj.* 'relativo a, ou natural de Cálcis' XX. Do lat. *chalcidīcus*, deriv. do gr. *chalkidi(a)kós*, de *Chalkís -ídos*.
cal·cin·ação, -ado, -ar, -atório, -ável → CAL.
cálcio *sm.* '(Quím.) elemento de número atômico 20, do grupo dos metais alcalinoterrosos' 1858. Do lat. cient. *calcium*, de *calx -cis* 'cal' || **calcEM·IA** XX || **calcÍCOLA** XX || **calcÍFERO** 1813. Do fr. *calcifère* || **calciFIC·AÇÃO** 1873. Do fr. *calcification* || **calciFIC·ADO** 1873 || **calciFIC·AR** 1873. Do fr. *calcifier* || **calciFUGO** XX || **calcioTERAP·IA** XX || **calciÚRIA** XX. Cp. CAL.
calcitrar → RECALCITRAR.
calc(o)- *elem. comp.*, do gr. *chalko-*, de *chalkós* 'cobre' que se documenta em alguns compostos introduzidos, a partir do séc. XIX, na linguagem científi-

ca internacional ▶ **calco**GRAF·IA | 1844, *chal-* 1844 | Do fr. *chalcographie* || **calco**PIRITA | *chalcòpyrite* 1899 || **calcos**ITA XX.
⇨ **calc(o)-** — **calco**GRAF·IA | 1836 SC |.
calço → CALÇA.
calcorrear → CALCAR.
calcosita → CALC(O)-.
calçudo → CALÇA.
calcular[1] *vb.* 'determinar por meio do cálculo' 'contar' 'avaliar, estimar' XVI. Do lat. *calculāre* || **calcul**AÇÃO XVII || **calcul**ADOR 1813. Do lat. *calculātor -ōris* || **calcul**ADORA 1844 || **calcul**ANTE XX || **calcular**[2] *adj.* 'relativo a cálculo[2]' 1813 || **calcul**ISTA XVI || **cálculo**[1] *sm.* 'operação ou combinação de operações sobre números ou símbolos algébricos' 'avaliação, conjectura' XVII. Do lat. *calcŭlus* 'pedrinha'; os antigos utilizavam pequenas pedras nas operações aritméticas elementares (soma, subtração etc.) || **cálculo**[2] *sm.* '(Patol.) concreção que se forma na vesícula biliar, na bexiga etc.' 1813 || **calcul**OSO *adj.* 'calcular[2]' 1813 || INcalcULÁVEL 1801. Do fr. *incalculable*.
cald·a, -ário, -ear, -eira, -eirada, -eirão, -eireiro → CALDO.
caldeu *adj. sm.* 'relativo a, ou natural da Caldeia' | *caldeo* XIV | Do lat. *Chaldaeus*, deriv. do gr. *Chaldâios*, de *Chaldaía* 'Caldeia'.
caldo *sm.* 'alimento líquido à base de água, na qual são cozidos carne, peixe etc., geralmente com temperos' 'suco' XIII. Substantivação do adj. lat. *caldus*, de *calĭdus* 'quente' || **calda** *sf.* 'solução de água e açúcar fervidos conjuntamente' XIV || **cald**ÁRIO *adj.* 'relativo a águas termais' XVI. Do lat. *caldārĭus* || **cald**EAR XIV || **cald**EIRA XIII. Do lat. *caldārĭa* || **cald**EIR·ADA XVIII || **cald**EIR·ÃO | *-rō* XIV || **cald**EIR·EIRO XVII || ES**cald**ÃO XVI || ES**cal**DÃO XVI || ES**cald**AR XIV || ES**caldo**[1] XX. Cp. CÁLIDO.
⇨ **caldo** — **cald**EIR·ARIA | *c* 1644 *Aned*, 74.2 |.
calear → CAL.
caleça, caleche *sf.* 'antiga carruagem de tração animal, espécie de coche' | α. *caleço* 1697, *-lessa* 1717, *-lleça* 1739, *-leça* 1794; β. *caleja* 1677, *-lleja* 1677, *-lege* 1699; γ. *calexe* 1712, *-leche* 1717, *-lexa* 1738 | Do cheq. *kolesa* pl. (< *kolo* 'roda'), através do it. *calèsse, calèsso* (vars. α), do a. fr. *calège* (vars. β) e do fr. *calèche* (vars. γ) || **cale**CEIRO 1813.
caledônio *adj. sm.* 'relativo a, ou natural da Caledônia' XVI. Do lat. *Calēdonĭus*, do top. *Calēdonĭa* || **caledoni**ANO XX || **caledon**ITA *sf.* 'mineral encontrado na Escócia' | *-ite* 1873.
calef·ação, -aciente, -ator → CALAFETAR.
caleira[1] → CALHA.
caleira[2] → CAL.
caleja → CALHE.
calejar → CALO.
calembur *sm.* 'trocadilho' | 1873, *-bourg* 1858 | Do fr. *calembour*.
calendas *sf. pl.* 'o primeiro dia de cada mês romano, na Antiguidade' | XIII, *kaendas* XIII, *queendas* XIII, *quēdas* XIV etc. | Do lat. *calendae* || **calend**ÁRIO *sm.* 'impresso onde se indicam os dias, semanas e meses do ano, as fases da Lua, as festas religiosas e os feriados nacionais' XIV. Do lat. *calendārĭum -ĭī*.

calêndula *sf.* 'planta ornamental da fam. das calenduláceas' 1858. Do lat. cient. *calendula*, de *calendae*.
calentura → CALOR.
calepino *sm.* 'vocabulário, léxico' 1844. Do it. *calepino*, do nome do monge italiano Ambrogio dei Conti di *Calepio*, que passou a vida a redigir um dicionário poliglótico, publicado em 1502.
⇨ **calepino** | 1657 FMMe1v 79.20 |.
calete *sm.* 'gênero, qualidade, categoria' XVI. De origem controvertida.
calha *sf.* 'cano que recebe as águas pluviais, especialmente as dos telhados' XV. De um lat. *canālĭa, de *canālis -is* || **cal**EIRA[1] *sf.* 'calha' XVII || **calh**AR XVII || **calh**ETA *sf.* 'angra' XVI. Do cast. *caleta*, de *cala* || DES·EN**calh**AR XVI || DES·EN**calhe** XIX || EN**cal**lhADO | *em-* XV || EN**calh**AR XVI || EN**calhe** 1813. Der. regress. de *encalhar*.
calhamaço → CÂNHAMO.
calhambeque *sm.* 'barco ou automóvel velho' 1858. De criação expressiva.
calhandra *sf.* 'espécie de cotovia' XVI. Do cast. *calandria*, deriv. do lat. vulg. *calandria e, este, do gr. *kálandra kálandros*.
calhandro *sm.* 'vaso ou bacia onde se juntam águas sujas e outros detritos para vazá-los em lugar próprio' XVI. De origem duvidosa.
calhar → CALHA.
calhau *sm.* 'fragmento de rocha dura' 'pedra solta' 'seixo' | *-lhaao* XV | Do fr. *caillou*, deriv. do gaulês *caliavo.
calhe *sf.* 'ant. rua estreita' | XVI, *cale* XIII, *cal* XIII | Do lat. *callem* 'rua'; a var. *calhe* deve provir diretamente do cast. *calle* | **caleja** | XVI. *caleia* XIV | Do cast. *calleja*.
calheta → CALHA.
calhorda *adj. s2g.* 'diz-se de, ou pessoa desprezível, impudente, ordinária' XX. De criação expressiva.
cal(i)- *elem. comp.*, do gr. *kalli-* ou *kallo-*, de *kallós* 'belo, formoso', que se documenta em inúmeros compostos formados no próprio grego (como *caligrafia*) e em muitos outros introduzidos, a partir do séc. XIX, na linguagem científica internacional ▶ **cali**CROMO | *callichromo* 1873 || **cali**DO·SCÓP·IO | *calei-* 1873, *-po* 1858, *kaleidoscopo* 1858 || **cali**GRAF·IA | 1840, *calligraphia* 1844 | Do fr. *calligraphie*, deriv. do gr. *kalligraphía* || **cali**GRÁF·ICO | *calligrafico* 1840, *calligraphico* 1844 | Do fr. *calligraphique* || **cali**GRAFO | *calligrapho* 1844 | Do fr. *calligraphe*, deriv. do gr. *kallígraphos* || **cali**PÍGIO *adj.* 'que tem belas nádegas' | *callipy-* 1899 | Do fr. *callipyge*, deriv. do gr. *kallípygos* || **calo**FILO | *caliphillo* 1873 | Do lat. cient. *calophyllum* || **calo**MELANO XIX. '(Farm.) protocloreto de mercúrio, de propriedades purgativas' | *-nos* XVII || **cal**ÓPTERO 1873.
⇨ **cal(i)** — **cali**GRAF·IA | *calligraphia* 1836 SC || **cali**GRÁF·ICO | *calligraphico* 1836 SC || **calí**GRAFO | *calligrafo* 1836 SC |.
calibre *sm.* 'diâmetro interior do cano de arma de fogo, ou de qualquer cilindro oco' XVI. Do fr. *calibre*, de origem incerta, talvez do ár. *qālib* 'molde' || **calibr**ADOR 1813 || **calibr**AR 1813.
caliça → CAL.

cálice¹ *sm.* 'tipo de copo' | XV, *calez* XIII, *caliz* XIII, *cálix* XVII | Do lat. *calix -ĭcis*.
cálice² *sm.* '(Bot.) verticilo floral externo, formado por pequenas peças, geralmente verdes, as sépalas' XIX. Do lat. *calyx -ўcis*, deriv. do gr. *kályx -ykos* || caliciFORME 1899. Do fr. *caliciforme*.
calicida → CALO.
caliciforme → CÁLICE².
calícromo → CAL(I)-.
cálido¹ *adj.* 'quente' *fig.* ardente, apaixonado' XVIII. Do lat. *calĭdus*. Cp. CALDO.
cálido² *adj.* 'sagaz, astuto' 1873. Do lat. *callĭdus*.
calidoscópio → CAL(I)-.
califa *sm.* 'título de soberano muçulmano' | XIV, *halifa* XIV, *falifa* XIV | Do ár. *ḥalīfa* 'sucessor'.
califórnio *sm.* '(Quím.) elemento transurânico, artificial, radioativo, de número atômico 98' XX. Do lat. cient. *californium*, do top. *Califórnia* (EUA); o elemento foi descoberto pelos cientistas da Universidade da Califórnia, em 1950.
caligem *sf.* 'nevoeiro espesso' 'trevas' XVII. Do lat. *cālīgō -ĭnis* || **calig**iNOSO *adj.* 'tenebroso' XVII. Do lat. *cālīgĭnōsus*.
cali·graf·ia, -ico, -o → CAL(I)-.
calimbé *sm.* 'espécie de tanga dos nativos da Guiana' 1858. Talvez de origem italiana.
calino *adj. sm.* 'que diz disparates, tolo' 1899. Do antrop. *Calino*, negociante de quadros parisiense que, pelos meados do séc. XIX, desempenhou em espetáculos papéis de bobo.
calipígio → CAL(I)-.
calista → CALO.
calisto *sm.* 'homem de mau agouro, a cuja presença o jogador atribui o seu azar' | *-llis-* 1881 | Do antrop. *Calisto* | ENcalistAR | *-llis-* 1881.
calma *sf.* 'grande calor atmosférico, geralmente sem vento' XV; 'serenidade, sossego' 1813. Do it. *calma*, deriv. do lat. tard. *cauma* e, este, do gr. *kaûma* 'calor ardente, chama' | AcalmAR XV || calmANTE 1844 || calmAR XVI || calmARIA *sf.* 'calma' XVI || calmEIRO XX || calmo *adj.* 'sereno' 'em calmaria' XVI || calmOSO 1844 || ENcalmAR XVI || REcalmÃO 1899.
⇨ **calma** — calmANTE | 1836 SC || calmOSO | 1660 FMMelE 207.*12* |.
calo *sm.* 'endurecimento da pele, por compressão ou fricção contínua' XIV. Do lat. *callum -i* || calEJAR XV || caliCIDA 1899. Do cast. *callicida* || calISTA | *-llis-* 1899 || calos·IDADE | 1844 *-llo-* 1844 | Do lat. *callōsĭtās -ātis* | calOSO | *calloso* 1570 | Do lat. *callōsus*.
⇨ **calo** — calos·IDADE | *calosidade* 1836 SC |.
calofilo → CAL(I)-.
caloji *sm.* 'cortiço, casa de cômodos' 1899. De possível origem africana.
calombo *sm.* 'inchaço' 'tumefação cutânea' 1881. Talvez do quimb. *ka'luṃa* || ENcalombAR XX.
calomelano, calóptero → CAL(I)-.
calor *sm.* 'sensação que se experimenta em ambiente aquecido' *fig.* ardor, impetuosidade' XVI. Do lat. *calor -ōris* || AcalorADO XX || AcalorAR XX || calentura *sf.* 'intermação' 1873. Do cast. *calentura* || calorENTO XX || calorIA 1873. Do fr. *calorie* || calóRICO 1844. Do fr. *calorique* || caloRÍFERO 1873 || caloRÍFICO XVIII. Do lat. tard. *calōrificus* || caloRÍFUGO XX. Do lat. cient. *calōrifugus* || caloriMETR·IA 1844. Do fr. *calorimètrie* || caloRÍMETRO 1844. Do fr. *calorimètre*, deriv. do lat. cient. *calōrimetrum* || calorOSO 1813.
⇨ **calor** — calóRICO | 1836 SC || caloriMETR·IA | 1836 SC || caloRÍMETRO | 1836 SC |.
calos·idade, -o → CALO.
calota *sf.* '(Geom.) parte da esfera' 'peça de metal abaulada que se adapta externamente às rodas dos automóveis' 1881. Do fr. *callote* 'solidéu'.
calote *sm.* 'dívida não paga e/ou contraída sem intensão de pagamento' | *-llo-* XVIII | De origem controvertida; talvez do fr. *culotte*, termo do jogo de dominó, que designa 'as pedras com que cada parceiro fica na mão, por não poder colocá-las' || calotEAR 1813 || calotEIRO 1813.
calouro *sm.* '*orig.* monge grego da ordem de S. Basílio' | *-loiro* XVI |; 'estudante novato' 'indivíduo inexperiente em qualquer ramo' | *-loiro* 1813 | Do gr. med. *kalógēros*, com influência do suf. *-oiro*, *-ouro*; a translação de sentido ('monge' → 'estudante') talvez se deva ao fato de os estudantes internos viverem em congregações, como os monges || calourICE XX.
caluda → CALAR.
calumba *sf.* 'planta da fam. das menispermáceas' 1813. Do cafre-tetense *ka'luma*.
calumbá *sf.* 'caldo de cana' *ext.* o cocho por onde o calumbá escorre' 1881. Do quimb. *ka'luṃa* 'corcovado, jiboso', com deslocamento da tônica.
calundu *sm.* 'amuo, nostalgia' XVII. Do quimb. *kalu'ṇu* 'ente sobrenatural que dirige os destinos humanos e, entrando no corpo de alguém, o torna triste, nostálgico'.
calunga *sf.* 'divindade secundária do culto banto' 1881. Do quimb. *ka'luṇa* 'mar' || calungAGEM XX || calunguEIRA *sf.* 'tipo de embarcação de pesca' 1899 || calunguEIRO XX.
calúnia *sf.* 'difamação, acusação falsa' XIV. Do lat. *calumnia* || caluniADOR | *calumni-* 1813 | Do lat. *calumniātor -ōris* || caluniAR | *calumniar* XV | Do lat. *calumniāre*, forma tardia do depoente *calumniārī* || caluniOSO XVI. Do lat. *calumniōsus*.
calvário *sm.* 'elevação, monte' 'peanha de crucifixo' XVI; *fig.* martírio, sofrimento' 1873. Do top. *Calvário*, deriv. do lat. *Calvărĭum*, de *Calvāriae locus*, colina próxima de Jerusalém, onde Jesus Cristo foi crucificado.
calvinismo *sm.* 'sistema teológico da Reforma protestante, exposto e defendido por Calvino' XVIII. Do fr. *calvinisme*, do antrop. fr. Jean *Calvin*, fundador da Reforma na França (1509-1564); seu nome foi latinizado em *Calvīnus* || calvinISTA 1706. Do fr. *calviniste*.
⇨ **calvinismo** — calvinISTA | *caluenista* a 1595 *Jorn.* 183.*18* |.
calvo *adj.* 'que não tem cabelo na cabeça ou em parte dela' XIII. Do lat. *calvus* || **calva** *sf.* 'parte da cabeça de onde caiu o cabelo' XIII. Do lat. *calva* 'crânio' 'caveira' || calvÍCIE 1844. Do lat. *calvitiēs -ēī* || EScalvADO 1813.
⇨ **calvo** — calVICE | 1836 SC || EScalvADO | *c* 1538 JCasG 217.*25* |.
cama *sf.* 'lugar onde se pode deitar e/ou dormir' XIII. Do lat. hisp. *cama* || AcamADO 1813 || AcamAR XVI ||

camADA *sf.* 'quantidade de matéria, estendida, sem solução de continuidade, sobre uma superfície' '*ext.* porção de qualquer substância que forma um todo, sobreposta a outra(s)' XVI.
⇨ **cama** — **acamAR** | XV MONT 91.*21* || **camILHA** | 1532 JBarr 87.*8*, 1635 MNor 266.*30*, *c* 1644 *Aned.* 74.*15* |.
camaçari *sm.* 'planta da fam. das ternstremiáceas' | 1587, *camasari* 1618 etc. | Do tupi *kamasa'ri*.
camada → CAMA.
camafeu *sm.* 'pedra semipreciosa, com duas camadas de cor diferente, numa das quais se talha uma figura em relevo' XIII. De origem incerta.
camafonje *sm.* 'moleque travesso' 'indivíduo desprezível' 1899. Talvez de origem africana.
camal *sm.* 'peça da armadura que cobria o elmo e descia sobre os ombros' XV. Do fr. *camail*, deriv. do prov. *capmalh* || **camalha** *sf.* 'capuz de lã caído sobre os ombros' 1873 || **camalho** *sm.* 'camal' XV. Do it. *camàglio*, deriv. do prov. *capmalh*.
camáldulas *sf. pl.* 'contas grossas de rosário' | XVII, *camandola* XVII | Adaptação do it. *camàldoli*, do top. *Camàldoli*, próximo de Arezzo, onde foi fundado um convento de frades, no ano 967, que teriam inventado essas contas.
camaleão *sm.* 'réptil lacertílio, da fam. dos camaleontídeos, dotado da faculdade de mudar de cor' | *chammaleon* 1525, *cameliam* XVI | Do lat. *chamaelĕōn -ōnis* e *-ontis*, deriv. do gr. *chamailéōn -ontos* 'leão anão' 'camaleão'.
cama·lha, -lho → CAMAL.
camalote *sm.* 'ilha flutuante que desce os rios, formada de plantas aquáticas' XIX. Talvez do cast. *camalote*, nome de uma gramínea e de uma planta pontederiácea americanas.
camapu *sm.* 'planta da fam. das solanáceas' | 1610, *canapu* 1587 | Do tupi *kama'pu*.
camará *sm.* 'nome de várias plantas das fam. das verbenáceas e das solanáceas' *c* 1584. Do tupi *kama'ra*.
câmara *sf.* 'quarto' XIII. Do lat. vulg. *camara* (cláss. *camĕra*), deriv. do gr. *kamára* 'abóbada' 'quarto, compartimento'. No sentido de assembleia (política, comercial etc.) o voc. deve ter sido influenciado pelo fr. *chambre*; modernamente, no sentido de máquina, usa-se, por influência do ing. *camera*, a var. *câmera* || **acamarAD·AR** 1858 || **antecâmara** XV || **bicamerAL** XX || **bicamerAL·ISMO** XX || **camarADA** *s2g.* 'companheiro' XVI. Do fr. *camarade*, deriv. do cast. *camarada* || **camarAD·AGEM** 1813 || **camarÁRIO** | *-me-* XVI || **camarEIRO** XIII. Do lat. *camerārĭs* || **camarETA** XIV || **camarILHA** 1845. Do cast. *camarilla* || **camarim** *sm.* 'recinto onde os atores se preparam para a apresentação' 1751. Do cast. *camarín* || **camarINHA** XVI || **camarOTE** *sm.* 'recinto especial em sala de espetáculos' XVIII. Do cast. *camarote* || **camarOT·EIRO** 1858. Do cast. *camarotero* || **camerATA** *sf.* 'dormitório coletivo' 1881. Do it. *camerata* || **incamerAÇÃO** XIX. Do it. *incamerazione* || **incamerAR** *vb.* 'reunir aos bens da Igreja' 1899. Do it. *incamerare* 'encerrar em uma câmara, arquivar'.
⇨ **câmara** — **camarim** | 1704 *Inv.* 37.*29* || **camarISTA** | 1680 AOcad I.28.*22* || **camarOTE** 'pequena câmara, quarto de dormir' | 1614 SGonç I.69.*8* |.

camarão *sm.* 'animal artrópode, crustáceo, da fam. dos peneídeos, de grande consumo na alimentação' 1500. De um lat. *cammarōne (cláss. *cammărus -i*), deriv. do gr. *kámmaros*.
camarário → CÂMARA.
camarção *sm.* 'terra arenosa que só produz plantas rasteiras ou arbúsculos' XVIII. De origem incerta.
camarço *sm.* 'infelicidade' XVII. De origem duvidosa; talvez se ligue a um *queimarço, de *queimar*.
camareiro → CÂMARA.
camar·eta, -ilha, -im, -ote, -oteiro → CÂMARA.
camartelo → MARTELO.
camb·a, -ada, -ado, -aio, -al, -alacho, -alear, -alhota, -ão, -apé, -ar → CAMBIAR.
cambaxirra *sf.* 'ave passeriforme da fam. dos trogloditídeos' 1899. De origem incerta.
cambembe *adj. s2g.* 'cambaio' 'desajeitado' 'sem importância' XX. Talvez do quimb. *ka'm̭eme*.
cambiar *vb.* 'trocar (moedas ou letras de um país pelas de outro)' 'transformar, alterar' | XIII, *canbar* XIII etc. | Do lat. *cambiare*, sem dúvida de um radical celta *camb-* 'arqueado, curvo' 'alternado, trocado' || **camba** *sf.* 'cada uma das peças curvas das rodas de um veículo, onde se prendem os raios' 1813 || **cambADA** *sf.* 'porção de coisas' XVI; *fig.* corja' 1813 || **cambADO** XIV || **cambaio** *adj.* 'de pernas tortas' 'trôpego' 1813 || **cambAL** *sm.* 'resguardo da mó' 1813 || **cambAL·ACHO** 20 || **cambAL** 'barganha, tramoia' 1844 || **cambAL·EAR** *vb.* 'cambar' XVIII || **cambALH·OTA** 1813 || **cambão** *sm.* 'pau que se junta ao cabeçalho do carro puxado por mais de uma junta' 1844 || **cambaPÉ** *sm.* 'armadilha' XVII || **cambAR** *vb.* 'trocar' 'entortar as pernas ao andar' XIII || **cambETA** 1813 || **cambIADOR** XIII || **cambIAL** 1813 || **cambIANTE** 1813 || **câmbio** *sm.* 'troca, permuta' | XIII, *canbho* XIII etc. || **cambISTA** 1844 || **cambITO** *sm.* 'gambito' XIV || **cambo** *sm.* 'vara com um gancho na extremidade para apanhar fruta' | *can-* XIII || **cambONA** *sf.* 'reviravolta' 1858 || **cambOTA** 1813 || **cambULHA** *sf.* 'cambada' XX || **cambULH·ADA** 1813 || **cambULHO** *sm.* 'rodela de barro, usada para fundear as redes de pesca' 1899 || **escambiAR** *vb.* 'cambiar' | *escanbhar* XIII, *scanbhar* XIV, *scanbar* XIV etc. || **escambo** *sm.* 'câmbio' | *escanbho* XIII, *-canbho* XIII, *scambo* XIV etc. || **intercâmbio** XX. O adv. *antrecanbadamẽte* 'intercambiadamente' já se documenta no séc. XIV || **recambiAR** 1813.
⇨ **cambiar** — **cambão** | 1836 SC || **cambIANTE** | 1615 FNun 107.*28* || **cambISTA** | 1836 SC || **recâmbio** | 1614 SGonç II.68.*15* |.
camboa *sf.* 'lago artificial à beira-mar' | 1587, 1617, 1618, 1627; *gamboa* 1618, *a*1696 | Talvez de origem tupi, mas de étimo incerto.
camboatá *sm.* 'peixe da fam. dos loricarídeos' | 1899, *camuatá* 1928 | Do tupi **kamua'ta*.
⇨ **camboatá** | 1836 SC |.
camboatã *sm.* 'nome de diversas plantas das fam. das meliáceas, sapindáceas e simarubáceas' | 1946, *camboatá a* 1696, *cabuatã* 1876 | Do tupi **kamua'tã*.
cambona → CAMBIAR.
cambondo *sm.* 'amásio, amante, amigo' 1899. Talvez do quimb. *ka'm̭ana*, do pref. dimin. *ka-* + *'m̭ana* 'arte de curar por encanto' '*ext.* curandeiro, feiticeiro'.

cambonja sf. 'ave pernalta da África, da fam. dos ralídeos' 1881. De origem africana, mas de étimo indeterminado.
cambota → CAMBIAR.
cambraia sf. 'tecido de linho ou de algodão, muito fino' | XVIII, *cambrai* XIII | Do top. *Cambraia*, cidade do norte da França, onde se fabricava esse tecido || **cambrai**ETA 1813.
cambriano adj. sm. 'relativo a, ou natural de Câmbria' 1873; '(Geol.) primeiro período da era paleozoica' 1899. Do fr. *cambrien* (ou do ing. *cambrian*), do top. *Câmbria*, antigo nome do País de Gales.
cambucá sm. 'planta da fam. das mirtáceas; o seu fruto' | 1587, *quamoqua* 1618 | Do tupi *kaṃu'ka* || **cambuca**RANA XX || **cambuca**Z·EIRO 1873.
cambuí sm. 'planta da fam. das mirtáceas: o seu fruto' | 1587, *camuiz c* 1594, *camboi* 1702 etc. | Do tupi *ka'mui* || **cambuiz**·AL XX || **cambuiz**·EIRO | *cambuhizeiro* 1899.
camb·ulha, -ulhada, -ulho → CAMBIAR.
camburão sm. 'carro da polícia, para o transporte de presos' XX. De origem obscura.
camélia sf. 'planta ornamental da fam. das teáceas, de belas flores grandes, alvas ou rosadas' 'a flor dessa planta' 1844. Do fr. *camélia*, deriv. do lat. cient. *Cammelia*, do antrop. *Kamel*; o voc. foi criado em homenagem ao jesuíta G.J. Kamel, missionário dos fins do séc. XVII, que trouxe essa planta da Ásia Oriental para a Europa.
⇨ **camélia** | 1836 SC |.
camelo sm. 'mamífero ruminante da ordem dos artiodáctilos, com duas corcovas' XIII. Do lat. *camēllus*, deriv. do gr. *kámēlos*, de origem semítica (hebr. *gāmāl*, ár. *ğamal*) || **camela** XVI || **camelão** sm. 'tecido grosseiro de pelo de cabra' 1844 || **camel**EIRO 1844 || **cameli**FORME 1899.
⇨ **camelo** — **camel**EIRO | *camelleiro c* 1608 NOReb 166.30 |.
camelô sm. 'mercador que vende bugigangas ou outros artigos, nas ruas, apregoando-os de modo típico' XX. Do fr. *camelot*.
camenas sf. pl. '(Poét.) as musas' 1572. Do lat. *Camēna*.
camerata → CÂMARA.
camerlengo sm. 'cardeal que governa interinamente a Igreja, entre a morte de um papa e a eleição do seguinte' | *camaralengo* 1532, *camarlengo* 1537, *-lemguo* 1539, *-lenguo* 1539 | Do a. it. *camarlengo* (it. *camerlingo*), deriv. do germ. *kamarling*. A atestar a imediata procedência italiana do voc. port., cumpre assinalar que os quatro textos quinhentistas em que ele se documenta são relatos de embaixadores de Portugal junto à Cúria Romana, no reinado (1521-1557) de D. João III. Cp. CÂMARA.
cametaú sm. 'ave da fam. dos anhumídeos, anhuma' | *cam-hitaou* 1763, *cahuitahu* 1817, *camêtaú* 1886, *camitaú* 1930 | Provavelmente de origem tupi, mas de étimo incerto.
caminhão sm. 'veículo automóvel para transporte de cargas' | XIX, *-mião* 1899 | Adaptação do fr. *camion* || **caminhon**ETE XX. Adaptação do fr. *camionnette*.
caminho sm. 'estrada, vereda, via, trilho' XIII. Do lat. vulg. *cammīnus*, de origem céltica || **caminh**ADA 1813 || **caminh**ANTE | *-mj-* XIV || **caminh**AR 1813 || **caminh**EIRO 1813 || DES**caminh**ADO XV || DES**caminho** XVII || DES·EN**caminh**AR XV || EN**caminh**ADO 1813 || EN**caminh**ADOR XV || EN**caminh**AMENTO XV || EN**caminh**AR XV.
⇨ **caminho** — **caminh**AR | XV SBER 53.2 || **caminh**EIRO | XIV BARL 37v22, XV BENF 68.23, *caminheyro* XIV ORTO 38.12, XV LEAL 171.27 etc. |.
camiranga sm. 'ave de rapina, espécie de urubu' 1903. Do tupi *kami'raṇa*.
camisa sf. 'peça do vestuário que cobre o tronco' XIII. Do lat. *camīsĭa* || **camis**ARIA 1881 || **camis**EIRO 1881 || **camis**ETA 1899 || **camis**OLA sf. 'vestimenta feminina para dormir' XVII. Do fr. *camisole*, deriv. do a. prov. *camisola*, dim. de *camisa* 'camisa'.
camita adj. s2g. 'diz-se de, ou indivíduo dos camitas, populações do norte da África' 1873. Do antrop. *Cam*, nome do filho de Noé, de quem, supostamente, os camitas são descendentes; V. -ITA.
⇨ **camoês** adj. 'diz-se de uma variedade de maçã' | *camoesas* pl. 1531 (M²), *camoezas* pl. 1680 AOCad 1.462.6 | De origem controvertida.
camomila sf. 'designação comum a diversas plantas da fam. das compostas, conhecidas por seu emprego na farmacopeia universal' XVIII. Do lat. tard. *camomīlla*, deriv. do gr. *chamaímēlon*.
camoniano adj. 'pertencente ou relativo a Luís de Camões, o maior poeta português' *sm.* grande admirador e/ou profundo conhecedor das obras de Camões' 1899. Do antrop. *Camões*; V. -ANO (III) || **camoni**ANA sf. 'coleção de obras de (ou sobre) Camões' 1881; v. -ANO (IV) || **camon**ISTA | *-nianis*- 1899.
camorra sf. 'associação dos malfeitores do antigo reino de Nápoles' '*ext.* qualquer associação de malfeitores' XX. Do it. *camòrra*, de origem incerta.
camote sm. 'variedade de batata' 1899; 'namoro, namorado' XX. Do cast. *camote*, deriv. do náuatle *kamótli*.
campa¹ sf. 'laje sepulcral' 1570. De origem obscura; talvez se ligue a *campo*.
campa² sf. 'sino' | *campãa* XIII, *canpãa* XIII etc. | Do lat. tard. *campāna* || **campa**INHA | *-aynna* XIII || **camp**ANA sf. 'sino, campainha' XVIII. Forma divergente de *campa*, do lat. tard. *campāna* || **campa**NÁRIO | *canpanario* XV, *campanairo* XVII | Do lat. med. *campānārius* || **campani**FORME 1844 || **campan**IL sm. 'liga metálica própria para sinos' XVII. Do fr. *campanile*, deriv. do it. *campanile* e, este, do lat. med. *campanīle* || **campanó**LOGO 1881 || **campan**UDO XVII || **campân**ULA 1844. Do lat. tard. *campânula*, dim. de *campāna*.
⇨ **campa**² — **campân**ULA | 1836 SC || **campani**FORME | 1836 SC |.
campal → CAMPO.
campan·a, -ário → CAMPA².
campanha → CAMPO.
campan·iforme, -il, -ólogo, -udo, -ula → CAMPA².
camp·ar, -eação, -eador → CAMPO.
campeão sm. '*orig.* cavaleiro que combatia em campo fechado, em honra ou defesa de uma causa' XVIII; '*ext.* defensor' 1813; '*ext.* 'vencedor' XX. Do fr. *champion*, deriv. do it. *campióne* e, este, do longob. *kamp(h)io* 'paladino que combate em defesa de ou-

tro'; o longob. *kamp(h)io* procede do germ. ocid. *kamp* 'campo de batalha' e, este, do lat. *campus*, aplicado especialmente ao Campo de Marte, onde se instruíam os soldados germânicos do exército romano || **campeon**ATO *sm.* 'certame em que o vencedor recebe o título de campeão' 1899. Cp. CAMPO.
campear → CAMPO.
campeche *sm.* 'planta da fam. das leguminosas, cujo tronco é usado como corante' 1813. Do fr. *campêche*, deriv. do topo *Campeche*, cidade e estado do México.
campe·sino, -stre → CAMPO.
campil(o)- *elem. comp.*, do gr. *kampylo-*, de *kampylos* 'curvo', que se documenta em alguns compostos introduzidos, a partir do séc. XIX, na linguagem científica internacional ♦ **campilo**TROP·IA XX || **campilo**TROPO 1873.
campina → CAMPO.
campir *vb.* 'fazer em (um quadro) a perspectiva do horizonte' XVII. Do it. *campire*.
campista¹ *adj. s2g.* 'relativo a, ou natural de Campos' 1899. Do top. *Campos*.
campo *sm.* 'planície' 'terreno plano' terreno para plantio ou exercícios' XIII. Do lat. *campus -ī* || ACAMPAMENTO XX. O voc. ing. *camping* 'acampamento' é de uso bastante extensivo no Brasil, atualmente || ACAMPAR XVI || CAMPAL | XIV, *cāpal* XIV, *canpal* XIII || **campanha** *sf.* 'campo' XVII. Do lat. tard. *campānia* || CAMPAR XX || CAMPE·AÇÃO XX || CAMPE·ADOR | *can-* XIV || CAMPEAR XVII || **campesino** | *cāpesyno* XV || CAMPESTRE 1813. Do lat. *campester -tris -tre* || CAMPINA | -*pÿa* XIII, -*pynha* XIII || CAMPISTA² XX || **camponês** | -*nez* 1813 || **campônio** 1813 || DESCAMPADO XX || ENCAMPAÇÃO XVI || ENCAMPAMENTO XX || ENCAMPAR | *em*- XIV || ESCAMPADO XX || ESCAMPAR XX || ESCAMPO XX. Dev. de *escampar*.
⇨ **campo** — ACAMPAMENTO | 1836 SC || CAMPAR | 1836 SC || DESCAMPADO | 1680 AOCad I.273.*22* || ENCAMPAMENTO | *emcampamento* 1614 SGonç II.351.*17* || ESCAMPADO | *c* 1541 JCASR 302.*1* || ESCAMPAR | 1836 SC || ESCAMPO | 1836 SC |.
campuava *sf.* 'planta da fam. das labiadas, do gênero *Hyptis*' 1587. Do tupi **kāpu'aųa*.
camucim *sm.* 'vaso em que os índios do Brasil enterravam os seus mortos; cova, sepultura indígena' | 1874, *camucy* 1618, *cammuci* 1817 etc. | Do tupi *kamu'si*.
camuflar *vb.* 'dissimular, disfarçar' XX. Do fr. *camoufler*, deriv. do it. *camuffare* || CAMUFLAGEM XX. Do fr. *camouflage*.
camumbembe *s2g.* 'vadio, vagabundo, mendigo' 1899. Talvez do quimb.
camundongo *sm.* 'ratinho' 1899. Do quimb. *kamu'ņoņo*, provavelmente.
camurça *sf.* 'espécie de cabra montês' 'a pele desse animal' XVIII. Do lat. tard. *camōx -ōcis*; o *r* do port. proviria do sino *corço, corça*.
⇨ **camurça** — ACAMURÇADO | 1704 *Inv.* 4 |.
camurim *sm.* 'peixe da fam. dos centropomídeos' | 1817, *camuri* 1587, *camorim* 1618 | Do tupi *kamu'ri*.
camurupim *sm.* 'peixe da fam. dos megalopídeos' | 1817, *camboropim* 1576, *camurupíg c* 1584 etc. | Do tupi *kamuru'pĭ*.

cana *sf.* 'caule de várias plantas da fam. das gramíneas, tais como o bambu, a cana-de-açúcar etc.' XIII. Do lat. *canna*, deriv. do gr. *kánna* || **can**ADA¹ *sf.* 'pancada com cana' 1813 || **can**ADA² *sf.* 'antiga medida de capacidade' 1813 || **cana**FÍSTULA *sf.* 'planta' XVI || **cana**FRECHA *sf.* 'planta medicinal' XV. Do lat. *canna ferĭcŭla* || **canavial** *sm.* 'plantação de cana-de-açúcar' | XVI, *canaueaees* pl. XV | O voc. resulta do cruzamento de *cana* com *cânave*; o suf. *-ial* prende-se a *cânave* || **cane**ADO *adj.* 'embriagado' XX || **can**ECA *sf.* 'vaso pequeno, com asa, para líquidos' 1813 || **can**ECO *sm.* 'caneca mais longa que a comum' 1858 || **can**EIRO XVI || **canela**³ *sf.* 'a parte da perna entre o joelho e o pé' | -*lla* XVII || **canel**ADA 1813 || **canel**EIRA *sf.* 'peça para defesa das pernas' | *-ley-* XIV || **canelo** *sm.* 'canelas'³' | *-llo* XVI || **can**ETA *sf.* 'objeto para escrever a tinta' 1841 || **can**IÇ·ADA XVI || **can**IÇO XVI. Do lat. vulg. **cannicium* || **can**IL³ *sm.* 'canela da perna de cavalgaduras' 1813 || **cano** *sm.* 'qualquer espécie de tubo que permita escoamento de líquidos' XIV || **canoura** *sf.* 'moega' 1813 || **cân**ULA *sf.* 'tubo usado como instrumento cirúrgico' 1813. Do lat. tard. *cannula*, dim. de *canna* || EN**can**AÇÃO XX || EN**can**AMENTO 1842 || EN**can**AR XVII || ES**can**ADO 1813.
⇨ **cana** — **can**ADA² | 1519 GNic 51*v3* || **can**ETA | 1836 SC || EN**can**AMENTO | 1836 SC |.
canabrás *sf.* 'planta da fam. das umbelíferas' 1813. De origem obscura.
cana·da, -fístula, -frecha → CANA.
canal *sm.* 'escavação, sulco, rego' | XIII, *caal* XIV | Do lat. *canālis* || **canal**ÍCULA *sf.* '(Bot.) pequeno rego longitudinal das hastes' 1858 || **canal**ICUL·ADO 1858 || **canal**ÍCULO *sm.* 'pequeno canal' 1873. Do lat. *canālicŭlus -ī* || **canal**IFORME 1873 || **canal**IZ·AÇÃO | -*sa-* 1844 || **canal**IZAR | -*sar* 1844 || **canal**IZ·ÁVEL | -*sa-* 1873.
⇨ **canal** — **canal**ÍCULA | 1836 SC || **canal**ICUL·ADO | 1836 SC || **canal**IZ·AÇÃO | *canalisação* 1836 SC || **canal**IZAR | *canalisar* 1836 SC |.
canalha *adj. s2g.* 'diz-se de, ou pessoa vil, reles, infame' XVI. Do it. *canàglia* || ACANALHADO 1899 || ACANALHAMENTO XX || ACANALHAR 1899 || CANALHICE 1899.
canal·ícula, -iculado, -ículo, -iforme, -ização, -izar, -izável → CANAL.
canana *sf.* 'cartucheira de couro usada a tiracolo pelos militares' 1881. Do ár. *kinána* 'aljava'.
cananga *sf.* 'planta da fam. das miristicáceas' 1842. Do lat. cient. *cananga*, deriv. do mal. *kananga*.
canapaúba *sf.* 'variedade de mangue (*Laguncularia racemosa* Gaertn.)' 1587. Do tupi *kunapo'ĭųa*.
canapé¹ *sm.* 'espécie de sofá, com costas e braços' XVII. Do fr. *canapé*, deriv. do lat. tard. *canapeum* (cláss. *cōnōpēum*) e, este, do gr. *konopeîon* 'mosquiteiro', de *kônops* 'mosquito' || **canapé**² *sm.* 'sanduíche, em geral servido como aperitivo' XX. Do fr. *canapé*.
canária *sf.* 'planta da fam: das leguminosas' XVI. Provavelmente do mal. *kanāri*.
canário *sm.* 'ave passeriforme da fam. dos fringilídeos' XVIII. Substantivação do adj. *canário* 'relativo às Canárias', do top. *Canárias*, de onde esse pássaro é originário.

⇨ **canário** 'povo' | *c* 1538 JCasG 134.*1* |; 'ave' | *a* 1557 AGal 121.*24* | .
canastra *sf.* 'cesta larga e pouco alta, tecida de fasquias de madeira flexível, ou de verga' | *-ta* XVI | Fem. de *canastro* || **canastrÃO** *sm:* 'canastra grande' 1842; '*gir.* ator medíocre' XX || **canastro** *sm.* 'canastra' XVI. Do lat. *cannastrum, por *canistrum*, deriv. do gr. *kánastron* 'recipiente, vasilha' || **canistrel** *sm.* 'canastra pequena' | XVII, *canistel* XIV | Do lat. **canist(r)elleum*, dim. de *canistrum*.
cânave *sm.* 'cânhamo' XIV. Do lat. *cannăbus -ĭ* || ACANAVEAR *vb.* 'chicotear (com vara de cânhamo)' XVI | **canaVAÇO** XV. Provavelmente do fr. *canevas* || **canaVEAR** *vb.* 'acanavear' | *canna-* XV. Cp: CÂNHAMO.
canavial → CANA.
cancã *sm.* 'espécie de dança tradicional dos cabarés de Montmartre (Paris)' | *cancan* 1881 | Do fr. *cancan*.
canção *sf.* 'composição musical para ser cantada' XIII. Do lat. *cantĭō -ōnis* || **cancionEIRO** XV || **cançonETA** | *chanso-* 1873 | Adaptação do fr. *chansonnette*.
⇨ **canção** — **cançonETA** | *chançoneta* 1836 SC | .
cancelo *sm.* 'grade nobre nas portas de audiência dos juízes, tribunais etc.' | *-llo* 1844 | Do lat. *cancellus -ī* || **cancela** *sf.* 'porteira' | *-lla* XVI || **cancelAMENTO** XVI || **cancelAR** *vb.* 'orig. dispor em redes, cruzar' XIV; 'inutilizar, anular' XVI. Do lat. *cancellāre*.
⇨ **cancelo** | *cancello* 1836 SC |.
câncer *sm.* 'tumor maligno' | *cācer* XIII, *cangro* XIV, *camçere* XV etc. | Do lat. *cancer cancrī* 'caranguejo' || **canceriFORME** 1873 || **cancerÍGENO** XX || **canceroLOG·IA** XX || **canceroSO** 1813. Do lat. *cancerōsus* || **câncer** | XVII, *-gro* XIX |; 'grampo de ferro' 1844 | Do lat. *cancer cancrī* || **cancroIDE** 1873 || ESCÂNCARA *sf.* 'a descoberto, patente' XVII; *loc. à escancara* 'à vista de todos' XVI. Dev. de *escancarar* || ESCANCARAR *vb.* 'abrir inteiramente' 1813. Deriv. de *cancro*, em sua segunda acepção. Cp. CARCIN(O)-.
⇨ **câncer** — **cancro** 'grampo de ferro' | 1836 SC |.
cancha *sf.* 'lugar onde se matam os bois' 1899; 'raia' 'experiência' XX. Do cast. *cancha*, deriv, do quíchua *kánca* 'recinto, paliçada, pátio' || **cancheAR** *vb.* 'cortar ou picar (o mate), reduzindo-o a pequenos pedaços' XX.
can·cioneiro, -çoneta → CANÇÃO.
cancrinita *sf.* 'mineral hexagonal, constituído de carbonato-silicato ácido de sódio, cálcio e alumínio' | *-nite* 1873 | Do fr. *cancrinite*, termo criado por G. Rose, em 1839, em homenagem ao Conde de *Cancrĭn*, ministro das finanças da Rússia (1738-1816).
cancro → CÂNCER.
candado *sm.* 'parte do casco da besta' 1844. Do cast. *candado*, deriv. do lat. tard. *catenatum*, de *catena* 'cadeia, laço'.
candango *sm.* 'designação que os africanos davam aos portugueses' 1899; 'designação dada aos operários das grandes obras da construção de Brasília' XX. De origem africana, talvez do quimb.
cande *sm.* 'açúcar cristalizado em blocos vítreos' | *-di* XIV | Do ár. vulg. *qándi* (cláss. *qandī*), de *qand* 'açúcar' || **candilAR** *vb.* 'cobrir de açúcar-cande' 1858.
candeia *sf.* 'pequeno aparelho de iluminação, abastecido com óleo' 'vela de cera' | XVI, *candea* XIII | Do lat. *candēla* || **candeEIRO** XIV || **candela** *sf.* '(Fís.) unidade de medida de intensidade luminosa' XX || **candelabro** *sm.* 'grande castiçal com ramificações, a cada uma das quais corresponde um foco de luz' XVII. Do fr. *candélabre*, deriv. do lat. *candēlābrum -ī* || **candelária** *sf.* 'festa das candeias' 1813 || **candiAR** *vb.* 'guiar um carro de bois com candeeiro' XX.
candeliça *sf.* '(Mar.) sistema usado para içar pequenos pesos' 1873. Do cast. *candaliza*.
candente *adj. 2g.* 'que está em brasa' 1813. Do lat. *candēns -entis* || **candênCIA** 1858. Do lat. *candentĭa* 'brancura'|| ESCANDESC·ÊNCIA 1844. Do lat. *excandēscentia* || ESCANDESC·ENTE 1844 || ESCANDESCER *vb.* 'fazer em brasa' 'inflamar, encolerizar' XIX. Do lat. *excandescĕre*. Cp. INCANDESCER.
⇨ **candente** — ESCANDESC·ÊNCIA | *escandecencia* 1836 SC || ESCANDESCER | *escandecer* 1836 SC |.
candiar→ CANDEIA.
candidato *sm.* 'aspirante a emprego, cargo, honraria ou dignidade' XVII. Do fr. *candidat*, deriv. do lat. *candidātus* || **candidatAR** XX || **candidatURA** 1858. Do fr. *candidature*. Cp. CÂNDIDO.
cândido *adj.* 'alvo, imaculado' *fig.* puro, ingênuo' 1572. Do lat. *candĭdus* 'branco brilhante' 'puro, sereno' || **candidEZA** | XVI, *-dez* XVII || **candidIZAR** XVII || **candOR** XVI. Do lat. *candor -ōris* 'alvura' 'pureza' || **candURA** *sf.* 'qualidade de cândido' 1813. Forma haplológica de *candidura (< *cândido* + -URA).
⇨ **cândido** — **candURA** | 1614 SGonç II.59.*8* |.
candil *sm.* 'lanterna suspensa' 1844. Do ár. *qandîl*, deriv. do gr. med. *kandéle* e, este, do lat. *candēla*. Cp. CANDEIA.
candilar → CANDE.
candiota *adj. s2g.* 'relativo a, ou natural de Cândia' 1899. Do it. *candíota*, do top. *Càndia* 'Cândia', nome antigo da ilha de Creta, na Grécia.
⇨ **candiota** | 1593 PAVEI 35.*26*, *candiato* Id.28.*21*, *candioto* Id. 467.*29*, *candiote* 1614 SGonç II. 277.*9* |.
candiru *sm.* 'peixe da fam. dos tricomicterídeos' 1833. Do tupi **kan̄i'ru*.
candombe *sm.* 'rede de pescar camarões' 1899; 'antiga dança de escravos das fazendas, espécie de batuque' XX. Do quimb. *ka'n̄ome* || **candomblé** *sm.* 'culto afro-brasileiro, de várias nações e rituais' 1899; 'local onde se realizam as cerimônias de certos cultos afro-brasileiros mais ligados às tradições africanas' XX. De *candombe*, no sentido de dança com atabaque, + ioruba *ilé (ilè)* 'casa'.
candonga *sf.* 'lisonja enganosa' 1813. De origem controvertida; talvez do quimb. *ka'n̄ene* (de *ka* 'pref. diminutivo' + *'n̄ene* 'menor, pequeno') || **candongAR** XX || **candonguEIRO** 1813 || **candonguICE** 1881.
cand·or, -ura → CÂNDIDO.
can·eado, -eca, -eco → CANA.
canéfora *sf.* '(Arquit.) figura esculpida de mulher com uma cesta à cabeça, usada, não raro, como cariátide' | *-pho-* 1873 | Do fr. *canéphore*, deriv. do

lat. *canēphŏra* e, este, do gr. *kanēphóros* 'que leva um cesto'.
⇨ **canéfora** | *canephora* 1836 sc |.
caneiro → CANA.
canela[1] *sf.* 'planta da fam. das lauráceas, cuja casca, odorífera, se usa como especiaria' XIV. Do a. fr. *canele* (hoje *cannelle*), deriv. do it. *cannella*, dim. do lat. *canna* 'junco, canudo', em alusão à casca ressequida da planta, que lembra um pequeno canudo || **canela**[2] *sf.* 'canudo em que se enrola o fio da lançadeira' 1813. Do fr. *cannelle* || **canelÃO** *sm.* 'designação comum a duas plantas das famílias das lauráceas e mirsináceas, cuja madeira é de pouquíssima importância' 1813 || **canel**AR 1899. De *canela*[2] || **canel**EIRA[1] 1813. De *canela*[1] || **canel**EIRO 1899. De *canela*[2] || **canel**URA 1899. De *canela*[2]. Cp. CANA.
cane·la[3], **-lada, -leira**[2], **-lo, -ta** → CANA.
cânfora *sf.* 'substância cristalina, com odor característico, de largo emprego industrial e medicinal, extraída de vário vegetais, e também obtida por via sintética' 1524. Do lat. med. *camphora*, deriv. do ár. *kāfūr* Diretamente do árabe *al-kāfūr* procede a ant. var. *allaaçafor*, do séc. XIV || **canfor**ADO 1858 || **canfor**EIRA *sf.* 'planta da fam. das lauráceas, da qual se extrai a cânfora' XX || **canfor**EIRO *sm.* 'canforeira' | *-pho-* 1881.
⇨ **cânfora** | XV CART 276.5 || **canfor**ADO | 1836 SC |.
canga[1] *sf.* '*ant.* armação de paus para se colocar sobre os tetos de palha' XIV; 'peça de madeira que prende os bois pelo pescoço e os liga ao carro ou ao arado' 1813. Provavelmente do célt. **cambĭca* 'madeira curva', ou de *cambus* 'curvo' || **cang**AC·EIRO *sm.* 'bandido do sertão nordestino brasileiro' 1899 || **cang**AÇO *sm.* 'engaço de uvas depois de pisadas e de extraído o vinho' 1813; '*bras.* conjunto das armas e/ou gênero de vida dos cangaceiros' XX || **cang**ALH·A 1813 || **cang**ALH·ADA 1813 || **cang**ALH·EIRO 1813 || **cang**UEIRO 1899 || **canzil** *sm.* 'cada um dos paus da canga' 1813 || **en**CANG**ar**[1] 1813. || **es**CANG**alh**·AR *vb.* 'desconjuntar, arrebentar' 1813.
⇨ **canga** — **cang**UEIRO | 1836 SC |.
canga[2] *sf.* 'antigo instrumento de suplício chinês' XVII. Talvez do chinês *kang-kia* 'trazer a canga" ou do anamita *gong*; em qualquer das hipóteses, o voc. port. teria sofrido influência de *canga*[1].
canga·ceiro, -ço, -lha, -lhada, -lheiro → CANGA[1].
cangoeira *sf.* '*orig.* espécie de canudo de folhas de palmeira que os índios do Brasil utilizavam para fumar' | 1587, *canguéra c* 1563 etc. |; 'espécie de flauta rústica, fabricada com ossos descarnados, utilizada pelos indígenas em suas festividades' | *cãgoêra* 1663, *cãgoeira* 1757 | Do tupi *ka'ŋuera* < *'kaŋa* 'osso' + *'ŋera* 'que foi, que não mais existe'.
cangote → COGOTE.
canguçu *sm. e f.* 'onça pintada (*Felis onca* L)' | *cangu-sú* 1806, *canguçú* 1817 etc. | Do tupi **akaŋu'su* < *a'kaŋa* 'cabeça' + *u'su* 'grande'.
cangueiro → CANGA[1].
cangulo *sm.* 'peixe teleósteo, marinho, da fam. dos balistídeos' 1899. De provável origem africana, mas de étimo indeterminado. O voc. deve relacionar-se com *angulo*, que se documenta neste texto de 1681: "E ao peixe mulher chamão [*os gentios de Angola*] peixe angulo, que é porco pella gordura que tem". O voc. *angulo* deriva de' *ŋulo*, de um idioma indígena de Angola; em quimbundo o peixe é denominado *dikuŋi* ou *makuŋi*.
canguru *sm.* 'mamífero marsupial, cujas pernas traseiras são fortemente desenvolvidas, o que lhe permite dar grandes saltos' XIX. Do ing. *kangooroo* (hoje *kangaroo*), de um idioma nativo da Austrália.
canha → CANHO.
cânhamo *sm.* 'planta da fam. das moráceas' | XVI, *caname* XV, *canemo* XVI | Do cast. *cáñamo*, deriv. do lat. hisp. *cannăbum* (cláss. *cannăbis -is*) || **calhamaço** *sm.* 'livro ou caderno volumoso e antigo ou velho' XVII. De *canhamaço*, por dissimilação || **canham**AÇO *sm.* 'estopa de cânhamo' XVI. Cp. CÂNAVE.
canhão *sm.* 'peça de artilharia' 'tubo para lançar projéteis' | *canoes* pl. XV Do cast. *cañón*, deriv. do it. *cannóne* || **canhon**AÇO *sm.* 'tiro de canhão' 1813. Do cast. *cañonazo* || **canhon**EAR 1638. Do cast. *cañonear* || **canhon**EIO *sm.* 'descarga de canhões' 1881. Dev. de *canhonear* || **canhon**EIRA *sf.* 'abertura em muro para disparar os canhões' XVIII; 'pequeno navio de combate' 1844. Do cast. *canonera* || **es**CANH**o**AR *vb.* 'barbear com apuro' 1813. Cp. CANA.
⇨ **canhão** — **canhon**AÇO | 1660 FMMelE 424.*17* |.
canhembora *sm.* 'escravo fugitivo' 1902. Do tupi **kañe'mora* v. QUILOMBOLA.
canhengue *adj. 2g.* 'avaro' XX. Provavelmente do quimb., mas de étimo indeterminado.
canhenho *sm.* 'caderno de anotações' 1569. De origem obscura.
canhestro → CANHO.
canhim → CÃO[1].
canho *adj.* 'que é mais hábil com a mão esquerda' 1844. De origem controvertida || **acanh**AR *vb.* 'impedir o desenvolvimento de' 'envergonhar-se' XVI || **canha** *sf.* 'a mão esquerda' 1844 || **canh**ESTRO *adj.* 'feito desajeitadamente' 1899 || **canh**OTO *adj.* 'canho' 1844.
⇨ **canho** | 1836 SC || **canha** 1836 SC || **canh**OTO | 1836 SC |.
canhon·aço, -ear, -eio, -eira → CANHÃO.
canhoto → CANHO.
canibal *s2g.* 'antropófago' | *-nni-* 1873 | Do cast. *caníbal*, alteração de *caríbal*, do etnôn. *cariba*, indígena das Antilhas. A alteração *r → n* é decorrência da primeira carta de Colombo || **canibal**ESCO XX || **canibal**ISMO | *-nni-* 1873.
caniç·ada, -o → CANA.
canície → CÃS.
canícula *sf.* 'grande calor atmosférico' | XVII *canycula* XIV | Do lat. *canícŭla*, dim. de *canis* || **canic**UL·AR *2g.* | *canycular* XIV | Do lat. *canĭculāris -e*. V. CÃO[1].
can·icultor, -icultura, -ifraz, -il[1] → CÃO[1].
canil[2] *sm.* 'pau de jugo ou de canga' 1844. De origem incerta; talvez se trate de mera var. de *canzil* (V. CANGA[1]).
⇨ **canil**[2] | 1836 SC |.
canil[3] → CANA.
caninana *sf.* 'espécie de cobra' *c* 1584; *ext.* indivíduo genioso e irascível' XIX. Do tupi *kaŋi'nana*.

canindé *sm.* 'ave da fam. dos psitacídeos' 1576. Do tupi *kani'ne*.
canino → CÃO¹.
canistrel → CANASTRA.
canitar *sm.* 'penacho que os índios do Brasil usavam na cabeça como enfeite' | *kanitar* 1851 | Do tupi **kani'tara < akani'tara < akaŋi'tara* (= *akaŋa'tara*).
canivete *sm.* 'pequena faca de lâmina movediça e que fecha sobre o cabo' | *-niuete* XIV | Do a. cat. ou a. gascão *canivet*, deriv. do frâncico *knif* || **canivet**ADA XX.
canja *sf.* 'caldo de galinha' | *canje* XVI | Provavelmente do malaiala *kañji* 'arroz com água' || **canjica** *sf.* 'papa cremosa feita com milho' | *-gi-* 1844.
canjerana *sf.* 'planta da fam. das meliáceas (*Cabrela cangerana* Sald.)' | 1869, *cangirana* 1763 | Do tupi **akaia'rana < aka'ia* 'cajá' + *'rana* 'semelhante'.
canjerê *sm.* 'reunião de pessoas, geralmente de negros, para a prática de feitiçaria' 1899. De origem africana, mas de étimo indeterminado.
canjica→ CANJA
canjirão *sm.* 'jarro de boca larga, em geral para vinho' 1813. De origem obscura.
⇨ **canjirão** | 1704 *Inv.* 52 |.
cano → CANA.
canoa *sf.* 'embarcação sem quilha, formada de um casco' XVI. Do cast. *canoa*, deriv. do aruaque || **cano**EIRO 1899.
cânone *sm.* 'regra geral de onde se inferem regras especiais' XIV. Do lat. *canōn -ŏnis*, deriv. do gr. *kanōn -ónos* 'regra' || **canonicato** *sm.* 'dignidade de cônego' 1813 || **canôn**ICO XIV. Do lat. *canōnĭcus*, deriv. do gr. *kanonikós* || **canon**ISA *sf.* 'mulher com dignidade correspondente à de cônego' | *-za* XVII || **canon**IZ·AÇÃO |*-sação* XVII || **canon**IZAR *vb.* 'declarar santo' XVI. Do lat. ecles. *canonizāre*, deriv. do gr. *kanonizō* || **cônego** *sm.* 'padre secular pertencente a um cabido e ao qual impendem obrigações religiosas em uma sé ou colegiada' | XIV, *canoligo* XIII, *canõigo* XIII, *cooijgo* XIII, *coonigo* XIV etc. | Forma divergente popular de *canônico* || **conezia** *sf.* 'canonicato' | *coengia* XIV, *coenzia* XIV etc.
⇨ **cânone** — **canon**ISTA | 1517 *in* CDP 1.484.*1*, 1568 in *Studia* nº 8.153, *canonysta* 1539 *in* CDP IV.177.*34* || **canon**IZAÇÃO | *canonizaçam* XV FRAD II.8.*30*, *canonizazon* Id. I.264.*9* || **canon**IZ·ADO | XIV ORTO 226.*26* || **canon**IZ·MENTO | XV FRAD I. 210.*16* || **canon**IZAR | XV FRAD II.78.*2* |.
canoro *adj.* 'que canta harmoniosamente' 1572. Do lat. *canōrus*. Cp. CANTAR.
canoura → CANA.
cansanção *sm.* 'designação comum a várias plantas caracterizadas por pelos urticantes e vesicantes' 1844. De origem obscura.
cansar *vb.* 'fatigar(-se)' | XIV, *canssar* XIII | Do lat. *campsare*, provavelmente || **cans**AÇO | *cã-*XIV | **cans**ADO | XIV, *canssado* XIII || **cans**AMENTO XV || **cans**ATIVO XVI || **cans**EIRA | *-cei-*XVI | DES**cans**ADO | *-çado* 1842 || DES**cans**AR XIV || DES**canso** | *-ço* XVI | Dev. de *descansar* || IN**cans**ÁVEL | *-sabil* 1572.
⇨ **cansar** — DES**cans**ADO | 1836 SC |.
cantã *sf.* 'planta da fam. das marantáceas, que vive na floresta úmida' XX. De origem obscura.

canta·deira, -dor → CANTAR.
cantalupo *sm.* 'variedade de melão' XX. Do it. *cantalupo*, do top. *Cantalupo*.
cantante → CANTAR.
cantão *sm.* 'divisão territorial em vários países' 1842. Do fr. *canton*.
⇨ **cantão** | 1836 SC |.
cantar *vb.* 'executar com a voz um trecho musical' XIII. Do lat. *cantāre* || **cant**AD·EIRA XVI || **cant**ADOR XIV || **cant**ANTE | *cătāte* XIV || **cant**AROLA 1873 || **cant**AROL·AR 1844 || **cantata** *sf.* 'composição poética para ser cantada' XVIII. Do it. *cantata* || **cant**ATRIZ *sf.* 'cantora' | *-trice* XVII | Do lat. *cantātrĭx-īcis* || **cant**ÁVEL 1844. Do lat. *cantābĭlis -e* || **cântico** *sm.* 'canto em honra da divindade' XIV. Do lat. *cantĭcum -ī* || **cantiga** *sf.* 'poesia cantada' 'quadra(s) para cantar' XIII. Voc. aparentado com *canto*, de *cantar*, mas sua formação não é muito clara; talvez proceda de um célt. **cantīca*, deriv. da raiz célt. *can-*, de mesmo significado e da mesma raiz indo-europeia que a raiz latina || **cantilena** *sf.* 'cantiga suave' XVII. Do lat. *cantilēna* || **canto**¹ *sm.* 'som musical produzido pela voz do homem ou de outro animal' XIII. Do lat. *cantus -ūs* || **canto**CHÃO XVII || **cant**OR XIII. Do lat. *cantorem* || **cantor**IA XVII || **chantre** *sm.* 'ant. cantor' 'encarregado do coro' XIII. Do fr. *chantre*, deriv. do lat. *cantor* || DE**cant**AR² 'celebrar em cantos ou em versos' 'louvar, enaltecer' XVIII. Do lat. *dēcantāre* || RE**cant**AR XVIII.
⇨ **cantar** — **cant**AROLA | 1836 SC || **cant**OROL·AR | 1836 SC || **cant**ÁVEL | 1836 SC || **canto**CHÃO | 1562 JC |.
cantaria → CANTO³.
cantárida *sf.* 'inseto coleóptero, da fam. dos meloídeos, com um princípio vesicatório' 1813. Do lat. *cantharis -idis*, deriv. do gr. *kantharís -idos*, dim. de *kántharos* 'escaravelho' || **cantar**ÍASE XX.
cântaro *sm.* 'vaso grande e bojudo, de barro ou de folha, para líquidos' XIV. Do lat. *canthărus -ī*, deriv. do gr. *kántharos*.
cantar·ola, -olar, cant·ata, -atriz, -ável → CANTAR.
cant·eira, -eiro → CANTO³.
cânt·ico, -iga → CANTAR.
cantil¹ *sm.* 'recipiente para transporte de líquidos em viagem' 1842. De origem obscura.
cantil² → CANTO³.
cantilena → CANTAR.
cantimplora *sf.* 'vaso de metal para resfriar água' 'sifão para transvasamento de líquidos' | *-prosas* pl. XVI | Do cast. *cantimplora*, deriv. do a. cat. *cantiplora* (hoje *cantimplora*), composto de *canta ī plora* 'canta e chora', devido ao ruído que faz a cantimplora ao gotejar.
cantina *sf.* 'taberna' 1858. Do it. *cantina*.
canto¹ → CANTAR.
canto² *sm.* 'ângulo, aresta' 'esquina' XIII. Do lat. *cantus*, talvez de origem céltica || **canton**EIRA *sf.* 'armário ou prateleira adaptada a um canto da parede' XVIII || ES**canteio** *sm.* 'córner' XX || ES**cant**ILH·ADO XX || ES**cant**ILH·AR *vb.* 'cortar (uma peça) de jeito que os ângulos não sejam retos' XX | RE**canto** *sm.* 'lugar retirado ou oculto' XVII.
⇨ **canto**² — RE**canto** | XV INFA 96.*13*, *recamto c* 1541 JCASR 202.*25* |.

canto³ *sm.* 'pedra grande' XIII. Talvez do lat. *canthus* | ALcantil *sm.* 'rocha escarpada, talhada a pique' XVI | ALcantilADA *sf.* XVI || ALcantilADO *adj. sm.* XVI || ALcantilAR XVI || ALcantilOSO XVI || cantARIA | 1813, *quan-* XVI || cantEIRA XVI || cantEIRO 1842 || cantil² *sm.* 'instrumento para alisar pedras' XVII.
⇨ **canto³** — **cantaria** | 1704 *Inv.* 31 || cantEIRO | 1836 SC |.
cantochão → CANTAR.
cant·or, -oria → CANTAR.
canudo *sm.* 'tubo geralmente grande' XIII. Do moçárabe *gannût*, deriv. de uma forma hispânica *cannūtus* 'semelhante à cana' e, este, do lat. *canna* || canutILHO *sm.* 'fio de ouro, prata ou latão envolto em hélice' 1813. Do cast. *canutillo*. V. CANA.
cânula → CANA.
canutilho → CANUDO.
canzil → CANGA¹.
cão¹ *sm.* 'mamífero da ordem dos carnívoros' | *can* XIII, *cam* XIII | Do lat. *canis -is* || **cadela** *sf.* 'a fêmea do cão' |*-lla* XVI | Do lat. *catella* 'cadela pequena' || **canhim** *sm. 'pop.* diabo' XX. De um *cãoinho*, dim. de *cão* || caniCULT·OR XX || caniCULT·URA XX || **canifraz** *sm.* 'homem magro, escanzelado' 1844. O primeiro elemento parece ser *cani* 'cão', tomando o cão como o protótipo da magreza; o segundo pode ser uma alteração de *face* || **canil¹** *sm.* lugar onde se abrigam ou criam cães' 1813 | canINO 1525. Do lat. *canīnus* 'de cão' || **canzoADA** *sf.* 'ajuntamento de cães' | *-zu-* 1844 || canzoAL | *-zu-* 1844 || canzoEIRA *sf.* 'canzoada' XX || ENCanzinAMENTO 1899 || ENcanzinAR *vb.* 'enraivecer-(se)' 1858 || ENcanzoAR *vb.* 'encanzinar' 1899 || EScanifrADO *adj.* 'muito magro' XVIII || EScanzelADO *adj.* 'escanifrado' 1881 || EScanzurrAR *vb.* 'cansar-(se)' XX.
⇨ **cão¹** — **canifraz** | 1836 SC || canzoADA | 1836 SC || canzoAL | *-zu-* 1836 SC || ENcanzinAR | 1836 SC |.
cão² → CÃ(S).
-ção → -SÃO.
caoba *sf.* 'mogno' XX. Do cast. *caoba*, deriv. do taíno de São Domingos *kaóban*.
caolho *adj. sm.* 'estrábico' 1899. Provavelmente do quimb. *ka* 'pequeno' + OLHO.
caos *sm.* '(Fil.) nas mitologias e cosmogonias pré-filosóficas, vazio, escuro e ilimitado que precede e propicia a geração do mundo' 'abismo' | *chaos* XVII Do lat. *chaos -i*, deriv. do gr. *cháos* || **caótICO** | *cha-* 1881 | Do fr. *chaotique*.
capa¹ *sf.* 'peça de vestuário usada sobre toda a outra roupa como proteção' XIII. Do lat. tard. *cappam* || capEAR XVI || **capETA** *sm.* 'diabo' 'traquinas' 1899. Deve-se o nome ao costume de se representar o diabo com uma pequena capa || **capILHA** *sf.* 'folhas impressas' 1842. Do cast. *capilla* || **capOTA** *sf.* 'antigo toucado' 'touca' 'cobertura de automóveis e outros veículos' 1873. Do fr. *capote* || capOT·AR *vb.* 'emborcar' XX. Do fr. *capoter* || **capOTE** *sm.* 'casacão' XVII. Do fr. *capot* || capOT·EIRO XX || capUCH·INHO *adj. sm.* 'diz-se de, ou religioso da ordem franciscana, assim chamado pelo uso do capucho unido à túnica' XVI. Do it. *cappuccino* || **capUCHO** *sm.* 'capuz' XVI. Do it. *cappùccio* || **capULHO** *sm.* 'invólucro da flor' XVII. O voc. resulta seguramente de um cruzamento de *capelo* 'capucho, capulho' (lat. *cappellus*), com *cogula* 'capa' ou seu original latino *cucullus* 'capucho' || **capuz** *sm.* 'cobertura para a cabeça, geralmente presa à capa, ao hábito ou a um casaco' | XV, *-puzo* XV | Do cast. *capuz*, deriv. do lat. tard. *cappucium* ou *capputium* || ENcapAMENTO XX || ENcapAR | *em-* 1842 || ENcapOT·AMENTO XX || ENcapOT·AR XVI || EScabULH·AR 1813. De ES- + *cabulho* (por *capulho*) + -AR¹ || EScabULHO 1813. Dev. de *escabulhar*.
⇨ **capa** — **capILHA** | 1836 SC |.
capa² *sf.* 'nome da décima letra do alfabeto grego' | *-ppa* 1842 | Do lat. tard. *cappa*, deriv. do gr. *káppa*, de origem fenícia.
capação → CAPÃO¹.
capacete *sm.* 'armadura de copa oval, para a cabeça' XVI. Do cast. *capacete*, deriv. do cat. *cabasset*. Cp. CAPA¹.
capacho *sm.* 'espécie de tapete de fibras grossas e ásperas, colocado às portas, para limpeza das solas dos calçados' XVII. Forma dialetal moçárabe, provavelmente deriv. de um lat. vulg. *capacĕum*, de *capēre* 'conter' e seu derivado *capāx* 'capaz, que pode conter'.
capacidade *sf.* 'volume ou âmbito interior de um corpo vazio' 'habilidade, aptidão' XV. Do lat. *capācĭtās -ātis* || **capacitAR** XVII || **capacitor** *sm.* '(Eletr.) conjunto de dois ou mais condutores elétricos, separados entre si por isoladores' XX. Do ing. *capacitor* || **capaz** XV. Do lat. *capāx -ācis* 'capaz, apto' || INcapacidade XV || INcapacitADO 1873 || INcapacitAR 1873 || INcapaz XVII.
⇨ **capacidade** — INcapacitADO | 1836 SC || INcapacitAR 1836 SC || INcapaz | 1582 *Liv. Fort.* 95v14 |.
capado → CAPÃO¹.
capadócio *adj. sm.* 'relativo a, ou natural da Capadócia' XV; 'impostor, trapaceiro' 1899. Do lat. *cappadocĭus*, de *Cappadocĭa*.
⇨ **capadócio** | *capadoçio* c 1508 DPPer 13.*16* |.
capandua *sf.* 'variedade de maçã' XVIII. Do fr. *capendue*, de origem obscura.
capanga *sf.* 'espécie de bolsa' 1881; 'assassino a serviço de quem lhe paga' 1899. De origem africana, mas de étimo indeterminado || **capangADA** 1899.
capão¹ *sm.* 'galo castrado' XIII. Do lat. *cappō -ōnis* (cláss. *cāpō -ōnis*) || **capAÇÃO** XX || **capADO** *adj. sm.* 1813 || capAR *vb.* 'castrar' XIII. De um lat. vulg. *cappare*, deduzido secundariamente de *cappō -ōnis*.
⇨ **capão¹** — **capADO** | 1562 JC |.
capão² *sm.* 'pequeno bosque insulado num descampado' 1624. Do tupi *kaa'paü*.
capar → CAPÃO¹.
caparrosa *sf.* 'designação vulgar de diversos sulfatos' XVI. Do fr. *couperose*, deriv. do lat. med. *cupri rosa*, com formação analógica de *capa*.
capataz *sm.* 'chefe de um grupo de trabalhadores braçais' XVII. Do cast. *capataz*, deriv. do lat. *caput* 'cabeça', mas a formação não é clara; talvez derive do prov. *captàs*, caso sujeito de *captan* 'capitão', ou de um prov. *capetàs* ou *capatàs*, caso sujeito correspondente ao a. fr. *chevetains* 'chefe' || **capatazIA** 1873.
⇨ **capataz** — **capatazIA** | 1836 SC |.
capaz → CAPACIDADE.

capcioso *adj.* 'manhoso, ardiloso, insinuante' XVIII. Do lat. *captiōsus*.
capear → CAPA¹.
capela *sf.* 'pequena igreja' XIII. Do lat. *cappĕlla* ‖ **capelan**IA *sf.* 'cargo, dignidade ou benefício de capelão' | XIV, *-lanja* XV ‖ **capelão** | *-lan* XIII, *-lam* XIII | Do a. prov. *capelan*, deriv. do baixo lat. *cappellanus*.
⇨ **capela** 'grinalda' | *capella* 1573 NDias 22.*20* |.
capelada *sf.* 'peça de couro que cobre a boca dos coldres' | *-lla-* 1813 | Do cast. *capellada*.
capelo *sm.* 'capacete da armadura' XIII. Do lat. vulg. *cappĕllus* ‖ EN**capel**ADO *sm.* | *em-* XV ‖ EN**capel**AR | *-llar* XIX. Cp. CAPA¹.
⇨ **capelo** — A**capel**ADO | *c* 1541 JCasR 3545.*4* ‖ EN**capel**AR | *encapellar* 1614 sGonç II.368.*14* |.
capenga *adj. s2g.* 'coxo, manco, perneta' 1899. De origem controvertida ‖ **capeng**AR 1899.
capeta → CAPA¹.
capiango *sm.* 'gatuno hábil e astuto' 1899. De origem africana, provavelmente do banto.
capiau *sm.* 'caipira' XX. De origem controvertida.
capilha → CAPA¹.
capil(i)-. *elem. comp.*, do lat. *capillus* 'cabelo', que se documenta em alguns vocs. formados no próprio latim (como *capiláceo*), e em muitos outros introduzidos, a partir do séc. XIX, na linguagem erudita ♦ **capil**ÁCEO 1858. Do lat. *capillācĕus* 'feito de cabelo' 'fino como um cabelo' ‖ **capil**AR *adj. 2g.* | *-llar* XVII | Do lat. *capillāris -e* 'relativo ao cabelo' ‖ **capil**ÁRIA *sf.* 'designação comum a algumas avencas' | *-lla-* 1881 ‖ **capil**AR·IDADE 1844. Talvez do fr. *capillarité* ‖ **capil**É *sm.* 'calda feita com suco de capilária' | *-llé* 1842 | Do fr. *capillaire* ‖ **capili**FOLIADO | *-lli-* 1873 ‖ **capili**FORME | *-lli-* 1873.
⇨ **capil(i)-** — **capil**AR·IDADE | *-llar-* 1836 SC |.
capim *sm.* 'nome de diversas plantas da fam. das gramíneas e das ciperáceas; erva, mato em geral' 1618. Do tupi *ka'pii* ‖ **capina** *sf.* 1899. Deverbal de *capinar* ‖ **capin**AÇÃO 1895 ‖ **capin**AD·EIRA XX ‖ **capin**ADOR 1895 ‖ **capin**AL *al*871 ‖ **capin**AR 1871 ‖ **capin**EIRA XX ‖ **capin**EIRO 1871 ‖ **capin**Z·AL 1869.
⇨ **capim** — **capin**AR | 1836 SC ‖ **capin**EIRO | 1836 SC |.
capirote *sm.* 'certo capuz antigo' XVII. Do cast. *capirote*, deriv. do gascão *capirot* 'capucho' | **capirot**ADA '*ant.* capuz' XV; '*ant.* guisado preparado com pedaços de aves previamente assadas' 1813. Na segunda acepção houve translação do sentido, talvez em razão do hábito de se cobrir o guisado com um *capirote*.
capiscar *vb.* 'entender pouco ou mal (língua, ofício etc.)' XX. Da forma verbal it. *capisco*, de *capire*, deriv. do lat. *capĕre* 'prender, compreender'.
capital *adj. sm.* 'relativo à cabeça' 'principal, essencial' 'bens, riqueza' | XIV, *cadal* XIV etc. |; *sf.* cidade que aloja a alta administração de um país' 1813. Do lat. *capĭtālis* ‖ **cabedal** *adj. 2g.* 'principal'; *sm.* '*ext.* bens, fortuna' | XV, *cabdal* XIII, *caudal* XIV, *coudal* XIV | Forma normal evolutiva do 'mesmo lat. *capĭtālis*. O voc. tem as mesmas acepções de *capital*, mas é empregado em contextos algo diferenciados, em frases como 'fulano tem um bom cabedal de conhecimentos', entre outras ‖ **capit**AÇÃO *sf.* 'imposto que se paga por cabeça' XVI. Do lat. tard. *capitātiō -ōnis* ‖ **capital**ISMO 1899. Provavelmente do fr. *capitalisme* ‖ **capital**ISTA 1813. Provavelmente do fr. *capitaliste* ‖ **capital**IZ·AÇÃO | *-sação* 1844 | Do fr. *capitalisation* ‖ **capital**IZAR | *-sar* 1844 | Do fr. *capitaliser* ‖ **caudal** *s2g.* 'torrente impetuosa' XIV. Forma normal evolutiva do mesmo lat. *capĭtālis*. O voc. tem acepções muito próximas das de *capital* e *cabedal*, mas é também empregado, figuradamente, com o sentido de 'grande abundância ou fluência' ‖ **caudal**OSO 1813.
⇨ **capital** — **caudal**OSO | 1582 *Liv. Fort.* 92v18 |.
capitão *sm.* 'chefe, comandante, cabeça' | *-tam* XIV, *-tãaes* pl. XIV etc. | Do baixo lat. *capĭtānus* ‖ **capitan**EAR XVI ‖ **capitan**IA *sf.* | 'comando, chefia' XV ‖ **capitân**IA *adj. sf.* 'diz-se de, ou embarcação em que se acha o comandante (capitão) de uma força naval' | 1500, *-nya* XIV.
capitari *sm.* 'macho da tartaruga da Amazônia' 1833. Do tupi **kapita'ri*.
capitato *adj.* '(Bot.) que tem forma de cabeça' 1858. Do lat. *capitātus* 'que tem cabeça' 'cabeçudo'. Cp. CABEÇA.
⇨ **capitato** | 1836 SC |.
capitel *sm.* '(Arquit.) coroamento do fuste de uma coluna' 1813. Do fr. *chapiteau*, deriv. do lat. *capitellum*, dim. de *caput* 'cabeça'. Cp. CABEÇA.
⇨ **capitel** | 1571 FOLF 143.*24* |.
capitólio *sm.* '*orig.* castelo ou cidadela no topo de uma montanha' '*fig.* glória, triunfo' | XVI, *capitallyo* XV | Do top. lat. *Capitōlĭum*, uma das sete colinas de Roma, na qual edificaram o templo de Júpiter *Capitolino* ‖ **capitol**INO 1844. Do lat. *Capitōlīnus* 'do Capitólio'.
⇨ **capitólio** — **capitol**INO | 1836 SC |.
capitoso *adj.* 'que sobe à cabeça, que entontece, embriaga' XVI. Do it. *capitoso*, deriv. do lat. *caput* 'cabeça'. Cp. CABEÇA.
capítulo *sm.* 'divisão de um livro, lei, orçamento etc.' | XIV, *-tolo* XIV | Do lat. *capĭtŭlum* ‖ **capítula** *sf.* 'cada uma das preces do breviário' | XV, *-tola* XV ‖ **capitul**AÇÃO XVI ‖ **capitul**AR¹ *vb.* 'ajustar mediante certas condições' XVI. Do lat. tard. *capitulāre* ‖ **capitul**AR¹ *adj. 2g.* 'relativo a capítulo' | *-to-* XIV | Do lat. tard. *capitulāris* ‖ RE**capitul**AÇÃO 1813 ‖ RE**capitul**AR XVII.
⇨ **capítulo** — RE**capitul**ADO | *recapitollado* XV VERT 152.*7* ‖ RE**capitul**AR | *recapitollar* XV VERT 92.*30* |.
capiúna *sf.* 'peixe de mar da fam. dos hemulídeos, corcoroca' | *capaúna* 1721 | Do tupi *kape'una*.
capivara *sf.* 'mamífero roedor da fam. dos hidroquerídeos (Hydrochoerus hydrochaeris)' | *c* 1607, *capijuara c* 1584, *capibara* 1587, *capijguara* 1627 etc. | Do tupi **kapii'ÿara < ka'pii* 'capim' + *'ÿara* 'comedor'.
capixaba *s2g.* '*orig.* local apropriado para plantação, roça' *c* 1607; 'indivíduo natural do Espírito Santo' 1899. Do tupi *kopi'saya*.
capn(o)- *elem. comp.*, do gr. *kapno-*, de *kapnós* 'vapor, fumo', que se documenta em alguns compostos formados no próprio grego (como *capnode*) e em muitos outros introduzidos, a partir do séc. XIX, na linguagem erudita ♦ **capnó**FUGO 1881 ‖ **capn**OIDE 1873. Do lat. cient. *capnōdis*, deriv. do gr. *kapnōdēs* ‖ **capno**MANC·IA 1844 ‖ **capno**MANTE 1873 ‖ **capno**MÂNT·ICO 1844.

⇨ **capn(o)-** — **capno**MANCIA | 1836 sc || **capno**MÂNTICO | 1836 sc |.
capô *sm.* '(Autom.) cobertura metálica, móvel, que serve para proteger o motor' xx. Do fr. *capot*, de *cape*. Cp. CAPA.
capoeira[1] *sf.* 'gaiola onde se cria(va)m e aloja(va)m capões e outras aves domésticas; cesto em que se transporta(va)m essas aves para o mercado, ou para vendê-las de porta em porta' *a* 1583; '*ext.* tipo de luta corporal introduzida no Brasil Colônia por escravos bantos procedentes de Angola' 1873; '*ext.* indivíduo destro nessa luta e, com noção fortemente pejorativa, vadio, malandro, malfeitor' 1824. De **capo(n)* (var. de CAPÃO[1]) + -EIRA; as acepções extensivas 'luta' e 'lutador' devem provir do costume que tinham os escravos que transportavam as capoeiras para o mercado de, nos intervalos do trabalho, praticarem esse tipo de jogo de destreza, o qual despertava a atenção dos assistentes, pela graça e beleza da exibição || **capo**eirAGEM *sf.* 'luta dos capoeiros' 1878 || **capoeir**AR *vb.* 'lutar capoeira' 1887.
⇨ **capoeira**[1] 'gaiola' | 1562 JC |.
capoeira[2] *sf.* 'terreno onde já houve roça e que foi reconquistado pelo mato' | 1577, *capuera* 1579, *quapoeira* 1581, *copuera c* 1584 etc. |; 'espécie de perdiz que vive em capoeiras' | *capueira* 1817 | Do tupi *ko'puera* (< '*ko* 'roça' + *'puera* 'que já foi').
caponga *sf.* 'pequeno lago litorâneo de água doce, formado nos areais' 1899. De origem controversa.
caporal *sm.* '*ant.* cabo de esquadra' | XVI, *co*- XVI | Do fr. *caporal*, deriv. do it. *caporale*, de *capo* 'cabeça'.
capororoca *sf.* 'ave da fam. dos anatídeos (*Coscoroba coscoroba*)' 1913. Do tupi **kaporo'roka*.
capot·a, -ar, -e, -eiro → CAPA[1].
capr(i)- *elem. camp.*, do lat. *capri-*, de *capra* 'cabra', que se documenta em alguns compostos formados no próprio latim (como *caprino*) e em alguns outros introduzidos, a partir do séc. XIX, na linguagem erudita ▸ **capr**INO XVI. Do lat. *caprīnus* 'de cabra' || **capr**ÍPEDE | *-pedo* XVIII | Do lat. *caprĭpēs -pĕdis* || **capro** *sm.* 'bode' 1844. Adaptação do lat. *capra* || **capr**OICO *sm.* 'ácido graxo existente no leite de cabra e no óleo de coco' 1899.
⇨ **capr(i)-** — **capr**O | 1836 sc |.
capricho *sm.* 'desejo impulsivo, súbito, sem justificação aparente' XVII; 'apuro, esmero' 1873. Do it. *capriccio*, de *caporìccio*, que, por sua vez, provém de *càpra*, deriv. do lat. vulg. **capus -oris*, por *capu(t)* || **caprich**AR 1844 || **caprich**OSO 1813. Do it. *capriccioso*.
⇨ **capricho** — **caprich**AR | 1836 sc |.
caprificação *sf.* 'processo que ativa o amadurecimento dos figos, fazendo-os picar por certa espécie de mosquito' 1844. Do lat. *caprificātĭō -ōnis* || **caprific**AR 1899. Do lat. *caprĭfĭcāre*.
⇨ **caprificação** | 1836 sc |.
capr·ino, -ípede, -o, -oico → CAPR(I)-.
cápsula *sf.* '*orig.* espécie de caixinha onde estão as sementes de algumas plantas' 1813; 'vaso de laboratório em forma de calota esférica' '(Bot.) designação geral de frutos secos e deiscentes' 1873; 'película gelatinosa com que se envolvem certos medicamentos' '*ext.* esses medicamentos' xx. Do lat. *capsŭla* 'caixinha, cofrezinho' || **caps**ELA *sf.* 'cápsula pequena' | *-lla 1873* | Do lat. *capsella* 'caixinha, cofrezinho' || **capsulí**FERO 1844. De *cápsula* em sua terceira acepção.
⇨ **cápsula** — **capsulí**FERO | 1836 sc |.
captar *vb.* 'atrair, granjear, conquistar' '*ext.* compreender' XVII. Do lat. *captāre* || **capt**AÇÃO 1844. Do lat. *captātĭō -ōnis* || **capt**ADOR 1844. Do lat. *captātor -ōris* || **capt**ANTE XX || **captat**ÓRIO *adj.* XX. Do lat. *captātōrĭus* || **capt**OR *sm.* 'aquele que captura' 1813. Do lat. *captor -ōris* || **capt**URA *sf.* 'ação ou efeito de capturar' 1844. Do lat. *captūra* || **captur**AR *vb.* 'prender, aprisionar' 1844. Cp. CATAR.
⇨ **captar** — **capt**AÇÃO | 1836 sc || **capt**URA | 1836 sc || **captur**AR | 1836 sc |.
capuaba *sf.* 'local apropriado para plantação, roça' | 1876, *capuava* 1872 | Do tupi *kapï' aµa*; cp. CAPIXABA.
cap·uchinho, -ucho, -ulho, -uz → CAPA[1].
caqueir·ada, -o → CACO.
caquexia *sf.* 'estado de desnutrição profunda' 1813. Do lat. tard. *cachexia*, deriv. do gr. *kachexía* || **caquét**ICO | *cachetico* 1782 | Do lat. tard. *cachecticus*, deriv. do gr. *kachektikós*.
caqui *sm.* 'fruto do caquizeiro' xx. Do jap. *kaki* | **caquiz**EIRO *sm.* 'árvore frutífera da fam. das ebenáceas' xx.
cáqui *adj. 2g.* 'cor de barro'; *sm.* 'brim dessa cor' xx. Do ing. *khaki*, deriv. do urdu *khāki* e, este, do persa *khāk* 'barro'.
caquinar *vb.* 'rir às gargalhadas' 'escarnecer' | *-chi-* 1873 | Do lat. *cachinnāre*.
caquizeiro → CAQUI.
cara *sf.* 'rosto' XIII. Do lat. tard. *cara*, deriv. do gr. *kárā* || **acar**E·AÇÃO 1813 || **acar**EAR *vb.* 'confrontar' XVI || **acar**OADO *adj.* 'junto, próximo' 'confrontado' xv. Da antiga expressão *a carão de* 'junto a', documentada já no séc. XIII || **car**AÇA XVIII || **cara**DURA *s2g.* 'pessoa cínica, impudente, sem-vergonha' xx || **cara**DUR·ISMO XX || **carant**ONHA *sf.* 'cara grande e feia' | XVI, *carátona* XIV | De *cara*, mas de formação estranha; talvez se prenda à *carántula* || **car**ÃO XVI || **car**ETA *sf.* 'trejeito do rosto' 1813 || **car**ET·EIRO XX || DEs**car**ADO *adj. sm.* 'desavergonhado' 1813 || DEs**cara**MENTO 1813 || DEs**car**O *sm.* 'descaramento' XVII || EN**car**AR XVI.
cará *sm.* 'nome comum a várias plantas da fam. das dioscoreáceas' *c* 1584. Do tupi *ka'ra* || **cara**ETÊ | *garahité* 1799 | Do tupi **karae'te* (< *ka'ra* + *e'te* 'verdadeiro') || **caraz**·AL 1770.
carabina *sf.* 'tipo de espingarda' 1813. Do fr. *carabine*, de *carabin* 'antigo soldado de cavalaria ligeira armado de carabina', de origem incerta || **carabin**EIRO 1844. Do cast. *carabinero* || **clavina** 1716. De *carabina* (> **carbina* > *cravina* > *clavina*).
⇨ **carabina** | *carauina* 1644 in *Arq. Ang.* 2.83, *carauinha* Id. *Ib.*, *cravina* 1660 FMMelE 533.*25* || **carabin**EIRO | 1680 AOCad I.471.*9*, *caravineiro* Id. I.320.*6*, *cravineiro* Id. I.302.*18* || **clavina** | 1704 in GFer 204.*16* |.
caraça → CARA.
caracará *sm.* 'ave da fam. dos falconídeos' | 1587, *carcará* 1610 etc. | Do tupi *karaka'ra* || **caracaraí** *c* 1777. Do tupi **karakara'i* (< *karaka'ra* + *'i* 'pequeno').

caracaxá *sm.* 'reco-reco, chocalho' 1899. De formação onomatopaica.
caracol *sm.* 'caramujo' 'caminho, rua ou escada em forma de espiral' XVI. De origem incerta; talvez de uma raiz expressiva *cacar-*, como nome da casca do caracol || **caracol**AR *vb.* 1828 || **caracol**EIRO *sm.* 'trepadeira ornamental' 1873 || EN**caracol**AR 1873.
⇨ **caracol** — **caracol**EIRO | 1836 SC |.
caracter·ística, -ístico, -ização, -izar → CARÁTER.
caracu *adj.* 2g. *sm.* 'diz-se de, ou raça bovina de pelo curto e de colorido uniforme e arruivado' 1881. De origem incerta; provavelmente de uma língua indígena do Brasil.
caradur·a, -ismo → CARA.
caraetê → CARÁ.
caraguatá *sm.* 'nome comum a diversas plantas da fam. das bromeliáceas' | *caraguatá c* 1584, *carauatá* 1587, *caroatá* 1675, *gravatá* 1782, *caroá* 1803 etc. | Do tupi *karaũa'ta* || **caraguat**AL | 1825, *caravatal* 1728 etc.
caraíba[1] *sm.* 'santidade, feiticeiro indígena' 'o homem branco, entre os índios do Brasil' 1584. Do tupi *kara'iua*.
caraíba[2] *sf.* 'planta da fam. das borragináceas' | *carahiba* 1817, *-yba* 1902 | Do tupi *kara'ĩua*; cp. CLARAÍBA || **caraub**EIRA 'planta da fam. das bignoniáceas' 1886.
carajuru *sm.* 'planta da fam. das bignoniáceas, que fornece matéria corante' | 1625, *cariurû c* 1619 etc. | Do tupi **karaĩu'ru*.
caralho *sm.* 'pênis' XIII. Do lat. **caracŭlu* 'pequeno pau', deriv. do gr. *chárax* 'estaca, paliçada'.
caramanchão *sm.* 'construção ligeira, de ripas, canas ou estacas, revestidas de trepadeiras, nos jardins' | *-manchões* pl. XV | Do a. cast. *caramanchón* (hoje *camaranchón*), provavelmente deriv. do lat. *camĕra* 'cúpula', no sentido de 'remate de um edifício'.
caramba *interj.* (designa admiração, espanto ou ironia) l873. Do cast. *caramba*.
carâmbano *sm.* 'bola de navio' 1813. Do cast. *carámbano*.
carambola[1] *sf.* 'o fruto da caramboleira' XVI. Do marata *karambal*, deriv. do sânscr. *karmaranga* || **carambola**[2] *sf.* 'bola vermelha do jogo de bilhar' XVII. Do fr. *carambole*, de mesma origem de *carambola*[1] || **carambol**AR 1813. De *carambola*[2] || **carambol**EIRO *sf.* 'planta ornamental da fam. das oxalidáceas, dotada de fruto alimentar' | *-leiro* 1873 || **carambol**EIRO 1813. De *carambola*[2] || **carambolim** *sm.* 'perda simultânea de três paradas no jogo do monte' 1881. De *carambola*[2].
⇨ **carambola** — **carambol**EIRA | *-leiro* 1836 SC |.
caramelo *sm.* 'neve congelada, em flocos' 'calda de açúcar queimado' 'bala' | *-llo* XVI | Do lat. *calamellus*, dim. de *calămus* 'cana' || EN**caramel**AR *vb.* 'congelar' XVI.
caraminguás *sm. pl.* 'cacaréus, badulaques' 1899. De origem controversa; talvez de um idioma indígena do Brasil.
caraminhola *sf.* 'cabelo em desordem' '*fig.* intriga' XVII. De origem controvertida.
carampão *sm.* '(Impr.) peça do prelo composta de seis ferros' | 1844, *crampão* 1844 | Do fr. *crampon*, deriv. do frâncico **krampo* 'curvo'.

⇨ **carampão** | 1836 SC |.
caramujo *sm.* 'designação comum aos moluscos gastrópodes, aquáticos, pulmonados ou providos de brânquias, marinhos ou de água doce' 1572. De origem controvertida || **caramuj**EIRO *sm.* 'espécie de gavião' XX.
⇨ **caramujo** | 1562 JC |.
caramunha *sf.* 'choradeira de crianças' 'lamúria, queixa' XV. Do lat. *querimōnĭa*.
caramuru[1] *sm.* 'peixe de mar da fam. dos murenídeos, moreia' *c* 1584. Do tupi *karamu'ru* || **caramuru**[2] 'antiga designação brasileira do europeu residente no Brasil' *a* 1696. De *Caramuru*, em alusão ao peixe de mesmo nome, apelido que os indígenas deram a Diogo Álvares, que escapou a nado de um naufrágio nas costas da Baía de Todos os Santos, em 1510.
caraná *sf.* 'planta da fam. das palmáceas' *c* 1594. Do tupi *kara'na*; cp. CARANDÁ.
carandá *sf.* 'planta da fam. das palmáceas' *c* 1743. Do tupi *kara'ṇa*; cp. CARANÁ || **carand**AZ·AL 1847.
caranguejo *sm.* 'designação comum às espécies de crustáceos decápodes, braquiúros, de pernas terminadas em unhas pontudas' | *cangrego* XIII, *cranguejo* XVI |; 'cancro, câncer' XVI. Do cast. *cangrejo*, dim. do ant. *cangro*, deriv. do lat. *cancer cancri* || **carango** 'caranguejo, em sua segunda acepção' 'piolho' 1873. Semanticamente se trata de uma comparação irônica dos piolhos com outro mal mais grave, o câncer || **carangueja** *sf.* '(Constr. Nav.) verga' 1844 || **caranguej**EIRA *sf.* 'espécie de aranha' 1873 || **caranguej**EIRO *sm.* 'que apanha caranguejos' 1844 || **caranguej**OLA *sf.* 'grande crustáceo, semelhante ao caranguejo' 'armação de madeira com pouca solidez' 1813 || EN**carang**AR *vb.* 'paralisar' 'adoecer' XIX. De *carango*. Cp. CÂNCER.
⇨ **caranguejo** — **carangueja** | 1836 SC || **caranguej**EIRO | 1836 SC |.
caranha *sf.* 'peixe da fam. dos lutianídeos' *c* 1590. Do tupi *akara'ãĩa* (< *aka'ra* 'acará' + *'ãĩa* 'dente').
carantonha → CARA.
carântulas → CARÁTER.
carão → CARA.
carapaça *sf.* 'revestimento que protege o tronco de vários animais, entre eles os cágados e as tartarugas' XIX. Do fr. *carapace*, deriv. do cast. *carapacho*, de origem incerta, talvez pré-romana.
carapanã *sm.* 'mosquito' | *garapanazes* pl. 1763, *carapaná* 1817, *carapanans* pl. 1888 etc. | Do tupi **karapa'na*.
carapau *sm.* 'peixe teleósteo, percomorfo, da fam. dos carangídeos' 1813. De origem obscura.
⇨ **carapau** | *carapao* 1562 JC |.
carapeta *sf.* 'piãozinho que se faz girar com os dedos' 1813. De origem controvertida.
carapiaçaba *sm.* 'espécie de sargo' | 1587, *carapeaçaba c* 1584 | Do tupi *akarapea'saṵa*.
carapicu *sm.* 'peixe do mar da fam. dos encinostomídeos' 1681. Do tupi **akarapu'ku* (< *aka'ra* 'acará' + *pu'ku* 'comprido').
carapina *sm.* 'carpinteiro' 1623. Do tupi *kara'pina*.
carapinha *sf.* 'o cabelo crespo e lanoso dos negros' 1813. De origem controvertida || **carapinh**ADA *sf.* 'bebida congelada, formando frocos' 1844 || EN**ca-**

rapinhADO 1844 || ENcarapinhAR vb. 'encrespar' 1844.
⇨ carapinha — carapinhADA | 1836 SC || ENcarapinhADO | 1836 SC || ENcarapinhAR | 1836 SC |.
carapuça sf. 'barrete cônico' 'qualquer objeto semelhante a esse' XV. Do cast. *caperuza* || carapução XVI. Cp. CAPA.
carapulo sm. 'invólucro escamoso da bolota do carvalho e de frutos semelhantes' XVII. De origem obscura.
carará sm. 'ave pelicaniforme, também conhecida por anhinga e biguatinga' c 1777. Do tupi *kara'ra*.
carataí sm. 'peixe de rio da fam. dos doradídeos' XX. Do tupi *akarata'i*.
caráter sm. 'forma que se dá à letra manuscrita ou ao tipo de imprensa' | *caracteres* pl. XVI, *carautalas* pl. XVI |; 'cunho, marca' '*ext.* qualidade inerente a uma pessoa, animal ou coisa' | *caracter* XVII | Do lat. *charactēr -ēris*, deriv. do gr. *charaktḗr -éros* || **carântulas** sf. pl. 'figuras cabalísticas, caracteres mágicos dos feiticeiros' | *-rentola* XV | Do lat. *charāctēr -ēris*, no sentido de 'signo mágico' || caracteríST·ICA 1844 || caracteríST·ICO 1813. Do fr. *caractéristique*, deriv. do gr. *charaktēristikós* || caracterIZ·AÇÃO 1881 || caracterIZAR | *-sar* XVII | Do fr. *caractériser*, deriv. do lat. med. *caractērizare* || caracteroLOG·IA XX. Do fr. *caractérologie* || DEScaracterIZAR 1881 || INcaracteríST·ICO XX.
caraubeira → CARAÍBA².
caraúna, caraúno adj. '(boi de pelo) muito preto' 1875. De CARA (?) + *-una* (< tupi *'una* 'preto').
caravana sf. 'multidão de peregrinos, mercadores ou viajantes que se reúnem para atravessar o deserto com segurança' XVI. Do fr. *caravane*, deriv. do pers. *kārwān* || **caravançará** sf. 'grande abrigo para hospedagem gratuita de caravanas' | *carvançaras* pl. XVI, *crabansera* XVII | Do fr. *caravansérail*, deriv. do persa *kārwānsarāī* 'estalagem'.
cáravo sm. 'embarcação forrada de couro' XX. Do lat. tard. *carăbus*, deriv. do gr. *kắrabos* 'caranguejo do mar' 'embarcação' || caravELA sf. '*ant.* navio aparelhado com quatro mastros de velas bastardas, e armado com peças de artilharia' | *carauela* XIII, *careuela* XIII.
caraxué sm. 'pássaro da fam. dos turdídeos' 1833. Do tupi *karašu'e*.
carazal → CARÃ.
carb·ólico, -onário, -onato, -ônico, -onífero, -onizar, -ono, -oxila, -únculo, -uração, -urador, -urar, -ureto → CARVÃO.
carcaça sf. 'ossada, ossatura' 'casco velho de navio' XVIII. Do fr. *carcasse*, talvez deriv. do lat. *carchēsĭum* 'recipiente'.
carcamano sm. '*bras.* alcunha jocosa que se dá aos italianos' XX. De criação expressiva.
carcás sm. 2n. 'aljava' XVII. Do it. *carcasso*, deriv. do gr. med. *tarkásion* e, este, do pers. *tīrkāš*.
cárcava sf. '*ant.* fosso profundo, para defesa, em volta de uma praça' | *carcaua* XIII, *alcarcouas* pl. XIV, *alcórcova* XVI | Alteração do ant. **cácavo*, deriv. do lat. *caccăbus -i* 'panela, caldeirão' || carcaVAR vb. 'rodear com cárcava' XVI.
carcel sm. 'candeeiro suspenso, que se movimenta por meio de uma corrente' '(Fís.) antiga unidade de medida de intensidade luminosa' XX. Do fr. *carcel*.
cárcere sm. 'prisão, cadeia, calabouço' | XIV, *carcer* XIII | Do lat. *carcer -ĕris* || **carcela** sf. 'tira de pano, com casas, que se cose num dos lados do casaco, das calças etc., para se abotoar sobre a outra banda' 1873. Provavelmente de um lat. pop. **carcella*, por *carcerula*, dim. de *carcer* || carceRAGEM | XIII, *-lagem* XIV etc. || carcerÁRIO 1899. Do lat. *carcerārĭus* 'relativo ao cárcere' || carcerEIRO | *caçereyro* XV || DES·ENcarcerAR XVII || ENcarcerADO XIV || ENcarcerAR XIV.
carcin(o)- *elem. comp.*, do gr. *karkino-*, de *karkínos* 'caranguejo' 'câncer' (passado ao lat. *carcinus*, na segunda acepção), que se documenta em alguns compostos formados no próprio grego (como *carcinoma*) e em muitos outros introduzidos, a partir do séc. XIX, na linguagem da Medicina ▶ carcinOIDE 1873. Do fr. *carcinoïde*, deriv. do gr. *karkinoeidḗs* || carcinoLOG·IA 1873. Do fr. *carcinologie* || carcinóLOGO 1873. Do fr. *carcinologue* || carcinOMA 1873. Do fr. *carcinome*, deriv. do lat. *carcinōma -atis* e, este, do gr. *karkínōma -atos* || carcinOMAT·OSO 1873 || carcinOSE 1899. Do fr. *carcinose*, deriv. do gr. *karkínōsis*. Cp. CÂNCER.
⇨ carcin(o)- — carcinOMA | 1836 SC || carcinOMAT·OSO | 1836 SC |.
carcom·er, -ido → COMER.
-card- → CARDI(O)-.
carda → CARDO.
cardamomo sm. 'planta da fam. das zingiberáceas, cujas sementes são utilizadas como condimento aromático' XVI. Do lat. *cardamōmun*, deriv. do gr. *kardámōmōn*.
cardápio sm. 'lista dos nomes das iguarias que um restaurante pode servir, acompanhados dos preços de cada uma delas' XX. Neologismo proposto para traduzir o fr. *menu* pelo filólogo brasileiro Antônio de Castro Lopes (1827-1901), que assim se refere, em 1889, à sua criação: "Diga-se portanto *Chardapio* (cardapio), isto é, *papel, lista das comidas, das viandas*. N'esta palavra, formada pela intima soldadura das duas latinas (*Charta*, e *daps, dapis*), estão perfeitissimamente contidas todas as ideias, que de um modo elliptico buscaram os francezes exprimir com o seo vocabulo *Menu*".
cardar → CARDO.
cardeal adj. 2g. 'principal, fundamental' 1813; sm. 'prelado do Sacro Colégio pontifício' XIII; 'designação comum a várias espécies passeriformes, cuja cor vermelho-escarlate das penas da cabeça lembra a púrpura dos prelados' 'designação comum a plantas ornamentais da fam. das labiadas, de flores vermelhas' 1873. Do lat. *cardĭnālis* || cardinalATO sm. 'dignidade de cardeal' | *cardenaladego* XV, *cardinalado* XVII || **cardinalício** adj. 'referente a *cardeal*, na sua segunda acepção' XVIII. Cp. CARDINAL.
cardenilho sm. 'tinta de azebre' 1813. Do cast. *cardenillo*. Cp. CARDO.
cárdeo → CARDO.
cárdi·a, -aco, -algia, -ectasia → CARDI(O)-.
cardife adj. 'diz-se do carvão de pedra proveniente de Cardife (Inglaterra)' XX. Do top. *Cardife*, do ing. *Cardiff*.

cardigã sm. 'casaco aberto na frente, sem gola, e de decote redondo ou em V' xx. Do ing. *cardigan*.
cardigueira sf. 'avoante' 1881. De origem incerta; talvez se prenda a *cardo*.
cardim → CARDO.
cardina sf. 'pasta de imundície aderente à lã ou ao pelo dos animais' 1873. De origem obscura.
cardinal adj. *2g.* 'cardeal, principal' 'relativo a eixo' xvii; *adj. sm.* 'diz-se de, ou o conjunto infinito dos números naturais' 1813. Do lat. *cardinālis -e*. Cp. CARDEAL.
cardinal·ato, -ício → CARDEAL.
cardi(o)- *elem. comp.*, do gr. *kardía* coração, estômago', que se documenta em alguns compostos formados no próprio grego (como *cardíaco*) e em muitos outros introduzidos, a partir do séc. xix, na linguagem da Medicina ▶ **cárdia** sf. '(Anat.) abertura superior, esofagiana, do estômago' 1873. Do fr. *cardia*, deriv. do gr. *kardíā* || **cardÍACO** xvi. Do fr. *cardiaque*, deriv. do lat. *cardiăcus* e, este, do gr. *kardiakós* || **cardiALG·IA** xvii. Do fr. *cardialgie*, deriv. do gr. *kardialgía* || **cardiECTAS·IA** xx. Do fr. *cardiectasie* || **cardiOCELE** | *-celo* 1873 | Do fr. *cardiocèle* || **cardioGRAF·IA** | *-phia* 1873 | Do fr. *cardiographie* || **cardioGRAMA** xx. Do fr. *cardiogramme* || **cardiOIDE** xx || **cardioLOG·IA** 1873. Do fr. *cardiologie* || **cardiopalmia** 1873. Do fr. *cardiopalmie* || **cardioPAT·IA** | *-thia* 1873 | Do fr. *cardiopathie* || **cardioPÉTALO** 1873 || **cardioPLEG·IA** xx || **cardioSCLER·OSE** xx || **cardITE** 1873. Do fr. *cardite*.
cardo sm. 'planta da fam. das compostas, considerada praga da lavoura' 1813. Do lat. *cardŭus -i* || **carda** sf. 'instrumento que serve para desembaraçar o cânhamo, a lã etc.' xvi || **cardAR** vb. 'desembaraçar ou pentear com carda' 1813 || **cárdEO** adj. 'que tem a cor da flor dos cardos' | *-dea* f. xiv || **cardim** adj. *2g.* 'diz-se do touro de pelo branco e preto' | *-dinho* xvi, *-dino* xv || **cardUME** sm. 'bando de peixes' xvi || ENcardIDO 1899 || ENcardIR 1873 || ESCARDAR xx || ESCARDEAR xvi || ESCARDILH·AR 1858 || ESCARDILHO 1813 || ESCARDUÇAR 1813.
⇨ **cardo** | xiv TEST 176.*22*, 1562 JC || **cardADOR** | 1562 JC || **cardADURA** | 1562 JC || **cardAR** | 1562 JC || **cardEIRA** | 1614 SGonç II.365.*23* |.
careca sf. 'calvície'; *s2g.* 'indivíduo calvo' | 1844, *créca* xviii | De origem incerta; talvez se ligue ao verbo *carecer* (carecer de cabelo), com o suf. pejorativo -ECA.
carecer vb. 'não ter, não possuir' 'necessitar' xiv. Do lat. vulg. *carescĕre*, deriv. do lat. *cărēre* || **careCENTE** xviii || **careciMENTO** 1570 || **carÊNC·IA** xvi. Do lat. tard. *carentia*, de *carens -entis* || **carENTE** xx. Do lat. *carens -entis*, part. ativo de *cărēre*.
careiro → CARO.
carena sf. 'a parte do casco da embarcação que fica abaixo do plano de flutuação em plena carga e que, portanto, fica total ou quase totalmente imersa' | 1873, *querena* xvi | Do lat. *carīna* 'casca de noz' 'quilha de navio' 'navio' || **carinatas** sf. pl. 'aves que possuem adaptação estrutural para o voo, e que apresentam o osso esterno com uma quilha, ou carena' xx. Do lat. *carīnātus -a -um*.
⇨ **carena** | 1836 sc |.
carên·cia, -te → CARECER.

carepa sf. 'pó que se forma na superfície das frutas secas, sobretudo os figos' xvi. De origem obscura.
carestia → CARO.
caret·a, -eiro → CARA.
careza → CARO.
carfologia sf. '(Patol.) agitação contínua e automática das mãos e dos dedos' 1873. Do fr. *carphologie*, deriv. do lat. tard. *carphologia* e, este, do gr. *karphología*.
carg·a, -o, -osear, -oso, -ueiro → CARRO.
⇨ **cargueiro** → CARRO.
cari·ado, -ar → CÁRIE.
cariátide sf. 'figura humana, geralmente feminina, que ornamenta as fachadas de edifícios da Grécia antiga, e tem a função de suporte de cornija ou arquitrave' | *-des* pl. 1813 | Do lat. *Caryātis -idis* 'epíteto de Diana' deriv. do gr. *Karyâtis -idos* 'epíteto de Artemisa (Diana)'.
caricatura sf. 'desenho que, pelo traço, pela escolha dos detalhes, acentua ou revela certos aspectos caricatos de pessoa ou fato' 1844. Do fr. *caricature*, deriv. do it. *caricatura* || **caricato** adj. 'ridículo, burlesco, grotesco' 1881 || **caricaturAR** 1873. Do fr. *caricaturer* || **caricaturISTA** 1873. Do fr. *caricaturiste*, deriv. do it. *caricaturista*.
⇨ **caricatura** | 1836 sc |.
carícia sf. 'afago, meiguice, carinho' xvii. Provavelmente do it. *carezza*, ou melhor, de alguma forma meridional *carèzia*, deriv. do lat. med. *cāritia*, de *cārus* || AcariciAR xviii. Cp. CARO.
⇨ **carícia** | *carycia* 1539 in CDP IV.158.*35* || AcariciAR | 1680 AOcad I.130.*6* |.
caridade sf. 'benevolência, complacência, compaixão' 'benefício, esmola' xiii. Do lat. *cārĭtās -ātis*, de *cārus* || caridOSO xv || caritATIVO 1813.
⇨ **caridade** — caritATIVO | 1614 SGonç II.300.*4* |.
cárie sf. '(Odont.) dissolução e desintegração do esmalte e da dentina pela ação de bactérias acidificantes e de seus produtos' xvii. Do lat. *carĭē ēī* || cariADO 1813 || cariAR 1813.
carijo sm. 'jirau ou armação de varas, onde se colocam os ramos de erva-mate para crestálos ao calor do fogo' 1899. Do caingangue, mas de étimo indeterminado.
caril sm. 'condimento indiano em pó, composto de várias especiarias, sobretudo açafrão' xvi. Voc. indígena do sul da Índia (cp. concani-marata *kadhī*, malaiala-tamul *kari*).
carimã sf. 'farinha de mandioca, seca e fina' | 1587, *carima c* 1594 etc. | Do tupi *kari'mã*.
carimbo sm. 'instrumento com que se marcam a tinta papéis de uso oficial ou particular' 1844. Do quimb. *ka'rimu*, de *ka* (pref. dim.) + *'rimu* 'marca' || **carimbAR** 1844.
carimbó sm. 'atabaque' 'dança de roda do litoral paraense' xx. De origem africana, mas de étimo indeterminado.
carinatas → CARENA.
carinho sm. 'afago, meiguice, desvelo' 1813. Do cast. *cariño* que, originariamente, significou 'nostalgia, desejo', provavelmente deriv. da forma dialetal *cariñar* e, este, do lat. *cărēre* 'carecer' || **carinhoso** xvii. Do cast. *cariñoso*.
-cari(o)- *elem. comp.*, do gr. *karyo-*, de *karyon* 'noz, núcleo', que se documenta em alguns compostos

introduzidos, a partir do séc. XIX, na linguagem científica internacional ▶ **cario**CINESE 1899. Do fr. *caryocinèse* || **cari**OPSE 1899. Do fr. *caryopse* || **cari**ÓPS·IDO 1873.
carioca *adj. s2g.* 'relativo à cidade do Rio de Janeiro, indivíduo natural do Rio de Janeiro' 1736. De uma forma tupi *kari'oka* (< *kara'iwa* 'homem branco' + *'oka* 'casa'), provavelmente; cp. CABOCLO, CARAÍBA¹, CURIBOCA.
cario·cinese, -pse, -psido → -CARI(O)-.
caripirá *sm.* 'ave da fam. dos fregatídeos' *c* 1584. Do tupi *karipi'ra*.
carisma *sm.* 'força divina conferida a uma pessoa' | *ka-* XV, *cha-* XVII | Do lat. *charisma -ătis* 'dom, graça divina', deriv. do gr. *chárisma -atos* 'graça, favor, benefício' || **carism**ÁT·ICO XX.
caritativo → CARIDADE.
cariz *sm.* 'semblante, aparência, aspecto' XVII. De origem incerta; talvez do cat. *caris*, deriv. de uma forma ocitana *caraitz*, caso sujeito do a. prov. *cara(c)h (carai(t))* 'aspecto de cara' e, este, do lat. *charactēr* 'caráter'. Cp. CARÁTER.
carlina *sf.* 'variedade de cardo' XVII. Do fr. *carline*, deriv. do lat. *cardŭus -ī*.
carlinga *sf.* '(Constr.Nav.) *ant*. forte peça de madeira, fixa à sobrequilha, com um encaixe onde entra a mecha do pé do mastro real' XVI; '(Aeron.) cabina' XX. Do fr. *carlingue*, deriv. do a. escand. *kerling* 'mulher' 'carlinga', por uma comparação de ordem sexual.
carma *sm.* '(Fil.) nas filosofias da Índia, o conjunto das ações dos homens e suas consequências' XX. Do ing. *karma*, deriv. do sânscr. *karma-n* 'ação, efeito, fato'.
⇨ **carma** | *carmam* 1616 gftran 1.9 |.
carmanhola *sf.* 'canção de roda dançada pelos revolucionários franceses em 1793' XIX. Do fr. *carmagnole*.
carme *sm.* 'versos líricos' 'poema, canto' XVI. Do lat. *carmen -ĭnis*.
carmear *vb.* 'desfazer os nós de (a lã churda, antes de cardada)' 1813. Do lat. *carmĭnāre* || **carmelina** *sf.* 'lã de vicunha, de qualidade inferior' 1844. Do cast. *carmelina*, por *carmenina*, de *carmenar*, deriv. do lat. *carmĭnāre*.
⇨ **carmear** | 1562 JC || **carme**ADOR | 1562 JC || **car**meADURA | 1562 JC || **carmelina** 1836 SC |.
carmelita *s2g.* 'frade ou freira da ordem de N.S. do Monte Carmelo'; *adj. 2g.* 'pertencente ou relativo a essa ordem' XVIII. Do lat. *carmēlītēs* 'habitante do Carmelo', do top. *Carmel*, monte da Judeia.
⇨ **carmelita** | 1562 JC |.
carmesim *adj. 2g. sm.* 'diz-se de, ou cor vermelha muito viva' | XVI, *creme-* XVI, *crimjsym* XVI etc. | Do ár. hisp. *qarmazí*, deriv. de *qármaz* (ár. *qírmiz*) 'vermelhão, encarnado' e, este, do pers. *kirm*.
carmim *sm.* 'matéria corante, de um vermelho muito vivo, extraída, originariamente, da cochonilha-do-carmim' XVII. Do fr. *carmin*, deriv. do lat. med. *carminium*, resultante do cruzamento de *minĭum* 'vermelhão, zarcão' com o ár. *qírmiz*. Cp. CARMESIM.
carminativo *adj.* '(Med.) antiflatulento' XVI. Do fr. *carminatif*, deriv. do lat. med. *carmĭnātīvus*, de *carmĭnāre*.

carmona → CREMONA.
carn·ação, -ada, -al, -alidade → CARNE.
carnaúba *sf.* 'palmeira da subfam. das carifoideas, de cujas folhas se extrai uma substância pastosa muito utilizada na fabricação de velas, pasta para soalhos etc.' 1752. Do tupi *karana'ïwa* (< *kara'na* [v. CARANÁ] + *'ïwa* 'planta') || **carnaub**AL 1902 || **carnaub**EIRA 1881.
carnaval *sm. 'orig.* período anual das festas profanas' 'os três dias imediatamente anteriores à quarta-feira de cinzas, dedicados a folias, folguedos' | *-vall* 1542 | Do fr. *carnaval*, deriv. do it. *carnevale* || **carnaval**ESCO XVII. Do fr. *carnavalesque*, deriv. do it. *carnevalesco*.
carne *sf.* 'tecido muscular, animal ou humano' 'o corpo, a matéria, em oposição ao espírito, à alma' XIII. Do lat. *caro carnis* || **carn**AÇ·AL 'carniceiro' | XIII, *-nhaçal* XIII || **carn**AÇÃO 1890. Do lat. tard. *carnātĭō -ōnis* || **carn**ADA *sf.* 'isca' 1899. Do cast. *carnada* 'sebo' || **carn**AL XIII. Do lat. *carnālis -e* || **carnal**IDADE XVIII. Do lat. *carnālĭtās -ātis* || **carn**eADOR *sm.* 'magarefe' XX || **carn**eAR *vb.* 'abater e esquartejar o gado' 1881. Do cast. *carnear* || **carnegão** *sm.* 'carnicão' 1813 || **carneiro**¹ *sm.* 'mamífero reduzido à domesticidade como gado lanígero' XIII. Do lat. *carnārĭu* 'animal de boa carne' || **carneiro**² *sm.* 'sepultura' 1813. Do lat. vulg. *camariu* (cláss. *carnārĭum* 'gancho onde se pendura a carne') || **cárn**EO 1899. Do lat. *carnĕus* || **carn**IÇA *sf.* 'matança de animais' 'carne podre' XV. De um lat. *carnitia* || **carn**ICÃO *sm.* 'zona central, purulenta e endurecida, de tumores e furúnculos' 1813 || **carn**IÇ·ARIA | XV, *-eira* XIII, *carneçaria* XIV etc. || **carn**IC·EIRO | *-eyro* XIII, *-çeiro* XIV etc. || **car**nÍCULA *sf.* 'planta da fam. das leguminosas' XX || **carn**IFICAR 1844. Do lat. *carnĭfĭcāre* 'torturar, executar, fazer em pedaços' || **carnífice** 1844. Do lat. *carnĭfex -ĭcis* 'carrasco' 'carniceiro' || **carnificina** *sf.* 'mortandade'' chacina, extermínio' XVII. Do lat. *carnĭfĭcīna* || **carni**FORME 1844 || **carn**ITA *sf.* 'osso do pé do boi' XVII || **carn**ÍVORO 1813. Do lat. *carnĭvŏrus*, **carnos**IDADE 1813. Do lat. tard. *carnositās -ātis* || **carn**OSO XVI. Do lat. *carnōsus* || **carn**UDO 1813. Do lat. **carnŭtus* (formado sobre *cornŭtus*) || **carúnc**ULA *sf.* '(Anat.) excrescência carnuda' XVII. Do lat. *caruncŭla* 'pedacinho de carne' || DESCARN·ADO 1813 || DESCARN·AR XVI || DES·ENCARN·AÇÃO XX || DES·ENCARN·AR 1881 || ENCARN·AÇÃO *sf.* 'ato de encarnar' | *-çon* XIII, *-çõ* XIV, *-çom* XV | Do lat. *incarnātĭōnem* || ENCARN·ADO *adj.* 'da cor da carne, vermelho' XV; 'que encarnou' 1881 || ENCARN·ADOR *adj.* 'que encarna figuras ou imagens' 1881 || ENCARN·AR *vb.* 'penetrar (o espírito em um corpo)' | *em-* XIV | Do lat. *incarnāre* || ENCARN·EIR·ADO | *-ados* f. pl. XVIII || ENCARN·EIR·AR *vb.* 'encrespar (o mar) em pequenas ondas espumosas que lembram um rebanho de carneiros' 1881 || ENCARN·IÇ·ADO XVI || ENCARN·IÇ·AMENTO 1873 || ENCARN·IÇ·AR *vb.* 'excitar, incitar' 1572 || ESCARN·AR XIV || RE·ENCARN·AÇÃO XX || RE·ENCARN·AR XX.
⇨ **carne** — **carn**AL·IDADE | 1562 JC || **carn**IFICAR | 1836 SC || **carn**IFICE | 1836 SC || **carn**IFORME | 1836 SC || **carn**UDO | 1615 FNun 51v15 || DESCARN·ADO | *c* 1539 JCASD 160.20 || ENCARN·ADO | 1836 SC || ENCARN·IÇA·MENTO | 1836 SC |.

carnê *sm.* 'caderninho de apontamentos' 'talonário' xx. Do fr. *carnet.*
carn·eador, -ear, -egão, -eiro, -eo, -iça, -icão, -içaria, -iceiro, -ícula, -ificar, -ifice, -ificina, -iforme, -ita, -ívoro, -osidade, -oso, -udo → CARNE.
caro *adj.* 'de preço alto' 'custoso' 'querido, amado, estimado' XIII. Do lat. *cārus* ‖ **car**EIRO *adj.* 'que cobra caro' 1813 ‖ **carestia** *sf.* 'escassez' XIV. Do lat. med. *caristia (carestia)*, de formação duvidosa ‖ **car**EZA *sf.* 'carestia' XIII ‖ **caro**ÁVEL *adj. 2g.* 'carinhoso, afetuoso' XVI ‖ EN**car**EC·ER *vb.* 'subir o preço de' 'valorizar' XIV ‖ EN**car**EC·IMENTO XVI.
⇨ **caro** — **car**EIRO | 1562 JC |.
caroba *sf.* 'planta da fam. das bignoniáceas' | 1730, *caároba c* 1584, *caraoba* 1587 etc. | Do tupi *kaa'roụa* (< *ka'a* 'folha' + *'roụa* 'amargo').
carocha *sf.* 'mitra dos condenados da Inquisição' XVI; 'escaravelho' | *-roucha* XVI | De origem controvertida.
caroço *sm.* 'o núcleo, lenhoso e duro, dos frutos de tipo drupa, que ocorre, por exemplo, na manga e no pêssego' XVII. De origem controvertida; talvez do lat. vulg. *carŭdium*, deriv. do gr. *karýdion* 'avelã, noz pequena' ‖ **caroço**UDO XX ‖ DES**caro**-ÇADOR 1813 ‖ DES**caroço**AR 1813 ‖ DES·EN**caroç**AR XX ‖ EN**caroç**ADO XX ‖ EN**caroç**AMENTO XX ‖ EN**caroç**AR XX.
carola[1] *sf.* 'cabeça' XVI; *adj. s2g.* 'devoto, beato' 1813. Do lat. *corolla*, dim. de *corōna* 'coroa' ‖ **carol**ICE *sf.* 'devoção exagerada' 1844 ‖ **carolim** *sm.* 'receptáculo de muitos flóculos da mesma espiga, como trigo, milho etc.' 1858 ‖ **carol**ISMO *sm.* 'atitude de carola, na sua segunda acepção' XX ‖ **carolo** *sm.* 'pancada na cabeça' XVIII.
⇨ **carola**[1] — **carol**ICE | 1836 SC |.
carola[2] *sf.* 'dança de roda, medieval, difundida na França e na Inglaterra' XX. Do fr. *carole*, deriv. ou composto do gr. lat. *chorus* 'dança em coro'.
carol·ice, -im → CAROLA[1].
carolina *sf.* 'planta inerme, da fam. das leguminosas, de propriedades medicinais' 1881. De origem obscura.
carolíngio *adj.* 'relativo à dinastia de Carlos Magno, rei dos francos e imperador do Ocidente (742-814)' XX. Do fr. *carolingien*, com influência do it. *carolingio*, deriv. do antrop. *Carolus* 'Carlos'.
carol·ismo, -o → CAROLA[1].
carona *sf.* 'peça de arreio' 1899; *'bras.* condução gratuita' XX. Do cast. *carona*, deriv. de uma forma antiga **carón*, de origem incerta, provavelmente pré-romana.
caronada *sf.* 'peça de artilharia' 1844. Do fr. *caronade*, deriv. do ing. *carronade*, do top. *Carron*, localidade da Escócia, onde as primeiras caronadas foram fundidas.
⇨ **caronada** | 1836 SC |.
carótico *adj.* 'relativo ao cárus' 1873. Do fr. *carotique*, deriv. do lat. tard. *carōticus* e, este, do gr. *karōtikós* 'soporífero' ‖ **carótida** *sf.* '(Anat.) cada uma das grandes artérias que, ao adentrarem, levam o sangue à cabeça' 1813. Do fr. *carotide*, deriv. do lat. cient. *carōtĭs -ĭdis* e, este, do gr. *karōtis -idos*, provavelmente de *káros* 'sopor' ‖ **cárus** *sm. 2n.* 'o grau extremo do estado comatoso' XVIII | Do lat. *carus*, deriv. do gr. *káros* 'sopor'.

-carp- → -CARP(O)-.
carpa[1] *sf.* 'peixe teleósteo da fam. dos ciprinídeos' 1858. Do lat. *carpa*.
⇨ **carpa**[1] | 1836 SC |.
carpa[2] *sf.* 'local de jogo' XX. Do esp. plat. *carpa* 'tenda, toldo', de origem incerta.
carpanta *sf.* 'bebedeira' | 1899, *carapanta* 1881 | De origem obscura; talvez seja uma criação expressiva.
carpear *vb.* 'desfazer os nós da lã' 1844. Do lat. **carpeāre*, de *carpĕre* 'arrancar, colher, tosquiar'.
⇨ **carpear** | 1836 SC |.
carpel·a, -o, → -CARP(O)-.
carpete *sm.* 'tapete' XX. Do fr. *carpette*, deriv. do ing. *carpet*; o voc. ing. provém do a. it. *carpita* 'manta peluda', de *carpire* e, este, do lat. *carpĕre* 'cardar a lã' ‖ A**carpet**AR XX.
carpideira → CARPIR.
carpinteiro *sm. 'ant.* construtor de carros' 'artífice que trabalha com madeira, em obras grosseiras' XV. Do lat. *carpentārius -ī* 'construtor de carros', de *carpentum* 'carro', de origem celta ‖ **carpint**A-RIA | *-pen-* XIV ‖ **carpint**EJAR | *-pen-* XV.
carpir *vb. 'ant.* arrancar (o cabelo, as barbas) em sinal de dor'; *'ext.* lamentar(se), chorar' XIII. Do lat. vulg. *carpire* (cláss. *carpĕre*) 'arrancar, lacerar, despedaçar' ‖ **carpid**EIRA 1813.
-carp(o)- *elem. comp.*, do gr. *karpo-*, de *karpós* 'fruto' 'punho', que se documenta em alguns compostos formados no próprio grego (como *carpologia*) e em muitos outros introduzidos, a partir do séc. XIX, na linguagem científica internacional ▸ **carpela** *sf.* 'grinalda' | *carapelas* pl. XVI ‖ **carpelo** *sm.* 'pistilo' 1899. Do fr. *carpelle*, deriv. do lat. cient. *carpellus* e, este, do gr. *karpós* ‖ **carpo** *sm.* '(Anat.) cada um dos oito ossos que compõem o esqueleto do punho ou pulso' 1813; 'fruto' 1899. Do fr. *carpe*, deriv. do lat. tard. *carpus* e, este, do gr. *karpós* ‖ **carpó**FAGO *adj. sm.* 'que se alimenta de frutos' | *-phago* 1844 | Do fr. *carpophage*, deriv. do lat. cient. *carpophagus* e, este, do gr. *karpophágos -ía* ‖ **carpó**FILO *adj. sm.* 'diz-se de, ou folhas que, pelo seu dobramento, produzem um carpelo' | *carpóphilo* 1873 ‖ **carpologia** *sf.* '(Bot.) parte da organografia que trata dos frutos' 1858. Do fr. *carpologie*, deriv. do gr. *karpología* 'colheita de frutos' ‖ **carpo**PTOSE *sf.* '(Patol.) paralisia dos extensores das mãos e dos dedos' XX. Do lat. cient. *carpoptōsis*, ‖ EN**carpo** *sm.* 'grinalda que contém folhas, flores e frutos' 1899. Do fr. *encarpe*, deriv. do lat. tard. *encarpa* e, este, do gr. *tà énkarpa*, de *énkarpos*.
⇨ **carp(o)-** — **carpó**FAGO | *-phago* 1836 SC |.
carqueja *sf.* 'designação comum a várias plantas arbustivas, da fam. das compostas, com propriedades medicinais' | XV, *carquexa* XV, *carqueija* XVI | De origem incerta; talvez do lat. *colocāsia*, deriv. do gr. *kolokasía*.
carquilha *sf.* 'ruga, dobra, prega' 1858. De origem obscura ‖ EN**carquilh**ADO 1813 ‖ EN**carqui**LHAR 1813.
carrabouçal *sm.* 'ladeira íngreme' | *-boi-* 1899 | De origem obscura.
carraca *sf.* 'grande embarcação antiga, para viagens de longo curso' XIV. De origem incerta.

carrada → CARRO.
carranca sf. 'semblante sombrio, fechado, com aspecto de mau humor' 'figura colocada na proa de certas embarcações para afastar os maus espíritos' XVI. De origem obscura; talvez se possa reconhecer no voc. o suf. depreciativo -*anco*, ligado a *carr*- que, por sua vez, representaria a *cara*, contaminado por outro suf., às vezes também depreciativo: -*arr* || **carranc**ADA 'multidão de carrancas' 1844 || **carranc**UDO XVI.
⇨ **carranca** — **carranc**ADA | 1836 SC |.
carrapato sm. 'animal artrópode, aracnídeo, acarino, da fam. dos ixodídeos' XVI. Provavelmente o voc. resulta de uma metátese de *caparrato, deriv. (com o suf. -ATO, que designa animais pequenos) de *caparra*, nome desse animal em vasconço, moçárabe, aragonês e catalão ocidental, talvez de origem pré-romana || **carrapat**EIRA sf. 'planta de cujo fruto se extrai o óleo de rícino' XX || **carrapat**EIRO sm. 'espécie de gavião' 1813 || **carrapatic**IDA XX.
carrapito sm. 'chifre de cabrito' 1813. De origem controvertida || **carrap**ICHO sm. 'cabelo atado no alto ou na parte posterior da cabeça' 'designação comum a várias plantas, cujos frutos, pequenos, aderem facilmente à roupa do homem e ao pelo do animal' 1881. De *carrapito*, com troca de sufixo || EN**carapit**ADO XIX || EN**carapit**AR vb. 'pôr ou colocar no alto' XVIII. || EN**carrapit**AR vb. 'encarapitar' 1873 || ES**carrapiç**ADO XVI || ES**carrapiç**AR, ES**carrapich**AR vb. 'desembaraçar, penteando' | *escarrepiçar* XVI.
carrasco¹ sm. 'mata anã, de arbustos de caule e ramos duros e esguios' XVI. De uma raiz pré-romana *karr*- || **carrasca** sf. 'casta inferior de oliveira' 1881 || **carrasc**AL sm. 'carrasco' | *carascaes* pl. XV || **carrasc**ÃO sm. 'tipo de vinho' XVIII.
carrasco² sm. 'verdugo, algoz' XVIII. Do antrop. *Carrasco*, nome de um algoz que teria vivido em Lisboa, antes do séc. XV.
carraspana sf. 'bebedeira' 1813. De origem controvertida; o voc. talvez seja de formação expressiva, com base em *escarrar*.
carr·eado, -ear, carreg·ação, -adeira, -ado, -ador, -amento, -ar, carreir·a, -ista, -o, carrejar, carret·a, -e, -eira, -eiro, -el, -ilha, -o, carri·agem, -ão → CARRO.
carriço sm. 'cana brava' XVII. Provavelmente do cast. *carrizo*, deriv. do lat. vulg. *caricĕum, de *carex -īcis* 'carriço' || **carriça** sf. 'ave passeriforme, da fam. dos trogloditídeos' XVI || **carriç**ADA sf. 'reunião de barcos, pipas, madeiros etc., amarrados de modo que possam ser facilmente conduzidos' XX.
carr·ieira, -il → CARRO.
carrilhão sm. 'conjunto de sinos, primitivamente quatro, com que se tocam peças de música' 1844. Do fr. *carillon*, deriv. do lat. pop. *quatrinio -onis (cláss. *quaternī* 'grupo de quatro').
carro sm. 'veículo de transporte terrestre' XIII. Do lat. *carrus* || A**carret**AMENTO 1881 || A**carret**AR 'transportar em carreta ou carro' XIV; 'causar' XV || **carga** sf. 'aquilo que é ou pode ser transportado em carro ou suportado por alguém ou alguma coisa' | XIV, *carrega* XIII | Do ant. *carrega*, deverbal de *carregar* || **cargo** sm. 'incumbência, carga, função' | XV, *carrego* XIV | Do ant. *carrego*, forma masc. de *carrega* || **cargos**·EAR 'discutir, teimar' 'gabar-se' XX. Do cast. *cargosear* 'importunar' || **carg**OSO XVII. Do cast. *cargoso* || **cargu**EIRO 1873 || **carr**ADA sf. 'carga que um carro pode transportar de uma vez' XVI; '*fig.* grande quantidade (mais usado no pl.)' 1873 || **carr**E·ADO XVI || **carr**EAR vb. 'conduzir em carro' 1813 || **carreg**AÇÃO | -çõ XIV, -çã XIV || **carreg**AD·EIRA 1813 || **carreg**ADO XIII || **carreg**ADOR XIV || **carreg**AMENTO XV || **carregar** vb. 'pôr carga em' XIII. Do lat. vulg. *carrĭcāre*, de *carrus* || **carr**EIRA sf. 'caminho' | XIII, -*eyra* XIII | Do lat. vulg. *carraria, de *via carraria* 'caminho de carros' || **carreir**ISTA XX. Do cast. *carrerista* || **carr**EIRO sm. 'caminho estreito, atalho' | XIII, -*eyro* XIII |; 'condutor de carro' 1813 || **carr**EJAR vb. 'carrear' XIII || **carr**ETA XIII || **carr**ETE sm. 'pequena roda ou peça cilíndrica, em vários mecanismos' -*tes* pl. XV || **carret**EIRA sf. 'estrada para carroças' 1899. Do cast. *carretera* || **carret**EIRO sm. 'condutor de carro ou carroça' || **carretel** sm. 'pequeno cilindro para enrolar fios' XVI. Do cast. *carretel* || **carret**ILHA sf. 'pequena roldana' 1844. Do cast. *carretilla* || **carr**ETO sm. 'frete' 1844 || **carri**AGEM sf. 'conjunto de carros' XV. Provavelmente do it. *carriàggio* || **carri**ÃO sm. 'aparelho de pisoador, composto de duas rodas e um eixo' 1844 || **carri**EIRA sf. 'quenquém' XX. A base deve ser *carrear*, de *carro* || **carr**IL *orig.* rego aberto pelas rodas dos carros' 'trilho' 1844 || **carri**OLA sf. 'carro ordinário, pequeno, de duas rodas' 1899. Do it. *carriòla* || **carroça** sf. '*ant.* coche' XVII; 'carro grosseiro para transporte de cargas' 1813 | Do fr. *carrosse*, deriv. do it. *carròza* || **carroç**ÃO XX || **carroç**ARIA sf. 'nos carros de passeio e utilitários, a carcaça de chapa metálica onde se alojam os passageiros, e que é também dotada de mala para bagagem, ferramentas etc.' 'nos veículos de transporte, a parte destinada à carga' XX. Do fr. *carrosserie* || **carroç**ÁVEL XX || **carroc**EIRO 1844 || **carru**AGEM | XVII, *carriagem* XV, -*gẽ* XV, -*yagem* XV | Adaptação do fr. *charriage*, por influência de *carro*; cp. *carriagem* || DES**carga** | *descarregua* XV | Do ant. *descarrega*, deverbal de *descarregar* || DES**carreg**AMENTO | -*gua*- XV || DES**carreg**AR XIII. Do lat. vulg. *dĭscarrĭcāre* || DES**carril**AMENTO 1881 || DES**carril**AR vb. 'sair ou desviar dos trilhos do carril' 1881, -*lhar* XX || DES·EN**cargo** XX || DES·EN**carreg**AR XIV | DES·EN**carril**AMENTO XX || DES·EN**carril**AR vb. 'descarrilar' | 1899, -*lhar* 1881 || EN**cargo** | XIV, *encarrego* XIV | Do ant. *encarrego*, deverbal de *encarregar* || EN**carreg**ADO XIII || EN**carreg**AR | XIV, *encargar* XVI || EN**carret**·AR XVI || EN**carrilh**·ADO XVIII || EN**carrilh**·AR XVIII.
⇨ **carro** — A**carr**ETO — | *c* 1541 JCASR 327.*21* || **carr**GU·EIRO | 1836 SC || **carr**EAR | XVII FUER IV.348 || **carreg**OSO 'pesado, trabalhoso' | 1525 ABEJP 4.*15* | **carr**ET·ILHA | 1836 SC || **carr**ETO | 1624 SESILR 39*v*14 || **carri**ÃO | 1836 SC || **carr**IL | 1836 SC || **carroc**EIRO | 1836 SC || **carro**MATO | 1680 AOCAD I.270.*6* |.
carrossel sm. 'brinquedo, com cavalinhos, cadeiras etc., que giram em torno de um eixo, comum em parques de diversão' XX. Do fr. *carrousel*, deriv. do it. *carosèllo*.
carruagem → CARRO.

carta *sf.* 'comunicação devidamente acondicionada e endereçada a uma ou várias pessoas' XIII; 'mapa' 1813. Do lat. *charta*, deriv. do gr. *chártēs* ‖ **car**TADA *sf.* 'lance no jogo de cartas' ′*fig.* ação decisiva ou arriscada' XVIII ‖ **carta**LOG·IA *sf.* 'coleção de cartas geográficas' 1881 ‖ **cart**ÃO *sm.* 'papelão, cartolina' 'retângulo de papelão utilizado para nele se escrever' XVII. Do fr. *carton*, deriv. do it. *cartóne* ‖ **cartapácio** *sm.* 'carta muito grande' 'alfarrábio, calhamaço' XVII. De um composto ou deriv. de *carta* + *pácio*, de origem incerta ‖ **cart**ÁRIO *sm.* 'tombo, arquivo' | *-tareo* XV, *-tairo* XV | Do lat. *chartārĭum -ī* ‖ **cart**AZ *sm.* 'impresso próprio para afixação em ambientes amplos ou ao ar livre, e que traz anúncio comercial ou de exposições etc.' XVI. Do ár. *qarṭās*, deriv. do gr. *chártēs* ‖ **cart**EIRA *sf.* 'bolsa para documentos, dinheiro etc.' 'mesa para escrever' 1844 ‖ **cart**EIRO *sm.* 'mensageiro postal' XVII ‖ **cartel** *sm.* 'carta de desafio para duelo' 'cartaz' XVI. Do fr. *cartel*, deriv. do it. *cartèllo* ‖ **cartela** *sf.* 'superfície lisa num friso ou num pedestal, geralmente destinada a receber uma inscrição' 1881. Do fr. *cartelle*, deriv. do it. *cartèlla* ‖ **cart**ILHA *sf.* 'livro para aprender a ler' XVII. Do cast. *cartilla*. No séc. XVI ocorre *cartinha*, dim. de *carta*, com a mesma acepção ‖ **carto**GRAF·IA *sf.* 'arte ou ciência de compor cartas geográficas' | *-phia* 1873 | Do fr. *cartographie* ‖ **carto**GRÁF·ICO | *-phi-* 1873 | Do fr. *cartographique* ‖ **cart**ÓGRAFO | *-pho* 1899 | Do fr. *cartographe* ‖ **carto**GRAMA XX. Do fr. *cartogramme* ‖ **cartolina** *sf.* 'cartão delgado, intermediário entre o papel encorpado e o papelão' XX. Do it. *cartolina* ‖ **carto**MANC·IA 1844. Do fr. *cartomancie* ‖ **carto**MANTE 1844 ‖ **carton**ADO 1873 ‖ **carton**AGEM *sf.* 'confecção de artefatos de cartão' 1873. Do fr. *cartonage* ‖ **carton**AR *vb.* ' (Encad.) revestir (livro) com capa de cartão forrada de papel' 1873. Do fr. *cartonner* ‖ **cartorário** *sm.* 'escrevente ou arquivista de cartório' 1813 ‖ **cartório** *sm.* 'lugar onde se registram e guardam cartas ou documentos importantes.' | XV, *cartoreo* XV | Do lat. *chartārĭum* ‖ **cartuch**AME | *-xame* 1813 ‖ **cartuch**EIRA | *-xei-* 1813 ‖ **cartucho** *sm.* 'invólucro oblongo de papel ou cartão' | *-xo* 1813 | Do fr. *cartouche*, deriv. do it. *cartòccio* e, este, do lat. med. *cartotius* ‖ **cárt**ULA *sf.* 'ornato que simula folha ou tira de papel com as pontas ou lados enrolados' 1899. Do lat. *chartŭla* 'papel pequeno' 'pedaço de papel' ‖ **cart**UL·ÁRIO *sf.* 'coleção de títulos de propriedade, concessão de privilégios etc., conservada nos antigos mosteiros' 1844. Do b. lat. *chartularium* ‖ DES**cart**AR XVI ‖ DES**cart**ÁVEL XX ‖ DES**carte** XVII. Der. regress. de *descartar* ‖ EN**cart**ADO XIII ‖ EN**cart**AR XVIII ‖ EN**cartuch**·AR 1858.
⇨ **carta** — **cart**EAR *vb.* 'marcar numa carta geográfica, assinalar um ponto num mapa' | *c* 1538 JCASG 157.*21* |; 'trocar cartas, manter correspondência' | 1614 SGonç I.440.*14* ‖ **cart**EIRA | 1836 SC ‖ **carto**MANCIA | 1836 SC ‖ **carto**MANTE | 1836 SC ‖ **cartucho** | *cartujo* 1660 FFMelE 424.*18* ‖ **cart**UL·ÁRIO | 1836 SC |.
cartabuxa *sf.* 'escova de arame usada pelos ourives' 1844. De origem obscura ‖ **cartabux**AR 1844.
⇨ **cartabuxa** | 1836 SC ‖ **cartabux**AR 1836 SC |.
cartada → CARTA.

cartaginês *adj. sm.* · 'relativo a, ou natural de Cartago' | *carthaginês* 1899, *-êz* 1899 | Do lat. *Carthāginēnsis*, do top. *Carthāgō -inis* 'Cartago'.
⇨ **cartaginês** | *a* 1557 AGal 94.*12*, *cartaginēse* Id.91.*4* |.
cartalogia → CARTA.
cártamo *sm.* 'gênero de plantas das compostas' | 1844, *carthamo* 1844 | Do fr. *carthame*, deriv. do lat. med. *carthamus* e, este, provavelmente, de uma var. fonética do ár. *qirṭim*.
⇨ **cártamo** | *carthamo* 1836 SC |.
cart·ão, -apácio, -az, -eira, -eiro, -el, -ela → CARTA.
cartesianismo *sm.* '(Hist. Fil.) doutrina de René Descartes, filósofo e matemático francês (1596-1660), e de seus seguidores, caracterizada pelo racionalismo, pela consideração do problema do método como garantia da obtenção da verdade, e pelo dualismo metafísico' 1844. Do fr. *cartésianisme*, de *cartésien*, deriv. do lat. moderno *Cartesianus*, do antrop. *Cartesius*, latinização do nome de *Descartes* ‖ **cartesi**ANO 1844. Do fr. *cartésien*.
⇨ **cartesianismo** | 1836 SC ‖ **cartesi**ANO | 1836 SC |.
cartilagem *sf.* '(Anat.) tecido resistente, elástico e flexível dos vertebrados, formado por matéria conjuntiva' 1844. Do fr. *cartilage*, deriv. do lat. *cartilāgō-ĭnis* ‖ **cartilagin**OSO 1844. Do fr. *cartilagineux*, deriv. do lat. *cartilāgĭnōsus*.
⇨ **cartilagem** | 1836 SC ‖ **cartilagin**OSO | 1836 SC |.
cartilha, carto·grafia, -gráfico, -grafo, -grama → CARTA.
cartola *sf.* 'chapéu masculino, de copa alta e cilíndrica, de uso em solenidades' XX. Provavelmente alteração de *quartola* 'medida correspondente a um *quarto* de tonel'. O voc. surgiu por comparação entre o chapéu e a medida. V. QUARTOLA.
carto·lina, -mancia, -mante, -nado, -nagem, -nar, -rário, -rio, cartu·chame, -cheira, -cho, -la, -lário → CARTA.
caruara¹ *sf.* 'espécie de corrimento que afeta as articulações;' mau olhado, quebranto' 1587. Do tupi **karu'ara*.
caruara² *sf.* 'espécie de abelha' 1817. Do tupi **karu'ara*.
carumbé *sm.* 'espécie de vasilha para o transporte de minérios; espécie de tartaruga, cuja carapaça serve de vasilha' 1884. Do tupi **karu'me*.
caruncho *sm.* 'designação comum aos insetos coleópteros que perfuram, sobretudo, madeira e cereais' | *-xo* XVI | Do cast. *caruncho* (hoje *caroncho*), de origem incerta ‖ **carunch**AR 1881 ‖ **carunch**OSO 1813.
carúncula → CARNE.
caruru *sm.* 'designação comum a várias plantas da fam. das amarantáceas, cujas folhas são muito usadas na culinária' 'guisado feito com folhas de caruru, quiabos e camarões, muito temperado' 1844. De origem incerta, provavelmente africana.
⇨ **caruru** | 1836 SC |.
cárus → CARÓTICO.
carusma *sf.* 'cinzas que se espalham no ar, quando se sopra o lume' XX. De origem obscura.
carvalho *sm.* 'designação comum a várias plantas ornamentais da fam. das fagáceas' XIII. De origem

controvertida, provavelmente pré-romana ‖ **carvalh**EIRO *sm.* 'carvalho novo' 1858.
carvão *sm.* 'substância combustível, sólida, negra, resultante da combustão incompleta de materiais orgânicos' | *-uam* XIII | Do lat. *carbō -ōnis* ‖ BI**carbon**ATO 1871. Do fr. *bicarbonate* ‖ **carb**ÓL·ICO *adj.* '(Quím.) fenol' 1899 ‖ **carbon**ÁRIO *sm.* 'membro de uma sociedade secreta e revolucionária que atuou em alguns países da Europa, no início do séc. XIX' 1844. Do it. *carbonaro* 'carvoeiro', nome que tomaram os membros da sociedade secreta, devido ao fato de se reunirem em cabanas de carvoeiros ‖ **carbon**ATO *sm.* '(Quím.) qualquer sal do ácido carbônico' 1873. Do fr. *carbonate* ‖ **carbôn**ICO *adj.* '(Quím.) próprio de carbono' 1842. Do fr. *carbonique* ‖ **carbon**ÍFERO *adj.* 'que contém ou produz carvão' XIX. Do fr. *carbonifère* (hoje *carboniférien*) ‖ **carbon**IZAR *vb.* 'reduzir a carvão' | *-sar* 1844 | Do fr. *carboniser* ‖ **carbono** *sm.* '(Quím.) elemento de número atômico 6' | 1899, *-bone* 1842 | Forma divergente de *carvão*, para designar o elemento químico ‖ **carb**OX·ILA *sf.* '(Quím.) grupamento funcional característico dos ácidos orgânicos' XX. Do fr. *carboxyle* ‖ **carbún**culo *sm.* 'rubi' | *-colo* XIV, *carbūcula* XIV etc. | Do lat. *carbŭncŭlus* ‖ **carbur**AÇÃO 1873. Do fr. *carburation* ‖ **carbur**ADOR XX. Do fr. *carburateur* ‖ **carbur**AR *vb.* 'submeter (um corpo) à ação do carbono' XX. Do fr. *carburer* ‖ **carbur**ETO 1873. Do fr. *carbure* + -ETO ‖ **carvo**ARIA *sf.* 'estabelecimento onde se fabrica e/ou se vende carvão' 1813 ‖ **carvo**EIRA *sf.* 'vão ou lugar próprio para guardar carvão' 1813 ‖ **carvo**EIRO 1813. Do lat. *carbōnārĭus -ĭī* ‖ EN**carvo**AR 1813.
⇨ **carvão** — **cabon**ÁRIO | 1836 SC ‖ **carbon**ATO | *-nate* 1836 SC ‖ **carbôn**ICO | 1836 SC ‖ **carbon**IZAR | *-sar* 1836 SC ‖ **carbur**ETO | 1836 SC |.
cã(s) *sf. (pl.)* 'cabelo(s) branco(s)' | *cãas* XIV | Do lat. *canens -entis*, parto de *cānĕō* 'ter os cabelos brancos' 'encanecer' ‖ **can**ÍCIE *sf.* 'estado dos cabelos que embranqueceram' | *canicia* XVI | Do lat. *cānitĭa* ou *canitĭēs* ‖ **cão**² *adj.* 'velho' 'de cabelos brancos' XIII. Do lat. *cānus*.
casa *sf.* 'morada, vivenda, residência, habitação' XIII. Do lat. *casa* ‖ A**casal**ADO 1899 ‖ A**casal**AMENTO XX ‖ **casal**ADOR XIII ‖ **casa**DOURO XIII ‖ **casal** *sm.* 'pequeno povoado' *'ext.* par, parelha' XVII. Do lat. med. *casāle* ‖ **casal**ETE XVI ‖ **casamata** *sf.* 'abrigo subterrâneo' | *casaas mates* 1568 | Do it. *casamatta* ‖ **cas**AMENT·EIRO 1813 ‖ **cas**AMENTO *sm.* 'ato solene de união entre duas pessoas de sexos diferentes, com legitimação religiosa e/ou civil' XIII ‖ **cas**AR *vb.* 'unir por casamento' XIII ‖ **cas**ARIA *sf.* 'série de casas' | XVI, *-rio* XV ‖ **case**AÇÃO XX ‖ **cas**EAR *vb.* 'fazer casa(s) para botões em' 1844 ‖ **case**BRE 1813. Do prov. *casebre*, deriv. do lat. med. *cassibula* 'casinha' ‖ **cas**EIRO XIII ‖ **cas**ÓRIO *sm.* casamento' XVI ‖ DES**cas**AR XVI.
⇨ **casa** — **casamata** | *casaas mates* pl. 1568 in *Studia* nº 8, 176, *casamatas* 1571 FOlF 151.22 ‖ **cas**EAR | 1836 SC |.
casaca *sf.* 'orig. vestimenta militar' '*ext.* peça do vestuário masculino' 'traje de cerimônia' 1544. Do fr. *casaque*, de origem incerta. Das hipóteses aventadas, a que parece mais provável é a que relaciona o fr. *casaque* com *cosaque* (v. COSSACO), de remota origem turca ‖ **casabeque** *sm.* 'casaco leve de senhora' 1881. De *casaco*, com uma terminação difícil de explicar ‖ **casaco** *sm.* 'tipo de agasalho' | *cazaco c* 1706 ‖ **casaqu**ETA XIX. Do it. *casacchetta*, dim. de *casacca* ‖ EN**casac**ADO 1899 ‖ EN**casac**AMENTO 1884 ‖ EN**casac**AR 1885.
cas·**ado**, **-adouro**, **-al**, **-alete**, **-amata**, **-amenteiro**, **-amento** → CASA.
casaqueta → CASACA.
cas·**ar**, **-aria** → CASA.
cascar *vb.* 'tirar a casca de' XVI. Do lat.* *quassĭcāre*, de *quassāre* 'sacudir, quebrar' ‖ **casca** *sf.* 'invólucro exterior de vários órgãos vegetais' *ext.* qualquer revestimento ou invólucro em geral' XVI. Der. regress. de *cascar* ‖ **cascab**ULHO *sm.* 'a casca da glande, da castanha, e de várias sementes' XVI ‖ **cascal**HO *sm.* 'conjunto das lascas das pedras' 1500 ‖ **casc**ÃO 1813 ‖ **cáscara** *sf.* 'o cobre em bruto' 1899. Do cast. *cáscara*, de *cascar* ‖ **cascar**ILHA *sf.* 'planta medicinal, da fam. das euforbiáceas' 1813. Do cast. *cascarilla*, de *cáscara* ‖ **cascarrão**¹ *sm.* 'grande casca' 'vinho grosso' 1813 ‖ **casco** *sm.* 'parte da armadura que cobre a cabeça' 'o próprio crânio' XIV; 'corpo da embarcação' XIV ‖ **cascu**DO¹ *adj.* 'que tem casca grossa ou pele dura' XVII ‖ **cascu**DO² *sm.* 'pancada na cabeça' 1881 ‖ **casquete** *sm.* 'boné' XV. Do fr. *casquette*, de *casque* 'casco' ‖ **casqu**ILHO *adj. sm,* 'que se veste com apuro exagerado' 'remate cilíndrico e oco da lança dos carros' 1813. Do cast. *casquillo*, de *casco* ‖ DES**casc**ADOR 1844 ‖ DES**cascar** vb. 'cascar' 1844 ‖ DES·EN**casquet**AR 1858 ‖ EN**casquet**AR *vb.* 'cobrir com casquete' 'meter na cabeça, no juízo, no casco' XVI ‖ ENTRE**casca** *sf.* 'a parte interna da casca das árvores' 1813.
⇨ **cascar** — **cáscara** | 1836 SC ‖ DES**cascador** | 1836 SC ‖ DES**cascar** 1836 SC ‖ DE·SEN**casquet**AR | 1836 SC | ES**casc**ADO | *c* 1608 NOReb 220.*27* ‖ ES**cascar** | 1615 FNun 56.*21* |.
cascarrão² *sm.* 'vento que sopra do mar' XX. De origem obscura.
cascarria *sf.* 'excremento seco que se prende ao pelo dos animais' XX. De origem obscura.
cascata *sf.* 'pequena queda-d'água' 1813. Do it. *cascata*.
cascavel *sm.* 'guizo', *sf.* 'réptil ofídio da fam. dos crotalídeos, facilmente reconhecível pela presença de guizo ou chocalho na ponta da cauda' XIII. Do prov. *cascavel*, dim. do lat. vulg. *cascabus*, var. de *caccăbus* 'panela, caldeirão', que, já na Antiguidade, se empregou para designar 'chocalho', e alterou na forma citada por influência onomatopaica ‖ **cascavel**EIRA *sf.* 'planta da fam. das apocináceas, cujo látex se usa contra os venenosos' 1899.
casc·**o**, **-udo** → CASCAR.
case·**ação**, **-ar** → CASA.
casease *sf.* 'fermento que dissolve a albumina e coalha a caseína' XX. Do ing. *casease*, deriv. do lat. *cāseus* 'queijo' ‖ **caseific**·AR *vb.* 'transformar (o leite) em queijo' XX. Do fr. *caséifier* ‖ **casei**FORME 1873. Do fr. *caséiforme* ‖ **casei**NA *sf.* '(Quím.) proteína existente no leite, do qual pode ser extraída para fins medicinais ou industriais' 1873. Do fr. *caséine* ‖ **case**OSO 1858. Do fr. *caséeux*.

⇨ **casease** — cas**eiforme** | 1836 sc || **cas**e**oso** | 1836 sc |.
casebre → CASA.
case·ificar, -iforme, -ína → CASEASE.
caseiro → CASA.
caseoso → CASEASE.
caserna *sf.* 'habitação de soldados' | *-zer-* 1813 | Do fr. *caserne*, deriv. do prov. *cazerna* 'grupo de quatro pessoas' (era este, primitivamente, o número de soldados que se alojavam nas casernas) e, este, do lat. vulg. **quaderna* (cláss. *quaternī* 'de quatro em quatro').
casimira *sf.* 'tecido encorpado de lã' | 1858, *cazemira* 1797 | Do fr. *casimir*, deriv. do ing. *cassimire*, alteração de *cashmere*, por influência de *kersey*, nome de outro tecido; o ing. *cashmere* é propriamente o nome da província de *Cachemira*, na Índia, onde se fabricava esse tecido.
⇨ **casimira** | 1836 sc |.
casmurro *adj. sm.* 'teimoso, ensimesmado, sorumbático' XIX. De origem incerta, talvez pré-romana || **casmurr**ICE 1881 || ES**camurr**engar *vb.* 'tornar-se casmurro' XX.
caso *sm.* 'acontecimento, fato, sucesso, ocorrência' XV. Do lat. *cāsus* || A**caso** *sm.* 'conjunto de pequenas causas independentes entre si, que se prendem a leis ignoradas ou mal conhecidas, e que determinam um acontecimento qualquer' XVI || **casu**AL *adj.* 'fortuito, acidental' 1813. Do lat. *cāsuāllis* || **casu**AL·IDADE 1813 || **casu**ÍSMO *sm.* 'aceitação passiva de ideias, doutrinas ou princípios' XX. Do fr. *casuisme* || **casu**ÍSTA *adj. 2g.* 'casuístico'; *s2g.* 'pessoa que pratica a casuística' 1813. Do fr. *casuiste*, deriv. do cast. *casuista* || **casu**ÍST·ICA *sf.* '(Ét.) estudo dos casos de consciência, isto é, dos problemas concretos que se apresentam à ação moral' 1873 || **casu**ÍST·ICO *adj.* 'relativo ao casuísmo ou à casuística' 1813. Do fr. *casuistique* || DES**caso** *sm.* 'desatenção, desprezo' 1899.
⇨ **caso** — **cas**UAL | 1660 FMMeIE 166.*12* |.
casório → CASA.
caspa *sf.* 'escamas da pele da cabeça ou de qualquer outra parte da epiderme' 1813. De origem desconhecida, provavelmente pré-romana || **cas**pENTO 1881 || **casp**OSO 1813.
casqu·ete, -ilho → CASCAR.
cassa *sf.* 'tecido muito fino, de linho ou de algodão' XVII. Do malaio *kāsa* || **cassineta** *sf.* 'tecido fino de lã' 1858.
cassar *vb.* '*ant.* quebrar' 'anular' | XV, *casar* XV | Do lat. *cassāre* || **cass**AÇÃO XX || **cass**ADO 1813.
cassete *sm.* 'caixa de fitas gravadas ou por gravar' XX. Do fr. *cassete*, deriv. do it. *cassetta* 'caixinha'. Com a acepção de 'caixinha', ocorre no port. med., no séc. XIV, a var. *caseta*, de imediata procedência italiana.
cassetete → CACETE.
cássia *sf.* 'designação comum a várias plantas ornamentais da fam. das Leguminosas, de propriedades medicinais' XIV. Do lat. *cassia casia*, deriv. do gr. *kāsía kassía*, de origem oriental.
cassineta → CASSA.
cassino *sm.* 'tipo de jogo carteado' 1858; 'casa de diversão, com salões para jogos de azar etc.' | *casino* 1873 | Do fr. *casino*, deriv. do it. *casino*, dim. de *casa*, com as acepções de 'casa de diversão' 'casa de jogo'.
⇨ **cassino** 'tipo de jogo carteado' | 1836 sc |.
cassiterita *sf.* 'minério de estanho' 1899. Do fr. *cassitérite*, deriv. do lat. *cassiterum* e, este, do gr. *kassíteros* 'estanho'.
casso (em-) *loc. adv.* 'em vão' XV. Do lat. *incassum* ou *in cassum*.
casta → CASTO.
castanha *sf.* 'o fruto do castanheiro, planta da fam. das Fagáceas' XIII. Do lat. *castanĕa*, deriv. do gr. *kastanéa* || A**castanh**ADO *adj.* 'de cor tirante a castanho' 1858 || **castanh**AL *sm.* 'grupo de castanheiros' 1813 || **castanh**EDO *sm.* 'castanhal' XX. Do lat. *castanētum -i* || **castanh**EIRO 1813 || **castanh**ETA XVII || **castanho** *adj.* 'que tem a cor da casca da castanha' XV || **castanhola(s)** *sf. (pl.)* 'instrumento de percussão, de origem oriental, popularíssimo na Espanha' XVIII. Do cast. *castañola*, do cat. *castanyola* || **castinçal** *sm.* 'grupo de castinceiras' 1858. De um **castinço*, deriv. do lat. **castaniceu*, de *castanĕa* || **castinc**EIRA *sf.* 'castanheiro bravo' 1858.
⇨ **castanha** — A**castanh**ADO | 1836 sc | **castanh**EIRO | 1541 *in* CDP IV 402.*19* || **castinç**AL | 1836 sc || **castinc**EIRA | 1836 sc |.
castão *sm.* 'remate superior das bengalas' | *-tō* XIII, *-ton* XIII, *gas-* XVIII | Do a. fr. *caston chaston*, deriv. do frâncico ou germ. ocid. **kastō* 'caixa' || **cast**OAR *vb.* 'encastoar' XIII || DES·EN**casto**AR 1813 || EN**cast**OADO | *-ē* XIV | EN**casto**AR *vb.* 'pôr castão em' XIII. Cp. ENGASTAR.
castelo *sm.* 'residência senhorial ou real fortificada' 'praça forte' XIII. Do lat. *castĕllum* || **castel**ADO XIV || **castelan**IA *sf.* 'jurisdição de castelão' | *-lla-* 1844 || **castelão** *sm.* 'senhor feudal que vivia em castelo e exercia jurisdição em determinada área' | *-llão* XVI | Do lat. *castellānus* || **castel**EIRO | *-lleyro* XIV || **castel**ETE XIV || **castelhano** *adj. sm.* 'relativo a, ou natural de Castela' | XV, *castelaão* XIII, *castelão* XIV, *castelhão* XIV etc. | Do lat. *castellānus* 'de castelo' || EN**castel**ADO XIV.
⇨ **castelo** — **castelan**IA | *-lla-* 1836 sc |.
castiçal *sm.* 'utensílio com bocal na parte superior, onde se coloca a vela' XIII. De origem incerta.
cast·iço, -idade, -ificar → CASTO.
castigar *vb.* 'punir, repreender, advertir' XIII. Do lat. *castīgāre* || **castig**ADOR 1813. Do lat. *castīgātor -ōris* || **castig**AMENTO XIII || **castigo** XIII. Der. regress. de *castigar*.
castina *sf.* 'pedra calcária que se emprega como fundente em siderurgia' 1881. Do fr. *castine*, alteração do al. *Kalkstein*, de *Kalk* 'cal' + *Stein* 'pedra'.
castin·çal, -ceira → CASTANHA.
casto *adj.* 'puro, inocente, imaculado' XIII. Do lat. *castus* || **casta** *sf.* 'camada social hereditária e endógama, cujos membros pertencem à mesma raça, etnia, profissão ou religião' '*fig.* raça, linhagem, classe' XV. O voc. português passou às outras línguas da Europa || **castiço** *adj.* 'de boa casta' XVI. Do cast. *castizo* || **castidade** *sf.* 'qualidade ou caráter de casto' XIII. Do lat. *castĭtās -ātis* || **cast**IFIC·AR *vb.* 'tornar casto' 1844. Do lat. *castificāre*.
⇨ **casto** — **cast**IFIC·AR | 1836 sc |.

castor sm. 'mamífero roedor' 1813. Do lat. *castor -ŏris*, deriv. do gr. *kástōr -oros* ‖ **castór**EO sm. 'substância aromática segregada por glândulas do ventre do castor, e de antiga aplicação medicinal' XVIII. Do fr. *castoréum*, deriv. do lat. *castorĕum -ī* ‖ **castor**INA sf. 'tecido fabricado com o pelo do castor' 1813. Do fr. *castorine*.
castrametar vb. 'acampar em' 'fortificar' XVII. Do lat. *castramētāri* ‖ **castr**ENSE adj. 2g. 'relativo a castro' 'ext. referente à classe militar' 1813. Do lat. *castrēnsis -e* ‖ **castro** sm. 'castelo fortificado' 1873. Do lat. *castrum -ī*.
castrar vb. 'cortar ou destruir os órgãos reprodutores' | XIV, *crastar* XIII | Do lat. *castrāre* ‖ **castr**AÇÃO 1813. Do lat. *castrātiō -ōnis* ‖ **castr**ADO | XIV, *crastado* XIII ‖ **castr**ADOR 1881. Do lat. *castrātore* ‖ **crestar**[2] vb. ' orig. desfalcar, saquear, despojar' 'ext. tirar o mel (da colmeia), colhendo parte dos favos' XVI. Forma divergente de *castrar* ‖ **cresto** sm. 'chibo castrado aos oito dias de idade' XX. Der. regress. de *crestar*.
castr·ense, -o → CASTRAMETAR.
castrolomancia sf. 'antiga arte de adivinhar por meio de garrafa ou redoma cheia de água' 1899. De origem obscura; o segundo elemento é derivado do gr. *manteía* 'adivinhação' (v. -MANCIA).
casual, -idade → CASO.
casuar sm. 'ave corredora, que lembra o avestruz' | *casoar* 1838, -*zoar* 1839 | Do fr. *casoar*, deriv. do lat. cient. *casuaris* e, este, do malaio *kasuwārī* ‖ **casuar**INA sf. 'designação comum a várias plantas ornamentais originárias da Austrália' 1899.
casu·ísmo, -ísta, -ística, -ístico → CASO.
casula sf. 'vestimenta sacerdotal' XIII; 'casca, vagem' | -*lla* XV |; 'pequena divisão, vão' 'poro' XVI. Do lat. *casŭla*, dim. de *casa* ‖ **casulo** sm. 'invólucro filamentoso, construído pela larva do bicho-da-seda ou por outras' XVI. Cp. CASA.
cata → CATAR.
cata- elem. comp., do gr. *kata-*, de *katá* 'do alto de, de cima para baixo' 'sobre', que se documenta em compostos formados no próprio grego, como *catabiose*, por exemplo, e em vários outros introduzidos, a partir do séc. XIX, na linguagem científica internacional. Registram-se, a seguir, em verbetes independentes, no seu respectivo lugar alfabético, os compostos mais importantes, particularmente os que já vieram formados do grego.
catabiose sf. '(Med.) desenvolvimento normal e harmônico dos tecidos' XX. Cp. gr. *katabíōsis* 'ação de passar a vida'. V. CATA-.
catabolismo sm. '(Med.) desassimilação' XX. Do ing. *catabolism* (em oposição a *metabolism*), deriv. do gr. *katabolé* 'base, fundamento'.
catacáustico adj. '(Geom.) diz-se de superfície cáustica pela reflexão de raios luminosos numa outra superfície' 1873. Do fr. *catacaustique*, deriv. do gr. *katákausis* 'combustão'.
cataclismo sm. 'grande inundação, dilúvio' | 1813, -*clys*- 1873 | Do fr. *cataclysme*, deriv. do lat. tard. *cataclysmus* e, este, do gr. *kataklysmós*.
⇨ **cataclismo** sm. 'grande inundação, dilúvio' | *cathaclismus* 1523 ABEJA 5v8, *cathaclismo* Id. 6.3, *cathaclysmo* Id. 9.3 | Do lat. *cataclysmos -ī*, deriv. do gr. *kataklysmós*, de *kataklyzō* 'inundo' (de *katá*

[v. CATA-] + *klýzō* 'eu banho, lavo'). O voc. passou às demais línguas da cultura, como ao cast. *cataclismo* (1541), ao fr. *cataclysme* (1548, *cateclisme* 1540) e, através do francês, ao it. *cataclisma* (1865, *cataclismo* 1719), ao ing. *cataclysm* (*cataclisme* 1637) etc.
catacrese sf. '(Ret.) aplicação de um termo figurado por falta de termo próprio' | -*chrese* 1813 | Do fr. *catachrèse*, deriv. do lat. *catachrēsis* e, este, do gr. *katáchrēsis*.
catacumba(s) sf. (pl.) 'galeria(s) subterrânea(s) em cujas paredes se faziam tumbas e onde os primeiros cristãos se reuniam secretamente' 1813. Do lat. tard. *catacumbae*, de origem incerta.
catacústica sf. '(Fís.) parte da acústica que estuda a repercussão dos sons' 1844. Do fr. *catacoustique*, composto do gr. *kata-* + *akoustikós*.
⇨ **catacústica** | 1836 SC |.
catadióptrica sf. '(Fís.) parte da óptica que estuda a reflexão e a refração da luz' 1844. Do fr. *catadioptrique*, composto do gr. *kata-* + *dioptrikē*.
⇨ **catadióptrica** | 1836 SC |.
catádromo adj. 'diz-se do peixe de rio que desce para o mar na época da desova' 1844. Do lat. cient. *catadromus*, deriv. do gr. *katádromos*.
⇨ **catádromo** | 1836 SC |.
catadupa sf. 'queda de grande porção de água corrente' XVII. Do fr. *catadoupe*, deriv. do lat. *catadūpa* e, este, do gr. *katádoupoi*.
catadura → CATAR.
catafalco sm. 'estrado alto sobre o qual se coloca o féretro' 1844. Do it. *catafalco*, provavelmente deriv. do prov. *cadafalc* (-*fals* pl.) e, este, do lat. vulg. *catafalĭcum, resultante do cruzamento de *catasta* 'estrado em que os escravos eram expostos à venda' com *fala* 'torre de madeira'. Cp. CADAFALSO.
⇨ **catafalco** | 1836 SC |.
catáfora sf. '(Pat.) sonolência mórbida, sem febre nem delírio' | -*pho*- 1858 | Do fr. *cataphora*, deriv. do lat. tard. *cataphora* e, este, do gr. *kataphorá*.
cataléctico adj. 'diz-se do verso em que há supressão de uma ou mais sílabas finais' XVI. Do fr. *catalectique*, deriv. do lat. *catalēcticus* e, este, do gr. *katalēktikós* ‖ Acataléctico 1844. Do fr. *acatalectique*, deriv. do lat. tard. *acatalēcticus* e, este, do gr. *akatálēktikós* ‖ Acatalecto 1871. Do lat. tard. *acatalectus*, deriv. do gr. *akatalēktós* ‖ **catalecto** sm. 'antologia de clássicos antigos' 1844. Do lat. *catalectus, deriv. do gr. *katálekta* '(coisas) escolhidas'.
⇨ **cataléctico — catalecto** | 1836 SC |.
catalepsia sf. '(Med.) estado mórbido, ligado à auto-hipnose ou à histeria, caracterizado pelo enrijamento dos membros, insensibilidade, respiração e pulsos lentos, e palidez cutânea' 1844. Do fr. *catalepsie*, deriv. do lat. tard. *catalēpsia* e, este, do gr. *katálēpsis* ‖ Acatalepsia sf. '(Fil.) incapacidade de compreensão' (Med.) incerteza no diagnóstico e na prognose' 1844. Do fr. *acatalepsie*, deriv. do gr. *akatalēpsia* ‖ Acataléptico 1844. Cp. gr. *akatalēptikós* ‖ **catalép**TICO XVI. Do fr. *cataleptique*, deriv. do lat. tard. *catalē(m)pticus* e, este, do gr. *katalēptikós*.
⇨ **catalepsia** | 1836 SC ‖ Acatalepsia | 1836 SC ‖ Acataléptico | 1836 SC |.

catálise sf. '(Fís.-Quím.) modificação de velocidade de uma reação química pela presença e atuação de uma substância que não se altera no processo' | *-lysa* 1873, *-lyse* 1881 | Do fr. *catalyse*, deriv. do lat. vulg. *catalysis* e, este, do gr. *katálysis* 'dissolução' || **catalis**ADOR *adj. sm.* 'diz-se de, ou substância que produz catálise' XX. Do fr. *catalysateur* || **catalis**AR 1899. Do fr. *catalyser*, deriv. do gr. *kataly'zo* || **catalít**ICO | *-ly-* 1858 | Do fr. *catalytique*, deriv. do gr. *katalytikós*.

catálogo *sm.* 'relação ou lista sumária, metódica, e geralmente alfabética, de pessoas ou coisas' | *-tha-* XVI | Do lat. tard. *catalogus*, deriv. do gr. *katálogos* || **catalog**AÇÃO XX || **catalog**ADO 1899 || **catalog**AR 1871.

catamarão *sm.* 'espécie de jangada de três ou quatro pranchas, originária da Índia' *a* 1557. Do tam. *kaṭṭumaram* (*kaṭṭu* 'ligadura' + *maram* 'pau').

catamênio *sm.* 'mênstruo' 1858. Do lat. med. *catamênia*, deriv. do gr. *katamênia*.

catana *sf.* 'espécie de alfanje' XVI. Do jap. *katana* 'espada'.

catanduva *sf.* 'mato rasteiro e espinhoso' 1899. Do tupi **kaataŋ'ĩỹa*.

catão[1] *sm.* 'caranguejo' XVI. Do malaio *ketam*.

catão[2] *sm.* 'homem de costumes ou princípios austeros' 1899. Do antrop. *Catão* (234-149 a.C.), nome de um austero censor romano || **caton**IANO *adj.* 'pertencente ou relativo a Catão' 1873.

catapereiro → PERA.

cataplasma *sm.* 'papa medicamentosa que se aplica, entre dois panos, a uma parte do corpo dolorida ou inflamada' XVIII. Do fr. *cataplasme*, deriv. do lat. *cataplasma* e, este, do gr. *katáplasma*.

cataplexia *sf.* '(Med.) crise passageira de extrema fraqueza muscular' 1844. Do lat. *cataplexis*, deriv. do gr. *katáplēxis* 'espanto, abatimento' || **cataplét**ICO 1873.

⇨ **cataplexia** | 1836 SC |.

catapora *sf.* 'denominação vulgar da varicela' 1899. Do tupi **tata'pora*, de *ta'ta* 'fogo' + *'pora* 'que salta, que irrompe'.

⇨ **catapora** | 1836 SC |.

catapulta *sf.* 'engenho de guerra usado na Antiguidade para lançar pedras ou dardos grandes' XVII. Do lat. *catapulta*, deriv. do gr. *katapéltēs*.

catar *vb.* 'mirar, procurar com a vista' XIII. Do lat. *captāre* || **cata** XVI. Der. regress. de CATAR || **cat**ADURA *sf.* 'semblante, fisionomia' XIII || **cat**AMENTO XIV || RE**cat**AR[2] *vb.* 'tornar a catar, rebuscar' XIX. Cp. CAPTAR.

catarata *sf.* 'cascata de água de grande volume' | *cataracta* XIV, *catarracta* XVI |; '(Patol.) perda de transparência do cristalino ou da sua cápsula' | *cataracta* XVII | Do lat. *cataracta*, deriv. do gr. *katarrháktēs*.

catarina *sf.* 'roda de encontro do relógio' 1813. Do antrop. *Catarina*. A roda é assim denominada por alusão à do martírio de Santa Catarina de Alexandria (séc. IV).

catarinense *adj. s2g.* 'relativo a, ou natural do Estado de Santa Catarina' | *-tha-* 1899 | Do top. *(Santa) Catarina* || **catarin**ETA *adj. s2g.* 'catarinense' 1899.

catarro *sm.* '(Patol.) inflamação aguda ou crônica das mucosas, com ou sem aumento da secreção da mucosa inflamada' XVII. Do fr. *catarrhe*, deriv. do lat. tard. *catarrhūs* e, este, do gr. *katárrhous* || **catarr**AL 1844 || **catarr**EIRA *sf. 'fam.* defluxo, constipação' 1844 || **catarr**ENTO 1844 || **catarri**NO *adj. sm.* 'diz-se de, ou espécime de macacos, caracterizada pelo septo nasal estreito e narinas voltadas para baixo' | *-rrhinios* pl. 1881 | Do lat. cient. *catarrhīna*, deriv. do gr. *katárrhīn -rhīnos* || EN**catarr**AR XX.

⇨ **catarro** — **catarr**AL | *catarrhal* 1836 SC || **catarr**EIRA | *-rrheira* 1836 SC || **catarr**ENTO | *-rrhento* 1836 SC |.

catarse *sf.* 'purgação, purificação, limpeza', '(Psic.) efeito salutar provocado pela conscientização de uma lembrança fortemente emocional e/ou traumatizante, até então reprimida' '(Teat.) o efeito moral e purificador da tragédia clássica' XX. Do ing. *catharsis*, deriv. do gr. *katharsis* 'purificação' || **catárt**ICO 1813. Do lat. tard. *Catharticus*, deriv. do gr. *kathartikós*. deriv. do gr. *kátharsis* 'purificação' || **catárt**ICO 1813. Do lat. tard. *catharticus*, deriv. do gr. *kathartikós*.

catástase *sf.* 'constituição, temperamento' '(Teat.) a terceira parte da tragédia clássica' 1858. Cp. gr. *katástasis* 'estado, colocação, disposição'.

⇨ **catástase** | 1836 SC |.

catástrofe *sf.* 'acontecimento lastimoso ou funesto' 'grande desgraça' | *-phe* XVII | Do fr. *catastrophe*, deriv. do lat. tard. *catastrophē* e, este, do gr. *katastrophḗ* || **catastróf**ICO XX. Do fr. *catastrophique*.

catatau *sm.* 'pancada' 'espada velha' | *catatáo* 1813 |; *'pop.* 'coisa grande ou volumosa' XX. Provavelmente de formação expressiva.

catatonia *sf.* '(Patol.) forma de alienação com tensão permanente de certos músculos' XX. Do lat. cient. *catatonus*, deriv. do gr. *katátonos* || **catatôn**ICO XX.

catau *sm.* '(Marinh.) dobra ou nó que se dá no seio de um cabo para encurtá-lo ou remediar um ponto fraco' 1899. De origem obscura.

catauari *sm.* 'planta da fam. das caparidáceas' 1886. Do tupi **kataṵa'ri*.

catazona *sf.* (Geol.) zona mais profunda do metamorfismo' XX. Do gr. *katá* 'para baixo' + *zṓnē* 'zona', por via erudita.

catecismo *sm.* 'livro elementar de instrução religiosa' 'ensino dos dogmas e preceitos da religião' XVI. Do lat. *catēchismus -ī*, deriv. do gr. *katēchismós* || **catecúmeno** *sm.* 'aquele que se prepara para receber o batismo' | XVII, *cathecumyna* f. XIV | Do lat. tard. *catēchūmenus* e, este, do gr. *katēchoúmenos* || **catequese** *sf.* 'doutrinação religiosa' | 1813, *-the-* 1813 | Do fr. *catéchèse*, deriv. do lat. ecles. *catēchēsis* e, este, do gr. *katéchēsis* 'instrução oral' || **catequét**ICO | *-chetico* 1873 || **catequ**ISTA | *-the-* XVII | Do fr. *catéchiste*, deriv. do lat. ecles. *catēchista* e, este, do gr. *katēchistés* || **catequi**ZAÇÃO | *-the-*1813 || **catequi**ZAR XVI. Do fr. *catéchiser*, deriv. do lat. ecles. *catechizāre* e, este, do gr. *katēchízō*.

cátedra *sf.* 'cadeira' 'cargo ou função de professor titular' 'matéria, disciplina' XVII. Do lat. *cathědra*, deriv. do gr. *kathédra* || **catedral** *sf.* 'igreja episcopal de uma diocese' | XIV, *-the-* XIV etc. | Do fr. *cathédrale* || **catedrát**ICO | *-the-* XVIII | Cp. CADEIRA.

categoria *sf.* 'caráter, espécie, natureza' XVIII. Do fr. *catégorie*, deriv. do lat. *catēgoria* e, este, do gr. *katēgoría* ‖ **categór**ICO | *-the-* 1813 | Do fr. *catégorique*, deriv. do lat. tard. *catēgoricus* e, este, do gr. *katēgorikós*.
categute *sm.* 'fio de origem animal, feito em geral da tripa de carneiro, empregado em cirurgia, para suturas' XX. Do ing. *catgut*.
catenária *sf.* '(Geom.) curva formada por uma corda ou cadeia muito flexível, pendente pelas duas extremidades' XVIII. Do fr. *caténaire*, deriv. do lat. *catēnāria* 'presa por uma cadeia' ‖ **catênula** *sf.* 'pequena cadeia' 1873. Do lat. *catēnŭla* ‖ **catenul**IAR *adj.* 2g. 1873.
catequ·ese, -ético, -ista, -ização, -izar → CATECISMO.
cateretê *sm.* 'tipo de dança rural' 1899. De provável origem africana, mas de étimo indeterminado.
caterva *sf.* 'multidão de pessoas ou de animais' XVII. Do lat. *caterva*.
cateter *sm.* '(Med.) tipo de sonda' | *-theter* 1844 | Do fr. *cathéter*, deriv. do lat. tard. *cathetēr -ēris* e, este, do gr. *kathetḗr -ēros* ‖ **cateter**ISMO *sm.* 'sondagem por meio do cateter' | *-thete-* 1844 | Do fr. *cathétérisme*, deriv. do lat. tard. *cathetērismus* e, este, do gr. *kathetērismós*.
⇨ **cateter** | *-theter* 1836 SC ‖ **cateter**ISMO | *-thete-* 1836 SC |.
cateto *sm.* '(Geom.) cada um dos dois lados perpendiculares entre si, no triângulo retângulo' 1519. Do lat. *căthĕtus*, deriv. do gr. *káthetos* (sc. *grammḗ*) '(linha) perpendicular' (< *kathiénai* 'baixar, fazer descer').
cati *sf.* 'planta aromática e acre, da fam. das ciperáceas' | *-thy* XVII | Do concani *kātī*, deriv. do dravídico *katti*.
catilinária *sf.* 'acusação violenta e eloquente' 1813. Do lat. *Catilīnāria*, do antrop. *Catilīna*, político romano (109-62 a.C.) contra o qual Cícero fez sua famosa oração.
catimbau¹ *sm.* 'prática de feitiçaria ou baixo espiritismo' 'cachimbo usado no catimbau' | *-báo* 1813 | De origem incerta, provavelmente africana.
catimbau² *sm.* 'homem ridículo' | *-báo.* 1813 | Do esp.-americ. *catimbao*.
catimpoeira *sf.* 'espécie de bebida indígena, à base de aipim fermentado' 1781. De provável origem tupi.
catinga *sf.* 'chêiro forte e desagradável que se exala do corpo humano suado ou pouco limpo' 1813. De origem incerta; talvez se relacione com CAATINGA ‖ **cating**AR *vb.* 'feder' 1873 ‖ **cating**OSO 1899.
cátion *sm.* '(Fís.-Quím.) íon com carga positiva' XX. Do ing. *cation*, deriv. do gr. *katión -óntos* 'que desce'.
catita¹ *sf.* '(Mar.) pequena vela latina quadrangular' XIX. De origem controvertida ‖ **catita**² *adj.* 2g. 'elegante, airoso' 1881.
cativar *vb.* 'tornar cativo' 'capturar' XIII. Do lat. *captīvāre* ‖ **cativ**AÇÃO XVI. Do lat. *captīvātĭō -ōnis* ‖ **cativ**ANTE 1899 ‖ **cativ**EIRO *sm.* 'escravidão, servidão' XIV ‖ **cativ**IDADE XIII. Do lat. *captīvĭtās -ātis* 'condição de cativo' 'cativeiro' ‖ **cativo** *adj. sm.* XIII. Do lat. *captīvus* 'prisioneiro'.
catodo *sm.* '(Eletr.) eletrodo negativo' XX. Do fr. *cathode*, deriv. do gr. *káthodos*, de *kata+ hodós* 'caminho', pelo modelo de *eletrodo*.
católico *adj. sm.* 'que pertence ao, ou professa o catolicismo' | XV, *-tho-* XIII | Do lat. ecles. *catholĭcus* 'comum a todos os cristãos', deriv. do gr. *katholikós* 'universal' ‖ ACATÓLICO | *-tho-* 1871 ‖ **catoli**CISMO *sm.* 'religião dos cristãos que reconhecem o Papa como autoridade máxima' | *-tho-* 1813.
catoniano → CATÃO²
catóptrica *sf.* 'arte relativa aos espelhos' XVIII. Do fr. *catoptrique*, deriv. do gr. *katoptrikós*, de *kátoptron* 'espelho' ‖ **catoptro**MANC·IA 1813 ‖ **catoptro**MANTE XX.
catota *sf.* 'planta da fam. das solanáceas' 1881; 'bras. meleca' XX. De criação expressiva.
catraia *sf.* 'pequeno barco tripulado por um homem' XVIII. De origem obscura ‖ **catrai**EIRO 1844.
⇨ **catraia** — **catrai**EIRO | 1836 SC |.
catrapus *sm.* 'o galopar do cavalo' | *-pos* 1844 | De formação expressiva, talvez baseada em *quatro* e *pés*.
⇨ **catrapus** | *-pôs* 1836 SC |.
catre *sm.* 'leito tosco' | *catel* XVI, *catele* XVI, *catle* XVI etc. | Do tam. *kaṭṭil* 'cama, sofá', relacionado com o sânscr. *khátvā* 'leito, catre' .
catuaba *sf.* 'planta da fam. das bignoniáceas' 1899. De provável origem tupi.
catual *sm.* 'título do capitão de uma fortaleza, no Oriente' | XVI, *catuaa* XVI, *quituall* XVI | Do pers. *kotual* 'comandante da fortaleza', deriv. do sânscr. *koṭa* 'fortaleza' + *pāla* 'guarda'.
catulé *sm.* 'palmeira da subfam. das ceroxilíneas' 1817. Do tupi *katu're* ‖ **catule**Z·EIRO | *cato-* 1875.
cátulo *sm.* '(Poét.) cachorro, cão' 1813. Do lat. *catŭlus -ī* 'cria' 'cãozinho'.
catupé *sm.* 'bras. antiga dança popular' 1899.De origem obscura.
caturra *adj.* 2g. 'diz-se de pessoa teimosa, agarrada a velhos hábitos, sempre disposta a achar defeitos, a discutir' 1813. De origem obscura ‖ **caturr**ICE 1813 ‖ **caturr**ISMO XX.
cauaçu *sm.* 'nome de várias plantas das famílias das quenopodiáceas, poligonáceas e rubiáceas' | *cauassú* 1833, *caoassú* 1875 | Do tupi **kaya'su*.
caução *sf.* 'cautela, precaução' 'garantia, segurança' | *cauçom* XIII | Do lat. *cautĭō -ōnis* ‖ **caucion**AR *vb.* 'dar em caução ou garantia'. XVIII.
caucho *sm.* 'planta da fam. das moráceas, de fruto sucoso e doce, e que fornece látex em quantidade reduzida' | *caoutchouc* 1873 | Do cast. *caucho*, deriv. de um idioma indígena da América do Sul, provavelmente do Peru, *káučuk*.
caucionar → CAUÇÃO.
cauda *sf.* 'prolongamento posterior, mais ou menos comprido, do corpo de alguns animais' 1572. Do lat. *cauda* ‖ **caud**AL² 2g. XVI ‖ **caud**ÁRIO *sm.* 'aquele que, nas solenidades, levanta e leva a cauda das vestes das autoridades eclesiásticas ou altos dignitários' 1813. Do fr. *caudataire*, deriv. do lat. ecles. *caudatarius* ‖ **caud**ATO *adj.* 'que tem cauda' XVI. Do lat. med. *caudatus* ‖ **caud**ÍMANO *adj.* 'que apreende os objetos com a cauda' 1873.
caudal¹, **caudaloso** → CAPITAL.
caudat·ário, -o → CAUDA.
caudilh·ismo, -ista, -o → COUDEL.

caudímano → CAUDA.
caudino *adj. sm.* 'relativo a, ou natural de Cáudio, antiga povoação da Itália' | *-na* 1572 | Do lat. *Caudīnus*, do top. *Caudĭum*, *-ĭī* 'Cáudio'.
cauim *sm.* 'nome genérico das bebidas fermentadas que os índios do Brasil preparavam com a mandioca e o milho, como também com o caju, o ananás e diversas outras frutas' | 1851, *caõy c* 1584, *cagũi* 1585 etc. | Do tupi *ka'uĩ*.
caule *sm.* '(Bot.) parte aérea, provida de apêndices verdes, ou folhas, do eixo das plantas superiores, ligada à raiz pelo coleto' 1873. Do lat. *caulis -is* || **caulesc**ENTE *adj. 2g.* '(Bot.) diz-se do vegetal que tem caule manifesto' 1844. Do fr. *caulescent*, deriv. do lat. cient. *caulēscēns -entis*, part. de *caulēscēre* 'lançar hastes, talos' || **caulí**COLA 1881 || **caulí**CULO | *caulicolo* 1873 | Do lat. *caulicŭlus -ī* || **caulí**FERO 1844 || **cauli**FIC·AÇÃO *sf.* '(Bot.) formação do caule' XX || **cauli**FLORO 1873.
➪ **caule** | 1836 SC || **caulesc**ENTE | 1836 SC || **caulí**CULO | *-colo* 1836 SC || **caulí**FERO | 1836 SC |.
caulim *sm.* 'argila pura, de cor branca' | *kaolin* XIX | Do fr. *kaolin*, do top. *Kao Ling*, localidade do norte da China, de onde se extraiu primeiramente esta matéria.
caúna *sf.* 'nome comum a diversas plantas aquifoliáceas do gênero *Ilex*' 1899. Do tupi *kaa'una* (< *ka'a* 'erva + *'una* 'preto').
cauré[1] *sm.* 'ave da fam. dos falconídeos' XX. Do tupi **kau're*.
cauré[2] *sm.* 'espécie de erva aromática' 1899. Do tupi **kau're*.
cauri *sm.* 'búzio' 'moeda corrente no século passado, do Sudão à China (onde as conchas eram usadas como moeda)' | *-ril* XVI | Do hindust. *kaurī*.
causa *sf.* 'aquilo ou aquele que faz com que uma coisa exista' 'o que determina um acontecimento' XIII. Do lat. *causa* || **caus**AÇÃO XX. Do lat. *causātĭō -ōnis* || **caus**ADOR XVII || **caus**AL 1858. Do lat. *causālis -ē* || **caus**AL·IDADE *sf.* 'relação de causa e efeito' XVII. Do lat. *causālitās -ātis* || **caus**AR *vb.* 'ser causa de' 1500. Do lat. *causāri* 'pretextar, alegar' || **caus**ATIVO 1858. Do lat. *causātīvus* || **causídico** *sm.* 'defensor de causas, advogado' 1813. Do lat. *causidĭcus -ī*.
➪ **causa** — **caus**AL | 1836 SC || **caus**ATIVO 1836 SC |.
cáustico *adj.* 'que queima, cauteriza ou carboniza os tecidos orgânicos' XVI. Do lat. *causticus*, deriv. do gr. *kaustikós* || **caustic**AR 1813 || **caustici**DADE 1858. Do fr. *causticité*.
➪ **cáustico** — **caustici**DADE | 1836 SC |.
cautela *sf.* 'cuidado, precaução' *'ext.* tipo de recibo' XV. Do lat. *cautēla* || A**cautel**AMENTO 1813 || A**cautel**AR 'prevenir, precaver' 1562 || A**cautel**ATÓRIO XX || **cautel**AR *vb.* 'acautelar' XVI || **cautel**OSO XVI || **cauto** *adj.* 'acautelado' 1572. Do lat. *cautus* || IN**cauto** 1572. Do lat. *in-cautus*.
➪ **cautela** — A**cautel**AMENTO | 1562 JC |.
cautério *sm.* 'agente utilizado para destruir os tecidos orgânicos e os converter em escara' XVI. Do lat. tard. *cautērĭum* (cláss. *cautēr -ēris*) , deriv. do gr. *kautḗrion* 'medicamento cáustico' || **cauter**IZ·AÇÃO | *-sa*- 1844 | Do fr. *cautérisation* || **cauter**IZAR *vb.* 'aplicar cautério a' XV. Do lat. tard. *cautērizāre*, deriv. do gr. *kautēriázō*.

➪ **cautério** — **cauter**IZ·AÇÃO | 1835 SC |.
cava *sf.* 'fosso' XIII. Do lat. *cava* (de *cavus*) || **cav**ACA *sf.* 'cavaco'[1] 'tipo de biscoito' 1813 || **cav**AÇÃO XX || **cav**ACO[1] *sm.* 'estilha ou lasca de madeira' XVI || **cav**ACO[2] *sm.* '*pop.* bate-papo' XX || **cav**ADEIRA 1899 || **cav**ADO XIII || **cav**ADOR XVII. Do lat. *cavātor -oris* || **cavaqu**EAR *vb.* '*pop.* conversar singelamente, em intimidade'. De *cavaco*[2] || **cavaqu**EIRA *sf.* 'cavaco'[2] XIX. De *cavaquear* || **cavaqu**INHO *sm.* 'pequena viola' 1844. Dim. de *cavaco*[1] (as pequenas dimensões do instrumento teriam lembrado as de uma lasca de madeira) || **cav**AR *vb.* 'revolver ou furar (a terra)' *'ext.* 'furar, esburacar' XIII. Do lat. *cavāre* || **cavatina** *sf.* '(Mús.) pequena ária, geralmente intercalada num recitativo' XVIII. Do it. *cavatina*, de *cavata* 'arte de extrair com arte um som de um instrumento' || DES·EN**cav**AR 1873 || ES**carvar** *vb.* 'cavar superficialmente' 1871. Do lat. tard. *scarifare*, deriv. do gr. *skariphaomai* 'raspar com um objeto profundo' || **escav**AÇÃO 1873. Do lat. *excavātĭō -ōnis* || ES**cav**ADEIRA XX || ES**cav**AR XIV. Do lat. *excavāre*.
➪ **cava** — **cavaqu**INHO | 1836 SC || DE·SEN**cav**ar *dezencavar c* 1608 NOReb 182.*43* || ES**carva** | 1634 MNor 221.*9* || ES**carvar** | 1836 SC |.
caval·a, -ar, -aria, -ariano, -ariça, -ariço, -eiro, -ete, -gada, -gador, -gadura, -gamento, -gar, -gata, -hada → CAVALO.
cavalheiro *sm.* 'homem de sentimentos e ações nobres' 'homem educado, cortês' 1813. Do cast. *caballero*, deriv. do lat. tard. *caballarius* || **cavalhei**RESCO 1873. Do cast. *caballeresco* || **cavalhei**RISMO 1881. Cp. *cavaleiro* (v. CAVALO).
cavalo *sm.* 'animal mamífero da ordem dos perissodáctilos' XIII. Do lat. *caballus* || A**caval**ADO | *-lla*- 1645 || **cabal**INO *adj.* '(Poét.) referente a Pégaso, cavalo alado mitológico, que feriu a terra com o casco, fazendo brotar a fonte de Hipocrene' | *caballina* 1873 | Do lat. *caballīnus* || **cavala** *sf.* 'peixe escombrídeo, espécie de sarda' XV || **caval**AR *adj. 2g.* | *-llar* XVI || **caval**ARIA XIII || **cavalari**ANO *adj.* 'soldado de cavalaria' 'cavaleiro' 1899 || **cavalariça** *sf.* 'cocheira, estrebaria' XVI || **cavalariço** *sm.* 'empregado de cavalariça ou de coudelaria' XV || **caval**EIRO *adj. sm.* 'que anda a cavalo' XIII. Do lat. *caballārius* || **caval**ETE | *-lle*- XVI || Do it. *cavalletto* || **caval**G·ADA XIII | **caval**G·ADOR XIII | **caval**G·ADURA *sf.* 'besta' | *-vall*- XV || **caval**G·AMENTO XX || **caval**G·AR *vb.* 'montar sobre' 'andar a cavalo' XIII. Do lat. vulg. *cabăllĭcāre* || **caval**G·ATA *sf.* 'cavalgada' 1873. Do it. *cavalcata* || **cavalh**ADA *sf.* 'porção de cavalos' 'gado cavalar' XVI || DES**caval**G·AR XIII || EN**caval**G·ADO XIII || EN**caval**G·ADURA XIV || EN**caval**G·AR | *-bal*- XV.
➪ **cavalo** — **caval**AR | *cauallares* pl. 1393 VERE 219.*8* || **cavala**RIÇA | *caualarica* 1394 VERE 227.*19* |.
cavanejo *sm.* 'cesto alto de vime, para coar o mosto' | 1813, *caba*- 1899 | De origem incerta; talvez se ligue a *cabano*[1].
cavanhaque *sm.* 'barbicha no queixo, aparada em ponta' XX. Do fr. *cavaignac*, do antrop. *Cavaignac*, de Louis Eugène Cavaignac, general francês (1802-1857) que usava a barba assim aparada.
cava·quear, -queira, -quinho, -r, -tina → CAVA.

caveira *sf.* 'cabeça descarnada ou esqueleto da cabeça' | *caaueyra* XIII, *caueyra* XIII, *caueira* XV | Do lat. *calvārĭa* 'crânio', de *calvus* 'calvo' || ESCaveirADO 1813. Cp. CALVO.
caverna *sf.* 'grande cavidade no interior da terra' '*ext.* cavidade' 1572; '(Constr. Nav.) cada uma das peças fixadas na quilha da embarcação e que dão forma à parte inferior da carena' XVII. Do lat. *caverna* || cavernAME *sm.* '(Constr. Nav.) o conjunto das peças que dão forma ao casco da embarcação' 1881 || cavernÍCOLA XX. Do fr. *cavernicole* || cavernOSO 1572. Do lat. *cavernōsus*.
caveto *sm.* '(Arquit.) moldura côncava, cujo perfil é um quarto de círculo' 1881. Do it. *cavétto*, dim. de *cavo* 'côncavo, profundo'. Cp. CAVA.
cav(i)- *elem. comp.*, do lat. *cavus -i* 'profundo, cavado, côncavo, oco', que se documenta em alguns compostos, introduzidos a partir do séc. XIX, na linguagem científica internacional ▶ **cavi**CÓRN·EO | -*corne* 1873 | Do fr. *cavicorne*, deriv. do lat. cient. *cavicornus* || **cavidade** *sf.* 'espaço cavado de um corpo sólido' XVII. Do lat. tard. *cavitās -ātis* || **cavi(r)**ROSTRO | -*rostro* 1899 | Do fr. *cavirostre* || **cavitação** *sf.* 'formação de bolhas de vapor ou de gás líquido, por efeito de forças de natureza mecânica' XX. Do fr. *cavitation*, 'formação de cavidade', deriv. do lat. **cavitatiōnem* || **cavo** *adj.* 'côncavo, fundo' 1813. Do lat. *cavus -i* || **cavo**(U) C·AR *vb.* 'abrir cavoucos em' 1813. Do *cavouco* || **cavo**(U)CO *sm.* 'cova, fosso, vala' | *cauouquo* XVI | De cav(i)- + -OCO || **cavo**(U)QU·EIRO | XVI, *cabo-* XVI | De *cavouco*.
caviar *sm.* 'ovas de esturjão conservadas em sal ou enlatadas' | *cabial* 1844, *cabiar* 1844, *cavial* 1844 | Do fr. *caviar*, deriv. do it. *caviale*; o voc. it. procede do lat. med. *caviarium*, deriv. do gr. med. *chabiárion* e, este, do turco *ḫāviâr*.
⇨ *caviar* | 1836 SC |.
cavi·córneo, -dade → CAV(I)-.
cavilação *sf.* 'astúcia, ardil, manha' 'ironia maliciosa' XVI. Do lat. *cavillātĭō -ōnis* 'gracejo, zombaria' 'sutileza' || **cavil**ADOR | *cauilla-* XVI | Do lat. *cavillātor -ōris* || **cavil**AR XVI. Do lat. *cavillāre* 'ser objeto de riso' 'gracejar' || **cavil**OSO XVI.
cavilha *sf.* 'peça para juntar ou segurar madeiras, chapas etc., ou tapar um orifício' XVI. Do prov. *cavilha*, deriv. do lat. *clāvīcula*, dim. de *clavis -is* 'chave, tranca', dissimilado em *cāvīcla*.
cavi·rrostro, -tação → CAV(I)-.
cav·o, -oucar, -ouco, -ouqueiro → CAV(I)-.
caxambu *sm.* 'grande tambor' 'dança' 'morro em forma de tambor' XX. De provável origem africana, mas de étimo indeterminado.
caxinguelê *sm.* 'designação comum a várias espécies de mamíferos roedores da fam. dos ciurídeos' | 1899, *caxinangulé* 1881 | De origem africana, provavelmente do quimb.
caxiri *sm.* 'iguaria preparada com o beiju diluído em água' 1833. De provável origem tupi.
caxumba *sf.* '(Patol.) inflamação aguda da parótida' 1899. De origem incerta, talvez africana.
cear → CEIA.
cearense *adj. s2g.* 'relativo a, ou natural do Ceará' 1899. Do top. *Cear(á)* + -ENSE.
cebo *sm.* 'denominação científica de uma espécie de macacos da América' XX. Do lat. cient. *cēbus*, deriv. do gr. *kēbos*.
cebola *sf.* 'planta bulbosa alimentar, da fam. das liliáceas, usada como condimento' XIII. Do lat. *cēpŭlla* (dim. de *cepa*) || ACebolADO XX || cebolADA *sf.* 'molho preparado com cebolas guisadas ou fritas' 1844.
⇨ **cebola** — cebolADA | 1836 SC |.
ceca (usado na expr. *andar de ceca em meca* 'andar por várias terras') 1873. Provavelmente do cast. *ceca*, deriv. do hispano-árabe *sékka*, abrev. de *dār as- sékka* 'casa da moeda' e, este, do ár. *sikka* 'moeda'.
cecear *vb.* 'pronunciar as fricativas alveolares apoiando nos dentes a ponta da língua' | *çeçear* XV | Do cast. *cecear*, deriv. de *ce*, com a acepção de 'pronunciar a letra *s* como o *c*' || **ceceio** | *ceceo* 1813 | Do cast. *ceceo*.
cecém *sf.* '(Poét.) açucena' | *cecêm* 1572 | Do ár. *sūsanâ*. Cp. AÇUCENA.
ceco *sm.* '(Anat.) a primeira parte do intestino grosso' | 1899, *cécum* 1881 | Do lat. *caecus* 'cego, invisível, oculto, tenebroso' || cecAL *adj.* 'relativo ao ceco' XX || cecoGRAF·IA *sf.* 'sistema de escrita para cegos' XX. Cp. CEGAR.
ceder *vb.* 'transferir (a outrem) direitos, posse ou propriedade de alguma coisa' | *çeder* XV | Do lat. *cēdĕre* || cedÊNCIA *sf.* 'cessão' 1873. Do lat. *cēdentia* || cedENTE *adj. s2g.* 'que ou quem faz cessão' 1844. Do lat. *cēdēns -ēntis*, part. de *cēdĕre* || **cessão** *sf.* 'ato de ceder' XVI. Do lat. *cessĭō -ōnis* || cessIBIL·IDADE XX || cessionÁRIO *adj.* 'que faz cessão'; *sm.* 'aquele a quem se faz cessão' 1813 || INcessIBIL·IDADE 1873 || INcessÍVEL 1844.
⇨ **ceder** — INCESSÍVEL | 1836 SC |.
cediço *adj.* 'corrupto, corrompido' 1712. Do cast. *cedizo*, do ant. *seedizo*, de *seer* 'estar, estar quieto', deriv. do lat. *sedēre* 'estar sentado'.
cedilha *sf.* 'sinal gráfico sotoposto ao *c*' 1813. Do cast. *cedilla* (*zedilla*), de *zeda* ou *zeta* || cedilhAR 1858.
cedo *adv.* 'antes da ocasião própria' 'de madrugada' XIII. Do lat. *cĭto* 'depressa' 'facilmente'.
cedro *sm.* 'árvore de grande porte, sem ramificação, da fam. das meliáceas, que fornece madeira própria para marcenaria, escultura etc.' XIV. Do lat. *cedrus -ī*, deriv. do gr. *kédros*.
cédula *sf.* 'documento escrito' 'papel representativo da moeda de curso legal' | *çedulla* XIV, *se-* XVI | Do fr. *cédule*, deriv. do lat. tard. *schedŭla*, 'folha de papel, página', dim. do lat. *scheda*, de mesma acepção.
-cefal(o)- *elem. comp.*, do gr. *kephalo-*, de *kephalé* 'testa, cabeça', que se documenta em alguns compostos formados no próprio grego (como *cefalalgia*) e em muitos outros introduzidos, a partir do séc. XIX, na linguagem médica internacional ▶ **cefal**ALG·IA 1844. Do fr. *céphalalgie*, deriv. do lat. tard. *cephalalgia* e, este, do gr. *kephalalgía* || **cefal**ÁLG·ICO | -*pha-* 1873 || **cefaleia** *sf.* 'dor de cabeça' | -*phálea* 1813 | Do fr. *céphalée*, deriv. do lat. *cephalaea* e, este, do gr. *kephaláia* || **cefál**ICO | -*phá-* 1813 | Do fr. *céphalique*, deriv. do lat. *cephalicus* e, este, do gr. *kephalikós* || **cefalo**CÓRD·IO XX || **cefal**OIDE | -*pha-* 1858 | Do fr. *céphaloïde*, de-

riv. do gr. *kephaloeidés* || **cefaló**PODE | *-phalópode* 1858 | Do fr. *céphalopode*, deriv. do gr. **kephalópous -podos* || **cefalo**TÓRAX | *-pha-* 1873.
⇨ **-cefal(o)-** — **cefal**ALG·IA | 1836 SC |.
cefeida *sf.* '(Astr.) estrela variável' XX. Do lat. *Cēphēĭs -ĭdos*, deriv. do antrop. *Cēpheus* 'Cefeu, rei da Etiópia e pai de Andrômeda' 'nome de uma constelação'. Como nome de constelação, o voc. já ocorre, com as grafias *cepheo* e *cepheu*, em 1858.
cegar *vb.* 'tirar a vista a' 'privar do sentido da visão' '*ext.* transtornar' XIII. Do lat. *caecāre* || **cego** *adj. sm.* 'privado da vista' XIII. Do lat. *caecus* || **cegu**EIRA *sf.* 'estado de cego' '*ext.* falta de lucidez' XVI || **cegu**IDADE *sf.* 'cegueira' | *çeguy-* XIV.
cegonha *sf.* 'ave da ordem dos ciconiformes, da fam. dos ciconídeos' | *cegoña* XIV | Do lat. *cicōnĭa* || **ciconi**FORME XX.
cegu·eira, -idade → CEGAR.
ceia *sf.* 'refeição da noite' | XVI, *çēa* XIII, *cea* XIII | Do lat. *cēna* || **cear** *vb.* | XIV, *çēar* XIII etc. | Do lat. *cenāre*.
ceifa *sf.* 'ato de abater (seara madura)' 'ação de cortar, segar' | *ceypha* XV |; 'incursão dos mouros em terras de cristãos' XIX. Do ár. *sáifa* || **ceif**AD·EIRA XX || **ceif**ADOR XX || **ceif**AR 1813 || **ceif**EIRO 1813.
ceitil *sm.* 'moeda portuguesa antiga, que valia um sexto do real' | *ceuptys* pl. XV | Do ár. *sebtī* 'de Ceuta (primitivamente Ceita)'; a moeda foi cunhada com o objetivo de comemorar a conquista de Ceuta pelos portugueses.
-cel- → -CEL(O)-.
cela *sf.* 'pequena alcova ou quarto de dormir' 'aposento nos conventos' XIII. Do lat. *cella*.
celada *sf.* 'antiga armadura de ferro para a cabeça' XVI. Do it. *celata*, de origem incerta; talvez provenha de um lat. med. *caelāta* 'tipo de elmo'.
celagem *sf.* 'a cor do céu ao nascer e ao pôr do Sol' | *-lla-* 1813 | Do cast. *celaje*, deriv. do lat. *caelum -i*. Cp. CÉU.
celamim *sm.* 'antiga medida, equivalente à 16ª parte de um alqueire' 1813. Do hispano-ár. *ṭamānī*, pl. de *ṭumnîya* 'medida equivalente à oitava parte de outra maior'.
⇨ **celatura** *sf.* 'arte de gravar ou cinzelar' 'baixo relevo' | 1615 FNun 41.*22* | Do lat. *caelātūra -ae*.
-cele → -CEL(O)-.
celebração *sf.* 'ato ou efeito de fazer realizar com solenidade' | *-çon* XV | Do lat. *celebrātĭō -ōnis* || **celebr**ADOR 1813. Do lat. *celebrātŏr -ōris* || **celebr**ANTE 1813 || **celebr**AR XIV. Do lat. *celebrāre* || **celebr**ÁVEL 1844. Do lat. *celebrābĭlis -e* || **célebre** *adj. 2g.* 'afamado, notável' 1572. Do lat. *celēber* (ou *celĕbris*) *-bris* || **celebr**IDADE XVI. Do lat. *celebrĭtās -ātis* || **celebr**IZAR 1844 || CON**celebr**AR 1844.
⇨ **celebração** — **celebr**ÁVEL | 1836 SC || **celebr**IZAR | 1836 SC || CON**celebr**AR | 1836 SC |.
celeiro *sm.* 'depósito de cereais' | XIII, *-eyro* XIII etc. | Do lat. *cellārĭum* || **celeir**EIRO 1813.
celenterado *adj. sm.* 'diz-se de, ou animal enterozoário, radiado, formado por pólipos cilíndricos' 1899. Do lat. cient. *coelenterāta*.
celerado *adj. sm.* 'criminoso' XVIII. Do lat. *scelerātus*.

celer(i)- *elem. comp.*, do lat. *celeri-*, de *celer -ĕris* 'célere', que se documenta em alguns compostos formados no próprio latim (como *celeridade*) e em alguns outros introduzidos, a partir do séc. XIX, na linguagem científica internacional ▶ **célere** *adj. 2g.* 'veloz, ligeiro, rápido' 1873. Do lat. *celer -ĕris* || **celer**IDADE XVII. Do lat. *celerĭtās -ātis* || **celerí**GRADO 1873 || **celerí**METRO 1858 || **celerí**PEDE 1844. Do lat. *celerĭpēs -pĕdis*.
⇨ **celer(i)-** — **celer**IDADE | 1576 DNLeo 68.*14* || **celerí**PEDE | 1836 SC |.
celesta *sf.* 'instrumento de orquestra' XX. Do it. *celèsta*.
celeste *adj. 2g.* 'do, ou relativo ao céu' XIII. Do lat. *caelestis* || **celesti**AL XIII || **celest**INO XVII. Do lat. tard. *caelestīnus*. Como antrop. f., *Celestina* ocorre no séc. XVI. Cp. CÉLICO, CÉU.
celeuma *sf.* 'vozearia, barulho, algazarra' 1572. Do lat. *celeuma*, deriv. do gr. *kéleuma* 'ordem' 'canto' 'grito'.
celhas → CÍLIO.
celíaco *adj.* 'do, ou relativo ao intestino' XVII. Do lat. *coelĭăcus*, deriv. do gr. *koiliakós*, de *koilía* 'cavidade, ventre'. Cp. CECO.
celibato *sm.* 'o estado de uma pessoa que se mantém solteira' XVI. Do lat. *caelibatus* || **celibat**ÁRIO 1844. Provavelmente do fr. *célibataire*.
⇨ **celibato** — **celibat**ÁRIO | 1836 SC |.
célico *adj.* '(Poét.) celeste, celestial' XVI. Do lat. *caelĭcus*. Cp. CELESTE, CÉU.
celícola *adj. s2g.* 'habitante do céu' 1873. Do lat. *caelĭcola*, de *caelum* || **celífluo** *adj.* 'que dimana e flui do céu' 1844. Do lat. *caelifluus* || **celí**GENA *-no* 1844 | Do lat. *caelĭgĕna* 'nascido no céu' || **celi**POTENTE 1844. Do lat. *caelipŏtēns -entis* 'senhor do céu'. Cp. CÉU.
⇨ **celícola** | 1836 SC || **celí**FLUO | 1836 SC || **celí**GENA | *-no* 1836 SC || **celi**POTENTE | 1836 SC |.
celidônia, quelidônia *sf.* 'planta da fam. das papaveráceas' | *celidônia* XVII, *quelidônia* XX | Do lat. *chelĭdonĭa*, deriv. do gr. *chelīdónion*, de *chelīdṓn -ónos* 'andorinha', pela cor azul-escura de algumas variedades dessa planta, semelhante à da andorinha.
-cel(o)- *elem. comp.*, do gr. *kēlē* 'tumor' 'hérnia', que se documenta em alguns vocs. port. eruditos, como *anficelo*, por exemplo.
celofane *sm.* 'denominação comercial de folhas delgadas e transparentes, obtidas da viscose, e usadas para acondicionamento de mercadorias etc.' XX. Do fr. *cellophane*, composto de *cell(ulose)* 'celulose' + *-o-* + *(dia)phane* 'diáfano'.
celoma *sm.* '(Biol.) cavidade que se forma no mesoderma durante a vida embrionária, situada entre o corpo e os órgãos internos' '(Med.) espécie de úlcera da córnea transparente' XX. Do fr. *célome*, deriv. do gr. *kóilōma -atos* 'cavidade'.
celso *adj.* 'alto, sublime, excelso' 1572. Do lat. *celsus* || **cels**ITUDE XVII. Do lat. *celsitūdō -ĭnis*.
celta *adj. s2g.* 'diz-se de, ou indivíduo dos Celtas, povo de raça indo-europeia | *celte* XV | Do lat. *Celta*, sing. deduzido de *Celtae -ārum* 'Celtas, habitantes da Gália central' || **celt**IBERO *adj. sm.* 'pertencente ou relativo a Celtibéria' | *çeltybeyro* XIV, *-bero* XIV | Do lat. *Celtibērus* || **célt**ICO XIX. Do lat. *celtĭcus*.

célula *sf.* '(Biol.) *desus.* cavidade cheia de ar, delimitada por paredes, encontrada no súber' '(Biol.) unidade estrutural básica dos seres vivos' XVII. Do lat. *cellŭla*, dim. de *cella* 'pequeno compartimento' ‖ **celul**AR *adj. 2g.* | *-llu-* 1813 ‖ **celul**íFERO | *-llu-* 1873 ‖ **celul**iFORME | *-llu-* 1873 ‖ **celul**ITE XX. Do fr. *cellulite* ‖ **celul**OSE *sf.* '(Quím.) polímero da glicose, principal constituinte das paredes das células vegetais, com empregos industriais numerosos' | *-llulosa* 1873, *-llu-* 1881 | Do fr. *cellulose*.
celuloide *s2g.* 'substância fabricada com uma mistura de cânfora e algodão-pólvora, usada para fins industriais' | *-llu-* 1899 | Do ing. *celluloid*.
celulose → CÉLULA.
cem → CENTO.
cemitério *sm.* 'recinto onde se enterram e guardam os mortos' | *cymiteiro* XIII, *zemiterio* XIII, *cemeterio* XIV, *çimitereo* XV etc. | Do lat. *coemētērium -ĭī*, deriv. do gr. *koimētērion*.
cena *sf.* 'palco' 'episódio' 'espetáculo' XVII. Do lat. *scena* ou *scaena*, deriv. do gr. *skēnḗ*, originariamente 'tenda' ‖ **cen**ÁRIO | *sce-* 1833 | Do it. *scenàrio*, deriv. do lat. tard. *sc(a)enārius* ‖ **cên**ICO | *sce-* 1813 | Do lat. *scēnĭcus* ‖ **ceno**GRAF·IA *sf.* 'arte e técnica de projetar e dirigir a execução de cenários para espetáculos teatrais' | *scenographia* 1813 | Do fr. *scénographie*, deriv. do lat. *scaenographia* e, este, do gr. *skēnographía* ‖ **ceno**GRÁF·ICO | *scenográphico* 1874 | Do fr. *scénographique* ‖ **cen**óGRAFO | *scenógrapho* 1858 ‖ **ceno**PLAST·IA *sf.* 'cenografia' XX ‖ EN**cen**AÇÃO | *ensce-* 1899 ‖ EN**cen**AR | *ensce-* 1899.
cenáculo *sm.* '*ant.* sala em que se comia a ceia ou o jantar' '*ext.* refeitório' XV. Do lat. *cēnācŭlum -ī* ‖ **cenatório** *adj.* 'relativo ao jantar ou à mesa de jantar' 1844. Do lat. *cēnātōrĭus*.
⇨ **cenáculo** — **cenatório** | 1836 SC |.
cenário → CENA.
cenatório → CENÁCULO.
cendal *sm.* 'tecido de seda' XIII. Do prov. *cendal*, talvez do lat. *sindon -onis*.
cendrado *adj.* 'que tem cor de cinza' 1844. Do cast. *cendrado*.
⇨ **cendrado** | 1836 SC |.
cenestesia → CEN(O)-¹.
cenho *sm.* 'aspecto ou rosto severo, carrancudo' 'rosto, semblante' XVI. Do cast. *ceño*, deriv. do lat. tard. *cĭnnus* 'sinal que se faz com os olhos'.
cênico → CENA.
cenismo → CEN(O)-¹.
ceno *sm.* '*desus.* lodaçal, atoleiro' XVI. Do lat. *caenum* 'lodo, porcaria' ‖ **cenos**IDADE XVII. Do lat. *caenōsĭtās -ātis* ‖ **cen**OSO XVII. Do lat. *caenōsus*.
cen(o)-¹ *elem. comp.*, do gr. *koino-*, de *koinós* 'comum, público', que se documenta em alguns compostos da linguagem científica internacional ♦ **cen**ESTES·IA *sf.* 'sentimento difuso resultante dum conjunto de sensações internas ou orgânicas e caracterizado essencialmente por bem-estar ou mal-estar' | *-the-* 1873 | Do fr. *cénesthésie* ‖ **ce**nISMO *sf.* 'emprego vicioso de vários idiomas no mesmo discurso' 1858. Do gr. *koinismós* 'mistura de dialetos' ‖ **cen**óBIO *sm.* 'habitação de monges' XVIII. Do lat. tard. *coenobĭum*, deriv. do gr. *koinóbios* 'comunidade, convento' ‖ **cenobi**·OSE *sf.* 'vida em conjunto, em comum' XX ‖ **cenobita** *s2g.* 'monge que leva vida em comum com outros' XVII. Do fr. *cénobite*, deriv. do lat. tard. *coenobīta* ‖ **ceno**LOG·IA¹ *sf.* 'conferência entre médicos' XX. Cp. gr. *koinología*.
cen(o)-² *elem. comp.*, do gr. *keno-*, de *kenós* 'vácuo, vazio', que se documenta em alguns compostos da linguagem científica internacional ♦ **ceno**LOG·IA² *sf.* 'parte da física que trata do vácuo' XX ‖ **ceno**TÁFIO *sm.* 'monumento fúnebre erigido à memória de alguém, mas que não lhe encerra o corpo' | *-phio* XVII | Do fr. *cénotaphe*, deriv. do lat. tard. *cenotaphium* e, este, do gr. *kenotáphion* 'túmulo vazio'.
ceno·graf·ia, -ico, -o, cenoplastia → CENA.
cenologia¹ → CEN(O)¹-.
cenologia² → CEN(O)²-.
cenos·idade, -o → CENO.
cenotáfio → CEN(O)²-.
cenoura *sf.* 'planta da fam. das umbelíferas, de raiz comestível' | 1813, *çanoira* XVI | Provavelmente do a. cast. *çahanoria* (hoje *zanahoria*), deriv. do ár. vulg. *safunārĭya*, de origem incerta.
cenozoico *adj. sm.* 'diz-se do, ou era que se caracteriza pela extinção dos reptis gigantes, por notável desenvolvimento dos vertebrados, pelo aparecimento dos símios antropomorfos e, no último período, do homem' 1899. Do gr. *kainós* 'novo, moderno, recente' + *zōio-* (de *zōion* 'animal') + *-ico*, por via erudita.
cenrada *sf.* 'barrela' XVI. De um lat. **cin(e)rata* 'feito com cinza'.
censo *sm.* '*ant.* rendimento que servia de base ao exercício de certos direitos' '*ant.* pensão anual que o enfiteuta pagava ao senhorio' 'recenseamento' XV. Do lat. *cēnsus -ūs* ‖ **censatário** *adj. sm.* 'que, ou aquele que pagava censo (na segunda acepção)' 1873 ‖ **cens**IONÁRIO *adj.* 'censatário' 1899 ‖ **censitário** *adj.* 'censual'; *sm.* 'censatário' XX ‖ **censor** *sm.* 'aquele que censura' 'entre os romanos, aquele que recenseava a população e velava pelos bons costumes' | *ssensor* XV | Do lat. *cēnsor -ōris* ‖ **cens**ÓRIO *adj.* 'relativo ao censor ou à censura' XVI. Do lat. *censōrĭus* ‖ **cens**UAL *adj. 2g.* 'relativo ao censo' 1813. Do lat. *censuālis -e* ‖ **cens**UÁRIO *adj.* 'censual' 1844 ‖ **cens**URA *sf.* 'ato ou efeito de censurar' | *çenssura* XV | Do lat. *cēnsūra* ‖ **censur**AR *vb.* 'criticar' XVI ‖ RE**cens**ÃO *sf.* 'recenseamento' XVIII. Do lat. *rĕcensĭō -ōnis* ‖ RE**cense**ADOR 1813 ‖ RE**cense**AMENTO XVI ‖ RE**cense**AR | *-cear* XVI.
⇨ **censo** — **censatário** | 1836 SC | **censionário** ‖ 1836 SC **cens**UAL | 1615 FNun 42.*29* ‖ **cens**UÁRIO | 1836 SC |.
centão *sm.* 'manta de retalhos, ou esfarrapada' 'tipo de composição poética ou musical' | *centões* pl. 1813 | Do lat. *centō -ōnis*.
centáurea *sf.* 'designação comum a várias plantas ornamentais da fam. das compostas' XVII. Do lat. cient. *centaurĕa* (cláss. *centaurĕa -ĕum*), deriv. do gr. *kentáurion kentáureion*, erva de que se serviu o centauro Quirone para curar uma ferida de Hércules ‖ **centáuro** *sm.* '*ant.* cavaleiro' XIV; 'monstro fabuloso, metade homem e metade cavalo'. XVII. Do lat. *Centaurus -icus*, deriv. do gr. *Kéntauros -ikós*.
centavo → CENTO.

centeio sm. 'planta da fam. das gramíneas, que se usa na alimentação' | *cemteo* XIII, *centeo* XIII | Do lat. *centēnum -ī*, de *centum* 'cem' (a planta produz cem grãos por semente) || **centen**OSO *adj.* 'que produz, ou semelhante a centeio' XX. Cp. CENTO.
centelha *sf.* 'chispa, fagulha' | *çĕtella* XIV | Do lat. *scĭntilla*, pelo castelhano.
cento *num.* 'cem' | XIII, *çento* XIII | Do lat. *cĕntum* || **BI**centen**ário** XX || **cem** *num.* '100, C' | *çen* XIII, *çem* XIII etc. | Forma proclítica de *cento* || **cent**AVO XX || **centena** *sf.* 'conjunto de cem unidades' XVI. Do lat. *centēna* || **centenário** *adj.* 'de cem anos' XVI; *sm.* 'centurião' 1899 || **cent**ÉSIMO XIV. Do lat. *centēsĭmus* || **cent**IARE 1873. Do fr. *centiare* || centiFÓLIO 1813. Do lat. *centifolius* || **centí**GRADO 1813. Do fr. *centigrade* || **centi**GRAMA | *-gramma* 1873 | Do fr. *centigramme* || **centi**LITRO 1873. Do fr. *centilitre* || **centí**MANO *adj.* 'que tem cem mãos' XVII. Do lat. *centimănus* || **centí**METRO 1858. Do fr. *centimètre* || **cêntimo** *sm.* 'moeda divisionária que representa a centésima parte da moeda de vários países' 1793. Adaptação do fr. *centime* || **centí**PEDE | *-da* 1858 || **cent**ÓCULO 1813. Do lat. **centopeia** *sf.* 'lacraia' | *-pea* XVII | Talvez do lat. *centumpĕda* 'que tem cem pés' || **centunvir**AL | *-tum-* 1844 | Do lat. *centumvirālis -e* || **centúnviro** *sm.* 'cada um dos magistrados que constituía um tribunal de Roma' | *-túmviros* pl. 1844 | Do lat. *centumvir -vĭrī* || **centuplic**AR 1873. Do lat. *centuplĭcāre* || **cêntuplo** 1813. Do lat. *centŭplum* || **centúria** *sf.* 'conjunto de cem, centena' 'divisão político-militar romana, formada por cem cidadãos' XVI. Do lat. *centuria* || **centuri**AL 1844. Do lat. *centuriālis -e* || **centurião** *sm.* 'comandante de uma centúria' | *çenturiam* XV | Do lat. *centuriŏ -ōnis* || **centúrio** *sm.* XV. Do nomin. lat. *centuriŏ*.
⇨ **cento** — **centí**PEDE | 1836 SC || **centunvir**AL | *-tum-* 1836 SC || **centuplic**AR | 1836 SC || **centuri**AL 1836 SC |.
centro *sm.* 'ponto para onde convergem as coisas' '(Geom.) ponto interior equidistante de todos os pontos da circunferência ou da superfície de uma esfera' 1572. Do lat. *centrum -i*, deriv. do gr. *kéntron* || **centr**AL 1813. Do lat. *centrālis -e* || **centra**lIZAR 1844 || **centr**AR XX || **centr**ÍFUGO 1813. Do fr. *centrifuge* || **centr**ÍPETO | *-pedo* 1813 | Do fr. *centripète* || **centro**AVANTE *sm.* XX. Tradução do ing. *centerforward* || **centro**BÁRICO 1858 || **centro**DONTE *adj.2g.* '(Zool.) que tem dentes agudos' 1873 || **centro**MÉDIO *sm.* XX. Tradução do ing. *center half* || **centro**SFERA XX || **centros·somo** XX. Do fr. *centrosome* | CONCENTR**AÇÃO** 1813 || CONCENTR**AR** *vb.* 'fazer convergir para um centro, ou para um mesmo ponto' 1813 || CON**cêntri**CO XVII || RE·CONCENTR**AR** XVII.
⇨ **centro** | 1532 JBATR 37.*24*, *çetro* Id. 38.*3*, *sentro a* 1542 JCASE 23.*5* | **central·izar** *-isar* 1836 SC || CON**cêntri**CO | *conçentrico* 1532 JBATR 52.*3* || RE-concentr**ADO** | 1680 AOCAD I.282.*13* |.
cent·unviral, -únviro, -uplicar, -uplo, -úria, -urial, -urião, -úrio → CENTO.
cepo *sm.* 'galho de árvore' XIII. Do lat. *cĭppus* || **acepilh**AR XVI || **cepa** *sf.* 'tronco de videira' 'ext. tronco de qualquer linhagem ou família' 1813 || **cepilh**AR XVI || **cepilho** *sm.* 'pequena plaina para alisar madeira' XVII. Do cast. *cepillo* || DECEP**ADO** XIII || DECEP**AR** *vb.* 'cortar, partir, mutilar' XIV.
céptico *adj.* 'que duvida de tudo, descrente' | *sce-* 1813 | Do fr. *sceptique*, deriv. do gr. *skeptikós* 'que observa, que considera' || CEPTI**CISMO** | *sce-* 1813 | Do fr. *scepticisme*.
cequim *sm.* 'antiga moeda de ouro italiana, cunhada originariamente em Veneza' | *ciquino* 1557, *cequino* 1559, *zequim* 1813 | Do it. *zecchino*, dim. de *zécca* e, este, do ár. *sikka(h)*. As vars. *ciquino* e *cequino* ocorrem em duas cartas do Comendador-mor D. Afonso endereçadas ao rei de Portugal, ambas expedidas de Roma, a primeira a 25 de abril de 1557 e a segunda a 18 de março de 1559.
-cer- → -CER(O)^1, -CER(O)^2.
cera *sf.* 'substância amarelada e mole produzida pelas abelhas' 'substância vegetal semelhante à cera produzida pelas abelhas' XIII. Do lat. *cēra*, deriv. do gr. *kērós* || **ceras**INA *sf.* 'substância que se extrai das velas de cera' 1873 || **cerato** *sm.* 'medicamento em cuja composição entram, sobretudo, a cera e um óleo' 1873. Do lat. *cērātus* || **céreo** *adj.* '(Poét.) de cera' XVII. Do lat. *cērĕus* || **cer**ÍFERO 1844 || **ceroferário** *sm.* 'acólito que, nas procissões, leva tocheira ou círio' XVI. Do lat. *ceroferārĭus -ĭī* || **cer**OIDE 1813. Do fr. *céroïde*, deriv. do gr. *kēroeidēs* || **cerol** *sm.* 'massa de cera com que os sapateiros untam as linhas de coser sola' 'mistura de cola e vidro moído que se passa nas linhas das pipas' XVI. Do lat. *cērōtum -i*, com infl. de LINHOL || **cer**OMA XX. Do lat. *cērōma -atis*, deriv. do gr. *kērōma -atos* || **cero**MANCIA 1873 || **cero**MANTE 1873 || **cero**MEL *sm.* 'unguento de cera e mel' 1858. Do fr. *céromel*, deriv. do gr. *kērómeli* || **cero**PLAST·IA XX || **cero**PLÁST·ICA *sf.* 'ceroplastia' 1858. Do fr. *céroplastique*, deriv. do gr. *kēroplastikē* || **cero**PLÁST·ICO 1871 || **cer**OSO 1873. Do lat. *cērōsus* || **cerúmen** *sm.* '(Med.) secreção cérea das glândulas ceruminosas do conduto auditivo externo' 1844. Do fr. *cérumen*, deriv. do lat. medo *cērūmen -ĭnis* || **cerumin**OSO 1844 || EN**cer**AD·EIRA XX || EN**cer**ADOR XX || EN**cer**AMENTO XX || EN**cer**AR 1813.
⇨ **cera** — **cer**ÍFERO | 1836 SC || **cero**MANCIA | 1836 SC | **cero**PLÁST·ICA | 1836 SC || **cerúmen** | 1836 SC || **cerumin**OSO | 1836 SC |.
cerâmica *sf.* 'arte de fabricação de artefatos de argila cozida' XIII. Do fr. *céramique*, deriv. do gr. *keramikē (téchnē)*, de *kéramos* 'argila' || **cerâm**ICO 1873 || **ceram**ISTA 1873. Do fr. *céramiste* || **céramo** *sm.* 'entre os antigos gregos, vaso de barro cozido usado à mesa' 1873. Cp. gr. *kéramos*.
⇨ **cerâmica** — **cerâm**ICO | 1836 SC |.
cerasina →CERA.
ceratite, queratite *sf.* '(Patol.) inflamação da córnea' | *Ke-* 1858 | Do fr. *cératite*, deriv. do gr. *keráto-* (de *kéras -atos* 'corno, chifre') + -ITE || **cerato**CONE *sm.* '(Med.) deformação da córnea, em forma de cone' XX.
cerato → CERA.
ceratocone → CERATITE.
ceráunia *sf.* 'pedra que se julgava ter caído do céu com o raio' 1844. Forma fem. de *ceráunio* || **ceráunio** *adj. sm.* 'ceráunia' 'relativo aos montes Ceráunios, no Epiro' |*-nea* XVIII | Do lat. *ceraunĭum -ĭī*, deriv. do gr. *keráunios* || **ceraun**ITA *sf.* 'pedra preciosa' 1873. Cp. gr. *keraunítēs*.

⇨ **ceráunia** | 1836 SC |.
cérbero *sm.* 'cão que, segundo a mitologia, guarda a porta do Inferno' *fig.* guarda ou porteiro intratável, grosseiro' XVII. Do lat. *Cerbĕrus* ou *Cerbĕros -i*, deriv. do gr. *Kérberos.*
cercar *vb.* 'rodear, envolver' XIII. Do lal. tard. *cĭrcāre* 'andar à volta de, percorrer' || Acerca *adv.* XIV. Do lat. *ad cĭrca.* O voc. português é usado com frequência na loc. *acerca de* 'próximo a' 'a respeito de' || AcercAR XIV || **cerca**¹ *sf.* 'muro' XIV. Deverbal de *cercar* || **cerca**² *sf.* 'cerco, assédio' XIV. Deverbal de *cercar* || **cerca**³ *adv.* 'próximo'; *loc. prep.* 'próximo de' XIII. Do lat. *cĭrca* || cercADO¹ *adj.* XIII || cercADO² *sm.* 'cerca, muro' XVI || cercADOR | *çer-* XIV | cercADURA XVI || cercAMENTO XIV || cercanias *sf. pl.* 'arredores' XVII. Do cast. *cercanía* || **cercão** *sm. adj.* 'vizinho, próximo' XV. Do cast. *cercano* || **cerco** *sm.* 'assédio' XIV || DEScercar |-*çer-* XIV || DEScerco | -*sçer-* XV, *deçerco* XV.
cercear *vb.* 'cortar cerce, rente, pela base ou pela raiz' XIII; Do lat. *circīnāre* 'arredondar, formar em círculo' || **cerce** *adv.* 'pela parte mais baixa, pela raiz' XVII || **cércea** *sf.* 'chapa que se usava na verificação das bocas de fogo' XX. Fem. substantivado de *cérceo* || **cérceo** *adj.* 'cortado pela base, pela raiz' XVI. Do lat. *circĭnus* 'compasso' 'círculo' || **cereilho** *sm.* 'tonsura' | -*cỹ*- XIII.
cerco → CERCAR.
cerda *sf.* 'pelo mais resistente e espesso dos mamíferos' XVII. Do lat. vulg. *cĭrra*, de *cĭrrus -i* 'tufo de cabelos ou pelos' || **cerdo** *sm.* 'porco (em alusão às cerdas do animal)' 1844 || cerdOSO XVI.
⇨ **cerda** — **cerdo** | 1836 SC |.
cereal *adj. sm.* 'diz-se das, ou gramíneas e outras plantas cujas sementes, transformadas em farinha, servem para a alimentação' XVII. Do lat. *cereālis* 'pertencente à deusa Ceres' 'relativo ao trigo ou ao pão' || **cerealÍFERO** 1881. Cp. CERES.
cérebro *sm.* '(Anat.) a parte superoanterior do encéfalo' | XVI, *çelebro* XV | Do lat. *cerĕbrum -i* || **cerebelo** *sm.* '(Anat.) a parte posteroinferior do encéfalo' | - *llo* XVI | Do lat. *cerebellum -i*, dim. de *cerĕbrum* || cerebrAL 1844. Do fr. *cérébral* || cerebrASTEN·IA XX || cerebrINO *adj.* 'cerebral' 1844.
⇨ **cérebro** — cerebrAL | 1836 SC || cerebrINO | 1836 SC |.
cerefólio *sm.* 'planta alimentar da fam. das umbelíferas' XVII. Do lat. *caerefolium*, adaptação do gr. *chairéphyllon.*
cereja *sf.* 'o fruto da cerejeira, designação comum a diversas plantas da fam. das rosáceas' || *çereija* XV | Do lat. vulg. *cerĕsĭa* (cláss. *cerăsĭum*), talvez com influência do a. cast. *ceresa* (hoje *cereza*) || cerejEIRA | 1813, *cereygeyra* XVI.
⇨ **cereja** — cerejADO | *cereyjado c* 1608 NOReb 104.*15* |.
céreo → CERA.
ceres *sf.* '(Mit.) deusa da agricultura, no paganismo' *fig.* os cereais, o campo' 1844. Do mit. lat. *Cerēs* || **cério** *sm.* '(Quím.) elemento de número atômico 58' 1858. Do lat. cient. *cerium*, introduzido por Berzelius na linguagem internacional da química, em 1804, em alusão ao planeta Ceres, descoberto em 1801, cujo nome dimana do mit.

Ceres || cerITA *sf.* 'mineral composto de silicato hidratado de cério' 1858. Cp. CEREAL.
⇨ **ceres** | 1836 SC |.
cerífero → CERA.
cerimônia *sf.* 'forma exterior e regular de um culto' 'solenidade' | *çirimonia* XV, *çirimonja* XV | Do lat. *caerimōnĭa* || cerimoniAL *adj.* 2g. 'referente a cerimônias'; *sm.* 'conjunto de formalidades que se devem seguir numa solenidade' XV. Do lat. *caerimōniālis -e* || cerimoniAR XVI || cerimoniÁTICO | *cere-* XVI- || cerimoniOSO 1813. Do lat. *caerimōniōsus.*
cér·io, -ita→CERES.
cerne *sm.* 'parte central do tronco das árvores' '*ext.* âmago' | XVI, *cerna* XV | De origem controvertida.
cernir *vb.* '*ant.* peneirar, joeirar' XVII. Do lat. *cernĕre* 'separar, distinguir' || **cernelha** *sf.* 'a parte do corpo de alguns animais onde se juntam as espáduas' XV. Do lat. vulg. **cernĭcŭla*, pl. de **cernĭcŭlum* 'separação dos cabelos', de *cernĕre.*
-cer(o)¹- *elem. comp.*, do gr. *-kerōs*, de *kéras* 'chifre, corno', que se documenta em alguns compostos eruditos, como *acantócero, amblícero* etc.
-cer(o)²- *elem. comp.*, do gr. *-kēro*, de *kērós* 'cera', que se documenta em alguns compostos eruditos, como *ceroferário, ceroplástica* etc.
cer·oferário, -oide, -ol, -oma, -ormancia, -omante, -omel, -oplastia, -oplástica, -oplástico, -oso → CERA.
ceroulas *sf. pl.* 'peça do vestuário masculino' XVI. Do ár. *sarāwîl*, pl. de *sirwâl* 'calça, calção'.
cerrar *vb.* 'fechar, juntar, unir' | XIII, *çerrar* XIII, *çarrar* XIII, *sarrar* XIII, *serrar* XIII etc. | Do lat. tard. *serāre* (< *sera* 'ferrolho') || cerrAÇÃO *sf.* 'nevoeiro espesso' XVI || cerrADO | *çarrado* XIII, *sarrado* XIII || cerrAD·URA | *sarradura* XIII, *serradura* XIII, *çarradura* XIV || cerrILHA 1881 || DEScerrar 1881 || ENcerrADO | *ensarrado* XIII, *enserrado* XIII etc. || ENcerrAMENTO | *ençarramento* XV || ENcerrar XIII, *ençarrar* XIV etc. || ENTREcerrar 1899 || sarrIDO 1874.
⇨ **cerrar** — DEScerrAR | 1836 SC || DES·ENcerrADO | *desenserrado* 1680 AOCad I.255.*22* || sarrIDO | 1836 SC |.
cerro *sm.* 'colina' | XV, *serro* XVI | Do lat. *cĭrrus* 'anel de cabelos' 'tufos de crinas' 'penacho'.
certame *sm.* 'luta, combate' | -*tamen* XVII | Do lat. *certāmen -ĭnis.*
certo *adj.* 'resolvido, decidido, correto' XIII. Do lat. *cĕrtus* || AcertAR XIII || Acerto XVI || certEIRO XIII || certEZA 1572 || **certidão** | *çertidõe* XIV, *çertidũe* XIV, *certidom* XV etc. | Do lat. *certitūdĭnem* || certIFICADO adj. XV. Como *sm.* o voc. ocorre a partir do séc. XIX e provém do lat. med. *certificatum*, com provável interferência do fr. *certificat* || certIFICAR XIV. Do lat. tard. *certificāre* || DES·AcertAR XVI || DES·Acerto XVIII || IncertEZA XVIII || Incerto XIV.
cerúleo *adj.* 'da cor do céu' 1572. Do lat. *caerulĕus* || **cérulo** *adj.* 'cerúleo' XVII. Do lat. *caerŭlus*. Cp. CÉU.
cerúm·en, -inoso → CERA.
cerusa *sf.* '(Quím.) carbonato básico de chumbo' | -*za* 1844 | Do fr. *céruse*, deriv. do lat. *cērussa* (*cěrusa*) e, este, de um gr. **kērûssa*, fem. de **kēróeis.*

⇨ **cerusa** | 1615 FNun 66v8 |.
cerval → CERVO.
cerveja *sf.* 'bebida fermentada, feita de cereais' | XVI, *çerveija* XV | Do lat. *cervēsĭa* || **cervej**A·RIA 1881 || **cervej**EIRO 1858.
⇨ **cerveja** — **cervej**EIRO | 1836 SC |.
cervino → CERVO.
cerviz *sf.* 'a parte posterior do pescoço' | XV, *serviz* XIII, *çeruys* XIV | Do lat. *cervix -īcis* || **cervic**AL *adj.* 2g. 'relativo a cerviz' XVI. Do lat. *cervīcăle -is* || **cervic**ÓRN·EO | *-córne* 1873 || **cervicul**ADO 1873. Do lat. *cervīcŭla* 'pescoço pequeno' + -ADO || **cervilh**EIRA *sf.* '*ant.* espécie de capacete para defender a cabeça e a cerviz' XV. De um lat. **cerviculărĭa*, de *cervīcŭla*.
cervo *sm.* 'mamífero artiodáctilo da fam. dos cervídeos' | *çeruo* XIII, *cerva* f. XVII | Do lat. *cervus -i* || **cerv**AL XVI. Do lat. *cervărĭus* || **cerv**INO XVI. Do lat. *cervīnus*.
cerzir *vb.* 'coser (peças de um tecido), de modo que não se notem, ou mal se notem, as costuras' XVI. Do lat. *sarcīre* 'remendar, consertar' || **cerzi**DURA | *ser*- 1881.
cesáreo *adj.* 'pertencente ou relativo ao general, estadista e escritor romano Júlio César (102-44 a.C.)' 1572. Do lat. *Caesarĕus*, do antrop. *Caesar -ăris* 'César' || **cesari**ANO 1873. Do lat. *Caesariānus* 'de César' || **cesar**ISMO *sm.* 'governo despótico' 1843. Do fr. *césarisme*, do antrop. *Caesar -ăris*.
⇨ **cesáreo** — **cesari**ANO | 1836 SC |.
cesariana *sf.* '(Cir.) operação que consiste em abrir o abdome materno para extrair o feto' | *-reana* 1873 | Do fr. *césarienne*, deriv. do lat. *caesar* 'criança vinda ao mundo por meio de incisão', de *caedere* 'cortar'.
cesar·iano, -ismo → CESÁREO.
césio *sm.* '(Quím.) elemento de número atômico 55, do grupo dos metais alcalinos' 1899. Do lat. cient. *caesĭum* (*caesĭus* 'esverdeado'), assim denominado em alusão à cor de duas linhas que aparecem na análise espectroscópica do metal.
céspede *sm.* 'torrão arrancado com ervas' | *-des* pl. 1813 | Do lat. *cēspes -ĭtis*.
cessão → CEDER.
cessar *vb.* 'interromper, acabar, parar' | XIV, *çessar* XIV, *cesar* XIV | Do lat. *cessāre* || **cess**AÇÃO XVII. Do lat. *cessātĭō -ōnis* || **cess**AMENTO XV || **cess**ANTE 1844 || IN**cess**ANTE 1844.
⇨ **cessar** — **cess**ANTE | 1836 SC || IN**cess**ANTE | 1836 SC |.
cessi·bilidade, -onário → CEDER.
cesta *sf.* 'receptáculo feito de verga, fibra etc., entrançada, que serve para guardar ou transportar roupa, alimentos etc.' XVII. Do lat. *cista*, deriv. do gr. *kístē* 'cesto' || **cest**EIRO 1813 || **cesto**³ *sm.* 'cesta' XIII || EN**cest**AR 1899.
⇨ **cesta** | XIV TEST 84.25 |.
cesto¹ *sm.* 'manopla de couro, guarnecida de ferro, usada pelos atletas' XVII. Do lat. *caestus -ūs*.
cesto² *sm.* '*ant.* cinto rico usado por mulheres' 1813. Do lat. *cestus*, deriv. do gr. *kestós* || **cesto**OIDE *sm.* 'animal platelminto, de corpo alongado, em forma de fita' 1872. Do lat. cient. *cestōda*.
cesto³ → CESTA.
cestoide → CESTO².

cesura *sf.* 'corte, incisão' 1813. Do lat. *caesūra*.
cetáceo *adj. sm.* 'diz-se de, ou animal mamífero adaptado à vida aquática' XVIII. Do lat. cient. *cētāceus*, deriv. do gr. *kētos* 'monstro marinho' 'foca' || **cet**INA *sf.* 'espermacete' 1858. Do lat. tard. *cētīnus*, deriv. do gr. *kētos*.
cetim *sm.* 'tecido de seda, lustroso e macio' | *catym* XV, *setim* XV, *çetim* XVI | Do ár. *zaĭtūnī*, deriv. do nome da cidade chinesa *Tseuthung* (em ár. *Zaĭtûn*), onde se fabricava o cetim, provavelmente através do fr. *satin* || A**cetin**ADO XX || **cetin**OSO | *se*- 1844.
cetina → CETÁCEO.
cetinoso → CETIM.
cetra *sf.* '*ant.* escudo revestido de couro' XVIII. Do lat. *cētra* ou *caetra*.
cetraria *sf.* 'arte de caçar com açores e falcões' | *ci-* XVI | Do cast. *cetrería*.
cetro *sm.* 'bastão de apoio usado outrora pelos reis e generais' '*fig.* poder real, primazia' | XV, *seutro* XIV, *ceptro* 1525 | Do lat. *scēptrum -i*, deriv. do gr. *skēptron*.
céu *sm.* 'espaço ilimitado e indefinido onde se movem os astros' | XVI, *ceo* XIII | Do lat. *caelum*.
cevar *vb.* 'alimentar, nutrir, saciar' XIII. Do lat. *cībāre* || **ceva** | *céua* XVI | Der. regress. de *cevar* || **cevada** *sf.* 'planta da fam. das gramíneas, de cujos frutos se fabrica a cerveja' XIII || **cevadilha** *sf.* 'planta forrageira da fam. das gramíneas' 1844. Do cast. *cebadilha* || **cev**ADO XV || **cev**ADURA XV || **cevatíc**IO *adj.* 'que é bom para engordar animais' XX || **cevo** *sm.* 'ceva, pasto, alimento' XVI. Do lat. *cībus -i*.
⇨ **cevar** — **cevadilha** | 1836 SC |.
chá *sm.* 'chá-da-índia' '*ext.* infusão medicinal de várias plantas' XVI. Do chin. (dialeto mandarino) *ch'a* || **chaleira** *sf.* 'vasilha onde se aquece água, inclusive para o chá' 1813.
chã → CHÃO.
chabuco *sm.* 'chicote, azorrague' | *chabuquo* XVI | Do concani-hindustani *chãbūk* (< persa *chãbuk*).
chaça *sf.* 'no jogo da pela, lugar onde a bola para ou dá o segundo pulo' XVII. Do fr. *chasse*.
chacal *sm.* 'mamífero da fam. dos canídeos' 1838. Do fr. *chacal*, deriv. do turco *čaqal* e, este, do persa *šagãl* (relacionado com o sânscr. *ṣrgãlā*).
chácara *sf.* 'pequena propriedade campestre' 1815. Do cast. *chacara*, deriv. do a. quíchua *čákra* (hoje *čáhra*) || **chacar**EIRO 1899.
chacina *sf.* 'carne salgada' '*ext.* matança, morticínio' XVI. Provavelmente de um lat. vulg. **sĭccīna* 'carne seca' || **chacin**AR XVI.
chacona *sf.* 'dança popular cantada, com acompanhamento de castanholas' XVII. Do cast. *chacona* || **chacota** *sf.* 'zombaria' 'antiga canção popular, alegre e ruidosa' XVI. Do cast. *chacota*.
chafariz *sm.* 'construção de alvenaria, com uma ou várias bicas, por onde jorra água' XIV. Do ár. vulg. *ṣaḥrīj* (cláss. *ṣiḥrīj*) || **chacar**EIRO 1899.
chafurdar *vb.* 'atolar' XVII. De origem controvertida.
chaga *sf.* 'ferida, lesão' XIII. Do lat. *plāga* || A**chag**ADO XIV || **chag**ADO XIV || **chag**AR XIII. Do lat. *plagāre* 'ferir, maltratar'.
chaguer *sm.* 'vaso de couro, espécie de embornal, para resfriar água' | *chagueres* pl. XVI, *chegeyis* pl.

XVI, *chiqueis* pl. XVII | Do turco *sagry* || **chagrém** *sm.* 'couro de superfície granulada, usado principalmente em encadernação' 1899. Do fr. *chagrin*, deriv. também do turco *sagry*, com influência de *grain* 'grão, grânulo'.
chalaça → CHARLAR.
chalé *sm.* 'tipo de casa campestre' | *-let* 1873 | Do fr. *chalet*.
⇨ **chalé** | 1836 SC |.
chaleira → CHÁ.
chalrar, chalrear → CHARLAR.
chalupa *sf.* 'antigo navio à vela XVII. Do fr. *chaloupe*, de origem duvidosa.
chama *sf.* 'labareda, claridade intensa, luz' '*fig.* ardor, paixão' XIII. Do lat. *flama* || **chamego** *sm.* 'carícia' 1844 || **chamej**ANTE 1813 || **cham**EJAR *vb.* 'deitar chamas, arder' XVI || **chamiça** *sf.* 'espécie de junco bravo' 'atilho feito com esse junco' XVII || **chamiço** *sm.* 'tudo o que se pode utilizar como acendalhas' XVII || **chamusc**AR *vb.* 'queimar de leve' 1813 || **chamusco** XVII. Deverbal de *chamuscar*.
⇨ **chama** — **cham**USC·ADO | *c* 1541 JCaSR 315.*6* || ES**chamej**·AR | *c* 1541 JCaSR 245.*1* |.
chamalote *sm.* 'tecido em que a posição do fio produz um efeito ondeado' XIV. Do fr. *chamelot*, provavelmente do a. fr. *chamel* 'camelo' (hoje *chameau*), porque o chamalote era feito com pelo de camelo.
chamar *vb.* 'dizer em voz alta o nome de alguém, convocar' 'nomear, denominar' XIII. Do lat. *clamāre* || **cham**ADA *sf.* 'convocação' | *-das* pl. 1844 || **cham**ADO *sm.* 'ação de chamar' XIII || **cham**ARIZ *sm.* 'coisa que chama, que atrai' 1813 || **cham**ATIVO XX || **chamo** *sm.* 'chamado' XV. Deverbal de *chamar*. Cp. CLAMOR.
⇨ **chamar** — **cham**ADA | 1836 SC |.
chambre *sm.* 'roupão' | *xambre* XVIII | Do fr. *chambre* 'quarto' (deriv. do lat. *camĕra*), abrev. de *robe de chambre*, porque o chambre é usado no quarto || **chambrié** *sm.* 'chicote longo e leve, para domar potros' 1844. Do fr. *chambrière*, de *chambre*.
⇨ **chambre** — **chambrié** | 1836 SC |.
cham·ego, -ejante, -ejar, -iça, -iço → CHAMA.
chaminé *sf.* 'tubo que comunica a fornalha com o exterior e serve para dar tiragem ao ar e aos produtos de combustão' | *chamjnees* pl. XV | Do fr. *cheminée*, deriv. do b. lat. *caminata*, de *camīnus* 'forno, forja, fogo' e, este, do gr. *káminos*, com influência de *chemin*. No voc. port. deve ter havido influência de *chama*.
chamorro *adj. sm.* 'tosquiado' 'denominação injuriosa dada outrora aos portugueses pelos espanhóis' XV. Do cast. *chamorro*, de origem incerta, talvez pré-romana.
champanha *sm.* 'tipo de vinho espumante' XIX. Do fr. *champagne*, do top. *Champagne*, região de fabricação desse tipo de vinho.
chamusc·ar, -o, → CHAMA.
chanca *sf.* '*pop.* pé grande' 'calçado largo e grosseiro' 1813. Talvez do lat. tard. *zanca* (*tzanga*) 'nome de uma espécie de calçado', provavelmente deriv. do a. persa *zanga* 'perna'.
chança *sf.* 'zombaria, troça' XVII. Do it. *ciancia*, de origem onomatopaica.

chance *sf.* 'ocasião favorável, oportunidade' XV. Do fr. *chance*, deriv. do lat. pop. *cadentia*, pl. neutro substantivado como fem. do part. pres. de *cadĕre* 'cair'.
chanceler *sm.* '*orig.* antigo magistrado a quem incumbia a guarda do selo real' '*ext.* diplomata' XIII. Do fr. *chancelier*, deriv. do lat. *cancĕllārius* || **chancela** *sf.* 'selo pendente, em alguns documentos oficiais' '*ext.* marca ou sinal que merece confiança' | *-çella* XVI || **chancel**AR *vb.* 'selar' | *-llar* 1813 | Do fr. *chanceler*, deriv. do lat. *cancellāre* 'cobrir com grades' 'riscar' || **chancelaria** | *-çe* XIII, *cancelarya* XV etc. | Do fr. *chancellerie*.
chanchada *sf.* 'peça ou filme sem valor, em que predominam os recursos cediços, as graças vulgares ou a pornografia' XX. Do esp. plat. *chanchada*, de *chancha* 'porco, sujo'.
chanfalho *sm.* 'espada velha e ferrugenta' 1881. De origem obscura.
chanfana *sf.* 'badulaque' 'sarrabulho' 'comida malfeita' XVIII. Do cast. *chanfaina*, deriv. do lat. *symphōnia*.
chanfrar *vb.* 'cortar em ângulo ou de esguelha' XVI. Adaptação do fr. *chanfraindre*, do a. fr. *fraindre* e de *chant* 'canto, ângulo' || **chanfr**ADURA 1813 || **chanfr**ETA *sf.* 'chacota, zombaria' 1813. Provavelmente de *chanfrar*, na acepção de 'falar mal (de alguém)' na ausência' || **chanfro** 1813. Der. regress. de *chanfrar*.
chantagem[1] *sf.* 'ato de extorquir sob ameaças' | *-tage* 1899 | Do fr. *chantage* || **chanta**GISTA XX.
chantar *vb.* 'fincar no chão' 'fixar-se, plantar-se' XIII. Do lat. *plantāre* || **chant**AGEM[2] *sf.* 'ato ou efeito de chantar' XVI. Do lat. *plantāgŏ -ĭnis* 'tanchagem' || **chantel** *sm.* 'peça que forma o fundo da vasilha do tanoeiro' 1813. Provavelmente deriv. de *chantar*.
chanto *sm.* 'pranto' XIII. Do lat. *planctus*.
chantre → CANTAR.
chão *adj. sm.* 'plano, liso' 'vulgar' XIII. Do lat. *plānus* || **chã** *sf.* 'terreno plano' 'chão' | *chãa* XIII | Do lat. *plāna*, fem. de *plānus* || RE**chã** 1844.
⇨ **chão** — RE**chã** | 1836 SC |.
chapa *sf.* 'designação comum a qualquer peça lisa e pouco espessa, feita de metal ou de qualquer outro material consistente' XIV; 'chapada, planalto' XVI. De uma base *klappa*, onomatopaica || **chap**ADA *sf.* 'planalto' XVI || **chap**AD·ÃO XX || **chap**ADO *adj.* 'chapeado' XV || **chap**AR *vb.* 'pôr em' XVI || **chap**E·ADO 1813 || **chap**EAR *vb.* 'chapar' 1813.
⇨ **chapa** — **chap**E·ADO | 1704 *Inv.* 32 |.
chaparro *sm.* 'sobreiro novo' 'macheiro' 1844. Do cast. *chaparro*, provavelmente de origem pré-romana, aparentado com o basco dialetal *txapar(r)a*, dim. de *saphar(r)a* 'matagal'.
chap·eado, -ear → CHAPA.
chapéu *sm.* 'peça destinada a cobrir a cabeça' | *-peeo* XV | Do a. fr. *chapel* (hoje *chapeau*), deriv. do lat. pop. **cappellus*, dim. de *cappa* || **chapeirão** *sm.* 'chapéu de grandes abas' XVI. Do fr. *chaperon* || **chapel**ARIA | *-leria* 1858 || **chapel**EIRA 1844 || **chapel**EIRO 1813.
⇨ **chapéu** — **chapel**EIRA | 1836 SC |.
chapim *sm.* '*ant.* calçado de sola grossa, para mulheres' XVI. De uma onomatopeia *chap-* || **chapi-**

nhAR vb. 'banhar repetidas e frequentes vezes' 'agitar (a água, a lama) com as mãos ou com os pés' 1813.
chapuz sm. 'bucha para sustentar ou prender algo pesado' | -pus 1813 || chapuz (de -) loc. 'de cabeça para baixo' 1873. Do a. fr. dialetal chapuis, deriv. do lat. pop. *cappūtiare, de caput 'cabeça' || chapuzAR vb. 'lançar na água de cabeça para baixo' XVI.
charada sf. 'espécie de enigma' 'fig. linguagem obscura' 1844. Do fr. charade, deriv. do prov. mod. charrado 'conversa nos velórios' de charrà 'conversar', de formação expressiva || charadISTA 1844.
charamela sf. '(Mús.) antigo instrumento de sopro, precursor da atual clarineta' 1813. Do a. fr. chalemel ou chalemelle (hoje chalumeau), deriv. do lat. tard. calamellus, de calamus 'cana' 'objeto feito de cana' || charamelEIRO XVII.
⇨ charamela — XV CART 180.1 |.
charanga sf. 'pequena banda de música' 1873. Do cast. charanga, de origem onomatopaica.
charão sm. 'verniz de laca, muito lustroso e duradouro, originário da China e do Japão' | XVI, acharam XVI | Do chinês či-liáu 'tinta, óleo'.
charco sm. 'água estagnada e imunda, de pouca profundidade' 1572. De origem desconhecida, talvez pré-romana || ENcharcAR XVI.
charcutaria sf. 'comércio que prepara e vende carne de porco, linguiça etc.' XX. Do fr. charcuterie.
charivari sm. 'berreiro, tumulto' XIX. Do fr. charivari, de formação expressiva, ou deriv. do b. lat. caribaria, e, este, do gr. karēbaria 'dor de cabeça'.
charlar vb. 'falar à toa, palrar, tagarelar' 1813. Do cast. charlar, de formação expressiva, provavelmente deriv. do it. ciarlare || chalaça sf. 'caçoada, troça, zombaria' 1858 || chalrar, chalrear vb. 'charlar' | chalrar 1858, chalrear 1881 || charlatanESCO 1899. Do fr. charlatanesque || charlatanICE XX || charlatânICO 1784 || charlatanISMO 1844. Do fr. charlatanisme || charlatão sm. 'impostor, embusteiro, trapaceiro' XVI. Possivelmente do fr. charlatan, deriv. do it. ciarlatano.
⇨ charlar — chalrar | 1836 SC || charlatanESCO | 1836 SC || charlatanISMO | 1836 SC |.
charlote¹ sm. 'antiga espécie de sapato feminino' XX || charlote² sf. '(Cul.) tipo de doce feito em camadas' XX. Do fr. charlotte, do antrop. Charlotte.
charme sm. 'graça, atrativo, encanto pessoal' XX. Do fr. charme, deriv. do lat. carmen -ĭnis 'fórmula mágica' || charmOSO sf.
charneca sf. 'orig. tipo de vegetação xerófila de Portugal' 'ext. terreno onde medra a charneca' XIV. Provavelmente de origem pré-romana.
charneira sf. 'dobradiça' XVII. Adaptação do fr. charnière, deriv. do lat. pop. cardinaria, de cardō -ĭnis 'eixo de uma máquina'.
charola sf. 'andor de procissão' 'corredor semicircular em igrejas' XIV. De origem obscura.
charque sm. 'carne-seca' 1813. Do esp. plat. charque ou charqui, de origem controvertida || charqueADA 1881 || charqueADOR 1899 || charqueAR vb. 'preparar o charque' 1881. Do esp. plat. charquear.

charrete sf. 'veículo, em geral de duas rodas, tirado por um ou dois equinos' XX. Do fr. charrette, dim. de char 'carro' || charretEIRO XX.
charro adj. 'rústico, grosseiro' XVI. Do cast. charro 'tosco, aldeão' 'de mau gosto'.
charrua sf. 'orig. tipo de arado' 'ext. a agricultura, o campo' XVI. Do fr. charrue, deriv. do lat. tard. carrūca, de carrus -i 'carro de quatro rodas' 'carroça' e, este, de origem gaulesa.
charuto sm. 'rolo de folhas secas de fumo, preparado para fumar-se' | 1831, charoto 1802 | Do ing. cheroot, deriv. do tâmul schuruṭṭu 'rolo de tabaco' || charutARIA 1899.
chasco sm. 'dito satírico, zombaria, motejo' 1813. Do cast. chasco, de origem onomatopaica.
chassi sm. 'quadro rígido destinado a fixar papel, tecido, vidro etc.' 'ext. estrutura metálica sobre a qual se monta a carroçaria de veículos automóveis' XX. Do fr. châssis, de châsse e, este, do lat. capsa 'cofre'.
chata¹ sf. 'cerimônia fúnebre na Índia' XVII. Do malaiala chattam.
chata² → CRATO.
chatim sm. 'negociante pouco honesto' 'traficante, tratante' XVI. Do dravídico cheṭṭi, deriv. do sânscr. çresṭhī || chatinAR XVI || chatinARIA 1569.
chato adj. 'orig. sem relevo, liso, plano' 'ext. maçante' XVI. Do lat. *plattus 'plano, chato', adaptação popular do gr. platýs 'largo, amplo' || AchatADO 1871 || AchatAMENTO 1871 || AchatAR vb. 'conceder, aquiescer' 1813; 'tornar chato, plano' 1871 || chata² sf. 'tipo de embarcação' XVII. Do lat. *platta, deriv. do gr. dórico plátā || chateAÇÃO XX || chatEAR vb. 'aborrecer-(se), amolar-(se)' XX.
chaus sm. '(Hist.) mensageiro turco, emissário, correio do sultão' | 1565, chiaus 1559, chiause 1571 | Do turco čauš, com provável interferência do a. it. chiaus (hoje chiausso).
chauvinismo sm. 'nacionalismo exagerado' 1890. Do fr. chauvinisme, de chauvin, do antrop. Chauvin || chauvinISTA 1890. Do fr. chauviniste.
chave sf. 'artefato de metal que movimenta a lingueta das fechaduras' XIII. Do lat. clāvem || chavÃO sm. 'chave grande' 'modelo, padrão' XVIII || chaveIRA sf. 'doença dos suínos' XVII || chavEIR·ÃO XVIII || chavEIRO XIV.
chávena sf. 'xícara' | XVII, xavena 1704 | Do mal. chāvan, deriv. do chinês chā-kvān.
chazeiro sm. 'cheda' 1813, De origem controvertida; talvez seja forma desnasalada de *chanzeiro, de chã 'chão, plano'.
chec·agem, -ar → CHEQUE.
cheda sf. 'prancha lateral do leito do carro, na qual se metem os fueiros' XIII. Do célt. *clēta.
chefe s2g. 'dirigente, diretor' XVII. Do fr. chef, deriv. do lat. caput -ĭtis 'cabeça' 'chefe' || chefATURA sf. 'chefia' 1899 || chefIA sf. 'dignidade de chefe' 'repartição onde o chefe exerce suas funções' 1813 || chefIAR vb. 'dirigir' XX || SUBchefe 1881 || SUBchefIA XX.
chegar vb. 'atingir (com a dupla noção de tempo e de espaço)' XIII. Do lat. plicāre 'dobrar, enrolar'; explica-se a evolução semântica pelo fato de o voc. ter origem na linguagem náutica; do sentido primitivo do lat. 'dobrar, enrolar' passou-se ao

de 'chegar (ao porto, a embarcação)', pois nessa ocasião os marinheiros dobravam e enrolavam as velas || chegADO adj. sm. XIV || chegAMENTO XIII || chegANÇA XV.
cheio adj. 'pleno, completo, repleto' | XVI, chēo XIII, cheo XIII | Do lat. plēnus || cheia sf. | chea XIV || ENChENTE XVI || ENChER vb. 'ocupar o vão, a capacidade ou superfície de' 'fartar-se' XIII. Do lat. ĭmplēre || ENChIMENTO | -chy- XIV || REChEAR vb. 'encher bem' XVI || REcheio sm. 'aquilo que recheia ou enche' | -cheyo XVI || REchonchUDO adj. 'gorducho' XVIII || REenchER XVII.
⇨ cheio — recheADO | XV VERT 147.33 |.
cheirar vb. 'aplicar o sentido do olfato a' XIII. Do lat. vulg. flagāre (cláss. fragāre) || cheiro XIII. Der. regress. de cheirar || cheirOSO XVI || xereta s2g. 'bisbilhoteiro, intrometido'. XX || xeretAR XX.
cheque sm. 'ordem de pagamento' 1873. Do ing. check || checAGEM XX || checAR vb. 'conferir, confrontar' XX. Do ing. to check || CONTRAcheque XX.
cherne sm. 'peixe teleósteo, percomorfo, da fam. dos serranídeos' XVI. Provavelmente do lat. tard. acernia, através do moçárabe chírnia.
chesminés sm. pl. 'atavios, adornos' 1813. Talvez se ligue ao fr. chemin 'caminho' e a uma forma antiga cemininés.
cheviote sm. 'tecido inglês de lã' 1899. Do ing. cheviot, do top. Cheviots, pois o tecido era feito com a lã dos carneiros dos montes Cheviots.
chiar vb. 'emitir som agudo' XVI. De origem onomatopaica || chiADO sm. 'ato ou efeito de chiar' 1844 || chio sm. 'chiado' XVI.
⇨ chiar — chiADO | 1836 SC |.
chibo sm. 'cabrito até um ano' 1813. Do cast. chivo. O voc. foi usado originariamente como voz para chamar o animal e, neste sentido, é de criação expressiva || chiba sf. 'cabrita' XVI || chibANTE 1813 || chibAR vb. 'ostentar valentias' 1813 || chibATA sf. 'vara para fustigar' 'chicote' 1813 || chibAT·AR 1858 || xiba s2g. 'dança rural de origem portuguesa, cujo ritmo sofreu alterações por influência negra' 1899.
⇨ chibo | xibo 1680 AOCad I.489.16 |.
chibuque sm. 'espécie de cachimbo turco' XX. Do fr. chibouque, deriv. do turco čibūk.
chicana sf. 'ardil, astúcia, tramoia' 1844. Do fr. chicane, deverbal de chicaner, de origem obscura || chicanISTA XX.
⇨ chicana | 1836 SC |.
chícharo sm. 'grão-de-bico' | XVI, chichelo XIII | Do lat. cĭcer -ĕris.
chichisbéu sm. 'galanteador, cortejador' 1813. Do it. cicisbèo, de formação expressiva.
chicle sm. 'o látex da sapota (Achras sapata), matéria-prima da goma de mascar' 'ext. goma de mascar' XX. Do hisp.-amer. chicle, deriv. do náuatle chictli, tzictli || chiclete sm. 'chicle' XX. Provavelmente do nome comercial chiclet (de chicle), cunhado nos EUA, e que designa, especialmente, a goma de mascar já industrializada para consumo.
chico adj. 'pequeno' XIV. Do cast. chico, aparentado com o lat. cīccum.
chicória sf. 'planta pequena e latescente, da fam. das compostas, de folhas verdes e comestíveis' | -rea 1813 | Do lat. cichoria (pl. de cichōrĭum), deriv. do gr. kichóreia.

chicote sm. 'açoite, azorrague, chibata' XVIII. Provavelmente do fr. chicot || chicotAÇO sm. 'chicotada' XX. Do cast. chicotazo || chicotADA sf. 'pancada com chicote' 1899 || chicotEAR 1899.
⇨ chicote — chicotEAR | 1836 SC |.
chifra sf. 'instrumento em forma de faca ou de formão, para raspar, adelgaçar ou chanfrar couro' 1844. Do ár. šifra, da raiz š-f-r 'diminuir, baixar, recortar'.
⇨ chifra | 1836 SC |.
chifre sm. 'corno' 1734. Do cast. chifle, deriv. de chiflar 'assoviar' || chifrAÇO sm. 'chifrada' XX || chifrADA sf. 'golpe de chifre' XX || chifrudo adj. 'que tem chifre (grande)' XX.
chile sm. 'variedade de pimenta' XIX. Do cast. chile, deriv. do náuatle čilli.
chilenas sf. pl. 'grandes esporas' 1899. Do esp. plat. chilenas.
chileno adj. sm. 'relativo ao, ou natural do Chile' 1899. Do topo Chil(e) + -ENO.
⇨ chileno | 1836 SC |.
chilique sm. 'faniquito nervoso, fricote' 1881. Voc. de criação expressiva.
chilrão sm. 'rede de pescar camarões' 1844. De origem obscura; talvez se ligue a chilrar.
⇨ chilrão | 1836 SC |.
chilrar vb. 'pipilar, gorjear' 1844. De *chislar, que supõe uma base românica *cisclare, talvez de origem onomatopaica, mas que, essencialmente, parece ser uma alteração do lat. fistulare 'tocar flauta' || chilrEAR vb. 'chilrar' 1858 || chilreio 1844. Dev. de chilrear || chilro¹ sm. 'chilreio' XVIII. Dev. de chilrar.
⇨ chilrar | 1836 SC || chilrEAR | 1836 SC |.
chilro² adj. 'diz-se do caldo insípido, que não foi engrossado e temperado' 1844. Do cast. chirle, de origem pré-romana.
⇨ chilro² | 1836 SC |.
chim → CHINÊS.
chimarrão adj. sm. 'diz-se de, ou rês que foge para os matos e se torna selvagem' 1899; 'diz-se de, ou mate cevado sem açúcar' XX. Do esp. plat. cimarrón 'índios ou negros fugidos' 'selvagem, silvestre', de cima, porque os fugitivos (orig. índios e negros) refugiavam-se nas montanhas.
chimpanzé sm. 'grande macaco antropoide' 1899. Do fr. chimpanzé, deriv. de um idioma da África ocidental.
china → CHINÊS.
chinchila sf. 'pequeno mamífero roedor, cuja pele é muito procurada para agasalhos' 1813. Do cast. chinchilla, deriv. do aimará ou do quíchua.
chinela sf. 'calçado macio, geralmente sem salto, para uso doméstico' 1799. Do dialeto genovês cianèlla (it. pianèlla), deriv. do lat. med. planella, de planus 'plano, chato' || chinelADA 1881 || chinelEIRO XVII || chinelo sm. 'chinela' 1873.
⇨ chinela — chinelADA | 1836 SC || chinelo | 1836 SC |.
chinês adj. sm. 'relativo à, ou natural da China' | -ez 1844 | Do topo. Chin(a) + -ês || AchinesADO | -zado 1871 || chim adj. s2g. 'chinês' XVI || china adj. s2g. 'chinês' XVI.
⇨ chinês | -nez 1836 SC |.
chinfrim adj. 2g. 'insignificante, reles' 'algazarra, desordem' 1881. Provavelmente de origem ex-

pressiva || **chinfrin**ADA *sf.* 'chinfrim, em sua segunda acepção' 1899.
chinó *sm.* 'peruca' 1844. Do fr. *chignon*, deriv. do lat. pop. **catenio* *-onis*, de *catēna* 'cadeia, laço'.
chinquilho *sm.* 'jogo que consiste em lançar chapas ou discos de metal malhado contra pequenas estacas postas a uma distância convencionada' XIX. De uma forma **cinquilho*, de CINCO + -ILHO || A**chincalh**AMENTO XX || A**chincalh**AR *vb.* 'ridicularizar, escarnecer, mofar' 1844 || A**chincalhe** 1871. Dev. de *achincalhar*. Cp. CINCO.
⇨ **chinquilho** — A**chincalh**AR | 1836 SC |.
chio → CHIAR.
chique *adj.* 2g. 'elegante, de bom gosto, esmerado' 1873. Do fr. *chic*, de origem controvertida.
chiqueiro *sm.* 'curral de porcos' XVII. Do cast. *chiquero*, deriv. do moçárabe *širkā̆ir* 'cabana', de origem incerta.
⇨ **chiqueiro** | *chequeiro c* 1608 NOReb 86.*4* |.
chirriar *vb.* 'cantar (a coruja)' XVI. Voc. de origem onomatopaica, ligado a CHILRAR.
chispa *sf.* 'faísca' 'fulgor rápido' XVII. De formação expressiva.
chispe *sm.* 'pé de porco' 1881. Do lat. **sŭspĕde*, de *suis* (gen. de *sus* 'porco') + *-pede* 'pé'
chiste *sm.* 'dito gracioso, pilhéria' XVI. Do cast. *chiste* || **chist**OSO 1844.
⇨ **chiste** — **chist**OSO | 1836 SC |.
chita *sf.* 'tecido ordinário de algodão, estampado a cores' XVIII. Do neoárico *chhīṭ*, deriv. do sânscr. *chitra* 'matizado'.
choca[1] *sf.* 'jogo de bola em que esta é recebida com um grosso pau' | *choqua* XVI | De origem incerta.
choca[2] *sf.* 'chocalho grande' XIII. Do lat. tard. *clocca* 'sino', de provável origem céltica || **choc**AD·EIRA *sf.* 'aparelho para chocar ovos' 1899 || **choc**ALH·AR XVIII || **choc**ALHO *sm.* 'instrumento de metal, provido de badalo' XIII || **choc**AR[1] *vb.* 'incubar' XIV || **choco** *sm.* 'incubação' 1813. Dev. de *chocar*[1].
choça *sf.* 'cabana' 'habitação humilde, pobre' XIII. De origem obscura.
choc·**adeira, -alhar, -alho** → CHOCA[2].
choc·**ante, -ar**[2] → CHOQUE.
choc·**ar**[1] → CHOCA[2].
chocarreiro *adj. sm.* 'diz-se de, ou aquele que faz gracejos atrevidos' XVI. Do cast. *chocarrero*, de *chocarrar* 'zombar', var. de *socarrar*, de *socarrón* 'o que burla dissimuladamente' || **chocarr**ICE XVII.
chocho *adj.* 'orig. sem suco, seco, engelhado' 'ext. sem graça, insípido' 1813. Do lat. *fluxus* 'fluido' 'lasso, frouxo'. Cp. FROUXO.
choco → CHOCA[2].
chocolate *sm.* 'produto alimentar, feito de amêndoas de cacau torradas' XVII. Do cast. *chocolate*, voc. de origem asteca, mas de formação incerta || **chocolat**EIRA 1706. Do cast. *chocolatera*.
chofer *sm.* 'motorista' XX. Do fr. *chauffeur*, de *chauffer* 'aquecer'.
chofre *sm.* 'choque ou pancada repentina' XVIII. Provavelmente de origem onomatopaica || **chofr**ADA XVI || **chofr**AR XVI.
chope *sm.* 'cerveja fresca de barril' XX. Do fr. *chope*, deriv. do al. *Schoppen* 'medida de líquidos'.
choque *sm.* 'encontro de dois corpos em movimento ou de um corpo em movimento e um em repouso' XVI. Do fr. *choc*, dev. de *choquer* e, este, do med. neerl. *schokken*, ou do ing. *to shock* || **choc**ANTE XX. Do fr. *choquant* || **choc**AR[2] XVII. Do fr. *choquer* || ENTRE**choc**AR 1844. Do fr. *entrechoquer* || ENTRE**choque** XX. Dev. de *entrechocar*.
⇨ **choque** — ENTRE**choc**AR | 1836 SC |.
chorar *vb.* 'verter ou derramar lágrimas' XIII. Do lat. *plōrāre* || **chor**AD·EIRA *sf.* 'ato de chorar muito' 1813 || **chor**ADO 1813 || **chor**AMI(N)GAR *vb.* 'chorar amiúde e por motivos fúteis' 1813 || **chor**AMI(N) GAS *s2g.* 2n. | *choramingas* XVII | De *chorami(n)gar* || **chor**ÃO 1813 || **choro** XIII. Der. regress. de *chorar* || **chor**OSO XIII.
chorr·**ilho, -o** → JORRO.
chorume *sm.* 'banha, gordura, pingue' XVI. Do lat. **florumen*, *de flōs flŏris* 'flor' 'fig. vigor, prosperidade' || **chor**UDÓ *adj.* 'gordo' 1813.
choupa[1] *sf.* 'peixe teleósteo, percomorfo, da fam. dos pomasídeos' XVI. Do lat. *clupĕa* (> *clupia* > *choipa* > *choupa*).
choupa[2] *sf.* 'ponta de ferro ou de aço com que se armam garrochas, chuços etc.' XVIII. Provavelmente do fr. *échoppe*.
choupana *sf.* 'cabana' XVII. De origem obscura; talvez se relacione com CHOUPO.
choupo *sm.* 'planta da fam. das salicáceas' XVIII. Do lat. **poplu*, de *pōpŭlus -i* 'choupo'.
chouriço *sm.* 'enchido de porco, cujo recheio é misturado com sangue e curado ao fumo' 1813. Do cast. *chorizo*, de origem desconhecida || **chouriça** *sf.* 'saco longo e cilíndrico, cheio de areia ou serradura, para tapar as fendas inferiores das portas e janelas' 1813.
⇨ **chouriço** | 1680 AOCad I.532.*30* |.
choutar *vb.* 'trotear devagar e de maneira incômoda' XVI. Do cast. *chotar*, de origem onomatopaica || **chouto** XVI. Do cast. *chato*.
chover → CHUVA.
chuchar *vb.* 'chupar, sugar' | 1813, *chuxar* 1656 | De origem onomatopaica || **chuchurrear** *vb.* 'beber aos goles, sorvendo com ruído' 1813.
chuchu *sm.* 'trepadeira herbácea, da fam. das cucurbitáceas, de fruto verde, comestível' 1881. Do fr. *chouchou*, de *chou*, deriv. do lat. *caulis -is*, 'caule' 'couve'.
chuchurrear → CHUCHAR.
chuço *sm.* 'ant. arma composta duma ponta de ferro encastoada em um bordão' 'vara ou pau armado de aguilhão' XV. De origem obscura.
⇨ **chuço** — **chuç**ACO | *suchaço* 1680 AOCad I.302.*25* |.
chucrute *sm.* 'repolho picado e fermentado em salmoura, usado como acompanhamento de vários pratos de salsicharia' XX. Do fr. *choucroute*, deriv. do al. dialetal da Alsácia *sûrkrût* (al. *Sauerkraut*).
chué *adj.* 2g. 'ordinário, reles' 1813. Do ár. hisp. *šuī*, provavelmente.
chufar *vb.* 'mofar, zombar' XIII. De origem onomatopaica, com provável interferência do lat. vulg. *sufilare* (cláss. *sibilare*) || **chufa** | *chuffa* XIII || **chuf**ADOR XIII.
chulé *sm.* 'sujeira formada pelo suor dos pés' 'o fétido que ela desprende' 1881. De origem controvertida.

chulear *vb.* 'coser a orla do tecido, de modo que não se desfie' 1899. Do lat. *sub-līgāre* 'ligar, atar, prender por baixo'.
chulipa *sf.* 'dormente (de estrada de ferro)' 1881. Do ing. *sleeper* 'dormente'.
chulo *adj.* 'grosseiro, baixo, rude' 1813. Do cast. *chulo*, deriv. do it. *ciullo* 'menino', forma aferética de *fanciullo*, dim. de *fante* e, este, do lat. *fans -antis*, part. de *fāri*, trad. do gr. *álalos* || **chul**ICE XVIII.
chumaço *sm.* 'porção de algodão' XIII. Do lat. *plumācĭum* 'leito de penas' || EN**chumaç**AR 1881.
chumbo *sm.* '(Quím.) elemento de número atômico 82, metálico, muito denso, de grande aplicação na indústria' | XIII, *chunbo* XIII etc. | Do lat. *plŭmbum*. No port. med. documentam-se, também, *plamo* (séc. XIV), *plumo* (séc. XV) e *prumo* (séc. XV) || **chumb**ADA *sf.* 'tiro de chumbo' 'chumbo que se põe para fazer peso nas redes de pescar' 1813 || **chumb**ADO 'selado com chumbo' XIV; 'sério, grave' XVII; *fig.* 'embriagado' 1858; 'soldado com chumbo' XX || **chumb**AR *vb.* 'soldar 'com chumbo' 1813 || **chumb**EIRO *sm.* 'estojo de couro para chumbo de caça' XVI.
⇨ **chumbo** — **chumb**ADO 'embriagado' | 1836 SC |.
chúmeas *sf. pl.* 'peças de madeira com que se consertam os mastros estalados' | 1873, *chúmbeas* 1813 | Provavelmente do ár. *jāma'â*; na var. *chúmbeas*, deve ter havido influência de CHUMBO.
chupar *vb.* 'sugar, sorver' 1572. De origem onomatopaica (voc. imitativo do ruído que produzem os lábios ao chupar) || **chup**AD·EIRA 1873 || **chup**ETA *sf.* 'mamilo de borracha para crianças' 1881 || **chu**pITAR *vb.* 'chupar devagarinho' | -*pistar 1813*.
⇨ **chupar** | *c* 1538 JCasG 228.*16* |.
churdo *adj.* 'diz-se da lã suja, como sai da ovelha' 'sujo, sórdido, miserável' 1813. Talvez do lat. *sordĭdus* 'sujo, imundo' || EN**xurd**AR *vb.* 'chafurdar' 1813.
churrasco *sm.* 'porção de carne, ou pequeno animal, sem tempero, assada geralmente ao calor da brasa' XIX. Do cast. *churrasco*, de *churrascar* 'queimar, chamuscar' | **churrasc**ADA XX || **churrasc**ARIA XX || **churrasqu**EAR 1899. Do cast. *churrascar* || **churrasqu**EIRA XX.
churrião *sm.* 'tipo de embarcação' XVII; 'carruagem pesada' 1813. Do cast. *chirrión*.
churro *adj.* 'churdo' 1813. Do cast. *churre*, com infl. de *churdo*.
chusma *sf.* '*orig.* tripulação' '*ext.* grande quantidade de pessoas' | XV, *chulma* XV, *churma* XVII | Do genovês *ciüsma* (it. *ciurma*), deriv. do lat. *celeusma* 'canto dos remadores e dos vindimadores'.
⇨ **chusma** — **chusm**ADO | 1569 in *Studia*, nº 8.199 |.
chute *sm.* 'pontapé dado na bola no jogo de futebol' *ext.* pontapé' XX. Do ing. *shoot* || **chut**AR XX || **chut**EIRA XX.
chuva *sf.* 'precipitação atmosférica formada de gotas de água, por efeito da condensação do vapor de água contido na atmosfera' | XIII *chuvia* XIII etc. | Do lat. *plŭvia* || **chover** XIII. Do lat. *plŏvĕre* || **chuv**AC·EIRO 1500 || **chuv**ADA 1899 || **chu**VEIR·ADA XX || **chuv**EIRO sm. 'pancada de chuva' XVI; 'crivo dos regadores' 1899; 'local por onde passa a água para a ducha' XX || **chu**VISC·AR XVII || **chu**VISCO 1873 || **chuv**OSO | -*vioso* XIV, *chui*- XV.

⇨ **chuva** — **chu**VISCO | 1836 SC |.
cian(o)- *elem. comp.*, do gr. *kỹano-*, de *kỹ'-anōs* 'azul', que se documenta em alguns compostos formados no próprio grego (como *cianose*) e em muitos outros introduzidos, a partir do séc. XIX, na linguagem científica internacional ▶ **cian**ETO *sm.* '(Quím.) qualquer sal do ácido cianídrico' XX || **ciani**CÓRN·EO XX || **cian**ÍDRICO *adj.* '(Quím.) ácido que só existe em solução, venenoso' | *cyanhi*-1873 | Do fr. *cyanhydrique* || **cian**ÍPEDE | *cy-* 1899 || **cianir**·ROSTRO | *cyanirostro* 1899 || **cian**ITA *sf.* 'mineral triclínico, composto de silicato de alumínio' | *cyanite* 1881 | Do fr. *cyanite*; o voc. foi criado em 1789, por Hoffman || **ciano**CARPO | *cy-* 1899 || **ciano**CÉFALO | *cyanocephalo* 1899 || **ciano**GÊN·IO *sm.* '(Quím.) gás incolor, muito venenoso' | *cy-* 1858 || **cian**ÔMETRO | *cy-* 1858 | Do lat. cient. *cỹanometrum* || **cian**ÓPTERO | *cy-* 1881 | Cp. gr. *kyanópteros* || **cian**OSE *sf.* 'espécie de cristal' '(Pat.) coloração azul da pele, resultante da oxigenação insuficiente do sangue' | *cy-* 1881 | Do fr. *cyanose*, deriv. do gr. *kỹánosis* || **cian**ÓT·ICO | *cy-* 1899 | De *cianose* || **cian**OTIP·IA XX.
⇨ **cian(o)-** — **ciano**GÊN·IO | -*geno* 1836 SC |.
ciar *vb.* 'remar para trás' | *cear* XVI | Do cast. *ciar*, talvez deriv. de *cía* 'quadril', pelo esforço que faz esta parte do corpo ao ciar.
ciático *adj.* '(Anat.) do ísquio ou dos quadris' | *sci*-1844 | Do lat. tard. *sciaticus* (por *ischiadicus*, deriv. do gr. *ischiadikós*, de *ischíon* 'ísquio'), provavelmente através do fr. *sciatique* || **ciát**ICA *sf.* '(Med.) nevralgia do nervo ciático' XVI. Cp. ÍSQUIO(N).
⇨ **ciático** | XV CART 275.*2* |.
ciato *sm.* 'vaso com asa, com o qual se tirava o vinho da cratera para despejá-lo nos copos' | *syatho* 1881 | Do lat. *cyathus*, deriv. do gr. *ky'athos*.
⇨ **ciato** | *cyatho* 1836 SC |.
cibernética *sf.* 'ciência que estuda as comunicações e o sistema de controle não só nos organismos vivos, mas também nas máquinas' XX. Do fr. *cybernétique*, deriv. do gr. *kybernētiké* 'arte de governar (os homens)'.
cibo *sm.* 'alimento, comida, isca' | XVI, *cebo* XVII | Do lat. *cibus -i* || **cib**ALHO *sm.* 'alimento procurado pelas aves bravas' XVI.
cibório *sm.* 'vaso onde se guardam as hóstias ou partículas consagradas' 1813. Do lat. *cibōrium*, deriv. do gr. *kibórion* 'fruto do nenúfar do Egito' 'taça feita com esse fruto ou com a sua forma'.
cicatriz *sf.* 'marca deixada numa estrutura anatômica pelo tecido fibroso que recompõe as partes lesadas' *fig.* lembrança de uma dor moral' XVI. Do lat. *cicātrīx -īcis* || **cicatríc**ULA 1873. Do lat. *cicātrīcŭla* || **cicatriz**·AÇÃO 1873 || **cicatriz**AR 1813.
⇨ **cicatriz** — **cicatriz**·AÇÃO | 1836 SC |.
cícero *sm.* '*orig.* certo tipo de imprensa' 'medida tipográfica' 1813. Do antrop. lat. *Cicĕrō -ōnis* 'Cícero', grande orador e escritor romano, por ter sido empregado o tipo cícero numa das primeiras edições desse escritor || **cicerone** *s2g.* 'pessoa que guia visitantes ou turistas' 1873. Do it. *ciceróne* || **ciceroniano** *adj.* 'pertencente ou relativo a Cícero' 1873. Do fr. *cicéronien*, deriv. do lat. *cicerōniānus*.
⇨ **cícero** — **ciceroniano** | 1836 SC |.

ciciar *vb.* 'pronunciar as palavras em voz baixa' 1813. De origem onomatopaica ‖ **cicio** XVII. Der. regress. de *ciciar*.

ciclâmen *sm.* 'gênero de primuláceas' 'a cor arroxeada peculiar a essas plantas' 1873. Do fr. *cyclamen*, deriv. do lat. cient. *cyclamen (Europaeum)*, de *cyclamīnos -um* e, este, do gr. *kyklámīnos -on*, alterado por infl. do nome. de outras plantas em *-men*.

⇨ **ciclâmen** | *cyclamen* 1836 SC |.

-cicl(o)- *elem. comp.*, do gr. *kyklo-*, de *ky'klos* 'círculo', que se documenta em alguns compostos formados no próprio grego (como *cíclico*) e em muitos outros introduzidos, a partir do séc. XIX, na linguagem erudita ▶ **BIcicl**ETA *sf.* 'veículo constituído por um quadro montado em duas rodas, alinhadas uma atrás da outra' XIX. Do fr. *bicyclette* ‖ **BIciclo** *sm.* 'tipo de velocípede' XX. Do ing. *bicycle* ‖ **cícl**ICO 1844. Do fr. *cyclique*, deriv. do lat. *cyclicus* e, este, do gr. *kyklikós* ‖ **cicl**ISMO *sm.* 'arte de andar de bicicleta' XX. Do fr. *cyclisme* ‖ **cicl**ISTA XX. Do fr. *cycliste* ‖ **ciclo** *sm.* 'série de fenômenos que acontecem numa ordem determinada' 1813. Do fr. *cycle*, deriv. do lat. *cyclus* e, este, do gr. *ky'klos* ‖ **cicl**OID·AL. 1813 ‖ **cicl**OIDE 1813. Do fr. *cycloïde*, deriv. do gr. *kykloeidē's* ‖ **ciclo**METR·IA | *cy-* 1899 | Do fr. *cyclomètrie* ‖ **ciclone** *sm.* 'centro de baixa pressão' 'vento demasiadamente forte' | *cy-* 1899 | Do fr. *cyclone*, deriv. do ing. *cyclone*, voc. criado por H. Piddington em 1848 ‖ **ciclope** *sm.* '(Mit.) gigante com um olho só na testa' | *ciclopre* XIV, *cyclopa* 1572 | Do lat. *Cyclōps -ōpis*, deriv. do gr. *ky'klōps -ōpos* ‖ **ciclóp**EO | *cy-* 1899 | Do lat. *Cyclōpēus* ‖ **ciclo**RAMA XX ‖ **cicló**STOMO | *cy-* 1899 | Do fr. *cyclostome* ‖ **ciclo**TIM·IA XX ‖ **ciclo**TOMO *sm.* '(Cir.) instrumento usado na operação de catarata' | *cy-* 1899 ‖ **cíclotron** XX. Do fr. *cyclotron*, de *cyclo* + *-tron* (da terminação de *électron*).

⇨ **-ciclo(o)-** — **cíclico** | *cy-* 1836 SC |.

ciconiforme → CEGONHA.

cicuta *sf.* 'designação comum a várias plantas umbelíferas venenosas' 'veneno extraído da cicuta-europa' | 1813, *cixcuta* XV, *cixuca* XV | Do lat. *cicūta*.

-cida, -cídio *elem. comp.*, do lat. *-cīda, -cīdium*, deriv. de *caedĕre* 'matar', que se documentam em vocs. formados no próprio latim, como *fratricida* (lat. *frātricīda*) e *matricida* (lat. *mātricīda*) 'assassino do irmão e da mãe, respectivamente', e *fratricídio* (lat. *frātricīdium*) e *matricídio* (lat. *mātricīdium*) 'assassinato do irmão e da mãe, respectivamente', e que ocorrem, também, na formação de inúmeros outros de criação moderna, como *germicida, inseticida, regicídio, tauricídio* etc.

cidade *sf.* 'complexo demográfico formado, social e economicamente, por uma concentração populacional não agrícola' XIII. Do lat. *cīvĭtas -ātis* ‖ **cidadan**IA *sf.* 'qualidade ou estado de cidadão' XX ‖ **cidad**ÃO | XIII, *çibdadao* XIV, *cidadã* f. 1844 ‖ **cidad**ELA *sf.* 'fortaleza' | *-lla* 1813 | Do it. *cittadèlla*, dim. de *cittade* 'cidade' ‖ **citad**INO XVI. Do it. *cittadino*, de *cittade*, provavelmente através do fr. *citadin* ‖ **con**CIDAD**ÃO** 1833.

⇨ **cidade** — *cidad*ELA | *cidadella* 1650 *in* GFer 176.*33* |.

cidra *sf.* 'fruto da cidreira, planta epinescente da fam. das rutáceas' XIV. Do lat. *citrĕa* ‖ **cidr**EIRA 1813.

⇨ **cidra** — **cidr**EIRA | *cydreira* XV CART 273.*5* |.

cieiro *sm.* '(Pat.) dermatite localizada nos lábios e produzida pelo frio' XVII. De origem controvertida.

ciência *sf.* 'conhecimento, saber, informação' ‖ XIV, *sci-* XIV | Do lat. *scientĭa* ‖ **ciente** *adj.* 2g. 'que tem ciência' | XIII, *çy-* XIV | Do lat. *sciēns -entis*, part. de *sciō* 'saber, conhecer' ‖ **cient**IFIC·AR *vb.* 'informar' | *sci-* 1899 ‖ **cient**ÍF·ICO | *sci-* XVI | Do lat. tard. *scientĭficus* ‖ **cient**ISTA *s2g.* 'especialista numa ciência' | *sci-* 1899 | Do ing. *scientist* ‖ **insciência** *sf.* 'ignorância' XVII. Do lat. *īnscientĭa* ‖ **insciente** XVII. Do lat. *īnsciēns -entis* ‖ **ínscio** 1873. Do lat. *in-scĭus*.

cifa *sf.* 'areia que os ourives empregam para moldar' 1813. Do ár. *sāifă*.

cifose *sf.* '(Pat.) curvatura da coluna vertebral de convexidade posterior' | *cyphose* 1899 | Do lat. cient. *cȳphōsis*; deriv. do gr. *ky'phōsis*, de *kyphós* 'encurvado' ‖ **cifo**ESCOLIOSE XX ‖ **cifót**ICO XX.

cifra *sf.* 'zero' 'montante das operações comerciais' 'explicação duma escrita enigmática ou secreta' XV. Do lat. med. *cifra*, deriv. do ár. *ṣifr* 'vazio, zero' ‖ **cifr**ADO XVII ‖ **cifrão** *sm.* 'sinal gráfico ($) que precede a indicação de uma importância em dinheiro' 1813 ‖ **cifr**AR *vb.* 'escrever em cifra, resumir' XV ‖ DE**cifr**AÇÃO 1844 ‖ DE**cifr**AR | *descyfrar* XVI.

⇨ **cifra** — DE**cifr**AÇÃO | 1836 SC |.

cigano *sm.* 'indivíduo de um povo nômade, que tem um código ético próprio e se dedica à música, vive de artesanato, de ler a sorte etc.' XVI. Provavelmente do fr. *tsigane* ‖ A**cigan**ADO 1899. Cp. GITANO.

cigarra *sf.* 'designação comum aos insetos homópteros da fam. dos cicanídeos (os machos são providos de órgãos musicais)' XVI. Relacionado com o lat. *cĭcāda*, provavelmente de uma var. **cicāra*.

cigarro *sm.* 'pequena porção de fumo picado, enrolado em papel fino, ou em palha de milho, para se fumar' XVIII. Do cast. *cigarro*, de origem incerta, talvez deriv. de CIGARRA, por comparação com o corpo cilíndrico e escuro desse animal ‖ **cigarr**EIRA 1881. Do cast. *cigarrera* ‖ **cigarr**ILHA 1844. Adapt. do cast. *cigarrillo*.

cilada *sf.* 'emboscada' | XIV, *ciada* XIII | Do part. do verbo lat. *celāre* 'ocultar'.

cilha *sf.* 'tira com que se aperta a sela ou a carga por baixo do ventre das cavalgaduras' | XV, *çilla* XIV, *cinlha* XIV etc. | Do lat. *cĭngŭla* ‖ EN**cilh**AMENTO XX ‖ EN**cilh**AR 1881.

cilício *sm.* 'tipo de túnica que se usava como penitência' | XIV, *celiço* XIII, *celicio* XIV etc. | Do lat. *cĭlĭcĭum -ī* 'tecido grosseiro'.

cilindro *sm.* 'qualquer corpo roliço e alongado, que tem o mesmo diâmetro em todo o seu comprimento' 1813. Do lat. *cylindrus -i*, deriv. do gr. *ky'lindros* ‖ **cilíndr**ICO | *cylindrico* 1782 ‖ **cilindri**·FLORO | *cy-* 1899 ‖ **cilindri**·FORME | *cy-* 1899 ‖ **cilindr**OIDE | 1873, *cy-* 1873 | Do fr. *cylindroïde*, deriv. do lat. tard. *cylindroīdēs* e, este, do gr. *kylindroeidēs*.

⇨ **cilindro** — **cilindr**OIDE | *cy-* 1836 SC |.

cílio *sm.* 'pelo da orla das pálpebras' XIX. Do lat. *cilĭum -ī* ‖ **celhas** *sf. pl.* 'cílio' '*ext.* sobrancelha'

XVII. Do lat. *cilĭa*, pl. de *cilĭum* ‖ **cili**FORME XX ‖ **cilí**GERO 1899 ‖ **cilió**FORO *sm.* 'animal protozoário, que tem cílios ao menos em um estágio da vida' XX ‖ SUPER**cílio** *sm.* 'sobrancelha' 1881; '*fig.* soberba' XVII ‖ SUPER**cili**OSO *adj.* 'sobrancelhudo' XX; '*fig.* sisudo' 1899.
⇨ **cílio** — SUPER**cílio** 'sobrancelha' | 1836 SC |.
cima *sf.* 'a parte mais elevada, cume, cimo' XIII. Do lat. *cȳma*, deriv. do gr. *kyma*. O voc. port. é predominantemente usado nas locuções *acima de, de cima, de cima de, em cima, em cima de, para cima, para cima de, por cima, por cima de* ‖ A**ci**ma 'na parte mais elevada' XIII; '*ant.* por fim, finalmente' XIII ‖ A**cim**AR '*ant.* dar fim a, terminar' XIII ‖ **cimácio** *sm.* 'moldura que remata uma coluna' 1813. Do lat. *cȳmatĭum*, deriv. do gr. *kȳmátion* ‖ **cimalha** *sf.* 'a parte superior da cornija' XVI ‖ **ci**mEIRA | *çimeira* XIV, *çy-* XIV ‖ **cim**EIRO | *çjmeiro* XIV ‖ **cimo** XVI ‖ EN**cim**AR 'colocar em cima de' 'dar fim a, concluir' XIII.
cimba *sf.* '*ant.* embarcação de carga e transporte' XVII. Do lat. *cymba*, deriv. do gr. *ky'mbe*.
címbalo *sm.* 'antigo instrumento musical' 1570. Do lat. *cymbălum -i*, deriv. do gr. *ky'mbalon*.
cimbre *sm.* 'armação de madeira que serve de molde e suporte a arcos e abóbadas durante a construção' | *cimbrez* pl. XVI | Do a. fr. dial. *cindre* (fr. *cintre*); o fr. *cintre* é dev. de *cintrer*, deriv. de um lat. vulg. *cĭnctūrare*, de *cĭnctūra* 'cintura' 'cinto'. A transformação *-ndr-* → *-mbr-* talvez se deva à interferência de *simples*.
címbrico *adj.* 'relativo ou pertencente aos cimbros, povo bárbaro germânico que invadiu as Gálias no séc. II a. C.' 1899. Do lat. *Cimbrĭcus*.
⇨ **címbrico** | 1836 SC |.
cim·eira, -eiro → CIMA.
cimélio *sm.* 'objeto raro e precioso' XIX. Do lat. tard. *cīmēlium*, deriv. do gr. *keimélion* 'orig. bem, posse' '*ext.* objeto raro que se guarda como recordação'.
cimento *sm.* 'substância em pó, utilizada como aglomerante ou para ligar certos materiais' XIII. Do lat. *caemĕntum -i* 'pedra' ‖ A**ciment**AR XX ‖ **ciment**AR | *ce-* XVII.
cimério *adj.* 'lúgubre, infernal, fúnebre, atroz' XVI. Do lat. *Cimmerĭus* 'de Cimério' 'dos infernos'.
cimitarra *sf.* 'tipo de sabre oriental' | *ça-* XV, *semitarra* 1508, *samitarra* 1530 etc. | De origem incerta.
cimo → CIMA.
cinábrio *sm.* 'mineral trigonal vermelho, composto de sulfato de mercúrio' 1813. Do fr. *cinabre*, deriv. do lat. *cinnabaris* e, este, do gr. *kinnábari(s)*, de origem oriental.
cinamomo *sm.* 'planta ornamental da fam. das meliáceas' | XV, *cynamomõ* XIV | Do lat. *cinnamōmum*, deriv. do gr. *kinnámōmon*.
cinc·a, -ada, -ar → CINCO.
cincerro *sm.* 'campainha grande pendente do pescoço da besta que serve de guia às outras' 1899. Do cast. *cencerro*, de formação onomatopaica, talvez deriv. do basco *zinzerri*.
cincho *sm.* 'circo, cintel, frangelha, empreita de pau' | XVI, *çincho* XIV | Do lat. *cĭngŭlŭm*.
cinchona *sf.* 'gênero de plantas da fam. das rubiáceas, ao qual pertence a quina' 1881. Do lat. cient. *cinchona*, nome criado por Lineu, em 1752, em homenagem à condessa de *Chinchón*, mulher do vice-rei do Peru, que deu a conhecer universalmente esse produto ‖ **cinchon**INA *sf.* 'alcaloide existente nas cinchonas' 1873.
cínclise *sf.* 'estado nervoso de quem pestaneja continuadamente' XX. Cp. gr. *kígklisis*.
cinco *num.* '5, V' | XIII, *cinque* XIII | Do lat. vulg. *cīnque* (cláss. *quinque*) ‖ **cinca** *sf.* 'perda no jogo da bola' '*fig.* erro, engano' XVII ‖ **cinc**ADA *sf.* 'erro, engano' XX ‖ **cinc**AR *vb.* 'dar cincas' 'errar, falhar' 1813 ‖ **cinqu**INHO *sm.* '*ant.* moeda do reinado de D. João III, do valor de 5 réis' XVI.
cindir *vb.* 'separar, dividir' XX. Do lat. *scindĕre* ‖ ES**cindir** *vb.* 'cindir' 1890. Do lat. *exscindĕre* ‖ RES**cindir** XVI. Do lat. *rescindĕre* 'separar, cortar' Cp. CISÃO.
cine-, cinemat- *elem. comp.*, do gr. *kīnema -atos* 'movimento', relacionado com *kīnéō* 'mover, pôr em movimento'; *cinemat-* é a base do fr. *cinématographe*, voc. difundido em 1895 pelos irmãos Lumière; posteriormente, os franceses reduziram *cinématographe* a *cinéma* e, mais tarde, a *ciné*, forma ainda mais abreviada. Os vocs. adiante relacionados prendem-se todos ao francês e se internacionalizaram a partir do séc. XIX. ▶ **cine** XX. Abrev. franco-italiana de *cinema* ‖ **cineasta** 1930. Do fr. *cinéaste* ‖ **cine**CLUBE XX. Do fr. *ciné-club* ‖ **cine**GRAF·ISTA XX ‖ **cinema** XX. Do fr. *cinéma*, abrev. de *cinématographe* ‖ **cinema**TECA XX. Do fr. *cinémathèque* ‖ **cinemát**ICA 1873. Do fr. *cinématique*, deriv. do gr. *kīnēma -atos* 'movimento' + *-ique* [v. -ICO] ‖ **cinemato**GRAF·IA XX. Do fr. *cinématographie* ‖ **cinemato**GRÁF·ICO XX. Do fr. *cinématographique* ‖ **cinemato**GRAFO *sm.* 'aparelho capaz de reproduzir numa tela o movimento, por meio de uma sequência de fotografias' | *-pho* 1899 | Do fr. *cinématographe*, difundido em 1895 pelos irmãos Lumière ‖ **cine**RAMA XX. Do fr. *cinérama* ‖ **cines**ALG·IA XX. Do lat. cient. *cīnēsalgia*, deriv. do gr. *kínēsis* 'movimento' + -ALGIA ‖ **cinética** *sf.* 'cinemática' 'parte da físico-química que estuda a velocidade das reações químicas' XX. Do gr. *kinētikḗ*, de *kīnētikós* 'que move', por via erudita. Cp. -CINES-, -CINET-.
cinegética *sf.* 'arte de caçar com cães' 'arte da caça' XX. Do fr. *cynégétique*, deriv. do lat. *cynēgetica* e, este, do gr. *kynēgetikḗ* ‖ **cinegético** *adj.* XX. Do lat. *cynēgeticus*, do gr. *kynēgetikós*. Cp. CINO-.
cine·grafista, ·ma, -mateca, -mática, -matografia, -matográfico, -matógrafo, -rama → CINE-.
cinerário *adj.* 'relativo a cinzas' 'que contém os restos mortais de alguém'; *sm.* 'cripta funerária' 1844. Do lat. *cinerārĭus* ‖ **ciner**AL 'montão de cinzas' XX ‖ **ciner**AR *vb.* 'incinerar' 1899. De um lat. med. *cinerare, refeito pelo modelo do lat. med. *cinerātus*, em lugar do lat. *cinerēscere* ‖ **cinerária** *sf.* 'designação comum a várias plantas ornamentais da fam. das compostas' 1873. Do lat. cient. *cinerāria* ‖ **cinér**EO *adj.* '(Poét.) cinzento' 1844. Do lat. *cinerĕus* ‖ **cineri**FORME 1873 ‖ IN**ciner**AÇÃO 1800. Do lat. *incinerātĭō -ōnis* ‖ IN**ciner**ADOR XX ‖ IN**ciner**AR *vb.* 'queimar até reduzir a cinzas' 1844. Do fr. *incinérer*, deriv. do lat. *incinerāre* ‖ SUB**cinerício** *adj.* 'relativo

a cinza' 1813. Do lat. tard. *subcinericĭus* 'cozido debaixo de cinzas'.
⇨ **cinerário** — INCINERAR | 1836 SC |.
-cines-, -cinet- *elem. comp.*, do .gr. *kines-* (< *kínēsis* 'movimento') e *kinet-* (< *kīnētós* 'móvel, que se move'), que se documentam em alguns compostos eruditos, como *hipocinesia, hipocinético* etc. Cp. CINE-.
cinesalgia, cinética → CINE-.
cingalês *adj. sm.* 'pertencente ou relativo à ilha de Ceilão' 1899. Do ing. *cingalese* (ou do fr. *cingalais*), deriv. do cingalês *simhala* e, este, do sânscr. *sinhalam*. Diretamente do cingalês *simhala* procedem as ant. vars. port. *chimgala* (1568) e *chingalâ* (a 1583).
cingel *sm.* 'junta de bois' XV. Do lat. *cingillum,* dim. de *cĭngŭlŭm* 'cintura, cinto' || **cíngulo** *sm.* 'cordão com que o sacerdote aperta a alva na cintura' XVII. Do lat. *cĭngŭlŭm.* Cp. CINCHO.
⇨ **cingel** | *singel* XIV ORTO 139.*35* |.
cingir *vb.* 'rodear, cercar, unir' | *cinger* XIII, *cengir* XIII etc. | Do lat. *cĭngĕre.* Cp. CINTA.
⇨ **cingir** — cingIDOURO | 1614 SGONÇ I.517.*16* |.
cíngulo → CINGEL.
cínico *adj.* 'irônico, sarcástico' | *cy-* 1844 | Do fr. *cynique*, deriv. do lat. *cynĭcus* e, este, do gr. *kynikós* || cinISMO | *cy-* 1844 | Do fr. *cynisme*, deriv. do lat. tard. *cynismus* e, este, do gr. *kynismós*.
⇨ **cínico** | *cy-* 1836 SC || cinISMO | *cy-* 1836 SC |.
cinira *sf.* 'entre os hebreus, fenícios e sírios, espécie de lira ou cítara' | *cinyra* 1899 | Do lat. tard. *cinyra*, deriv. do gr. *kinýra* e, este, do hebr. *kinnōr*.
cinismo → CÍNICO.
cino- *elem. comp.*, do lat. *cyno-*, deriv. do gr. *kyno-*, de *ky'ōn* 'cão', que se documenta em alguns compostos formados no próprio grego (como *cinórrodo*) e em alguns outros introduzidos, a partir do séc. XIX, na linguagem científica internacional ▶ cinoGRAF·IA | *cynographia* 1899 || cinoLOG·IA XX || **cinorexia** | *cy-* 1873 || **cinórrodo** | *cynorrhodo* 1873 | Do lat. cient. *cynorrhodon*, deriv. do gr. *kynórrhodono*.
cinquenta *num.* '50, L' | *cincoenta* XIII, *cinquaenta* XIII etc. | Do lat. vulg. *cĭnquagĭnta* (cláss. *quinquagĭnta*) || **cinquent**AO *adj. sm.* 'quinquagenário' XX || **cinquentário** *sm.* 'quinquagésimo aniversário' XX. Do fr. *cinquantenaire*. Cp. QUINQUAGENÁRIO.
cinta *sf.* 'faixa para apertar a cintura' XIII. Do lat. *cīncta*, parto de *cĭngĕre* || cintAR 1881 || **cinto**[1] *adj.* 'cingido' XIV. Do lat. *cinctus -ūs*, part. de *cĭngĕre* || **cinto**[2] *sm.* 'faixa ou tira que cinge o meio do corpo com uma só volta' XIII. Do lat. *cinctus -ŭs* || **cintura** *sf.* 'a parte média do tronco humano, situada abaixo do peito e acima dos quadris' | *çin-* XIV, *çim-* XV | Do lat. *cinctūra* || cintUR·ÃO *sm.* 'cinto grande' 1813.
cintilar *vb.* 'tremeluzir' XVI. Do fr. *scintiller*, deriv. do lat. *scintillāre* || **cintil**AÇÃO | *scintillação* 1813 | Do fr. *scintillation*, deriv. do lat. *scintillātĭō -ōnis* || **cintil**ANTE | *scintilante* 1572 | Do fr. *scintillant*, deriv. do part. do lat. *scintillāre*.
cint·o, -ura, -urão → CINTA.
cinza *sm.* 'pó ou resíduos da combustão de certas substâncias, em geral de coloração plúmbea' | *cīisa* XIII, *cimsa* XIII etc. |; *adj. 2g. 2n.* 'cinzento' XX. Do lat. vulg. *cĭnīsia (de *cĭnīs -eris*) || AcinzENT·ADO 1899 || AcinzENT·AR XX || cinzEIRO 1813 || **cinz**ENTO *adj.* 'que tem a cor da cinza' 1813.
cinzel *sm.* 'instrumento cortante, usado especialmente por escultores e gravadores' XVII. Do a. fr. *cisel* (hoje *ciseau*), de *cisoir*, deriv. do lat. vulg. *caesŏrĭum, de *caedĕre* 'cortar' || **cinzel**ADOR | *sin-* 1874 || **cinzel**AR 1859.
⇨ **cinzel** — **cinzel**ADOR | *sin-* 1836 SC || **cinzel**AR | *sin-* 1836 SC |.
cinzento → CINZA.
cio *sm.* 'período de desejo sexual intenso dos animais' 1813. Do lat. *zēlus -i* 'ardor, ciúmes' || cioso *adj.* 'ciumento' 'cuidadoso' | *ceoso* XIII, *çioso* XV | Do lat. **zelōsus.* Cp. CIÚME, ZELO.
ciografia *sf.* '(Arquit.) arte de desenhar o corte longitudinal ou transversal de um edifício ou de uma máquina para se lhe ver a disposição interna' | *sciographia* 1844 | Do fr. *sciographie*, deriv. do gr. *skiographía*, de *skiá* 'sombra' || ciÓPTICO *adj.* 'referente à visão da sombra' | *sciop-* 1874.
cioso → CIO.
cipo *sm.* '*ant.* pedra tumular' | *-ppo* XVI |; '*mod.* pequena coluna desprovida de capitel' XX. Do lat. *cippus -i.*
cipó *sm.* 'nome genérico das plantas trepadeiras que pendem das árvores ou nelas se enroscam; vara, chicote' | 1587, *sipo* c 1594 etc. | Do tupi *ïsï"po* || cipoADA[1] 'pancada com cipó, chicotada' 1871 || cipoADA[2] 'cipoal' | *sipoada* 1872 || cipoAL 1648.
cipolino *sm.* 'variedade de mármore' 1844. Do it. *cipollino*, provavelmente através do fr. *cipolin*.
⇨ **cipolino** | 1836 SC |.
cipotá *sm.* 'planta da fam. das cucurbitáceas' | 1817, *sipotuá* 1783, *sipotá* 1792 | De origem desconhecida.
cipreste *sm.* 'designação comum a várias plantas ornamentais, exóticas, da fam. das cupressáceas' | XVI, *acipreste* XV, *acipres* XV | Do lat. tard. *cypressus* (cláss. *cuprĕssus*), deriv. do gr. *kypárissos* || cupressI·FORME XX.
ciprinocultor *sm.* 'criador de carpas' XX. Do fr. *cyprin* (deriv. do lat. *cyprīnus* 'carpa' e, este, do gr. *kyprînos*) + CULTOR || **ciprino**CULT·URA XX || **cipri**nOIDE 1890.
cíprio *adj. sm.* 'relativo a, ou natural da ilha de Chipre' | *-pria* f. 1572 | Do lat. *cyprĭus*, deriv. do gr. *ky'prios* || **cipriota** *adj. s2g.* 'cíprio' | *cy-* 1899 | Do it. *cipriòta.* As vars. port. *chipriota* e *chipriote*, ambas documentadas em 1593, são adaptações do it. *cipriòta*, com influência de *Chipre*; de formação portuguesa é a forma *chipriano* [< *Chipr(e)* + -IANO], também do séc. XVI.
ciranda *sf.* 'peneira' 'dança de roda infantil' XVI. De origem controvertida || cirandAR 1813.
circeia *sf.* 'planta da fam. das onagráceas' | *circea* XVII | Do lat. *circaea*, deriv. do gr. *kirkáia*.
circinado *adj.* '(Bot.) diz-se da proliferação dos pteridófitos, na qual as folhas se mostram enroladas em espiral' '(Med.) que tem lesões em forma de anel' XX. Do lat. *circinātus*, de *circināre* 'formar círculo, arredondar' || **circin**AL *adj. 2g.* 'circinado, em sua primeira acepção' XVIII. Do lat. *circināle, de *circĭnus* 'compasso' 'círculo'.

circo *sm.* 'círculo, circunferência' 'recinto circular onde se realizam espetáculos variados' XVI. Do lat. *circus -i* || **circ**ENSE XVII. Do lat. *circēnsis -e.* Cp. CÍRCULO.
circuito *sm.* 'contorno, periferia, circunferência' | XVI, *çercoyto* XIV | Do fr. *circuit,* deriv. do lat. *circuĭtus -ūs* || **circuição** *sf.* 'ato de andar à roda' XVI'. Do lat. *circuĭtĭō -ōnis.*
círculo *sm.* '(Geom.) figura plana limitada pela circunferência' 'cinto, roda, anel' *'fig.* 'área, extensão, limite' | *çirculo* XV, *circo* XIV | Do lat. *circŭlus -ī* || **circul**AÇÃO | *-çam* XV | Do lat. *circulātĭō -ōnis* || **circul**ADOR XX || **circul**ANTE 1873 || **circul**AR[1] *vb.* 'fazer círculo(s), estar em volta de' 'locomover' 1813. Do lat. *circulāre* || **circul**AR[2] *adj.* 2g. 'que tem forma de círculo' XVIII. Do lat. *circulāris -e* || **circulatório** *adj.* 'relativo ao movimento circular' 'relativo à circulação' 1813. Do lat. *circulātōrĭus.*
⇨ **círculo** — **circul**ANTE | 1836 SC || **circul**AR[2] | *çircularmēte* adv. 1532 JBaRR 73.*12* |.
circu(m)- *elem. comp.,* do lat. *circum-* 'em volta de' 'em torno de' 'ao redor', que se documenta em inúmeros vocs. eruditos e semieruditos, como *circunferência, circuncisão* etc. Registram-se, a seguir, em verbetes independentes, os principais compostos portugueses.
circum-navegação *sf.* 'navegação em torno da Terra' | *circumn-* 1844 | Do fr. *circumnavigation* || **circum-naveg**AR | *circumn-* 1881 | Do lat. tard. *circumnāvigāre.*
⇨ **circum-navegação** | *circumn-* 1836 SC |.
circuncisão *sf.* 'ato de cortar o prepúcio' | *circūsizyonis* pl. XIII, *circuncisom* XIV etc. | Do fr. *circuncision,* deriv. do lat. ecles. *circumcīsĭō -ōnis* || **circuncidar** *vb.* 'praticar a circuncisão em' | *çirconçidar* XIV | Do lat. *circumcīděre* 'cortar em roda' || **circuncido** *adj. sm.* XVI. Do lat. *circumcīsus,* part. de *circumcīděre* || IN**circunciso** 1844.
⇨ **circuncisão** — IN**circunciso** | 1836 SC |.
circundar *vb.* 'cercear, rodear, cingir' | *çircondar* XIV | Do lat. *circum-dăre* || **circund**ANTE 1844.
circundução *sf.* 'rotação em torno de um centro ou eixo' | *circumducçăo* 1873 | Do lat. *circumductĭō -ōnis* || **circunduto** *adj.* 'que tem de repetir-se, em virtude de anulação anterior' XV. Do lat. *circumductus,* part. de *circumdūcěre.*
circunferência *sf.* '(Geom.) lugar geométrico dos pontos de um plano equidistantes dum ponto fixo' | *circū-* XVI | Do lat. *circumferentĭa* || **circunferente** *adj.* 2g. 'que anda ao redor' | *circumfe-* 1844 | Do lat. *circum-ferente,* part. de *circum-ferre.*
⇨ **circunferência** — XV MONT 74.6 || **circunfer**ENTE | 1836 SC |.
circunflexo *adj.* 'de forma curva' | *circumfle-* XVII | Do fr. *circonflexe,* deriv. do lat. *circumflexus* || **circum**FLEXÃO | *circumfle-* 1844 | Do lat. tard. *circumflexĭō -ōnis.*
⇨ **circunflexo** | *circumflexo* 1576 DNLeO 17.*17* || **circun**FLEXÃO | 1836 SC |.
circunfluir *vb.* 'fluir ou correr em volta de' XVII. Do lat. *circumfluěre* || **circun**FLUÊNC·IA | *circumflu-* 1844 | Do lat. tard. *circumfluentĭa* || **circun**FLU·ENTE | *circumflu-* 1844 | Do lat. *circumfluĕns -entis.*
⇨ **circunfluir** — **circun**FLUÊNC·IA | 1836 SC || **circun**FLU·ENTE | 1836 SC |.

circunfundir *vb.* 'espalhar em volta' 1899. Do lat. *circumfunděre* || **circunfuso** *adj.* XVII. Do lat. *circumfūsus,* part. de *circumfunděre.*
circunjazer *vb.* 'estar em volta, ser circunvizinho' XX. Do lat. *circum- jacēre* || **circunjac**ENTE | *circumja-* 1844.
⇨ **circunjazer** — **circunjac**ENTE | 1836 SC |.
circunlocução *sf.* 'circunlóquio' | *circum-* XVI | Do fr. *circonlocution,* deriv. do lat. *circumlocŭtĭō -ōnis* || **circunlóquio** *sm.* 'rodeio de palavras' | *circum-* XVI | Do lat. *circumloquĭum.*
circunscrever *vb.* 'descrever urna linha em torno de' 'abranger' XVII. Adapt. do fr. *circonscrire,* deriv. do lat. *circumscrīběre* || **circunscrição** *sf.* 'ação ou efeito de circunscrever' | *circumscripção* 1844 | Do fr. *circonscription,* deriv. do lat. *circumscriptĭō -ōnis* || **circunscrit**IVO | *circumscrip-* 1844 || **circunscrito** *adj.* 'limitado por uma linha' 'restrito' | *circumscrīptus* XVII | Do lat. *circumscrīptus* || IN**circunscrito** | *-cripto* 1813.
⇨ **circunscrever** — **circunscrição** | *-crip-* 1836 SC || **circunscrit**IVO | *-crip-* 1836 SC |.
circunsessão *sf.* '(Teol.) união íntima das três pessoas divinas, no mistério da Trindade' 1813. Do lat. *circumsessĭō -ōnis,* de *circumseděre.*
circunsoante *adj.* 2g. 'que soa em torno' | *circumso-* 1899 | Do lat. *circumsonans -antis.*
circunspecção *sf.* 'exame demorado, atenção, prudência' | *circonspecçom* XV | Do fr. *circonspection,* deriv. do lat. *circumspectĭō -ōnis* || **circunspe(c)to** *adj.* 'prudente' 'sério, sisudo' | *circonspecto* XV | Do fr. *circonspect,* deriv. do lat. *circumspectus.*
circunstância *sf.* 'situação, estado ou condição em determinado momento' | *çircunstança* XV | Do fr. *circonstance,* deriv. do lat. *circumstantĭa* || **circunstanci**AL | *circumstan-* 1844 || **circunst**ANTE *adj. s2g.* 'diz-se de, ou pessoa que está à volta, que está presente' XVI. Do lat. *circunstāns -āntis.*
⇨ **circunstância** — **circunstanci**AL | 1836 SC |.
circunvagar *vb.* 'andar em torno de' | *circumva-* 1844 | Do lat. *circum-vagāri* || **circúnvago** *adj.* '(Poet.) que vagueia em torno' | *circumva-* 1844 | Do lat. *circum-văgus.*
⇨ **circunvagar** — **circúnvago** | 1836 SC |.
circunvalar *vb.* 'cercar de valas' | *circumvallar* XVII | Do lat. *circumvallāre* || **circunval**AÇÃO XVII.
circunvizinho *adj.* 'que está próximo ou em redor' XVI. Adapt. do fr. *circonvoisin,* deriv. do lat. med. *circumvīcīnus* || **circunvizinh**ANÇA | *circumvisi-* 1844.
⇨ **circunvizinho** — **circuvizinh**ANÇA | 1836 SC |.
circunvoar *vb.* 'voar em torno de' XX. Do lat. tard. *circumvolāre.*
circunvolução *sf.* 'movimento em torno de um centro' | *circumvo-* 1844 | Do fr. *circonvolution,* deriv. de um lat. **circumvolŭtĭō -ōnis* || **circunvolver** *vb.* 'circunvagar' | *circumvol-* 1899 | Do lat. *circum-volvěre.*
⇨ **circunvolução** | 1836 SC |.
cireneu *adj. sm.* 'relativo a, ou natural de Cirene, cidade e colônia grega estabelecida na África' | 1813, *cyreneo* 1844 | Do lat. *Cyrēnaeus,* deriv. do gr. *Kyrēnâios* 'de Cirene'.
⇨ **cireneu** | *cyreneco* 1836 SC |.

círio *sm.* 'orig. vela, geralmente grande, de cera' 'ext. procissão que leva um círio de um lugar a outro' | *ciro* XIII, *çirio* XIV | Do lat. *cērĕus* || **cirial** *sm.* 'castiçal alto, terminado na parte superior em lanterna, e que se conduz com vela acesa, ao lado da cruz alçada' | *çirialles* pl. XIV.
cirro[1] *sm.* '(Meteor.) nuvem constituída de cristais de gelo dispostos em pequenos filamentos brancos ou em estreitas faixas da mesma cor' | 1873, *cirrus* 1890 | Do fr. *cirre* (e *cirrus*), deriv. do lat. *cirrus* -*ī* || **cirrí**FERO 1899. Do ing. *cirriferous* || **cirrí**PEDE 1881.
cirro[2] *sm.* 'tumor, câncer' | *scirro* 1813 | Do lat. *scirros*, deriv. do gr. *skírrhos* 'dureza, calosidade'.
cirrose *sf.* '(Med.) esclerose' '(Med.) moléstia degenerativa do fígado' | *kirrhonose* 1873 | Do fr. *cirrhose*, deriv. do lat. cient. *cirrhōsis*, criado por Laënnec em 1807, com base no gr. *kirrhós* 'amarelado' || **cirr**ÓT·ICO XX.
cirurgia *sf.* '(Med.) medicina operatória' | 1611, *celorgia* XIII, *cilurgia* XIII, *selorgia* XIV etc. | Do lat. med. *chīrurgĭa*, deriv. do gr. *cheirourgía* 'operação manual' (gr. *cheir* 'mão' e *érgon* 'trabalho'; V. -ERG- e QUIR(O)- | **cirurgião** *sm.* 'operador' | XVI, *celorgião* XIII, *solyrgiães* pl. XIV, *sirurgiães* pl. XIV, *solergiã* XV etc. | Do lat. **chīrurgĭānus* || **cirúrg**ICO 1758. Do lat. *chīrurgĭcus*.
cisalhas *sf. pl.* 'aparas ou pequenos fragmentos de metal' 1881. Do fr. *cisailles*, deriv. do lat. **cisalia* (cláss. *caesālis -e*), de *caedĕre* 'cortar'.
cisalpino *adj.* 'situado aquém dos Alpes (em relação a Roma)' XVI. Do lat. *cis-alpīnus*.
cisão *sf.* 'ato ou efeito de cindir' 1899. Do lat. *scissĭō -ōnis* 'corte, divisão' || EX**cisão** *sf.* '(Cír.) corte, amputação' 1844. Do fr. *excision*, deriv. do lat. *excīsĭō -ōnis* || EX**cis**AR 1873. Do fr. *exciser* || RE**scisão** *sf.* 'anulação de um contrato' 'rompimento, corte' 1873 || RE**scis**ÓRIO 1873. Do lat. *rescissōrĭus*. Cp. CINDIR.
⇨ **cisão** — EX**cis**ÃO | 1836 SC |.
cisco *sm.* 'pó, lixo, varredura' XVI. De origem controvertida || **cis**CAR *vb.* 'limpar, revolver (o cisco)' 1844; 'fugir, escapulir' XVI.
⇨ **cisco** — **cisc**AR 'limpar, revolver' | 1836 SC |.
cisma *s2g.* 'orig. separação do corpo e da comunhão da religião' 'dissidência de opiniões'; 'ext. preocupação, desconfiança', porque os dissidentes sentiam-se perseguidos e temerosos | *scisma* XV | Do lat. *schisma* -*ătis*, deriv. do gr. *schísma* || **cism**AR *vb.* 'andar absorto em pensamentos, preocupar-se, desconfiar' 1873 || **cism**ÁT·ICO *adj. sm.* 'orig. que ao aquele que se separou de uma igreja'; 'ext. 'apreensivo, preocupado' | *çis-* XV | Do lat. *schismaticus*, deriv. do gr. *schimatikós*.
⇨ **cisma** — **cism**AR | 1836 SC |.
cisne *sm.* 'ave anseriforme da fam. dos anatídeos' XVI. Do a. fr. *cisne* (hoje *cygne*), deriv. do lat. vulg. *cĭcĭnus* (cláss. *cycnus* e, este, do gr. *kyknos*).
cispadano *adj.* 'situado aquém do Pó, rio italiano' 1873. Do lat. *cispadānus*.
cissiparidade *sf.* 'esquizogênese' XX. Do fr. *scissiparité*, de *scission*, deriv. do b. lat. *scissio*, do mesmo radical de *scissus*, part. de *scindĕre* || **cissura** *sf.* 'fissura, fenda' 'incisão, talho' | *cisura* 1844 | Do fr. *scissure*, deriv. do lat. *scissūra*. Cp. CESURA, CINDIR e CISÃO.
cissoide *adj. 2g.* 'que tem forma de folha de hera'; *sf.* '(Geom.) podária duma parábola em relação ao seu vértice' 1873. Do it. *cissòide*, deriv. do gr. *kissoeidés*.
cissura → CISSIPARIDADE.
cistalgia → CIST(I)-.
-ciste- → CIST(I)-.
cisterciense *adj. 2g.* 'pertencente ou relativo ao mosteiro de Cister ou à Ordem Cisterciense, organizada por S. Bernardo (1090-1153)' XVII. Do lat. med. *Cisterciēnsis*, do top. lat. *Cistercium* 'Cister'.
cisterna *sf.* 'reservatório de água das chuvas' 'poço' | *çis-* XIV | Do lat. *cisterna*.
cist(i)- *elem. comp.*, do lat. *cystis*, deriv. do gr. *ky'stis'* *-eōs -idos* 'bexiga, vesícula', que se documenta em alguns compostos introduzidos, a partir do séc. XIX, na linguagem da medicina ▶ **cist**ALG·IA | *cys-* 1858 | Do fr. *cystalgie* || **cisticerco** 1890. Do fr. *cysticerque* || **cístico** | *cys-* 1844 | Do fr. *cystique* || **cist**INA | *cys-* 1858 || **cist**ITE | *cys-* 1844 | Do fr. *cystite* || **cisto**[1] *sm.* 'quisto' XX || **cisto**CELE | *cys-* 1858 | Do fr. *cystocèle* || **cist**OIDE | *cys-* 1899 | Do lat. cient. *cystoidēa* || **cisto**PIEL·ITE XX || **cisto**PLEG·IA | *cys-* 1899 || **cisto**SCOP·IA XX || **cist**OTOM·IA | *cys-* 1844 | Do fr. *cystotomie*.
⇨ **cist(i)-** — **cístico** | *cys-* 1836 SC || **cist**ITE | *cys-* 1836 SC || **cisto**TOM·IA | *cys-* 1836 SC |.
cisto[2] *sm.* 'esteva'[1] 1858. Do lat. *cist(h)os*, deriv. do gr. *kísthos*.
-cisto- → CIST(I)-.
-cit- → CITO-.
cita[1] *adj. s2g.* 'pertencente ou relativo aos citas, povos nômades do norte da Europa e da Ásia' | *cyta* 1572 | Do lat. *Scytha* 'da Cítia' || **cítico** *adj. sm.* 'cita' | *sci-* 1572 | Do lat. *Scythĭcus*.
⇨ **cita**[1] | *c* 1508 DPPer 17.*9*, *scyta* 1537 PNun 107.*17*, *scytha* 1538 DCast 7.*10*, *cyta* 1572 *Lus.* III.9 || **cítico** | *scythico* 1538 DCast 9.*18*, *scitico* 1572 *Lus.*II.53 |.
citadino → CIDADE.
citar *vb.* 'mencionar ou transcrever como autoridade ou exemplo' 'fazer referência a' XIII. Do lat. *citāre* || **cita**[2] 1813. Der. regress. de *citar* || **cit**AÇÃO | *çitaçõ* XIV | Do lat. *citātĭō -ōnis* || **cit**ATÓRIO | *çi-* XV | SUPRA**cit**ADO 1813.
cítara *sf.* 'ant. instrumento de cordas, forma aperfeiçoada de lira' 1572. Do lat. *cĭthăra*, deriv. do gr. *kithára* || **citaredo** *sm.* 'cantor que se acompanhava com citara' | *-tha-* XVII | Do lat. *citharoedus*, deriv. do gr. *kitharō(i)dós* || **cit**ARISTA XIX. Do lat. *citharīsta*, deriv. do gr. *kitharistḗs*.
⇨ **cítara** | 1572 *Lus.*I.12, *cytara* Id.IX.64, *cythara* Id. IV.102, 1573 NDias 166.*6* |.
citatório → CITAR.
citerior *adj. 2g.* 'que está ao lado de cá' XVI. Do lat. *citerĭor -ĭus*.
cítico → CITA[1].
citiso *sm.* 'planta da fam. das leguminosas' | *cy-* 1858 | Do fr. *cytise*, deriv. do lat. *cytisus -um* e, este, do gr. *ky'tisos*.
⇨ **citiso** | 1836 SC |.
cito- *elem. comp.*, do gr. *kyto-*, de *ky'tos* 'célula. cavidade, vaso', que se documenta em alguns com-

postos introduzidos, a partir do séc. XX, na linguagem da medicina ▶ citoLOGIA XX. Do fr. *cytologie* || citoLÓG·ICO XX || citoPLASMA XX. Do fr. *cytoplasme*.
citr(i)- *elem. comp.*, do lat. *citrus -i* 'cidreira, limoeiro', que se documenta em alguns compostos formados no próprio lat. (como *cítreo*) e em alguns outros introduzidos, a partir do séc. XIX, na linguagem erudita ▶ citrÁCEO 1899 || citrATO 1844. Do fr. *citrate*, deriv. do lat. *citrātus* || cítrEO XVII. Do lat. *citrĕus* || cítrICO 1844. Do fr. *citrique* || citrINA 1844 || citrINO XIV. De um lat. **citrīnus*.
⇨ **citr(i)-** — citrATO | *-te* 1836 SC || cítrICO | 1836 SC |.
ciúme *sm.* 'sentimento de carência afetiva, de desejo de posse, em relação a alguém ou a alguma coisa' | XVI, *çeume* XV | Do lat. **zelumen*, de *zēlus -ī* || ciumADA XX || ciumENTO 1881 || ENciumADO XX || ENciumAR XX. Cp, CIO, ZELO.
civil *adj. 2g.* 'relativo às relações dos cidadãos entre si' 'que não tem caráter militar nem eclesiástico' 'social, civilizado' 'cortês, polido' | *ciuys* pl. XIV, *ciujl* XIV, *cyvel* XIV, *ceuil* XIV etc. | Do lat. *cīvīlis -e* || cívICO *adj.* 'relativo aos cidadãos como membros do Estado' 1873. Do lat. *cīvĭcus* || civilIDADE XVI. Do fr. *civilité*, deriv. do lat. *cīvīlĭtās -ātis* || civilISMO XX || civilISTA XX. Do fr. *civiliste*, deriv. do lat. med. *cīvīlista* || civilIZ·AÇÃO 1833. Do fr. *civilisation* || civilizAR 1833. Do fr. *civiliser* || civISMO 1858. Do fr. *civisme* || INcivil 1844. Do fr. *incivil*, deriv. do lat. *in-cīvīlis -e* || INcivilIDADE 1844. Do fr. *incivilité*, deriv. do lat. *incīvīlĭtās -ātis* || INcivilIZ·ADO | *-sado* 1873 || SUPERcivilIZ·ADO XX.
⇨ **civil** — civISMO | 1836 SC || INcivilIDADE | 1836 SC |.
cizânia *sf.* 'joio' *'ext.* discórdia' | 1572, *zizania* XV | Do lat. *zizanĭa -iōrum*, deriv. do gr. *zizánion*.
cizirão *sm.* 'planta da fam. das leguminosas' 1813. Do lat. **cicerone*, de *cicĕra* 'ervilha'.
clã *sm.* *'orig.* entre os antigos escoceses e irlandeses, tribo constituída de pessoas de ascendência comum' *'ext.* família' XIX. Do fr. *clan*, deriv. do ing. *clan* e, este, do gaélico *clann* 'família'.
-clad(o)- *elem. comp.*, deriv. do gr. *klado-*, de *kládos* 'ramo', que se documenta em alguns vocs. eruditos, como *acantocládio*, *cladódio* etc.
cladódio *sm.* 'ramo achatado e verde, frequentemente muito parecido com a folha, que, em muitas plantas, desempenha as funções destas' 1899. Do lat. cient. *cladōdium*, deriv. do gr. *kladōdēs*.
clam·ador, -ante, -ar → CLAMOR.
clâmide *sm.* 'manto dos antigos gregos' XVII. Do lat. *chlamys -ydis*, deriv. do gr. *chlamy's -y'dos* 'cobertura, manto' || clamidÓSPORO XX.
clamor *sm.* 'brado, rogo, súplica, queixa' | XIV, *cramor* XV etc. | Do lat. *clamor -ōris* || clamADOR 1813. Do lat. *clāmātor -ōris* || clamANTE XVI || clamAR XIV. Do lat. *clamāre* || clamorOSO XVI || clamoso *adj.* 'barulhento' XIV. Do lat. *clāmōsus*. Cp. CHAMAR.
⇨ **clamor** — clamAÇÃO | clamaçoens pl. 1680 AOcad I.186.*11* || clamADOR | 1532 JBarR 167.*4* |.
clandestino *adj. sm.* 'feito às ocultas, ilegal, ilegítimo' XVII. Do lat. *clandestīnus* || clandestinIDADE 1784. Do fr. *clandestinité*.

clangor *sm.* 'som rijo e estridente' XVI. Do lat. *clangor -ōris* || clangOSO XVII.
claque *sm.* *'orig.* grupo de pessoas combinadas ou contratadas para aplaudirem num espetáculo' *'ext.* grupo de seguidores ou admiradores de alguém' 1881. Do fr. *claque*, de origem onomatopaica.
clara → CLARO.
claraboia *sf.* 'abertura destinada à entrada de luz numa casa' 1813. Do fr. *claire-voie* || claraboiAR XVII.
claraíba *sf.* 'caraíba' | 1730, *clarayba* 1663 | Alteração de CARAÍBA², com provável influência do adj. fem. *clara*.
clarão¹ → CLARO.
clarão² *sm.* 'registro de órgão, cujos tubos são de zinco, com bocal de palheta' XVI. Do fr. *clairon*.
⇨ **clarão²** | *clarom* XV ZURD 290.*28* |.
clar·ear, -eira → CLARO.
clarete *adj.* 'de cor pouco acentuada'; *sm.* 'vinho palhete' 1844. Do ing. *claret*, deriv. do a. fr. *claret* (hoje *clairet*), nome dado pelos ingleses a um tipo de vinho branco e espumante produzido na França.
⇨ **clarete** *adj.* | 1836 SC |.
clar·eza, -idade, -ificação, -ificar → CLARO.
clarim *sm.* 'tipo de trompete, hoje apenas usado para sinais militares' XVIII. Do cast. *clarín* || clarinADA XX. Do cast. *clarinada*.
⇨ **clarim** | 1660 FMMelE 198.*8*, 1680 AOcad I. 247.*16* |.
clarineta *sf.* 'instrumento de sopro e palheta simples' 1844. Do fr. *clarinette*, provavelmente adaptação do it. *clarinetto* || clarinetISTA XX. Do fr. *clarinettiste*.
⇨ **clarineta** | 1836 SC |.
clarissa *adj. sf.* 'diz-se da, ou freira da Ordem de Santa Clara' XX. Do it. *clarissa* (de *Clara*) || clarisTA *adj. sf.* 'clarissa' XVII.
clarivid·ência, -ente → CLARO.
claro *adj.* *'orig.* luminoso, brilhante, iluminado' *'fig.* nítido, inteligível, manifesto' XIII. Do lat. *clarus* || AclarADO XVII || AclarADOR XX || AclarAR XVI || **clara** *sf.* 'albumina que envolve o ovo' 1813 || clarÃO¹ XVI || clarEAR XVI || clarEIRA 1844 || clarEZA XV || clarIDADE XIII. Do lat. *clārĭtātem* || clarificAÇÃO 1844. Do lat. *clārĭficātĭō -ōnis* || clarificAR XVI. Do lat. *clārĭficāre* || clarificATIVO XX || clariVID·ENTE XX || ESclarECER | XIII, *scl-* XIII, *escr-* XIII etc. || ESclarECIDO XV || ESclarECIMENTO XVII.
⇨ **claro** — clarEIRA | 1836 SC || clarificAÇÃO | 1836 SC |.
-clas- *efem. comp.*, deriv. do gr. *klásis -eōs* 'ruptura', que se documenta em alguns vocs. eruditos, como *aloclásio*, *geóclase* etc.
classe *sf.* 'grupo ou divisão que apresenta características semelhantes' XVII. Do lat. *classis -is* || clássico *adj.* 'relativo à arte, à cultura dos antigos gregos e romanos' 'da mais alta classe' XVII. Do lat. *classĭcus* || classificAÇÃO 1858. Do fr. *classification* || classificADO 1813 || classificADOR 1873. Do fr. *classificateur* || classificANTE XX || classificAR *vb.* 'distribuir em classes' 1813. Do fr. *classifier* || classificAT·ÓRIO XX || DESclassificAÇÃO 1899 || DESclassificADO 1899 || DESclassificAR 1899 || INclassificÁVEL 1899.

⇨ **classe** — classificAÇÃO | 1836 sc |.
clástico *adj.* 'diz-se do modelo desmontável ou de cada uma das peças que o compõem, para estudo prático de anatomia' | -*ca* f. 1873 | Do lat. cient. *clasticus*, deriv. do gr. *klastós* 'quebrado'.
claudicar *vb.* 'coxear, manquejar, capengar' xvii. Do lat. *claudĭcāre* || **claudic**AÇÃO 1844. Do lat. *claudicātĭō -ōnis* || **claudic**ANTE xvii.
⇨ **claudicar** — **claudic**AÇÃO | 1836 sc |.
claustro *sm.* 'orig. pátio inferior descoberto e cercado de arcarias, particularmente nos conventos' 'ext. convento' | xvi, *claustra* f. xiii, *castra* xiii, *crasta* xiv, *clastra* xiv etc. | Do lat. *claustrum -ī* (e *claustra -ōrum*) || **claustr**AL | *cabstral* xv || **claustro**FOB·IA *sf.* 'medo de permanecer em, ou passar em lugares fechados' xx || EN**claustr**ADO | *encrastrado* xv.
cláusula *sf.* 'cada uma das disposições de um contrato ou qualquer outro documento semelhante, público ou privado' xiv. Do lat. *clausŭla*.
clausura *sf.* 'recinto fechado' 'vida reclusa' xiii. Do lat. *clausŭra* || EN**clausur**ADO 1881 || EN**clausur**AR 1881.
clava *sf.* 'pau pesado, mais grosso em uma das extremidades, que se usava como arma' | *claua* xvi | Do lat. *clāva*.
clave *sf.* '(Mús.) sinal no princípio da pauta, que serve para determinar o nome das notas e o grau exato de elevação delas na escala dos sons' 1813. Do lat. *clāvis -is*. Cp. CHAVE.
clavi- *elem. comp.*, do lat. *clāvis -is* 'chave', que se documenta em alguns compostos formados no próprio latim (como *clavícula*) e em muitos outros introduzidos, a partir do séc. xix, na linguagem científica internacional ▸ **clavi**ARPA | *claviharpa* 1858 || **clavi**CILINDRO |-*cylin*-1858||**clavi**CÍMBALOxx.Doa. fr. *clavicymbale* (hoje *clavecin*), deriv. do lat. med. *clavicymbalum*. A forma *clavezingo* documenta-se no séc. xvi || **clavi**CÓRDIO *sm.* '(Mús.) o primeiro instrumento musical de cordas e teclado' | *cravi- c* 1517 | Do lat. med. *clāvichardium, formado pelo modelo de *monocórdio* || **clavi**CÓRN·EO 1870. Do lat. cient. *clāvicornia* | **clavícula** *sf.* '(Anat.) osso anterossuperior do tórax' 1813. Do lat. *clavĭcŭla* 'chavinha'|| **clavi**CULÁRIO xvii. Do lat. *clāvīculārĭus* 'chaveiro'||**clavi**FOLI·ADO 1873 || **clavi**FORME 1844. Do lat. cient. *claviformis* || **clavi**GERO 1858. Do lat. *clāvĭger* | **clavija** *sf.* 'cavilha de ferro que liga o jogo dianteiro ao traseiro do carro' 1813. Do cast. *clavija*, deriv. do lat. *clāvĭcŭla* || **clavi**ÓRGÃO | *cravi- c* 1517 | Do it. *claviòrgano*. Cp. CHAVE.
⇨ **clavi-** — **clavi**GERO | 1836 sc |.
clavina → CARABINA.
clematite *sf.* 'designação comum a várias trepadeiras ornamentais da fam. das ranunculáceas' 1858. Do lat. cient. *clematis -idis*, deriv. do gr. *klēmatís -idos*.
⇨ **clematite** | 1836 sc |.
clemência *sf.* 'disposição para perdoar, indulgência' | xv, *cre-* xv, -*çia* xvi | Do lat. *clēmentĭa* || **clem**ENTE *adj.* 2g. xv. Do lat. *clēmēns -entis* | IN**clemência** xvi. Do lat. *inclēmentĭa* || IN**clem**ENTE 1813. Do lat. *in-clēmens -entis*.
clepsidra *sf.* 'relógio de água' | -*sy*- 1858 | Do lat. *clepsydra*, deriv. do gr. *klepsy'drā*.

⇨ **clepsidra** | -*sy*- 1836 sc |.
clepto- *elem. comp.*, do gr. *kléptō* 'roubar', que se documenta em alguns compostos introduzidos, a partir do séc. xix, na linguagem erudita ▸ **clepto**MANIA | *klep*- 1873 | Do fr. *cleptomanie* || **clepto**MANÍ·ACO xx || **cleptô**MANO xx. Do fr. *cleptomane*.
clérigo *sm.* 'aquele que tem todas as ordens sacras, ou algumas delas' 'sacerdote cristão' xiii. Do lat. tard. *clērĭcus*, deriv. do gr. *klērikós* || **clerezia** *sf.* 'a classe clerical' | xiv, -*ri*- xiii etc. | Do b. lat. *clericia* || **cleric**AL xvii. Do fr. *clérical*, deriv. do lat. tard. *clericālis* || **cleric**AL·ISMO xix. Do fr. *cléricalisme* || **clericato** *sm.* 'estado, condição ou dignidade de sacerdote' xvii. Do lat. *clērĭcātus* || **clero** *sm.* 'a classe clerical' xvii. Do lat. *clērus -i*, deriv. do gr. *klēros*, tradução do hebr. *na'ala* || **clero**MANC·IA 1873 || **clero**MANTE xx.
clichê *sm.* '(Fotograv.) placa para impressão por meio de prensa tipográfica' '(Tip.) estereótipo, galvanótipo' *fig.* lugar-comum' xix. Do fr. *cliché*, de *clicher*, de formação expressiva || **clicheria** *sf.* 'a técnica de fazer clichês'. Do fr. *clicherie*.
cliente *s2g.* 'constituinte, em relação ao seu advogado ou procurador' 'doente, em relação ao médico' xvii. Do fr. *client*, deriv. do lat. *cliēns -entis* || **clientela** *sf.* 'conjunto de clientes' 1844. Do fr. *clientèle*, deriv. do lat. *clientēla*.
⇨ **cliente** — **clientela** | 1836 sc |.
clima *sm.* 'conjunto de condições meteorológicas características do estado médio da atmosfera em um ponto da superfície terrestre' 1572. Do fr. *climat*, deriv. do lat. *clīma -ătis* e, este, do gr. *klíma -atos* || A**clim**AÇÃO | *accli*- 1873 || A**clim**AR | *accli*- 1899 || A**climat**AÇÃO xx. Do fr. *acclimatation* || A**climat**AR xix. Do fr. *acclimater* || **climático** 1899. Do fr. *climatique*, deriv. do gr. *klimatikós* || **climato**LOGIA 1873. Do fr. *climatologie* || **climato**LÓG·ICO 1873. Do fr. *climatologique*.
⇨ **clima** — A**clim**AR | 1836 sc |.
climatérico *adj.* 'relativo a qualquer das épocas de vida consideradas críticas (atualmente, à voc. é usado quase só em relação à época da menopausa)' 1813. Do lat. *climactērĭcus*, deriv. do gr. *klīmaktērikós* || **climatério** *sm.* 'menopausa' xx. Cp. gr. *klīmaktēr -ēros*.
climát·ico, -ologia, -ológico → CLIMA.
clímax *sm.* 'o ponto culminante' 'o grau máximo ou ótimo' '(Ret.) apresentação duma sequência de ideias em andamento crescente ou decrescente' 1844. Do lat. *clīmax -acis* 'gradação, figura de retórica', deriv. do gr. *klîmax -akos* 'escada'. As duas primeiras acepções do voc. devem-se à influência do ing. *climax*.
⇨ **clímax** | 1836 sc |.
clin(o)- *elem. comp.*, do gr. *klíno-*, de *klínē* 'leito, repouso, clínica', que se documenta em alguns compostos formados no próprio grego (como *clinica*) e em muitos outros introduzidos, a partir do séc. xix, na linguagem científica internacional ▸ **clin**ÂNDR·IO xx || **clín**ICA xx. Do fr. *clinique*, deriv. do lat. *clīnĭcē -es* e, este, do gr. *klīnikḗ* || **clinic**AR xx || **clínico** *adj. sm.* 1844. Do lat. *clīnĭcus* e, este, do gr. *klinikós* || **clino**CLAS·ITA xx || **clino**CLORO | -*chloro* 1899 || **clino**-

MAN·IA XX || **clinôMETRO** 1873 || **clinoTERAP·IA** XX. Do lat. cient. *clīnatherapīa*.
⇨ **clin(o)-** — **clíniCO** | 1836 SC |.
clípeo *sm.* 'porção da cabeça dos insetos compreendida entre os olhos e a boca' XX. Do lat. *clypĕus* 'escudo, proteção' || **clipeI·FORME** | *cly-* 1873 | Do lat. cient. *clypeifŏrmis*.
clíper *sm.* '(Mar.) navio velocíssimo' XX. Do ing. *clipper*.
clister *sm.* 'injeção de líquido no reto' | *cristel* XVI, *clistel* XVII | Do fr. *clystère*, deriv. do lat. *clystēr -ēris* e, este, do gr. *klystḗr -ēros*.
clitóris *sm.* 2n. '(Anat.) protuberância carnuda e erétil na parte superior da vulva' XVIII. Do fr. *clitoris*, deriv. do gr. *kleitorís -idos*.
clivar *vb.* 'partir, fragmentar segundo os planos de clivagem' XX. Do fr. *cliver*, deriv. do neerl. *klieven* || **clivAGEM** *sf.* 'propriedade que têm certos cristais de se fragmentar segundo determinados planos' 1899. Do fr. *clivage*.
clivo *sm.* 'ladeira, aclive' | *-vio* 1858 | Do lat. *clīvus -ī* || **clivOSO** 1844. Do lat. *clīvōsus*.
⇨ **clivo** — **clivOSO** | 1836 SC |.
cloaca *sf.* 'fossa, esgoto, latrina' XVI. Do lat. *cloāca* || **cloacAL** 1899. Do lat. *cloācālis -e*.
clone *sm.* '(Biol.) conjunto de indivíduos originários de outros por multiplicação assexual' XX. Cp. gr. *klṓn* 'broto'.
clônico *adj.* '(Med.) diz-se do espasmo ou das contrações espasmódicas' 1858. Do fr. *clonique*, deriv. do lat. cient. *clonus* e, este, do gr. *klónos* 'tumulto, agitação'.
clor(o)- *elem. comp.*, do gr. *chlōro-*, de *chlōrós* 'verde, esverdeado', que se documenta em vários compostos introduzidos, a partir do séc. XIX, na linguagem científica internacional ♦ **clorAL** | *chloral* 1873 | Do fr. *chloral*, de *chlor(e)* 'cloro' + *al(cool)* || **clorAR** XX || **clorEM·IA** XX. Do lat. cient. *chlōremia* || **clorET·EMIA** XX || **clorETO** | *chlorêto* 1899 || **clorIDRATO** | *chlorhydrátos* pl. 1858 || **clorÍDR·ICO** | *chlorhy-* 1858 | Do fr. *chlorhydrique* || **cloro** *sm.* '(Quím.) elemento de número atômico 17, gasoso, verde-amarelado, utilizado no tratamento de água e em várias indústrias' | *chlore* 1844, *chloro* 1858 | Do fr. *chlore*, deriv. do gr. *chlōrós* || **cloroFILA** | *chlorophylla* 1858 | Do fr. *chlorophylle* || **cloroFÓRMIO** | *chloroforme* 1858, *chloroformio* 1858 | Do fr. *chlorophorme* || **cloroFORM·IZAR** | *chloroformisar* 1873 | Do fr. *chloroformiser* || **clorOSE** | *chlor-* 1858 | Do fr. *chlorose*, deriv. do lat. cient. *chlōrōsis -ōticus* || **clorÓT·ICO** | *chlo-* 1858.
clube *sm.* 'local de reuniões políticas, literárias etc.' 'local onde os sócios praticam esportes, dançam, jogam etc. | *club* 1858 | Do ing. *club*.
⇨ **clube** | *club* 1836 SC |.
cnêmide *sf.* 'chapa de metal com que os soldados, na Grécia antiga, protegiam as pernas' 1873. Do lat. *cnēmis -īdis*, do gr. *knēmís -idos*.
cnidário *adj. sm.* 'celenterado' XX. Do fr. *cnidaire*, deriv. do lat. *cnĭdē* (do gr. *knídē* 'urtiga') e suf. *-aire* (V. -ÁRIO).
cnute *sm.* 'chicote, flagelo russo' | *knout* 1718, *kenqute* 1782, *knut* 1899 | Do rus. *knut*, pelo fr. *knout* || **cnutAR** | *knutar* 1913.

co- *pref.*, do lat. *co- (cum)* 'com', que designa 'companhia, contiguidade, sociedade' e se documenta em vocs. eruditos, quase todos formados no próprio latim, como *coadjuvar, cooperação* etc., e em alguns outros formados nas línguas modernas, como *coeficiente*, por exemplo. O pref. assume, ainda, as seguintes formas: (i) *com-* diante de *-b, -m* e *-p (combater, comemorar, compor)*; (ii) condiante de consoante, com exceção de *-b, -m, -p* e *-r (conter)*; (iii) *cor-* diante de *-r (corroborar)*.
coa → COAR.
co·abit·ação, -ante, -ar → HABITAR.
coação *sf.* 'ato ou efeito de coagir' | *coacção* XVII | Do lat. *coāctĭō -ōnis* || **coagir** *vb.* 'constranger, forçar' 1881. Cp. COERÇÃO.
coacervar *vb.* 'acumular, amontoar' 1844. Do lat. *co-acervāre*.
⇨ **coacervar** | 1836 SC |.
co·adjut·or, -oria → AJUDAR.
co·adjuv·ação, -ante, -ar → ADJUVAR.
coador → COAR.
co·adun·ação, -ar → ADUNAR.
coagir → COAÇÃO.
coagmentar *vb.* 'fazer aderir, ligar' 1873. Do lat. *coagmentāre* || **coagmentAÇÃO** 1899. Do lat. *coagmentātĭō -ōnis* || **coagmento** *sm.* 'ato ou efeito de coagmentar' 1873. Do lat. *coagmentum -ī*.
⇨ **coagmentar** | 1836 SC || **coagmento** | 1836 SC |.
coagular *vb.* 'converter(-se) em sólido' 1813. Do fr. *coaguler*, deriv. do lat. *coāgulāre* || **coagulAÇÃO** 1844. Do fr. *coagulation*, deriv. do lat. *coagulatĭō -ōnis* || **coagulANTE** 1844 || **coágulo** *sm.* 'parte coagulada de um líquido' 1873. Do lat. *coāgŭlum -ĭ* || **coalhADA** *sf.* 'leite coalhado, usado como alimento' 1844 || **coalhAR** *vb.* | *qua-* XIV | Forma divergente de *coagular* || **coalho** XVI. Dev. de *coalhar*.
⇨ **coagular** — **coagulAÇÃO** || 1836 SC || **coagulANTE** | 1836 SC || **coalhADA** | 1836 SC || **DEScoalhAR** | *c* 1608 NOReb 174.37 |.
coalescer *vb.* 'aglutinar, juntar, unir' XX. Do lat. *coalēscere* || **coalescÊNCIA** 1873. Do lat. *coalescêntia* || **coalescENTE** 1873. Do lat. *coalēscēns -ēntis*, part. de *coalēscere* || **coalizão** *sf.* 'acordo, aliança, coligação' | *-são* 1844 | Adaptação do fr. *coalition*, deriv. do lat. *coalitus*, part. pass. de *coalēscere* || **coalIZAR** | *-sar* 1844 | Do fr. *coaliser*.
⇨ **coalescer** — **coalIZAR** | *-sar* 1836 SC |.
coalh·ada, -ado, -ar, -o → COAGULAR.
coaliz·ão, -ar → COALESCER.
coanoide *adj. 2g.* 'afunilado' XX. Do lat. cient. *choanae* (do gr. *choánē* 'recipiente de metal em fusão') + -OIDE.
coaptação *sf.* 'adaptação recíproca de ossos fraturados' 1873. Do lat. *coaptātĭō -ōnis*.
⇨ **coaptação** | 1836 SC |.
coar *vb.* 'filtrar' | XV, *collar* XIV, *acoar* XV | Do lat. *cōlāre* || **coa** *sf.* XVI. Der. regress. de *coar* || **coaDOR** 1844.
coarctar *vb.* 'reduzir de tamanho, estreitar' XVII. Do lat. *co-arctāre* || **coarctAÇÃO** XVIII. Do lat. *coarctātĭō -ōnis* || **coartADA** *sf.* '(Jur.) alegação de defesa, justificação' 1844. Fem. substantivado de *coarctado* || **coarctADO** *adj.* 'limitado' 1813 || **coarctatIVO** XX.

⇨ **coarctar** — coarctADA | 1836 SC |.
coatar vb. 'obrigar, impor, coagir' | XX, *coactar* XX | Do lat. *coāctāre* || **coato** adj. 'coagido' | *coacto* 1813 | Do lat. *coāctus* || **coat**OR | *coactor* 1873 | Do lat. *coāctor -ōris*.
coaut·or, -oria → AUTOR.
coaxar vb. 'fazer ouvir a sua voz (a rã, o sapo)' XVIII. Do lat. *coaxāre* || **coax**AÇÃO XVII || **coaxo** sm. 1899. Dev. de *coaxar*.
cobaia sf. 'mamífero roedor da fam. dos cavídeos, muito usado em laboratório para fins experimentais' | *-baya* 1858 | Do lat. cient. *cobaya*, de um idioma indígena da América ainda não determinado.
cobalto sm. '(Quím.) elemento de número atômico 27, metálico, branco prateado' 1844. Do fr. *cobalt*, deriv. do al. *Kobalt*, var. de *Kobold* 'duende', pela crença dos mineiros que consideravam sem valor este metal e acreditavam que um duende o colocava no lugar da prata que havia roubado.
⇨ **cobalto** | 1836 SC |.
cobert·a, -o, -or, -ura → COBRIR.
cobiça sf. 'avidez, cupidez, ambição desmedida' | XVI, *cobiiça* XIII etc. | Do b. lat. *cŭpĭdĭtīa* (cláss. *cupĭdĭtās -ātis*) || **cobiç**AR | XIV, *cobiiçar* XIII, *cubiçar* XIII etc. || **cobiç**OSO | *cobiiçoso* XIII.
cobra sf. 'designação popular dos ofídios em geral' | *coobra* XIII, *coovra* XIII | Do lat. tard. *colobra* (cláss. *colŭber colŭbra*) || **cobrelo** sm. 'cobreiro, nome popular de um tipo de dermatose' XVI || **colubrear** vb. 'mover-se como as cobras' | *-jar* 1899 || **colubr**INA sf. 'antiga peça de artilharia' XVII. Do prov. *colovrina* de *colovra*, deriv. do lat. vulg. *colobra* || **colubr**INO adj. 'relativo ou semelhante à cobra' | *colo-* XVI | Do lat. *colubrīnus*.
⇨ **cobra** — colubrINA | *columbrina* [sic] c 1608 NOReb 210.*15* |.
cobr·ador, -ança, -ar → RECOBRAR.
cobre sm. '(Quím.) elemento químico de número atômico 29, metálico, vermelho, maleável e dúctil, muito utilizado na indústria' '*ext.* moeda' XIII. Do lat. *cuprum -ī*, var. popular de *cyprium*, abrev. de *aes cyprium* 'bronze de Chipre' || **cúpri**CO 1873. Do fr. *cuprique* || **cupri**FERO 1899. Do fr. *cuprifère* || **cupr**INO 1873, Do lat. *cuprīnus* || **cupri**R·ROSTRO 1899 || **cuprITA** | *-ite* XIX | Do fr. *cuprite* || **cupr**OSO XX.
cobrelo → COBRA.
cobrir vb. 'ocultar ou resguardar, pondo alguma coisa em cima, diante ou em redor' 'envolver, vestir, proteger' XIII. Do lat. *coopĕrīre* || **coberta** sf. 'o que serve para cobrir' | *cu-* XIV | De *coberto* || **coberto** XIII. Do lat. *coopertus*, part. de *coopĕrīre* || **cobert**OR XIII. 'coberta encorpada e felpuda' XIII || **cobertura** sf. 'coberta' XIII. Do lat. *coopertūra* || DEScoberta sf. 1813 || DEScoberto XIII || DEScobriDOR XVI || DEScobriMENTO 1813 || DEScobrir XIII. Do lat. *dīscŏŏpĕrīre* || DES·ENcobrir 1881 || ENcoberta sf. 'ardil, simulacro' | XIII, *encu-* XIV || ENcoberto adj. 'escondido, falso' | XIII, *-cu-* XIII || ENcobriDOR XIII || ENcobriMENTO 1844 || ENcobrir vb. 'esconder, ocultar' XIII.
⇨ **cobrir** — DEScobriMENTO | 1552 JbarD I.1, *descubrimento* 1582 Liv. Fort. 76v15 | ENcobriMENTO | 1836 SC |.

cobro → RECOBRAR.
cobu sm. 'alga marinha comestível, do Japão' XVII. Do jap. *kobu*.
coca¹ sm. 'tipo de embarcação antiga' XIII. De origem incerta; talvez do lat. *caudīca*, através do fr. *coque*.
coca² sf. 'planta narcótica da fam. das eritroxiláceas' 'substância extraída dessa planta' XVI. Do cast. *coca*, deriv. do quíchua *kuka* || **cocaÍNA** sf. '(Quím.) alcaloide tóxico encontrado na coca' 1886. Do fr. *cocaïne* || **cocaino**MAN·IA XX || **cocainô**MANO XX. Do fr. *cocaïnomane*.
coça → COÇAR.
cocada → COCO.
cocaín·a, -omania, -ômano → COCA².
cocar sm. 'penacho, laço ou distintivo que se usa na cabeça, no chapéu, no elmo etc.' XVIII. Do fr. *cocarde*, de *coq* 'galo'.
coçar vb. 'esfregar ou roçar (a parte do corpo onde há coceira)' XIII. De um lat. **coctiare*, de *coctus* 'cozido' || **coça** sf. 'ação de coçar' 1844; 'surra' XVII. Der. regress. de *coçar* || **cócegas** sf. pl. 'sensação especial, produzida por leve roçar ou por fricção nalguns pontos da pele' XV. De um **cocegar*, de **coctiare* || **coc**EIRA 1813.
⇨ **coçar** — **coça** 'ação de coçar' | 1836 SC |.
cocção sf. 'cozimento' XVI. Do lat. *coctiō -ōnis* || REcocto | 1813, *recoito* 1813 | Cp. COZER.
coccíneo adj. '(Poét.) de cor escarlate' XVI. Do lat. tard. *coccineus* (cláss. *coccinus*), deriv. do gr. *kókkinos*.
cóccix sm. 2n. '(Anat.) pequeno osso que termina a coluna vertebral, na parte inferior' | 1844, *coccyx* 1844 | Do fr. *coccyx*, deriv. do lat. *coccȳx -ȳgis* e, este, do gr. *kókkȳx -ȳgos* 'cuco (pássaro)' || **coccígeo** adj. 'do, ou relativo ao cóccix' | *coccy-* 1873.
⇨ **cóccix** | 1836 SC |.
cóc·egas, -eira → COÇAR.
coche sm. 'carruagem de luxo' | 1560, *cocho* 1555, *couche* 1563 etc. | Do cast. ou do fr. *coche*, os quais remontam ao cheq. *koči*, através do húng. *kocsi* e do al. *Kutsche* || **coch**ADA sf. 'coche cheio de gente' XVII || **coch**EIRA 1619 || **coch**EIR·AL 1891 || **coch**EIRO 1610.
cochichar vb. 'murmurar' 'intrigar, mexericar' XVI. De origem onomatopaica || **cochicho** XVII.
cochilar vb. 'dormir levemente' XVII. De origem africana, mas de étimo indeterminado || **cochilo** XX.
cochino sm. 'porco (não muito cevado)' | XVIII, *cochina* f. XVI | Do cast. *cochino*.
cocho sm. 'tabuleiro para conduzir cal amassada' 'caixa onde gira a mó dos amoladores' 'tipo de vasilha para uso do gado' XVI. De origem controvertida.
cochonilha sf. 'inseto homóptero, da fam. dos coccídeos, que segrega substâncias especiais que servem de revestimento' XVI. Do cast. *cochinilla*.
cociente → QUOCIENTE.
cóclea sf. '(Mec.) parafuso de Arquimedes' '(Anat.) orelha interna' | XVII, *cochlea* 1813 | Do lat. *cochlĕa -ătus* 'caracol' || **cocle**ADO adj. 'torcido em espiral' | *coehle-* XVII || **coclei**FORME adj. 2g. 'cocleado' | *cochlei-* 1873.
⇨ **cóclea** — **coclei**FORME | *cochlei-* 1836 SC |.

coco sm. 'orig. papão' 'ext. designação comum a várias espécies de palmeiras e aos seus frutos' XVI. De origem controversa; o fruto do coqueiro foi assim denominado pelos portugueses em razão da sua semelhança com as figuras de cabeças com que se assustavam as crianças (os papões) || cocADA 1881 || coquEIR·AL 1844 || coquEIRO 1813.
⇨ **coco** — coquEIR·AL | 1836 SC || coquEIRO | 1624 SESilR 42.*28* |.
cocó → COQUE³.
cócoras (de-) *loc.* 'sentado ou agachado sobre os calcanhares' XVI. De origem controvertida || Acocorar 1712.
cocote *sf.* 'meretriz' XX. Do fr. *cocotte*.
cocuruto *sm.* 'o ponto mais elevado de alguma coisa' 'o alto da cabeça' 1813. De origem obscura; talvez se relacione com coco, na acepção de cabeça.
⇨ **cocuruto** | *cucuruto c* 1539 JCasD 98.*10* |.
coda *sf.* 'fragmento musical acrescentado como apêndice conclusivo de uma peça em que há repetições' 1873. Do it. *códa*, deriv. do lat. *cōda* || **códão** *sm.* 'congelação da umidade infiltrada no solo' | *códom* XVII Cp. CAUDA.
⇨ **coda** — códão | 1836 SC |.
côdea *sf.* 'casca, crosta' XIV. De um lat. *cŭtina*, de *cutis -is* 'pele, invólucro'.
codeína *sf.* 'sedativo derivado, da morfina' 1858. Do fr. *codéine*, do gr. *kōdeia* 'cabeça de papoula' + *-ine* [v. -INO(iv)].
codesso *sm.* 'planta ornamental da fam. das leguminosas' XIV. Do lat. vulg. *cŭtĭsus* (cláss. *cўtĭsus*), deriv. do gr. *kýtisos*.
códice *sf.* 'forma característica do manuscrito em pergaminho' 'registro ou compilação de manuscritos, documentos históricos ou leis' XVIII. Do lat. *cōdex -ĭcis* || **codicilo** *sm.* 'ato escrito de última vontade' 'testamento' | *codiçillo* XIV | Do lat. *codicillus -i* || codiFIC·AÇÃO 1881. Do fr. *codification* || codiFIC·AR XIX Adaptação do fr. *codifier* || **código** *sm.* 'coleção ou conjunto de leis' XVI. Do lat. **codĭcum*, de *codĭcis*.
codório *sm.* 'gole de vinho ou de aguardente' 1899. Da express. litúrg. lat. *quod ore*, que o sacerdote diz, na missa, quando vai beber o vinho.
codorniz *sf.* 'designação comum às aves tinamiformes, da fam. dos tinamídeos' XIV. Do lat. *cōturnĭx -ĭcis* || **codorna** *sf.* 'codorniz' 1873.
⇨ **codorniz** — codorna | *-no* 1836 SC |.
codorno *sm.* 'variedade de pera grande e sumarenta' XVI. De origem controvertida.
coeducação → EDUCAÇÃO.
coeficiente *sm.* 'grau, nível' '(Mat.) parte numérica num produto de fatores numéricos e literais' | *-ffi*- 1813 | Do fr. *coefficient*.
coéforo *sm.* 'na Grécia antiga, cada um dos portadores das oferendas destinadas aos mortos' | *choephora* f. 1873 | Do fr. *choéphore*, deriv. do gr. *choēphóros*.
coelho *sm.* 'animal mamífero, lagomorfo, da fam. dos leporídeos' | *coëllo* XIII | Do lat. *cunīcŭlus -i* || coelhEIRA 1813 || coelhEIRO | *cooelheiro* XIII.
coempção *sf.* '(Jur.) compra em comum ou recíproca' 1873. Do lat. *coëmptĭō -ōnis*.
⇨ **coempção** | 1836 SC |.

coentro *sm.* 'planta glabra, da fam. das umbelíferas, cuja folha é usada como condimento' XV. Do lat. *coriandrum -i*, deriv. do gr. *koríandron*; a evolução fonética é de difícil explicação || **coriandro** *sm.* 'gênero de plantas umbelíferas, ao qual pertence o coentro' 1873.
coerção *sf.* 'ato de coagir' 1844. Do lat. *cŏercĭō* ou *cŏertĭō -ōnis*, síncope de *cŏercitĭō -ōnis*, de *coercēre* || coerciBIL·IDADE 1873. Do fr. *coercibilité* || coercIT·IVO 1844. Do fr. *coercitif* || coercÍVEL 1844. Do fr. *coercible* || **coercÍVEL** XVI | INcoercÍVEL | *-sível* 1873 | Do fr. *incoercible*. Cp. COAÇÃO.
⇨ **coerção** | 1836 SC || coercITIVO | 1836 SC || coercÍVEL | 1836 SC |.
coerência *sf.* 'ligação ou harmonia entre situações, acontecimentos ou ideias' | *cohe*- XVII | Do lat. *cohaerentĭa* || **coerente** *adj.* *2g.* | *cohe*- XVI | Do lat. *cohaerēns -entis* || INcoerência XVII || INcoerente 1813.
coeso *adj.* 'ligado ou unido por coesão' XX. Do lat. *cohaesus*, part. de *cohaerēre* || **coesão** *sf.* 'união íntima das partes de um todo' | *cohe*- 1844 | Do fr. *cohésion*, deriv. do lat. cient. **cohaesĭō -ōnis*, pelo modelo de ADESÃO || coesIVO | *cohe-* 1844.
⇨ **coeso** — coesão | *cohe-* 1836 SC || coesIVO | *cohe-* 1836 SC |.
coessencial → ESSÊNCIA.
coetâneo *adj. sm.* 'contemporâneo' XVII. Do lat. *coaetănĕus*.
coeterno → ETERNO.
coevo *adj. sm.* 'contemporâneo' XVII. Do lat. *coaevus*.
coexist·ência, -ir → EXISTIR.
cofiar → COIFA.
cofo *sm.* 'ant. espécie de escudo persa' XVI. Do ár. *qúffa*.
cofose *sf.* 'surdez absoluta' | *-pho-* 1899 | Cp. gr. *kōphōsis*.
cofre *sm.* 'caixa ou móvel onde se guardam dinheiro e quaisquer objetos de valor' XIV. Do fr. *coffre*, deriv. do lat. *cŏphĭnus -i* e, este, do gr. *kóphinos* 'cestinho'. No port. med. documenta-se, também, a forma *cofinho* (séc. XIV), deriv. diretamente do lat. *cŏphĭnus -i*.
cogitar *vb.* 'refletir, pensar, imaginar' 'tencionar, projetar' XVII. Do lat. *cōgĭtāre* || cogitAÇÃO 1844. Do lat. *cogitātĭō -ōnis* || cogitaTIVO XVII || EXcogitAÇÃO 1813. Do lat. *excōgĭtātĭō -ōnis* || excogitADOR 1813. Do lat. *excōgĭtātōr -ōris* || EXcogitar *vb.* 'cogitar' XVI. Do lat. *ex-cōgĭtāre* || INcogitADO 1844. Do lat. *incōgĭtātus* || INcogitÁVEL 1844.
⇨ **cogitar** — cogitAÇÃO | 1836 SC || INcogitADO | 1836 SC || INcogitÁVEL | 1836 SC |.
cognato *adj. sm.* 'cognado' '(Gram.) diz-se de, ou voc. que tem raiz comum com outro(s)' XVI. Do lat. *cognātus* || **cognação** *sf.* 'no direito romano, parentesco consanguíneo pelo lado das mulheres' 'descendência, parentesco' 'relação ou analogia entre vocs. cognatos' XVII. Do lat. *cognātĭō -ōnis* || **cognado** *adj. sm.*, 'diz-se de, ou parente por cognação' 1844. Do lat. *cognātus* || **cognático** 1844.
⇨ **cognato** — cognado | 1836 SC || cognático | 1836 SC |.
cognição *sf.* 'orig. aquisição de um conhecimento' 'ext. conhecimento, percepção' 1873. Do lat.

cognitĭō -ōnis || **cogn**ITIVO 1873 || **cógnito** *adj.* '*ant.* conhecido, sabido' 1572. Do lat. *cognītus*, part. de *cognōscĕre* 'conhecer' || **cognosc**IBIL·IDADE XVIII || **cognosc**ITIVO XVII || **cognosc**ÍVEL *adj. 2g.* 'conhecível' 1873. Do lat. *cognōscibĭlis -e* || IN**cógnita** *sf.* 'aquilo que é desconhecido e se procura saber' '(Mat.) grandeza por determinar' 1813. Fem. substantivado de *incógnito* || IN**cógnito** *adj. sm.* 'desconhecido, secreto' 1572. Do lat. *incognitus* || RE**cognição** *sf.* 'reconhecimento' 1881. Do lat. *recognitĭō -ōnis* || RE**cogn**ITIVO 1899. Do lat. *recognitus*, part. de *recognōscĕre*, + -IVO. Cp. CONHECER.
⇨ **cognição** | 1836 SC || **cognosc**ÍVEL | 1836 SC || IN**cógnito** | 1572 *Lus.* IV.65, *inconhito c* 1541 JCaSR 184.*24, imconhito* Id.222.*17* |.
cognom·e, -inar → NOME.
cognosc·ibilidade, -itivo, -ível → COGNIÇÃO.
cogombro *sm.* '*ant.* recipiente' | XVI, *cogonbro* XIV etc. | Do lat. *cŭcŭmĕrus*.
cogote *sm.* 'nuca, cachaço' | 1813, *gogote* XVII | Do cast. *cogote*, provavelmente deriv. de *coca* 'cabeça', de criação expressiva || **cangote** 'cogote' 1899. De *cogote*, com infl. de *canga*[1].
cogula *sf.* 'túnica larga de religiosos' XIII. Do lat. tard. *cucŭlla* 'capa, capucho'. Cp. COGULO.
cogulho *sm.* '(Arquit.) espécie de paquife que termina em folhas encrespadas como as do repolho' 1873. De origem obscura.
cogulo *sm.* 'o que, numa medida, excede o conteúdo até às bordas' XVII. Do lat. *cucullus -i* 'capuz, capa' 'cartucho de papel' || A**cogul**ADO 1881 || A**cogul**AR XVI.
⇨ **cogulo** — A**cogul**ADO | 1562 JC |.
cogumelo *sm.* 'designação comum a inúmeras plantas criptógamas parasitas' XVII. Do lat. **cucumellum*, dim. de *cucŭma* 'caldeirão, banheira pequena', devido à semelhança da forma.
coibir *vb.* 'reprimir, refrear, impedir' | *cohi-* 1813 | Do lat. *cohibēre* || **coib**IÇÃO | *cohi-* 1844 | Do lat. *cohibitĭō -ōnis.*
⇨ **coibir** — **coib**IÇÃO | *cohi-* 1836 SC |.
coice *sm.* 'pancada que certos quadrúpedes desferem com os cascos traseiros, firmando as patas dianteiras no chão' 'pancada para trás, com o calcanhar' | *couce* XIII | Do lat. tard. *calce* 'calcanhar' || **coic**EIRA *sf.* 'parte da porta onde se pregam as dobradiças' 'coice da porta' | *couçeira* XVI || ES**coic**EAR | 1881, *-cou-* 1844.
⇨ **coice** — ES**coic**EAR | 1836 SC |.
coifa *sf.* '*orig.* espécie de gorro sob o capelo' | XIV, *coiffa* XIV, *cofia* XIV etc. | Do lat. tard. *cofia* (séc. VI), de origem germânica || **cofiar** *vb.* 'alisar, afagar (a barba, o bigode, o cabelo), passando a mão (sobre eles)' XIX.
coima *sf.* 'multa, pena' | XIV, *cōomia* XIII, *cooyma* XIII, *coomya* XIII etc. | Do lat. *calŭmnia* || A**coim**AR | XV, *acooimar* XIII, *coomiar* XIII etc. || ES**coim**AR XVI. V. CALÚNIA.
coincid·ência, -ente, -ir → INCIDIR.
coiote *sm.* 'espécie de lobo americano' XX. Do cast. *coyote*, deriv. do náuatle *kóyotl.*
coirana *sf.* 'nome de diversas plantas da fam. das solanáceas' | 1782, *courana* 1730 | Do tupi *kĩĩ'rana < kĩ'ĩa (kĩ'iña)* 'pimenta' + '*rana* 'semelhante'.

coirela *sf.* 'porção de terra cultivada, longa e estreita' 'antiga medida agrária' | *cou-* XIV | Do lat. vulg. *quadrella*, dim. de *quadrus* 'quadrado'. Cp. QUADRADO.
coirmão → IRMÃO.
coisa, cousa *sf.* 'aquilo que existe ou pode existir' 'objeto inanimado' | *cousa* XIII, *coussa* XIII, *coysa* XVI | Do lat. *causa.*
coitado *adj. sm.* 'desgraçado, mísero, infeliz' | XIII, *coy-* XIII | Part. do ant. *coitar* (documentado também no séc. XIII), deriv. do lat. vulg. **coctāre*, de **cōctus*, por *coactus*, part. de *cōgĕre* 'obrigar'.
coiteiro → COUTO.
coito *sm.* 'relação sexual, cópula' 1813. Do lat. *coïtus -us.*
coivara *sf.* 'técnica indígena, ainda hoje empregada no interior do Brasil, que consiste em pôr fogo em restos de mato, troncos e galhos de árvores para limpar o terreno e prepará-lo para a lavoura; terreno coberto de galhos e troncos quebrados' | 1863, *coibara c* 1607 | De provável origem tupi || DES**coivar**ADO 1918 || EN**coivar**AR 1876.
-col- → -COLA, COLE-.
cola[1] *sf.* 'substância para fazer aderir' 'goma, grude' 1813. Do fr. *colle*, deriv. do gr. *kólla* || **col**AR[1] | *-llar* 1525 | Do fr. *coller* || **col**ÊNQUIMA XX || **col**OIDE | *-lloi-* 1899 | Do ing. *colloid*, aplicado substantivamente, em 1861, pelo químico escocês T. Graham a um 'estado típico de agregado, oposto ao cristaloide'; o adj. ing. *colloid* 'da natureza da cola', que já se documenta em 1847 (em francês, desde 1845), é composto do gr. *kólla* 'cola' e *eídēs* 'forma' || DES**col**AR 1881.
⇨ **cola**[1] | 1615 FNun 49v16 |.
cola[2] *sf.* 'cauda, rabo' | XIV, *coa* XIV, *colla* XVI | Do cast. *cola*, deriv. do lat. vulg. *coda* (cláss. *cauda*). Cp. CODA, CAUDA.
cola[3] *sf.* 'planta da fam. das esterculiáceas (*Cola acuminata*)' 1575. De um idioma indígena da África ocidental. A mais antiga descrição europeia da *cola* parece ser a do padre Garcia Simões, que assim a se refere em carta escrita de Angola e datada de 20 de outubro de 1575: "Esta cola hé uma frutta que usão brancos e pretos. Hé como castanhas muito grandes mais vermelha alguã cousa. Hé amargosa, e provala hé provar hũ pouco de pão; [...] Tambẽ dizem que sostentão muito e que andará huã pessoa hũ dia todo sostentado com huã cola".
-cola *suf. nom.*, do lat. *-cola*, deriv. do verbo *colo -ĕre* 'cultivar, tratar' 'habitar' 'venerar', que se documenta em compostos já formados no próprio latim, como *agrícola* 'que cultiva os campos', e em muitos outros formados nas línguas modernas, como *apícola* 'que cultiva abelhas', *silvícola* 'que habita a selva' etc.
colaborar *vb.* 'cooperar' 'trabalhar na mesma obra' XVII. Do lat. *collabōrāre* || **colabor**AÇÃO 1858. Do fr. *collaboration* || **colabor**ADOR 1844. Do fr. *collaborateur* || **colabor**ANTE 1899.
⇨ **colaborar** — **colabor**AÇÃO | *-lla-* 1836 SC || **colabor**ADOR | *-lla-* 1836 SC |.
colação *sf.* '*ant.* paróquia' '*mod.* ato ou efeito de colar[1] [v. COLA[1]]' 'concessão de título, direito ou grau' | *-çon* XIII, *collaçõ* XIV etc. | Do lat. *collātĭō -ōnis* ||

colar² *vb.* 'nomear para benefício eclesiástico vitalício' 'investir na posse de (cargo, direito, título ou grau)' | *-llar* 1873 || **col**AT·ÁRIO | *-lla-* 1899 || **colatício** XX. Do lat. *collātīcĭus* 'misturado, fornecido por várias pessoas' || **col**ATIVO 1844. Do lat. *collātīvus*.
⇨ **colação** — **col**AR² | 1836 SC || **col**ATIVO | 1836 SC |.
colaço *adj. sm.* 'irmão de leite' | XIII, *conlaço* XIV | Do lat. tard. *collacteus* (cláss. *collactānĕus*).
colagogo *adj. sm.* 'diz-se de, ou medicamento que excita a secreção da bílis' 1858. Do lat. tard. *cholagōgus*, deriv. do gr. *cholagōgós*.
colapso *sm.* 'alteração brusca e danosa' '(Pat.) diminuição ou inibição repentina de qualquer função vital' | *-llap-* 1858 | Do lat. *collapsus*.
colar¹ → COLA¹.
colar² → COLAÇÃO.
colar³ *sm.* 'em sentido amplo, qualquer objeto que se coloca em torno do pescoço' XIII; 'ornato ou insígnia para o pescoço' 'gola, colarinho' | *-llar* 1813 | Do lat. *collāre -is* || **col**arINHO *sm.* 'gola de camisa' 1813. Cp. COLO.
colatário → COLAÇÃO.
colateral → LADO.
colat·ício, -ivo → COLAÇÃO.
colbaque *sm.* 'boné militar de pelo, em forma de cone truncado' XX. Do fr. *colback*, deriv. do turco *qalpāq*.
colcha *sf.* 'coberta de cama' XIII. Do cast. *colcha*, deriv. do a. fr. *colche* (hoje *couche*) e, este, do lat. *collŏcāre* 'situar' 'colocar na cama' || Acolchoar 1813 || **colch**ÃO *sm.* 'coxim grande, cheio de substância flexível, que se estende sobre o estrado da cama' | *-cham* XV, *-chom* XV || **colcho**ARIA XX || **colcho**EIRO XVI.
colchete *sm.* 'pequeno gancho de metal, para prender uma parte do vestuário à outra' XVI. Adapt. do fr. *crochet* 'gancho', deriv. do frâncico **krōk* || Acolchetar 1858 || **colcheia** *sf.* '(Mús.) figura que vale a metade de semínima, e a cuja haste se prende um pequeno gancho' XVII. Adapt. do fr. *crochée* || DES·Acolchetar 1858.
colcho·aria, -eiro → COLCHA.
coldre *sm.* 'orig. aljava para setas' '*ext.* estojo de couro onde se colocam pistolas ou outras armas' XIII. De origem controvertida.
⇨ **cole** *sm.* 'ant. colina' | *colle* 1582 *Liv. Fort.* 86v11 | Do lat. *collis*, através do it. *còlle*, já documentado no séc. XIII; cp. COLINA.
cole- *elem. comp.*, do gr. *cholē-*, de *cholḗ* 'bílis, fel', que se documenta em alguns compostos introduzidos, a partir do séc. XIX, na linguagem da medicina ♦ **cole**CIST·ECTOM·IA XX || **cole**CIST·ITE XX || **cole**CIST·O·TOM·IA XX || **cole**DOCO | 1858, *cho-* 1858 | Do fr. *cholédoque*, deriv. do lat. med. *cholēdocus* e, este, do gr. *cholēdóchos* || **col**ÉLITO | *cho-* 1873 || **col**EM·IA XX || **col**ESTER·OL XX || **cól**ICO | *cho-* 1873 | Do fr. *cholique*, deriv. do gr. *cholikós*.
colear → COLO.
coleção *sf.* 'compilação, coletânea' | *-llecção* XVII | Do fr. *collectian*, deriv. do lat. *collēctĭō -ōnis* || **colecion**ADOR | *-llecci-* 1881 || **colecion**AR 1881. Do fr. *collectionner*. Cp. COLETIVO.
cole·cistectomia, -cistite, -cistotomia, coledoco → COLE-.

colega → COLÉGIO.
colegatário *sm.* 'o que é legatário junto com outrem' 1844. Do lat. tard. *callēgātārius*.
⇨ **colegatário** | 1836 SC |.
colégio *sm.* '*orig.* reunião, associação, corporação' '*ext.* estabelecimento de ensino' | XIV, *-lle-* XVI | Do lat. *callēgium* || **colega** *s2g.* 'companheiro' | *-lle-* 1813 | Do lat. *collēga* || **colegi**ADA XV || **colegi**AL | *-lle-* 1813 | Do fr. *collégial*.
⇨ **colégio** — **colegi**AL | *colegiaes* pl. 1532 *in* CDP II.365.*18* |.
coleira → COLO.
colé·lito, -mia → COLE-.
colendo *adj.* 'respeitável, venerando' XX. Do lat. *colendus*, gerúndio de *colĕre* 'venerar'. O superlativo *colendíssimo*, com a grafia *collen-*, já ocorre em 1858.
colênquima → COLA¹.
coleo- *elem. comp.*, do gr. *koleo-*, de *koleós* 'bainha, saco, vagina', que se documenta em alguns compostos formados no próprio grego (como *coleóptero*) e em vários outros introduzidos, a partir do séc. XIX, na linguagem científica internacional ♦ **cole**ÓPTERO 1873. Do fr. *coléoptère*, deriv. do lat. cient. *coleopterus* e, este, do gr. *koleópteros* || **cole**ÓPTILO | *-la* f. 1899 | Do lat. cient. *coleoptila* || **coleo**R·RIZA | *-rrhi-* 1873.
⇨ **coleo-** — **cole**ÓPTERO | 1836 SC |.
cólera *sf.* 'ira, raiva, fúria' '(Pat.) doença infecciosa aguda' XV. Do lat. *chŏlĕra*, deriv. do gr. *choléra* || **colérico** XV. Do lat. *cholericus*, deriv. do gr. *cholerikós* || ENcoleriz·ADO | *-sa-* 1813 || ENcolerizar | *-sar* 1813.
colesterol → COLE-.
colet·a, -ânea, -ar → COLHER².
colete → COLO.
coletício → COLHER².
coletivo *adj.* 'que abrange ou compreende muitas coisas ou pessoas' | *-llec-* XVII | Do fr. *collectif*, deriv. do lat. *collēctīvus*, de *collēctus*, part. de *collĭgĕre* 'reunir' || **coletiv**IDADE | *-llec-* 1881 | Do fr. *collectivité* || **coletiv**ISMO XX. Do fr. *collectivisme* || **coletiv**ISTA XX. Do fr. *callectiviste*. Cp. COLEÇÃO.
colet·or, -oria → COLHER².
colgar *vb.* 'pendurar' 'suspender' XIII. Do lat. *cŏllŏcāre*. Cp. COLOCAR.
colhão *sm.* 'testículo' XIII. Do lat. tard. *cōleō -eonis* (cláss. *cūllĕus -i* 'saco de couro' 'medida para líquidos') || **esculachar** *vb.* 'desmoralizar' XX. De formação expressiva || **esculhambar** *vb.* 'esculachar' XX. De formação expressiva.
colheita → COLHER².
colher¹ *sf.* 'instrumento para levar alimento à boca, ou para preparar iguarias' | XVI, *colhar* XIV, *culhar* XIV etc. | Do lat. *cochlear -āris* || **colher**ADA 1813 || **colher**EIRO 1813.
⇨ **colher**¹ — **coler**ADA | *a* 1595 *Jorn.* 46.*23* |.
colher² *vb.* 'tirar, apanhar, recolher' 'coletar, coligir' XIII. Do lat. *cŏllĭgĕre* || **col**ECTA | *-ll-* XVI || **coletânea** *sf.* 'conjunto de várias obras' | *-ll-* XVI | Do lat. *collēctānĕa -ōrum* || **colet**AR | *-ectar* XV || **coletício** *adj.* '*ant.* dizia-se da gente reunida, sem escolha, para a guerra' | *-llec-* XVII | Do lat. *collēctīcĭus* || **coletor** *adj. sm.* 'diz-se

de, ou aquele que colige' | *llec-* XIV | Do lat. tard. *collēctor -ōris* || **coletor**IA | *-llec-* XVI || **colheita** *sf.* 'ato de colher (produtos agrícolas)' '*ext.* o conjunto de produtos agrícolas de determinado período' | *-llei-* XIV, *-lhey-* XIII | Forma divergente e popular de *coleta*, do lat. *collēcta* || **colher**ETE *sm.* 'pancada com a bola nos que assistem ao jogo da pela' 1844 || RE**coleto** *adj. sm.* 'que leva vida austera, recolhida' XVI || **recolher** *vb.* 'abrigar, arrecadar' | *rrecoller* XIV | Do lat. *re-collĭgĕre* || RE**colh**IMENTO | *rrecolhj-* XV. Cp. COLIGIR, ENCOLHER, ESCOLHER.
⇨ **colher**[2]— **colh**EDOR | 1615 FNun 56*v*6 || **colhe**rETE | 1836 SC |.
colher·ada, -eiro → COLHER[1].
colherete → COLHER[2].
colibri *sm.* 'beija-flor' 1873. Do fr. *colibri*, deriv. provavelmente de um idioma indígena das Antilhas.
cólica → CÓLON.
cólico → COLE-.
colidir *vb.* 'fazer ir de encontro' 'chocar, abalar' 1844. Do lat. *collīdĕre* || **colisão** *sf.* 'choque, batida' | *-lli-* XVII | Do lat. *collīsĭō -ōnis*.
co·lig·ação, -ar, -ativo → LIGAR.
coligir *vb.* 'reunir em coleção' | *-lli-* XVI | Do lat. *cŏllĭgĕre*. Cp. COLHER[2].
⇨ **coligir** | 1549 SNor 93.*20*, *colegir* 1538 DCast 1*v*8 |.
colimar *vb.* '*orig.* observar com instrumento adequado' '*ext.* mirar, visar' 1844. Do lat. dos astrônomos do séc. XVII *collīmare* (erro de leitura por *collīneare*), através do it. *collimare*, provavelmente.
colina *sf.* 'pequeno monte, outeiro' | *-lli-* XVII | Do fr. *colline*, deriv. do it. *collina* e, este, do lat. tard. *collīna*.
coliquar *vb.* 'fundir, derreter, dissolver' XX. Do lat. tard. *colliquēre*, de *liquāre* || **coliqu**ATIVO | *-lli-* 1858.
⇨ **coliquar** — **coliqu**ATIVO | 1836 SC |.
colírio *sm.* 'remédio de efeito curativo ou de alívio para os olhos' | *-lli-* 1813 | Do lat. *collȳrĭum -ĭī*, deriv. do gr. *kollýrion*.
colisão → COLIDIR.
coliseu *sm.* 'grande anfiteatro onde os antigos se reuniam para jogos públicos' | *-lisseos* pl. XVII | Do it. *colisèo*, por *colissèo*, deriv. do lat. tard. *Colossēum* 'anfiteatro', de *colossēus* 'colossal, gigantesco' e, este, do gr. *kolossáios*. Cp. COLOSSO.
colite → CÓLON.
colmar → COLMO.
colmatar *vb.* 'preencher, aterrar, entulhar' XX. Do fr. *colmater*, de *colmate*, deriv. do it. *colmata*, de *colmare* || **colmat**AGEM XX. Do fr. *colmatage*.
colmeia *sf.* 'porção de abelhas, enxame' | *-mēa* XIII | De origem incerta, provavelmente pré-romana.
colmilho *sm.* 'dente canino, presa' XVI. Do cast. *colmillo*, deriv. do lat. vulg. *colŭmĕllus* (cláss. *columella* 'pequena coluna'), por sua forma prolongada e arredondada. Cp. COLUNA.
colmo *sm.* 'tipo de caule' 'palha empregada para cobrir cabanas' | XIII, *cool-* XVI | Do lat. *culmus -i* || **colm**AR *vb.* 'cobrir de colmo' 1813.
colo *sm.* 'parte do corpo humano formada pelo pescoço e pelos ombros' XIII. Do lat. *cŏllum* || **col**EAR *vb.* '*orig.* mover o colo' '*ext.* serpentear' XVI || **co**lEIRA *sf.* 'o que envolve o colo' | *-llei-* XVI || **col**ETE *sm.* 'peça de vestuário, sem mangas nem gola, indo em geral até à cintura' XVII. Do fr. *collet*.
colóbio *sm.* 'túnica sem mangas, ou de mangas curtas' | *-llo-* 1858 | Do lat. *colobĭum -ĭī*, deriv. do gr. *kolóbion*, de *kolobós* 'tronco'.
⇨ **colóbio** | 1836 SC |.
colocar *vb.* 'pôr (em algum lugar)' | XVI, *-llo* XVII | Do lat. *cŏllŏcāre* || **coloc**AÇÃO | *-llo-* XVII | Do lat. *collocātĭō -ōnis* || RE**colocar** XX. Do lat. *recŏllŏcāre*.
colocutor → LOCUTOR.
colódio *sm.* '(Quím.) nitrocelulose utilizada na fabricação de vernizes e lacas' 1881. Do fr. *collodion*, deriv. do gr. *kollṓdēs* 'glutinoso' Cp. COLA[1].
colofão *sm.* 'inscrição no fim dos manuscritos ou dos livros impressos, com indicações várias' XIX. Do lat. tard. *colophōn -ōnis*, deriv. do gr. *kolophṓn -ōnos* 'término, fim'.
colofônico *sm.* '(Quím.) material resinoso, resíduo da destilação de terebintinas' | *-phònia* f. 1813 | Do a. fr. *colophonie* (hoje *colophane*), deriv. do lat. *colophōnia* 'resina de Colofão, cidade da Lídia' e, este, do gr. *kolophōnía*.
coloide → COLA[1].
colômbio, colúmbio *sm.* 'nome desusado do nióbio' 1873. Do lat. cient. *columbium* (de *Columbium*, nome poético da América do Norte), dado pelo seu descobridor, o químico inglês Charles Hatchett (1765-1847), em 1801, por ter sido descoberto em um minério de cromo levado para a Inglaterra.
cólon *sm.* 'parte do intestino grosso, entre o ceco e o reto' XVI; 'sinal ortográfico' XVII. Do lat. *cōlon -i*, deriv. do gr. *kólon* || **cólica** *sf.* 'dor abdominal intensa' | XVII, *coleca* XVI | Do fr. *colique*, deriv. do lat. tard. *colicē(-a)* e, este, do gr. *kōlikḗ* || **col**ITE XX. Do lat. cient. *colītis* || **col**OPAT·IA XX.
⇨ **cólon** 'sinal ortográfico' | 1576 DNLeo 76.*19* || **cólica** | 1532 JBarR 56.*24* |.
colono *sm.* 'membro de uma colônia' 'povoador' 'cultivador da terra pertencente a outrem' XVI. Do lat. *colōnus* || **colôn**IA *sf.* 'grupo de migrantes' 'possessão, domínio' XVII. Do lat. *colōnĭa* || **coloni**AL *adj. 2g.* 1813 || **colôn**ICO XX. Do lat. *colōnĭcus* || **coloniz**·AÇÃO | *-sa-* 1844 | Do fr. *colonisation* || **coloniz**·ADOR | *-sa-* 1844 | Do fr. *colonisateur* || **colon**IZAR | *-sar* 1844 | Do fr. *coloniser*.
⇨ **colono** — **colôn**IA | 1568 in *Studia* nº 8, 162, 1571 FolF 75.*15* || **coloniz**·AÇÃO | *-sa-* 1836 SC || **coloniza**·DOR | *-sa-* 1836 SC || **coloniz**AR | *-sar* 1836 SC |.
colopatia → CÓLON.
coloquíntida *sf.* 'trepadeira ornamental da fam. das cucurbitáceas' 1813. Do fr. *coloquintide*, deriv. do lat. tard. *coloquintis -ĭdis* (cláss. *colocỹnthis -ĭdis*) e, este, do gr. *kolokynthís -ídos*.
colóquio *sm.* 'conversação, palestra' XVI. Do lat. *colloquĭum -ĭī* || **coloqui**AL *adj. 2g.* '*orig.* relativo a colóquio' '(Lit.) diz-se do estilo em que se usam vocabulário e sintaxe próximos da linguagem cotidiana' 1899.
color·ação, -ante, -ar, -ear, -ido, -ífico, -ímetro, -ir, -ismo, -ista, -izar → COR[1].

colosso *adj.* 'orig. estátua descomunal' '*ext.* pessoa agigantada, objeto de grandes proporções, grande poderio' 1572. Do lat. *colossus -i*, deriv. do gr. *kolossós* || colossAL 1775. Do fr. *colossal*.
colostro *sm.* 'o primeiro líquido segregado pela glândula mamária depois do parto' XVII. Do lat. *colostrum -i* || colostrAÇÃO *sf.* 'doença do recém-nascido, que se atribuía ao colostro' 1844. Do lat. *colostratiō -ōnis*.
⇨ colostro — colostrAÇÃO | 1836 SC |.
colp(o)- *elem. comp.*, do gr. *kolpo-*, de *kólpos* 'vagina', que se documenta em alguns compostos introduzidos, a partir do séc. XIX, na linguagem da medicina ▸ colpITE XX. Do lat. cient. *colpītis* || colpoCELE 1873 || colpoTOM·IA XX.
cólquico *sm.* 'planta medicinal silvestre, da fam. das liliáceas' | *-chico* 1873 | Do fr. *colchique*, deriv. do lat. *colchicum -i* e, este, do gr. *kolchikón*.
coltar *sm.* 'alcatrão de hulha'. 1899. Do ing. *coaltar*.
colubr·ear, -ina, -ino → COBRA.
columbário *sm.* 'orig. pombal' '*ext.* nicho onde se colocam as urnas funerárias' 1873. Do lat. *columbārĭum -ĭī* || columbICULT·OR XX || columbICULT·URA XX || columbIFORME XX || columbINO 1813. Do lat. *columbīnus* || columbÓFILO XX.
coluna *sf.* 'orig. (Arquit.) pilar cilíndrico, que sustenta abóbadas, entablamentos etc. e que serve de ornato' '*ext.* subdivisão' | XIV, *colŭpna* XIII, *colupna* XIV etc. | Do lat. *columna* || columela *sf.* '(Bot.) massa de tecido estéril que forma na cápsula dos musgos uma como coluna central' | *-lumnello* m. 1758 | Do lat. *columella* 'pequena coluna' || colunAR *adj. 2g.* XVII. Do lat. *columnāris -e* || colunÁRIO | *-lumná-* 1858 | Do lat. *columnārĭus* || colunATA *sf.* 'série de colunas dispostas simetricamente' | *-lumna-* XVIII | Do it. *colónnata* || colunÁVEL *adj. 2g.* 'que é citado em colunas jornalísticas' XX || colunisTA *adj. s2g.* 'jornalista que escreve colunas periódicas' XX.
coluro *sm.* '(Astr.) uma das interseções do equador com a eclíptica' XVII. Do lat. tard. *colūrus* (cláss. *colūri -ōrum*), deriv. do gr. *kólouroi* (*grammaí*), de *kólouros* 'cortado'.
⇨ coluro | 1532 JBarR 53.7 |.
colusão *sf.* 'ajuste secreto e fraudulento' | *-llu-* XVI | Do lat. *collūsĭō -ōnis*.
colutório *sm.* '(Med.) qualquer líquido medicinal para as mucosas da boca e da garganta' | *-llu-* 1873 | Adapt. do fr. *collutoire*, deriv. do lat. *collūtus* (part. de *colluere* 'lavar') + *-oire* (V. -ÓRIO).
⇨ colutório | *-llu-* 1836 SC |.
coluvião *sm.* 'solo das encostas dos morros, formado por detritos provindos dos altos' 'enxurrada, aluvião' '*fig.* multidão ou confusão de coisas' | *-llu-* XVI | Do lat. *colluvĭō -ōnis*.
colza *sf.* 'variedade de couve comestível, de cuja semente se extrai um óleo' 1858. Do fr. *colza*, deriv. do neerl. *koolzaad*.
⇨ colza | 1836 SC |.
com *prep.* XIII. Do lat. *cŭm*.
com- → CO-.
coma[1] *sf.* 'cabeleira abundante e crescida' XIII. Do lat. *coma*, deriv. do gr. *kómē* || comADO XVIII. Do lat. *comātus*.

coma[2] *s2g.* 'estado mórbido semelhante ao sono' XVII. Do fr. *coma*, deriv. do gr. *kōma kōmatos* || comatoso 1813. Do fr. *comateux* || comOSO XX.
coma[3] *sf.* '(Mús.) a nona parte de um tom' 'intervalo musical' XVI. Do lat. *comma -ătis*, deriv. do gr. *kómma*.
comado → COMA[1].
comadre *sf.* 'madrinha, em relação aos pais do neófito' 'tratamento familiar que se dirige a uma mulher' XVI. Do lat. tard. *commāter -ātris*.
comandá *sf.* 'nome de várias plantas da fam. das leguminosas' | *comendá* 1587, *comemda c* 1631, *comandâ c 1777* | Do tupi *koma'na* || comandoí | *comedoí* 1587 | Do tupi **komanu'i*.
comandar *vb.* 'dirigir, governar, conduzir' | *-mman-* 1813 | Do fr. *commander*, deriv. do lat. pop. *commandare* (cláss. *commendāre* 'recomendar, fazer valer') || comandANTE XVIII. Do fr. *commandant* || comando | *-mman-* 1813 | Do fr. *commande*. É interessante assinalar que o port. *comando* passou ao africâner (língua de origem holandesa falada na República Sul-Africana) *commando* (*kommando*), na acepção específica de 'unidade tática do exército dos bôeres, constituída de grupos de choque treinados para missões especiais'; daí o voc. passou ao ing. *commando* e, por intermédio deste, às demais línguas da Europa, onde foi muito empregado durante a 2ª guerra mundial.
comandita *sf.* 'tipo de sociedade comercial' 1881. Do fr. *commandite*, deriv. do it. *accomàndita* e, este, de *accomandare* 'confiar' (< *comandare*); cp. COMANDAR.
comando → COMANDAR.
comarca *sf.* 'ant. região, confins' 'circunscrição judiciária' XIII. De COM + MARCA, de origem germânica || comarcÃO *adj. sm.* 'relativo à comarca' 'vizinho, fronteiriço' XV || comarcAR *vb.* 'limitar, fazer fronteira com' XIV.
comatoso → COMA[2].
combalir *vb.* 'enfraquecer, debilitar, abalar' 1813. De origem controvertida || combalIDO XVI.
combater *vb.* 'bater-se com' 'opor-se a, contestar' XIII. Do lat. vulg. **combattĕre* (cláss. *combattuĕre*) || combate | *cōbate* XIV, *combate* XIV | Der. regress. de *combater* || combatEDOR | *con-* XIII | combatENTE XVII || combatIMENTO | XIV, *-te-* XIV || combatIV·IDADE 1899. Do fr. *combativité* || combATIVO XX. Do fr. *combatif*.
combinar *vb.* 'reunir em certa ordem' 'ordenar, acertar, ajustar' XVII. Do lat. tard. *combīnāre* || combinAÇÃO[1] *sf.* 'ato ou efeito de combinar' XVII. Do lat. tard. *combīnātĭo -ōnis* || combinAÇÃO[2] *sf.* 'roupa íntima feminina' XX. Adaptação do fr. *combinaison*, deriv. do anglo-americ. *combination* e, este, do lat. tard. *combīnātĭo -ōnis* || combinAT·ÓRIO 1844.
comboio *sm.* 'porção de carros que se dirigem, uns atrás dos outros, ao mesmo destino' 'trem' 'carros de munições e mantimentos' | *-boy* 1654, *-boi* 1658 | Do fr. *convoi*, de *convoyer*, deriv. do lat. pop. **convĭare* || comboia *sf.* 'cesto grande usado nos engenhos de banguê' XX || comboiAR | *-boy-* XVII || comboiEIRO | *-boy* 1745.
combona *sf.* 'caneiro nas praias para apanhar peixes' 1844. De origem incerta; talvez esteja relacionada com CAMBOA.

comborça *sf.*, **comborço** *sm.* 'amante' | *conbooça* XIII, *comborço* XVI | De origem controvertida.
combustão *sf.* 'ação de queimar' 'ignificação' XVI. Do lat. *combustĭō -ōnis* || **combur**ENTE 1873 || **comburir** *vb.* 'queimar' XX. Do lat. *combūrĕre*, formado por analogia com *ambūrĕre* 'queimar, queimar em volta' || **combust**IBIL·IDADE 1881. Adaptação do fr. *combustibilité* || **combust**ÍVEL *adj. 2g. sm.* XVI. Adaptação do fr. *combustible* || **combust**IVO XX || **combusto** XVII. Do lat. *combustus*, part. de *combūrĕre* || **combust**OR *sm.* 'poste para iluminação pública' XX || IN**combust**ÍVEL 1813. Cp. URENTE.
⇨ **combustão** — **combur**ENTE | 1836 SC |.
começar *vb.* 'iniciar, principiar' XIII. Do lat. vulg. **comĭnĭtĭāre* || **começ**ADOR XIV || **começ**AMENTO XIII || **começo** XIII || RE**começar** 1858.
comedia → COMER.
comédia *sf.* 'obra ou representação teatral em que predominam a sátira e a graça' 1572. Do lat. *cōmoedĭa*, deriv. do gr. *kōmō(i)día* || **comedi**ANTE 1813. Adaptação do fr. *comédien* || **comedió**·GRAFO | *-pho* 1844 | Do lat. *cōmoediographus*, deriv. do gr. *kōmō(i)diográphos* || **comic**IDADE XX || **cômico** *adj.* 'relativo à comédia' 'ridículo, burlesco; *sm.* 'que ou aquilo que faz rir' XVI. Do lat. *comĭcus*, deriv. do gr. *kōmikós*.
⇨ **comédia** | 1532 JBarR 92.27 || **comedió**·GRAFO | *-pho* 1836 SC |.
comed·imento, -ir → MEDIR.
comemoração *sf.* 'ato ou efeito de comemorar' | *comemorazones* pl. XIII, *cõmemoraçõ* XIV, *conmemoraçon* XV | Do lat. *commemorātĭō -ōnis* || **comemor**AR *vb.* 'fazer recordar, lembrar' 'solenizar, recordando' | *comme-* 1813 | Do lat. *commemorāre* || **comemor**ATIVO XX || **comemor**ÁVEL | *comme-* 1873 | Do lat. *commemorābĭlis -e*.
comend·a, -ador, -atário, -atício, -ativo → ENCOMENDAR.
comenos *sm. 2n.* 'momento, instante, ocasião' | XV, *comeios* XIII, *comeyos* XIII, *comeos* XIV etc. | De COM e MEIO | (< lat. *cŭm mĕdĭu*).
comensal *s2g.* 'cada um daqueles que comem juntos' | *-saees* pl. XV | Do fr. *commensal*, deriv. do lat. med. *commēnsālis*.
comensur·abilidade, -ar, -ável → MENSURAR.
comentar *vb.* 'explicar, interpretando e/ou anotando' 'falar sobre' 'falar maliciosamente sobre' | *commen-* XVI | Do lat. *commentari*, frequentativo de *comminisci* 'imaginar' || **coment**AÇÃO XX. Do lat. *commentātĭō -ōnis* || **coment**ADOR | *commen-* XVII | Do lat. *comentātor -ōris* || **coment**ÁRIO | *commen-* XVI | Do lat. *commentārĭum -ĭī* || **comenta**RISTA XX || **comentício** *adj.* 'inventado, imaginado' | *commen-* XVII | Do lat. *commentīcĭus* || **comento** *sm.* 'comentário' XVII. Do lat. *commentum -i*.
comer *vb.* 'ingerir alimentos' XIII. Do lat. *comĕdĕre* || **carcomer** *vb.* 'roer (madeira)' XVI. De origem incerta, mas provavelmente relacionado com *comer* || **carcom**IDO XVII || **comedia** *sf.* 'pastagem' XVI || **comest**IBIL·IDADE XX || **comest**ÍVEL *adj. 2g. sm.* 'diz-se de, ou aquilo que se come' XVIII. Do lat. tard. *comestibilis* || **comezaina** *sf.* 'refeição abundante' | *-zana* 1813 || **comezinho** *adj.* 'bom para comer' *fig.* 'fácil, simples, caseiro' | *comisjnho*

XIV || **com**IDA *sf.* 'o que se come' 1570. De *comido*, part. de *comer* || **comilança** *sf.* 'ato de comer muito' XX. De *comilão* || **comilão** *adj. sm.* 'glutão' XVI || **com**ÍVEL XX.
⇨ **comer** — **comezaina** | *comezana* 1680 AOCaD I.289.26 |.
comércio *sm.* 'permutação, troca, compra e venda de produtos ou valores' | *-cyo* XVI | Do lat. *commercĭum -ĭī* || **comerci**AL | *commer-* 1844 | Do fr. *commercial*, deriv. do lat. tard. *commerciālis* || **comerci**ANTE | *commer-* 1813 || **comerci**AR | *-cear* XVI | Do lat. **commerciāre* || **comerci**ÁRIO XX || **comerci**ÁVEL | *commer-* XVII.
⇨ **comércio** — **comerci**AL | *-mmer-* 1836 SC |.
comestível → COMER.
cometa *sm.* 'astro de luminosidade fraca, que gira em torno do Sol, e em muitos dos quais forma-se uma longa cauda' XIV. Do lat. *comēta*, deriv. do gr. *komētēs*. No port. ant. o voc. ocorre predominantemente como feminino || **cometo**MAN·CIA XX || **cometo**MANTE XX .
cometer *vb.* 'praticar, fazer, perpetrar' XIII. Do lat. *commĭttĕre* || A**comete**DOR | *acommette-* XVI || A**cometer** | *acommetter* XVI || A**comet**IDA | *acomme-* XVI || A**comet**IMENTO XV || **comet**IMENTO | XV, *cometemēto* XIV | Cp. COMISSÃO.
cometo·mancia, -mante → COMETA.
comez·aina, -inho → COMER.
comichão *sm.* 'coceira' *fig.* 'desejo premente' | *-mecham* XV | Do cast. *comezón*, deriv. do lat. *comestio -ōnis* 'ação de comer' || **comich**AR 1881. Cp. COMER.
comício *sm.* 'reunião pública de cidadãos para tratar de assuntos de interesse geral, ou em que alguém divulga seu programa, ideias etc. ' XVI. Do lat. *comitĭum -ĭī* || **comici**AL 1844. Do lat. *comitiālis -e*.
⇨ **comício** — **comici**AL | 1836 SC |.
comic·idade, -o → COMÉDIA.
comida → COMER.
comigo *pron.* 'em minha companhia' | XIII, *comego* XIII | Do lat. *mēcum* (no lat. vulg. *micum*), com reduplicação da prep. *cŭm*: *cŭm mĕcum* > a. port. *comego*; *cŭm micum* > *comigo*. V. CONOSCO, CONTIGO, CONVOSCO.
comil·ança, -ão → COMER.
cominar *vb.* 'ameaçar com pena ou castigo' | *commi-* XVII | Do fr. *comminer*, deriv. do lat. *comminārī* || **comin**AÇÃO | *commi-* 1844 | Do lat. *comminatĭō -ōnis* || **comin**ADOR | *commi-* 1844 | Do lat. *comminātor -ōris* || **comin**ATIVO | *commi-* XVII | Do lat. *comminātīvus* || **comin**ATÓRIO | *commi-* XVIII Do fr. *comminatoir*.
⇨ **cominar** — **comin**AÇÃO | 1534 *in* CDP III.83.27 |.
cominho *sm.* 'planta da fam. das umbelíferas, cujo fruto contém sementes aromáticas, condimentares e oleaginosas' | *-myno* XIII | Do lat. *cumīnum -i*, deriv. do gr. *ky'mĭnon*.
cominuir *vb.* 'fragmentar, esmigalhar' | *commi-* 1844 | Do lat. *com-mĭnŭĕre* || **cominu**T·IVO | *commi-* 1881.
comiser·ação, -ante, -ar, -ativo → MISÉRIA.
comissão *sf.* 'ato de cometer, de encarregar' 'grupo de pessoas encarregadas de tratar de determinado assunto' | *comisom* XIV, *comision* XIV, *comissom*

XV etc. | Do lat. *commissĭō -ōnis* || com**iss**ARI·ADO | *comissa-* 1844 || com**iss**ÁRIO *adj.* XV; *sm.* XVII. Do fr. *commissaire,* deriv. do lat. tard. *commissārius,* part. de *commĭttĕre* || com**ission**AR *vb.* 'encarregar de comissão' | *commissi-* 1873 | Do fr. *commissioner* || com**iss**IVO *adj.* 'que é resultado de uma ação' XX || **comisso** *sm.* 'pena ou multa' XV. Do lat. *commissum -i* || com**iss**ÓRIO *adj.* 'diz-se de ato cuja inexatidão determina a nulidade dum contrato' | *commissória* f. 1844 | Do lat. *commissōrius* || **comitê** *sm.* 'comissão' 1858. Do fr. *comité,* deriv. do ing. *committee* || com**it**ENTE || *committente* 1844 | Do lat. *committēns -ēntis,* part. pres. de *commĭttĕre* || com**it**IVA *sf.* 'gente que acompanha, séquito' 1813. Do lat. vulg. *comĭtīva* || SUB**comissário** | *sub-co-* 1881 | Cp. COMETER.
⇨ **comissão** — com**iss**ÁRIO *sm.* | *cōmissairo* 1573 NDias 31.*8* || com**iss**ÓRIO | *commissorio* 1836 SC || com**it**ENTE | *commitente* 1836 SC |.
comissura *sf.* 'linha de junção' XVI. Do lat. *comissūra* || **comistão** *sf.* '*ant.* mistura de coisas secas' '(Jur.) uma das maneiras de aquisição de propriedade móvel, por acessão de coisa misturada' | *commis-* XVII | Do lat. *commistĭō -ōnis* || **comistura** *sf.* '*ant.* comistão, em sua primeira acepção' | *commis-* 1899 | Do lat. *commixtūra.*
comitê, comit·ente, -iva → COMISSÃO.
comível → COMER.
como *conj.* 'da mesma forma que'; *adv.* 'de que maneira' XIII. Do lat. vulg. *como* (cláss. *quomodo*).
comoção → COMOVER.
comodato *sm.* '(Jur.) empréstimo gratuito de coisa não fungível, a qual deve ser restituída no tempo convencionado' | *commo-* XVII | Do lat. *commodātum -i* || **comod**ANTE *s2g.* 'pessoa que dá uma coisa em comodato' | *commo-* 1844 || co**modat**ÁRIO *sm.* 'aquele que recebe uma coisa em comodato' | *commo-* XVII.
⇨ **comodato** — com**od**ANTE | *commo-* 1836 SC |.
comodidade *sf.* 'qualidade ou caráter do que é cômodo' | *commo-* XVI | Do lat. *commodĭtās -ātis* || A**comod**AÇÃO XVI. Do lat. *accommodātĭo-ōnis* || A**comod**ADO 1572. Do lat. *accommodātus* || A**comod**AR | *accō-* 1570 | Do lat. *ac-commŏdāre* || A**comodat**ÍCIO | *accommo-* 1813 || **cômoda** *sf.* 'móvel com gavetas' | *commo-* 1813 | Fem. substantivado de *cômodo* || **comod**ISMO XX || **comod**ISTA | *commo-* 1881 || **cômodo** *adj.* 'útil, vantajoso' 'adequado, próprio' XVIII. Do lat. *commŏdus.* O adv. já ocorre no séc. XVI (*cômodamēte*) || DES·A**comod**AR | *-commo* 1813 || IN**comod**ANTE 1881 || IN**comod**AR 1813. Do lat. *incommŏdāre* || IN**comod**ATIVO XX || IN**comodidade** XVII. Do lat. *incommodĭtās -ātis* || IN**cômodo** *adj. sm.* | *-commo* 1813 | Do lat. *incommŏdum -i.*
⇨ **comodidade** — **cômodo** | *commodo* 1582 *Liv. Fort.* 18*v*12 | DES·A**comod**AR | 1660 FMMelE 452.*10* || DIS**cômodo** | 1660 FMMelE 514.*10, discommodo* 1680 AOCad I.239.*25* || IN**comodidade** | *incommodidade* 1582 *Liv. Fort.* 66*v*9 |.
comodoro *sm.* 'posto da hierarquia militar' | *commo-* 1881| Do ing. *commodore,* deriv. do fr. *commandeur,* de origem holandesa. Cp. COMANDAR.
⇨ **comodoro** | Do ing. *commodore,* deriv. do neerl. *kommandeur* e, este, do fr. *commandeur.*

comoração *sf.* 'insistência longa dum orador em certo ponto do discurso' | *commo-* 1881 | Do fr. *commoration,* deriv. do lat. *commorātĭō -ōnis.*
comoriente *adj. s2g.* 'que ou quem morre no mesmo instante que outrem' | XVI, *commo-* 1844 | Do lat. *commoriēns -ēntis,* part. de *commorī* || com**ori**ÊNC·IA XX.
⇨ **comoriente** | *commo-* 1836 SC |.
cômoro *sm.* 'pequena elevação de terreno; duna' 1844. Do lat. *cumŭlus -i,* através da forma *combro,* já documentada no séc. XVI.
⇨ **cômoro** | 1836 SC |.
comoso → COMA²
comover *vb.* 'mover muito, agitar' 'impressionar, enternecer' | *comuvudo* part. XIII, *commovida* part. f. XVI | Do lat. *commovēre* || **comoção** | *commo-* XVI, 1844 || Do lat. *commōtĭō -ōnis* || **comov**EN-TE | *commo-* 1899.
compacto *adj.* 'comprimido, denso, basto, espesso' XVIII. Do lat. *compāctus.*
compadecer *vb.* 'ter compaixão de' 1572. Do lat. **compatiscĕre* (cláss. *compăti*) || **compaixão** *sf.* 'piedade, pena' | *-xom* XV | Do lat. tard. *compassĭō -ōnis* || **compass**ÍVEL 1844. Do lat. *compassibĭlis -e* || **compass**IVO *adj.* 'que tem compaixão' XVII. Do lat. tard. *compassīvus.*
⇨ **compadecer** | 1539 *in* CDP III.232.*33,* 1569 in *Studia* nº 8, 206 || **compass**ÍVEL | 1836 SC |.
compadre *sm.* 'padrinho de um neófito em relação aos pais dele' '*fam.* companheiro' XIII. Do lat. *compătrem* || **compadr**AR *vb.* 'tornar compadre' XVII || **compadr**EAR *vb.* 'fanfarrear, fanfarronar' XX.
⇨ **compadre** — DES**compadr**AR | 1680 AOCad I.208.*32* |.
compagin·ação, -ar → PÁGINA.
compaixão → COMPADECER.
companhia *sf.* 'aquilo ou aquele que acompanha' 'comitiva, séquito etc.' 'trato, convivência' | *-nhya* XV | Do lat. vulg. **companīa,* através do a. port. *companha,* já documentada no séc. XIII || A**companh**ADO | XIV, *aconpannado* XIII etc. || A**companh**AMENTO XV || A**companh**AR | XIV, *aconpanhar* XIII etc. || **companh**EIRA 1572 || **companh**EIR·ISMO XX || **companh**EIRO | XIV, *companheyro* XIII, *conpaneyro* XIV etc. || DES·A**companh**ADO | XV, *-cōp-* XIV etc. || DES·A**companh**AR XVII.
⇨ **companhia** — A**companh**ANTE | *acōpāhante* XV VITA 150*b*23 || A**companh**ÁVEL | *acompanhauel* XV BENF 105.*20* |.
comparar *vb.* 'cotejar, confrontar' 'igualar, equiparar' XIV. Do lat. *compărāre* || **cômpar** *adj. 2g.* 'igual, semelhante' 1844. Do lat. *com-par -păris* || **comparabil**·IDADE 1899 || **compar**AÇÃO | *conparaçom* XIV, *comperaçom* XIV || Do lat. *comparātĭo -ōnis* || **comparat**·ISTA *s2g.* 'especialista em literatura comparada' XX. Do fr. *comparatiste* || **comparat**IVO 1813. Do lat. *comparātīvus* || **compar**ÁVEL XV. Do fr. *comparable,* deriv. do lat. *comparābĭlis -e* || IN**comparabil**·IDADE 1873. Do lat. *incomparābĭlĭtās -ātis* || IN**compar**Á-VEL XVI. Do fr. *incomparable,* deriv. do lat. *incomparābĭlis -e.*
⇨ **comparar** — **cômpar** | 1836 SC || **comparat**IVO | *cōparatiuo* 1536 FOLG 95.*6* |.

comparecer *vb.* 'aparecer, apresentar-se em local determinado' XIV. Do lat. **comparescere* (cláss. *com-pārēre*) || **comparec**ÊNCIA *sf.* 'comparecimento' 1873 || **comparec**IMENTO 1844.
⇨ **comparecer** — **comparec**ÊNCIA 1836 SC || **comparec**IMENTO | 1836 SC |.
comparsa *s2g.* 'orig. ator coadjuvante' '*ext.* companheiro, parceiro, cúmplice' XVIII. Do it. *comparsa.*
compart·ilhar, -imento, -ir → PARTIR.
compáscuo *sm.* 'pasto comum' 1899. Do lat. *compāscŭus.*
compassar *vb.* 'cadenciar' 'medir, calcular' XIV. Do lat. vulg. **compassāre* || **compass**ADO XIV || **compasso** *sm.* 'instrumento para traçar circunferências e marcar medidas' '(Mús.) unidade métrica constituída de tempos agrupados em porções iguais' XVI. Provavelmente do fr. *compas*, deverbal de *compasser.*
⇨ **compassar** — DES**compass**ADO | *a* 1542 JCASE 51.*10* |.
compass·ível, -ivo → COMPADECER.
compasso → COMPASSAR.
compatível *adj. 2g.* 'que pode coexistir' 'conciliável, harmonizável' XVI. Do fr. *compatible*, deriv. do lat. tard. *compatī* 'simpatizar' || **compat**IBIL·IDADE 1813.Do fr.*compatibilité*||IN**compat**IBIL·IDADE1813. Do fr. *incompatibilité* || IN**compat**IBIL·IZAR 1899 || IN**compat**ÍVEL XVI. Do fr. *incompatible.*
compatriota → PÁTRIA.
compelação *sf.* 'chamamento (de alguém a juízo)' 'interrogatório' | *-lla-* 1881 | Do lat. *compellātiō -ōnis* || **compel**ATIVO | *-lla-* 1881.
compelir *vb.* 'obrigar, forçar, coagir' | 1572, *compeler* XV | Do lat. *compellĕre.* Cp. COMPULSAR.
compêndio *sm.* 'resumo, síntese, sumário' XVII. Do lat. *compendĭum -īī* || **compendi**AR 1813. Do lat. *compendiāre* || **compendi**OSO XVII. Do lat. *compendiōsus.*
⇨ **compêndio** | *cōpēdio* 1519 GNIC *Pról.* || **compendi**OSO | *compemdioso c* 1541 JCASR 370.*34* |.
compenetr·ado, -ar → PENETRAR.
compensação *sf.* 'ato de compensar' XV. Do lat. *compēnsātiō -ōnis* || **compens**ADOR 1813 || **compens**AR *vb.* 'estabelecer equilíbrio entre, contrabalançar' XV. Do lat. *com-pēnsāre* || **compens**ATIVO 1753. Do lat. *compēnsātīvus* || **compens**AT·ÓRIO XX || RE**compensa** 1813. Der. regres. de *recompensar* || RE**compens**ADOR 1813 || RE**compens**AR XVI.
⇨ **compensação** — DES**compens**AR | *descompensar c* 1538 JCASG 228.*7* || RE**compensa** | *recompenssa* 1569 in *Studia* nº 8, 203 || RE**compens**AÇÃO | XV BENF 256.*25*, *rrecompensaçom* Id. 80.*23* || RE**compens**AMENTO | *rrecompenssamento* XV BENF 171.*26* || RE**compens**AR | *rrecōpensar* XIV ORTO 150.*30*, *rrecompensar* XV BENF 254.*8* |.
comperto *adj.* 'descoberto, patente, evidente' XX. Do lat. *compertus.*
competência *sf.* 'capacidade, habilidade, aptidão, idoneidade' 1572. Do lat. *competentīa* || **compet**ENTE | *con-* XV | Do lat. *compĕtēns -ēntis* || **compet**IÇÃO XVI. Do lat. *competītiō-ōnis* || **compet**I·DOR XVI. Do lat. *competītor-ōris* || **competir** *vb.* 'disputar, rivalizar' 'pertencer por direito' 'ser da competência, caber' | XV, *conpeter* XV | Do lat.

com- petĕre || **compita** *sf.* 'porfia, rivalidade' XIX. Der. regres. de *competir* || IN**competência** XVII || IN**compet**ENTE 1813.
⇨ **compentência** | 1552 *in* CDP I.*95.4*, 1572 *Lus.* VII 53, *compitemcia* 1568 in *Studia* nº 8, 175 || **competi**DOR | 1537 *in* CDP III.*406.18*, *competydor* 1536 Id.III.*214.23* |.
compilar *vb.* 'coligir, reunir (textos)' | *-llar* XIV | Do lat. *com-pīlāre* || **compil**AÇÃO XVI. Do lat. *compīlātiō-ōnis* || **compil**ADOR 1813. Do lat. *compīlātor-ōris* || **compil**AT·ÓRIO XX || RE**copilar** *vb.* 'abreviar, coligir' 1873. Do b. lat. *recopilāre (copilare* por *com -pīlāre).*
⇨ **compilar** — RE**copil**AÇÃO | 1680 AOCAD I.*8.19*, *recupilação* Id.I.*218.5* || RE**copil**ADOR | 1660 FMMELE 179.*9* || RE**copilar** | 1569 in *Studia* nº 8, 214 |.
compita → COMPETÊNCIA.
cômpito *sm.* 'encruzilhada' XX. Do lat. *compĭtum -i.*
complacência *sf.* 'benevolência, condescendência' *|-cēcia* XVI | Adapt. do fr. *complaisance*, deriv. do lat. *complacĕre* 'agradar' || **complac**ENTE XVIII. Adapt. do fr. *complaisant.*
complanar *vb.* 'tornar plano, nivelar' 1844. Do lat. *com-plānāre.*
⇨ **complanar** | 1836 SC |.
compleição → COMPLEXO.
completo *adj.* 'total, cabal' 'perfeito, acabado, inteiro' XVI. Do lat. *complētus*, part. de *complēre* || **complement**AR[1] *vb.* 'completar' 1844 || **complement**AR[2] *adj. 2g.* 1873 || **complemento** *sm.* 'aquilo que complementa ou completa' XVI. Do lat. *complēmentum -i* || **complet**AR 1813 || **completa**·s *sf. pl.* 'as últimas horas canônicas dos ofícios divinos'| XIII, *compretas* XIII etc. || **complet**IVO XVIII. Do lat. *complētīvus* || IN**completo** 1813. Do fr. *incomplet*, deriv. do lat. tard. *incomplētus.*
complexo[1] *sm.* 'grupo ou conjunto de coisas, fatos ou circunstâncias que têm qualquer ligação ou nexo entre si' XVII. Do lat. *complexus -us* || **complexo**[2] *adj.* 'que encerra muitos elementos' 'confuso, complicado' 1813. Do lat. *complexus*, part., com valor ativo, do verbo depoente *complecti* 'abraçar, abarcar', deriv. de *plectĕre* 'castigar' || **compleição** *sf.* 'constituição, organização' | XVII, *-preissom* XV | Do lat. *complexiō -ōnis* || **complexão** *sf.* 'compleição' 'união, conjunto' XVI. Do fr. *complexion*, deriv. do lat. *complexiō -ōnis* || **complex**IDADE 1844. Do fr. *complexité* || IN**complexo** 1844. Do fr. *incomplexe.*
⇨ **complexo**[1] — A**complexion**ADO 'constituído, organizado' | *acōplexionado* 1573 NDIAS 136.*19* || **complex**IDADE | 1836 SC |.
complicar *vb.* 'reunir (coisas heterogêneas)' 'tornar confuso, intrincado' XVII. Do lat. *com-plĭcāre* || **complic**AÇÃO 1813. Do lat. *complicātiō -ōnis* || **complic**ADO 1813. Do lat. *complicātus.*
compor *vb.* 'produzir, inventar' 'dar feitio ou forma a' | *compōer* XIII, *compoer* XIII | Do lat. *compōnĕre* || **compon**EDOR *sm.* 'aquele que compõe' | *-poe*-XIV |; 'utensílio de tipografia' 1813 || **componenda** *sf.* 'convenção com a cúria romana acerca do que se há de pagar por certas dispensas ou concessões' 1873. Do cast. *componenda*, deriv. do lat. med. *compōnendum* || **compon**ENTE 1873 || **compon**ISTA XX. Do it. *componista* || **compon**ÍVEL XX || **compo-**

sIÇÃO XIII. Do lat. *compositĭō -ōnis* ‖ **compós**ITA *sf.* 'ordem arquitetônica' 1844. Do fr. *composite*, deriv. do lat. cient. *compositae* ‖ **composit**IVO XVII ‖ **compósito** XVI. Do lat. *composĭtus*, part. de *compōnĕre* ‖ **composit**OR 1813 ‖ **composto** XIV. Do lat. *composĭtus* ‖ **compost**URA | *con-* XIII ‖ DEs**compor** XVI ‖ DES**compost**URA XVII ‖ RE**compor** XVII. Do lat. *re-compōnĕre* ‖ RE**composto** 1813. Do lat. *recomposĭtus*, part. de *recompōnĕre*.
⇨ **compor** — **componenda** | 1836 SC ‖ **componE**N-TE | 1836 SC ‖ **compós**ITA | 1836 SC ‖ **composit**IVO | *cōpositiuo* 1576 DNLeo 38.*13* ‖ DES**composi**ÇÃO | *descompsiçoens* pl. 1680 AOCad II.101.*13* |.
comportar *vb.* 'permitir, admitir, suportar' 'proceder, portar-se' 'conter, abranger' XV. Do lat. *comportāre* ‖ **comporta**[1] *sf.* 'porta que sustém as águas de um dique' 'esclusa' 1813 ‖ **comporta**[2] *sf.* 'dança popular do séc. XVIII' XVIII ‖ **comport**AMENTO XVII. Do fr. *comportement*.
⇨ **comportar** — IN**coport**ÁVEL | *c* 1538 JCaSG 139.7, *a* 1595 *Jorn.* 119.*12* |.
comp·osição, -ósita, -ositivo, -ósito, -ositor, -osto, -ostura → COMPOR.
compota *sf.* 'doce de frutas cozidas em calda de açúcar' 1813. Do fr. *compote*, deriv. do lat. *compŏsĭta*, part. fem. substantivado de *compōnĕre* ‖ **compot**EIRA 1844.
⇨ **compota** — **compot**EIRA | 1836 SC |.
comprar *vb.* 'adquirir por dinheiro' 'subornar' XIII. Do lat. vulg. *compĕrāre (cláss. *compărāre*) ‖ **compra** IX. Der. regress. de *comprar* ‖ **compra**-DOR | *con-* XIII.
⇨ **comprar** — RE**comprar** | XV SOLI 29.*17* |.
comprazer *vb.* 'fazer o gosto, a vontade' 'ser agradável' XV. Do lat. *com-plăcēre*.
compreender *vb.* 'conter em si, constar de, abranger' 'perceber, entender' | XVI, *cōprender* XV | Do lat. *com-prehendĕre* ‖ **compreensão** | *-prehen-* XVII | Do lat. *comprehēnsĭō -ōnis* ‖ **compreens**IBIL·IDADE | *-prehen-* 1844 ‖ **compreens**ÍVEL | *-prehen-* 1813 | Do lat. *comprehēnsĭbĭlis -e* ‖ **compreens**IVO | *-prehen-* XVII | Do lat. *comprehēnsīvus* ‖ IN**compreend**IDO | *-prehen-* 1813 ‖ IN**compreensão** XX ‖ IN**compreens**IBIL·IDADE | *-prehen-* 1813 | Do fr. *incompréhensibilité* ‖ IN**compreens**ÍVEL | *incompenssyuees* pl. (sic) XV, *incompreensibele* XV | Do fr. *incompréhensible* ‖ IN**compreens**IVO XX.
⇨ **compreender** — **compreens**IBIL·IDADE | 1836 SC |.
compress·a, -ão, -ibilidade, -icaude, -icaule,-icórneo, -ível, -ivo, -or, -ório → COMPRIMIR.
comprido → CUMPRIR.
comprimente → COMPRIMIR.
comprimento → CUMPRIR.
comprimir *vb.* 'reduzir a menor volume, mediante pressão' XVII. Do lat. *comprĭmĕre* ‖ **compressa** *sf.* 'chumaço usado para fazer compressão sobre qualquer parte do corpo' 1813. Do fr. *compresse* ‖ **compressão** *sf.* 'ato ou efeito de comprimir' XVI. Do lat. *compressĭō -ōnis* ‖ **compress**IBIL·IDADE 1844. Do fr. *compressibilité* ‖ **compress**ICAUDE | *-do* 1899 ‖ **compress**ICAULE | *-lo* 1899 ‖ **compress**ICÓRN·EO 1899 ‖ **compress**ÍVEL 1844. Adapt. do fr. *compressible* ‖ **compress**IVO 1844. Adapt. do fr. *compressif* ‖ **compress**OR 1844. Do fr. *compresseur* ‖ **com**press**ÓRIO** XX ‖ **comprim**ENTE 1844 ‖ **comprim**IDO *adj. sm.* XIX ‖ IN**compressibil·**IDADE 1873. Do fr. *incompressibilité* ‖ IN**compress**ÍVEL 1873. Adapt. do fr. *incompressible* ‖ IN**comprim**IDO 1873.
⇨ **comprimir** — **compress**IBIL·IDADE | 1836 SC ‖ **compress**ÍVEL | 1836 SC ‖ **compress**IVO | 1836 SC ‖ **compress**OR | 1836 SC ‖ **comprim**ENTE | 1836 SC |.
comprobat·ivo, -ório → PROVAR.
comprometer *vb.* 'obrigar por compromisso, dar como garantia' 'arriscar' XV. Do lat. *comprōmĭttĕre* ‖ **compromiss**ÁRIO XVII. Do lat. tard. *compromissārĭus* ‖ **compromisso** *sm.* 'acordo, ajuste, obrigação' | *-iso* XV, *conpromisso* XV | Do lat. *comprōmissum* ‖ **compromit**ENTE | *-mitten-* 1813.
comprov·ação, -ador, -ante, -ar → PROVAR.
comprovincial → PROVÍNCIA.
compulsar *vb.* 'orig.' 'compelir, obrigar' '*ext.* examinar, manusear' 1844. Do lat. *compulsāre* ‖ **compuls**AÇÃO 1881. Do lat. *compulsātĭō -ōnis* ‖ **compulsa** *sf.* 'ato de compelir' 1717. Do fr. *compulsion*, deriv. do lat. *compulsĭō -ōnis* ‖ **compulsi**VO XX ‖ **compuls**ÓRIA *sf.* 'mandado de juiz superior para instância inferior' 1844. Do fr. *compulsoire*, deriv. do lat. med. *compulsōria* ‖ **compuls**ÓRIO XVII. Do lat. *compulsus*, part. de *compellĕre*. Cp. COMPELIR.
⇨ **compulsar** | 1836 SC ‖ **compuls**IVO | 1534 *in* CDP III.94.*2* ‖ **compuls**ÓRIA | 1836 SC |.
compungir *vb.* 'arrepender-(se)' 'magoar, afligir' 'enternecer, sensibilizar' XVI. O adj. *compungido* já ocorre no séc. XV, com a forma *compomgido*. Do lat. *compungĕre* ‖ **compunção** *sf.* 'pesar profundo' XVI. Do lat. *compunctĭō -ōnis* ‖ **compun**GITIVO 1844.
computar *vb.* 'contar, calcular, orçar' | *cō-* XVII | Do lat. *compŭtāre* ‖ **comput**AÇÃO XVI. Do lat. *computātĭō -ōnis* ‖ **comput**ADOR 1813. Do lat. *computātor -ōris* ‖ **cômputo** *sm.* 'contagem, cálculo' XVII. Do lat. *compŭtus -i*.
comum *adj. 2g.* 'pertencente a todos ou a muitos' | XIV, *-mũ* XIV | Do lat. *commūnis* ‖ **comua** *sf.* 'latrina' 1813. Fem. substantivado do adj. *comum* ‖ **comuna**[1] *sf.* 'na Idade Média, cidade que obtinha, de seu senhor suserano, carta que lhe concedia autonomia' XIII. Do fr. *commune* ‖ **comuna**[2] *s2g.* 'pop. comunista' XX. Der. regress. de *comunista* ‖ **comun**AL *adj. 2g.* 'ant. comum' 'da comunidade' | XIII, *comũal* XIII, *cumunal* XIV | Do lat. *commūnālis* ‖ **comun**EIRO | *-ero* XV ‖ **comung**ANTE | *-mm-* 1844 ‖ **comungar** XIII. Do lat. *comūnĭcāre* ‖ **comun**GATÓRIO | *-mm-* XVIII ‖ **comunhão** | *comoyon* XIII, *comunhõ* XV | Do lat. ecles. *commūnĭō -ōnis* ‖ **comunic**ABIL·IDADE | *-mm-* 1858 ‖ **comunic**AÇÃO | *comunjcaçã* XV | Do lat. *comūnĭcātĭō -ōnis* ‖ **comunic**ADO | *communicado* 1813 ‖ **comunic**ADOR | *communicador* 1813 | Do lat. *comūnĭcātor -ōris* ‖ **comunic**ANTE 1844 ‖ **comunic**AR *vb.* 'tornar comum, fazer saber' | *commu-* XVII | Do lat. *commūnĭcāre* ‖ **comunic**ATIVO | *-mm-* XV | Do b. lat. *communicatīvus* ‖ **comunic**ÁVEL | *commu-* 1813 | Do fr. *communicable* ‖ **comun**IDADE | *cõmunydade* XIII, *comonidade* XV | Do lat. *commūnĭtās -ātis* ‖ **comun**ISMO *sm.* 'sistema econômico e social ba-

seado na propriedade coletiva' | -mm- 1873 | Do fr. *communisme* || **comun**ISTA | -mm- 1758 | Do fr. *communiste* || **comunit**ÁRIO | *commu-* 1881 | Do fr. *communitaire* || DES**comun**AL | XIII, -mũal XIII, dis- XIV, descu- XIV || **excomungar** *vb.* 'separar da Igreja Católica (qualquer de seus membros), expulsando-o' 'tornar maldito' | *es-* XIII, *desco-* XIII etc. | Do lat. *excommūnĭcāre* || **excomunhão** *sf.* 'ato de excomungar' 'pena eclesiástica que exclui o gozo dos bens comuns aos fiéis' | *escomoyon* XIII, *scomoyon* XIV etc. | Do lat. **ex-communiōne* || IN**comunic**ABIL·IDADE | -mm- XVII || IN**comunic**ÁVEL XVII. Do lat. *in-commūnĭcābĭlis -e.*

⇨ **comum** — **comung**ANTE | *commun-* 1836 SC || **comunic**ANTE | *commu-* 1836 SC || **comunic**AR | *cõmunicar* 1582 Liv. Fort. *5.16* |.

comutar *vb.* 'permutar, trocar' | XVII, -dar XV | Do lat. *com-mūtāre* || **comut**AÇÃO | *commutaçam* XVI | Do lat. *commutātĭō -ōnis* || **comut**ADOR | *commu-* 1844 || **comut**ATIVO XVII || IN**comut**ABIL·IDADE | *-commu-* 1813 || in**comut**ÁVEL | *-commu-* 1813.

⇨ **comutar** — **comut**ADOR | *comutador* 1836 SC || **comut**ATIVO | *cõmutatiuo* | 1525 ABeJP *9.10* |.

con- → CO-.

cona *sf.* 'vulva' 1873. Fem. de CONO.

conato *sm.* 'esforço, tentativa' XVI. Do lat. *conātus -ūs* || **conação** *sf.* '(Psic.) tendência consciente para lutar' XX. Do lat. *conātĭō -ōnis*.

conca → CONCHA.

concameração *sf.* 'parte arqueada de edifício' 1881. Do lat. *concamerātĭō -ōnis*.

concassor *sm.* '*bras.* certa máquina primitiva para beneficiamento do café' XX. Do fr. *concasseur*, de *concasser*, deriv. do lat. *conquassāre* 'sacudir, agitar'.

concatenar *vb.* 'encadear, relacionar' 1844. Do lat. *con-catēnāre* || **concaten**AÇÃO 1844. Do lat. *concatenātĭō -ōnis* || **concaten**ADOR 1858.

⇨ **concatenar** — **concaten**AÇÃO | 1836 SC |.

côncavo *adj.* 'menos elevado no meio que nas bordas' XVI. Do lat. *con-căvus* || **concav**AR 1844. Do lat. *con-căvāre* || **concav**IDADE 1813. Do lat. *concavĭtās -ātis* || **concavi**FOLI·ADO 1899.

⇨ **côncavo** — **concav**IDADE | 1537 PNun *84.1*, 1572 Lus. III.107 |.

conceber *vb.* 'gerar' 'compreender' XIII. Do lat. *concĭpĕre* || ANTI**concepcion**AL XX. Do fr. *anti-conceptionnel* || **conceb**IMENTO | *cõçebemẽto* XIV, *comçibimento* XV || **conceb**ÍVEL 1881 || **conceição** *sf.* '*orig.* a (concepção da) Virgem Maria' | *-çom* XIV |; '*ext.* a festa comemorativa dessa concepção' XVI. Do lat. *conceptĭō -ōnis* || **concepção** *sf.* 'ato ou efeito de conceber' 1813. Do lat. *conceptĭō -ōnis* || **concepcion**AL XX. Do lat. *conceptiōnālis -e* || **concepcion**ÁRIO 1844 || **concept**ÁCULO 1881. Do lat. *conceptăcŭlum -i* || **concept**IBIL·IDADE 1881 || **concept**ÍVEL 1844 || **concept**IVO | *-va* f. 1844 | Do lat. *conceptīvus* || IN**conceb**ÍVEL 1858 || IN**concepto** *adj.* '(Poét.) inconcebível' 1858. Cp. CONCEITO.

⇨ **conceber** — **concepcion**ÁRIO | 1836 SC || **concept**ÍVEL | 1836 SC | **concept**IVO | *-va* f. 1836 SC |.

conceder *vb.* 'permitir, facultar, dar' XVI. Do lat. *con-cēdĕre* || **conced**ENTE | *-de* 1844 || **concedi**MENTO | *comçedimento* XV || **concessão** *sf.* 'ato de conceder' XVI. Do lat. *concessĭō -ōnis* || **conces**-

sionÁRIO XVIII || **concess**ÍVEL 1844 || **concess**IVO 1881. Do lat. *concessīvus* || **concesso** XVI. Do lat. *concessus* || **concess**OR 1858 || IN**concess**ÍVEL 1873. Do lat. *inconcessĭbĭlis -e* || IN**concesso** 1572. Do lat. *inconcessus.*

⇨ **conceder** — **conced**ENTE | 1836 SC || **concess**ÍVEL | 1836 SC || **concess**OR | 1836 SC |.

conceito *sm.* 'pensamento, ideia, opinião, noção' 1572. Do lat. *conceptum -i* || **conceitu**AÇÃO XX || **conceitu**ADO 1813 || **conceitu**AL 1858. Do lat. cient. *conceptuālis* || **conceitu**AR 1813 || **conceituo**SO XVII. Cp. CONCEBER.

concelebrar → CELEBRAR.

concelho *sm.* 'circunscrição administrativa, de categoria imediatamente inferior ao distrito' XIII. Do lat. *concĭlĭum* || **conciliábulo** *sm.* 'concílio' 1813. Do lat. *concĭlĭābŭlum -ī* 'lugar de reunião' 'assembleia' || **concílio** *sm.* 'assembleia de prelados católicos' | *-çi-* XV | Forma divergente e erudita de *concelho*, do lat. *concĭlĭum.*

concento *sm.* 'consonância, harmonia' XVII. Do lat. *concentus -ūs.*

concentr·ação, -ar → CENTRO.

⇨ **concêntrico** → CENTRO.

concep·ção, -cional, -cionário, -táculo, -tibilidade, -tível, -tivo → CONCEBER.

concernir *vb.* 'dizer respeito' 'ter relação' XVI. Do lat. *con-cernĕre* || **concern**ÊNCIA XX || **concern**ENTE XVII.

concertar *vb.* 'pôr em boa ordem, harmonizar, conciliar' 'fazer soar' XIV. Do lat. *concertāre* 'combater, discutir, disputar' || **concert**ANTE *sm.* 'trecho musical em que todas as partes (solistas, coros, orquestras etc.) se fazem ouvir simultânea e alternadamente' 1844. Do it. *concertante* || **concert**INA *sf.* 'instrumento musical da fam. do acordeão' 1873. Do it. *concertina*, de origem inglesa || **concert**ISTA *s2g.* 'pessoa que dá concertos' 1881. Do it. *concertista* || **concerto** *sm.* 'ato ou efeito de concertar, em sua primeira acepção' XX; 'composição musical extensa para um instrumento, com acompanhamento de orquestra' '*ext.* espetáculo em que se executam obras musicais' 1873. Do it. *concèrto* || DES**concert**ADO 1813 || DES**concert**ANTE XX || DES**concert**AR | 1572, -comçer- XV || DES**concerto** *sm.* 'desordem, desavença, guerra' XVI. Cp. CONSERTAR.

⇨ **concertar** — **concert**ANTE | 1836 SC || **concerto** | 1836 SC |.

concess·ão, -ionário, -ível, -ivo, -or → CONCEDER.

concha *sf.* 'designação comum às valvas dos lamelibrânquios' 'invólucro calcário ou córneo de certos animais, especialmente os moluscos' 'qualquer objeto de feitio análogo ao da concha, em sua segunda acepção' XIV. Do lat. *cŏnchŭla*, dim. do lat. *concha*, deriv. do gr. *kógchē* || **conca** *sf.* '*ant.* pedra ou tijolo para jogar malha' '*ant.* tigela' 1813.

conchav·ado, -ar, -o → CONCLAVE.

conchegar *vb.* 'chegar, aproximar' 'ajeitar, chegando a si' XVI. Do lat. *com-plĭcāre* 'dobrar, enrolar' || A**concheg**ADO XX || A**concheg**ANTE XX || A**concheg**AR *vb.* 'conchegar' 1899 || A**conchego** XX. Dev. de *aconchegar* || **concheg**ADO 1873. Do lat. *complicātus* || **conchego** XVI. Dev. de *conchegar* || DES·A**concheg**AR 1899.

⇨ **conchegar — conchegADO** | 1836 SC |.
conciliábulo → CONCELHO.
conciliar *vb.* 'pôr em boa harmonia, pôr de acordo, congraçar' 1572. Do lat. *conciliāre* || **conciliAÇÃO** 1813. Do fr. *conciliation*, deriv. do lat. *conciliātiō -ōnis* || **conciliADOR** 1813. Do fr. *conciliateur*, deriv. do lat. *conciliātor -ōris* || **conciliANTE** 1844. Do fr. *conciliant* || **conciliATIVO** 1844 || **conciliAT·ÓRIO** 1813. Adapt. do fr. *conciliatoire* || INconciliABIL·IDADE 1813 || INconciliÁVEL 1813. Adapt. do fr. *inconciliable* || IR·REconciliABIL·IDADE XX || IR·REconciliÁVEL 1813 || REconciliAÇÃO 1813. Do fr. *réconciliation*, deriv. do lat. *reconciliātiō -ōnis* || REconciliADOR XVI. Do lat. *reconciliātor -ōris* || REconciliAMENTO XX || REconciliar XV. Do lat. *reconciliāre* || REconciliAT·ÓRIO 1813.
⇨ **conciliar — conciliADOR** | *cōçiliador* 1532 JBarR 58.*8* || **conciliANTE** | 1836 SC || **conciliATIVO** | 1836 SC || REconciliAÇÃO | *reconcliaçõ* XV SBER 134.*12*, *reconciliaçon* XV VIRG IV.853, *recōciliação* 1573 GLeão 269.*9 reconciliaçam* 1573 NDias 114.*5* || REconciliAR | *recõçiliar* XIV BARL 11v23 |.
concílio → CONCELHO.
concionar *vb.* 'falar ao povo' 'proferir em público' 1844. Do lat. *contionārī* || **concionAL** 1844. Do lat. *contiōnālis -e* || **concionÁRIO** XX. Do lat. *contiōnārius*.
⇨ **concionar — concionATIVO** | 1614 SGonç I.15.*7* |.
concisão *sf.* 'exposição das ideias em poucas palavras' 'precisão, exatidão' 1813. Do fr. *concision*, deriv. do lat. *concīsiō -ōnis*, que traduz o gr. *sygkopḗ* 'síncope' || **conciso** 1813. Do fr. *concis*, deriv. do lat. *concīsus*, part. de *concīdere*, de *caedere* 'cortar'.
concitar *vb.* 'incitar à desordem' 'excitar, mover' XVII. Do lat. *con-cītāre* || **concitAÇÃO** 1844. Do lat. *concitātiō -ōnis* || **concitADOR** 1813. Do lat. *concitātor -ōris* || **concitATIVO** 1858.
⇨ **concitar — concitAÇÃO** | 1836 SC |.
conclamar *vb.* 'bradar, clamar, convocar' 1881. Do lat. *con-clāmāre* || **conclamAÇÃO** 1873. Do lat. *conclāmātiō -ōnis*.
conclave *sm.* 'orig. assembleia de cardeais para a eleição do Papa' '*ext.* reunião de pessoas para tratar de determinado assunto' | *comclavi* XV | Do lat. *conclāve -is* || **conchavADO** XVI || **conchavAR** XVII || **conchavo** 1873. Forma divergente e popular de *conclave* || DESconchavAR 1873.
⇨ **conclave — conchavo** | 1836 SC |.
concluir *vb.* 'terminar, acabar, findar' | *cōcluyr* XVI, *concruir* XVI, *concluyr* XIV, *concludir* XIV | Do lat. *conclūdĕre* || **concludENTE** 1813 || **conclusão** | -*zão* XV | Do lat. *conclūsiō -ōnis* || **conclusionISTA** 1844 || **conclusivo** 1844. Do lat. tard. *conclusīvus* || **concluso** XV. Do lat. *conclūsus*, part. de *conclūdĕre* || INconcludENTE 1873 || INconcluso XVI.
⇨ **concluir — concluENTE** | 1582 *Liv. Fort.* 7v20 || **conclusivo** | 1836 SC |.
concocção *sf.* '(Med.) *ant.* a primeira digestão dos alimentos no estômago' 1844. Do lat. *concoctiō -ōnis* || **concoctivo** XVIII.
concoide *adj.* 2g. 'semelhante a uma concha' | -*choi*- 1858 | Do lat. cient. *conchoīdēs -is*, deriv. do gr. *kogchoeidḗs*, de *kógchē* 'concha' || **concômetro** XX. Cp. CONCHA.

⇨ **concoide** | -*choi*- 1836 SC |.
concomitância *sf.* 'simultaneidade' XVI. Do fr. *concomitance*, deriv. do lat. tard. *concomitantia*, de *concomitārī* 'acompanhar' || **concomitANTE** | *concu*- XVII | Do lat. tard. *concomitāns -āntis*.
concordar *vb.* 'pôr de acordo, conciliar, harmonizar' XIV. Do lat. *concordāre* || **concordÂNCIA** | -*dança* XIV || **concordANTE** XV || **concordATA** *sf.* 'orig. convenção entre o Estado e a Igreja acerca de assuntos religiosos de uma nação' '*ext.* benefício concedido por lei ao negociante insolvente, para evitar a declaração da sua falência' XVI. Do it. *concordato*, deriv. do lat. med. *concordātum* || **concordÁVEL** XV || **concorde** *adj.* 2g. 'concordante' XVI. Do lat. *concors -cordis* || **concórdIA** *sf.* 'paz, harmonia' XIII. Do lat. *concordĭa* || **cordato** *adj.* 'prudente, sensato' 1844. Do lat. *cordātus* || **cordo** *adj.* 'discreto' XIII. Deriv. regress. de *cordato* || **cordURA** XIII. Cp. ACORDAR.
⇨ **concordar — cordato** | 1836 SC |.
concorrer *vb.* 'orig. contribuir, cooperar' '*ext.* competir' XV. Do lat. *con-currĕre* || **concorrÊNCIA** XVI. Do lat. med. *concurrentia* || **concorrENTE** XVI || **concursADO** XX || **concurso** *sm.* 'ato ou efeito de concorrer' 1570. Do lat. *concursus -ūs*.
concreto *adj.* 'que existe em forma material' 'condensado, espesso' XVII; *sm.* 'betão' XX. Do lat. *concretus*, part. de *concrēscere*; na segunda acepção é derivado do ing. *concrete* || **concreção** *sf.* 'solidificação' 1813. Do fr. *concrétion*, deriv. do lat. *concrētiō -ōnis* || **concrecionADO** XX || **concrescIBIL·IDADE** 1881 || **concrescÍVEL** 1844 || **concretIZAR** 1881.
⇨ **concreto — concrescÍVEL** | 1836 SC |.
concriar → CRIAR.
concubina *sf.* 'mulher que vive amasiada com um homem' 1813. Do lat. *concubīna* || **concubinÁRIO** XV || **concubinATO** 1813. Do lat. *concubīnātus -ūs*.
concúbito *sm.* 'cópula, coito' XVIII. Do lat. *concubĭtus -ūs*.
conculcar *vb.* 'calcar aos pés' '*fig.* desprezar' XVII. Do lat. *conculcāre*. Cp. CALCAR.
concunhado → CUNHADO.
concupiscência *sf.* 'desejo intenso de bens ou gozos materiais' 'apetite sexual' XVI. Do lat. *concupīscentĭa* || **concupiscENTE** 1844. Do lat. *concupiscens -ēntis*, part. de *concupīscere* || **concupiscÍVEL** XVI. Do lat. *concupīscibĭlis -e*.
⇨ **concupiscência — concupiscENTE** | 1836 SC |.
concurs·ado, -o → CONCORRER.
concussão *sf.* 'comoção violenta, abalo, choque' 1813. Do fr. *concussion*, deriv. do lat. *concussiō -ōnis* || **concussionÁRIO** 1844. Adapt. do fr. *concussionaire* || **concutir** *vb.* 'abalar' XX. Do lat. *concŭtĕre* || INconcusso XVI. Do lat. *inconcussus* 'firme, inabalável'.
⇨ **concussão — concussionÁRIO** | 1836 SC |.
condado → CONDE.
condão → DOM².
conde *sm.* 'título de nobreza' XIII. Do lat. *cŏmes -ĭtis* || **condADO** XVIII || **condESSA** XIII. Do lat. tard. *comĭtīssa*.
condecorar *vb.* 'dar títulos honoríficos' 'agraciar, nobilitar' XVI. Do lat. *con-decŏrāre* || **condecorAÇÃO** 1844.

⇨ **condecorar** — condecorAÇÃO | 1836 SC |.
condenar vb. 'declarar culpado' | XIV, -da- XIV etc. | Do lat. *condemnāre* || **conden**AÇÃO | *condepnacion* XV | Do lat. *condemnātĭō -ōnis* || **conden**ADO | XIV, -da- XIV etc. || **conden**ADOR XVI. Do lat. *condemnātor -ōris* || **conden**AT·ÓRIO | *condem-* 1844 || **conden**ÁVEL 1813. Do lat. *condemnābĭlis -e*.
⇨ **condenar** — condenAT·ÓRIO | *condemn-* 1836 SC |.
condens·abilidade, -ação, -ado, -ador, -ante, -ar, -ativo, -ável → DENSO.
condescender vb. 'transigir, ceder espontaneamente' XV. Do lat. *con-dēscendĕre* || **condescend**ÊNCIA 1813. Adapt. do fr. *condescendance* || **condescend**ENTE 1813.
condessa → CONDE.
condestável sm. 'outrora, chefe supremo do exército' 'título do infante que, nas grandes solenidades, se postava à direita do trono real' | *-tabre* XIV | Alteração pouco clara do b. lat. *comes stabuli* 'conde encarregado do estábulo real', através do a. fr. *conestable*, com infl. de CONDE.
condição sf. 'circunstância' 'classe social' 'obrigação' | *-son* XIII, *-deçõ* XIII etc. | Do lat. *conditiōnem* || **A**condicionADO XVI || **A**condicionAMENTO 1881 || **A**condicionAR 1813 || **condicion**ADOR XX || **condicion**AL XVII. Do lat. *conditiōnālis -e* || **condicion**AR 1858. Adapt. do fr. *conditionner* || **IN**condicionAL 1873. Adapt. do fr. *inconditionnel*.
condicente → DIZER.
condicion·ador -al, -ar → CONDIÇÃO.
condigno → DIGNO.
côndilo sm '(Anat.) saliência articular de um osso', arredondado de um lado e achatado de outro' | *-dy-* 1844 | Do lat. *condȳlus -i*, deriv. do gr. *kóndylos* 'articulação' || **condil**OIDE | *-dy-* 1844 || **condilo**MA | *-dy-* 1844 | Do lat. *condylōma*, deriv. do gr. *kondy'lōma* 'calosidade'.
⇨ **côndilo** | *-dy-* 1836 SC || **condil**OIDE | *-dy-* 1836 SC || **condil**OMA | *-dy-* 1836 SC |.
condimento sm. 'tempero' 1813. Do lat. *condīmentum -ī* || **condiment**AR 1881 || **condintent**OSO 1858 || **condir** vb. 'temperar, preparar (remédio)' 1813. Do lat. *condīre*.
condiscípulo → DISCÍPULO.
condizente → DIZER.
condoer vb. 'compadecer(-se), ter dó' XVI. Do lat. *com-dolēre* || **condol**ÊNCIA XVI. Do a. fr. *condolence* (hoje *condoléance*) || **condol**ENTE 1881.
con·domín·io, -o → DOMINAR.
condor sm. 'ave falconiforme, da fam. dos catartídeos' 1858. Do cast. *cóndor*, deriv. do quíchua *kúntur* || **condor**EIRO adj. 'diz-se do estilo elevado, hiperbólico, ou do poeta que tem esse estilo' XX || **condurango** sm. 'trepadeira da fam. das vitáceas' XX. Do cast. *condurango*, deriv. do quíchua *kúntur anku* 'cipó do condor'.
⇨ **condor** | 1836 SC |.
-condr(o)- *elem. comp.*, do gr. *chondro-*, de *chóndros* 'cartilagem', que se documenta em alguns compostos formados no próprio grego (como *condroide*) e em muitos outros introduzidos, a partir do séc. XIX, na linguagem da medicina ▸ **condr**ALG·IA XX || **condr**INA | *chon-* 1858 || **condro**BLASTO XX. Do fr. *chondroblaste* || **condro**DISTROF·IA XX || **condr**OI-DE | *chon-* 1873 | Cp. gr. *chondroeidés* || **condr**OMA | *chondromo* m. 1873 | Do 1at. cient. *chondrōma -ātis*.
condurango → CONDOR.
conduzir vb. 'guiar, orientar, dirigir' 1572. Do 1at. *con-dūcĕre* || **cond**UÇÃO XVII. Do lat. *condūctĭō -onis* 'arrendamento' 'reunião de argumentos' || **conduc**ENTE 1813 || **condu(c)t**IBIL·IDADE 1844. Do fr. *conductibilité* || **condu(c)tí·**METRO XX || **condu(c)t**ÍVEL 1881. Adapt. do fr. *conductible* || **condu(c)t**IVO XVIII || **conduta** sf. 'procedimento, comportamento' | *-duc-* XVI | De *conduto* || **condut**ÂNCIA XX. Do fr. *conductance* || **condut**AR vb. 'comer (pão) com algum conduto' 1899 || **conduto** sm. 'orig. aquilo que se come habitualmente com o pão' | *-ducto* XIII, *-ducho* XIII, *-doyto* XIII etc. |; 'cano' 1548. Do lat. '*condūctum* || **condut**OR adj. sm. 1813. Do lat. *conductor -ōris* || **RE**condUÇÃO | *-duc-* 1813 || **RE**conduzir 1813.
⇨ **conduzir** — condu(c)tIBIL·IDADE | 1836 SC |.
cone sm. 'figura geométrica' 'qualquer objeto cônico' 1813. Do fr. *cône*, deriv. do lat. *cōnus -i* e, este, do gr. *kōnos* || **con**IC·IDADE sf. 'forma cônica' 1899 || **côn**ICO adj. sm. 1813. Do fr. *conique*, deriv. do gr. *kōnikós* || **con**ÍFERA sf. 'planta gimnosperma, cujo fruto tem a forma de cone' 1858. Do lat. *conifĕre*, deriv. do lat. *cōnĭfer -erī*, modelado sob o gr. *kōnophóros* || **coni**FLORO 1899 || **coni**FORME 1881 || **coni**R·ROSTRO | *-niros-* 1858 | Do fr. *conirostre*, deriv. do lat. cient. *cōnirōstra* || **coni**VALVE 1899 || **cono**CARPO XX || **con**OIDE 1813. Do fr. *conoïde*, deriv. do lat. tard. *cōnoīdēs* e, este, do gr. *konoeidēs*.
conectivo → CONEXÃO.
cônego → CÂNONE.
conexão sf. 'ligação, vínculo' 'nexo, relação' | *conne-* 1813 | Do fr. *connexion*, deriv. do lat. *connexĭō -ōnis* || **conect**IVO adj. 'que une ou liga' '(Gram.) palavra que liga orações no período' | *-nnec-* 1858 || **conex**IVO XIX. Do lat. *connexīvus* || **conexo** | *conne-* 1813 | Do fr. *connexe*, deriv. do lat. *connexus*, part. de *cōnnectere* || **DES**conexÃO | *conne-* 1881 || **DES**conexo | *conne-* 1881.
conezia → CÂNONE.
confabul·ação, -ado, -ar -ar → FÁBULA.
confeccionar vb. 'preparar, executar, compor' XVI. Do fr. *confectionner* || **confecção** 1858. Do fr. *confection*, deriv. do lat. *confectĭō -ōnis* || **confeição** sf. 'confecção' XIV. Forma divergente popular de *confecção*, do lat. *confectĭō -ōnis* || **confeit**ARIA 1813 || **confeit**EIRO XVII. Adapt. do fr. *confiturier* || **confeito** adj. 'preparado' XV; sm. 'doce coberto com açúcar, bala etc.' 1500. Do fr. *confit* ou do it. *confetto*, deriv. do lat. *confectus*, part. de *conficĕre*.
⇨ **confeccionar** — confeitADO 'confeccionado' *confectado* 1568 *Dial. Espir.* AXIII v.16 || **confeit**ARIA | *c* 1644 *Aned.* 120.24 || **confeit**EIRA sf. 'vasilha' | 1704 *Inv.* 18.33 |.
confeder·ação, -ado, -ar, -ativo → FEDERAÇÃO.
confei·ção, -taria, -teiro, -to → CONFECCIONAR.
conferir vb. 'comparar, confrontar, verificar' XVI. Do Lat. **conferĕre*, por *conferre* || **confer**ÊNCIA sf. 'orig. ato ou efeito de conferir' 'ext. reunião, preleção pública' XVII || **confer**ENCIAR 1808 || **confer**ENC·ISTA XX || **confer**ENTE XVII.

conferva *sf.* 'gênero de algas de água doce' 1844. Do lat. *conferva*.
⇨ **conferva** | 1836 sc |.
confessar *vb.* 'declarar, revelar, reconhecer' XIII. Do b. lat. *confessare* (formado sobre *confessus*, part. de *confitēri*) || **confession**AL 1858 || **confession**ÁRIO XVII || **confesso** *adj.* 'que confessou suas culpas' 'convertido ao cristianismo; *sm.* 'monge que vivia em mosteiro' XIII; *'ant.* confissão' | XV, *confisso* XIII | Do lat. *confessus* || **confess**OR XIII. Do lat. ecles. *confessor -ōris* || **confess**ÓRIO 1881 || **confissão** *sf.* 'ato de confessar-se' | XVI, *-sson* XIII, *-ssom* XIII etc. | Do lat. *confessio -ōnis* || IN**confess**ÁVEL 1899 || IN**confesso** 1858.
confete *sm.* 'rodelinhas multicores de papel que atiram uns aos outros, aos punhados, aqueles que brincam no carnaval' XIX. Do fr. *confetti*, deriv. do it. *confètto*.
confi·ança, -ante, -ar → FIAR².
confidência *si* 'informação ou revelação secreta' 'confiança na discrição e lealdade de alguém' 1813. Do lat. *confidentĭa* || **confid**ENCIAL 1813. Adapt. do fr. *confidentiel* || **confid**ENTE XVII. Do lat. *confĭdēns -ēntis* || IN**confid**ENTE XVII.
⇨ **confidência** | *confidença* 1540 *in* CDP I.312.*14* |.
configur·ação, -ar → FIGURA.
confins *sm. pl.* 'raias, fronteiras' 'extremo longínquo' XVI. Do lat. *confīne -is* || **confin**ANTE 1813 || **confin**AR XVI.
⇨ **confins** — **confin**ANTE | 1680 AOCad I.36.*16* |.
confirmar *vb.* 'afirmar de modo absoluto' 'dar a certeza a' XIII. Do lat. *confirmāre* || **confirm**AÇÃO | *-çom* XIII | Do lat. *confirmātĭō -ōnis* || **confirm**ADOR XIII. Do lat. *confirmātor -ōris* || **confirm**AMENTO XV || **confirm**ANTE XIII || **confirm**ATIVO 1813. Do lat. *confirmātīvus* || **confirm**AT·ÓRIO XVIII.
confisc·ação, -ar, -o → FISCAL.
confissão → CONFESSAR.
conflagrar *vb.* 'incendiar totalmente' '*fig.* pôr em convulsão' XIX. Do lat. *con-flagrāre* || **conflagr**AÇÃO 1844. Do lat. *conflagrātĭō -ōnis*.
⇨ **conflagrar** — **conflagr**AÇÃO | 1836 sc |.
conflito *sm.* 'luta, combate, colisão, discussão' | *-flic-* XVI | Do lat. *conflīctus -ūs* || **conflit**ANTE XX || **conflit**AR XX. Do lat. *conflīctārę*.
conflu·ência, -ente, -ir → FLUIR.
conformar *vb.* '*orig.* formar, dispor, configurar' '*ext.* conciliar, harmonizar' XIV. Do lat. *conformāre* || **conform**AÇÃO 1844. Do fr. *conformation*, deriv. do lat. *conformātĭō -ōnis* || **conform**ADOR 1899. Adapt. do fr. *conformateur*, deriv. do lat. *conformātor -ōris* || **conform**AMENTO XV || **conform**ATIVO XX || **conforme** *adj.* 2g. *adv. conj.* 'conformado' 'em conformidade' 'segundo as circunstâncias' XIV || **conform**IDADE XVII. Do lat. tard. *conformĭtās -ātis* || **conform**ISMO XX. De fr. *conformisme* || **conform**ISTA *adj. s2g.* 'entre os ingleses, aquele que professa o anglicanismo' 'adepto do conformismo' 1844. Do ing. *conformist* || DES**conforme** XVIII || IN**conform**ADO XX.
⇨ **conformar** — **conform**AÇÃO | 1836 sc | **conform**IDADE | *c* 1539 JCASD 69.*4* | **conform**ISTA | 1836 sc || DES**conform**IDADE | 1634 MNor 130.*27* | *descōformidade* 1660 FMMeIe 81.*10* |.
confortar *vb.* '*orig.* dar forças a, fortalecer' '*ext.* consolar' XIII. Do lat. *confŏrtāre* || **confort**ABIL·IDADE XX || **confort**ADO XIII. Do lat. *confortātus* || **confort**ANTE 1858 || **confort**ATIVO | XVI, *-ffor-* XIV || **confort**ÁVEL 1881. Adapt. do fr. *confortable*, deriv. do ing. *confortable* || **conforto** XIII. Dev. de *confortar* || **confort**OSO XVI || DES**confort**ADO XIII || DES**conforto** XIV || RE**conforto** XIV || RE**confortar** 1899.
⇨ **confortar** — RE**confortar** | *recofortar* [sic] XV VERT 139.*11*, *rrecomfortar* Id. 151.*41* |.
confrade *sm.* 'membro de uma confraria' 'companheiro, colega' | XIV, *-da* f. XIV | Do lat. med. *confrāter -ātris* || **confr**ARIA *sf.* 'sociedade, associação, irmandade' XIV. Do fr. *confrérie* || **confratern**IZAÇÃO 1881. Do fr. *confraternisation* || **confratern**IZAR 1844. Do fr. *confraterniser*. Cp. FRADE.
⇨ **confrade** — **confratern**IZAR | *-sar* | 1836 sc |.
confragoso *adj.* 'áspero' XVII. Do lat. *confragōsus*.
confranger *vb.* 'oprimir, afligir, angustiar' XV. Do lat. **confrangĕre* (cláss. *confrĭngĕre*).
confra·ria, -ternização, -ternizar → CONFRADE.
confrontar *vb.* 'pôr frente a frente, acarear' 'comparar' XVI. Do fr. *confronter*, deriv. do lat. med. *confrontāre* || **confront**AÇÃO | *confrōtaçōoes* pl. XIV | Do fr. *confrontation*, deriv. do lat. med. *confrontātĭō -ōnis* || **confronto** 1881. Dev. de *confrontar*. Cp. FRONTE.
confugir *vb.* 'fugir ao mesmo tempo que outrem' 1813. Do lat. *confugere*.
confundir *vb.* 'misturar desordenadamente' | XIV, *confonder* XIII, *cofonder* XIII etc. | Do lat. *confundĕre* || **confusão** | *cofugiõ* XIII, *confugyõ* XIII, *cõfugõ* XIV, *confuson* XIV etc. || **confuso** XIV. Do lat. *confūsus*, part. de *confundĕre* || IN**confund**ÍVEL XX.
confutar *vb.* '*orig.* confundir' '*ext.* rebater, reprimir' XVI. Do lat. *con-fūtāre* || **confut**AÇÃO 1813. Do lat. *confūtātĭō -ōnis* || **confut**ADOR 1813. Do lat. *confūtātor -ōris*.
conga *sf.* 'espécie de dança figurada, de salão, originária da América Central' XX. Do hisp.-amer. *conga*.
congada *sf.* 'bailado dramático em que os figurantes representam, entre cantos e danças, a coroação de um rei do Congo' XX. Do top. *Cong(o)* + -ADA.
congel·ação, -ador, -amento, -ar, -ativo → GELO.
congemin·ação, -ar → GEMINAR.
⇨ **congênere** → GÊNERO.
congênito *adj.* 'nascido com o indivíduo' 'gerado ao mesmo tempo' 1857. Do lat. *congenitus*. Cp. GEN.
⇨ **congênito** | 1836 sc |.
congestão *sf.* '(Pat.) afluência anormal do sangue aos vasos de um órgão' 1813. Do lat. *congestĭō -ōnis* 'ação de amontoar, acumulação' || **congérie** *sf.* 'massa informe, montão' 1858. Do lat. *congerĭēs -ēī* || **congestion**ADO 1899 || **congestion**AMENTO XX || **congestion**AR *vb.* '*orig.* produzir congestão em' '*ext.* produzir acúmulo de veículos' XIX || **congesto** *adj.* 'congestionado' 1859. Do lat. *congestus* || DES**congestion**AMENTO XX || DES**congestion**AR XX.
conglob·ação, -ar → GLOBO.
conglomerar *vb.* 'amontoar, unir-(se), reunir(se)' 1844. Do lat. *con-glomĕrāre* || **conglomer**AÇÃO 1873. Do lat. tard. *conglomerātĭō -ōnis* || **conglomer**ADO *adj. sm.* XVIII.

⇨ **conglomerar** | 1836 sc |.
conglutinar vb. 'ligar-(se), aderir com substância viscosa' XVII. Do lat. *con-glūtīnāre* || **conglutinação** XVIII. Do lat. *conglūtinātĭō -ōnis* || **conglutinante** 1844 || **conglutinoso** 1858. Do lat. *conglūtinōsus*.
⇨ **conglutinar** — **conglutinante** | 1836 sc || **conglutinoso** | 1836 sc |.
congonha sf. 'nome de diversas plantas do gênero *Ilex*, semelhantes ao mate' 1783. De provável origem tupi.
congosta sf. 'rua estreita e longa' | *can-* XIV | De origem incerta; talvez do lat. vulg. *congusta* 'estreita', contração de *coangusta*.
⇨ **congraçado** → GRAÇA.
congratul·ação, -amento, -ante, -ar, -atório → GRATO.
congregação sf. 'assembleia, reunião, confraria' | *-çon* XIV, *cõgregaçõ* XIV etc. | Do lat. *congregātĭō -ōnis* || **congregante** 1844 || **congregar** 1813. Do lat. *con-gregāre*. Cp. CONGRESSO.
⇨ **congregação** — **congregante** | 1836 sc || **congregar** | *cõgregar* 1532 JBarr 132.*16* |.
congresso sm. 'orig. reunião, encontro' 'ext. parlamento, assembleia' XVIII. Do lat. *congressus -ūs*; na segunda acepção, o voc. é de origem angloameric., através do fr. *congrès* || **congressional** 1844. Do ing. *congressional* || **congressista** 1899. Do fr. *congressiste*. Cp. CONGREGAÇÃO.
⇨ **congresso** | *congreço* 1510 *in* CDP I.133.*25* || **congressional** | 1836 sc |.
congro sm. 'peixe teleósteo, ápode, da fam. dos congrídeos' XIII. Do lat. *congrus -i*, deriv. do gr. *góggros*.
côngruo adj. 'harmonioso, coerente' XVI. Do lat. *congrŭus* || **côngrua** sf. 'pensão que se concedia aos párocos para sua conveniente sustentação' 1813. Fem. substantivado de *côngruo* || **congruência** XVII. Do lat. *congruentĭa* || **congruente** XVII. Do lat. *congrŭens -ēntis* || **congruidade** XVI. Adapt. do fr. *congruité* || **incongruência** XVI. Do lat. *in-congruentĭa* || **incongruente** XVI. Do lat. *in-congrŭens -ēntis* || **incongruidade** XVIII. Adapt. do fr. *incongruité* || **incôngruo** XVII. Do lat. *in-congrŭus*.
conhaque sm. 'aguardente de vinho fabricada em Cognac, na França' 1873. Do fr. *cognac*, do top. *Cognac*.
conhecer¹ vb. 'ter noção, informação' 'saber' | XIV, *connocer* XIII, *connosçer* XIII etc. | Do lat. *cŏgnōscĕre* || **conhecedor** | XIV, *conosçedor* XIII etc. || **conhecença** XIII, *connocença* XIII etc. || **conhecer²** sm. 'conhecimento' | XIV, *connocer* XIII etc. || **conhecido** | XIV, *connoçudo* XIII etc. || **conhecimento** | 1500, *conocemento* XIV || **desconhecer** | *-conno-* XIII || **desconhecido** | XIV, *-connoçudo* XIII etc. | **desconhecimento** | XVI, *-conho-* XIV, *-conoçe-* XIV etc. || **ir·reconhecível** XX || **reconhecer** | XIV, *-conosc-* XIII etc. | Do lat. *recŏgnōscĕre* || **reconhecido** XVI || **reconhecimento** | *rreconoçemento* XIV, *reconoscemento* XIV etc. || **reconhecível** 1858. Cp. COGNIÇÃO.
coni·cidade, -co, -fera, -floro, -forme → CONE.
conimbricense adj. s2g. 'relativo a, ou natural de Coimbra' XVIII. Do top. lat. *Conimbrĭc(a)* 'Coimbra' + -ENSE.

coni·rrostro, -valve → CONE.
conivência sf. 'cumplicidade, conluio, maquinação' | *-nni-* 1769 | Do lat. *conīventĭa* || **conivente** | *-nni-* 1844 | Do lat. *conīvēns -ēntis*, part. de *conivēre* || **inconivente** | *-nni-* 1844.
⇨ **conivência** — **conivente** | *-nni-* 1836 sc || **inconivente** | *-nni-* 1836 sc |.
conjetura sf. 'suposição, hipótese' | *comgei-* XV, *conjey-* XVI | Do lat. *conjectūra* || **conjetural** 1813. Do lat. *conjectūrālis -e* || **conjeturar** 1813. Do lat. *conjecturāre*.
⇨ **conjetura** — **conjeturar** | *cojeiturar* 1537 PNun 96.*5, conjeyturar* Id. 178.*7* |.
conjugar vb. 'orig. unir ou ligar juntamente' 'ext. dizer ou escrever ordenadamente (flexão ou flexões de um verbo)' XVI. Do lat. *conjŭgāre* 'unir, casar' || **conjugação** | *coniugaçã* XVI | Do lat. *conjugātĭō -ōnis* || **conjugal** adj. 2g. 'relativo a cônjuges, ou ao casamento' XV. Do lat. *conjugālis -e* || **cônjuge** sm. 'cada uma das pessoas ligadas pelo casamento em relação à outra' 1825. Do lat. *conjŭx -gis* || **inconjugável** 1881.
conjunção → JUNTO.
conjungir → JUNGIR.
conjunt·iva, -ivite, -ivo, -o, -ura, -ural → JUNTO.
conjurar vb. 'conspirar, insurgir' XIII. Do lat. *conjūrāre* || **conjuração** | *-çon* XV | Do lat. *conjūrātĭō -ōnis* || **conjurado** 1813. Do lat. *conjūrātus* || **conjurante** XVIII || **conjurat·ório** 1844 || **esconjurar** XIII. De *es-*(< *ex-*) + *conjurar* || **esconjuro** XVI. Dev. de *esconjurar*.
⇨ **conjurar** — **conjuratório** | 1836 sc |.
conluio sm. 'trama, conspiração' | *-luyo* XIV | Do lat. *collūdĭum -ĭī* 'brincadeira'; a alteração da sílaba inicial do voc. port. deve-se à influência do pref. CON- || **conluiar** 1813.
cono sm. → CONA.
conosco pron. 'em nossa companhia' | *connosco* XIII, *cõnosco* XIII etc. | Do lat. *nōscum* (por *nobiscum*), com reduplicação da prep. *cŭm*: *cŭm nōscum > conosco*. No port. med. ocorria, com frequência, a forma simples *nosco*. V. COMIGO, CONSIGO, CONTIGO, CONVOSCO.
conquanto → QUANTO.
conquiliologia sf. 'estudo das conchas' | *-chy-* 1844 | Do fr. *conchyliologie*, deriv. do gr. *kogchýlion* + *-logie*. Cp. CONCHA.
⇨ **conquiliologia** | *conchy-* 1836 sc |.
conquistar vb. 'orig. submeter pela força' 'ext. atrair, seduzir' XIV. Do lat. med. *conquistare* (cláss. *conquīrĕre*). No port. med. ocorre também a forma *conquerer* (verbo muito bem documentado nos sécs. XIII-XIV, deriv. do lat. **conquaĕrĕre*, formado, por infl. de *quaerĕre*, sobre *conquīrĕre*) || **conquista** XIII. Substantivação do part. irregular, no fem., de *conquerer* || **conquistador** | *com-* XV || **conquistável** 1844 || **inconquistabil·idade** 1844 || **inconquistável** 1813 || **reconquista** 1844 || **reconquistar** XVII.
⇨ **conquistar** — **conquistável** | 1836 sc |.
consagr·ação, -ar → SAGRAR.
consanguín·eo, -idade → SANGUE.
consciência sf. 'atributo altamente desenvolvido na espécie humana, pelo qual o homem toma, em relação ao mundo e a seus estados interiores, aquela

distância em que se cria a possibilidade de níveis mais altos de integração' 'conhecimento, noção, ideia' | XIV, conci- XIV etc. | Do lat. cōnscientĭa ‖ consciencioso 1844. Adapt. do fr. consciencieux ‖ consciENTE adj. 2g. 'cônscio' 1881; sm. '(Psic.) o conjunto dos processos psíquicos de que temos consciência' XX. Do lat. consciens -tis, part. de conscīre 'ter conhecimento (de algo)' ‖ cônscio adj. 'ciente' XVI. Do lat. conscĭus ‖ INconsciência 1873. Do fr. inconscience, deriv. do lat. inconscĭus ‖ INconsciENTE adj. 1873; sm. XX. Do fr. inconscient ‖ SUBconsciente sm. XX. Cp. CIÊNCIA.
⇨ consciência — consciencIOSO | 1836 SC |.
conscrito adj. 'recrutado, alistado' | -crip- XV | Do lat. cōnscrīptus ‖ conscrIÇÃO | -crip- 1844 | Do lat. cōnscrīptĭō -ōnis.
⇨ conscrito — conscrIÇÃO | -crip- 1836 SC |.
consecratório → SAGRAR.
consectário → SECTÁRIO.
consecu·ção, -tivo → CONSEGUIR.
conseguinte → SEGUIR.
conseguir vb. 'alcançar, obter' XVI. Do lat. vulg. e med. consequĕre (cláss. cōnsequī) ‖ consecução sf. 'ato ou efeito de conseguir' 1873. Do lat. consecūtĭō -ōnis ‖ consecutIVO adj. 'que segue outro' 1813. Adapt. do fr. consécutif, deriv. do lat. med. consecūtīvus, de cōnsecūtus, part. de cōnsequī. Cp. SEGUIR.
⇨ conseguir — consecução | 1836 SC ‖ consecutIVO | cōsecutiuamente adv. 1573 NDias 87.17 ‖ conseguIMENTO | consseguimento 1634 MNor 146.29 |.
conselho sm. 'parecer, juízo' 'sugestão, advertência' | XIV, -ello XIII, -ssello XIII etc. | Do lat. consĭlĭum ‖ AconselhADOR XVI ‖ AconselhAMENTO XX ‖ AconselhANTE XV ‖ AconselhAR | -ssellar XIII, -sselhar XIII etc. ‖ AconselhÁVEL XX | conselhADOR | XIII, -ssella- XIII etc. ‖ conselhAR | XIV, -ssellar XIII etc. | Do lat. consĭlĭāre ‖ conselhEIRO | XV, -eyro XIV, -sselley- XIV etc. | Do lat. consiliarius | DES·AconselhADO | -ssellado XIII etc. ‖ DES·AconselhAR | desconselhar XIII.
consentâneo adj. 'apropriado, adequado, coerente' XVI. Do lat. cōnsentānĕus ‖ consenso sm. 'conformidade, acordo de ideias, de opiniões' XV. Do lat. cōnsēnsus -ūs ‖ consensuAL | -cial 1844 | Do fr. consensuel.
⇨ consentâneo — consensUAL | consensial 1836 SC |.
consentir vb. 'permitir, tolerar, aprovar' XIII. Do lat. consentīre ‖ consentIDOR | -sinti- XIV, -sinte- XIV ‖ consentIMENTO | XIV, -mēto XIII, consintemento XIV etc.
consequência sf. 'orig. resultado, efeito' 'ext. dedução, conclusão' XVI. Do lat. cōnsequentĭa ‖ consequeNTE XVI. Do lat. cōnsĕquēns -entis, part. de consequĕre ‖ INconsequência XVII. Do lat. inconsequentia ‖ INconsequENTE 1813. Do lat. incōnsĕquēns -entis.
consertar vb. 'pôr em bom estado ou condição o que estava danificado ou estragado' 'reconciliar' 'ornar' 'concordar' | conc- XVI | Do lat. *consertāre, frequentativo de cōnserĕre 'ligar, unir' ‖ consertADO | conc- XIV | conserto sm. | 1899, conc- XIV | Der. regress. de consertar ‖ DESconsertAR | -conc- 1813. Cumpre observar que em português a distinção entre os verbos consertar, com -s-, e concertar, com -c-, é muito recente; até os últimos anos do séc. XIX os textos só documentam a forma com -c-, e não apenas para os verbos, mas também para seus derivados, compostos e cognatos. Vale assinalar, também, que as acepções dos dois verbos são realmente muito semelhantes, tornando por vezes difícil a distinção entre um e outro.

conservar vb. 'resguardar, manter, preservar' XIV. Do lat. con-servāre ‖ conserva XV. Dev. de conservar ‖ conservAÇÃO | -çom XV | Do lat. cōnservātĭō -ōnis ‖ conservADOR adj. sm. 'que ou o que conserva' XV; 'aquele que, em política, é favorável à conservação da situação vigente, opondo-se a reformas radicais' 1890. Do lat. cōnservātŏr -ōris. Na 2ª acepção sofreu a infl. do ing. conservator ‖ conservANTE XVI. Do lat. cōnservāns -antis, part. de conservāre ‖ conservATIVO XV. Do lat. cōnservātīvus ‖ conservATÓRIO[1] adj. 'próprio para conservar alguma coisa' XV. Do lat. med. cōnservātōrium (vale) 'viveiro de peixe' ‖ conservATÓRIO[2] sm. 'estabelecimento público destinado ao ensino das belas-artes' 1844. Do fr. conservatoire, deriv. do it. conservatòrio.
⇨ conservar — conservATÓRIO[2] | 1836 SC |.
considerar vb. 'atender a' 'meditar, ponderar' | -sy- XIV, comsidirar XV, consirar XIII | Do lat. cōnsĭdĕrāre ‖ considerAÇÃO | cōsideraçõ XIV, consiiraçom XV etc. | Do lat. cōnsīdĕrātĭō -ōnis ‖ considerANDO sm. 'motivo, razão, argumento' 1881 ‖ considerÁVEL 1706. Do lat. med. considerābilis ‖ DESconsiderAÇÃO 1871 ‖ DESconsiderADO 1844 ‖ INconsiderAÇÃO 1813. Do lat. in-cōnsīderātĭō -ōnis ‖ INconsiderÁVEL XX ‖ REconsiderAÇÃO 1899 ‖ REconsiderar 1899.
⇨ considerar — DESconsiderADO | 1836 SC ‖ DESconsiderAR | 1836 SC |.
consignar vb. 'afirmar, declarar, estabelecer' | XVI, -sinar XV | Do lat. con-signāre ‖ consignAÇÃO | XVI, -sinaçoões pl. XV | Do lat. cōnsignātĭō -ōnis ‖ consignaT·ÁRIO 1813 ‖ consignATIVO 1873.
consigo pron. 'em sua companhia' XIII. Do lat. sēcum, com reduplicação da prep. cŭm (e com influência do pron. si): cŭm sēcum > consigo. No port. med. ocorria, com frequência, a forma simples sigo. V. COMIGO, CONOSCO, CONTIGO, CONVOSCO.
consistir vb. 'ser constituído, constar, compor-se' XVI. Do lat. con-sistĕre ‖ consistÊNCIA 1813. Do lat. consistentia ‖ consistENTE 1844 ‖ INconsistÊNCIA 1858 ‖ INconsistENTE 1873.
⇨ consistir — consistENTE | 1836 SC |.
consistório sm. 'assembleia ou reunião onde se tratam assuntos magnos' XIV. Do lat. cōnsistōrĭum -iī.
consoada sf. 'ceia, em dia de jejum' 'ceia na noite de Natal' | cāso- XVI | De origem incerta; talvez do lat. consōlāta, fem. de cōnsōlātus, part. de cōnsōlāre ‖ consoAR vb. | -ss- XV.
consoante → SOM.
consoci·ação, -ar, -o → SÓCIO.
consogro → SOGRO.
consolar vb. 'aliviar ou suavizar o sofrimento de' XIV. Do lat. consōlārī ‖ consolAÇÃO | -çam XVI | Do lat. consōlātĭō -ōnis ‖ consolADO XIV. Do lat. cōnsōlātus ‖ consolADOR XIV. Do lat. consōlātŏr -ōris ‖ consolAMENTO XIV ‖ consolANTE XVII ‖

consolATIVO XVIII. Do lat. tard. *consolātīvus* || consolAT·ÓRIO XV. Do lat. *consōlātōrĭus* || consolÁVEL 1844. Do lat. *consōlābĭlis -e* || **consolo** XVI. Der. regress. de *consolar* || DESconsolAÇÃO | -*çam* 1570 || DESconsolADOR 1813 || DESconsolAR | -*çō*- 1570 || DESconsolo 1813 || INconsolÁVEL 1813. Do lat. *incōnsōlābĭlis -e*.
consolidar *vb*. 'tornar sólido, seguro, estável' 1813. Do lat. *con-solĭdāre* || **consolda** *sf*. 'planta medicinal da fam. das borragináceas' 1813. Do lat. tard. *cōnsolida* || **consolid**AÇÃO 1813. Do lat. *consolidātĭō -ōnis* || **consolid**ADO 1813 || **consolid**ADOR XX. Do lat. *consolidātor -ōris* || **consolid**ANTE 1844 || **consolid**ATIVO 1844.
⇨ **consolidar** — **consolid**ANTE | 1836 SC || **consolid**ATIVO | 1836 SC |.
consolo → CONSOLAR.
conson·ância, -antal, -ante, -ar, -o → SOM.
consórcio *sm*. 'orig. associação, ligação' 'ext. casamento' XVI. Do lat. *cōnsortĭum -ĭī* || **consorc**IAR 1844 || **consorte** *s2g*. 'orig. companheiro na mesma sorte, estado ou encargo(s); 'ext. cônjuge' 1572. Do lat. *cōn-sors -sortis*.
⇨ **consórcio** — **consorc**IAR | 1836 SC |.
conspecto *sm*. 'presença, vista, aspecto' | 1813, *cōspeito* XVI | Do lat. *cōnspectus -ūs* || **conspícuo** *adj*. 'notável, eminente, distinto' 1813. Do lat. *cōnspicŭus*.
conspirar *vb*. 'maquinar, tramar' XVII. Do fr. *conspirer*, deriv. do lat. *cōnspīrāre* || **conspir**AÇÃO XVIII. Do fr. *conspiration*, deriv. do lat. *cōnspīrātĭō -ōnis* || **conspir**ADOR 1813. Adapt. do fr. *conspirateur*, deriv. do lat. *conspīrātor -ōris* || **conspir**ATA *sf*. 'conspiração' 1899 || **conspir**ATIVO XX.
conspurcar *vb*. 'sujar, macular' XVI. Do lat. *cōnspurcāre*.
const·ância, -ante → CONSTAR.
constantinopolitano *adj*. *sm*. 'relativo a ou natural de Constantinopla' 1844. Do lat. *Cōnstantīnopolītānus*, do top. *Cōnstantinopólis -is*, Constantinopla'.
⇨ **constantinopolitano** | 1836 SC |.
constar *vb*. 'passar por certo ou verdadeiro' 'chegar ao conhecimento' 'estar registrado' 'consistir' XVI. Do lat. *con-stāre* || **consta** *sf*. 'notícia que passa por certa' 1844. Dev. de *constar* || **const**ÂNCIA *sf*. 'qualidade de constante' | *costamçia* XV | Do lat. *constantĭa* || **const**ANTE *adj*. *2g*. 'inalterável' 'incessante, contínuo' | XV, *cōstāte* XIII | Do lat. *cōnstāns -āntis* || INconst*ÂNCIA* XVIII. Do lat. *incōnstantĭa* || INconst*ANTE* XVI. Do lat. *in-cōnstāns -āntis*. Cp. CONSTATAR.
constatar *vb*. 'comprovar, verificar' 1899. Do fr. *constater*, deriv. do lat. *cōnstat*, forma verbal de *con-stāre* || **constat**AÇÃO XX. Do fr. *constatation*.
constelação *sf*. 'grupo de estrelas' '(Astr.) uma das 88 regiões convencionais da esfera celeste' | *costelaçom* XIV, *costolaçō* XIV etc. | Do lat. *constellātĭō -ōnis* || **constel**ADO | -*lla*- XVIII | Do lat. tard. *cōnstellātus*.
consternar *vb*. 'desalentar' XVIII. Do lat. *cōnsternāre* || **constern**AÇÃO XVIII. Do lat. *cōnsternātĭō -ōnis*.
constipar *vb*. 'orig. causar ou ter prisão de ventre' 'ext. resfriar(-se)' 1813. Do fr. *constiper*, deriv. do lat. *cōnstīpāre* || **constip**AÇÃO 1813. Do fr. *constipation*, deriv. do lat. tard. *constipātĭō -ōnis* || **constip**ADO 1813.
constituição *sf*. 'orig. ato de constituir, de estabelecer, de firmar' 'ext. formação das leis orgânicas' 'ext. lei fundamental e suprema dum Estado' | XIV, *costetiço* XIII, *constituçōoes* pl. XIV etc. | Do lat. *constitūtĭō -ōnis*; as acepções modernas do voc. vieram através do fr. *constitution* || **constitucion**AL 1821. Do fr. *constitutionnel* || **constitucion**AL·IDADE 1858 || **constitu**INTE 1813 || **constitu**IR *vb*. 'formar, compor' XV. Do lat. *constĭtŭĕre* || **constitu**TIVO XVI. Do lat. tard. *constitutīvus* || INconstitucion*AL* 1844. Do fr. *inconstitutionnel* || INconstitucion*AL·IDADE* 1873. Adapt. do fr. *inconstitutionnalité* || REconstit*UIÇÃO* XX || REconstitu*INTE* *adj*. *2g*. *sm*. 1881 || REconstitu*IR* 1881.
⇨ **constituição** — INconstitucion*AL* | 1836 SC |.
constranger *vb*. 'premir, forçar' | XV, *costrenger* XIII, *costranger* XIII etc. | Do lat. *constringĕre* || **constrang**IMENTO | XIV, *cos*- XV etc. || **constrição** *sf*. 'aperto, compressão' | -*tricção* XVIII | Do lat. *cōnstrictĭō -ōnis*. || **constring**ENTE 1844. Do fr. *constringent* || **constringir** *vb*. 'cingir, apertando' 1813. Do lat. *constringĕre* || **constrit**IVO | -*tric*- 1844 | Do lat. *constrictīvus* || **constrit**OR | -*tric*- 1844.
⇨ **constranger** — **constring**ENTE | 1836 SC || **constr**ITIVO | -*tric*- 1836 SC || **constr**ITOR | -*tric*- 1836 SC |.
construção *sf*. 'ato, modo, efeito ou arte de construir' | -*truiçam* XVI | Do lat. *cōnstructĭō -ōnis* || **constru**IR *vb*. 'estruturar, edificar, fabricar' XIV. Do lat. *cōn-struere* || **constru**TIVO | -*truc*- 1844 | Do lat. *constructīvus* || **constru**TOR | -*truc*- 1813 | Do lat. tard. *constructōr -ōris* || **construt**ORA *sf*. 'empresa ou fábrica que tem por fim construir imóveis' XX || **construt**URA *sf*. 'modo de construir' | -*truc*- XVIII | Do lat. tard. *constructūra* || REconstru*ÇÃO* | -*truc*- 1844 || REconstru*IR* 1844.
⇨ **construção** — **constru**TIVO | -*truc*- 1836 SC |.
consubstanci·al, -ar → SUBSTÂNCIA.
consuetudinário *adj*. 'fundado nos costumes, habitual' 1793. Do lat. *consuētudinārĭus*.
cônsul *sm*. 'orig. magistrado supremo, na república romana e na primeira república francesa' 'ext. diplomata' | XIV, -*ssul* XIV | Do lat. *cōnsul -ŭlis* || **consul**ADO *sm*. 'dignidade ou cargo de cônsul' 'residência de cônsul' XIV. Do lat. *cōnsulātus -ūs* || **consul**AR *adj*. *2g*. XVIII. Do lat. *cōnsulāris -e*. Cp. CONSULENTE e CONSULTAR.
⇨ **cônsul** — **consul**AR | *a* 1595 *Jorn. 7.12* |.
consulente *adj*. *s2g*. 'que ou quem consulta' 1813. Do lat. *consulēns -ēntis*, part. de *consulere* 'consultar'. Cp. CÔNSUL e CONSULTAR.
consultar *vb*. 'pedir conselho, opinião, parecer a' XVI. Do lat. *cōnsultāre* || **consulta** *sf*. XVI. Dev. de *consultar* || **consult**ADOR XVIII. Do lat. *cōnsultātor -ōris* || **consult**ANTE 1844 || **consult**IVO 1844 || **consult**OR 1813. Do lat. *cōnsultor -ōris* || **consult**ÓRIO 1881. Do lat. *consultōrius* || INconsult*O* XVII. Do lat. *incōnsultus*. Cp. CÔNSUL e CONSULENTE.
⇨ **consultar** — **consult**ANTE | 1836 SC || **consult**IVO | 1836 SC |.
consumar *vb*. 'terminar, completar, acabar' | -*mmar* XVI | Do lat. *cōnsummāre* || **consum**AÇÃO |

-mma XVI | Do lat. *consummātĭō -ōnis* || **consum**A-DO | *-mma-* XVII.
consumir *vb.* 'gastar ou corroer até a destruição' 'anular, destruir' | XIII, *conss-* XIII, *consomyr* XIII etc. | Do lat. *consūměre* || **consum**IÇÃO 1873 || **consum**IDO XIV || **consum**IDOR XVI || **consum**ISMO XX || **consum**ISTA XX || **consumo** | *-mmo* 1813 | Dev. de *consumir* || **consumpção** *sf.* 'ato ou efeito de consumir(-se)' XVIII. Do lat. *cōnsumptĭō -ōnis* || **consumpt**IBIL·IDADE 1899 || **consumptível** 1899. Adapt. do fr. *consumptible*, deriv. do b. lat. *consumptibilis* || **consumpt**IVO 1844. Adapt. do fr. *consumptif* || IN**consumpto** 1881. Do lat. *incōnsūmptus*.
⇨ **consumir** — **consum**IÇÃO | 1836 SC | **consump**TIVO | 1836 SC |.
consútil *adj.* *2g.* 'que tem costura' XX. Do lat. *cōnsūtĭlis -e* || IN**consútil** XVII. Do lat. *incōnsūtĭlis -e*.
conta → CONTAR.
contabescer *vb.* 'definhar, consumir-se' XX. Do lat. *con-tābēscere* || **contabes**CENTE 1899.
cont·ábil, -abilidade → CONTAR.
conta(c)to *sm.* 'ato de exercer o sentido do tato' 'estado ou situação dos corpos que se tocam' '*ext.* relação de frequência, de proximidade' XVII. Do lat. *contāctus -ūs* || **contact**AR XX.
cont·ador, -adoria, -agem → CONTAR.
contágio *sm.* 'transmissão de doença dum indivíduo a outro' 1813. Do lat. *contāgĭum -ĭī* || **contagi**ANTE XX || **contagi**AR 1844. Do lat. tard. *contagiāre* || **contagi**OSO | XV, *cō -xv* | Do lat. tard. *contagiōsus*.
⇨ **contágio** — **contagi**AR | 1836 SC |.
contaminar *vb.* 'contagiar' 1570. Do lat. *contamĭnāre* || **contamin**AÇÃO XVI. Do lat. *contāmĭnātĭō -ōnis* || **contamin**ADOR 1813. Do lat. *contāmĭnātōr -ōris* || **contamin**ANTE XX || **contamin**ÁVEL 1844. Do lat. *contāmĭnābĭlis -e* || IN**contamin**ADO XVII. Do lat. *in-contāmĭnātus*.
⇨ **contaminar** — **contamin**ÁVEL | 1836 SC |.
contanto → TANTO.
contar *vb.* 'relatar, narrar' 'calcular, computar' XIII. Do lat. *cŏmpŭtāre* || **conta** *sf.* 'ato ou efeito de contar, na segunda acepção' XIII. Der. regress. de *contar* || **cont**ÁBIL XX. Do fr. *comptable* || **cont**ABIL·IDADE *sf.* 'disciplina que estuda as técnicas de apropriação, registro etc., em termos de moeda, das operações comerciais etc.' 1803. Do fr. *comptabilité* || **cont**ADOR XIV || **cont**AD·ORIA XVIII || **cont**AGEM 1858. Do fr. *comptage* || **cont**ÁVEL XV || **cont**ISTA *s2g.* 'autor de contos literários' XX || **conto**¹ 'relato, narração' 'cálculo, cômputo' XIII. Do lat. *compŭtus -i* || DES**contar** XIV || DES**conto** XV. Dev. de *descontar* || IN**cont**ÁVEL 1873 || RE**cont**AGEM XX | RE**cont**AMOS XIV || RE**cont**AR XIV || RE**cont**ÁVEL | *recōtavil* XIV || RE·DES**contar** XX || RE·DES**conto** XX. Cp. COMPUTAR.
conteira → CONTO².
contemplar *vb.* 'olhar, observar, atenta ou embevecidamente' XIV. Do lat. *contemplāre* || **contemplação** | *-çom* XIV, *-çon* XIV, *-çam* XIV etc. | Do lat. *contemplātĭō -ōnis* || **contempl**ADOR XV. Do lat. *contemplātŏr -ōris* || **contempl**AMENTO | *-ten-* XIV || **contempl**ANTE XVIII || **contempl**ATIVO XIV. Do lat. *contemplātīvus*.

contemporâneo *adj.* *sm.* 'diz-se de, ou indivíduo que é do mesmo tempo, que vive na mesma época (particularmente a época em que vivemos)' 1568. Do lat. *contemporānĕus*. Cp. TEMPO.
con·tempo·riz·ante, -ar, -ável → TEMPO.
contempto *sm.* 'desprezo' XX. Do lat. *contemptus -ūs* || **contempt**ÍVEL XVII. Do lat. *contemptĭbĭlis -e* || **contempt**OR XX. Do lat. *contemptor -ōris*.
contender *vb.* 'lutar, disputar' XIII. Do lat. *contĕnděrĕ* || **contenção** *sf.* 'luta, contenda, teimosia, obstinação' | *-çom* XIV, *-tempçom* XIV etc. | Do lat. *contentĭō -ōnis* || **contencioso** *adj.* 'em que há contenda, litígio' | XVI, *-tempcioso* XIV | Do lat. *contentiōsus* || **contenda** *sf.* 'luta, disputa' XIII. Dev. de *contender* || **contend**ED·EIRO XV || **contend**EDOR XIV || **contend**OR XIII.
contensão → TENSÃO.
contento *adj.* '*ant.* contente' | XV, *-tempto* XIV | Do lat. *contěntus*, originariamente part. de *continēre*. Modernamente o voc. é usado na loc. *a contento* || **content**AMENTO XIV || **content**AR XIV. Do lat. tard. *contentāre* || **contente** *adj.* *2g.* 'satisfeito, alegre' XIV. Forma divergente de *contento*, do lat. *contěntus* || DES**content**AMENTO XVI || DES**content**AR XVI || DES**content**ENTE XVI || IN**content**ÁVEL XX.
conter *vb.* 'ter ou encerrar em si' 'compreender, incluir' | XIII, *contener* XV | Do lat. *continēre* || **conteúdo** *adj.* *sm.* 'diz-se de, ou aquilo que se contém nalguma coisa' XIII || **continência** *sf.* 'moderação, abstenção' | XVI, *-teença* XIII | Do lat. *continentĭa* || **continent**AL 1844. De *continente*, em sua terceira acepção || **contin**ENTE *adj.* *2g.* '*orig.* que contém algo'; *sm.* 'aspecto, porte' | XIV, *contenente* XIII |; '*ext.* grande massa de terra cercada pelas águas oceânicas' XVII. Do fr. *continent*, deriv. do lat. *continente*, part. de *continēre* || IN**continência** 1572. Do lat. *incontinentĭa* || IN**continente** XVI. Do lat. *in-continēns-ēntis* || **incontinenti** *adv.* 'sem demora, sem intervalo' 1899. Do fr. *incontinent*, deriv. do lat. tard. *in continenti* || INTER**continent**AL 1873.
⇨ **conter** — **continent**AL | 1836 SC |.
contérmino → TÉRMINO.
conterrâneo → TERRA.
contestar *vb.* '*orig.* provar com o testemunho de outro' 'asseverar alegando razões' '*ext.* contrariar, contradizer' XIV. Do lat. *contestārī* || **contest**ABIL·IDADE 1899 || **contest**AÇÃO | *-çom* XV | Do lat. *contestātĭō -ōnis* || **contest**ANTE XX || **conteste** *adj.* *2g.* 'comprovativo' XVII. Do lat. med. *contestis* || IN**contest**ADO 1881. Adapt. do fr. *incontesté* || IN**contest**ÁVEL 1873. Adapt. do fr. *incontestable* || IN**conteste** XX.
⇨ **contestar** - IN**contest**ÁVEL | 1836 SC |.
conteúdo → CONTER.
contexto *sm.* 'conjunto, todo, reunião' 'encadeamento das ideias dum discurso' 1813. Do fr. *contexte*, deriv. do lat. *contextus -ūs* || **context**URA XVIII. Do fr. *contexture*.
contigo *pron.* 'em tua companhia' XIII. Do lat. *tecum* (no lat. vulg. *ticum*), com reduplicação da prep. *cŭm: cŭm tecum* > **contego; cŭm ticum* > *contigo*. No port. med. ocorria, com bastante frequência, a forma simples *tigo*. V. COMIGO, CONSIGO, CONOSCO, CONVOSCO.

contíguo *adj.* 'próximo, vizinho, adjacente' XVII. Do fr. *contigu*, deriv. do lat. *contigŭus* ‖ **contigui**DADE 1844. Do fr. *contiguité*, deriv. do lat. med. *contiguitās -ātis*.
⇨ **contíguo** | *a* 1542 JCASE 100.*27* ‖ **contigui**DADE | 1836 SC |.
contin·ência, -ente → CONTER.
contingência *sf.* 'eventualidade, incerteza, acaso' XVII. Do fr. *contingence*, deriv. do lat. tard. *contingentia* ‖ **conting**ENTE XVII. Do fr. *contingent*, deriv. do lat. *contingens -entis*, part. de *contingĕre*.
continuar *vb.* 'prosseguir, prolongar, permanecer' XIV. Do lat. *continŭāre* ‖ **continu**AÇÃO | *-çom* XV | Do lat. *continuātiō -ōnis* ‖ **continu**ADO XIV. Do lat. *continuātus*, part. de *continŭāre* ‖ **continui**DADE 1813. Adapt. do fr. *continuité*, deriv. do lat. *continuĭtās -ātis* ‖ **continu**ÍSTA XX ‖ **contínuo** *adj.* 'seguido, sucessivo' | XV, *-no* XV |; *sm.* 'servente, bói' XX. Do lat. *continŭus* ‖ DES**continui**DADE 1899. Adapt. do fr. *discontinuité* ‖ DES**contínuo** 1881. Adapt. do fr. *discontinu* ‖ IN**contínuo** 1873.
contista → CONTAR.
conto¹ → CONTAR.
conto² *sm.* 'a extremidade inferior da lança ou do bastão' XVI. Do lat. *contus -i*, deriv. do gr. *kóntos* ‖ **cont**EIRA *sf.* 'peça que reforça o conto' XVI.
contor·ção, -cer, -cionista → TORCER.
contornar *vb.* '*orig.* dar a volta a' 'cercar, rodear' '*ext.* dar a (um problema, um caso, uma situação) uma solução imperfeita, de emergência' | XV, *-near* XVI | Do it. *contornare*, deriv. do lat. **contornāre*.
contorno XVII. Der. regress. de *contornar*.
contra *prep.* XIII. Do lat. *cŏntra* ‖ RE**contro** *sm.* 'choque, conflito' XV.
contra- *pref.*, do lat. *contra-*, de *cŏntra* 'em oposição a, em algum lugar de, diante de', que se documenta em vocs. eruditos formados no próprio latim, como *contradizer*, *contrapor* etc., e em muitos outros compostos formados nas línguas modernas de cultura. Embora de menor potencialidade na língua portuguesa do que o pref. de origem grega ANTI-, de idêntico significado, o pref. *contra-* ocorre na formação de alguns compostos, particularmente na linguagem popular e/ou semierudita, como *contragosto*, *contraveneno* etc. Registram-se em verbetes independentes, no seu respectivo lugar alfabético, apenas os compostos mais importantes, especialmente os que já vieram formados do latim (como *contrafazer*, *contravir* etc.) e os de imediata procedência italiana (como *contrabaixo*, *contrabando*, *contraforte* etc.); compostos do tipo *contracheque* e *contramão* foram incluídos nos verbetes *cheque* e *mão*, respectivamente.
contrabaixo *sm. 'ant.* voz mais profunda e grave que a do baixo' | *-baxo* 1813 |; 'o maior e o mais grave instrumento de cordas' 1873. Do it. *contrabbasso*.
contrabalançar → BALANÇA.
contrabando *sm. 'orig.* bando ou partido oposto' '*ext.* introdução clandestina de mercadorias estrangeiras' XVI. Do it. *contrabbando* ‖ **contraband**EAR 1844 ‖ **contraband**ISTA 1813. Cp. BANDO.
⇨ **contrabando** — **contraband**EAR | 1836 SC |.
contração → CONTRAIR.
contracheque → CHEQUE.

contradança → DANÇAR.
contrad·ição, -ita, -ito, -itor, -itória, -itório, -izer → DIZER.
contraente → CONTRAIR.
contrafazer *vb.* 'imitar, arremedar' 'constranger' XIII. Do lat. tard. *contrăfacere* ‖ **contraf**AÇÃO | *-fac-* 1799 | Do fr. *contrafaction* ‖ **contrafeito** XV. Do lat. tard. *contrafactus*, part. de *contrăfacere*.
contraforte *sm.* 'forro de reforço' XVII. Do it. *contraffòrte*.
contragosto → GOSTO.
contraindicação → ÍNDEX.
contrair *vb.* 'fazer contração de' 'apertar, encolher' XVII. Do lat. *contrahĕre* ‖ **contr**AÇÃO | *-acção* 1813 | Do lat. *contractiō -ōnis* ‖ **contra**ENTE | *-hen-* XVI ‖ **contrátil** *adj.* 2g. 'suscetível de contrair-se' | *-trac-* 1844| Do fr. *contractile*, deriv. do lat. cient. *contractilis* ‖ **contr**ATIVO XVII ‖ **contreito** *adj.* 'entrevado, tolhido' XIII. Do lat. *contractus*, part. de *contrahĕre*. Cp. CONTRATO.
⇨ **contrair** — **contrátil** | *-trac-* 1836 SC |.
contralto *sm.* 'a voz feminina de tessitura mais grave' XVI. Do it. *contralto*.
contramão → MÃO.
contramarcha → MARCHAR.
contramestre → MESTRE.
⇨ **contraminar** → MINA¹.
contranitente *adj. 2g.* 'que oferece resistência ou oposição' XVI. Do lat. *contrānītēns -ēntis* ‖ **contranit**ÊNCIA 1844.
⇨ **contranitente** — **contranit**ÊNCIA | 1836 SC |.
contraparente → PARENTE.
⇨ **contrapeçonha** → PEÇONHA.
contrapeso → PESO.
contraponto *sm.* '(Mús.) disciplina que ensina a compor polifonia' 'a própria polifonia' XVII. Do it. *contrappunto*, deriv. da expr. do lat. med. *pŏnere punctum contra punctum* 'pôr nota contra nota' ‖ **contrapont**ISTA 1813. Do fr. *contrapontiste*, deriv. do it. *contrappuntista*.
contra·por, -posição, posto → PÔR.
contraproducente → PRODUTO.
contraprov·a, -ar → PROVAR.
contrarrevolução → REVOLUÇÃO.
contrariar *vb.* 'fazer oposição a, embaraçar, aborrecer' XIII. Do lat. *contrariāre* ‖ **contrari**ADOR XV ‖ **contrariedade** XIV. Do lat. *contrărĭĕtās -ātis* ‖ **contrário** *adj. sm.* XIII. Do lat. *contrărĭus* ‖ SUB**contrário** 1881.
contrassenso → SENSO.
contrastar *vb.* 'fazer ou estabelecer oposição a' | XIV, *constrastar* XIII | Do it. *contrastare*, deriv. do lat. *contrā stāre* ‖ **contrast**ÁVEL 1899 ‖ **contraste** *sm.* 'oposição, diferença' 1572. Do fr. *contraste* ‖ IN**contrast**ÁVEL 1813.
⇨ **contrastar** — **contraste** | 1569 in *Studia*, nº 8, 195.*5* ‖ IN**constrast**ÁVEL | 1660 FMMeIE 11.*12* |.
contrat·ador, -ante, -ar → CONTRATO.
contratempo *sm. 'orig.* acidente imprevisto, contrariedade' 1813; '*ext.* certo compasso musical' 1881. Do it. *contrattèmpo*.
⇨ **contratempo** 'compasso musical' | 1836 SC |.
contr·átil, -ativo → CONTRAIR.
contrato *sm. 'orig.* acordo' '*ext.* documento resultante desse acordo' XIV. Do lat. *contractus -ūs*,

part. de *contrahĕre* ‖ **contrat**ADOR XVII. Do lat. *contractor -ōris* ‖ **contrat**ANTE 1844 ‖ **contrat**AR | XVI, *contraytar* XV, *contrautar* XV ‖ **contratu**AL XX. Do fr. *contractuel* ‖ **contrat**URA | *-trac-* 1858 | Do fr. *contracture*, deriv. do lat. tard. *contractūra*. Cp. CONTRAIR.
⇨ **contrato** — **contrat**ADOR | 1569 in *Studia*, nº 8, 217.*6* ‖ **contrat**ANTE | 1836 SC |.
contratorpedeiro → TORPEDO.
contrat·ual, -ura → CONTRATO.
contraveneno → VENENO.
contravir *vb.* 'transgredir, infringir, violar' XV. Do lat. med. *contrăvenīre* ‖ **contravenção** 1777. Do fr. *contravention*, deriv. do lat. *contrăventiō -ōnis* ‖ **contraventor** *adj. sm.* 1844. Do lat. *contrăventor -ōris*.
⇨ **contravir** — **contraventor** | 1836 SC |.
contrectação *sf.* 'ato de tirar alguma coisa de alguém' XVIII. Do lat. *contrectātiō -ōnis*.
contreito → CONTRAIR.
contribuir *vb.* 'colaborar, cooperar' XVII. Do lat. *contribŭĕre* ‖ **contribu**IÇÃO XVII. Do lat. *contribūtiō -ōnis* ‖ **contribu**INTE 1813 ‖ **contributário** 1844. Do lat. tard. *contribūtārius*, de *contribūtum* ‖ **contribut**IVO 1844.
⇨ **contribuir** — **contribut**ÁRIO | 1836 SC ‖ **contribut**IVO | 1836 SC |.
contrição *sf.* '*orig.* desalento' '*ext.* arrependimento pelas próprias culpas ou pecados' | *-çom* XIV | Do lat. *contrītiō -ōnis* ‖ **contristação** 1844. Do lat. *contrīstātiō -ōnis* ‖ **contristar** *vb.* 'afligir(-se), penalizar' XV. Do lat. *contrīstāre* ‖ **contrito** *adj.* 'que tem contrição' XIV. Do lat. *contrītus*.
⇨ **contrição** — **contristação** | 1836 SC |.
controlar *vb.* 'dominar(-se), conter(-se), governar' XX. Do fr. *contrôler* ‖ **controle** *sm.* 'ato ou poder de controlar(-se)' XX. Do fr. *contrôle* ‖ DES**control**ADO XX ‖ DES**control**AR XX ‖ DES**control**E XX ‖ IN**control**ÁVEL XX. Adapt. do fr. *incontrôlable*.
⇨ **controvérsia** | *c* 1539 JCASD 14.*2* |.
controverso *adj.* 'que é objeto de discussão, rebate, polêmica ou contestação' XVII. Do lat. *contrōversus*, part. de *contrōvertere* ‖ **controvérsia** 1813. Do lat. *contrōversĭa* ‖ **controverter** *vb.* 'disputar, rebater, discutir' 1813. Do lat. tard. *contrōvertere* ‖ **controvert**IDO 1813 ‖ IN**controverso** 1789.
contubérnio *sm.* 'vida em comum, convivência, camaradagem' 1844. Do lat. *contubernĭum -ĭī* ‖ **contubern**AL *adj. s2g.* 1881. Do lat. *contubernālis -is*.
⇨ **contubérnio** | 1836 SC |.
contumácia *sf.* 'grande teimosia, obstinação' | *-çia* XV | Do lat. *contumācĭa* ‖ **contum**AZ *adj. s2g.* XIII. Do lat. *contŭmāx -ācis*.
contumélia *sf.* 'invectiva, injúria, insulto' XVI. Do lat. *contumēlĭa* ‖ **contumeli**OSO XVII. Do lat. *contumēliōsus*.
contund·ente, -ir → CONTUSÃO.
conturbar *vb.* 'perturbar, proibir' | XIV, *contorvar* XIII, *côturuar* XIV etc. | Do lat. *contŭrbāre* ‖ **conturb**AÇÃO *contouraçõ* XV | Do lat. *contŭrbātiō -ōnis* ‖ **conturb**ADOR 1899. Do lat. *contŭrbātor -ōris* ‖ **conturb**ATIVO 1858.
contusão *sf.* 'lesão produzida por pancada em tecidos vivos' XVI. Do lat. *contūsĭō -ōnis* ‖ **contun**

dENTE 1844 ‖ **contund**IR *vb.* 'fazer contusão em' 1813. Do lat. *con-tundĕre* ‖ **contuso** XVI. Do lat. *contūsus*, part. de *con-tundĕre*.
⇨ **contusão** — **contund**ENTE | 1836 SC |.
conúbio *sm.* 'casamento, matrimônio' 1844. Do lat. *connubĭum —ĭī* ‖ **conubi**AL 1844. Do lat. *connubiālis*.
convalescer *vb.* 'recuperar a saúde, restabelecer-se' XV. Do lat. *con-valēscĕre* ‖ **convalescença** | *-cencia* 1813 | Do fr. *convalescence*, deriv. do lat. *convalescentĭa* ‖ **convalesc**ENTE | *-lecente* 1813 | Do fr. *convalescent*, deriv. do lat. *con-valēscēns -ēntis*, part. de *convalēscĕre* ‖ RE**convalescer** | *-lecer* XVII.
⇨ **convalescer** — **convalesc**ENÇA | *convalescenssia* 1634 MNOr 31.*4*, *conualecencia* 1660 FMMeIE 240.*4* | **convalesc**ENTE | 1660 FMMeIE 69.*25*, *cõualescēte* 1570 ARes XIX.14 |.
convecção → CONVEXO.
convelir → CONVULSÃO.
convenção → CONVIR.
convencer *vb.* 'persuadir' XIV. Do lat. *convincĕre* ‖ **convenc**IDO *adj. sm.* 1844 ‖ **convenc**IMENTO | *conujnzimento* XIII ‖ **convicção** *sf.* 'certeza' 1813. Do fr. *conviction*, deriv. do lat. *convĭctĭō -ōnis* ‖ **convicto** *adj.* 'convencido, certo' XVIII. Do lat. *convictus*, part. de *convincĕre* ‖ **convinc**ENTE 1844.
⇨ **convencer** — **convenc**IDO | 1836 SC ‖ **convinc**ENTE 1836 SC |.
convencion·al, -ar, conven·iência, -iente, -io → CONVIR.
convento *sm.* 'comunidade religiosa, conjunto de monges de um mosteiro' XIII. Do lat. *conventus* ‖ **conventu**AL XIV. Do lat. ecles. med. *conventuālis*. Cp. CONVIR.
⇨ **convento** — **convent**ÍCULO 'reunião de pessoas' 'assembleia' | *a* 1595 *Jorn*. 77.*6* | lat. *conventicŭlum -ī*, diminuttivo de *conventus* |.
convergir *vb.* 'tender ou dirigir-se (para o mesmo ponto)' 1833. Do fr. *converger*, deriv. do lat. *con-vergĕre* ‖ **converg**ÊNCIA 1844. Do fr. *convergence* ‖ **converg**ENTE 1813.
⇨ **convergir** — **converg**ÊNCIA | 1836 SC |.
conversão → CONVERTER.
conversar *vb.* 'falar, discorrer, palestrar' | *cõverssar* XIV | Do lat. *conversārī* 1813. Dev. de *conversar* ‖ **convers**AÇÃO |*-çon* XIV | Do lat. *conversātiō -ōnis* ‖ **convers**ADOR XVII ‖ DES**conversar** 1813.
⇨ **conversar** — **convers**ÁVEL | *c* 1608 NOReb 84.*24*, 1614 SGonç I.228.*28* |.
converter *vb.* 'conduzir à religião que se julga ser a verdadeira' 'fazer mudar de partido, de parecer etc.' XIII. Do lat. *convĕrtĕre* ‖ **conversão** *sf.* 'ato ou efeito de converter(-se)' | *conuersom* XV | Do lat. *conversĭō -ōnis* ‖ **convers**IBIL·IDADE XX. Do lat. *conversibĭlĭtās -ātis* ‖ **convers**ÍVEL | *conuerciuel* XV | Do lat. *conversibĭlis -e* ‖ **converso** *adj. sm.* | *cõverso* XV | Do lat. *conversus* ‖ **convers**OR XX ‖ **convert**IDO *X, -tudo* XIII ‖ IN**convers**ÍVEL 1873. Do lat. *inconversibĭlis -e*.
⇨ **converter** — **converto** *sm.* 'convertido' | *c* 1644 Aned. 55.*10* |.
convés *sm.* '(Const. Nav.) o piso dos pavimentos, a bordo, especialmente o dos pavimentos desco-

bertos, ou cobertos apenas com um toldo' XVI. Do cast. *combés*.
convescote *sm.* 'piquenique' XIX. Neologismo proposto para traduzir o ing. *pic-nic* (e o fr. *piquenique*) pelo filólogo brasileiro Antônio de Castro Lopes (1827-1901), que assim se refere, em 1889, à sua criação: "Em portuguez, desde seculos que existe a palavra *escóte*, a qual significa *quinhão dado por cada um para a despesa:* temos a palavra tambem portugueza *convivio,* festim, festa *familiar* (de *convivium, ii,* latino). Com estes dous elementos se forma muito natural e euphonicamente *Convescóte*; [...]".
convexo *adj.* 'de saliência curva' 'arredondado, bojudo' XVI. Do lat. *convexus* ‖ **convecção** *sf.* '(Fís.) nos fluidos, o processo de transmissão de calor que é acompanhado por um transporte de massa efetuado pelas correntes que se formam no seio do fluido' XX. Do lat. *convexiō -ōnis* ‖ **convex**IDADE 1844. Do lat. *convexĭtās -ātis* ‖ **convexi**R·ROSTRO | -*xiros*1899.
⇨ **convexo** — **convexi**DADE | 1836 SC |.
convicção → CONVENCER.
convício *sm.* 'afronta, injúria' 1813. Do lat. *convicĭum -ĭī.*
convicto → CONVENCER.
convidar *vb.* 'pedir o comparecimento de' XIII. Do lat. med. *convītāre* (cruzamento de *invītāre* com *convīvĭum*) ‖ **convid**ADO *sm.* XIV ‖ **convid**ANTE XV ‖ **convid**ATIVO 1881 ‖ **convite** *sm.* 'ato de convidar' XIV. Do cat. *convit,* deriv. do lat. med. *convītāre* ‖ **conviva** *s2g.* 'convidado' XVIII. Do lat. *convīva* ‖ **conviv**AL XVI. Do lat. *convīvālis -e.*
⇨ **convidar** — **convictor** *sm.* 'conviva, comensal' | *convictores* pl. 1614 SGONÇ I.129.*5, comvitores* pl. Id. I.129.*5* | Do lat. *convīctor -ōris* |.
convincente → CONVENCER.
convir *vb.* 'concordar, admitir' 'ficar bem, condizer' XIII. Do lat. *convenīre* ‖ **convenção** *sf.* 'ajuste, acordo' 'costume' XV. Do lat. *conventĭō -ōnis* ‖ **convencion**AL 1844. Do lat. *conventiōnālis -e* ‖ **convencion**AR XVIII. Do lat. med. *conventiōnāre* ‖ **conveni**ÊNCIA | *conuenencia* XIII, -*nyencia* XV, -*venençia* XV etc. | Do lat. *convenientĭa* ‖ **conveni**ENTE | XIV, *conuenente* XIII | Do lat. *conveniens -en- tis,* part. de *convenīre* ‖ **convênio** 1822 ‖ **conv**INH·ÁVEL | *conuenhauel* XIV, *conuenauil* XIII etc. ‖ DES**conveni**ENTE XIV ‖ IN**conveni**ÊNCIA XVII. Do lat. *inconvenientĭa* ‖ IN**conveni**ENTE | *jnconuenyente* XV | Do lat. *inconveniēns -entis.*
conv·ite, -iva -ival → CONVIDAR.
conviv·ência, -ente → VIVER.
⇨ **conviv·er, -io** → VIVER.
convocar *vb.* 'chamar ou convidar (para uma reunião)' 1572. Do lat. *con-vŏcāre* ‖ **convoc**AÇÃO XVI. Do lat. *convocātĭō -ōnis* ‖ **convoc**AT·ÓRIA *sf.* 'carta circular cujo conteúdo é uma convocação' 1844. Fem. substantivado de *convocatório* ‖ **convoc**AT·ÓRIO 1844.
⇨ **convocar** | 1532 JBARR 52.*22* ‖ **convoc**AT·ÓRIO | *conuocatorio* 1660 FMMeLE 140.*12* |.
convolar *vb.* 'mudar de estado, de cônjuge, de partido etc.' 1881. Do fr. *convoler,* deriv. do lat. *convŏlāre.*
convoluto *adj.* '(Bot.) diz-se da prefoliação em que o limbo foliar se enrola longitudinalmente' XVII. Do lat. *convolūtus,* part. de *convolvere.*
convosco *pron.* 'em vossa companhia' XIII. Do lat. *voscum* (por *vobiscum*), com reduplicação da prep. *cŭm: cŭm voscum > convosco.* V. COMIGO, CONOSCO, CONSIGO, CONTIGO.
convulsão *sf.* 'grande agitação ou transformação' '(Med.) contração súbita e involuntária dos músculos voluntários' XVIII. Do lat. *convulsiō -ōnis* ‖ **convelir** *vb.* 'subverter, abalar' '(Med.) ter convulsões' | -*llir* 1844 | Do lat. *con-vellĕre* ‖ **convuls**IBIL·IDADE 1873 ‖ **convuls**ION·AR 1873 ‖ **convuls**ION·ÁRIO 1844, Adapt. do fr. *convulsionnaire* ‖ **convuls**IVO 1813. Adapt. do fr. *convulsif* ‖ **convulso** XVIII. Do lat. *convulsus,* part. de *con-vellĕre.*
⇨ **convulsão** — **convelir** | -*llir* 1836 SC ‖ **convuls**ION·ÁRIO | 1836 SC |.
coobar *vb.* 'destilar repetidas vezes o mesmo líquido' XX. Do fr. *cohober,* deriv. do lat. med. *cohobāre* e, este, do ár. *qohba.*
coonestar *vb.* 'dar aparência de honestidade a' | *coho-* XVI | Do lat. *cohonestāre.*
cooperar *vb.* 'operar ou obrar simultaneamente' 'colaborar' 1813. Do fr. *coopérer,* deriv. do lat. *co-operārī* ‖ **cooper**AÇÃO 1813. Do fr. *coopération,* deriv. do lat. *cooperatĭō -ōnis* ‖ **cooper**ADOR 1813. Adapt. do fr. *coopérateur,* deriv. do lat. *cooperātor -ōris* ‖ **cooper**ANTE 1844 ‖ **cooper**ATIVA *sf.* 'sociedade ou empresa constituída por membros de determinado grupo econômico ou social, e que objetiva desempenhar, em benefício comum, determinada atividade econômica' 1844. Do fr. *coopérative,* deriv. de *coopératif* ‖ **cooperativo** 1844. Do lat. tard. *cooperātīvus* ‖ **cooperativ**ISMO XX ‖ **cooperativ**ISTA 1899.
⇨ **cooperar** — **cooper**ADOR | 1614 SGONÇ II.140.*10* ‖ **cooper**ANTE | 1836 SC ‖ **cooperativo** | 1836 SC |.
coopt·ação, -ar → OPTAR.
coordenar *vb.* 'dispor segundo certa ordem' 'organizar' | -*di-* 1813 | Do lat. med. *coōrdināre* ‖ **coorden**AÇÃO | -*di-* 1813 | Do lat. tard. *coōrdinātĭō -ōnis* ‖ **coorden**ADOR XX.
coorte → CORTE².
copa *sf.* 'orig. taça' XIV; 'ext. 'compartimento da casa onde se lavam e se guardam as louças, os talheres etc.' 'ramagem superior de uma árvore, que forma uma superfície convexa' 1813. Do lat. *cŭppa* ‖ **cop**ADA *sf.* 'copo cheio' 1813 ‖ **copar** *vb.* 'tosquiar a rama de (árvore), para formar copa' 1844. O adj. *copado* já se documenta no séc. XVI ‖ **cop**EIRO *sm.* 'empregado doméstico que trabalha na copa e que serve à mesa' XIII ‖ **cop**ETE *sm.* 'copinho' XV. Do cast. *copete* ‖ **copo** *sm.* 'taça' 'vaso sem tampa, pelo qual se bebe, e para outros usos' XV ‖ **copo**FONE *sm.* 'série de copos graduados que, atritados, emitem sons musicais' | *còpòphone* 1899 ‖ **cop**UDA *sf.* 'planta da fam. das rosáceas' XX. Fem. substantivado de *copudo* ‖ **cop**UDO *adj.* 'copado' XX.
⇨ **copa** — **cop**ADO *adj.* 'com muitas ramagens' | *c* 1608 NOReb 112.*27* ‖ **cop**AR | 1836 SC |.
copaíba *sf.* 'planta da fam. das leguminosas, de que se extrai um óleo com propriedades medicinais' | 1587, *copahíba* 1576, *cupaigba c* 1584 etc. | Do tupi *kopa'īua* ‖ **capaib**AL XX ‖ **copaib**EIRA | -*hi-* 1873 ‖ **copaib**UÇU | *copaubuçu* 1587.

copal *adj. 2g.* 'diz-se de certas resinas duras e vítreas, que se empregam na preparação de vernizes e lacas' 1813. Do hisp.-americ. *copal*, do asteca *copalli*.
cop·ar, -eiro → COPA.
copel *sm.* 'rede de pesca' 1813. De origem obscura || **copio** *sm.* 'copel' 1813.
copela *sf.* 'vaso poroso que serve para separar a prata de outros metais' XVIII. Do lat. *cŭpella*, dim. de *cūpa* 'copa', através do it. *coppèla* ou, mais provavelmente, do fr. *coupelle*.
copépode *sm.* 'crustáceo, cujo tronco tem nove somitos livres, sendo os quatro últimos, nas espécies parasitas, desprovidos de apêndices reduzidos' | *-do* 1899 | Do lat. cient. *copepoda*, deriv. do gr. *kópē* 'remo' + *pous -podos* 'pé'.
copeque *sm.* 'moeda russa, de cobre, correspondente à centésima parte do rublo' | *a. copeica* 1788; *β. copeck* 1787, *kopeke* 1800, *kopek* 1818 etc. | Do fr. *kopeck*, deriv. do russ. *kopéĭka*. A var. *copeica* talvez provenha diretamente do russo.
copete → COPA.
cópia *sf.* 'orig. grande abundância' XVI; 'ext. traslado, reprodução' XIV. Do lat. *cōpĭa*; a segunda acepção talvez seja adapt. do fr. *copie*, deriv. do lat. med. *copiāre* || **copi**ADOR 1813. Do lat. med. *copiātor -ōris* || **copi**AR¹ *vb.* 'transcrever, reproduzir' XV. Do lat. med. *copiāre* || **copi**ATIVO XX || **copió**·GRAFO XX || **copi**OSO XVI. Do lat. *copiōsus* || **cop**ISTA XVI. Do fr. *copiste*.
copiar² *sm.* 'espécie de alpendre na parte dianteira das choupanas indígenas, varanda' | *c* 1698, *cupiar* 1623 etc. | Do tupi **kupi'ara*.
copio → COPEL.
copi·ógrafo, -oso → CÓPIA.
copla *sf.* 'pequena composição poética, geralmente em quadras, para ser cantada' XVI. Do lat. *cōpŭla* 'laço, união'. Cp. CÓPULA.
coplanar → PLANO.
cop·o, -ofone → COPA.
copra *sf.* 'amêndoa do coco seca' XVI. Do malaiala *koppara*, deriv. do hindustani *khopra*, sânscr. *kharpara*.
copro- *elem. comp.*, do gr. *kopro-*, de *kópros* 'esterco, excremento', que se documenta em alguns compostos formados no próprio grego (como *coprófago*) e em outros introduzidos, a partir do séc. XIX, na linguagem erudita ▶ **copro**CRÍTICO 1858 || **copró**FAGO | *-pha-* 1899 | Do fr. *coprophage*, deriv. do gr. *koprophágos* || **copró**FILO XX. Do lat. cient. *coprophilus* || **copro**LITO | *-tho* 1881 | Adapt. do fr. *coprolithes* || **copro**LOGIA XX. Do fr. *coprologie* || **copro**MA XX.
copta *adj. s2g.* 'relativo ou pertencente à raça egípcia que conservou os caracteres dos primeiros habitantes do Egito' | *Cophtos* pl. XVI | De um lat. med. **coptus*, do top. *Coptus -e*, 'Copto, cidade do Egito', deriv. do árabe egípcio *quft* (copto *gyptios* ≤ gr. *Aigy'ptios* 'egípcio') || **cópt**ICO 1873.
⇨ **copta** — *cópt*ICO | 1836 SC |.
copud·a, -o → COPA.
cópula *sf.* 'o ato sexual, coito' |*-lla* XV | Do lat. *cōpŭla* 'união, ligação' 'casamento' || **copul**AÇÃO 1899. Do fr. *copulation*, deriv. do lat. *cōpulātiō -ōnis* || **copul**ADOR XX. Do lat. *cōpulātor -ōris* || **co**pulAR 1844. Do fr. *copuler*, deriv. do lat. *copŭlāre* || **copul**ATIVO 1813. Adapt. do fr. *copulatif*, deriv. do lat. *copulātīvus*.
⇨ **cópula** — *copul*AR | 1836 SC |.
coque¹ *sm.* '(Quím.) resíduo sólido da destilação do carvão mineral' XX. Do ing. *coke*, de origem desconhecida.
coque² *sm.* 'pancada na cabeça' XVIII. De origem onomatopaica.
coque³ *sm.* 'penteado feminino, que consiste em enrodilhar os cabelos no alto da cabeça' XX. Do fr. *coque* || **cocó** *sm.* 'coque' XX.
coque⁴ *sm.* 'cozinheiro, mestre-cuca' XX. Do ing. *cook*.
coqueir·al, -o → COCO.
coqueluche *sf.* 'doença infecciosa aguda, peculiar à infância e que se manifesta por acessos de tosse violenta' 1858. Do fr. *coqueluche* || **coqueluch**OIDE XX.
coquete *adj. sf.* 'diz-se da, ou a mulher que cuida em demasia da aparência física, a fim de provocar a admiração dos outros' 1881. Do fr. *coquette* || **coquet**ISMO | *-ttis-* 1881.
coquetel *sm.* 'bebida preparada com a mistura de duas ou mais bebidas alcoólicas' 'reunião social onde se servem coquetéis' XX. Do ing. *cocktail* || **coquetel**EIRA XX.
cor¹ *sf.* 'sensação provocada pela ação da luz sobre o órgão da visão' 'tom, matiz' | XIII, *coor* XIII, *color* XIII etc. | Do lat. *colōrem* || **color**AÇÃO 1881. Do fr. *coloration* || **color**ADO XIII. Do lat. *colōrātus*, part. de *colōrāre* 1813. Do fr. *colorant* || **color**AR *vb.* 'colorir' XIV. Do lat. *colōrāre* || **color**AER *vb.* 'colorir' XVII || **color**IDO *adj. sm.* XX. Do it. *colorito* || **colorí**·FICO 1858. Do lat. tard. *colōrificus* || **colorí**·METRO 1873 | Do fr. *colorimètre* || **color**IR *vb.* 'dar cor(es) a' 1548 || **color**ISMO XX || **color**ISTA 1813. Do fr. *coloriste* || **color**IZAR *vb.* 'colorir' | *-sar* 1858 | Do lat. tard. *colōrizāre* || **cor**ADO | XVI, *coorado* XIII || **cor**ADOR XVI || **corad**·OURO | *-doi-* 1881 || **cor**ANTE *adj. 2g. sm.* XX || **cor**AR *vb.* 'dar cor a' XVI. Do lat. *colārāre* || DESCOLORAÇÃO 1858. Adapt. do fr. *décoloration*, deriv. do lat. *decolorātĭō -ōnis* || DESCOLORAR XIV. Do lat. *dēcolōrāre* || DESCOLORIR 1881 || DESCOLORADO | *-coor-* XIII | DESCORAR XVI || INCOLOR 1873. Do fr. *incolore*, deriv. do b. lat. *incolor*.
⇨ **cor**¹ — *color*IDO | 1836 SC || *color*IZAR | *-sar* 1836 SC |.
cor² *sm.* 'ant. coração' XIII. Do lat. *cor cordis* || **cor**(de-) *loc.* (aprender, saber etc., *de cor*) XIV. De *cor*², por ter sido o coração entendido não só como a sede dos sentimentos, mas também como a sede da inteligência, do saber || **decorar**² *vb.* 'reter na memória' 1813. Oriundo da aglutinação da loc. *de+cor* com o suf. verb. *-*AR¹ || **decor**AÇÃO² 1873 || **decor**ADOR² 1881.
cor- → CO.
**-cor- → -cor(o)-.
coração *sm.* 'o principal órgão do aparelho circulatório do homem e dos animais superiores' 'vontade, ânimo, coragem' | *-çon* XIII, *curaçon* XIII etc. | Do lat. *cor*, com uma terminação que talvez possa explicar por um suf. aumentativo de reforço (Cp. cast. *corazón*) || **acoroçoar** *vb.* 'alentar, ani-

mar' 1812 || ANTEcor *sm.* 'tumor no peito do cavalo' XVII || DEScoroçoADO | 1844, *descorçoado* 1899 || DEScoroçoAR | XVI, *descorçoar* XVII.
⇨ coração — DEScoroçoADO | 1836 SC |.
cor·ado, -ador, -adouro → COR¹.
coracoide *adj. 2g. sf.* '(Anat.) diz-se da, ou apófise que termina exteriormente a borda superior da omoplata' | *-coidea* 1858 | Do lat. cient. *coracoīdēus*, deriv. do gr. *korakoeidés* 'semelhante ao bico do corvo' (de *kórax -akos* 'corvo').
⇨ coracoide | 1836 SC |.
coragem *sf.* 'bravura, ousadia, intrepidez' XIV. Do fr. *courage* || corajOSO XVI. Adapt. do fr. *courageux* || DES·ENcorajAMENTO XX || DES·ENcorajAR XX || ENcorajAR 1858. Adapt. do fr. *encourager.* Cp. CORAÇÃO.
coral¹ *sm.* 'animal celenterado, antozoário, provido de endoesqueleto calcário, e que é responsável pela formação de recifes e atóis' XIII. Do lat. tard. *corallum* (cláss. *corallium*), deriv. do gr. *korállion* || coralEIRA | *-llei-* 1844 || coralEIRO | *-llei-* 1844 || coralINA *sf.* 'incrustação calcária de uma espécie de alga' XV. Fem. substantivado de *coralino* || coralINO *adj.* 'da cor do coral' | *-lli-* 1813 | Do lat. tard. *corallinus.*
⇨ coral — coralEIRA | *-llei-* 1836 SC |.
coral² *adj. 2g.* '(Med.) diz-se de certo tipo de gota, ou epilepsia' XVII. Do lat. *cor* 'coração' + -AL, porque se imaginava que a 'gota coral' era um mal do coração. Cp. CORAÇÃO.
coral³ → CORO.
coral·eira, -eiro, -ina, -ino → CORAL¹.
cor·ante, -ar → COR¹.
corbelha *sf.* 'cesto delicado que se enche de doces, frutas, flores etc.' 1813. Do fr. *corbeille*, deriv. do lat. *cŏrbĭcŭla*, dim. de *corbis -is* 'cesto de vime'.
corcel *sm.* 'cavalo de campanha' 'cavalo muito corredor' XVIII. Do a. fr. *corsier* (hoje *coursier*), de *cors, cours*, deriv. do lat. *cursus -us* 'corrida', de *cŭrrĕre* 'correr'. Cp. CORRER.
corch·a, -o → CÓRTEX.
corço *sm.* 'mamífero ruminante, da fam. dos cervídeos, leve, de pequeno porte e chifres curtos' XIII, *corça* f. XIII | Deriv. de um verbo **corzar* 'deixar sem cauda' e, este, do lat. vulg. **curtiare*, de *curtus* 'truncado'.
corc·ova, -ovado, -ovear, -cunda → CURVO.
corda *sf.* 'cabo de fios vegetais unidos e torcidos uns sobre os outros' 'fio que vibra em alguns instrumentos' XIII. Do lat. *chŏrda*, deriv. do gr. *chordḗ* 'tripa, corda musical feita com tripas' || cordADO *sm.* 'animal que, durante pelo menos um estágio da vida, apresenta notocórdio' | *-da* f. 1899 | Do lat. cient. *chordāta* || cordAME 1844 || cordÃO *sm.* 'corda delgada' 'colar' | *-don* XIII | Do fr. *cordon* || cordel *sm.* 'corda muito delgada' | *-dell* XV | Do cat. *cordel*, deriv. do lat. med. *cordella*, dim. do lat. tard. *chordula* || cordITE¹ *sf.* '(Quím.) pólvora à base de nitrocelulose' XX || cordITE² *sf.* 'inflação nas cordas vocais' XX || cordO·ALHA XV || DES·ENcordO·AR XVII || ENcordO·AMENTO 1881 || ENcordO·AR XIV.
⇨ corda — cordAME || 1836 SC |.
cord·ato, -o → CONCORDAR.
cordeiro *sm.* 'filhote ainda novo de ovelha' XIII. Do lat. vulg. **cordarius* (de *cordus* 'tardio [em nascer]').
cordel → CORDA.
cordíaca *sf.* 'doença no coração dos cavalos' XVI. Do lat. med. *cordiacus*, refeito sob o lat. *cor cordis* 'coração'. Cp. CORAÇÃO.
cordial *adj. 2g.* 'orig. relativo ao coração' '*ext.* afetuoso, afável' XV. Do lat. med. *cordiālis*, de *cŏr cordis* 'coração' || cordiAL·IDADE 1844. Do lat. med. *cordiālitās -ātis.* Cp. CORAÇÃO.
⇨ cordial — cordiaL·IDADE | 1836 SC |.
cordierita *sf.* 'mineral ortorrômbico, constituído de alumínio e magnésio' | *-ite* XIX | Do fr. *cordierite*; o nome foi dado por Lucas (em 1813), em homenagem ao geólogo francês P.L.A. Cordier (1777-1861).
cordiforme *adj. 2g.* 'em forma de coração' 1813. Do ing. *cordiform*, deriv. do lat. cient. *cordifōrmis*, de *cŏr cordis* 'coração'. Cp. CORAÇÃO.
cordilha *sf.* 'o atum ao sair do ovo' 1813. Do fr. *cordille*, deriv. do lat. *cordylla* e, este, do gr. *kordýle.*
cordilheira *sf.* 'cadeia de montanhas' XVI. Do cast. *cordillera.*
-córdio *suf. nom.*, deriv. do lat. *-chordium*, de *chŏrda* 'corda' 'corda de instrumento de música', que se documenta em alguns vocs. eruditos: *anemocórdio, clavicórdio* etc.
cord·ite, -oalha → CORDA.
cordovão *sm.* 'couro de cabra curtido e preparado especialmente para calçado' | *-van* XIII | Do cast. *cordobán*, forma moçárabe de *cordobano*, deriv. do top. *Córdoba* 'Córdova', pelo grande desenvolvimento que alcançou na Córdova muçulmana o curtimento de peles.
cordoveias → VEIA.
cordura → CONCORDAR.
corego *sm.* '(Mús.) na Grécia antiga, cidadão que dirigia, à sua custa, a organização dos coros para as festas públicas' '(Teat.) no antigo teatro grego, cidadão que superintendia a escolha e os ensaios do coro de determinada tragédia' | *cho-* 1858 | Do lat. *chorāgus*, deriv. do grego dórico *chorāgós* || coregIA *sf.* 'cargo ou funções de corego' | *cho-* 1873 | Do fr. *chorégie*, deriv. do gr. *chorēgía* || corégICO | *cho-* 1873 | Do gr. *chorēgikós.*
coreia *sf.* 'dança (acompanhada de, cantos, na Grécia antiga)' XVI. Do lat. *chorēa*, deriv. do gr. *choréia* 'dança' || coreoGRAFIA *sf.* 'arte de compor bailados' | *choregraphia* 1844 | Do fr. *chorégraphie* || coreóGRAFO | *chorégrapho* 1844.
⇨ coreia — coreoGRAFIA | *choregraphia* 1836 SC | coreóGRAFO | *chorégrapho* 1836 SC |.
cor·eto, -eu → CORO.
coriáceo *adj.* 'semelhante ao couro' 1844. Do lat. tard. *coriāceus.* V. COURO.
⇨ coriáceo | 1836 SC |.
coriambo *sm.* 'pé de verso grego ou latino, constituído de um coreu e de um iambo' 1844. Do lat. tard. *choriambus*, deriv. do gr. *choríambos.*
⇨ coriambo | 1836 SC |.
coriandro → COENTRO.
coriária → COURO.
coribante *adj. sm.* 'diz-se de, ou sacerdote frígio de Cibele, que dançava nas festas dessa deusa, sol-

tando gritos estridentes' | XIX, *cory-* 1844 | Do fr. *corybante*, deriv. do lat. *corybantēs* pl. (*Corybās -āntis*) e, este, do gr. *Kory'bās -antos* || **coribân**-TICO | *cory-* 1874 | Do lat. **corybantĭcus*, deriv. do gr. *korybantikós*.
⇨ **coribante** | *corybante* 1836 SC |.
córico[1] *sm.* 'balão de couro com que os atletas da Grécia antiga se exercitavam' 1873. Do lat. *cōrȳcus -i*, deriv. do gr. *kōrykos*.
córico[2] *adj.* 'dizia-se dos versos que eram cantados pelo coro nas peças teatrais' 1873. Do lat. trad. *choricus*, deriv. do gr. *chorikós*. Cp. CORO.
corículo → COURO.
corifeu *sm.* 'orig. mestre de coro, na antiga tragédia' '*ext.* chefe, diretor, caudilho' XV. Do lat. *coryphaeus -ī*, deriv. do gr. *koryphâios*.
corimbo *sm.* '(Bot.) tipo muito comum de inflorescência em que as flores partem de alturas diferentes e alcançam o mesmo nível, na porção superior' | *-rym-* XVIII | Do lat. *corymbus -ī*, deriv. do gr. *kórymbos* 'cimo, cume' || **corimbí·**FERO | *-rym-* 1844 | Do lat. *corymbĭfer*, deriv. do gr. *korymbophóros*.
corimbó *sm.* 'planta da fam. das convolvuláceas' 1833. Do tupi **kori'mo*.
coríndon *sm.* 'mineral trigonal, constituído de sesquióxido de alumínio, pedra preciosa' 1899. Do fr. *corindon*, deriv. do tamul *kurundam* 'rubi' e, este, do sânscr. *kuruvinda*.
coríntio *adj. sm.* 'relativo a ou natural de Corinto' 'nome de uma das três ordens arquitetônicas na Grécia antiga (dórica, jônica e coríntia)' | *corynthio* 1548, *corynthio* 1548 | Do lat. *Corinthĭus*, deriv. do gr. *korínthios* 'de Corinto'.
⇨ **coríntio** — **corínt**ICO | *corinthico* 1538 DCast 54.2 |.
córion *sm.* 'membrana que envolve o feto' | *chorio* 1844, *chorion* 1844 | Cp. gr. *chórion*.
⇨ **córion** | *cho-* 1836 SC |.
coriscar *vb.* 'brilhar como corisco' 'faiscar, relampejar' XVI. Do lat. *coruscāre* || **corisco** XIII. Der. regress. de *coriscar*. Cp. CORUSCAR.
corista → CORO.
coriza *sf.* 'inflamação catarral da mucosa das fossas nasais, com derrame mucoso ou mucopurulento pelas narinas' | *-ry-* 1873 | Do lat. *coryza*; deriv. do gr. *kóryza*.
⇨ **coriza** | *-ryza* 1836 SC |.
corja *sf.* 'multidão de pessoas desprezíveis' XVI. Do malaiala *kórchchu* 'enfiada, ramada'.
cornaca *sm.* 'orig. na Índia, guia e tratador de elefantes' XVI. Do cingalês *kūruneka* (*kūrunāyak* < *kūruva-nāyaka* 'chefe da manada de elefantes, tratador de elefantes').
corn·aço, -ada → CORN(I)-.
cornalina *sf.* 'variedade vermelha de calcedônia' 1813. Do fr. *cornaline*.
cornamusa *sf.* 'gaita de foles' XVII. Do fr. *cornemuse*.
corne *sm.* 'trompa (instrumento musical)' 1881. Do ing. *horn* 'chifre', com infl. de *corno*. Cp. CORN(I)-.
córn·ea, -ear → CORN(I)-.
corneíba *sf.* 'aroeira (*Schinus terebinthifolius* Raddi.)' 1587. De provável origem tupi, mas de étimo indeterminado.

córneo → CORN(I)-.
córner *sm.* 'escanteio' XX. Do ing. *corner*, deriv. do lat. **cornarium*, de *cornum*. O voc. é usado na linguagem do futebol. Cp. CORN(I)-.
corneta *sf.* 'instrumento musical de sopro' XVI. Do it. *cornétta* || **cornet**EIRO 1873 || **cornet**IM *sm.* 'pequena corneta' 1873. Do cast. *cornetín*. Cp. CORN(I)-.
corn(i)- *elem. comp.*, do lat. *cŭrnu -ūs* 'corno, chifre, ponta, extremidade', que se documenta em alguns compostos formados no próprio latim (como *cornígero*) e em muitos outros formados nas línguas modernas ♦ **corn**AÇO XX || **corn**ADA XVII || **córn**EA *sf.* '(Anat.) a parte anterior, transparente, de curvatura acentuada, da esclerótica' 1813. Fem. substantivado de *córneo* || **corn**EAR *vb.* 'orig. dar cornadas' '*ext.* ser infiel (à pessoa a quem se está ligado por laços de amor carnal)' 1844 || **córneo** *adj.* 'feito de ou próprio de corno' XVII. Do lat. *cornĕus* || **corn**ETO *sm.* '(Anat.) cada uma das pequenas lâminas ósseas dobradas sobre si mesmas localizadas no interior das fossas nasais' 1858. Do it. *cornétto* || **corni**CABRA *sf.* 'charneca' XVII || **córn**ICO *sm.* 'grupo de línguas indo-europeias faladas pelos celtas' 1899. Adapt. do ing. *cornish*, através do fr. *cornique*, do radical do top. *Cornouailles* 'Cornualha' || **corni**CURTO 1899 || **corní**FERO 1813. Do lat. *cornĭfĕrum* || **corni**FORME 1844 || **corní**GERO 1572. Do lat. *cornĭgĕrum* || **cornimboque** *sm.* 'ponta de chifre de boi, usada como caixa de tabaco' 1899 || **corní**PEDE XVII. Do lat. *conĭpēs -pĕdis* || **corno** *sm.* 'orig. apêndice duro e recurvo que guarnece a fronte de alguns animais' '*ext.* homem traído pela mulher' XIII || **cornubi·**AN·ITO *sm.* 'rocha finamente granulada, que se forma por metamorfismo de contato' XX. Do ing. *cornubianite*, deriv. de *cornubian* e, este, do lat. *Cornubia* 'Cornualha' || **cornu**CÓPIA 1548. Do lat. tard. *cornucōpia* (cláss. *cornu cōpiae*) || **corn**UDA *sf.* 'peixe-teleósteo' XX. Fem. substantivado de *cornudo* || **corn**UDO | XIII, *-uto* XVI | Do lat. *cornūtus* || **cornúpeto** *adj.* 'que ataca com o corno' 1899. Adapt. do subst. lat. *cornŭpĕta*.
⇨ **corn(i)-** — **corne**AR | 1836 SC || **corni**FORME | 1836 SC |.
cornija *sf.* '(Arquit.) ornato que assenta sobre o friso de uma obra' XVI. Do it. *cornìgio* (ao lado de *cornisio* e *cornice*), deriv. do lat. *cornīx -īcis* 'gralha', calcado no gr. *korōnē*.
corn·imboque, -ípede → CORN(I)-.
corniso *sm.* 'planta araliácea, espécie de abrunheiro' 1844. Do cast. *cornizo*.
corno, corn·ubianito, -ucópia, -uda, -udo, -úpeto → CORN(I)-.
coro *sm.* 'conjunto vocal que se expressa pelo canto ou pela declamação' XIII. Do lat. *chŏrus*, deriv. do gr. *chorós* || **cor**AL[3] *adj. 2g. sm.* 'diz-se de, ou canto em coro' 1813. Do lat. med. *chorālis* || **cor**ETO *sm.* 'espécie de quiosque construído ao ar livre, para concertos musicais' 1813. Do it. *coretto* || **coreu** *sm.* 'pé de verso grego ou latino, formado de uma sílaba longa seguida de outra breve' | 1858, *-recho* 1858 | Do lat. *chorēus -ī*, deriv. do gr. *chorêios* || **cor**ISTA *s2g.* 'membro de coros teatrais, de igreja etc.' 1570; *sf.* 'vedete' XX. Do lat. med. *chorista*;

na segunda acepção, o voc. deriva imediatamente do fr. *choriste*.
cor(o)- *elem. comp.*, do gr. *-koro*, de *kóros* 'menino' e/ou *kórē* 'menina dos olhos, pupila', que se documenta em alguns compostos eruditos: *anisocoria, hipocorismo* etc.
coroa *sf.* 'ornato circular com que se cinge a cabeça' 'o símbolo do poder ou da dignidade real' XIII. Do lat. *cŏrōnam*, deriv. do gr. *korónē* ‖ coroAÇÃO | -*çam* XV | Do lat. *corōnātĭo -ōnis* ‖ coroADOR XV ‖ coroAMENTO XIV | Do lat. tard. *coronāmentum* ‖ **coroar** XIII. Do lat. *corōnāre* ‖ **corola** *sf.* '(Bot.) verticilo interno do perianto da flor' XVIII. Do lat. *corolla* 'pequena coroa, grinalda' ‖ coroL·ÍFERO | -*lli-* 1858 ‖ coroLI·FORME | -*lli-* 1858 ‖ **corolítico** *adj.* '(Arquit.) diz-se da coluna que tem ornatos de folhas e flores em espiral' | -*llitica* f. 1844 | Do lat. *carollitĭcus* ‖ **corona** *sf.* '(Bot.) conjunto de apêndices ligulares que se encontram nas corolas de muitas plantas' 1844. Do lat. *cŏrōnam*, deriv. do gr. *korónē* ‖ coronAL *adj. 2g.* 'orig. 'relativo à coroa' 'ext. relativo à coronária' 1844. Do lat. tard. *coronālis* ‖ **coronária** *sf.* 'artéria que irriga o coração' 1844. Do lat. cient. *corōnaria*, de *corōnārĭus* ‖ coronÁRIO *adj.* 'orig. coronal, em sua primeira acepção' 'ext. diz-se de vários órgãos que apresentam disposição flexuosa ou circular' 1844. Do lat. *corōnārĭus* ‖ **coronel**² *sm.* 'frade encarregado dos instrumentos de fazer a coroa e a barba' 1844; '(Her.) coroa aberta, que remata superiormente um escudo' 1597. Do cast. *coronel* ‖ coronI·FORME 1844 ‖ coronOIDE | -*da* f. 1858 | Do fr. *coronoïde*.
⇨ **coroa** — **corolítico** | -*llitica* f. 1836 SC ‖ **corona** | 1836 SC ‖ coronAL | 1836 SC ‖ coronÁRIA | 1836 SC ‖ coronÁRIO | 1836 SC ‖ coronel² 'frade encarregado dos instrumentos de fazer a coroa e a barba' | 1836 SC ‖ coronI·FORME | 1836 SC |.
coroca *adj. s2g.* 'decrépito, caduco' 1875. Do tupi *ku'ruka* 'resmungão'.
corocuturu *sm.* 'ave da fam. dos falconídeos' 1817. De provável origem tupi, mas de étimo indeterminado.
corografia *sf.* 'estudo ou descrição geográfica de um país, região, província ou município' | *chorographia* XVI | Do lat. *chōrographĭa*, deriv. do gr. *chōrographía -as* ‖ coroGRÁF·ICO | *chorographico* XVIII ‖ coróGRAFO | *chorógrapho* 1844 | Do fr. *chorographe*, deriv. do gr. *chorográphos*.
⇨ **corografia** — coróGRAFO | -*pho* 1836 SC |.
coroide *sf.* 'membrana conjuntiva do olho' | *cho-* 1844 | Do fr. *choroïde*, deriv. do gr. *choroeidḗs*.
⇨ **coroide** | *cho-* 1836 SC |.
corola → COROA.
corolário *sm.* 'dedução, consequência, resultado, consectário' | -*lla-* XVI | Do lat. *corollārĭum -ĭī.*
corol·ífero, -iforme, -ítico, coron·a, -ai, -ária, -ário → COROA.
coronel¹ *sm.* 'posto da hierarquia militar' 1813. Do fr. *colonel*, deriv. do it. *colonèllo* 'comandante de uma coluna'.
⇨ **coronel**¹ | *a* 1595 *Jorn.* 59.*20* ‖ **coronel**IA 'tropa comandada por um coronel' | *a* 1595 *Jorn.* 85.*14*, 1660 FMMeIE 181.7 |.
coronel² → COROA.
coronha *sf.* 'a parte das armas de fogo, onde se encaixa o cano' 1813. Provavelmente do a. cast. *curueña* (hoje *cureña*), de origem controvertida ‖ coronhADA 1881.
corônide *sf.* 'coroa, remate, complemento' XVII. Do lat. *corōnis -ĭdis*, deriv. do gr. *korōnís -idos*.
coron·iforme, -oide → COROA.
corozo *sm.* 'marfim-vegetal' XX. Do cast. *corozo*, deriv. de um idioma indígena da América do Sul.
corpo *sm.* 'a substância física, ou a estrutura de cada homem ou animal' XIII. Do lat. *cŏrpus -ŏris* ‖ **corpanzil** *sm.* 'grande corpo' | -*pazil* 1844 ‖ corPETE *sm.* 'colete' 1873. Do it. *corpétto* ‖ **corporação** *sf.* 'associação de pessoas do mesmo credo ou profissão, sujeitas às mesmas regras, e com os mesmos deveres e direitos' 1844. Do fr. *corporation*, deriv. do ing. *corporation* e, este, do lat. *corporātĭō -ōnis* ‖ **corporAL** XIV. Do lat. *corporālis -e* ‖ corporAL·IDADE 1858. Do lat. *corporālĭtās -ātis* ‖ corporATIVO XX. Adapt. do fr. *corporatif*, deriv. do lat. *corporātīvus* ‖ corporAT·URA XVI. Do lat. *corporātūra* ‖ **corpóreo** XVII. Do lat. *corporĕus* ‖ corporIFIC·AÇÃO XX ‖ corporIFIC·AR 1844 ‖ corpuDO XV ‖ **corpulência** XVII. Do lat. *corpulentĭa* ‖ corpulENTO XVIII. Do lat. *corpulentus* ‖ **corpuscuLAR** 1833 ‖ **corpúsculo** XIX. Do lat. *corpuscŭlum -ī* ‖ DES·ENcorpAR XX ‖ ENcorpADO 1813 ‖ ENcorpAR 1813 ‖ INcorporAÇÃO XVI. Do lat. *incorporātĭō -ōnis* ‖ INcorporADOR XX ‖ INcorporAR XX | Do fr. *incorporel*, deriv. do lat. *in-corporālis -e* ‖ INcorporAL·IDADE XX. Adapt. do fr. *incorporalité*, deriv. do lat. *incorporālĭtās -ātis* ‖ INcorporAMENTO | *en-* XV ‖ INcorporANTE XX ‖ INcorporAR | XVII, *en-* XV | Do lat. tard. e ecles. *incorporāre* ‖ INcorpóREO 1813. Do lat. *incorporĕus*.
⇨ **corpo** — **corpanzil** | -*pazil* 1836 SC ‖ **corporação** | 1836 SC ‖ corporIFIC·AR | 1836 SC |.
correame → CORREIA.
correção *sf.* 'ato ou efeito de corrigir(-se)' | *correcçom* XIV, -*eyçom* XIV, -*çom* XV etc. | Do lat. *corrēctĭō -ōnis* ‖ correcionAL | -*rrecci-* 1844 | Adapt. do fr. *correctionnel*, deriv. do lat. med. *correctiōnālis* ‖ correGEDOR *sm.* 'magistrado, juiz' XIV ‖ **correição** *sf.* 'visita do corregedor à comarca' 1813. Forma divergente popular de *correção*, do lat. *corrēctĭō -ōnis* ‖ corretIVO | -*rrec-* XVII ‖ **correto** | -*rrec-* 1813 | Do fr. *correct*, deriv. do lat. *corrēctus*, part. de *corrĭgĕre* ‖ corretOR¹ XIV. Do lat. *corrēctor -ōris* ‖ corretÓRIO XVI ‖ **corrigenda** *sf.* 'admoestação' '(Tip.) errata' XX. Fem. substantivado do lat. med. *corrigendus*, de *corrĭgĕre* ‖ **corrigIBIL·IDADE** 1881 ‖ **corrigir** *vb.* 'dar forma correta a' | -*rreger* XIII | Do lat. *corrĭgĕre* ‖ **escorreito** *adj.* 'que não tem defeito ou lesão' XIII. Do lat. **excorrectus*, part. do lat. tard. *excorrĭgĕre* ‖ INcorreção | -*rrec-* 1813 ‖ INcorreto | -*rrec-* 1813 | Do fr. *incorrect*, deriv. do lat. *incorrēctus* ‖ INcorrigÍVEL | -*giuel* XVII | Adapt. do fr. *incorrigible*, deriv. do lat. *in-corrigĭbĭlis -e* ‖ INcorrigIBIL·IDADE XX.
⇨ **correção** — correcionAL | -*rrecci-* 1836 SC |.
corred·eira, -iço, -or, -ura → CORRER.
correeiro → CORREIA.
corregedor → CORREÇÃO.
córrego → CORRER.
correia *sf.* 'tira, geralmente de couro, para prender ou cingir' | *correa* 1813 | Do lat. *corrĭgĭa* ‖ **corre-**

AME 1844 || **corre**EIRO | *carreiro* XIII, *corriero* XV || **corri**OLA *sf.* 'tipo de jogo' '*fig.* engano, burla' 1813; '*gír.* bando, grupo' XX.
correição → CORREÇÃO.
correio *sm.* '*orig.* mensageiro' 'repartição pública que recebe e expede correspondência' XVI. Do prov. *corrieu*, possível alteração do a. fr. *corlieu*, composto de *corir* 'correr' e *lieu* 'lugar'.
correl·ação, -acionar, -ativo, -ato → RELAÇÃO.
correligionário → RELIGIÃO.
corrente[1] *sf.* 'cadeia de metal grilhão' XVI. Do lat. *currēns -ēntis*, part. de *cŭrrĕre* 'correr' || ACorrenTAR 1844 || DES·AcorrenTAR 1899. Cp. CORRER.
correr *vb.* 'mover-se, deslocar-se com rapidez' XIII. Do lat. *cŭrrĕre* || **corr**ED·EIRA *sf.* 'trecho de rio onde as águas correm céleres' 1844 || **corr**ED·IÇO | -ça f. XVI || **corr**EDOR[1] *adj. sm.* 'diz-se de, ou aquele que corre, ou corre muito' XIII || **corr**EDOR[2] *sm.* 'passagem, em geral estreita e longa, no interior de uma edificação, para comunicar dois ou mais compartimentos' 1813. Do a. it. *corridóre* (hoje *corridóio*) || **corr**EDURA XIII || **córrego** *sm.* 'riacho' XVI. Do lat. **corrugus* || **corr**ENTE[2] *adj.* 2g. 'que corre' XIV. Do lat. *currēns -ēntis*, part. de *cŭrrĕre* || **corr**ENT·EZA XVII || **correntio** *adj.* 'corrediço' 'habitual' XVIII || **corr**ERIA XVII || **corr**ICO *sm.* 'modalidade de pescaria de anzol' XX || **corr**IDA *sf.* 'ato ou efeito de correr' XVI || **corr**IM·AÇA *sf.* 'perseguição com vaias' XVI || **corr**IMÃO 1813 || **corr**IMENTO *sm.* '*ant.* correria' | XIV, *corremento* XIV |; 'secreção patológica que se escoa de um órgão' XVI || **corriqu**EIRO *adj.* 'corrente, vulgar' XVI || **corr**UME *sm.* 'entalhe que se faz em uma peça para que nela corra outra embebida, encaixada' XVII || **corrupiANA** *sf.* '(Met.) fenômeno observado em certas regiões montanhosas do Estado de Minas Gerais, que se caracteriza pela queda de neblina, no inverno ou no verão, acompanhada de vento sueste' XX || **corrupio** *sm.* 'brincadeira infantil que consiste em rodopiar velozmente' 1813 || ENTRE**correr** 1873. Do lat. *inter-cŭrrĕre* || ESC**orr**ALHO 1813 || ESC**orr**ED·EIRA XX || ESC**orr**ÊNCIA XX || ES**correr** XVI. Do lat. *ex-cŭrrĕre* || ESC**orro**PICH·AR *vb.* 'beber até a última gota, esgotar' 1813 || IN**correr** *vb.* 'ficar incluído, implicado ou comprometido' | *en-* XIV | Do lat. *incŭrrĕre* || IN**curs**ÃO *sf.* 'corrreria' XVII. Do lat. *incursĭō -ōnis* || IN**curso** *adj.* 'que incorreu' XVII || IR·REC**orr**ÍVEL XX || REC**orr**ENTE 1813 || RE**correr** XV. Do lat. *re-cŭrrĕre*.
⇨ **correr** — **corr**ED·EIRA | 1836 SC || **corredio** *adj.* 'corredigo, liso' | XIV TROY II.260.*13*, 1614 SGonç II.420.*33*, *corridio* Id. II.419.*2* || **corr**ENT·EZA | *correnteza c* 1539 JCasD 138.*27* || ES**correr** | XIV ORTO 69.*17*||ESC**orro**PICH·AR|*escurrupichar*1614SGonç I.312.*19* | REC**orr**ER XIV ORTO 69.*28* |.
cor·respond·ência, -ente, -er → RESPONDER.
corretagem → CORRETOR[2].
corret·ivo, -o, -or[1] → CORREÇÃO.
corretor[2] *sm.* 'agente comercial que serve de intermediário entre vendedor e comprador' XIV. Do prov. *corratier* 'corredor' 'intermediário', deriv. de *corre* 'correr' || **corret**AGEM | XV, *-tage* XV | Do prov. *corratatge*.
corretório → CORREÇÃO.
corr·ico, -ida → CORRER.

corrig·enda, -ibilidade, -ir → CORREÇÃO.
corrilho *sm.* 'reunião facciosa, conciliábulo' XVI. Do cast. *corrillo*.
corr·im·aça, -ão, -ento → CORRER.
corriola → CORREIA.
corriqueiro → CORRER.
corroborar *vb.* 'fortificar, fortalecer' 'confirmar, comprovar' XVI. Do lat. *co-rōbŏrāre* || **corrobor**A-ÇÃO | *-çom* XV | Do lat. *corrŏbŏrātĭō -ōnis* || **corroborANTE** 1813 || **corroborATIVO** 1873.
corroer → ROER.
corromper *vb.* 'estragar, decompor' 'perverter, depravar' | *conrūper* XIII, *coronper* XIII, *corōper* XIV, *conrromper* XIV etc. | Do lat. *corrŭmpĕre* || **corrompENTE** XV || **corrompIDO** | *conrŭpudo* XIII, *corrumpudo* XIV, *corrŭpido* XV etc. || **corrompIMENTO** | *corrumpimento* XIV, *corrumpimento* XV etc. ||
corru(p)ção | *-upçon* XIV | Do lat. *corruptĭō -ōnis* ||
corru(p)tela *sf.* 'corrupção' 1813. Do lat. *corruptela* || **corru(p)tIBIL·IDADE** XVI. Do lat. *corruptibĭlĭtās -ātis* || **corru(p)tÍVEL** | *-ptiuil* XIV, *-ptiuel* XV etc. | Do lat. *corruptibĭlis -e* || **corru(p)tivo** 1844. Do lat. *corruptīvus* || **corru(p)to** XIV. Do lat. *corruptus*, part. de *corrŭmpĕre* || **corru(p)tor** 1572. Do lat. *corruptor -ōris* || IN**corru(p)ção** XVII. Do lat. *incorruptĭō -ōnis* || IN**corru(p)tIBIL·IDADE** 1813. Do lat. *incorruptibĭlĭtās -ātis* || IN**corru(p)tÍVEL** XVI. Do lat. *in-corruptibĭlis -e* || IN**corru(p)tIVO** 1881. Do lat. *incorruptīvus* || IN**corru(p)to** XVI. Do lat. *incorruptus*.
⇨ **corromper** — **corru(p)tivo** | 1836 SC |.
corros·ão, -ibilidade, -ível, -ivo → ROER.
corrugar *vb.* 'enrugar' 1858. Do lat. *co-rūgāre* || **corrugADO** | *-da* 1899 || EN**corrugIR** *vb.* 'corrogar' XX.
corrume → CORRER.
corrupção → CORROMPER.
corrupiana → CORRER.
corrupião *sm.* 'ave passeriforme da fam. dos icterídeos' 1899. De provável origem onomatopaica.
corrupio → CORRER.
corrup·tela, -tibilidade, -tível, -tivo, -to, ator → CORROMPER.
corsário → CORSO[1].
corselete *sm.* '*orig.* antiga armadura, leve, para o peito' '*ext.* corpete' | 1512, *-sa-* 1554, *coçolete* 1593 etc. | Do fr. *corselet*, de *cors* (hoje *corps*), deriv. do lat. *cŏrpus -ŏris*. Cp. CORPO.
corso[1] *sm.* '(Mar.) *orig.* caça a navios mercantes do inimigo, efetuada por navio particular com a devida autorização de um governo beligerante' 'pirataria' | *cosso* XV |; '*ext.* desfile de carros, de carruagens' 1813. Do it. *córso*, deriv. do lat. *cursus -us*, de *cŭrrĕre* || **corsÁRIO** *sm.* 'navio que faz o corso' 'pirata' | *cossario* XIII, *cosario* XIII, *cossairo* XIV | Do it. *corsaro*, deriv. do lat. med. *cursārius*. Cp. CORRER.
corso[2] *adj. sm.* 'relativo a ou natural da Córsega' 1844. Do lat. *Corsus*, do topo *Corsĭca* 'Córsega' || **córsICO** *adj. sm.* 'corso' 1873. Do lat. *Corsĭcus*.
⇨ **corso**[2] | 1836 SC | **córsICO** | 1836 SC |.
cortar *vb.* 'fazer incisão em' 'separar, dividir' XIII. Do lat. *cŭrtāre* || **cortADOR** XIV || **cortAMENTO** XV || **corte**[1] *sm.* 'ação de cortar' XVI || **cortILHA** *sf.* 'carretilha' 1881. Dev. de *cortilhar* || **cortILH·ADO** XX ||

cortILH·ADORXX‖cortILH·ANTEXX‖cortILH·ARvb. 'cortar em pedacinhos' XVII ‖ ENTREcortar 1844 ‖ REcortar 1813 ‖ REcorte 1844. Dev. de *recortar*.
⇨ cortar — ENTREcortar | 1836 SC ‖ REcorte | 1836 SC |.
corte² *sf.* '*orig.* palácio real' 'o governo de um país monárquico' '*ext.* os que habitualmente cercam o soberano' XIII. Do lat. vulg. *cōrs cortis* (cláss. *cohors*) ‖ coorte *sf.* '*orig.* parte de uma legião, entre os antigos romanos' '*ext.* tropa, multidão' | XIX *cohorte* XVII | Do lat. *cohors -tis* ‖ cortEJAR *vb.* 'fazer ou dirigir cortesia a' XVII. Do it. *corteggiare* ‖ cortEJO *sm.* 'ato ou efeito de cortejar' XVIII. Do it. *corteggio* ‖ cortês *adj. 2g.* 'delicado' XIII ‖ cortesã *sf.* '*orig.* favorita do rei' '*ext.* meretriz' | -zã 1844 | Do it. *cortigiana*'. No port. med. ocorre a forma *cortesa*, no séc. XIII ‖ cortesão *adj. sm.* 'áulico, palaciano' | -sãao XV, -sam XVI | Do it. *cortigiano* ‖ cortesIA *sf.* 'delicadeza' XIII ‖ DEScortesIA XV.
⇨ corte² — cortesã | *cortezãa, cortezan* 1836 SC |.
córtex *sm.* '(Biol.) camada externa de todos os órgãos animais ou vegetais, de estrutura mais ou menos concêntrica' 1899. Do lat. *cŏrtex -ĭcis* 'casca, invólucro, cortiça' ‖ corcha *sf.* 'casca de árvore, cortiça' XVI. Do cast. *corcha*, de *corcho* ‖ corcho *sm.* 'vaso de cortiça' 1881. Do cast. *corcho*, deriv. do dialeto moçárabe e, este, do lat. *cŏrtex -ĭcis* ‖ cortiça *sf.* 'casca de sobreiro e de outras árvores' XIII. Do lat. *corticěa*, do adj. *corticěus* ‖ corticAL *adj. 2g.* 'relativo ao córtex ou ao córtice' 1844. Do fr. *cortical* ‖ córtice *sm.* 'córtex' XX. Do lat. *cŏrtex -ĭcis* ‖ corticEIRA 1881 ‖ corticEO *adj.* 'feito de cortiça' XVIII. Do lat. *corticěus* ‖ corticí·COLA 1899 ‖ corticí·FERO 1899 ‖ cortici·FORME 1899 ‖ cortiço *sm.* '*orig.* caixa cilíndrica, de cortiça, na qual as abelhas fabricam o mel e a cera' XIV; '*ext.* casa de cômodos' XVI ‖ corlicOSO 1844 ‖ cortisONA *sf.* '(Quím.) hormônio produzido pelas suprarrenais, utilizado em medicina' XX. Do ing. *cortisone*, voc. introduzido na linguagem científica internacional, em 1949, pelo Dr. E. C. Kendall.
⇨ córtex — corticAL | 1836 SC |.
cortilh·a, -ado, -ador, -ante, -ar → CORTAR.
cortina *sf.* 'peça, geralmente de pano, que, suspensa, resguarda, enfeita ou envolve algo' | XIII, -nha XVI | Do lat. tard. *cortīna*, deriv. do lat. vulg. *cors -tis* (cláss. *cohors* 'recinto') ‖ AcortinAR 1881 ‖ cortinADO *sm.* 'cortina' 1844 ‖ DEScortinAR XVII ‖ DEScortino XVI. Dev. de *descortinar* ‖ ENcortinADO | XIV, -*tynna*- XIII | Cp. CORTE².
⇨ cortina — cortinADO | 1836 SC |.
cortisona → CÓRTEX.
coruchéu *sm.* 'remate piramidal de edifício' 'torre que coroa um edifício' | -*cheo* XV, *curi*- XVI | Do fr. *clocher* 'campanário', de *cloche*, deriv. do b. lat. *clocca*, voc. célt. importado pelos missionários anglo-irlandeses.
coruja *sf.* 'designação comum às espécies de aves estrigiformes, especialmente as de maior porte' 1813. De origem obscura ‖ corujEIRA *sf.* 'povoação insignificante, situada em lugar penhascoso' | -*gei*- XIII ‖ corujICE XX ‖ ENcorujAR XX.
coruscar *vb.* 'fulgurar, reluzir' 1813. Do lat. *coruscāre* ‖ coruscAÇÃO 1858. Do lat. *coruscātĭō*

-*ōnis* ‖ coruscANTE XVII. Do lat. *coruscans -antis*. Cp. CORISCAR.
corvejar → CORVO.
corveta *sf.* '*ant.* navio de guerra, semelhante à nau' 1844. Do fr. *corvette*, do ant. *corve*, deriv. do med. neerl. *korver*.
⇨ corveta | 1836 SC |.
corvo *sm.* 'ave passeriforme da fam. dos corvídeos' XIII. Do lat. *cŏrvus -ī* ‖ corvEJAR *vb.* 'crocitar' 'repisar (uma ideia)' XVII ‖ corvINA *sf.* 'designação comum aos peixes teleósteos, marinhos, da fam. dos cianídeos' XIV. Do cast. *corvina*, de *cuervo* 'corvo' ‖ corvINO 1858. Do lat. *corvīnus* 'de corvo'.
cós *sm. 2n.* 'tira de pano que cinge certas peças do vestuário, no lugar da cintura' XIII. Do prov. *cors*, deriv. do lat. *cŏrpus -ŏris*. Cp. CORPO.
coscinomancia *sf.* 'arte de adivinhar por um crivo, joeira ou peneira encantada' XVIII. Do it. *coscinomanzia*, deriv. do gr. *koskinómantis*.
coscorrão *sm.* 'pancada com a mão, tapa' | -*rran* XVI | Tal como o cast. *coscorrón*, deriv. de um radical *kosk-*, onomatopeia do golpe dado em um objeto duro ‖ coscorão *sm.* '*orig.* filhó de farinha e ovos' '*ext.* casca espessa que se forma ao cicatrizar-se uma ferida' '*fig.* homem rústico, atrasado' XVI ‖ coscoro *sm.* 'crosta' 1813. Der. regress. de *coscorão* ‖ ENcoscorAR 1844.
⇨ coscorrão — ENcoscorAR | 1836 SC |.
coscuvilhar *vb.* 'fazer intrigas, bisbilhotar' 1899. De formação expressiva; cp. CUVILHEIRA.
coser *vb.* 'unir com pontos de agulha, costurar' XIII. Do lat. vulg. *cōsĕre*, por *consuĕre* ‖ DEScoser XIV ‖ DEScosido | XIV, *descoseyto* XV.
cosmético *adj. sm.* 'diz-se de, ou qualquer dos produtos utilizados para a limpeza, conservação ou maquilagem da pele' 1813. Do fr. *cosmetique*, deriv. do 'gr. *kosmētikós*.
cosmo *sm.* 'o Universo' 1858. Do lat. tard. *cosmos -icus*, deriv. do gr. *kósmos -ikós* ‖ **cósm**ICO *sm.* 'globo que representa o mundo' XVII; *adj.* 1813. Do lat. tard. *cosmicus*, deriv. do gr. *kosmikós* ‖ cosmoGON·IA 1858. Do fr. *cosmogonie*, deriv. do gr. *kosmogonia* ‖ cosmoGRAF·IA | *-phia* 1500 | Do fr. *cosmographie*, deriv. do lat. **cosmographia* e, este, do gr. *kosmographia* ‖ cosmóGRAFO | *-pho* 1500 | Do fr. *cosmographe*, deriv. do lat. **cosmographus* e, este, do gr. *kosmográphos* ‖ cosmolábio 1813. Do fr. *cosmolabe* ‖ cosmoLOG·IA 1813. Do fr. *cosmologie*, deriv. do gr. **kosmología*, pressuposto de *kosmologikós* ‖ cosmoLÓG·ICO 1858. Cp. gr. *kosmologikós* ‖ cosmoMETR·IA 1858 ‖ cosmoNAUTA XX ‖ cosmoNÁUT·ICA XX ‖ cosmoNAVE XX ‖ cosmoNOM·IA 1858 ‖ cosmoPOLITA 1858. Do fr. *cosmopolite*, deriv. do gr. *kosmopolítēs* ‖ cosmoRAMA 1858. Do fr. *cosmorama* ‖ cosmURG·IA XX. Cp. gr. *kosmourgós*.
⇨ cosmo | 1836 SC ‖ cosmoGON·IA | 1836 SC ‖ cosmoLÓG·ICO | 1836 SC ‖ cosmoPOLITA | 1836 SC ‖ cosmoRAMA | 1836 SC |.
cossaco *sm.* '(Hist.) cavaleiro das estepes do sul da Rússia' | 1656, -*sa*- 1656, -*za*- a 1693 etc. | Do fr. *cosaque*, deriv. do a. rus. *kozak* (rus. *kazák*) ou do ucran. *kozák*; os vocs. eslávicos remontam ao turc.-tárt. *kazak* 'vagabundo, nômade, aventureiro'.
cossecante → SE(C)ÇÃO.

cosseira *sf.* 'batente inferior das peças de bordo' 1858. Provável alteração de *coiceira*. V. COICE.
cosseno → SEIO.
cossouro *sm.* 'roseta de espora' 1813. De origem obscura.
costa *sf.* '(no pl.) espáduas' XIII; 'costela' XIII; 'litoral' XIV. Do lat. *cŏsta* 'costela, ilharga, lado, flanco' || ACOStAMENTO XIV || ACOStAR XIII || COStADO *sm.* XIII || COStAL XVI || COStALG·IA 1899 || COStAN·EIRA | XIV, -*eyra* XIV etc. || COStAN·EIRA 1813 || COStEAR XV || COStEIRA | XIII, -*eyra* XIII || COStEIRO XV || COStELA XV || COStEL·AR XX || COStEL·ETA 1881 || DES·ENCOStAR 1813 || ENCOSta XVIII || ENCOStAMENTO XV || ENCOStAR XIV || ENCOSto 1706 || ENTRECOStADO XVII || ENTRECOSto XVII || INTERCOStAL 1813 || RECOStADO 1572 || RECOStAR 1813 || RECOSto XVI.
⇨ **costa** — ENCOSto | 1614 SGONÇ II.37.*30* |.
costa-riquenho *adj. sm.* 'relativo a, ou natural da Costa Rica' XX. Do hisp.-americ. *costariqueño*, do top. *Costa Rica*.
cost·ear, -eira, -eiro, -ela, -el·ar, -el·eta → COSTA.
costo *sm.* 'planta aromática da Índia e de outros países tropicais' XVI. Do lat. cient. *costum* (cláss. *costum -ūs*), deriv. do gr. *kóstos* e, este, do sânscr. *kúṣṭah*.
costume *sm.* 'uso, hábito' XIII. Do lat. **co(n)suetūmĭne*, de *cōnsuētūdŏ -dĭnis* || ACOStUMADO XIII || ACOStUMAR XIII || COStUMADO XIII || COStUMAR XV || **costumbrismo** *sm.* 'na literatura espanhola romântica, descrição realística da vida popular' XX. Do cast. *costumbrismo*, de *costumbre* 'costume' || COStUMEIRO | *cus*- XIV | DES·ACOStUMADO XVI || DES·ACOStUMAR XVI.
costura *sf.* 'ato, efeito, arte ou profissão de coser' | XIII, *cus*- XIII | Do lat. vulg. **consūtūra* || COStURAR 1881 || COStUREIRO¹ *sm.* 'homem que se ocupa em trabalhos de costura' | -*ra* f. 1813 || COStUREIRO² *adj. sm.* '(Anat.) diz-se de, ou músculo da região anterointerna da coxa' 1858 || DESCOStURAR XX.
cota¹, quota *sf.* 'quinhão, porção determinada' '(Geom.) altura de um ponto em relação a um outro tomado como referência' | *quo-* XIX | Da loc. lat. *quŏta pars* 'a parte que toca a cada um', do adj. *quotus* 'em que ou de que número' || COtAÇÃO 1881 || COtAR XVII || COtEJAR *vb.* 'orig. examinar cotas' '*ext.* confrontar, comparar' XV || COtEJO XVIII. Der. regress. de *cotejar* || COtIDADE, **quot**IDADE *sf.* 'soma fixa correspondente ao montante de cada cota-parte' XX || **quot**IZAR | -*isar* 1750.
⇨ **cota¹** *sf.* 'anotação marginal' | 1614 SGONÇ II. 17.*7* |.
cota² *sf.* 'lado de uma ferramenta oposto ao gume' XVII. De origem obscura.
cota³ *sf.* 'armadura de couros retorcidos ou de malhas de ferro, que cobria o corpo' 'espécie de gibão' XVI. Do a. fr. *cote*, deriv. do frâncico **kotta* 'manta de lã grosseira'.
cota⁴ *sf.* 'medida de cereais, na Índia' XVI. Do tamul *kōṭṭei* (hindustani *kaṭṭahā*).
cota⁵ *sf.* 'fortaleza, na Índia' XVI. Do neoárico *koṭṭa*.
cotação → COTA¹.
cotangente → TANGER.
cotão *sm.* 'pelo que se desprende dos panos' 'felpazinha, lanugem' | -*tam* XVI | Do fr. *coton*, deriv. do lat. med. *cottonus* e, este, do ár. *quṭun* 'algodão'

|| COtonARIA *sf.* 'algodoaria' 1873 || COtonÁRIA *sf.* 'designação comum a plantas cujas folhas têm o aspecto e a maciez do algodão' 1899 || COtonETE *sm.* 'palito com dois pequenos chumaços de algodão nas extremidades, usado para fins higiênicos' XX. Do fr. *cotonnette* 'tecido de algodão' || COtonI·CULT·OR XX || COtonI·CULT·URA XX || **cotonifício** *sm.* 'manufatura de panos de algodão' XX. Do it. *cotonificio*.
cotar → COTA¹.
cote¹ *sm.* 'pedra de amolar, mó' 1844. Do lat. *cōs cōtis* || **cotícula** *sf.* 'pedra de toque do ouro e da prata' 1844. Do lat. *cōtĭcŭla*, dim. de *cōs cōtis*.
⇨ **cote¹** | 1836 SC || **cotícula** | 1836 SC |.
cote² *sm.* '(Marinh.) nó' XIX. De origem obscura.
cote³ → COTIO.
cotica *sf.* '(Her.) banda estreita que atravessa o escudo' 1813. Do fr. *cotice*, de *côte* 'costas'. Cp. COSTA.
cotícula → COTE².
cotidiano, quotidiano *adj. sm.* 'diz-se de, ou aquilo que é diário, que sucede ou se pratica habitualmente' | *co-* XVI, *cotidião* XIII, *quo-* 1813 | Do lat. *quotīdiānus*.
⇨ **cotidiano** | *quotidiano a* 1542 JCASE 106.*18* |.
cotil *sm.* 'certo tecido muito leve, de linho ou de algodão' XX. Do fr. *coutil*, de *coute* (hoje *couette*), deriv. do lat. *cŭlcīta* 'travesseiro, colchão' || **cotim** *sm.* 'cotil' | *cotjm* XIII | Forma paralela de *cotil*.
cotilédone *s2g.* '(Bot.) folha seminal ou embrionária, cuja função é nutrir a jovem planta nas primeiras fases do seu crescimento' '(Anat.) qualquer das subdivisões da superfície uterina da placenta' XVII. Do lat. *cotylēdōn -ōnis*, deriv. do gr. *kotylēdṓn -onos*. Na linguagem da botânica, o voc. foi introduzido por Lineu, em 1751 || ACOtiledônEO 1871. Do fr. *acotyledone(e)* (voc. introduzido na botânica por A.L. de Jussieu em 1789) || DIcotiledônEO 1873. Do fr. *dicotylédon(e)*, deriv. do lat. cient. *dicotylēdōn*.
cotilhão *sm.* 'antiga dança de muitos pares, entremeada de várias músicas e distribuição de brindes, pela qual se usava terminar um baile' 1858. Do fr. *cotillon*.
cótilo *sm.* '(Anat.) cavidade dum osso na qual se articula a extremidade de outro, especialmente a do ilíaco' | -*ty*- 1873 | Do fr. *cotyle*, deriv. do lat. *cotyla* 'medida de capacidade para líquidos' e, este, do gr. *koty'lē* 'cavidade' || COtilÓFORO | -*tylépho*- 1873 || COtilOIDE | -*tyloideo* 1873 | Cp. gr. *kotyloeidés*.
⇨ **cótilo** — COtilOIDE | -*ty*- 1836 SC |.
cotim → COTIL.
cotio *sm.* 'uso cotidiano' XVI. Do lat. tard. *cottīdīo* (cláss. *cottīdīē, quotīdīē* 'cotidianamente') || **cote³(de-)** *loc.* 'cotidianamente' 1873 || **cotio(de-)** *loc. ant.* 'cotidianamente' XIII. Cp. COTIDIANO.
⇨ **cotio** — **cote³(de)** | 1836 SC |.
cot·o, -ó¹ → COTOVELO.
cotó² → CUTELO.
cotoco → COTOVELO.
coton·aria, -ária, -ete, -icultor, -inifício → COTÃO.
cotovelo *sm.* 'parte do braço que forma ângulo saliente, na articulação com o antebraço' XVI. Do moçárabe *qubtél, qubtál* 'coto (medida, parte de corpo)', deriv. do lat. *cubitālis -e*, de *cŭbĭtus -ī* 'co-

tovelo' || AcotovelAR XVI || **coto** *sm.* '*orig.* resto de membro ao qual se amputou uma parte' '*ext.* resto de vela, de tocha ou archote' XIV || **cotó**¹ *adj.* 2g. 'que tem um braço (ou perna) mutilado' 1844. || **cotoco** *sm.* 'coto, em sua primeira acepção' 'coisa pequena' XX || **côvedo** *sm.* 'cotovelo' XIII. Do lat. *cŭbĭtus -ī*.
⇨ **cotovelo** — **cotó** | 1836 sc |.
cotovia *sf.* 'ave passeriforme, da fam. dos motacilídeos' XV. De provável origem onomatopaica.
coturno *sm.* 'na Grécia antiga, borzeguim de solas altíssimas, o qual chegava até o meio da perna, usado sobretudo pelos atores trágicos' XVI. Do lat. *cothurnus -ī*, deriv. do gr. *kóthornos* || **coturn**ADO 1813. Do lat. *cothurnātus*.
coudel *sm.* '*orig.* capitão de cavalaria' '*ext.* chefe de uma coudelaria' | XIV, *cabdel* XIV, *cabdell* XIV, *cobdell* XIV, *caudel* XIV, *coudell* XV, *coudell* XV | Do lat. *capĭtĕllum* || **A**caudilh**ADO** | XIV, *acabdelado* XIV, *acabdillado* XIV, *acaudellado* XIV | As vars. *acaudellado* e *acaudilhado* indicam influência castelhana; v. *caudilho* || **A**caudilh**A**R | XIV, *acaudelar* XIV, *caudelar* XIII | A forma atual, já documentada no séc. XIV, indica influência castelhana || **cabedelo** *sm.* '*orig.* coudel' '*ext.* promontório' | *cabdelo* XIII | Forma divergente de *coudel* || **caudilhismo** XX || **caudilh**ISTA XX || **caudilho** *sm.* '*orig.* capitão de cavalaria, coudel' '*ext.* cabo de guerra' '*fig.* mandachuva' | XIV, *caudillo* XIV, *cabdillo* XIV, *coudillo* XIV, *cobdillo* XIV | Forma divergente de *coudel*, de imediata procedência castelhana || **cou**del**A**RIA XV.
coulomb *sm.* 'unidade de medida de carga elétrica, ou de quantidade de eletricidade' XX. Do fr. *coulomb*, do nome do físico francês Augustin Coulomb (1736-1806).
couro *sm.* 'pele espessa e/ou curtida de certos animais' | XIV, *coi-* XIII, *coy-* XIII | Do lat. *cŏrĭum* || **coriária** *sf.* 'substância usada no curtume de couros' 'planta (sumagre) que a produz' 1873. Do lat. cient. *coriăria*, do adj. *coriārĭus* 'de couro' || **cor**ÍCULO *sm.* 'tira de couro' 1899 || **coura** *sf.* 'antigo gibão de couro usado pelos guerreiros' XVI || **cour**AÇA | *coi-* XV || **cour**AÇ·ADO *sm.* 'navio dotado de couraça' 'cascudo-espinho' 1873 || **cour**AMA XVI || **E**N**cour**AÇ·ADO *adj.* 'couraçado'; *sm.* 'navio de combate fortemente protegido por couraças' | 1844, *-coi-* 1881 || **E**N**cour**AÇ·AR | 1844, *coi-* 1844.
⇨ **couro** — **E**N**cour**AÇ·ADO | 1836 sc || **E**N**cour**AÇ·AR | 1836 sc |.
couto *sm.* '*orig.* asilo, refúgio' '*ext.* terra coutada, privilegiada' XIII. Do lat. *cautum -ī* 'precaução' || **A**cout**AR** | *-coi-* XIV || **cout**EIRO 1800. Cp. CAUTELA.
couve *sf.* 'planta glabra, bienal, da fam. das crucíferas, de folhas comestíveis' | XIV, *col* XIII | Do lat. *caulis -is* 'caule' 'couve' || **couve-flor** *sf.* 'planta 'de caule curto, da fam. das crucíferas, cujos pedúnculos florais se tornam carnosos e formam um 'capítulo de flores comestíveis' | *couliflôr* 1844 | Do it. *caulifloro*, deriv. do lat. cient. *cauliflōrus*. A forma atual foi influenciada por *couve*.
⇨ **couve** — **couve-flor** | 1836 sc *s.v.* COUVE |.
cova *sf.* 'buraco, cava' XIII. Do lat. vulg. **covă*, do adj. *cŏvus*, var. de *cavus* 'oco' || **cov**ÃO XIII || **co-**
veiro 1813 || **covo**¹ *adj.* 'côncavo, fundo' XIV. Do lat. *cavum -ī* || **des·encovar** XVI || **encov**ADO XVII || **encov**AR XIV.
côvado *sm.* 'antiga medida de comprimento' *-uedo* XIII, *-bedo* XIV | Do lat. *cŭbĭtus -ī*.
covão → COVA.
cóvão *sm.* 'cesto com que se apanham peixes em rio' XIV. Adapt. do fr. *coffin*, deriv. do lat. *cophĭnus -i* e, este, do gr. *kóphinos* 'cesto' || **covo**² *sm.* 'tipo de redil de pesca' 1813. Der. regress. de *cóvão*.
covarde *adj.* s2g. 'sem coragem, medroso' 'desleal, traiçoeiro' | XIV, *-do* XIII, *-barde* XVII | Do a. fr. *coart (couard)*, de *coe* (< lat. *caudo*) || **covard**IA XIII || **covard**ICE XIV.
⇨ **covarde** — **A**covard**ADO** | XV LEAL 244.*12* || **A**covard**AR** | XV CAVA 53.*26* |.
côvedo → COTOVELO.
coveiro → COVA.
covelina *sf.* 'mineral hexagonal, constituído de sulfato de cobre, de cor anil' XX. Do it. *covellina*, do antrop. Covelli, nome dado por Freisleben e Breithaupt, em 1817, em homenagem ao mineralogista e químico italiano Nicola Covelli (1790-1827).
covil *sm.* 'cova de feras, toca' '*fig.* abrigo de salteadores, de ladrões' XIII. Do lat. *cubīle -is* || **A**covilh**AR** 1899.
covilhete *sm.* 'pires chato para doce' XVIII. De origem obscura.
covo¹ → COVA.
covo² → CÓVÃO.
coxa *sf.* 'parte da perna que vai desde as virilhas até o joelho' XIV. Do lat. *coxa* || **cox**ALG·IA 1881. Do lat. cient. *coxalgia* || **coxêndico** *adj.* 'diz-se de cada um dos ossos dos quadris' 1858. Do lat. tard. *coxendicus*, de *coxendix -īcis* 'quadril, coxa' || **coxim** *sm.* 'almofada que serve de assento' xv. Do cat. *coixí* 'almofada', deriv. do lat. vulg. **coxīnum*, de *coxa* || **coxinilho** *sm.* 'manta que se põe sobre os arreios para comodidade do cavaleiro' 1899. Do cast. *cojinillo*, de *cojín* 'coxim'.
coxear → COXO.
coxêndico → COXA.
coxia *sf.* 'passagem estreita entre duas fileiras de bancos, camas etc.' XV. Do it. *corsìa*.
coxilha *sf.* 'campina com pequenas e continuadas elevações, típica da planície sul-rio-grandense' XX. Do esp.-plat. (≤ cast.) *cuchilla*, de *cuchillo*.
cox·im, -inilho → COXA.
coxo *adj. sm.* 'diz-se de, ou aquele que manca porque tem uma perna mais curta que a outra' XIV. Do lat. vulg. *cŏxus* || **cox**EAR XIV.
cozer *vb.* 'preparar (alimentos) pela ação do fogo' XIII. Do lat. vulg. *cocēre* (cláss. *cŏquĕre*) || **cozed·ura** 1813 || **coz**IDO *adj.* XV || **coz**IMENTO XV ||
cozinha *sf.* 'compartimento da casa onde se preparam os alimentos' | XIV, *cozynna* XIII etc. | Do lat. vulg. *cocīna*, deriv. do lat. tard. *coquīna* || **cozinh**AR *vb.* 'cozer' XIV. Do lat. tard. *cocināre* (cláss. *coquĭnāre*) || **cozinh**EIRO | XV, *-neiro* XIII, *-neyro* XIV || **E**N**coquin**AR *vb.* '*orig.* meter na cozinha' '*ext.* esconder, ocultar' 1890. Do lat. **incoquināre*, de *coquīna*. Cp. COCÇÃO.
craca *sf.* 'designação dos animais artrópodes, crustáceos, que vivem incrustados nos rochedos marinhos, nas madeiras do cais etc.' XVIII; 'a parte

côncava das colunas estriadas' 1844. De origem obscura.
⇨ **craca** 'a parte côncava das colunas estriadas' | 1836 SC |.
crachá sm. 'insígnia honorífica, emblema, cartão de identificação' 1844. Do fr. *crachat*.
⇨ **crachá** | 1836 SC |.
-cracia elem. comp., deriv. do gr. *-kratía (-kráteia)*, de *krátos* 'governo, poder, autoridade', que já se documenta em compostos formados no próprio grego, como *aristocracia* (gr. *aristokratía*), e em vários outros formados nas línguas modernas, como *burocracia, tecnocracia* etc. Cumpre assinalar que quase todos os compostos portugueses em *-cracia* são de imediata procedência francesa e/ou inglesa. Cp. -CRATA, -CRÁTICO.
cracoviano adj. sm. 'relativo a, ou natural de Cracóvia' XX. Do topo *Cracóvi(a)* + -ANO || **cracoviana** sf. 'dança polaca' 1874. Do fr. *cracovièmne*, do topo *Cracovie* 'Cracóvia'
crâni(o)- elem. comp. do gr. *krānio-*, de *krāníon* 'crânio, cabeça', que se documenta em alguns compostos eruditos introduzidos, a partir do séc. XIX, particularmente na linguagem da medicina ▶ ACRANIA XX || craniANO 1873 || craniECTOM·IA 1899 || **crânio** sm. 'caixa óssea que encerra e protege o cérebro, no homem e nos vertebrados em geral' | *cranho* XV | Do fr. *crâne*, deriv. do lat. tard. *crāneum* e, este, do gr. *krānion* || cranioLOG·IA 1844. Do fr. *craniologie* || cranioMANC·IA 1844. Do fr. *craniomancie* || cranioMETR·IA 1858. Do fr. *craniométrie* || craniÓPAGO XX || cranioSCOP·IA 1858. Do fr. *cranioscopie* || cranioTOM·IA 1899. Do fr. *craniotomie*.
⇨ **crani(o)-** — cranioLOG·IA | 1836 SC || craniosCOP·IA | 1836 SC |.
crápula sf. 'orig. desregramento, devassidão, libertinagem'; sm. 'ext. indivíduo desregrado, libertino, canalha' 1813. Do fr. *crapule*, deriv. do lat. *crāpŭla* e, este, do gr. *kraipálē* || **crapuloso** 1899. Do fr. *crapuleux*, deriv. do lat. *crāpŭlōsus*.
craque sm. '(Turfe) orig. cavalo ganhador dos grandes prêmios' 'ext. jogador de futebol famoso por sua grande destreza'; s2g. 'ext. pessoa exímia e/ou famosa em qualquer ramo de conhecimento ou de atividade' XX. Do ing. *crack*.
crase sf. '(Gram.) contração ou fusão de duas vogais em uma só' 1858. Do fr. *crase*, deriv. do lat. tard. *crāsis* e, este, do gr. *krāsis* 'mistura'.
craspedota adj. sf. 'diz-se da, ou pequena medusa dos hidrozoários, provida de um véu, campânula ou umbrela' XX. Do lat. cient. *craspedōtae*, deriv. do gr. *kraspedótós*, de *kráspedon* 'extremidade, orla, franja'.
crasso adj. 'espesso, denso, grosso' 'grosseiro, rude' XVII. Do lat. *crăssus* || **crassície** sf. 'qualidade de crasso' XVIII. Do lat. *crassitiēs -ēī* || **crassiCAUDE** adj. 2g. 'que tem cauda grossa' 1899 || crassiCAULE 1899 || crassiCOLO | -collo 1899 || crassiCÓRN·EO 1899 || **crassIDADE** 1813. Do lat. *crassĭtās -ātis* || **crassidão** sf. 'crassície' XVII. Do lat. *crassitŭdō -ĭnis* || crassiFOLI·ADO 1899 || crassiLÍNGUE adj. 2g. 'que tem língua grossa' 1899 || crassiNÉRV·EO 1899 || crassiPENE | -nne 1899 || crassiR·ROSTRO | *crassiros-* 1899 | Cp. GRASSO.

⇨ **crasso** | a 1595 *Jorn*. 16.26 |.
crástino adj. '(Poét.) relativo ao dia de amanhã, ao dia seguinte' 'matutino, matinal' XVI. Do lat. *crāstīnus*. Cp. PROCRASTINAR.
-crata elem. comp. (≤ fr. *-crate*), deriv. do gr. *-kratés*, de *krátos* 'governo, poder, autoridade', que já se documenta em alguns compostos formados no próprio grego, como *autócrata* (gr. *autokrátés*), e em vários outros formados nas línguas modernas, particularmente em francês (de onde procede a maioria dos compostos portugueses), como *burocrata*, entre outros. Cp. -CRACIA, -CRÁTICO.
cratera sf. 'abertura larga, geralmente circular, por onde saem as matérias de um vulcão em erupção' 1813. Do lat. *crātēra*, deriv. do gr. *krātēra*, acuso de *krátēr -ēros* || **crateriFORME** XX.
-crático elem. comp., deriv. do gr. *-kratikós*, de *krátos* 'governo, poder, autoridade', que já se documenta em compostos formados no próprio grego, como *aristocrático* (gr. *aristokratikós*), e em vários outros formados nas línguas modernas, particularmente em francês (de onde procede a maioria dos compostos portugueses), como *burocrático*, entre outros. Cp. -CRACIA, -CRATA.
craúba sf. 'planta da fam. das bignoniáceas, de madeira muito dura' | 1874, *caraúba* 1899 | Do tupi *kara'ïṷa*; V. CARAÍBA².
crav·ação, -agem, -ar, -eira, -eiro, -elha, -elho → CRAVO¹.
cravija sf. 'em carro de tração animal, barra de ferro que une a lança com os varais' 1813. Do cast. *clavija*, deriv. do lat. *clāvīcŭla*. Cp. CLAVÍCULA.
cravina → CRAVO³.
cravo¹ sm. 'prego' | XIII, *clavo* XIV |; 'ext. (Med.) calo doloroso e aprofundado na planta do pé, como um cone' 1873. Do lat. *clāvus -ī* || **cravAÇÃO** XVI || **cravAGEM** sf. 'doença de certas plantas que origina o apodrecimento da espiga antes da maturação' 1844 || **cravAR** vb. 'fazer penetrar à força e profundamente' XVI. Do lat. *clāvāre* || **cravEIRA** sf. 'orifício de ferradura no qual entra o cravo' 1813 || **cravEIRO** 1813 || **cravELHA** sf. 'peça de certos instrumentos musicais, destinada a retesar-lhe as cordas' | *cravilla* XIII || **cravELHO** sm. 'peça grosseira de madeira com que se fecham cancelas e alguns postigos e portas' 1899 || DES·ENcravAR 1844 || EN-cravAR XVI.
⇨ **cravo¹** 'calo doloroso' | 1836 SC || **cravAGEM** | 1836 SC || DE·SENcravAR | 1836 SC |.
cravo² sm. 'instrumento de cordas e teclado, predecessor do piano' XVIII. Adapt. do fr. *clavier*, de *clef*, deriv. do lat. *clāvis -is* 'chave'. Cp. CHAVE.
cravo³ sm. 'a flor do craveiro, planta glauca, de caule reto, da fam. das cariofiláceas' XVI. De origem incerta || **cravINA** sf. 'planta ornamental, da fam. das cariofiláceas' 1844.
⇨ **cravo³** — cravINA | 1836 SC |.
cré sm. 'calcário formado por despojos de foraminíferos, corais etc., que se encontra misturado sobretudo com argila' | *cree* XIV | Do fr. *craie*, deriv. do lat. *crēta* 'giz, argila' || **creiom** sm. 'orig. lápis feito de argila' 'ext. desenho feito com esse lápis' | *creões* pl. 1548 | Do fr. *crayon*.
crebro adj. '(Poét.) frequente, amiudado, repetido' 1572. Do lat. *crēbrum* 'espesso'.

creche *sf.* 'instituição ou estabelecimento que se destina a dar assistência diurna a crianças de tenra idade' XIX. Do fr. *crèche*, deriv. do frâncico **krippia*.
credência *sf.* 'mesa, aparador' 1873. Do it. *credènza*, provavelmente através do fr. *crédence*.
⇨ **credência** | 1836 SC |.
credenci·ado, -al, cred·ibilidade, -itar, -ito, -o, -or, -ulidade, -ulo → CRER.
creiom → CRÉ.
cremalheira *sf.* 'orig. corrente de ferro provida de um gancho pelo qual se suspendia a caldeira sobre o fogo' 1890. Do fr. *crèmaillère*, deriv. do lat. pop. *cramaculus* e, este, do gr. *kremastêr -êros* 'que suspende'.
cremar *vb.* 'incinerar, queimar (cadáver)' 1890. Do lat. *cremāre* || **crem**AÇÃO 1899. Do lat. *cremātiō -ōnis* || **crem**ADOR 1899. Do lat. *cremātor -ōris* || **crem**AT·ÓRIO 1899. Do fr. *crématoire*.
creme *sm.* 'substância espessa, gordurosa, branco-amarelada, que se forma na superfície do leite, e com a qual se faz a manteiga' 'nata, creme de leite' 1813. Do fr. *crème*, deriv. do lat. tard. *crāma -ae*, de provável origem gaulesa || **crem**OSO XX. Adapt. do fr. *crémeux*.
cremona *sf.* 'ferragem com que se trancam portas e janelas' XX. Do fr. *crémone*, de origem incerta; talvez provenha de *crémaillère*, 'cremalheira', ou do top. *Crémone*.
cremor *sm.* 'cozimento feito com o sumo de alguma planta' 1813. Do lat. *cremor -ōris*, talvez ligado a *cremāre* 'cremar'.
crena *sf.* 'espaços entre os dentes duma roda' '(Bot.) recorte arredondado no bordo das folhas' 1844. Talvez se relacione com o fr. *crener*, deriv. do lat. tard. *crēna* 'entalhe' || **cren**ÍFERO 1899 || **cren**IR·ROSTRO | -*niros*- 1899 | Do lat. cient. *credirōstra*.
crença, crend·eiro, -ice → CRER.
cren·ífero, -irrostro → CRENA.
crente → CRER.
creo- *elem. comp.*, do gr. *kreo-*, de *kréas -atos*, 'carne', que se documenta em alguns vocs. criados no próprio grego (como *creófago*) e em alguns outros introduzidos, a partir do séc. XIX, na linguagem erudita ♦ **creo**FAG·IA | -*pha*- 1899 | Do fr. *créophagie*, deriv. do gr. *kreophagía* || **creó**FAGO | -*pha*- 1899 | Do fr. *créophage*, deriv. do gr. *kreophágos* || **creosoto** *sm.* '(Quím.) fração da destilação do alcatrão, constituída por hidrocarbonetos, fenol e outros derivados aromáticos' | -*ta* 1858 | Do fr. *créosote*, deriv. do gr. *kréo-* + *sōt(ê)* 'que salva, porque impede a corrupção do corpo'; o creosoto foi descoberto por Reichenbach em 1832.
creolina *sf.* 'nome comercial de certo desinfetante líquido, à base de sabão de resina e creosoto, com propriedades germicidas, antissépticas e desodorantes' XX. Do fr. *créoline*, de *créole* 'crioulo' Cp. CRIOULO.
creosoto → CREO-.
crepe → CRESPO.
crepitar *vb.* 'estalar (a madeira a arder, o sal que se deita no fogo etc.)' XVI. Do lat. *crepitāre* || **crepit**AÇÃO 1844. Do fr. *crépitation*, deriv. do lat. tard. *crepitātiō -ōnis* || **crepit**ANTE XVI.

⇨ **crepitar** — **crepit**AÇÃO | 1836 SC |.
crepom → CRESPO.
crepúsculo *sm.* '(Astr.) luminosidade, de intensidade crescente ao amanhecer e decrescente ao anoitecer, proveniente da iluminação das camadas superiores da atmosfera pelo Sol, quando, embora escondido, está próximo do horizonte' | -*pŭs*- XVI | Do lat. *crepuscŭlum -ī* || **crepuscul**AR 1844.
⇨ **crepúsculo** — **crepuscul**AR | 1836 SC |.
crer *vb.* 'acreditar, confiar' | XV, *creer* XIII | Do lat. *crēděre* || ACREDITADO XVI || ACREDITAR XVI || ACREDITÁVEL 1899 || **cred**ENCI·ADO XX || **cred**ENCI·AL *adj. 2g. sf.* 'que ou o que merece crédito' XVI; como subst., o voc. é mais usado no plural. Do it. *credenziale*, de *credènza*, deriv. do lat. med. *crēdentĭa* || **credibil**·IDADE XVI. Do lat. cient. *credibilitās -ātis* || **credit**AR *vb.* 'dar crédito a, garantir, segurar' 1873 || **crédito** *sm.* 'segurança na verdade de alguma coisa, confiança' XV. Do lat. *crēdĭtum*; no sentido comercial, o voc. é de imediata procedência italiana || **credo** *sm.* 'oração cristã iniciada, em latim, pela palavra *credo* (creio), e que encerra os artigos fundamentais da fé católica' 1570. Do lat. *crēdō* 'eu creio' || **credor** *adj. sm.* 'devedor' | XV, *acredor* XVI |; 'que ou o que dá o crédito' XV. Do lat. *crēdĭtor -ōris* || **credulidade** *sf.* 'qualidade de crédulo' XVI. Do lat. *crēdulĭtās -ātis* || **crédulo** *adj.* 'que crê facilmente, ingênuo' XVI. Do lat. *crēdŭlus* || **crença** *sf.* 'ato ou efeito de crer' | XIV, *creença* XIII | Do lat. med. *crēdentĭa* || **crend**EIRO 1881 || **crend**ICE 1881 || **crente** *adj. 2g.* 'diz-se de, ou aquele que tem crença religiosa' | XVI, *creente* XIII | Do lat. *credens -entis*, part. de *crēděre* || **crí**VEL XVII. Do lat. *crēdibĭlis -e* || DES·ACREDITADO 1844 || DES·ACREDITAR XVI || DES**crédito** XVI || DES**crença** | -*creen*- XIII || DES**crer** | XVI, -*creer* XIII || IN·ACREDITÁVEL 1881 || IN**credibil**·IDADE 1813 || IN**creduli**DADE | *em*- XV || IN**crédulo** 1813. Do lat. *in-crēdŭlus* || IN**creu** *adj.* 'incrédulo' | -*creo* XVI || IN**crí**VEL 1813. Do lat. *incrēdĭbĭlis -e*.
⇨ **crer** — DES·ACREDITADO | 1836 SC |.
crescer *vb.* 'aumentar, avultar, multiplicar-se' | XIV, *creçer* XIII, *crecer* XIII | Do lat. *crēscěre* || ACRESCÊNCIA XX || ACRESCENT·ADOR | XIV, -*creçen*- XIV || ACRESCENT·AMENTO | -*creçen*- XIV || ACRESCENT·AR XIII, -*creçe*- XIV etc. | Do lat. **accrescentāre*, baseado em *accrescens -entis*, part. pres. de *accrēscěre* || ACRESCENTE | *accrescente* 1871 | Do lat. *accrescens -entis* || ACRESCER XV. Do lat. *accrēscěre* || ACRÉSCIMO | *accrescimo* XVIII, *acrécimo* 1813 || **cres**CENÇA | XVI, *creçença* XIV, *creçença* XV | Do lat. *crēscentĭa* || **cresc**ENDO 1873. Do it. *crescèndo* || **cresc**ENTE | *creçente* XIII, *cresçente* XIV || **cresc**IDO | *creçudo* XIV, *crecido* XVI etc. || **cresc**IMENTO | XVI, *creçe*- XIV, *cresçe*- XIV || DE**cresc**ENDO 1899. Do it. *decrescèndo* || DE**cresc**ENTE 1813. Do lat. *decrescens -entis* || DE**crescer** XVIII. Do lat. *dēcrēscěre* || DE**cresc**IMENTO XVIII || DE**crésc**IMO XX || RE**cresc**ENTE 1874 || RE**crescer** | *rececer* XIII | Do lat. *recrēscěre* || RE**cresc**IMENTO 1813.
⇨ **crescer** — DE**crescer** | XV SEGR 35, *descrecer* XIV ORTO 125.*24* || RE**cresc**ENTE | 1836 SC |.
cresol *sm.* '(Quím.) qualquer dos três isômeros (*orto*-, *meta*- e *para-cresol*) fenólicos derivados

do tolueno' 1899. Do fr. *crésol*, de *cré(o)s(ote)* + lat. *ol(eum)*.
crespo *adj.* 'anelado, eriçado, frisado, ondeado' 'rugoso, áspero' XIII. Do lat. *crispus* || **crepe** *sm.* 'tecido fino, de aspecto ondulado, feito com fio, muito torcido, de seda ou lã' 1813. Do fr. *crêpe*, deriv. do lat. *crispus* || **crepom** *adj.* 'diz-se do papel de seda enrugado, usado na confecção de vários objetos de adorno' 1899. Do fr. *crépon* || **cres**PAR XX. Do lat. *crispāre* || **crespidão** *sf.* 'qualidade ou estado de crespo' XVI. Do lat. *crispitūdŏ -ĭnis* || **cresp**INA *sf.* '*ant.* rede ou coifa de recolher os cabelos' | XVI, *cris-* XV |; o segundo estômago dos ruminantes' 1881. Na primeira acepção, o voc. é derivado do a. fr. *crespine*, do a. *adj. crespe* || **cres**PIR *vb.* 'crespar' 1881. Do fr. *crépir* || **crisp**AÇÃO 1858 || **crisp**AR *vb.* 'encrespar, franzir, contrair' 1881. Do lat. *crispāre* || DES·ENCRESPAR XVII || EN-CRESPADO XIV || ENCRESPAR XVI.
crestar[1] *vb.* 'queimar de leve, tostar' XVII. Do lat. *crustāre* 'revestir, cobrir' || CRESTADO 1813. Do lat. *crustātus*.
crest·ar[2], **-o** → CASTRAR.
crestomatia *sf.* 'coleção de trechos em prosa e/ou em verso' | *chrestomathia* 1850 | Do fr. *chrestomathie*, deriv. do gr. *chrēstomátheia* 'estudo das coisas úteis'.
⇨ **crestomatia** | *chrestomathia* 1836 SC |.
cretáceo *adj. sm.* '(Geol.) diz-se do, ou período mais recente e mais longo da era mesozoica' 1873. Do lat. *crētāceus* 'misturado com ou feito de argila', de *crēta* 'greda, argila'. Cp. GREDA.
⇨ **cretáceo** | 1836 SC |.
cretense *adj. s2g.* 'relativo a, ou natural da ilha de Creta' | *-ce* XVII | Do lat. *Crētēnsis -e*, deriv. do top. *Creta*.
⇨ **cretense** | 1614 SGonç I.5.*14* |.
cretino *adj. sm.* '*orig.* que ou o que sofre de cretinismo, estado mórbido produzido pela ausência ou insuficiência da glândula tireoide' '*ext.* pacóvio, idiota' XIX. Do fr. *crétin* || **cretin**ICE XX.
cretone *sm.* 'fazenda branca, muito forte, primitivamente de cânhamo e linho, e hoje de algodão' 1899. Do fr. *cretonne*, do top. *Creton*, aldeia famosa pelos seus tecidos.
criar *vb.* 'dar existência a, gerar, formar' XIII. Do lat. *creāre* || CONCriar *vb.* 'criar ao mesmo tempo' |*-crear* 1844 | Do lat. *con-creāre* || **cria** *sf.* 'animal que ainda mama' XVI. Dev. de *criar* || CRIAÇÃO | *-çon* XIII, *-çõ* XIV etc. | Do lat. *creātĭō -ōnis* || CRIADO *adj. sm.* 'que se criou' 'empregado em serviço doméstico' XIII || CRIADOR XIII. Do lat. *creātor -ōris* || CRIANÇA *sf.* 'ser humano de pouca idade, menino ou menina' XIII || CRIANÇ·ADA 1899 || CRIANC·ICE 1899 || CRIATIVO XX || CRIAT·ÓRIO XX || CRIATURA XIII. Do lat. *creātūra* || **crioulo** *adj. sm.* 'cria, escravo' '*ext.* negro nascido na América' XVII. De *cria*, deverbal de *criar*, com uma terminação difícil de explicar || RECRIAÇÃO | *-çom* XV | Do lat. *recreātĭō -ōnis* || RECriar *a* 1438. Do lat. *re-creāre*.
⇨ **criar** — CONCriar | *-crear* 1836 SC |.
cribriforme → CRIVO.
criciúma *sf.* 'planta da fam. das gramíneas' | *cresciúma* 1863 | De provável origem tupi.

cricoide *adj. 2g.* 'diz-se da cartilagem anular que fica no fundo da laringe' 1858. Cp. gr. *krikoeidḗs* 'em forma de círculo' || **cric**ÓSTOMO *adj.* 'que tem boca ou abertura redonda' 1899.
⇨ **cricoide** | 1836 SC |.
crime *sm.* 'qualquer ato que suscite a reação organizada da sociedade' 'ato condenável, de consequências funestas ou desagradáveis, digno de repreensão ou castigo' XIV. Do lat. *crīmen -ĭnis* || CRIMINAÇÃO XVII. Do lat. *crimĭnātĭō -ōnis* || CRIMINADOR 1873. Do lat. *crimĭnātor -ōris* || CRIMINAL XIV. Do lat. *crimĭnālis -e* || CRIMINALIDADE 1833 || CRIMINAL·ISTA 1813. Do fr. *criminaliste* || CRIMINAR *vb.* 'imputar crime' XVII. Do lat. *crimĭnāre* || CRIMINOLOG·IA XIX. Do fr. *criminologie* || CRIMINOSO XVII. Do lat. *crimĭnōsus* || INCRIMINAÇÃO 1881. Do lat. *in-crimĭnātĭō -ōnis* 'ato de justificar, de inocentar' || INCRIMINADO 1899 || INCRIMINAR *vb.* 'criminar' 1881. Do lat. tard. *incrimĭnāre* || RECRIMINAÇÃO 1844 || RECRIMINAR 1844.
⇨ **crime** — CRIMINADOR | 1836 SC || RECRIMINAÇÃO | 1836 SC || RECRIMINAR | 1836 SC |.
crim(o)- *elem. comp.*, do gr. *krymós* 'gelo, frio', que se documenta em alguns compostos introduzidos, a partir do séc. XIX, na linguagem erudita → CRIMODIN·IA | *cry-* 1858 || CRIMÓFILO | *crymóphilo* 1899.
crina *sf.* '*orig.* pelo do pescoço e da cauda de alguns animais, mais longo e mais firme que o conjunto da pelagem' '*ext.* tecido grosseiro, fabricado com fibra, para fricções' XVII. Do lat. *crīnis -is* 'cabelos, cabeleira' || CRINAL 1858. Do lat. *crīnālis -e* || CRINALVO 1881 || CRINICÓRN·EO 1899 || CRINÍFERO 1899 || CRINIFORME 1899 || CRINÍGERO 1899. Do lat. *crīnĭger -gĕrum* || CRINIPRETO 1881 || CRINISPARSO 1858. De *crini-* 'crina' + *esparso* || CRINITO *adj.* 'que tem muito cabelo' XVIII. Do lat. *crīnītus* || **crinolina** *sf.* 'tecido feito de crina' 'tecido grosseiro para forro' |*-ne* 1873 | Do fr. *crinotine*, deriv. do it. *crinolino*, de *crino* 'crina' e *lino* 'linho'.
crinoide *sm.* 'animal equinodermo, marinho, de corpo formado por uma espécie de cálice revestido de numerosas placas, do qual saem cinco braços ramificados' 1899. Do lat. cient. *crinoīdĕa*, deriv. do gr. *krinoeidḗs*, de *krínon* 'lírio'.
crinolina → CRINA.
crio- *elem. comp.*, do gr. *krýos* 'frio glacial', que se documenta em alguns compostos introduzidos, a partir do séc. XX, na linguagem científica internacional ‖ CRIOGÊN·ICO XX ‖ **criolita** *sf.* 'mineral monoclínico, constituído de fluoreto de alumínio e sódio' XX ‖ CRIOSCÓP·ICO XX ‖ CRIÓSTATO XX.
criocéfalo *adj.* 'que tem a cabeça semelhante à do carneiro' |*-pha-* 1899 | Do lat. cient. *crīocephalus*, deriv. do gr. *krīoképhalos*, de *kriós* 'carneiro' + *képhalos* (de *kephalḗ* 'cabeça').
crio·gênico, -lita, -scópico, -stato → CRIO-.
crioulo → CRIAR.
cript(o)- *elem. comp.*, do gr. *kryptós* 'escondido, oculto, secreto', que se documenta em alguns vocs. formados no próprio grego (como *críptico*) e em muitos outros introduzidos, a partir do séc. XIX, na linguagem científica internacional ▶ **cripta** *sf.* 'galeria subterrânea, caverna, gruta' | *crypta* 1844 | Do fr. *crypte*, deriv. do lat. *crypta*

e, este, do gr. *kry'ptē* || **cript**ANDRO XX || **crípt**ICO | *cryp*-1899 | Do lat. *crypticus*, deriv. do gr. *kryptikós* || **cripto**CARPO | *cryp*- 1899 || **cripto**COMUNISTA XX || **cripto**CRISTAL·INO | *cryptocrystallino* 1899 || **criptó**GAMO | *cryp*- 1844 | Do fr. *cryptogame* || **cripto**GRAF·IA | *cryptographia* 1844 | Do fr. *cryptographie* || **cripto**GRAMA XX. Do fr. *cryptogramme* || **cripto**LOG·IA XX || **criptoméria** *sf.* 'planta gimnospérmica do grupo das coníferas, frequente nos jardins europeus' | *cryp*- 1899 | Do lat. cient. *cryptomerīa* || **crípt**ÔNIMO *adj. sm.* | *cryptónymo* 1858 || **cript**ÔNIO *sm.* '(Quím.) elemento de número atômico 36, gasoso, incolor, presente em diminuta proporção na atmosfera' XX. Do ing. *krypton*, nome proposto pelos seus descobridores, os químicos ingleses sir William Ramsay e M.W. Travers, em 1898, com base no gr. *kryptón*, neutro do adj. *kryptós* 'escondido, oculto', em alusão à sua raridade || **criptó**PODE | 1899, *crytópode* 1899 || **cript**ORQU·IA XX. Cp. GRUTA.
⇨ **cript(o)-** — **cripta** | *cryp*- 1836 SC || **criptó**GAMO | *cry*- 1836 SC |.
cris *sm.* 'punhal malaio' 1512. Domalaio *krīs (kĕris)*, de origem javanesa || **cris**ADA *sf.* 'golpe de cris, punhalada' | 1563, *crizada* 1554.
cris·álida, -ântemo → CRIS(O)-.
crise *sf.* 'alteração, desequilíbrio repentino' 'estado de dúvida e incerteza' 'tensão, conflito' | *crysis* 1813 | Do lat. *crisis -is*, deriv. do gr. *krísis*.
criselefantino *adj.* 'feito de ouro e de marfim' | *chryselephantina* 1873 | Do it. *criselefantino*, deriv. do gr. *chryselephántinos*.
crisma *sm.* 'orig. óleo perfumado que se usa na administração dalguns sacramentos'; *sf.* 'ext. o sacramento da confirmação' XIII. Do lat. tard. *chrīsma -atis*, deriv. do gr. *chrîsma -atos* 'unguento' | **crism**ADO 1813 || **crism**AR XIII. Do lat. tard. *chrismāre* 'ungir'.
cris(o)- *elem. comp.*, deriv. do gr. *chrȳso-*, de *chrȳsós* 'ouro', que se documenta em alguns compostos formados no próprio grego (como *crisocola*) e em vários outros introduzidos, a partir do séc. XIX, na linguagem científica internacional ▸ **crisália** *sf.* 'estado intermediário por que passam os lepidópteros para se transformarem de lagarta em borboleta' 1813. Do fr. *chrysalide*, deriv. do lat. *chrȳsalis -ĭdis* e, este, do gr. *chrȳsallís -idos* || **crisântemo** *sm.* 'designação comum a várias plantas ornamentais da fam. das compostas, de flores amarelas, róseas ou alaranjadas' | *chrysán*- 1858 | Do fr. *chrysanthème*, deriv. do lat. *chrȳsanthemon* e, este, do gr. *chrȳsánthemon* || **criso**BERILO | *chrysoberillo* 1858 | Do lat. *chrȳsobĕryllus*, deriv. do gr. **chrysobĕryllos* || **criso**COLA *sf.* 'mineral criptocristalino, constituído de silicato hidratado de cobre' | *chrysocolla* 1873 | Do lat. *chrȳsocolla*, deriv. do gr. *chrȳsókólla* | **criso**FILO | *chrysophyllo* 1873 || **criso**GRAF·IA | *chrysographia* 1858 | Do fr. *chrysographie*, deriv. do lat. med. *chrȳsographia* e, este, do gr. *chrȳsographía* || **crisó**LITO | XIV, -*rito* XIV | Do fr. *chrysolithe*, deriv. do lat. *chrȳsotithus* e, este, do gr. *chrȳsótithos* || **crisó**PRASO *sm.* 'variedade de calcedônia verde-clara' XVII. Do fr. *chrysoprase*, deriv. do lat. *chrȳsoprasos* e, este, do gr. *chrȳsóprasos* || **crisó**STOMO | *chry*- 1543 |

Do lat. cient. *chrȳsostoma*, deriv. do gr. *chrȳsóstomos*.
crisol *sm.* 'cadinho' '*fig.* aquilo em que se apuram os sentimentos' XVII. Do cast. *crisol*, que pressupõe uma base românica **crosiŏlu*, de origem incerta, talvez pré-romana; o *i* se deve à influência dos compostos eruditos procedentes de *cris(o)-* || A**crisol**AR XVII.
cris·ólito, -ópraso, -óstomo → CRIS(O)-.
crisp·ação, -ar → CRESPO.
crista *sf.* 'excrescência carnosa existente na cabeça dos galos e de outros galináceos' 'penacho' XIII. Do lat. *crista* || **crist**ADO 1844. Do lat. *cristātus*.
⇨ **crista** — **crist**ADO | 1836 SC |.
cristal *sm.* 'vidro constituído de três partes de sílica, duas de óxido de chumbo, e uma de potássio' 'vidro muito límpido e puro' '(Min.) cristal de rocha' '(Fís.) substância sólida cujas partículas constitutivas estão arrumadas regularmente no espaço' XIII. Do lat. *crystallum -i*, deriv. do gr. *kry'stallos* 'gelo, frio glacial' || **cristal**EIRA XVIII || **cristal**ÍFERO | -*lli*- 1899 || **cristal**INO *adj.* 1572; *sm.* '(Anat.) corpo lenticular e transparente, na parte anterior do humor vítreo do olho' XVI. Do lat. *crystallinus*, deriv. do gr. *krystállinos* || **cristal**IZ·AÇÃO 1813. Do fr. *cristallisation* || **cristal**IZAR 1813. Do fr. *cristalliser*, deriv. do gr. *krystallízō* || **cristal**O·BLÁST·ICO XX || **cristal**O·GRAF·IA | -*llography* 1844 | Do fr. *crystallographie* || **cristal**OIDE | -*lloide* 1858 | Do lat. tard. *crystalloīdēs*, deriv. do gr. *krystalloeidḗs*.
⇨ **cristal** — **cristal**INO | *a* 1542 JCASE 35.25 |.
cristão *adj. sm.* 'diz-se do, ou aquele que professa o cristianismo' | XIII, *creschão* XIII, *chrischão* XIII etc. | Do lat. *christiānus*, do hier. *Christus* 'Cristo' || **cristandade** *sf.* 'o conjunto dos povos ou países cristãos' 'qualidade do que é cristão' | *chrischâydade* XIII, *creschandade* XIII, *cristãidade* XIV etc. | Do lat. tard. *christiānĭtāte* || **crist**EAR *vb.* 'enganar, lograr, zombar' XX || **cristiani**CIDA XVIII || **cristian**ISMO *sm.* 'o conjunto das religiões cristãs, isto é, baseadas nos ensinamentos, na pessoa e na vida de Jesus Cristo' | *-taissimo* XIV, *-iaissimo* XIV | Do lat. *chrīstiānīsmus* || **cristian**IZAR XVII. Do lat. *christiānizāre*, deriv. do gr. *christianízō* || **cristo**LOG·IA 1873.
critério *sm.* 'aquilo que serve de norma para julgamento ou apreciação' 'princípio que permite distinguir o erro da verdade' XVIII. Do lat. tard. *critērium*, deriv. do gr. *kritérion* || **criterio**LOG·IA XX || **criterio**SO 1899.
crítico *adj.* 'pertencente ou relativo à crítica' 'que encerra crítica' '*ext.* grave, perigoso' XVII. Do lat. *criticus*, deriv. do gr. *kritikós* || **crítica** *sf.* 'arte ou faculdade de julgar produções de caráter literário, artístico etc.' 'apreciação, julgamento' 1813. Do fr. *critique*, deriv. do lat. tard. *critica* nom. pl. e, este, do gr. *kritikḗ* || **criticar** 1813. Do fr. *critiquer* || **critic**ÁVEL 1844. Adapt. do fr. *critiquable* || **critic**ISMO *sm.* '(Fil.) tendência a considerar a teoria do conhecimento como a base de toda a pesquisa filosófica' 1881. Do fr. *criticisme*, deriv. do al. *Kritizismus* e, este, do ing. *criticism* || **critic**ISTA 1881. Do fr. *criticiste* || IN**critic**ÁVEL 1873.
⇨ **crítico** — **critic**ÁVEL | 1836 SC |.
crível → CRER.

crivo *sm.* 'peneira, joeira' XIV; 'bordado de bastidor, que forma uma espécie de grade' 1881. Do lat. *crībrum -ī* ‖ **cribri**FORME 1899 ‖ **criv**AR XIV. Do lat. *crībrāre.*
-cro(a)- *elem. comp.*, do gr. *chróa* 'cor, coloração (da pele)', que se documenta em alguns compostos eruditos, como *alocroísmo*, por exemplo.
croata *adj. s2g.* 'pertencente ou relativo à Croácia' 'natural da Croácia' 1538; '*espec.* relativo ao, ou soldado de cavalaria que, nos sécs. XVII-XVIII, servia em tropas irregulares nos exércitos de diversas nações europeias' 1643; 'idioma eslávico do grupo meridional, intimamente aparentado com o sérvio' XIX. Do lat. mod. *Croata* (pl. *Croatae*), com provável interferência do fr. *croate*; o lat. mod. *Croata* assenta, sem dúvida, numa pronunciação antiga e dialetal (*χruát, χroát*) do serv.-cr. *hrvat*, com vocalização do -v-; o serv.-cr. *hrvat* é de origem iraniana ‖ **croac**IANO *adj. sm.* 'croata' 1717. De *Croác(ia)* + -IANO ‖ **croácio** *adj. sm.* 'croata' 1686 ‖ **croát**ICO 1741 ‖ **croato** *sm.* 'croata' 1650. Cp. GRAVATA.
croca *sf.* 'uma das peças da charrua' 1813. De origem controvertida.
crocal *sm.* 'pedra fina, da cor da cereja ou do açafrão' 1813. Do lat. *crocallis -idis*, relacionado talvez com o gr. *krokále* 'pedra' ‖ **cróceo** *adj.* 'da cor do açafrão' XVII. Do lat. *crocĕus*.
croché, crochê *sm.* 'tecido rendado executado à mão com uma agulha provida dum gancho na extremidade, e utilizado na confecção de peças ornamentais, de vestuário e outras' XIX. Do fr. *crochet.*
crocidismo *sm.* '(Med.) gesto que faz o doente, dando a impressão de apanhar felpas na roupa da cama, e que é interpretado como sintoma de morte próxima' 1858. Do fr. *crocydisme*, deriv. do lat. tard. *crocydismus* e, este, do gr. *krokydismós*, de *kroky's -y'dos* 'floco de lã' ‖ **crocidolita** *sf.* '(Min.) variedade azulada de asbesto, de fibras longas e finas' xx. Do al. *krokydolith*, voc. criado por Hausmann, em 1831, com base no gr. *kroky's -y' dos* 'floco de lã' + *lithos* 'pedra'.
crocitar *vb.* 'soltar a sua voz (o corvo)' XVI. Do lat. *crōcītāre* ‖ **crocit**ANTE xx ‖ **crocito** *sm.* 'a voz do corvo, o condor e de outras aves' 1899. Do lat. *crōcītus -ūs*.
crocodilo *sm.* 'designação comum aos reptis da ordem dos crocodilianos, animais pulmonados, mas que habitam os rios, deixando à tona só as narinas e os olhos' ‖ XVI, *cocodrilo* XVI ‖ Do lat. *crocodīlus -ī*, deriv. do gr. *krokódeilos.*
crocoíta *sf.* 'mineral monoclínico, vermelho, constituído de cromato de chumbo' xx. Do ing. *crocoite* (gr. *krókos* 'açafrão', *krokóeis* 'da cor do açafrão').
cromado → CROMO.
-cromat(o)- *elem. comp.*, do gr. *chrōmato-*, de *chrōma -atos* 'cor, pigmento' '*fig.* modulação, melodia', que se documenta em alguns compostos formados no próprio grego (como *cromático*) e em vários outros introduzidos, a partir do séc. XIX, na linguagem científica internacional ▸ **cromát**ICO *adj.* 'respeitante a cores' '(Mús.) composto de uma série de semitons' XVIII. Do lat. tard. *chrōmaticus*, deriv. do gr. *chrōmatikós*; na primeira acepção, o voc. é de imediata procedência francesa ‖ **croma**TINA *sf.* 'substância existente no núcleo celular, e que se cora intensamente pelos corantes básicos' xx ‖ **cromat**ISMO *sm.* 'distribuição harmoniosa das cores' '(Mús.) divisão da oitava em doze partes iguais, mediante a decomposição de cada tom da escala diatônica em dois semitons' 1873. Do fr. *chromatisme*, deriv. do gr. *chrōmatismós* ‖ **cromató**FORO *sm.* 'célula do derma da pele que contém pigmento' xx ‖ **cromato**GRAF·IA xx. Cp. ACROMAT(O)-, ACROM(O)-, CROMO.
⇨ **-cromat(o)-** — **cromát**ICO ∣ *chromatico* 1576 DNLEO 15.*20* ∣.
cromo *sm.* '(Quím.) elemento de número atômico 24, metálico, duro, maleável, prateado, com um leve tom azulado, que forma inúmeras ligas e tem diversos usos importantes' 1858; 'figura estampada a cores, em geral com relevo' ∣ *chromo* XIX ∣ Do fr. *chrome*, deriv. do gr. *chrōma* 'cor', voc. criado por Vauquelin, em 1797; na segunda acepção, o voc. é derivado do fr. *chromo*, abrev. de *chromolithographie* ‖ **crom**ADO *adj. sm.* *chro-* 1873 ‖ **cromo**CALCO·GRAF·IA xx ‖ **cromo**LITO·GRAF·IA ∣ *chromo-lithographia* 1873 ∣ Do fr. *chromolithographie* ‖ **cromô**MERO xx ‖ **cromos**FERA xx. Do fr. *chromosphère* ‖ **cromos**·SOMO xx. Do lat. cient. *chrōmosōma* ‖ **cromo**TERAP·IA xx. Do fr.*chromothérapie*‖**cromo**TIPO·GRAF·IAxx.Do fr.*chromotypographie*.Cp.ACROMAT(O)-,ACROM(O)-, -CROMAT(O)-.
cron(o)- *elem. comp.*, do gr. *chrono-*, de *chrónos* 'tempo', que se documenta em alguns compostos formados no próprio grego (como *cronologia*) e em muitos outros introduzidos, a partir do séc. XIX, na linguagem erudita ▸ **cronaxia** *sf.* 'o menor tempo necessário para que uma corrente elétrica ponha dado músculo em ação' xx. Do fr. *chronaxie* ‖ **crônica** *sf.* 'narração história, feita por ordem cronológica' 'seção ou coluna de jornal ou de revista, que trata de assuntos da atualidade' ∣ XIV, *calonica* XIV, *caronica* XIV etc. ∣ Do lat. *chrŏnĭca -orum* pl., deriv. do gr. *chroniká* ‖ **crônico** *adj.* 'relativo a tempo' 'que dura há muito' '(Pat.) diz-se das doenças de longa duração por oposição às de manifestação aguda' 1813. Do fr. *chronique*, deriv. do lat. *chronĭcus* e, este, do gr. *chronikós* ‖ **cron**ISTA *s2g.* 'que escreve crônicas' ∣ xv, *cronista* xv ‖ **crono**FOTO·GRAF·IA ∣ *chronophotographia* 1899 ∣ Do fr. *chronophotographie* ‖ **crono**GRAF·IA ∣ *chronographia* 1844 ‖ **crono**GRAMA ∣ *chronogramma* 1844 ‖ **crono**GRAMME ‖ **crono**LOG·IA ∣ *chro-* XVIII, *gronoligia* xv ∣ Do fr. *chronologie*, deriv. do gr. *chronología* ‖ **crono**LÓG·ICO ∣ *chro-* XVIII ∣ Do fr. *chronologique*, deriv. do gr. *chronologikós* ‖ **cronô**METRO 1813. Do fr. *chronomètre* ‖ **cron**ÔNIMO xx ‖ **crono**SCÓP·IO ∣ *chro-* 1858 ∣ Do fr. *chronoscope.*
⇨ **cron(o)-** — **crono**GRAF·IA ∣ *chronographia* 1836 SC ∣.
croque *sm.* 'vara provida de um gancho na extremidade, e utilizada pelos barqueiros para atracar barcos' xv. Do fr. *croc*, de origem onomatopaica ‖ **croquete** *sm.* 'bolinho de carne, galinha, camarão etc., passado em farinha de rosca e frito' xx. Do fr. *croquette* ‖ **croqui** *sm.* 'esboço, em breves traços,

de desenho ou de pintura' | *croquis* 1899 | Do fr. *croquis*.
cróssima *sf.* 'peça triangular de ferro ou de aço, colocada nos desvios das vias férreas, nos pontos onde os trilhos se interceptam' XX. Do ing. *crossing* 'cruzamento'.
crosta *sf.* 'camada de substância espessa que se forma sobre um corpo' | *crusta* XVI | Do lat. *crusta* || crustÁCEO *sm.* 'classe de animais do filo dos artrópodes, de exosqueleto calcário e com a cabeça e tórax fundidos numa só peça' 1844. Do lat. cient. *crustăceus*.
➪ crosta — crustÁCEO | 1836 SC |.
crótalo *sm.* 'orig. espécie de castanhola' XVII; 'gênero de cobras muito venenosas, da fam. dos crotalídeos, que têm na cauda um guizo' 1873. Do lat. cient. *crotalus*, deriv. do gr. *krótalon* 'guizo, chocalho' || crotalOIDE 1881.
cróton *sm.* 'planta ornamental da fam. das euforbiáceas' 1881. Do lat. cient. *crotŏn*, deriv. do gr. *krotŏn -ŏnos*.
cru *adj.* 'cruel, feroz' | XIII, *cruu* XIII |; 'difícil' | *cruu* XIII |; '(couro) não curtido' | *cruu* XIV *cruyo* XIV |; 'não cozido' XIV. Do lat. *crŭdus* (fem. *crŭda*) || crudÍVORO 1899 || **cruel** *adj. 2g.* 'duro, insensível' XIII. Do lat. *crūdēlis* || cruelDADE XIII. Do lat. *crūdēlĭtās -ātis* || cruEZA XIII || ENcruAR *vb.* 'tornar cru' 1844 || ENcruECER XVI. Do lat. tard. *incrūdēscere*.
➪ cru — ENcruAR | 1836 SC |.
cruci-ador, -al, -ante, -ar, -ário, -ferário, -fero, -ficado, -ficamento, -ficar, -fixão, -fixo, -forme, -gero, -rrostro → CRUZ.
crudívoro → CRU.
crueira *sf.* 'parte grosseira da mandioca que não passa nas malhas da peneira' 1873. Do tupi *kuru'era*; V. MINDOCURUERA.
➪ crueira | 1836 SC |.
cruento *adj.* 'sanguinolento, sangrento, cruel' XVI. Do lat. *cruentus* || cruentAÇÃO 1844. Do lat. *cruentătĭō -ōnis* || cruentAR XVIII. Do lat. *cruentāre* || INcruento 1813. Do lat. *incruentus*.
crúmen *sm.* '(Zool.) glândula suborbicular de certos ruminantes, cuja secreção é odorífera' XX. Do lat. *crumēna* 'bolsa, sacola'.
cruor *sm.* 'sangue derramado' 'a parte do sangue que coagula' XIX. Do lat. *cruor -ōris*.
crupe *sm.* 'angina aguda, sufocante, acompanhada de difteria' | *croup* 1858 | Do fr. *croup*, deriv. do ing. *croup*, do ing. dialetal *to croup* 'tossir roncando', de origem onomatopaica.
crupiê *sm.* 'empregado que, especialmente nos cassinos, dirige o jogo, paga e recolhe as apostas' XX. Do fr. *croupier*.
crural *adj. 2g.* 'relativo ou pertencente à coxa' 1858. Do lat. *crūrālis -e*.
crustáceo → CROSTA.
cruz *sf.* 'antigo instrumento de suplício, constituído por dois madeiros, um atravessado no outro, em que se amarravam ou pregavam os condenados à morte' XIII. Do lat. *crux crŭcis* || cruciADOR 1899. Do lat. *cruciātor -ōris* || cruciAL *adj.* 'decisivo' 1844. Do ing. *crucial*, provavelmente através do francês. No port. med. ocorre *cruçiaes* pl. (no séc. XIV) na acepção de 'ponto extremo' 'ponto importante', em alusão às quatro extremidades da cruz || cruciANTE 1881. Do lat. *cruciāns -antis*, part. de *cruciāre* || cruciAR *vb.* 'orig. crucificar' '*ext.* afligir, mortificar, torturar' 1844. Do lat. *cruciāre* || cruciÁRIO *adj.* 'cruciante' 1899. Do lat. *cruciārĭus* || cruciFER·ÁRIO *sm.* 'aquele que leva a cruz, nas procissões' 1844 || crucÍFERO 1813. Do lat. *crucĭferum* || cruciFIC·ADO 1570 || cruciFIC·AMENTO XV || cruciFIC·AR *vb.* 'orig. aplicar o sacrifício da cruz' '*ext.* afligir, torturar' | XIV, -gar XIII | Do lat. tard. *crucificāre* (cláss. *crucifigĕre*) || cruciFI·XÃO *sf.* 'crucificação' XVII. Do lat. *crucifixĭō -ōnis* || cruciFIXO *adj.* 'crucificado' | *-fisso* XIII |; *sm.* 'a imagem de Cristo pregado na cruz' | *-çu-* XV | Do lat. ecles. *crucifixus* || cruciFORME 1844 || crucÍGERO 1844 || crucir·ROSTRO 1899 || cruzADA *sf.* 'expedição militar de caráter religioso que se fazia na Idade Média' XIII || cruzADO[1] *sm.* 'expedicionário das cruzadas' XIII || cruzADO[2] *sm.* 'antiga moeda portuguesa, de ouro ou de prata' XV || cruzADOR *sm.* 'navio de combate' 1890 || cruzAR *vb.* 'fazer cruzada' XII; 'percorrer, atravessar' XVII || cruzEIRA *sf.* 'barra de metal usada em serviços de tipografia' XX || cruzEIRO *sm.* 'orig. navegação feita em vários rumos, dentro de uma área limitada, para fins de policiamento' '*ext.* viagem de turismo a vários pontos' 1798; 'unidade monetária e moeda brasileiras' XX || cruzETA XVI || DEScruzAR XVII.
➪ cruz — cruciAL | 1836 SC || cruciAR | 1836 SC || cruciFER·ÁRIO | 1836 SC || cruciFORME | 1836 SC || crucÍGERO | 1836 SC |.
ctenóforo *sm.* 'animal enterozoário, radiado, marinho, cujo corpo é revestido de oito fileiras de palhetas' com cílios em forma de pente, para locomoção' | *-pho-* 1899 | Do fr. *cténophore*, deriv. do lat. cient. *ctenophorus* e, este, do gr. *kteno-* (de *ktéis -enós* 'pente') + *-phoros* (de *phérein* 'conduzir, levar').
-cton(o)[1]-, -cton(o)[2]- *elem. comp.*, ambos de origem grega, mas de étimos e sentidos distintos: (i) *-cton(o)[1]-*, do gr. *chthŏn -onós* 'terra, terreno', documenta-se em alguns vocs. eruditos, como *alóctone* e *autóctone*, por exemplo; (ii) *-cton(o)[2]-*, deriv. do gr. *-któnos*, de *kteínō* 'eu mato', ocorre, também em alguns compostos eruditos, como *andróctono*, entre outros.
cu *sm.* 'ânus' XIV. Do lat. *cūlus -ī* || **cueca(s)** *sf. (pl)* 'peça íntima do vestuário masculino, usada sob as calças' 1813 || cuEIRO *sm.* 'pano em que se envolve o corpo das criancinhas da cintura para baixo' XV.
cuandu *sm.* 'roedor da fam. dos eretizontídeos, espécie de porco-espinho' | *candu c* 1584, *coandu* 1587, *quoandu* 1618 etc. | Do tupi *kuạ'ṇu*.
-cuara *elem. comp.*, do tupi '*kuạra* 'buraco. cova, toca', que se documenta em alguns vocs. port. de origem tupi: *acaricuara*, *guaibicuara* etc.
cuatá *sm.* 'macaco da fam. dos cebídeos' | *coatá c* 1777, *quatá* 1833 etc. | Do tupi **kuạ'ta*.
cuati *sm.* 'mamífero carnívoro da fam. dos procionídeos' | *coati c* 1584, *quati c* 1594; etc. | Do tupi *kuạ'ti*.
cuatiara *sf.* 'madeira rajada' | *cotiara* 1616, *cutara a* 1667 etc. | Do tupi *kuạ'tjara*; cp. IBIRACUATIARA.
cuatimundé *sm.* 'espécie de cuati' | *quati monde c* 1594, *quatimondé a* 1696 etc. | Do tupi *kuạtimu'ṇe* (< *kuạ'ti* 'cuati' + *mu'ṇe* 'armadilha').

cuatipuru *sm.* 'acutipuru' | *quatipurú* 1928 | De ACUTIPURU (< tupi **akutipu'ru*).
cuaxinguba *sf.* 'planta da fam. das moráceas' *coaxanduba* 1763, *caxingúba* 1833, *guaxinguba* 1930 | Do tupi **kuašiṇ'ĩu̯a* (**kuasiṇ'ĩu̯a*).
cuba *sf.* 'vasilha grande de madeira na qual se guarda vinho ou outros líquidos' XVII. Do lat. *cūpa*.
cubagem → CUBO.
cubano *adj. sm.* 'relativo a, ou natural de Cuba' 1899. Do top. *Cub(a)* + -ANO.
cubar → CUBO.
cubata *sf.* 'choça formada de folhas, habitação dos pretos africanos' 1881. Provavelmente do quimb. *ku'bata* 'casa'.
cubatura → CUBO.
cubeba *sf.* 'planta da fam. das piperáceas, originária da Índia, e cuja semente já foi utilizada em medicina' 'o fruto dessa planta' XVI. Do ár. *kubāba*.
cúb·ico, -icular, -ículo → CUBO.
cúbio *sm.* 'planta da fam. das solanáceas, de cujo fruto se faz doce' | *cubyo* 1881 | De um idioma indígena americano.
cub·ismo, -ista → CUBO.
cúbito *sm.* 'ant. côvado' XVII; '(Anat.) osso do antebraço' 1873. Do lat. *cubĭtum* -ī || **cubit**AL *adj.* 2g. '(Anat.) relativo ao cúbito' 1813. Do lat. *cubitālis* -e || RE**cúbito** 'posição de quem se acha encostado' XVI. Do lat. *recubĭtus -ūs*.
⇨ **cúbito** 'osso do antebraço' | 1836 SC |.
cubo *sm.* '(Geom.) poliedro regular com seis faces quadradas' XIV. Do lat. *cŭbus -ī*, deriv. do gr. *ky'bos* 'cubo, dado' || **cub**AGEM *sf.* 'ato, efeito ou método de cubar' 'quantidade de unidades cúbicas que se podem conter num certo espaço' 1881 || **cub**AR *vb.* 'elevar ao cubo' 'avaliar ou medir (o volume de um sólido)' 1881 || **cub**AT·URA *sf.* 'redução geométrica de um sólido qualquer a um cubo equivalente em volume' 1881 || **cub**ETE XIV || **cú**bICO 1813. Do lat. *cubĭcus* || **cubicul**AR 1858. Do lat. *cubiculāris* -e || **cubículo** *sm.* 'orig. quarto de cama, câmara' 'ext. pequeno compartimento' XVI. Do lat. *cubicŭlum -i* || **cub**ISMO *sm.* 'escola de pintura (que veio a estender-se à escultura) surgida por volta de 1910, e que se caracteriza pela decomposição e geometrização das formas naturais' XX. Do fr. *cubisme* || **cub**ISTA XX. Do fr. *cubiste* || **cub**OIDE *adj.* 2g. 'que tem a forma de um cubo' '(Anat.) osso curto do tarso' 1858. Cp. gr. *kyboeidés* 'semelhante a um cubo' || **cubo**MANC·IA XX. Do lat. cient. *cubomantīa*.
⇨ **cubo** — **cúbico** | 1697 in GFer 199.9 *cubeco* 1519 GNic 51.*19* |.
cuca[1] *sm.* 'cozinheiro, mestre-cuca' XX. Do ing. *(to) cook*.
cuca[2] *sm.* 'tipo de bolo, de origem alemã' XX. Do al. *Kuchen*.
cucharra *sf.* 'colher grosseira, de chifre ou de pau, usada no campo' 1881. Do cast. *cuchara*, do ant. e dialetal *cuchar*, deriv. do lat. *cochlĕar -āris* 'colher'.
cuco *sm.* 'orig. ave cuculiforme, da fam. dos cuculídeos, que é capaz de imitar numerosas espécies de pássaros' 'ext. relógio que, ao dar as horas, imita o canto dessa ave' XVI. Do lat. *cucūlus* ou *cucŭlus*, através de uma forma **cucuo* || **cucular**

vb. 'cantar (o cuco)' 1899. Do lat. *cucŭlāre* || **cuculi**FORME XX.
cuculo *sm.* 'capuz, capelo' 1844. Do lat. *cucullus -ī*.
cucumbi *sm.* 'antigo folguedo de negros, vestidos de peles e penas, figurando um cortejo para a celebração do rito da puberdade' XX. De origem africana, mas de étimo indeterminado.
cucúrbita *sf.* '*ant.* no alambique, a peça que recebe a substância que vai ser destilada' 1813; 'designação científica da abóbora' XX. Do lat. *cucurbĭta* || **cucurbit**INO *adj.* 'semelhante à abóbora' 1858. Do lat. *cucurbitīnus*.
cue·ca, -iro → CU.
cuia *sf.* 'vasilha feita com a casca da cuieira' | 1587, *cuya c* 1584 etc. | Do tupi *kuia* || **cuiaba** *c* 1607. Do tupi *kui'ʔau̯a* || **cui**ADA 1918 || **cuiapeua** 1886. Do tupi *kuiʔ peu̯a* (< **kuia* + *'peu̯a* 'chato') || **cuiaíba** 'planta da fam. das bignoniáceas, de cujos frutos se fazem às cuias' | *cuieiba* 1587, *cuyîba* 1636 | Do tupi *kuia'ĩu̯a* (< **kuia* + *'ĩu̯a* 'árvore, planta') || **cuiarana** 1886. Do tupi **kuia'rana* (< *'kuia* + *'rana* 'semelhante'); V. CUIEIRA, CUIETÊ.
cuíca[1] *sf.* 'marsupial da fam. dos didelfídeos' 1817. Do tupi **ku'ika* || **cuíca**[2] *sf.* 'instrumento popular, constituído de um pequeno barril, fechado numa das bocas com uma pele bem esticada, em cujo centro se prende uma vara, que, ao ser atritada com a palma da mão, produz um som rouco característico' XX.
cuidar *vb.* 'orig. cogitar, imaginar, pensar' 'ext. tratar de, dar atenção a' 'ext. ter cuidado com a saúde de, curar' | XIII, *coi-* XIII, etc. | Do lat. *cōgĭtāre* || **cuid**ADO *adj. sm.* | XIII, *cuy-* XIII, *coy-* XIII | Do lat. *cōgĭtātum*. O voc. tem a mesma evolução semântica do anterior || **cuidad**OSO | *cuy-* XIV, *coi-* XV || **cuid**OSO | XVI, *coy-* XIV | Var. haplológica de *cuidadoso* || DES**cuid**ADO XVI || DES**cuidar** XVI || DES**coid**ISTA XX || DES**cuid**OSO XVI. Dev. de *descuidar*.
⇨ **cuidar** — **cuid**OSO | XIV TEST 204.*33* || RE**cuidar** | 1569 in *Studia* n.° 8,194.*27* |.
cuidaru *sm.* 'espécie de clava indígena' | *cudaru* 1770, *cuidarà* 1833 | De origem duvidosa, talvez tupi.
cuieira *sf.* 'planta da fam. das bignoniáceas, de cujos frutos se fazem cuias' | *cuyeira* 1585 | De *cui(a)* + *-eira*; V. CUIA.
cuiejurimu *sm.* 'variedade de pimenta' 1587. Do tupi **kĩĩuru'mũ* (< *kĩ'ĩa* 'pimenta' + *iuru'mũ* 'abóbora' (V. JERIMUM) || **cuiém** 'nome genérico da pimenta, entre os índios do Brasil' | 1587, *quinha c* 1631 | Do tupi *kĩ'ĩa* (*kĩ'ĩña*) || **cuiem**UÇU 'variedade de pimenta' 1587 || **cuiepiá** 'variedade de pimenta' 1587. Do tupi *kĩpi'á*.
cuietê *sf.* 'planta da fam. das bignoniáceas, cuieira' | *cuijte c* 1631, *cuyaté* 1761 etc. | Do tupi *kuie'te*; V. CUIA || **cuitez**·EIRA 1817.
cuim *sm.* 'roedor da fam. dos eretizontídeos, espécie de cuandu' | 1587, *corĩ c* 1594, *coim* 1610 | Do tupi *kui'ĩ*.
cuipeúna *sf.* 'planta da fam. das melastomáceas' 1587. Do tupi **kuipe'una*.
cuipuna *sm.* 'planta da fam. das mirtáceas' *coipuna* 1875 | Do tupi **kui'puna*.
cuitezeira → CUIETÊ.
cuiú-cuiú *sm.* 'peixe de água doce da fam. dos doradídeos' *c* 1777. De provável origem tupi.

cujo *pron.* XIII. Do lat. *cūius*.
cujubi *sm.* 'ave galiforme da fam. dos cracídeos' *c* 1777. Do tupi **kuju'mi*.
culatra *sf.* 'o fundo do cano de arma de fogo' 'a parte posterior do canhão' XVII. Do it. *culatta*.
cule *sm.* 'operário nativo não especializado, em particular na Índia, na antiga China etc.' | *qule* XVI | Provavelmente de um idioma dravídico (tamul *kūli*), através do cingalês.
culinário *adj.* 'pertencente ou relativo à cozinha' 1844. Do lat. *culīnārĭus* || **culinária** *sf.* 'a arte de cozinhar' 1844. Fem. substantivado de *culinário*.
⇨ **culinário** | 1836 SC |.
culmin·ância, -ante, -ar → CUME.
culote *sm.* 'orig. calça larga na parte superior e justa a partir do joelho, usada para montaria' 'ext. parte externa das coxas onde há depósito de gordura' XX. Do fr. *culotte*.
culpa *sf.* 'conduta negligente ou imprudente'. 'falta voluntária a uma obrigação, ou a um princípio ético' 'delito, crime' XIII. Do lat. *cŭlpa* || **culp**ABIL·IDADE 1844. Adapt. do fr. *culpabilité* || **culp**ADO XIII. Do lat. *culpātus*, part. de *cŭlpāre* || **culp**AR XIII. Do lat. *cŭlpāre* || **culp**ÁVEL 1813. Do lat. *culpābĭlis -e* || **culp**OSO 1881 || DE**sculpa** XVI. Dev. de *desculpar* || DE**sculp**AR XV || IN**culp**ABI·L·IDADE 1858 | IN**culp**AÇÃO 1881 | IN**culp**ADO 1813. Do lat. *inculpātus* || IN**culp**AR | 1881, *enc-* XIV | Do lat. *ĭncŭlpāre* || INCULPÁVEL || XVII. Do lat. *inculpābĭlis -e* || IN·DE**sculp**ÁVEL 1844.
⇨ **culpa** — **culp**ÁVEL | 1706 SRPitP 1418 || DE**sculp**ÁVEL | *disculpauel* || 1660 FMMelE 198.*16* || IN·DE**sculp**ÁVEL | 1660 FMMelE 53.*22* |.
culto¹ *sm.* 'orig. adoração ou homenagem à divindade em qualquer de suas formas, e em qualquer religião' 'ext. ritual' XVI. Do lat. *cultus -ūs* || A**cultur**AÇÃO XX || A**cultur**ADO XX || A**cultur**AR XX || **culteranismo** *sm.* 'excessivo apuro ou afetação no uso da linguagem' 1899. Do cast. *culteranismo* || **culterano** *adj. sm.* 'partidário do culteranismo' 1899. Do cast. *culterano* || **cultiv**ADOR 1813. Adapt. do fr. *cultivateur* || **cultiv**AR *vb.* 'orig. fertilizar (a terra) pelo trabalho' 'ext. aplicar-se ou dedicar-se a' 'ext. procurar manter ou conservar' XVII. Do lat. med. *cultīvāre* (cláss. *colĕre*) || **cultiv**ÁVEL 1844. Adapt. do fr. *cultivable* || **cultivo** 1813. Dev. de *cultivar* || **culto²** *adj.* 'instruído, civilizado' XVI. Do lat. *cultus*, part. de *colĕre* || **cult**OR *adj.* 'o que cultiva' XVII. Do lat. *cultor -ōris* || **cultu**AL *adj. 2g.* 1899. De *culto¹* || **cultu**AR XX. De *culto¹* || **cultura** *sf.* 'orig. ato, efeito ou modo de cultivar' 'ext. civilização' XVI. Do lat. *cultūra*. Na segunda acepção, o voc. vem do al. *Kultur*, através do fr. *culture* || **cultur**AL 1881. Do fr. *culturel*, deriv. do al. *Kulturell* || IN**culto** XIII. Do lat. *in-cultus* || IN**cultura** 1813.
⇨ **culto¹** — **cultiv**AÇÃO | 1614 SGonç 1.274.*12* || **cultiv**ADO | *coltiuado c* 1539 JCasD 39.*25* || **cultivável** | 1836 SC |.
cultri- *elem. comp.*, do lat. *culter, -trī* 'faca, cutelo', que se documenta em alguns vocs. introduzidos, a partir do séc. XIX, na linguagem científica internacional ▸ **cultri**FOLI·ADO XX || **cultri**FORME 1873 || **cultri**R·ROSTRO | *-triros-* 1858 | Do lat. cient. *cultri·rostra*. Cp. CUTELO.

cult·ual, -uar, -ura, -ural → CULTO.
cumari *sm.* 'variedade de pimenta' 1587. Do tupi **kuma'ri*.
cumaru *sm.* 'planta da fam. das leguminosas' 1760. Do tupi **kuma'ru* || **cumaru**RANA XX || **cumaruz·**EIRO XX.
cumbira *sf.* 'planta da fam. das mirtáceas' | *combira* 1648 | De provável origem tupi.
cumbuca *sf.* 'espécie de cuia' | *cuiambuca c* 1696, *combuca* 1874 | Do tupi *kui'muka*; v. CUIA.
cume *sm.* 'o ponto mais alto de um monte' '*fig.* auge, apogeu' XIII. Do lat. *culmen -ĭnis* || **culmi**NÂNCIA 1899 || **culmi**NANTE 1813. Do fr. *culminant* || **culmi**NAR *vb.* 'chegar ao ponto culminante, mais alto, ao auge' 1858. Do fr. *culminer*, deriv. do lat. tard. *culmināre* || **cume**ADA *sf.* 'sequência de cumes de montanhas' | *-mi-* XVI || **cume**EIRA *sf.* 'cume' 'a parte mais alta do telhado' XVI.
⇨ **cume** — **culmi**NAR | 1836 SC |.
cúmplice *s2g.* 'orig. pessoa que tomou parte em um delito ou crime' 'ext. parceiro, sócio' | *com-* XVII | Do lat. tard. *complex -ĭcis* || A**cumplici**ADO XX || A**cumplici**AR XX || **cumplici**AR 1844 || **cumplici**DADE | *com-* 1844 | Adapt. do fr. *complicité*.
⇨ **cúmplice** | *complice a* 1595 *Jorn.* 187.*10* || **cumplici**AR | *com-* 1836 SC || **cumplici**DADE | *com-* 1836 SC |.
cumprir *vb.* 'realizar, executar, preencher, completar' | *com-* XIII, *con-* XIII etc. | Do lat. *complēre* || **compr**IDO *adj.* 'extenso em sentido longitudinal, longo' XVI. Part. do arcaico *comprir* 'cumprir' || **compri**MENTO *sm.* 'extensão de linha' 'dimensão longitudinal de um objeto' XVI || **cumpr**IDO *adj.* 'cheio, completo, perfeito' XIII || **cumpr**IDOR *adj. sm.* 'executor (de um testamento); realizador' XIV, *con-* XIV etc. || **cumpri**MENTO *sm.* 'orig. ação de cumprir' 'realização, execução' 'ext. saudação' | XIII, *con-* XIII etc. || EN**compri**DAR 1881. Der. de *comprido*. As formas *comprido* e *comprimento* são meras variantes de *cumprido* e *cumprimento*, com extensão e especialização de sentido. Cp. *complemento* (V. COMPLETO).
cumular *vp.* 'acumular, juntar, reunir, amontoar' XVI. Do lat. *cumŭlāre* || A**cumul**AÇÃO | *accu-* XVI | Do lat. *accumulātĭō -ōnis* || A**cumul**ADOR 1858. Do lat. *accumulātŏr -ōris* || A**cumul**ANTE XX || A**cumul**AR *vb.* 'cumular' XV. Do lat. *ac-cumŭlāre* || A**cumul**ATIVO | *accu-* 1813 || A**cúmulo** XX. Dev. de *acumular* || **cúmulo** 'orig. reunião de coisas sobrepostas, montão' 'ext. auge, máximo' XVI. Do lat. *cumŭlus -ī*.
cuna *sf.* '(Poét.) berço' '*fig.* origem, pátria' XVII. Do lat. *cūna*.
cunambi *sm.* 'planta da fam. das compostas, subfam. das arteráceas' 1833. Do tupi **kuna'mi*.
cunapu *sm.* 'espécie de mero' 1587. Do tupi **kuna'pu*.
cunauaru *sm.* 'variedade de sapo' XX. Do tupi **kunaua'ru*.
cunduru *sm.* 'planta da fam. das moráceas' | *conduru* 1565, *comduru c* 1574 etc. | Do tupi *kunu'ru*.
cunha *sf.* 'peça de ferro ou de madeira que se introduz em uma brecha, para fender pedras, madeira etc., para servir de calço, e para firmar ou ajustar certas coisas' | XIV, *cuna* XIV, *coinha* XIV | Fem. de

cunho, do lat. *cŭnĕus -ī* || **cunei**FOLI·ADO 1899 || **cunei**FORME 1858. Do fr. *cunéiforme* || **cunei**R·ROSTRO |*-neiros-* 1858 || **cunh**AGEM *sf.* 'operação de cunhar moeda' XX || **cunh**AL *sm.* 'ângulo saliente formado por duas paredes convergentes, esquina' XVI || **cunh**AR *vb.* 'imprimir cunho em' 1813. Do lat. *cunĕāre* || **cunh**ETE *sm.* 'caixote de madeira utilizado, sobretudo, para guardar ou transportar munição de guerra' 1813 || **cunho** *sm.* 'placa de ferro para marcar moedas, medalhas etc.' XV. Do lat. *cŭnĕus -ī.*
⇨ **cunha** — ACUNHADO | *acuñado* XIV TROY 1.355.*8* || **cunei**FORME | 1836 SC || **cunei**R·ROSTRO | *cuneirostro* 1836 SC |.
cunhã *sf.* 'índia e, por extensão, esposa ou companheira do caboclo, ou do homem branco' XX. Do tupi *ku'ñã* 'mulher'.
cunhado *sm.* 'irmão de um dos cônjuges em relação ao outro, e vice-versa' XIII. Do lat. *cognātus* || CON**cunhado** *sm.* 'indivíduo em relação ao cunhado ou cunhada de seu cônjuge' 1844 || **cunhadia** *sf.* 'cunhadio' XV || **cunhadio** *sino* 'parentesco entre cunhados' XVI.
⇨ **cunhado** — CON**cunh**ADO | 1836 SC |.
cunhagem → CUNHA.
cunhambira *sf.* 'mestiço, filho de índia com prisioneiro branco ou com índio de tribo inimiga' 1587. Do tupi *kuñame'mɨra* (< *ku'ñã* 'mulher' + *me'mɨra* 'filho, filha') || **cunhamena** 'homem branco amasiado com duas ou mais índias' 1754. Do tupi *kuña'mena* (< *ku'ñã* 'mulher' + *'mena* 'marido') || **cunhamucu** 'moça indígena' 1895. Do tupi *kuñamu'ku* || **cunhantã** 'menina indígena' | *cunhantem* 1874 | Do tupi *kuña'taĩ*.
cunh·ar, -ete, -o → CUNHA.
cunicultura *sf.* 'criação de coelhos' XX. Do fr. *cuniculture*, por *cuniculiculture*, deriv. do lat. *cunīcŭlus -ī* 'coelho' + *culture* 'cultura' || **cunicultor** XX. Cp. COELHO.
cupá *sf.* 'espécie de pescada' 1587. Do tupi **ku'pa*; V. ATUCUPÁ.
cupê *sm.* 'carruagem fechada, de quatro rodas, geralmente para dois passageiros' | *coupé* 1899 |; 'carro de passeio ou carro esporte, de duas portas' XX. Do fr. *coupé*.
cupidez → CÚPIDO.
cupido *sm.* '(Mit.) designação latina do mitônimo grego Eros, o deus alado do Amor' XVI. Do mit. lat. *Cupīdō -ĭnis* || **cupidíneo** *adj.* 'relativo a Cupido, ao amor' 1844. Do lat. *Cupīdĭnĕus*.
⇨ **cupido** — **cupidíneo** | 1836 SC |.
cúpido *adj.* 'ávido, cobiçoso, apaixonado por' 1881. Do fr. *cupide*, deriv. do lat. *cupĭdus* || **cupidez** XX.
cupim *sm.* 'nome genérico dos insetos da ordem dos isópteros, térmita; montículo de terra' | 1734, *copi* 1587, *copij* 1627 etc. | Do tupi *kupi'i*.
cupiúba *sf.* 'jabuticabeira' | *copiúba* 1587 | Do tupi **kupi'ɨua*.
cupom *sm.* 'cédula destacável' 1873 | *coupon* 1873, *copão* 1873 | Do fr. *coupon*.
cupressiforme → CIPRESTE.
cúpr·ico, -ífero, -ino, -irrostro, -ita, -oso → COBRE.
cupu *sm.* 'fruto semelhante ao cacau' XX. Do tupi **ku'pu* || **cupu**AÇU 'fruto do cupuaçuzeiro' | *cupu*-*assú* 1817, *copuassú* 1833 etc. | Do tupi **kupua'su* (< **ku'pu + ɨa'su* 'grande') | **cupu**AÇU·Z·EIRO | *copúassúseiro* 1886 | **cupuaí** | *cupahi* 1787, *cupuahi* 1787 | Do tupi **kupua'i*.
cúpula *sf.* 'a parte superior, côncava e interna dalguns edifícios' '*fig.* as pessoas dirigentes, as mais graduadas de um partido, uma organização etc.' XVIII. Do it. *cùpola*, deriv. do lat. tard. *cūpula*, dim. de *cūpa* 'cuba, tina' || **cupuli**FORME 1899. Cp. CUBA.
cura *sf.* e *m.* '*ant.* paróquia' XIII; 'cuidado' XIII; 'sacerdote' XIV; 'assistência a um doente' XIV. Do lat. *cūra* || **cur**ABIL·IDADE 1858. Adapt. do fr. *curabilité* || **cur**ADO 1500. Do lat. *cūrātus*, part. de *cūrāre* || **cur**ADOR *sm.* 'o que cura o doente' XV; 'pessoa que tem, por incumbência legal ou judicial, a função de zelar pelos bens e pelos interesses dos que por si não o possam fazer' XVI. Do lat. *cūrātor -ōris* || **curador**IA *sf.* 'cargo, poder ou função de curador' 1813. De *curador*, em sua segunda acepção || **curand**EIRO *sm.* 'aquele que cura por meio de rezas ou feitiçarias' | *curadeiro* 1858 | Do lat. *curand(u)*, gerundivo de *cūrāre* + -EIRO || **cur**AR *vb.* 'ter cuidados com, vigiar, livrar de doença' XIII. Do lat. *cūrāre* || **curatela** *sf.* 'curadoria' 1844. Do fr. *curatelle*, deriv. do lat. med. *cūrātēla*, de *cūrātor*, sob o modelo de *tutor*/*tūtela* || **cur**ATIVO *adj.* 'que cura' 1813; *sm.* 'aplicação local de remédios em feridas, incisões cirúrgicas etc.' 1873. Adapt. do fr. *curatif* || **cur**ATO *sm.* 'cargo e residência de cura (pároco)' 1793. Do lat. ecles. med. *cūrātus* || **cur**ÁVEL 1813. Do lat. *cūrābĭlis -e* || **cur**ETA *sf.* 'instrumento cirúrgico para raspar, em forma de colher e com bordas cortantes' XX. Do fr. *curette* || **cur**ETAGEM XX. Do fr. *curetage* || **curet**AR *vb.* 'raspar com a cureta' XX. Do fr. *cureter* || DES**cur**AR 1881 IN**cur**ABIL·IDADE 1844. Adapt. do fr. *incurabilité* || IN**cur**ÁVEL 1813. Adapt. do fr. *incurable*.
⇨ **cura** — **curatela** | 1836 SC || **cur**ATIVO *sm.* | 1836 SC || IN**cur**ABIL·IDADE | 1836 SC || IN**cur**ÁVEL | 1538 DCast 74*v*1 |.
curaçau *sm.* 'licor feito com' aguardente de cana e casca de laranja amarga' | *-çao* 1873 | Do fr. *curaçao*, do top. *Curaçau*.
cur·ado, -ador, -adoria, -andeiro, -ar → CURA.
curare *sm.* 'veneno muito violento, de ação paralisante, extraído da casca de certos cipós, e com o qual algumas tribos indígenas ervam as suas flechas' XIX. De um dialeto caribe de Terra Firme, provavelmente através do castelhano.
cura·tela, -tivo, -to → CURA.
curável - CURA.
curcurana *sf.* 'terreno alagado, brejo' | 1648, *caracurana* 1612 | Do tupi **karaku'rana*.
cur·eta, -etagem, -etar → CURA.
curi *sm.* 'espécie de argila vermelha que se utilizou para tingir' | *cori* 1693 | De provável origem tupi.
cúria *sf.* '*orig.* antiga divisão das tribos romanas' 'o antigo senado romano' '*ext.* a corte pontifícia' 1601. Do lat. *cūria* || **curi**AL XVI. Do lat. *cūriālis -e* || **curião** *sm.* 'chefe da cúria entre os antigos romanos' |*-riões* pl. XVI | Do lat. *cūriō -ōnis*.
curiboca *sm.* 'mestiço' | *a 1696, coriboquo a 1687* etc. | Do tupi **kari'ɨoka* (< *kara'iɨa* 'homem branco' + *'oka* 'casa'); v. CABOCLO, CARAÍBA[1].

curica sm. 'variedade de papagaio' | *corica* 1576, *coriqua* 1618 etc. | Do tupi *ku'ruka*; cp. *ajurucurau, ajurucurica:* V. AJURU.

curicaca sf. 'ave ciconiforme da fam. dos tresquiornitídeos' | 1783, *quariquaqua* 1618 etc. | Do tupi *kuri'kaka*.

curie sm. 'unidade de medida de radioatividade' XX. Do fr. *curie*, do sobrenome francês da física, natural da Polônia, Marie Sklodowska *Curie* (1867-1934). Cp. CÚRIO.

curimã sm. 'variedade de tainha' | *coirima* 1587, *curima c* 1597 etc. | Do tupi *kuri'mã*.

curimatã sf. 'nome de diversos peixes da fam. dos caracídeos' | *curumata* 1618, *curimata c* 1631 etc. | Do tupi *kurima'tã*.

curinga sm. 'carta de baralho' 1899. De origem africana, mas de étimo indeterminado.

cúrio sm. '(Quím.) 'elemento de número atômico 96, artificial, radioativo, metálico' XX. Do lat. cient. *curium*, do antrop. francês *Curie*, sobrenome dos físicos Pierre *Curie* (1869-1906) e de sua mulher Marie Sklodowska *Curie* (1867-1934). Cp. CURIE.

curió sm. 'pássaro da fam. dos fringilídeos' 1728. De provável origem tupi.

curioso adj. 'orig. cuidadoso, zeloso' 'ext. que tem desejo de ver, saber, informar-se, desvendar' | 1570, *co-* XV | Do lat. *cūriōsus* || **curios**IDADE XV. Do lat. *cūriōsĭtās -ātis* || INcuriosIDADE1858. Do lat. *incuriōsĭtās -ātis* || INcurioso 1813. Do lat. *incūriōsus*.

curral sm. 'lugar onde se junta e recolhe o gado' XIII. De origem controvertida || **curralejo** XIV || **curro** sm. 'lugar anexo à praça de touros, e onde estes ficam antes e depois da corrida' 1881 || ENcurralADO XVII || ENcurralAR XVII.
⇨ **curral** — AcurralDO 'encurralado' | 1680 AOCad I.252.*26* || ENcurralADO | *a* 1595 *Jorn.* 94.*9* |.

currículo[1] sm. 'ato de correr' 'atalho, corte' 1899. Do lat. *currĭcŭlum -ī* || **currículo**[2] sm. 'conjunto de dados concernentes ao estado civil, ao preparo profissional e às atividades anteriores de quem se candidata a um emprego' XX. Forma abreviada e aportuguesada do lat. *currĭcŭlum vitae*.

curso sm. 'orig. corrente, fluxo, direção' 'ext. carreira' | XIV, *cusso* XIV, *cosso* XVI Do lat. *cursus -us* || cursAR XVI. Do lat. *cursāre* || cursILHO sm. 'movimento da Igreja, surgido na Espanha em 1948, e que consiste num encontro destinado a orientar os católicos leigos no sentido da reflexão' XX. Do cast. *cursillo* || cursIVO 1813. Do fr. *coursive*, deriv. do it. *carsivo* e, este, do lat. med. *cursīvus* || cursOR XVI. Do lat. *cursor -ōris*.

curtir vb. 'preparar (couro, alimento etc.) para tornar imputrescível' XVI; '*gír*. gozar, desfrutar, deleitar-se' XX. De origem controvertida || **curt**IÇÃO XX || curtIMENTO | *cor-* XIV || curtUME sm. 'curtimento (de couros, peles etc.)' 'estabelecimento onde se curtem couros' | *cor-* 1844.
⇨ **curtir** — curtUME | *cor-* 1836 SC |.

curto adj. 'de pequeno comprimento' XIII. Do lat. *cŭrtus* || curtEZA XVI || ENcurtAMENTO 1813 || ENcurtAR XIV.

curtume → CURTIR.

curuá sm. 'nome de diversas plantas da fam. das palmáceas' 1587. Do tupi **kuru'a*.

curuanha sf. 'nome de diversas plantas do gênero *Dioclea*, da fam. das leguminosas' 1587. Do tupi **kuru' aña*.

curuatá sm. 'peixe marinho da fam. dos escombrídeos; albacora' | *caraoatá* 1587 | Do tupi *kurua'ta*.

curumim sm. 'menino, moleque' | *cunumi* 1585, *colomi* 1585, *colomim* 1610 etc. | Do tupi *kunu'mĩ*.

curupaí sm. 'variedade de angico' 1847. Do tupi **kurupa'i*.

curupicaí sf. 'planta da fam. das euforbiáceas' | *curupicaigba c* 1584, *curupicaiba c* 1594 | Do tupi *kurupika'ĩџa*.

curupira sm. 'diabo, entre os índios do Brasil' | *c* 1584, *curypyrans* pl. 1567 etc. | Do tupi *kuru'pira*.

cururi sm. 'sal extraído de algumas plantas da fam. das podostemáceas' | 1895, *cururé* 1833, *cururê* 1895 | De provável origem tupi.

cururu[1] sm. 'variedade de sapo' 1587. Do tupi *kuru'ru* || **cururu**[2] sm. 'planta da fam. das sapindáceas' 1817 || **cururu**[3] sm. 'espécie de batuque sertanejo' 1872 || **cururu**APÉ sm. 'planta da fam. das sapindáceas' 1663. Do tupi **kururua'pe* || **cururu**PEBA sm. 'diabo, entre os índios do Brasil' *c* 1594. Do tupi *kururu'peџa*, **cururu**TIMBÓ sm. 'espécie de cipó' *c* 1777. Do tupi **kururuti'mo*.

curv·a, -ado, -ar -atura → CURVO.

curveta sf. 'volta tortuosa, zigue-zague' 'movimento que faz o equídeo erguendo e dobrando as patas dianteiras e baixando a garupa' 1813. Do fr. *courbette* || curvetEAR XVI. Cp. CURVO.

curvo adj. 'que muda de direção sem formar ângulos' 'arqueado, inclinado, abaulado' 1813. Do lat. *curvus* || **corcova** sf. 'curva saliente' 'corcunda' XVI. Fem. de *corcovo*, do lat. med. *cucurvus* || **corcovaDO** adj. 'que tem corcova' XVII || corcovEAR vb. 'dar corcovos' 1858 || **corcovo** sm. 'salto que o cavalo dá, arqueando o dorso' XVII. Do lat. med. *cucurvus* || **corcunda** sf. 'orig. protuberância deforme nas costas ou no peito'; *s2g.* 'ext. pessoa que tem corcunda' XVIII. De orig. incerta, mas sem dúvida relacionado com *corcova* || **curva** sf. 'qualquer linha ou superfície curva' 1500; '(Geom.) lugar geométrico de um ponto que se desloca no espaço com um único grau de liberdade' 1844 || curvADO | *-bado* XIV | Do lat. *curvātus*, part. de *curvāre* || curvAR XIV. Do lat. *curvāre* || curvAT·URA XIX. Do lat. *curvātūra* || curvicÓRN·EO XX || curviFLORO 1873 || curviFOLI·ADO 1873 || curvíGRAFO *-pho* 1873 || curviLÍN·EO XVII || curvÍPEDE 1873. Do lat. tard. *curvipēs -edis* || curvIR·ROSTRO | *-viros-* 1873 | Do lat. cient. *curvirostra* || ENcurvAÇÃO XX. Do lat. *incurvātĭō -ōnis* || ENcurvADO XVI. Do lat. *incurvatus*, part. de *in-curvāre* || ENcurvAMENTO 1858 || ENcurvAR vb. 'curvar' XIV. Do 1at. *incurvāre* || REcurvADO 1844 || REcurvAR vb. 'curvar de novo' XVII. Do lat. *re-curvāre* || REcurvO XVI. Do lat. *re-curvus*.
⇨ **curvo** | 1532 JBAR 76.*11* || AcurvADO *p. adj.* 'curvado' | *acuruado* XV VITA 63.*16*, 1538 DCast 47.*7* || AcurvAMENTO | *acuruamēto* XV VITA 63.*10* || REcurvADO | 1836 SC |.

cuscuta sf. 'cipó-chumbo' 1858. Do fr. *cuscute*, deriv. do lat. cient. e med. *cuscūta* e, este, do ár. *kušūtâ*, aparentado com o gr. *kasy'tās*.

cuscuz sm. 'iguaria feita de farinha de milho ou de farinha de arroz etc., cozida no vapor' | 1507, cos- XV, cuscus 1507 | Do ár. kuskus ‖ **cuscuz**EIRO 1813.
cusparada → CUSPIR.
cúspide sm. 'extremidade aguda, ponta, vértice' 1844. Do fr. cuspide, deriv. do lat. cuspis -ĭdis ‖ **cuspid**ATO adj. 'que termina em cúspide' 1844. Do lat. cuspidātus ‖ **cuspidi**FORME XX.
⇨ **cúspide** | 1836 SC ‖ **cuspid**ATO | 1836 SC |.
cuspir vb. 'lançar da boca cuspo ou outra substância líquida' | cos- XIII | Do lat. con-spuĕre, através de um lat. vulg. *conspuīre ‖ **cusparada** sf. 'grande porção de cuspo' 1899 ‖ **cusp**IDOR sm. 'vaso de cuspir' XVI; adj. 'que cospe muito' 1813 ‖ **cusp**INH·AR vb. 'cuspir amiúde, e pouco de cada vez' | acus- XV ‖ **cusp**INHO | cos- XV ‖ **cuspo** sm. 'saliva' | cospe XIV | Dev. de cuspir.
⇨ **cuspir** — ACUSPINH·ADO | XV VITA 74b27 |.
custar vb. 'orig. ser difícil ou doloroso, tardar' 'ext. ter determinado preço ou valor' XIII. Do lat. constare ‖ **custa** sf. 'gasto com manutenção' XIII. Der. regres. de custar ‖ **cust**EAR vb. 'correr com as despesas de' 1844 ‖ **custeio** 1881. Dev. de custear ‖ **custo** sm. 'quantia pela qual se adquiriu algo' XIII ‖ **custo**SO | XIII, cos- XIII.
⇨ **custar** — **cust**EAR | 1836 SC |.
custódia sf. 'guarda, segurança, proteção' 'lugar onde se guarda alguma coisa com segurança' XIV. Do lat. custōdĭa ‖ **custodi**AR 1844 ‖ **custódio** adj. 'que guarda, defende ou protege' XIII. Do lat. custōs -ōdis 'guarda, defensor', com adaptação à terminação de custódia.
⇨ **custódia** — **custodi**AR | 1836 SC |.
custoso → CUSTAR.
cutâneo → CÚTIS.
cutelo sm. 'faca' | coitello XIII, coytelo XIII | Do lat. cŭltĕllus ‖ ACUTILADOR 1813 ‖ ACUTILAMENTO 1899 ‖ ACUTILAR | acuite- XIII ‖ **cotó**² sm. 'faca pequena' XVIII. Adapt. do fr. couteau, deriv. do lat. cŭltĕllus ‖ **cutel**ARIA | -lla- XVI ‖ **cutel**EIRO XIII ‖ **cutil**ADA | cute- XV. Cp. CULTRI–.
⇨ **cutelo** — ACUTILADOR | acutellador XV PAUL 10.20, acutillador XV PAUL 10v23 |.
cúter sm. 'embarcação pequena, usada especialmente em regatas à vela' | cutter 1844 | Do ing. cutter, o qual, por sua vez, provém do a. port. catur 'antiga embarcação oriental' (do séc. XVI), deriv. de um idioma asiático, provavelmente da família dravídica.
⇨ **cúter** — -tter 1836 SC |.
cutia sf. 'mamífero roedor da fam. dos dasiproctídeos' | c 1584, cotia 1576, acutî c 1584 etc. | Do tupi aku'ti.
cutí-cula, -cular, -culo, -dura → CÚTIS.
cutil·ada → CUTELO.
cútis sf. 2n. 'a pele humana' 1873. Do lat. cutis -is ‖ **cut**ÂN·EO XVIII. Adapt. do fr. cutané ‖ **cutí**CULA 1813. Do fr. cuticule, deriv. do lat. cutĭcŭla, dim. de cutis ‖ **cutic**UL·AR adj. 2g. 1881. Do fr. cuticulaire ‖ **cutíc**ULO sm. 'invólucro, simples ou complexo, do corpo de um animal' 1899 ‖ **cutidura** sf. 'parte da membrana ceratogênica, que se aloja na goteira existente no bordo superior do casco, desempenhando o papel de matriz da muralha' 1881 ‖ INTERCUTÂN·EO 1873 ‖ SUBCUTÂN·EO 1873.
⇨ **cútis** | 1836 SC | SUBCUTÂNEO | 1836 SC |.
cutitiribá sm. 'planta da fam. das sapotáceas' | 1833, tuturubà 1624, titiribá 1654 etc. | Do tupi *titiri'ua.
cutuba adj. 2g. 'bom, corajoso, valente' XX. De provável origem tupi.
cutucar vb. 'tocar ligeiramente (alguém) com o dedo, o cotovelo etc., para fazer uma advertência que não se quer ou não se pode fazer de viva voz' 1899. Provavelmente de formação expressiva; talvez se ligue ao voc. coto 'cotovelo', com a seguinte evolução: coto → cotoco → cotocar ‖ **cutuc**ADA 1899 ‖ **cutuc**ÃO 1899.
cuvilheira sf. 'orig. mulher que cuida da limpeza da roupa, camareira' 'ext. alcoviteira, bisbilhoteira' XV. Do lat. cŭbĭcŭlārĭa.
cuxiú sm. 'macaco da fam. dos cebídeos' c 1777. De provável origem tupi.
czar, tsar, tzar sm. '(Hist.) título dos antigos imperadores da Rússia, de Ivan IV, o Terrivel, na primeira metade do séc. XVI, a Nicolau II, em 1917' | czar 1651, zar 1651, tzar 1740, tsar 1788 | Do rus. tsar, através do fr. czar. A grafia czar – que ocorre pela primeira vez em 1549, numa obra escrita em latim, Rerum Moscovitarum Commentarii, por Herberstein, e que constitui o mais antigo relato sobre a Fed. Russa conhecido na Europa ocidental – representa uma adaptação imprecisa da grafia polaca carz. Por influência dessa obra, o voc. russo passou aos idiomas europeus (francês, inglês, alemão, neerlandês etc.), ainda no séc. XVI, com a grafia czar, que foi depois substituída por tsar (em francês, inglês etc.) e zar (em castelhano, italiano e alemão). Em português usam-se indiferentemente as três formas czar, tsar e tzar ‖ **czaréviche, tsaréviche, tzaréviche** sm. '(Hist.) título que se atribuía ao príncipe herdeiro do trono da Rússia' | czarafiz 1739, czarovits 1781 etc. | Do rus. tsarevič, através do fr. czarevitch (tsarévitch) ‖ **czar**IANO, **tsar**IANO, **tzar**IANO adj. (usado, habitualmente, na expressão Sua Majestade Czariana) | czariana 1715, czarianna 1717 ‖ **czar**INA, **tsar**INA, **tzar**INA sf. 'mulher do czar' 'imperatriz da Fed. Russa' | czarinna 1716, czarina 1736 | Do fr. czarine (tsarine), deriv. do al. Zarin (com o suf. al. -in, de Königin 'rainha'); o voc. russo correspondente é tsaritsa ‖ **czar**ISMO, **tsar**ISMO, **tzar**ISMO | czarismo XX, tzarismo XX | Do fr. czarisme (tsarisme) ‖ **czar**ISTA, **tsar**ISTA, **tza**rISTA | czarista XX, tzarista XX Do fr. czariste (tsariste).

D

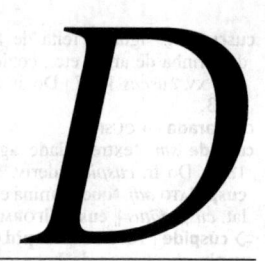

da *contr.* da prep. DE com o art. pron. f. A². XIII. Cp. DO.
dação → DAR.
dácrio *sm.* '(Anat.) ponto de confluência dos ossos frontal e lacrimal e da apófise ascendente do maxilar' | *dacryon* 1899 | Cp. gr. *dákryon* 'lágrima' || **dacrio**·ADEN·ALG·IA XX || **dacrio**·CELE XX || **dacrio**·CISTE XX || **dacri**OMA XX.
dáctilo, dátilo *adj. sm.* 'diz-se de, ou pé de verso, grego ou latino, composto de uma sílaba longa seguida de duas breves' 1813. Do lat. *dactўus*. deriv. do gr. *dáktylos* 'dedo polegar, dedo em geral, medida grega com cerca de dois centímetros' || **dactíl**ICO 1813. Do lat. *dactylĭcus*, deriv. do gr. *daktylikós* || **dactil**INO | -*ctylino* 1899 || **dactilioteca** *sf.* 'coleção de anéis, joias e pedras gravadas' XX. Do fr. *dactyliothèque*, deriv. do lat. *dactyliothēca -ae* e, este, do gr. *daktyliothḗkē* || **dactil**ITE | -*ctylite* 1899 || **dactilo**·GRAF·IA *sf.* 'arte de conversar por meio de sinais feitos com os dedos' | *dactylographia* 1873 |; 'arte de escrever à máquina' XX || **dactiló**·GRAFO *sm.* 'máquina para transmitir 'aos surdos-mudos e cegos os sinais da fala' | *dactylographo* 1858 |; 'indivíduo que escreve à máquina' XX. Do fr. *dactylographe* || **dactilo**·MANCIA | *dacty*- 1899 || **dactilo**·SCOP·IA | *dactyl-* 1899 || **dactilo**·SCÓP·ICO XX || **dactilo**·SPASMO XX || **dactilo**·TECA *sf.* 'dactilioteca' | *dactylotheca* 1899 |; 'arquivo de impressões digitais' XX.
dadaísmo *sm.* 'movimento literário lançado pelo poeta romeno de língua francesa, Tristan Tzara, em 1916' XX. Do fr. *dadaïsme*, de *dada* || **dadaísta** XX. Do fr. *dadaïste*.
-dade, -idade *suf. nom.*, do lat. *-itātem*, acusativo de *-itās -itātis*, que se documenta em numerosos vocs. formados no próprio latim, como *amabilidade, humanidade, impunidade* etc. Em português, o suf. *-idade* ocorre, também, com a forma reduzida *-dade*: (i) em vocs. oriundos de nomes latinos em *-nitātem*, nos quais o *-i-* do étimo desapareceu, nasalando-se a vogal anterior: lat. *divinitātem* > *divin(i)dade*, lat. *orphanitātem* > *orfan(i)dade*; (ii) em vocs. de formação vernácula: *fieldade* (<*fiel* + *-dade*), a par de *fidelidade* (< lat. *fidelitātem*), e *lealdade* (< *leal* + *-dade*), a par de *legalidade* (< lat. *legalitātem*).
dádiv·a, -oso → DAR.
dado¹ *sm.* 'peça cúbica de osso, madeira etc., usada em certos jogos' XIV. De origem incerta; talvez provenha do adj. lat. *datum* 'dado, decidido', em alusão à sorte lançada pelos dados, ou do ár. *dad* 'jogo'.
dado² → DAR.
daguerreótipo *sm.* 'aparelho primitivo de fotografia' 'a pintura reproduzida por esse aparelho' | *-typo* 1836 | Do fr. *daguerreotype*, deriv. do antr. *Daguerre* (1787-1851), inventor desse aparelho.
daí *contr.* da prep. DE com o adv. AÍ | *dy* XIV, *di* XIV, *dj* XIV.
daimio *sm.* 'fidalgo japonês' | *daimeó* XVI | Do jap. *daimyō* (de *dai* 'grande' e *myō* 'excelente').
dala¹ *sf.* 'mesa de cozinha com tabuleiro de pedra ou louça' 1813. Do fr. *dalle*, de origem escandinava.
dala² *sf.* 'terreno, porção de terra contínua limitada apenas por marcos' 1881. Do ing. *dale*, var. de *dole*, relacionado com *deal* 'parte ou divisão de um todo'.
dalai-lama *sm.* 'o Grande-Lama, chefe supremo da religião budista' 1841. Do tibetano *dalai (b) lama*; cp. LAMA².
dalém *contr.* da prep. DE com o adv. ALÉM | *dalen* XIII.
dali *contr.* da prep. DE com o adv. ALI. XIII.
dália *sf.* 'planta da fam. das compostas, a flor dessa planta' | *dahlia* 1858 | Do fr. *dahlia*, do nome do botânico sueco *Dahl*, que a trouxe do México e a introduziu na Europa em 1789.
dálmata *adj. s2g.* 'da Dalmácia (Croácia), natural ou habitante da Dalmácia' 1899. Do lat. *dalmăta -ae*, por *dalmătae -arum* || **dalmát**ICA *sf.* 'paramento que o diácono e o subdiácono vestem sobre a alva' XIV. Do lat. ecles. *dalmătĭca* (*vestis*), assim chamada por ser originariamente produzida na Dalmácia.
⇨ **dálmata** | 1572 *Lus.* III. 14 |.
daltonismo *sm.* 'incapacidade de distinguir cores, ou mais propriamente certas cores, especialmente o vermelho' XIX. Do fr. *daltonisme*, deriv. do ing. *daltonism* e, este, do antr. John *Dalton* (1766-1844), químico inglês que primeiro descreveu essa doença || **daltôn**ICO 1899.
dama *sf.* 'mulher' 'atriz, mulher que toma parte num baile' XIII. Do fr. *dame*, deriv. do lat. *domĭna*.
dama(s) *sf. (pl.)* 'certo tipo de jogo de salão' 1813. De origem controversa; talvez do cast. *dama*, deriv. do ár. *atama*.
damasco *sm.* 'tecido' XV; 'fruto do damasqueiro, planta da fam. das rosáceas' 1712. Do top. *Da-*

masco, na Síria || AdamascADO XVI || **damasceno** XVII. Do lat. *damascēnus*, deriv. do gr. *damaskenós* || **damasqu**EIRO 1813 || **damasquino** XVI. Do it. *damaschino* || **damasqu**inAR *vb.* 'incrustar em uma superfície metálica um filete de ouro, prata etc.' XX. Provavelmente do fr. *damasquiner*.
⇨ **damasco** — **damasceno** | 1572 *Lus.* III. 9 *damaçeno* 1532 JBarR136.27 || **damasqu**ILHO 'tecido' | 'tecido' | *damazquilho* 1582 *Liv. Fort.*85*v*11 |.
damburrita *sf.* 'mineral ortorrômbico, constituído de silicato de cálcio e boro' XX. Do ing. *danburite*, do top. *Danbury*, cidade dos EUA onde ocorre esse mineral.
danaide, danaida *sf.* 'espécie de roda hidráulica' 1873. Do fr. *danaïde*. deriv. do gr. *danais -idos*, pl. *danaídes* 'filhas de Dánaos, rei de Argos'. Assim se chama o aparelho, provavelmente por analogia com o barco das *danaides*.
danar *vb.* 'prejudicar, irritar' 'comunicar a hidrofobia, encolerizar' XIII. Do lat. *damnāre* || **dan**AÇÃO | *dapnaçom* XIV | Do lat. *damnatio -onis* || **danado** XIV. Do lat. *damnātus*, part. pass. de *damnāre* || **dan**ADOR XIII. Do lat. *damnator -ōris* || **dani**·FICAR | *dampnificar* XIII | Do lat. *damnificāre* || **dani**·FICO | *damnifico* 1858 | Do lat. *damnifĭcus* || **dan**INHO | XIV, *danĩho* XIV || **dano** XIII. Do lat. *damnum* || **da**NOSO XIII. Do lat. *damnosus*.
dançar *vb.* 'oscilar, saltar, girar, mover-se com cadência' XIV. Do antigo fr. *dencier* (hoje *danser*), deriv. do frâncico **dintjan* 'mover-se de cá para lá' || **contradança** 1813. Do fr. *contredanse*, adapt. do inglês, por etimologia popular, *country-dance* 'dança campestre' || **dança** XIII || **danç**ADOR XIV || **danç**ANTE XVII || **dançar**·INO XVIII. Calcado no it. *ballerino*.
dândi *sm.* 'homem que se veste com muito apuro' | *dandy* 1881 | Do ing. *dandy*, de origem desconhecida.
dandinar *vb.* 'andar balançando desgraciosamente o corpo' XIX. Do fr. *dandiner*.
dan·ificar, -ífico, -inho, -o, -oso → DANAR.
dantes *contr.* da prep. DE com o adv. ANTES | *dante* XIII.
dantesco *adj.* 'relativo a Dante Alighieri, poeta italiano (1265-1321)' 'que lembra as cenas horrorosas descritas por Dante no *Inferno* da sua *Divina Comédia*' 'horrendo, medonho, terrível' XIX. Do fr. *dantesque*. de *Dante* Alighieri.
-dão, -idão, -itude, -tude *suf. nom.*, do lat. *-itūdo -itūdĭnem*, que se documenta em substantivos abstratos, ora de procedência erudita, como *altitude, latitude* e *magnitude*, ora de formação popular, como *amplidão, escravidão* e *gratidão*. A evolução do lat. *-itūdo -itūdĭnem* para o port. *-(i)dão* processou-se através do port. med. *-(i)doõe, -(i)dom*: lat. *certitūdo itūdĭnem* → *certidõe* (séc. XIV) → *certidom* (séc. XV) → *certidão*.
daquele *contr.* da prep. DE com o pron. AQUELE. XIII.
daquém *contr.* da prep. DE com o adv. AQUÉM | *daquen* XIII.
daqui *contr.* da prep. DE com o adv. AQUI. XIII.
daquilo *contr.* da prep. DE com o pron. AQUILO | *-elo* XIII.
dar *vb.* 'doar, fazer presente de' 'produzir, soar, noticiar, abranger' XIII. Do lat. *dāre* || **dação** 1873. Do lat. *datio -onis* || **dádiva** XIII. Do lat. med. *datīva*, fem. substantivado de *datīvus*, com deslocamento do acento, possivelmente por influência de palavras como *dívida* || **dadiv**OSO XVI || **dado**² 1813. Do lat. *datus*, part. pass. de *dāre* || **dador** *adj.* 'liberal' XIV. Do lat. *dator -oris* || **dativo**¹ *sm.* '(Gram.) caso latino que indica o objeto indireto' XVI. Do lat. *datīvus (casus)* || **dativo**² *adj.* 'nomeado por magistrado e não por lei' XV. Do lat. *datīvus* 'que é dado'.
dardo *sm.* 'pequena lança' 'pau terminado em lança de ferro e que se atira com a mão' XIV. Do fr. *dard*, deriv. do germ. **darodh* || **dard**EJAR XVIII.
dárico *sm.* 'antiga moeda persa, de ouro ou prata, mandada cunhar por Dario | (séc. VI-V a. C.)' XVII. Do gr. *dareikós*, de *Dareios* ' Dario' (do persa *Darayavauš* 'sustentador de Deus'), por via erudita.
darsonvalização *sf.* '(Med.) aplicação de correntes elétricas de alta frequência, também chamadas correntes d'Arsonval, no tratamento de certas doenças' XX. Do fr. *darsonvalisation*, do antr. Arsène d'Arsonval (1851-1940), médico francês, inventor dessa técnica || **arsonvalização** *sf.* 'darsonvalização' XX. Do fr. *arsonvalisation*.
darto *sm.* 'membrana que envolve os testículos, situada abaixo da pele do escroto, à qual adere intimamente' 1858. Do gr. *dartós (chitón)* 'membrana do escroto', por via erudita.
dartro *sm.* 'dermatose' XIX. Do fr. *dartre*, deriv. do b. lat. *derbĭta*, de origem gaulesa.
darwinismo *sm.* 'teoria biológica de Darwin sobre a evolução das espécies' 1899. Do ing. *darwinism*, do antr. Charles *Darwin* (1809-1882), naturalista inglês || **darwin**ISTA 1899.
dasímetro *sm.* 'instrumento para medir a intensidade dos gases e vapores e constituído de um delgado bulbo de vidro' | *dasymetro* 1858 | Do fr. *dasymètre* (do radical gr. *dasy*- 'denso, espesso' e -*mètre*).
data *sf.* 'tempo assinalado, indicação da época, ano, mês ou dia em que se realizou algum fato' XIII. Do lat. med. *data (littera)* 'letra dada', fórmula com que no Medievo se indicava a data || **dat**AÇÃO XX || **dat**AR XIX. Cp. DAR.
dataria *sf.* 'repartição da Santa Sé, da qual são expedidos todos os negócios regulados pelo papa fora do Consistório' 1813. Do it. *datarίa*, deriv. de *datário* e, este, do lat. *datarĭus*, de *datus*, part. pass. de *dāre*. Cp. DAR.
⇨ **dataria** *sf.* 'um dos cinco departamentos da Cúria Romana que tinha antigamente incumbência de colocar a data nos documentos e atos oficiais do Sumo Pontífice' | 1813 MS² | Do it. *dataria*, de *datàrio*. Cp. DAR || **dat**ÁRIO *sm.* 'cardeal investido da chefia da dataria apostólica, também conhecido como cardeal datário' | 1516 *in* CPD I.396.*21. datayro* 1510 Id. I.133.*12, datareo* 1513 Id.i.183.*10, datairo* 1534 Id.III.121.*19, datayro* 1539 Id.IV.81.*1* | Do it. *datário*, der. do lat. ecles. *datarius* (o it. clás. *datarius* significa 'que pode ou deve ser dado'), de *data* 'faculdade de dar ou conferir um benefício': do it. o voc. passou, também,às demais línguas de cultura, como ao cast. *datario* (1565), ao fr. *dataire* (1533), ao ing. *datary* (1527) etc.

dátil *sm.* 'tâmara' XVI. Do cast. *dátil*, deriv. do lat. *dactylus* e, este, do gr. *dáktylos* 'dedo'; a denominação deve-se à forma da fruta. Cp. DÁCTILO.
⇨ **dátil** | *datilho* XIV BARL 37.*18*, *datiles*, pl. XV PAUL 8v18 |.
dátilo → DÁCTILO.
dativo[1,2] → DAR.
datolita *sf.* 'mineral monoclínico, constituído de silicato básico de boro e cálcio' XX. Do al. *Datolith*, do radical gr. *dato-*, de *datéomai* 'eu divido' + *-lith* [v. -LIT(O)-], pela facilidade de dividir esse mineral, quando em estado granular.
datura *sf.* 'gênero de plantas solanáceas, maçã espinhosa, de poder narcótico' XVI. Do neoárico *dhattūra*, deriv. do sânscrito *dhatūra*.
de *prep.* XIII. Do lat. *de*.
dealbar *vb.* 'branquear, purificar, aclarar' XVI. Do lat. *dealbāre*, de *albus* 'alvo'. Cp. ALVO.
deambular *vb.* 'passear, vaguear' 1858. Do lat. *deambulāre* || **deambul**ATÓRIO XVII. Cp. AMBULAR.
deão → DEZ.
debaixo → BAIXO.
debalde → BALDE[2].
deband·ada, -ar → BANDO.
debater *vb.* 'disputar, alterar, justar, brigar' XV. Provavelmente do fr. *débattre*, deriv. do lat. *debattŭere* || **debate** *sm.* 'disputa, contenda, discussão' XV. Do fr. *débat*, deverb. de *débattre*. Cp. BATER.
debelar *vb.* 'sujeitar, vencer, destruir, reprimir' | *debellar* XVI | Do lat. *debellāre* 'terminar vitoriosamente uma guerra', de *bellāre* 'guerrear', deriv. de *bellum -i* 'guerra' || **debel**ADOR | *-bellador* 1813 | Do lat. *debellātor -ōris*.
debênture *sf.* 'título de crédito ao portador' 1838. Do ing. *debenture*, do lat. *debentur* 'são devidos', 3.ª pess. do pl. do pres. do ind. pass. de *debēre* 'dever'. Cp. DEVER.
debicar → BICO.
débil *adj.* 'fraco, pusilânime, frouxo' XVI. Do lat. *debĭlis*, de **dehabĭlis*, de *habĭlis* 'hábil, idôneo' || **debil**IDADE XVII. Do lat. *debilĭtas -ātis* || **debilit**AÇÃO 1813. Do lat. *debilitātio -ōnis* || **debilit**ANTE 1844. Do lat. *debilitans -antis*, part. pres. de *debilitāre* || **debilitar** XV. Do lat. *debilitāre*.
⇨ **débil** | *debille* XV ESOP 37.*13* || **debil**IDADE | *debilidade a* 1595 Jorn. 151.*10* |.
debique → BICO.
debit·ar, -o → DEVER.
deblaterar *vb.* 'falar, clamar com violência contra pessoas ou coisas' XIX. Do lat. *dēblaterāre*.
deboche *sm.* 'zombaria, devassidão' 1813. Do fr. *débauche* || **deboch**ADO 1899 || **deboch**AR 1858.
debrear *vb.* 'colocar o carro em ponto morto' XX. Do fr. *débrayer* || **debre**AGEM XX.
debruar → DEBRUM.
debruçar → BRUÇOS.
debrum *sm.* 'tira de pano que se cose dobrada sobre a orla de um tecido para o guarnecer ou segurar a trama' XVI. Origem incerta; talvez se relacione com *dobrar*, através de **dobrum* || **debru**AR XVI.
debulhar *vb.* 'esbagoar, separar do casulo os grãos dos cereais, descascar, tirar a pele' | *-llar* XIII | Do lat. med. lus. *dibulare*, de **depoliāre*, por *despoliāre*, de *spolĭum -ii* || **debulha** 1813.

debutante *sf.* 'mocinha que faz sua estreia na vida social' XX. Do fr. *débutante* || **debut**AR XX.
debuxar *vb.* *'orig.* representar graficamente (esculpindo, pintando), lavrar a madeira' 'delinear, esboçar' XIV. Provavelmente do a. fr. *deboissier* 'entalhar, lavrar em madeira', de *bois* 'madeira' || **debux**ADURA XIV || **debuxo** 1525.
⇨ **debuxar** — **debux**ADOR | 1532 JBarr 99.*19* |.
deca- *pref.*, do gr. *déka* 'dez', que se documenta em vocs. eruditos, alguns já formados no próprio grego, como *decálogo*, e vários outros introduzidos na linguagem científica internacional, a partir do séc. 'XIX: *decandro, decassílabo* etc. Nos últimos anos do séc. XVIII os franceses criaram o sistema métrico decimal e adotaram o pref. *deca-* para indicar a multiplicação por dez de uma unidade de medida: *décalitre* 'decalitro = 10 litros', *décamètre* 'decâmetro = 10 metros' etc. Cp.DÉCADA, DECI-.
década *sf.* 'série de dez anos, dezena, espaço de dez anos' XVI. Do lat. *decas -ădis*, deriv. do gr. *dekás -ádos*, de *déka* 'dez' || **deca**DÁTILO | *-ctylo* 1899 || **deca**EDRO 1873 || **decá**GONO 1813. Cp. gr. *dekágōnos* || **deca**GRAMA | *-grammo* 1858 || **deca**LITRO 1858 || **decá**LOGO 1813. Cp. gr. *dekálogos* || **decâ**METRO 1858 || **dec**ANDRO 1858|| **decá**PODE *-podas* pl. 1873 || **deca**SSÍLABO | *-ssyllabo* 1858 || **deca**STÉREO | *-stère* 1899.
decadência *sf.* 'estado do que decai, declinação, abatimento, corrupção' XVII. Do lat. med. *decadentia*, de *cadēre* || **decad**ENTE XIX || **decad**ISMO 1899|| **decad**ISTA 1899. Cp. CAIR.
deca·ído, -imento, -ir → CAIR.
decalcar *vb.* 'reproduzir' um desenho calcando' 'copiar, reproduzir servilmente' 1899. Do fr. *décalquer* || **decalco·**MANIA 1899. Do fr. *décalcomanie* || **decalque** 1899. Do fr. *décalque*.
deca·litro, -logo → DÉCADA.
decalque → DECALCAR.
decani *adj. s2g.* 'do Decão (Índia), natural ou habitante do Decão' | *daquinis* pl. 1516, *daquanim* 1516, *decanim* 1552 etc. | Do hindustâni *dakhnīs*, deriv. do sânscr. *dakṣiṇa* 'direito, em oposição a esquerdo'.
⇨ **decano** → DEZ.
decantar[1] *vb.* 'filtrar, purificar' 1813. Do fr. *décanter*, deriv. do lat. med. dos alquimistas *dēcanthāre*, de *canthus* 'bico de vasilha.' || **decant**AÇÃO 1813. Do fr. *décantation*, deriv. do lat. med. dos alquimistas *decanthatĭo -onis*.
decantar[2] → CANTAR.
decapitar *vb.* 'cortar a cabeça de, degolar' XVIII. Do lat. med. *decapitāre*. Com essa mesma acepção, mas derivado imediatamente de *cabeça*, ocorre em port., desde o séc. XIV, o deriv. *descabeçar* (v. CABEÇA) || **decapit**AÇÃO XIX.
deceinar *vb.* 'amansar o falcão' "gritar muito, disputar' 'lavar as mealhas de linho' XV. De origem incerta; talvez se ligue ao lat. *cinis -ĕris* 'cinza'.
decen·al, -ário → DEZ.
decência *sf.* 'decoro, honestidade' XVII. Do lat. *decentĭa -ae*, de *decēre* 'convir, ficar bem' || **decente** XVII. Do lat. *decens -entis* || IN**decência** XVII. Do lat. *indecentĭa -ae* | IN**decente** XVI. Do lat. *indecens -entis*. Cp. DECORAR[1], DECORO.
⇨ **decência** | 1573 NDias 331.*6* |.

decên·dio, -io, -ovenal, -virato, -viro → DEZ.
decep·ado, -ar → CEPO.
decepção *sf.* 'logro, desengano, desilusão' 1881. Do fr. *déception*, deriv. do lat. *deceptĭo -ōnis* ‖ de-cepcionANTE XX ‖ **decepcion**AR XX.
decertar *vb.* 'combater, lutar, pelejar' XVII. Do lat. *decertāre*.
decesso *sm.* 'diminuição, rebaixamento' 'óbito, morte' XX. Provavelmente calcado no fr. *décès* e, este, do lat. *dēcēssus* 'partida, afastamento', de *dēcēdĕre* ‖ **decessor** 'antecessor' 1899. Do lat. *dēcēssor -ōris* 'antecessor, aquele que deixa um cargo', de *dēcēdĕre*.
deci- *pref.*, do fr. *déci-*, deduzido arbitrariamente do lat. *decimus* 'décimo' pelos criadores do sistema métrico decimal, que o adotaram, em oposição a DECA-, para indicar a divisão por dez de uma unidade de medida: *décilitre* 'decilitro = a décima parte do litro', *décimètre* 'decímetro = a décima parte do metro' etc. Cp. DECA-, DEZ.
decibel → DEZ.
decidir *vb.* 'resolver, determinar, sentenciar' 1813. Do lat. *dēcīdĕre*, com mudança de conjugação, de *decaedĕre*, de *caedĕre* 'cortar' ‖ **decisão** XVII. Do lat. *dēcīsĭo -ōnis*, de *dēcīsus*, part. pass. de *dēcīdĕre* ‖ **decis**IVO 1813 ‖ **deciso** XVII. Do lat. *dēcīsus*, part. pass. de *dēcīdĕre* ‖ INdecisão 1813 ‖ INdeciso XVII. Do lat. med. *īndēcīsus*.
⇨ **decidir** | *deçedir* 1532 JBaR 58.*22* |.
decíduo *adj.* 'caduco, cadivo, que cai' 1899. Do lat. *decidŭus*, de *dēcĭdĕre*, de *deacădĕre*, de *cadĕre* 'cair' ‖ **decídua** *sf.* 'porção da mucosa uterina hipertrofiada durante a gestação e que se elimina depois do parto' XX. Feminino substantivado de *decíduo*.
de·cifr·ação, -ar → CIFRA.
deci·grama, -litro, -ma, -mal, -metro, -mo → DEZ.
decis·ão, -ivo, -o → DECIDIR.
decistéreo → DEZ.
declamar *vb.* 'recitar em voz alta, pregar, proclamar' 1769. Do lat. *declamāre*, de *clamāre* ‖ **declam**AÇÃO | *-çam* XVI | Do lat. *declamatĭo -ōnis* ‖ **declam**ADOR 1873. Do lat. *declamātor -ōris* ‖ **declam**ATÓRIO 1813. Do lat. *declāmātŏrĭus*.
⇨ **declamar** | 1532 JBarR 50.*11* ‖ **declam**AÇÃO XV BENF 103.*31* |.
declarar *vb.* 'pronunciar, referir, confessar, asseverar' , | XIV, *decrarar* XIV | Do lat. *declarāre*, de *clarāre*, de *clārus* 'claro, brilhante' ‖ **declar**AÇÃO | *-çon* XIV, *-çom* XIV, *-crraraçõ* XIV etc. | Do lat. *declarātĭo -ōnis* ‖ **declar**ADOR 1844 ‖ **declar**ANTE XX ‖ **declar**ATIVO 1873 ‖ **declar**ATÓRIO 1873.
⇨ **declarar** — **declar**ADOR | 1532 JBarR 134.*19* |.
declinar *vb.* 'eximir-se a, rejeitar' 'flexionar os nomes' XIV. Do lat. *dēclīnāre*, de *clīnāre* 'inclinar, pender' ‖ **declin**AÇÃO XVI. Do lat. *dēclīnātĭo -ōnis* ‖ **declin**ANTE 1844. Do lat. *declinans -antis*, part. pres. de *dēclīnāre* ‖ **declin**ATÓRIO XV ‖ **declin**ÁVEL 1873‖ **declin**IO XIX ‖ INdeclinABIL·IDADE 1881 ‖ INdeclinÁVEL 1813. Do lat. *indeclinabĭlis*.
⇨ **declinar** — **declin**AÇÃO | *decrinaçom* XV CESA 1.8§40.*13* |.
declive *sm.* 'inclinação de terreno, considerada de cima para baixo, descida' XVII. Do lat. *dēclīvis* ‖ **decliv**IDADE XVII. Do lat. *dēclīvĭtas -ātis*.

decocto *sm.* 'cozimento' XIX. Do lat. *decoctus -us*, de *decoctum*, supino de *decoquĕre*, de *coquĕre* 'cozinhar' ‖ **decocç**ÃO XVII. Do lat. *decoctĭo -ōnis*.
decolar *vb.* 'levantar voo (o avião)' XX. Do fr. *décoller* ‖ **decol**AGEM XX. Do fr. *décollage*.
decompor *vb.* 'separar os elementos componentes de, alterar profundamente, analisar' 1813. Do lat. **decomponĕre*, de *ponĕre* 'pôr' ‖ **decompon**ENTE 1899 ‖ **decompon**ÍVEL 1873 ‖ **decomposição** 1813. Do lat. cient. *decompositĭo -onis* ‖ **decomposto** 1844. Do lat. tard. *decomposĭtus* ‖ INdecomponÍVEL 1858. Cp. COMPOR, PÔR.
de·cor·ação², **-ador²**, **-ar²** → COR².
decorar¹ *vb.* 'enfeitar, adornar, ornamentar' 'condecorar, honrar, enobrecer' XVI. Do lat. *dĕcŏrāre*, de *dĕcŭs -ŏris* 'enfeite', de *dĕcĕre* 'ser conveniente, convir a, ser preciso', relacionado com o gr. *dokein* 'parecer, ter boa aparência' ‖ **decor**AÇÃO XIX ‖ **decor**ADOR¹ 1858 ‖ **decor**ATIVO XX. Cp. DECÊNCIA, DECORO.
decoro *sm.* 'decência, honra, pundonor' XV. Do lat. *dĕcōrum -i* ‖ **decor**OSO XVII. Do lat. *decorōsus* ‖ DEdecorar *vb.* 'tornar indecoroso' 1813. Do lat. *dedecorāre*. Cp. DECÊNCIA, DECORAR¹.
decorrer *vb.* 'passar, escoar-se (o tempo), suceder, acontecer' XIV. Do lat. *decurrĕre* ‖ **decorr**ENCIA XX ‖ **decorr**ENTE XV ‖ **decurs**IVO XVIII. Do fr. *decursif* ‖ **decurso** XVI. Do lat. *decursus -us*, de *decursum*, supino de *decurrĕre*.
decorticar *vb.* 'descascar, tirar a cortiça' XIX. Do lat. *decorticāre*, de *cortex* ‖ **decortic**AÇÃO 1858. Do lat. *decorticatĭo -ōnis*. Cp. CÓRTEX.
decotar *vb.* 'cortar por cima ou em volta, aprofundando as curvas, aparar (ramos de árvores), cortar superiormente vestidos para que o pescoço e a espádua fiquem mais ou menos descobertos' XV. Provavelmente de **decortar* ‖ **decot**ADO 1873 ‖ **decote** XVIII.
decremento *sm.* 'diminuição, decrescimento' XVII. Do lat. *decrementum*, de *decrescĕre*. Cp. CRESCER.
decrépito *adj.* 'muito velho, caduco, gasto, fraco' XVI. Do lat. *dĕcrĕpĭtus* ‖ **decrep**ITUDE | *decrepidõe* XV | Do lat. **decrepitūdo -tudĭnis*.
de·cresc·endo, -ente, -er, -imento, -imo → CRESCER.
decreto *sm.* 'ordem, resolução do soberano, determinação, mandado judicial' | XIV, *degredo* XIV | Do lat. *decrētum -i*, de *decrētus*, part. pass. de *decernĕre* 'decidir' e, este, de *cernĕre* 'separar, passar pelo crivo, discernir' ‖ **decret**AÇÃO 1844 ‖ **decret**ADO 1813 ‖ **decret**AL | *decratall* XV, *degretal* XIV | Do lat. *decrētālis* ‖ **decret**AR | XVI, *degredar* XIV, *degradar* XIV | Do lat. med. *decretāre* ‖ **decret**ÓRIO XVII. Do lat. *dēcrētōrĭus*.
decúbito → DECUMBENTE.
decúmano → DEZ.
decumbente *adj.* 2g. 'que está deitado ou caído' XVIII. Do lat. *decumbens -entis*, part. pres. de *decumbĕre* 'deitar-se, cair morto' ‖ **decúbito** *sm.* 'posição de quem está deitado' 1844. Do lat. tard. *decubĭtus -us*, de *decubĭtum*, supino de *decumbĕre*.
décu·plo, -ria, -rião → DEZ.
decurs·ivo, -o → DECORRER.
ded·ada, -al → DÍGITO.

dédalo *sm.* 'labirinto, confusão' 1858. Do lat. *Daedălus*, deriv. do gr. *Dáidalos*, nome do construtor mítico do labirinto de Creta e de um aparelho de voar || **dedáleo** 1572. Do lat. *dedaelĕus*.
dedecorar → DECORO.
dedeira → DÍGITO.
dedetê *sm.* 'dicloro-difenil-tricloretano, composto químico usado como inseticida' XX. De dê + dê + tê, nomes das letras (DDT) iniciais desse composto químico, inventado pelo suíço Paul Müller em 1939 || **dedet**IZ·AÇAO XX || **dedet**IZAR XX.
dedicar *vb.* 'consagrar, destinar, votar' 1572. Do lat. *dēdĭcāre* || **dedic**AÇÃO XVI. Do lat. *dedicatĭō -ōnis* || **dedic**ATÓRIA 1769 || **dedic**ATÓRIO *adj.* 1768.
⇨ **dedicar** — **dedic**ADO | XV SBER 94.*30* |.
dedignar *vb.* 'julgar indigno de si, ter desprezo, rebaixar-se' XVIII. Do lat. **dedignāre*, por *dedignāri* || **dedign**AÇÃO XVIII. Do lat. *dedignatiŏ -ōnis*.
dedilh·amento, -ar, -ável, dedo → DÍGITO.
deduzir *vb.* 'enumerar minuciosamente, tirar de fatos ou princípios, propor em juízo' 'diminuir, subtrair, inferir' XVI. Do lat. *deducĕre*, de *ducĕre* || **dedução** | -*cção* XVIII | Do lat. *deductĭō -ōnis* || **dedutivo** | -*ctivo* 1881 | Do lat. *deductīvus*.
de·fas·agem, -ar → FASE.
defecar *vb.* 'expelir os excrementos' 'purificar, limpar, depurar' XVII. Do Lat. *defaecāre* 'liberar as fezes', de *faex -cis* || **defec**AÇÃO XVIII. Do lat. *defaecatio -ōnis* || **defec**ATÓRIO 1858.
defecção *sf.* 'desaparecimento, deserção, sublevação, apostasia' XX. Provavelmente do fr. *défection*, deriv. do lat. *dēfectĭo -ōnis*, de *dēfĭcĕre* 'abandonar' || **defect**IBIL·IDADE XVII || **defect**ÍVEL XVII. Do lat. tard. *dēfectibĭlis* || **defect**IVO 1813. Do lat. med. *defectīvus* ||IN**defect**IBIL·IDADE XVIII || IN**defect**ÍVEL 1813 || IN**defect**IVO XX. Cp. DEFEITO.
defedação *sf.* 'mancha na pele' XVII. Do lat. **defoedātio -ōnis*, de *foedāre* 'manchar, enfear'.
defeito *sm.* 'falta, imperfeição, deformidade' *deffeito* XV | Do lat. *dēfectus -us*, de *defectum*, supino de *dēfĭcĕre* || **defeit**UOSO | -*ctuoso* XV. Cp. DEFECÇÃO.
defender *vb.* 'proteger, prestar socorro ou auxílio a, vedar, proibir, tolher, desculpar' XIII. Do lat. *dēfendĕre* || **defend**EDOR XIII || **defend**ENTE XIV || **defend**IMENTO XIII || **defensa** *sf.* 'defesa' | *defenssa* XIV || **defensão** | XVI -*fensson* XIII || **defensar** XV. Do lat. *defensāre*, frequentativo de *dēfĕndĕre* || **defens**ÁVEL XV. Do lat. *defensabĭlis* || **defens**IVA *sf.* 'posição de defesa' 1873. De *defensivo* || **defens**IVO *adj.* XVI. Do lat. med. *defensīvus* || **defens**OR XIV. Do lat. *defensor -ōris* || **defesa** | XV, -*essa* XIV | Do lat. *defensa* || **defeso** *adj.* 'proibido' | -*fesso* XIII, -*ffesso* XIII | Do lat. *defensus*, part. pass. de *dēfĕndĕre* || **de·vesa** *sf.* 'alameda que limita um terreno' | *deveza* XVI | Do lat. *defensa* || IN**defens**ÁVEL XVI || IN**defens**o 1813. Do lat. *indefensus* || IN**defeso** XVI.
deferir *vb.* 'atender, anuir ao que se pede ou requer' 'outorgar, conferir, conceder' XV. Do lat. *dēferre* 'levar, conferir, oferecer' || **defer**ÊNCIA XIX || **defer**ENTE 1873. Do lat. *dĕfĕrens -entis*, part. pres. de *dēferre* || **defer**IMENTO 1899 || IN**defer**IMENTO 1881 || IN**deferir** 1844.
⇨ **deferir** — **defer**ENTE | *a* 1542 JCASE 100.*24* |.
defervescência → FERVER.

defes·a, -o → DEFENDER.
defesso *adj.* 'cansado' 1899. Do lat. *dēfessus*, part. pass. de *defetisci*, de *fatisci* ou *fatiscĕre* 'cansar-se, fatigar-se' || IN**defesso** XVII. Do lat. *indefessus*.
déficit *sm.* 'excesso da despesa sobre a receita' 1827. Do fr. *déficit*, deriv. do lat. *deficit* 'falta', 3ª pess. do sing. do pres. do ind. de *dēfĭcĕre* 'faltar' || **defici**ÊNCIA 1813. Do lat. *dēficientĭa*, do nom. neutro pl. *dēficĭens -entis*, part. pres. de *dēfĭcĕre* || **defici**ENTE 1873. Do lat. *deficĭens -entis*, part. pres. de *dēfĭcĕre* || **defici**TÁRIO XX. Do fr. *déficitaire* || IN**defici**ENTE 1813. Do lat. *indeficĭens -entis*.
definhar *vb.* 'tornar magro, extenuar, enfraquecer' XVI. Do lat. **definăre*, de *finis*. Cp. FIM.
⇨ **definhar** — **definh**AMENTO | *definamento* 1680 AOCad I.253.*5* |.
definir *vb.* 'determinar a extensão ou os limites de' 'explicar o significado de' | XV, *defiido* part. pass. XIII | Do lat. *dēfīnīre* 'delimitar', de *finis* 'fim, limite' || **defin**IÇÃO | *definçom* XV, *diffinçoes* pl. XV | Do lat. *dēfīnītĭo -ōnis* || **defin**IDO | XVI, *defiido* XIII | Do lat. *definītus*, part. pass. de *dēfīnīre* || **defin**IDOR 1844. Do lat. *dēfīnītor -ōris* || **defin**ITIVO XIV. Do lat. *definītīvus* || **definito** *adj.* 'exato, preciso, limitado' 1844. Do lat. *dēfīnītus*, part. pass. de *dēfīnīre* || **defin**ITÓRIO XVII || **defin**ÍVEL 1858 || IN**defin**IDO 1858. Do lat. tard. *indēfīnītus*.|| IN**definito** 1813. Do lat. tard. *indēfīnītus*.|| IN**defin**ÍVEL 1858. Cp. FIM.
⇨ **definir** — **defin**IDOR | *difinidor* 1573 NDias 217.*18* || **defin**ITIVO || XIII FLOR 186, *deffinitiuo* Id. 868 etc.
deflação *sf.* '(Econ.) diminuição do excesso de papel-moeda em circulação, o oposto de inflação' XX. Do ing. *deflation*, palavra criada por oposição a *inflation* || **deflacion**AR XX || **deflacion**ÁRIO XX || **deflacion**ISTA XX. Cp. INFLAR.
deflagrar *vb.* 'arder com explosão' 'queimar com chama cintilante' 'atear, provocar, excitar' XVII. Do lat. *dēflagrāre* || **deflagr**AÇÃO 1844. Do lat. *deflagrătĭo -ōnis*.
deflegmar *vb.* 'destilar para separar de uma substância a parte aquosa' 1813 Do lat. mod. **deflegmāre*; cp. FLEGMA.
defletir *vb.* 'mudar a direção de um movimento' XX. Do lat. *dēflectĕre* 'dobrar, curvar, desviar', de *flectĕre* || **deflexão** *sf.* 'movimento com que se abandona uma linha que se descrevia, para seguir outra' 'ângulo existente entre dois caminhantes' 1844. Do lat. tard. *deflexio -ōnis*, de *deflexus*, part. pass. de *dēflectĕre*.
de·flor·ação, -ador, -amento, -ar → FLOR.
defluir *vb.* 'desviar (um líquido)' 'ir correndo, manar, decorrer' XVIII. Do lat. *dēflŭĕre*, com mudança de conjugação || **deflu**ÊNCIA XVIII || **deflu**ENTE XX. Do lat. *dēfluens -entis*, part. pres. de *dēflŭĕre* || **deflúvio** 1844. Do lat. *dēfluvĭum -ii* || **defluxão** XVIII. Do lat. tardo *dēfluxĭo -ōnis* || **defluxo** XVII. Do lat. *dēfluxus -us*, de *defluxum*, supino de *dēflŭĕre* || EN**deflux**AR 1873 Cp. FLUIR.
deform·ação, -ar, -atório, -e, -idade → FORMA[1].
defraudar *vb.* 'espoliar com fraude, lesar dolosamente' XV. Do lat. *defraudāre*, de *fraudāre* e, este, de *fraus -dis* || **defraud**AÇÃO 1873. Do lat. *defraudatio -ōnis* || **defraud**ADOR 1813. Do lat. *defraudator -ōris*. Cp. FRAUDAR.

defront·ar, -e → FRONTE.
defum·ação, -ador, -ar → FUMO.
defunto *adj. sm.* 'que faleceu, extinto, cadáver' | *defuncto* XIV | Do lat. *defunctus* 'que cumpriu a função (de viver)', part. de *defungi* 'desempenhar-se, cumprir, morrer, acabar'. O termo foi difundido pela Igreja como um eufemismo para morto ‖ **defunção** *sf.* 'falecimento, óbito' | *defuncção* 1899 | Do lat. tard. *defunctĭo -ōnis*.
degel·ar, -o → GELO.
degenerar *vb.* 'perder as qualidades primitivas, abastardar-se, corromper-se, depravar-se' XVI. Do lat. *dēgenerāre*, de *genus -ěris* 'gênero' ‖ **degeneração** XVI. Do lat. *dēgenerātĭo -ōnis* ‖ **degener**ADO 1813. Do lat. *dēgenerātus*, part. pass. de *dēgenerāre* ‖ **degener**ATIVO 1899 ‖ **degener**ESC·ÊNCIA 1899. Do fr. *dégénérescence* ‖ **degener**ESC·ENTE 1899. Do fr. *dégénérescent*. Cp. GÊNERO.
deglutir *vb.* 'engolir' XVII. Do lat. *dēgluttīre* ‖ **deglut**IÇÃO 1844. Do lat. tard. *deglutitĭo -ōnis*.
degolar *vb.* 'decapitar' XIII. Do lat. *decollāre*, de *collum -i* 'pescoço' ‖ **degola** | *-lla* 1881 ‖ **degol**AÇÃO 1813. Cp. COLO.
⇨ **degolar** — **degol**AÇÃO | *degolaçam* XV FRAD II.112.*21*, *degollaçom* LOPF 130.*18* |.
degrad·ação, -ado, -ante, -ar → GRAU.
degranar → GRÃO[1].
degrau *sm.* 'o piso de uma escada' 'grau, escalão' | *degraao* XIV | Provavelmente adapt. do fr. *degré* e, este, do lat. **degradus*, de *gradus*. Cp. GRAU.
degredo *sm.* 'exílio, desterro, expatriação ordenada pela justiça' XVI. Do lat. *decrētum* 'castigo, pena' | **degred**ADO XVI ‖ **degred**AR | *degradar* XVI. Cp. DECRETO, GRAU.
⇨ **degredo** | XV BENF 94.*14*, COND 50*c*21 etc.‖ **degred**ADO | XV BENF 111.*33* etc. ‖ **degred**AR | XV CESA 1.§39.*18*.
degringolar *vb.* 'rolar, cair, descer precipitadamente' XX. Do fr. *dégringoler* ‖ **degringol**ADO | *-lade* 1899.
degust·ação, -ar → GOSTO.
dei·a, -cida, -cídio, -cola, -dade, -ficação, -ficar, -fico, -forme, -para → DEUS.
deiscência *sf.* 'abertura espontânea de um fruto, para deixar cair as sementes, ou dos sacos polínicos, para deixar sair o pólen' | *dehiscencia* 1881 | Do lat. *dehiscentia*, nom. neutro plural de *dehiscens -entis*, part. pres. de *dēhiscěre* 'entreabrir-se, fender-se', de *hiscěre*, incoativo de *hiāre* 'estar aberto' ‖ **deisc**ENTE | *dehiscente* 1858 | Do lat. *dehiscens -entis*, part. pres. de *dēhiscěre*. Cp. HIATO.
deitar *vb.* 'estender ao comprido, pôr ou dispor mais ou menos horizontalmente, expelir, fazer cair' XIII. Do lat. med. lus. *dectāre*, forma contracta do lat. cláss. *dejectāre*, 'deitar abaixo, derrubar', frequentativo de *dejicěre*. Cp. DEJETAR.
deixar *vb.* 'separar-se de, largar, soltar, abandonar, permitir' | XIV, *dexar* XIII, *deyxar* XIII | Da forma antiga *leixar* (<lat. *laxāre*), muito mais frequente no português medieval. Para a transformação estranha de *leixar* em *deixar* têm sido apresentadas várias hipóteses, mas o problema ainda não foi inteiramente solucionado ‖ **deixa** *sf.* 1873.
dejetar *vb.* 'expelir, evacuar, defecar' | *dejectar* 1899 | Do lat. *dejectāre*, frequentativo de *dejicěre*

‖ **dejeção** |*-cção* 1813 | Do lat. *dejectĭo -ōnis* ‖ **dejeto** | *-cto* 1899 | Do lat. *dejectus -us*, de *dejectum*, supino de *dejĭcěre* ‖ **dejet**ÓRIO XX.
dejungir *vb.* 'desprender do jugo' 1899. Do lat. *dejungěre* 'desatrelar, separar'.
dejúrio *sm.* 'juramento solene' 1881. Do lat. *dejurĭum*.
delação *sf.* 'denúncia' XVIII. Do lat. *dēlātĭo -ōnis*, de *delātum*, supino de *deferre* 'denunciar, contar, referir' ‖ **delatar** XVIII. Do lat. **delatāre*, do radical do supino de *deferre* ‖ **delator** 1813. Do lat. *dēlātor -ōris* ‖ **delat**ÓRIO 1858.
delamber *vb.* 'lamber o corpo' *fig.* mostrar grande alegria, regozijar-se, afetar-se' XVI. Do lat. *delamběre* 'lamber de cima para baixo', de *lamběre* ‖ **delamb**IDO 1813. Cp. LAMBER.
delat·ar, -or, -ório → DELAÇÃO.
dele *contr.* da prep. DE com o pron. ELE. XIII.
delegar *vb.* 'confiar, atribuir a, transferir'1706. Do lat. *delegāre* ‖ **deleg**AÇÃO | *-guaçam* XV | Do lat. *delegatĭo -ōnis* ‖ **delegacia** 1881 ‖ **deleg**ADO *adj. sm.* XV ‖ **deleg**ANTE *adj. s2g.* 1873 ‖ **delegat**ÓRIO 1873 ‖ SUB**delegacia** XX ‖ SUB**deleg**ADO 1873 ‖ SUB**delegar** 1813.
⇨ **delegar** | XV SBER 115.*24* |.
deleitar *vb.* 'causar prazer, deliciar' XIV. Do lat. *delectāre*, de *lactāre* 'embalar, seduzir, induzir', deriv. de *lacěre* 'atrair, seduzir', relacionável com *lax lācis* 'astúcia, fraude, sedução' ‖ **deleit**AÇÃO | *delectaçom* XIV | Do lat. *delectatĭo -ōnis* ‖ **deleit**ANTE XX ‖ **deleit**ÁVEL | XVII, *delectavel* XIV ‖ **deleite** | XVI, *deleito* XIII, *deleyto* XIV ‖ **deleit**OSO XIII.
deletério *adj.* 'destruidor, que corrompe, nocivo à saúde, danoso, desmoralizador' 1813. Do fr. *délétère*, do lat. tard. *dēlētērĭum* e este, do gr. *dēlētérios* 'nocivo'. Cp. DELIR.
delével → DELIR.
délfico *adj.* 'de Delfos (cidade da Grécia onde se localizava o templo de Apolo)' | *-phico* 1844 | Do lat. *delphĭcus*, deriv. do gr. *delphikós*, de *delphoí* ‖ **délfica** *sf.* 'mesa de três pés, tripeça de Apolo' XX. Do lat. *delphĭca (mensa)*, deriv. do gr. *delphiké (trápeza)* '(mesa) délfica', feminino substantivado do adj. *delphikós*.
⇨ **délfico** | 1614 SGonç. II. 199.*7* |.
delfim[1] *sm.* '(Hist.) título dos antigos soberanos dos feudos com que posteriormente foram cedidos à coroa da França' 'os herdeiros do rei da França' '*ext.* atualmente, sucessor escolhido por um chefe de estado' | *dalfym* XV | Do fr. *dauphin* 'nome dos condes d'Albon, proveniente de um sobrenome', do lat. *delphinus* ‖ **delfin**ADO *sm.* 'o feudo de um delfim[1]' XVI.
delfim[2] *sm.* 'golfinho, espécie de cetáceo' XVIII. Do lat. *delphis -īnis*, deriv. do gr. *delphis -īnos* 'golfinho'.
delgado *adj.* 'fino' XIII. Do lat. *dēlĭcātus* ‖ A**delgaçar** | *-guaçar* XV | Do lat. vulg. **delicatiāre*, de *dēlĭcātus* ‖ **delgad**EZA XV. Cp. DELICADO.
delibar *vb.* 'libar, provar bebendo, saborear, tocar com os lábios' 1844. Do lat. *dēlībāre* ‖ **delib**AÇÃO XX. Do lat. *dēlībātĭo -ōnis*. Cp. LIBAÇÃO.
deliberar *vb.* 'decidir, resolver após exame e discussão, premeditar' | XV, *delibrar* XV | Do lat. *dēlībērāre* ‖ **deliber**AÇÃO | *-çom* XIV | Do lat.

deliberātĭo -ōnis || **deliber**ANTE 1844. Do lat. *dēlĭbĕrans -antis*, part. pres. de *dēlĭbĕrāre* || **deliber**ATIVO 1813 || **deliber**ATÓRIO XX || IN**deliber**ADO 1813. Do lat. *indēlĭbĕrātus*.
delicado *adj.* 'atencioso, cortês' 'fraco, frágil' XIV. Do lat. *dēlĭcātus* || **delicad**EZA 1844 || IN**delicad**EZA 1881 || IN**delicado** 1881.
delícia *sf.* 'deleite. encanto, volúpia' 'o que causa prazer, satisfação' XVI. Do lat. *dēlĭcĭa -ae*, mais comum no pl. *dēlĭcĭae -ārum* || **delici**ADO 1844 || **delici**AR XVI. Do lat. tard. *dēlĭcĭāre* || **delici**OSO XVI. Do lat. tard. *delĭcĭōsus*.
deligação → LIGAR.
de·limit·ação, -ar, -ativo → LIMITE.
de·line·ação, -ador, -amento, -ar, -ativo → LINHA.
delinquir *vb.* 'cometer delito' XV. Do lat. *dēlīnquĕre* || **delinqu**ÊNCIA 1881. Do lat. *dēlīnquentĭa -ae* || **delinqu**ENTE XV. Do lat. *dēlīnquens -entis*, part. pres. de *dēlīnquĕre* || **delito** *sm.* 'crime, culpa' |-cto XV | Do lat. *delictum -i*, de *dēlīctum*, supino de *dēlīnquĕre* || **delituo**SO XX. Do fr. *délictueux* || **delíquio**² *sm.* (Med.) desmaio, síncope' 1813. Do lat. *dēlĭquĭum*, de *dēlīnquere* (pelo radical do perfectum *deliqui*).
deliquescer *vb.* 'derreter-se, liquefazer-se' XX. Do lat. *dēlĭquēscĕre*, relacionado com *liquĭdum* || **deliquesc**ÊNCIA *sf.* 'fixação da água por substância cuja tensão de vapor da solução saturada é inferior à tensão do vapor contido na atmosfera' 1844. Do lat. *deliquescentia*, nom. pl. de *dēlĭquescens -entis*, part. pres. de *dēlĭquēscĕre* || **deliquesc**ENTE 1844. Do lat. *dēlĭquescens -entis*, part. pres. de *dēlĭquēscĕre* || **delíquio**¹ *sm.* 'deliquescência' 1813. Do ing. *deliquium*, formado a partir de *to deliquate*, de acordo com o modelo de *effluvium*.
delíquio² → DELINQUIR.
delir *vb.* 'desfazer, apagar, dissolver destruir' | *deslido* part. pass. XV | Do lat. *delēre* 'destruir', com mudança de conjugação || **del**ÉVEL 1873. Do lat. *delebĭlis* || IN**delebil**·IDADE 1899 || IN**del**ÉVEL XVII. Do lat. *indelebĭlis*.
delirar *vb.* 'tresvariar-se, exaltar-se, estar muito apaixonado' XVIII. Do lat. *dēlīrāre* || **delir**ANTE 1813. Do lat. *dēlīrans -āntis*, part. pres. de *dēlīrāre* || **delír**IO 1813. Do lat. *dēlīrĭum*.
delitescência *sm.* '(Med.) desaparecimento súbito de um tumor ou de uma doença eruptiva' 1873. Do lat. cient. *delitescentia*, de *dēlĭtīscĕre*, deriv. de *latēre* 'esconder-se'.
delit·o, -uoso → DELINQUIR.
de·long·a, -amento, -ar → LONGO.
delta *sm.* 'quarta letra do alfabeto grego correspondente ao D e que tem a forma de um triângulo' *'ext.* tudo que tem a forma de delta' 'tipo de foz de rio' XVI. Do lat. *delta*, deriv. do gr. *délta* || **delto**·CARPO *adj.* '(Bot.) que tem frutos de seção triangular' 1873|| **deito**IDE 1844.
deludir *vb.* 'iludir, quebrantar, infringir' 1844. Do lat. *dēlŭdĕre* || **delusão** 1844. Do lat. *delusĭo -ōnis*, de *delūsum*, supino de *dēlŭdĕre* || **delus**OR 1844. Do lat. *delūsor -ōris* || **delus**ÓRIO XIX.
demagogo *sm.* 'chefe de facções populares' 1844. Do fr. *démagogue*, deriv. do gr. *dēmagōgós*, composto de *dēmos* 'povo' + *agōgós*, de *agein* 'conduzir' || **demagog**IA 1813. Do fr. *démagogie*, deriv. do gr. *dēmagōgía* || **demagóg**ICO 1833. Do fr. *démagogique*, deriv. do gr. *dēmagōgikós*.
demais *adv.* 'excessivamente, em demasia' | XIII, *demays* XIII | De DE + MAIS || A**demais** | XIII, *ademays* XIV || **demasia** XV. Do cast. *demasía*, deriv. de *demás* || **demasiado** 1572. Do cast. *demasiado*.
demandar *vb.* 'ir em procura de, exigir, ter necessidade de, pedir, reclamar, requerer' XIII. Do lat. *demandāre* || **demanda** XIII || **demand**ADOR XIII || **demand**AMENTO XIII || **demand**ANTE | *demãdāte* XIV.
demão → MÃO.
de·marc·ação, -ar → MARCAR.
demasi·a, -ado → DEMAIS.
demên·cia, -tar, -te → MENTE.
demérito → MÉRITO.
demitir *vb.* 'destituir do cargo ou emprego, despedir, exonerar' | XIV, *di-* XIV | Do lat. *dēmittĕre*, de *mittĕre* || **demissão** | *-myson* XV | Do lat. *demissĭo -ōnis*, de *demissum*, supino de *dēmittĕre* || **demission**ÁRIO 1844. Do fr. *demissionaire* || **demiss**ÍVEL XX || **demiss**ÓRIO 1858 || **demit**ENTE | *demittente* 1844 | Do lat. *demittens -entis*, part. pres. de *dēmīttĕre*.
demiurgo *sm.* 'segundo Platão, o criador do universo que organizou a matéria pré-existente' 'criatura intermediária entre a natureza divina e humana' 1873. Do lat. *dēmiŭrgus*, deriv. do gr. *dēmiourgós* 'primitivamente, operário, artífice', de *dēmios* 'do povo, plebeu' + *érgon* 'trabalho' || **demiúrg**ICO 1899.
demo *sm.* 'diabo' XIII. Do lat. *daemōn -is*, deriv. do gr. *daímōn -os* 'divindade tutelar'. Cp. DEMÔNIO.
demo- *elem. comp.*, do gr. *dēmos* 'povo', que se documenta em vocábulos eruditos, alguns formados no próprio grego, como *democracia*, e vários outros introduzidos, a partir do séc. XIX. na linguagem internacional ▶ **demo**CRACIA 1813. Adapt. do fr. *démocratie*, deriv. do gr. *dēmokráteia* 'governo do povo' || **demo**CRATA XIX || **demo**CRÁT·ICO 1813 || **demo**CRAT·IZ·AÇÃO XX || **demo**CRAT·IZAR 1813 || **demo**GRAF·IA | *-phia* 1873 | Do fr. *démographie* || **demo**LOG·IA XX || **demo**PSICOLOGIA XX || **demótico** 1873. Do fr. *démotique*, deriv. do gr. *demotikós* 'popular, alguém do povo'.
demolir *vb.* 'destruir, deitar por terra, arrasar' XVII. Do fr. *démolir*, deriv. do lat. *dēmōlīre* || **demol**IÇÃO 1813. Do fr. *démolition*, deriv. do lat. *dēmōlitĭo -ōnis* || **demol**IDOR 1873 || **demolit**ÓRIO 1813.
de·monetiz·ação, -ar → MOEDA
demônio *sm.* 'espírito maligno, gênio do mal' XIII. Do lat. *daemonium -ii*, deriv. do gr. *daimónion*, de *daímōn* || **demoníaco** XVII. Do lat. *daemoniăcus*, deriv. do gr. *daimoniakós* || **demon**INH·ADO | *-niado* XIII, *demŏyado* XIII etc. || **demon**O·GRAF·IA | *-phia* 1844 || **demon**OLATR·IA 1844 || **demon**O·LOG·IA 1873 || **demon**O·MANCIA 1873 || **demon**O·MANIA 1844 || **demon**O·PAT·IA XX || EN**demon**INH·ADO 1813 || EN**demon**INHAR 1844.
⇨ *demônio* → EN**demon**INHA·DO | 1614 SGONÇ I. 147.*4* |.
demonstrar *vb.* 'provar por meio de raciocínio concludente, provar, tornar patente, ensinar' | XIV, *demostrar* XIII | Do lat. *demonstrāre* || **demonstr**ABIL·IDADE 1844 || **demonstr**AÇÃO | *demostraçom* XIV | Do lat. *demonstratĭo -ōnis* || **demonstr**ADOR |

demostrador XIV | Do lat. *demonstrātor -ōris* || **demonstrAMENTO** | *demostramēto* XIII || **demonstrANÇA** | *demostrança* XIII || **demonstrANTE** | *demostrāte* XIV | Do lat. *demonstrans -antis*, part. pres. de *demonstrāre* || **demonstrATIVO** XVI. Do lat. *demonstratīvus* || **demonstrÁVEL** 1844 || INdemonstrÁVEL 1881.
demorar *vb.* 'deter, retardar, fazer esperar' XIII. Do lat. **demorāre*, por *demorāri* || **demora** XIII || demor ADA XIII.
demostênico *adj.* 'relativo ao estilo e à eloquência de Demóstenes, o maior dos oradores gregos (384-322 a.C.)' | *-thénico* 1873 | Do lat. *demosthenĭcus*, deriv. do gr. *dēmosthenikós*.
demover *vb.* 'fazer renunciar a uma pretensão, dissuadir, deslocar, desviar' | XV, *demovudo* part. pass. XIII | Do lat. *dēmŏvēre*, de *mŏvēre*.
demudar *vb.* 'mudar, tornar diferente do que era, transformar, perturbar, alterar' XIV. Do lat. *dēmūtāre*, de *mūtāre* || **demudADO** XIV || **demudAMENTO** XIV.
demulcente *adj. 2g. sm.* 'diz-se de, ou medicamento que abranda ou adoça, emoliente' 1858. Do lat. *demulcens -entis*, part. pres. de *dēmulcēre* 'acariciar'.
denário *adj. sm.* 'que contém dez' 'antiga moeda romana que valia dez asses' XVII. Do lat. *denarĭus (nummus)* 'moeda de dez asses', de *dēni* 'de dez em dez', de **decni* e, este, de *dĕcem* 'dez'. Cp. DINHEIRO, DEZ.
dendê *sm.* 'palmeira africana aclimatada no Brasil' 'o fruto dessa palmeira' 'o óleo que se extrai desse fruto' 1844. Do quimbundo *ṇe'ṇe* || **dendez·EIRO** 1844.
-dendr(o)- *elem. comp.*, do gr. *déndron* 'árvore', que se documenta em vocábulos eruditos, alguns formados no próprio grego, como *dendróide*, e muitos outros introduzidos, a partir do séc. XIX, na linguagem científica internacional ▶ **dendrITE** 1858 || **dendrÓBATA** | *-bato* 1873 || **dendroCELO** 1899 || **dendroCLASTA** 1899 || **dedrÓFAGO** | *-phago* 1858 || **dendrOIDE** 1873 Cp. gr. *dendroeidḗs* || **dendroLATR·IA** XX || **dendroLITE** |*-lithas* pl. 1858 || **dendroLOG·IA** 1858 || **dendroLÓG·ICO** 1712 || **dendrÔMETRO** 1858.
denegar *vb.* 'negar, renegar, recusar' XIII. Do lat. *dēnĕgāre*, de *nĕgāre* || **denegAÇÃO** XVI || **denegANTE** XIV. Cp. NEGAR.
de·negr·ecer, -idor, -ir → NEGRO.
dengue, dengo *adj. 2g. sm.* 'afetado, presumido, mulherengo' 'melindre mulheril, faceirice, birra de criança' 1873. De origem controversa; talvez do quimbundo *ṇerṇe* 'criança' *ext.* choradeira' || **dengOSO** 1844 || **dengUICE** 1844.
denodado *adj.* 'ousado, atrevido, intrépido' XIII. Do lat. *dēnŏtātus* || **denodo** XIV.
denominar *vb.* 'nomear, pôr nome a, indicar o nome de' XVII. Do lat. *denomināre*, de *nomen -ĭnis* 'nome' || **denominAÇÃO** XVI. Do lat. *dēnōmĭnātio -ōnis* || **denominADOR** 1813 || **denominATIVO** 1844.
denotar *vb.* 'mostrar, designar por meio de notas ou sinais, significar' XVIII. Do lat. *dēnŏtāre* || **denotAÇÃO** XVI. Do lat. *denotatĭo -ōnis* || **denotADOR** 1813 || **denotATIVO** XX.

⇨ **denotar** | 1532 JBarR 83.*19* || **denotATIVO** | *denotatiuo* 1536 FOlG 96.*15* |.
denso *adj.* 'que tem muita massa e peso em relação ao volume' 'espesso, compacto, cerrado' XVII. Do lat. *densus* || **AdensAR** XVII || **CONdensABIL·IDADE** 1844 || **CONdensAÇÃO** 1813. Do lat. *condensatĭo -ōnis* || **CONdensADO** | *cōdesado* XIV || **CONdensADOR** 1873 || **CONdensANTE** 1844 || **CONdensAR** XVI. Do lat. *condensāre* || **CONdensATIVO** 1813 || **CONdensÁVEL** 1844|| **densi·FOLI·ADO** 1873 || **densi·METR·IA** XX || **densí·METRO** 1881.
dente *sm.* 'cada um dos órgãos duros que guarnecem as maxilas do homem e outros animais' XIII. Do lat. *dens -entis* || **dentADA** XIII || **dentADO** 1813 || **dentADURA** 1844 || **dentAL**[1] *adj.* 1844 || **dentAL**[2] *sm.* 'dente de arado' 1881 || **dentÁRIO** 1858. Do fr. *dentaire*, deriv. do lat. tard. *dentārĭus* || **dentE·ADO** 1813 || **dentEAR** 1858 || **dentelária** *sf.* 'planta da família' das plumbagináceas, que se usava para amortecer a dor dos dentes' | *-llária* 1858 | Do lat. med. *dentellaria* || **dentIÇÃO** 1844. Do fr. *dentition*, deriv. do lat. *dentitio -ōnis* || **dentI·CÓRN·EO** 1873 || **dentI·CUL·ADO** 1858 || **dentI·CUL·AR** *adj.* 1844. Do lat. *denticularis* || **dentÍ·CULO** 1858. Do lat. *dentĭcŭlus*, dimin. de *dens -entis* || **dentI·FIC·AÇÃO** 1873|| **dentI·FORME** 1844|| **dentIFRÍCIO** 1844. Do fr. *dentifrice*, deriv. do lat. *dentifricium*, de *dens -entis*, + *frīcium*, de *frĭcāre* 'esfregar, polir' || **dentI·GERO** 1899 || **dentina** 1873. Provavelmente do fr. *dentine*, deriv. do ing. *dentine* || **dentI·RROSTRO** | *dentirostro* 1873 || **dentISTA** 1844. Do fr. *dentiste* || **dentUÇA** *sf.* XVII || **dentUÇO** *adj. sm.* 'que, ou o que tem dentuça' 1844 || **dentUDO** XIV. Do lat. med. *dentūtus*, por *dentātus* || **DESdentADO** XVI || **EdentADO** XX. Do fr. *édenté*, deriv. do lat. *edentātus* || **REdente** XVIII. Do fr. *redent*.
dentro *adv.* 'do lado interior, interior' XIII. Do lat. *de + ĭntro* || **Adentro** XIII.
denudar *vb.* 'tornar nu, despir, descobrir' 1844. Do lat. *dēnūdāre* || **denudAÇÃO** 1844. Do lat. *dēnūdātio -ōnis*. Cp. NU.
denunciar *vb.* 'acusar, delatar, dar a conhecer, revelar, divulgar' XIV. Do lat. *dēnūntiāre* || **denúncia** XVI || **denunciAÇÃO** XV. Do lat. *dēnūntiātio -ōnis* || **denunciAMENTO** XV || **denunciANTE** 1873. Do lat. *dēnūntians -antis* || **denunciATIVO** 1873. Do lat. *dēnūntiātīvus* || **denunciATÓRIO** | *denunçyatoryo* 1505.
deontologia *sf.* 'estudo dos princípios, fundamentos e sistemas de moral' 1899. Do ing. *deontology*, termo criado por volta de 1826 por Bentham (que publicou seu livro *Deontology* em 1834), com base no gr. *déon -ontos* 'dever, obrigação'.
deparar →PARAR.
departamento *sm.* 'divisão de uma casa, quarto' 'divisão territorial da França, a partir de 1790' 'seção, divisão, setor, numa repartição pública ou privada' 1858; 'a menor divisão da estrutura universitária' XX. Na primeira e segunda acepções, do fr. *département*, de *départir*, de *partir*; na última acepção, do ingl. *department* e, este, do fr. *département* || **departamentAL** 1858. Cp. DEPARTIR.
departir *vb.* 'dividir, separar' XIII. Do fr. *départir*, de *partir* e, este, do lat. *partīre* || **departIÇÃO** XV

|| depart**IDO** XIV || depart**IDOR** XIII || depart**IMENTO** XIII. Cp. DEPARTAMENTO.

depascente *adj. 2g.* 'que corrói, que alastra' 1844. Do lat. *dēpascens -entis*, part. pres. de *dēpāscĕre* 'apascentar, pastar' 'comer, devorar, consumir'. Cp. PASCER.

de·pauper·ação, -ado, -ador, -amento, -ante, -ar → POBRE.

depen·ado, -ar, -icar → PENA³.

depender *vb.* 'estar sujeito, derivar, proceder' XIV. Do lat. *dēpendēre* 'pender de', de *pendēre* 'estar pendurado' || depend**ÊNCIA** XVI || depend**ENTE** XVII. Do lat. *dēpendēns -ēntis*, part. pres. de *dēpendēre* || INdepend**ÊNCIA** 1813 || INdepend**ENTE** XVI || INTERdepend**ÊNCIA** 1873.

de·pendurar → PENDURAR.

de·perec·er, -imento → PERECER.

depilar *vb.* 'pelar, rapar, arrancar o pelo' 1881. Do lat. *dēpĭlāre*, de *pĭlāre* e, este, de *pĭlus -i* 'pelo' || depil**AÇÃO** 1844 || depil**ADOR** XX || depilat**ÓRIO** XIX. Do fr. *dépilatoire*. Cp. PELO.

depleção *sf.* 'diminuição da quantidade de humores do organismo' | *-plecção* 1858 | Do lat. tard. *depletĭo -onis*, de *dēplētum*, supino de *dēplēre* 'esvaziar' || deplet**IVO** | *-ctivo* 1873 | Do lat. cient. *dēplētīvus*. Note-se que pela etimologia não há fundamento para as grafias *deplecção* e *deplectivo*.

deplorar *vb.* 'chorar, lastimar, prantear, lamentar' XVI. Do lat. *dēplōrāre*, de *plōrāre* 'chorar' || deplor**AÇÃO** XVI. Do lat. *dēplōrātĭo -ōnis* || deplor**ATIVO** XX || deplor**ATÓRIO** 1844 || deplor**ÁVEL** 1813. Cp. CHORAR.

depois *adv.* 'em seguida, posteriormente' XIII. Do lat. *depŏst* (que deu origem às ant. vars. *depos* XIII, *depus* XIII); o *-i-* ainda não foi suficientemente explicado. Cp. APÓS, POIS.

depor *vb.* 'pôr de lado, despojar de cargo' 'declarar como testemunha' | *despoer* XIV | Do lat. *dēpōnĕre* || depo**ENTE** | 1844, *deponente* 1813 | Do lat. *dēpōnēns -ēntis*, part. pres. de *dēpōnĕre* || depo**IMENTO** XV || depos**IÇÃO** | *-çom* XV | Do lat. *dēpŏsĭtĭo -ōnis*, de *depositus*, part. pass. de *dēpōnĕre* || depositante XVI || deposit**AR** XVII || deposit**ÁRIO** XVI. Do lat. tard. *depositārĭus* || **depósito** XV. Do lat. *depositus -i*, de *depositus*, part. pass. de *dēpōnĕre* || **deposto** | XVI, *depósito* XV | Do lat. *dēpŏsĭtus*, part. pass. de *dēpōnĕre*.

⇨ **depor** — deposit**AR** | 1532 JBarr 34.*4*, 1582 *Liv. Fort.* 41.*4* |.

deportar *vb.* 'desterrar, condenar a degredo' 1844. Do fr. *déporter*, deriv. do lat. *dēportāre* || deport**AÇÃO** 1813. Do fr. *déportation*, deriv. do lat. *deportātĭo -ōnis* || deport**ADO** 1813.

depos·ição, -itante, -itar, -itário, -ito, -to → DEPOR.

depravar *vb.* 'corromper, perverter, alterar, falsificar, tornar mau' 1572. Do lat. *dēprāvāre* 'torcer, entortar' || deprav**AÇÃO** XVII. Do lat. *dēprāvātĭo -ōnis* || deprav**ADO** XVI. Do lat. *dēprāvātus*.

deprecar *vb.* 'suplicar, pedir com instância, fazer súplicas' XVII. Do lat. *dēprecāre, por *deprecāri*, relacionado com *preces -i* 'prece' || deprec**AÇÃO** 1706. Do lat. *dēprecātĭo -ōnis* || deprec**ANTE** 1813. Do lat. *deprecans -antis*, part. pres. de *deprecāri* || deprec**ATIVO** 1813 || deprec**ATÓRIO** XV.

⇨ **deprecar** — deprec**AÇÃO** | *deprecasão* 1616 GFTran 52.*9* || deprec**ATIVO** | 1616 GFTran 62.91 |.

depreciar *vb.* 'diminuir ou tirar o valor de, aviltar, desprezar' 1844. Do lat. *depretiāre*, de *pretium -ii* 'preço, valor' || depreci**AÇÃO** 1844 || depreci**ADOR** 1844. Do lat. *depretiātor -ōris* || depreci**ATIVO** 1881.

depredar *vb.* 'roubar, espoliar, saquear' XVII. Do lat. *depraedāre, por *dēpraedāri*, de *praeda -ae* 'presa' || depred**AÇÃO** 1844. Do lat. *dēpraedātio -ōnis* || depred**ADOR** 1813. Do lat. *depraedator -oris* || depred**ATÓRIO** 1813.

depreender *vb.* 'chegar ao conhecimento de compreender, inferir' | *deprehender* XIII | Do lat. *dēprehendĕre* || depreend**IDO** 1873 || depreens**ão** 1873. Do lat. *deprehensio -ōnis*. Cp. PRENDER.

depressa → PRESSA.

deprimir *vb.* 'abater, debilitar, enfraquecer' 1570. Do lat. *deprĭmĕre*, de *premĕre* || depress**ÃO** XVIII. Do lat. *depressio -ōnis*, de *depressus*, part. pass. de *deprimĕre* || depress**IVO** 1899. Do fr. *dépressif* || **depresso** *adj.* 'depressivo' '(Bot.) abaixado, achatado' 1858. Do lat. *depressus*, part. pass. de *deprimĕre* || depress**OR** 1813 || deprim**ENTE** 1899. Do lat. *deprimens -entis*, part. pres. de *deprimĕre* || deprim**ENTO** XIII.

depurar *vb.* 'tornar puro, limpar, excluir' 1813. Do fr. *dépurer*, deriv. do lat. tard. *depurāre*, de *purus* 'puro' || depur**AÇÃO** 1813. Do fr. *dépuration* || depur**ATIVO** 1873. Do fr. *dépuratif* || depur**ATÓRIO** 1844. Do fr. *dépuratoire*.

deputar *vb.* 'mandar, enviar em comissão, delegar, incumbir, destinar' 1813. Do lat. *dēpŭtāre* || deput**AÇÃO** 1813. Do fr. *députation*, deriv. do lat. *dēpŭtātĭo -ōnis* || deput**ADO** XIV. Do lat. *dēpŭtātus*, part. pass. de *dēpŭtāre*.

⇨ **deputar** | 1614 sgonç I.60.*20* |.

deque *sm.* 'convés' XX. Do ing. *deck*.

derivar *vb.* 'desviar de seu curso' 'formar uma palavra de outra' XIV. Do lat. *derivāre* 'afastar, desviar', de *rivus -i* 'rio, regato' || **deriva** *sf.* XX. Do fr. *dérive* || deriv**AÇÃO** XVI. Do lat. *derivatio -ōnis* || deriv**ADA** *sf.* 1881. Provavelmente do fr. *derivée*. O vocábulo, na acepção matemática, é internacional e decorre da substantivação do adjetivo na expressão *(junção) derivada* || deriv**ANTE** 1813. Do lat. *derivans -antis*, part. pres. de *derivāre* || deriv**ATIVO** 1813. Do lat. tard. *derivātīvus* || deriv**ATÓRIO** 1813.

-derm(a)-, -dermat(o)- *elem. comp.*, do gr. *dérma dérmatos* 'pele, couro, cortiça' 'envoltura', que se documenta em vocábulos introduzidos na linguagem científica internacional, a partir do séc. XIX, particularmente no domínio da medicina ▶ **derma** 1858 || derm**ITE** 1873 || dermato**GÊN·IO** 1899 || dermato**IDE** 1873 || dermato**LOG·IA** 1873 || dermato**LOG·ISTA** 1881 || derm**ATOSE** 1873 || dérm**ICO** 1873 || derm**ITE** 1899 || derm**OIDE** 1873 || dermo**LOG·IA** 1858.

derradeiro *adj.* 'último, extremo' XIV. Do lat. **derrat(r)arius*, de *derretrarius, de *retro* 'para trás'.

derramar *vb.* 'cortar os ramos' *fig.* verter, espalhar, divulgar' XIII. Do lat. *dīsramāre* 'tirar os ramos', de *ramus* || **derrama** XVIII || derram**AMENTO** XIV || **derrame** 1899.

⇨ **derramar** — derramAÇÃO | 1680 AOCad 1.345.2 || **derram**ADOR | 1614 SGonç 1.313.24 |.
derrapar vb. 'escorregar (o carro) de lado' 'perder a direção' xx. Do fr. *déraper*, deriv. do moderno prov. *derapar*, de *rapar* 'apanhar, segurar' e, este, do germ. **rapôn* || **derrap**AGEM xx. Do fr. *dérapage*.
derrear → RIM.
derredor → REDOR.
derrelicto adj. 'abandonado, desamparado, sem dono' xx. Do lat. *derelictus*, part. pass. de *derelinquĕre*, de *relinquĕre* 'deixar, abandonar' || **derrelição** xx. Do lat. *derelictĭo -ōnis*. Cp. RELÍQUIA.
derrengar → RIM.
derreter vb. 'desgastar, entrar em fusão, desmanchar, enternecer' xiv. Do ant. *reter* 'desgastar', derivado do lat. **reterĕre*, de *terĕre* 'esfregar, polir, alisar' || **derret**IMENTO 1813.
derribar vb. 'lançar por terra, fazer cair, aniquilar, destruir' | *dirribar* xiii | Do lat. med. *diripāre*, de *ripa* || **derrib**AMENTO xiv. Cp. DERRUBAR.
de·rriç·ar, -o → RIÇO.
derrisão sf. 'riso motejador, escárnio' | *derisão* 1813 | Do fr. *dérision*, do baixo lat. *dērīsĭō -ōnis*, deriv. de *rīsĭō -ōnis* 'riso', de *ridēre* 'rir' || **derrisório** | *derisório* xix | Do fr. *dérisoire* e, este, do baixo lat. *derisorĭus*.
de·rroc·ada, -ar → ROCA¹.
derrogar vb. 'anular, abolir, substituir (preceitos legais)' 'revogar (parcialmente uma lei)' | *derogar* xvi | Do lat. *dērŏgāre*, de *rŏgāre* || **derrog**AÇÃO | *derog-* xvi | Do lat. *dērŏgātĭo -ōnis* || **derrog**ADOR | *derog-* 1813 | Do lat. *dērŏgātor -ōris* || **derrog**ANTE | *derog-* 1844 | Do lat. *dērŏgans -āntis*, part. pres. de *dērŏgāre* || **derrog**ATÓRIO | *derog-* xiv | Do lat. *dērŏgātōrĭus*. Cp. ROGAR.
derrota¹ sf. 'orig. caminho aberto rompendo os obstáculos' 'por especialização de sentido, caminho marítimo' xvi. Do lat. *dirupta (via)* 'caminho aberto', fem. de *diruptus*, part. pass. de *dirumpĕre* 'rasgar, romper' || **derrota**² sf. 'desbarato de tropas, grande estrago, ruína' xvii. Deverb. de *derrotar* || **derrot**AR vb. 'orig. derrubar, destruir, destroçar militarmente' 'ext. fazer dispersar, fazer fugir, vencer' xvi. Do a. fr. *dérouter* || **derrot**ISMO xx. Calcado no fr. *défaitisme* 'falta de confiança na vitória, opinião que postula o abandono da luta, pessimismo', termo criado em francês e em russo por um escritor russo em 1915, de *défait*, 'vencido, abatido, derrotado', part. pass. de *défaire* 'derrotar' || **derrot**ISTA xx. Calcado no fr. *défaitiste*. Cp. ROMPER, ROTA.
derrubar vb. 'derribar' | xiv, *derubar* xiii | Do lat. med. *dirupare*, de *rupes -is* 'rocha, penedo' || **derrub**ADA xx. Do fr. DERRIBAR.
derruir vb. 'desmoronar, derribar, destruir, anular' xvii. Do tat. *deruĕre*, com mudança de conjugação.
dervixe sm. 'religioso muçulmano que fez votos de pobreza e vida austera' | *daroez* xvi, *deruis* xvi, *dreuis* xvii | Do turco *derviš*, deriv. do persa *därŭes* 'pobre, religioso mendicante'. A var. *daroez* procede diretamente do persa.
des- *pref.*, do lat. *dis-*, de grande vitalidade em português, com as noções básicas de: (i) coisa (ou ação) contrária àquela que é expressa pelo termo primitivo (*desacordo, descoser*); (ii) cessação de algum estado primitivo ou de uma situação anterior (*desengano, desoprimir*); (iii) coisa ou ação malfeita (*desgoverno, desserviço*); (iv) negação da qualidade expressa pelo termo primitivo (*desconexo, desleal*); (v) separação de alguma coisa de outra (*desfolhar, desmascarar*); (vi) mudança de aspecto (*desfigurar*). O pref. *des-* apresenta caráter pleonástico e funciona como simples elemento de reforço da ideia expressa pelo termo a que se liga em vocs. como *desapartar* e *desinfeliz*, que equivalem a 'apartar (com firmeza)' e '(muito) infeliz', respectivamente. Refira-se, ainda, que ele alterna com o pref. *es-* em pares sinonímicos do tipo *descampado/escampado, desfarelar/esfarelar* etc.
desabado → ABA¹.
des·a·baf·ar, -o → BAFO.
desabalado → ABALAR.
des·ab·amento, -ar, -e → ABA¹.
des·abit·ado, -ar → HABITAR.
des·abitu·ado, -ar → HÁBITO.
des·a·bon·ador, -ar, -o → BOM.
desabotoar → BOTÃO.
⇨ **desabraçar** → BRAÇO.
desabrido → SABER.
des·abrig·ado, -ar, -o → ABRIGAR.
desabrochar → BROCHA.
des·abus·ado, -ar → ABUSO.
des·acat·amento, -ar, -o → ACATAR.
des·a·cert·ar, -o → CERTO.
desacolchetar → COLCHETE.
desacomodar → COMODIDADE.
des·a·companh·ado, -ar → COMPANHIA.
desaconchegar → CONCHEGAR.
des·a·conselh·ado, -ar → CONSELHO.
des·acord·ado, -ar, -o → ACORDAR.
desacorrentar → CORRENTE.
des·a·costum·ado, -ar → COSTUME.
des·a·credit·ado, -ar → CRER.
des·a·fei·ção, -çoado, -çoar, -to → AFECÇÃO.
des·a·ferr·ar, -olhar → FERRO.
des·afet·ação, -o → AFECÇÃO.
desafiar vb. 'provocar, afrontar, não recear' xiii. Do ant. *afiar* 'confiar' e, este, do lat. **fīdāre*, por *fĭdĕre* || **desafi**AÇÃO | *desaffiaçõ* xv | **desafio** xv.
des·a·fin-ação, -ado, -ar → FIM.
des·a·fivel·ado, -ar → FIVELA.
desafogar, -afogo → AFOGAR.
des·a·for·ado, -amento, -ar, -o → FORO.
desafortunado → FORTUNA.
des·a·front·a, -ar → FRONTE.
des·agasalh·ado, -ar → AGASALHAR.
des·a·grad·ar, -ável, -o → GRATO.
des·a·grav·ar, -o → GRAVE.
des·agreg·ação, -ar → AGREGAR.
des·agu·adeiro, -adouro, -amento, -ar → ÁGUA.
des·a·guis·ado, -ar → GUISA.
desaire sm. 'falta de elegância, inconveniência, falta de decoro' | 1813, *desar* xvi | Do cast. *desaire*, deriv. de *des-* + *aire* 'ar' || **desair**OSO xvi.
desajeitar → JEITO.
des·ajud·ado, -ar → AJUDAR.
desajuizado → JUÍZO.

des·a·just·ado, -amento, -ar → JUSTO.
des·alent·ado, -ar, -o → ALENTO.
des·a·linh·ado, -ar, -o → LINHA.
desalmado → ALMA.
desalojar → LOJA.
des·am·ado, -ar → AMAR.
desamarrar → AMARRAR.
desambição → AMBIÇÃO.
desambientado → AMBIENTE.
desamor → AMOR.
des·ampar·ado, -ar, -o → AMPARAR.
desancar → ANCA.
desandar → ANDAR.
des·anim·ar, -o → ÂNIMO.
desapaixon·ado, -ar → PAIXÃO.
desaparafusar → PARAFUSO.
des·aparec·er, -imento → APARECER.
des·a·peg·ado, -ar, -o → PEGAR.
desapercebido → PERCEBER.
des·apert·ar, -o → APERTAR.
desapiedado → PIEDADE.
desapontar¹ vb. 'decepcionar, frustrar as expectativas' 1844. Do ing. to disappoint, deriv. do antigo fr. désappointer. No séc. XVI ocorre desapontar² com o sentido de 'desviar do alvo, desfazer a pontaria', diretamente relacionado com apontar, de que é antônimo || desapontADO adj. 'decepcionado, frustrado na expectativa' 1844 || desapontAMENTO 1844. Do ing. disappointment.
desapontar² → PONTA.
⇨ desapossar → POSSE.
⇨ desaprazer → PRAZER.
desapreço → PREÇO.
desaprender → APRENDER.
desapropriar → PRÓPRIO.
des·a·prov·ação, -ar → PROVAR.
desaproveitar → PROVEITO.
desaprumar → PRUMO.
des·arm·ado, -amento, -ar → ARMA.
des·armon·ia, -ico, -izar → HARMONIA.
des·arraig·ado, -ar → ARRAIGAR.
des·arranj·ado, -ar, -o → ARRANJAR.
des·a·rrazo·ado, -ar → RAZÃO.
desarrear → ARREAR.
des·arrum·ação, -ar → ARRUMAR.
des·articul·ação, -ar → ARTICULAR.
desarvorar → ÁRVORE.
desasnar → ASNO.
des·assimil·ação, -ar → ASSIMILAR.
desassisado → SISO.
desassociar → SÓCIO.
des·a·ssombr·ado, -ar, -o → SOMBRA.
des·a·ssosseg·ado, -ar, -o → SOSSEGO.
desastre sm. 'acidente, desgraça, sinistro' XIV. Adapt. do it. disastro (de dis- + astro) 'má estrela, infortúnio' || desastrADO XVI || desastrOSO XVIII.
desatar → ATAR.
desatarraxar → TARRAXA.
desataviar → ATAVIAR.
des·aten·ção, -cioso →ATENÇÃO.
des·atender, -atentar, -atento →ATENDER.
des·a·tin·ar, -o → TINO.
desatracar → ATRACAR.
desatrelar → TRELA.
des·autor- ado, -ar, -idade, -izar →AUTORIDADE.

⇨ desavassalado → VASSALO.
desavença → ADVIR.
desavergonhado → VERGONHA.
des·avindo, -avir → ADVIR.
des·avis·ado, -amento →AVISAR.
des·az·ado, -o → AZO.
desbancar → BANCO.
⇨ desbarbado → BARBA.
desbaratar vb. 'dissipar, vender por preço vil, destruir, derrotar' XIII. De origem obscura, talvez deriv. de barato || desbaratAMENTO XIV || desbarato | XIV, -te XV.
des·bast·ar, -e → BASTAR.
desbeiçar → BEIÇO.
des·boc·ado, -ar → BOCA.
desbotar vb. 'fazer desvanecer a cor, perder a viveza da cor' XVI. De origem obscura.
desbragado adj. 'descomedido, impudico' XIII. De DES- + BRAGA + -ADO || desbragAMENTO XX. Cp. BRAGA.
des·brav·ador, -ar → BRAVO.
des·bri·ado, -o, -oso → BRIO.
⇨ desbrochar → BROCHA.
des·burocratiz·ação, -ar →BUROCRACIA.
descabelado → CABELO.
des·cab·ido, -imento → CABER.
descadeirado → CADEIRA.
des·caída, -caído, -caimento → CAIR.
descalabro sm. 'grande dano, ruína, perda, derrota, desgraça' 1899. Do cast. descalabro, deriv. de calavera 'caveira' e, 'esta, do lat. calvaria, de calvus. Cp. CAVEIRA.
⇨ descalavrar → ESCALAVRAR.
des·calç·adela, -ar, -o → CALÇA.
des·caminh·ado, -o → CAMINHO.
descampado → CAMPO.
des·cans·ado, -ar, -o → CANSAR.
desacaracterizar → CARÁTER.
des·car·ado, -amento → CARA.
descarga → CARRO.
des·carn·ado, -ar → CARNE.
descaro → CARA.
des·caroç·ador, -ar → CAROÇO.
des·carreg·amento, -ar, des·carril·amento, -ar → CARRO.
des·cart·ar, -ável, -e → CARTA.
descasar → CASA.
descasc·ador, -ar → CASCAR.
descaso → CASO.
descender vb. 'provir por gerações, descer, derivar, originar' | XIV, decender XIII | Do lat. descendĕre || descendENTE XIV. Do lat. descendens -ēntis, part. pres. de descendĕre || descendÊNCIA XVI || descendIMENTO | descēdimēto XIV || descensão 1813. Do lat. dēscēnsĭo -ōnis || descensionAL 1858 || descenso 1813. Do lat. descensus -us.
descer vb. 'abaixar, obrigar a ceder, mover-se para baixo, diminuir, humilhar' | decer XIII, deçer XIII | De origem controvertida || descIDA XVI.
descerrar → CERRAR.
descida → DESCER.
des·class·ific·ação, -ado, -ar → CLASSE.
⇨ descoalhar → COAGULAR.
des·coberta, -coberto, -cobridor, -cobrimento, -cobrir → COBRIR.

descoco sm. 'descaro, atrevimento, disparate, insensatez' XVIII. Do cast. *descoco*, deriv. de *coca* 'cabeça'.
descoivarado → COIVARA.
descolar → COLA¹.
des·color·ação, -ar, -ir → COR.
des·co·med·imento, -ir → MEDIR.
⇨ **descompadrar** → COMPADRE.
⇨ **descompassado** → COMPASSAR.
⇨ **descompensar** → COMPENSAÇÃO.
des·compor, -compostura → COMPOR.
descomunal → COMUM.
des·concert·ado, -ante, -ar, -o → CONCERTAR.
desconchavar → CONCLAVE.
des·conexão, -conexo → CONEXÃO.
des·con·fi·ado, -ança, -ar → FIAR².
desconform·e, -idade → CONFORMAR.
des·confort·ado, -ar, -o → CONFORTAR.
descongelar → GELO.
des·congestion·amento, -ar → CONGESTÃO.
des·conhec·er, -ido, -imento → CONHECER¹.
des·con·junt·ado, -amento, -ar → JUNTO.
desconsertar → CONSERTAR.
des·consider·ação, -ado, -ar → CONSIDERAR.
des·consol·ação, -ador, ·ar, -o → CONSOLAR.
descontar → CONTAR.
des·content·amento, -ar, -e → CONTENTO.
des·continu·idade, -o → CONTINUAR.
desconto → CONTAR.
des·control·ado, -ar, -e → CONTROLAR.
desconversar → CONVERSAR.
des·cor·ado, -ar → COR¹.
des·coroço·ado, -ar → CORAÇÃO.
descortesia → CORTE².
des·cortin·ar -o → CORTINA.
des·cos·er, -ido → COSER.
descosturar → COSTURA.
descravizar → ESCRAVO.
des·crédito, -crença, -crer → CRER.
descrever vb. 'expor, contar minuciosamente, traçar, seguir percorrendo' XV. Do lat. *describĕre* ‖ **descrição** | -*pção* XVI | Do lat. *descriptĭo -ōnis*, de *descriptum*, supino de *describĕre* ‖ **descritivo** | -*ptivo* 1844 | Do fr. *descriptif* ‖ **descrito** | -*pto* 1844 | Do lat. *descriptus*, part. pass. de *describĕre* ‖ **descritor** 1813 ‖ IN**descrit**ÍVEL | -*ptivel* 1881 | Do fr. *indescriptible*. Cp. ESCREVER.
descruzar → CRUZ.
des·cuid·ado, -ar, -ista, -o → CUIDAR.
des·culp·a, -ar, -ável → CULPA.
descurar → CURA.
desde prep. 'a partir de (com a dupla noção de tempo e de espaço)' XIV. Combinação da antiga preposição *des*(< lat. *de ex*), já documentada no séc. XIII, com a prep. DE.
desdém sm. 'desprezo' | XIII, *desdeno* XIV | Do a. prov. *desdenh* ‖ **desdenh**ADOR | -*ñador* XIV, -*nador* XIV ‖ **desdenh**AR | XIII, -*ennar* XIII | Do lat. vulg. *disdĭgnāre (cláss. *dēdĭgnāre*) ‖ **desdenh**OSO | -*ennoso* XIII. -*eñoso* XIV.
desdentado → DENTE.
des·dit·a, -ado, -oso → DITA.
desdizer → DIZER.
desdobrar → DOBRAR.
des·dour·ar, -o → DOURAR.

⇨ **desedificar** → EDIFICAR.
desejo sm. 'apetite, cobiça, ânsia' | XIV, *deseio* XIII, *deseijo* XV | Do lat. *dēsĕdĭum ‖ **desej**ADO XIII ‖ **desej**ADOR XIII ‖ **desej**ADOURO | -*oiro* XV ‖ **desej**AR XIII ‖ **desej**ÁVEL XIV ‖ **desej**OSO XIII ‖ in**desej**ÁVEL XX.
des·elegância, -elegante → ELEGÂNCIA.
desemaranhar → MARANHA.
⇨ **desemastrear** → MASTRO.
desembainhar → BAINHA.
des·embaraç·ado, -ador, -ar, -o → BARAÇO.
desembarc·ar, -ação → BARCA.
des·embarg·ado, -ador, -amento, -ar → EMBARGAR.
desembarque → BARCA.
des·em·best·ado, -ar → BESTA¹.
des·em·boc·adura, -ar, desembuçado → BOCA.
desembrulhar → EMBRULHAR.
desempacar → EMPACAR².
desempacotar → PACA².
⇨ **desempanar** → PANO.
des·empat·ar, -e → EMPATAR.
des·em·pen·ado, -ar, -o → PINO.
des·empenh·ar, -o → EMPENHAR.
desemperrar → PERRO.
desempilhar → PILHAR.
⇨ **desempinar** → PINO.
desempoar → PÓ.
desempoçar → POÇO.
des·empreg·ado, -ar, -o → EMPREGAR.
desencabeçar → CABEÇA.
desencabrestar → CABRESTO.
desencadear → CADEIA.
des·en·caix·ar, -otar → CAIXA.
desencalacrar → CALACRE.
des·en·calh·ar, -e → CALHA.
desencaminhar → CAMINHO.
des·encant·ado, -amento, -ar, -o → ENCANTAR.
desencarcerar → CÁRCERE.
desencargo → CARRO.
des·en·carn·ação, ·ar → CARNE.
desencaroçar → CAROÇO.
des·en·carregar, -carrilamento, -carrilar → CARRO.
desencasquetar → CASCAR.
desencastoar → CASTÃO.
desencavar → CAVA.
desencobrir → COBRIR.
des·encomend·ado, -ar → ENCOMENDAR.
desencontro → ENCONTRAR.
des·en·coraj·amento, -ar → CORAGEM.
desencordoar → CORDA.
desencorpar → CORPO.
desencostar → COSTA.
desencovar → COVA.
⇨ **desencravar** → CRAVO¹.
desencrespar → CRESPO.
desendividar → DEVER.
des·enfad·amento, -ar, -o → ENFADAR.
desenfaixar → FAIXA.
des·en·fard·ar, -el·ar → FARDA.
desenfastiar → FASTIO.
desenfeitiçar → FEITIÇO¹.
desenfeixar → FEIXE.
desenferrujar → FERRO.
desenfiar → FIO.
des·en·fre·ado, -ar → FREIO.

desenfronhar → FRONHA.
desenfurnar → FORNO.
desengaiolar → GAIOLA.
des·engaj·ado, -ar → ENGAJAR.
des·engan·ado, -ar → ENGANAR.
des·en·ganch·ado, -ar → GANCHO.
desengano → ENGANAR.
⇨ **desengarrafar** → GARRAFA.
desengasgar → GARGALHAR.
des·engast·ado, -ar → ENGASTAR.
des·en·gat·ar, -ilhar → GATO.
desengavetar → GAVETA.
desengessar → GESSO.
desenglobar → GLOBO.
des·en·gonç·ado, -ar, -o → GONZO.
desengordurar → GORDO.
desengraçado → GRAÇA.
des·en·gravat·ado, -ar → GRAVATA.
des·engren·ado, -ar → ENGRENAR.
desengrossar → GROSSO.
des·enguiç·ado, -ar → ENGUIÇAR.
desenh·ar, -ista, -o → DESIGNAR.
desenjaular → JAULA.
des·en·laç·ar, -e → LAÇO.
des·en·lam·eado, -ear → LAMA[1].
desenovelar → NOVELO.
desenquadrar → QUATRO.
desenraizar → RAIZ.
desenredar → REDE.
des·en·rol·amento, -ar → ROLO.
desenroscar → ROSCA.
desenrugar → RUGA.
desensacar → SACO.
desentaipar → TAIPA.
desentalar → TALA.
desentender → ENTENDER.
des·en·terr·amento, -ar → TERRA.
des·en·to·ado, -ar → TOM.
desentocar → TOCA.
desentorpecer → TORPOR.
desentranhar → ENTRANHA.
desentristecer → TRISTE.
desentulhar → TULHA.
desentupir → ENTUPIR.
desenvernizar → VERNIZ.
⇨ **desenviolar** → VIOLAR[1].
des·en·vol·to, -tura, -ver, -vido, ·vimento → VOLVER.
desenxabido → ENXABIDO.
des·equi·libr·ado, -ar, -io → EQU(i)[1]-.
deserção vb. 'ato ou efeito de abandonar' 1813 Do fr. *désertion*, deriv. do lat. *dēsertiō -ōni*. de *dēsertus*, part. pass. de *dēsērēre*, de *sè rēre* || **desert**AR 1813. Do fr. *déserter*, deriv. do lat. tard. *dīsertāre*, frequentativo de *dēsērēre* || **deserto**[1] *adj*. XIII || **deserto**[2] *sm*. XIII. Do lat. ecles. *desertum* || **desert**OR 1813. Do fr. *déserteur*, deriv. do lat. *dēsertor -ōris*.
des·erd·ado, -ar → HERANÇA.
desert·ar, -o, -or → DESERÇÃO.
des·esper·ação, -ado, -ador, -ança, -ar, -o → ESPERAR.
desestimar → ESTIMAR.
desfaçatez *sf*. 'falta de vergonha, descaramento, cinismo, impudência' XIX. Adapt. do it. *sfacciatezza*, com base no lat. *facies -ei* 'face' || **desfaçado** *adj*.

'cínico, impudente, descarado' XVI. Adapt. do it. *sfacciato*.
desfalcar *vb*. 'reduzir, diminuir, desfraudar, dissipar, tirar parte de' XIV. Provavelmente do it. *defalcare*, com mudança de prefixo, do. lat. med. *defalcāre* 'cortar com a foice', de *falx -cis* 'foice' || **desfalque** XVIII.
des·falec·er, ·imento → FALECER.
desfalque → DESFALCAR.
desfastio → FASTIO.
des·favor, -favorável, -favorecer → FAVOR.
desfazer → FAZER.
desfear → FEIO.
des·fech·ar, -o → FECHO.
des·feit·a, -ear, -o → FAZER.
desferir → FERIR.
desferrar → FERRO.
des·fi·ado, -ar → FIO.
des·fibr·ado, -ar → FIBRA.
des·figur·ação, -ado, -ar → FIGURA.
des·fil·ada, -adeiro, -ar, -e → FILA.
des·flor·ado, -ador, -amento, -ar → FLOR.
des·florest·amento, -ar → FLORESTA.
des·folh·amento, -ar → FOLHA.
desforço → FORÇA.
des·forr·a, -ado, -ar[2] → FORRO[2].
desforrar[1] → FORRO[1].
desfraldar → FRALDA.
des·frut·ar, -ável, -e → FRUTO.
desgalhar → GALHO.
des·garr·ada, -ar → GARRA[1].
des·gast·ar, -e → GASTAR.
des·gost·ar, -o, -oso → GOSTO.
des·govern·ar, -ável, -o → GOVERNAR.
des·graç·a, -ado, -ar, -eira, -ioso → GRAÇA.
desgramado → GRAMA[1].
des·grenh·ado, -ar → GRENHA.
desguarnecer → GUARNECER.
desiderato *sm*. 'aquilo que se deseja, aspiração' XX. Do lat. *desideratum*, part. pass. neutro substantivado de *desiderāre* 'desejar' || **desiderat**IVO XX. Do lat. *desideratīvus*.
desídia *sf*. 'preguiça, indolência, inércia, desleixo' XVII. Do lat. *dēsĭdĭa*, de *dēsĭdēre* 'estar sempre sentado, ser preguiçoso', de *sedēre* 'estar sentado, ficar ocioso' || **desidi**OSO 1858. Do lat. *desidiosus*.
des·idrat·ação, -ar → HIDR(O)-.
designar *vb*. 'indicar, apontar, mostrar' XIII. Do lat. *dēsignāre* 'marcar, traçar, representar. dispor, regular', de *signum -i* 'sinal, marca distintiva' || **desenhar**[1] *vb*. 'indicar, designar' XVI. Divergente de *designar*, do lat. *dēsignāre* || **desenhar**[2] 'representar por meio de linhas e sombras, fazer o desenho de' XVII. Do it. *disegnare*, deriv. do lat. *dēsignāre* || **desenh**ISTA 1899 || **desenho**[1] *sm*. 'desígnio' | *desenho* XVI. *disenho* XVI | Do lat. tard. *designĭum* || **desenho**[2] *sm*. 'representação de objetos através de linhas e sombras' XVIII. Do it. *disegno*, deverbal de *disegnare* e, este, de *dēsignāre* || **design**AÇÃO XVI. Do lat. *designatio -onis* || **design**ADOR 1813. Do lat. *dēsignātor -ōris* || **design**ATÁRIO XX || **design**ATIVO 1844. || **desígnio** XVII. Do lat. tard. *dēsignĭum*. Cp. SIGNO.
⇨ **designar** — **desenh**ADOR | *desegnador* 1571 FOlF 141.23 || **desenh**AR[2] | *desegnar* 1571 FOlF 71.14 || **desenho**[2] | *desegno* 1571 FOlF 71.16 |.

des·igu·al, -alar, -aldade → IGUAL.
des·ilud·ido, -ir, desilusão → ILUSÃO.
⇨ desimaginar → IMAGEM.
des·imped·imento, -ir → IMPEDIR.
desinchar → INCHAR.
desincumbir → INCUMBIR.
desinência *sf.* 'extremidade, fim, termo' '(Gram.) morfema flexional de caráter sufixal' 1844. Do fr. *désinence*, deriv. do lat. med. *desinentia*, de *desinĕre* 'abandonar, cessar, acabar' || desinenciAL XX.
desinfecção → INFECTO.
desinfeliz → FELIZ.
des·infet·ado, -ante, -ar → INFECTO.
des·in·flam·ação, -ado, -atório → FLAMA.
des·inib·ição, -ido, -ir → INIBIR.
des·in·quiet·ação, -ar, -o → QUIETO.
desinsofrido → SOFRER.
des·integr·ação, -ar → INTEGRAR.
desinteligência → INTELIGÊNCIA.
des·interess·ado, -ante, -ar, -e → INTERESSE.
desintoxicar → TÓXICO.
desirmanar → IRMÃO.
desistir *vb.* 'renunciar, não prosseguir num intento' XVI. Do lat. *dēsīstĕre* 'afastar-se, deixar de', de *sistĕre* 'suster, parar, impedir de avançar', de *stāre* 'estar de pé' || desistÊNCIA 1813. Do lat. med. *desistentĭa* || desistENTE 1813. Do lat. *dēsīstens -ēntis*. part. pres. de *dēsīstĕre*.
desitivo *adj.* '(Gram.) diz-se do que denota cessamento de ação' 1873. Do lat. **desitivus*, de *desitus*, part. pass. de *desinĕre* 'cessar, terminar, acabar.
desjejum → JEJUM.
deslacrar → LACA.
deslanchar *vb.* 'dar partida, ter andamento (um projeto, uma empresa etc.)' XX. Adapt. do fr. *déclencher*, com infl. de LANCHA.
deslavado → LAVAR.
des·le·al, -aldade → LEI.
desleixar *vb.* 'descurar, descuidar, negligenciar' XVI. De DES- e o arc. *leixar*, do lat. *laxāre* || deslei-xADO 1813 || desleixo XVIII. Cp. DEIXAR.
deslembrar → LEMBRAR.
des·lig·amento, -ar → LIGAR.
des·lind·ar, -e → LIMITE.
deslizar *vb.* 'escorregar brandamente, resvalar, derivar com suavidade' XVII. De origem obscura || deslizAMENTO 1881 || deslize 1844.
des·loc·ado, -amento, -ar → LOCAR.
desloucar *vb.* 'aplanar a terra' 1899. De origem incerta.
deslumbrar *vb.* 'ofuscar ou turvar a vista de, pela ação de muita luz' 'causar assombro em, maravilhar' XVIII. Do cast. *deslumbrar*, de *lumbre* 'luz' e, este, do lat. *lumen -ĭnis* || deslumbrADO 1813 || deslumbrAMENTO XVI. Do cast. *deslumbramiento* || deslumbrANTE 1873 || translumbrar XVIII. De *deslumbrar* com mudança de prefixo.
des·lustr·ar, -e → LUSTRAR¹.
⇨ desluzir → LUZ.
desmaiar *vb.* 'perder a cor, perder os sentidos, desfalecer' | *-mayar* XIII | De *esmaiar*, com mudança de prefixo || desmaiADO | *-ayado* XIV || desmaio | *-mayo* XVI || esmaECER XVI. Incoativo de *esmaiar* || esmaiar *vb.* 'desmaiar' XIII. Do a. fr. *esmaiier*, de-

riv. do lat. vulg. **exmagāre*, de origem germânica. No port. med. ocorre, também, *esmayamento* (séc. XIV) como sinônimo de *desmaio*.
des·mam·ado, -ar → MAMA.
desmanchar *vb.* 'desfazer, desarranjar, descompor, deslocar, inutilizar, demolir' XIV. Do ant. fr. *desmancher* (atual *démancher*), de *manche* e, este, do lat. popular **manĭcus* 'o que se pode segurar com a mão, um punhado', de *manus* 'mão' || desmancho 1570.
des·mand·ar, -o → MANDAR.
des·mantel·ado, -amento, -ar, -o → MANTEL.
des·marc·ado, -ar → MARCAR.
des·mascar·ado, -ar → MÁSCARA.
desmastrear → MASTRO.
des·mat·amento, -ar → MATA.
des·maz·el·ado, -ar → MAZELA.
⇨ desmazel·amento, -o → MAZELA.
des·med·ido, -ir → MEDIR.
des·membr·amento, -ar → MEMBRO.
desmemoriado → MEMÓRIA.
des·ment·ido, -ir → MENTIR.
des·merec·edor, -er → MERECER.
des·mesur·a, -ado → MESURAR.
desmiolado → MIOLO.
des·mobil·iar, -izar → MOVER.
desmontar → MONTAR.
des·moral·iz·a·ção, -ado, -ar → MORAL.
desmoronar *vb.* 'derribar, demolir, abater' XVIII. Do cast. *desmoronar*, do antigo e dialetal *desboronar*, de *borona* 'broa' || desmoronAMENTO XX. Cp. BROA.
desmotomia *sf.* 'dissecção ou corte dos ligamentos' 1873. Do fr. *desmotomie*, deriv. do lat. cient. *desmotomia*, vocábulo composto com o radical grego *desmo-*, de *desmós* 'ligação', mais -TOMIA.
des·nacion·al·iz·ação, -ar → NAÇÃO.
des·nat·adeira, -ar →NATA.
des·natur·ado, -al, -alização, -alizado, -alizamento, -alizar, -amento, -ar → NATURA.
desnecessário → NECESSÁRIO.
desnível, -ado, -ar →NÍVEL.
des·norte·ado, -amento, -ante, -ar → NORTE.
des·nud·amento, -ar, -ez, -o → NU.
des·nutr·ição, -ido, ir → NUTRIR.
des·obed·ecer, -iência, -iente → OBEDECER.
des·obrig·ado, -ar → OBRIGAR.
des·obstr·ução, -uir →OBSTRUÇÃO.
des·ocup·ação, -ado, -ar → OCUPAR.
des·odor·ante, -ar, -izador, -izante, -izar → ODOR.
desoficializar → OFICIAL.
desolar *vb.* 'despovoar, devastar, arruinar' 'tornar muito triste e solitário' XVI. Do lat. *desolāre* || desolAÇÃO XVII. Do lat. *desolātio -ōnis* || desolADO XV. Do lat. *desolatus*, part. pass. de *desolāre*.
des·onest·idade, -o → HONESTO.
des·onr·a, -adiço, -ado, -amento, -ar, -oso → HONRAR.
des·opil·ação, -ante, -ar, -ativo → OPILAR.
des·opr·essão, -imir → OPRIMIR.
desoras → HORA.
des·ord·eiro, -em, -enado, -enança, -enar → ORDEM.
des·organiz·ação, -ado, -ar → ORGANIZAR.

des·orient·ação, -ado, -ar → ORIENTE.
desossar → OSSO.
des·ov·a, -ar → OVO.
despachar vb. 'deferir ou indeferir um documento, resolver, incumbir de qualquer serviço ou missão' XV. Do prov. despachar, do a. fr. despeechier (atual dépêcher) e, este, criado em oposição ao ant. empeechier (atual empêcher), que provém do baixo lat. impedicāre 'impedir, entravar', de pes pedis 'pé' || despachADO XVI || despachADOR XVI || despachANTE XX || despacho 1572.
despautério sm. 'grande disparate' XIX. Do fr. Despautère, forma afrancesada do antr. J. van Pauteren (c 1480-1520), gramático flamengo autor de uma gramática latina muito difundida na Europa nos sécs. XVI-XVII.
despear[1] → PEIA.
despear[2] → PÉ.
despedaçar → PEDAÇO.
despedir vb. 'fazer sair, dispensar os serviços de, expedir, lançar de si' XV. Do arcaico espedir (séc. XIII), com mudança de prefixo e, este, do lat. expetĕre || despedIDA 1570 || despIDO XVI || despir XVI. Divergente de despedir, através de uma forma arcaica *espir, do lat. expetĕre. No port. med. ocorre, também, espedimento (séc. XIV) na acepção de despedida.
⇨ despedir — despedIMENTO | 1538 DCast 37v11 |.
despegar → PEGAR.
despeito sm. 'desgosto produzido por desconsideração ou ligeira ofensa' | XIII, -eyto XIII | Do lat. despectus 'desprezo', de despectum, supino de despicĕre 'olhar de cima para baixo' || despeitAR XV || despeitOSO XIII. Cp. DESPICIENDO.
despeitorar vb. 'desabafar' XVI. De expectorar, com troca de prefixo, e, este, do lat. expectorare, de pectus -ŏris 'peito'. Cp. PEITO.
despeitoso → DESPEITO.
des·pej·ado, -ar, -o → PEJAR.
despencar → PENCA.
despender vb. 'gastar, consumir' XIII. Do lat. dīspĕndĕre || dispendEDOR XIV || despendIMENTO | -demento XIV || despensa sf. 'ant. despesa' XIV; 'compartimento de uma casa onde se guardam mantimentos' XVI. Do lat. dīspensa, part. pass. de dīspĕndĕre || despensARIA XV || despensEIRO XVI || despesa sf. 'gasto' | XIII, despensa XIV | Forma divergente de despensa, do lat. dīspensa, part. pass. de dīspĕndĕre. Cp. DISPENSAR.
⇨ despender — despensEIRO | despenseyro XIV TEST 162.32 |.
despendurar → PENDURAR.
des·penh·adeiro, -ar → PENA[2].
despens·a,-aria, -eiro → DESPENDER.
des·perceb·er, -ido → PERCEBER.
des·perdiç·ado, -amento, -ar, -io → PERDER.
despersonalizar → PESSOA.
despersuadir → PERSUADIR.
despert·ador, -ar, -o → ESPERTAR.
despesa → DESPENDER.
des·petal·ar, -ear → PÉTALA.
des·pic·ado, -ar, -ativo → PICAR.
despiciendo adj. 'que deve ser desprezado' 1864. Do lat. despiciendus 'o que se deve desprezar', gerundivo de despicĕre 'olhar de cima para baixo'

|| despiciENTE 1899. Do lat. despiciĕns -entis, part. pres. de despicĕre. Cp. DESPEITO.
⇨ despiedoso → PIEDADE.
despique → PICAR.
despistar → PISTA.
desplante → PLANTA.
desplumar → PLUMA.
despojar vb. 'roubar, saquear, defraudar' XIV. Do cast. despojar, deriv. do lat. dēspoliāre 'saquear' || despojADO XVI || despojAMENTO 1844 || despojo XIV. Do cast. despojo.
despolpar → POLPA.
despontar → PONTA.
desport·e, -o → ESPORTE.
desposar → ESPOSAR.
déspota s2g. 'tirano, opressor, pessoa de tendências dominadoras' 1813. Do lat. med. despŏta, deriv. do gr. despótēs 'senhor, dono, possuidor' || despótICO | dis- 1768 | Do fr. despotique, deriv. do gr. despotikós || despotISMO 1769. Do fr. despotisme.
⇨ déspota | 1538 DCast 20v7 |.
des·povo·ado, -amento, -ar → POVO.
desprecatar → PRECATAR.
despregar → PREGAR[1].
des·prend·er, -ido, -imento → PRENDER.
des·preocup·ação, -ado, -ar → PREOCUPAR.
des·prepar·ado, -o → PREPARAR.
des·prestigi·ar, -o → PRESTÍGIO.
des·pretens·ão, -ioso → PRETENSÃO.
des·preven·ido, -ir → PREVENIR.
des·prez·ar, -ível, -o → PREZAR.
des·prim·or, -oroso → PRIMEIRO.
des·propor·ção, -cionado, -cional → PROPORÇÃO.
des·proposit·ado, -al, -ar → PROPÓSITO.
desproveito → PROVEITO.
des·pud·or, -orado → PUDOR.
des·qualific·ação, -ar → QUALIFICAR.
des·quit·ado, -ar, -e → QUITAR.
des·regr·ado, -amento, -ar → REGRA.
des·respeit·ar, -o, -oso → RESPEITO.
desse contr. da prep. DE com o pron. ESSE. XIII.
dessecar → SECO.
dessedentar → SEDE[2].
des·semelh·ança, -ante → SEMELHAR.
des·serv·iço, -ir → SERVIR.
dessoldar → SOLDAR.
dessorar → SORO.
dessuetude sf. 'falta de hábito, desuso, descostume' 1899. Do lat. dēsuētūdō -dĭnis. Cp. SUETO.
dessulfurar → SULF(O)-.
destacar vb. 'enviar ou fazer partir (um destacamento), fazer sobressair, dar relevo' XIII. Adaptação do fr. détacher, com influência de atacar || destacAMENTO 1813 || destaque 1899.
des·tamp·ar, -atório → TAMPA.
destapar → TAPAR.
destaque → DESTACAR.
deste contr. da prep. DE com o pron. ESTE. XIII.
destelhar → TELHA.
des·tem·ido, -or → TEMOR.
des·temper·ar, -o → TEMPERAR.
des·terr·ado, -amento, -ar → TERRA.
destilar vb. 'deixar cair gota a gota, instilar, insinuar' | distillar XVI | Provavelmente do fr. distiller,

deriv. do lat. *destillāre*, de *stilla* 'gota' ‖ destilAÇÃO | *distillação* 1813 | Do fr. *distillation*, deriv. do lat. *destillātio -onis* ‖ destilARIA | *destillaria* 1899 | Adaptação do fr. *distillerie* ‖ destilATÓRIO | *distillatório* 1844 | Do fr. *distillatoire*. Cp. ESTILAR.
destinar *vb*. 'determinar com antecipação, decidir, fixar previamente' 1572. Do lat. *dēstĭnāre* ‖ destinAÇÃO 1813. Do lat. *destinātĭo -ōnis* ‖ destinADOR 1813 ‖ destinATÁRIO XIX. Provavelmente do fr. *destinataire* ‖ **destino** 1572. Deriv. regressivo de *destinar*.
destituir *vb*. 'privar de autoridade, dignidade' ou emprego' XIV. Do lat. *dēstĭtŭĕre* ‖ destituIÇÃO 1813. Do lat. *dēstĭtūtĭo -ōnis* ‖ destituÍDO 1813.
des·to·ante, -ar →TOM.
destocar → TOCO.
destorcer → TORCER.
destorv·ador, -amento, -ar → ESTORVAR.
destra → DESTRO.
⇨ **destragar** → ESTRAGAR.
destrambelhado → TRAVE.
destrancar → TRANCA.
destrançar → TRANÇA.
destratar → TRATO.
destravar→ TRAVE.
destrímano → DESTRO.
destrinçar, destrinchar *vb*. 'individualizar, expor com minúcia, desenredar' XVII. Do lat. **strictiāre*. A variante *destrinchar* deve ter sofrido influência de *trinchar*.
destro *adj*. 'direito, que fica do lado direito, perito, ágil, sagaz' XIII. Do lat. *dexter -tra, -trum* 'direito, propício, favorável' ‖ AdestrADOR 1813 ‖ AdestraMENTO 1813 ‖ AdestrAR | XIII, *adeestrar* XV ‖ **destra** XV. Do lat. *dextra*, femin. de *dexter* ‖ destrEZA XVI ‖ destríMANO XX.
des·troç·ar, -o → TROÇO.
destróier *sm*. 'contratorpedeiro' XX. Do ingl. *destroyer*, abrev. de *torpedo-boat destroyer*, de *to destroy* 'destruir'.
des·tron·amento, -ar → TRONO.
destroncar → TRONCO.
destruir *vb*. 'demolir, arruinar, fazer desaparecer' | XIII, *-troyr* XIV etc. | Do lat. *destrŭĕre* ‖ destruIÇÃO | XVI, *-troyçõ* XIV, *-troiçom* XIV etc. | Do lat. *destructio -ōnis* ‖ destruIDOR | XV, *-troydor* XIV, *-truydor* XIV ‖ destruIMENTO | *-troy-* XIV, *-troimēto* XIV, *-truymēto* XIV, *destorimento* XV ‖ destruÍVEL | *-truibele* XV, *-troivell* XV, *-troibele* XV ‖ destrutivo | *-ctivo* 1813 | Do lat. *destructivus* ‖ destrutÍVEL | *-ctível* 1844 ‖ **destrutor** XX. Do lat. *destructor -ōris* ‖ **estruir** XVI. De *destruir*, com troca de prefixo ‖ INdestrutÍVEL 1858.
des·uman·idade, -o → HUMANO.
desumir *vb*. 'deduzir, conjecturar' XVIII. Do lat. *desūmĕre* 'tomar para si'.
des·un·ião, -ido, -ir → UNIÃO.
des·usado, -uso → USAR.
desvairar *vb*. 'fazer cair em desvario, causar alucinações a, alucinar, endoidecer' | XV, *-variar* XIV | Do cast. *desvariar*. No port. med. ocorre, também, *esvariar* (séc. XIV), com troca de prefixo ‖ **desvair**ADO | XIV, *-uay-* XIII ‖ **desvair**AMENTO XV ‖ **desvair**ANÇA XV ‖ **desvairo** | *-uayro* XIII ‖ **desvairo** XV. Do cast. *desvarío*. Cp. VARIAR.

des·val·ia, -ido, -idoso, -or, -orização, -orizar → VALER.
desvalijar *vb*. 'roubar a mala ou os alforjes a' XVII. Do cast. *desvalijar*, de *valija*, deriv. do it. *valigia*. Cp. VALISE.
desvanecer *vb*. 'fazer passar ou desaparecer, extinguir' XIII. Do cast. *desvanecer*, de *vano* 'vão', deriv. do lat. *vānus* ‖ **desvanec**IDO XVII ‖ **desvanec**IMENTO 1813. Do cast. *desvanecimiento*. Cp. VÃO.
des·vant·agem, -ajoso → VANTAGEM.
desvão → VÃO.
desvario → DESVAIRAR.
desvelar[1] → VÉU.
desvelar[2] *vb*. 'causar vigília a, não deixar dormir' XVII. Do cast. *desvelar*, deriv. do lat. *evigilāre*, com mudança de prefixo ‖ **desvel**ADO XV ‖ **desvelo** XVII. Do cast. *desvelo*. Cp. VIGIAR.
desvencilhar → VÍNCULO.
desvendar → VENDA[1].
des·ventur·a, -ado → VENTURA.
des·vi·ado, -ar → VIA.
desvincar → VINCO.
desvio → VIA.
desvirar → VIRAR.
desvirginar → VIRGEM.
des·virtu·ado, -amento,-ar, -de → VIRTUDE.
detalhar *vb*. 'narrar minuciosamente, particularizar' 1844. Do fr. *détailler*, de *tailler*, deriv. do lat. **taliāre*, provavelmente de *talĕa* 'estaca, espeque' ‖ **detalhe** 1797. Do fr. *détail*.
detectar *vb*. 'revelar, tornar perceptível, ao ouvido ou à vista' 'perceber (um objeto buscado) ou com ele estabelecer contato por meio visual, ou de radar, de sonar, de rádio' XX. Adapt. do ingl. *to detect*, deriv. do lat. *dētĕctus*, part. pass. de *detĕgĕre* 'descobrir' ‖ **detec**ÇÃO XX. Do ingl. *detection*, deriv. do lat. *dētēctĭo -ōnis* ‖ **detective** XX. Do ing. *detective* ‖ **detector** XX.
deter *vb*. 'sustar, fazer parar, impedir, interromper, fazer cessar' | XVI *detēer* XIII etc. | Do lat. *dētĭnēre* ‖ **detença** | XVI. *deteenza* XIII, *deteença* XIII | Do lat. *detinentia*, nom. pl. neutro de *detīnens entīs*, part. pres. de *dētĭnēre* ‖ **detenção** XVII. Do lat. *detentĭo -ōnis* ‖ **det**IMENTO | *-tii-* XIV, *-tēe-* XIII etc. ‖ **detento** *sm*. XX. Do lat. *detentus*, part. pass. de *dētĭnēre* ‖ **detentor** 1813. Do lat. *detentor -ōris*.
detergir *vb*. 'limpar, purificar' XVIII. Do lat. *dētĕrgēre* ‖ **deterg**ENTE XVIII. Do fr, *détergent*, deriv. do lat. *detergens -entis*, part. pres. de *dētĕrgēre* ‖ **detersão** 1844. Do fr, *détersion*, deriv. do lat. *detersĭō -ōnis* ‖ **ders**IVO XVIII. Do fr. *détersif*, deriv. do lat. *detersus*, part. pass. do *dētĕrgēre* ‖ **ders**ÓRIO 1873.
deterior *adj.2g*. 'inferior, pior' 1813. Do lat. *dēterior*, comparativo do desusado *deter* ‖ **deterior**AÇÃO 1813. Do fr. *détérioration*, deriv. do lat. *deterioratio -ōnis* ‖ **deterior**ANTE 1881 ‖ **deterior**AR 1813. Do fr, *détériorer*, deriv. do lat. *dēteriorāre* ‖ **deterior**ÁVEL 1899.
determinar *vb*. 'marcar termo a, delimitar, fixar, definir' | XIII. *determinhar* XIV, *detreminar* XV | Do lat. *dētermĭnāre* ‖ **determin**AÇÃO | *detrimiaçom* XV. *detremjnhaçõ* XIV, *determjnhaçõ* XIV | Do lat. *dēterminātĭō -ōnis* ‖ **determin**ADO 1570. Do lat. *determinātus*, part. pass. de *dētermĭnāre* ‖ **deter-**

min**ADOR** XIII. Do lat. *dēterminātor -ōris* || determin**ANTE** 1844. Provavelmente do fr. *déterminant* || determin**ATIVO** 1844. Do fr. *déterminatif* || termin**ISMO** XIX. Do fr. *déterminisme*, deriv. do al. *Determinismus* || determin**ISTA** XIX. Do fr. *déterministe* || **IN**determin**ABIL**·**IDADE** 1881 || **IN**determin**ADO** XVII || **IN**determin**ÁVEL** 1881.
deters·ão, -ivo, -ório → DETERGIR.
detestar *vb.* 'abominar, odiar, ter aversão a XVI. Do lat. *detestāre, por *detestāri* 'repelir o testemunho de, abominar, amaldiçoar', de *testāri* 'testar' || detest**AÇÃO** XVII. Do lat. *detestatĭo -ōnis* || detest**ÁVEL** 1813. Do fr. *détestable*.
detonar *vb.* 'provocar explosão, estrondear' 1813. Do fr. *détoner* e, este, do lat. *detŏnāre* 'trovejar', de *tonāre*, deriv. de *tonus* || deton**AÇÃO** 1813. Do fr. *détonation* || deton**ANTE** 1881. Do fr. *détonant*.
detrair *vb.* 'abater o crédito de, difamar, depreciar' | *detrahir* XVI, *detraher* XV | Do lat. *dētrăhĕre* 'puxar para baixo, tirar de', de *trăhĕre* || detr**AÇÃO** | -cçom XV, -treições pl. XV | Do lat. *dētractĭo -ōnis*. No port. med. documenta-se, também, uma forma *detraimento* (séc. XIV), sem dúvida influenciada por *trair* || **detratar** XX. Do lat. *detractāre*, de *tractāre*, de *tractus*, part. pass. de *trăhĕre* || detr**ATOR** | -*actor* XVII | Do lat. *detractor -oris*. No port. med. ocorre uma forma paralela *detraedor* (séc. XIV), em que há visível influência de *traidor*.
detrás *adv.* 'na parte posterior, posteriormente, depois' XIV. De DE + TRÁS.
detrição *sf.* 'decomposição por atrito' 1858. Do lat. med. *detritĭo -ōnis* || detr**IMENTO** 1525. Do lat. *dētrīmentum* || **detrito** XVII. Do lat. *dētrītus*, part. pass. de *dētĕrĕre* 'tirar esfregando, gastar, enfraquecer', de *terĕre* 'esfregar, polir'.
detruncar *vb.* 'cortar, mutilar' XVI. Do lat. *detruncāre*. Cp. TRONCO.
detumescência *sf.* 'desinchação' 1844. Do lat. *detumescentia*, nomin. pl. de *detumescens -entis*, part. pres. de *detumescĕre*, de *tumescĕre* 'tornar túmido'.
deturbar *vb.* 'perturbar' XVII. Do lat. *dēturbāre*, de *turbāre*.
deturpar *vb.* 'tornar torpe, feio, desfigurar' 1769. Do lat. *dētŭrpāre*, de *turpāre*, deriv. de *turpis* 'feio, disforme, horrendo' || deturp**AÇÃO** 1881 || deturp**ADO** 1881.
deus *sm.* 'princípio supremo que as religiões consideram superior à natureza' XIII. Do lat. *dĕus dei* || **Adeus** XVI. Lexicalização da expressão *a deus*, que ocorre em frases tais como 'Entrego-te a Deus', usada como forma de despedida || **deia** | *dea* 1572 | Do lat. *dĕa -ae*. No port. med. ocorrem as formas *deoessa* (séc. XIII) e *deesse* (séc. XV), oriundas do fr. *déesse* || **dei**·**CIDA** XIX. Do fr. *deicide* || **dei**·**CÍD**·**IO** XIX || **dei**·**COLA** 1844 || **dei**·**DADE** XV || **dei**·**FIC**·**AÇÃO** XVI || **dei**·**FICAR** XVI. Do lat. *deificāre* || **dei**·**FICAR** XVII. Do lat. *deificus* || **dei**·**FORME** XVII || **dei**·**PARA** 1813 || **EN**deus**ADO** | -*deo*- XVII || **EN**deus**AMENTO** | -*deo*- 1813 || **EN**deus**AR** | -*deo*- XVII. Cp. DIVINO.
⇨ **deusa** — **dei**DADE | XIV GREG 2.38.*19* |.
deuter(o)- *elem. comp.*, do gr. *deúteros* 'segundo, seguinte' 'inferior, secundário' 'ulterior, posterior', que se documenta em vocábulos eruditos, alguns formados no próprio grego, como *deuteronômio*, e vários outros introduzidos, a partir do séc. XIX, na linguagem científica internacional ► deut**ERG**·**IA** 1873 || **deuteria** 1873. Do gr. *deutereîa*, nom. pl. gr. de *deutereion* || **deutério** XX || **deuteróGAMO** 1873. Do lat. tard. *deuterogămus*, deriv. do gr. *deuterogámos* || **deuteroLOG**·**IA** 1873. Cp. gr. *deuterología* || **deuteroNÔMIO** XIV. Do lat. ecles. *deuteronomium*, deriv. do gr. *deuteronómion*. || **deuterOSE** XVIII. Do lat. ecles. *deuterōsis*, deriv. do gr. *deutérōsis* 'repetição'.
devagar → VAGAR[1].
devanear *vb.* 'sonhar, fantasiar, imaginar' XVII. Do cast. *devanear*, de *vano* 'vão' || **devane**ADOR XIII || **devaneio** XVII. Do cast. *devaneo*. Cp. VÃO.
devassar *vb.* 'inquirir e tomar informações acerca de algum delito' 'entrar em lugar vedado, proibido' 'ver o interior' 'tirar o privilégio de honra' 'escancarar as portas' 'corromper os costumes, prostituir' 'vulgarizar, tornar público' 'tornar-se dissoluto' XV. De origem obscura || **devassa** XVI || devass**ADO** 1813 || devass**AMENTO** | -*vasa*- XV || **devassIDÃO** XVI || **devasso** *adj.* 'franqueado a todos, sem defesa, exposto à vista, dissoluto, estragado, corrompido' XV || **IN**devass**ÁVEL** XX.
devastar *vb.* 'destruir, talar, assolar, danificar' 1572. Do lat. *devastāre* || devast**AÇÃO** 1813 || devast**ADOR** 1813. Do lat. *devastātor -ōris*.
dev·e, -edor → DEVER.
devenir *sm.* 'o futuro, o vir a ser' 1899. Substantivação do verbo francês *devenir* 'tornar-se, passar de um estado para outro' e, este, do lat. *devenīre*.
deventre → VENTRE.
dever[1] *vb.* 'ter obrigação de, ter dívidas' XIII. Do lat. *dēbēre* || debit**AR** 1803 || **débito** | -*tto* XV | Do lat. *dēbĭtum*, de *dēbĭtus*, part. pass. de *dēbēre*. No port. med. ocorrem, também, as formas *devedo* XIII, *devodo* XIV, *devjdo* XV || DES·**EN**divid**AR** 1813 || **deve** *sm.* 1899. Deriv. regr. de *dever*[1] || **dev**EDOR | XIII, *devidor* XIII | Do lat. *dēbĭtor -ōris* || **dever**[2] *sm.* 'obrigação' XVI || **dívida** | XIII, *devida* XIII, *deveda* XIII, *diveda* XIV etc. | Do lat. *dēbĭta*, nom. pl. de *dēbĭtum -i* || **EN**divid**ADO** | XV, *ende*- XII, *endu*- XIV | No português medieval ocorrem, também, as vars. *adevedado* XIV, *devedado* XIII || **EN**divid**AR** | *endevidar* XIII | No português medieval ocorre, também, a forma *adevidar* || **IN**débito XVIII. Do lat. *indebĭtus* || **IN**devido 1813.
deveras *adv.* 'a valer, verdadeiramente' XVI. De DE + *veras* (V. VERDADE).
devesa → DEFENDER.
deviação *sf.* 'desvio ou mudança de viagem' 1858. Do fr. *déviation*, deriv. do lat. med. *deviatĭo -onis* || **dévio** *adj.* 'extraviado, tresmalhado' XVIII. Do lat. *dēvĭus*, de *vĭa*. Cp. VIA.
devoç·ão, -ionário, -ionista → DEVOTAR.
devolver *vb.* 'recusar, dizer em resposta' 'restituir' XVII. Do lat. *dēvolvĕre* || **devolução** 1813. Do fr. *dévolution*, deriv. do lat. med. *devolutĭo -ōnis* || **devoluto** | -*pto* XV | Do lat. *dēvŏlūtus*, part. pass. de *dēvolvĕre*.
devoniano *adj.* '(Geol.) diz-se de, ou quarto período da era paleozoica' 1890. Do ing. *devonian*, do top. *Devon* (Devonshire), no sudoeste da Inglaterra.
devorar *vb.* 'engolir, comer avidamente, tragar de uma só vez' XVII. Do lat. *dĕvŏrāre*, de *vŏrāre* || de-

vorAÇÃO XVIII. Do lat. *dēvŏrātĭo-ōnis* ‖ **devor**ADOR 1813. Do lat. *dēvŏrātor-ōris* ‖ **devor**ANTE XVI. Do lat. *dēvŏrans -antis*, part. pres. de *dēvŏrāre*.
devotar *vb.* 'oferecer em voto, dedicar, consagrar, tributar' XVI. Do lat. *devotāre*, de *devovēre* e, este, de *vovēre* 'fazer um voto, desejar' ‖ **devoção** | *-çon* XIII, *-çõ* XIV etc. | Do lat. *devōtĭo -ōnis* ‖ **devocionÁRIO** 1813 ‖ **devocion**ISTA 1899 ‖ **devot**AMENTO XX ‖ **devoto** XIV. Do lat. *devōtus* ‖ IN**devoção** XVII. Do lat. *indevotĭo -ōnis* ‖ IN**devoto** XVII. Do lat. *indevōtus*.
dextr(o) *elem. comp.*, do lat. *dexter -tra -trum* 'direito em oposição a esquerdo', que se documenta em alguns vocábulos eruditos ▶ **dextr**INA 1873. Do fr. *dextrine* ‖ **dextro**GIRO | *-gyro* 1873 ‖ **dextr**OSE XX ‖ **dextr**OS·UR·IA XX.
dez *num.* '10, X' XIII. Do lat. *dĕcĕm* ‖ **deão** *sm.* 'dignitário eclesiástico que preside ao cabido' | 1813, *dayam* XIII, *adajam* XIV | Do a. fr. *deien* (atual *doyen*) e, este, do lat. *decānus* 'comandante de dez soldados', de *dĕcĕm* ‖ **decan**ADO XX ‖ **decano** *sm.* 'o membro mais velho ou o mais antigo de uma categoria profissional ou de uma corporação' 1813. Forma divergente e erudita de *deão*, deriv. do lat. *decānus*, de *dĕcĕm* ‖ **decen**AL XIX. Do lat. *decennālis*, de *dĕcĕm + annus* 'ano' ‖ **decen**ÁRIO | *-nnário* 1858 ‖ **decêndio** XX. Trata-se de uma criação vernácula, provavelmente pelo modelo de *decênio* ‖ **decênio** | *-ênnio* 1858 | Do lat. *decennĭum* (< *dĕcĕm + annus*) ‖ **decenovenal** | *-cemnov-* 1844 | De *dĕcĕm + novem + ann(us) + -AL* ‖ **decenvirato** XVII. Do lat. *decemvirātus*, de *dĕcĕm + vir + -atus* ‖ **decênviro** XVII. Do lat. *decēmvĭr -viri* (< *dĕcĕm + vir*) ‖ **deci**BEL XX. Do fr. *décibel*, de DECI- + BEL ‖ **deci**GRAMA | *-gramma* 1858 | Do fr. *décigramme* ‖ **deci**LITRO 1844. Do fr. *décilitre* ‖ **decimal** *sf.* XVII | **decimal** 1813. Do fr. *décimal*, deriv. do lat. med. *decimālis* ‖ **deci**METRO 1873. Do fr. *décimètre* ‖ **décimo** | XV, *decimo* XIII | Do lat. *dĕcĭmus* ‖ **deci**STÉREO | *-stere* 1899 | Do fr. *décistère* ‖ **decúmano** *adj.* 'diz-se da décima (onda)' XVII. Do lat. *decumānus*, de *decŭmus*, forma arc. de *decĭmus*. A tonicidade proparoxítona do voc. português não é etimológica; provavelmente sofreu influência de vocábulos compostos de *-mano*, tais como *bímano* e *quadrúmano* ‖ **decuplicar** XIX. Formação analógica do lat. *decuplex -icis*, sob a influência de *duplicāre* ‖ **décuplo** 1813. Do lat. *decŭplus* ‖ **decúria** 1813. Do lat. *decurĭa*, de *dĕcĕm*, com influência de *centurĭa* ‖ **decurião** XIX. Do lat. *decurĭō -ōnis* ‖ **dezembro** XIII. Do lat. (*mensis*) *december -bri* 'o mês de dezembro, isto é, o décimo mês do calendário romano', de *dĕcĕm* ‖ **dezena** XVI. Do lat. *decēna*, substantivação do neutro do num. distributivo *decēni -ae -a* 'de dez em dez, em grupo de dez' ‖ **deze**·NOVE | XV, *dezanove* XIII | Do lat. vulg. *dĕcĕm et novem* 'dez e nove' ‖ **deze**·SSEIS | *dezeseis* XIII | Do lat. vulgar *dĕcĕm et sex* 'dez e seis' ‖ **deze**·SSETE | *dezesete* XIV | Do lat. vulgar *dĕcĕm et septem* 'dez e sete' ‖ **dez**OITO | *dez e oito* XIII, *dezocto* 1570 | Do lat. vulg. *dĕcĕm (et) octo* 'dez e oito' ‖ **dízima** *sf.* 'imposto equivalente à décima parte do rendimento' | XIII. *de-* XIII, *dizema* XIII | Do lat. *dĕcĭma* ‖ **dizim**AÇÃO XVII ‖ **dizim**AR[1] *vb.* 'cobrar a dízima XIII. Do lat. ecles. *decimāre*,

de *dĕcĭma* 'dízima' ‖ **dizim**AR[2] *vb.* 'matar (um soldado) em cada grupo de dez' '*ext.* arruinar, arrasar' XVII. Do lat. *decimāre* ‖ **dízimo** *sm.* 'décima parte' | XIII, *dizemo* XIII etc. | Do lat. *dĕcĭmus*.
⇨ **dez** — **decano** | 1538 DCast 75.*25* ‖ **décuplo** | *a* 1542 JCASE 47.*25* ‖ **decurião** | *decuriam* XV CESA I.1§4.*1* |.
di- *pref.*, deriv. do gr. *di-*, de *dís* 'duas vezes', que já se documenta em vocs. formados no próprio grego (como *dígamos* 'casado duas vezes') e em vários outros introduzidos, a partir do séc. XIX, nas línguas de cultura, como *dicotiledôneo*, *diedro*, *dioico* etc. Cp. BI-.
dia *sm.* 'espaço de 24 horas' 'espaço de tempo que medeia entre o nascer e o pôr do Sol' XIII. Do lat. vulg. *dia (cláss. *dies*) ‖ ADI**a**MENTO 1873 ‖ ADI**a**R XVI ‖ ADI**Á**VEL 1899 ‖ **diária** *sf.* 'a renda de um dia de trabalho' 1881. Do lat. *diarĭa*, substantivação do fem. de *diārĭus* ‖ **diário** *adj. sm.* 1774. Do lat. *diārĭus* ‖ **diar**ISTA[1] *sm.* 'redator de jornal' 1813 ‖ **diar**ISTA[2] *s. 2g.* 'que ganha por dia' XX ‖ IN·ADI**á**VEL 1881.
dia- *pref.*, deriv. do gr. *dia-*, da prep. *diá* 'através de', que se documenta em vocs. formados no próprio grego, como *diâmetro*, *diatribe* etc., e em inúmeros outros introduzidos na linguagem científica internacional, particularmente a partir do séc. XIX: *diacronia*, *diapositivo* etc.
diábase *sf.* '(Geol.) rocha formada especialmente de feldspato, cálcio e sódio' 1899. Termo da linguagem científica internacional, tomado do gr. *diábasis* 'transição'.
diabete(s) *sm. e f.* '(Med.) estado patológico que se caracteriza por um acréscimo anormal do volume da urina' 1813. Provavelmente do fr. *diabète*, do lat. tard. *diabētes* e, este, do gr. *diabḗtēs* 'sifão', de *diabaínein* 'transpor, atravessar'. Modernamente, com o avanço das pesquisas médicas, a diabetes terá outra conceituação ‖ **diabét**ICO 1813.
diabo *sm.* 'gênio do mal, espírito das trevas, demônio, satanás, belzebu' | XIII, *diaboo* XIII, *diabre* XIII | Do lat. ecles. *dĭăbŏlus*, deriv. do gr. *diábolos* 'que desune, que calunia, que acusa' (no gr. ecles. 'diabo'), de *ballein* 'infundir ânimo, temor, respeito') ‖ **diaból**ICO XIV. Do lat. *dĭăbŏlĭcus* ‖ **diabr**ETE XVI ‖ **diabr**IL ‖ **diabr**URA XIV ‖ EN**diabr**ADO XIII.
diabrose *sf.* '(Med.) erosão numa parte do corpo, pela ação de substância corrosiva' XVII. Do lat. cient. *diabrōsis*, deriv. do gr. *diábrōsis* ‖ **diabrótico** 1844. Do lat. cient. *diabrotĭcus*, deriv. do gr. *diabrōtikós* 'corrosivo'.
diabrura → DIABO.
diáclase *sf.* '(Geol.) plano que separa ou tende a separar em duas partes uma unidade rochosa, sem que haja separação dos bordos' 1899. Do fr. *diaclase*, do gr. *diáklasis* 'quebra, fratura'.
diacódio *sm.* 'xarope preparado com extrato de ópio' 1844. Do lat. med. *diacōdyum*, deriv. do gr. *diakōdyon*.
diácono *sm.* 'clérigo com as segundas ordens sacras' | XIV, *diagoo* XIV | Do lat. *diacŏnus*, deriv. do gr. *diákonos* 'servidor' ‖ **diacon**ATO 1813. Do lat. ecles. *diaconātus* ‖ **diacon**ISA 1813. Do lat. ecles. *diaconissa* ‖ SUB**diácono** XVI.
diácope *sf.* '(Ret.) figura que consiste na repetição de uma palavra intercalando-se uma ou mais de

uma' '(Med.) incisão feita no crânio' 1858. Do fr. *diacope*, deriv. do gr. *diakopḗ*.
diacrítico *adj. sm.* 'diz-se de, ou sinal que se acrescenta a uma letra para atribuir-lhe um valor fonético diferente daquele que sem este sinal a letra teria' XVII. Cp. gr. *diakritikós*, de *diakrínein* 'distinguir'.
diacronia *sf.* '(Ling.) caráter dos fenômenos linguísticos considerados em sua evolução no tempo' XX. Do fr. *diachronie*, voc. criado pelo linguista suíço F. de Saussure (1857-1913), a partir do gr. *diá* 'através de' e *chronos* 'tempo' || **diacrôn**ICO XX || **diacron**ISMO XX.
díade *sf.* 'um par, grupo de dois' | *dyada* 1873 | Do lat. *dyas -adis*, deriv. do gr. *dyás -ádos* 'dualidade', de *dýo* 'dois'.
diadelfo *adj.* '(Bot.) diz-se das plantas cujos estames são soldados pelos filetes em dois feixes' | *-pho* 1873 | Do lat. cient. *diadelphus*, composto a partir dos elem. gregos *di-* 'dois' (de *dýo*) e *adelphós* 'irmão'.
diadema *sm.* 'faixa ornamental com que os soberanos cingem a cabeça' 'coroa' XV. Do lat. *diadēma -ătis*, empréstimo do gr. *diádēma -atos*.
diáfano *adj.* 'transparente, translúcido' 1813. Do fr. *diaphane*, deriv. do lat. med. *diaphanēs* e, este, do gr. *diaphanḗs*, de *diapháinein* 'deixar transparecer' || **diafan**Ô·METRO 1858.
⇨ **diáfano** | *diaphano* 1537 PNun 12.4, *a* 1542 JCASE 36.*1* |.
diáfise *sf.* 'separação' | *-physis* 1858 | Do fr. *diaphyse*, deriv. do gr. *diáphysis*.
diáfora *sf.* '(Ret.) repetição de uma palavra na frase com sentido diferente' 1858. Do gr. *diaphorá*, de *diaphérein* 'diferir', por via erudita.
diaforese *sf.* 'sudação, transpiração, perspiração' | *diaphoresi* 1858 | Do lat. tard. *diaphorēsis*, deriv. do gr. *diaphórēsis*, de *diaphoreîn* 'transpirar' || **diaforético** 1813. Do fr. *diaphoretique*, deriv. do gr. *diaphoretikós*.
diafragma *sm.* '(Anat.) músculo largo que separa a cavidade torácica da abdominal' 1813. Do lat. tard. *diaphragma -atis*, deriv. do gr. *diáphragma -atos* 'separação, tabique, barreira' || **diafragmá**tICO 1813.
diagnose *sf.* '(Med.) conhecimento ou determinação de uma doença' '(Hist. Nat.) descrição de um animal ou de uma planta' 1813. Termo da linguagem científica internacional, tomado ao gr. *diágnōsis* 'discernimento, exame', de *diagignṓskein* 'discernir' || **diagnosticar** 1881. Do fr. *diagnostiquer* || **diagnóstico** 1813. Do fr. *diagnostic*, deriv. do gr. *diagnostikós* 'capaz de ser discernível'.
diagonal *adj.* 'oblíquo' '(Geom.) num polígono, segmento de reta que liga dois vértices não consecutivos' 1813. Do lat. *diagonalis*, adapt. do gr. *diagṓnios*.
diagrama *sm.* 'representação, através de gráficos, de um determinado fenômeno' 'bosquejo, delineação' | *-gramma* 1873 | Do fr. *diagramme*, deriv. do lat. *diagramma -atis* e, este, do gr. *diágramma -atos* 'figura geométrica' || **diagram**AÇÃO XX || **diagram**ADOR XX || **diagram**AR XX || **diagram**ÁTICO XX.
dialetal → DIALETO.
dialética *sf.* 'arte de raciocinar, lógica' | *dialécti-*

ca XVI | Do lat. *dialectĭca*, deriv. do gr. *dialektikḗ* (*technḗ*) 'discussão' || **dialético** *adj.* | *-ctico* XVII | Do lat. *dialectĭcus*, deriv. do gr. *dialektikós*.
dialeto *sm.* '(Ling.) variedade de uma língua que surge de peculiaridades locais' | *dialecto* XVII | Do fr. *dialecte*, deriv. do lat. *dialectus* e, este, do gr. *diálektos* 'linguagem, idioma, língua, conversação' || **dialet**AL | *-ctal* 1899 | Do fr. *dialectal* | **dialet**O·LOG·IA | *-cto-* 1899 | Do fr. *dialectologie* || **dialet**Ó·LOGO | *-cto-* 1899 | Do fr. *diatectologue*.
diali- *elem. comp.*, deriv. do gr. *dialy-*, de *dialýein* 'dissolver, diluir, separar', que se documenta em vocábulos eruditos, alguns formados no próprio grego, como *diálise*, e outros introduzidos, a partir do século XIX, na linguagem científica internacional, particularmente no domínio da botânica ⚭ **dia**lICARPELO XX || **diali**PÉTALO XX || **diálise** XVII. Do lat. tard. *dialysis*, deriv. do gr. *dialysis* || **diali**SSÉPALO XX || **diali**STÊMONE XX.
diálogo *sm.* 'fala entre duas pessoas' '*ext.* conversação entre muitas pessoas' XIV. Do lat. *dialŏgus*, deriv. do gr. *diálogos* || **dialog**AR 1844. Do fr. *dialoguer* || **dialóg**ICO 1844 || **dialog**ISMO 1844. Do fr. *dialogisme*, deriv. do lat. tard. *dialogismus*, e, este, do gr. *dialogismós* || **dialog**ISTA 1844. Do fr. *dialogiste* || **dialog**ÍST·ICO 1844.
diamante *sm. adj. 2g.* 'mineral monométrico, carbono puro, a mais dura e brilhante pedra preciosa' 'que não se pode domar ou quebrar, inflexível' | 1572, *adamante* XV, *diamom* XV, *diamão* XVI, *diamam* XVI | Do lat. tard. *diamas -antis*, alteração do lat. cláss. *adamas -antis* e, este, do gr. *adámas -antos* 'inflexível, indomável' 'aço, diamante', de *damân* 'domar, vencer' || **diamantí**·FERO 1881. Do fr. *diamantifère* || **diamant**INO XVII. Provavelmente do fr. *diamantin*. Cp. ÍMÃ.
diamba *sf.* 'maconha' XX. De uma língua africana, provavelmente do quimb. *di'aṃa* || **diamba**RANA XX. Cp. LIAMBA.
diâmetro *sm.* 'segmento de reta que une dois pontos de uma circunferência e que passa pelo seu centro' XVI. Do lat. *diamĕtros -i*, empréstimo do gr. *diámetrŏs* || **diametr**AL 1813. Do lat. tard. *diametrālis*.
⇨ **diâmetro** — **diametr**AL | *c* 1542 JCASE 24.5 |.
diana *sf.* 'a lua' XVIII. Do mitônimo lat. *Diana -ae* 'a deusa da noite, da lua, da caça'.
diandro *adj.* '(Bot.) diz-se dos vegetais que têm dois estames' 1873. Do fr. *diandre*, termo da linguagem científica internacional e criado a partir da composição dos elementos gregos *di-* 'dois' e *-andro*, de *anḗr, andros* 'macho, homem'.
diante *prep.* 'em frente de, em presença de' | XIV, *deante* XIII etc. | Do lat. *de* + *ĭnante*, através das vars. arc. *denante* (XI), **dêante, deante* || **Adiant**ADO *adj. sm.* | XV, *ade-* XIII etc. || **Adiant**AMENTO *ade-* XIV || **Adiant**AR | XIV, *ade-* XIII || **Adiante** | XIII, *adeante* XIII | No port. med. *endeante* (do séc. XIV, hoje *em diante*) e *endeantado* (do séc. XIII) concorriam com *adiante* e *adiantado* || **diant**EIRA *sf.* | *deanteyra* XIII, *delanteyra* XIV, *dyanteyra* XIV etc. || **diant**EIRO *adj.* | *deanteyro* XIII, *deanteiro* XIII etc.
diapalmo *sm.* 'unguento dessecante' | *-palma* 1873 | Do lat. cient. *diapalma*, de DIA- e PALMA, por entrar neste preparado a folha de palmeira.

diapasão sm. '(Mús.) extensão da escala de uma voz ou instrumento' XVI. Do fr. *diapason*, da expressão gr. *diá pasõn* (*chordõn*) 'através de todas as cordas (da oitava)'.
diapedese sf. '(Med.) passagem dos glóbulos brancos do sangue através das paredes intatas dos vasos' | -*sis* 1844 | Do fr. *diapédèse*, deriv. do lat. cient. *diapēdēsis* e, este, do gr. *diapḗdēsis*, de *diapédáō* 'transponho de um salto, precipito-me, saltando'.
diaporese sf. '(Ret.) figura pela qual o orador se interrompe' | *diaporesis* 1844 | Do lat. *diaporēsis*, deriv. do gr. *diapórēsis* 'dúvida, hesitação'.
diapositivo sm. 'cópia fotográfica positiva destinada à projeção' XX. Do fr. *diapositive*, de DIA- + POSITIVO.
diaquilão sm. 'emplastro em que entra cera, terebintina etc.' | XV, *diaquilõ* XIV | Do lat. *diachylon*, deriv. do gr. *dià chylōn* 'por meio dos sucos'.
diár·ia, -io, -ista → DIA.
diarquia sf. 'governo cuja autoridade soberana reside em duas pessoas, dois partidos' | *dyarchia* 1873 | Do gr. *diarchía*, de *dyo* 'dois' e *archía* 'governo'. O termo foi difundido pelo historiador alemão Th. Mommsen (1817-1903) ao se referir à história romana || **diarca** | *dyarcha* 1873.
diarreia sf. '(Med.) evacuação de ventre, líquida e frequente' | XIX, *darria* XIV, *darrya* XIV | Do lat. tard. *diarrhoea*, deriv. do gr. *diárrhoia* 'escorrimento' || **diarreico** | *diarreico* 1881.
diartrose sf. '(Anat.) articulação que permite o movimento dos ossos em todos os sentidos' 1813. Do lat. *diarthrōsis*, deriv. do gr. *diárthrōsis* 'comissura'.
diascórdio sm. 'remédio estomacal' 1844. Do lat. med. *diascordium*, da expressão grega *diá skordíōn* '(feito) com alho'.
diáspora sf. 'dispersão de povos por motivos religiosos ou políticos' XX. Do ing. *diaspora*, deriv. do gr. *diasporá*, de *diaspeírein* 'dispersar' || **diaspório** sm. '(Min.) mineral ortorrômbico, constituído de hidróxido de alumínio' 1873. Do fr. *diaspore*, deriv. do gr. *diasporá* 'dispersão', porque o hidrato de alumínio, exposto ao fogo, se dispersa.
diástase sf. '(Quím.) conjunto de fermentos solúveis retirados da cevada germinada' '(Anat.) afastamento de dois ossos que eram contíguos, sem que haja propriamente luxação' 1858. Do fr. *diastase*, deriv. do gr. *diástasis* 'separação'.
diastema sm. '(Zool.) espaço sem dentes nas mandíbulas dos mamíferos' '(Geol.) descontinuidade na sedimentação, de valor subsidiário em relação à discordância paralela' 1899. Do lat. *diastēma -atis*, deriv. do gr. *diástēma -atos* 'espaço, intervalo'.
diastilo sm. '(Arquit.) intercolúnio de três módulos' | -*stylo* 1844 | Do fr. *diastyle*, deriv. do lat. tard. *diastỹlos* e, este, do gr. *diástỹlos*.
diástole sf. '(Med.) movimento de dilatação do coração e das artérias' '(Gram.) deslocação do acento tônico da palavra para a sílaba seguinte' 1813. Do fr. *diastole*, deriv. do lat. tard. *diastole* e, este, do gr. *diastolḗ* 'dilatação'.
diastrofia sf. '(Anat.) luxação de ossos' 'deslocamento de músculos' | -*trophia* 1873 | Do fr. *diastrophie*, adapt. do gr. *diastrophḗ* || **diastrofismo** XX. Do ing. *diastrophism*.

diatérmano adj. 'diatérmico' | -*thermano* 1899 | Do fr. *diathermane* || **diatermia** sf. 'aplicação terapêutica da eletricidade' XX. Do fr. *diathermie* || **diatérmico** XX. Do fr. *diathermique*.
diátese sf. '(Med.) disposição geral em virtude da qual um indivíduo é atacado de várias afecções locais da mesma natureza' | *diathese* 1844 | Do fr. *diathèse*, deriv. do gr. *diáthesis* 'disposição' || **diatético** XX. Do fr. *diathetique*, deriv. do gr. *diathetikós*.
diatônico adj. '(Mús.) que procede segundo a sucessão natural dos tons e semitons' 1813. Do fr. *diatonique*, deriv. do lat. *diatonĭcus*.
⇨ **diatônico** | 1576 DNLeO 15.*20* |.
diatribe sf. 'crítica acerba, escrito violento e injurioso' 1844. Do fr. *diatribe*, deriv. do lat. *diatriba* e, este, do gr. *diatribḗ* 'discussão de escola'.
diaulo[1] sm. 'flauta dupla usada entre os gregos antigos' XVIII. Do gr. *díaulos* 'duas flautas', de *dis* 'duas vezes' e *aulós -ou* 'flauta, tubo, abertura, jorro de sangue, espaço alargado, estádio' || **diaulo**[2] sm. 'espaço de cerca de 370m percorrido pelos corredores nos antigos jogos olímpicos' 1844. Cp. gr. *díaulos* 'carreira dupla'.
-(d)iça → -IÇA.
dicaz adj. 2g. 'mordaz, severo em crítica, satírico' 1844. Do lat. *dicāx -ācis*, de *dicĕre* 'dizer' || **dicacidade** 1813. Do lat. *dicacĭtas -ātis*. Cp. DIZER.
dicção → DIZER.
dicéfalo adj. 'que tem duas cabeças' | -*phalo* 1873 | Do lat. cient. *dicephălus -i*, deriv. do gr. *diképhalos*.
dicionário sm. 'conjunto dos vocábulos de uma língua ou dos termos próprios de uma ciência ou arte, dispostos em geral alfabeticamente, e com a respectiva significação ou a sua versão em outra língua' XVII. Provavelmente do fr. *dictionnaire*, deriv. do lat. med. *dictiōnārĭum*, de *dictĭō -ōnis*, sob o modelo de *vocabulārium* || **dicionarista** | *diccion-* 1813 || **dicionarizar** XX. Cp. DIZER.
diclino adj. '(Bot.) diz-se de plantas que têm as flores unissexuais separadas em indivíduos diferentes' | -*na* 1873 | Do fr. *dicline*, composto do gr. *di-* 'dois' e *klínē* 'leito'.
-(d)iço → -IÇO.
dicogamia sf. '(Bot.) modo de fecundação nos vegetais cujas flores hermafroditas não completam a maturação dos elementos masculinos e femininos ao mesmo tempo' | *dicho-* 1873 | Do lat. cient. *dichogamia*, composto do gr. *dicha-* 'em dois' e *gámos* 'união, casamento'.
dicotiledôneo → COTILÉDONE.
dicotomia sf. 'divisão em dois, bifurcação, ramificação em forquilha' | 1844, *dicho-* 1844 | Do fr. *dichotomie*, deriv. do lat. cient. *dichotomia* e, este, do gr. *dichotomḗ* || **dicotômico** | *dicho-* 1873 | Do fr. *dichotomique* || **dicótomo** | 1844, *dicho-* 1844 | Do fr. *dichotome*, deriv. do lat. cient. *dichotŏmus* e, este, do gr. *dichótomos* 'bipartido', de *dicha-* 'em dois' e *tómos* 'pedaço cortado', de *témnein* 'cortar'.
dicroísmo sm. '(Min.) propriedade que possuem certos minerais de se apresentarem com cores diferentes quando observados em diferentes posições' | *dichro-* 1873 | Do fr. *dichroïsme*, deriv. do

gr. *dichroia*, de *di-* 'dois' e *chróa* 'cor' || **dicroi**CO | *-chro-* 1899 | Do fr. *dichroïque* || **dicros**CÓPIO | *-chro-* 1899.
dícroto *adj*. '(Med.) diz-se do pulso marcado por duas impulsões para cada batimento' 1858. Do fr. *dicrote*, deriv. do lat. *dicrotus* e, este, do gr. *díkroton* 'duas batidas', de *di-* 'dois' e *krótos* 'ruído' || **dicrot**ISMO 1881. Do fr. *dicrotisme*.
di(c)tafone *sm*. 'espécie de gravador que registra e reproduz automaticamente o gravado' xx. Do ing. *dictaphone*, formado irregularmente a partir de *dicta(tion)* + *-phone*.
dictioide *adj. 2g*. '(Hist. Nat.) que tem linhas e nervuras cruzadas como a rede' xx. Do gr. *díktyon -ou* 'rede' + -OIDE, por via erudita || **dicti**OPS·IA xx. Do fr. *dictyopsie* || **dict**ITE *sf*. 'inflamação da retina' | *dictyite* 1873.
didá(c)tica *sf*. 'ciência ou arte de ensinar' 1844. Do fr. *didactique*, deriv. do lat. med. *didactica (ars)* e, este, do gr. *didaktiké*, fem. do adj. *didaktikós*, da raiz *didak-*, de *didáskein* 'ensinar' || **didá(c)tico** 1844. Do fr. *didactique*, deriv. do gr. *didaktikós* || **dida(c)to**·LOG·IA xx || **didascália** *sf*. '(Hist.) na Grécia antiga, instruções do poeta dramático a seus intérpretes 1873. Do lat. tard. *didascalía* e, este, do gr. *didaskalía* 'instrução', de *didáskein* 'ensinar' || **didascál**ICO 1844. Do lat. tard. *didascălus*, deriv. do gr. *didáskalos*.
dida(c)tologia, didascál·ia, -ico → DIDÁ(C)TICA.
didáctilo *adj*. '(Hist. Nat.) diz-se de animal que tem dois dedos em cada pé' | *-tylo* 1873 | Do fr. *dactyle*, deriv. do gr. *didáktylos*. Cp. DÁCTILO.
didelfo *sm*. 'marsupial' 1858. Do fr. *didelphe*, formado a partir dos elementos gregos *di-* 'dois' e *delphýs-yos* 'matriz' 'útero'.
dídimo *adj*. '(Bot.) diz-se dos órgãos vegetais que têm duas partes simétricas' | *didymo* 1858 | Do fr. *didyme*; deriv. do lat. *didymos* 'gêmeo' || **didim**ALG·IA *sf*. '(Med.) dor nos testículos' | *didy-* 1873 || **didímio** *sm*. '(Quím.) nome atribuído a um suposto elemento metálico, que foi posteriormente decomposto em dois, o neodímio e o praseodímio' | *didy-* 1899 | Do lat. cient. *didymium*, assim chamado em virtude de sua estreita associação com o lantânio || **didim**ITE *sf*. '(Med.) inflamação dos testículos' | *didy-* 1873 | Do fr. *didymite*.
didínamo *adj*. '(Bot.) diz-se do androceu que possui quatro estames, dois dos quais maiores' | *didy-* 1873 | Termo da linguagem científica internacional, formado a partir do gr. *di* 'dois' e *dýnamis* 'força'.
didução *sf*. 'movimento lateral da maxila inferior dos herbívoros, quando mastigam, e dos ruminantes, quando ruminam' xx. Do lat. *diductio -onis* 'separação, extensão da respiração', de *diducĕre* 'levar, conduzir para diversas partes', de *ducĕre* 'levar, conduzir'.
diecia *sf*. 'no sistema de classificação de Lineu, classe de plantas que têm as flores masculinas e femininas em pés diferentes' 1899. Do lat. cient. *dioecia* 'duas casas', termo da linguagem científica internacional criado por Lineu a partir dos elementos gregos *di-* 'dois' e *oikía* 'casa'. Cp. DIOICO.
diedro *adj*. '(Mat.) diz-se do ângulo formado por dois planos que se encontram' 1844. Do fr. *dièdre*,

formado a partir dos elementos gr. *di-* 'dois' e *-edro* 'lado'.
diérese *sf*. '(Gram.) divisão do ditongo em duas sílabas' | *diéresis* 1813 | Do fr. *diérèse*, deriv. do lat. tard. *diaeresis* e, este, do gr. *diáiresis*, de *diairein* 'dividir' || **dierético** 1844. Cp. gr. *diairetikós*.
dieta[1] *sf*. '(Med.) maneira regrada de viver na saúde e na doença' 'regime alimentar prescrito pelo médico' | xv, *adieta* xvi | Provavelmente do fr. *diète*, deriv. do lat. *diaeta* e, este, do gr. *díaita -es* 'gênero ou modo de vida, regime alimentar, residência, arbitragem' || **diet**ÉTICA *sf*. 1844 || **diet**ÉTICO 1844. Do fr. *diététique*, do lat. *diaetētĭcus* e, este, do gr. *diaitetikós*.
dieta[2] *sf*. 'assembleia política de certos estados europeus, instituída originalmente na Alemanha' xvi. Do lat. med. *diēta* 'propriamente, dia da assembleia', de *diēs*; o voc. traduz o alemão *Tag* 'dia'.
difamar *vb*. 'tirar a boa fama ou crédito a alguém, desacreditar publicamente, caluniar' xiv. Do lat. *diffamāre*, de *fama* || **difam**AÇÃO | *-ffa-* xv | Do lat. *diffāmātio -ōnis* || **difam**ADOR | *-ffa-* 1813 || **difam**ANTE | *-ffa-* 1844 | Do lat. *diffamans -antis*, part. pres. de *diffamāre* || **difam**ATÓRIO | *-ffa-* 1813. Cp. FAMA.
diferir *vb*. 'adiar, procrastinar, retardar' 'ser diferente, distinguir-se' | *diffirir* 1572 | Do lat. **differīre*, por *differre*, de *ferre* || **diferença** | xv, *deffe-* xiv, *defe-* xiv, *differēcia* 1570 | Do fr. *differentĭa* || **diferenç**AR *vb*. 'diferenciar' | *differençar* xvi || **diferenç**ÁVEL xx || **diferenci**AÇÃO | *diff-* 1813 || **diferencial** *diff-* 1813 | Provavelmente do fr. *differentiel*, deriv. do lat. tard. *differentialis* || **diferenciar** *vb*. 'diferençar' | *differencear* xviii | Provavelmente do fr. *différencier* || **diferente** | *diff-* xvi | Do lat. *differens -entis*, part. pres. de *differre* || IN**diferença** | *indiff-* 1813 | Do lat. *indifferentĭa* || IN**diferente** | *indiff-* 1813.
⇨ **diferir** — **diferenciar** | *differenciar* 1576 DNLEO 18.3 |.
difícil *adj. 2g*. 'custoso, árduo, penoso, trabalhoso' | xvi, *diffícil* 1813 | Do lat. *difficĭlis* || **dificuldade** | *de-* xv | Do lat. *difficultas -ātis* || **dificultar** | *diffi-* 1813 | Do lat. tard. *difficultāre* || **dificultoso** xv. Talvez adapt. do fr. *difficultueux*. Cp. FÁCIL, FACULDADE.
⇨ **difícil** — **dificult**AR | *deficultar c* 1539 JCASD 125.25 |.
difidência *sf*. 'desconfiança' xvii. Do lat. *diffidentĭa*, de *diffidĕre* 'desconfiar', de *fidĕre* 'confiar', de *fides -ei* 'fé' || **difidente** 1844. Do lat. *diffidens -entis*, part. pres. de *diffidĕre*.
difluir *vb*. 'correr como um líquido, espalhar-se, derramar-se' 1873. Do lat. *difluĕre*, de *fluĕre* 'fluir' || **diflu**ÊNCIA 1873 || **diflu**ENTE 1844.
difringente *adj. 2g*. 'que difrata' | *diffringente* 1873 | Do lat. *diffringens -entis*, part. pres. de *diffringĕre* 'quebrar', de *frangĕre* || **difração** | *-cção* 1858 | Do fr. *diffraction*, deriv. do lat. cient. *diffractĭo -ōnis*, de *diffractus*, part. pass. de *diffringĕre*; o termo foi criado por Grimaldi em 1665 || **difratar** | *diffractar* 1873 | Provavelmente do fr. *diffracter* || **difrativo** | *diffractivo* 1873 | Do lat. cient. *diffractivus*.
difteria *sf*. '(Med.) doença infecciosa causada pelo bacilo de Klebs-Löfler' | *diphteria* 1873 | Do fr.

diphtérie, deriv. do gr. *diphtera* 'membrana' || **diftérico** | *diph-* 1899 | Do fr. *diphtérique*.
di·fundir, -fusão, -fusibilidade, -fusionismo, -fusivo, -fuso, -fusor, -fusora → FUNDIR.
digama *sm.* 'letra do alfabeto do grego arcaico, equivalente ao *v* latino, e que se grafava F' | *digamma* 1873 | Do fr. *digamma*, deriv. do lat. *digamma* e, este, do gr. *digamma* 'propriamente, duplo gama'.
dígamo *adj.* '(Hist. Nat.) que participa dos dois sexos' 1873. Do lat. tard. *digămus*, deriv. do gr. *dígamos*, de *di-* 'duas vezes' e *gámos* 'casamento'. O termo teve no lat. e no gr. o significado de 'bigamia'; seu significado atual, contudo, no campo da História Natural, especializou-se.
digástrico *adj.* '(Anat.) diz-se de cada um dos músculos que apresentam duas partes carnosas ligadas por um tendão' 1844. Do lat. cient. *digastrĭcus*, do gr. *di-* 'dois' e *gaster -trós* 'ventre'.
di·gerir, -gestão, -gestibilidade, -gestir, -gestível, -gestivo, -gestor, -gestório → GERIR.
dígito *sm.* '(Astron.) cada uma das doze partes iguais em que se dividem os diâmetros do Sol e da Lua, para o cálculo dos eclipses' '(Aritm.) os números inteiros até dez' 'dedo' 1844. Do lat. *digĭtus* 'dedo' || **ded**ADA 1813 || **dedal** | 1813, *didal* XVI | Do lat. *digitālis* || **ded**EIRA 1813 || **ded**ILH·AMENTO XX || **ded**ILH·AR XVII. Provavelmente do cast. *dedillo* || **ded**ILH·ÁVEL XX || **dedo** XIII. Do lat. *digĭtus* || **digit**ADO 1844 || **digital** 1844. Do lat. *digitālis* || **digit**I·FOLI·ADO 1873 || **digit**I·FORME 1844 || **digit**I·GRADO 1873. Do lat. cient. *digitigradus*.
digladiar → GLÁDIO.
digno *adj.* 'merecedor, honrado, honesto, decoroso' | XIV, *dino* XIV | Do lat. *dignus* || CON**digno** 1813 || **dignar** XIV. Do lat. *dignāre* || **dignidade** | XIII, *dinidade* XIII etc. | Do lat. *dignĭtas -ātis* || **digni**·FICAR XIX. Do lat. *dignificāre* || **dignitário** XIX. Adapt. do fr. *dignitaire* || IN**dign**AÇÃO | *-çom* XV | Do lat. *indignātĭo -ōnis* || IN**dignar** | *emdignar* XV || IN**dign**NATIVO XX. Do lat. *indignativus* || IN**dign**IDADE XVII. Do lat. *indignĭtas -ātis* || IN**digno** | *ĭdigno* XIV | Do lat. *indignus*.
dígrafo *sm.* 'grupo de duas letras que representa um só fonema' XX. Provavelmente do ing. *digraph*, do gr. *di-* 'dois' e *grapho-* 'escrita, letra'.
digrama *sm.* '(Gram.) dígrafo' | *digramma* 1873 | Do fr. *digramme*, do gr. *di-* 'dois' e *gramma* 'letra'.
digressão *sf.* 'desvio de rumo ou de assunto' | *digressam* XVI | Do lat. *digressĭo -ōnis* || **digression**AR 1858 || **digresso** *sm.* 'desvio' XVII. Do lat. *digressus -us*.
dilação *sf.* 'adiamento, demora, prazo' | *-çon* XV, *-çam* XVI | Do lat. *dilatĭo -ōnis*, de *dīlātus*, part. pass. de *differre* 'levar para diferentes partes' || **di**LATÓRIO 1844. Do fr. *dilatoire*, deriv. do lat. tard. *dīlātŏrĭus*. Cp. DILATAR.
di·lacer·ação, -ar → LACERAR.
di·lapid·ação, -ar → LÁPIDE.
dilatar *vb.* 'aumentar as dimensões ou o volume de, estender, espalhar, demorar' | XV, *de-* XV | Do lat. *dīlatāre*, de *dilatum*, supino de *differre* || **dilat**ABIL·ILIDADE 1844 || **dilat**AÇÃO 1813. Do lat. *dilatātĭo -ōnis* || **dilat**ADO 1813 || **dilat**ADOR 1813. Cp. DILAÇÃO.

⇨ **dilatar** — **dilat**AÇÃO | 1614 SGONÇ 1.92.*12* || **dilat**ADO | *dillatado* 1624 SESILR 33.*3* |.
dilatório → DILAÇÃO.
dileção → DILIGÊNCIA.
dilema *sm.* 'argumento que coloca o adversário entre duas proposições opostas' '*fig.* situação embaraçosa com duas saídas difíceis ou penosas' | *dilemme* 1813 | Provavelmente do fr. *dilemme*, deriv. do lat. *dilēmma -ătis* e, este, do gr. *dilēmma -atos*, de *di-* 'dois' e *lēmma -atos* 'proveito, lucro' 'assunto, matéria, premissa maior no silogismo' || **dilemát**ICO | *dilemmático* 1844.
diletante *adj. s. 2g.* 'apreciador de música' 'diz-se de, ou pessoa que exerce uma arte ou qualquer atividade por gosto e não por ofício ou obrigação' | *dilettante* 1873 | Do it. *dilettante*, part. presente de *dilettare* 'deleitar, divertir' e, este, do lat. *dēlectāre*, iterativo de *dēlicĕre*, de *lacĕre* || **diletant**ISMO | *dilettantismo* 1899 | Do fr. *dilettantisme*. Cp. DELEITAR.
diligência *sf.* 'zelo, cuidado, atividade, providência, pesquisa, investigação' XIV; 'carruagem para transportar passageiros' XVIII. Do lat. *dīligentĭa*, de *dīligĕre* 'amar, gostar, considerar, honrar'. Na segunda acepção, provém do fr. *diligence*, abrev. de *voiture de diligence* || **dileção** *sf.* 'afeição especial, estima' | *-cção* 1813 | Provavelmente do fr. *dilection* e, este, do lat. *dīlectĭō -ōnis*, de *dīlectus*, part. pass. de *dīligĕre* || **dileto** *-cto* 1844 | Do lat. *dīlectus*, part. pass. de *dīligĕre* || **diligente** XIV. Do lat. *dilĭgens -entis*, part. pres. de *dīligĕre* || **diligenc**IAR 1813 || IN**diligência** 1813 || IN**diligente** 1813.
dilogia *sf.* 'dito ambíguo' 1844. Do lat. *dilogia* e, este, do gr. *dilogía*, de *di-* 'dois' e *lógos* 'discurso'.
dilucidar *vb.* 'elucidar, esclarecer' 1813. Do lat. *dilucidāre*, de *lux -cis* 'luz' || **dilucid**AÇÃO 1813 || **dilúcido** XV. Do lat. *dīlūcĭdus*.
dilúculo *sm.* 'crepúsculo matutino, alvorada' XVI. Do lat. *diluculum -i*, de *dilucĕre* 'ser claro, estar transparente', de *lux -cis* 'luz'.
diluir *vb.* 'diminuir a concentração de uma solução, misturar com água, desfazer' 1813. Do lat. *dīluere*, com mudança de conjugação, de *di(s)-* e *luĕre*, de *lavāre* 'lavar' || **dilu**ENTE 1813. Do lat. *diluens -entis*, part. pres. de *dīluĕre* || **dilu**IÇÃO 1844 || **diluto** XVIII. Do lat. *dilutus*, part. pass. de *dīluĕre*.
dilúvio *sm.* 'inundação universal, cataclismo, grande chuva' | XV, *deluueo* XIV, *deluuyo* XIV etc. | Do lat. *diluuĭum -ii* deriv. de *dīluĕre* || ANTE**diluvi**ANO XVII || **diluvi**ANO 1844. Provavelmente adapt. do fr. *diluvien* || **diluvião** *sm.* 'dilúvio' 1881. Do fr. *diluvion* || **diluvi**AR 1899.
dimanar *vb.* 'brotar, fluir, derivar, provir' XVI. Do lat. *dimanāre*, de *di(s)-* e *manāre* 'correr gota a gota' || **diman**AÇÃO 1844 || **diman**ANTE 1844. Do lat. *dimanans -antis*, part. pres. de *dimanāre*.
dimensão *sf.* 'sentido em que se mede a extensão para avaliá-la, tamanho' XVI. Do lat. *dīmēnsĭo -ōnis*, de *dīmēnsus*, part. pass. de *dīmetīrī* 'medir exatamente, de um extremo a outro', de *metīrī* 'medir' || **dimension**AL 1844 || **dimens**ÍVEL 1844 || **dimens**ÓRIO 1844.
dímero *adj.* '(Zool.) que é composto de dois segmentos' 1873. Do fr. *dimère*, do gr. *dimerés*, de *di-* 'dois' e *méros* 'parte'.

dímetro sm. 'verso grego ou latino de duas medidas ou quatro pés' 1844. Do lat. *dimeter*, do gr. *dímetros* 'de duas medidas'.
dimidiar vb. 'dividir pelo meio, mear' 1844. Do lat. *dimidiāre*, de *di(s)-* e *-medīare*, de *medīum* 'meio' || **dimidi**AÇÃO 1858 || **dimidiato** adj. 'partido, dividido ao meio' | *dimidiato* 1813 | Do lat. *dimidiatus*, part. pass. de *dimidiāre*.
diminuir vb. 'tomar menor, reduzir a menos, encurtar, encolher' xv. Do lat. *diminuĕre*, de *minuĕre*, de *minus* 'menos' || **diminu**ENDO 1881. Do lat. *diminuendus*, gerundivo de *diminuĕre* || **dimi**nuENTE 1881. Do lat. *diminŭens -entis*, part. pres. de *diminuĕre* || **diminu**IÇÃO | *disminuiçon* xv || **diminu**IDOR 1881 || **diminutivo** 1813. Do lat. *diminutīvus*, de *diminŭtus*, part. pass. de *diminuĕre* || **diminuto** XVII. Do lat. *diminŭtus*, part. pass. de *diminuĕre*. Cp. MINÚCIA.
⇨ **diminuir** — **diminutivo** | *deminutiuo* 1536 FOlG 86.*17* |.
dimorfo adj. 'que pode ter duas formas diferentes' | *dimorpho* 1858 | Do lat. cient. *dimorphus* e, este, do gr. *dímorphos*, de *di-* 'dois' e *morphḗ* 'forma' || **dimorf**IA | *-phia* 1899 || **dimorf**ISMO | *-phismo* 1858 | Do lat. cient. *dimorphismus*.
dina sm. '(Fís.) unidade de força' xx. Do fr. *dyne*, termo usado pela primeira vez no Congresso Internacional de Física de Paris, em 1881, do gr. *dýnamis* 'força'.
dinamarquês adj. sm. 'da Dinamarca (Europa)' 'diz-se de, ou pessoa natural ou habitante desse país' 'diz-se de uma raça de cães' 1844. Do top. *Dinamarca*.
-dinam(o)- elem. comp., do gr. *dýnamis -eōs* 'força, capacidade, poder, propriedade, virtude, potência, autoridade', que se documenta em vocábulos eruditos introduzidos, a partir do séc. XIX, na linguagem científica internacional ♦ **dinamia** | *dy-* 1873 || **dinâm**ICA | *-dy-* 1873 | Do fr. *dynamique*, deriv. do gr. *dynamikós* || **dinam**ISMO | *-dy-* 1858 | Do fr. *dynamisme* || **dinam**IT·AR xx || **dinam**ITE | *dy-* 1881 | Palavra da linguagem científica internacional, criada por Alfred Nobel em 1867 || **dinam**IZ·AÇÃO | *dy-* 1881 || **dinam**IZAR 1899 || **dínamo** | *dy-* 1899 | Do fr. *dynamo*, abrev. de *machine dynamo-électrique* || **dinamo**ELÉTRICA XX || **dinamo**GEN·IA XX || **dinamo**LOG·IA | *dy-* 1873 || **dinam**ÔMETRO | *dy-* 1858.
dinar sm. 'moeda indiana' | *dynare* XVI | Do árabe *dīnār*, deriv. do gr. bizantino *dēnárion* (*chrysoun*) 'denário de ouro' e, este, do lat. *dēnārĭus* (*aureus*). Cp. DENÁRIO, DINHEIRO.
dinasta s. 2g. 'antigo título de príncipes reinantes' 'partidário de uma dinastia' XVII. Do fr. *dynaste*, deriv. do lat. *dynastēs* 'príncipe, senhor, pequeno soberano' e, este, do gr. *dynástēs*, relacionado com *dýnamis* || **dinastia** XIV. Do fr. *dynastie* e, este, do gr. *dynasteía* || **dinástico** *dy-* 1873 | Do fr. *dynastique*, deriv. do gr. *dynastikós*.
dinheiro sm. 'moeda corrente, quantia' | XIV, *dīeiro* XIII, *dỹeiro* XIII etc. | Do lat. vulg. **dinarius* (cláss. *dēnārĭus*), de *dēni* 'cada dez', de *dĕcem* 'dez' || **dinheir**ADA | *dỹeirada* XIII || **dinheir**AMA 1813 || EN**dinheir**ADO 1813. Cp. DENÁRIO, DEZ, DINAR.
dino- elem. comp., do gr. *deinós* 'terrível', que se documenta em alguns vocábulos eruditos, introduzidos na linguagem internacional da paleontologia, a partir do séc. XIX ♦ **dino**SSAURO 1890. Do lat. cient. *dīnossaurus* || **dino**TÉRIO | *-therio* 1890 | Do lat. cient. *dinotherium*.
dintel sm. 'verga superior de porta ou janela' 'cada um dos degraus laterais sobre que assentam as prateleiras da estante' 1881. Do cast. *dintel*, antigo *lintel*, deriv. do antigo fr. *lintel* 'piso' (atual *linteau*), de *lintier*, por substituição do sufixo, o qual provém de *linter* e, este, do lat. *limitāris*, de *limes -ĭtis*.
diocese sf. 'circunscrição territorial sujeita à administração eclesiástica de um bispo' | *diocesi* xv, *diocesis* xv | Do lat. *diocēsis*, deriv. do gr. *dióikēsis* 'literalmente, administração da casa', de *oîkos* 'casa' || ARQUI**diocese**ANO XVII || ARQUI**diocese** | *archi-* 1873 || **dioces**ANO XVII.
diodo sm. '(Fís.) válvula de dois eletrodos' xx. Do fr. *diode*, deriv. do gr. *díodos* 'passo, saída, encruzilhada', com especialização de sentido.
dioico adj. 'diz-se de plantas que possuem flores unissexuadas em indivíduos diferentes' 1873. Do fr. *dioïque*, deriv. do lat. cient. *dioicus*, termo criado por Lineu, a partir do gr. *di-* 'dois' e *oîkos* 'casa'. Cp. DIECIA.
dioneia sf. '(Bot.) planta carnívora da América do Norte' | *dionea* 1873 | Do lat. cient. *dionaea*, femin. do adj. *dionaeus*, do mitônimo *Dione -es*; epíteto de Vênus.
dionisíaco adj. 'relativo a Baco, deus do vinho, que também se chamava Dioniso' 'de natureza semelhante à de Baco, isto é, vibrante e agitado' 'entusiasmo criador, instintivo, espontâneo' | *dionysiaco* 1873 | Do fr. *dionysiaque*, deriv. do lat. *dionysiăcus* e, este, do gr. *dionysiakós*, de *Dionýsis*.
diopsídio sm. '(Min.) mineral monoclínico do grupo dos piroxênios, constituído de silicato de cálcio e magnésio' | *diopsido* 1873 | Do fr. *diopside* (Haüy 1801), deriv. do grego *díopsis* 'vista através', de *di(a)-* 'através' e *ópsis* 'vista'.
dioptásio sm. '(Min.) mineral trigonal, verde-esmeralda, constituído de silicato de cobre hidratado' | *dioptasa* 1873 | Do lat. cient. *dioptasium*, deriv. do gr. *dia-* 'através de' e *optasía* 'visão'. O termo foi criado por Haüy em 1801, e procura traduzir o fenômeno dos reflexos interiores dos planos de clivagem, quando os cristais são olhados por transparência.
dióptrica sf. '(Fís.) parte da Física que estuda a refração da luz' 1813. Do fr. *dioptrique*, deriv. do gr. *dioptrikḗ*, de *dioptreúō* 'eu inspeciono, examino', possivelmente relacionado com *dioráō* 'eu vejo claramente', de *horáō* 'eu vejo'.
dioptro sm. '(Fís.) sistema de dois meios ordinários, separados por uma superfície regular' 1873. Do fr. *dioptre*, deriv. do gr. *díoptron*. Cp. DIÓPTRICA.
diorama sm. 'quadro iluminado superiormente por luz móvel e que produz ilusão óptica' 1858. Do fr. *diorama*, formado a partir de *panorama*, com o prefixo *dia-* 'através de'. Cp. PANORAMA.
diorito sm. '(Min.) rocha de textura granular semelhante ao granito' 1873. Do fr. *diorite*, do gr. *diorizein* 'distinguir', por ser esta rocha formada de partes distintas.

diósmea *sf.* '(Bot.) planta ornamental da fam. das rutáceas' | *diosma* 1873 | Do lat. cient. *diosma*, do gr. *dîos* 'divino' e *osmḗ* 'odor'.
diplegia *sf.* '(Med.) paralisia bilateral' xx. Do lat. cient. *diplēgia*, deriv. do gr. *di-* 'dois' e *plēgē* 'golpe, soco, pancada, batida' + -IA. Cp. HEMIPLEGIA, PARAPLEGIA.
dipl(o)- *elem. comp.*, do gr. *diplóos* 'duplo, dois', que se documenta em vocábulos eruditos, alguns formados no próprio grego, como *diploe*, e vários outros introduzidos, a partir do séc. XIX, na linguagem científica internacional ▸ **diplo**COCO XX || **díploe** 1844 || **diplo**É, deriv. do gr. *diplóē* || **dipl**OIDE 1844 || **diplÓ**PODE XX || **diplo**STÊMONE 1873.
diploma *sm.* 'título ou documento oficial com que se confere um cargo, dignidade, mercê ou privilégio' 'título que afirma as habilitações de alguém ou confere um grau', qualquer lei ou decreto' 1813. Do fr. *diplôme*, deriv. do lat. *diplōma -ătis* e, este, do gr. *díplōma -atos* 'quantidade dupla', de *diplóō* 'eu dobro, multiplico', de *diplóos* 'dobro' || **diplomacia** 1813. Do fr. *diplomatie*, calcado em palavras como *aristocratie*, *democratie* etc. || **diplom**ADO 1899 || **diplom**AR XX || **diplom**ATA *s.* 2g. 1873. Do fr. *diplomate* || **diplom**ÁTICA 1798. Do fr. *diplomatique* || **diplom**ÁTICO 1813. Do fr. *diplomatique*. Cp. DIPL(O)-.
dipló·pode, -stêmone → DIPL(O).
dipneusta *sm.* 'subclasse dos peixes que possuem brânquias e pulmões' 1899. Do lat. cient. *dipneusta*, do gr. *di-* 'dois' e *pneústes* 'que respira', de *pneîn* 'respirar' || **dipnoico** *adj.* 'diz-se dos peixes que respiram por guelras e pulmões' 1899. Do fr. *dipnoïque*, do gr. *di-* 'dois' *pnoé* 'respiração'.
dípode *adj.* 2g. 'que tem dois pés, bípede' | *dípoda* 1899 | Cp. gr. *dípódēs* ou *dípodos* 'bípede', de *di-* 'dois' e *pous podós* 'pé' || **dipodia** 1899. Cp. gr. *dipodía* 'estado ou condição de bípede'.
diprosopo *sm.* 'diz-se do feto que apresenta dois rostos' xx. Do lat. cient. *diprosōpus*, deriv. do gr. *díprōsopos*, de *di-* 'dois' e *prósōpos* 'rosto'.
dipsético *adj.* 'que causa sede' 1858. Do lat. cient. *dipsetícus*, deriv. do gr. *dipsetikós*, de *dípsa* 'sede' || **dipso·**MANIA *sf.* '(Med.) impulso mórbido periódico e irresistível que leva à ingestão de grande quantidade de bebidas alcoólicas, alcoolismo' 1858. Do fr. *dipsomanie*.
di·pter·ígio, -ologia → PTERIG(O)-, PTER(O)-.
⇨ **díptero** → PTERIG(O)-, -PTER(O)-.
díptico *sm.* 'entre os romanos, tabuinhas duplas que se fechavam com um livro e guarnecidas internamente de uma camada de cera sobre a qual se escrevia com um estilete' 'pintura ou baixo-relevo em duas peças que se fecham como um livro' 1813. Do fr. *diptyque*, deriv. do lat. *diptycha*, neutro pl., e, este, do gr. *díptychos* 'pregado em dois, em número de dois', de *di-* 'dois' e *ptýx ptychós* 'prega de uma tela'.
dique *sm.* 'construção destinada a represar águas correntes' 'reservatório com comporta, antepara, açude, doca' | 1646, *adique* XVI | Do antigo fr. *dique* (atual *digue*), deriv. do m. neerl. *dijc* (hoje *dijk*) 'represa'.
direito *adj.* 'justo, correto' | XIV, *dereito* XIV, *dereyto* XIII |; *sm.* 'justiça, razão' | XIV, *direyto* XIV, *dereito* XIII, *dereyto* XIII | Do lat. vulg. *dērēctus* (cláss. *dīrēctus*), part. pass. de *dirĭgĕre*, de *rĕgĕre* 'dirigir, conduzir, guiar'. A forma atual, com a vogal *i* na primeira sílaba, se deve a uma reconstrução, provavelmente mais de caráter ortográfico do que fonético || **direção** | *direção* 1784 | Do fr. *direction*, deriv. do lat. *directio -onis* || **direcion**AL XX. Do fr. *directionel* || **direita** *sf.* 'a mão direita, sorte de dois metais no jogo das presas' 1844; 'nas assembleias políticas, a parte do parlamento que fica à mão direita do presidente, o grupo dos conservadores ou reacionários' 1881. De *direito*. Na segunda acepção, trata-se de adaptação do fr. *droite*, feminino de *droit* || **direit**EZA | *dereyteza* XIII || **direit**ISTA XX || **direit**URA XIII. Do lat. *directura* || **diret**IVA XX. Do fr. *directive*, femin. de *directif* || **diret**IVO *adj.* | *directivo* 1797 | Do fr. *directif* || **direto** | *-cto* 1844 | Do lat. *directus*; forma divergente culta de *direito* || **diret**OR | *-ctor* XVII | Adapt. do fr. *directeur*, deriv. do lat. tard. *director -ōris* || **diretor**IA | *-ctoria* 1844 || **diret**ÓRIO *sm.* | *-ctorio* 1720 | Do fr. *directoire*, do lat. tard. *directorīum* || **diretriz** | *-ctriz* 1844 | Do lat. med. *directrix -icis* || **dirig**ENTE 1899 || **dirigir** | *derigir* XV | Do lat. *dirĭgĕre*, de *rĕgĕre* || **dirig**ÍVEL 1899 || EN**direit**AR | XVI, *endereitar* XV | IN**direta** *sf.* XX || IN**direto** *-cto* 1813 | Do lat. *indirectus* || SUB**diretor** | *-ctor* 1890.
dirimir *vb.* 'anular, impedir de modo absoluto, extinguir' XVI. Do lat. *dīrĭmĕre* (< *dis* + *ēmĕre*) || **dirim**ENTE 1813. Do lat. *dīrĭmens -entis*, part. pres. de *dīrĭmĕre*.
diro *adj.* 'cruel, desumano' XVI. Do lat. *dirus*.
diruir *vb.* 'demolir, destruir' 1844. Do lat. *diruĕre*, de *ruĕre*, com mudança de conjugação. Cp. DERRUIR.
dirupção *sf.* 'ruína, rompimento' 1881. Do lat. *dīruptiō -ōnis*, de *dirumpĕre* || **diruptivo** 1873. Do fr. *diruptif*, deriv. do lat. *diruptus*, part. pass. de *dirumpĕre*.
dis-[1] *pref.* deriv. do lat. *dis-*, que exprime as ideias de 'negação' 'cessação' 'separação', e que se documenta em vocs. port. eruditos e de imediata procedência latina, como *discordar*, *discorrer*, *disparar* etc. O pref. lat. *dis-* evoluiu normalmente para o port. *des-*, de grande vitalidade na formação de derivados vernáculos, com noções bastante variadas. Cp. DES-.
dis-[2] *pref.*, deriv. do gr. *dys-*, que exprime as ideias de 'mau estado, anomalia' 'mau funcionamento, disfunção', e que se documenta em inúmeros vocs. eruditos introduzidos na linguagem científica internacional, particularmente a partir do séc. XIX: *disfagia*, *dislalia*, *dislexia* etc.
disartria *sf.* '(Med.) dificuldade na articulação das palavras por perturbação nos centros nervosos' XX. Do lat. cient. *dysarthria*, de DIS-[2] e o gr. *árthron* 'articulação da linguagem'.
discar → DISCO.
discente *adj.* 2g. 'que aprende, relativo a aluno' 1899. Do lat. *discens -entis*, part. pres. de *discĕre* 'aprender'.
disceptação *sf.* 'controvérsia, discussão' 1844. Do lat. *disceptatio -ōnis* 'luta, contenda', de *discēptāre*, de *captāre*.

discernir vb. 'discriminar, separar, distinguir, ver claro' | *deçernir* XV | Do lat. *discernĕre*, de *cernĕre* || **discern**ENTE 1844. Do lat. *discernens -entis*, part. pres. de *discernĕre* || **discernículo** sm. 'gancho de cabelo das senhoras, na antiga Roma' 1899. Do lat. *discernicŭlum* || **discern**IMENTO 1844 || **discern**ÍVEL 1899. Do lat. *discernibĭlis*. Cp. DISCRETO.
disciforme → DISCO.
disciplina sf. 'regime de ordem imposta ou livremente consentida' 'relação de subordinação do aluno para com o mestre ou instrutor' 'doutrina, matéria de ensino, conjunto de conhecimentos que se professam em cada cadeira de um estabelecimento de ensino' XIV. Do lat. *disciplina*, de *discĕre* 'aprender' || **disciplin**ADOR 1844 || **disciplin**ANTE 1813 || **disciplin**AR | XV, *diciplĩado* XIV || **disciplin**ÁVEL 1600 || IN**disciplina** XVIII || IN**disciplin**ABIL·IDADE 1881 || IN**disciplin**ADO 1813. Do lat. *indisciplinatus*.
⇨ **disciplina** — *diciplin*ANTE | 1614 SGonç II.123.*2* |.
discípulo sm. 'o que recebe ensino de alguém, aluno' | XIII, *dicipolo* XII etc. | Do lat. *discipŭlus*, de *discĕre* || CON**discípulo** XVII. Do lat. *condiscipŭlus* || **discipul**ADO 1844.
disco sm. 'objeto chato e circular' XVI. Do lat. *discus*, deriv. do gr. *dískos* || **disc**AR XX || **disci**·FORME XX || **discóbulo** sm. 'atleta que arremessa disco' | *-bolo* 1877 | Do lat. *discobŏlos*, deriv. do gr. *diskobólos* || **disc**OIDE 1858 || **disco**·TECA XX || **disco**·TEC·ÁRIO XX.
díscolo adj. 'dissidente, áspero no trato, desordeiro' XVII. Do lat. *dyscolus*, deriv. do gr. *dýskolos*.
⇨ **discômodo** → COMODIDADE.
discordar vb. 'não concordar, desafinar, estar em desarmonia' | *des-* XIV | Do lat. *discordāre*, de *cor cordis* || **discord**ÂNCIA XVI || **discord**ANTE | *descordāte* XIV || **discorde** XVI. Do lat. *discors -dis* || **discórdia** | XIV, *des-* XIII | Do lat. *dĭscŏrdĭa*.
discorrer vb. 'percorrer, atravessar' 'tratar, expor, analisar' 1572. Do lat. *discŭrrĕre*, de *cŭrrĕre* || **discurs**AR XVI || **discurs**IVO 1813 || **discurso** XVI. Do lat. *discursus -us*, de *discursum*, supino de *discŭrrĕre*.
discotec·a, -ário → DISCO.
discrasia sf. '(Med.) composição anormal do sangue ou dos líquidos orgânicos' 1858. Do fr. *dyscrasie*, deriv. do lat. cient. *dyscrasia* e, este, do gr. *dyskrasía* 'mal temperamento', de DIS²- e o gr. *krâsis* 'mistura, temperamento', de *keránnymi* 'eu misturo, tempero, modero'. Cp. CRASE.
discrepar vb. 'divergir de opinião, discordar, ser diverso' 1549. Do lat. *discrĕpāre* 'estar desafinado' || **discrep**ÂNCIA XVII. Do lat. *discrepantĭa* || **discrep**ANTE 1813. Do lat. *discrepans -antis*, part. pres. de *discrĕpāre*.
⇨ **discrepar** | 1525 ABeJP 12*v*22 || **discrep**ÂNCIA | 1537 PNun 128.*13* || **discrep**ANTE | *a* 1542 JCASE 102.*13* |.
discreto adj. 'que exprime objetos distintos, que se revela por sinais separados, que se põe à parte', 'reservado em palavras e atos' XIV. Do lat. *discrētus*, part. pass. de *discernĕre* 'discernir' || **discret**EAR 1813 || **discret**IVO 1881 || **discrição** | *descreçom* XIV, *discripçom* XV, *discriçam* 1570 | Do lat. *discrētĭo -ōnis* || **discricion**ÁRIO 1844.

Adapt. do fr. *discrétionnaire* || IN**discrição** XVIII || IN**discreto** | *emdes-* XV. Cp. DISCERNIR.
⇨ **discreto** — **indiscrição** | *jndescrições* pl. 1571 FOLF 81.*10* |.
discrímen sm. 'linha divisória, discernimento, combate' | *discrime* XVI | Do lat. *discrimen -inis*, de *discernĕre* || **discrimin**AÇÃO 1881. Do fr. *discrimination* || **discrimin**ADOR 1899 || **discrimin**AR 1833. Do lat. *discrimināre* || IN**disrimin**ADO 1881 || IN**discrimin**ÁVEL 1881.
discromatopsia sf. '(Med.) daltonismo' | *dyschrom-* 1873 | Do fr. *dyschromatopsie*, composto dos elementos gregos *dys-* 'disfunção' + *chroma -atos* 'cor' + *ópsis* 'vista'.
discromia sf. '(Med.) designação genérica das perturbações da pigmentação da pele' XX. Do lat. cient. *dyschrōmia*, do gr. *dys-* 'disfunção' + *chrōma -atos* 'cor' + -IA.
discurs·ar, -ivo -o → DISCORRER.
discutir vb. 'debater (uma questão), examinar questionando, questionar' 1525. Do lat. *discutĕre*, de *quatĕre* 'sacudir, abalar, incomodar, comover' || **discussão** 1813. Do lat. *discussĭō -ōnis* || **discut**ÍVEL 1844 || IN**discut**IBIL·IDADE 1881 || IN**discut**ÍVEL 1881.
disenteria sf. '(Med.) afecção caracterizada pela inflamação do cólon e que se manifesta por cólica, tenesmo, evacuações com sangue e muco' | *desinteria* XV, *desymteria* XVI | Do lat. *dysenteria*, deriv. do gr. *dysentería*, de DIS-² e o gr. *énteron* 'intestino' || **disentér**ICO | *dys-* 1858 | Do lat. *dysenterĭcus*, deriv. do gr. *dysenterikós*.
diserto adj. 'facundo, claro, elegante' 'que se exprime com simplicidade e elegância' XVIII. Do lat. *disertus*.
disfagia sf. '(Med.) dificuldade na deglutição' | *dysphagia* 1858 | Do lat. cient. *disphagia*, de DIS²- e o gr. *phagía* (de *phagêin* 'comer').
disfarçar vb. 'encobrir, tapar, ocultar' | XVII, *disfraçado* part. pass. XVI | Provavelmente do cat. *disfressar* ou do antigo cast. *defrezar*, que talvez provenham de *freza* 'rastro, pista', de *frezar*, deriv. do lat. vulg. **fricticare* 'roçar' e, este, do lat. cláss. *fricare* 'esfregar' || **disfarce** | 1813, *-frace* XVII | Deverbal de *disfarçar*.
disfonia sf. '(Med.) alteração da voz, rouquidão' | *-phonia* 1858 | Do fr. *dysphonie*, deriv. do gr. *dysphonía* 'aspereza do som da voz', de DIS²- e o gr. *phōnḗ* 'som da voz humana'.
disforia sf. '(Med.) estado de ansiedade' | *dysphoria* 1873 | Do lat. cient. *dysphoria*, deriv. do gr. *dysphoría* 'sofrimento insuportável', de DIS²- e o gr. *phoréō* 'eu levo, eu suporto'. Cp. EUFORIA.
⇨ **disformidade** → FORMA.
disgenesia sf. '(Med.) perturbação da função reprodutora' *dys-* 1858 | Do lat. cient. *dysgenesia*, de DIS²- e *genesia* (cp. -GÊNESE).
disidrose sf. '(Med.) distúrbio da secreção sudoral' XX. Do fr. *dysidrose*, de DIS²- e *hidrose* (do gr. *hidrṓs* 'suor').
⇨ **dis·junção, -junto** → JUNTO.
disjungir → JUNGIR.
dis·junt·ivo, -o → JUNTO.
dislalia sf. '(Med.) dificuldade em articular palavras, devido a lesão no aparelho fonador' | *dys-*

1873 | Do lat. cient. *dyslalia*, de DIS²- e o gr. *laliā* 'conversa, loquacidade', de *laléō* 'falo, converso'.
dislate *sm.* 'disparate, tolice' XVII. Provavelmente do cast. *dislate*, deverbal do ant. *deslatar* 'orig. disparar uma arma' *ext.* fazer algo detonante ou violento' e, este, de *lata* 'viga, coronha'.
dislexia *sf.* '(Med.) alteração circulatória dos centros cerebrais que produz dificuldade na leitura' XX. Do lat. cient. *dyslexia*, de DIS²- e o gr. *léxis* 'palavra'.
dislogia *sf.* '(Med.) distúrbio da palavra causado por lesões primárias da atividade psíquica' XX. Do lat. cient. *dyslogia*, de DIS²- e o gr. *lógos* 'palavra'.
dismnesia *sf.* '(Med.) enfraquecimento da memória' | *dysmnezia* 1873 | Do lat. cient. *dysmnesia*, de DIS²- e o gr. -*mnēsía*, de *mnēsis* 'memória' Cp. AMNÉSIA.
disopia *sf.* '(Med.) enfraquecimento da vista' | *dysopia* 1873 | Do lat. cient. *dysopia*, de DIS²- e o gr. -*ōpía*, de *ōpé* 'visão'.
disosmia *sf.* '(Med.) enfraquecimento do olfato' | *dysosmia* 1873 | Do lat. cient. *dysosmia*, deriv. do gr. *dysosmía* 'mal odor'.
díspar *adj 2g.* 'desigual' | XVII, *despares* pl. 1519 | Do lat. *dispăr -ăris*, de DIS¹- e *păr -is* || **dispar**IDADE XVII. Cp. PAR.
disparar *vb.* 'arrojar, arremessar, soltar, desfechar arma de fogo' XV. Do lat. *dispărāre* 'separar, dividir', de *părāre* 'tornar igual' 'partir, dividir', de *păr -is* 'par'. No port. med. ocorre, também, *esparar* (séc. XV), com troca de prefixo. Cp. DÍSPAR, PAR.
disparate *sm.* 'dislate, despautério, despropósito, desvario, absurdo' XVII. Do cast. *disparate*, de *desbaratar* 'derrotar, desconcertar, descompor', com influência de *disparar* 'fazer atos desatentos ou violentos' || **disparat**ADO 1813 || **disparat**AR 1844.
dispareunia *sf.* '(Med.) cópula dolorosa para a mulher' XX. De DIS²- e o gr. *páreunos* 'companheiro de leito'.
dispêndio *sm.* 'gasto, despesa, consumo' '*fig.* prejuízo, dano' XVII. Do lat. *dispendĭum*, de *pendĕre* 'suspender, pesar, pagar, dar em paga' || **dispendioso** 1803. Do lat. *dispendiōsus*.
dispensar *vb.* 'prescindir de, não precisar de' 'dar, conceder, desobrigar' | XV, *des-* XIV | Do lat. *dispēnsāre* 'distribuir, repartir, pagar, gastar' || **dispensa** *sf.* 'isenção de serviço, de dever, de encargo' XVI. Deverbal de *dispensar* || **dispens**ABIL·IDADE 1899 || **dispens**AÇÃO | XVI, *despensaçõ* XIV etc. | Do lat. *dispēnsātĭō -ōnis* || **dispens**ADOR | *despēssador* XIV | Do lat. *dispēnsātŏr -ōris* || **dispens**ARIA | *des-* XV || **dispens**ÁRIO *sm.* 'estabelecimento de beneficência onde se cuida gratuitamente de doentes pobres, dando-lhes remédios, alimentos, roupas etc.' 1899. Adapt. do fr. *dispensaire*, deriv. do ing. *dispensary* e, este, do lat. med. *dispensarius*, usado substantivadamente || **dispensat**ÁRIO 1899. Do lat. *dispensatus*, part. pass. de *dispēnsāre*, + *-ário* || **dispens**ATIVO 1802. Do lat. *dispēnsātīvus* || **dispensat**ÓRIO 1797. Do lat. *dispēnsātōrĭus* || IN**dispens**ABIL·IDADE 1844 || IN**dispens**ÁVEL XVII. Cp. *despensa, despesa* (v. DESPENDER).
dis·pe·psia, -ptico → PEPS(I)-.

dispermo *adj* '(Bot.) que contém duas sementes' 1858. Do lat. cient. *dispermus*, do gr. *di*-'dois' + *spérma* 'semente'.
disperso *adj.* 'espalhado, desordenado, posto em debandada, separado' 1769. Do lat. *dispersus*, part. pass. de *dispergĕre* || **dispers**ADOR 1899 || **dispersão** XVII. Do lat. *dispersĭō -ōnis* || **dispers**AR 1813 || **dispers**IVO 1899. Do fr. *dispersif*.
⇨ **disperso** — **dispers**ADO | 1680 AOCad I.239.23 |.
displicência *sf.* 'disposição do espírito para a tristeza ou o tédio' 'descontentamento, desagrado, aborrecimento' 'descuido, desleixo, descaso, desmazelo, negligência, indiferença' XVII. Do lat. *displicentĭa* 'desprazer, descontentamento', de *displicēre* 'desagradar', de *placere* 'agradar' || **displic**ENTE *adj.* *2g.* 1813. Do lat. *displicens -entis*, part. pres. de *displicēre*.
dispor *vb.* 'armar em lugar apropriado, arrumar, acomodar, harmonizar' 'usar livremente, ser senhor de' | *despoer* XIV, *despēer* XIII etc. | Do lat. *dispōnĕre*, de *pōnĕre* || **dispon**ENTE *adj.* *s.* *2g.* XVI. Do lat. *dispōnens -entis*, part. pres. de *dispōnĕre* || **dispon**IBIL·IDADE 1881 || **dispon**ÍVEL 1873 || **disposição** | XV, *des-* XIV | Do lat. *dispositĭō -ōnis* || **dispositivo** *adj.* 1813; *sm*; XX. Do fr. *dispositif*, de *dispositus*, part. pass. de *dispōnĕre* || **disposto** | *despostos* XIV | Do lat. *dispositus*, part. pass. de *dispōnĕre* || IN**dispon**IBIL·IDADE 1881 || IN**dispon**ÍVEL 1881 || IN**dispor** 1813 || IN**disposição** 1813 || IN**disposto** XVI. Do lat. *indispositus*.
⇨ **dispor** — IN**disposição** | 1660 FMMeLe 399.*17*, *endespociçāo c* 1644 *Aned.* 102.*27* |.
disprósio *sm.* '(Quím.) elemento de número atômico 66' XX. Do lat. cient. *dysprosĭum*, extraído do gr. *dysprósitos* 'de difícil obtenção', porque se encontra em uma terra rara. O elemento foi descoberto em 1886, por Lecoq de Boisbaudran.
disputar *vb.* 'discutir, debater, opor-se a, contestar' 'tornar objeto de contenda, lutar por' | XIV, *des-* XIV | Do lat. *dispŭtāre*, de *pŭtāre* || **disputa** XVII. Deriv. regress. de *disputar* || **disput**ADOR | *des-* XV | Do lat. *dispŭtātŏr -ōris* || **disput**ANTE XVI. Do lat. *dispŭtans -antis*, part. pres. de *dispŭtāre* || **disput**ATIVO 1873. Do lat. *dispŭtātīvus* || **disput**ÁVEL XVII. Do lat. *dispŭtābĭlis* || IN**disput**ABIL·IDADE 1844 || IN**disput**ÁVEL 1813. Do lat. *indispŭtābĭlis*.
⇨ **disputar** — **disput**ATIVO | 1532 JBaFR 60.*17* |.
disquisição *sf.* 'pesquisa, investigação' XVIII. Do lat. *disquisitĭō -ōnis*, de *disquirĕre* 'inquirir cuidadosamente', de *quaerĕre* 'procurar, buscar, fazer investigação'.
dissabor → SABER.
dissecar *vb.* 'analisar minuciosamente, cortar em dois' 1813. Do lat. *dissecāre*, de *secāre* 'cortar' || **dissec**AÇÃO 1873 || **dissecção** *sf.* 'dissecação' 1813. Do fr. *dissection*, do lat. *dissectĭō -ōnis*, de *dissectus*, part. pass. de *dissecāre*.
dis·semin·ação, -ar → SEMEAR.
dissentir *vb.* 'sentir diversamente, estar em desacordo, desavir-se, discrepar' 1813. Do lat. *dissentīre*, de *sentīre* || **dissensão** | *dessensões* pl. XV | Do lat. *dissensĭō -ōnis* || **dissenso** *sm.* 'dissensão' XX. Do lat. *dissensus -us*, de *dissensum*, supino de *dissentīre* || **dissentâneo** 1858. Do lat. *dissentanĕus* || **dissent**IMENTO XVII.

dissertar *vb.* 'discorrer, tratar com desenvolvimento um ponto doutrinário, fazer uma exposição escrita ou oral' 1813. Do lat. *dissertāre*, iterativo de *disserĕre* 'expor, dissertar' 'raciocinar sobre um assunto', de *serĕre* 'entrelaçar, encadear, atar' || dissertAÇÃO 1758. Do lat. *dissertatio -ōnis* || dissertADOR 1873, Do lat. *dissertātor -ōris* || dissertATIVO XX.
dissidência *sf.* 'dissensão, discordância, divergência' 1844. Do lat. *dissidentia* 'oposição (entre as coisas)', de *dissĭdēre* 'estar separado, pertencer a um partido oposto', de *sedēre* || dissidENTE XVIII. Do lat. *dissĭdens -entis*, part. pres. de *dissĭdēre* || dissídio XVIII. Do lat. *dissĭdĭum -iī*.
dis·siláb·ico, -o → SÍLABA.
dissímil *adj. 2g.* 'dessemelhante' XVIII. Do lat. *dissimĭlis*, de *similis* 'semelhante'.
dissimular *vb.* 'ocultar com astúcia, encobrir, fingir, disfarçar' XVI. Do lat. *dissimŭlāre*, de *simŭlāre* || dissimulAÇÃO XVI. Do lat. *dissimŭlātĭō -ōnis* || dissimulADO XVI. Do lat. *dissimŭlātus*, part. pass. de *dissimŭlāre* || dissimulADOR 1813. Do lat. *dissimŭlātor -ōris* || dissimulÁVEL XVII || INdissimulÁVEL 1881.
dissipar *vb.* 'dispersar, fazer cessar, desvanecer' 'afastar, esbanjar, desperdiçar' XVII. Do lat. *dissĭpāre*, de *supāre* ou *sipāre* 'lançar' || dissipAÇÃO 1813. Do lat. *dissipatĭō -ōnis* || dissipADOR XVI. Do lat. *dissipātor -ōris* || dissipÁVEL 1844.
dis·soci·abilidade, -ação, -ador, -al, -ar, -ável → SÓCIO.
dis·sol·ução, -uto, -úvel, -vência, -vente, -ver → SOLVER.
dis·son·ância, -ante, -ar, -o, -oro → SOM.
dissuadir *vb.* 'tirar de um propósito, desaconselhar' XVII. Do lat. *dissuadēre*, com mudança de conjugação, deriv. de *suadēre* 'aconselhar', da raiz *suad (> suavis* 'suave') || dissuasão 1844. Do lat. *dissuāsĭō -ōnis* || dissuasIVO 1844 || dissuasOR 1844. Do lat. *dissuāsor -ōris* || dissuasÓRIO 1844.
⇨ **dissuadir** | 1569 in *Studia* nº 8, 198, *a* 1595 *Jorn. 19.11* |.
distanasia *sf.* '(Med.) morte ansiosa, sem serenidade' 'morte dolorosa' | *dysthanasia* 1873 | Cp. gr. *dysthánatos* 'que produz morte penosa'.
distar *vb.* 'estar distante, afastado' XVI. Do lat. *distāre*, de *stāre* || distÂNCIA XV. Do lat. *distantĭa* || distANCI·AR 1813 || distANCI·Ô·METRO 1899 || distANTE XVI. Do lat. *distans -antis*, part. pres. de *distāre*.
distender *vb.* 'estender em diferentes sentidos, estender muito, desenvolver, estirar' 1881. Do lat. *distendĕre*, de *tendĕre* || distensão 1844. Do lat. tard. *distensio -onis*, de *distensus*, por *distentus*, part. pass. de *distendĕre* || distenso 1858. Do lat. *distensus*, por *distentus*, part. pass. de *distendĕre*.
dístico *sm.* 'grupo de dois versos, máxima em dois versos' 'rótulo, divisa, letreiro' 1813. Do fr. *distique*, deriv. do lat. tard. *distĭchus* e, este, do gr. *dístichos*, de DI- 'dois' e *stíchos* 'série, verso'.
distilo *adj.* '(Bot.) que tem dois estiletes' | *distylo* 1873 | Do fr. *distyle*, deriv. de DI- e do gr. *stŷlos* 'coluna'.
distinguir *vb.* 'diferençar, separar, discriminar, divisar' 1572. Do lat. *distinguĕre*, de *stinguĕre* 'extinguir' || **distinção** XVI. Do lat. *distinctĭō -ōnis* || **distinto** | *destimto* XV | Do lat. *distinctus*, part. pass. de *distinguĕre* || distintIVO XVII. Talvez do fr. *distinctif*, deriv. do lat. tard. *distinctivus* || INdistinto | *-tincto* 1813 | Do lat. *indistinctus*.
⇨ **distinguir** — INdistinto | *indistincto* 1614 SGonç II.223.*36* |.
distiquíase *sf.* '(Med.) anomalia caracterizada pela existência de duas fileiras de cílios, uma delas dirigida para o globo ocular' | *distichiase* 1873 | Do lat. cient. *distichĭāsis*, deriv. do gr. *distichíāsis*, de *dístichos* 'série dupla, fileira dupla'. Cp. DÍSTICO.
distocia *sf.* '(Med.) parto difícil' | *dystocia* 1873 | Do lat. cient. *dystocia*, deriv. do gr. *dystokía*, de DIS²- e *tókos* 'ação de parir, parto'.
dístomo *adj.* '(Zool.) trematódeo que se fixa nos canais biliares produzindo a tumefação do fígado' 1899. Do lat. cient. *distoma epaticum* (Retzius, 1776), do gr. *dístomos* 'que tem duas bocas', de DI- 'dois' e *stóma -atos* 'boca' || **distomat**OSE *sf.* '(Med.) doença provocada pela presença de dístomos nos canais biliares e no fígado' 1899. Do fr. *distomatose*.
distorção → TORCER.
distrair *vb.* 'tornar desatento, atrair, recrear, desencaminhar' | *distrahir* XVI | Do lat. *distrahĕre* 'puxar em diferentes sentidos', de *trahĕre* 'arrastar, puxar' || **distração** *-cção* 1813 | Do lat. *distractĭō -ōnis*, de *distractus*, part. pass. de *distrahĕre* || distraÍDO | *-ahido* XVI || distratIVO | *-ctivo* XVII.
distribuir *vb.* 'repartir, dividir, levar, espalhar' | *destrebuyr* XIV, *destribuir* XIV, *destriuuyr* XIV etc. | Do lat. *distribuĕre*, 'literalmente, repartir entre as tribos' 'dividir, dar, conceder' || distribuIÇÃO | *-içam* XV || distribuIDOR 1813 || distributIVO 1525. Do lat. tard. *distributīvus* de *distribūtus*, part. pass. de *distribuĕre*. No port. med. ocorre a forma *estribuitiuo* (séc. XV), com troca de prefixo. Cp. ATRIBUIR, TRIBO.
⇨ **distribuir** — distribuidor |1532 JBaFr 25.*14* |.
distrito *sm.* 'divisão territorial a cargo de uma autoridade administrativa' | *districto* XVII | Do lat. med. *districtus -us* 'território dependente da cidade', de *districtus* 'preso, ligado', part. pass. de *distringĕre* || distritAL 1881.
disturbar *vb.* 'perturbar, alterar a ordem das coisas, interromper' XVI. Do lat. *disturbāre*, de *turbāre* || **distúrbio** 1873. Do lat. med. *disturbĭum*.
dita *sf.* '*orig.* palavra, dito' XIII; 'fortuna, sorte' 'boa sorte' XIV. Na primeira acepção, é o fem. substantivado do adj. *dito*; na segunda, procede do lat. *dicta* 'coisas ditas', neutro plural, tomado, substantivamente, de *dictus*, part. pass. de *dicĕre* 'dizer' || AditAR² *vb.* 'tornar ditoso, feliz' XVII | DESdita 1572 | DESditOSO 1813 || ditOSO XVI || INditOSO 1899. Cp. DIZER.
⇨ **dita** — DESditADO 1538 DCast 82.*27* |.
ditar *vb.* 'pronunciar (o que outrem há de escrever), sugerir, inspirar, impor' XIV. Do lat. *dictāre*, frequentativo de *dīcĕre* || ditADO *sm.* '*orig.* composição poética' XV; 'os títulos de senhorio que os reis de Portugal tomavam' XVI; 'o que o mestre dita nas lições' 'adágio, refrão' 1813. Do lat. *dictātum*, por *dictata -orum*, neutro, tomado, substantivamente, de *dictātus*, part. pass. de *dictāre* || ditADOR¹ *sm.* 'o

que dita' XV ‖ **dit**ADOR² *sm.* 'indivíduo que concentra temporariamente todos os poderes do Estado' XV. Do lat. *dictātor -ōris* ‖ **dit**ADURA | *dictadura* 1813 | Do lat. *dictātūra* ‖ **ditame** 1706. Do lat. *dictāmen -ĭnis* ‖ **ditatori**AL | *dict-* 1833 ‖ **ditat**ÓRIO | *dict-* 1873 | Do lat. *dictātōrĭus*. Cp. DIZER.
ditério *sm.* 'dito satírico, picante, mordaz' 'mexerico' | *dictério* 1813 | Do lat. *dictērĭum*, deriv. do gr. *deiktḗrion*. Cp. DIZER.
ditirambo *sm.* 'forma da poesia coral grega originalmente de caráter dionisíaco' '*ext.* composição lírica que exprime entusiasmo ou delírio' XVIII. Do lat. *dīthyrambus*, deriv. do gr. *dithýrambos*, possivelmente de origem egeia ‖ **ditirâmb**ICO 1813. Do lat. *dīthyrambĭcus*, deriv. do gr. *dithyrambikós*.
dito → DIZER.
ditografia *sf.* 'erro de copista que repetia o que só se devia escrever uma vez' | *dittographia* 1909 | Do gr. *dittós* 'duplo' e *-grafia*, por via erudita ‖ **dito**LOG·IA *sf.* 'tratado das palavras de forma dupla de uma língua' XX.
ditongo *sm.* 'sucessão imediata de dois sons vocálicos em uma mesma sílaba' | *dithongo* XVI | Do lat. *diphthongus*, deriv. do gr. *diphthoggos* 'som duplo', de *di-* 'dois' e *phthóggos* 'som' ‖ **ditong**AÇÃO 1899 ‖ **ditong**AR XVI.
dítono *sm.* '(Mús.) intervalo de dois tons' 1813. Do lat. tard. *ditonus*, deriv. do gr. *dítonos*, de *di-* 'dois' e *tónos* 'tom'.
ditoso → DITA.
diurese *sf.* '(Med.) secreção urinária, normal ou copiosa, natural ou provocada' 1844. Do lat. tard. *diurēsis*, deriv. do gr. **dioúrēsis*, de *diouréō* 'emito através da urina', de *di-* (< *dia-*) 'através de' e *ouréō* 'urino' ‖ **diurético** 1813. Do lat. tard. *diurētĭcus*, deriv. do gr. *diourētikós*.
diurno *adj.* 'que se faz ou sucede durante o dia ou em um só dia' XV. Do lat. *diurnus* ‖ **diurn**AL XV. Do lat. tard. *diurnālis*. Cp. DIA.
diuturno *adj.* 'que vive muito tempo, que tem longa duração' XVI. Do lat. *diuturnus*, do cruzamento de *diurnus* e *diutinus* 'de longa duração' ‖ **diuturn**IDADE 1813. Do lat. *diuturnĭtas -ātis*.
diva *sf.* 'deusa' XVI; 'epíteto de cantora famosa, mulher formosa' XX. Do lat. *diva -ae*. Nas últimas acepções o termo provém do italiano e foi difundido pela ópera lírica.
divã *sm.* '(Hist.) conselheiro do sultão da Turquia' 'o conselho do sultão' '*ext.* o império otomano' | *divão* 1539 |; 'sala do conselho do sultão (sempre adornada e guarnecida com almofadas, em que se sentavam os conselheiros)' | *divan* 1838, *divão* 1839 |; 'espécie de sofá, sem braços e sem encosto, que, originariamente, guarnecia a sala do conselho turco' | *divan* 1838 | Do turco *dīvān*, deriv. do persa *dīŭān* (cp. ADUANA); nas duas acepções mais modernas, o voc. port. sofreu a influência do fr. *divan*.
divagar *vb.* 'percorrer, andar sem rumo certo, vaguear, discorrer sem nexo, fantasiar' 1813 Do lat. *divagāre*, por *divagari*, de *vagari*, deriv. de *vagus* 'errante' ‖ **divag**AÇÃO 1873 ‖ **divag**ANTE 1844. Cp. VAGAR¹.
divergir *vb.* 'desviar-se, afastar-se progressivamente' 'discordar' 1873. Do fr. *diverger*, deriv. do lat. **dīvergĕre*, por *devergĕre* 'inclinar-se, pender' ‖ **diverg**ÊNCIA 1813 ‖ **diverg**ENTE 1813.
divers·ão, -idade, -ificação, -ificar, -o → DIVERTIR.
divertículo *sm.* '(Anat.) apêndice oco em comunicação com a luz de um órgão' XVII. Provavelmente adapt. do fr. *diverticule*, deriv. do lat. *dēverticŭlum* 'desvio; caminho afastado', de *dēvertĕre* 'desviar, afastar', de *vertĕre* 'voltar'.
divertir *vb.* 'distrair, desviar, recrear' XVI. Do lat. *dīvertĕre* 'ir-se embora, afastar-se', de *vertĕre* ‖ **diversão** XVII. Do lat. tard. *diversio -onis* ‖ **divers**IDADE | XIV, *de-* XV | Do lat. *diversĭtas -atis* ‖ **divers**IFIC·AÇÃO 1899 ‖ **divers**IFICAR 1813. Do lat. *diversificāre* ‖ **diverso** | *diuersso* XIV, *diuerso* XV | Do lat. *diversus*, part. pass. de *dīvertĕre* ‖ **diverti**DO XVII ‖ **diverti**MENTO XVII.
⇨ **divertir** — **divers**IFICAR | *deuersificar a* 1542 JCASE 82.*28* |.
divícia *sf.* 'riqueza' XVI. Do lat. *divitia -ae*, por *divitiae -arum*, de *dives -ĭtis* 'rico, opulento'.
dívida → DEVER.
dividir *vb.* 'partir ou distinguir em diversas partes, desunir, separar as diversas partes de, repartir' | *devidir* XV | Do lat. *dīvĭdĕre* ‖ **divid**ENDO 1813. Do fr. *dividende*, deriv. do lat. *dividendus*, gerundivo de *dīvĭdĕre* ‖ **divíduo** 1873. Do lat. *dīvĭdŭus* ‖ **divisa** | *de-* XV ‖ **divisão** XIII. Do lat. *divisio -ōnis*, de *dīvīsus*, part. pass. de *dīvĭdĕre* ‖ **divisar** XIII. Do lat. tard. *divisare*, frequentativo de *dīvĭdĕre* ‖ **divis**IBIL·IDADE 1873. Do fr. *divisibilité* ‖ **division**AL 1844 ‖ **division**ÁRIO 1881. Do fr. *divisionnaire* ‖ **division**ISMO XX ‖ **division**ISTA XX ‖ **divis**ÍVEL 1813. Do lat. *divisĭbĭlis* ‖ **diviso** | XVI, *de-* XV | Do lat. *dīvīsus*, part. pass. de *dīvĭdĕre* ‖ **divis**OR 1813. Adapt. do fr. *diviseur*, deriv. do lat. *dīvīsor -ōris* ‖ **divis**ÓRIA *sf.* 1881 ‖ **divis**ÓRIO *adj.* 1813 ‖ INDIVIDUAL 1813. Do fr. *individuel* ‖ INDIVIDU·IDADE 1813. Do fr. *individualité* ‖ INDIVIDU·AL·ISMO 1873. Do fr. *individualisme* ‖ INDIVIDU·AL·ISTA 1813. Do fr. *individualiste* ‖ INDIVIDU·AL·IZAR XIX. Do fr. *individualiser* ‖ INDIVIDU·AR XIII ‖ INDIVIDUO XVI. Do lat. *indīvĭdŭus* ‖ INDIVIS·IBIL·IDADE XVII. Do fr. *indivisibilité* ‖ INDIVIS·ÍVEL XVII. Do fr. *indivisible*, deriv. do baixo lat. *indīvīsibĭlis* ‖ INDIVISO XVII. Do fr. *indivis*, deriv. do lat. *indīvīsus* ‖ SUBDIVIDIR XVII ‖ SUBDIVISÃO 1813.
⇨ **dividir** — INDIVIDU·AÇÃO | 1789 JS XI, | INDIVIDUAL | *individualmente* adv. 1715 SRPitP 73 | INDIVIDUAR 1706 SRPitP 413 ‖ INDIVIS·ÍVEL | *indiuisiuel a* 1542 JCASE 64.*13* |.
divinação *sf.* 'arte de adivinhar, adivinhação, palpite, pressentimento' 1844. Do lat. *dīvīnātĭo -ōnis*, de *dīvīnāre* 'adivinhar', de *dīvīnus -i* 'adivinho, inspirado na divindade' 'divino, relativo aos deuses' ‖ **divinat**ÓRIO XVII. Adapt. do fr. *divinatoire*. Cp. ADIVINHAR, DIVINO.
divinal → DIVINO.
divinatório → DIVINAÇÃO.
divino *adj.* 'que diz respeito a Deus, sublime, sobrenatural, perfeito, encantador' XV. Do lat. *dīvīnus*, de *dīvus* ‖ **divin**AL XIV. Do lat. *dīvīnālis* ‖ **divind**·ADE | *deuiindade* XIV etc. | Do lat. *dīvīnĭtas -ātis* ‖ **divin**IZAR XVII ‖ **divo** *adj. sm.* 1572. Do it. *divo*, deriv. do lat. *dīvus*.
divis·a, -ão, -ar, -ibilidade, -ional, -ionário, -ionismo, -ionista, -ível, -o, -or, -ória, -ório → DIVIDIR.

divo → DIVINO.
divórcio *sm.* 'separação do vínculo matrimonial' 'desunião, separação' XVII. Do lat. *dīvortium*, de *dīvērtĕre* || **divorci**ADO 1813 || **divorci**AR 1813.
divulgar *vb.* 'vulgarizar, tornar conhecido, propalar, publicar' | *devulgar* XV | Do lat. *divulgāre* || **divulg**AÇÃO 1873. Do lat. *divulgātĭo -ōnis* || **divulg**ADOR 1813. Do lat. *divulgatōr -ōris*.
⇨ **divulgar** — **divulg**AÇÃO | *divulgaçan* 1614 SGonç I.114.*11* |.
divulsão *sf.* 'separação violenta, arranco, rotura, dilatação' 1844. Do fr. *divulsion*, deriv. do lat. *dīvulsĭo -ōnis*, de *dīvulsus*, part. pass. de *dīvēllĕre* 'separar, rasgar, espedaçar', de *vēllĕre* 'arrancar'.
dizer *vb.* 'expor, exprimir por palavras, proferir, enunciar' XIII. Do lat. *dīcĕre* || ANTE**dizer** XIX || CON**dic**ENTE *adj. 2g.* 'condizente' XX. Do lat. *condīcens -entis*, part. pres. de *condīcĕre* || CON**dizente** 1844 || CON**dizer** | *condecer* XVI | Do lat. *condīcĕre* || CONTRA**dição** | -*çon* XIII | Do lat. *contradictĭo -ōnis* || CONTRA**dita** *sf.* XIII. De *contradito* || CONTRA**dito** XVI. Do lat. *contradictus*, part. pass. de *contradīcĕre* || CONTRA**ditor** XVI. Do lat. *contradictor -oris* || CONTRA**ditória** 1858. Do lat. *contradictoria*, substantivação do feminino de *contradictorĭus* || CONTRA**ditório** *adj.* XVII. Do lat. *contradictōrĭus* || CONTRA**dizer** XIII. Do lat. *contradīcĕre* || DES**dizer** XIII || **dicção** | *dições* pl. XIII | Do lat. *dictĭo -ōnis* || **dito** *adj.* XIII. Do lat. *dictus*, part. pass. de *dīcĕre* || **diz**EDOR XIII || ENTRE**dizer** XVI || IN**diz**ÍVEL 1813 || RE**dito** XVII || RE**dizer** XVII || SUPRA**dito** XIV.
⇨ **dizer** — ANTE**dizer** | XIV ORTO 11.*36* |.
dízim·a, -ação, -ar, -o → DEZ.
do *contr.* da prep. DE como art. pron. O, XIII.
dó[1] *sm.* 'compaixão, pena, lástima' | *doo* XIII | Do lat. tard. *dŏlus*.
dó[2] *sm.* '(Mús.) primeira nota da escala diatônica ou natural'. Os nomes tradicionais da escala de sons — *dó* (anteriormente *ut*), *ré*, *mi*, *fá*, *sol*, *lá*, *si* — foram introduzidos na linguagem da música, com exceção do último, pelo italiano Guido d'Arezzo (*c* 995-1050), que nomeou cada nota com a primeira sílaba de cada um dos seis primeiros versos da primeira estrofe do hino a S. João Batista, composto no séc. VIII por Paul Warnefried (*c* 720-*c* 799), mais conhecido por Paulus Diaconus: *Ut* queant laxis/*Re*sonare fibris/*Mi*ra gestorum/*Fa*muli tuorum,/*Sol*ve polluti,/*La*bii reatum/Sancte Iohannes (Para que teus servos/Possam, nas entranhas/Tíbias, ressoar/Teus feitos miríficos,/Absolve o pecado/ Destes conspurcados/Lábios, São João). O *ut* foi substituído, provavelmente no séc. XVII, por *dó*, considerado mais sonoro. O *si* foi acrescentado à escala no séc. XVII, sem dúvida das letras iniciais de *Sancte Iohannes*, último verso da referida estrofe. Em português, *ré, mi, fá, sol* e *lá* documentam-se já no séc. XVI; o *dó* foi registrado, em 1873, no dic. de Fr. D. Vieira, e o *si*, em 1881, no dic. de Caldas Aulete.
doar *vb.* 'transmitir gratuitamente a outrem, dar, conceder' | XIII, *dõar* XIV | Do lat. *dōnāre*, de *dōnum* 'presente, oferta', deriv. de *dāre* || **do**AÇÃO | -*açam* XIII, -*çom* XIV | Do lat. *dōnātĭo -ōnis* || **do**ADOR 1813. Do lat. *dōnātor -ōris* || **donat**ARIA *sf.* 'jurisdição de um donatário' 1899 || **donat**ÁRIO XV. Do lat. med. *donatarĭus*, de *donatus*, part. pass. de *dōnāre* || **donat**IVO | XVIII, *donadio* XIII | Do lat. *dōnātivum -i* || **donato** *sm.* 'leigo que servia num convento e usava o hábito de frade' XVIII. Talvez do it. *donato* 'propriamente, o que se deu a Deus', deriv. do lat. *donātus*, part. pass. de *dōnāre*. Cp. DOM.
dobar *vb.* 'enovelar' '*fig.* voltear' XVII. Etimologia obscura || **dob**ADOURA | 1813, *debáádoyra* XIV || **dob**ADURA XV.
dobra[1] → DOBRAR.
dobra[2] *sf.* 'antiga moeda portuguesa' XV. De origem obscura.
dobrar *vb.* 'duplicar, aumentar, tornar mais completo, mais extenso' 'curvar, abater, domar' 'modificar, passar além de, torneando' XIII. Do lat. tard. *duplāre*, de *duplus* 'dobro', deriv. de *duo* 'dois' || DES**dobrar** XVI || **dobra**[1] *sf.* 'prega' XVI || **dobr**ADA 1813 || **dobr**AD·IÇA *sf.* 1813 || **dobr**AD·IÇO *adj.* XVIII || **dobr**ADO XIII || **dobr**ADURA 1844 || **dobr**AMENTO XVII || **dobr**ÁVEL XX || **dobre** XV || **dobro** | XIV, *dubro* XIII | Forma divergente e popular de *duplo*, do lat. *duplus* || **dublagem** *sf.* 'substituição da banda sonora original de um filme por uma proveniente do registro de outras vozes em língua diferente' XX. Do fr. *doublage* || **dublar** *vb.* 'fazer dublagem' XX. Do fr. *doubler*, deriv. do lat. *duplāre* || **dupla** XX || **dúplex** 1844. Do lat. *duplex -ĭcis* || **duplic**AÇÃO XVII. Do lat. *duplĭcātĭo -ōnis* || **duplic**ADOR 1873. Do lat. *duplĭcātor -ōris* || **duplic**ANTE XX || **duplic**AR 1813. Do lat. *duplicāre*, de *duplex -ĭcis* || **duplicata** *sf.* '(Com.) segundo exemplar de uma peça ou de um ato' 1858. Do fr. *duplicata* deriv. do lat. med. *duplicata* (*littĕra*) 'letra dobrada', de *duplĭcātus*, part. pass. de *duplĭcāre* || **duplic**ATIVO 1873 || **duplicatura** *sf.* 'estado de coisa que se dobra sobre si mesma' 1858. Do lat. *duplicat(us)* + -URA || **dúplice** XVII. Do lat. *duplex -ĭcis* || **duplic**IDADE 1844. Do lat. *duplĭcĭtās -ātis*, de *duplex -ĭcis* || **duplo** XVII. Do lat. *duplus* || RE**dobrar** XVI || RE**dobro** XVIII. || RE**duplic**AR XVII || RE**duplic**ATIVO 1813.
⇨ **dobrar** — **dobr**AMENTO | 1519 GNic 52*v*27 || **duplic**AR | *a* 1595 *Jorn.* 108.*23* || **duplo** | 1519 GNic 36*v*18. |.
doca *sf.* 'parte de um porto, ladeada de muros e cais, onde se abrigam os navios e tomam ou deixam carga' 1864. Do ing. *dock*, deriv. do antigo neerl. *docke* (atual *dok*).
doce *adj. 2g. sm.* 'que tem sabor como o do mel, ou do açúcar, que tem sabor agradável' 'meigo, suave, ameno' XIII. Do lat. *dŭlcis* || ADO**çar** XVI || **doçaina** *sf.* '(Mús.) espécie de charamela, em voga na Europa entre os séculos XII e XVII' | XVI, *doçainha* XVI | Do a. fr. *dolçaine*, do ant. *douz* (atual *doux*) e, este, do lat. *dŭlcis* || DO**çal** *adj.* XVII. No séc. XVI ocorre uma forma *doçar* || **doc**EIRO XVII || **doçura** XV || **dulc**IDÃO | XIV, *dõe* XIV, *-çedũe* XIV etc. | Do lat. *dulcĭtūdo -ĭnis* || **dulci**FICAR XVII. Do lat. *dulcificāre* || **dulcífluo** 1881. Do lat. tard. *dulcĭflŭus* || **dulcíloquo** 1844. Do lat. *dulcĭloquus* || **dulcíssono** | *dulcisono* XVIII || **dulçor** | XIV, *dolçor* XV | Do cast. *dulzor*. Cp. -DULCE, DULCI-.
⇨ **doce** — ADO**çar** | XIV TROY II. 128.*18* |.
docente *adj. s2g.* 'que ensina, que diz respeito a professores' 'professor, lente' 1890. Do lat. *docens*

-*entis*, part. pres. de *docēre* 'ensinar' || doc**ê**ncia xx. Cp. DÓCIL, DOUTO, DOUTRINA.

dócil *adj. 2g.* 'submisso, obediente, flexível' 1813. Do lat. *dŏcĭlis* 'que aprende facilmente, que se maneja facilmente', relacionado com *docere* 'ensinar' || **docil**IDADE 1813. Do lat. *dŏcĭlĭtās -ātis* || IN**dócil** 1813. Do lat. *indŏcĭlis* || IN**docil**IDADE 1813. Cp. DOCENTE, DOUTO, DOUTRINA.

docimasia *sf.* '(Quím.) análise quantitativa dos minerais metálicos' '(Méd.) verificação médico-legal das condições de instantaneidade ou não da morte' 1844. Do *fr. docimasie*, deriv. do gr. *dokimasía* 'prova, experiência', deriv. de *dokéo* 'julgar, aparentar' || **docim**ástico 1858. Do fr. *docimastique*, deriv. do gr. *dokimastikós*.

doçura → DOCE.

documento *sm.* 'título ou diploma que serve de prova, declaração escrita para servir de prova' xv. Do lat. *documentum -i*, de *docēre* || **document**AÇÃO xx || **document**AL xx || **document**AR 1802. Do fr. *documenter* || **document**ÁRIO xx || **document**ÁVEL xx.

dodec(a)- *elem. comp.*, do gr. *dṓdeka* 'doze', que se documenta em vocábulos eruditos, alguns formados no próprio grego, como *dodecaedro*, e vários outros introduzidos, a partir do séc. xix, na linguagem científica internacional ▸ **dodeca**EDRO 1813. Do fr. *dodecaèdre*, deriv. do gr. *dōdekáedron* || **dodeca**FÔN·ICO xx || **dodeca**FON·ISMO xx || **dodecá**GINO | *-gyno* 1858 | Do lat. cient. *dōdecagĭnus* (Lineu) || **dodeca**GON·AL xx || **dodeca**GONO 1813. Do fr. *dodécagon*, deriv. do gr. *dōdekágōnon* || **dodec**ANDRO 1858 || **dodeca**PÉTALO xx || **dodeca**RQU·IA xx || **dodeca**SSÍLABO xx.

doença *sf.* 'enfermidade, mal' xiii. Do lat. *dŏlentĭa*, de *dŏlēre* 'sentir dor, sofrer' || A**doent**ADO 1844 || A**doent**AR 1844 || **doente** *adj. s2g.* 'enfermo' xiii. Do lat. *dŏlens -entis*, part. pres. de *dŏlēre* || **doen**tio xvi || **doer** *vb.* 'causar dor' xiii. Do lat. *dŏlēre* 'sentir dor, sofrer' || **doído** xvi || **dolência** *sf.* 'mágoa, dor' x. Forma divergente e erudita de *doença*, do lat. *dŏlentĭa*, de *dŏlēre* || **dolente** *adj. 2g.* 'que manifesta dor, magoado, lamentoso, lastimoso' 1881. Forma divergente e erudita de *doente*, do lat. *dŏlens -entis*. Cp. DOR.

doestar *vb.* 'injuriar, insultar' | xiv, *deostar* xiii | Do lat. *dĕhŏnĕstāre* 'desonrar', de *honestāre*, deriv. de *honestus* || **doesta** *sf.* 'injúria, insulto' xiv || **doest**ADO | xiii, *dĕostado* xiii || **doest**ADOR xiv || **doesto** *sm.* 'injúria, insulto' | xiv, *dĕosto* xiii.

doge *sm.* 'magistrado supremo das antigas repúblicas de Veneza e Gênova' 1813. Do it. *dòge*, deriv. do veneziano *doge* e, este, do lat. *dux -cis* || **doga**ressa 1899. Do it. *dogaréssa*, deriv. do veneziano *dogaréssa* e este, do lat. med. *ducātrīx -īcis*, de *dux -cis*.

dogma *sm.* 'ponto fundamental e indiscutível de uma doutrina religiosa e, por extensão, de qualquer doutrina ou sistema' xvii. Do lat. ecles. *dogma -atis*, deriv. do gr. *dógma -atos* 'opinião plausível, decisão política da assembleia popular ou do rei', relacionado com *dokéō* 'julgar, aparentar' e com o lat. *docēre* || **dogmát**ICO xviii. Do lat. *dogmātĭus*, deriv. do gr. *dogmatikós* || **dogmat**ISMO 1844. Do lat. *dogmatismus* || **dogmat**ISTA xvii. Do lat. *dogmatistes* || **dogmat**IZAR 1813. Do lat. *dogmatizare*, deriv. do gr. *dogmatizein*.

dogue *sm.* 'cão de raça inglesa, de pequeno corpo, focinho chato e índole bravia' | 1813, *dogo* xvii | Do ing. *dog* 'cão'

doido *adj. sm.* 'louco, alienado, demente, extravagante' 'indivíduo com essas características' | *doudo* xvi | De origem controversa || A**doid**ADO | *adoudado* 1844 || **doid**ICE | *doudice* xvi || **doidivanas** *s. 2g. 2n.* | *doudivanes* 1813 | De origem controversa || EN**doid**AR xx || EN**doid**ECER | *endoudecer* xvi.

doído → DOENÇA.

-(d)**oiro** → -(D)OURO.

dois *num.* '2, ii' | xvi, *dous* xiii |; **duas** *num f.* xiii. Do lat. *duo, duae* (no acus. *duos, duas*) || **du**IDADE xviii || **duí**·PARA xx.

dólar *sm.* 'unidade monetária dos EUA e do Canadá' | *dollar* 1844 | Do ing. *dollar*, deriv. do a. flam. e do b. al. *daller* (holandês *daalder*) e, estes, do al. *t(h)aler*, abreviação de *Joachimst(h)aler*, aplicado à moeda de prata feita com metal obtido em Joachimst(h)al, na Boêmia, no início do séc. xvi. Cp. TÁLER.

dol·ência, -ente → DOENÇA.

dolico- *elem. comp.*, deriv. do gr. *dolichós* 'comprido, longo', que se documenta em vocábulos eruditos, alguns formados no próprio grego, como *dolicópode*, e alguns outros introduzidos, a partir do séc. xix, na linguagem científica internacional ▸ **dolico**CÉFALO | *dolichocephalo* 1873 | Do fr. *dolichocéphale*, voc. proposto por Retzius em 1842 || **dolico**CERO | *dolicho-* 1873 || **dolicó**PODE | *dolicho-* 1899 | Cp. gr. *dolichópous -odos*.

dólmã *sm.* 'veste militar com alamares' | *dolman* 1871 | Do fr. *dolman*, deriv. do al. *Dolman* e, este, através do húngaro *dolmany*, do turco *dolama* 'manto dos janízaros'.

dólmen *sm.* 'monumento megalítico, formado por uma grande pedra chata colocada sobre duas outras verticais' 1899. Do fr. *dolmen* (de 1805), anteriormente *dolmin* (de 1796), forma esta que seria uma transcrição inexata, proposta pelo arqueólogo francês Latour d'Auvergne, do córnico *tolmen*; menos provável é uma formação direta, com base nas duas palavras bretãs *taol* (*tol*) 'mesa' e *mean* (*men*) 'pedra', que teria sido forjada pelos arqueólogos franceses contemporâneos de d'Auvergne.

dolo *sm.* 'fraude, astúcia, má-fé' xv. Do lat. *dŏlus -i* || **dolo**so xiii. Do lat. *dŏlōsus*.

dolomita *sf.* 'mineral trigonal, constituído de carbonato duplo de cálcio e magnésio' | *dolomite* 1899 | Do fr. *dolomite* (1838), deriv. do antrop. Déodat Dolomieu (1750-1801), célebre naturalista francês que descobriu e estudou este mineral. A forma *dolomia*, registrada em 1873, por Fr. D. Vieira, provém do fr. *dolomie*, que já se documenta neste idioma desde 1792 || **dolomít**ICO 1873 || **dolom**ITO xx.

dolorido, -ífico, -oso → DOR.

doloso → DOLO.

dom[1] → DOMINAR.

dom[2] *sm.* 'donativo, dádiva, dote natural' '*fig.* merecimento, vantagem, privilégio' xiii. Do lat. *donum -i* 'presente, dom, oferta' || **condão** *sm.* 'poder misterioso a que se atribui influência benéfica ou

maléfica' 'dom' faculdade' XVI. Deriv. regr. do antigo *condōar 'presentear', de condonāre e, este, de donāre. Cp. DOAR.
domar vb. 'amansar, domesticar, subjugar, refrear' XIII. Do lat. domāre ‖ dom ABIL·IDADE XX ‖ domADOR XVII. Do lat. domātor -oris ‖ domÁVEL 1813. Do lat. domābĭlis ‖ INdomÁVEL XVI. Do lat. indomābĭlis ‖ INdômito XVI. Do lat. indomĭtus, de domĭtus, part. pass. de domāre.
doméstico adj. sm. 'relativo à casa, familiar' 'diz-se do animal útil que vive e/ou é criado em casa' 'criado' XIV. Do lat. domestĭcus, de dŏmus 'casa, domicílio, morada' ‖ domesticAÇÃO 1873. Provavelmente do fr. domestication, de domestiquer ‖ domesticAR XVI. Do fr. domestiquer, de domestique e, este, do lat. domestĭcus ‖ domesticIDADE XVIII. Do lat. tard. domesticĭtas -ātis. Cp. DOMICÍLIO.
domicílio sm. 'casa de residência, habitação fixa' | domicillio XVI | Do lat. dŏmĭcĭlĭum, de dŏmus 'casa, residência' ‖ domiciliAR¹ adj. 'relativo a domicílio' XX ‖ domiciliAR² vb. 1813. Do fr. domicilier, de domicile, deriv. do lat. dŏmĭcĭlĭum ‖ domiciliÁRIO adj. 'domiciliar¹' 1873. Cp. DOMÉSTICO.
dominar vb. 'ter autoridade ou poder sobre' 'conter, reprimir' 'ser ou estar sobranceiro' XVI. Do lat. *dŏmĭnāre, por dŏmĭnāri ‖ CONdomínio 1899. Do fr. condominium, deriv. do ing. condominium e, este, do lat. med. condŏmĭnĭum ‖ CONdômino XX. Do lat. med. condŏmĭnus ‖ dom¹ sm. 'termo de cortesia correspondente a senhor' XIII. Do lat. dŏmĭnus 'senhor, dono' ‖ dominAÇÃO | dominatiões pl. XIII, -naciones pl. XV | Do lat. dŏmĭnātĭo -ōnis ‖ domin ADO 1813 ‖ dominADOR XVII. Do lat. dŏmĭnātor -oris ‖ domin ÂNCIA XX. Provavelmente do fr. dominance ‖ domin ANTE 1813. Do lat. dŏmĭnans -āntis, part. pres. de *dŏmĭnāre, por dŏmĭnāri ‖ domingAL XIV ‖ **domingo** 'primeiro dia da semana, destinado ao descanso e, principalmente, na sua origem, dedicado a atividades religiosas de oração ao senhor' | XIII, dominga f. XIII | Do lat. (dies)dŏmĭnĭcus 'dia do senhor, que Constantino propôs, em substituição a expressão (dies)solis 'dia do sol', calcado na expres. gr. kÿriaké (heméra) 'dia do senhor'; compare al. Sonntag 'dia do sol' e ing. sunday 'dia do sol' ‖ domingUEIRO XVIII ‖ dominical 1813. Do lat. tard. dŏmĭnĭcālis ‖ **domínio** XV. Do lat. dŏmĭnĭum -ii ‖ **dona** sf. 'proprietária' 'mulher, esposa' XIII. Do lat. dŏmĭna ‖ donINHA sf. 'mamífero da família dos mustelídeos' XVI. Dim. de dona, por afetividade. No port. med. ocorria, também, o dim. donezÿa, no séc. XIII ‖ **dono** 'senhor, proprietário' XIII. Do lat. dŏmĭnus ‖ donOSO XVIII ‖ **donzel** adj. sm. 'puro, ingênuo' 'na Idade Média, o moço que ainda não era armado cavaleiro' XIII. Do prov. donzel, deriv. do lat. tard. dŏmĭnĭcĕllus, dimin. de dŏmĭnus ‖ **donzela** sf. 'orig. mulher moça nobre' 'atualmente, mulher virgem' XIII. Do prov. donzela, do lat. tard. dŏmĭnĭcĕlla, dimin. de dŏmĭna.
dominicano¹ adj. sm. 'diz-se de, ou frade ou freira da ordem fundada em 1216 por São Domingos e que segue as regras de Santo Agostinho' 1844. Do antr. lat. (Sanctus) Dŏmĭnĭcus 'São Domingos', de domĭnus ‖ dominicano² adj. sm. 'relativo a, ou natural da República de São Domingos, nas Antilhas' 1899. Do cast. dominicano. Cp. DOMINAR.

⇨ **dominicano — dominico** | c 1608 NOReb 222.18, 1614 SGONÇ II.308.21 |.
domínio → DOMINAR.
dominó sm. 'túnica com capuz e mangas para disfarce dos mascarados no carnaval' 'pessoa que assim se traja' 'ext. jogo composto de 28 peças, geralmente de madeira preta e com pontos brancos' 1844. Do fr. domino 'orig. túnica com capuz que os padres usavam no inverno', abrev. da expres. lat. benedicāmus dŏmĭno 'bendigamos ao senhor'. Cp. DOMINAR.
domo sm. 'catedral' XVI. Adapt. do it. duòmo 'igreja principal', deriv. do lat. med. domus (ecclēsiae) 'habitação (dos membros da igreja)'.
dona → DOMINAR.
donaire sm. 'aspecto, semblante, graça, garbo, gentileza' | XIV, doayro XIII, doayre XIII, donayro XIV | Do cast. donaire, deriv. do lat. med. donarĭum 'donativo' (no lat. cláss. donarĭa -orum 'lugar onde se faziam os depósitos das doações'). Cp. DOAR, DOM².
donat·aria, -ário → DOAR.
donatismo sm. 'cisma da Igreja de Cartago (África) no quarto século' 1844. Du fr. donatisme, de donatiste ‖ **donatista** adj. s2g. 'partidário do donatismo' 1844. Do fr. donatiste, deriv. do antrop. Donat 'Donato', bispo de Cartago.
donat·ivo, -o → DOAR.
donde contr. da prep. DE com o pron. ONDE, XIII.
don·inha, -o, -oso, -zel, -zela → DOMINAR.
dopar vb. 'administrar substância excitante ou estupefaciente em (cavalo, atleta etc.)' XX. Do ing. to dope, de dope 'preparado de ópio para fins medicinais' e, este, do neerl. doop 'molho, tempero' ‖ dopADO XX. Na linguagem do turfe (e também na futebolística) é de uso extensivo, modernamente, o ing. doping 'estimulante aplicado em cavalo ou em jogador para aumentar-lhe o rendimento'.
dor sm. 'sofrimento físico ou moral, mágoa, aflição' | XVI, door XIII, dolor XIV | Do lat. dŏlŏr -ŏris ‖ dolorIDO XIV. Do lat. *dŏlōrītus ‖ dolorÍFICO 1873 ‖ dolorOSO | XVI, dooroso XIII | Do lat. dŏlōrōsus ‖ dorIDO | XVI, doorido XIII | Forma divergente de dolorido, do lat. *dŏlōrītus ‖ INdolor XX. Do lat. indolōris 'não doloroso'.
-(d)or suf. nom., deriv. do lat. -(t)or -(t)ōris, que se documenta em substantivos portugueses, quase todos formados no próprio latim, com a noção de 'agente, instrumento da ação', e que se apresenta com as formas -ador, -edor e -idor, correspondentes às terminações -ar, -er e -ir dos verbos da 1ª, 2ª, e 3ª conjugações, respectivamente: lat. nāvĭg·āre/nāvĭg·ā·tor → naveg·a·r/naveg·a·dor; lat. bĭb·e·re/bib·ĭ·tor → beb·e·r/beb·e·dor; lat. serv·ī·re/serv·ī·tor → serv·i·r/serv·i·dor. Cp. -OR, -(S)OR, -(T)OR.
dórico adj. sm. 'relativo aos dórios, à sua arquitetura, ao seu dialeto' 1813. Do lat. dorĭcus, deriv. do gr. dōrikós.
⇨ **dórico** | 1614 SGONÇ I. 11.31 |.
dorido → DOR.
dormir vb. 'deixar de estar acordado, descansar no sono' XIII. Do lat. dormīre ‖ AdormENTAR | XIII, dormentar XIV ‖ Adormir XIII ‖ dormÊNCIA XX ‖ dormENTE¹ adj. 'aquele que dorme' 'diz-se das

plantas cujas folhas se enrolam ou se dobram de noite' 'entorpecido' 'que está assentado, firme' XIV. Do lat. *dorm(i)ens -(i)entis*, part. pres. de *dormīre* || dormENTE² *sm.* 'cada um dos paus da coberta de um navio' 'travessas em que se assentam os trilhos da linha férrea' XVI. O termo começa a usar-se nestas acepções como oposto a elevadiço, móvel, não fixo. Assim, *ponte dormente* é aquela que é fixa, em oposição a *ponte elevadiça*; daí o uso substantivado e a sua expansão || dormIDA *sf.* XVI || dormID·EIRA 1813 || dormIDOR XIII || dorminhoco *adj. sm.* XVII. De *dormir*, com uma sufixação anormal, ainda que expressiva || dormITAR 1813 || dormITIVO 1844. Do fr. *dormitif* || dormitório | XIV, *dormidoiro* XIII Do lat. *dormitōrĭum*. Cp. ADORMECER.
⇨ dormir — dormID·EIRA | *a* 1595 *Jorn.* 134.*36* |.
dorna *sf.* 'cuba para pisar uvas' XIII. De origem controversa.
dorso *sm.* 'as costas do corpo humano ou dos demais animais' 'reverso, parte posterior, parte superior convexa' | XVII, *dosso* XV | Do lat. *dorsum -i*, de *dovorsum* e, este, de *vertĕre* || dorSAL 1873. Do lat. med. *dorsālis* || dorsí·FERO 1873 || dorsI·FIXO 1899 || INdorso XX.
dose *sf.* 'poção medicamentosa' 'porção, quantidade' 1813. Do fr. *dose*, deriv. do lat. tard. *dosis* e, este, do gr. *dósis* 'o ato de dar', de *dídomi* 'eu dou' || dosAGEM 1881. Do fr. *dosage* || dosAR 1873. Do fr. *doser* || dosIFICAR 1899 || dosiMETR·IA 1881.
dossel *sm.* 'armação saliente, forrada e franjada, que encima altar, trono, leito etc.' 'qualquer cobertura a meia altura no interior de um repartimento' 'copa de verdura, cobertura ornamental' | 1899, *docel* 1813, *dosel* XVI, *dorsel* XVII Do a. cast. *dosser* (atual *dosel*) e, este, provavelmente, do cat. *dosser*, do lat. *dorsum*. Cp. DORSO.
dote *sm.* 'bens que leva a pessoa que se casa' 'dom natural, merecimento' XV. Do lat. *dōs -tis*, de *dāre* || dotAÇÃO | -*cíon* XV, -*çon* XV || dotAL 1520. Do lat. *dotālis* || dotAR XIV. Do lat. *dotāre*.
dourar *vb.* 'revestir com camada de ouro' XIV. Do lat. *deaurāre* || DESdourAR XVI || DESdourO XVIII || dourAÇÃO XX || dourADO XIII || dourADOR 1813 || dourADURA 1813. Cp. OURO.
-(d)ouro *suf. nom.*, deriv. do lat. -*(t)ōrium*, que se documenta em substantivos portugueses de cunho popular e/ou semierudito, com as noções de: (i) lugar onde uma ação se pratica ou pode praticar: *ancoradouro, matadouro*, etc.; (ii) meio ou instrumento: *dabadoura, suadouro* etc. O suf. -*douro* ocorre nos derivados portugueses com as formas -*adouro*, -*edouro* e -*idouro*, correspondentes às terminações -*ar*, -*er* e -*ir* dos verbos da 1ª, 2ª, e 3ª conjugações, respectivamente: *escoadouro/escoar, batedouro/bater, sumidouro/sumir*. No port. med. era mais frequente a forma -*(d)oiro* (*debáádoyra* XIV, *desejadoiro* XV etc.). Cp. -(T)ÓRIO.
douto *adj.* 'que aprendeu muito, erudito, muito instruído' | *docto* 1570 | Do lat. *doctus*, part. pass. de *docēre* 'ensinar' || doutOR | XIV, *doctor* XIII | Do lat. *doctor -ōris* 'mestre, professor, preceptor' || doutOR·ADO XIV. Do lat. *doctorātus* || doutOR·AL 1813. Do fr. *doctoral* || doutOR·AMENTO 1813 || doutOR·ANDO XVIII. Cp. DOCENTE, DÓCIL, DOUTRINA.
⇨ douto — INdouto | 1538 DCast 67*v*28 |.

doutrina *sf.* 'conjunto de princípios que servem de base a um sistema religioso, político ou filosófico' XIV. Do lat. *doctrina*, de *docēre* || doutrinAÇÃO 1899 || doutrinAL XVI. Do lat. *doctrināli*s || doutrinAR XIV || doutrinÁRIO 1858. Cp. DOCENTE, DÓCIL, DOUTO.
doutro *contr.* da prep. DE com o pron. OUTRO. | XIV, *doctro* XIII.
doxologia *sf.* 'forma litúrgica de louvor a Deus, geralmente ritmada' 1844. Do lat. tard. *doxologia*, deriv. do gr. *doxología* || doxO·MANIA 'paixão de adquirir glória' XX.
doze *num.* '12, XII' XIII. Do lat. vulg. *dodece* (cláss. *duŏdĕcim*) || dozENO XIV || duodécimo XIII. Do lat. *duodecĭmus* || duodécuplo 1844 || duodenário 1844. Do lat. *duodenarius* 'que contém doze'. Cp. DUODENO.
dracma *sf.* 'unidade de massa de origem grega' 'moeda grega' | 1813, *dragma a* 1557, *drama* XIV | Do lat. med. *dragma* (cláss. *drachma*), deriv. do gr. *drachmḗ*.
draconiano *adj.* 'que se refere ou pertence a Drácon, legislador ateniense, arconte em 621 a.C., célebre por sua severidade' 'rude, severo' 1873. Do fr. *draconien*, deriv. do antr. gr. *Drákōn*.
draga *sf.* 'aparelho destinado a tirar areia, lodo, entulho etc. do fundo dos rios ou mares' 1873. Do ing. *drag*, de *to drag* || dragAGEM 1873 || dragAR 1873.
dragão *sm.* 'monstro fabuloso, que se representa com cauda de serpente, garras e asas' 'pessoa de má índole' | *dragon* XIII, *drago* XIV, *draguão* XV etc. | Do lat. *dracō -ōnis*, do gr. *drákōn -ontos* || dragoEIRA XVI || dragona 1844. Do fr. *dragonne* || dragonteia *sf.* '(Bot.) serpentária' | *dracundea* XIV | Do lat. *dracontĭa*, deriv. do gr. *drakónteios*.
drágea, drageia *sf.* 'comprimido ou pílula medicamentosa' XX. Adapt. do fr. *dragée*, alteração do lat. *tragemata* e, este, do gr. *trágēma -atos* 'guloseima de sobremesa, presente'.
drag·oeira, -ona, -onteia → DRAGÃO.
draiva *sf.* '(Náut.) uma das velas da ré' 1858. Do genovês *draia* 'rede atada a uma grade de ferro para pescar', it. *draglia* e, este, do lat. *tragŭla* 'rede de arrastão', de *trahĕre* 'arrastar, puxar'.
drama *sm.* 'ação cênica' 'peça teatral tragicômica' 'acontecimento terrível, catástrofe' XIX. Do lat. *drāma -ătis*, do gr. *drâma -atos* 'fato, ação cênica', de *dráō* 'eu faço' || dramALH·ÃO 1899 || dramatIC·IDADE XX || dramátICO 1813. Do lat. *dramatĭcus*, deriv. do gr. *dramatikós* || dramatISTA XX || dramatIZ·AÇÃO 1899 || dramatIZAR *-isar* 1873 | Do fr. *dramatiser* || dramato·LOG·IA 1899 || dramatURGIA 1873. Do fr. *dramaturgie*, deriv. do gr. *dramatourgía* 'composição ou representação de um drama' || dramatURGO 1844. Adapt. do fr. *dramaturge*, deriv. do gr. *dramatourgós*.
drapejar, drapear *vb.* 'dispor de certa maneira as dobras do pano ou vestimenta, plissar' XX. Do it. *drappeggiare*, de *drappo* 'tecido de lã e, posteriormente, de seda' 'peças feitas com esses tecidos (pálio, toalha de altar etc.)', do baixo lat. *drappus*, deriv. provavelmente do célt. **drapno-*.
drapetomania *sf.* 'mania de andar sem destino, a esmo' XX. Do gr. *drapétēs -ou* 'fugitivo' e -MANIA, por via erudita.

drástico *adj.* '(Med.) diz-se de purgante enérgico' '*ext.* diz-se de medidas ou decisões enérgicas, depurativas' 1813. Do fr. *drastique*, deriv. do gr. *drastikós* 'operante', de *dráō* 'eu faço, eu executo, eu desempenho'. Cp. DRAMA.
drávida *adj. s2g.* 'diz-se de, ou indivíduo dos drávidas' | XIX, *dravir* XVIII | Do sânscr. *drāvida* 'grupo étnico que habita o sul da Índia e o Ceilão' 'província indiana habitada pelos descendentes desse grupo étnico' || **dravid**IANO *adj. sm.* 'dravídico' XX. Do fr. *dravidienne*, deriv. do ing. *dravidian* || **dravíd**ICO *adj. sm.* 'diz-se de, ou grupo de línguas faladas pelos drávidas' 1899. Do fr. *dravidique*.
dreno *sm.* 'tubo ou vala para drenagem' '(Med.) tubo, gaze ou qualquer substância com a qual se assegura a saída de líquido de cavidade, de ferida, de abscesso' | *drain* 1873 | Do ing. *drain*, de *to drain* 'vazar' || **dren**AGEM | *drainage* 1873 | Do fr. *drainage* || **dren**AR | *drainar* 1873 | Do fr. *drainer*, adapt. do ing. *to drain*.
dríade *sf.* 'na mitologia grega, a ninfa dos bosques' | *driadas* pl. 1873, *-des* pl. 1873, *dry-* 1873 | Do lat. *Dryas -ădis* e, este, do gr. *Dryás -ádes*.
driblar *vb.* 'no futebol, enganar (o adversário) negaceando o corpo e mantendo o controle da bola' 'fintar' XX. Adapt. do ing. *to dribble*, frequentativo de *to drib* || **dribl**ADOR XX || **drible** XX. Provavelmente alteração do ing. *dribbling* 'ato de driblar'.
droga *sf.* 'nome genérico dos ingredientes próprios para tinturaria, química, farmácia etc.' 'mercadorias ligeiras de lã ou seda' '*fig.* coisa de pouca ou nenhuma valia' XVI; 'estupefaciente' XX. Do fr. *drogue*, de origem controversa || **drog**ADO XX || **drog**AR XX || **drog**ARIA *sf.* 'comércio de drogas' 'os artigos desse comércio' XVI; 'estabelecimento comercial onde se vendem drogas, farmácia' 1881 || **drogu**ETE *sm.* 'estofo ordinário de lã, seda e algodão' 1813. Do fr. *droguet* 'tecido ordinário de lã', de *drogue*.
dromedário *sm.* 'espécie de camelo de pescoço curto e com apenas uma corcova' | XIV, *dromedairo* XVI | Do lat. *dromedārius*, deriv. de *dromas -ădis* e, este, do gr. *dromás -ádos* 'corredor', pelo fato de ser esse animal andador e relativamente veloz, mesmo em seu passo normal. Cp. -DROM(O)-.
-drom(o)- *elem. comp.*, do gr. *drómos* 'ação de correr, corrida, lugar de corrida', que se documenta em alguns vocábulos eruditos, introduzidos nas línguas modernas a partir do séc. XIX ▶ **dromo**MANIA XX || **drom**ÓRNITO | *-ornitho* 1873 || **dromo**TERAP'IA XX.
drongo *sm.* 'ave da fam. dos dicrurídeos' 1881. Do fr. *drongo*, de origem malgaxe.
dronte *sm.* 'grande ave corredora da Ilha Maurício (Ásia), incapaz de voar, e que foi exterminada pelo homem no séc. XVIII' 1858. Do fr. *dronte*, deriv. do neerl. *dronte* e, este, de uma língua nativa da ilha.
droso- *elem. comp.*, do gr. *drósos* 'orvalho, água, líquido', que se documenta em vocábulos eruditos, alguns formados no próprio grego, como *drósera*, e outros introduzidos, a partir do séc. XIX, na linguagem científica internacional ▶ **drósera** 1899. Do lat. cient. *drosĕra*, deriv. do gr. *droserá*, fem. do adj. *droserós* 'umedecido pelo orvalho, fresco, tenro, delicado' || **droser**ÁCEAS *sf. pl.* 1881 || **droso**FILO | *-phyllo* 1899 | Do lat. cient. *drosophyllum* || **droso**METR'IA 1873 || **drosô**METRO 1873.
druida *sm.* 'sacerdote entre os antigos gauleses que, além das funções religiosas, estava encarregado dos serviços pedagógicos e judiciários e que, provavelmente, exercia influência política' | *druydes* pl. XVII | Do fr. *druide*, deriv. do lat. *druĭdes -um* ou *druĭdae -arum*, de origem céltica. É bastante provável que o voc. se componha de dois radicais: *dru-* 'carvalho', radical céltico, e **weid* 'ver, observar', radical indo-europeu que ocorre no gr. *eidō* 'eu vejo' e no lat. *vidēre* 'ver'.
drupa *sf.* '(Bot.) fruto carnoso com endocarpo duro que encerra a única semente com a qual forma o caroço' 1858. Do lat. *drūpa, druppa* 'azeitona', do gr. *drýppā*, de *drýpepa*, acus. de *drýpeps -epos* 'que amadurece na árvore' || **drup**ÁCEO 1873 || **drupí**'FERO 1873.
drusa *sf.* '(Min.) grupamento irregular de cristais sobre uma matriz' 1873. Do fr. *druse*, deriv. do al. *Druse* 'goma'.
dual *adj. 2g. sm.* 'relativo a dois' '(Gram.) categoria gramatical de número que em certas línguas se opõe a um, o singular, e a mais de dois, o plural' XVII. Do lat. *duālis*, de *duo* 'dois' || **dual**IDADE XVIII. Do lat. *dualĭtas -atis* || **dual**ISMO 1833. Do fr. *dualisme*. Cp. DOIS.
dub·iedade, -io, -itação, -itativo, -itável → DUVIDAR.
dubl·agem, -ar → DOBRAR.
duc·ado, -al, -atão → DUQUE¹.
ducentésimo → DUZENTOS.
ducha *sf.* 'jorro de água dirigido sobre o corpo de alguém com fins terapêuticos e/ou higiênicos' | *douche* 1858 | Do fr. *douche*, antigo *douge*, deriv. do it. *doccia* 'ducha'.
ducina *sf.* 'moldura côncava, na metade superior, e convexa, na inferior' 1899. Do fr. *doucine*, de *doux* 'doce'.
dúctil *adj. 2g.* 'flexível, elástico' '*fig.* dócil, contemporizador' 1813. Do lat. *ductĭlis*, de *ductus*, part. pass. de *dūcĕre* 'conduzir, guiar' || **ducto** *sm.* '(Anat.) canal no organismo animal, meato' XVII. Do lat. *ductus* 'canal', de *ductum*, supino de *dūcĕre*. Cp. -DUTO.
duelo *sm.* 'combate entre duas pessoas' XVII. Do lat. *duellum*, forma arcaica de *bellum -i* 'combate, luta, guerra' || **duel**AR XX || **duel**ISTA | *duellista* 1813.
duende *sm.* 'entidade fantástica ou espírito sobrenatural que se acreditava aparecer e fazer travessuras de noite pelas casas' 1813. Do cast. *duende*; da expressão *duen de (casa)* 'dono de casa' .
duerno *sm.* 'duas folhas de papel de impressão, uma dentro da outra' 1813. Do lat. *duo* 'dois' + *-erno* (terminação de *caderno*).
dueto → DUO.
du·idade, -ípara → DOIS.
dulcamara *sf.* 'planta medicinal da fam. das solanáceas' 1858. Do lat. cient. (*solanum*) *dulcamara* (Lineu), de *dulc(is)* 'doce' + *amara* 'amarga', devido ao fato de as folhas dessa planta serem inicialmente doces e depois amargas'.
-dulce, dulci- *elem. comp.*, deriv. do lat. *dŭlcis* 'doce', que se documenta em alguns vocs. forma-

dos no próprio latim, como *dulcíssono*, por exemplo, e que ocorre na formação de um ou outro voc. port., como *agridulce*, de imediata procedência castelhana. Cp. DOCE.
dulc·idão, -ificar, -ífluo, -íloquo -íssono, dulçor → DOCE.
dulia *sf.* '(Teol.) culto prestado aos santos e aos anjos' 1813. Do lat. ecles. *dūlĭa*, deriv. do gr. *douleía* 'escravidão, submissão, servidão'.
dum, duma *contr.* da prep. DE com o art. pron. num. UM, UMA | *dun* XIII, *dũa* XIII.
duna *sf.* 'monte de areia formado pela ação do vento, quer no litoral (marítima), quer no deserto (continental)' XVII. Do fr. *dune*, deriv. do médio neerl. *dune* (neerl. *duin*) || **duneta** *sf.* 'o ponto mais elevado da popa do navio' 1858. Do fr. *dunette* 'pequena duna', de *dune*.
dundum *sf.* 'bala de cápsula modificada, de maneira que produza ferimentos sempre muito graves' XIX. Do ing. *dumdum*, do top. *Dum Dum*, cidade indiana perto de Calcutá, na qual, de 1783 a 1853, houve um quartel e um arsenal britânicos onde se desenvolveu este tipo de projétil, inicialmente chamado *Dum Dum bullet* 'bala Dum Dum'.
duneta → DUNA.
dunga *sm.* 'homem bravo, valente' 'sujeito importante, chefe, cabeça, maioral' 'uma figura de jogos de cartas' 1899. De uma língua africana dos negros da Costa '*duṇa* 'senhor'.
dunquerque *sm.* 'espécie de móvel como o consolo' 1899. Do top. *Dunquerque*, cidade da França onde parece ter começado a fabricação desses móveis.
duo *sm.* 'composição musical para duas vozes ou dois instrumentos' 'canto a duas vozes' XVII. Do it. *duo*, do lat. *duo* 'dois' || **dueto** *sm.* 'duo' 1844. Do it. *dueto*, dimin. de *duo*.
duo·décimo, -décuplo, -denário → DOZE.
duodeno *sm.* '(Anat.) primeira parte do intestino delgado, compreendida entre o piloro e o jejuno' 1813. Do lat. med. *duodēnum digitōrum* 'de doze dedos', devido ao comprimento dessa parte do intestino || **duoden**AL 1873 || **duoden**OTOM·IA XX. Cp. DOZE.
dupl·a, -ex, -icação, -icador, -icante, -icata, -icativo, -icatura, -ice, -icidade → DOBRAR.
⇨ **dupl·icar, -o** → DOBRAR.
duque[1] *sm.* 'orig. título dado ao comandante militar das tropas romanas nas províncias' 'a partir da Idade Média, título honorífico imediatamente superior ao de marquês' | XIV, *duc* XIII | Do a. fr. *duc*, deriv. do lat. *dux -cis* 'guia, chefe, comandante, soberano, príncipe', da mesma raiz de *dūcĕre* 'conduzir || ARQUI**duc**AL || *archi*- 1844 || ARQUI**duque** | *arche*- XVI, *archi*- XVI || ARQUI**duque**SA | *archiduqueza* 1813 || **duc**ADO[1] *sm.* 'território que constitui o domínio de um duque[1]' 'dignidade de duque[1]' 'estado que tem por soberano um duque[1]' XIV. Do lat. *ducātus -us* 'comando militar, governo de urna província' || **duc**ADO[2] *sm.* 'nome de várias moedas de ouro ou prata de diversos países' XV. Do cast. *ducado*, deriv. do it. *ducato* 'moeda de ouro ou prata com a efígie de doge', cunhada em Veneza em fins do séc. XIII (1284), de *duca*, 'doge', proveniente do gr. bizantino *dyka* (acus. de *dyx*

dykós) e, este, tomado emprestado ao lat. *dux -cis* || **duc**AL 1813. Do lat. tard. *ducālis* || **ducatão** *sm.* 'antiga moeda portuguesa mandada cunhar por D. Sebastião' XVI. Do it. *ducatone*, de *ducato* 'moeda de ouro' || **duqu**ESA XIV.
duque[2] *sm.* 'carta de jogar que tem dois pontos' 'dois pontos no jogo de víspora' 'em certos jogos de cartas, um par de cartas do mesmo valor (duas damas, dois reis etc.)' 1873. De origem obscura. Não é, contudo, impossível a relação etimológica com DUQUE[1].
-(d)ura *suf. nom.*, deriv. do lat. *-(t)ūra*, que se documenta em substantivos portugueses de cunho popular e/ou semierudito, ora com a noção de 'resultado ou instrumento da ação' (*mordedura*), ora com noção coletiva (*armadura*), e que se apresenta com as formas *-adura, -edura* e *-idura*, correspondentes às terminações *-ar, -er* e *-ir* dos verbos da 1ª, 2ª e 3ª conjugações, respectivamente: *atadura/atar, roedura/roer, brunidura/brunir*. Cp. -(S)URA, -(T)URA, -URA.
dur·a, -abilidade, -ação, -adeiro, -adouro → DURO.
duralumínio *sm.* 'liga de alumínio (95,5%), cobre, manganês e magnésio' XX. Do al. *Duraluminium*, voc. criado pelo engenheiro alemão A. Wilm (1869-1937), por volta de 1907, com base em *Dur-* (do nome da cidade de *Düren*, na Vestfália) e *aluminium* 'alumínio'.
dur·ame, -âmen, -amento, -ante, -ar, -ável, -ázio, -eza → DURO.
durião *sm.* 'árvore da família das combáceas' XVI. Do malaio (e javanês) *durīan*.
duriense *adj. s2g.* 'do Douro (Portugal), natural ou habitante do Douro' XVIII. Do lat. *duriensis*, de *Dūrĭus* 'o rio Douro'.
duro *adj.* 'rijo, difícil de penetrar ou de riscar, consistente, árduo, áspero, vigoroso, implacável, enérgico, forte, penoso' XIII. Do lat. *dūrus* || **dura** *sf.* 'duração' XV. Dev. de *durar* || **dur**ABIL·IDADE 1873 || **dur**AÇÃO XV || **dur**AD·EIRO XIII || **dur**ADOURO XV. Do lat. *dūrātūrus* 'que há de durar', part. fut. ativo de *dūrāre* || **durâmen, durame** *sm.* 'cerne, a parte mais dura do lenho das árvores' 1899. Do lat. *duramen -ĭnis* 'congelação, firmeza, rigidez' || **dur**AMENTO *sm.* 'duração' XIV || **durante**[1] *adj.* 'que dura' XV. Do lat. *dūrāns -antis*, part. pres. de *dūrāre* || **dur**ANTE[2] *prep.* 1813 || **dur**ANTE[3] *sm.* 'tecido de lã lustrosa como o cetim' 1813. De *durar*, por causa da relativamente longa duração do tecido || **dur**AR XIII. Do lat. *dūrāre* || **dur**ÁVEL | XIV *-vil* XIV, *-ville* XV | Do lat. *durabĭlis* || **durázio** *adj.* '(Bot.) diz-se de alguns frutos que têm a casca dura' 'que já não é novo' 1813. Do lat. *duracĭnus* 'que tem polpa aderente ao caroço', de *dūr(us)* 'duro' + *acĭnus* 'bago de uva, sabugueiro, grainha' || **dur**EZA XIV. Do lat. *durĭtia* || EN**dur**AR XIII. Do lat. *indūrāre* || EN**dur**ECER XIV || EN**dur**EC·IMENTO 1813 || PER**dur**ÁVEL | *perdurauil* XIII | Do lat. *perdurabĭlis* || PER**dur**AR XIV. Do lat. *perdurāre*.
-duto *suf. nom.*, deriv. do lat. *-ductus*, de *ductus* 'canal, conduto' 'comando, direção', de *ductum*, supino de *dūcĕre* 'conduzir, comandar', que já se documenta em alguns vocs. formados no próprio latim (como *aqueduto*) e que ocorre na formação

de alguns compostos introduzidos nas línguas modernas de cultura, como *aeroduto, viaduto* etc. Cp. *ducto* (v. DÚCTIL).

duúnviro *sm.* 'cada um dos dois magistrados romanos que tinham o poder conjuntamente' | *duumviro* 1813 | Do lat. *duumvir -i* || **duunvir**ADO *sm.* 'duunvirato' 1899. Do lat. *duumvirātus* || **dulinvi**rAL 1873. Do lat. *duumvirālis* || **duunvir**ATO *sm.* 'cargo de duúnviro | *duumvirato* 1813 | Do lat. *duumvirātus*.

duvidar *vb.* 'não acreditar, não admitir, vacilar, hesitar, desconfiar' | XIII, *dovidar* XIII, *dultar* XIII, *duldar* XIV etc. | Do lat. *dŭbĭtāre* || **dubiedade** 1789. Do lat. *dŭbĭĕtas -ātis* || **dúbio** XVII. Do lat. *dŭbĭus* || **dubitação** 1844. Do lat. *dŭbĭtātĭo -ōnis* || **dubit**ATIVO 1844. Do lat. *dŭbĭtātīvus* || **dubit**ÁVEL 1844. Do lat. *dŭbĭtābĭlis* || **dúvida** | XIII, *dubda* XIII, *dubea* XIII etc. || **duvid**ADOR 1844. Do lat. *dŭbĭtātor* || **duvid**ANÇA *sf.* 'dúvida' | *do-* XIII || **duvid**OSO | XIV, *do-* XIII || I**Ndubit**ADO XVI. Do lat. *indŭbitātus* || I**Ndubit**ÁVEL XVII. Do lat. *indŭbĭtābĭlis*.

duzentos *num.* 'dois centos' '200, CC' XIII. Do lat. *ducenti -orum*, de *duo* 'dois' + *centum* 'cento' || **ducentésimo** XX. Do lat. *ducentesĭmus*.

dúzia *sf.* 'conjunto de doze objetos da mesma natureza' | XIV, *duçea* XIII, *duzea* XIV | Do lat. **duocina*. Cp. DOZE.

E

e *conj.* (une orações ou palavras) | XIII, *et* XIII | Do lat. *et.*
e-[1] → EX-[1].
e-[2] → EX-[2].
e-[3] → IN-[1].
e-[4] → EN-[2].
-ear *suf. verb.*, deriv. do lat. tard. *-idiāre*, com provável interferência do a. fr. *-eier*, que se documenta em inúmeros verbos portugueses, particularmente com sentidos frequentativo ou durativo: *menear, saltear, tornear* etc. Para sua difusão devem ter contribuído os verbos do tipo *galantear, golpear, nortear* etc., nos quais o *-e-* já ocorria também na forma derivante. Cp. -EJAR, -IZAR.
ébano *sm.* 'madeira escura e pesada de uma planta da fam. das ebenáceas' | 1502, *ebani* XV, *abano* XVI, *evano* XVIII | Do lat. *ebĕnus -ī*, deriv. do gr. *ébenos*, de origem egípcia.
ebó *sm.* 'oferenda aos orixás nos cultos afro-brasileiros' XX. Do ioruba *e'bo*.
ebonite *sf.* '(Quím.) substância dura e negra obtida pela vulcanização de borracha com excesso de enxofre' XIX. Do ing. *ebonite*, de *ebony* 'ébano'.
eborário *sm.* 'aquele que trabalha em marfim' 1899. Do lat. **eborarius* || **ebor**ATO *adj.* 'ornado com marfim' XVII. Do lat. *eborātus* -a || **ebór**EO 1873. Do lat. *eborĕus -a* | **eburn**AÇÃO 1899 || **ebúrn**EO 1572. Do lat. *eburnĕus -a -um*.
eborense *adj. 2g.* 'natural de Évora, pertencente ou relativo a Évora' XVI. Do lat. *eborēnsis*.
ebóreo → EBORÁRIO.
-ebre *suf. nom.*, de origem incerta, que ocorre na formação de alguns diminutivos em português, como *casebre*, por exemplo.
ébrio *adj.* 'embriagado, aturdido, arrebatado' XVII. Do lat. *ēbrĭus -a* || **ebri**ÁTICO 1873 || **ebri**ATIVO XVII || **ebri**EDADE XVI. Do lat. *ēbriĕtās -ātis* || **ebri**FEST·IVO 1844 || **ebri**OSO 1813. Do lat. *ēbriōsus -a* || **in**e**bri**ANTE 1881 || **in**e**bri**AR XVII. Do lat. *in-ēbriāre*.
ebulição *sf.* 'fervura, agitação, exaltação' XVII. Do lat. *ēbullītĭō -ōnis* || **ebuli**ô·METRO | *ebulliómetro* 1899 || **ebuli**OSCÓP·IO | *ebullioscópio* 1899 || **ebul**IR XX. Do lat. *ēbullīre.*
eburn·ação, -eo → EBORÁRIO.
ec- *elem. comp.*, do gr. *ek-* (≥ *ektós*), que se documenta, com a noção de 'afastamento', em vocs. formados no próprio grego, como *écbase*, e em vários outros introduzidos na linguagem científica internacional, a partir do séc. XIX ▶ **éc**BASE 1899.

Do lat. *ecbăsis -is*, deriv. do gr. *ékbasis* || **ec**BÓL·ICO 1858 || **ec**DÊM·ICO XX || **ecdise** XX || **ecdótica** XX || **ec**FONEMA | *ecphonema* 1899 || **éc**FORA | *ecphora* 1899 | Do lat. tard. *ecphora*, deriv. do gr. *ekphorā́* || **ecfrático** | *ecphrático* 1899 || **ec**GON·INA XX. Cp. gr. *ékgonos* || **ec**CONDR·OMA XX || **ec**PI·EMA XX. Do lat. cient. *ecpyēma*, deriv. do gr. *ekpýema* || **ec**PIESMA 1858. Do lat. cient. *ecpiesma*, deriv. do gr. *ekpíesma* || **éc**TASE 1858. Do lat. cient. *ectasis*, deriv. do gr. *éktasis* || **ec**TAS·IA 1881 || **éc**TIPO XX. Do lat. *ectypus -um*, deriv. do gr. *éktypos* || **ectlipse** | *ecthlipse* 1858 | Do lat. tard. *ecthlīpsis*, deriv. do gr. *ékthlīpsis* || **ec**TOM·IA XX. Cp. gr. *ektomé* 'segmento, corte' || **ec**TOP·IA 1881. Do lat. cient. *ectopia*, deriv. do gr. *ektópos -ios* || **ec**toZO·ÁRIO 1899 || **ec**TRÓPIO | *ectropio* 1858. Do lat. cient. *ectropium*, deriv. do gr. *ektrōpē' ion* || **ec**TRÓTICO 1899. Cp. gr. *ektrotikós.* V. EX-[2].
-eca → -ECO.
éc·base, -bólico, -dêmico, -dise, -dótica → EC-.
-ecer → -ESCER.
ec·fonema, -fora, -frático, -gonina → EC-.
echarpe *sf.* 'agasalho ou adorno, geralmente usado ao redor do pescoço' XX. Do fr. *écharpe* || **charpa** *sf.* 'banda larga de pano' 1813.
ecídio *sm.* '(Bot.) espécie de esporângio dos fungos das uredinales' XX. Do lat. cient. *oecidium*, deriv. do gr. *oikídion* 'casinha' (gr. *oikíon* 'casa').
eclampsia, eclâmpsia *sf.* 'estado convulsivo e comatoso que se manifesta durante ou logo após o parto' | 1858, *eclâmpsia* XX | Do fr. *éclampsie*, deriv. do gr. *éklampsis.*
eclegma *sm.* 'fórmula farmacêutica, de consistência xaroposa, usada nas afecções do pulmão, da laringe e da garganta' 1858. Do lat. *eclīgma -atis*, deriv. do gr. *ékleigma -atos.*
eclesiástico *adj. sm.* 'pertencente ou relativo à Igreja' 'membro da organização sociológica da Igreja; sacerdote' | *eclesiastico* XIV, *ecclesiastico* XIV, *eclysy-* XV etc. | Do lat. *ecclēsĭastĭcus -a.*
ecletismo *sm.* '(Filos.) método que consiste em reunir teses de sistemas diversos' | *eclectismo* 1833 | Do fr. *éclectisme*, deriv. do gr. *eklektismós* || **eclét**ICO | *eclectico* 1844 | Do fr. *éclectique*, deriv. do gr. *eklektikós.*
eclímetro *sm.* 'clinômetro que fornece diretamente a tangente do ângulo de inclinação do terreno' XX. Do fr. *éclimètre*, composto do gr. *ékklina* 'inclinação' e *metron* 'medida'.

eclipse *sm.* '(Astr.) fenômeno em que um astro deixa de ser visível no todo ou em parte' | XVI, *eclipsse* XIV | Do lat. *eclīpsis -is*, deriv. do gr. *ékleipsis*. Uma forma popular *crys* já se documenta no port. med., no séc. XV || **eclips**AR XV || **eclípti**CA | XVII, *ynclipitiqua* XVI | Do fr. *écliptique*, deriv. do lat. *eclipticus* e, este, do gr. *ekleiptikós* || **eclípt**ICO 1844.
eclodir → ECLOSÃO.
écloga *sf.* 'poesia pastoril, bucólica' | *egloga* XVI | Do lat. *eclŏga -ae*, deriv. do gr. *eklogḗ* 'seleção'.
eclosão *sf.* 'ato de vir à luz, aparecimento' XX. Do fr. *éclosion* || **eclodir** XX. Propôs-se para étimo do voc. port. o fr. *éclodir*; ocorre que em francês não existe esse verbo, mas sim *éclore* (< lat. pop. *exclaudĕre* < *exclūdĕre* 'excluir'). O port. *eclodir* foi formado, sem dúvida, a partir do subst. *eclosão*, por analogia com *erodir* (< lat. *ērōdĕrĕ*)/*erosão* (< lat. *ērōsĭō*), *decidir* (< lat. *dēcīdĕre*)/*decisão* (< lat. *dēcīsĭō*), *evadir* (< lat. *ēvādĕre*)/*evasão* (< lat. *ēvāsĭō*) etc.
eclusa *sf.* 'comporta, represa feita em rio ou canal, dique' 1813. Do fr. *écluse*, deriv. do baixo lat. *exclūsa*, de *exclūdĕre*.
eco *sm.* 'ressonância, por reflexão, da onda sonora' | XVI, *echo* XVI | Do lat. *ēchō -ūs*, deriv. do gr. *ēchō* || **eco**AR | *echoar* 1873 || **eco**BATÍ·METRO XX || **eco**FON·IA XX || **eco**LAL·IA | *echolallia* 1873 | Do fr. *écholalie*, deriv. do lat. cient. *ēchōlalia* || **eco**METRO | *echometro* 1844 || **eco**PAT·IA XX.
-eco, -eca *suf. nom.*, de provável origem pré-romana, que se documenta em alguns vocs. port. com noção depreciativa, particularmente em diminutivos: *livreco, munheca, padreco, soneca* etc.
ecologia *sf.* '(Biol.) estudo das relações entre os seres vivos e o meio onde vivem' XX. Do fr. *écologie*, deriv. do lat. cient. *oecologia* || **ecológ**ICO XX || **ecolog**ISTA XX.
ecômetro → ECO.
econdroma → EC-.
economia *sf.* 'a arte de bem administrar uma casa ou um estabelecimento particular ou público' XVI. Do lat. *oeconomia*, deriv. do gr. *oikonomía* || **econ**OMETR·IA XX || **econôm**ICO XVII. Do lat. *oeconomĭcus -a*, deriv. do gr. *oikonomikós* || **econ**OMISTA 1811 || **econ**OMIZAR | *economisar* 1813 || **ecônomo** XVII. Do lat. *oeconŏmus -ī*, deriv. do gr. *oikonómos*.
⇨ **economia** — **ecônomo** | *yconemo* XIV PELA 38 |.
ecopatia → ECO.
ec·piema, -piesma, -tase, -tasia, -tipo, -tlipse, -tomia, -topia, -tozoário, -trópio, -trótico → EC-.
ecúleo *sm.* 'instrumento de tortura, potro' XVI. Do lat. *equulĕus* ou *ecŭlĕus -ī*.
ecumênico *adj.* 'universal' XVII. Do lat. tard. *oecūmenicus*, deriv. do gr. *oikoumenikós* || **ecúmen**A XX. Do lat. *oecumenē*, deriv. do gr. *oikouménē* || **ecúmen**O XX.
eczema *sm.* '(Patol.) dermatose inflamatória caracterizada pela formação de vesículas confluentes, exsudatos e crostas' 1881. Do lat. cient. *eczema*, deriv. do gr. *ekzema -atos* || **eczemat**OSO 1881.
edafologia *sf.* 'ciência que estuda os solos, pedologia' XX. Do fr. *édaphologie*, composto do gr. *edaphos* 'solo' + *-logie* (V. -LOGIA).

edaz *adj. 2g.* 'voraz, glutão, devorador' XVII. Do lat. *edāx -ācis* || **edac**IDADE 1844. Do lat. *edācĭtās -ātis*.
edelvais *sm.* 'planta ornamental da fam. das compostas, própria das grandes altitudes' XX. Do al. *Edelweiss* (de *edel* 'nobre' + *weiss* 'branco').
edema *sm.* 'acúmulo patológico de líquido proveniente do sangue, em qualquer tecido ou órgão' XVI. Do fr. *oedème*, deriv. do lat. cient. *oedēma -ātis* e, este, do gr. *oidēma* || **edemac**IAR 1899 || **edemát**ICO 1899 || **edemat**OSO XVIII. Do fr. *oedémateux*.
éden *sm.* '(Bibl.) paraíso' XIX. Do fr. *eden*, deriv. do hebr. *'ēden* (< acad. *edinnu* = sum. *e-din* 'deserto') || **edên**ICO XIX.
edentado → DENTE.
edeo- *elem. comp.*, do gr. *aidós -oûs* 'vergonha', que se documenta em vocs. de origem erudita, introduzidos na linguagem científica internacional a partir do séc. XIX ⇨ **edeia** *sf.* 'órgãos ou partes sexuais' XX || **edeo**LOG·IA XX || **edeo**SCOP·IA XX.
edesseno *adj. sm.* 'de, ou pertencente a Edessa' 'o natural ou o habitante de Edessa' XX. Do lat. *edessēnus -a*.
edição *sf.* 'publicação de textos, partituras etc., produzidos por quaisquer sistemas de compor, imprimir ou gravar' XVIII. Do lat. *ēditĭō -ōnis* || **edit**AL 1813. Do lat. tard. *edictalis* || **edit**AR 1881. Do fr. *éditer*, deriv. do lat. *editus*, part. pass. de *edere* || **edito** | *edicto* XV | Do lat. *ēdictum -ī* || **edit**OR 1813. Do fr. *éditeur*, deriv. do lat. *ēditōr -ōris* || **edit**OR·AÇÃO XIX || **edit**ORI·AL *adj. sm.* XIX. Do fr. *éditorial*, deriv. do ing. *editorial* || **IN**édito XVIII. Do lat. *inēditus -a -um* || **RE**edição 1899 || **RE**edit**AR 1899. Do fr. *rééditer*.
edícula *sf.* 'pequena casa' 'nicho' 'pequena capela' 1881. Do fr. *édicule*, deriv. do lat. *aedicŭla -ae*.
edificar *vb.* 'construir, levantar, criar' | XV, *eivigar* XIII, *edeficar* XIV | Do lat. *aedificāre* || **edific**AÇÃO | XV, *hedificaçom* XV | Do lat. *aedificātiō -ōnis* || **edificADOR** XVII. Do lat. *aedificātor -ōris* || **edificANTE** XVIII || **edificATIVO** XVIII || **edifíc**IO | *-ff-* XIV, *adefiço* XIV, *adifício* XIV | Do lat. *aedificĭum -ĭ* || **RE**edific**AÇÃO XX || **RE**edific**AR | *raedificar* XV. Cp. EDIL.
⇨ **edificar** — **DES**edificar | 1614 SGONÇ II.391.*18* || **RE**edificAÇÃO | *reedificaçam* XIV TEST 353.*1*, *redificação* 1571 FOIF 77.*7* |.
edil *sm.* 'antigo magistrado romano que se incumbia da inspeção e conservação dos edifícios públicos' 'vereador' XV. Do lat. *aedīlis -is* || **edil**ÍCIO XX. Do lat. *aediticius* || **edil**IDADE XVI. Do lat. *aedīlĭtās -ātis*. Cp. EDIFICAR.
edit·al, -ar, -o, -or, -ori·al → EDIÇÃO.
-edo *suf. nom.*, deriv. do lat. *-ētum*, que já se documenta em vocs. formados no próprio latim (como *arvoredo*) e que ocorre na formação de derivados portugueses com as noções básicas de: (i) lugar onde crescem vegetais: *olivedo, vinhedo* etc.; (ii) coleção, reunião: *lajedo, passaredo* etc.
-edor, -edoura → -DOR.
-edouro, -edoura → -DOURO.
edredom, edredão *sm.* 'cobertura acolchoada para cama' XX. Do fr. *édredon*, deriv. do al. *Eiderdun*, de origem escandinava || **êider** *sm.* 'ave do norte da Europa, espécie de pato, de cujas penas se fa-

ziam os edredões' 1899. Do fr. *eider*, de origem escandinava.
-edro *elem. comp.*, do gr. *édra* 'assento, base' 'plano', que se documenta em vocs. eruditos, particularmente na linguagem da geometria, como *dodecaedro, poliedro* etc.
educação *sf.* 'processo de desenvolvimento da capacidade física, intelectual e moral da criança' 'polidez' XVII. Do lat. *educātĭō -ōnis* || coeducação XX || educaBIL·IDADE 1899 || educACION·AL XX || educADOR 1813. Do lat. *ēducātor -ōris* || educANDO 1813 || educAND·ÁRIO XX || educAR XVII. Do lat. *ēdūcāre* || educATIVO XX || REeducAÇÃO XX || REeducAR XX.
edulcorar *vb.* 'tornar doce, adoçar, suavizar' XVII. Do fr. *édulcorer*, deriv. do lat. tard. *ēdulcōrāre*, por *ēdulcāre*.
edule *adj. 2g.* 'que é próprio para comer' | *edulo* 1813 | Do lat. *edūlis -e*.
eduzir *vb.* 'extrair, deduzir' 1813. Do lat. *ēdūcĕre*.
ef- → EPI-.
efebo *sm.* 'rapaz que chegou à puberdade, adolescente' XVII. Do lat. *ephēbus -ī*, deriv. do gr. *éphēbos*.
efeito *sm.* 'resultado, eficácia, consequência' | *effecto* XIV, *effeito* 1572 | Do lat. *effectum -ī*. V. EFETUAR.
efélide *sf.* '(Med.) mancha na pele, causada pelo sol' 'sarda' 1873. Do lat. tard. *ephēlis -ĭdis*, deriv. do gr. *ephēlís*.
efêmero *adj. sm.* 'passageiro, transitório' 'espécime dos efêmeros' | *ephemero* XVII | Do lat. *ephēmeron*, deriv. do gr. *ephḗmeron* || **efemérIDA** XVII || **efemérides** XVI. Do lat. *ephēmĕrĭdes*, pl. de *ephēmĕris -ĭdis*, deriv. do gr. *ephēmerís*.
efeminar *vb.* 'adquirir maneiras, gostos, tendências, caracteres femininos' | *effeminar* XVI | Do lat. *effēmĭnāre* || AfeminAÇÃO 1813 || AfeminADO | *affeminado* XVII || AfeminAR 1572 || efeminAÇÃO 1881. Do lat. *effēmĭnātĭō -ōnis* || efeminADO 1813. Do lat. *effēmĭnātus -a -um*.
⇨ **efeminar** — AfeminADO | *afemjnado* XV VITA 127Ac2 |.
efêndi *sm.* 'título dos dignitários civis e religiosos e dos sábios, na Turquia' XX. Do fr. *efendi*, deriv. do gr. mod. *afentis* 'mestre' e, este, do gr. ant. *authentḗs*.
eferente *adj. 2g.* 'que conduz, que transporta' | *efferente* 1858 | Do fr. *éfférent*, deriv. do lat. *efferens*, part. pres. de *efferre*.
efervesc·ência, -ente, -er → FERVER.
efésio *adj. sm.* 'de, ou pertencente ou relativo a Éfeso, na Grécia' 'o natural ou habitante de Éfeso' | 1813, *ephesios* 1813 | Do lat. *ephesĭus*, deriv. do gr. *ephésĭos*.
efetivo *adj. sm.* 'positivo, estável, seguro' 'o número de militares que compõem uma formação' | *efféctivo* XVII | Do lat. *effectīvus -a -um* || efetivADO XX || efetivAR XX.
efetuar *vb.* 'realizar, cumprir, executar' | *efectuar* XVI | Do fr. *effectuer*, deriv. do lat. med. *effectuare*. V. EFEITO.
eficácia *sf.* 'eficiência' | *efficatia* XV | Do lat. *efficācĭa -ae* || **eficaz** | *aficaz* XV | Do lat. *efficāx -ācis* || eficiÊNCIA | *efficiencia* 1813 | Do lat. *efficientĭa -ae* ||

eficiENTE | *efficiente* XVII | Do lat. *efficĭēns -entis*, part. pres. de *efficĕre* || INeficÁCIA XVIII || INeficaz XVIII. Do lat. *in-efficāx -ācis* || INeficiÊNCIA XX || INeficiENTE XX.
⇨ **eficácia** — eficiENTE | *efficiente* a 1595 *Jorn. 2.32* |.
efígie *sf.* 'representação plástica da imagem duma pessoa real ou simbólica' | *effigie* XVI | Do lat. *effigĭēs -ēī* || **efigiAR** | *effigiar* XVII | Do lat. *effigĭāre*.
efípio *sm.* 'espécie de sela' | *ephippio* XIX | Cp. gr. *ephíppion* 'sela'.
e·flor·esc·ência, -ente, -er → FLOR.
eflu·ência, -ente → FLUIR.
eflúvio *sm.* 'emanação, exalação, efluência' 1813. Do fr. *effluve*, deriv. do lat. *effluvĭum -ĭī*.
efluxão *sf.* '(Med.) eliminação do feto, em geral despercebida, nos primeiros dias da gravidez' | *effluxão* 1813 | Do lat. tard. *effluxĭō -ōnis*.
efó *sm.* 'prato típico da cozinha baiana' 1899. De origem africana, mas de etimologia indeterminada.
éfode *sm.* 'paramento sem mangas do grande sacerdote hebraico' | *ephód* 1813 | Do lat. *ephŏd*, deriv. gr. *ephṑd* e, este, do hebr. 'ēpôd.
éforo *sm.* 'em Esparta, cada um dos cinco magistrados eletivos que representavam a classe aristocrática e contrabalançavam a autoridade dos reis' | *ephoro* 1813 | Do lat. *ephorus*, deriv. do gr. *éphoros*.
efúgio *sm.* 'escusa, escapatória, tergiversação' | *effúgio* XVII | Do lat. *effŭgĭum -ĭī*.
efusão *sf.* 'derramamento, ímpeto, expansão' | *effusão* XVII. Do fr. *effusion*, deriv. do lat. *effusĭo -ōnis* || **efundir** | *effundir* XVII | Do lat. *effundĕre* || efusIVO XX || **efuso** 1844. Do lat. *effūsus -a -um*.
egéria *sf.* 'mulher que inspira, que aconselha' 'inspiração' 1899. Provavelmente do fr. *égérie*, deriv. do lat. *ēgerĭa -ae*.
égide *sf.* 'escudo, defesa, proteção' 1813. Do lat. *aegis -ĭdis*, deriv. do gr. *aigís -ídos*.
egipã *sm.* '(Mitol.) sátiro' | *egipano* XIX | Do lat. *aegĭpān -ānis*, deriv. do gr. *aigipānes*.
egípcio *adj. sm.* 'de, ou pertencente ou relativo ao Egito' 'o natural ou habitante do Egito' XV. Do lat. *aegyptĭus -a*, deriv. do gr. *aigýptios* || **egipcíACO** XVI. Do lat. *aegyptiacus*, deriv. do gr. *aigyptiakós* || egipciANO | *egipçiao* XVI, *egyçião* XIV etc. | Do lat. **aegyptiānus* || egiptoLOG·IA XIX. Do fr. *égyptologie*.
⇨ **egípcio** | *aegiptio* 1538 DCast 73.2, *aegipcio* Id. 73v5 | **egipcíACO** | *aegiptiaco* 1538 DCast 75.8 || **egiptANO** | 1614 SGonç I.116.9 |.
ego *sm.* 'o eu de qualquer indivíduo' XX. Do lat. *ēgo* || egocÊNTR·ICO XX. Do fr. *égocentrique* || egoísMO XIX. Do fr. *égoïsme* || egoíSTA XIX. Do fr. *egoïste* || egóLATRA XX || egoT·ISMO 1899. Do ing. *egotism* || egoT·ISTA 1899. Do ing. *egotist*.
egofonia *sf.* '(Patol.) ressonância especial da voz que os doentes afetados de derramamentos pleuríticos pouco abundantes apresentam, quando auscultados, e algo semelhante ao balido trêmulo de uma cabra' | *egophonia* 1899 | Do fr. *égophonie* (gr. *aigós* 'cabra').
ego·ísmo, -ísta, -tismo, -tista → EGO.
egrégio *adj.* 'nobre, notável, respeitável' XVII. Do lat. *ēgregĭus -a -um*.

egresso *adj. sm.* 'que saiu, que se afastou' 'detento ou recluso que deixa o isolamento' XVIII. Do lat. *ĕgressus -a -um* || **egress**ÃO 1874. Do lat. *ēgressĭō -ōnis*.

egreta *sf.* 'feixe ou conjunto de plumas coloridas e retas que ornam a cabeça de certas aves' XX. Do fr. *aigrette*.

égrio *sm.* 'erva glabra e ramosa, da fam. das crucíferas' 1881. De etimologia obscura.

egro *adj.* 'doente, enfermo' 1813. Do lat. *aeger aegrī*.

égua *sf.* 'fêmea do cavalo' | XIII, *egoa* XIII, *ega* XIII | Do. lat. *ĕqua -ae* || **egu**ADA 1899 || **egu**AR XX || **egu**AR·IÇO XVII.

eia *interj.* 'serve para animar, excitar' 'designa espanto' XVI. Do lat. *ēĭa*.

-eid- → **-OIDE**.

êider → **EDREDOM**.

eido *sm.* 'nas aldeias portuguesas, recinto para animais, anexo à casa' 'quintal' | 1899, *aido* XX | Do lat. *adĭtus -ūs* 'entrada, acesso'.

eira *sf.* 'área de terra batida, lajeada ou cimentada, onde se malham, trilham, secam e limpam cereais e legumes' XVI. Do lat. *ārĭa -ae*.

⇨ **eira** — **eir**ADO | 1614 sGonça II. 61.*21* |.

-eiro, -eira *suf. nom.*, forma evolutiva normal do lat. *-ārius -āria*, que já se documenta em vocs. formados no próprio latim e que, desde as origens da língua portuguesa, vem sendo de extraordinária vitalidade na formação de derivados de cunho popular. A par de *-eiro -eira*, a forma intermediária *-airo -aira* ocorre, também, com alguma frequência, no português medieval, em vocs. que foram posteriormente refeitos por influência erudita: *auerssayro* (séc. XIII) por *adversário, calandayro* (séc. XIII) por *calendário* etc. Cumpre observar que, segundo tudo indica, não se verificou em português a evolução *-airo* → *-eiro* (*-aira* → *-eira*); na realidade, os vocábulos latinos evoluíram independentemente em dois sentidos: (i) para *-airo -aira*, que foi depois refeito no erudito *-ário -ária*; (ii) e para *-eiro -eira*, que se manteve em todos os períodos da história da língua.
A. O suf. *-eiro -eira* forma substantivos de cunho popular, oriundos de outros substantivos, com as noções básicas de: (i) indivíduo que pratica uma ação (pistol*eiro*), que está incumbido de uma tarefa (mensag*eiro*) ou que exerce uma profissão (cop*eira*, marcen*eiro*); (ii) indivíduo que fabrica objetos (cutel*eiro*) ou que os vende (livr*eiro*); (iii) indivíduo que manifesta uma determinada tendência ou demonstra um certo tipo de caráter (fofoqu*eira*, hospital*eiro*); (iv) árvore frutífera (mangu*eira*, pessegu*eiro*) ou planta ornamental (crav*eiro*, ros*eira*); (v) objeto de uso pessoal (puls*eira*); (vi) lugar onde se guardam diferentes objetos (cristal*eira*), onde se criam animais (galinh*eiro*) ou onde se cultivam plantas ornamentais ou hortaliças (cant*eiro*); (vii) acúmulo de pó (poe*ira*), de névoa (nevo*eiro*); (viii) coleção de fichas (fich*eiro*); (ix) ação muito intensa (berr*eiro*) etc.
B. O suf. *-eiro -eira* forma, também, adjetivos de cunho popular, oriundos de substantivos, com as noções básicas de: (x) relação, posse, origem: cas*eiro*, min*eiro*, passag*eiro*. Alguns desses adjetivos foram posteriormente substantivados: cas*eiro* 'aquele que toma conta da casa de alguém' etc.
C. Ocorre, ainda, nas mesmas acepções antes referidas, em vocábulos de origem francesa (brigad*eiro*), castelhana (pistol*eiro*) etc. Cp. -ÁRIO.

eiró *sm.* 'espécie de enguia' | XVI, *ero* XV, *eirol* XVIII | De etimologia controvertida.

eis *adv.* 'aqui está' | *ex* XIV | De origem incerta, talvez forma evolutiva do lat. *ex*.

eito¹ *sm.* 'sequência ou série de coisas que estão na mesma direção ou linha' 'limpeza de uma plantação por turmas que usam enxadas' XIII. Do lat. *ictiūs -us* 'golpe'.

eito² *sm.* 'jato' XX. De etimologia obscura.

eiva *sf.* 'falha, fenda, rachadura em vidro ou em louça' | *eiba* XV | De etimologia incerta || **eiv**ADO XVI || **eiv**AR 1881.

eixo *sm.* '(Geom.) reta, real ou fictícia, que passa pelo centro de um corpo e em volta da qual esse corpo executa movimento de rotação' | XIV, *eyxe* XIV | Do. lat. *axis -is*, deriv. do gr. *áxōn*.

eixuá *sm.* 'ave falconiforme' | *eixuá* c1594, *eixua* c 1594 | Do tupi *eišu'a*.

-eja → **-EJO**.

ejacular *vb.* 'lançar de si sêmen ou pólen' 1844. Do fr. *éjaculer*, deriv. do lat. *ejaculāre*, por *ejaculāri* || **ejacul**AÇÃO 1844. Do fr. *éjaculation*||**ejacul**ATÓR·IO 1858. Do fr. *éjaculatoire*. Cp. JACULAR.

-ejar *suf. verb.*, deriv. do lat. tard. *-idiāre*, que já se documenta em alguns vocs. formados no próprio latim (como *ensejar*) e que ocorre na formação de numerosos verbos portugueses, ora com noção iterativa (*alvejar*, *gotejar* etc.), ora com noção incoativa, particularmente em nomes de cores (*branquejar*, *verdejar* etc.). Assinale-se, ainda, que vários verbos port. em *-ejar* são de imediata procedência italiana: *cortejar* (< it. *corteggiare*), *manejar* (< it. *maneggiare*) etc. Cp. -EAR, -IZAR.

ejetar *vb.* 'expulsar, expelir, arremessar' XX. Do lat. *ejectāre* || **eje**ÇÃO | *ejecção* 1844 || Do lat. *ējectĭō -ōnis* || **ejet**O XX. Do lat. *ējectus -a* || **ejet**OR | *ejector* 1899 | Do fr. *éjecteur*.

-ejo, -eja *suf. nom.*, que se documenta, predominantemente, na formação de diminutivos (*animalejo*, *lugarejo*), seria, originariamente, um deverbal de -EJAR (*arqueio/arquejar*, *bandeja/bandejar*). Para a difusão do suf. deve ter contribuído a sua analogia com as terminações de vocs. do tipo *abadejo* (< cast. *abadejo*), *cerveja* (< lat. *cervēsĭa*), *cortejo* (< it. *cortèggio*), *igreja* (< lat. *ecclēsĭa*) etc. Cp. -EJAR.

ela → **ELE**.

-ela → **-ELO**.

elaborar *vb.* 'preparar, formar, ordenar' XVII. Do lat. *ēlăbōrāre* || **elabor**AÇÃO 1813. Do lat. *elaborātĭo -ōnis* || **elabor**ADO 1813. Do lat. *ēlăbōrātus -a*.

elação *sf.* 'altivez, arrogância, elevação' | *-çom* XV | Do lat. *ēlatĭō -ōnis*.

elafografia *sf.* '(Zool.) descrição e estudo do veado' | *elaphographia* 1899 | Do lat. cient. *elaphographia*, do gr. *élaphos* 'veado' e *-graphia* 'descrição'; V. -GRAF(O)- || **elafi**·ANO 1899.

elai(o)-, ele(o)- *elem. comp.*, do gr. *élaion* 'óleo', que se documenta em vocs. eruditos introduzidos na linguagem científica internacional, a partir do

séc. XIX ♦ elaiURIA '(Patol.) alteração mórbida da urina, caracterizada por aspecto oleaginoso' XX || eleÍDR·ICO XX || eleoLITA XX. Do fr. *éléolite*.
elanguesc·ente, -er → LANGUIR.
elastância *sf.* '(Eletr.) capacidade de um dielétrico de opor-se a uma carga elétrica ou de deslocá-la' XX. Do ing. *elastance*.
elástico *adj. sm.* 'que se pode esticar' 'cordão de borracha envolvido em fio de linha, usado no vestuário' 1813. Do fr. *élastique*, deriv. do lat. cient. *elasticus* e, este, do gr. *élastos* || elastECER XX || **elastério** 1813. Cp. *elatério*[1] || elastIC·IDADE 1813. Do fr. *élasticité* e, este, deriv. do lat. cient. *elasticitās -ātis* || **elatério**[1] 1813. Cp. gr. *elatérios* || **elaterite** *sf.* '(Min.) espécie de betume elástico e mole' 1899. Do al. *Elaterit*, voc. criado por Hausmann, em 1813, com base no gr. *élatér -éros* 'que estica, distende' || elaterÔ·METRO 1858. Do fr. *élatéromètre*.
elatério[2] *sm.* 'pepino bravo' 'purgativo feito do fruto desta planta' 1858. Do lat. cient. *ĕlătērĭum*, deriv. do gr. *elatérios* || elaterINA XX.
elater·ite, -ômetro → ELÁSTICO.
elatina *sf.* 'pimenteira aquática' XVIII. Do lat. cient. *elatinē*, deriv. do gr. *elatinē*.
elativo *adj.* 'que se pode arrastar' XX. Do lat. *ēlātīvus*.
eldorado *sm.* 'lugar pródigo em delícias e riquezas' 1873. Do esp. *el dorado*, expressão usada por Orellana para nomear um país de extraordinária riqueza na América do Sul.
ele *pron.* XIII. Do lat. *ĭlle* || **ela** *pron.* XIII. Do lat. *ĭlla*.
eleata *adj. 2g.* 'de, ou pertencente ou relativo a Eleia' XIX. Do fr. *éléate*, deriv. do lat. *eleātēs -ae* e, este, do gr. *eleátēs* || **eleátI**co 1899. Do lat. *eleātĭcus -a*, deriv. do gr. *eleātikós* || eleatISMO 1899.
-ele(c)tr(o)- *elem. comp.*, do gr. *ēlektro-*, de *élektron* 'âmbar amarelo', que se documenta em numerosos vocs. eruditos, com a noção de 'eletricidade', em razão da propriedade que possui o âmbar de, quando atritado, atrair pequenos corpos que lhe estão próximos; esse fenômeno, que os cientistas do séc. XVII atribuíram a um fluido, foi posteriormente identificado como um novo tipo de energia: a eletricidade. Em português, particularmente no Brasil, há frequente oscilação na grafia de alguns derivados, especialmente aqueles que já ocorrem na linguagem coloquial (*elétrico, eletrodoméstico* etc.), ora grafados com -c- (*electr-*) ora sem ele (*eletr-*), razão pela qual foi aqui adotado o registro *ele(c)tr-* ♦ **ele(c)tricIDADE** | *electr-* 1813 | Adapt. do fr. *electricité* || **ele(c)tricISTA** XX || **elé(c)trICO** | *electr-* 1813 || **ele(c)trIFIC·AÇÃO** XX || **ele(c)trIFICAR** XX || **ele(c)trIZ·AÇÃO** | *electris-* 1844 || **ele(c)trIZAR** | *electris-* 1813 || **ele(c)tro** *sm.* 'liga de ouro e prata' XVII || **ele(c)troCARDIÓ·GRAFO** XX || **ele(c)troCARDIO·GRAMA** XX || **ele(c)troCHOQUE** XX || **ele(c)trocutar** XX. Adapt. do ing. *(to) electrocute* || **ele(c)troDEPOS·IÇÃO** XX || **ele(c)troDINÂM·ICA** | *electro-dynamica* 1881 || **ele(c)troDINÂM·ICO** | *electro-dynamico* 1899 || **ele(c)troDINAMÔ·METRO** XX || **ele(c)trodo** | *electrode* 1873 | Do fr. *électrode* || **ele(c)troDOMÉSTICO** XX || **ele(c)troENCEFALO·GRAMA** XX || **ele(c)troFORESE** XX || **ele(c)trÓFORO** | *electro-phoro* 1844 || **ele(c)troGALVÂN·ICO** | *electro-galvâ-nico* 1899 || **ele(c)trÓGENO** 1899 || **ele(c)troGRAF·IA** XX || **ele(c)troÍMÃ** | *electroíman* 1899 || **ele(c)trÓ-LISE** | *electrolysis* 1873 || **ele(c)trolÍT·ICO** 1881 || **ele(c)trÓLITO** | *electrolyto* 1858 || **ele(c)troLOG·IA** 1899 || **ele(c)troMAGNÉT·ICO** | *electromagnetico* 1873 || **ele(c)troMAGNET·ISMO** | *electro-magnetismo* 1858 || **ele(c)trÔMETRO** 1844 || **elé(c)tron** XX || **ele(c)trÔNICA** XX. Adapt. do ing. *electronics* || **ele(c)trÔNICO** XX || **ele(c)troQUÍMICA** 1899 || **ele(c)troQUÍM·ICO** XX || **ele(c)trosCÓPIO** | 1858, *-po* 1844 || **ele(c)trosTÁT·ICA** | *electrò-stática* 1899 || **ele(c)trosTÁT·ICO** | *electrò-stático* 1899 || **ele(c)troTAX·IA** XX || **ele(c)troTERAP·IA** | *electròtherapia* 1899 || **ele(c)troTERM·IA** XX || **ele(c)troTIP·IA** | *electrò-typia* 1899 || **ele(c)trÓTONO** XX.
electuário *sm.* '(Farm.) medicamento de consistência branda em que entram pós, polpas etc.' | XVIII, *leitoairo* XIII, *leitoario* XIII, *leitoayro* XIV | Do lat. tard. *ēlectŭarium*.
elefante *sm.* 'mamífero de grande porte, da ordem dos proboscídeos' | *hele-* XIV, *eli-* XIV, *ali-* XIV | Do lat. *elephas -antis*, deriv. do gr. *eléphas -antos* || **elefantA** | *elephanta* 1844 || **elefantÍASE** | *elephantiase* 1821 | Do lat. *elephantĭāsis -is*, deriv. do gr. *elephantíasis* || **elefantINO** | *elephantino* XVII | Do lat. *elephantĭnus*, deriv. do gr. *elephántinos* || **elefantoGRAF·IA** || **elefantoGRAFO** | *elephantographia* 1899 || **elefantÓGRAFO** | *elephantographo* 1899 || **elefantOIDE** | *elephantoide* 1899 || **elefantÓPODE** | *elephantopode* 1899.
elegância *sf.* 'distinção de porte, de maneiras, garbo' XVI. Do lat. *ēlĕgantĭa -ae* || **elegante** sd. fr. XV. Do lat. *ēlĕgāns -antis* | DESelegância 1899 || DESelegante 1899 || INelegância 1881 || INelegante 1881. Do lat. *in-ēlĕgāns -antis*.
eleger *vb.* 'escolher, preferir entre dois ou mais' | XV, *eligir* XV, *enleger* XIV, *eliger* XV | Do lat. *ēlĭgĕre* || **elegENDO** 1844. Do lat. *eligendum*, gerundivo de *ēlĭgĕre* || **elegIBIL·IDADE** 1844. Do fr. *éligibilité* || **elegÍVEL** 1813. Do fr. *éligible*, deriv. do lat. *eligibilis* || **eleição** | XVI, *ellecçõ* XV, *enliçom* XIV | Do lat. *electĭōnem* || **eleito** *adj.* | XIII, *eleyto* XIII, *en-leyto* XIII | Do lat. *electus -i* || **eleitOR** | *ēleiedor* XIV || **eleitorADO** 1813 || **eleitorAL** 1813 || **eletIVO** | *electivo* XVII | Do lat. tard. *electīvus* || INelegIBIL·IDADE 1881 || INelegÍVEL 1881 || REeleição 1813 || REeleger 1813 || REeleito 1813. Com troca de prefixo, documentam-se no port. med. *esleçõ, esleedor* e *esleer* (por *eleição, eleitor* e *eleger*), todos no séc. XIV, e *esleyto* (por *eleito*), no séc. XIII.
elegia *sf.* 'poema lírico cujo tom é quase sempre terno e triste' XVI. Do lat. *elegĭa* ou *elegēa -ae*, deriv. do gr. *elegéia* || **elegÍACO** XVII. Do lat. *elegĭăcus*, deriv. do gr. *elegeiakós*.
eleição → ELEGER.
eleídrico → ELAI(O)-.
elemento *sm.* 'tudo que entra na composição dalguma coisa' 'ambiente, meio' | XIII, *elamēto* XIV etc. | Do lat. *elementum -ī*, geralmente no pl. *elementa -ōrum* || **elementAR** XVI.
elemi *sm.* 'planta da família das burseráceas' 1844. Do fr. *élémi*, deriv. do ár. *al-lāmī* ou do ár. dial. *al-lēmī*.
elenco *sm.* 'lista, rol, conjunto de atores de um espetáculo' XVI. Do lat. med. *elenchus*, deriv. do gr. *élenchos*, || **elencAR** XX.

ele(o)- → ELAI(O)-.
eleolita → ELAI(O)-.
elepê sm. 'disco que contém uma longa peça musical (ópera etc.) ou em que se reúnem várias músicas' XX. De *ele* + *pê*, nomes das letras L e P, das iniciais dos vocábulos ingleses *long play*.
eletivo → ELEGER.
-eletr(o)- → -ELE(C)TR(O)-.
eleusínias sf. pl. 'festas em honra de Ceres, que se realizavam em Elêusis' | *eleusineas* 1844 | Do lat. *eleusīnia*, deriv. do gr. *tà eleusínia* || **eleusino** XX. Do lat. *eleusīnius -a -um*.
eleutérias sf. pl. 'festas em honra de Zeus para comemorar a vitória de Pausânias sobre os persas' XIX. Do lat. *eleutheria -iōrum*, deriv. do gr. *tá eleuthéria* || **eleuter**ANTÉR·EO | *eleutheranthéreo* 1899 || **eleuter**Ó·GINO | *eleutherogyno* 1899.
elevar vb. 'levantar, erguer, alçar' XVII. Do lat. *elevāre* || **elev**AÇÃO XVI. Do lat. *ēlevātiō -ōnis* || **elev**AD·IÇO XVI || **elev**ADO 1813 || **elev**ADOR[1] adj. 'que eleva' XIX. Do lat. *ēlevātor -ōris* || **eleva**DOR[2] sm. 'ascensor' XX. Adapt. do ing. *elevator* || **elev**AT·ÓRIO XX. Do fr. *élévatoire*.
⇨ **elevar** | *aleuar* XIII CJG 512 |.
elfo sm. 'gênio aéreo da mitologia escandinava, que simboliza o ar, o fogo, a Terra etc.' XX. Do ing. *elf*.
-elho, -elha suf. nom., deriv. do suf. lat. *-ecŭlu-, -icŭlu- (-cŭla)*, que já se documenta, com valor diminutivo, em vocs. formados no próprio latim, como *espelho* (< lat. *specŭlum*), *joelho* (< a. port. *geolho* < lat. vulg. *genucŭlum*, cláss. *genicŭlum*), *abelha* (< lat. *apicŭla*), *ovelha* (< lat. *ovicŭla*), entre outros, e que deu origem à formação de alguns substantivos portugueses com valor diminutivo: *rapazelho, savelha* etc. Cp. -ILHO.
eliciar vb. 'fazer sair, expulsar' 'conjurar' XIX. Do lat. *elicĕre*, com mudança de conjugação || **elíc**ITO XVII. Do lat. *ēlĭcĭtŭs*, part. pass. de *elicĕre*.
elidir vb. 'eliminar, suprimir' XVI. Do lat. *ēlīdĕre* || **elid**ENTE XX. Cp. ELISÃO.
eliminar vb. 'suprimir, excluir, tirar' 1813. Do lat. *ēlīmĭnāre* || **elimin**AÇÃO 1844. Do fr. *élimination* || **elimin**ADO 1844 || **elimin**ADOR 1873 || **elimin**AT·ÓRIA XX. Provavelmente adaptação do fr. *éliminatoire* || **elimin**AT·ÓRIO XX.
elipse sf. '(Gram.) omissão de palavras que se subentendem' '(Geom.) lugar geométrico dos pontos de um plano cujas distâncias a dois pontos fixos desse plano têm soma constante' | *ellipse* XVI | Do lat. *ellīpsis -is*, deriv. do gr. *élleipsis* || **elips**Ó·GRAFO | *ellipsographo* 1899 | Do fr. *ellipsographe* || **elips**OID·AL | *ellipsoidal* 1881 || **elips**OIDE | *ellipsóide* 1813 | Do fr. *ellipsoïde* || **elips**O·SPERMO | *ellipsospermo* 1899 || **elips**Ó·STOMO | *ellipsóstomo* 1899 || **elíptico** | *elliptico* 1813 | Do fr. *elliptique*, do lat. cient. *ellipticus*, vocábulo criado por Kepler, a partir do gr. *elleiptikós*.
elisão sf. 'eliminação, supressão' 1844. Do fr. *élision*, deriv. do lat. *ēlīsiō -ōnis*. Cp. ELIDIR.
elísio adj. sm. '(Mit.) pertencente ou relativo aos, ou próprio dos Campos Elísios, que, segundo a mitologia grega, era a morada dos heróis e dos justos após a morte' | (*campos*) *Ylisios* XVI, (*campos*) *Yliseos* XVI, (*campo*) *Eliseo* XVII | Do lat. *Ēlysĭum*

-ĭĭ (Ēlysĭī campi), deriv. do gr. *Elýsion (sc. pedíon* 'campo').
elite sf. 'o que há de melhor numa sociedade ou num grupo' 1873. Do fr. *élite* || **elit**ISTA XX.
elitr(o)- elem. comp., do gr. *élytron* 'bainha, vagina', que se documenta em alguns vocs. introduzidos na linguagem científica internacional, a partir do séc. XIX ▶ **elitr**ITE | *elytrite* 1899 || **elitro**CELE | *elytrocele* 1858 || **elitro**IDE | *elytroide* 1858 || **elitro**PLAST·IA | *elytroplastia* 1899 || **elitro**R·RAG·IA | *elytrorrhagia* 1899 || **elitro**TOM·IA XX.
elixir sm. 'bebida medicamentosa, balsâmica ou confortadora' XVIII. Do fr. *élixir*, deriv. do ár. *el'iksĭr* 'pedra filosofal' e, este, do gr. *ksēron* 'medicamento'.
elmânico adj. 'relativo a Bocage, ou próprio de seu estilo' 1833. De *Elmano* [anagrama de *Manoel* (grafia ant. de *Manuel*), pseudônimo do poeta português Manuel Maria Barbosa du Bocage (1765-1805)] + -ICO || **elman**ISMO 1833 || **elman**ISTA XX.
elmo sm. 'armadura antiga para a cabeça, espécie de capacete' XIII. Do germânico ocidental *hĕlm*.
elo sm. 'argola de cadeia' 'ligação, união' | *ello* XV | Do lat. *ānellus -ī*, através de uma forma *āelo*; cp. ANEL.
-elo, -ela suf. nom., deriv. do lat. *-ellu, -ella*, que já se documentam, com valor diminutivo, em vocs. formados no próprio latim, como *capelo* (< lat. *cappĕllus*), *libelo* (< lat. *libellus*) etc., e que deram origem à formação de alguns substantivos portugueses, também com valor diminutivo, como *ruela, viela* etc.
elocução sf. 'maneira de exprimir-se, oralmente ou por escrito' XVI. Do lat. *ēlocūtiō -ōnis*.
elogio sm. 'louvor, discurso em louvor de alguém' XVI. Do lat. *ēlogĭum -ĭĭ* || **elogi**AR 1813 || **elogi**OSO XX.
eloísta adj. 2g. 'diz-se de alguns fragmentos do Pentateuco em que a Deus é dado o nome de El ou Eloim' | *elohista* 1899 | Do hebr. *elōhĭm* e -ISTA, por via erudita || **eloísto** | *elohisto* 1873.
elongação sf. '(Fís.) no movimento periódico de uma partícula, o seu afastamento instantâneo em relação à posição de equilíbrio' '(Med.) luxação de uma articulação' 1813. Do lat. *ēlongātiō -ōnis*.
eloquente adj. 2g. 'pessoa que fala e se exprime com facilidade' XVI. Do lat. *ēloquēns -entis* || **eloquência** XV. Do lat. *ēloquentĭa -ae*.
elóquio sm. 'fala, discurso' XVII. Do lat. *ēloquĭum -ĭĭ*.
elucidar vb. 'esclarecer, explicar, dilucidar' | XVIII, *ilucidar* XV | Do lat. *ēlūcĭdāre* || **elucid**AÇÃO 1844 || **elucid**ADOR XX || **elucid**ANTE XX || **elucid**ÁRIO XVIII | Do lat. med. *ēlūcĭdārĭum* || **elucid**ATIVO 1881.
elucubração sf. 'lucubração, meditação, reflexão' 1844. Do lat. *ēlūcŭbrātiō -ōnis* || **elucubr**AR XX. Do lat. *ēlūcŭbrāre*. Cp. LUCUBRAR.
eludir vb. 'evitar, esquivar, escapar' XVIII. Do lat. *ēlūdĕre*.
eluvião sf. '(Geol.) material residual, não transportado, resultante do intemperismo' XX. Do lat. *ēluvĭō -ōnis* || **eluvi**AÇÃO XX || **elúvio** XX. Do nomin. lat. *ēluvĭō*.
elzevir sm. '(Bibliog.) livro produzido pelos Elzevires, família de impressores, editores e livreiros

holandeses' 1899. Do fr. *elzévir*, deriv. do antr. neerl. *Elzevier* ‖ **elzeviri**·ANO XVII.
em *prep.* XIII. Do lat. *ĭn.*
em-[1] → IN-[1].
em-[2] → EN-[2].
-em- → -HEMAT(O)-.
-ém *elem. comp.*, do tupi *e'ẽ* 'sápido, que tem muito sabor (doce ou salgado)', que se documenta em alguns vocs. port. de origem tupi: *aratuém, piraém* etc.
ema *sf.* 'ave reiforme, da fam. dos reídeos' | XVI, *hema* XVI, *eyma* XVI | De origem controvertida.
-ema *suf. nom.*, deduzido da terminação de *fonema* (< fr. *phonème* < gr. *phṓnēma*), que se documenta na terminologia da linguística moderna em vários vocs. de formação recente: *lexema, morfema, semantema, semema* etc.
emaçar → MAÇA.
emaciar *vb.* 'emagrecer, extenuar' 1899. Do lat. *ēmacĭāre* ‖ **emaci**ADO XIX. Do lat. *emaciatus* ‖ emaciAÇÃO 1844.
emagrecer *vb.* 'definhar, emagrentar, enfraquecer' | *enmagrecer* XIII, *emmagrecer* XVI | Do lat. *ēmacrēscĕre* ‖ **emagrec**EDOR XX ‖ **emagrec**IDO | *emmagrecido* 1813 ‖ **emagrec**IMENTO | *emmagreçemento* XV. Cp. MAGRO.
emanar *vb.* 'provir, proceder, originar-se' 1706. Do lat. *ēmānāre* ‖ **eman**AÇÃO 1813. Do lat. *ēmānātĭō -ōnis* ‖ emanADO 1813 ‖ emanANTE 1844.
emancipar *vb.* 'eximir do pátrio poder ou da tutela' | *-çi-* XIV | Do lat. *ēmancĭpāre* ‖ **emancip**AÇÃO | *-çipasion* XIV, *-çipaçon* XIV | Do lat. *ēmancĭpātĭō -ōnis* ‖ emancipADO 1813. Cp. MANCEBO.
⇨ **emanquecer** → MANCO.
emaranh·ado, ar → MARANHA.
e·mascul·ação, -ar → MÁSCULO.
emassar → MASSA.
⇨ **emastre·ação, -ar** → MASTRO.
em·baç·ado, -ar, -iar → BAÇO[2].
embainhar → BAINHA.
embair *vb.* 'enganar, iludir, seduzir' | XVI, *envayr* XIII | Do lat. *invādĕre* ‖ **embai**MENTO | *enbayamẽto* XIV. Cp. INVADIR.
embair → **embai**DOR | 1614 SGONÇ I.90.*13* |.
embaixador *sm.* 'a categoria mais alta de representante diplomático' | *embaxador* XIV | Do fr. *ambassadeur* ‖ **embaix**ADA | XV, *embaxada* XIV, *ambaxada* XV | Do fr. *ambassade*, deriv. do lat. tard. *ambactia* e, este, do gót. *andbahti* 'serviço' ‖ **embaix**ADORA | *embaxadora* XVII ‖ **embaix**ATRIZ 1813.
embaixo → BAIXO.
embalagem *sf.* 'invólucro, embrulho, recipiente' 1881. Do fr. *emballage* ‖ **embal**AR[1] *vb.* 'embrulhar' XVI. Do fr. *emballer.*
embalar[2] *vb.* 'balançar' 'acalentar (uma criança ao colo) com movimentos de vaivém' XVI. De origem controvertida, mas sem dúvida relacionado com ABALAR ‖ **embalo** XVIII. Deriv. regres. de *embalar*[2].
embalar[3] → BALA.
embalde → BALDE[2].
embalo → EMBALAR[2].
em·balsam·ado, -ar → BÁLSAMO.
embama *sf.* 'tempero de iguarias' XVIII. Do lat. *embamma*, deriv. do gr. *émbamma -atos* 'molho' ‖ **embam**ATA XX.

em·bandeir·ado, -ar → BANDEIRA.
em·baraç·ar, -o, -oso → BARAÇO.
embaralhar → BARALHA.
em·barc·ação, -adiço, -adouro, -ar → BARCA.
embargar *vb.* 'tolher, estorvar, pôr obstáculos' XIII. Do lat. **imbarricāre*, de **barra* ‖ DE**sembarg**ADO | XIV, *desen-* XIII, *desan-* XIII ‖ DE**sembarg**ADOR XV ‖ DE**sembarg**AMENTO | *desen-* XIII ‖ DE**sembarg**AR | XIII, *desen-* XIII etc. ‖ **embarg**ADO | XIV, *en-* XIII ‖ **embarg**ADOR 1813 ‖ **embarg**AMENTO | XIII, *en-* XIII ‖ **embarg**ANTE | *en-* XV ‖ **embargo** XIII ‖ **embargoso** | *en-* XIII.
embarque → BARCA.
embarrar → BARRO.
embarulhar → EMBRULHAR.
em·bas·amento, -ar → BASE.
embasbacar *vb.* 'pasmar, causar admiração' XVII. De origem incerta; deve relacionar-se com a forma *embabacar*, documentada no séc. XVI, que, por sua vez, estaria ligada ao cast. *babieca* 'bobo, tolo' ‖ **embasbac**ADO 1813 ‖ **basbaque** 1813.
embate → BATER.
embatocar → BATOQUE.
embaúba *sf.* 'nome comum a várias plantas da fam. das moráceas, do gênero *Cecropia*' | 1763, *ambaigba* c 1584, *embaiba* 1587, *amaiba* c 1594 etc. | Do tupi *aŋa'ïɥa* ‖ **embaub**EIRA | 1886, *umbaubeira* 1833 etc. ‖ **embau**TINGA | *ambaigtinga* c 1584, *amaitim* 1587 | Do tupi *aŋaï'tiŋa*.
embaular → BAÚ.
embebedar → BEBER.
em·beiç·ado, -ar → BEIÇO.
embelecar *vb.* 'enganar com boas aparências XV. Do ár. *al-báliq*, provavelmente ‖ **embeleco** XVI. Deverbal de *embelecar.*
em·bel·ecer, -ezador, -ezamento, -ezante, -ezar → BELO.
embestar → BESTA[1].
embetumar → BETUME.
em·bev·ecer, -ecido → BEBER.
em·bezerr·ado, -ar → BEZERRO.
embiara *sf.* 'qualquer presa apanhada na caça, na pesca ou na guerra' 1886. Do tupi *ɱi'ara.*
embicar → BICO.
embioc·ado, -ar → VÉU.
embira *sf.* 'nome de várias plantas da fam. das anonáceas, que fornecem material para cordas e estopa' 'fibra vegetal usada como corda' | 1574, *envira* 1587, *jmvira* 1618 etc. |; 'ext. negócio intricado, situação difícil' 1898. Do tupi **ɱira*, forma paralela de *ï'ɱira* 'fibra, filamento, estopa' ‖ **embir**ADO 1934 ‖ **embirataí** | *ubirataía* 1587 | Do tupi **ɱirata'i.*
embirrar → BIRRA.
emblema *sm.* 'insígnia, símbolo, distintivo' XVII. Do fr. *emblème*, deriv. do lat. *emblēma -ătis* e, este, do gr. *émblēma -atos* ‖ **emblem**ÁTICO 1813. Do baixo lat. *emblematicus*, deriv. do gr. *emblematikós.*
emboaba *sm.* 'alcunha que, no Brasil colonial, particularmente na região das minas, foi dada pelos bandeirantes aos portugueses e forasteiros em geral' | 1711, *amboaba* 1734 etc. | De origem tupi, mas de étimo controverso.
em·boc·adura, -ar → BOCA.

emboçar vb. 'colocar a primeira camada de argamassa, ou de cal, na parede' 1813. De etimologia obscura || **emboço** 1813 || REboco 1874.
embófia sf. 'embuste, ardil, impostura' | -po- XVII | De origem incerta.
em·bol·ada, ar → BOLA.
emboléu → BOLÉU.
embolia sf. '(Patol.) obliteração dum vaso sanguíneo por um êmbolo' 1881. Do fr. *embolie*, deriv. do gr. *embolē* 'ação de lançar' 'obstrução' || **embolismo**¹ sm. 'embolia' 1881. Cp. ÊMBOLO.
embolismo² sm. 'acréscimo de tempo ao ano lunar para que ele coincida com o ano solar' 1813. Do fr. *embolisme*, deriv. do lat. tard. *embolismus* e, este, do gr. *embolismós*, var. de *embólimos*.
êmbolo sm. 'disco ou cilindro móvel das seringas, bombas e outros maquinismos' '(Med.) coágulo sanguíneo capaz de obliterar os vasos' 1813. Do lat. *embolus*, deriv. do gr. *émbolos*. Cp. EMBOLIA.
embolsar → BOLSA.
em·bon·ar, -o → BOM.
embonecar → BONECA.
embora adv. 'em boa hora', conj. 'ainda que' | XVI, *emboora* XV | De EM BOA HORA.
em·borc·ado, -ar, -o → REVOLCAR.
embornais sm. pl. '(Const. Nav.) abertura que se faz no costado de embarcação rente com o convés, para escoamento das águas da baldeação ou da chuva' 1813. Do it. *imbrunali*.
embornal → BORNAL.
emboscada sf. 'tocaia, cilada, traição' XVI. Do it. *imboscata* || **emboscar** 1572.
embotar → BOTAR.
em·branqu·ec·er, -imento → BRANCO.
embravecer → BRAVO.
embreagem sf. '(Autom.) dispositivo instalado entre o motor e a caixa de mudanças, o qual permite ligar e desligar o motor da transmissão por intermédio de discos de fricção' XX. Do fr. *embrayage* || **embrear**¹ XX. Do fr. *embrayer*.
embrear² → BREU.
embrenhar → BRENHA.
embriagar vb. 'embebedar, alcoolizar, inebriar' XVII. Do it. *imbriacare*, deriv. de um lat. vulg. *embriacāre*, por *ebriacāre*, de *ēbriăcus -a -um* 'bêbado' || **embriagado** 1813 || **embriagador** XX || **embriagante** 1844 || **embriago** XV || **embriaguez** XVII.
embrião sm. '(Biol.) nos animais, organismo em seus primeiros estágios do desenvolvimento, desde as primeiras divisões do zigoto até antes de deixar o organismo materno, ou o ovo; nos vegetais, organismo rudimentar que se forma na semente' XVII. Do fr. *embryon*, deriv. do gr. *émbryon* || **embriocárdia** XX. Do fr. *embryocardie* || **embriogênia** | *embryogenia* 1873 || **embriologia** | *embryologia* 1844 | Do fr. *embryologie* || **embrioma** XX. Do fr. *embryome* || **embrionário** | *embryonário* 1873 | Do fr. *embryonnaire* || **embrionífero** 1873. Do fr. *embryonifère* || **embriotomia** | *embryotomia* 1858 | Do fr. *embryotomie*, deriv. do gr. *embryotomia* || **embriótomo** | *embryotomo* 1873 || **embriulco** | *embryulco* 1873 | Cp. gr. *embryoulkós*.
embrocação sf. 'aplicação de líquido medicamentoso em parte doente do corpo' 1813. Do fr. *embrocation*, deriv. do lat. med. *embrocatio -onis* e, este, do gr. *embrochē*.
embromar vb. 'protelar a resolução de um negócio por meio de embuste(s)' 1899. Do esp. plat. *embromar*, deriv. do cast. *bromar* || **embromação** XX || **embromador** 1899.
embrulhar vb. 'enrolar, dobrar' 'confundir, embaraçar-se' | 1500, *envurulhar* XIII, *enbrullar* XIV | Do lat. *involūcrāre* (> *involuclāre* > *invoruclāre* > *envorulhar* [com a var. *envorilhar*] > *emborulhar* [com a var. *emborilhar*] > *embrulhar*) || **barulhada** XX || **barulhar** 1881. Forma aferética de *embarulhar*, var. de *embrulhar* || **barulheira** XX || **barulhento** 1871 || **barulho** 1844. Deverbal de *barulhar* ou talvez forma variante de *marulho* || **desembrulhar** 1813 || **embarulhar** XX || **embrulhada** 1813 || **embrulhado** | *envorullado* XIII, *envurullado* XIII || **embrulho** 1844. Derivado regressivo de *embrulhar*.
em·brut·ec·er, -ido, -imento → BRUTO.
em·buç·ado, -alar, -ar, -o → BOCA.
embude¹ sm. 'substância que se lança na água para entontecer o peixe e apanhá-lo com a mão' 1881. De etimologia obscura.
embude² sm. 'funil' 1813. Provavelmente do fr. *embut*, deriv. do lat. *imbūtus*, de *imbuere*.
embude³ sm. 'ant. ferrolho, cadeado' | -do XV, *ambude* XVI | De origem obscura.
emburacar → BURACO.
em·burr·ado, -ar → BURRO.
embuste sm. 'mentira artificiosa, ardil, engano' XVII. De etimologia obscura || **embusteiro** XVIII.
embutir vb. 'engolir' 'entalhar' 'impingir' XVII. Do fr. *emboutir* || **embutível** XX.
embuziar → BÚZIO.
emenagogo adj. sm. 'diz-se de, ou medicamento que faz vir o mênstruo' | *emmenagogo* 1844 | Do fr. *emménagogue*, do gr. *émmena* 'mênstruo' + *agōgós* 'condutor' || **emenagologia** | *emmenagologia* 1844 || **emenologia** XX.
emendar vb. 'corrigir, melhorar, reformar' XIII. Do lat. *ēmĕndāre* || **emenda** XIII. No port. med., na mesma acepção de *emenda*, ocorrem, também, *enmendação* (séc. XIV) e *enmēdamēto* (séc. XIV) || **emendado** | *enmēdado* XIV || **emendador** 1881. Do lat. *ēmĕndātor -ōris* || **emendável** 1881 || **remendado** XV || **remendão** XVII || **remendar** XV || **remendo** XVI.
ementa → MENTE.
-emer- → -HEMER(O)-.
emergir vb. 'sair de onde estava mergulhado' | 1844, *emerger* XV | Do lat. *ēmĕrgĕre* || **emergência** 1844. Do lat. med. *emergentia* || **emergente** XVI. Do fr. *émergent*, do lat. *emergens -entis*, part. pres. de *ēmĕrgĕre* || **emersão** 1813. Do fr. *émersion* deriv. do part. pass. lat. *ēmersus* || **emerso** 1899. Do lat. *ēmersus -a -um*.
emérito → MÉRITO.
emers·ão, -o → EMERGIR.
-êmese elem. comp., do gr. *émesis* 'vômito', que se documenta em alguns compostos eruditos, como *hematêmese* 'vômito de sangue', por exemplo.
emético adj. 'que provoca vômito' XVIII. Do fr. *émétique*, deriv. do lat. *emeticus* e, este, do gr.

emetikós || **emet**INA 1873. Do fr. *émétine* || **emeti-
zar** | *emetisar* 1844.
emétrope *sf.* '(Med.) normalidade da visão no to-
cante às condições de refração do olho' | *emmétro-
pe* 1899 | Do fr. *emmétrope*, deriv. do gr. *émmetros*
'bem medido' + *-ope* [v. -OPS(E)- (ii)] || **emetrop**IA
| *emmetropia* 1899.
-emia, -êmico → -HEMAT(O)-.
e·migr·ação, -ado, -ante, -ar → MIGRAR.
eminente *adj.* 2g. 'alto, elevado, sublime' XVI.
Do lat. *ēmĭnēns -entis* || **eminência** XVI. Do lat.
ēminentĭa -ae || SUPER**eminência** 1899 || SUPER**emi-
nente** 1899.
emir *sm.* 'título dos chefes de certas tribos ou províncias muçulmanas' XVI. Do fr. *émir*, deriv. do ár.
'amīr.
emitir *vb.* 'lançar fora de si, expelir, expedir' | *emit-
tir* 1803 | Do lat. *ēmittĕre* || **emiss**ÃO XVII. Do lat.
ēmissĭō -ōnis || **emiss**ÁRIO XVII. Do lat. *ēmissārĭus
-ĭī* || **emiss**IVO 1873 || **emiss**OR 1899. Do lat. *ēmissor
-ōris* || **emiss**ORA XX || **emit**ENTE XX.
emoção *sf.* 'comoção, abalo moral' XVIII. Do fr.
émotion, formado pelo modelo de *motion*, do lat.
mōtĭō -ōnis || **emocion**ADO XX || **emocion**ANTE XX ||
emocionAR XX. Do fr. *émotionner* || **emotiv**IDADE
1899 || **emotivo** 1899. Do fr. *émotif*, deriv. do lat.
ēmōtus, part. de *ēmovēre*.
e·moldur·ado, -ar → MOLDE.
emolir *vb.* '(Med.) abrandar, amolecer' | *emollir* 1813
| Do lat. *ēmōllīre* || **emoli**ENTE | *emolliente* 1813 |
Do fr. *émollient*, deriv. do lat. *emolliens*, part. pres.
de *ēmōllīre*.
emolumento *sm.* 'lucro, gratificação, rendimento' |
XVII, *humurimento* XV | Do fr. *émolument*, deriv. do
lat. *ēmolumentum -ī.*
emotiv·idade, -o → EMOÇÃO.
empa → EMPAR.
empacar[1] *vb.* 'empacotar' 1873. Do cast. *empacar*,
de *paca* 'pacote' || **empac**ADOR 1899. Do cast. *em-
pacador*.
empacar[2] *vb.* 'emperrar, parar' 1899. Do esp. sul-
-americano *empacarse* || DES**empac**AR XX.
empachar *vb.* 'obstruir, empanturrar, empanzinar'
XV. Do ant. fr. *empeechier* (hoje *empêcher*), deriv.
do lat. tard. *impedĭcāre* || **empach**ADO | *ẽpachado*
XIV || **empach**AMENTO XV || **empach**O | *enpacho* XV
|| **empach**OSO | *enpachoso* XV.
empacotar → PACA[2].
empáfia *sf.* 'orgulho vão, altivez, soberba' 1881.
Vocábulo onomatopaico.
empalamar-se *vb.* 'ficar coberto de emplastros'
'ficar pálido' XX. De etimologia obscura || **empa-
lam**ADO 1844.
empalar *vb.* 'submeter a um antigo suplício, que
consistia em espetar o condenado em uma estaca,
pelo ânus, deixando-o assim até morrer' XVII. Do
cast. *empalar*.
em·palh·ação, -ador, -ar → PALHA.
em·palidec·er, -ido → PÁLIDO.
em·palm·ação, -ar → PALMA.
empanada[1] *sf.* 'iguaria de massa com recheio de carne, camarão etc., geralmente com tampa da própria
massa, empada grande' | *en-* XIII | Do cast. *empana-
da* || **empada** | *empaada* XIII | Forma evolutiva de
empanada (> **empãada* > *empaada* > *empada*).

em·pan·ada[2]**, -amento, -ar** → PANO.
empanque → PANCA.
em·panturr·ado, -ar → PANTURRILHA.
em·panzin·ado, -amento, -ar → PANÇA.
em·pap·ado, -ar → PAPAR.
em·papel·ado, -ar → PAPEL.
em·papuç·ado, -ar → PAPAR.
empar *vb.* 'suster a videira com estacas ou varas'
1813. Provavelmente de *emparar*, variante de AM-
PARAR || **empa** 1844.
emparceirar → PARCEIRO.
emparedar → PAREDE.
em·parelh·amento, -ar → PARELHA.
empasma *sm.* 'pó que serve para enxugar o suor ou
atenuar-lhe o cheiro' 1873. Do lat. cient. *empasma*, deriv. do gr. *émpasma -atos*.
em·past·ado, -amento, -ar → PASTA.
em·pastel·amento, -ar → PASTEL[1].
empatar *vb.* 'estorvar, embaraçar' 'igualar' 'apli-
car dinheiro' 1813. Do it. *impattare* || DES**empa-
t**AR 1750 || DES**empate** XVIII || **empat**ADO 1813 ||
empate XVIII.
empatia *sf.* '(Psicol.) tendência para sentir o que
se sentiria caso se estivesse na situação e cir-
cunstâncias experimentadas por outra pessoa' XX.
Provavelmente do ing. *empathy* (tradução do al.
einfühlung), deriv. do gr. *empátheia*.
empecer *vb.* 'prejudicar, pôr entraves' | *en-* XIII,
enpeeçer XIII | Do lat. **impedīscĕre*, incoativo de
impedīre; cp. IMPEDIR || **empec**ENTE | *enpeeçent* XIV
|| *empeçelho* 1813 || **empec**IMENTO | XV, *-pee-* XV,
empeeçemento XIV, *enpezamento* XIII || **empec**ÍVEL |
-peēciviis pl. XIV || **empeço** XIII.
em·ped·ern·ido, -ir, em·pedr·ado, -amento, -ar →
PEDRA.
empelicado → PELE.
em·pen·a, -ado[2]**, -ar**[2] → PINO.
em·pen·ado[1]**, -ar**[1] → PENA[3].
empenhar *vb.* 'dar em penhor, hipotecar' XVII. Do
lat. tard. **impignāre* || DES**empenh**AR 1813 || DE-
sempenho 1813 || **empenh**A 1813 || **empenh**ADO
XVII || **empenho** XVII.
empenhor·amento, -ar → PENHORAR.
emperiquitar → PERIQUITO.
emperlar → PÉROLA.
empernar → PERNA.
em·perr·ada, -ado, -amento, -ar → PERRO.
em·pertig·ado, -ar → PÉRTIGA.
em·pest·ado, -ar, -iado → PESTE.
empi·ema, -emático → EMPI(O)-.
em·pilh·ado, -amento, -ar, -ável → PILHAR.
em·pin·ado, -ar, -ável → PINO.
empi(o)- *elem. comp.*, do gr. *émpyos* 'purulento',
que se documenta em vocs. formados no próprio
grego, como *empiema*, e em alguns outros introduzidos na linguagem científica internacional,
a partir do séc. XIX ♦ **empiema** *sm.* '(Patol.) coleção purulenta em uma cavidade natural' 1813.
Do fr. *empyème*, deriv. do gr. *empýēma -atos* ||
empiemÁTICO 1813. Cp. gr. *empyēmatikós* || **em-
pi**OSE XIX.
em·pipoc·ado, -ar → PIPOCA.
empíreo *adj. sm.* 'celeste' '(Mit.) morada dos deuses' 'o Céu' XIV. Do lat. *empyrĭus*, deriv. do gr.
empýrios.

empireuma sm. 'cheiro e sabor acres contraídos por uma substância orgânica submetida à ação de fogo violento' 1813. Do fr. *empyreume*, deriv. do gr. *empýreuma -atos* ‖ **empireum**ÁT·ICO 1813.
empírico adj. 'baseado apenas na experiência e não no estudo' XVI. Do lat. *empīrĭcus -ī*, deriv. do gr. *empeirikós* ‖ **empir**ISMO 1813. Do fr. *empirisme* ‖ **empir**ISTA XIX. Do fr. *empiriste*.
em·plac·ado, -amento, -ar, -ável → PLACA.
em·plasm·ado, -ar → PLASMA.
emplastro sm. 'medicamento que amolece ao calor e adere ao corpo' ‖ XV, *-prasto* XIV ‖ Do ant. fr. *emplastre* (hoje *emplâtre*), deriv. do lat. *emplastrum -i* e, este, do gr. *émplastron* ‖ **emplastr**AÇÃO ‖ 1858, *emplastação* 1858 ‖ Do lat. *emplastrātĭō -ōnis* ‖ **emplastr**ADO ‖ *emplastado* 1813 ‖ **emplastr**AR ‖ *emplastar* 1813 ‖ Do lat. *emplastrāre*.
em·plum·ado, -ar, -ável → PLUMA.
em·po·ado, -ár → PÓ.
em·pobrec·er, -ido, -imento → POBRE.
em·poç·ado, -ar → POÇO.
em·poeir·ado, -ar → PÓ.
em·pol·a, -ado, -ar → AMPOLA.
em·poleir·ado, -ar → POLO.
empolgar vb. 'segurar, agarrar, absorver' 'entusiasmar' XVI. Do lat. **empollicāre* ‖ **empolg**ADO XVI ‖ **empolg**ANTE 1899.
empolhar vb. 'chocar, fazer germinar' XVIII. Do cast. *empollar*.
empombar → POMBA.
em·porcalh·ado, -ar → PORCO.
emporético adj. 'diz-se de papel pardo, que serve de mata-borrão' XVII. Do lat. *emporētica* (*charta*), deriv. do gr. *emporeutikós*.
empório sm. 'centro de comércio internacional' XVI. Do lat. *empŏrĭum -ĭī*, deriv. do gr. *empórion*.
em·poss·ado, ar → POSSE.
em·praz·amento, -ar → PRAZO.
empreender vb. 'tentar empresa laboriosa e difícil' 'pôr em execução' ‖ *emprender* XV ‖ Do lat. **imprehendere*, **empreend**EDOR ‖ *emprendedor* XVI ‖ **empreend**IDO ‖ *emprehendido* 1873 ‖ **empreend**IMENTO ‖ *emprehendimento* 1899.
empregar vb. 'aplicar, ocupar, dar ocupação remunerada' ‖ XIII, *en-* XIII ‖ Do cast. *ĭmplĭcāre* ‖ DESem**preg**ADO 1899 ‖ DES**empreg**AR 1858 DES**emprego** 1899 ‖ **empreg**ADO ‖ XIII, *en-* XIII ‖ **empreg**ADOR XX ‖ **emprego** XV. Deriv. regres. de *empregar* ‖ em**prego**MANIA 1899.
em·preit·a, -ada, -ar, -eiro → PREITO.
emprenhar → PRENHE.
empresa sf. 'empreendimento, sociedade, firma' XV. Do it. *imprésa*, de *impréso*, deriv. do lat. *imprehēnsus* ‖ **empres**AR XVIII ‖ **empres**ARI·ADO XX ‖ **empres**ARI·AL XX ‖ **empres**ÁRIO 1813. Do it. *impresàrio*.
em·prest·ado, -ar, -imo → PRESTAR.
emproado → PROA.
emprostótono sm. '(Patol.) contração espasmódica que obriga o corpo a curvar-se para a frente' ‖ *emprosthótono* 1813 ‖ Do lat. tard. *emprosthotomus*, deriv. do gr. *emprosthótonos* ‖ **emprostotôn**ICO ‖ *emprosthotónico* 1858.
empubescer → PÚBERE.
empulhar → PULHA.

empunh·adura, -ar → PUNHO.
empurrar vb. 'impelir com violência, empuxar' XVII. Do cast. *empujar*, derivado, provavelmente, do lat. tard. *impulsare*, frequentativo de *impellĕre* ‖ **empurr**A 1813 ‖ **empurr**ADO 1844 ‖ **empurr**ÃO XVI. V. PUXAR.
em·pux·ar → PUXAR.
e·mud·ecer, -ecido → MUDO.
emular vb. 'rivalizar, disputar, igualar' XVI. Do lat. *aemŭlāre* ‖ **emul**AÇÃO XVII. Do fr. *émulation*, deriv. do lat. *aemulātĭō -ōnis* ‖ **emul**ADOR 1844. Do lat. *aemŭlātor -ōris* ‖ **emul**ANTE 1873 ‖ **êmulo** XVI. Do fr. *émule*, deriv. do lat. *aemŭlus*.
⇨ emular — emulAÇÃO ‖ *a* 1595 *Jorn* 24.36 ‖.
emulgente adj. 2g. sm. '(Anat.) diz-se das veias e das artérias dos rins' '(Med.) agente que aumenta a secreção urinária e a biliar' XVI. Do lat. *ēmulgentem*, part. pres. de *ēmulgĕre* ‖ **emuls**ÃO 1813. Do fr. *émulsion*, deriv. do lat. *emulsus*, part. pass. de *ēmulgĕre* ‖ **emuls**·INA 1873. Do fr. *émulsine* ‖ **emuls**ION·AR 1873 ‖ **emuls**·IVO 1844. Do fr. *émulsif*
emundar vb. 'tornar mundo ou limpo' XX. Do lat. *ēmundāre* ‖ **emunc**TÓRIO sm. '(Anat.) órgão, abertura ou canal por onde se eliminam os produtos excrementícios do organismo' XVI. Do lat. **emunctorium*, singular de *ēmunctŏrĭa -iōrum* ‖ **emund**AÇÃO XVII. Do lat. *ēmundātĭō -ōnis*.
en-¹ → IN-¹.
en-² *pref.*, do gr. *en-*, que se documenta em vocs. eruditos, com o sentido de 'posição interior, movimento para dentro', e que se apresenta sob as formas: a) *en-*, como em *entusiasmo* (gr. *enthousiasmós*); b) *em-*, como em *empíreo* (gr. *empyrios*); c) *e-*, como em *elipse* (gr. *élleipsis*).
-en- → -ENO-.
enação sf. '(Bot.) excrescência superficial dos vegetais' XX. Do ing. *enation*.
enálage sf. '(Gram.) troca de classe gramatical, gênero, número, caso, pessoa, tempo, modo ou voz de uma palavra por outra classe, gênero, número etc.' ‖ *enallage* 1813 ‖ Do fr. *énallage*, deriv. do gr. *enallagē*.
enaltecer vb. 'exaltar, engrandecer, elevar' 1881. Do cast. *enaltecer* ‖ **enaltec**IDO 1899 ‖ **enaltec**IMENTO XX. Cp. ALTO.
e·namor·ado, -ar → NAMORAR.
enantal → ENANTO.
enantema sm. '(Patol.) erupção na face interna das cavidades naturais' ‖ *enanthema* 1899 ‖ Do lat. cient. *enanthēma* ‖ **enantese** XX. Do lat. cient. *enanthēsis*.
enântico → ENANTO.
enantio- *elem. comp.*, do gr. *enantíos* 'oposto, contrário', que se documenta em vocs. formados no próprio grego, como *enantiose*, e em alguns outros introduzidos na linguagem científica internacional, a partir do séc. XIX ▶ **enantio**MORFO XX. Do fr. *énantiomorphe* ‖ **enantio**PAT·IA ‖ *enantiopathia* 1858 ‖ Do lat. cient. *enantiopathia*, deriv. do gr. *enantiopathḗs* ‖ **enantiose** 1899. Do fr. *énantiose*, deriv. do gr. *enantíosis*.
enanto sm. 'planta da família das umbelíferas, videira brava' ‖ *enantho* 1858 ‖ Do lat. cient. *oenanthē*, deriv. do gr. *oinánthē* ‖ **enant**AL ‖ *enanthal* 1899 ‖ **enânt**ICO ‖ *enanthico* 1899.

enapupê *sm.* 'espécie de perdiz' | 1817, *nhapupé* 1587, *nhũ apope* c1594, *jnhuapupe* 1618 etc. | Do tupi *ñɨ̃ãpu'pe*.
enargia *sf.* 'representação ou descrição muito ao vivo, em um discurso' 1881. Do lat. *enargĭa*, deriv. do gr. *enárgeia*.
⇨ **enarmônico** → HARMONIA.
enartrose *sf.* '(Anat.) articulação móvel formada por uma eminência óssea arredondada encaixada em uma cavidade profunda' | *enarthrose* 1813 | Do fr. *énarthrose*, deriv. do lat. cient. *enarthrōsis* e, este, do gr. *enárthrōsis* || **enartro**DI·AL XX.
-ença, -ência *suf. nom.*, do 1at. *-entĭa* (dos particípios em *-ens -entis* > -ENTE), que' formam substantivos oriundos de verbos, com o significado de 'ação ou o resultado da ação, estado': *descrença, diferença, anuência, concorrência*.
en·cabeç·ado, ar → CABEÇA.
encabrestar → CABRESTO.
en·cabul·ação, -ado, -amento, -ar → CÁBULA.
en·cach·ar → CACHAR.
en·cachoeir·ado, -ar → CACHÃO.
en·cade·ado, -amento, -ar → CADEIA.
en·cadern·ação, -ado, -ador, -ar → CADERNO.
encafifar → CAFIFE.
encafuar → CAFUA.
encaiporar → CAIPORA.
en·caix·ar, -e, -ilhar, -otamento, -otar → CAIXA.
encalacrar → CALACRE.
encalçar, encalço → ALCANÇAR.
en·calh·ado, -ar, -e → CALHA.
encalistar → CALISTO.
encalmar → CALMA.
encalombar → CALOMBO.
en·caminh·ado, -amento, -ar → CAMINHO.
en·camp·ação, -amento, -ar → CAMPO.
en·can·ação, -amento, -ar → CANA.
encangar → CANGA[1].
encantar *vb.* 'enfeitiçar, seduzir, cativar' XIII. Do lat. *īncantāre* || DESencantADO 1813 || DESencantAMENTO 1813 || DESencantAR XVI || DESencanto 1844 || encantAÇÃO XIV || encantADO XVII || encantADOR XIII. Do lat. *incantātor -ōris* || encantAMENTO XIII. Do lat. *incantāmentum -ī* || encanto 1813.
encanz·inamento, -inar, -oar → CÃO[1].
en·cap·amento, -ar → CAPA.
encapelar → CAPELO.
en·capot·amento, -ar → CAPA.
encaracolar → CARACOL.
encaramelar → CARAMELO.
encarangar → CARANGUEJO.
en·carapinh·ado, -ar → CARAPINHA.
en·carapit·ado, -ar → CARRAPITO.
encarar → CARA.
en·carcer·ado, -ar → CÁRCERE.
en·card·ido, -ir → CARDO.
en·car·ecer, -ecimento → CARO.
encargo → CARRO.
en·carn·ação, -ado, -ador, -ar, -eirado, -eirar → CARNE.
en·carniç·ado, -amento, -ar → CARNE.
en·caroç·ado, -amento, -ar → CAROÇO.
encarpo → -CARP(O)-.
en·carquilh·ado, -ar → CARQUILHA.
encarrapit·ado, -ar → CARRAPITO.
en·carreg·ado, -ar → CARRO.
en·carrilh·ado, -ar → CARRO.
encart·ar, -uchar → CARTA.
encarvoar → CARVÃO.
en·casac·ado, -ar → CASACA.
encasquetar → CASCAR.
encastoar → CASTÃO.
encatarrar → CATARRO.
encáustica *sf.* '(Pint.) técnica de pintura baseada no uso de pigmentos e cera, tratados a quente, que se caracteriza pelo efeito translúcido' 1881. Do lat. *encaustĭca*, deriv. do gr. *egkaustikḗ* || **encaust**A XIX || **encaust**ICO 1899. Do lat. *encaustĭcus -a*, deriv. do gr. *egkaustikós* || **encaust**O XIX. Do lat. *encaustum*, deriv. do gr. *egkaustos*.
encéfalo *sm.* '(Anat.) parte do sistema nervoso contida na cavidade do crânio, e que abrange o cérebro, o cerebelo, a protuberância e o bulbo raquiano' | *encephalo* 1844 | Do fr. *encéphale*, deriv. do gr. *egképhalos* || **encefal**ALG·IA | *encephalalgia* 1873 || **encefál**ICO | *encephalico* 1844 | Do fr. *encéphalique* || **encefal**ITE | *encephalite* 1858 | Do fr. *encéphalite*, deriv. do lat. cient. *encephalītis* || **encefal**OIDE | *encephaloide* 1873 | Do fr. *encéphaloïde* || **encefal**ÓLITO | *encephalolitho* 1873 | Do fr. *encéphalolithe* || **encefal**OLOG·IA | *encephalologia* 1873 || **encefal**OSE | *encephalose* 1873 | Do fr. *encéphalose*.
encelialgia *sf.* '(Patol.) dor nos intestinos' 1899. Do fr. *encélialgie*, deriv. do lat. cient. *encoelialgia* || **encel**ITE 1899.
en·cen·ação, -ar → CENA.
encender *vb.* 'acender, fazer arder' XIII. Do lat. *incendĕre* || **encend**IMENTO XIV || REScendENTE | 1881, *recendente* XVI || REScender | 1881, *recender* XIII | Do ant. port. *recender*, de RE- + *encender*. Cp. INCENDER.
en·cer·adeira, -ador, -amento, -ar → CERA.
en·cerr·ado, -amento, -ar → CERRAR.
encestar → CESTA.
encetar *vb.* 'começar, estrear, experimentar' | *ençetar* XIII | Do lat. *inceptāre* || **encet**ADO | *ençetado* XIV.
encharcar → CHARCO.
en·ch·ente, -er, -imento → CHEIO.
enchova *sf.* 'peixe teleósteo, percomorfo, da fam. dos pomatomídeos' | *anchova* XVIII | Do cast. *anchova (anchoa)*, deriv. do genovês *anciöa* e, este, do lat. vulg. **apiúa*, do gr. *aphýē*.
enchumaçar → CHUMAÇO.
-ência → -ENÇA.
encíclica *sf.* 'carta circular pontifícia' XIX. Do lat. tard. *encyclicus -a -um*, deriv. do gr. *egkýklios*. O lat. *encyclica* é uma redução da expressão latina *Littera Encyclica*, introduzida pelo papa Bento XIV em 1840 || **encícl**ICO | *encyclico* 1844 || **enciclo**PÉD·IA | *encyclopedia* 1768 | Do fr. *encyclopédie*, deriv. do gr. *egkyklopaideiā*, por *egkýklios paideiā* || **enciclo**PÉD·ICO 1813.
en·cilh·amento, -ar → CILHA.
encimar → CIMA.
en·cium·ado, -ar → CIÚME.
en·claustrado → CLAUSTRO.
en·clausur·ado, -ar → CLAUSURA.
ênclise *sf.* '(Gram.) fenômeno fonético pelo qual se incorpora, na pronúncia, um vocábulo átono

ao que o precede, subordinando-se o átono ao acento tônico do outro' 1881. Do lat. tard. *enclisis*, deriv. do gr. *égklisis* || **enclít**·ICA 1844 || **enclít**·ICO 1858. Do lat. tard. *encliticus*, deriv. do gr. *egklitikós*.
⇨ ênclise - **enclít**·ICO | *encletico* 1536 FOLG 58.*11* |.
en·coberto, -cobridor, -cobrimento, -cobrir → COBRIR.
en·coleriz·ado, -ar → CÓLERA.
encolher *vb.* 'retrair, contrair, reprimir' | XVI, *encoller* XIII | De *en¹-* + *colher²* || **encolh**A 1881 || **encolh**IDO | XVI, *encolleito* XIII || **encolh**IMENTO 1813. Cp. COLHER², ESCOLHER.
encólpio *sm.* 'pequeno relicário' XVII. Do lat. tard. *encolpium*, deriv. do gr. *egkolpíon* || **encolp**ISMO XX. Do lat. tard. *encolpismus*, deriv. do gr. *egkolpismós*.
encomendar *vb.* 'incumbir, encarregar' 'pedir' | XIII, *encomēdar* XIII | De *comendar*, documentado também desde o séc. XIII (mas hoje desusado), do lat. *commendāre* || **comenda** *sf.* 'ant. encomenda' XIII; 'distinção de ordem honorífica' XV. Deverbal do ant. *comendar* || **comend**ADOR XIII. Adaptação do ant. fr. *comandeor* 'o que comanda' || **comend**AT·ÁRIO | *commendatário* 1813 | Do lat. med. *commendātārius* || **comend**AT·ÍCIO | *commendatício* 1881 | Do lat. *commendāticius* || **comend**AT·IVO | *commendativo* 1844 || DES**encomend**ADO | *desencommendado* 1813 || DES**encomend**AR 1813 || **encomend**A XIII. De *comenda* 'encomenda', acepção hoje desusada || **encomend**AÇÃO | *encommendação* 1786 || **encomend**ADO 1813 || **encomend**AMENTO XIII || RE**comend**AÇÃO | XVII, *recommendação* 1813 || RE**comend**ADO XV || RE**comend**AR | *rrecomendar* XIV | No ant. port., a par de *encomendar* e *recomendar*, ocorria, também, desde o séc. XIII, *acomendar*.
⇨ **encomendar** — **comend**AT·ÍCIO | 1614 SGONÇ 1.262.*2* || RE**comend**AÇÃO | -*çõoes* pl. XV LEAL 191.*24*, *recomendacam* XV SEGR 2 || RE**comend**AMENTO | XV FRAD II. 89.*16* |.
encômio *sm.* 'louvor, elogio, gabo' XVIII. Do lat. tard. *encōmium*, deriv. do gr. *egkṓmion* || **encomi**AR XVIII || **encomiasta** 1881. Cp. gr. *egkōmiastḗs* || **encomiástico** XVII. Cp. gr. *egkōmiastikós*.
⇨ **encômio** | 1680 AOCad I.187.*23* |.
encompridar → CUMPRIR.
encondroma *sm.* '(Patol.) tumor cartilaginoso formado em órgãos onde habitualmente não há cartilagem' XX. Do fr. *enchondrome*, deriv. do gr. *egchondros* 'cartilagem' e do sufixo *-ome* (v. -OMA).
encontrar *vb.* 'defrontar-se, deparar, atinar' XIII. Do lat. *ĭncŏntrāre, de *cŏntra* || DES**encontro** XVII || **encontr**AD·IÇO XVI || **encontr**ÃO 1813 || RE**encontr**AR 1871 || RE**encontr**O 1858.
⇨ **encontrar** — **encontro** | 1569 in *Studia*, nº. 8, 209.*42* |.
encoquinar → COZER.
encorajar → CORAGEM.
en·cordo·amento, -ar → CORDA.
en·corp·ado, -ar → CORPO.
encorrugir → CORRUGAR.
encorujar → CORUJA.
encoscorar → COSCORRÃO.

encóspias *sf. pl.* 'formas de madeira usadas pelos sapateiros para alargar o calçado' | *encospas* XVII | De origem incerta; talvez se relacione com o lat. *cuspis -ĭdis* 'ponta, extremidade'.
en·cost·a, -amento, -ar, -o → COSTA.
en·cour·aç·ado, -ar → COURO.
en·cov·ado, -ar → COVA.
encravar → CRAVO¹.
encrencar *vb.* 'tornar difícil, embaraçar, complicar' XX. De etimologia obscura || **encrenc**A XX || **encrenc**ADO XX || **encrenqu**EIRO XX.
en·cresp·ado, -ar → CRESPO.
en·cru·ar, -escer → CRU.
en·curral·ado, -ar → CURRAL.
en·curt·amento, -ar → CURTO.
en·curv·ação, -ado, -amento, -ar → CURVO.
en·curv·ação, -ado, -amento, -ar → CURVO.
-enda *suf. nom.*, deriv. do suf. verb. lat. *-enda*, nominativo pl. do gerundivo *-endus*, que se documenta em alguns vocs. port. eruditos de imediata procedência latina: *agenda, legenda, prebenda* etc. Cp. -ENDO.
endecha *sf.* 'composição formada de estâncias de quatro versos de cinco sílabas' 'poesia fúnebre' XVI. Do cast. *endecha*, deriv. do lat. *ĭndĭcĕre* 'declarar publicamente, proclamar (as virtudes do morto)'.
endefluxar → DEFLUIR.
endemia *sf.* 'doença que existe constantemente em determinado lugar e ataca número maior ou menor de indivíduos' 1873. Do fr. *endémie*, deriv. do gr. *endēmía* || **endêm**ICO 1844. Do fr. *endémique*, deriv. do gr. *éndēmos*.
endemoninh·ado, -ar → DEMÔNIO.
en·dereç·ar, -o → ADEREÇAR.
en·deus·ado, -amento, -ar → DEUS.
endez → ÍNDEX.
endiabrado → DIABO.
endinheirado → DINHEIRO.
endireitar → DIREITO.
endívia *sf.* 'variedade de chicória de folhas frisadas, que pode ser consumida crua, em salada, ou cozida' | 1844, *endiva* 1813 | Do lat. med. *endivia*, deriv. do gr. med. *entýbi* e, este, do gr. tard. *entýbion*, de origem egípcia.
endividar → DEVER.
-endo *suf. nom.*, deriv. do suf. verb. lat. *-endus*, do gerundivo dos verbos da 2.ª, 3.ª e 4.ª conjugações, que se documenta em alguns vocs. port. eruditos de imediata procedência latina: *colendo, dividendo* etc. Cp. -ENDA.
-end(o)- *elem. comp.*, do gr. *éndon* 'em, dentro de', que se documenta em vocábulos introduzidos na linguagem científica internacional, a partir do séc. XIX ♦ **end**ARTÉR·EO XX || **endo**BIÓT·ICO XX || **endo**CÁRDIO 1873. Do lat. cient. *endocardium* || **endo**CARD·ITE 1881. Do fr. *endocardite* || **endo**CARPO 1858. Do fr. *endocarpe* || **endo**CÉFALO XX || **endó**CRINO XX. Do fr. *endocrine* || **endo**CRINO·LOG·IA XX. Do fr. *endocrinologie* || **endo**CRINO·LÓG·ICO XX || **endo**CRINO·PAT·IA XX || **endo**DERMA | *endoderme* 1899 | Do fr. *endoderme*, deriv. do lat. cient. *endoderma* || **endó**FITO XX Do fr. *endophyte* || **endó**GAMO 1899 || **endó**GENO 1858. Do fr. *endogène*, deriv. do gr. *endogenḗs* || **endo**MÉTR·IO XX || **endo**MORF·ISMO

xx || **endo**SCÓP·IO 1899. Do fr. *endoscope* || **end**OSMÔ·METRO 1858. Do fr. *endosmomètre* || **end**OSMOSE 1858. Do fr. *endosmose* || **endo**SMÓT·ICO 1899 || **endo**SPERMA 1858. Do fr. *endosperme* || **endo**TECA XX. Do fr. *endothèque* || **endo**TÉL·IO | *endothélio* 1899 | Do fr. *endothélium* || **endo**TEL·I·OMA | *endothelioma* 1899.
endoenças *sf. pl.* 'solenidades religiosas da quinta-feira santa' XV. Do lat. *indulgentĭa -ae.* Cp. INDULGÊNCIA.
en·doid·ar, -ecer → DOIDO.
endossar *vb.* 'transferir a propriedade dum título nominativo com a cláusula *à ordem*, mediante declaração escrita, em geral, no verso dele' XVIII. Do fr. *endosser* 'escrever nas costas', de *dos* 'costas' || **endoss**ADO XVIII || **endoss**AMENTO XVIII || **endoss**ANTE 1844 || **endoss**O XVIII.
endro *sm.* 'planta da fam. das umbelíferas, semelhante ao funcho' XVII. Do lat. **anethulum*, diminutivo de *anēthum -i*, deriv. do gr. *ánēthon.*
endrômina *sf.* 'artimanha, intrujice, impostura' XVII. De etimologia obscura.
enduape *sm.* 'fraldão de penas usado pelos guerreiros indígenas' 1851. Do tupi **ñaṉu'aya* (< *ña'ṉu* 'nhandu' + *'aya* 'cabelo, pena, pluma').
ene(a)- *elem. comp.*, do gr. *ennéa* 'nove', que se documenta em alguns vocábulos introduzidos na linguagem científica internacional, a partir do séc. XIX ♦ **eneá**GONO 1813. Do lat. cient. *enneagōnus*, deriv. do gr. *enneágōnos* || **ene**ANDRO XX || **eneas**·SÉPALO XX || **eneas**·SÍLABO XX. Do lat. tard. *enneasyllabus*, deriv. do gr. *enneasyllabos.*
e·negr·ecer, -ecido, -ecimento → NEGRO.
enema *sm.* 'injeção de medicamentos ou de alimentos pelo reto' 'clister' XX. Do lat. tard. *enema*, deriv. do gr. *énema.*
êneo *adj.* 'de bronze, brônzeo' XVII. Do lat. *aēnĕus -a -um.*
eneorema *sm.* 'substância brancacenta que aparece à superfície da urina guardada por certo tempo' 1873. Do lat. tard. *enaeōrēma*, deriv. do gr. *enaiōrēma -atos.*
energia *sf.* 'força, vigor, firmeza' XVI. Do fr. *énergie*, deriv. do lat. tard. *energīa* e, este, do gr. *enérgeia* || **energética** XIX || **energético** XX. Do fr. *énergétique*, deriv. do gr. *energētikós* || **energ**ICO 1813. Do fr. *énergique.*
energúmeno *sm.* 'endemoninhado, possesso' 1813. Do fr. *énergumène*, deriv. do lat. *ĕnergūmĕnus -i* e, este, do gr. *energoúmenos.*
e·nerv·ação, -ante, -ar, -e → NERVO.
e·nevo·ado, -ar → NÉVOA.
enfadar *vb.* 'entediar, irritar, desgostar-se' XIII. De origem controversa || DES**enfad**AMENTO XV || DES**enfad**AR XVI || DES**enfad**O XVII || **enfad**ADO XIII || **enfad**AMENTO XIII || **enfad**O XVII || **enfad**ONHO XVI.
enfaixar → FAIXA.
enfard·ar, -elar → FARDA.
enfarpelar → FARPA.
enfarto *sf.* '(Med.) área de necrose de um tecido produzida pela falta de circulação' | *infarto* 1858 | Do lat. cient. *infarctus*, part. de *infarcīre*, que traduz o gr. *émphraxis* || **enfart**AR *vb.* 'entupir, obstruir, obturar' | *infartar* 1858 || *enfarte* | *infarte* 1858.

ênfase *sf.* 'modo afetado de se exprimir' 'relevo ou destaque especial' XVI. Do lat. *emphăsis*, deriv. do gr. *émphasis* || **enfático** | *emphatico* XVII | Do lat. tard. *emphaticus*, deriv. do gr. *emphatikós* || **enfat**IZ·ADO XX || **enfat**IZAR XX.
enfasti·ado, -ar → FASTIO.
enfático → ÊNFASE.
enfatiotar → FATO¹.
enfatiz·ado, -ar → ÊNFASE.
en·fatu·ado, -amento, -ar → FÁTUO.
enfear → FEIO.
enfeitar *vb.* 'ornar, embelezar' XVII. Do a. port. *afeitar* (séc. XIII), com troca de prefixo || **enfeite** XVII. Deriv. de *enfeitar*. No séc. XVI ocorre a var. *affeyte*, de *afeitar.*
⟶ **enfeitar** | *a* 1595 *Jorn.* 63.16 |.
en·feitiç·ado, -amento, -ar → FEITIÇO¹.
enfeixar → FEIXE.
enfermar *vb.* 'ficar doente' XIII. Do lat. *ĭnfirmāre* || **enferm**AGEM XX || **enferm**ARIA XIII || **enferm**EIRO XIII || **enferm**IÇO | *enfermisso* XVIII || **enferm**IDADE XIII. Do lat. *ĭnfirmĭtātem* || **enferm**O XIII. Do lat. *ĭnfirmus.*
en·ferruj·ado, -ar → FERRO.
enfesta *sf.* 'cume, pico, auge' XVII. De etimologia obscura.
en·fest·ado, -ar → FESTO².
⟶ **enfeudar** → FEUDO.
enfezar *vb.* 'impedir o crescimento normal' 'irritar-se' 1813. De etimologia desconhecida || **enfe**ZADO XVII.
en·fi·ado, -ar → FIO.
en·fileir·ado, -ar → FILA.
enfisema *sm.* '(Patol.) presença de ar nos interstícios do tecido conjuntivo de um órgão' | *emphysema* 1858 | Do lat. tard. *emphysema*, deriv. do gr. *emphýsēma -atos* || **enfisemát**ICO | *emphysemático* 1899 || **enfisemat**OSO | *emphysematoso* 1858.
enfiteuse *sf.* '(Dir.) direito real alienável e transmissível aos herdeiros, e que confere a alguém o pleno gozo do imóvel, mediante a obrigação de não deteriorá-lo e de pagar um foro anual' | *enfetiosi* XV | Do lat. tard. *emphyteusis*, deriv. do gr. *emphýteusis* || **enfiteuta** | *emphyteuta* 1873 | Do lat. tard. *emphyteuta*, deriv. do gr. *emphyteutes* || **enfiteutic**ADO | *emphiteuticado* 1778 || **enfitêut**ICO | *emphiteutico* 1758.
en·flor·ar, -escer → FLOR.
en·foc·ado, -ar → FOCO.
en·forc·ado, -amento, -ar → FORCA.
enfracamento → FRACO.
en·fraqu·ecer, -ecimento, -entamento, -entar, -ido, -imento → FRACO.
⟶ **enfrascado** → FRASCO.
-enfrax- *elem. comp.*, do gr. *emphraxis* 'obstrução, fechamento', que se documenta em alguns vocs. introduzidos na linguagem científica internacional, particularmente no domínio da medicina, como *adenenfraxia, angienfraxia* etc.
en·fre·ado, -ar → FREIO.
enfrentar → FRENTE.
enfronhar → FRONHA.
en·fumaç·ado, -ar → FUMO.
enfunar *vb.* 'retesar a vela da embarcação' | *infunar* XVI | Do lat. **infūnāre*, de *fune* 'corda' || **enfun**ADO XVI.

en·funil·ado, -ar → FUNIL.
en·furec·er, -ido → FÚRIA.
enfuscar → FUSCO.
enfustar → FUSTE.
enga → ENGAR.
engaço *sm.* 'ramificação dos cachos de uva' 'bagaço' 1813; 'ancinho' 1813. De etimologia obscura || engaçAR XVII.
engafecer → GAFA¹.
engaiolar → GAIOLA.
engajar *vb.* 'aliciar, para serviço pessoal ou para emigração' 'filiar-se' 1844. Do fr. *engager* || DESengajADO 1899 || DESengajAR 1881 || engajADO 1844 || engajAMENTO 1798.
engalanar → GALA.
engalfinhar *vb.* 'segurar, agarrar, empolgar' 1813. De etimologia incerta.
⇨ engalgado → GÁLICO¹.
engalhar → GALHO.
engambelar *vb.* 'enganar com falsas promessas' 1899. De etimologia obscura || engambelAMENTO XX.
engambitar → GAMBA.
enganar *vb.* 'induzir em erro, iludir' XIII. Do lat. **ingannāre* || DESenganADO XVI || DESenganAR XIII || DESengano XIII || enganADO XIII || enganADOR XIII || enganAMENTO XIV || engano XIII || enganoso XIII.
en·ganch·ado, -ar → GANCHO.
engan·o, -oso → ENGANAR.
engar *vb.* 'habituar a caça a algum pasto' 'altercar--se' 1813. De origem incerta || enga 1881.
en·garavit·ado, -ar → GRAVETO.
en·garraf·ado, -amento, -ar → GARRAFA.
en·gasg·ado, -ar, -o → GARGALHAR.
engastar *vb.* 'embutir ou encravar' | XVI, *engastõado* XIII | Do cast. *engastar*, do lat. vulg. **incastrare*, talvez deriv. de **inclaustrare*, que substituiria o lat. cláss. *inclūdĕre* || DESengastADO 1813 || DESengastAR 1813 || engaste XVI. Cp. CASTÃO.
en·gat·ar, -ilhar, -inhar → GATO.
engavetar → GAVETA.
engazopar *vb.* 'enganar, iludir, encobrir (a verdade)' XX. De origem desconhecida; talvez se relacione com *gaze*, em alusão ao fato de que a gaze encobre (o rosto), mas a formação do voc. é obscura.
en·gelh·ado, -amento, -ar → GELHA.
engendrar *vb.* 'gerar, produzir, dar origem' XIV. Do lat. *ĭngĕnĕrāre* || engendrAMENTO | *-mēto* XIV.
engenho *sm.* 'talento' 'máquina' 'oficina' | XIV, *engeo* XIII, *engẽyo* XIII, *engeño* XIV | Do lat. *ĭngĕnĭum* || engenhAR XIV || engenhARIA 1813 || engenhEIRO XVI || engenhOCA XIX || engenhOSO | XVI, *engẽoso* XIII, *engeñoso* XIV, *engenoso* XIV.
engessar → GESSO.
englobar → GLOBO.
-engo *suf. nom.*, de origem germânica (cp. gót. *-ing.*, a. a. al. *-ing*, a. escandinavo *-ingr*, *-ungr* etc.), que se documenta em adjetivos portugueses (alguns já documentados no latim medieval) oriundos de substantivos, com a noção de 'relação, pertinência, posse': *avoengo, mulherengo, realengo* etc.
engodar *vb.* 'enganar com promessas vãs' XVI. De etimologia obscura || engodo XVI.

engoiar *vb.* 'tornar-se triste, definhar' XIX. De étimo incerto.
engolfar → GOLFO.
engolir *vb.* 'deglutir, sorver, tragar' XIV. De origem controversa || engolipar XX || golADA XX || gole 1813.
en·gom·adeira, -ar → GOMA.
engonço → GONZO.
en·gord·a, -ar, -o, -urar → GORDO.
engorovinhado → GOROVINHAS.
engra *sf.* 'canto, formado por duas paredes, quina' 1813. De origem duvidosa.
en·graç·ado, -ar → GRAÇA.
en·grad·ado, -ar → GRADE.
engraecer → GRÃO¹.
en·grandec·er, -imento → GRANDE.
engranzar → GRÃO¹.
en·gravat·ado, -ar, -izar → GRAVATA.
en·grav·ecer, -idar → GRAVE.
en·grax·amento, -ar, -ate → GRASSO.
engrenar *vb.* 'endentar, entrosar, engranzar' 1881. Do fr. *engrener*, de *graine* || DESengrenADO XX || DESengrenAR XX || engrenAGEM 1881. Do fr. *engrenage*.
engrinaldar → GRINALDA.
engrolar *vb.* 'cozer ou assar mal' 'pronunciar mal' | *engorlar* XVI | Provavelmente do lat. *incrudāre* || engrolADO XV.
en·gross·ado, -amento, -ar, -entar → GROSSO.
engrovinhado → GOROVINHAS.
engrunhir *vb.* 'tornar hirto ou encolhido, com frio ou por doença' 'entorpecer' 1899. Palavra expressiva || engrunhIDO 1899. No port. med. ocorre a forma *engrudido* (séc. XIV).
enguanxumado → GUAXIMA.
enguia *sf.* 'designação comum às várias espécies de peixes ápodes, serpentiformes, na maior parte marinhos' | *anguia* XIV | Do lat. **anguila*, por *anguīlla*, diminutivo de *anguis* 'cobra'.
enguiçar *vb.* 'tornar enfezado' 'encrencar, parar' 1813. Provavelmente do lat. **iniquitiāre*, por *iniquitāre* || DESenguiçADO 1813 || DESenguiçAR XVI || enguiço 1813.
engulho *sm.* 'ânsia, náusea' 'desejo' | *emgulho* XVI | Provavelmente relacionado com o cast. *engullir*.
enho *sm.* 'cria do veado' XVI. Provavelmente do lat. *hinnŭlus -ī*.
-enho, -enha *suf. nom.*, do lat. *-ĭgnus -ĭgna*, que se documentam em adjetivos oriundos de substantivos, com as noções de: (i) semelhança: *ferrenho -a, sedenho -a*; (ii) origem, procedência: *hondurenho -a, malaguenho -a* etc. Nesta segunda acepção, quase todos os derivados portugueses procedem imediatamente do castelhano (*hondureño, malagueño* etc).
enigma *sm.* 'adivinhação, coisa obscura' XVI. Do lat. *aenigma -ătis*, deriv. do gr. *áinigma -atos* || enigmÁTICO XVI. Do lat. *aenigmatĭcus -a*, deriv. do gr. *ainigmatikós* || enigmATÍSTA 1844. Do lat. *aenigmatista -ae*.
enjambrar *vb.* 'torcer ou empenar' 'ficar confuso' XX. De origem incerta.
enjangar → JANGADA.
en·jaul·ado, -ar → JAULA.

enjeitar *vb.* 'recusar, rechaçar' | *eniectar* XIII, *enyectar* XIII, *engeitar* XIV | Do lat. *ējĕctāre* || **enjeit**ADO *sm.* | *engeitado* XVII.
enj·oado, -oar, -oo → ENOJAR.
enlaçar, enlace → LAÇO.
en·lam·eado, -ear → LAMA¹.
enlanguescer → LANGUIR.
en·lat·ado, -ar → LATA.
enlear *vb.* 'prender-se, envolver-se, confundir-se' XVI. Do lat. *illĭgāre* 'atar' || **enleio** XVI.
en·lev·ar, -o → LEVAR.
enluarado → LUA.
enlutar → LUTO.
-eno, -ena *suf. nom.*, do lat. *-ēnus -ēna*; que se documentam em vocs. formados no próprio latim, como *terreno*, por exemplo, e que ocorrem na formação de adjetivos e substantivos portugueses, com as noções de: (i) proveniência, origem: *chileno -a*; (ii) (na nomenclatura da química orgânica) hidrocarboneto insaturado: *etileno, propeno* etc.; nesta acepção, ocorre quase sempre no masculino.
-en(o)- *elem. comp.*, do gr. *oînos* 'vinho', que se documenta em vocs. formados no próprio grego, como *enóforo*, e em alguns outros introduzidos na linguagem científica internacional, a partir do séc. XIX ▶ **ení·**COLA *adj.* 2g. 'que trata de vinhos' 1899 || **enó**FILO | *enophilo* 1873 | Do lat. cient. *oenophilus* || **enó**FOBO | *enophobo* 1873 | Do lat. cient. *oenophobus* || **enó**FORO | *enophoro* 1873 | Do lat. *oenophorus*, deriv. *da* gr. *oinophóros* || **en**OL *sm.* 'vinho tido como excipiente medicinal' 1899 || **en**ÓL·EO 1899 || **en**ÓL·ICO 1899 || **en**OL·INA 1899 || **en**OLOG·IA 1844 || **en**ÓLOGO 1899 || **en**OMAN·IA 1873 || **en**OMANC·IA 1844 || **en**OMEL 1899. Do lat. *oenomeli*, deriv. do gr. *oinómeti -itos* || **en**ÔMETRO 1844.
enobrecer → NOBRE.
enodo *adj.* 'que não tem nós, que não é nodoso' XX. Do lat. *ēnōdis -e*.
enodoar → NÓDOA.
enó·filo, -fobo, -foro → -ENO-.
enoftalmo *sm.* 'retração anormal do olho na órbita' XX. Do lat. cient. *enophtalmus*, do gr. *en-* [v. EN²-] e *ophtalmós* 'olho' || **enoftalm**IA XX.
enojar *vb.* 'sentir nojo, repugnância' 'provocar repulsa' XV. Do a. prov. *enojar*, deriv. do lat. *ĭnŏdĭāre* || **anoj**ADO XIII || **anoj**AR XIV. De *enojar*, com troca de prefixo || **enjo**ADO XVI || **enjo**AR XVI || *enjoo* 1813 || **enoj**ADO XVI || *enojo* 'enjoo' XV || **noj**AR XIII. Deriv. regressivo de *enojar/anojar* || **noj**ENTO XVI || **nojo** XIII. Deriv. regressivo de *nojar/anojar/enojar*. Cp. TÉDIO.
⇨ **enojar** — **noj**OSO | XIV BARL 17.*20* |.
enol, -eo, -ico, -ina, -ogia, -ogo, eno·mancia, -mania, -mel, -metro → -EN(O)-.
enorme *adj.* 2g. 'muito grande, fora das normas' | *inorme* XVI | Do lat. *ēnormis -e* || **enorm**IDADE XVII. Do lat. *ēnormĭtās -ātis*.
enosteose *sf.* '(Med.) proliferação óssea para dentro da cavidade medular dum osso' | *enostose* 1858 | Do lat. cient. *enostōsis*, do gr. *en* [v. EN²-] e *ostéon* 'osso'.
enovelar → NOVELO.
en·quadr·ado, -ar → QUATRO.

enquanto *conj.* 'no momento em que' XIII. De EM + QUANTO.
enque *sm.* '(Marinh.) ant. cabo auxiliar do estai do mastro do traquete' 1881. Do it. *anco*, deriv. regress. de *anchino* (< lat. tard. *anquīna* < gr. *agkóinē*), provavelmente.
-enquim(a)- *elem. comp.*, do gr. *egkýmōn* 'cheio, repleto' 'fecundo', que se documenta em alguns vocs. eruditos, como *aerênquima*, por exemplo.
enquimose *sf.* '(Méd.) súbito afluxo de sangue aos vasos cutâneos em resultado de emoções intensas' | *enchymose* 1858 | Cp. gr. *egchýmōsis*.
enquist·ado, -ar → QUISTO¹.
enquizilar → QUIZILA.
en·rabich·ado, -ar → RABO.
en·raivec·er, -ido → RAIVA.
enraizar → RAIZ.
⇨ **enramar** → RAMO.
enrascar → RASCAR.
en·red·adeira, -ado, -ar, -o → REDE.
en·regel·ado, -ar → GELO.
enricar → RICO.
en·rij·ar, -ecer → RÍGIDO.
en·riquec·er, -imento → RICO.
⇨ **enristar** → RISTE.
en·roc·amento, -ar¹ → ROCA¹.
enrocar² → ROCA².
enrodilhar → RODA.
en·rol·ado, -ar → ROLO.
en·rosc·ado, -ar → ROSCA.
enroupar → ROUPA.
en·rouqu·ecer, -ecido → ROUCO.
enrubesc·er, -ido, -imento → -RUB(I)-.
en·rug·ado, -ar → RUGA.
enrustido → RUSTIR.
en·sabo·ado, -ar → SABÃO.
en·sac·adinha, -amento, -ar → SACO.
ensaio *sm.* 'prova, experiência, estudo' | *enssay* XIII | Do lat. tard. *exagium* || **ensai**AMENTO | *-ayamēto* XIV || **ensai**AR | XIV, *ensayar* XIV || **ensaí**STA XX. Adapt. do ing. *essayist* (< *essay* 'ensaio').
ensamambaiado — SAMAMBAIA.
ensamblar *vb.* 'unir, juntar, especialmente ajustar peças de madeira' 1844. Do cast. *ensamblar* e, este, do ant. fr. *ensembler*, deriv. de *ensemble* 'juntamente', procedente do lat. *īnsĭmul* || **samblar** 1844.
ensanchar *vb.* 'alargar, aproveitando as oportunidades, dilatar' XVII. Do lat. vulg. *examplāre* || **ensanchas** XVII.
ensandecer → SANDEU.
ensanguentar → SANGUE.
ensapezado → SAPÉ.
ensarilhar → SARILHO.
ensartar → SARTA.
-ense *suf. nom.*, do lat. *-ense*, que se documenta em vocs. port. de formação erudita, com a noção de 'relação, procedência, origem': *forense, lisbonense, piauiense* etc. Cp. -ÊS.
enseada → SEIO.
ensebar → SEBO.
ensejar *vb.* 'esperar a oportunidade' 'oferecer-se' XIV. Do lat. **īnsĭdĭāre*, por *īnsĭdĭāri* || **ensejo** XVI.
ensi- *elem. comp.*, do lat. *ēnsis* 'espada', que se documenta em vocábulos formados no próprio latim,

como *ensífero*, e em alguns outros introduzidos na linguagem científica internacional, a partir do séc. XIX ▶ **ensí**FERO 1572. Do lat. *ēnsĭfer -fĕra -fĕrum* ‖ **ensi**FORME 1858 ‖ **ensir·** ROSTRO | *encirostro* 1881.
en·sil·agem, -ar → SILO¹.
ensimesmar-se *vb.* 'meter-se consigo mesmo, concentrar-se' XX. Do cast. *ensimismarse*, de *sí mismo* 'si mesmo'.
ensinar *vb.* 'transmitir conhecimento' XIII. Do lat. *īnsĭgnāre* (por *īnsĭgnīre*) ‖ **ensin**ADO | XIII, *enssinado* XIII, *ensy-* XIII etc. ‖ **ensin**ADOR | XV, *-ssy-* XIV ‖ **ensin**AMENTO XIII ‖ **ensin**ANÇA XIV ‖ **ensin**O XIV.
ensirrostro → ENSI-.
ensoar → SOL¹.
ensoberbecer → SOBERBO.
⇨ **ensoberbecer** → SOBERBA.
ensolarado → SOL¹.
ensolvar *vb.* '(Artilh.) impedir a peça de disparar, umedecendo a pólvora' 1858. De etimologia controvertida ‖ **ensolv**ADO 1813.
en·sop·ado, -ar → SOPA.
ensosso → INSOSSO.
enstatita *sf.* '(Min.) mineral ortorrômbico do grupo dos piroxênios, constituído de silicato de magnésio' XX. Do fr. *enstatite*, deriv. do gr. *enstátēs* 'adversário, inimigo' com o suf. *-ite* (v. -ITA).
en·surd·ec·edor, -er, -imento → SURDO.
en·tabl·ado, -ar, en·tabu·ado, -ar, -lado, -lar → TÁBUA.
entaipar → TAIPA.
en·tal·ação, -ar → TALA.
en·talh·ador, -adura, -amento, -ar, -e, -o → TALHAR.
entanto *adv.* 'neste meio tempo, neste ínterim, entretanto' XIII. De EM + TANTO.
então *adv.* 'nesse ou naquele tempo, momento ou ocasião | *entõ* XIII, *enton* XIII etc. | Do lat. *ĭn tŭnc*. No port. med. documentaram-se, também, as formas *entonce* (<lat. *ĭntŭnce*), desde o séc. XIII, *estonce* (< lat. *extŭnce*) e *estõ* (< lat. *extŭnc*), estas duas últimas a partir do séc. XIV.
-entar *suf. verb.*, formado por analogia com a terminação *-ent·ar* de verbos do tipo *aquent·ar* (< *a-* + *quent·e* + *-ar*), *violent·ar* (< *violent·o* + *-ar*) etc., que deu origem à formação de outros verbos portugueses com sentido factitivo: *aformos·entar* (< *a-* + *formos·o* + *-entar*), *amol·entar* (<*a-* + *mol·e* + *-entar*) etc.
entardecer → TARDE.
en·tavol·ado, -ar → TÁBUA.
ente *sm.* 'aquilo que existe' 'pessoa' XVII. Do lat. tard. *ēns entis*, part. pres. de *esse* ‖ **ent**IDADE XVI. Do lat. escolástico *entitās -ātis*. Cp. SER.
-ente *suf. nom.*, do lat. *-ens -entis*, que forma adjetivos oriundos de verbos, com a noção de 'ação, qualidade, estado': *afluente*, *combatente*, *doente*, etc.; alguns desses adjetivos podem ocorrer também substantivados: *combatente*, *doente* etc.
enteado *adj. sm.* 'o filho de matrimônio anterior com relação ao cônjuge atual de seu pai ou de sua mãe' | XIV, *anteado* XVI | Do lat. *antēnātus*.
en·te·diar, -jar, -jo → TÉDIO.
enteléquia *sf.* '(Filos.) segundo Aristóteles, o resultado ou a plenitude ou a perfeição de uma transformação ou de uma criação, em oposição ao processo de que resulta tal criação ou transformação'

| *entelechia* 1844 | Do lat. *entelechīa*, deriv. do gr. *entelécheia*.
entender *vb.* 'compreender, dar conta, perceber' XIII. Do lat. *ĭntĕndĕre* ‖ DE**entend**ER XVIII ‖ **entend**ENTE XIII ‖ **entend**IMENTO XIII ‖ **entend**ÍVEL | *entendivil* XV ‖ SUB**entend**ER XVII ‖ SUB**entend**IDO 1813.
entenebrecer → TREVA.
en·tern·ecer, -ecimento → TERNO.
enter(o)- *elem. comp.*, do gr. *énteron* 'intestino', que se documenta em vocábulos formados no próprio grego, como *entérico*, e em vários outros introduzidos na linguagem científica internacional, a partir do séc. XIX ▶ **enter**ALG·IA 1858. Do lat. cient. *enteralgia* ‖ **enter**ECTAS·IA | *enterectasis* 1873 | Do lat. cient. *enterectasia* ‖ **entér**ICO 1873. Cp. gr. *enterikós* ‖ **enter**ITE 1858. Do lat. cient. *enterītis* ‖ **entero**CELE 1858. Do lat. *enterocēlē*, deriv. do gr. *enterokéle* ‖ **entero**CISTO·CELE | *entero-cystocéle* 1873 ‖ **enteró**CLISE XX ‖ **entero**CLISMA XX ‖ **enterodelo** | *enterodéle* 1873 ‖ **entero**DIN·IA | *enterodynia* 1873 | Do lat. cient. *enterŏdynia* ‖ **entero**GASTRITE XX ‖ **entero**GRAF·IA | *enterographia* 1858 ‖ **enteró**LITO | *enterolitho* 1873 | Do lat. cient. *enterolithus* ‖ **entero**LOG·IA 1858. Do lat. cient. *enterologia* ‖ **entero**PNEUSTO 1899. Do lat. cient. *enteropneusta* ‖ **entero**QUÍN·ASE XX ‖ **enter**OSE 1858 ‖ **enteró**TOMO 1873 ‖ **entero**ZO·ÁRIO 1899.
en·terr·amento, -ar, -o → TERRA.
entesar → TENSÃO.
entesourar → TESOURO.
entestar → TESTA.
entibiar → TÍBIO.
enticar → TÉDIO.
entidade → ENTE.
entimema *sm.* '(Lóg.) silogismo no qual se subentende uma premissa' XVI. Do fr. *enthymème*, deriv. do gr. *enthymēma*.
entisicar → TÍSICO.
entivar *vb.* 'revestir de tábuas' 1899. De etimologia obscura.
ent(o)- *elem. comp.*, do gr. *entós* 'posição interior', que se documenta em vocábulos introduzidos na linguagem científica internacional, a partir do séc. XIX ▶ **ento**CÉFALO | *entocéphalo* 1899 ‖ **entó**FITO | *entophyto* 1858 ‖ **ento**GÁSTR·ICO XX ‖ **ento**GASTRO 1899 ‖ **entó**PT·ICO XIX ‖ **ento**PTO·SCOP·IA XX ‖ **entó**T·ICO XX ‖ **ento**ZO·ÁRIO 1858. Do fr. *entozoaire*.
-ento *suf. nom.*, do lat. *-entus*, que se documenta em vocs. já formados no próprio latim, como *cruento*, por exemplo, e que ocorre na formação de adjetivos oriundos de substantivos, com as noções de: (i) provido ou cheio de: *calorento*, *ciumento*, *sedento* etc.; (ii) que tem o caráter de, que se assemelha a: *amarelento*, *barrento*, *vidrento* etc. Cp. -LENTO.
en·to·ação, -ado, -ar → TOM.
entocar → TOCA.
ento·céfalo, -fito, -gástrico, -gastro → ENT(O)-.
entom(o)- *elem. comp.*, do gr. *éntomon* 'inseto' 'dividido', que se documenta em vocábulos introduzidos na linguagem científica internacional, a partir do séc. XIX ▶ **entôm**ICO *adj.* 'relativo ou pertencente a insetos' 1873 ‖ **entomó**FILO | *entomophilo* 1873 ‖ **entomó**GENO XX ‖ **entomo**GÊN·IO 1873 ‖ **entomo**LOG·IA 1858 ‖ **entomo**STR·ÁCEO 1873 ‖ **entomo**ZO·ÁRIO 1873.

entonação → TOM.
entontecer → TONTO.
entó·ptico, -ptoscop·ia → ENT(O)-.
entornar → TORNO.
en·torpec·ente, -er, -imento → TORPOR.
entor·se, -tar → TORCER.
entó·tico, -zo·ário → ENT(O)-.
entrada → ENTRAR.
entralhar → TRALHA.
en·tranç·amento, -ar → TRANÇA.
entranha *sf.* 'o ventre materno' 'índole' 'sentimento' XIV. Do lat. *ĭnterānĕa*, pl. de *ĭnterānĕus* ‖ DEsentranhAR XVI ‖ entranhAR XVI.
⇨ **entranha** — **entranh**ÁVEL ǀ 1614 SGonç I. *177.12* ǀ.
entrante → ENTRAR.
entrar *vb.* 'passar de fora para dentro' XIII. Do lat. *ĭntrāre* ‖ entrADA XIII ‖ entrANTE XIII ‖ REentrÂNCIA 1899 ‖ REentrANTE 1899 ‖ REentrAR 1899.
en·trav·ar, -e → TRAVE.
entre *prep.* ǀ XIII, *antre* XIII, *ontre* XIII ǀ Do lat. *ĭnter*.
entre- → INTER-.
entreaberto → ABERTA.
entreabrir → ABRIR.
entreato → ATO.
entrecasca → CASCAR.
entrecerrar → CERRAR.
entrecho *sm.* 'enredo do drama' 'intriga, confusão' 1813. Do it. *intreccio*.
entre·chocar, -choque → CHOQUE.
entrecorrer → CORRER.
entrecortar → CORTAR.
entre·cost·ado, -o → COSTA.
entrecruzar → CRUZ.
entredizer → DIZER.
entregar *vb.* 'passar às mãos ou à posse de alguém' XIII. Do lat. *ĭntĕgrāre* ‖ entrega *sf.* 'restituição' XIII ‖ entregADO XIII ‖ entregADOR XIII ‖ entregAMENTO XIV ‖ entregue XIII.
entre·laç·ado, -amento, -ar → LAÇO.
entrelinh·a, -ar → LINHA.
entrelopo *sm.* 'contrabandista, aventureiro' 1813. Do ing. *interloper*.
entre·mear, -meio → MÉDIO.
entrementes *adv.* 'naquela ocasião' 'neste ou naquele intervalo de tempo' ǀ *entramente* XIII ǀ Do cruzamento de *entre* com o a. port. *dementes* ou *dementre* (do lat. *dum ĭnter*), formas já documentadas também no séc. XIII.
entremeter → METER.
entremez *sm.* 'pequena farsa de um só ato, burlesca e jocosa' ǀ *antremes* XVI ǀ Do cast. *entremés*, deriv. do fr. antigo *entremès* e, este, do lat. *intermĭssus*, particípio de *intermĭttĕre*.
entremostrar → MOSTRAR.
entrepelado → PELO.
entreperna → PERNA.
entreposto → POSTO.
⇨ **entressachado** → SACHAR.
entressachar → SACHAR.
entressola → SOLA.
entretanto *adv.* 'entrementes, no entanto' XIV ǀ *ontretanto* XIV ǀ De ENTRE + TANTO.
entretecer → TECER.
entretela *sf.* 'pano que se coloca entre o forro e a fazenda de uma peça de vestuário, para lhe dar consistência, ou uma boa queda, ou para torná-la armada' XVII. Adapt. do fr. *entretoile*.
entreter *vb.* 'deter, distrair, enganar' XVI. Do lat. **intertenēre* ‖ entretenimento XVI. Do cast. *entretenimiento* ‖ entretIMENTO ǀ *inter-* XVI.
entretinho *sm.* 'comida de ave' XVII. De etimologia controvertida.
entrevado → TRAVE.
entrever → VER.
entreverar-se *vb.* 'misturar, confundir' 1899. Do cast. *entreverar* ‖ **entrevero** *sm.* 'desordem, confusão' 1899. Do cast. *entrevero*.
entre·vista, -vistar → VER.
entrezar *vb.* 'entretecer, entrelaçar' 1881. Do it. *intrecciare* ‖ entrezADO 1844.
en·trincheir·amento, -ar → TRINCHEIRA.
⇨ **entrincheirado** → TRINCHEIRA.
en·trist·ec·edor, -er, -ido → TRISTE.
entrita → TRITURAR.
en·tronc·amento, -ar → TRONCO.
en·troniz·ação, -ar → TRONO.
entropia *sf.* '(Fís.) cada um dos elementos quantitativos que determina a condição termodinâmica de uma parte do problema' XX. Do fr. *entropie*, deriv. do gr. *entropḗ* 'volta, retorno'.
entropilhar → TROPA.
entrópio *sm.* '(Med.) reviramento do bordo livre das pálpebras para o globo ocular' XIX. Do lat. cient. *entropium*.
entrós *sm.* 'cada um dos espaços entre os dentes da roda' ǀ *entroz* 1881 ǀ Do lat. *intorsus* ‖ **entrosa** *sf.* 'roda dentada que engrena em outra' 1844 ‖ entroSAMENTO XX ‖ entrosAR 1813.
entrouxar → TROUXA.
entrudo *sm.* 'carnaval' 'folguedo carnavalesco' ǀ *entruido* XIII, *entroydo* XIII, *ontroydo* XIII ǀ Do lat. *introĭtŭs -ūs*.
en·tulh·ar, -o → TULHA.
entuna → TUNA¹.
entupir *vb.* 'obstruir, atulhar, entulhar' XVI. De etimologia obscura ‖ DESentupir 1813 ‖ **entupigaitar** *vb.* 'atrapalhar, embaraçar' XX. Palavra expressiva.
entusiasmo *sm.* 'flama, exaltação, arrebatamento' ǀ *enthusiasmo* XIII ǀ Do fr. *enthousiasme*, deriv. do lat. tard. *enthusiasmus* e, este, do gr. *enthousiasmós* ‖ **entusiasm**AÇÃO XX ‖ **entusiasm**ADO ǀ *enthusiasmado* 1813 ‖ **entusiasm**AR ǀ *enthusiasmar* 1813 ‖ **entusiasta** ǀ *enthusiasta* XVII ǀ Do lat. ecles. *enthusiastes*, deriv. do gr. *enthousiastḗs* ‖ **entusiást**ICO ǀ *enthusiastico* 1813 ǀ Cp. gr. *enthousiastikós*.
enuclear → NÚCLEO.
e·numer·ação, -ado, -ar → NÚMERO.
enunciar *vb.* 'exprimir, declarar, expor' 1813. Do lat. *ēnūntiāre* ‖ **enunci**AÇÃO XVII. Do fr. *énonciation*, deriv. do lat. *ēnūntiātĭo -ōnis* ‖ **enunci**ADO 1813. Do lat. *ēnūntiātum -ī* ‖ **enunci**AT·IVO 1844. Do lat. *ēnūntiātīvus*.
enurese *sf.* '(Patol.) incontinência de urina' ǀ *enuresia* 1858 ǀ Do lat. cient. *enūrēsis*, deriv. do gr. *enouréō* 'urinar'.
en·vaid·ar, -ecer → VAIDADE.
envasilhar → VASO.

en·velh·ec·er, -ido, -imento → VELHO.
envelope *sm.* 'invólucro para remessa ou guarda de correspondência, documento ou impresso qualquer' XX. Do fr. *enveloppe* ‖ **envelop**AR XX. Do fr. *envelopper.*
enverdecer → VERDE.
enveredar → VEREDA.
en·verg·ado, -adura, -ar → VERGA.
en·vergonh·ado, -ar → VERGONHA.
en·verniz·ado, -ar → VERNIZ.
envesgar → VESGO.
enviar *vb.* 'expedir, remeter, encaminhar' XIII. Do lat. tard. *ĭnviāre*, de *vĭa* ‖ **envi**ADA XV ‖ **envi**ADO 1813 ‖ **envi**ADOR XIV ‖ **envi**AMENTO XV ‖ **envi**AT·URA 1706 ‖ **envio** 1899.
envidar *vb.* 'desafiar, provocar, empenhar-se' XV. Do lat. *invitāre* ‖ RE**envi**DAR 1813.
envidraçar → VIDRO.
en·vies·ado, -ar → VIÉS.
envilecer → VIL.
envio → ENVIAR.
enviperar → VÍBORA.
enviscar → VISCO.
enviuvar → VIÚVA.
envol·to, -tório, -tura, -vedor, -vente, -ver, -vido, -vimento → VOLVER.
enxabido *adj.* 'sem sabor, insípido, insulso' | *enxabiido* XV | Estará por *enxábido*, do lat. **insăpĭdus* ‖ DES**enxabido** 1813.
enxacoco *adj.* 'que fala mal uma língua estrangeira' 'exótico' XVII. De etimologia obscura.
enxada *sf.* 'instrumento de capinar ou revolver a terra' | XVI, *axada* XIII, *exada* XIV | Do lat. **asciāta*, de *ascĭa -ae* (ou *ascĕa*) ‖ **enxad**ADA XVI ‖ **enxad**ÃO | *exadões* pl. XIV. Cp. ENXÓ.
en·xadr·ezar, -ismo, -ista → XADREZ.
enxaguar *vb.* 'passar em segunda água para tirar o sabão' | *enxauguar* XVI | Do lat. **exaquāre*, deriv. de *aqua.*
enxaimel *sm.* 'pau lavrado que enche os vãos das paredes tapadas com tijolo ou barro' | *enchamel* 1813 | De etimologia obscura. A grafia com *ch*, *enchamel*, que se documenta desde 1813, justificaria uma aproximação com o fr. *chamailler* 'bater, lutar, reforçar'.
enxalço *sm.* 'pequeno arco, sob a verga de porta ou de janela' 1899. De etimologia obscura.
enxalmo *sm.* 'manta que se coloca por cima da albarda para aplanar-lhe o assento' | *exalmo* XIV | Do cast. *enjalma*, deriv. do lat. vulg. *salma* (por *sagma*) e, este, do gr. *ságma -atos* 'carga' 'guarnição' ‖ **enxalm**AR XVI.
⇨ **enxalmo** → **enxalm**ADURA | *a* 1595 *Jorn.* 132.*15* |.
enxama *sf.* 'cavilha de madeira, na borda da canoa, onde joga o remo; tolete' 1899. De etimologia obscura.
enxambrar *vb.* 'enxugar ligeiramente' 1813. Do lat. **exumbrāre* ou de **exhumorāre*.
enxame *sm.* 'o conjunto das abelhas duma colmeia' | *eyxame* XIII, *ēxame* XVI | Do lat. *exāmen -ĭnis* ‖ **en**·**xam**EAR | XVI, *eyxamēar* XIII | Do lat. *exāmināre*.
enxaqueca *sf.* '(Med.) dor de cabeça unilateral, com perturbações visuais e digestivas' XVI. Do ár. *aš-šaqīqa*.

enxara *sf.* 'matagal' 'charneca' | *eixara* XIV | Do ár. vulg. *aš-šáʿra*, deriv. do cláss. *aššaʿrâ*.
enxárcia *sf.* '(Const. Nav.) o conjunto de ovéns e enfrechates, nos navios a vela' | *ejxarcya* XIV, *ēxarçia* XV | Provavelmente do it., *esàrcia*, deriv. do gr. tard. *exártia*, pl. de *exártion* (cp. gr. *exartizō* 'completar' 'equipar').
enxaropar → XAROPE.
enxeco *sf.* 'luta, dificuldade, doença' | XIII, *execo* XIII, *eyxeco* XIII etc. | Do ár. *aš-šiqq* ‖ **enxetar** *vb.* 'combater, molestar' | XIV, *enxecar* XIV. Cp. ACHAQUE.
enxequetado → XEQUE.[2]
enxerca *sf. ant.* operação que consistia em retalhar as carnes das reses e pô-las a secar ao sol ou ao fumeiro' | *eixerca* XV | Do ár. *aš-šarq* ‖ **enxerc**AR | *exercar* XV ‖ **enxerqu**EIRA | XV, *ei*- XV.
enxerga *sf.* 'colchão rústico' 'catre' XVII. Do lat. *sērĭca -ōrum* ‖ **enxerg**AO XVI.
enxergar *vb.* 'avistar' 'pressentir' | XV, *eyxergar* XIV | De etimologia obscura.
enxer·ido, -to → INSERIR.
enxiar *vb.* 'atar, ligar' 1881. Talvez se relacione com o it. *incocciare*.
enxó *sf.* 'instrumento de cabo curto e com chapa de aço cortante, usado por carpinteiros e tanoeiros para desbastar madeira' | XVI, *eyxola* XV, *yxola* XV | Do lat. *ascĭola -ae*, de *ascĭa -ae*. Cp. ENXADA.
enxofre *sm.* '(Quím.) elemento de número atômico 16, não metálico, cristalino, amarelo, com odor característico' | XVI, *suffre* XIII, *xufre* XIV, *eyxufre* XIV | Do lat. *sulfur -ŭris*.
enxotar *vb.* 'afugentar, empurrando, batendo ou gritando' 'pôr fora' XVI. Da interjeição *xut!* ou *xuta!*, sinônima de *xó!*, própria para afugentar aves.
enxoval *sm.* 'conjunto de roupas e de certos complementos, em geral úteis, de quem se casa, de recém-nascido, de jovem que se interna em colégio etc.' | *axuar* XV, *enxoual* XVI | Do ár. *aš-šuɣar*.
enxovalhar *vb.* 'sujar, manchar, emporcalhar' XVI. De etimologia controvertida; talvez se relacione com ENXOVIA.
enxovia *sf.* 'cárcere térreo ou subterrâneo, escuro, úmido e sujo' 1813. De origem incerta; talvez do etnônimo *Enxovia*, já documentado no séc. XV e deriv. do ár. *aš-šāuīa* ‖ **enxov**EDO XV.
enxu *sm.* 'variedade de vespa' | *inxuí* 1817, *ichu* 1876 | Do tupi *ei'šu* ‖ **enxuí** | *inxúy* 1817 | Do tupi *eišu'i*.
enxugar *vb.* 'tirar a umidade, secar' | XIV, *esugar* XIV, *exugar* XIV, *ēxugar* XV | Do lat. *exsucāre*, deriv. de *sūgēre* ‖ **enxug**ADOURO | XVIII, *enxugadoiro* 1881 ‖ **enxut**O | *enxoyto* XIII, *eixuito* XIII, *enxouto* XIII, *eyxuto* XIV etc. | Do lat. *exsūctus*.
enxuí → ENXU.
enxúndia *sf.* 'gordura do porco e das aves' | XVI, *enxunda* XIV | Do lat. *axungĭa -ae* ‖ **enxundi**OSO XX.
enxurdar → CHURDO.
enxurr·ada, -ar → JORRO.
enxuto → ENXUGAR.
enzima *sf.* '(Bioq.) catalisador altamente específico, de natureza proteica e de elevado peso molecular, produzido por células vivas e que participa ativamente da maior parte das reações que ocorrem nos organismos vivos' XX. Do al. *Enzym*, voc. criado pelo fisiologista alemão W.F. Kühne (1837-

1900) em 1876, com base no gr. *en-* 'dentro de' e *zymē* 'fermento'.
-eo *suf. nom.*, do lat. *-ĕu(s)*, que ocorre na formação de adjetivos oriundos de substantivos, com a noção de 'relação, semelhança', quase todos já documentados no próprio latim: *pétreo* (< lat. *petrĕus*), *róseo* (< lat. *rosĕus*) etc.
eoceno *adj. sm.* '(Geol.) diz-se de, ou época mais antiga do período terciário' XIX. Do ing. *eocene*, vocábulo criado pelo geólogo Lyell, em 1833, com base no gr. *ēós*, 'aurora' e *kainós* 'novo'.
éolo *sm.* '(Mit.) o deus dos ventos' 'ext. vento forte' 1572. Do lat. *aeŏlus -ī*, deriv. do gr. *aiolos* || **eól**ICO *adj.* 'relativo à Eólia' XVIII. Do lat. *aeolĭcus*, deriv. do gr. *aiolikós* || **eol**INA 1899. Do fr. *éoline* || **éolio** *adj.* 'eólico' XVIII. Do lat. *aeolĭus*, deriv. do gr. *aiólios* || **eolípila** 1813. Do fr. *éolipyle*, deriv. do lat. tard. *aeolipȳlae* pl. e, este, do gr. *Áiolos* 'Éolo', 'vento' e *pýlē* 'porta'.
⇨ **éolo** — **eól**ICO | *aeolico* 1576 DNLeo 20.4 |.
eoo *adj. sm.* 'do oriente' 'aurora' 'a estrela da manhã' XVII. Do lat. *eōus -a -um* ou *eōus -ī*, deriv. do gr. *ēóios*, de *ēós* 'aurora'.
eosina *sf.* 'substância corante avermelhada, sal potássico de tetrabromofluoresceína' XX. Do fr. *éosine* || **eosinó**FILO XX.
ep- → EP(I)-.
epacmástico *adj.* '(febre) que aumenta gradualmente' | 1873, *epicmastico* 1813 | Do lat. cient. *epacmasticus*, deriv. do gr. *epakmastikós*.
epacta *sf.* '(Astr.) número de dias que deve ser adicionado ao ano lunar para fazê-lo igual ao ano solar' 1813. Do fr. *épacte*, deriv. do lat. tard. *epactae -ārum* e, este, do gr. *epaktaí* (*hēmérai*) '(dias) intercalados' || **epact**AL 1881.
epagoge *sf.* '(Filos.) indução completa' XX. Do lat. *epagōgē*, deriv. do gr. *epagōgē* || **epagóg**ICO XIX. Do fr. *épagogique* || **epagogo** *sm.* 'magistrado grego que decidia sumariamente as questões de direito comercial marítimo' 1899. Do fr. *épagogue*.
epanadiplose *sf.* '(Ret.) repetição de uma palavra no começo e no fim de um verso ou de uma frase' | *epanadiplosis* 1844 | Do lat. tard. *epanadiplōsis*, deriv. do gr. *epanadíplōsis*.
epanáfora *sf.* '(Ret.) repetição de palavras no começo de versos ou de frases seguidas.' | *-ph-* XVII | Do lat. tard. *epanaphora*, deriv. do gr. *epanaphorā́*.
epanalepse *sf.* '(Ret.) repetição de palavras no meio de frases seguidas' | *epanalepsis* 1844 | Do lat. tard. *epanalēpsis*, deriv. do gr. *epanálēpsis*.
epanástrofe *sf.* '(Ret.) repetição no começo de um período, de um membro de frase, ou de um verso, das últimas palavras do período, do membro da frase, ou do verso antecedente' | *epanastrophe* 1844 | Cp. gr. *epanastrophḗ*.
epânodo *sm.* '(Ret.) repetição em separado de palavras que primeiro se proferiram ou escreveram juntas' 1881. Do gr. *epánodos*.
epanortose *sf.* '(Ret.) correção que o orador finge dar a uma palavra ou frase pronunciada' | *epanorthosis* 1844 | Cp. gr. *epanórthōsis*.
eparquia *sf.* 'diocese de um bispo ou de um arcebispo, no império bizantino' XX. Do lat. tard. *eparchia*, deriv. do gr. *eparchía*.

epêndima *sm.* '(Anat.) membrana que reveste os ventrículos cerebrais e o canal central da medula' XIX. Do fr. *épendyme*, deriv. do lat. cient. *ependyma* e, este, do gr. *epéndyma*.
epêntese *sf.* '(Gram.) desenvolvimento de fonemas no meio de uma palavra' | *epenthesis* XVI | Do lat. tard. *epenthesis*, deriv. do gr. *epénthesis* || **epentÉT**·ICO 1899.
ep(i)- *pref.* do gr. *epi-*, de *epí* 'em cima de, em posição superior', 'movimento para' etc., que se documenta em vocs. eruditos formados no próprio grego, como *epacta*, *epêntese*, *epiceno*, *epodo* etc., e em vários compostos formados nas línguas modernas de cultura. O pref. gr. *epi-* passa a *eph-* diante de vogal aspirada (cp. gr. *ephḗmeron* < *ep·i-* + *hēméra*, *éphoros* < *ep·i-* + *horáō* etc.); do grego, quase sempre por intermédio do latim, esses vocs. chegaram ao português, com a mesma grafia *eph-*, posteriormente substituída por *ef-*: gr. *ephḗmeron* > lat. *ephēmeron* > a. port. *ephemero* > port. *efêmero*; gr. *éphoros* > lat. *ephorus* > a. port. *éphoro* > port. *éforo*. Registram-se em verbetes independentes, no seu respectivo lugar alfabético, apenas os compostos mais importantes, particularmente os que já vieram formados do grego.
epiblema *sm.* '(Bot.) epiderme da raiz e doutros órgãos subterrâneos dos vegetais' 1881. Cp. gr. *epíblēma*.
epicanto *sm.* '(Med.) dobra da pele no ângulo interno do olho, presente nos casos de mongolismo' | *epicanthis* 1873 | Do lat. cient. *epicanthus*.
epicarpo *sm.* '(Bot.) camada externa do pericarpo dos frutos' | 1858, *epicarpia* 1858 | Do fr. *épicarpe*, deriv. do lat. cient. *epicarpium* e, este, do gr. *epikárpios*.
epicaule *adj. 2g.* '(Bot.) diz-se do vegetal, parasito ou não, que cresce sobre o caule doutros vegetais' | *epicaulo* 1858 | Do lat. cient. *epicaulis*.
epicauma *sm.* 'úlcera que se forma na córnea transparente' 1858. Do lat. cient. *epicauma*, deriv. do gr. *epikauma*.
epicédio *sm.* 'composição poética, ou sinfônica, ou discurso em memória de alguém' 1768. Do lat. tard. *epicēdium*, deriv. do gr. *epikḗdeion*.
epiceno *adj.* '(Gram.) diz-se do substantivo de um só gênero, masculino ou feminino, o qual gênero designa a espécie de um animal e, portanto, se aplica a indivíduos de ambos os sexos' 1813. Do lat. *epicoenum*, deriv. do gr. *epíkoinon*.
epiciclo *sm.* '(Astr.) nos sistemas cosmológicos de Ptolomeu, o círculo imaginário que cada planeta descrevia em torno do deferente enquanto este girava em torno da Terra' | *epiçicollo* XV | Do lat. tard. *epicyclus*, deriv. do gr. *epíkyklos* || **epicicl**OIDE | *epycycloide* 1813.
epiclino *adj.* '(Bot.) diz-se de qualquer órgão posto sobre o receptáculo da flor' 1873. Do lat. cient. *epiclinēs*, deriv. do gr. *epiklinḗs*.
épico *adj.* 'referente à epopeia e aos heróis' XVII. Do lat. *epĭcus*, deriv. do gr. *epikós*, de *épos épous* 'palavra'.
epicrânio *sm.* '(Anat.) o revestimento do crânio' 'parte superior da cabeça dos vertebrados' XX. Cp. gr. *epikránios*.

epicrise *sf.* '(Med.) *ant.* apreciação crítica das causas, andamento e consequências de uma enfermidade' | *-sis* 1844 | Cp. gr. *epíkrisis*.
epicureu *adj. sm.* 'sensual, voluptuoso' 'que segue as doutrinas do filósofo grego Epicuro' 1844. Do lat. *epicūrēus*, deriv. do gr. *epikoúreios* || **epicúrio** *adj.* 'relativo ao filósofo grego Epicuro, ou às suas doutrinas' | XV, *-coro* XV || **epicur**ISTA 1858.
epidemia *sf.* 'doença que surge rápida num lugar e acomete ao mesmo tempo numerosas pessoas' XVI. Do lat. med. *epidēmia*, deriv. do gr. *epidēmía* || **epidêm**ICO XVIII || **epidemio**·LOG·IA 1881.
epidendro *sm.* '(Bot.) designação comum a várias plantas epífitas ou terrestres, da família das orquidáceas' 1899. Do lat. cient. *epidendrus*, deriv. do gr. *epídendros*.
epiderme *sf.* '(Anat.) camada celular superficial que reveste o derma e com ele constitui a pele' 1813. Do fr. *epidèrme*, deriv. do gr. *epíderma -atos* || **epidérm**ICO 1813.
epidiascópio *sm.* '(Ópt.) aparelho de projeção de imagens, que pode funcionar por transparência e por reflexão' XX. De EPI- 'sobre' e *diascópio* 'aparelho de projeção de diapositivos'.
epidíctico *adj.* '(Ret.) aparatoso, ostentoso, demonstrativo' 1813. Do lat. *epidīcticus*, deriv. do gr. *epideiktikós*.
epidídimo *sm.* '(Anat.) pequeno corpo oblongo situado na parte superior do testículo, e que é conduto formado pela reunião dos canais seminíferos' | *epididymo* 1844 | Do fr. *épididyme*, deriv. do lat. cient. *epididymus* e, este, do gr. *epididymís -idos*.
epídoto *sm.* '(Min.) designação comum aos minerais do grupo dos epídotos, ortorrômbicos ou monoclínicos, constituídos de silicatos básicos de cálcio e alumínio ou ferro, ou ambos, e que pode conter manganês' XX. Do lat. cient. *epidotus*, deriv. do gr. *epidotikós*, de *epídosis*.
epifania *sf.* 'aparição ou manifestação divina' | *epiphania* 1570 | Do fr. *épiphanie*, deriv. do lat. tard. *epiphanīa* e, este, do gr. *epipháneia*.
epífilo *adj.* '(Bot.) diz-se dos fungos e doutros vegetais que nascem e vivem no limbo das folhas' | *epiphyllo* 1858 | Do lat. cient. *epiphyllum*.
epífise *sf.* '(Anat.) extremidade de um osso' 'glândula pineal' | *epiphyse* 1858 | Do lat. cient. *epiphysis*, deriv. do gr. *epíphysis*.
epífito *sm.* '(Bot.) o vegetal que vive sob um outro sem retirar nutrimento, apenas apoiando-se nele' | *epíphyto* 1899 | Do lat. cient. *epiphytus*.
epifonema *sm.* '(Ret.) exclamação sentenciosa com que se fecha um discurso ou uma narrativa' XVII. Do lat. tard. *epihōnēma*, deriv. do gr. *epiphōnēma*.
epífora *sf.* '(Med.) escoamento das lágrimas pela face, devido a obstáculos existentes nos canais lacrimais' | *epiphora* XVIII | Do lat. *epiphora*, deriv. do gr. *epiphorá*.
epigástrio *sm.* '(Anat.) a parte superior do abdômen, entre os dois hipocôndrios' | 1858, *epigastro* 1813 | Do fr. *épigastre*, deriv. do lat. cient. *epigastrium* e, este, do gr. *epigástrion* | **epigastr**ALG·IA 1873.
epigenesia *sf.* '(Fisiol.) teoria da formação dos seres por gerações graduais' 1844. Do lat. cient. *epigenesis*.

epigenia *sf.* '(Min.) alteração da composição química dum mineral sem que se lhe altere a forma anterior' 1873. Do lat. cient. *epigenia*, deriv. do gr. *epigenḗs* || **epígen**O 1858.
epigeu *adj.* 'que está sobre a terra, acima do solo' 1873. Do lat. cient. *epigēus*, deriv. do gr. *epígeios*.
epígino *adj.* '(Bot.) diz-se da flor ou da peça floral que se acha por cima do ovário' | *epígyno* 1899 | Do lat. cient. *epigynus*.
epiglote *sf.* '(Anat.) válvula que fecha a glote no momento da deglutição' | *epiglōte* 1844 | Do fr. *épiglotte*, deriv. do lat. cient. *epiglōttis -idis* e, este, do gr. *epiglōttís -idos*.
epígono *sm.* 'aquele que pertence à geração seguinte' 'discípulo de um grande mestre' 1873. Do fr. *épigone*, deriv. do lat. tard. *epigonī* e, este, do gr. *epigonoi*.
epígrafe *sf.* 'inscrição, legenda' | 1736, *-graphe* 1727 | Do fr. *épigraphe*, deriv. do gr. *epigraphḗ* 'inscrição' || **epigraf**IA | *-graphia* 1873 | Do fr. *épigraphie* || **epigráf**ICO | *-graphico* 1858.
epigrama *sm.* 'poesia breve, satírica' XVI. Do lat. *epigramma -atis*, deriv. do gr. *epígramma -atos* || **epigram**ÁTICO | *epigrammatico* 1813 | Do lat. *epigrammaticus* || **epigramat**ISTA | *epigrammatista* 1813 | Do lat. *epigrammatista -ae* || **epigramat**IZAR | *epigrammatisar* 1873.
epilação *sf.* 'ato de arrancar os pelos, depilação' 1881. Do fr. *épilation* || **epil**AT·ÓRIO 1844. Do fr. *épilatoire*.
epilepsia *sf.* '(Patol.) doença nervosa, com manifestações ocasionais, súbitas e rápidas, entre as quais sobressaem convulsões e distúrbios da consciência' XVII. Do lat. tard. *epilēpsia -ae*, deriv. do gr. *epilēpsía* || **epilépt**ICO 1813. Do lat. tard. *epilēptĭcus -ī*, deriv. do gr. *epilēptikós* || **epilept**I·FORME 1873.
epílogo *sm.* 'recapitulação, resumo, remate, fecho' XVI. Do lat. *epilŏgus -ī*, deriv. do gr. *epílogos*.
epinastia *sf.* '(Bot.) curvatura resultante do maior crescimento da face superior do pecíolo da folha' XX. Do ing. *epinasty*, de EPI- + gr. *nastós* 'espesso'.
epinefrina *sf.* '(Quím.) adrenalina' XX. Do lat. cient. *epinephrīna*.
epinício *sm.* 'hino triunfal' XVII. Do lat. tard. *epinīcium -ī*, deriv. do gr. *epiníkion*.
epiórnis *sf. 2n.* 'antiga ave de Madagáscar, de grande porte' 1899. Do lat. cient. *aepyornīs*.
epíploon *sm.* '(Anat.) dobra do peritônio que flutua livre no abdômen, na frente do intestino delgado, omento' 1844. Do lat. tard. *epiplōn*, deriv. do gr. *epíploon* || **epiploc**ELE 1858. Do lat. tard. *epiplocēlē*, deriv. do gr. *epiplokḗlē*.
epiquirema *sm.* '(Lóg.) silogismo dialético' | *epicherema* 1844 | Cp. gr. *epicheírēma* || **epiquirem**ÁT·ICO | *epicheremático* 1873.
episcop·ADO, -AL, -ISA, -O → BISPO.
episódio *sm.* 'ação incidente, ligada à ação principal em obra literária ou artística' 1813. Do fr. *épisode*, deriv. do lat. *epīsodium* e, este, do gr. *epeisódion* || **episód**ICO 1813.
epispádias *sf. pl.* '(Med.) vício de conformação de que resulta a uretra abrir-se no dorso do pênis' 1858. Do lat. cient. *epispadias*.

episperma sm. '(Bot.) envoltório seminal composto de duas camadas' 1858. Do lat. cient. *episperma* || **esperm**ÁT·ICO 1873.
epistase sf. '(Med.) substância que se conserva em suspensão na urina' | *epistasis* 1844 | Cp. gr. *epístasis*.
epistaxe sf. '(Med.) derramamento de sangue pelas fossas nasais' | *epistaxis* 1844 | Cp. gr. *epístaxis*.
epistemologia sf. '(Filos.) estudo crítico dos princípios, hipóteses e resultados das ciências já constituídas, e que visa a determinar os fundamentos lógicos, o valor e o alcance objetivo delas' xx. Do fr. *épistémologie*, deriv. do gr. *epistḗmē* 'ciência' e *-logie* (v. -LOG·IA).
epistílio sm. '(Arquit.) arquitrave' | *epistylio* XVIII | Do lat. *epistȳlium*, deriv. do gr. *epistȳlion*.
epístola sf. 'cada uma das cartas dos apóstolos e comunidades cristãs primitivas' 'ext. carta (em geral)' | XIII, *pistola* XIII, *epistolla* XV | Do lat. *epistŭla*, deriv. do gr. *epistolḗ* || **epistol**AR 1813. Do lat. *epistulāris -e* || **epistol**ÁRIO 1844. Do lat. tard. *epistulārium*||**epistol**o·GRÁF·ICO|*epistolographico* 1873 | **epistol**ÓGRAFO | *epistolographo* 1844 | Do fr. *épistolographe*, deriv. do gr. *epistolográphos*.
epístrofe sf. '(Ret.) repetição de palavra no fim de frases seguidas' | *-phe* 1844 | Do lat. cient. *epistrophē*, deriv. do gr. *epistrophḗ*.
epitáfio sf. 'inscrição tumular' | XIV, *epy-* XIV etc. | Do lat. *ĕpĭtăphĭus -ĭī*, deriv. do gr. *epitáphion* || **epitafi**STA | *epitaphista* 1899.
epitalâmio sm. 'canto ou poema nupcial' | *epithalamio* 1813 | Do fr. *épithalame*, deriv. do lat. *epithalamĭum -ĭī* e, este, do gr. *epithalámios*.
epítase sf. '(Teat.) a parte do poema dramático que se segue à prótase e antecede à catástase, e na qual se desenvolvem os incidentes principais da intriga' | *epitasis* 1844 | Do lat. tard. *epitasis*, deriv. do gr. *epítasis*.
epitélio sm. '(Anat.) tecido que reveste a pele e as mucosas, formador das glândulas' | *epithelio* 1858 | Do fr. *épithélium*, deriv. do lat. cient. *epithēlium* || **epiteli**AL | *epithelial* 1873.
epítese sf. '(Gram.) paragoge' | *epíthese* 1899 | Do lat. tard. *epithesis*, deriv. do gr. *epíthesis*.
epíteto sm. 'palavra ou frase que qualifica pessoa ou coisa' 'cognome' | Do fr. *épithète*, deriv. do lat. *epithĕton -ī*, e, este, do gr. *epítheton* || **epitét**ICO | *epithetico* 1844.
epítoga sf. 'capa que os romanos usavam sobre a toga' 1858. Do fr. *épitoge*, deriv. do lat. *epitogium*.
epítome sm. 'resumo de livro, compêndio' 1813. Do fr. *épitomé*, deriv. do lat. *epitomē -ēs* e, este, do gr. *epitomḗ* || **epitom**AR XVII.
epítrope sm. '(Ret.) figura pela qual se aceita algo que poderia ser contestado, a fim de se dar mais força àquilo que se quer provar' 1844. Do lat. *epitropē*, deriv. do gr. *epitropḗ*.
epizeuxe sf. '(Ret.) figura pela qual se repete seguidamente a mesma palavra, para amplificar, para exprimir compaixão ou para exortar' | *epizeuxis* XVI | Cp. gr. *epízeuxis* 'ligação, encadeamento'.
epizoário adj. sm. '(Zool.) diz-se de, ou parasito que vive sobre a pele do homem e doutros animais' 1873. Do fr. *épizoaire*.

epizootia sf. 'doença contagiosa ou não, que ataca numerosos animais ao mesmo tempo e no mesmo lugar' 1844. Do fr. *épizootie*.
época sf. 'era, período' 1769. Do fr. *époque*, deriv. do gr. *epochḗ* 'parada, lapso de tempo'.
epodo sm. 'a terceira estância da ode grega' XVI. Do lat. *epōdus -i*, deriv. do gr. *epō(i)dós* || **epód**ICO 1899.
epônimo adj. sm. 'que, ou aquele que dá ou empresta seu nome a alguma coisa' | *eponymo* 1873 | Do fr. *éponyme*, deriv. do gr. *epṓnymos*.
epopeia sf. 'poema de longo fôlego acerca de assunto grandioso e heroico' 1813. Do fr. *épopée*, deriv. do gr. *epopoiía*, de *épos* 'mundo' || **epope**ICO 1899.
epsomita sf. '(Min.) mineral ortorrômbico, constituído de sulfato de magnésio hidratado' 1899. Do fr. *epsomite*, deriv. do top. *Epsom* (Inglaterra) e suf. *-ite* (v. -ITA).
épula(s) sf. (pl.) 'festas ou banquetes sagrados públicos por ocasião de funeral ou cerimônia triunfal, na Roma antiga' XVIII. Do lat. *epulae*, pl. de *epulum -a* || **epul**AR XX. Do lat. *epulāris*.
epúlide sf. '(Patol.) tumor fibroso nas gengivas' | *epulida* 1813 | Do fr. *épulide*, deriv. do gr. *epulís -idos*.
épura sf. '(Geom.) representação no plano, mediante projeções, de uma figura do espaço' XX. Do fr. *épure*.
equ(i)¹-, equ(i)²- elem. comp., de origens e sentidos distintos: (i) *equ(i)¹-*, do lat. *aequ(i)-*, de *aequus -a -um* 'igual, plano, liso, justo', que já se documenta em vocábulos formados no próprio latim (*equidade*) e em alguns outros introduzidos nas línguas de cultura; (ii) *equ(i)²-*, do lat. *equ(i)-*, de *equus -ī* 'cavalo', que também já se documenta em vocábulos formados no latim (*equestre*) e em vários outros introduzidos nas línguas de cultura. Registram-se, a seguir, por ordem alfabética, os principais compostos desses dois elementos; para distingui-los, adotou-se o critério de indicar com (i), adiante do vocábulo, os do primeiro grupo, e com (ii) os do segundo ▶ **desequilibr**·ADO (i) 1881. Do fr. *déséquilibré* || **desequilibr**·AR (i) 1881. Do fr. *déséquilibrer* || **desequi**LÍBR·IO (i) 1881. Do fr. *déséquilibre* || **equ**ABIL·IDADE (i) XVII. Do lat. *aequābilĭtās -ātis* | **equação** (i) 1813. Do lat. *aequātĭō -ōnis* || **equacion**AMENTO (i) XX || **equacion**AR(i) XX || **equador** (i) 1572. Do lat. *aequātor -ōris* || **equânime** (i) 1844. Do lat. *aequanimus*, calcado no gr. *isópsychos* || **equanim**IDADE (i) 1813 || **equatori**AL (i) 1844 || **equator**IANO (i) 1873 || **equat**ÓRIO (i) XVII || **equ**ÁVEL (i) 1844. Do lat. *aequābĭlis -e* || **equestre** (ii) 1813. Do lat. *equester -ris -re* || **equevo** (i) XVII. Do lat. *aequaevus -a -um* || **equi**ÂNGULO (i) 1813. Do lat. med. *aequiangulus*, calcado no gr. *isógōnos* || **equi**DADE (i) 1813. Do lat. *aequĭtās -ātis* || **equí**DEO (ii) XVII. Do lat. cient. *equĭdae* || **equi**DIFERENÇA (i) | *equidifferença* 1873 || **equi**DIFERENTE (i) | *equidifferente* 1873 || **equi**DILAT·ADO (i) 1858 || **equi**DISTÂNC·IA (i) 1844. Do fr. *équidistance* || **equi**DIST·ANTE (i) XVI. Do lat. tard. *aequidistāns -antis* || **equi**DIST·AR (i) 1881 || **equí**FERO (ii) 1899. Do lat. *equĭfĕrus -ī* || **equilater**AL (i) 1844 | Do lat. tard. *aequilaterālis -e* || **equilátero** (i) 1813. Do

lat. tard. *aequilaterus* ‖ equiLIBR·ADO (i) 1813. Do lat. *aequilībrātus -a -um* ‖ equiLIBR·AR (i) 1813. Do fr. *équilibrer* ‖ equiLÍBR·IO (i) XVII. Do fr. *équilibre*, deriv. do lat. *aequilībrĭum -ī* ‖ equiLIBR·ISMO (i) 1873 ‖ equiLIBR·ISTA (i) 1844. Do fr. *équilibriste* ‖ equiMULTÍPLICE (i) 1813 ‖ equiMÚLTIPLO (i) 1881. Do fr. *équimultiple* ‖ equino (ii) XVII. Do lat. *equīnus -a -um* ‖ equinociAL (i) XV. Do lat. *aequinoctiālis -e* ‖ equinócio (i) XVI. Do lat. *aequinoctĭum -ī* ‖ equiPAR·AÇÃO (i) XVII ‖ equiPAR·AR (i) XVII. Do lat. *aequiparāre* ‖ equiPAR·ÁVEL (i) XVIII. Do lat. *aequiparābĭlis -e* ‖ equiPENDENTE (i) 1881 ‖ equiPOLÊNCIA (i) | *equipollencia* XVIII | Do fr. *équipollence*, deriv. do lat. *aequipollentĭa -ae* ‖ equiPOLENTE (i) | *equipollente* XVII | Do fr. *équipollent*, deriv. do lat. *aequipollēns-entis* ‖ equiPONDER·ÂNCIA (i) 1844 ‖ equiPONDER·ANTE (i) 1873 ‖ equiPONDER·AR (i) 1881. Do lat. *aequēponderāre* ‖ equiPOTENCI·AL (i) XX. Do fr. *équipotentiel* ‖ equírias (ii) 1899. Do lat. *equīrĭa -iōrum* ‖ equisseto (ii) | *equiseto* XVIII | Do lat. *equisētum* ‖ equis·SON·ÂNCIA (i) | *equisonancia* 1873 | Do lat. *aequisonantĭa -ae*, calcado no gr. *isóphthoggos* ‖ equis·SON·ANTE (i) 1899 ‖ equitação (ii) 1844. Do lat. *equitātĭō -ōnis* ‖ equitADOR (ii) 1899 ‖ equitATIVO (i) 1858 ‖ equiVAL·ÊNCIA (i) XV. Do lat. tard. *aequivalentĭa* ‖ equiVAL·ENTE (i) 1813. Do fr. *équivalent* ‖ equiVALER (i) 1813. Do lat. tard. *aequivalēre*, calcado no gr. *isodynaméō* ‖ equiVALVE (i) 1858 ‖ equivocAÇÃO (i) 1813. Do lat. *aequivocātĭō -ōnis* ‖ equivocAR (i) 1813. Do fr. *équivoquer*, deriv. do lat. tard. *aequivocāre* ‖ equívoco (i) XVII. Do lat. *aequivŏcus -a -um* ‖ équo (i) 1899. Do lat. *aequus -a -um* ‖ iniquidade (i) XVII. Do lat. *inīquĭtās -ātis* ‖ iníquo (i) | XVII, *inica* 1572 | Do lat. *iniquus -a -um*.

⇨ equi(i)¹-, equi(i)²- — equação (i) 1537 PNun 76.*12* ‖ equiÂNGULO (i) 1537 PNun 58.*10* ‖ equiDADE (i) 1549 SNor 86.*14* ‖ equiDISTÂNCIA (i) 1537 PNun 52.*8* ‖ equiLÁTERO (i) 1537 PNun 181.*37* ‖ equiVALENTE (i) 1537 PNun 150.*18* ‖ equiVOC·AÇÃO (i) 1680 AOCad I.374.*17* ‖ iníquo (i) | 1549 SNor 70.*19*, 1572 *Lus.* II. 64, *inico* Id I. 94 etc. |.

équidna *sf.* 'gênero de mamíferos peculiar à Austrália e à Tasmânia, e pertencente à ordem dos monotremados' | *echidna* 1858 | Do lat. *echidna -ae*, deriv. do gr. *échidna* 'víbora' ‖ **equídn**ICO *adj.* 'relativo à, ou próprio de víbora' | *echidnico* 1873.

equí·fero, -lateral, -látero, -librado, -librar, -líbrio, -librismo, -librista → EQU(I)¹-, EQU(I)²-.

equimose *sf.* '(Med.) mancha escura, resultante de hemorragia, sob a pele ou as mucosas, e na superfície dos órgãos internos' | XX, *enchymose* 1858 | Do fr. *enchymose* (hoje *ecchymose*), deriv. do gr. *egchýmōsis* ‖ **equimót**ICO XX.

equi·multíplice, -múltiplo, equino → EQU(I)¹-, EQU(I)²-.

equino *sm.* '(Arquit.) moldura curva ou arredondada, sob o ábaco do capitel dórico' 'o estômago de alguns animais, particularmente a parede interna do estômago dos pássaros' | *echino* 1844 | Do lat. *echīnus -ī*, deriv. do gr. *echínos* 'ouriço do mar' ‖ **equino**CARPO XX ‖ **equino**COCO *sm.* '(Med.) forma larvar cística da tênia equinococo' XX. Do lat. cient. *echīnococcus* ‖ **equino**DERMO | *echinoderme* 1858 ‖ **equin**OFTALM·IA | *echinophtalmia* 1858 |

Do lat. cient. *echīnophtalmia* ‖ **equin**OIDE XX. Do lat. cient. *echinoīdes*, deriv. do gr. *echinoidḗs* ‖ **equino**R·RINCO | *echinorhyncho* 1858 | Do lat. cient. *echīnorhynchus* ‖ **equino**SPERMO XX. Do lat. cient. *echīnospermum*.

equinoc·ial, -io → EQU(I)¹-, EQU(I)²-.

equino·coco, -dermo, -ftalmia, -ide, -rrinco, -spermo → EQUINO.

equipar *vb.* '*orig.* guarnecer ou prover uma embarcação do necessário para a manobra, defesa, sustentação do pessoal' '*ext.* preparar, prover' 1858. Do fr. *équiper* ‖ **equip**AGEM 1813. Do fr. *équipage* ‖ **equip**AMENTO 1873. Do fr. *équipement* ‖ **equip**E | *equipo* 1899 | Do fr. *équipe*. Cp. ESQUIPAR.

equi·par·ação, -ar, -ável, equi·pendente, -polência, -polente, equi·ponder·ância, -ante, -ar, equi·potencial, -rias, -sseto, -ssonância, -ssonante, equit·ação, -ador, -ativo, equival·ência, -ente, -er, -ve, equi·voc·ação, -ar, -o, équo → EQU(I)¹-, EQU(I)²-.

equóreo *adj.* '(Poét.) relativo ou pertencente ao mar (adj.)' 1572. Do lat. *aequorĕus -a -um*.

era *sf.* 'ponto determinado no tempo, que se toma por base para a contagem dos anos, época' XIII. Do lat. *aera -ae*.

erário *sm.* 'fisco, fazenda pública' XVI. Do lat. *aerārĭum -ĭī*.

erasmiano *adj.* 'pertencente ou relativo a Erasmo' 1873. De *Erasmo* de Roterdam (1467-1536), célebre humanista holandês.

érbio *sm.* '(Quím.) elemento de número atômico 66, do grupo dos lantanídeos' 1873. Do lat. cient. *erbium*, deriv. do topônimo sueco (*Ytt)erby*, lugar onde foi descoberto o minério que contém esse metal.

ere(c)ção *sf.* 'ato ou efeito de erguer-se' 'inauguração' 'levantamento do pênis' XVI. Do lat. *ērēctĭō -ōnis* ‖ **eréct**IL XVII ‖ **erecto** XVII, *ereyto* XIV | Do lat. *ērēctus -a -um* ‖ **erect**OR XVIII. Do lat. *ērēctor -ōris*. Cp. ERGUER.

eremita *s2g.* 'pessoa que vive no ermo por penitência, solitário' XVII. Do lat. *erēmīta -ae*, deriv. do gr. *erēmítḗs* ‖ **eremít**ICO XVII. Cp. ERMIDA.

éreo *adj.* 'feito de cobre, de bronze ou de arame' XVII. Do lat. *aerĕus -a -um* ‖ **eril** XVI.

erepsina *sf.* 'diástase do suco intestinal que, em meio neutro ou alcalino, converte as peptonas em ácidos aminados, completando, assim, a ação da tripsina' XX. Do lat. cient. *erepsīna*.

eretismo *sm.* 'estado de excitação, de exaltação' | *erethismo* 1844 | Do lat. cient. *erethismus*, deriv. do gr. *erethismós*.

erétria *sf.* 'espécie de alvaiade' 1899. Do lat. *eretrĭa -ae*.

ereutofobia *sf.* '(Med.) medo de enrubescer na presença de outrem' XX. Do fr. *éreuthophobie*, do gr. *ereuthos* 'coloração vermelha' e *-phobia* 'aversão'.

erg *sm.* '(Fís.) unidade de energia do sistema C.G.S.' XX. Do ing. *erg*, criado com base no gr. *érgon*; v. -ERG-.

-erg- *elem. comp.*, deriv. do gr. *erg-*, de *érgon* 'trabalho, ação, esforço', que se documenta, a partir do séc. XIX, em alguns vocs. introduzidos na linguagem científica internacional ♦ **ergástulo** *sm.*

'cárcere' 1813. Do lat. *ergastulum*, adapt. do gr. *ergastérion* || **ergo**FOB·IA XX || **ergó**GRAFO XX || **ergo**LO·GIA XX || **ergo**STEROL XX. Cp. -URGIA.
ergotina *sf.* 'um dos alcaloides da cravagem ou esporão do centeio' 1873. Do fr. *ergotine*.
ergotismo¹ *sm.* 'mania de argumentar por silogismo' 1881. Do ing. *ergotism*, deriv. do fr. *ergotisme*, de *ergoter* 'disputar sobre ninharias'.
ergotismo² *sm.* '(Med.) envenenamento crônico pela ergotina' 1873. Do fr. *ergotisme*.
erguer *vb.* 'levantar, elevar, alçar' | XIV, *erger* XIII | Do lat. **ērgĕre* (por *ērĭgĕre*) || **erigir** XVI. Do lat. *ērĭgĕre* || **R**E**erguer** XX || **so**erguer XVII || **soerguimento** XX.
-eria → -ARIA.
eriçar *vb.* 'fazer erguer; tornar hirto; arrepiar' XVII. Do lat. vulgo *ericiare*, de *erīcius* 'ouriço'.
erigir → ERGUER.
eril → ÉREO.
érina *sf.* '(Cir.) instrumento cirúrgico e anatômico para prender, levantar e afastar tecidos' 1881. Do fr. *érigne* ou *érine*, var. dial. de *araigne*, deriv. do lat. *arānĕa* 'aranha'.
erináceo *adj.* '(Zool.) semelhante ao ouriço' 1873. Do lat. cient. *ērīnāceae*.
erisipela *sf.* '(Patol.) dermite aguda estreptocócica que costuma desenvolver-se por surtos' XVI. Do lat. *erysĭpelas -ătis*, deriv. do gr. *erysípelas -atos*.
erística *sf.* '(Filos.) arte das discussões sutis, das argumentações sofísticas' 1873. Do fr. *éristique*, deriv. do gr. *eristikế*.
eritema *sm.* '(Patol.) rubor congestivo da pele, em geral temporário, que desaparece momentaneamente à pressão do dedo' | *erythema* 1844 | Do lat. cient. *erythēma*, deriv. do gr. *erýthēma -atos* || **eritemático** | *erythemático* 1899 || **eritematoso** | *erythematoso* 1881.
eritr(o)- *elem. comp.*, do gr. *erythrós* 'vermelho', que já se documenta em vocábulos formados no próprio grego (como *eritreu*) e em alguns outros introduzidos na linguagem científica internacional, a partir do séc. XIX ▶ **eritr**EM·IA XX. Do lat. cient. *erythraemia* || **eritreu** 1572. Do lat. *erythraeus*, deriv. do gr. *erythraios* || **eritro**CARPO | *erythrocarpo* 1873 | Do lat. cient. *erythrocarpus* || **eritró**CERO | *erythrocero* 1873 || **eritró**CITO XX || **eritro**DÁCTILO | *erythrodactylo* 1873 || **eritro**DERMO | *erythroderme* 1873 || **eritro**FILA | *erythrophylo* 1873 || **eritro**GÁSTREO | *erythrogastro* 1873 || **eritr**OIDE | *erythroide* 1881 || **eritró**LOFO | *erythrólopho* 1899 || **eritro**POESE XX. Do lat. cient. *erythropoiēsis* || **eritr**OPS·IA | *erythropsia* 1899 || **eritró**PTERO | *erythroptero* 1873 || **eritr**ÓPT·ICO | *erythroptico* 1899 || **eritro**SPERMO | *erythrospermo* 1873 || **eritró**STOMO | *erythrostoma* 1873 | Do lat. cient. *erythrostomum* || **eritro**TÓRAX | *erythrotorax* 1873.
ermida *sf.* 'capela fora do povoado' 'pequena igreja' | XIII, *her-* XIII | Do lat. *erēmīta -ae*, deriv. do gr. *erēmítếs* || **erm**AR *vb.* 'tornar deserto' | XIII, *her-* XIV || **erm**IT·ÃO XIII || **ermo** | XIV, *hermo* XIV | Do lat. *erēmus -ī*, deriv. do gr. *érēmos*. Cp. EREMITA.
erosão *sf.* 'ato de carcomer e corroer a pouco e pouco' 1844. Do lat. *ērōsiō -ōnis* || **erod**ENTE | 1813, *errodente* XVIII | Do lat. *erodentis*, part. pres. de *erōdĕre* || **eros**IVO 1873. Do fr. *érosif*.

erótico *adj.* 'relativo ao amor, sensual, lascivo' XVI. Do lat. *erōticus*, deriv. do gr. *erōtikós* || **eroti**SMO 1881. Do fr. *érotisme* || **eroto**FOB·IA XX || **eroto**MAN·IA | 1844, *erotimania* 1873 | Cp. gr. *erōtomania* || **eroto**MAN·ÍACO 1899 || **erotó**MANO 1899.
errabundo → ERRAR.
erradicar *vb.* 'desarraigar, arrancar pela raiz' XVIII. Do lat. *ērādīcāre* || **erradic**AÇÃO 1844. Do lat. *ērādīcātiō -ōnis* || **erradic**ANTE 1844 || **erradic**AT·IVO 1813.
errar *vb.* 'cometer erro, enganar-se' 'vagabundear' XIII. Do lat. *errāre* || **errabundo** 1899. Do lat. *errābundus* || **err**ATA XV || **err**AD·IO 1813 || **err**ADO XIII. Do lat. *errātus -um* || **err**ADOR XV || **err**ÂNCIA XIII. Do lat. *errantĭa* || **err**ANTE 1572. Do lat. *errāns -ntis* || **err**ATA XVII. Do lat. *errata* || **err**ÁT·ICO XVII. Do lat. *errātĭcus -a -um* || **erro** | XIII, *error* XIII || **errôneo** 1813. Do lat. *errōnĕus -a -um* || **erron**IA XVI || **errôn**ICO XVI || **in**err**ÂNCIA 1844 || **in**err**ANTE 1844.
erubescer *vb.* 'tornar vermelho ou corado' 1881. Do lat. *ērubēscere* || **erubesc**ÊNCIA 1873. Do lat. *ērubēscentĭa* || **erubesc**ENTE 1873. Do lat. *ērubēscēns -entis*.
eructação *vb.* 'arroto' XVIII. Do lat. *ēructātiō -ōnis* || **eructar** XX. Do lat. *ēructāre*.
erudição *sf.* 'instrução vasta e variada, adquirida sobretudo pela leitura' XVI. Do lat. *erudĭtiō -ōnis* || **erudit**ISMO XX || **erud**ITO 1813. Do lat. *ērudītus -a -um*.
eruginoso *adj.* 'que tem azebre, oxidado' | *eruginoso* XVIII | Do lat. *aerūgĭnōsus -a -um*.
erupção *sf.* 'saída com ímpeto' 'qualquer manifestação cutânea ou mucosa' 1844. Do lat. *ēruptiō -ōnis* || **erupt**IVO 1858. Do lat. *ēruptīvus*.
erva *sf.* 'planta não lenhosa, cujas partes aéreas vivem menos de um ano, o que limita o seu tamanho, podendo as partes subterrâneas ser vivazes' | XIII, *herua* XIII | Do lat. *hĕrba -ae* || **erva**Ç·AL XV || **erv**ADO 1813 || **erv**AGEM XV || **erva**N·ÁRIO 1881 || **erva**T·ÁRIO XX || **ervat**·EIRO 1899 || **erv**ECER XVII || **erv**EIRO | *herueyro* XIV | **êrvodo** 1813 || **erv**OSO XIII. Do lat. *herbōsus -a -um* || **herb**ÁCEO 1858. Do lat. *herbācĕus -a -um* || **herba**N·ÁRIO XX || **herbá**RIO 1858. Do lat. *herbārĭus* || **herb**ÁTICO 1813. Do lat. *herbatĭcus* || **herbí**·FERO 1844. Do lat. *herbĭfer -fĕra -fĕrum* || **herbi**·FORME 1873 || **herbí**·VORO 1844 || **herbo**·L·ÁRIO XVI. Do lat. *herbularius* || **herb**ÓREO XVIII. Do lat. *herboreus* || **herborizar** 1813. Do fr. *herboriser* || **herb**OSO XVII. Do lat. *herbōsus -a -um*.
⇨ **erva** — *ervado* | 1614 SGONÇ II. 125.25|.
ervilha *sf.* 'trepadeira anual, da família das leguminosas' 'o fruto da ervilha' | *hervilha* 1813 | Do lat. *ervilĭa* || **ervilh**ACA | *hervilháca* 1813.
êrv·odo, -oso → ERVA.
es- → EX¹-.
-ês *suf. nom.*, do lat. *-ense*, que se documenta em inúmeros vocs. port., com a noção de 'relação, procedência, origem (*cortês, francês, montês* etc.), e que corresponde ao suf. erudito -ENSE.
esbafor·ido, -ir → BAFO.
esbagaçar → BAGA.
esbagachar *vb.* 'descobrir até os peitos' | *-xar* 1858 | Talvez se relacione com o it. *bagàscia* || **esbaga**ch**ADO** | *-xado* 1813.

esbaldar → BALDE¹.
esbanjar vb. 'gastar em excesso, dissipar' 1813. De etimologia obscura || **esbanj**ADOR 1813 || **esbanj**A- MENTO 1899.
esbarr·ada, -ar, -o, -ondar → BARRO.
esbater vb. 'atenuar os contrastes de cor ou tom de, passando gradualmente do mais forte ao mais fraco, ou vice-versa' 1881. Do it. *sbàttere* || **esba**- TIMENTO 1881.
esbeiçar → BEIÇO.
esbelto adj. 'garboso, airoso, elegante' 1813. Do it. *svèlto* || **esbelt**AR XVIII || **esbelt**EZ 1899 || **esbelt**EZA 1881.
esbirro sm. 'empregado menor dos tribunais' XVII. Do it. *sbirro*.
esboçar vb. 'delinear, bosquejar' 1813. Do it. *sbozzare* || **esboço** | 1813, *esbosso* 1758 | Do it. *sbozzo*.
es·bof·ado, -ar, -eteado, -etear → BUFAR.
⇨ **esbombardear** → BOMBARDA.
esborcelar vb. 'esborcinar, partir as bordas' | *esborcellar* 1881 | De origem incerta.
esbordoar → BORDÃO¹.
esboro·ado, -amento, -ar → BROA.
es·borrach·ado, -ar → BORRACHA.
es·borr·alhar, -atar → BORRA.
esbranquiç·ado, -ar → BRANCO.
esbrasear → BRASA.
es·brav·ear, -ejar → BRAVO.
esbugalh·ado, -ar → BUGALHO.
esbulhar vb. 'espoliar, privar de alguma coisa' | XIII, *esbullar* XIII | Do lat. *spoliāre* || **esbulho** XIV. Cp. ESPOLIAR.
esburacar → BURACO.
esburgar vb. 'tirar a casca, tirar a carne (dos ossos)' | XVII, *esbrugar* XVIII | Do lat. *expūrgāre* || **esburg**A- DO XV. Cp. EXPURGAR.
-esca → -ISCO.
escabeche sm. 'molho ou conserva de temperos refogados' 'disfarce' 'confusão' XVI. Do ár. vulg. **iskebêg*.
escabelo sm. 'banco com espaldar comprido e largo, e cujo assento serve de tampa a uma caixa formada pelo mesmo móvel' | *escabello* 1537 | Do lat. *scabĕllum -ī* || **escamel** sm. 'banco sobre o qual os espadeiros pulem as espadas' XVI. Do lat. *scamellum*, forma divergente de *scabĕllum -ī*.
escabichar vb. 'investigar ou examinar com paciência' 1881. De origem controversa; talvez se relacione com o it. *scapezzare*.
escabioso adj. '(Med.) que tem erupções semelhantes às da sarna' XVII. Do lat. *scabiōsus -a -um* || **escabiosa** 1813 || **escabios**E XX.
escabre·ado, -ar → CABRA.
escabroso adj. 'pedregoso, difícil, oposto às conveniências' XVI. Do lat. tard. *scabrōsus*.
escabujar vb. 'espernear, esbracejar, estrebuchar' 1813. Provavelmente do cast. *escabuchar*.
escabulh·ar, -o → CAPA¹.
escada sf. 'série de degraus por onde se sobe ou desce' | *escaada* XIV | do b. lat. *scalāta*, deriv. de *scāla -ae* || **escad**ARIA 1843 || **escád**EA XIV || **escala**¹ sf. 'escada' | *escalla* XIV | do lat. *scāla -ae* || **escala**² sf. 'porto' 'tempo de permanência de um navio no porto' XV. do lat. med. *scala* || **escala**³ sf. 'sucessão de sons musicais' 1858. do it. *scala*, deriv. do lat.

scāla -ae, de **scand-s-lā* || **escal**ADA XVIII. Do fr. *escalade*, deriv. do it. *scalata* || **escal**ÃO XVI || **escalAR**¹ vb. 'subir' | *scalar* XVI || **escal**EIRA sf. 'escada' | *scaleyra* XIII, *escaeyra* XIII, *esqueeira* XIII, *escaleyra* XIV etc. | do lat. *scālārĭa*, pelo cast. *escalera* || **escal**ETA 1844 || **escal**ON·AMENTO XX || **escal**ON·AR 1881. do cast. *escalonar*.
escadelecer vb. 'dormitar, cochilar, toscanejar' 1813. Provavelmente do lat. **cadescĕre*, incoativo de *cadĕre*.
escafandro sm. 'vestimenta impermeável e hermeticamente fechada, provida de um aparelho respiratório, e própria para o mergulhador permanecer muito tempo no fundo da água' XIX. Do fr. *scaphandre*, composto do gr. *skáphe* 'barco' e *aner andrós* 'homem' || **escafandr**ISMO XX || **escafandr**ISTA XX.
escafeder vb. 'fugir às pressas, safar-se' XVIII. De origem expressiva; talvez se relacione com o verbo *feder*.
escafoide adj. 2g. sm. 'que tem forma de quilha' '(Anat.) osso do carpo e osso do tarso' | *scaphoide* 1874 | Do fr. *scaphoïde*, deriv. do gr. *skaphoeides* || **escafo**CÉFALO | *scaphocephalo* 1874.
escaiola sf. 'preparação de gesso e cola que imita pedra ou mármore' 1881. Do it. *scagliòla*.
escal·a, -ada → ESCADA.
escalafobético adj. 'bras. esquisito, excêntrico, extravagante' XX. Palavra expressiva.
escal·ão, -ar¹ → ESCADA.
escalar² → CALAR.
escalavrar vb. 'golpear, esfolar, arranhar' XVI. Do cast. *descalabrar*.
⇨ **escalavrar** — **descalavrar** | *descalaurar* 1571 FOLF 136.*14* |.
es·cald·ado, -ão, -ar, -o¹ → CALDO.
escaldo² sm. 'designação genérica dos antigos bardos escandinavos' XX. Do ing. *skald*, de origem escandinava.
escaleira → ESCADA.
escaleno adj. '(Geom.) diz-se do triângulo que tem todos os ângulos e lados desiguais' | *scaleno* 1799 | Do lat. tard. *scalēnus*, deriv. do gr. *skalēnos* || **escaleno**EDRO | *scalenoedro* 1873.
escaler sm. '(Mar.) tipo de embarcação miúda' 1813. De etimologia obscura.
escaleta → ESCADA.
escalfar vb. 'aquecer no escalfador, passar por água quente' XVI. Do lat. **excalĕfāre* (de *excalĕfacĕre*) || **escalf**ADO XIV || **escalf**ADOR XV.
escalinata sf. 'lanços de escadas' | *escalinata* 1899 | Do it. *scalinata*.
escalon·amento, -ar → ESCADA.
escalpelo sm. '(Cir.) bisturi de um ou dois gumes utilizado em dissecações' | *escalpéllo* 1844 | Do lat. *scalpellum -ĭ* || **escalpel**AR | *escalpellar* 1873 || **escalpe**lo 1881.
escalracho sm. 'gramínea nociva às searas' '(Náut.) agitação que o navio produz na água ao movimentar-se' | *esgalrácho* 1813 | De etimologia obscura.
escalvado → CALVO.
escama sf. 'cada uma das pequenas lâminas que revestem o corpo de alguns peixes e répteis' XVI. Do lat. *squāma -ae* || **escam**ADO 1813 || **escam**AR 1813 || **escamí**·FERO 1899. Do lat. *squāmĭfer*

-*fĕra* -*fĕrum* ‖ **escam**I·FORME 1844 ‖ **escamí**·GERO 1813. Do lat. *squamīger* -*gĕra* -*gĕrum* ‖ **escamo**SO XVI. Do lat. *squāmōsus* -*a* -*um* ‖ **escâm**ULA 1844. Do lat. *squāmula*.
escambo → CAMBIAR.
escamel → ESCABELO.
escam·ífero, -iforme, -ígero → ESCAMA.
escamônea *sf.* '(Bot.) planta trepadeira; resina purgativa extraída dessa planta' | *escamonea* XVI | Do lat. *scammōnea* -*ae*, deriv. do gr. *skammōnía*.
escamoso → ESCAMA.
escamotear *vb.* 'fazer desaparecer sem que se perceba, surrupiar' 1881. Do fr. *escamoter* ‖ **escamote**AÇÃO 1881 ‖ **escamote**ADO 1899.
es·camp·ado, -ar, -o → CAMPO.
escâmula → ESCAMA.
escamurrengar → CASMURRO.
escanado → CANA.
escanção *sm.* '*ant.* aquele que deitava o vinho na copa e a apresentava ao rei' | *escançan* XIII, *-çon* XIV | Do fr. *échanson*, deriv. do frâncico **skankjo* ‖ **escanc**EAR 1813.
escâncar·a, -ar → CÂNCER.
escanchar *vb.* 'separar de meio a meio' XVI. De etimologia obscura.
escândalo *sm.* 'aquilo que é causa de erro ou de pecado' XIV. Do lat. *scandălum* -*ī* ‖ **escandal**IZAR | *escandallizar* XIV | Do lat. *scandalizāre* ‖ **escandal**OSO XVII.
escândea *sf.* 'certo tipo de trigo muito branco e duro' XVI. Do lat. *scandŭla* -*ae*.
escandesc·ência, -ente, -er → CANDENTE.
escandinavo *adj. sm.* 'da, ou pertencente ou relativo à Escandinávia' 'natural ou habitante da Escandinávia' 1844. Do fr. *scandinave*, deriv. de *Scandinavie*, do lat. *Scandinavia* ‖ **escândio** *sm.* '(Quím.) elemento de número atômico 21, metálico, leve, muito raro' XX. Do ing. *scandium*, deriv. do lat. *Scandia* 'Escandinávia', onde o metal foi descoberto em 1879, por Nilson.
escandir *vb.* 'decompor em seus elementos métricos' XVII. Do lat. *scandĕre* ‖ **escansão** XX. Do lat. *scansiō* -*ōnis*.
escangalhar → CANGA[1].
escanhoar → CANHÃO.
escanifrado → CÃO[1].
escano *sm.* 'banco, escabelo' XIII. Do lat. *scamnum* -*ī* ‖ **escan**INHO | *escanino* XV.
escant·eio, -ilhado → CANTO[2].
escantilhão *sm.* 'medida para regular distância em vários serviços' XVII. Do fr. *échantillon*.
escantilhar → CANTO[2].
escanz·elado, -urrar → CÃO.
escapar *vb.* 'livrar-se ou salvar-se de perigo ou acidente' XIII. Do lat. **excappāre* (de *cappa*) ‖ **escap**ADA 1844 ‖ **escap**AD·ELA 1881 ‖ **escap**AMENTO XX ‖ **escap**ATÓRIA *sf.* 1858 ‖ **escap**ATÓRIO 1844 ‖ **escap**E XVIII ‖ **escapo**[2] 1844 ‖ **escap**ULA XVI ‖ **escap**UL·IDA XX ‖ **escap**UL·IR XVI.
escaparate *sm.* 'redoma de vidro, vitrina' XVIII. Do neerl. *schaprade* 'armário'.
escapo[1] *sm.* 'maquinismo que regula o movimento dos relógios' 1899. Do lat. *scăpus* -*i*.
escap·o[2], **-ulida, -ulir** → ESCAPAR.

escapula → ESCAPAR.
escápula *sf.* 'prego de cabeça dobrada em ângulo reto para suspensão dum objeto' | *escapola* XVIII | Do lat. *scapŭla* -*ae* 'espádua'.
escapular *adj.* 2g. 'referente ao ombro' 1881. Do lat. tard. *scapulare* ‖ **escapul**ÁRIO | *escapullairo* XV, *scapulario* 1570 | Do lat. tard. *scapularium*.
escapulir → ESCAPAR.
escaque *sm.* 'cada uma das divisões quadradas do tabuleiro do xadrez' '(Heráld.) cada uma das divisões quadradas do escudo, em cores alternadas' 1500. Provavelmente do it. *scacco*, deriv. do persa *šah*; cp. XÁ.
escara *sf.* '(Med.) crosta escura proveniente da mortificação de partes de um tecido' 1813. Do lat. *eschăra* -*ae*, deriv. do gr. *eschára*.
escarabeu → ESCARAVELHO.
escarabocho *sm.* 'desenho muito imperfeito' 1881. Do it. *scarabòcchio*.
escarafunchar *vb.* 'esgaravatar, procurar, remexer' 1813. De um lat. **scariphunculare*.
escarambar-se *vb.* 'secar-se muito e gretar-se (a terra) por efeito de calor intenso' 1899. Palavra de formação expressiva.
escaramuça *sf.* 'combate pouco importante' XIV. Do it. *scaramùccia* ‖ **escaramuç**AR XV.
escarapelar *vb.* 'arrancar o cabelo' 'desgrenhar' 1813. De origem controvertida.
escaravelho *sm.* 'inseto coleóptero, coprófago, da fam. dos escarabeídeos' | XVI, *escravelho* XVI | Do lat. **scarabīclus*, dim. de *scarabaeus* -*ī* ‖ **escarabeu** | *escarabeo* 1813 | Do lat. *scarabaeus* -*ī*.
escarçar *vb.* 'sofrer de escarça, tipo de doença na palma do casco das cavalgaduras' XVI. Provavelmente de um latim vulgar **exquartiare* ‖ **escarça** XVII.
escarcavelar *vb.* 'abrir, desmanchar, desconjuntar' 1899. Palavra de origem expressiva.
escarcela *sf.* 'bolsa de couro que se prendia à cintura' | *escarcella* XVI | Do fr. *escarcelle*, deriv. do it. *scarsella*.
escarcéu *sm.* 'vaga que se forma quando o mar está revolto' '*ext.* gritaria, alvoroço' | *escarceo* XVI | De etimologia obscura.
escarcha *sf.* 'geada, flocos de neve' 'mescla de fio de ouro ou de prata nos tecidos de seda, que os torna ásperos' XVI. Do cast. *escarcha* ‖ **escarch**AR 1844.
es·card·ar, -ear, -ilhar, -ilho, -uçar → CARDO.
escarear *vb.* 'alargar (buraco ou abertura onde se vai introduzir prego ou parafuso, de maneira que fiquem com as cabeças niveladas com a peça onde se cravam)' 1858. De etimologia obscura ‖ **esca**reADOR XVII.
escarificar *vb.* 'sarjar, golpear para produzir escoamento de humores' 1844. Do lat. tard. *scarīfĭcăre*, deriv. do lat. *scarīfīcare* e, este, do gr. *skaripháomai* ‖ **escarificação** 1844. Do lat. *scarīfīcătiō* -*ōnis* ‖ **escarific**ADOR 1844.
escarlata *sf.* '*orig.* tecido de seda brocado de ouro' XIII. Do lat. med. *scarlātus* -*a* -*um*, deriv. do persa *säkirlāt* e, este, do ár. *sigillāt*; no ár.-hisp. ocorre *iškirlāta* ‖ **escarlate** XIX. Do fr. *écarlate* ‖ **escarlat**INA 1813. Do fr. *scarlatine* ‖ **escarlat**INO | *escarlatim* XVII | Do it. *scarlattino*.

escarmento *sm.* 'correção, castigo, punição' XIII. De origem desconhecida || **escarmen**TAR XIII.
escarnar → CARNE.
escarnecer *vb.* 'zombar, ludibriar, mofar' XIII. Do ant. *escarnir* (séc. XIII), deriv. do germ. *skernjan* || **escarnec**IMENTO | *-niçi-* XV, *-neçe-* XV || **escarn**IDO XIII || **escárn**IO | *-neo* XIV, *escarno* XIII, *scarnho* XIII etc. || **escarn**INHO XVI.
escarnificar *vb.* 'lacerar as carnes, martirizar' XX. Do lat. *excarnificāre*.
escaro *sm.* 'certo peixe acantopterígio' 1858. Do lat. *scarus -ī*, deriv. do gr. *skáros*.
escarola *sf.* 'chicória' | 1813, *escariola* XVIII | Do cast. *escarola*, deriv. do lat. tard. *escariŏla*, dim. de *ēscārĭus -a* 'comestível'.
escarpa *sf.* 'ladeira íngreme, alcantilada' XVIII. Do it. *scarpa* || **escarp**ADO 1769.
escarpes *sm. pl.* 'sapatos de ferro com que outrora se torturavam os réus nos tribunais' XVII. Do it. *scarpa* || **escarp**IM 1813. Do it. *scarpino*.
escarranchar *vb.* 'abrir muito (as pernas, como quem monta a cavalo)' 1813. De etimologia obscura.
escarrapachar *vb.* 'abrir muito as pernas, cair de bruços, esparramar-se' 1813. De origem obscura; cp. CARRAPITO.
es·carrap·içado, -içar, -ichar → CARRAPITO.
escarrar *vb.* 'expelir o escarro, expectorar' XVI. Do lat. *scrēāre* || **escarr**AD·EIRA 1881 || **escarr**O XVI.
⇨ **escarrar** | *scarar* XIV DICT 2544 |.
escarvar → CAVA.
⇨ **escasc·ado, -ar** → CASCAR.
escasso *adj.* 'parco, avaro, raro' XIII. Do lat. **excarpsus*, part. de *excerpĕre* || **escass**EAR | *escacear* XVI || **escass**EZ | 1881, *escacez* 1813 || **escass**EZA | XIII, *escacesa* XIII.
escatel *sm.* '(Constr. Nav.) fenda ou furo na extremidade de uma cavilha, para receber chaveta que não a deixe sair do lugar' 1881. De origem controversa || **escatel**ADO 1844.
escatófago *adj. sm.* 'que, ou o que se alimenta de excrementos' | *scatophago* 1858 | Do lat. cient. *scatophagus*, deriv. do gr. *skatophágos* || **escató**FI-LO | *scatophilo* 1874 || **escato**LOG·IA | *eschatologia* 1873.
es·cav·ação, -adeira, -ar → CAVA.
escaveirado → CAVEIRA.
escazonte *adj. sm.* 'verso jâmbico com espondeu e troqueu no fim' | *scazón* XIX | Do lat. *scazōn -ontis*, deriv. do gr. *scázōn -ontos*.
-escer, -ecer *suf. verb.*, do lat. *-escĕre*, que se documentam em numerosos verbos já formados no próprio latim, com noção incoativa, como *acrescer* < lat. *accrēscĕre*, *florescer* < lat. *flōrēscĕre* etc. A var. *-ecer* é de grande vitalidade em português, particularmente na formação de parassintéticos: *amanhecer* < *a+ manh(ã) + -ecer*, *enobrecer* < *e-³ + nobr(e) + -ecer* etc.
⇨ **eschamejar** → CHAMA.
escindir → CINDIR.
escirpo *sm.* 'junco' 1899. Do lat. *scirpus -ī*.
esclarec·er, -ido, -imento → CLARO.
esclav·agem, -agista → ESCRAVO.
esclavão → ESCLAVO.
esclav·ina, -ista, -ona → ESCRAVO.

esclavon·esco, -ico, -io → ESLAVO.
-(e)scler(o)- *elem. comp.*, do gr. *sklerós* 'duro, seco, difícil', que se documenta em numerosos vocábulos introduzidos na linguagem científica internacional, a partir do séc. XIX ▸ **escler**AL XX || **escler**ECTAS·IA XX || **escler**EMA | *sclerema* 1874 || **escler**ÊNQUIMA | *esclerênchyma* 1899 || **esclero**DER-MIA XX || **escleródio** XX. Cp. gr. *sklērōdēs* || **esclero**MA 1899. Cp. gr. *sklērōma* || **esclerô**METRO XX || **escler**OS·ADO XX || **escler**OS·AR XX || **escler**OSE XX. Cp. gr. tard. *sklērosis* || **escler**ÓTICA | *sclerotica* 1858. Cp. gr. *sklērótēs* || **escler**ÓTICO | *sclerótico* 1813 || **esclero**TOMIA XX.
-esco → -ISCO.
escoa *sf.* '(Constr. Nav.) cada uma das carreiras de tabuado do forro interior do navio, de maior espessura, destinadas a consolidar os pontos fracos das balizas' XVII. Do cat. *escoa*, deriv. de **escosa*, particípio do antigo verbo *escondre*.
escoar *vb.* 'fazer correr lentamente o líquido' XVI. Do lat. *excŏlāre* || **esco**ADOURO | 1858, *escoadoiro* 1844 || **esco**AMENTO XVI.
escocês *adj. sm.* 'de, ou pertencente ou relativo à Escócia' 'o natural ou habitante da Escócia' XVI. Do top. *Escóc(ia)* + *-ês*. No port. med. documentam-se as formas *scorcijs* (pl.) e *corcĭjs* (pl.), ambas no séc. XIV.
escócia *sf.* 'nacela, moldura côncava na base de uma coluna' XIX. Do lat. *scotia*, deriv. do gr. *skotía*.
escodar *vb.* 'lavrar ou alisar com escoda' XVI. Do cast. *escodar* || **escod**A 1813.
escoicear → COICE.
escoimar → COIMA.
escol → ESCOLHER.
escola *sf.* 'estabelecimento público ou privado onde se ministra sistematicamente ensino coletivo' XIII. Do lat. *schŏla*, deriv. do gr. *scholé* || **escol**ADO XX || **escol**AR¹ *adj.* 2g. 'relativo a escola' XV. Do lat. *scholāris -e* || **escol**AR² *s2g.* 'estudante, escolástico' | XIII, *scolar* XIII, *escollar* XIV || **escol**ARCA XX || **escol**AR·IDADE XX || **escol**ÁST·ICA | *escholastica* XVIII | Do lat. *scholastĭca -ae* || **escol**ÁST·ICO | XIV, *-qua* XIV | Do lat. *scholastĭcus*, deriv. do gr. *scholastikós*.
escólex *sm.* 'porção de fixação da tênia, em geral provida de ventosas' | *scoleca* 1858 | Cp. gr. *skôlēx -ēkos* || **escolec**ITA *sf.* '(Min.) mineral monoclínico, constituído de silicato hidratado de cálcio e alumínio' XX.
escolher *vb.* 'dar preferência, eleger, preferir' XIII. Do lat. **excollĭgĕre* | **escol** XV || **escolh**A XVII || **escol**hIDO 1813. No port. med. documentam-se, como equivalentes de *escolhido*, as formas *escolleito* e *escolleyto*, ambas no séc. XIII, e, como sinônimos de *escolha*, as formas *escolhença* e *scolhimento*, ambas no séc. XV. Cp. COLHER², ENCOLHER.
escolho *sm.* 'rochedo à flor da água' XVII. Do it. *scoglio*, deriv. do lat. *scopŭlus -ī*.
escólio *sm.* 'comentário destinado a tornar inteligível um autor clássico' XVII. Cp. gr. *schólion* || **es-coliasta** | *escoliaste* XVI | Do lat. med. *scholiastēs*, deriv. do gr. *scholiastḗs*.
escoliose *sf.* '(Patol.) desvio da coluna vertebral para o lado' 1881. Do lat. cient. *scoliōsis*, deriv. do gr. *skoliōsis*.

escolopendra *sf.* 'lacraia' 1813. Do lat. *scolopendra -ae*, deriv. do gr. *skolópendra*.
escolopêndrio *sm.* 'feto medicinal, próprio das regiões temperadas' XX. Do lat. *scolopendrium*, deriv. do gr. *skolopéndrion*.
escolta *sf.* 'policiais, corpo de tropas, embarcações, aviões destacados para acompanhar, guardar ou defender pessoas ou coisas' XVII. Do cast. *escolta*, deriv. do it. *scorta* || **escolt**ADO 1813 || **escolt**AR 1813.
escombros *sm. pl.* 'entulhos, destroços, ruínas' 1899. Do cast. *escombros*.
esconder *vb.* 'encobrir, ocultar, não revelar' | XIV, *as-* XIII, *abs-* XIII | Do lat. *abscōndĕre* || **esconderijo** | XVI, *escondrijo* 1813 | Do cast. *escondrijo* || **escond**IDO | XIV, *scondudo* XIII, *ascondudo* XIII, *ascondido* XIV etc. || **escond**ED·OURO XVI || **esconso**[1] *adj. sm.* 'escondido' 'esconderijo' XVI. Do lat. *abscōnsum -ī*, part. de *abscōndĕre* || **escuso'** *adj.* 'escondido' | XIII, *ascuso* XIII.
esconjur·ar, -o → CONJURAR.
esconso[1] → ESCONDER.
esconso[2] *adj.* 'inclinado, oblíquo, enviesado' 1813. Do a. fr. *escoinz*.
escopa *sf.* 'certo jogo de cartas' XX. Do it. *scopa*.
escopeta *sf.* 'antiga espingarda curta' 1758. Do cast. *escopeta*, deriv. do a. it. *scoppietta* ou *scoppietto* (hoje *schioppétto*).
⇨ **escopeta** | 1538 DCAST 64.*22* || **escopet**ARIA | *a* 1595 *Jorn.* 108.*25* || **escopet**EIRO *a* 1595 *Jorn.* 81.*19* |.
escopo *sm.* 'alvo, mira, intenção' XVIII. Do lat. *scopus -i*, deriv. do gr. *skopós*.
escopro *sm.* 'ferramenta com que se lavram madeiras, pedras etc., cinzel' | *scouparo* XIV, *escoupere* XV, *escoupre* XV etc. | Do lat. *scalprum -ī* || **escop**EAR *vb.* 'acertar preliminarmente, com o escopro, os cortes em grandes peças de ferro' XX || **escop**EIRO *sm.* 'pequena vassoura com que se molha o carvão na forja quando aceso em demasia' 1858.
escora *sf.* 'peça para amparar e suster' XVI. Do a. fr. *escore* (hoje *accore*) e, este, do m. neerl. *schore* || **escor**AR XVI || **escor**INH·OTE *sm.* 'escora que reforça, nos engenhos de açúcar, a comporta dos açudes' 1899.
escorbuto *sm.* '(Patol.) doença devida à carência de vitamina C, e que se caracteriza pela tendência às hemorragias' | *scurbuto* 1649, *scrobuto* 1717, *scorbuto* 1741, *escrebuto* 1749 etc. | Do fr. *scorbut*, deriv. do lat. med. *scorbutus* e, este, de um m. neerl. **scorbut* (neerl. *scheurbuik*), de origem escandinava (a. sueco *skörbjug* ≤ a. nor. *skyrbjúgr* < *skyr* 'leite coalhado' + *bjúgr* 'edema'); os antigos normandos utilizavam o leite coalhado em suas longas viagens marítimas, o que provocava, com frequência, o aparecimento de edemas de certa gravidade. O rus. *skrobot*, que havia sido proposto para étimo remoto do voc., é, também, de origem escandinava || AS**córb**ICO XX. Do ing. *ascorbic*, de *a-* [v. A(iv)] + *scorb(ut)ic* 'escorbútico' || **escorbút**ICO | XVIII, *escrebutico* XVIII etc. | Do fr. *scorbutique*.
escorchar *vb.* 'tirar a casca ou cortiça' XVI. Do lat. *excortĭcāre* 'descascar'.
escorcioneira *sf.* 'erva da fam. das compostas' XVIII. Do fr. *scorsonère*, deriv. do it. *scorzonèra*.

escorço *sm.* '(Pint.) desenho ou pintura que representa objeto de três dimensões em forma reduzida ou encurtada, segundo as regras da perspectiva' 1813. Do it. *scórcio*.
escórdio *sm.* 'planta labiada, medicinal' XVII. Do lat. *scordium*, deriv. do gr. *skórdion*.
escore *sm.* 'resultado de uma partida esportiva, expresso em números' XX. Do ing. *score*.
escória *sf.* 'resíduo silicoso que se forma juntamente com a fusão dos metais' | XVI, *escoira* XV | Do lat. *scōrĭa*, deriv. do gr. *skōría* || **escori**AÇÃO 1813 || **escori**AR *vb.* 'ferir(-se) superficialmente, esfolar-se' 1813 || **escori**FICAR 1844 || **escori**FIC·AT·ÓRIO 1873.
escorinhote → ESCORA.
escorjar *vb.* 'dar posiçao forçada a, torcer, constranger' XVI. Do it. *scorciare*.
escorpião *sm.* 'lacraia' '(Astr.) o oitavo signo do Zodíaco' | *scorpyom* XIV | Do lat. *scorpĭō -ōnis*, deriv. do gr. *skorpíos* || **escorpi**OIDE 1881. Cp. gr. *skorpioeidēs* || **escorpion**ÍDEO XX.
escorraçar *vb.* 'expulsar, afugentar, rejeitar' 1881. Talvez se aproxime do cast. *escorrozo*, deriv. de um ant. cast. *corroçar*, tomado, por sua vez, do fr. *courroucer* e, este, do lat. vulg. **corruptiare*, de *corrŭptus* 'corrupto'.
escorr·alho, -edeira → CORRER.
escorregar *vb.* 'deslizar com o próprio peso' 'cometer erro' XIII. Do lat. **excurricāre*, frequentativo de *excurrĕre* || **escorreg**AD·ELA 1881 || **escorreg**AD·IÇO 1813 || **escorreg**AD·IO XIV || **escorreg**ÁVEL XV.
⇨ **escorregar** → **escorreg**AD·IÇO | *c* 1539 JCASD 125.*16* |.
escorreito → CORREÇÃO.
escorr·ência, -er → CORRER.
escorropichar → CORRER.
escorva *sf.* 'dispositivo com que se dá início à explosão de uma carga principal' XVI. Do it. ant. *scròba* || **escorv**AR 1813.
escota *sf.* '(Mar.) cabo para governar as velas do navio' XV. Do ant. fr. *escoute* (hoje *écoute*), deriv. do gótico **skaut* || **escot**EIRA XVI || **escot**ILHA XV.
escote *sm.* 'parte que, de uma despesa comum, deve pagar cada um dos que fizeram essa despesa' XVI. Do ant. fr. *escot* (hoje *écot*), deriv. do frâncico **skot* || **escot**EIRO XVI || **escot**ISMO XX.
escoteira → ESCOTA.
escoteiro → ESCOTE.
escotilha → ESCOTA.
escotismo → ESCOTE.
escotoma *sm.* 'mancha cinzenta ou escura que se estende por parte do campo visual, por enfermidade na retina' 1899. Do latim tard. *scotoma*, deriv. do gr. *skótōma* 'vertigem'.
escova *sf.* 'utensílio para limpar, lustrar, alisar etc., que consta de uma placa onde são inseridos, muito próximos, filamentos flexíveis de cerda, fio sintético etc.' 1813. Do lat. tard. *scōpa -ae* || **escov**AD·EIRA 1813 || **escov**ADO 1813 || **escov**AR 1813. Do lat. *scopāre* || **escov**ILH·ÃO 1881. Do fr. *écouvillon*. Cp. ESCOVILHA.
escovém *sm.* '(Const. Nav.) tubo ou manga de ferro por onde passa a amarra da âncora, para ir do convés ao costado, de onde desce ao mar' | *escouvē* XVI | De origem incerta.

escovilha *sf.* 'ato de escovilhar' 'resíduo de ouro ou de prata' 1751. Do prov. *escobilha*, deriv. do lat. *scōpīlia*, de *scōpa* 'vassoura' || escovilhAR 1881. Cp. ESCOVA.
escovilhão → ESCOVA.
escravo *adj. sm.* 'cativo, servo' 'indivíduo que vive em estado de absoluta servidão' | *scrauo* XV, *escrauo* XV etc. | Do lat. med. *sclavus* (= gr. biz. *sklábos*), cuja acepção primitiva era 'eslavo'; a translação de sentido decorre do fato de que, nos sécs. VIII-IX, Carlos Magno e seus sucessores aprisionaram grande número de eslavos, tornando-os cativos. É interessante assinalar que, enquanto em francês, italiano, inglês e alemão o voc. já aparece documentado desde os sécs. XII-XIII, em português e em castelhano ele só ocorre a partir do século XV; essa ocorrência tardia é devida, provavelmente, à concorrência de *cativo*, o qual já se documenta nestes idiomas, com as mesmas acepções de *escravo*, em época muito anterior || DEscravIZAR XIX || esclavAGEM 1712. Do fr. *esclavage* || esclavAG·ISTA XX. Do fr. *esclavagiste* || **esclavina** *sf.* 'espécie de murça que os romeiros usavam sobre a túnica' 'opa de escravo ou de cativo resgatado' 1593. Do it. *schiavina* || esclavISTA XIX. Do cast. *esclavista* || **esclavona** *sf.* 'ant. espada' | *esclauona a* 1555 | Do it. *schiavona* || escravAGEM XVII. Forma divergente de *esclavagem*, do fr. *esclavage* || escravAG·ISTA 1873. Forma divergente de *esclavagista*, do fr. *esclavagiste* || escravARIA XVI || escravATURA 1770 || escravIDÃO 1671 || escravISMO XIX || escravIS·TA XIX || escravIZ·AÇÃO XX || escravIZ·ADO 1827 || escravIZ·ADOR XIX || escravIZ·ANTE XX || escravIZAR 1836 || escravoCRAC·IA XX || escravoCRATA XIX || escravoCRÁT·ICO XX || **escravoneta** *sf. 'ant.* espécie de rubi' | *scrauoneta* 1567 | Do it. **schiavonetta*, de *schiavo* || **eslabão** *sm.* 'tumor mole que se desenvolve na dobra do joelho do cavalo e afeta a parte correspondente das extremidades anteriores' 1679. Do cast. *eslabón*. V. ESLAVO.
escrever *vb.* 'redigir, exprimir-se por escrito, gravar' XIII. Do lat. *scrībĕre* || escrevEDOR | *escriuidor* XIV || escrevENTE 1813 || escrevINH·AR 1813 || **escriba** | *scripua* XIV | Do lat. *scrība -ae* || **escrita** 1813. Do it. *scritta* || **escrito** *adj. sm.* | XIII, *scrito* XIII, *scripto* XV | Do lat. *scrīptus* || escritOR | *scriptor* XVI | Do lat. *scrīptor -ōris* || escritÓRIO | XV, *escpritorio* XV, *escriptorio* XVI | Do lat. *scriptorium* || escritURA | XIII, *scritura* XIII, *escriptura* XV | Do lat. *scrīptūra -ae* || escritUR·AÇÃO | *escripturação* 1873 || escritUR·AR 1813 || escritUR·ÁRIO 1813 || **escrivaninha** | XVI, *-vania* XIII, *-uañia* XIII || **escrivão** | *escriuam* XIII, *escriuã* XIII etc. | Do b. lat. *scrība -ānis* (cláss. *scrība -ae*) || REescrever | *rescrepuer* XV | Do lat. *rescrībĕre* || REscriÇÃO | *rescripção* 1844 || REscrito | *rescripto* XV | Do lat. *rescrīptum -ī* || SUBscrever | *sobscriber* XIII, *suscriuer* XIII, *soescreuer* XIV etc. | Do lat. *subscrībĕre* || SUBSCRIÇÃO | *suscripçon* XIII | Do lat. *subscrīptĭō -ōnis* || SUBscrito XIV || SUBscritOR XIX. Do lat. *subscrīptor -ōris*.
escrínio *sm.* 'escrivaninha' 'pequeno cofre estofado para guardar joias' XVI. Do lat. *scrīnĭum*.
escrófula *sf.* '(Patol.) designação imprecisa de estado constitucional, que se observa nos jovens, caracterizado por falta de resistência' 1813. Do lat. *scrōfulae -ārum* || **escrofulÁRIA** 1813. Do lat. med. *scrofularia* || **escrofulOSO** 1813.
escrópulo *sm.* 'medida de peso para pedras preciosas, que tem seis quilates e vale 1 grama e 125 miligramas' | *scropulo* XV | Do lat. *scrūpŭlus -i* 'pedrinha'.
escroque *sm.* 'indivíduo que se apodera de bens alheios por manobras fraudulentas' XX. Do fr. *scroc*, deriv. do it. *scrocco*.
escroto *sm.* 'bolsa que contém os testículos' 1813. Do lat. tard. *scrotum* || escrotAL 1844 || escrotoCELE 1844.
escrúpulo *sm.* 'hesitação ou dúvida de consciência' XV. Do lat. *scrūpŭlus -ī* || escrupulOS·IDADE XVIII. Do lat. *scrūpŭlōsĭtās -ātis* || escrupulOSO XVI. Do lat. *scrūpŭlōsus -a -um* || INescrupulOSO XX.
escrutar *vb.* 'investigar, pesquisar, sondar' XVII. Do lat. *scrūtāre* || escrutADOR XVI. Do lat. *scrūtātor -ōris* || escrutÁVEL 1899. Do lat. *scrūtābĭlis -e* || escrutIN·AR 1881. Do lat. *scrūtĭnāre* || escrutÍN·IO | *escrotinio* 1523 | Do lat. *scrūtĭnĭum -ī* | INescrutABIL·IDADE 1881 || INescrutÁVEL XVII.
escudela *sf.* 'tigela de madeira, pouco funda' XIII. Do lat. **scŭtēlla* (cláss. *scŭtĕlla*), influenciado por *scūtum*.
escudo *sm.* 'arma defensiva para proteger dos golpes de espada ou de lança' 'peça em que se representam as armas nacionais' XIII. Do lat. *scūtum -ī* || escudAR XIII || escudEIRO XIII || escudETE XV || escutELO XX. Do lat. *scutellum*, dim. de *scūtum* || escutI·FORME XX.
esculachar → COLHÃO.
esculápio *sm.* 'médico' XVII. Do lat. *Aesculāpĭus -ĭī*, deriv. do gr. *Asklēpiós*, deus da medicina, na mitologia greco-romana.
esculca *sm.* 'sentinela antiga, vigia ou guarda avançada, espião' XIII. Do lat. tard. *scūlca* || esculcAR XIV.
esculento *adj.* 'alimentício, nutritivo' XVIII. Do lat. *ēsculentus -a -um*.
esculhambar → COLHÃO.
esculpir *vb.* 'trabalhar pedra, madeira, barro etc., imprimindo-lhe uma forma particular' XIV. Do lat. *sculpĕre* || esculpIDO 1813 || escultOR | *scultor* 1548 | Do lat. *sculptor -ōris* || escultURA | *scultura* 1548 | Do lat. *sculptūra -ae* || escultURAL | *esculptural* 1881 || INsculpir XVII. Do lat. *insculpĕre* || INscultor | *-ptor* 1813 | Do lat. **insculptor -ōris* || INscultura | *-ptura* 1813.
➪ esculpir — esculpIDO || XIV TEST 86.*20* || INsculpIDO | 1614 SGONÇ I. 113.*11* |.
escuma *sf.* 'espuma' XIV. Do lat. med. *schuma*, deriv. do frâncico **skūm* || escumAD·EIRA XVIII || escumAR XVI || escumILHA XVII || escumOSO XIV. Cp. ESPUMA.
escuna *sf.* 'antigo navio à vela, de mastreação constituída de gurupés e dois mastros' XIX. Do ing. *schooner*.
escuro *adj.* 'sombrio, tenebroso, pouco claro' XIII. Do lat. *obscūrus* || escurECER XIII || escurEC·IMENTO XX || escurENTAR XIV || escurEZA XIV || escurIDADE XIV || Do lat. *obscūrĭtās -ātis* || escurIDÃO | *escoridoõe* XIV | Do lat. *obscuritudinem*.
➪ escuro — escurEC·IMENTO | *scuricimento* XIV ORTO 68.*13* |.

escurril *adj.* 'ridículo, reles, torpe' 1899. Do lat. *scurrīlis -e* ‖ **escurril**IDADE XVIII. Do lat. *scurrīlĭtās -ātis*.
escusar *vb.* 'desculpar, perdoar, tolerar' XIII. Do lat. *excūsāre* ‖ **escusa** *sf.* 'desculpa' XIV ‖ **escus**AÇÃO ǀ -çom XIII, -çõ XIII ǀ Do lat. *excūsātĭō -ōnis* ‖ **escus**ADO XVI. Do lat. *excūsātus -a -um* ‖ **escu**SADOR XIV. Do lat. *excūsātor -ōris* ‖ **escus**AMENTO XIV ‖ **escus**ANÇA XIV ‖ **escus**ATÓRIO 1899. Do lat. *excūsātōrĭus -a -um* ‖ **escus**ÁVEL XVII. Do lat. *excūsābĭlis -e* ‖ **escuso**² XVI ‖ IN**escus**ÁVEL XX. Do lat. *inexcūsābĭlis -e*.
escuso¹ → ESCONDER.
escuso² → ESCUSAR.
escutar *vb.* 'tornar-se ou estar atento para ouvir' ǀ XVI, *ascuitar* XIII, *ascuytar* XIII, *escoytar* XIV, *escuitar* XIV etc. ǀ Do lat. *a(u)scŭltāre* ‖ **escuta** ǀ XV, *ascoyta* XIV, *ascuyta* XIV, *escuyta* XV etc.
escut·elo, -iforme → ESCUDO.
esdrúxulo *adj.* '(Gram.) proparoxítono' 'esquisito, extravagante' 1813. Do it. *sdrúcciolo*.
esfacelo *sm.* '(Med.) gangrena que ocupa toda a espessura de um membro' ǀ *esphacelo* 1813 ǀ Do fr. *sphacèle*, deriv. do gr. *sphákelos* ‖ **esfacel**ADO ǀ *esphacelado* 1873 ‖ **esfacel**AMENTO XX ‖ **esfacel**AR ǀ *esphacelar* 1858.
esfaim·ado, -ar → FOME.
esfalerita *sf.* '(Min.) blenda; mineral isonométrico, constituído de sulfeto natural de zinco, em cristais negros ou castanhos' ǀ *esphallerite* 1899 ǀ Cp. gr. *sphalerós* 'resvaladiço, instável'.
esfalfar *vb.* 'enfraquecer-se em consequência de trabalhos ou qualquer esforço excessivo, ou de doença' XIII. Possivelmente de origem onomatopaica, com o antigo sentido de 'precipitar, cair de certa altura' ‖ **esfalf**ADO 1813.
esfandangado → FANDANGO.
esfaque·ado, -amento, -ar → FACA.
esfarel·ado, -amento, -ar → FARELO.
esfarrapado → FARRAPO.
esfênio *sm.* '(Min.) espécie de mineral cristalino, translúcido' ǀ *espheno* 1899 ǀ Cp. gr. *sphḗn* 'cunha', em alusão à forma dos cristais ‖ **esfeno**CÉFALO ǀ *esphenocéphalo* 1899 ‖ **esfeno**EDRO ǀ *esphenoedro* 1899 ‖ **esfen**OIDE ǀ *sphenoide* 1858 ǀ Do lat. mod. *spheno(e)ides*, deriv. do gr. *sphēnoeidḗs* 'em forma de cunha'.
esfera *sf.* '(Geom.) região do espaço limitada por uma *superfície esférica*, que é o lugar geométrico dos pontos do espaço que distam igualmente de um ponto no seu interior' 'bola, globo' ǀ *esphera* 1572 ǀ Do lat. tard. *sphēra*, de *sphaera -ae*, deriv. do gr. *sphaîra* ‖ **esfér**ICO ǀ *espherico* XVI ǀ Do lat. tard. *sphaericus*, deriv. do gr. *sphairikós* ‖ **esfer**ISTÉR·IO 1844, *espheristério* 1844. Cp. gr. *sphairistḗrion* ‖ **esfer**ÍST·ICA ǀ *espheristica* 1844 ǀ Cp. gr. *sphairistikḗ* ‖ **esfer**ÍST·ICO ǀ *espheristico* 1844 ǀ Cp. gr. *sphairistikós* ‖ **esfero**GRÁF·ICA XX ‖ **esfer**OIDE 1813. Do lat. *sphaeroides*, deriv. do gr. *sphairoeidḗs* ‖ **esfer**ÔMETRO ǀ 1844, *espherometro* 1844 ‖ **esfér**ULA ǀ *esphérula* 1899 ǀ Do lat. *sphaerŭla -ae*.
⇨ **esfera** ǀ *esphera* 1537 PNun 17.2, *sphera* Id. 3.33, *a* 1542 JCasE 23.4, *sphaera* 1537 PNun 23.8 etc. ‖ **esfer**AL *adj.* 'esférico' ǀ *espheral* 1537 PNun

67.41, *espheriaes* pl. *a* 1542 JCasE 95.11 ‖ **esférico** ǀ *spherico* 1537 PNun 134.18, *sphaerico a* 1542 JCasE 23.17 ǀ.
esfiapar → FIO.
esfigmômetro *sm.* 'pulsímetro' ǀ *esphygmometro* 1881 ǀ Cp. gr. *sphygmós* 'pulsação' e *métron* 'medida'.
esfíncter *sm.* '(Anat.) designação comum a diversos músculos anulares com que se apertam ou alargam vários ductos naturais do corpo' ǀ *sphinter* 1782 ǀ Do lat. tard. *sphincter*, deriv. do gr. *sphigktḗr*.
esfinge *sf.* 'monstro fabuloso, leão alado com cabeça e busto humanos, que matava os viajantes quando não decifravam o enigma que ele lhes propunha' XVI. Do lat. *sphinx -ingis*, deriv. do gr. *sphígx -iggós*.
esflorado → FLOR.
esfoguear → FOGO.
esfolar *vb.* 'tirar a pele de, arranhar, escoriar' XVI. Do lat. vulg. *exfollare* ‖ **esfol**ADO XIII ‖ **esfol**AD·URA XIII ‖ **esfol**AMENTO 1858.
esfolh·ada, -ar, -inho → FOLHA.
esfoliar *vb.* 'separar em folhas ou lâminas' *exfoliar* 1858 ǀ Do lat. *exfoliare* ‖ **esfoli**AÇÃO 1813 ‖ **esfoli**AT·IVO ǀ *exfoliativo* 1858. Cp. FOLHA.
esfome·ado, -ar → FOME.
esforç·ado, -ar, -o → FORÇA.
esfragística *sf.* 'ciência que trata dos selos, sinetes e carimbos' XX. Do fr. *sphragistique*, deriv. do gr. *sphragistikḗ* ‖ **esfragíst**ICO XX.
esfrangalhar → FRANGALHO.
esfregar *vb.* 'roçar, friccionar, limpar' XIV ǀ Do lat. *exfrĭcāre*, por *effrĭcāre* ‖ **esfreg**A XVIII ‖ **esfreg**AÇÃO 1813 ‖ **esfreg**ÃO 1813.
esfri·ado, -amento, -ar → FRIO.
esfulinhar → FULIGEM.
es·fum·açado, -açar, -ado, -ar, -atura, -inho → FUMO.
esfuracar → FURAR.
es·fuzi·ante, -ar → FUZIL.
esgadanhar → GADANHA.
esgaivar → GÁVEA.
esgaldripar → GUALDIR.
esgalhar → GALHO.
⇨ **esgalho** → GALHO.
esgan·ação, -ado, -ar → GANA.
esganiç·ado, -ar → GANIR.
esgar → GUARDAR.
esgarabulhar *vb.* 'andar aos pulos, mexer-se muito' 1813. De etimologia controvertida ‖ **esgarabulh**ÃO 1813.
esgaravatar → GARAVATO.
esgarçar *vb.* 'desfiar, ferir, lanhar' 1844. De origem controversa.
esgarrar → GARRA¹.
esgatanhar → GATO.
es·gaze·ado, -ar → GÁZEO.
esgoel·ado, -ar → GOELA.
esgot·ado, -amento, -ar → GOTA.
esgrafita *sm.* 'pintura ou desenho que se obtém riscando com um estilete a camada superior da tinta, de sorte que fique descoberta a camada inferior' ǀ *esgraffito* 1881 ǀ Do it. *sgraffito* ‖ **esgrafi**AR 1844. Adapt. do it. *sgraffire* ‖ **esgrafi**ADO 1813.
esgraminar → GRAMA¹.

esgravatar → GARAVATO.
esgrima *sf.* 'arte de jogar (ou lutar) com as armas brancas' XIV. Do prov. *escrima*, de origem germânica || **esgrim**IR | *-gre-* XIII || **esgrim**ISTA 1881.
es·grou·viado, -vinhar → GROU.
es·guard·ador, -amento, -ante, -ar, -o → GUARDAR.
esgueirar *vb.* 'subtrair com habilidade, desviar' 1813. De etimologia obscura.
esguelha *sf.* '(usado na expr. *de esguelha = de soslaio*) soslaio, través, viés' | *ezguelha* XVI | De etimologia obscura || **esguelh**ADO 1813.
esguião *sm.* 'tecido fino de linho ou de algodão' 1813. De etimologia obscura.
esguicho *sm.* 'jato ou repuxo de um líquido' XVI. Provavelmente de origem onomatopaica || **esguich**AR 1813.
esguio *adj.* 'alto e delgado, comprido, fino' 1813. Do lat. *exigŭus*. Cp. EXÍGUO.
esguncho *sm.* '*ant.* pá, cavada e curta, utilizada para aguar, exteriormente, os barcos' 1813. De origem incerta.
-ésimo *suf nom.*, do lat. *-ēsimus*, que se documenta em numerais, alguns já formados no próprio latim, como *centésimo*, por exemplo, e vários outros formados por analogia nas línguas modernas, 'como *bilionésimo, milionésimo* etc.
eslabão → ESCRAVO.
eslavo *adj. sm.* 'membro de um dos mais importantes e numerosos grupos étnicos da Europa central e oriental, o qual compreende os russos, os bielorrussos, os búlgaros, os sérvios, os tchecos, os croatas, os eslovenos, os eslovacos, os ucranianos, os macedônios, os polacos e os lusácios' 'grupo de línguas indo-europeias faladas por esses povos' | 1706, *esclavo* XV | Do lat. med. *sclavus/sclavi* pl. (séc. VI), *sclavini* pl. (séc. VI), deriv. do gr. biz. *sklábos/skláboí* pl., *sklabēnós* (com o *b* pronunciado como *v*) e, este, do eslavo **slověnĭn̄* de origem bastante controversa. O subst. gr. biz. *sklábos* (pl. *skláboí*) é deriv. regress. do adj. *sklabēnós*; a terminação *-ēnós* teria sido associada à desinência *-inós* de adj. gr. da segunda declinação || **esclavão** *adj. sm.* 'esclavônio' 'eslavo' | *esclauona* f. 1565, *sclauões* pl. 1566, *sclavão* 1593 | Adapt. do fr. ant. *esclavon* || **esclavon**ESCO *adj.* 'esclavônio' | *esclauonesco* 1565 | Do it. *schiavonèsco* || **esclavôn**ICO *adj.* 'esclavônio' 1593 || **esclavônio** *adj. sm.* 'natural da Esclavônia' 1593 || **eslavão** *sm.* 'eslavo' | *slavões* pl. 1781 || **eslávico** | *slauico* 1651 || **eslav**ISMO 1899 || **eslav**ISTA XX || **eslaviz·ação** XX || **eslaviz·ante** XX || **eslav**IZAR XX || **eslavo**FIL·ISMO XX || **eslavó**FILO XX || **eslavôn**ICO XX || **eslavônio** | *slavonio* 1781 || **eslovaco** | *slovaque* 1878 | Do fr. *slovaque*, deriv. do eslovaco *slovák* || **eslovên**ICO XX || **esloveno** | *sloveno* 1878 | Do fr. *slovène*, deriv. do al. *Slovene* e, este, do esloveno *slovene* (< eslavo **slověne*, pl. de **slověnĭn̄*). V. ESCRAVO.
eslinga *sf.* cabo com que se levantam pesos a bordo' 1881. Do ing. *sling*.
eslov·aco, -ênico, -eno → ESLAVO.
esmadrig·ado, -ar → MÃE.
esmaecer → DESMAIAR.
esmagar *vb.* 'pisar, esmigalhar, tiranizar' 1500. De origem controversa; talvez de um lat. vulg.

*exmagāre, deriv. de um gót. **maga* 'cebo' || **esmag**ADO XVI || **esmag**AMENTO 1881.
esmaiar → DESMAIAR.
esmalte *sm.* 'substância transparente, colorida com óxidos metálicos, aplicável em estado líquido, e que, após a secagem, produz película brilhante, dura e aderente, de aspecto vítreo' XIV. Do cat. *esmalt*, de origem germânica || **esmalt**ADO XIV || **esmalt**AR XVI.
esmaniar *vb.* 'ter manias, proceder como doido' 1844. Do it. *smaniare*.
esmar → ESTIMAR.
esmarrido *adj.* 'seco, ressequido, desanimado' XIII. Do it. *smarrito*, de *smarrire*, de origem germânica.
esmechar¹ *vb.* 'ferir na cabeça, ferir, machucar' XVI. De origem controversa || **esmech**ADO XVI.
esmechar² → MECHA.
esmegma *sm.* 'massa alvacenta e gordurosa que se cria nas dobras dos órgãos genitais' 1858. Do lat. *smēga -ătis*, deriv. do gr. *smḗgma -atos*.
esmeralda *sf.* '(Min.) pedra preciosa, geralmente verde, variedade de berilo transparente' | XIV, *ez-* XIV | Do lat. *smaragdus*, deriv. do gr. *smáragdos*, de origem oriental || **esmerald**INO XVII.
esmerar *vb.* 'aperfeiçoar, polir, apurar' XIV. De *mĕrus* 'puro' || **esmer**ADO 'perfeito, distinto' XIII || **esmer**O XIX.
esmeril *sm.* 'variedade compacta de coríndon que contém óxido de ferro e, pulverizada, serve para polir metais, vidros, pedras preciosas; pedra de amolar' XVII. Do ant. fr. *emeril* (hoje *émeri*), deriv. do it. *smeriglio* e, este, do lat. med. *smirillus* || **esmerilh**AR | XVII, *esmerilar* 1873.
⇨ **esmeril** — **esmerilh**AR | *c* 1539 JCASD 64.*25* |.
esmerilhão *sm.* 'espingarda comprida, de grande alcance' 'pequena ave de rapina' | *esmerilhães* pl. XV | Do fr. ant. *esmereillon* (hoje *émerillon*), de origem germânica.
esmero → ESMERAR.
esmigalh·ado, -ar → MIGALHA.
esmiuçar → MINÚCIA.
esmo → ESTIMAR.
esmola *sf.* 'óbolo, auxílio, amparo' | *-lla* XIII, *esmolna* XIII etc. | Do lat. *eleēmosўna* (> **elmosna* > *esmolna* > *esmonla* > *esmolla* > *esmola*) | **esmol**ADOR | *esmolnador* XIII || **esmol**AR XIII || **esmol**EIRA | *-ley-* XIV, *esmolneira* XIII || **esmol**EIRO | *-eyro* XV || **esmoler** | *esmoller* XV.
es·molamb·ado, -ador, -ar → MOLAMBO.
esmorecer *vb.* 'desalentar, afrouxar, deslustrar' XIII. Do ant. *esmorir* (também do séc. XIII), com troca de sufixo, relacionado com o lat. *mori* 'morrer' || **esmorec**IMENTO XVI.
esmurrar → MURRO.
esnobismo *sm.* 'tendência a desprezar relações humildes' 'afetação de gosto e/ou admiração excessiva ao que está em voga' | *snobismo* 1899 | Do ing. *snobbism* || **esnob**AÇÃO XX || **esnob**AR XX || **esnobe** | *snob* 18991 Do ing. *snob*.
esnocar *vb.* 'quebrar os ramos ou galhos de, esgalhar' XVI. De *desnocar*, com mudança de prefixo, e, este, de *deslocar*, talvez por influência de *nó*.
esoderma *sm.* '(Zool.) membrana inferior dos insetos' | *esoderme* 1873 | Do lat. cient. *esŏderma*, composto do gr. *ésō* 'de dentro' e *dérma* 'pele'.

esôfago *sm.* '(Anat.) canal musculomembranoso que comunica a faringe com o estômago' 1813. Do lat. cient. *oesophagus*, deriv. do gr. *oisophágos* || **esofago**TOM·IA | *esophagotomia* 1858 | Do lat. cient. *oesophagotomia*.
esoforia *sf.* '(Patol.) tendência anormal dos eixos visuais à convergência; estrabismo convergente' XX. Do lat. cient. *esophoria*, composto do gr. *ésō* 'para dentro' e *-phoria* 'portador'.
esópico *adj.* 'pertencente ou relativo a Esopo, fabulista grego, ou próprio dele' 1873. Do lat. *aesōpĭcus*, deriv. do gr. *aisōpikós*.
esotérico *adj.* '(Fil.) diz-se do ensinamento que, em escolas filosóficas da Antiguidade grega, era reservado aos discípulos completamente instruídos' 1873. Do lat. *esōtericus*, deriv. do gr. *esōterikós* || **esoter**ISMO 1873.
espaço *sm.* 'distância entre dois pontos, ou a área ou o volume entre limites determinados' | XIV, *-zo* XIII, *spaço* XIII | Do lat. *spătĭum* || **espaç**AR XV || **espaci·**AL XX. Do fr. ou do ing. *spatial* || **espaço**SO XIV.
espada *sf.* 'arma branca, formada de uma lâmina comprida e pontiaguda, de um ou dois gumes' XIII. Do lat. *spatha -ae*, deriv. do gr. *spáthē* || **espada**chim XVII. Do it. *spadacino* || **espad**ADA XIII || **es**-**pad**ANA XVI || **espad**ARTE XIV || **espad**EIR·ADA XVII || **espad**EIRO | *-eyro* XIV || **espad**IM XV.
espadel·a, -ada → ESPÁTULA.
espádice *sf.* '(Bot.) tipo de inflorescência, mais comum nas aráceas, formada por uma espiga de flores unissexuais e eixo carnoso, e envolvida por urna bráctea ampla, não raro colorida' 1858. Do lat. *spādix -īcis*, deriv. do gr. *spádix -ikos*.
espadilha *sf.* 'o ás de espadas, em certos jogos' 'certa ferramenta própria do tecelão' XVII. Do cast. *espadilla*.
espádua *sf.* '(Anat.) omoplata com a carne que a reveste' | *-doa* XIV, *espalda* XIV etc. | Do lat. *spathŭla -ae* || **espada**ÚDO XVI || **espald**AR XVII. De um lat. **spalutāre*, deriv. de **spaluta*, forma metatética de *spathŭla* || **espald**EIRA XVI || **espald**EIR·AR 1899 || RE**spald**AR XVII || RE**spald**O XVI. Cp. ESPÁTULA.
espagíria, espagírica *sf.* 'a ciência da alquimia' XVII. Do lat. cient. *spagyrica*, vocábulo criado por Paracelso (1483-1541), com base no gr. *spân* 'extrair' e *agéirein* 'recolher'.
espaguete *sm.* 'tipo de macarrão' XX. Do it. *spaghétti*.
espair·ar, -ecer → PAIRAR.
espald·ar, -eira, -eirar → ESPÁDUA.
espalhafato *sm.* 'barulho, confusão, estardalhaço' XVI. De origem incerta; talvez composto de *espalha* (de *espalhar*) e *fato* 'ocorrência'.
espalhar → PALHA.
espalm·ado, -ar → PALMA.
espalto *sm.* 'esmalte ou verniz escuro e transparente aplicado sobre escarlate' 'pedra empregada na fundição dos metais' XVIII. Do al. *Spalt*, através do fr. *spalt*, na segunda acepção; como 'esmalte', o voc. procede do it. *spalto*.
espan·ador, -ar → PANO.
espanc·amento, -ar → PANCA.
espanhol *adj. sm.* 'orig. relativo à Península Ibérica' '*mod.* de, ou pertencente ou relativo à Espanha' | *espanoes* pl. XIII, *-panoos* pl. XIV, *-panhooes* pl. XIV. *espanholl* XV | Do cast. *español*, deriv. do lat. **spāniŏlŭs*, por *hispāniŏlus* e, este, de *Hispānĭa* 'Espanha' || **espanhol**ADA | *hespanholada* 1881 || **espanhol**ISMO | *hespanholismo* 1858. Cp. HISPÂNICO.
espantar *vb.* 'assombrar, afugentar, afastar' XIII. Do lat. vulg. *expavĕntāre* (cláss. *expavēre*) || **espant**AD·IÇO | *spant-* XV || **espant**ADO XIII || **espan**-**t**ALHO XVI || **espant**AMENTO XV || **espant**ÁVEL | *spantavyl* XIV, *espamtabell* XV, *espantable* XV || **espant**O XIII || **espant**OSO XIII.
esparadrapo *sm.* 'tela ou plástico adesivo que se usa para proteger a pele, conservar no lugar os curativos, ou manter a resistência em pontos suturados ou cortados da pele' | 1873, *sparadrapo* 1844 | Do lat. *sparadrappo*, ou do fr. *sparadrap*, deriv. do lat. med. *sparadrapus*.
esparavão *sm.* '(Veter.) tumor ossificado que nasce na curva da perna do cavalo' XVI. De etimologia obscura, talvez do fr. *esparvin* (mod. *éparvin*).
esparavel *sm.* 'rede de pescar' 'franja de chapéu de sol ou cortinado' 1500. Do cat. *esparaver* 'gavião' e 'esparavel', do frâncico **sparwâri*.
esparcita *adj.* 'natural de ou pertencente a Esparta, espartano' 1873. Do lat. *spartiātae -ārum*, deriv. do gr. *spartiátēs*. Cp. ESPARTANO.
⇨ **esparciata** *adj. s2g.* 'natural de ou pertencente a Esparta' | XIV TEST 406.4.
espargir, esparzir *vb.* 'espalhar ou derramar um líquido' 'difundir' | XIV, *-ger* XIII | Do lat. *spargĕre* || **esparg**IMENTO | *-mēto* XV.
espargo, aspargo *sm.* 'planta da família das liliáceas, de rizoma escamoso, com brotos carnosos, comestíveis' | XVIII, *esparrego* XVIII, *aspargo* XX | Do lat. *aspărăgus ī*, deriv. do gr. *aspáragos* || **as**-**parago**LITO *sm.* '(Min.) variedade verde-amarelada da apatita' | *asparagolithe* 1881 || **aspárt**ICO *adj.* '(Quím.) ácido que se obtém da asparagina' 1871 || **esparreg**AR *vb.* 'guisar espargos, couves etc.' XVI.
esparguta *sf.* 'planta calcífuga da fam. das cariofiláceas, que fornece o feno e a forragem apropriada para todos os animais' XVI. Do fr. *spargoutte*.
esparramar *vb.* 'espalhar, dispersar, derramar' XX. De etimologia obscura; talvez se possa admitir uma formação parassintética [*es-* + *pa*(*rra* + *ram*(*a* + *ar*], em alusão às ramificações características da *parra* || **esparr**ALH·AR 1881 || **esparram**AÇÃO XX || **esparram**O 1899 || **esparr**INH·AR 1813.
esparregar → ESPARGO.
esparrela *sf.* 'armadilha de caça' 'logro, engano' XVII. De etimologia obscura.
esparrinhar → ESPARRAMAR.
esparsa *sf.* 'composição poética antiga, em versos de seis sílabas XVII. Do cat. *esparsa*.
esparso *adj.* 'espalhado, disperso, vulgarizado' XVII. Do lat. *sparsus -a -um*, part. de *spargĕre*.
espartano *adj. sm.* 'de, ou pertencente ou relativo a Esparta' 'o natural ou habitante de Esparta' XVIII. Do lat. *spartānus -a -um*.
⇨ **espartano** | 1538 DCast 35.*17* |.
esparto *sm.* 'planta medicinal, da fam. das gramíneas, cujas folhas se empregam no fabrico de cestas, esteiras etc.' XIV. Do lat. *spartum -ī*, deriv. do

gr. *spártos -ou* || **esparte**ÍNA 1899. Do fr. *spartéine* || **espart**ENHA XVII || **espart**ILHO 1813.
esparzeta *sf.* 'planta erecta, de caule vigoroso, da fam. das leguminosas' | *-tta* 1858 | Do fr. *esparcette*, deriv. do prov. *esparceto*.
esparzir → ESPARGIR.
espasmo *sm.* '(Med.) contração súbita e involuntária dos músculos' XVI. Do lat. *spasmus*, deriv. do gr. *spasmós* || **espasmód**ICO 1813. Do lat. med. *spasmodicus*, deriv. do gr. *spasmŏdēs* || **espasmo**FIL·IA XX.
espata *sf.* '(Bot.) bráctea ampla que envolve as espigas de muitas plantas' | *espatha* 1873 | Do lat. *spatha -ae*, deriv. do gr. *spáthē* || **espat**ELA XIX. Do lat. *spathŭla -ae*. Cp. ESPADA.
espatifar *vb.* 'fazer em cacos, em pedaços' 1844. De etimologia obscura.
espato *sm.* 'qualquer dos minerais de clivagem muito fácil' 1813. Do fr. *spath*, deriv. do al. *Spath* || **espato**FLÚOR XX.
espátula *sf.* 'espécie de faca de madeira, metal ou outro material, utilizada para abrir livros etc.' XVII. Do lat. tard. *spathŭla* || **espad**ELA XVII. De um lat. **spathella*, por *spathŭla* || **espad**EL·ADA XVI. Cp. ESPÁDUA.
⇨ **espátula** — **espad**ELA | *espadella c* 1608 NOReb 72.*12* |.
espavento *sm.* 'espanto, susto, ostentação' 1844. Do it. *spavento* || **espavent**AR 1844. Do it. *spaventare*.
es·pavor·ido, -ir → PAVOR.
especar → ESPEQUE.
espeçar *vb.* 'tornar mais comprida uma peça à qual se junta outra longitudinalmente' 1899. De etimologia obscura.
espécie *sf.* 'gênero, natureza, qualidade' | *specie* XIV | Do lat. *spěciēs -ēi* || **especi**AL | *especial* XIV | Do lat. *speciālis -e* || **especial**IDADE 1813. Do lat. tard. *specialitas -ātis* || **especial**ISTA 1881 || **especial**IZ·AÇÃO 1881 || **especial**IZAR 1813 || **especi**ARIA *sf.* 'qualquer droga aromática' | *espeçiaria* XIV, *-çearia* XIV || **especi**EIRO XV, *orig.* boticário' 'que vende especiaria' | *-çieyro* XIV, *specieyro* XIV etc. || **especi**FIC·AR | *spec-* XIV, *spaç-* XIV | Do lat. tard. *specificare* || **especi**FIC·ATIVO 1858 || **específico** XVIII. Do lat. tard. *specificus*.
espécime *sm.* 'modelo, amostra, exemplo' 1838. Do lat. *specĭmen -ĭnis*.
especioso *adj.* 'de aparência enganadora, ilusório, enganoso' XVII. Do lat. *speciōsus -a -um* || **especio**SIDADE 1813. Do lat. *speciōsitās -ātis*.
espectador *sm.* 'aquele que vê qualquer ato, testemunha' 1813. Do lat. *spectātor -ōris* || **espect**Á VEL XVIII || **espectro** *sm.* 'visão' 1813. Do lat. *spectrum -ī* || **espectro**FOTÔ·METRO XX || **espectró**GRAFO XX || **espectro**LOG·IA 1899 || **espectrô**METRO 1899 || **espectro**SCÓPIO 1899. Cp. ESPETÁCULO.
especulação *sf.* 'investigação teórica, exploração' | *especulaçã* XVI | Do lat. *speculātio -ōnis* || **especu**LADOR 1833. Do lat. *speculātor -ōris* || **especu**LAR¹ *adj.* 'referente a, ou próprio de espelho' 1813. Do lat. *speculāris -e* || **especu**LAR² *vb.* 'examinar com atenção' 1572. Do lat. *speculāre* || **especu**LÁRIA XVI. Do lat. *speculāria -ĭum* || **especu**LATIVO XVI. Do lat. tard. *speculativus -i* || **espéculo** 1813. Do lat. *spěcŭlum -i*. Cp. ESPELHO.

espedaçar → PEDAÇO.
espeitar → PEITAR.
espeleologia *sf.* '(Geol.) estudo e exploração das cavidades naturais do solo (grutas, cavernas, fontes etc.)' XX. Do fr. *spéléologie*, composto do gr. *spēlaion* 'caverna' e *-logie* (v. -LOGIA).
espelho *sm.* 'qualquer superfície refletora' '(Ópt.) superfície refletora constituída por uma película metálica depositada sobre um dielétrico polido' XIII. Do lat. *spěcŭlum -i* || **espelh**ANTE XX || **espelh**AR 1813 || **espelh**IM *sm.* 'gesso branco, lustroso' 1709.
espelta *sf.* 'espécie de trigo de qualidade inferior' 1873. Do cat. *espelta*, deriv. do lat. tard. *spĕlta*.
espelunca *sf.* 'caverna, antro, lugar escuro e imundo' XVII. Do lat. *spēlunca -ae*, deriv. do gr. *spēlugx -uggos*.
espenar → PENA³.
espenda *sf.* 'parte da sela em que assenta a coxa do cavaleiro' XV. Talvez deverbal de *expandir*, do lat. *expanděre*.
espenicar → PENA³.
espenifre *sm.* 'antigo jogo de cartas em que o dois de paus era a carta de maior valor' 1813. De etimologia obscura.
espeque *sm.* 'alavanca' 'peça de madeira com que se escora qualquer objeto' XVI. Do fr. *anspect*, deriv. do neerl. ant. *handspaecke* (hoje *handspaak*) || **espec**AR 1881.
esperar *vb.* 'aguardar, confiar, ter esperanças' | XIII, *asperar* XV | Do lat. *sperāre* || DES**esper**AÇO | XVI, *desasperaçõ* XIV etc. || DES**esper**ADO | XIV, *desasperado* XIII etc. || DES**esper**ADOR 1899 || DES**esper**ANÇA | XIV, *desasperança* XIII | DES**esper**AR | XV, *desasperar* XIII, *desperar* XIII || DES**esper**O 1844 || **espera** 1813 || **esper**ANÇA | XIII, *as-* XIII || **esper**ANÇ·ADO 1813 || **esper**ANÇ·AR 1813 || **esper**ANÇ·OSO 1813 || **esper**ANTO *sm.* 'língua artificial' XIX. De *esperi* 'esperar', nesse idioma; *esperanto* é 'o que espera', pseudônimo do seu criador, o Dr. Zamenhof (1859-1917), que o propôs em 1887 || **esper**ÁVEL 1813. Do lat. *spěrābĭlis -e* || IN**esper**ADO 1844.
esperdiçar *vb.* 'desperdiçar' 'perder a rês no mato' XVII. De *desperdiçar*, com mudança de prefixo || **esperdiç**ADO XVI || **esperdiç**ADOR 1813.
esperma *sm.* líquido fecundante produzido pelos órgãos genitais dos animais machos' XVI. Do lat. *sperma -ătis*, deriv. do gr. *spérma -atos* || **espermático** 1813. Do lat. vulg. *spermaticus*, deriv. do gr. *spermatikós* || **espermat**IZAR 1844 || **espermato**CELE 1858 || **espermat**ÓFILO XX || **espermato**GÊNESE XX || **espermato**GRAFIA | *espermatographia* 1873 || **espermato**LOG·IA 1844 || **espermator**·REIA | *espermatorrhea* 1858 || **espermat**OSE | 1873, *-sis* 1844.
espermacete *sm.* 'substância branca e oleosa que se extrai do cérebro dos cachalotes' XVIII. Do lat. med. *spermaceti*.
es·pern·ear, -egar → PERNA.
espertar *vb.* 'acordar, despertar, estimular' XIII. Do lat. **expertāre*, de *expĕrtus -a -um* || DES**pert**ADOR 1813 || DES**pert**AR XIII. De *espertar*, com troca de prefixo || DES**pert**O XIII || **espert**EZA 1813 || **espert**INA XIX || **esperto** XIII. Do lat. *expĕrgĭtus -a -um*.
⇨ **espertar** | De *espert(o)* + -AR¹ || **esperto** | Do lat. *expergĭtus*, part. pass. de *expergěre* 'despertar'.

espessartita *sf.* '(Min.) mineral monométrico, do grupo das granadas; pedra semipreciosa' xx. Do fr. *spessartite*, deriv. do top. *Spessart* (Alemanha).
espesso *adj.* 'grosso, denso, compacto' xiii. Do lat. *spĭssus -a -um* ‖ **espess**AMENTO xx ‖ **espes**SAR | *-esar* xiv | Do lat. *spissāre* ‖ **espess**IDÃO | *espessidõe* xiv, *espesedũe* xiv | Do lat. *spissitūdō -ĭnis* ‖ **espess**URA xiv.
espetáculo *sm.* 'tudo o que chama a atenção, atrai e prende o olhar' | *espectáculo* 1568 | Do lat. *spectācŭlum -ī* ‖ **espetacul**AR | *espectacular* 1881 | Do fr. *spectaculaire* ‖ **espetacul**OSO | *espectaculoso* 1881. Cp. ESPECTADOR.
espeto *sm.* 'utensílio de ferro ou de pau, com que se assa carne ou peixe' xiii. Do gót. **spĭtus* ‖ **espe**tADA *sf.* xiv ‖ **espet**AR xvi.
espevitar → PEVIDE.
espezinhar → PÉ.
espia[1] *s2g.* 'pessoa que às escondidas observa ou espreita as ações de alguém' | *spia* 1554 | Do it. *spia*, de origem germânica ‖ **espi**ÃO *sm.* 'agente secreto encarregado de recolher informações; espia' xviii. Do fr. *espion*, deriv. do it. *spione* ‖ **espi**AR[1] *vb.* 'observar secretamente' xvi ‖ **espion**AGEM | *-age* 1836 | Do fr. *espionage* ‖ **espion**ANTE 1836 ‖ **espion**AR 1881. Do fr. *espionner*.
espia[2] *sf.* '(Marinh.) cabo que se passa de um navio para um cais, uma boia ou outro navio, a fim de segurá-lo' | *espya* xv | De etimologia obscura, provavelmente relacionado com *espia*[1] ‖ **espiar**[2] *vb.* 'segurar o navio com espias' 1813.
espicaçar → PICAR.
espich·a, -ar → ESPICHO.
espiche *sm.* 'pop. alocução, discurso, brinde' 1890. Do ing. *speech*.
espicho *sm.* 'pau aguçado para tapar o suspiro de barril ou tonel' 1813. Do lat. *spīcŭlum -ī* ‖ **espicha** 1813 ‖ **espich**AR 1813. Cp. ESPÍCULO, ESPIGO[1].
espiciforme → ESPIGA.
espicilégio *sm.* 'coleção metódica de documentos' 1858. Do lat. *spīcilegĭum -ĭī*.
espículo *sm.* 'ponta, aguilhão, ferrão' '(Zool.) órgão copulador de certos invertebrados' xviii. Do lat. *spīcŭlum -ī* ‖ **espicul**ADO 1881 ‖ **espicul**AR xvii. Cp. ESPICHO, ESPIGO[1].
espiga *sf.* '(Bot.) tipo de inflorescência caracterizada pela presença de flores dispostas ao longo do eixo ou raque' xiii. Do lat. *spīca -ae* ‖ **espici**·FORME 1881 ‖ **espig**ADO xviii. Do lat. *spīcātus -a -um* ‖ **espig**ÃO xvi ‖ **espig**AR xiii ‖ **espigo**[2] 1899 ‖ **R**espig**AR 1813.
⇨ **espiga** — RESPIGAR | 1614 SGONÇ I. 11.*8* |.
espigo[1] *sm.* 'ponta de ferro ou de madeira' 1881. Do lat. *spīcŭlum -ī*. Cp. ESPICHO, ESPÍCULO.
espigo[2] → ESPIGA.
espinafre *sm.* 'planta glabra, da fam. das quenopodiáceas; espécie de hortaliça' xviii. Do ár. hisp. **'spināh*, deriv. do persa *ispānâh*.
espinal *adj.* 2g. 'espinhal' 1844. Do lat. tard. *spinalis*. Cp. ESPINHA.
espinel *sm.* 'espécie de rubi pouco cintilante' 1813. Do it. *spinèllo*.
espín·eo, -escente, -escido → ESPINHA.
espineta *sf.* 'antigo instrumento de cordas percutíveis e teclado, cuja mecânica e técnica são iguais às do cravo' 1813. Do it. *spinétta*.

espingarda *sf.* 'arma de fogo portátil de cano longo' xv. Do it. *spingarda* ‖ **espingard**ARIA 1573 ‖ **espingard**EAR xvii ‖ **espingard**EIRO | *-eyro* 1522.
espinha *sf.* '(Anat.) série de apófises da coluna vertebral' 'a coluna vertebral' | xiii, *-inna* xiii etc. | Do lat. *spīna* ‖ **espín**EO 1899. Do lat. *spīnĕus -a -um* ‖ **espin**ESC·ENTE 1899. Do lat. *spinescens -entis* ‖ **espin**ESC·IDO 1899 ‖ **espinh**AÇO *sm.* 'arestas de monte' xv; 'espinha' 1813 ‖ **espinh**AL 1844 ‖ **espinh**EIRO 1813 ‖ **espinh**ELA | *espinhella* xiv ‖ **espini**·FORME xx ‖ **espinho** | xv, *espino* xiv | Do lat. *spīnus -ūs* ‖ **espinh**OSO 1813. Do lat. *spīnōsus -a -um*.
⇨ **espinha** — **espinh**EIRO | 1569 in *Studia* n.º 8, 202, *espinheyro* xiv TEST 87.*26* ‖ **espinh**OSO | 1614 SGONÇ II. 182.*24* |.
espinilho *sm.* 'espinho-de-cristo' 'vaso ou lugar onde se guardam esponjas' 1899. Do esp. plat. *spinillo*.
espinotear → PINO.
espiolhar → PIOLHO.
espion·agem, -ante, -ar → ESPIA[1].
espipocar → PIPOCA.
espira *sf.* 'configuração da espiral' 'cada uma das roscas de um parafuso' xvii. Do lat. *spīra -ae*, deriv. do gr. *speîra* ‖ **espir**AL 1813. Do lat. med. *spiralis* ‖ **espir**AL·ADO 1899 ‖ **espir**EMA *sm.* 'disposição do filamento de cromatina, em forma de novelo' xx. Cp. gr. *speírēma* ‖ **espírelo** *sm.* 'micróbio pertencente ao gênero *spirillum*, em forma de filamentos alongados e espiralados, geralmente móveis' xx. Do fr. *spirille*, deriv. do lat. cient. *spirillum* ‖ **espir**OIDE 1899. Do fr. *spiroïde*.
⇨ **espira** | *spira* 1537 PNun 37.*2* ‖ **espir**AL | 1660 FMMelE 224.*26* |.
espirar *vb.* 'respirar, bafejar' xiv. Do lat. *spīrāre* ‖ **espir**AÇÃO 1899. Do lat. *spiratio -onis* ‖ **espirÁCU**LO *sm.* 'respiradouro' xvii. Do lat. *spīrācŭlum -ī* ‖ **espir**ANTE xvi. Do lat. *spirans -antis* ‖ **espiró**GRAFO *sm.* 'aparelho que registra os movimentos respiratórios' xx. Do fr. *spirographe* ‖ **espirô**METRO *sm.* 'aparelho para medir a capacidade respiratória dos pulmões' xx. Cp. EXPIRAR, INSPIRAR.
espírelo → ESPIRA.
espírito *sm.* 'parte imaterial do ser humano, alma' | xiii, *spi-* xiii, *esperito* xiii etc. | Do lat. *spīrĭtus -ūs* ‖ **espírita** *s2g.* xix. Do fr. *spirite*, deriv. do ing. *spirit*, na expressão *spiritrapper* 'espírito que bate' ‖ **espirit**ISMO 1875. Do fr. *spiritisme* ‖ **espirit**ISTA 1881. Do fr. *spiritiste* ‖ **espiritu**AL | xiv, *esperital* xiii, *spirital* xiii etc. | Do lat. *spīrĭtuālis* ‖ **espiritu**AL·IDADE | *esprit-* xv, *spirit-* xv ‖ **espiritu**AL·ISMO 1833. Do fr. *spiritualisme* ‖ **espiritu**AL·ISTA 1844. Do fr. *spiritualiste* ‖ **espiritu**AL·IZ·AÇÃO xviii ‖ **espiritu**AL·IZAR xvi ‖ **espiritu**OSO xvi.
espírito-santense *adj.* 2g. 'de, ou pertencente ou relativo ao estado do Espírito Santo' 1899. Do top. *Espírito Santo*.
espirógrafo → ESPIRAR.
espiroide → ESPIRA.
espirômetro → ESPIRAR.
espiroqueta *sm.* '(Med.) micróbio causador da sífilis xx. Do fr. *spirochète*.
espirrar *vb.* 'lançar fora de si, expelir' xvi. Do lat. *exspīrāre* ‖ **espirr**AD·EIRA 1813 ‖ **espirr**O 1813.

esplanada *sf.* 'terreno plano e descoberto, geralmente formado em frente de um edifício' XVII. Do it. *spianata*, provavelmente através do fr. *esplanade*.
esplâncnico *adj.* '(Anat.) pertencente ou relativo às vísceras' | *esplanchnico* 1881 | Do lat. med. *splanchnicus*,deriv.do gr.*splagchnikós*||**esplancno**GRAF·IA | *esplanchnographia* 1899 || **esplancno**LOG·IA | *esplanchnologia* 1881 | Do fr. *splanchnologie* || **esplancno**TOMIA | *esplanchnotomia* 1899.
esplenalgia → ESPLEN(O)-.
esplendecer *vb.* 'resplandecer, brilhar' | *esplendescer* XV | Do lat. *splendēscĕre* || **esplendec**ÊNCIA | *-esc-* 1858 || **esplendec**ENTE 1881. Do lat. *splendescente* || **esplend**ENTE XVI. Do lat. *splendēns -entis* || **esplend**ER XVIII. Do lat. *splendēre* || **esplêndido** 1813. Do lat. *splendĭdus -a -um* || **esplendor** | *esprandor* XIII, *splandor* XIII | Do lat. *splendor -ōris*.
esplen(o)- *elem. comp.*, do gr. *splḗno-*, de *splḗn splḗnos* 'baço', que já se documenta em vocs. formados no próprio grego, como *esplênio*, e em outros introduzidos na linguagem científica internacional, a partir do séc. XIX ▸ **esplen**ALG·IA 1881 || **esplên**ICO 1813. Do lat. *splenicus*, deriv. do gr. *splēnikós* || **esplen**IFIC·AÇÃO 1858 || **esplên**IO *sm.* '(Anat.) músculo achatado e alongado, sito na parte posterior do pescoço e superior das costas' 1881. Do lat. *splēnium -ii*, deriv. do gr. *splénion* || **esplen**ITE | 1858, *esplenitis* 1858 | Cp. gr. *splenitis* || **espleno**CELE 1858 || **espleno**GRAF·IA | *esplenographia* 1858 || **espleno**OIDE 1899 || **espleno**LOG·IA 1858 || **espleno**MEGAL·IA XX || **espleno**PAT·IA | *esplenopathia* 1899 || **espleno**TOM·IA 1858.
esplim *sm.* 'tédio de tudo, melancolia' XX. Do ing. *spleen*, deriv. do lat. *splēn splēnis* 'baço' e, este, do gr. *splḗn* || **esplin**ÉT·ICO XX. Cp. ESPLEN(O)-.
espojar *vb.* 'revolver-se (o animal) no chão' XVI. De origem incerta; talvez se relacione com PÓ: *espojar* < **espoejar* < ES- + PÓ + -EJAR || **espoj**AMENTO XX || **espoj**EIRO | *espoegerio* XV || **espolinhar** *vb.* 'espojar' 1899. De origem incerta; tal como *espojar*, talvez se relacione com PÓ; *espolinhar* < ES- + PÓ + -L- + -INHAR.
espoleta *sf.* 'escorva das bocas de fogo' 'peça que serve para inflamar a carga dos projetis ocos' 1813. Do it. *spoleta*.
espoliar *vb.* 'roubar, esbulhar, despojar' XVIII. Do lat. *spoliāre* || **espoli**AÇÃO 1844. Do lat. *spoliātĭō -ōnis* || **espoli**ADOR 1858. Do lat. *spoliātor -ōris* || **espoli**ANTE 1813 || **espoli**AT·IVO 1844 || **espólio** XVI. Do lat. *spolĭum -ii*. Cp. ESBULHAR.
espolim *sm.* 'lançadeira pequena, para florear estofos' 1873. Do fr. *spoulin*.
espolinhar → ESPOJAR.
espondeu *adj. sm.* 'diz-se do, ou pé de verso, grego ou latino, constituído por duas sílabas longas' | *espôdeo* 1593 | Do lat. *spondēus -ī*, deriv. do gr. *spondeios* || **espond**AICO 1813. Do lat. med. *spondaicus*.
espôndilo *sm.* '(Anat.) vértebra' 1813. Do lat. med. *spondỹlus -ī*, deriv. do gr. *spóndylos* || **espondilo**ZO·ÁRIO | *espondylozoario* 1899.
esponja *sf.* 'designação comum aos animais metazoários poríferos, marinhos ou de água doce,

cujo corpo é provido de numerosos poros, canais e câmaras pelos quais penetra e sai a água' | *sponia* XV | Do lat. *spŏngĭa -ae*, deriv. do gr. *spoggiá* || **espongi**ÁRIO 1881 || **espongíolo** 1881. Do lat. *spŏngĭŏlus*, dim. de *spŏngĭa* || **espongó**LITO XX || **esponj**AR XX || **esponj**EIRA 1813 || **esponj**OIDE XX. Cp. gr. *spóggoeidos* || **esponj**OSO | XV, *espongioso* XVI | Do lat. *spongiosus*.
esponsal, -ício → ESPOSAR.
espontâneo *adj.* 'de livre vontade; voluntário' 1813. Do lat. *spontānĕus -a -um* (*de sua sponte*) || **espontane**IDADE 1813.
espontar → PONTA.
espora *sf.* 'instrumento de metal que se põe no tacão do calçado para incitar o animal que se monta' | XIII, *espola* XIV | Do gót. **spaura* || **espor**ADA XIV || **espor**ÃO | *sporão* 1570 | Do a. prov. *esporon*, deriv. do ant. alt. al. *sporo* || **espor**E·AR XVI || **espor**EIRA 1881 || **espor**ÍFERO 1899.
⇨ **espora** — **espor**ÃO | *esporam c* 1539 JCASD 122.*3* |.
esporádico *adj.* 'disperso, espalhado' 1858. Do lat. med. *sporadicus*, deriv. do gr. *sporadikós*.
esporângio → ESPORO.
espor·ão, -ear, -eira, -ífero → ESPORA.
esporo *sm.* '(Biol.) célula reprodutora capaz de germinar, dando novo organismo' 1881. Do lat. med. *spora*, deriv. do gr. *sporá* || **esporângio** 1899. Do lat. med. *sporangium* || **esporo**GÔN·IO XX.
esporta *sf.* 'ant. alcofa, seira, cesto' XVI. Do lat. *sporta -ae* || **esport**ELA XIV. Do lat. *sportella -ae* || **espórt**ULA XVI. Do lat. *sportŭla -ae* || **esport**UL·AR 1813.
esporte *sm.* 'exercício(s) físico(s) praticado(s) com método, individualmente ou em equipes' 'divertimento, lazer' | XX, *sport* XIX | Do ing. *sport*, forma aferética de *disport*, deriv. do fr. ant. *desport* || **desport**ISTA XX || **desport**IVO XX || **desporto** 'esporte' | XV, *deporte* XVI | Do fr. ant. *desport* 'divertimento', var. de *déport*, forma atual (já documentada, porém, desde o séc. XII). No Brasil, por proposta do escritor Coelho Neto (1864-1934), foi reintroduzido na língua moderna o antigo *desporto*, adotado, inclusive, pela Confederação Brasileira de Desportos — CBD; as duas formas — *desporto* e *esporte* — são de uso generalizado em português, embora com predominância da segunda || **esportivo** | XX, *sportivo* 1899.
esportela → ESPORTA.
esportivo → ESPORTE.
espórt·ula, -ular → ESPORTA.
esposar *vb.* 'unir em casamento' '*ext.* aceitar (uma ideia), adotar (um partido) etc.' XIII. Do lat. *spŏ(n)sāre* || **desposar** 1858. Do lat. *desponsāre* || **espons**AL·ÍCIO 1784 || **espons**AL·ÍCIO 1784 || **esposa** XIII. Do lat. *spŏnsa -ae* || **espos**AMENTO XIV || **esposo** | XIV, *sposo* XIII | Do lat. *spŏnsus -ī* || **espos**ÓRIO | *-soyro* XIII, *-soiro* XIV.
espostejar → PÔR.
es·prai·amento, -ar → PRAIA.
es·preguiç·adeira, -ador, -ar → PREGUIÇA.
espreitar *vb.* 'observar ocultamente, olhar atentamente' XIII. De etimologia incerta; talvez do lat. *explicitāre*, frequentativo de *explicāre* || **espreita** XV || **espreit**ADA XVI.

espremer vb. 'comprimir ou apertar para extrair o suco' XVI. Do lat. exprĭmēre.
espulgar → PULGA.
espuma sf. 'conjunto de bolhas que se formam à superfície de um líquido que se agita, que fermenta ou que ferve' XIV. Do lat. spūma -ae ‖ **espum**ANTE XVIII. Do lat. spūmāns -antis ‖ **espúmeo** 1813. Do lat. spūmĕus -a -um ‖ **espumí**·FERO XVII. Do lat. spūmĭfer -fĕra -fĕrum ‖ **espumí**·GERO 1881. Do lat. spūmĭger -gĕra -gĕrum ‖ **espum**OSO 1601. Do lat. spūmōsus -a -um.
espurcícia sf. 'imundície, sujidade, torpeza' 1569. Do lat. spurcitĭa -ae ‖ **espurco** | spurco 1525 | Do lat. spurcus -a -um.
espúrio adj. 'não genuíno, suposto, ilegítimo' XVI. Do lat. spurĭus -a -um.
⇨ **espúrio** | XIV TEST 178.33 |.
esputar vb. 'salivar com frequência, cuspir muito' 1873. Do lat. spūtāre ‖ **esputo** 1813. Do lat. spūtum -ī.
es·quadr·a, -ão, -ia, -ilha, -ilhar[1] → QUATRO.
⇨ **esquadranista** → QUATRO.
esquadrilhar[2] → QUADRIL.
esquadrinhar vb. 'examinar cuidadosamente' | XV, -co- XIV, -drinar XIV, escudrinar XIV, -drinhar XIV etc. | Do lat. *scrūtĭniāre (de scrūtĭnĭum) ‖ **esquadrinh**ADO | escodrunnado XIII ‖ **esquadrinh**ADOR | escodrinador XIV, escoldrinhador XV ‖ **esquadrinh**AMENTO | escodrinhamento XIV.
esquadro → QUATRO.
esquálido adj. 'sórdido, sujo, fraco' 1572. Do lat. squālĭdus -a -um.
esqualo adj. sm. 'diz-se de, ou tubarão' | escallo XVIII | Do lat. squalus.
esquarroso adj. 'coberto de escamas, áspero' 1858. Do lat. squarrōsus -a -um.
es·quartej·amento, -ar → QUATRO.
esquartelar → QUATRO.
esquecer vb. 'olvidar, escapar, perder a lembrança' | escaecer XIII, esqueecer XV | Do lat. *excadescere, frequentativo de excadĕre ‖ **esquec**IMENTO | escaecimêto XIII, esqueçemento XIII etc. ‖ INesque-CÍVEL XX.
esqueleto sm. 'conjunto de ossos e cartilagens que se interligam para formar o arcabouço do corpo dos animais vertebrados' 1813. Do fr. squelette, deriv. do gr. skeletós ‖ **esquelét**ICO 1881.
esquema sm. 'figura que representa as relações e funções dos objetos, resumo' 1548. Do lat. schēma -ătis, deriv. do gr. schēma -atos ‖ **esquemát**ICO 1873 ‖ **esquemat**IZAR 1873.
es·quent·ado, -ar → QUENTE.
esquerdo adj. 'que está do lado oposto ao direito' XV. Derivado, provavelmente, de uma língua pré-romana hispano-pirenaica ‖ **esquerd**A XX ‖ **esquerd**ISMO XX ‖ **esquerd**ISTA XX.
esqui sm. 'longo patim de madeira, metal ou material sintético, para andar ou deslizar sobre a neve' XX. Do fr. ski, deriv. do ing. ski e, este, do nor. ski ‖ **esqui**ADOR XX ‖ **esqui**AR XX.
esquiça sf. 'batoque para tapar o suspiro que se faz nos barris ou tonéis' XVII. De etimologia obscura.
esquife sm. 'orig. embarcação pequena' 1500; 'ext. caixão, ataúde, urna funerária' 1693. Do it. schifo, deriv. do lombardo skif.

esquila sf. 'sino pequeno' XIV. Do gót. *skĭlla.
esquilo sm. 'caxinguelê, cutia-de-pau' | esquio XVI | De origem incerta; cp. gr. skiouros 'esquilo', deriv. de skía 'sombra' e ourá 'cauda'.
esquimó s2g. 'indivíduo pertencente ao povo nativo da Groenlândia' XIX. Do fr. esquimaux pl., deriv. de um idioma indígena da América.
esquina sf. 'aresta, canto, quina' XIII. Do germ. *skĭna ‖ **esquin**AR XV ‖ **quina**[2] XVI.
esquinência sf. '(Patol.) inflamação das amígdalas' | exquinemçia XV | Do it. schinanzia, deriv. do gr. kynágchē 'coleira'.
esquipar vb. 'aparelhar, aprestar, equipar' | squipar XIV, esquypar XV | Do fr. ant. eschiper (hoje équiper) ‖ **esquip**AÇÃO | squipações pl. XIII ‖ **esquip**ADO | XIV, esque- XIV. Cp. EQUIPAR.
esquipático adj. 'extravagante, esquisito, excêntrico' 1844. De etimologia controversa.
esquírola sf. 'lasca de osso' 1734. De etimologia obscura.
esquisito adj. 'achado com dificuldade, raro, fino' 'ext. estranho' XVI. Do lat. exquīsītus -a -um.
esquistossomo sm. '(Zool.) verme platelminto, da classe dos trematódeos, família dos esquistossomídeos' | schistosome 1874 | Cp. gr. schistós 'fendido' e sōma -atos 'corpo'.
esquivo adj. 'áspero, arisco, intratável' XIII. De origem germânica, procedente de uma forma skiuh, aparentada com o anglo-saxão skēoh ‖ **esquiv**AMENTO | esquy- XIV ‖ **esquiv**ANÇA 1881 ‖ **esquiv**AR XIV ‖ **esquiv**EZA 1500.
esquiz(o)- elem. comp., do gr. schízō 'dividir, fender', que se documenta em vocábulos introduzidos na linguagem científica internacional, a partir do séc. XIX ▸ **esquizo**FASIA sf. '(Med.) falar confuso, incompreensível, entrecortado, característico de indivíduos esquizofrênicos' XX ‖ **esquizo**FRENIA XX. Do fr. schizophrenie ‖ **esquizo**FRÊN·ICO XX ‖ **esquiz**OIDE XX ‖ **esquizo**TÍMICO XX.
essa[1] sf. 'catafalco, urna' | 1813, eça XV | De etimologia obscura.
essa[2] → ESSE.
-essa suf. nom., do lat. -issa, deriv. do gr. -issa, que se documenta em substantivos femininos, quase todos formados no próprio latim, como abadessa (lat. abbātissa), por exemplo. O grego clássico, ao que parece, só conhecera o derivado basilissa 'rainha', feminino de basileús 'rei', mas em latim o sufixo foi bem produtivo. Em português, a par de -essa, ocorre também a forma erudita -isa: diaconisa, episcopisa etc.
esse pron. m., **essa**[2] f. 'pessoa ou coisa próxima daquela com quem se fala' XIII. Do lat. ĭpse ĭpsa ‖ **isso** 'coisa próxima da pessoa com quem se fala' | XIII, esso XIII | Do lat. ĭpsum, neutro de ĭpse.
essedário sm. 'gladiador romano que combatia sentado em carro' XVIII. Do lat. essedārĭus -ī.
éssedo sm. 'carro de duas rodas, empregado em campanhas por bretões e gauleses' 1899. Do lat. essēdum -ī.
essência sf. 'aquilo que constitui a natureza das coisas' XIV. Do lat. essentĭa -ae ‖ COessencIAL 1844 ‖ **essenci**AL XV. Do lat. essentiālis -e.
essênio sm. 'membro de uma das seitas religiosas judaicas, que constituía um grupo fechado, coeso,

que vivia em comum' XVI. Do lat. *essēnī -ōrum*, deriv. do gr. *essenói* e, este, do aramaico *hasajja*.
essexito *sm.* '(Petr.) rocha magmática intrusiva, formada de plagioclásio cálcico etc.' XX. Do ing. *essexit*, do top. *Essex* (em Massachusetts, nos EUA).
es·ta·banado, -vanado → TAVÃO.
estabelecer *vb.* 'fixar, criar, instituir' | XIV, *sta-* XIII etc. | Do lat. **stabĭlīscĕre*, incoativo de *stabĭlīre* ‖ estabelecIMENTO | *stabellecemento* XIII, *stabelecimēto* XIII ‖ estabilIDADE XIV. Do lat. *stabilĭtās -ātis* ‖ estabilIZ·AÇÃO XX ‖ estabilIZAR XX ‖ INstabilIDADE XVI. Do lat. *instabilĭtas -ātis* ‖ REstabelecer 1813 ‖ REstabelecIMENTO XIII ‖ SUBstabelecer 1844 ‖ SUBstabelecIMENTO 1754. Cp. ESTAR.
estábulo *sm.* 'lugar coberto onde se recolhe o gado vacum' | *estabro* XIII, *strabo* XV | Do lat. *stabŭlum -ī* ‖ estabulAR 1873 ‖ estrebaria | XIII, *estra-* XIV etc. | Da var. ant. *estrabaria*, deriv. de *estrabo*, var. ant. de *estábulo*.
estaca *sf.* 'peça estrutural alongada, de madeira, aço ou concreto, que se crava no solo para sustentação' | XIV, *estaga* XV | Do gót. **stakka* ‖ estacADA XV ‖ estacAR XVI ‖ estacARIA 1873 ‖ estaquE·ADOR XX ‖ estaquE·ADOURO XX ‖ estaquEAR¹ 1899.
estação *sf.* 'paragem ou pausa em um lugar' 'estada, parada' | *estaçom* XIV | Do lat. *statĭō -ōnis* ‖ estacionAL 1881. Do lat. *statiōnālis -e* ‖ estacionAMENTO 1881 ‖ estacionAR 1813 ‖ estacionÁRIO 1813. Do lat. *stationarius*.
estac·ar, -aria → ESTACA.
estad·a, -ia → ESTADO.
estádio *sm.* 'campo de jogos esportivos' 'antiga medida itinerária, equivalente a 41, 25m' XVI. Do lat. *stadĭum -ĭī*, deriv. do gr. *stádion* ‖ estádiA 1881.
estado *sm.* 'condição, situação, classe social' XIII. Do lat. *status* ‖ estadA | *stada* XIII ‖ estadIA 1873 ‖ estadISTA XVII ‖ estadU·AL XX ‖ estadULHO 1842 ‖ estatAL XX ‖ estatISMO XX ‖ estatIZ·AÇÃO XX ‖ estatIZ·ADORA XX ‖ estatIZAR XX ‖ INTERestadU·AL XX ‖ PARAestatAL | XX, *parestatal* XX.
estafar *vb.* 'cansar-se, fatigar-se' XVII. Do it. *staffare* ‖ estafa XVI ‖ estafADO 1844 ‖ estafANTE XX.
estafe *sm.* 'grupo de indivíduos que prestam assessoramento direto ao chefe de uma empresa pública ou privada' XX. Do ing. *staff*.
estafermo *sm.* 'boneco móvel em torno de um eixo vertical, usado outrora nos exercícios de cavalaria' 'estorvo' XVII. Do it. *stà fermo* 'está firme'.
estafeta *sm.* 'orig. correio a cavalo; *por extensão*, indivíduo encarregado de entregar correspondência' 1511. Do it. *staffetta*, de *staffa* 'estribo' ‖ estafetEIRO XVII.
estafil(o)- *elem. comp.*, do gr. *staphylé* 'úvula' 'cacho', que se documenta em alguns vocábulos introduzidos na linguagem científica internacional, a partir do séc. XIX ▶ estafilECTOM·IA XX ‖ estafilINO | *staphilino* 1858 | Do lat. *staphylinus*, deriv. do gr. *staphylinos* ‖ estafilOCOCO XX ‖ estafilODIÁLISE XX ‖ estafilOMA | *estaphyloma* 1881 | Do lat. mod. *staphyloma*, deriv. do gr. *staphýloma*.
estágio *sm.* 'aprendizado' 'cada uma das sucessivas etapas nas quais se realiza determinado trabalho' 1881. Do fr. *stage*, deriv. do lat. med. *stagium* ‖ estagiAR XX ‖ estagiÁRIO 1881.

estagnar *vb.* 'impedir o corrimento de, tornar inerte' 1813. Do lat. *stāgnāre* ‖ estagnAÇÃO 1844 ‖ estagnADO 1813 ‖ estagnÍCOLA 1881 ‖ REstagnAÇÃO 1844. Do lat. *restagnātĭo -ōnis*.
estai *sm.* '(Mar.) qualquer dos cabos que aguentam a mastreação para vante' XVII. Do ant. fr. *estaie* (hoje *étai*), de origem germânica.
estala *sf.* 'estábulo, estrebaria' | *estalla* XVIII | De origem germânica (cp. gót. **stalla* 'estábulo').
estalactite *sf.* '(Min.) precipitado mineral, alongado, que se forma nos tetos das cavernas ou dos subterrâneos' | *stalactitis* 1842 | Do fr. *stalactite*, deriv. do gr. *stalaktós* ‖ estalactÍFERO 1881.
estalad·eira, -or → ESTALAR.
estalagem *sf.* 'hospedaria' 'conjunto de casinhas pobres com saída comum para a rua' | *stalagen* XIII | Provavelmente do prov. *ostalatge* ‖ estalajAD·EIRA | *-deyra* XVI ‖ estalARIA XIII. Do prov. *ostalaria*.
estalagmite *sf.* '(Min.) precipitado alongado mineral, formado no solo duma caverna ou dum subterrâneo, e resultante dos respingos caídos do teto' | *estalagmitis* 1842 | Do fr. *stalagmite*, deriv. do gr. *stalagmós* ‖ estalagmÔ·METRO XX.
estalão *sm.* 'medida, padrão, craveira' 1813. Do fr. ant. *estalon* (mod. *étalon*), de origem germânica.
estalar *vb.* 'partir, quebrar, espedaçar' XIII, *estralar* XVI | De origem incerta, talvez de um lat. **astella* ‖ estalAD·EIRA *sf.* 'bras. pássaro da família dos furnarídeos' XX ‖ estalADOR 1899 ‖ estalEIRO XIII ‖ estalIC·AR *vb.* 'dar estalos com os dedos' XX ‖ estalIDO XVII ‖ estalo | XVI, *estralo* XVI.
estalaria → ESTALAGEM.
estalia *sf.* '(Jur.) demora forçada ou voluntária de um navio mercante num porto' | *estallia* 1817 | Do it. *stallia*.
estal·icar, -ido, -o → ESTALAR.
estambre *sm.* 'estame' 'fio de tecelagem' 1766. Do cast. *estambre*, deriv. do lat. *stāmen -īnis*.
estame *sm.* 'fio de tecelagem' XVII; '(Bot.) órgão masculino da flor' 1813. Do lat. *stāmen -īnis* ‖ estamENHA *sf.* 'tecido áspero de lã' XIV. Do lat. *stāmĭnĕa*, pl. do adj. *stāmĭnĕus* ‖ estaminÁCEO 1858 ‖ estaminADO 1881. Do lat. *staminātus -a -um* ‖ estaminAL 1899 ‖ estaminAR XX ‖ estaminÁRIO 1881 ‖ estaminÍFERO 1858 ‖ estaminÓDIO XX ‖ estaminOIDE 1899 ‖ estaminOSO 1858 ‖ estamÍNULO 1881.
estampa *sf.* 'figura impressa, figura, ilustração' | *stampa* 1532 | Do it. *stampa* ‖ estampADO 1844 ‖ estampADOR 1842 ‖ estampAR 1535 ‖ estampARIA 1813 ‖ estampILHA 1858. Do cast. *estampilla* ‖ estampILH·AR 1873.
estampido *sm.* 'som forte e súbito como o da detonação de uma arma de fogo' XVIII. Do prov. *estampida*, de *estampia*, deriv. do gót. **stampjan*.
estampilha, -r → ESTAMPA.
estanato → ESTANHO¹.
estancar *vb.* 'vedar, deter, fazer cessar' XV. De etimologia controversa ‖ estancO XIV ‖ estanque XV.
estância *sf.* 'lugar onde se está por algum tempo, estação' | *estança* XIII |; 'grupo de versos, estrofe' | *estança* XVI |; 'estabelecimento rural destinado à cultura da terra e criação de gado' 1813. Do it. *stanza* ‖ estanciEIRO | *estanceiro* 1813.
estandarte *sm.* 'bandeira de guerra, insígnia de corporação militar, religiosa ou civil' | *estendarte*

xv | Do fr. ant. *estendart* (hoje *étendard*) || **estand**IZAR xx. Do fr. *standardiser*.
estande *sm.* 'local de exposição' xx. Do ing. *stand*.
estanho¹ *sm.* '(Quím.) elemento de número atômico 50, metálico, branco-prateado, mole, dúctil, maleável, pouco tenaz' xiii. Do lat. *stannĕum* 'de estanho', de *stannum -ī* || **estan**ATO | *-nnato* 1899 || **estanh**AR 1842 || **estân**ICO | *-nnico* 1899 | Do fr. *stannique* || **estan**íFERO | *-nnífero* 1899 | Do fr. *stannifĕre* || **estan**ITA | *estannite* 1899.
estanho² *sm.* '(Poét.) o mar, quando calmo' 1842. Do lat. *stagnum -ī*. Cp. ESTAGNAR.
estân·ico, -ífero, -ita → ESTANHO¹.
estanque → ESTANCAR.
estante¹ᵉ² → ESTAR.
estapafúrdio *adj.* 'diz-se de pessoa ou coisa extravagante, esquisita' xix. De etimologia obscura.
estaque·ador, -adouro, -ar¹ → ESTACA.
estaquear² → TACO.
estar *vb.* 'ser em um dado momento, ficar' xiii. Do lat. *stāre* || **est**AMENTO 1881. Do cast. *estamento* || **est**ANTE¹ *sf.* 'móvel com prateleiras para colocar livros, objetos etc.' xiv || **est**ANTE² *adj.* 'que está' xiv || **est**ÁVEL | *stauel* xiii, *estavil* xiii etc. | Do lat. *stabĭlis -e* || **ins**tÁVEL | *instabil* 1572 | Do lat. *instabĭlis -e*. Cp. ESTABELECER.
estardalhaço *sm.* 'grande bulha, ruído' xix. De etimologia controversa.
estarna *sf.* 'perdiz que tem os pés negros' 1813. De origem obscura.
estaroste *sm.* '(Hist.) senhor feudal, na Polônia' | 1716, *starosta* 1715, *-te* 1717, *estarosta* 1794 | Do fr. *staroste*, deriv. do pol. *starosta* (< *stary* 'senhor, velho') || **estarost**IA | 1722, *starostia* 1722 | Do fr. *starostie* (< *staroste*).
estarrecer *vb.* 'assustar, apavorar, aterrar' 1881. Do lat. **exterrescĕre*, frequentativo de *exterrēre*.
estase *sf.* '(Patol.) estagnação do sangue ou de outros humores do corpo' | *stase* 1858 | Do lat. mod. *stasis*, deriv. do gr. *stásis* || **estasio**·FOBIA xx.
estatal → ESTADO.
estatel·ado, -ar → ESTÁTUA.
estática *sf.* 'parte da física que estuda o equilíbrio dos corpos sob a ação de forças' 1844. Do lat. mod. *statica*, deriv. do gr. *statiké* || **estátic**o 1844. Do lat. mod. *staticus*, deriv. do gr. *statikós*.
estatismo → ESTADO.
estatística *sf.* 'parte da matemática em que se investigam os processos de obtenção, organização e análise de dados sobre uma população etc.' 1815. Do fr. *statistique*, deriv. do al. *Statistik* || **estatístic**o | 1833, *estadistico* 1838.
estátua *sf.* 'peça de escultura que representa figura inteira de homem, mulher, divindade, animal etc.' | *statua* xix || Do lat. *statŭa -ae* || **estat**EL·ADO 1813 || **estat**EL·AR 1881 || **estatu**ÁRIA 1813. Do lat. *statuārĭa* || **estatu**ÁRIO 1548.
estatuir *vb.* 'determinar em estatuto, decretar' | *statuir* xv | Do lat. *statuĕre* || **estatut**ÁRIO xx || **estatuto** | *statuto* xv | Do lat. *statūtŭs -ūs*.
estatura *sf.* 'tamanho, dimensão de um ser vivo' | xv, *-dura* xv | Do lat. *statūra -ae*.
estável → ESTAR.
estazar *vb.* 'cansar, fatigar, esfalfar a cavalo ou outro animal' 1813. De origem incerta.

este¹ *pron. m.*, **esta** *f.* 'pessoa ou coisa presente e próxima de quem fala' xiii. Do lat. *ĭste ĭsta* || **isto** 'coisa próxima de quem fala' | xiii, *esto* xiii | Do lat. *ĭstŭd*.
este² *sm.* '(Astr.) ponto da esfera celeste situado do lado do nascer dos astros' '(Geog.) ponto cardeal situado à direita do observador voltado para o norte' O voc. ocorre em port. com a grafia *leste* e no composto *sueste*, ambos documentados pelo menos a partir do séc. xv. Do fr. *est* (ant. *hest*), deriv. do ing. *east*.
-este *suf. nom.*, deriv. do lat. *-estis*, que se documenta em adjetivos portugueses oriundos de substantivos, quase todos já formados no próprio latim: *agreste* (< lat. *agrestis*), *celeste* (< lat. *caelestis*) etc.
(e)stear(o)-, (e)steat(o)- *elem. comp.*, do gr. *stéar stéatos* 'gordura', que já se documenta em vocs. formados no próprio grego, como *esteatoma*, e em alguns outros introduzidos na linguagem científica internacional, a partir do séc. xix ▶ **este**arATO 1899 || **este**árICO 1899 || **este**arINA 1840 || **este**atITA | 1858, *steatite* 1858 || **este**atOMA xvii. Do gr. *steátōma -atos* || **este**atOM·ÁTICO 1873 || **este**atoPIGIA xx || **este**atoR·REIA xx || **este**atOSE 1899.
estefanote *sm.* 'trepadeira arbustiva, ornamental, da família das asclepiadáceas' xx. Do lat. mod. *stephanotis*, deriv. do gr. *stephanotís*.
esteganografia *sf.* 'escrita em cifra ou caracteres convencionais' | *-phia* 1844 | Do lat. mod. *steganographia*, deriv. do gr. *steganós* 'coberto, encoberto' + *-graphia* [v. -GRAF(O)].
esteio *sm.* 'peça de madeira, metal, pedra etc., com a qual se sustém alguma coisa' | *esteo* xiii | De etimologia obscura.
esteira¹ *sf.* 'tecido de junco, tábua, esparto, taquara etc., feito de hastes entrelaçadas, usado para tapetes etc.' xiii. Tal como o cast. *estera*, o voc. port. se prende ao lat. *stŏrea*, com troca de sufixo || **esteira**² *sf.* '(Mar.) porção revolvida de água que a embarcação deixa atrás de si' xv.
esteiro *sm.* 'parte estreita de rio ou de mar, que penetra terra adentro' xiii. Do lat. *aestuārĭum -ĭī*. Cp. ESTUÁRIO.
estela *sf.* 'monólito, espécie de coluna destinada a ter uma inscrição' 1899. Do lat. *stēla -ae*, deriv. do gr. *stēlē* || **estel**o·GRAFIA | *-phia* 1844 | Cp. gr. *stelographía*. Cp. ESTILO.
estel·ante, -ar, -ífero → ESTRELA.
estelionato *sm.* 'ato de obter, para si ou para outrem, vantagem patrimonial ilícita em prejuízo alheio' xvii. Do lat. *stellionatus* || **estelionat**ÁRIO | *-nna-* 1881.
estelografia → ESTELA.
estema *sm.* 'coroa, grinalda, diadema' | *-mma* 1844 |; '(Ling.) árvore genealógica de uma família de manuscritos de uma mesma obra' xx. Do lat. *stemma -ătis*, deriv. do gr. *stémma -atos*.
estêncil *sm.* 'matriz' xx. Do ing. *stencil*.
estender *vb.* 'alargar, espalhar, alastrar, xiii. Do lat. *extĕndĕre* || **estend**AL 1844 || **estender**ETE 1813.
estenia *sf.* '(Med.) força física, atividade orgânica' | *sthenia* 1842 | Cp. gr. *sthénos* 'força, vigor'.
(e)sten(o)- *elem. comp.*, do gr. *sténos* 'apertado, estreito', que já se documenta em vocs. formados no

próprio grego, como *estenose*, e em alguns outros introduzidos na linguagem científica internacional, a partir do séc. XIX ▶ **esteno**CARDIA 1899. Do fr. *sténocardie* ‖ **esteno**CÉFALO | *-pha-* 1899 ‖ **esteno**DATILÓGRAFO XX ‖ **esteno**GRAFIA | *stenographia* 1842 | Do fr. *sténographie* ‖ **esteno**GRÁFICO | *stenographico* 1839 ‖ **estenó**GRAFO | *-pho* 1858 | Do fr. *sténographe* ‖ **esten**OSE 1899. Do fr. *sténose*, deriv. do gr. *sténōsis* ‖ **esten**ÓT·ICO XX.

estentor *sm.* 'pessoa que tem voz muito forte' 1881. Do lat. *Stentōr -ŏris*, deriv. do gr. *Sténōr -oros* 'herói da Ilíada' ‖ **estent**ÓRIO 1881.

estepe¹ *sf.* 'planície extensa, mais ou menos árida, de vegetação herbácea, onde predominam certas gramíneas' 'ext. toda e qualquer região cuja paisagem se assemelha às planícies do sul da Rússia' | *stepe* 1781 | Do fr. *steppe*, deriv. do rus. *step'*.

estepe² *sm.* 'pneu sobressalente' XX. Do ing. *step*.

éster → ÉTER.

esterco *sm.* 'excremento animal, estrume' XIII. Do lat. *stercus -ŏris* ‖ **estercor**AL 1881 ‖ **estercorá** RIO | *ster-* 1813 | Do lat. *stercorarěus -a -um* ‖ **ester**QUEIRA XV.

estéreo *sm.* 'medida de volume para lenha, equivalente a um metro cúbico' | *estere* 1881 | Do fr. *stère*, deriv. do gr. *stereós* 'sólido, firme'. O voc. ocorre na formação de inúmeros derivados ▶ **estereo**CROMIA | *-chromia* 1899 | Do fr. *stéréochromie* ‖ **estereo**DINÂMICA | *-dy-* 1881 | Do fr. *stéréodynamique* ‖ **estere**ODONTE XX ‖ **estereo**FÔN·ICO XX. Do fr. *stéréophonique* ‖ **estereo**GRAFIA | *-ph-* 1842 | Do fr. *stéréographie* ‖ **estereo**LOGIA | *ste-* 1858 ‖ **estere**OMA XX. Do fr. *stéréome* ‖ **estereo**METR·IA 1813. Do fr. *stéréometrie*, deriv. do gr. *stereometría* ‖ **estereo**SCÓPIO | *stereoscopo* 1858 | Do fr. *stéréoscopie* ‖ **estereo**STÁTICA 1899. Do fr. *stéréostatique* ‖ **estereó**TIPO | *stereotypo* 1837 | Do fr. *stéréotype* ‖ **estereo**TIP·AR | *-ty-* 1873 ‖ **estereo**TIPIA | *-ty-* 1873 | Do fr. *stéréotypie* ‖ **estereo**TOMIA 1813. Do fr. *stéréotomie*.

esterigma *sm.* '(Biol.) dilatação terminal do basídio de certos fungos, a qual suporta os esporos' 1899. Do lat. mod. *sterigma*, deriv. do gr. *stérigma*.

estéril *adj.* 2g. 'que não produz, árido' | XVI, *sterilhe* XV | Do lat. *sterĭlis -e* ‖ **esteril**ECER | *ste-* XVI | Do lat. *sterilēscěre* ‖ **esteril**IDADE | *estrallidade* XV, *estrelidade* 1532 | Do lat. *sterilĭtās -ātis* ‖ **esteril**IZ·AÇÃO 1881 ‖ **esteril**IZ·ADOR 1813 ‖ **esteril**IZ·ANTE XX ‖ **esteril**IZAR XVII. Do fr. *stériliser*.

esterlino *sm.* 'orig. moeda inglesa' 'o padrão da liga de ouro ou de prata das moedas inglesas' | *esterlĩis* pl. XIII, *estillijs* pl. XIII, *estrellijns* pl. XIV | Do ing. *sterling* ‖ **esterlin**A 1813.

esterno *sm.* '(Anat.) osso dianteiro do peito, que se articula com as costelas' | *sternon* 1813 | Do lat. mod. *sternum*, deriv. do gr. *stérnon* ‖ **estern**ALGIA 1899. Do fr. *sternalgie*.

esternutação *sf.* 'espirro' 1844. Do lat. *sternūtātĭō -ōnis* ‖ **esternut**ATÓRIO XVIII. Do lat. tard. *sternutatorius*.

esterqueira → ESTERCO.

esterquilínio *sm.* 'estrumeira, esterqueiro' | *-na* XVI | Do lat. *sterquilĩnĭum -ī*.

esterroar → TERRA.

estertor *sm.* 'respiração rouca e crepitante dos moribundos' XVII. Do lat. **stertōrem*, de *stertěre*.

-estes(ia) *elem. comp.*, do gr. *aisthēsía* 'sensação, percepção', que se documenta em vocs. eruditos, alguns formados no próprio grego, como *anestesia*, e em vários outros introduzidos na linguagem científica internacional, como *alestesia*, *hipoestesia* etc. Cp. ESTETA.

esteta *s2g.* 'pessoa que adota uma atitude exclusiva e requintada com relação à arte e à vida' | *-the-* 1899 | Do fr. *esthète*, deriv. do gr. *aisthētēs* ‖ **estese** | *-th-* 1899 | Cp. gr. *aísthēsis* ‖ **estes**IA XX. Do fr. *esthésie*, deriv. do lat. cient. *aesthesia*, do lat. tard. *aesthēsis* e, este, do gr. *aísthēsis* ‖ **estét**ICA 1833. Do fr. *esthétique*, deriv. do gr. *aisthētikḗ* ‖ **estét**ICO | *-th-* 1881 | Cp. gr. *aisthētikós*.

estetoscópio *sm.* 'instrumento com que se ausculta o peito' | *stethoscopo* 1858 | Do fr. *stéthoscope*.

esteva¹ *sf.* 'planta da fam. das cistáceas' XV. Do lat. hisp. *stippa* ‖ **estev**AL XV.

esteva² *sf.* 'rabiça do arado' 1813. Do lat. *stīva -ae*.

esti·ada, -agem, -ar → ESTIO.

estíbio *sm.* 'antimônio' 1844. Do lat. *stibĭum -ī*, deriv. do gr. *stíbi*.

estibordo *sm.* '(Mar.) o lado direito da embarcação, considerando-se a proa como a sua frente' | 1813, *estirbordo* XV | Do fr. ant. *estribord* (hoje *tribord*, apócope de *estribord*), deriv. do neerl. *stierboord* ‖ **boreste** 1884. De *estibordo* (com supressão da última sílaba e colocação da penúltima no princípio). Neologismo atribuído ao almirante brasileiro Saldanha da Gama. O aviso de 14/2/1884 do Ministério da Marinha do Império do Brasil mandou substituir *estibordo* por *boreste*, para evitar confusão entre *bombordo* e *estibordo*.

esticar *vb.* 'puxar, segurando com força' 1842. De etimologia obscura.

estígio *adj.* 'relativo ao Estige, rio do Inferno, da mitologia grega' 1572. Do lat. *stygĭus -a -um*, deriv. do gr. *stýgios*.

estigma *sm.* 'cicatriz, marca, sinal' 1813. Do lat. *stígma -ătis*, deriv. do gr. *stígma -atos* ‖ **estigmá**TICO 1899. Do fr. *stigmatique* ‖ **estigmat**ÍFERO XX ‖ **estigmat**ISMO XX. Do fr. *stigmatisme* ‖ **estigma**TIZAR 1844. Do fr. *stigmatiser*, deriv. do lat. mod. *stigmatizāre* ‖ **estigmat**ÓFORO | *-phoro* 1899 ‖ **estigmato**GRAF·IA | *-phia* 1858 ‖ **estigmat**OSE XX ‖ **estigmo**LOG·IA 1899 ‖ **estigm**ÔNIMO | *-nymo* 1899.

estilar *vb.* 'destilar, derramar, chorar' 1572. Do lat. *stillāre*. Cp. DESTILAR.

estilbita *sf.* '(Min.) mineral monoclínico do grupo das zeólitas, constituído de silicato hidratado de alumínio, sódio e cálcio' 1899. Do fr. *stilbite*.

estilete *sm.* 'punhal de lâmina fina' 'tenta cirúrgica para sondar feridas' 1844. Do fr. *stylet*, deriv. do it. *stiletto*, de *stilo* 'punhal'.

estilha *sf.* 'lasca de madeira, fragmento' XVII. Do cast. *astilla*, deriv. do lat. tard. *astélla* ‖ **estilh**AÇO 1717.

estilicídio *sm.* 'cada um dos fios de água pluvial que cai dos beirados' XVII. Do lat. *stillicidĭum -ī*.

estiliforme → ESTILO.

estilingue *sm.* 'atiradeira' XX. Provavelmente do ing. *sling* 'funda', com epêntese de um *t* para ajudar a pronúncia.

estilita *sm.* 'anacoreta que fazia a sua cela no cimo de pórticos ou de colunas em ruína' | *stylita* 1813 | Do fr. *stylite*, deriv. do gr. *stylítḗs*.
estilo *sm.* 'espécie de ponteiro antigamente usado para escrever sobre a camada de cera das tábulas' 'maneira de escrever, falar etc.' | *estillo* XIV | Do lat. *stĭlus -ī* || estiliFORME XX.
estilo- *elem. comp.*, do gr. *stylos* 'coluna', que se documenta em vocs. introduzidos na linguagem científica internacional, a partir do séc. XIX
♦ estiloFARÍNGEO | *estilopharyngeo* 1899 | Do fr. *stylo-pharyngien* || estilóGRAFO XX. Do fr. *stylographe* || estiloGLOSSO 1899 | Do fr. *stylo-glosse* || estiloIDE 1899. Do fr. *styloïde*, deriv. do gr. *styloeidḗs* || estilôMETRO 1899. Do fr. *stylomètre*. Cp. ESTELA.
estimar *vb.* 'avaliar' 'apreciar, amar' XIII. Do lat. *aestĭmāre* || DESestimar XVI || esmar *vb.* 'avaliar, calcular' | XIV, *osmar* XIII etc. | Forma divergente popular de *estimar* || esmo XV. Dev. de *esmar* || estimA XVI || estimAÇÃO | *estimazō* XIII | Do lat. *aestĭmātĭō -ōnis* || estimADO 1844. Do lat. *aestĭmātus -ūs* || estimADOR XV. Do lat. *aestĭmātōr -ōris* || estimAT·IVA XVI || estimAT·IVO XVI. Do lat. **aestimativus*, deriv. de *aestĭmāre* || estimAT·ÓRIO 1881. Do lat. *aestĭmātōrĭus -a -um* || estimÁVEL XVIII. Do lat. *aestĭmābĭlis -e* || INestimÁVEL 1813. Do lat. *inaestĭmābĭlis -e*.
estímulo *sm.* 'aguilhão' 'excitante, estimulante' | *sti-* 1550 | Do lat. *stĭmŭlus -ī* || estimulAR | *-ty-* 1525 | Do lat. *stĭmŭlāre* || estimulAÇÃO 1813. Do lat. *stimulātĭō -ōnis* || estimulADOR 1858. Do lat. *stimulātŏr -ōris* || estimulANTE 1813.
estingar *vb.* 'ant. colher (as velas) com os estingues' 1844. Do lat. *stringĕre*, provavelmente.
estinhar → TINHA.
estio *adj. sm.* 'estival' 'verão' XIII. Do lat. *aestīvus -a -um* || estiADA 1881 || estiAGEM 1881 || estiAR 1813 || estivAL XVIII. Do lat. *aestīvālis -e* || estivo XVI || esto XVI. Do lat. *aestus -ūs*.
estiolar *vb.* 'causar descoramento e enfraquecimento nos indivíduos que vivem privados de luz e ar puro' 1858. Do fr. *étioler* || estiolAMENTO 1858. Do fr. *étiolement*.
estiômeno *sm.* '(Patol.) úlcera vulvar com elefantíase da região' 1813. Do lat. cient. *esthiomenus*, deriv do gr. *esthioménos*.
estipe *sm.* '(Bot.) caule das palmeiras e fetos arborescentes, que é indiviso e termina por uma coroa de folhas' 1890. Do lat. *stīpĕs -ĭtis* || estipELA | *-lla* 1890 | Do lat. **stipella* || estípite XVII || estípULA *sf.* '(Bot.) apêndice que se encontra junto à base da folha' 1858. Do lat. *stipŭla -ae*.
estipêndio *sm.* 'salário, remuneração, soldada' | *sti-* 1515 | Do lat. *stipendĭum -ĭī* || estipendiAR 1813. Do lat. *stipendĭārī* || estipendiÁRIO XVII. Do lat. *stipendĭārĭus -a -um*.
estípite → ESTIPE.
estíptico *adj.* '(Med.) adstringente' XVI. Do lat. med. *stypticus*, deriv. do gr. *styptikós*.
estípula → ESTIPE.
estipular *vb.* '(Jur.) ajustar, ou convencionar por meio de contrato ou de promessa jurídica' 'determinar' XIV. Do lat. *stĭpulari* || estipulAÇÃO | *stipullaços* pl. XIV, *stipulaçon* XV | Do lat. *stipulātĭō*

-ōnis || estipulADO 1813. Do lat. *stipulātus -ūs* || estipulADOR 1844. Do lat. *stipulātor -ōris* || estipulANTE 1572.
estir·ada, -ão, -ar → TIRAR.
estirpe *sf.* '(Bot.) raiz' *'ext.* origem, tronco, raça' 1572. Do lat. *stĭrps -is*.
⇨ estirpe — estirpAR | *a* 1595 *Jorn.* 169.*28* |.
estiva *sf.* 'a primeira porção de carga do navio' 'armação do tabuleiro duma porção de madeira' | *estiba* XV | Do it. *stiva* || estivADOR 1858 || estivAR XVI. Do it. *stivare*, deriv. do lat. *stĭpāre*.
estival → ESTIO.
estivar → ESTIVA.
esto → ESTIO.
estocada → ESTOQUE¹.
estocar → ESTOQUE².
estofa *sf.* 'tecido usado para decoração' 'algodão, lã, crina, espuma etc. com que se revestem interiormente sofás, cadeiras etc.' XV. Do fr. ant. *estofe* (hoje *éttofe*) || estofADO 1873 || estofADOR 1873 || estofAMENTO XX || estofAR 1572 || estofo¹ XVII.
estofo² *adj.* 'estagnado, parado' 1842. De origem incerta.
estoico *adj. sm.* 'impassível ante a dor e a adversidade' 'partidário do estoicismo' XV. Do lat. *stŏicus*, deriv. do gr. *stōikós* || estoicISMO 1813.
estojar *vb.* 'guardar com cuidado' 1844. De vulg. **stŭdĭāre*, de *studium* || estojo XIV.
estola *sf.* 'fita larga que os sacerdotes põem por cima da alva' 'xale' XIV. Do lat. *stŏla -ae*, deriv. do gr. *stolḗ*.
estolho *sm.* '(Bot.) caule rastejante que emite, de espaço a espaço, raízes para baixo e ramos para cima' 1858. Do lat. *stolō -ōnis*, provavelmente || estolhOSO 1858.
estólido *adj.* 'tolo, parvo, estúpido' XVII. Do lat. *stolĭdus -a -um*.
estoma *sf.* '(Bot.) estômato, orifício ou poro na epiderme da maior parte dos tecidos herbáceos' XX. Cp. gr. *stóma stómatos* || estomacAL XVI. Do lat. **stŏmăchalis* || estomagADO XVI || estomagAR XVI || estômago | XVI, *estamago* XIV | Do lat. *stŏmăchus -i*, deriv. do gr. *stómachos* || estomáquICO XVII. Do lat. *stomachicus*, deriv. do gr. *stomachikós* || estomátICO 1813. Do lat. med. *stomaticus*, deriv. do gr. *stomatĭkós* || estomatITE 1858 || estômato 1881 || estomatóPODE XX. Do fr. *stomatopode* || estomatosCÓPIO | *estomatóscopo* 1858 | Do fr. *stomatoscope*.
estonte·amento, -ante, -ar → TONTO.
estopa *sf.* 'resíduo da fibra depois de penteada' XIV. Do lat. *stŭppa* || estopADA XIV || estopAR 1813 || estopIM XVIII || estropALHO XVI.
estoque¹ *sm.* 'espécie de espada, comprida, com lâmina triangular ou quadrangular, que só fere de ponta' | XV, *stoque* XIV | Do fr. ant. *estoc*, deriv. do frâncico **stok* || estocADA XVI || estoqueADURA XVI || estoqueAR XVII.
estoque² *sm.* 'porção armazenada de mercadorias para venda, exportação ou uso' XX. Do ing. *stock* || estocAR XX.
estoraque *sm.* 'arbusto ornamental, de origem asiática, da família das estiracáceas, que produz o benjoim' XVI. Do lat. tard. *storax -ăcis*, deriv. do gr. *stýrax -akos*.

estorcer *vb.* 'orig. salvar-se, livrar-se de um perigo' 'torcer com força' XIII. Do lat. **extorcere*, por *extŏrquēre* || **estorc**EJAR 1881.
estore *sm.* 'cortina para janelas ou carruagens' | 1890, *estorja* 1596 | Do fr. *store*, deriv. do it. dial. *stora*.
estorga → TORGA.
estória → HISTÓRIA.
estornicar → TORNO.
estorninho *sm.* 'pequeno pássaro conirrostro, de plumagem negra, lustrosa, malhada de branco com reflexos verdes e purpúreos' | XIII, *stornjnho* XIV | De um lat. **sturnīnus*, diminutivo do lat. *stŭrnus -ī*.
estorno *sm.* '(Com.) retificação de erro cometido pelo lançamento indevido de uma parcela em crédito ou débito e assentamento de quantia igual na conta oposta' 1844. Do it. *storno*.
estorricar → TORRAR.
estortegar → TORCER.
estorvar *vb.* 'impedir, prejudicar' XIII. Do lat. *extŭrbāre* || DEstorvADOR XIII || DEstorvAMENTO XIV || DEstorvAR *vb.* 'impedir prejudicar' XIII. Do lat. *dĭstŭrbāre* || **estorvo** XIII.
estourar *vb.* 'explodir, ribombar, estalar' | 1572, *estoirar* 1842 | De origem onomatopaica || **estou**rADO 1842 || **estouro** | XV, *estoiro* 1842.
estouvado → TAVÃO.
estovaína *sf.* 'substância anestésica (cloridrato de amilênio)' XX. Do fr. *stovaïne*.
estrabismo *sm.* 'desvio de um dos olhos, de modo que os dois não fixam o mesmo ponto no espaço' | *strabismo* 1813 | Do fr. *strabisme*, deriv. do gr. *strabismós* || **estráb**ICO 1881 || **estrabô**METRO XX || **estrabo**TOM·IA XX. Do fr. *strabotomie*.
estrada *sf.* 'caminho relativamente largo' XVI. Do lat. *strāta -ae* || **estrad**AR 1858 || **estrad**EIR·ICE XX || **estrad**EIRO 1899.
estradiota *sm.* '(Hist.) soldado de cavalaria ligeira originário da Grécia e da Albânia' | XVI, *estardiota* XVI | Do it. *stradiota*, deriv. do gr. *stratiōtes*.
estradivário *sm.* 'violino que se caracteriza pela excepcional qualidade do som' | *stradivarius* 1899 | Do it. *stradivàrio*, do antrop. Antonio *Stradivari* (1644-1737), famoso fabricante de violinos.
estrado *sm.* 'banco, leito' XIII. Do lat. *strātum*, neutro de *strātus*, part. de *sternĕre*.
estragão *sm.* 'planta de caule herbáceo, da fam. das compostas, de folhas condimentares etc.' 1858. Do fr. *stragon*, alteração de *targon* e, este, do lat. bot. *tarchôn*, deriv. do ár. *ṭarḥūn*.
estragar *vb.* 'avariar, arruinar, deteriorar' | XIII, *astragar* XIII | Do lat. vulg. **stragare*, de *strages* 'ruína, destruição' || **estrag**ADOR | *as-* XIV || **estra**gAMENTO *sm.* 'destruição, devastação' | XIV, *astra*-XIV || **estrago** *sm.* | XIV, *astrago* XIV.
⇨ **estragar** — DEstragar | *destragado p. adj.* 1614 sGonç I. 497.*12* |.
estralheira *sf.* '(Marinh.) aparelho de laborar, constituído de um cadernal de dois gornes e outro de três ou de dois cadernais de três gornes, ligados por um cabo de fibra' 1858. Provavelmente de um hipotético **estralho*, deriv. do it. *stràglio*.
estrambote, estramboto *sm.* 'acréscimo de um ou mais versos, mais comumente de três, aos 14 do soneto' XVII. Do it. *strambòtto* || **estrambót**ICO 1813.
estramônio *sm.* 'planta herbácea da fam. das solanáceas, de propriedades tóxicas e medicinais' 1858. Do lat. cient. *stramonium*.
estraneidade → ESTRANHO.
estrangeiro *adj. sm.* 'de, ou relativo a nação diferente daquela a que se pertence' | *str-* XIV, *estrrangeiro* XV | Do fr. ant. *estranger* (hoje *étranger*), deriv. do ant. *estrange* (hoje *étrange*) e, este, do lat. *extrănĕus* || **estrangeir**ADO 1899 || **estrangeir**ICE 1873 || **estrangeir**ISMO 1833. Cp. ESTRANHO.
estrangular *vb.* 'apertar o pescoço, sufocar, esganar' 1813. Do lat. *strangulāre*, deriv. do gr. *strangaláō* || **estrangul**AÇÃO 1844. Do lat. *strangulātĭō -ōnis* || **estrangul**ADOR 1844 || **estrangul**AMENTO 1881.
estrangúria *sf.* '(Med.) eliminação lenta e dolorosa da urina, em consequência de espasmo ureteral ou vesical' XVII. Do lat. *strangŭrĭa -ae*, deriv. do gr. *straggouría*.
estranho *adj.* 'extraordinário, raro, maravilhoso' | XIII, *estranno* XIII, *estrãyo* XIII, *estrayo* XIII etc. | Do lat. *extrănĕus* || **estrane**IDADE XX || **estranh**AR XIII || **estranh**ÁVEL 1844 || **estranh**EZA | XVI, *-ãeza* XIV, *-neza* XIV etc.
estransilhar → TRANSIR.
estrapada *sf.* 'suplício que consiste em içar a vítima do alto de uma verga e deixá-la cair diversas vezes ao mar' 1881. Do it. *strappata*.
estratagema *sm.* 'ardil (empregado na guerra) para burlar (o inimigo)' XVI. Do it. *stratagèmma*, deriv. do lat. *stratēgēma -ātis* e, este, do gr. *stratégēma -atos* || **estratégia** *sf.* 'arte (militar) de planejar e executar movimentos e operações (de tropas) etc.' | *str-* 1836 | Do lat. *stratēgĭa -ae*, deriv. do gr. *stratēgía* || **estratég**ICO 1844 || **estrateg**ISTA XIX || **estratego** 1873. Cp. gr. *stratēgós* || **estrato**CRACIA *sf.* 'governo militar ou militarizado' 1844. Do ing. *stratocracy* || **estrato**GRAF·IA | *-phia* 1844.
estrato *sm.* '(Geol.) cada uma das camadas das rochas estratificadas' '(Meteor.) nuvem que se apresenta como uma camada horizontal' '(Bot.) camada de células, em referência à estrutura vegetal' 1873. Do lat. *strātum -ī* || **estrat**IFIC·AR 1844. Do lat. cient. *strātificāre* || **estrati**FORME 1873 || **estrati**GRAF·IA | *-phia* 1873 | Do fr. *stratigraphie* || **estrato**SFERA XX. Do fr. *stratosphère* || **estrato**SFÉR·ICO XX.
-estre *suf. nom.*, deriv. do lat. *-estris*, que se documenta em adjetivos portugueses oriundos de substantivos, quase todos já formados no próprio latim: *campestre* (< lat. *campestris*), *terrestre* (< lat. *terrestris*) etc.
estre·ante, -ar → ESTREIA.
estrebaria → ESTÁBULO.
estrebuchar *vb.* 'debater-se, agitar com violência' XVII. De origem obscura.
estrecer *vb.* 'apertar, cerrar, comprimir' XVI. De um lat. **strigescere*, analógico do part. *strictus*, de *stringĕre*.
estreia *sf.* 'fato que marca o início de uma série de acontecimentos de certa importância' | *estrea* XVI | Do lat. *strēna -ae* || **estre**ANTE XX || **estre**AR XVI.
estreito *adj.* 'que tem pouca largura' XIII. Do lat. *strictus -a -um* || **estreit**AR XVI || **estreit**EZA XVI ||

estreitURA XIV. Do lat. *strĭctūra -ae* ‖ **estricto** | *stricto* 1813 | Do lat. *strictus -a -um*.
estrela *sf.* '(Astr.) denominação comum aos astros luminosos que mantêm praticamente as mesmas posições relativas na esfera celeste e que apresentam cintilação' XIII. Do lat. *stēlla -ae* ‖ **estel**ANTE | *estellante* 1572 | Do lat. *stēllāns -ntis* ‖ **estel**AR 1881. Do lat. *stēllāris* ‖ **estel**ÍFERO 1572. Do lat. *stēllĭfer -fĕra -fĕrum* ‖ **estrel**ADO | *-lla-* XIII | Do lat. *stēllātus -a -um* ‖ **estrelamim** | *estrellamim* XVI ‖ **estrel**AR | *-llar* 1813 ‖ **estrel**EIRO | *-ll-* XVIII ‖ **estrel**INHA | *-ll-* XVII ‖ **estrelo** XIV.
estrém *sm.* 'corda ou calabre da âncora' | *estrees* pl. XV, *estrens* pl. XV, *estremque* XV | Do ing. *string* 'corda'.
estremar *vb.* 'delimitar, demarcar, separar' XIII. De *extremo*, deriv. do lat. *extrēmus* ‖ **estrem**AÇÃO | *-çon* XIII ‖ **estrem**ADO XIV ‖ **estrem**AMENTO | *str-* XV ‖ **estrem**ANÇA XIV.
estrem·eção, -ecer, -ecido, -ecimento → TREMER.
estremenho *adj. sm.* 'limítrofe' 'natural ou habitante de Estremadura' 1844. Do cast. *estremeño*.
estremunhar *vb.* 'despertar de repente' | *estramunhar* XVIII | De etimologia obscura.
estrênuo *adj.* 'valente, corajoso, ativo' XV. Do lat. *strēnnŭus -a -um*.
estrepe *sm.* 'espinho' 'pua de madeira ou ferro' XVI. Do lat. *stirps -is* ‖ **estrep**AD·URA XIV ‖ **estre**pAR XVI.
estrépito *sm.* 'ruído forte, barulho' 1572. Do lat. *strĕpĭtus -ūs* ‖ **estrepit**ANTE XVIII ‖ **estrepit**AR XVI. Do lat. *strepitāre* ‖ **estrepit**OSO XVII.
estrepsíptero *adj. 2g. sm.* 'pertencente ou relativo aos estrepsípteros, insetos da ordem *Strepsiptera*' XX. Do fr. *strepsitère* ‖ **estreptococo** | *estreptocócco* 1899 | Do fr. *streptocoque*, deriv. do gr. *streptós* 'arredondado' e do gr. *kókkos* 'grão' ‖ **strepto**MICINA XX. Do fr. *streptomycine*, deriv. do gr. *streptós* e do gr. *mykés* 'cogumelo'.
estresir *vb.* 'copiar fielmente, reproduzir' | *estrezir* XVI | De etimologia controversa.
estresse *sm.* 'cansaço físico e/ou mental proveniente de excesso de trabalho e/ou de preocupações' XX. Do ing. *stress* ‖ **estress**ANTE XX ‖ **estress**AR XX ‖ **estress**OR XX.
estria¹ *sf.* 'linha fina que forma um sulco na superfície de um corpo' 1813. Do lat. *strĭa -ae* ‖ **estri**ADO 1813. Do lat. *striātus -a -um* ‖ **estri**AR 1842. Do lat. *striāre*.
estria² *sf.* 'vampiro, bruxa que, segundo a lenda, suga o sangue às crianças' XVI. Do lat. tard. *stria* (cláss. *striga -ae*).
estribeira *sf.* 'estribo de montar à gineta' | *-eyra* XIII, *estrebeyra* XIII etc. | Do a. fr. *estrivière*, de origem germânica ‖ **estrib**AR XV ‖ **estrib**O | *estrybo* XV.
estribilho *sm.* 'verso repetido no fim de cada estrofe' XVII. Do cast. *estribillo*, dim. de *estribo*.
estribo → ESTRIBEIRA.
estricnina *sf.* '(Quím.) alcaloide da noz-vômica, cristalino, incolor, estimulante nervoso, venenoso' | *estrychnina* 1881 | Do fr. *strychinine*, deriv. do gr. *strýchnos* ‖ **estricn**ISMO | *estrychnismo* 1899 | Do fr. *strychnisme*.
estricto → ESTREITO.
estridente *adj. 2g.* 'agudo, sibilante, penetrante' 1572. Do lat. *strīdens -entis*, part. de *strīdēre* ‖ **estrid**ÊNCIA 1899 ‖ **estrid**OR 1572. Do lat. *strīdor -ōris* ‖ **estrídulo** 1844. Do lat. *strīdŭlus -a -um*.
estrilo *sm.* 'grito irritado, indignação' XX. Do it. *strillo*.
estrincar *vb.* 'torcer os dedos, fazendo-os estalar' XVI. De étimo controvertido.
estrinchar *vb.* 'saltar, correr, brincar' 1899. De etimologia obscura.
estripar → TRIPA.
estripulia → TROPEL.
estro *sm.* 'orig. ardor de concupiscência, cio' XVII; 'engenho poético, inspiração, talento' 1813. Do lat. *oestrus*, deriv. do gr. *oîstros* ‖ **estro**GÊNIO XX.
estróbilo *sm.* '(Bot.) estrutura florífera e, depois, frutífera, das coníferas' 1881. Do fr. *strobile*, deriv. do lat. *strobilus* e, este, do gr. *stróbilos* 'corpo que gira'.
estroboscópio *sm.* 'disco girante para obter a impressão do movimento' XX. Do fr. *stroboscope* (do gr. *stróbos* 'rodeio, remoinho' e *skopéō* 'observo').
estrofe *sf.* 'estância' 'a primeira parte da antiga ode grega' | *-phe* 1813 | Do lat. *stropha -ae*, deriv. do gr. *strophḗ* ‖ **estrof**AÇÃO XX ‖ **estrof**OIDE XX.
estrófulo *sm.* '(Patol.) dermatose papulosa e pruriginosa, frequente nas crianças' XX. Do lat. cient. *strophulus*, deriv. do gr. *stróphos* 'corda'.
estrogênio → ESTRO.
estroina *adj. s2g.* 'extravagante, boêmio, doidivanas' 1881. De origem incerta ‖ **estroin**ICE 1881.
estrompar → TROMBA.
estrompido *sm.* 'estrépito, estampido, estropeada' | *estrupido* XVI, *emtrompido* XVI | De etimologia obscura.
estronciana *sf.* 'substância alcalina, descoberta em Strontian, na Escócia' 1899. Do fr. *strontiane*, deriv. do ing. *strontian*, do topo *Strontian* ‖ **estroncian**ITA XX ‖ **estrôncio** *sm.* '(Quím.) elemento de número atômico 38, metálico, branco-prateado' 1881. Do lat. cient. *strontium*, do ing. *strontian*.
estrondo *sm.* 'grande ruído, barulho' XV. De etimologia controversa ‖ **estrond**AR | *-trom-* XV ‖ **estrond**EAR 1844 ‖ **estrond**OSO | *-ozo* XVII.
estropalho → ESTOPA.
estropear, estropiar *vb.* 'mutilar, fatigar muito' XVII. Do it. *stroppiare* ‖ **estrope**ADO XVI.
estropo *sm.* '(Marinh.) dispositivo de cabo, corrente ou lona com que se envolve um peso para içá-lo' 1844. Do lat. *stroppus -i*, deriv. do gr. *stróphos*.
estrugir *vb.* 'fazer estremecer com estrondo' | *estorgir* XVI, *estrogir* XVI | De etimologia obscura.
estruir → DESTRUIR.
estruma *sf.* 'escrófula, tumor ganglionar de natureza tuberculosa' 1844. Do lat. *strūma -ae*.
estrume *sm.* 'adubo constituído de esterco e folhas apodrecidas' XVI. Do lat. *strāmen -ĭnis* ‖ **estrum**AR 1813 ‖ **estrum**EIRA 1813.
estrupício *sm.* 'algazarra, asneira, coisa de grande dimensão ou complicada' *estropicio* 1881 | Do it. *stropiccio*.
estrutura *sf.* 'disposição e ordem das partes dum todo' | *estructura* 1769 | Do lat. *structūra -ae* ‖ **estrutur**AÇÃO XX. Do fr. *structuration* ‖ **estrutur**ADO XX ‖ **estrutur**AL | *estructural* 1899 | Do fr. *struc-*

tural ‖ **estrutur**AL·ISMO XX. Do fr. *structuralisme* ‖ **estrutur**AL·ISTA XX. Do fr. *structuraliste* ‖ **estrutu-**r**AR** XX. Do fr. *structurer*.
estuário *sm.* 'tipo de foz em que o curso de água se abre mais ou menos largamente' 1881. Do lat. *aestuārĭum -ĭī* ‖ **estu**AÇÃO *sf.* 'agitação, efervescência' 1813. Do lat. *aestŭātĭo -ōnis* ‖ **estu**ANTE *adj.* 'quente' XVIII. Do lat. *aestŭāns -antis* ‖ **estu**AR *vb.* 'arder' 1873. Do lat. *aestŭāre* ‖ **estu**OSO *adj.* 'ardente' XVIII. Do lat. *aestŭōsus -a -um*.
estuc·ador -ar → ESTUQUE.
estuchar *vb.* 'colocar com força, em um orifício, peça de ferro ou de madeira, que serve de cunha' 1813. Talvez de *atochar*, com troca de prefixo.
estúdio *sm.* 'oficina de artista' *'ext.* local onde se preparam espetáculos radiofônicos, cinematográficos, de televisão etc.' XX. Do ing. *studio*, deriv. do it. *studio* e, este, do lat. *studĭum -ĭī*; cp. ESTUDO.
estudo *sm.* 'aplicação do espírito para aprender' | *studo* XV, *studio* XIV | Do lat. *studĭum -ĭī* ‖ **estu-**d**ANTE** | *-diante* XV ‖ **estud**AR XIII ‖ **estud**I·OSO | *studioso* XV, *studoso* XV | Do lat. *studĭōsus -a -um*.
estufa *sf.* 'fogão para aquecer as casas' 'galeria envidraçada para cultura de plantas' XVII. Do it. *stufa* ‖ **estuf**ADO 1813 ‖ **estuf**AR 1813. Do it. *stufare*, deriv. do lat. **stūfāre*.
estugar *sf.* 'apressar, aligeirar o passo' | XVI, *estuigar* XV | De origem controversa; talvez do lat. **stŭdĭcare*, de *stŭdēre*.
estulto *adj.* 'tolo, néscio, insensato' | *stulto* XIV | Do lat. *stultus -a -um* ‖ **estultícia** XVI. Do lat. *stultitĭa -ae* ‖ **estulti**FIC·AR 1881 ‖ **estultilóquio** XVII. Do lat. *stultiloquĭum -ĭī*.
estuoso → ESTUÁRIO.
estupefação *sf.* 'pasmo, espanto' | *estupefacção* 1858 | Do fr. *stupéfaction*, deriv. do b. lat. *stupefactio -onis* ‖ **estupefaci**ENTE 1813. Do lat. *stupefaciens -entis* ‖ **estupefact**IVO 1813 ‖ **estupefacto** 1858. Do lat. *stupefactus -a -um*.
estupendo *adj.* 'admirável, maravilhoso' 1572. Do lat. *stupendus -a -um*.
estúpido *adj.* 'sem inteligência, rude, grosseiro' | *stu-* 1525 | Do lat. *stupĭdus -a -um* ‖ **estupid**EZ 1813 ‖ **estupid**IFIC·AR 1881.
estupor *sm.* 'estado mórbido em que o doente, imóvel, não reage a excitação alguma' | *stu-* XV | Do lat. *stupor -ōris* ‖ **estupor**ADO 1844. Do lat. *stupōrātus -a -um* ‖ **estupor**AR 1844.
estupro *sm.* 'crime de constranger alguém ao coito, com violência ou grave ameaça' 1572. Do lat. *stuprum -ī* ‖ **estupr**ADOR 1844. Do lat. *stuprātor -ōris* ‖ **estupr**AR 1844. Do lat. *stuprāre*.
estuque *sm.* 'massa preparada com gesso, água e cola' XVI. Do fr. *stuc*, deriv. do it. *stucco* e, este, do longobardo *stuhhi* ‖ **estuc**ADOR 1884 ‖ **estuc**AR 1813.
estúrdio *adj.* 'extravagante, estroina, leviano' | *esturdia* 1813 | Provavelmente calcado no fr. *étourdi*, deriv. do lat. pop. **exturdītus*.
esturjão *sm.* 'gênero de peixes ganoides de cuja ova se faz o caviar' | 1858, *esturião* 1858 | Do fr. *esturgeon*, deriv. do frâncico **sturjo*.
esturr·ar, -inho, -o → TORRAR.
esturvinhar → TURVO.

ésula *sf.* 'planta da fam. das euforbiáceas' 1813. Do it. *èsula*, deriv. do lat. cient. (*euphorbia*) *esula*. A origem remota talvez seja o ár. *hesl* 'espécie de timo com folhas compridas'.
esurino *adj.* '(Med.) que excita a fome' 1813. Do lat. *esurinus*, de *ēsurīre* 'ter fome'.
esva·ecer, ·ir, -necer, esvão → VÃO.
esvazi·amento, -ar → VAZIO.
esverde·ado, -ar → VERDE.
esvidigar → VIDE.
esvoaçar → VOAR.
esvurmar → VURMO.
-et- → -ETO-.
-eta *suf. nom.*, deriv. do lat. *-itta*, que se documenta na formação de substantivos portugueses com valor diminutivo (*papeleta, saleta*, etc.). Cp. -ETE, -ETO.
et·al, -ano → ÉTER.
etapa *sf.* 'orig. ração diária dos soldados e bestas em um exército em marcha' 1808; 'cada uma das partes em que pode ser dividido o desenvolvimento de um trabalho, negócio, campanha etc.' XX. Do fr. *étape*, deriv. do med. neerl. *stapel*.
etário *adj.* 'relativo à idade' XX. Talvez se trate de forma haplológica de um **etatário*, calcado no lat. *aetate* 'idade'.
-ete *suf. nom.*, deriv. do lat. *-itta, -ittum*, com provável influência do fr. *-et* (fem. *-ette*), que se documenta na formação de substantivos portugueses com valor diminutivo (*artiguete, lembrete* etc.), a maioria dos quais de imediata procedência francesa (*bufete, cadete, florete, gabinete, pistolete* etc.). Cp. -ETA -ETO.
-etê *suf. nom.*, do tupi *e'te* 'verdadeiro', que se documenta em alguns vocs. port. de origem tupi: *abaetê, ajuruetê* etc.
éter *sm.* 'orig. o espaço celeste' '(Fís.) meio elástico em que se propagariam as ondas eletromagnéticas' '(Quím.) composto orgânico, de fórmula geral R-O-R', em que R e R' representam radicais alifáticos ou aromáticos, iguais ou diferentes' 'o éter comum, ou éter sulfúrico' | *ether* 1813 | Do lat. *aethēr -ĕris*, deriv. do gr. *aithḗr -éros* ‖ **éster** *sm.* '(Quím.) substância que, por hidrólise, forma um ácido e um álcool (ou fenol)' XX. Do fr. *ester*, deriv. do al. *Ester*, voc. criado pelo químico alemão L. Gmelin (1788-1853), em 1848, com base no composto *Essigäther* 'éter acético' (de *Essig* 'vinagre, ácido' e *Äther* 'éter') ‖ **etal** *sm.* 'álcool cetílico' | *ethal* 1858 | Do fr. *ethal*, de *eth(er)* + *al(cool)* ‖ **et**ANO *sm.* 'hidrocarboneto saturado, de fórmula C_2H_6' XX. Do fr. *éthane* ‖ **etéreo** *adj.* 'celeste, aéreo' 1572. Do lat. *aetherĕus*, de *aithérios* ‖ **eteri**·FICAR | *ether-* 1858 ‖ **eter**ô·MANIA XX ‖ **eterô·**MANO XX ‖ **etíl**ICO | *ethylico* 1899 | Do fr. *éthylique* ‖ **etilo** | *ethylo* 1874 | Do fr. *éthyle*, composto de *éth(er)* + *-yle* (do gr. *hýlē* madeira').
eterno *adj.* 'que não tem princípio nem fim, imortal' 1572. Do lat. *aeternus -a -um* ‖ co**eterno** XVI ‖ **etern**AL | *eternaal* XIV | Do lat. *aeternālis* ‖ **etern**IDADE XV. Do lat. *aeternitās -ātis* ‖ **etern**IZAR XVI.
etero·mania, -mano → ÉTER.
etésio *adj.* 'vento do solstício de verão' XVII. Do lat. *etēsius -a -um*, deriv. do gr. *etésios*.

ético *adj.* 'pertencente ou relativo à ética' XVII. Do lat. *ēthicus*, deriv. do gr. *ēthikós* ‖ **éti**CA *sf.* 'ramo de conhecimento que estuda a conduta humana, estabelecendo os conceitos do bem e do mal, numa determinada sociedade em determinada época' | *eetica* XV | Do lat. *ēthĭca*, deriv. do gr. *éthikĕ*.
etíl·ico, -o → ÉTER.
etimologia *sf.* 'ciência que investiga as origens próximas e remotas das palavras e a sua evolução histórica' | *ethemollagia* XV | Do lat. *etymologĭa -ae*, deriv. do gr. *etymologíā*. O voc. já ocorre no séc. XIV, com a forma *Etimollisyas*, em alusão ao título da obra de Isidoro de Sevilha (*c* 560-636), as famosas *Etymologiae* ‖ **étimo** *sm.* 'vocábulo que é origem de outro' | *etymo* 1844 | Do lat. *etymon*, deriv. do gr. *étymon* ‖ **etimo**LÓG·ICO | *ety-* 1712 | Do lat. *etymologicus*, deriv. do gr. *etymologikós* ‖ **etimo**LOG·ISTA | *ety-* 1813 ‖ **etimó**LOGO | *ety-* 1881 | Do lat. *etymolŏgos -ī*, deriv. do gr. *etymológos*.
etiologia *sf.* 'estudo sobre a origem das coisas' 1873. Do fr. *étiologie*, deriv. do gr. *aitiología* ‖ **etio**LÓG·ICO 1844 ‖ **etió**LOGO XX.
etíope *adj. s2g.* 'de, ou pertencente ou relativo à Etiópia' 'natural ou habitante da Etiópia' 1572. Do lat. *Aethiops -opis*, deriv. do gr. *Aithíops -opos* ‖ **etióp**ICO XVI. Do lat. *Aethiopicus*, deriv. do gr. *Aithiopikós*.
⇨ **etíope** | 1537 PNun 45.*4*, *ethiope* Id. 104.*10*, *c* 1541 JCasR 184.*18*, *aetiope* 1538 DCast 73.*14* ‖ **etióp**IO | *ethiopio* 1614 SGonç II. 422.*8* |.
etiqueta *sf.* 'conjunto de cerimônias que se usam na corte, na casa de um chefe de Estado etc.' XVIII; 'rótulo, marca' 1881. Do fr. *étiquette*.
etmoide *sm.* '(Anat.) osso craniano situado entre o frontal e o esfenoide, e que concorre para a formação da base do crânio, da órbita e das fossas nasais' | *ethmoide* 1813 | Do lat. cient. *ēthmoīdēs*, deriv. do gr. *ēthmoeidḗs* (*ostéon* 'osso').
etn(o)- *elem. comp.*, do gr. *éthnos* 'raça, povo', que já se documenta em vocábulos formados no próprio grego, como *étnico*, e em vários outros introduzidos na linguagem científica internacional, a partir do séc. XX ♦ **etn**IA XX ‖ **étn**ICO | *ethnico* XVIII | Do lat. ecles. *ethnicus*, deriv. do gr. *ethnikós* ‖ **etno**CENTR·ISMO XX ‖ **etnodiceia** | *ethnodicea* 1881 | Do fr. *ethnodicée* ‖ **etno**GENEALOGIA | *ethno-genealogia* 1873 | Do fr. *ethnogénéalogie* ‖ **etno**GRAF·IA | *ethnographia* 1844 | Do fr. *ethnographie* ‖ **etno**GRÁF·ICO | *ethnográphico* 1858 ‖ **etnó**GRAFO | *ethnographo* 1844 ‖ **etno**LOG·IA | *ethnologia* 1858 | Do fr. *ethnologie* ‖ **etno**LOG·ISTA | *ethnologista* 1873 ‖ **etn**ÔNIMO XX.
-eto *suf. nom.*, deriv. do lat. *-ĭttum*, com provável influência do it. *-étto*, que se documenta na formação de alguns substantivos portugueses com valor diminutivo (como *esboceto*), a maioria dos quais de imediata procedência italiana (*dueto*, *lazareto*, *libreto*, *quinteto*, *soneto* etc.). Cp. -ETA, -ETE.
-eto- *elem. comp.*, em gr. *ēthos* 'costume, uso', que já se documenta em vocábulos formados no próprio grego, como *etognosia*, e em vários outros introduzidos na linguagem científica internacional, a partir do séc. XIX ♦ **eto**CRACIA | *ethocracia* 1858 | Do fr. *éthocratie* ‖ **eto**CRÁT·ICO XX ‖ **eto**GEN·IA | *ethogenia* 1858 | Do fr. *ethogénie* ‖ **eto**GNOS·IA | *ethog-*

nosia 1873 | Cp. gr. *ethognōsía* ‖ **eto**GNÓST·ICO | *ethognostico* 1873 ‖ **eto**GRAF·IA | *ethographia* 1858 | Do fr. *éthographie* ‖ **eto**LOG·IA | *ethologia* 1813 | Do lat. *ethologia*, deriv. do gr. *ethología* ‖ **etopeia** | *ethopéa* 1813 | Do lat. *ēthopoeia*, deriv. do gr. *ēthopoiía* ‖ **etopeu** ‖ *ethopéu* 1858.
etólio *adj. sm.* 'de ou pertencente ou relativo à Etólia' 'o natural ou habitante da Etólia' | *étolo* 1844 | Do lat. *aetōlĭus*, deriv. do gr. *aitōlios*.
etrioscópio *sm.* 'instrumento com que se mede o calor irradiado da Terra' | *etrióscopo* 1873 | Do fr. *éthrioscope*, deriv. do gr. *áithrios* 'puro, sereno' e *skopéō* 'observar, ver'.
etrusco *adj. sm.* 'de, ou pertencente ou relativo à Etrúria' 'o natural ou o habitante da Etrúria' 1844. Do lat. *etruscus*.
eu *pron.* XIII. Do lat. *egō*, através de uma forma vulgar **eo*.
eu- *pref.* deriv. do gr. *eú-*, de *eús* 'bom', usado na forma neutra *eû* 'bem', que se documenta em vocs. eruditos, quase todos formados no próprio grego, como *eucaristia*, e em alguns outros introduzidos na linguagem científica internacional, como *eucalipto*. No latim tardio o *-u* do pref. grego consonantizou-se diante de vocs. iniciados por vogais: gr. *euaggélion* > lat. ecles. *ēvangĕlĭum* > port. *evangelho*. Registram-se, a seguir, em verbetes independentes, na sua respectiva ordem alfabética, os principais compostos, especialmente os que já vieram formados do próprio grego.
-eu *suf. nom.*, deriv. do lat. *-aeus* (< gr. *-aîos*) e/ou do lat. *-ēus* (< gr. *-eios*), que se documenta em vocs. eruditos, particularmente em nomes de povos, raças, tribos etc.: *hebreu* < lat. *hebraeus* < gr. *hebraîos*, *maniqueu* < lat. *manichaeus* < gr. *manichaîos*; *epicureu* < lat. *epicūrēus* < gr. *epikoúreios*, *epigeu* < lat. *epigēus* < gr. *epígeios* etc.
eubiótica *sf.* 'arte de bem viver' 1873. Cp. gr. *eubíotos* 'que vive bem'.
euboico *adj. sm.* 'de, ou pertencente ou relativo à Eubeia (Grécia)' 'o natural ou habitante da Eubeia' 1844. Do lat. *euboicus*, deriv. do gr. *euboïkós*.
eucalipto *sm.* 'designação comum a arbustos ou árvores enormes, da família das mirtáceas, com propriedades medicinais' | *eucalypto* 1873 | Do lat. cient. *eucalyptus* e, este, do gr. *eu* 'bom' + *kalyptós* 'coberto'.
eucaristia *sf.* '(Rel.) um dos sete sacramentos da Igreja Católica, no qual, segundo a crença, Jesus Cristo se acha presente, sob as aparências do pão e do vinho, com seu corpo, sangue, alma e divindade' | *eucharistia* 1570 | Do fr. *eucharistie*, deriv. do lat. ecles. *eucharistia* e, este, do gr. *eucharistía* ‖ **eucaríst**ICO | *eucharistico* XVIII | Do fr. *eucharistique*, deriv. do lat. *eucharisticus* e, este, do gr. *eucharistikós*.
eucinesia *sf.* '(Med.) movimento regular dos órgãos' 1873. Do fr. *eucinésie*, deriv. do lat. cient. *eucinēsis* e, este, do gr. *eu* 'bom, bem' e *kínēsis* 'movimento'.
euclásio *sm.* '(Min.) mineral monoclínico, constituído de silicato de glucínio e alumínio' XX. Do fr. *euclase*, deriv. do gr. *eu* 'bom' + *klásis* 'fratura'.
eucológio *sm.* 'livro que encerra orações, entre elas o ofício dos domingos e das festas principais' | *eu-*

chologio XVI | Do fr. *euchologe*, deriv. do lat. ecles. *euchologium* e, este, do gr. *euchḗ* 'oração' e *lógos* 'díscurso'.
eucrasia *sf.* '(Med.) bom temperamento' 'organização robusta' 1844. Do lat. cient. *eucrasia*, deriv. do gr. *eukrāsía*.
eudemonismo *sm.* '(Ét.) doutrina que admite ser a felicidade individual ou coletiva o fundamental da conduta humana moral' XX. Do fr. *eudémonisme*, deriv. do gr. *eudaimonismós*.
eudiapneustia *sf.* '(Med.) facilidade de transpiração' 1873. Do lat. cient. *eudiapneustus*, deriv. do gr. *eudiápneustos*.
eudiômetro *sm.* '(Fís.) instrumento com que se determina a proporção volumétrica dos gases, observando as variações de volume que ocorrem quando os fazemos detonar num recipiente fechado, em geral sobre mercúrio' 1813. Do fr. *eudiomètre*, deriv. do gr. *eudía* 'bom tempo' e *métron* 'medida'.
euemia *sf.* 'boa qualidade ou bom estado do sangue' | *euhemia* 1873 | Do lat. cient. *euhaemia*, deriv. do gr. *eu* 'bom' + *háima* 'sangue'.
eufemia *sf.* 'reza, oração, prece' | 1844, *euphemia* 1874 | Do fr. *euphemie*, deriv. do gr. *euphēmía* || **eufem**ISMO | *euphemismo* 1873 | Do fr. *euphémisme*, deriv. do lat. *euphēmismus* e, este, do gr. *euphēmismós* || **eufem**ÍST·ICO XX.
eufonia *sf.* 'som agradável ao ouvido' | *euphonia* 1813 | Do lat. *euphōnia*, deriv. do gr. *euphonía* || **eufôn**ICO | *euphonico* 1873 | Do fr. *euphonique* || **êufon**O *adj.* 'que tem voz bela, melodiosa' | *euphono* 1873 | Cp. gr. *éuphōnos*.
euforia *sf.* 'sensação de perfeito bem-estar' 'alegria intensa' | *euphoria* 1858 | Do fr. *euphorie*, deriv. do gr. *euphoría*, || **eufór**ICO XX. Do fr. *euphorique*.
eugenesia *sf.* 'qualidade dos mestiços que são direta ou indefinidamente fecundos' 1899. Do fr. *eugénésie* | **eugen**IA *sf.* 'ciência que estuda as condições mais próprias à reprodução e melhoramento da raça humana' XX. Do fr. *eugenie*, deriv. do lat. cient. *eugenia* e, este, do gr. *eugéneia* || **eugên**ICO 1873. Do fr. *eugénique* || **eugen**OL *sm.* '(Quím.) substância encontrada no óleo de cravo, líquido, incolor, aromático, usado como antisséptico' XX.
eulalia *sf.* 'boa maneira de falar, boa dicção, dicção fácil' XX. Do fr. *eulalie*.
eunuco *sm.* 'homem castrado que, no Oriente, era guarda dos haréns' *fig.* homem impotente ou fraco' XVI. Do lat. *eunūchus*, deriv. do gr. *eunoûchos* || **eunuc**OIDE XX.
eupatia *sf.* 'resignação, conformação' 'paciência' | *eupathia* 1873 | Do lat. cient. *eupathīa*, deriv. do gr. *eupátheia*.
eupepsia *sf.* '(Med.) facilidade de digestão, boa digestão' 1858. Do fr. *eupepsie*, deriv. do gr. *eupepsía* || **eupéptico** XX. Do lat. cient. *eupepticus*.
euplástico *adj.* 'relativo às boas formas plásticas' 1873. Cp. gr. *euplastos*.
euplócamo *adj. sm.* '(Antrop.) que, ou aquele que tem cabelo fino e encaracolado' 1899. Do lat. cient. *euplocamus*, deriv. do gr. *euplókamos*.
eupneia *sf.* '(Med.) facilidade de respiração' | *eupnéa* 1858 | Do lat. cient. *eupnoea*, deriv. do gr. *eupnoia*.

euquimo *sm.* '(Bot.) suco nutriente dos vegetais' 1899. Do lat. *euchymus*, deriv. do gr. *éuchȳmos*.
eurásico → EUROPEU.
euri- *elem. comp.*, do gr. *eurýs* 'largo', que já se documenta em vocábulos formados no próprio grego, como *eurístomo*, e em vários outros introduzidos na linguagem científica internacional, a partir do séc. XIX ▶ **euri**CÉFALO | *eurycéphalo* 1899 | Do fr. *eurycéphale* || **euri**CERO | *eurycero* 1899 | Do fr. *eurycère* || **euri**GNATO | *eurygnatho* 1873 | Do fr. *eurygnathe* || **euri**STOMO | *eurysthomo* 1873 | Do lat. cient. *eurystomus*, deriv. do gr. *eurýstomos*.
euripo *sm.* 'estreito, braço de mar' XVI. Do lat. *eurīpus*, deriv. do gr. *eúripos*.
eurístomo → EURI-.
euritmia → EURRITMIA.
europeu *adj. sm.* 'de, ou pertencente ou relativo à Europa' 'o natural ou habitante da Europa' 1769. Do lat. *eurōpaeus -a*, deriv. do gr. *eurōpaîos* || **eurásico** XX. Termo internacional, proposto por H. Reuschle, em 1858, formado a partir de *Eurásia*, composto de *Eur(opa)* + *Ásia* || **europe**IZAR XX || **európio** *sm.* '(Quím.) elemento de número atômico 63, metálico, descoberto por Demarçay em 1901' XX. Do lat. cient. *europium*.
⇨ **europeu** — **europ**ENSE | 1614 SGONÇ I. 309.8 |.
eurritmia, euritmia *sf.* '(Med.) regularidade da pulsação' | *eurythmia* 1844 | Do lat. *eurhythmīa -ae* 'harmonia, regularidade', deriv. do gr. *eúrythmía*.
eussemia *sf.* '(Med.) conjunto de sintomas bons e favoráveis numa doença' | *eusemia* 1858 | Do lat. cient. *eusēmīa*, deriv. do gr. *eusēmía*.
eutanásia *sf.* 'morte serena' 'prática pela qual se busca abreviar, sem dor ou sofrimento, a vida de um doente reconhecidamente incurável' | *euthanasia* 1844 | Do fr. *euthanasie*, deriv. do lat. *euthanasia* e, este, do gr. *euthanasía*.
eutaxia *sf.* 'justa proporção, disposição harmoniosa entre as diferentes partes do corpo de um animal' 1858. Do lat. cient. *eutaxia*, deriv. do gr. *eutaxía*.
eutimia *sf.* 'perfeito sossego de espírito, tranquilidade, serenidade' | *euthymia* 1858 | Do lat. *euthȳmia*, deriv. do gr. *euthȳmía*.
eutocia *sf.* 'parto normal' 1873. Do fr. *eutocie*, deriv. do gr. *eutokía* || **eutóc**ICO XX.
eutrapelia *sf.* 'jocosidade inofensiva, delicada' XVII. Cp. gr. *eutrapelía*.
eutrofia *sf.* 'boa nutrição' | *euthrophia* 1858 | Do fr. *eutrophie*, deriv. do gr. *eutrophía*.
evacuar *vb.* 'sair de, esvaziar, desocupar' XVI. Do lat. *ēvacuāre* || **evacu**AÇÃO XVIII. Do lat. *ēvacuātio -ōnis* || **evacu**ANTE 1844 || **evacu**AT·IVO 1813 || **evacu**AT·ÓRIO 1813.
⇨ **evacuar** — **evacu**AÇÃO | 1660 FMMeLe 144.3 |.
evadir *vb.* 'escapar, fugir, desaparecer' XVI. Do lat. *ēvādere*. Cp. EVASÃO.
evagação → VAGAR.
evalve → VALVA.
evanescente *adj. 2g.* 'que desaparece, que se esvai' 1873. Do lat. *ēvānēscens -entis*, part. de *ēvānēscĕre* || **evanescer** XX. Do lat. *ēvānēscĕre*.
evangelho *sm.* 'doutrina de Cristo' 'cada um dos quatro livros principais do Novo Testamento' | *euangelho* XIV, *evangeo* XIII, *avangelio* XIII etc. | Do

lat. ecles. *evangĕlĭum*, deriv. do gr. *euaggélion* || evangelIC·AL | *evangilical* XVI || evangélICO | *euăgelico* XVI | Do lat. ecles. *evangĕlĭcus* || evangelISTA | XIII, *auangelista* XIV etc. | Do lat. ecles. *evangĕlista* || evangelIZ·AÇÃO 1873 || evangelIZ·ADOR 1813 || evangelIZ·ANTE XVI || evangelIZAR XVII. Do lat. ecles. *evangĕlizāre*.
⇨ **evangelho** — evangelIZAR | *euăgelizar* XIV ORTO 46.*14* |.
evapor·ação, -ar, -ativo, -atório, -ômetro → VAPOR.
evasão *sf.* 'fuga, ato de evadir-se' XVI. Do lat. *ēvāsĭō -ōnis* || evasIVA 1844 || evasIVO 1844. Cp. EVADIR.
evecção *sf.* '(Astr.) a maior irregularidade do movimento da lua, e a primeira que foi descoberta' 1881. Do lat. *ēvectĭō -ōnis*.
evencer → VENCER.
evento *sm.* 'sucesso, acontecimento, eventualidade' XVI. Do lat. *ēventus -ūs* || eventuAL 1813. Do lat. med. *eventuālis* || eventuAL·IDADE 1844. Do lat. med. *eventualitās -ātis*.
everter *vb.* 'virar de pernas para o ar' XX. Do lat. *ēvertĕre* || eversIVO XVIII || eversOR 1813. Do lat. *ēversor -ōris*.
evicção *sf.* 'ato ou efeito de evencer' '(Jur.) perda, parcial ou total, que sofre o adquirente duma coisa em consequência da reivindicação judicial promovida pelo verdadeiro dono ou possuidor' XVIII. Do fr. *éviction*, deriv. do lat. *ēvictĭō -ōnis* || evictO 1881. Do lat. *ēvictus -a -um* || evictOR 1881.
evidência *sf.* 'qualidade ou caráter de evidente, certeza manifesta' XVI. Do lat. *ēvidentĭa -ae*, tradução do gr. *euárgeia* || evidENCI·AR 1813 || evidENTE | *evy-* XIV | Do lat. *ēvidēns -entis*.
eviscer·ação, ·ar → VÍSCERA.
evitar *vb.* 'fugir a, desviar-se de, evadir' XV. Do lat. *ēvītāre* || evitAÇÃO 1844. Do lat. *ēvītātĭō -ōnis* || evitÁVEL 1813. Do lat. *ēvītābĭlis -e* || INevitABIL·IDADE XX || inevitÁVEL 1813. Do lat. *inēvītābĭlis -e*. Cp. VITANDO.
⇨ **evitar** — INevitÁVEL | *a* 1595 *Jorn.* 166.*31* |.
eviterno *adj.* 'que não há de ter fim, eterno' 1813. Do lat. *aeviternus -a -um*.
evo *sm.* '(Poét.) duração sem-fim, eternidade' XVI. Do lat. *aevum -ī*.
evocar *vb.* 'chamar, fazer aparecer, trazer à lembrança' 1813. Do lat. *ēvocāre* || evocAÇÃO 1858. Do lat. *ēvocātĭō -ōnis* || evocAT·IVO 1899. Do lat. *evocātīvus* || evocAT·ÓRIO 1858.
evoé *interj.* 'grito festivo com que, na Antiguidade, se evocava Baco durante as orgias' XVIII. Do lat. *euoe, euhoe*, deriv. do gr. *euoî*.
evolar → VOAR.
evolução *sf.* 'desenvolvimento progressivo duma ideia, acontecimento, ação etc.' 1813. Do fr. *évolution*, deriv. do lat. *ēvolūtĭō -ōnis* || evolucION·AR 1881 || evolucION·ÁRIO 1873 || evolucION·ISMO XIX. Do fr. *évolutionnisme* || evolucION·ISTA XIX. Do fr. *évolutionniste* || evoluIR 1899. Do fr. *évoluer* || **evoluta** *sf.* '(Geom.) lugar geométrico dos centros de curvatura de uma curva plana ou nunca foi manifesta' 1858. Do lat. *ēvolūtus -a -um* || evolutIVO 1873. Provavelmente do fr. *évolutif* || evolvENTE 1858. Do lat. *ēvolvens -ēntis* || **evolver** *vb.* 'passar por evoluções ou transformações sucessivas' 1881. Do lat. *ēvolvĕre*.

evônimo *sm.* 'planta medicinal da família das celastráceas' | *evonymo* 1873 | Do fr. *évonyme*, deriv. do lat. cient. *evōnymus* e, este, do gr. *euônymon*.
evulsão *sf.* 'ato de arrancar, de extrair violentamente' 1858. Do fr. *évulsion*, deriv. do lat. *ēvulsĭō -ōnis* || evulsIVO 1873.
ex *elem. comp.*, deriv. da prep. lat. *ex* 'fora de', que se documenta em inúmeras frases latinas, algumas das quais passaram às línguas modernas em expressões estereotipadas e de uso mais ou menos frequente na linguagem erudita, particularmente no domínio das ciências jurídicas: *exabrupto, exaequo, exofficio* etc. Posteriormente, no latim tardio, estendeu-se o uso da preposição para a formação de compostos do tipo *excōnsul*; pelo modelo do latim, as línguas modernas adotaram a prep. lat. *ex* em composto em que, seguida de hífen, ela se liga a substantivos (e/ou adjetivos) que denominam estado, profissão ou emprego: *ex-tuberculoso, ex-catedrático, ex-presidente* etc. É curioso assinalar que em tupi ocorre o mesmo processo de formação lexical; assim, o elem. comp. tupi *'pu̯era* (*'ÿera, 'u̯era*), que é a forma do sufixo do pretérito, ocorre na formação de alguns compostos que passaram ao português: *ko'pu̯era* (< *'ko* 'roça' + *'pu̯era* 'que já foi') > CAPOEIRA[2], *-ï'pu̯era* (< *'ï* 'água' + *'pu̯era* 'que já foi') > IPUEIRA.
ex-[1] *pref.*, deriv. do lat. *ex-*, da prep. *ex* 'fora de' (v. EX), que já se documenta em latim em inúmeros compostos, muitos dos quais passaram às línguas modernas de cultura. O pref. lat. *ex-* manteve-se intacto antes de vogais e de *-c, -h, -p, -q, -s* e *-t* (*exaltāre, excurrĕre, exhaurīre, explōdere, exquīsītus, exsequĭae, extrinsĕcus*); reduziu-se a *ē-* antes de *-b, -d, -g, -j, -l, -m, -n, -r* e *-v* (*ebullītĭō, ēdictum, ēgregĭus, ejectāre, ēlĭgĕre, ēmittere, ēnūntiātĭō, ērĭgĕre, ēvādere*). Nos derivados portugueses, o pref. lat. *ex-* apresenta as seguintes características: (i) conserva a mesma forma do latim quando seguido de vogais (*exaltar*), de *-h* (*exaurir*), de *-p* (*explodir*) e de *-s* (*exsicar*); (ii) passa a *e-*, tal como em latim, diante de *-b, -d, -g, -j, -l, -m, -n, -r* e *-v* (*ebulição, edito, egrégio, ejectar, eleger, emitir, enunciação, erigir, evadir*); (iii) evolui para *es-* nos vocs. populares e/ou semieruditos (*escorrer, esquisito* etc.). Assinale-se, por fim, que o pref. vernáculo *es-* é de grande vitalidade em português, ocorrendo na formação de numerosos derivados, nas seguintes acepções: a) movimento para fora ou para longe, afastamento: *espraiar, estender*; b) movimentos repetidos: *esfaquear, esmurrar*; c) separação, privação, extração: *escarrar, esgalhar*; d) redução a fragmentos: *esfarelar, esfarrapar*; e) passagem para novo estado ou nova forma: *esfriar, esquentar*.
ex-[2] *pref.*, deriv. do gr. *ex-*, da prep. gr. *ex* 'fora de' (= lat. *ex*), que se documenta em inúmeros compostos gregos em que o segundo elemento se inicia por vogal: *éxarchos, exégesis* etc.; quando precede consoante, o pref. gr. *ex-* passa a *ek-* (v. EC-). Os derivados portugueses, todos de cunho erudito, mantêm as mesmas características dos étimos gregos.
ex·abund·ância, -ante, -ar → ABUNDÂNCIA.

exação sf. 'cobrança rigorosa de dívida ou impostos' 'exatidão, correção' | *exauçõens* pl. XV | Do lat. *exactiō -ōnis*.
ex·acerb·ação, -ador, -ar →ACERBO.
exagerar vb. 'dar ou atribuir (a coisas ou fatos) proporções maiores que as reais' | *exaggerar* XVI | Do lat. *exaggĕrāre* || **exager**AÇÃO 1813. Do lat. *exaggerātĭō -ōnis* || **exager**ADO 1813. Do lat. *exaggerātus -a -um* || **exager**ADOR XVI || **exager**O | *exaggero* 1881.
exagitar → AGITAR.
exalar vb. 'emitir, espirar, lançar de si' XVI. Do lat. *exhalāre* || **exal**AÇÃO 1813. Do lat. *exhālātĭō -ōnis* || **exal**ANTE 1813.
exalçar vb. 'exaltar, elevar' | XIV, *eixalçar* XIII, *eyxalçar* XIII etc. | Do lat. vulg. **exaltĭāre*, cruzamento de *exaltāre* com **altĭāre* || **exalç**ADOR XIV || **exalç**AMENTO XIV.
exaltar vb. 'tornar alto, erguer, levantar' | 1572, *enxaltar* XIV | Do lat. *exaltāre* || **exalt**AÇÃO | *-çõ* XIV | Do lat. *exaltātĭō -ōnis* || **exalt**ADO XIX || **exalt**ADOR XX. Do lat. *exaltātŏr -ōris* || **exalt**AMENTO | *enx-* XIV || SUPER**exalt**ADO 1899 || SUPER**exalt**AR XX. Do lat. *super-exaltāre*.
exalviçado → ALVO.
examinar vb. 'analisar com atenção e minúcia' | *examynar* XIV, *eixa-* XIV, *eyxa-* XIV, Do lat. *exāmināre* || **exame** | *jsame* XV | Do lat. *exāmen -īnis* || **examin**AÇÃO | *enxamiinaçam* XV | Do lat. *exāminātĭō -ōnis* || **examin**ADOR XV. Do lat. *exāminātŏr -ōris* || **examin**ANDO 1844. Do lat. *examinandus*, gerúndio de *exāmināre*.
exangue → SANGUE.
exania sf. '(Patol.) saída do intestino reto para fora do ânus' 1873. Do lat. cient. *exānia* (*ex+ ānus + -ia*).
exânime adj. 2g. 'desmaiado, desfalecido' XVII. Do lat. *exanĭmis -e* || **exanim**AÇÃO 1881. Do lat. *exanimātĭō -ōnis*.
exantema sm. '(Patol.) eflorescência peculiar às febres eruptivas' | *exanthema* 1844 | Do lat. tard. *exanthēma*, deriv. do gr. *exánthēma* || **exantem**Á-T·ICO | *exanthematico* 1844.
exarar vb. 'abrir, gravar, registrar' XVIII. Do lat. *exărāre*.
exarco sm. '(Hist.) delegado dos imperadores de Bizâncio, na Itália ou na África' | *exarco* XVII | Do lat. ecles. *exarchus*, deriv. do gr. *éxarchos* || **exarquia** 1841. Do fr. *exarchie*.
exartrose sf. '(Med.) luxação de dois ossos reunidos por diartrose, exartrema' | *exarthrose* 1858 | Cp. gr. *exarthrōsis* || **exartrema** | *exarthrema* 1858 | Do lat. cient. *exarthrēma*, deriv. do gr. *exárthrēma*.
exasperar vb. 'tornar áspero, enfurecido, irritar muito' XVII. Do lat. *exasperāre* || **exasper**AÇÃO 1813. Do lat. *exasperātĭō -ōnis*.
exato adj. 'certo, correto, rigoroso' | *exacto* XVII | Do lat. *exactus*, part. de *exigĕre* || **exat**IDÃO | *exactidão* 1813 || **exat**IFIC·AR | *exactificar* 1899 || **exat**OR | *exactor* XVII | Do fr. *exacteur* XVII, deriv. do lat. *exāctor -ōris* || IN**exat**IDÃO | *inexactidão* 1858 || IN**exat**O | *inexacto* 1858.
exaur·ir, -ível, exaust·ão, -ar, -ivo, -or → HAURIR.
exautoração → AUTORIDADE.

exceção → EXCE(P)ÇÃO.
exced·ente, -er → EXCESSO.
excelência sf. 'qualidade de excelente' XV. Do lat. *excellentĭa -ae* || **excel**ENTE | *eix-* XIV | Do lat. *excellēns -ntis* || **excel**ER | *exceller* XVI | Do lat. *excellĕre*.
excelso adj. 'alto, elevado, sublime' 1572. Do lat. *excelsus -a -um*.
excêntrico adj. sm. 'que (se) desvia ou (se) afasta do centro' 'diz-se de, ou indivíduo original, extravagante, esquisito' XIX. Do lat. tard. *eccentricus* (com provável influência do inglês *eccentric*, especialmente na segunda acepção), de *eccentrŏs*, derivado do gr. *ékkentros* || **excentric**IDADE XVIII.
⇨ **excêntrico** 'que (se) desvia ou (se) afasta do centro' | *eçentrico* 1532 JBarr 52.3, *ecentrico* 1537 PNun 36.19, *ecenterco a* 1542 JCaSE 99.16, *esentrico* Id. 87.3 |.
exce(p)ção sf. 'desvio da regra geral' 'ato ou efeito de excetuar' | *exceição* XVI; *excepção* XVI | Do lat. *exceptĭō -ōnis* || **excepc**ION·AL 1858 | Do fr. *exceptionnel* || **excepc**ION·AR 1881 || **except**IVA 1844 || **except**IVO 1844 || **exce(p)to** | *eçepto* XV, *excepto* XVI | Do lat. *exceptus -a -um* part. de *excipĕre* || **exce(p)tu**ADO | *exceptuado* 1813 || **exce(p)tu**AR | *exceptuar* 1813.
excerto sm. 'trecho, fragmento, extrato' XVII. Do lat. *excerptus -a -um*.
excesso sm. 'diferença para mais entre duas quantidades' | *exceso* XIV, *eçesso* XV | Do lat. *excessus -ūs* || **exced**ENTE XVI || **exced**ER XVI. Do lat. *excedĕre* || **excess**IVO XVI. Do fr. *excessif* || IN**exced**ÍVEL XIX.
excet·o, -uado, -uar → EXCE(P)ÇÃO.
excídio sm. '(Poét.) destruição, ruína, subversão' XVII. Do lat. *excidĭum -ĭī*.
excipiente sm. 'substância líquida ou mole, usada para ligar, dissolver ou modificar o gosto de outra, que serve de medicamento' 1858. Do lat. *excipĭēns -entis*, de *excipĕre*.
excis·ão, -ar → CISÃO.
excitar vb. 'ativar a ação de, estimular, animar' XVII. Do lat. *excitāre* || **excit**ABIL·IDADE 1858 || **excit**AÇÃO 1813 | Do fr. *excitation*, deriv. do lat. *excitātĭō -ōnis* || **excit**ADOR 1813. Do lat. *excitātŏr -ōris* || **excit**ANTE 1844 || **excit**AT·IVO 1858 || **excit**ÁVEL 1873. Do lat. *excitābĭlis -e* || IN**excit**ABIL·IDADE XX || IN**excit**ÁVEL XX. Do lat. *incitābĭlis -e*.
exclamar vb. 'exprimir ou denotar admiração' 'gritar, vociferar' XVII. Do lat. *exclāmāre* || **exclam**AÇÃO 1813. Do lat. *exclamātĭō -ōnis* || **exclam**AT·IVO 1844 || **exclam**AT·ÓRIO XIX.
excluir vb. 'ser incompatível, afastar, recusar', XVII. Do lat. *exclūdĕre* || **exclud**ENTE XX || **exclusão** 1813. Do lat. *exclusĭō -ōnis* || **exclusiv**·IDADE XX || **exclusiv**·ISMO 1873. Do fr. *exclusivisme* || **exclusiv**·ISTA 1873. Do fr. *exclusiviste* || **exclusivo** 1813. Do lat. med. *exclusīvus* || **excluso** XVIII. Do lat. *exclūsus -a -um*.
excogit·ação, -ador, -ar → COGITAR.
ex·comungar, -comunhão → COMUM.
excreto adj. 'expelido, evacuado, segregado' XVII. Do lat. *excretūs -a -um*, part. de *excernĕre* || **excr**E-ÇÃO 1844. Do lat. tard. *execrētĭō -ōnis* || **excremento** 1813. Do lat. *excrēmentum* || **excresc**ÊNCIA XVII. Do fr. *excroissance*, deriv. do b. lat. *excrēscentĭa*

-um || **excresc**ENTE 1844. Do lat. *excrescens -ntis* || **excresc**ER 1844. Do lat. *excrēscěre* || **excret**AR 1858. Do fr. *excréter*, deriv. do lat. *excretāre*, frequentativo de *excernĕre*.
excursão *sf.* 'passeio de instrução ou recreio pelos arredores' 'viagem' XVI. Do lat. *excursio -ōnis* || **excurs**ION·ISMO XX || **excurs**ION·ISTA 1873. Do fr. *excursionniste* || **excurs**ION·AR XX. Do fr. *excursionner* || **excurs**o *sm.* 'divagação, digressão' 1844. Do lat. *excursus -ūs*.
excutir *vb.* 'executar judicialmente os bens de um devedor principal' 1844. Do lat. *excŭtěre* || **excus·são** 1858. Do lat. *excussiō -ōnis*.
execrar *vb.* 'detestar, abominar, amaldiçoar' 1813. Do lat. *exsecrāre* || **execr**AÇÃO XVII. Do lat. *exsecrātiō -ōnis* || **execr**ADOR 1881. Do lat. *exsecrātor -ōris* || **execr**ANDO 1706. Do lat. *exsecrandus* || **execr**AT·ÓRIO 1813 || **execr**ÁVEL XVII. Do lat. *exsecrābĭlis -e*.
executar *vb.* 'levar a efeito, efetuar, realizar' | XV, *eije-* XV, *exse-* XV, *emxucutar* XV etc. | Do lat. **exsecutāre*, frequentativo de *exsequi* || **execu**ÇÃO | *execuçom* XIV | Do lat. *exsecūtiō -ōnis* || **execut**ANTE 1844 || **execut**IVO XVI. Do fr. *exécutif* || **execut**OR | XIII, *emxuqutores* pl. XVI | Do lat. *exsecutōr -ōris* || **execut**ÓRIA XV || **execut**ÓRIO 1813. Do fr. *exécutoire*, deriv. do lat. *exsecūtōrĭus -a -um* || **exequ**IBIL·IDADE XVI || **exequ**ÍVEL XIX || IN**exequ**IBIL·IDADE XX || IN**exe·qu**ÍVEL 1899.
êxedra *sf.* 'pórtico circular com assentos, onde os antigos filósofos se reuniam para discutir' | XVI, *exedere* XV | Do lat. *exedra*, deriv. do gr. *exédrā*.
exegese *sf.* 'comentário ou dissertação para esclarecimento ou minuciosa interpretação de um texto ou de uma palavra' XIX. Do fr. *exégèse*, deriv. do gr. *exégesis* || **exegeta** 1873. Do fr. *exégète*, deriv. do gr. *exēgětēs* || **exegét**ICA 1899 || **exegét**ICO 1844. Do lat. *exēgētĭcus*, deriv. do gr. *exēgētikós*.
exempção *sf.* 'isenção' XVI. Do lat. *exemptiō -ōnis*. V. ISENTO.
exemplo *sm.* 'tudo que pode ou deve ser imitado' 'modelo' | XIV, *exempro* XIII, *eixēplo* XIV, *eyxemplo* XIV etc. | Do lat. *exěmplum* || **exempl**ADO XVI || **exempl**AR | XVI, *enxemprar* XV | Do lat. *exemplāre* || **exempl**AR·IDADE 1844 || **exempl**ÁRIO XVI. Do lat. *exemplārius* || **exempl**IFIC·AÇÃO 1844 || **exempl**IFIC·AR 1813 || **exempl**IFICAT·IVO 1813.
exenteração *sf.* '(Cir.) saída das vísceras abdominais para o exterior' 'evisceração' 1899. Do fr. *exentération*, deriv. do lat. **exenteratio -ōnis* e, este, do gr. *exenterízō*.
exequente *adj. s2g.* '(Jur.) que ou quem intenta ou promove execução judicial' XVIII. Do lat. *exsequens -entis* || **exequ**ENDO XX.
exéquias *sf. pl.* 'cerimônias ou honras fúnebres' | XV, *enxéquia* XV etc. | Do lat. *exsequiae* || **exequi**AL XVIII. Do lat. *exsequiālis*.
exequ·ibilidade, -ível → EXECUTAR.
exercer *vb.* 'preencher os deveres, as funções ou obrigações inerentes a um cargo' 1813. Do lat. *exercēre* || **exercício** | XV, *ei-* XV, *exercitio* 1570 etc. | Do lat. *exercĭtĭum -ĭi* || **exercit**AÇÃO XIX. Do lat. *exercitātiō -ōnis* || **exercit**ADOR 1813. Do lat. *exercitātor -ōris* || **exercit**ANTE 1844 || **exercit**AR | 1570, *enxerçitar* XV | Do lat. *exercitāre*.

exército *sm.* 'tropa, multidão, força armada' 1572. Do lat. *exercitus -ūs*.
exercitor *sm.* 'aquele que administra por tempo determinado um navio ou a carga de um navio' 1873. Do lat. *exercĭtor -ōris*.
exerd·ação, -ar → HERANÇA.
exérese *sf.* '(Cir.) extirpação cirúrgica' 1858. Do lat. cient. *exhaeresis*, deriv. do gr. *exáiresis*.
exergo *sm.* 'espaço, em moeda ou medalha, onde se grava a data e/ou qualquer legenda' 1844. Do lat. cient. *exergum*, deriv. do gr. *ex* 'fora' e *ergon* 'obra, trabalho'.
exfetação → FETO¹.
exfoliação → FOLHA.
exibir *vb.* 'mostrar, apresentar, expor' | *exhibir* 1813 | Do lat. *exhibēre* || **exib**IÇÃO XVIII. Do lat. *exhibitiō -ōnis* || **exib**ICION·ISMO XX || **exib**ICION·ISTA XX || **exib**IDOR XX. Do lat. *exhibitor -ōris* || **exib**IT·ÓRIO | *exhibitorio* 1858 | Do fr. *exhibitoire*, do lat. med. *exhibitorius*.
exício *sm.* 'perdição, ruína' 1572. Do lat. *exitĭum -ĭi* || **exic**IAL XVIII.
exido *sm.* 'terreno baldio, quintal, horta' | XIII, *ixido* XIII, *yxido* XIV etc. | Do lat. *exĭtus -ūs*.
exigência *sf.* 'pedido impertinente, pedido urgente' XVIII. Do lat. tard. *exigentia* || **exig**ENTE 1844. Do lat. *exigentem* || **exig**IBIL·IDADE 1899 || **exig**IR 1813. Do lat. *exigěre* || **exig**ÍVEL 1813.
exíguo *adj.* 'de pequenas proporções, escasso' XVII. Do lat. *exigŭus* || **exigu**IDADE 1844. Do lat. *exiguĭtās -ātis*. Cp. ESGUIO.
exílio *sm.* 'expatriação forçada ou voluntária, degredo' XVII. Do lat. *exilium* || **exil**ADO 1873 || **exil**AR 1832.
exímio *adj.* 'excelente, insigne, eminente' XVI. Do lat. *eximius*.
eximir *vb.* 'isentar, dispensar, desobrigar' XVIII. Do lat. *exĭměre*.
exinanir *vb.* 'enfraquecer por falta de alimento ou por dejeções excessivas' XVII. Do lat. *exinānīre* || **exinan**IÇÃO 1813. Do lat. *exinanītiō -ōnis*.
existir *vb.* 'ter existência real' 'ser' XVIII. Do lat. *existěre* || CO**exist**ÊNCIA 1844 || CO**exist**IR 1844. Do lat. tard. *coexistere* || **exist**ÊNCIA 1813. Do lat. tard. *existentia* || **exist**ENCI·AL XX. Do fr. *existentialis* || **exist**ENCIAL·ISMO XX. Do fr. *existentialisme* || **exist**ENCIAL·ISTA XX. Do fr. *existentialiste* || **exist**ENTE 1844.
êxito *sm.* 'resultado, consequência, efeito' XVII. Do lat. *exĭtus -ūs*.
ex(o)- *elem. comp.*, do gr. *éxō* 'fora, fora de, para fora', que já se documenta em vocs. formados no próprio grego, como *êxodo*, e em muitos outros introduzidos na linguagem científica internacional, a partir do séc. XIX ♭ **exo**CARDITE *sf.* '(Patol.) inflamação da membrana exterior do coração' 1873 || **exo**CIST·IA *sf.* '(Patol.) doença da bexiga' | *exocysta* 1858 || **êxodo** 1813. Do lat. tard. *exŏdus -ī*, do gr. *éxodos* || **exo**FTALM·IA || *exophtalmia* 1813 | Do it. *esoftalmìa*, deriv. do gr. *exóphtalmos* || **exó**GAMO 1899. Do lat. cient. *exŏgamus* || **exó**GE·NO 1858. Do fr. *exogène* || **exógino** | *exogyno* 1873 | Do fr. *exogyne*, deriv. do lat. cient. *exogynus* || **exo**METR·IA XX || **exô**METRO 1873 || **exomologese** 1844. Do fr. *exomologèse*, deriv. do gr. *exomo-*

lógesis || **exonirose** *sf.* '(Pat.) polução durante o sono' 1873. Do lat. cient. *exoneirōxis*, deriv. do gr. *exonéirōxis* || **exorcismo** | XVI, *ezerzisimo* XV | Do lat. *exorcismus -ī*, deriv. do gr. *exorkismós* || **exorcista** XVII. Do lat. *exorcista -ae*, deriv. do gr. *exorkistés* || **exorc**IZAR XVII. Do lat. *exorcizāre*, deriv. do gr. *exorkízō* || **exor**·RIZO *adj.* '(Bot.) diz-se da radícula não protegida por uma coleorriza' | *exorrhiza* 1873 | Do fr. *exorhize* || **exo**SFERA *sf.* 'camada atmosférica exterior à ionosfera' XX || **exo**SMÓT·ICO 1881 || **exóstoma** *sm.* '(Bot.) micrópila' 1873. Do lat. cient. *exōstoma* || **exostose** *sf.* '(Med.) proliferação óssea na superfície de um osso' '(Bot.) excrescência no tronco de algumas árvores' | *-sis* 1844 | Do fr. *exostose*, deriv. do lat. cient. *exostōsis* e, este, do gr. *exóstōsis* || **exotérico** 1844. Do fr. *exotérique*, deriv. do lat. *exōterĭcus -a -um* e, este, do gr. *exoterikós* || **exo**terISMO. Do fr. *exotérisme* || **exótico** XVII. Do lat. *exōtĭcus -a -um*, deriv. do gr. *exōtikós* || **exot**ISMO XX. Do fr. *exotisme*.
⇨ **ex(o)-** — **êxodo** | 1549 SNor 9.4 |.
exonerar *vb.* 'destituir das funções, do emprego' 'demitir' XVII. Do lat. *exonerāre* || **exoner**ABIL·IDADE XX || **exoner**AÇÃO 1844. Do lat. *exonerātiō -ōnis* || **exoner**AT·ÓRIO XX.
exonirose → EX(O)-.
exorar *vb.* 'implorar, suplicar' XVI. Do lat. *exōrāre*.
exorbitar *vb.* 'tirar da órbita' 'exceder os justos limites' 1844. Do lat. *exorbitāre* || **exorbit**ÂNCIA XVI || **exorbit**ANTE XVI.
exorc·ismo, -ista, -izar → EX(O)-.
exórdio *sm.* 'princípio, preâmbulo, prólogo' XVI. Do lat. *exōrdium* || **exordi**AR 1813.
exornar *vb.* 'ornar, enfeitar' XV. Do lat. *exōrnāre* || **exorn**AÇÃO 1881 || **exorn**ATIVO 1881.
exorrizo → EX(O)-.
exortar *vb.* 'animar, estimular, induzir' XVII. Do lat. *exhortārī* || **exort**AÇÃO XVI. Do lat. *exhortātiō -ōnis* || **exort**ADOR | *exh-* 1813 | Do lat. *exhortātor -ōris* || **exort**ATIVO | *exh-* 1813 | Do lat. *exhortātīvus* || **exort**AT·ÓRIO | *exh-* 1813.
exo·sfera, -smótico, -stoma, -stose, -térico, -terismo, -tico, -tismo → EX(O)-.
expandir *vb.* 'estender, alargar, dilatar' XVIII. Do lat. *expandĕre* || **expand**IBIL·IDADE 1844 || **expansão** 1844. Do lat. *expānsĭō -ōnis* || **expans**ION·ISMO XX. Do fr. *expansionnisme* || **expans**ION·ISTA XX. Do fr. *expansionniste* || **expans**ÍVEL 1844. || **expans**IVO 1844. Do fr. *expansif*.
expatri·ação, -ar → PÁTRIA.
expectativa *sf.* 'esperança fundada em supostos direitos ou promessas' | *espectativa* XVI | Do fr. *expectative* || **expect**AÇÃO | *espectação* XVII | Do fr. *expectation*, deriv. do lat. *exspectātĭō -ōnis* || **expect**ADOR XX || **expect**ANTE | *espectante* 1844 | Do lat. *exspectans*, part. de *exspectāre* || **expect**AR 1881. Do lat. *exspectare* || **expect**ÁVEL XVII. Do lat. *exspectābĭlis -e*.
expector·ação, -ante, -ar → PEITO.
expedição *sf.* 'despacho, remessa, expediência' XVI. Do lat. *expedĭtĭō -ōnis* || **expedic**ION·ÁRIO 1844. Do fr. *expéditionnaire* || **expedic**ION·EIRO 1844 || **expediência** XVI || **expedi**ENTE XV. Do lat. *expediēns -entis*, part. de *expedīre* || **exped**IR XVI. Do lat. *expedīre* || **exped**ITO 1813. Do lat. *expedītus -a -um* || **in**expedITO XX. Do lat. *inexpedītus -a -um*.
expelir *vb.* 'lançar fora com violência, expulsar' | *expellir* XVI | Do lat. *expellĕre*.
expender *vb.* 'expor minuciosamente, explicar, ponderando ou analisando' 'despender, pagar' XVI. Do lat. *expendĕre* || **expensão** XVIII. Do lat. *expensione* || **expens**AS XVI. Do lat. *expēnsa -ae*.
experiência *sf.* 'experimento, prática, habilidade' XV. Do lat. *experientia* || **experi**ENTE 1844. Do lat. tard. *experiēns -entis* || **experiment**AÇÃO 1873 || **experiment**ADO 1813 || **experiment**AL XVI. Do lat. tard. *experimentālis* || **experiment**AR | *experimentar* XV, *esperimentar* 1572 | Do lat. *experimentāre* || **experiment**AL·ISMO XX || **experiment**AL·ISTA XX || **experiment**o | *espi-* XIV, *spi-* XIV, *espe-* XIV etc. | Do lat. *expĕrīmentum* || **experto** 1574. Do lat. *expertus -a -um* || **in**experiÊNCIA 1844. Do lat. *inexperientĭa -ae* || **in**experiENTE 1858. Do lat. *inexperiēns -entis* || **in**experto 1844. Do lat. *inexpertus -a -um*.
expiar *vb.* 'remir a culpa, cumprindo a pena' 'pagar' XVII. Do lat. *expiāre* || **expi**AÇÃO XVI. Do lat. *expiātĭō -ōnis* || **expi**ATÓRIO XVII. Do lat. tard. *expiatōrius* || **in**expiADO 1844. Do lat. *inexpiātus -a -um* || **in**expiÁVEL 1844. Do lat. *inexpiābĭlis -e*.
expilar *vb.* '(Jur.) subtrair bens de herança' XVIII. Do lat. *expīlāre* || **expil**AÇÃO 1844. Do lat. *expilātĭō -ōnis*.
expirar *vb.* 'expelir o ar dos pulmões, respirar' 'dar o último suspiro, morrer' | *espirar* XIV | Do lat. *exspīrāre* || **expir**AÇÃO 1813. Do lat. *exspīrātĭō -ōnis* || **expir**ANTE 1881 || **expir**ATÓRIO XX. Cp. ES-PIRAR, INSPIRAR.
explanar *vb.* 'tornar fácil, claro' 'explicar desenvolvidamente' | 1813, *espranar* XIII | Do lat. *explānāre* || **explan**AÇÃO XVI. Do lat. *explānātĭō -ōnis* || **explan**ADOR 1813. Do lat. *explānātor -ōris* || **explan**ATÓRIO 1881. Do lat. *explānātōrĭus -a -um*.
expletivo *adj.* 'que serve para preencher ou completar' 1844. Do lat. tard. *explētīvus*.
explicar *vb.* 'tornar inteligível, interpretar, justificar' XVI. Do lat. *explicāre* || **explic**AÇÃO XVI. Do lat. *explicātĭō -ōnis* || **explic**ADOR 1813. Do fr. *explicateur*, deriv. do b. lat. *explicator* || **explic**ATIVO 1813. Do fr. *explicatif*, deriv. do b. lat. *explicativus* || **explic**ÁVEL 1844. Do fr. *explicable*, deriv. do b. lat. *explicābĭlis -e* || **explicit**AR XX || **explícito** 1813. Do fr. *explicite*, deriv. do lat. *explicitus -a -um* || **in**explicABIL·IDADE 1881 || **in**explicÁVEL 1572. Do lat. *inexplicābĭlīs -e* || **in**explícITO XX. Do lat. *inexplicĭtus -a -um*.
explorar *vb.* 'procurar, descobrir, pesquisar' XVII. Do lat. *explōrāre* || **explor**AÇÃO 1813. Do fr. *exploration*, deriv. do lat. *explōrātĭō -ōnis* || **explor**ADOR XVI. Do lat. *explōrātor -ōris* || **explor**ATÓRIO 1844. Do lat. *explorātōrius* || **in**explorADO 1881. Do lat. *inexplōrātus -a -um*.
explosão *sf.* 'detonação, estouro' XIX. Do fr. *explosion*, deriv. do lat. *explōsĭō -ōnis* || **explodir** 1881. Do lat. *explōdĕre* || **explos**IVO 1858. Do fr. *explosif* || **explos**ÍVEL 1873.
explotar *vb.* 'tirar proveito econômico de determinada área, principalmente quanto aos recursos naturais' XX. Do fr. *exploiter*, deriv. do lat. pop. **explicitare* || **explot**AÇÃO XX.

expo·ente, -nencial, -nente → EXPOR.
expolição *sf.* '(Ret.) ato de polir, ornar ou ampliar um discurso' 1881. Do lat. *expolītĭō -ōnis.*
expor *vb.* 'arriscar, contar, referir' | *espoer* XIV | Do lat. *expōnĕre* || **expo**ENTE 1844 || **expon**ENC·IAL 1844 || **expon**ENTE 1813. Do lat. *expōnēns -entis* || **expos**IÇÃO XVI. Do lat. *expositĭō -ōnis* || **expos**IT·IVO XVIII || **expos**IT·OR XIV. Do lat. *expositōr -ōris* || **expo**sto 1813. Do lat. *expostus -a -um.*
⇨ **expor** — **expos**IÇÃO | *exposiçom* XIV ORTO 67.26, *exposições* pl. 1538 DCast 55v 25 | **expo**sto | 1582 Liv. Fort. 79.16 |.
exportar *vb.* 'mandar transportar para fora de um país, estado ou município' 1813. Do lat. *exportāre* || **export**AÇÃO 1796. Do fr. *exportation,* deriv. do lat. *exportātĭō -ōnis* || **export**ADOR 1799 || **export**ÁVEL 1813 || RE**export**AÇÃO 1858 || RE**export**ADOR 1813 || RE**export**AR 1796.
expos·ição, -itivo, -itor, -to → EXPOR.
expostulação → POSTULAR.
⇨ **expresidiar** → PRESÍDIO.
exprimir *vb.* 'revelar, manifestar, expressar' | *expremir* XV | Do lat. *exprimĕre* || **expressão** | XVII, *-som* XIV | Do lat. *expressĭō -ōnis* || **express**AR | XVI, *-sar* XV || **express**ION·ISMO XX. Do fr. *expressionnisme* || **express**ION·ISTA XX. Do fr. *expressionniste* || **express**IVO 1813. Do fr. *expressif* || **expresso**¹ *adj.* | XV, *-so* XIV, *eixpreso* XIV | Do lat. *expressus* || **expresso**² *sm.* 'comboio' 1899. Do ing. *express* || **expresso**³ *sm.* 'mensageiro' XVIII || **exprim**ÍVEL 1873 || IN**express**IVO 1881 || IN**expr**IMÍVEL 1873.
exprobrar *vb.* 'censurar, repreender, criticar' XVII. Do lat. *exprobrāre* || **exprobr**AÇÃO XVI. Do lat. *exprobrātĭō -ōnis* || **exprobr**ADOR 1813. Do lat. *exprobrātor -ōris* || **exprobr**ANTE XVIII || **exprobr**ATÓRIO XVIII.
expromissor → PROMETER.
expugn·ação, -ador, -ar, -ável → PUGNAR.
expulsar *vb.* 'fazer sair, excluir, expelir' 1706 | Do lat. *expulsāre* || **expuls**ÃO XVIII. Do lat. *expulsĭō -ōnis* || **expuls**IVO XVI. Do lat. *expulsīvus* || **expuls**O 1813. Do lat. *expulsus -a -um* || **expuls**OR 1858. Do lat. *expulsōr -ōris* || **expuls**ÓRIA XVII || **expultriz** 1813. Do lat. *expultrīx -īcis.*
expunção → PUNÇÃO.
expungir → PUNGIR.
expurgar *vb.* 'purificar, limpar, polir' 1813. Do lat. *expūrgāre* || **expurg**AÇÃO 1813. Do lat. *expurgatĭō -ōnis* || **expurg**ATÓRIO XVI || **expurg**O XX. Cp. ES- BURGAR.
exsic·ante, -ar, -ata, -ativo → SECO.
exsolver → SOLVER.
exspuição *sf.* 'ato de expelir pela boca, cuspir' XIX. Do lat. *exspuitĭō -ōnis.*
exsudar *vb.* 'segregar em forma de gotas ou de suor' 1881. Do fr. *exsuder,* deriv. do lat. *exsūdāre* || **exsuar** 1881. Do lat. *exsūdāre* || **exsud**AÇÃO 1844. Do lat. *exsūdātĭō -ōnis* || **exsud**ATO XX. Do fr. *exsudat,* deriv. do lat. *exsūdātus -a -um.*
exsurgir → SURGIR.
êxtase *sm.* 'arrebatamento íntimo, enlevo, encanto' XVII. Do lat. ecles. *ecstăsis,* deriv. do gr. *ékstasis* || **extasi**·AR 1844 || **extát**·ICO XIX. Cp. gr. *ekstatikós.*
⇨ **êxtase** | *extasis* 1573 GLeão 284.17, *extasy* 1614 SGonç I. 404.6 || **extasi**AR | *steziar a* 1542 JCase 41.16 || **extát**·ICO | 1573 GLeão 284.17 |.
extemporâneo → TEMPO.
extensão *sf.* 'efeito de estender-se, dimensão, tamanho' 1706. Do lat. *extēnsĭō -ōnis* || **extens**IBIL·IDADE 1844. Provavelmente do fr. *extensibilité* || **extens**ÍVEL 1844. Provavelmente do fr. *extensible* || **extens**IVO XVIII. Do fr. *extensif,* deriv. do lat. tard. *extensīvus* || **extens**O XVI. Do lat. *extēnsus* || IN**extens**ÍVEL 1844.
extenuar *vb.* 'esgotar as forças, debilitar' XVII. Do lat. *extenuāre* || **extenu**AÇÃO 1813. Do lat. *extenuātĭō -ōnis* || **extenu**ANTE 1858 || **extenu**AT·IVO 1844.
extergente *adj.* 2g. 'que expurga, expurgador' 1858. Do lat. *extergens -entis,* part. de *extergĕre.*
exterior *adj. sm.* 'que está da parte de fora, externo' XVI. Do lat. *exterior -ōris* || **exterior**IDADE 1813 || **exterior**IZAR 1899 || **êxtero** 1899. Do lat. *exter(us).*
extermin·ação, -ador, -ar, -io → TÉRMINO.
externo *adj. sm.* 'que está por fora ou que vem de fora' XVIII. Do lat. *externus* || **extern**AR 1899. Do lat. tard. *externāre* || **extern**ATO 1899. Do fr. *externat,* deriv. do lat. *externātus -a.*
⇨ **externo** | 1660 FMMelE 78.17 |.
êxtero → EXTERIOR.
extinguir *vb.* 'apagar o fogo, amortecer, abrandar' XVI. Do lat. *exstinguĕre* || **extinção** | *extincção* 1813 | Do lat. *exstinctĭō -ōnis* || **extingu**ÍVEL 1858 || **extinto** | *extincto* 1572 | Do lat. *exstinctus* || **extintor** | *extinctor* 1881 | Do fr. *extincteur,* deriv. do lat. *exstinctor -ōris* || IN**extingui**BIL·IDADE 1881 || IN**extingu**ÍVEL 1813. Do lat. *inexstinguibĭlis -e* || IN**extinto** | *inextincto* 1813 | Do lat. *inexstinctus -a -um.*
extirpar *vb.* 'arrancar pela raiz, extrair, destruir' XVI. Do lat. *exstirpāre* || **extirp**AÇÃO 1813. Do lat. *exstirpātĭō -ōnis* || **extirp**ADO 1813 || **extirp**ADOR XVIII || IN**extirp**ÁVEL 1881. Do lat. *inexstirpābĭlis -e.*
⇨ **extirpar** — **extirp**AÇÃO | 1614 SGonç II. 45.15 |.
extorquir *vb.* 'obter por violência, ameaças ou ardil' 1813. Do lat. *extorquēre* || **extorsão** XVI. Do lat. med. *extorsĭō -ōnis* || **extors**IVO 1844.
extra- *pref.,* do lat. *extrā* 'fora, além de', deriv. de *exter* 'externo' (oposto de *intrā* 'interno'), que se documenta em inúmeros vocábulos eruditos e semieruditos: *extraordinário, extrapolação* etc. A atestar a sua grande vitalidade em português, *extra-* ocorre em formações populares, particularmente com a noção de 'muito bom', 'de muito boa qualidade' etc. e, como vocábulo independente, substantivado, em contextos específicos: 'serviço avulso e/ou fora do horário normal de trabalho', 'ator figurante' etc.
extradição *sf.* 'entrega dum indivíduo, feita pelo governo do país onde ele se acha refugiado ao do país que o reclama, para ser julgado perante os tribunais ou cumprir pena' | *extradicção* 1873 | Do fr. *extradition,* deriv. do lat. *ex-* e *trāditĭō* 'ação de livrar' || **extrad**ITAR 1881. Adapt. do fr. *extrader.*
extrafólio → FOLHA.
extrair *vb.* 'tirar de dentro, arrancar, sugar' | *extrahir* 1813 | Do lat. *extrahĕre* || **extr**AÇÃO | *extracção*

1813 | Do fr. *extraction*, deriv. do lat. tard. *extractio -onis* || **extrat**IVO | *extractivo* 1844 | Do lat. *extractivus*.
extranatural → NATURA.
extranumerário → NÚMERO.
extraordinário *adj.* 'não ordinário' 'anormal' XVI. Do lat. *extraordinărĭus -a -um*.
extrapolação *sf.* '(Mat.) qualquer processo com que se infere o comportamento de uma função fora de um intervalo, mediante o seu comportamento dentro desse intervalo' XX. Adaptação do al. *Extrapolation*, termo criado pelo filósofo e químico alemão Ostwald (1853-1932), em contraposição a *interpolação* || **extrapol**ADOR XX || **extrapol**AR XX.
extrário *adj.* '(Bot.) diz-se do embrião que está fora do perispermo' XX. Do fr. *extraire*, deriv. do lat. *extrārĭus*.
extrato *sm.* 'trecho, fragmento, resumo' | *extracto* 1813 | Do lat. *extractus*.
extravagante *adj. s2g.* 'excêntrico, original' XIV. Do fr. *extravagant*, deriv. do lat. med. *extravagantis* || **extravag**ÂNCIA XVII. Do fr. *extravagance*.
extravasar → VASO.
extrav·iar, -io → VIA.
extremo *adj. sm.* 'que está no ponto mais afastado' 'remoto, distante' | *stremo* XIII | Do lat. *extrēmus* || **extrem**A 1844 || **extrem**AR XVI || **extrem**E XVI || **extrem**IDADE | XVI, *strem-* XV | Do lat. *extrēmĭtās -ātis* || **extrem**ISMO XX. Provavelmente do fr. *extrémisme* || **extrem**ISTA XX. Provavelmente do fr. *extrémiste* || **extrem**OSO XVII. Cp. ESTREMAR.
extrínseco *adj.* 'que não pertence à essência de uma coisa' XVII. Do lat. *extrinsĕcus*.
⇨ **extrínseco** | 1573 GLeão 82.*28* |.
extrofia *sf.* '(Anat.) vício de conformação que consiste em achar-se um órgão interno situado fora da cavidade que o deve conter e com a superfície interna posta a nu' | *estrophia* 1881 | Do lat. cient.

ecstrophia, deriv. do gr. *ekstrophḗ* || **extrorso** 1873. Do fr. *extrorse*.
extrusão *sf.* 'expulsão' 1844. Do fr. *extrusion* || **extrudir** XX. Do lat. *extrūdere* || **extrus**IVO XX. Do fr. *extrusif*.
exu *sm.* 'diabo, espírito maligno, nos cultos afro-brasileiros' XX. Do ioruba *e'šu*.
exuberar *vb.* 'superabundar, ter em excesso' 1813. Do lat. *ēxuberāre* (< *ex* + *ūberāre*, de *ūber* 'fecundo') || **exuber**ÂNCIA XVIII. Do lat. *exūberantĭa* || **exuber**ANTE 1813. Do lat. *exūberāns -ntis*.
⇨ **exuberar** — **exuber**ANTE | *a* 1595 *Jorn.* 164.*21* |.
exular *vb.* 'ir viver no exílio, fora da pátria' 1844. Do lat. *exsulāre* || **exul** XVIII. Do lat. *exsul -ŭlis*.
exulcerar *vb.* 'ulcerar superficialmente, desgastar' 1813. Do fr. *exulcérer*, deriv. do lat. *exulcerāre* || **exulcer**AÇÃO 1813. Do fr. *exulcération*; deriv. do lat. *exulcerātĭō -ōnis* || **exulcer**ANTE XVIII || **exulcer**AT·IVO 1813.
exultar *vb.* 'jubilar-se, alegrar-se, regozijar-se' XVIII. Do lat. *exsultāre* || **exult**AÇÃO XVIII. Do lat. *exsultātĭo -ōnis* || **exult**ANTE 1844. Do lat. *exsultāns -ntis*.
exumar *vb.* 'desenterrar, tirar da sepultura' | *exhumar* 1844 | Do lat. med. *exhumāre* (em contraposição a *inhumāre*) calcado, provavelmente, no fr. *exhumer* || **exum**AÇÃO | *exhumação* 1813.
exutório *sm.* '(Med.) ferida artificial cujo fim é provocar uma supuração permanente' 1858. Do fr. *exutoire*, deriv. do lat. *exūtus*, part. de *exuĕre*.
exúvia *sf.* 'tegumento deixado pelos artrópodes por ocasião das mudas' XX. Do lat. *exuvĭae -ărum* || **exuvi**ABIL·IDADE 1881 || **exuvi**ÁVEL 1899. Do lat. **exuviābĭlis -e* || **exúvio** XX.
-ez, -eza *suf. nom.*, deriv. do lat. *-ĭtĭe, -ĭtĭa*, que se documentam em substantivos de cunho popular e/ou semierudito, com a noção de 'qualidade, propriedade': *escassez, pequenez, malvadeza, rudeza* etc. Cp. -IÇA.

F

fá → DÓ².
fã *s2g.* 'admirador(a) de esportes, espetáculos etc. e, particularmente, dos, seus grandes astros e estrelas' XX. Do ing. *fan*, forma reduzida de *fanatic* 'fanático' || **fã-clube** XX. Adaptação do ing. *fan club*.
fabela → FÁBULA.
fabordão *sm.* '(Mús.) tipo de polifonia vocal' XVI. Do fr. *faux-bourdon*.
fabricar *vb.* 'preparar, confeccionar, executar' XVI. Do lat. *fabrĭcāre* || **fábrica** XIV. Do lat. *fabrĭca* || **fabric**AÇÃO XVIII. Do lat. *fabricātĭō -ōnis*, com provável interferência do fr. *fabrication* || **fabric**ADOR XVI. Do lat.*fabricātor -ōris* || **fabric**ANTE XVIII || **fabric**ÁVEL 1899. Do lat. *fabricābĭlis* || **fabrico** *sm.* 'fabricação' 1765. Deverbal de *fabricar* || **fabr**IL XVII. Do lat. *fabrīlis* || **fabro** XVII. Do lat. *fabrum*.
fábula *sf.* 'tipo de narração alegórica' XVI. Do lat. *fābŭla* || CONfabulAÇÃO 1873. Do lat. *confābulātĭō -ōnis* || CONfabulADOR 1873. Do lat. *confābulātor -ōris* || CONfabulAR 1873. Do lat. *confabulārī* || **fabela** 1873. Do lat. *fābella* || **fabul**AÇÃO XVIII. Do lat. *fābulātĭō -ōnis* || **fabul**ADOR XVI. Do lat. *fābulātor -ōris* || **fabul**AR¹ *vb.* XVI. Do lat. *fābulāre* || **fabul**AR² *adj.* XX. Do lat. *fābulāris* || **fabul**ÁRIO XVII || **fabul**ISTA XVIII || **fabul**IZAR XVII || **fabul**OSO 1572. Do lat. *fābulōsus*.
⇨ **fábula** | XV INFA 2.*12*, *fabulla* XV LEAL 195.*4* || CONfabulAÇÃO | 1836 SC || CONfabulADOR | 1836 SC || **fabul**IZAR | 1536 FOlG 21.*7* |.
faca¹ *sf.* 'instrumento que serve para cortar' XV. Origem desconhecida || ESfaqUE' ADO 1899 || ESfaqUE·AMENTO XX || ESfaqUEAR 1899 || **fac**ADA 1813 || **fac**ÃO XVIII || **faqu**EIRO 1813.
faca² *sf.* 'égua' XV. De origem controversa. Cp. HACANEIA.
facada → FACA¹.
façanha *sf.* 'proeza, feito extraordinário' | XIII, *-çanna* XIII, *-çaya* XIII etc. | De origem controversa || **façanh**OSO XV || **façanh**UDO XVIII.
facão → FACA¹.
facção *sf.* 'grupo, associação, partido (político, religioso etc.)' XVI. Do lat. *factĭō -ōnis*. No port. med. ocorre *façon* (séc. XIII) com o significado de 'maneira de ser, aparência' || **faccion**AR 1881 || **faccion**ÁRIO XVII || **faccio**S·ISMO 1899 || **faccio**SO XIX. Do lat. *factiōsus*.
face *sf.* 'parte anterior do crânio, rosto' 'semblante, aparência' 'superfície' *façe* XIII, *faz* XIII | Do lat. *faciēs* || **fac**EIRA *sf.* 'a carne dos lados do focinho do boi' | *-ceyra* XIII |; *s2g.* 'vaidoso, casquilho' 'pessoa que se enfeita muito' 1813 || **fac**EIR·ICE 1899 || **fac**EIRO XV || **fac**ETA 1712. Do fr. *facette*, deriv. de *face* || **fac**ET·ADO | *faceteado* 1706 || **fac**ET·AR 1813 || **faceto** *adj.* 'elegante' XVII. Do lat. *facētus* || **faci**·AL XVII. Do fr. *facial*, deriv. de *face* || **fácies** 1890. Do fr. *faciès*, deriv. de *face*.
facécia *sf.* 'graça, brincadeira' XVII. Do lat. *facētĭa*, com provável interferência do fr.*facétie*.
fac·eira, -eirice, -eiro, -eta, -etado, -etar, -eto → FACE.
fachada *sf.* 'qualquer das faces externas de um prédio' XVIII. Do it.*facciata*.
facho *sm.* 'archote, tocha' XVI. Parece tratar-se do masculino de *facha* (documentado no séc. XV), derivado do lat. **fascula* (de *fax facis* 'tocha') || **fach**E·AR XX || **fach**EIRO XIX || **fácula** 1881. Do lat.*facŭla -ae* 'tocha pequena' || **fagulha** XIX. Do lat. **facucŭla*, dim. de *facŭla*.
faci·al, -ies → FACE.
fácil *adj. 2g.* 'que se faz sem esforço, sem custo' XVI. Do lat. *facĭlis* || **facil**IDADE | *-ce-* XVI | Do lat. *facĭlĭtas -ātis* || **facil**ITAR XVI. Do fr.*faciliter*, deriv. do it. *facilitare*, ou diretamente deste.
facínora *adj. 2g. sm.* 'criminoso, perverso, cruel' 1858. Do lat.*facĭnŏra* (neutro plural de *facĭnŭs -ŏris*) || **facinor**OSO 1813. Do lat. *facinorōsus*.
⇨ **facínora** — **facinor**OSO | *a* 1595 *Jorn.* 133.*15*, *facinorozo* 1640 SGonç I.400.*4* |.
fã-clube → FÃ.
fac(o)- elem. comp., do gr. *phakós* 'lentilha', que se documenta em vocs. eruditos, alguns deles formados no próprio grego, como *facoide*, e outros introduzidos, a partir do séc. XIX, na linguagem científica internacional ♦ **facob**I·OSE XX || **faco**CELE | *pha-* 1873 || **faco**OIDE | *pha-* 1873. Cp. gr. *phakoeidḗs* || **facon**·INA | *pha-* 1873 || **faco**SCLER·OSE | *pha-* 1873 || **faco**SCOP·IA | *pha-* 1899.
fac-símile *sm.* 'reprodução fotomecânica de um texto' 1881. Do lat. *fac* (de *facĕre* 'fazer') + *sĭmĭle* 'semelhante' || **fac-simil**AR¹ *vb.* XX || **fac-simil**AR² *adj.* XX.
fact·ício, -ível, -ótum → FATO³
fácula → FACHO.
faculdade *sf.* 'capacidade, aptidão, direito' 'escola superior' | *faculidade* XV, *ffaculdade* XV, *facultade* 1525 | Adapt. do fr. *faculté*, deriv. do lat. *facultās -ātis* || **facult**AR 1858 || **facult**ATIVO 1813. Do fr. *facultatif* || **facult**OSO XVII.

facúndia sf. 'eloquência' XVI. Do lat. fācundĭa || **fa**cundIDADE XVII || **facundo** 1572. Do lat. fācundus || INfacundo XX. Do lat. infācundus.
fada sf. 'deusa do destino' XIII. Do lat. fāta, pl. de fātum 'destino' || **fad**ADO XIV || **fad**AR XIII || **fad**ÁRIO | XVI, -dairo XVIII **fad**ISTA XIX || **fado** sm. 'destino' XVI; 'canção' XIX. Do lat. fātum.
fadig·a, -ar → FATIGAR
fad·ista, -o → FADA.
faetonte sm. 'carruagem ligeira' | pha- XVIII | Adapt. do fr. phaéton, deriv. do lat. phăĕthōn -ontis e, este, do gr. phaethón -ontos || **faetônt**EO adj. 'relativo ao mit. Faetonte' | pha- 1572.
-fag(o)- elem. comp., do gr. -phago-, de phageín 'comer', que se documenta em vocs. eruditos, quase todos introduzidos na linguagem científica internacional a partir do séc. XIX ♦ **fag**EDÊNICO | pha- 1858 | Do fr. phagédènique, deriv. do lat. phagedaenĭcus e, este, do gr. phagedainikós || **fa**góCITO | phagócyto 1913 || **fago**CIT·OSE | phagôcytose 1899 || **fago**TERAP·IA XX.
fagote sm. 'instrumento musical de sopro' 1813. Do it. fagotto || **fagot**ISTA 1873.
fagueiro → AFAGAR.
fagulha → FACHO.
faia sf. 'planta da fam. das cupulíferas (Fagus silvatica)' XVI. Do lat. fāgĕa, nom. fem. de fāgĕus, adj. de fāgus || **fai**AL 1813.
⇨ **faia** | faya XIV ORTO 56.21 |.
faiança sf. 'louça de barro esmaltada' XVII. Do fr. faiance (hoje faïence).
faim sm. 'espadim' XVI. Origem obscura.
faina sf. 'lida, azáfama, trabalho aturado' XVI. Do cast. faena, deriv. do cat. fahena e, este, do lat. facienda, part. de facĕre 'fazer'.
faisão sm. 'ave da fam. dos galináceos' XVI. Do cast. faisán, deriv. do cat. e prov. faisan e, estes, do lat. phasiānus -i.
faísca sf. 'partícula que salta de uma substância candente' | feysca XIV | Talvez provenha do cruzamento do lat. favilla 'cinza quente' com o germ. falaviska || **faisc**ADOR 1803 || **faisc**ANTE 1873 || **fais**CAR XVII || **faisqu**EIRO XVIII.
faixa sf. 'tira, banda, ligadura' 'parte, porção, intervalo entre dois extremos' |faxa XVI || DES·EN**faix**AR 1813 || EN**faix**AR XVI || **fáscia** XX. Do lat. fascĭa || **fasci**AÇÃO XX.
fal- → FAL(O)-.
fala → FALAR.
faláci·a, -oso → FALAZ.
falacrose sf. '(Med.) queda dos cabelos, calvície' | pha- 1873 | Do lat. cient. phalacrōsis, deriv. do gr. phalacrōsis.
falador → FALA.
falagogia → FAL(O)-.
falange sf. 'orig. corpo de tropas, exército' 'articulação dos dedos' | XVIII, falanga XV, pha- XVII | Do lat. phalanx -gis, do gr. phálagks -ggos || **fa**langETA | pha- 1873 || **falang**INHA | pha- 1873 || **falanstério** | pha- 1873 | Do fr. phalanstère, voc. criado por Ch. Fourier, em 1816.
falar vb. 'dizer, exprimir por palavras' XIII. Do lat. fabŭlāri | fala XIII. Deverbal de falar || **fal**ADOR XIV || **fal**AMENTO | falla- XV || **fal**ANTE XIV || **falatório** | -lla- 1858.

falárica sf. 'dardo incendiário' | pha- XVII | Do lat. phalārĭca -ae.
falatório → FALAR.
falaz adj. 2g. 'enganador, ardiloso' 'vão, quimérico' XVI. Do lat. fallāx -ācis || **faláci**A XVI || **fala**CI·OSO XIX.
falbalá sm. 'folho de saia, cortina etc.' | -lás 1844 | Do fr. falbala.
falca sf. 'toro de madeira desbastado' '(Náut.) pedaço de bordo do navio' XV. Do ár. falqâ.
falcado → FOICE.
falcão sm. 'ave de rapina da fam. dos falconídeos' | -con XIII | Do lat. falco -ōnis || **falco**ARIA XIII || **falco**EIRO XIV.
falcatrua sf. 'artifício para burlar' 'fraude, logro, embuste' XV. De origem obscura.
falcí·fero, -foliado, -forme, -pede → FOICE.
falco·aria, -eiro → FALCÃO.
faldistório sm. 'cadeira episcopal ao lado do altarmor' 1813. Do lat. med. faldistorium, pelo it. faldistór(i)o.
falecer vb. 'orig. faltar' 'morrer' XIII. Do lat. *fallescĕre, incoativo de fallĕre || DES**falecer** XIII || DES**faleci**MENTO | -çe- XIV, -ffalj- XV || **faleci**MENTO | XV, -lly- XV, ffalj- XV etc. Cp. FALIR.
falécio adj. sm. 'verso endecassílabo grego' | pha- 1873 | Do lat. phalaecēus, deriv. do gr. phalaikéion (métron), do nome do poeta alexandrino Phálaikos.
falena sf. 'espécie de borboleta noturna' | pha 1858 | Do fr. phalène, deriv. do gr. phálaina.
falência → FALIR.
falerno sm. 'antigo vinho de Faleno' 1572. Do it. falèrno, e, este, do lat. falernum (vinum).
falésia sf. '(Geol.) terras ou rochas altas e íngremes à beira-mar' 1899. Do fr. falaise.
falha sf. 'defeito, erro' | XVI, falla XIII | Do lat. *fallia, com provável interferência do fr. faille || **falh**AR 1813 || **falho** 1844.
fálico → FAL(O)-.
falir vb. 'faltar' 'errar, cometer uma falta' 'enganar' XIII. Do lat. fallĕre, com mudança de conjugação || **fal**ÊNCIA | -lle- XV || **fal**IBIL·IDADE | -lli- 1813 || **falÍVEL** | -lli- 1813 || IN**fal**IBIL·IDADE | -lli- 1813 || IN**falÍVEL** XVII. Cp. FALECER.
⇨ **falir** | IN**fal**IBILIDADE | 1634 MNor 218.22 || IN**falÍVEL** | infaliuens pl. a 1595 Jorn. 169.11 |.
fal(o)- elem. comp., do gr. phallós 'pênis', que se documenta em vocábulos eruditos, alguns formados no próprio grego, como falagogia, e muitos outros introduzidos, a partir do séc. XIX, na linguagem científica internacional ♦ **fal**AGOG·IA | phalla- 1873 || **fál**ICO | phal- 1873 || **fal**ITE | phall- 1873 || **falo**DIN·IA | phallodynia 1873 || **falo**FÓRIAS | phallophorias 1899 || **falo**FORO | phallóphoro 1899 || **falo**NC·OSE XX.
falripas sf. pl. 'cabelos ralos' 1813. Origem obscura.
falso adj. 'irreal, fingido, dissimulado' XIII. Do lat. falsus || **fals**AR XIII || **fals**ÁRIO | XVI. -airo XIV, -ayro XIII etc. | Do lat. falsārĭus || **fals**EAR XVIII **fals**ETE 1813. Do it. falsétto, de falso || **fals**IDADE XIII. Do lat.falsĭtās -ātis|**fals**IFIC·AÇÃO 1813||**fals**IFIC·ADOR XVI || **fals**IFIC·AR XVI || **falsíf·ico** XVI.
falta sf. 'ato ou efeito de faltar, ausência' 'culpa' XVI. Do lat. *fallĭta, de *fallĭtus, por falsus, part.

de *fallĕre* 'enganar' || **falt**AR XVI. De *falta* || **falt**O XVI || **falt**OSO XX.
falua *sf.* 'tipo de embarcação antiga' 1813. Talvez do ár. *falūua*, com interferência do cast. *falua*.
fama *sf.* 'reputação, nomeada' XIV. Do lat. *fāma* || AfamADO XIII. No port. med. o voc. era usado para nomear o indivíduo de *má* reputação || AfamAR XIII || **famigerado** 1813. Do lat. *fāmigerātus* || **fam**OSO XIV. Do lat. *fāmōsus* || INfamAÇÃO 1844 || INfamADO | XVI, *en-* XV | Do lat. *infāmātus* || INfamADOR 1844 || INfamANTE 1844 || INfamAR | XVII, *en-* XIV | Do lat. *infamāre* || INfamATÓRIO XVII || INfamE | *yn-* XV | Do lat. *infāme* || INfâmIA | *yn-* XV | Do lat. *infāmia*.
⇨ **fama** — INfamAÇÃO | 1836 SC || INfamADOR | 1836 SC |.
famélico → FOME.
famigerado → FAMA.
família *sf.* 'grupo de pessoas do mesmo sangue' '(Hist. Nat.) unidade sistemática constituída pela reunião de gêneros' XIII. Do lat. *familĭa* || familiAR *adj. 2g. sm.* XIII || familiAR·IDADE XVI || familiAR·IZAR XVI.
faminto → FOME.
famoso → FAMA.
famulento → FOME.
fâmulo *sm.* 'criado, servidor' 1813. Do lat. *famŭlus* || famulAR XVI || famulÁRIO || *ffamuliario* XIII || famulATÍCIO 1858 || famulATÓRIO 1871.
-fan- → -FAN(O)-.
fanal *sm.* 'farol, facho' 'guia, norte' XVII. Do it. *fanale*.
fanar[1] *vb.* 'murchar' 1881. Provavelmente do fr. *faner*, deriv. do lat. pop. *fenare*, de *fenum* 'feno'.
fanar[2] *vb.* 'cortar, amputar' XIII. De origem não esclarecida, talvez do lat. *fanāre* 'consagrar, dedicar' || **fani**CO[2] 1813.
fanático *adj. sm.* 'diz-se de, ou o inspirado por uma divindade' 'entusiasmado, exaltado' 1769. Do lat. *fānāticus* || **fanat**ISMO 1769 || **fanat**IZAR | 1858, *-isar 1844*.
⇨ **fanático** — **fanat**IZAR | 1836 SC |.
fancaria *sf.* 'trabalho grosseiro, ordinário' XVI. De origem obscura || **fanqu**EIRO | XVI, *faen-, faian-, faenqueyro* XIII.
fanchono *sm.* 'homossexual ativo' | XVI, *-chão* XVII | De origem obscura; talvez se relacione com o it. *fanciullo*.
fandango *sm.* 'tipo de dança espanhola' 'baile popular' 1858. Do cast. *fandango* || ESfandangADO 1899 || **fandangu**EIRO 1881.
fanega, fanga *sf.* 'medida de capacidade para secos' | XIV, *-eyga* XIV | Do ár. *faniga* (> *fanega> *fãega > *fãaga > fanga*).
-faner(o)- *elem. comp.*, do gr. *phanerós* 'visível', que se documenta em vocs. eruditos, quase todos introduzidos na linguagem científica internacional a partir do séc. XIX ♦ **faner**ANTO | *phanerantho* 1873 || **fânero** | *pha-* 1873 || **faner**OBIÓT·ICO XX || **faner**OCARPO | *ph-* 1873 || **faner**ÓFORO | *phanerophoro* 1873 || **faner**OGÂM·ICO | *ph-* 1881 || **faner**ÓGAMO 1873 || **faner**OSCOP·IA XX.
fanfarra *sf.* 'banda de música com instrumentos de sopro' 1881. Do fr. *fanfare* || **fanfarrão** XVII. Do cast. *fanfarrón* || **fanfarr**ARIA XVI || **fanfarr**ICE XVI || **fanfarron**ADA 1858.

fanfreluche *sf.* 'coisa leve, sem consistência' XX. Do fr. *fanfreluche*.
fanga → FANEGA.
fanha *adj. s2g.* 'diz-se de, ou pessoa que fala pelo nariz' 1899. Talvez de origem onomatopaica || **fanh**OSO 1813.
fanico[1] *sm.* 'desmaio' 1813. De origem obscura || **faniqu**ITO XIX.
fanico[2] → FANAR[2].
faniquito → FANICO[1].
-fan(o)- *elem. comp.*, do gr. *phaínō* 'mostro-me, apareço', que se documenta em alguns poucos vocs. em ditos da linguagem científica internacional, como *aerófano*, por exemplo.
fanqueiro → FANCARIA.
fantasia *sf.* 'imaginação, devaneio' | XVI, *fantesia* XV | Do lat. *phantasīa* e, este, do gr. *phantasía* || **fantasi**ADOR 1833 || **fantasi**AR XVI || **fantasi**OSO XVI || **fantasma** | XIV, *fam-* XV | Do lat. *phantasma -ătos* e, este, do gr. *phántasma -atos* || **fantasmagoria** 1858. Do fr. *fantasmagorie* || **fantástico** XIV. Do lat. *phantastĭcus* e, este, do gr. *phantastikós*.
⇨ **fantasia** | XVI ORTO 296.*19*, *fantisia* XIV BARL 35*v*4, *fantesya* XV BENF 287.*19* || **fantasi**AR | XV INFA 89.*30*, *fantesiar* XV LEAL 43.*11* || **fantasi**OSO | *fantesyosamente* adv. XV LEAL 131.*10* || **fantasmagoria** | 1836 SC |.
fantil *adj. 2g.* 'diz-se de cavalo ou égua de boa raça' 1813. De origem obscura.
fantoche *sm.* 'boneco que se faz mover por meio de arames ou cordas' 1899. Do fr. *fantoche*.
faqueiro → FACA[1].
faquino *sm.* 'moço de fretes, carregador' XVII. Do it. *facchino*.
faquir *sm.* 'hindu mendicante que vive em ascetismo rigoroso' | XVI, *faquil* XVI | Do ar. *faqīr*.
farad *sm.* '(Eletr.) unidade de capacitância do Sistema Internacional' XX. Do sobrenome do físico inglês Michael *Faraday* (1791-1867), provavelmente pelo ing. *farad*.
farândola *sf.* 'tipo de dança popular' 'bando de maltrapilhos' 1734. Provavelmente do fr. *farandole*, deriv. do prov. *farandoulo* || **farandol**AGEM | *-du-* 1813.
faraó *sm.* 'título dos soberanos do antigo Egito' XV. Do lat. *pharăō -ōnis*, deriv. do gr. *pharaō* e, este, do ant. egípcio *pera'a* 'casa grande' || **faraôn**ICO | *pha-* 1873.
farda *sf.* 'uniforme, libré' | *alffarda* XIV | Do cat. *farda*, deriv. do ár. *al-fardâ* || DES·ENfardAR 1883 || DES·ENfardELAR XVI || ENfardAR 1813 || ENfardELAR XVI || fardAGEM XV || fardAMENTO 1813 || fardAR XIV || fardEL XIII. Do a. fr. *fardel*, dimin. de *farde* 'fardo' || fardO | *farde* XV | Do it. *fardo*.
farejar → FARO[1].
farelo *sm.* 'resíduos de cereais moídos' XIV. Do lat. *farellu*, dimin. de *far -rris* 'espécie de trigo' || ESfarelADO 1881 || ESfarelAMENTO XX || ESfarelAR 1844.
⇨ **farelo** — ESfarelADO | 1836 SC |.
farfalha *sf.* 'rumor das folhagens' 1813. De provável origem onomatopaica || **farfalh**AR 1813 || **farfalh**ARIA XVI.
farfante *adj. s2g.* 'fanfarrão' XVI. Do it. *farfante*.
farináceo → FARINHA.

faringe *sf.* 'garganta' | *farynge* 1844, *pharynge* 1844 | Do lat. cient. *pharynx -yngis*, deriv. do gr. *phárygx -yggos* || **faring**ECTOM·IA XX. Do fr. *pharyngectomie* || **faring**ITE | *pharyn*1858 | Do fr. *pharyngite* || **faringo**·CELE | *pharyn-* 1858 || **faringo**·GRAF·IA | *pharyngographia* 1873 | Do fr. *pharyngographie* || **faringo**·LOG·IA | *pharyn-* 1858 | Do fr. *pharyngologie* || **faringo**·PLEG·IA | *pharyn-* 1873 || **faringo**·SCOP·IA XX || **faringo**·TOM·IA | *pharyn-* 1858 | Do fr. *pharyngotomie* || **faringó**TOMO | *pharyn-* 1858 | Do fr. *pharyngotome*.
farinha *sf.* 'pó a que se reduzem cereais moídos | XIV, *farỹa* XIII, *farynna* XIII etc. | Do lat. *farīna* || **farin**ÁCEO |*-acia* 1782 || **farinh**ADA 1899 || **farinh**EIRA 1881 || **farinh**EIRO 1858 || **farinh**ENTO 1858 || **farinh**OSO 1858.
fariseu *sm.* 'membro de uma seita e partido político-religioso judeu' XIII. Do lat. *pharisaeus*, deriv. do gr. *pharisâios* e, este, do aram. *perišajja* || **fari**SAICO | *pha-* 1844 | Do fr. *pharisaïque* || **faris**A·ÍSMO | *pha-* 1813 | Do fr. *pharisaisme*.
⇨ **fariseu** — **farisa**ICO | 1836 SC |.
farmácia *sf.* 'local em que se estocam e se vendem medicamentos' 'tratado científico sobre os medicamentos' XVII. Do lat. tard. *pharmacĭa*, deriv. do gr. *pharmakéia* || **farmac**ÊUTICO XVII. Do¹ lat. tard. *pharmaceuticus*, deriv. do gr. *pharmakeutikós*.
farmac(o)- *elem. comp.*, do gr. *phármako-*, de *phármakon* 'medicamento', que 'se documenta em compostos eruditos introduzidos na linguagem científica internacional, a partir do séc. XIX ▶ **farmaco**DINÂM·ICA | *pharmacody-* 1873 || **farmaco**GNOS·IA |*pharmacognossia* 1858 || **farmaco**GRAFI·IA | *pharmacographia* 1858 || **farmaco**LOG·IA | *ph-* 1858 || **farmaco**LÓG·ICO | *ph-* 1858 || **farmacó**LOGO | *ph-* 1909 || **farmaco**PEIA | *ph-* 1794 | Do fr. *pharmacopée*, deriv. do gr. *pharmakopoiĭa* || **farmaco**POLA | *ph-* 1844 || **farmaco**TECN·IA | *pharmacotechnia* 1858 || **farmaco**TERAP·IA XX.
⇨ **farmac(o)** — **farmaco**POLA | *phar-* 1836 SC |.
farnel *sm.* 'saco para provisões de jornada' 'provisões alimentícias para jornada' 1813. De origem obscura.
⇨ **farnel** | XV VITA 151*b*24 |.
faro¹ *sm.* 'olfato dos animais' XVI. De origem obscura || **far**EJAR 1813.
faro² → FAROL.
farofa *sf.* 'comida feita de farinha' 'jactância, bazófia' | 1899, *farófia* 1881 | De provável origem africana || **farof**EIRO 1899.
farol *sm.* 'construção na costa, provida de luz que emite sinais aos navegantes' 'lanterna, candeeiro' | *faroll* XV | Do cast. *farol*, deriv. do cat. ant. *faró* e, este, do gr. *pháros* || **faro**² 'farol' XVI. Do lat. *pharus* || **farol**EIRO 1858 || **farol**ETE XVI.
farpa *sf.* 'objeto pontiagudo' 'lasca (de madeira, de metal etc.) que acidentalmente se introduz na pele' XVI. Do cast. *farpa*, de provável origem onomatopaica || ENfarpEL·AR 1881 || **farp**ADO XVI || **farp**AR XIII || **farp**EAR 1813 || **farp**ELA 1813.
farra *sf.* 'pândega, diversão ruidosa' XX. De origem obscura, podendo tratar-se de palavra onomatopaica || **farr**EAR XX || **farr**ISTA XX.
farragem *sf.* 'amontoado de coisas' 'miscelânea, mistura' 1813. Do lal. *farrāgō -gĭnis* 'mistura'.

farrancho *sm.* 'grupo de pessoas em diversão ou em romaria' XIX. De origem incerta, admitindo-se a possibilidade de derivar-se de FARRA.
farrapo *sm.*, 'pedaço de pano rasgado, trapo' 1813. De provável origem onomatopaica || ESfarrapADO XVI || **farrap**ADO XVI.
farrear → FARRA.
fárreo → FARRO.
farrista → FARRA.
farro *sm.* 'bolo de farinha de trigo' 1813. Do lat. *farrĕum -i* 'bolo de farinha usado em sacrifícios' || **fárr**EO XIX.
farroupilha *s2g.* 'indivíduo maltrapilho' 1813. Talvez seja deturpação de *farrapilha*, de *farrap(o) + -ilha*.
farroupo *sm.* 'porco com menos de um ano' XVII. De origem controversa.
farrusca → FERRO.
farsa *sf.* peça cômica de ação vivaz e' irreverente' 'coisa burlesca' XVI. Do fr. *farce* e, este, do lat. pop. *farsus*, part. de *farcīre* || **fars**ANTE XVII.
farto *adj.* 'abundante, copioso' 'saciado, satisfeito' XIII. Do lat. *fartus*. || ENfartAR | *in-* 1858 || ENfarte | *in-* 1858, *infarto* 1858 || **fart**AR XIII || **fart**E | XVI, *fartees* pl. 1500 || **fart**URA XIV. Do lat. *fartūra*.
fascal, -es → FEIXE.
fásci·a, -ação → FAIXA.
fascículo → FEIXE.
fascinar *vb.* 'encantar, atrair, seduzir' 1813. Do fr. *fasciner* e, este, do lal. *fascināre* || **fascin**AÇÃO XVIII. Adapt. do fr. *fascination*, deriv. do lat. *fascinātĭō -ōnis* || **fascin**ADOR 1844. Adapt. do fr. *fascinateúr* e, este, do lat. *fascinātor -ōris* || **fascin**ANTE 1813 || **fascín**IO 1899. Do lat. *fascīnum -ī*.
fascíola *sf.* 'animal da fam. dos fasciolídeos' 'nome comum a várias espécies de plantas criptogâmicas' 1858. Do fr. *fasciola*, deriv. do lat. *fasciŏla* 'fita, tira'.
fascismo *sm.* 'partido político fundado por Mussolini, em 1919, na Itália' 1923. Do it. *fascismo* || **fasc**ISTA 1926. Do it. *fascista*.
fase *sf.* 'estágio, época, período' 1813. Do fr. *phase*, deriv. do gr. *phásis* 'aparição, visão, aspecto' || DEfasAGEM XX || DEfasAR XX.
fasquia *sf.* 'pedaço estreito e comprido de madeira' 1813. De origem controversa.
fastidioso → FASTIO.
fastígio *sm.* 'o ponto mais elevado, posição eminente, apogeu, auge' XVII. Do lat. *fastīgĭum-ĭī* 'saliência, proeminência' || **fastig**IOSO 1881.
fastio *sm.* 'inapetência' 'repugnância, aversão' 'tédio' XVI. Do lat. *fastīdĭum -ĭī* || DES·ESfastiAR XVII || DESfastio 1813 || ENfastiADO 1813 || ENfastiAR XVI || **fastid**IOSO 1813. Do lat. *fastīdĭōsus*.
⇨ **fastio** — DE·SENfastiAR | *dezenfastiar c* 1608 NORe*b* 84.*29* || **fastidioso** 1573 GLeão 333.*27* |.
fasto¹ *sm.* 'soberba, ostentação, orgulho' XVI. Do lat. *fastus -ūs* || **fastoso** 1769. Do lat. *fastōsus* || **fastuoso** 'luxuoso' 1881. Do baixo lat. *fastuōsus*, por *fastōsus*, com provável interferência do fr. *fastueux*.
⇨ **fasto**¹ — **fastu**OSO | 1836 SC |.
fasto² *adj.* 'permitido' 'feliz, próspero' XV. Do lat. *fastus* e, este, de *fās* 'permissão divina' || **fastos** *sm. pl.* 'anais, registro de fatos públicos memo-

ráveis' XVIII. Do lat. *fastos* (de *fasti dies* 'os dias em que se podia fazer justiça') || **nefas** *sm.* 'o que é ilegítimo' XVI. Do lat. *něfas* || **nefasto** *adj.* 'que causa desgraça' 1858. Do lat. *nefastus.*
fataça *sf.* 'tainha grande' 1813. De origem obscura.
➪ **fataça** | 1624 SESilR 41*v*30 |.
fat·agear, -agem → FATO¹.
fatal *adj.* 2g. 'determinado pelo destino, irrevogável' 'nocivo, funesto' 1572. Do lat.*fātālis -le* || **fatal**IDADE XVIII. Do lat. tard. *fātālĭtas -ātis*, pelo fr. *fatalité* || **fatal**ISMO 1844. Do fr. *fatalisme* || **fatal**ISTA 1844. Do fr. *fataliste* || **fatídico** *adj.* 'sinistro, trágico' XVI. Do lat. *fātĭdĭcus* || **fatíloqu**ENTE 1858. De *fatíloquo* || **fatíloquo** *adj.* 'que prediz o futuro'. Do lat. *fātilŏquus.*
➪ **fatal** — **fatal**ISMO 1836 SC | **fatal**ISTA | 1836 SC |.
fateixa *sf.* 'arpão' 'âncora' 'utensílio metálico em que se penduram carnes' XIV. Do ár. *fattāšâ.*
fateusim *sf.* 'enfiteuse' 1813. Do lat. **emphyteusinus*, com aférese da sílaba inicial, tomada pela preposição *em.*
fatia *sf.* 'pedaço delgado de (carne, queijo, pão etc.), talhada' XVI. Do ár. *fitātâ* 'migalha'.
fatídico → FATAL.
fatigar *vb.* 'cansar, enfastiar, aborrecer' XVIII. Do lat. *fatīgāre* || Afadigar XV || **fadiga** XV. Deriv. regress. de *fadigar* || **fadigar** XVI || INfatigA·BIL·IDADE 1844 || INfatigÁVEL 1844.
➪ **fatigar** — INfatigABIL·IDADE | 1836 SC || INfatigÁVEL 1836 SC |.
fatilo·quente, -quo → FATAL.
fato¹ *sm.* 'terno, conjunto de casaco, colete e calça' XV. De origem controversa || ENfati·OT·AR XX || fatAGE·AR·1881 || fatAGEM | *fatage* XVI || fati·OTA XVIII.
➪ **fato¹** — **fat**AGE·AR | 1836 SC |.
fato² *sm.* 'rebanho' XVI. De origem controversa.
➪ **fato²** | XIV TEST 96.*15* |.
fato³ *sm.* 'coisa ou ação feita' 'o que realmente existe'|*facto* 1813 | Do lat. *factum -ī* || **factício** *adj.* 'artificial', XIX. Do fr.*factice* e, este, do lat. *factīcĭus* || **fact**ÍVEL XVII || **factótum** 1873. Do fr. *factótum*, deriv. do lat. tard. *factotum* (de *fac*, imperat. de *facěre* 'fazer' + *tōtum* 'tudo') || **fator** |*factor* XVIII | Do *fr. facteur* e, este, do lat. *factor -ōris* || **fator**AR XX || **fatura** |*factura* XVIII | Do fr. *facture*, deriv. do lat. *factūra* || **fatur**AR XIX || **feita** *sf.* 'ato, ocasião' 1572. De *feito.* || **feit**AR 1899 || **feitio** |*fey*- XIII | **feito** *adj. sm.* |*fey-* XIII || **feitor** |*fey-* XIII | Do lat. *factor -ōris* || **feitor**IA XIII. De *feitor* || **feitura** XIII. Do lat. *factura.* Cp. FAZER.
➪ **fato³** — **feitor**IZAR | 1614 SGonç I.493.*26* |.
fátuo *adj.* 'tolo, insensato' 'vaidoso' 'passageiro, fugaz' XVIII. Do lat.*fatŭus* || ENfatuADO XVII || ENfatuAMENTO XX || ENfatuAR XVII || **fatuidade** XVII. Do lat. *fatuĭtās -ātis.*
fatura, faturar → FATO³.
fauce *sf.* '(Med.) garganta' | *fauces* XVI | Do lat. *faucēs.* Cp. FOZ.
fauna *sf.* 'o conjunto dos animais próprios de uma região ou de um período geológico' 1881. | Do lat. *Fauna* 'divindade na antiga Roma' Cp. FAUNO.
fauno *sm.* 'divindade que, na mitologia latina, preside ao crescimento dos rebanhos e vegetais' XVI. Do lat. *Faunus.* Cp. FAUNA.

fausto *adj.* 'feliz, ditoso' XIV; *sm.* 'luxo, pompa' XVI. Do lat. *faustus* || **faust**OSO XVI || IN**fausto** XVII.
fautor *adj.* 'que favorece, promove, auxilia' 1769. Do lat. *fautor -ōris* 'protetor'.
➪ **fautor** | 1614 SGonç I.451.*21* |.
fava *sf.* 'planta da fam. das leguminosas' 'a vagem ou semente desta planta' XIII. Do lat. *făba* || **fav**EIRA XVI | **fav**EIRO XX || **fav**ELA XX || **favel**·ADO XX || **favel**·EIRO XX.
faviforme → FAVO.
favila *sf.* 'fogo coberto ou misturado com cinza' 'cinza' XIX. Do lat. *favīlla* 'brasa, fagulha'.
favo *sm.* 'alvéolo ou conjunto deles em que as abelhas depositam o mel' |*favoo* XIV | Do lat. *favus -ī* || **favi**·FORME 1873.
favônio *sm.* 'vento que sopra do ocidente' 1572. Do lat. *favōnius -īī.*
favor *sm.* 'interesse, proteção, benefício, obséquio' XV. Do lat. *favor -ōris* || DES**favor** XVI || DES**favor**ÁVEL 1779 || DES**favor**ECER XVI || **favor**ÁVEL XV || **favor**ECER XV || **favor**ITA *sf.* 1881. Do it. *favorita* || **favor**IT·ISMO 1881. Do fr. *favoritisme* || **favor**ITO *adj.* XVII. Do it. *favorito* || **favor**IZAR XV.
➪ **favor** — **favor**ECEDOR | 1573 NDias 382.*12* || **favor**ITA | 1836 SC |.
faxina *sf.* 'montão de feixes' | XIII, *fazina* XIV | Do lat. *fascīna.* A acepção moderna — 'limpeza geral' — talvez só se documente em fins do séc. XIX ||
faxinEIRO |-*chi*- 1813.
fazenda *sf.* '*ant.* combate, batalha' XIII; 'assunto, negócio' XIII; 'riqueza, bens' XIII. Do lat. **facěnda*, por *faciěnda*, de *facěre* 'fazer, executar' || **fazend**EIRO XIII.
➪ **fazenda** — A**fazend**ADO | XIII CSM 23.*15* |.
fazer *vb.* 'executar, realizar, fabricar' XIII. Do lat. *facěre* || A**fazer** *vb.* XIII. Cp. AFAZER *sm.* || DES**fazer** XIII || DES**feita** *sf.* XVI || DES**feit**EAR 1813 || DES**feito** XIII || **faz**EDOR XIII || RE**fazer** XII || RE**feição** |*refeyção* XV | Do lat. *refectĭō -ōnis* || RE**feit**ÓRIO | XVI, *refertoyro* XIII, *refertor* XIII, *refertoiro* XIV, *refeytoyro* XV etc. | Do lat. ecles. *refectōrĭum -īī.* Cp. FATO³.
➪ **fazer** — RE**faz**IMENTO | XIV TEST 40.*31* || RE**feição** |*refeyçom* XIV ORTO 21.*28* |.
fé *sf.* 'confiança, crédito' 'autenticidade, sinceridade', | XIII, *fee* XV | Do lat. *fidēs* || **fe**MENTIDO *adj. sm.* 'perjuro, falso' XV.
fealdade → FEIO.
febeu *adj.* '(Poét.) relativo à luz solar' | *febea* f. 1572 | Do lat. *phoebēus*, deriv. do gr. *phoíbeios*, de *Phoíbos*, epíteto de Apolo, considerado o deus da luz e identificado com o Sol.
febra *sf.* 'carne sem osso e sem gordura, fibra' 1813. Do lat. *fibra.*
febre¹ *sf.* 'estado mórbido caracterizado pelo aumento da temperatura' '*fig.* exaltação, ânsia' | *fever* XIII | Do lat. *febris -is* || **febricit**ANTE XVII || **febricitar** XVII. Do lat. *febrīcĭtāre* || **febrícula** 1858. Do lat. *febrīcŭla* || **febricul**OSO 1881. Do lat. *febrīculōsus* || **febri**FUGO |*febrefugo* XVII | Do lat. tard. *febrifugus* || **febr**IL 1813. Do lat. *febrīlis* || **febrio**·LO·G·IA XVIII.
febre² *adj.* 2g. 'diz-se de moeda que não tem o peso legal' XIV. Do fr. *faible.*
febr·icit·ante, -ar, febr·íc·ula, -ul·oso, febr·ífugo, febril, febr·io·log·ia → FEBRE¹.

fec·al, -oide, -oma → FEZ(ES).
fecho sm. 'ferrolho, trinco' XVI. De origem controversa || DESfechAR XV || DESfecho 1813 || fechADURA XIV || fechAMENTO 1844 || fechAR | XIII, *ffechar* XIV.
⇨ **fecho** — fechAMENTO | 1836 SC |.
fecial adj. 2g. sm. 'na Roma antiga, diz-se de, ou sacerdote núncio da guerra ou da paz' XVII. Do lat. *fētiālis*.
fécula sf. 'amido da batata, substância farinácea de tubérculos e raízes' XIX. Do fr. *fécule* e, este, do lat. *faecŭla* || **feculência** XVII. Do lat. *faeculentia* || **feculento** XVII. Do lat. *faeculentus* || **fecul**OID·EO 1881 || **fecul**OSO 1881.
fecundo adj. 'capaz de produzir ou reproduzir, fértil' 'inventivo' 1572. Do lat. *fēcundus* || **fecund**AÇÃO 1858 || **fecund**ADOR 1844 || **fecund**ANTE 1858 || **fecund**AR XVI. Do lat. *fecundare* || **fecund**ATIVO 1899 || **fecund**EZ XVIII || **fecúnd**IA XVII || **fecun**IDADE XVII. Do lat. *fecundĭtās -ātis* || IN**fecund**IDADE XVII || IN**fecundo** 1844.
⇨ **fecundo** | 1538 DCast 74v7 || **fecund**ADOR | 1836 SC || **fecúnd**IA | 1538 DCast 74v13 || IN**fecundo** | 1836 SC |.
feder vb. 'exalar mau cheiro' 'causar enfado' XIV. Do lat. *foetēre* || **fedeg**OSO XV. Do lat. **foeticosus*, formado a partir de **foeticus*, por *foetĭdus* 'fétido' || **fed**ELHO XVIII || **fed**ENT·INA 1881 || **fedor** XIV. Do lat. *foetor -ōris* || **fedor**ENTO XIV || **fetid**EZ 1899 || **fétido** 1572. Do lat. *foetĭdus*.
⇨ **feder** — A**fedor**ENT·AR vb. 'tornar fedorento' | XIV GREG 4.34.*20*, *afedurētar* XIV DICT 1915 |.
federação sf. 'união política entre estados ou nações' 'aliança' XIX. Adapt. do fr. *fédération* e, este, do lat. *foederātiō -ōnis* || CON**feder**AÇÃO XVI || CON**feder**ADO XVI || CON**feder**AR XVI. Do lat. tard. *confoederare* || CON**feder**ATIVO || CON**feder**ADO XVI. Do lat. *foederatus* || **feder**AL 1844. Do fr. *fédéral* || **federal**ISMO 1881. Do fr. *fédéralisme* || **feder**AR 1858. Do fr. *fédérer* e, este, calcado no lat. *foederatus* || **feder**ATIVO 1873. Adapt. do fr. *fédératif*.
⇨ **federação** — CON**feder**ATIVO | 1836 SC || **feder**AL | 1836 SC || **federal**ISMO | 1836 SC || **feder**ATIVO | 1836 SC |.
fedor, -ento → FEDER.
feérico adj. 'mágico, maravilhoso, deslumbrante' 1899. Do fr. *féerique*.
feição sf. 'forma, feitio, aspecto, maneira, jeito' | *fayçon* XIII | Do lat. *factiō -ōnis*. Cp. AFECÇÃO.
feijão sm. 'fruto do feijoeiro, nome comum a várias plantas da família das leguminosas' | *feijoes* pl. XIII | Do lat. *faseŏlus -i* || **feijo**ADA 1813 || **feijo**AL 1813 || **feijo**EIRO 1858.
feio adj. 'de aspecto desagradável, disforme' | XVI, *feyo* XV, *feo* XIII etc. | Do lat. *foedus* | A**fe**AR 1500 || DES**fe**AR XIV || EN**fe**AR XX || **fe**ALDADE XX. Do lat. **foedalitas*, por *foedĭtās -ātis* || **fei**OSO XX || **fei**URA XX.
⇨ **feio** — A**fe**AR | XV FRAD II.103.*31* |.
feira sf. 'mercado' XIII. Do lat. *fēria* 'dia de festa'. Na alta Idade Média, por influência da Igreja, os nomes dos dias da semana, com exceção de sábado e domingo, eram designados em latim: *secunda feria, tertia feria, quarta feria, quinta feria* e *sexta feria*. Das línguas românicas, a única que adotou essas designações — *segunda-feira, terça-feira, quarta-feira, quinta-feira* e *sexta-feira* — foi o português, onde elas já se documentam desde as origens do idioma. Em sentido litúrgico, o lat. *fēria* corresponde, pois, a 'dia de festa', 'dia de repouso', 'dia feriado'; mas como nesses dias era costume oferecerem os mercadores em praça pública aos frequentadores das festividades religiosas as suas mercadorias, as expressões *secunda feria, tertia feria* etc. passaram a denominar os dias da semana, perdida que foi a noção original de 'dia de repouso' em razão do predomínio das 'feiras' comerciais sobre as 'férias' litúrgicas. V. FÉRIA(S) || **feir**ANTE 1844 || **feir**AR | *fyrar* XIV.
⇨ **feira** — **feir**ANTE | 1836 SC |.
feit·a, -ar → FATO³.
feitiço¹ sm. 'bruxaria' 'objeto a que se atribuem poderes sobrenaturais, amuleto' 'encanto, fascinação' XV. Do lat. *factīcĭus* || **feitiço**² adj. 'artificial, fictício, factício' XV. Do lat. *factīcĭus* || DES·EN**feitiç**AR 1813 || EN**feitiç**ADO XVI || EN**feitiç**AMENTO XX || EN**feitiç**AR 1813 || **feitiç**ARIA | *feytiçarja* XV || **feitiç**EIRO | XIV, *feytizeyro* XIV || **fetiche** 1873. Do fr. *fétiche* e, este, do port. *feitiço*¹ || **fetich**ISMO 1858 || **fetich**ISTA 1873. Cp. FATO³.
⇨ **feitiço**¹ — EN**feitiç**AR | 1614 SGONÇ I.354.*15* |.
feit·io, -o, -or, -oria, -ura → FATO³.
⇨ **feitorizar** → FATO³.
feiura → FEIO.
feixe sm. 'molho, gavela, braçado' XVI. Do lat. *fascis -is* || DES·EN**feix**AR 1813 || EN**feix**AR 1813 || **fasc**AL | *fascães* pl. XVI | Do lat. **fascale* || **fasces** XVI. Do lat. *fascis -is* || **fascículo** 1858. Do lat. *fascicŭlus -i*, dimin. de *fascis*.
⇨ **feixe** | XIV ORTO 92.*16*, *feyxe* XIV TEST 194.*29* |.
fel sm. 'bílis, vesícula que contém esta matéria' XIII. Do lat. *fel -llis* || **fél**EO | *féll-* 1899.
felá sm. 'camponês ou lavrador egípcio' XX. Do fr. *fellâh*, deriv. do ár. *fellâh* 'lavrador'.
felação sf. 'ato de chupar, lamber os órgãos genitais de outrem' XX. Do lat. **fellātio -ōnis*, deduzido de *fellare* 'mamar, chupar'.
felândrio → FEL(O)-.
feldmarechal sm. 'entre os alemães e austríacos, marechal de campo, o mais alto posto militar naqueles países' XVIII. Do al. *Feldmarschall*, de *Feld* 'campo' e *Marschall* 'marechal'.
feldspato sm. '(Min.) designação comum aos silicatos de alumínio e de um ou mais metais alcalinos' 1873. Do al. *Feldspath*, sem dúvida através do fr. *feldspath*.
féleo → FEL.
felga sf. 'torrão desfeito, pequeno torrão' XVII. De origem obscura.
felgueira → FETO².
felic·idade, -itação, -itar → FELIZ.
felino adj. sm. 'relativo ou característico do gato, o próprio gato' 1858; Adapt. do fr. *félin*, deriv. do lat. *felinus*.
feliz adj. 2g. 'afortunado, próspero, bem-combinado, satisfeito, ditoso' XIV. Do lat. *fēlīx -īcis* || DES·IN**feliz** XVI || **felicidade** XVI. Do lat. *fēlīcĭtās -ātis* || **felicit**AÇÃO 1844 || **felicit**AR XVIII. Do baixo lat. *felicitare* || **feliz**ARDO 1899 || IN**felic**IDADE XVI || IN**felic**ITAR 1844 || IN**feliz** | *infelices* pl. XV.
⇨ **feliz** — **felicit**AÇÃO | 1836 SC || IN**felic**ITAR | 1836 SC |.

fel(o)- *elem. comp.*, do gr. *phello-*, de *phellós* 'cortiça', que se documenta em alguns vocs. eruditos introduzidos na linguagem científica internacional a partir do séc. XIX ▶ felÂNDR·IO | *phellandrio* 1873 || feloCARPO | *phellocarpo* 1899 || feloDERME | *phelloderme* 1899 || feloGÊN·IO | *phello-* 1899 || feloPLÁST·ICA | *phello-* 1873 || felOSE | *phellose 1899.*

felonia *sf.* 'rebeldia de vassalo contra o senhor, traição, perfídia' XIII. Do fr. *félonie.*

felo·plástica, -se → FEL(O)-.

felpa *sf.* 'pelo saliente nos tecidos' 'penugem de animais' 'lanugem de folhas ou frutos' XVI. Do a. fr. *feupe* || felpUDO XVI.

feltro *sm.* 'espécie de estofo de lã ou de pelo' XVI. Do it. *feltro* e, este, do a. fr. *feutre*, de origem germânica.

fêmea *sf.* 'mulher' 'qualquer animal do sexo feminino' | XIV, *femêa* XIII etc. | Do lat. *fēmĭna* || femINELA 1813 || femíneo XVIII. Do lat. *fēmĭnĕus* || femIMI·FLORO XIX || feminil XVI. Do lat. *feminīlis* || feminIL·IDADE XVIII || feminino XVIII. Do lat. *femininus* || femINISMO XX. Do fr. *féminisme* || feminISTA XX. Do fr. *féministe.*

⇨ **fêmea — femíneo** | 1614 SGonç I.310.*29* || feminino | 1572 *Lus.* VII.53, *femenino* 1536 FOlG 56.*3* |.

fementido → FÉ.

fêmur *sm.* 'osso da coxa' XVII. Do fr. *fémur* e, este, do lat. *femŭr -ŏris* || femoral 1858. Do lat. *femorālis.*

fenacetina → FEN(O)-.

fenacita *sf.* 'mineral trigonal, silicato de glucínio' | *phenakite* 1873 | Do fr. *phénacite*, do gr. *phénax -akos* 'enganador' + *-ite* (v. -ITA), em alusão à semelhança desse mineral com o quartzo, com o qual foi confundido.

fen·antreno, -ato, ·azina → FEN(O)-.

fender *vb.* 'rachar, rasgar' XIII. Do lat. *findĕre* || fenda XVI. Deverbal de *fender* || fendENTE XVI.

fenecer *vb.* 'findar, extinguir-se' 'morrer' | *fenescer* XVI | Do lat. **finiscĕre*, incoativo de *finīre* 'limitar' || fenecIMENTO 1813. Cp. FIM.

fenestrado *adj.* 'que tem janela' 1858. Do lat. *fenestratus*, part. de *fenestrare* || **fenestral** *adj. 2g. sm.* XIX. Do lat. *fenestralis.*

feniano *adj. sm.* 'diz-se de, ou relativo ao indivíduo pertencente a uma organização revolucionária irlandesa, formada em 1861, que luta pela separação da Irlanda da Inglaterra' 'relativo ou pertencente a essa organização' XX. Do ing. *fenian* e, este, do ant. irlandês *fiann.*

fenício *adj. sm.* 'diz-se do ou habitante da Fenícia' 'relativo à Fenícia' XVII. Do lat. *phoenīcĭus* e, este, do gr. *phoeinikes.*

⇨ **fenício** | *c* 1508 DPPer 17.*9*, *phenice* a 1595 *Jorn.* 3.5 |.

fênico → FEN(O)-.

fenigma *sm.* 'rubefação da pele produzida por sinapismos' | *phenigma* 1899 | Do gr. *phoinigmos*, por via erudita.

fênix *sf.* 'na mitologia grega, ave que vivia por muitos séculos e que, queimada, renascia das próprias cinzas' | *fenis* XIV | Do lat. *phoenix -īcis*, deriv. do gr. *phôinix -īkos.*

feno *sm.* 'erva ceifada e seca para alimento de animais' | *fẽo* XIII, *feo* XIII | Do lat. *fenum -i.*

fen(o)- *elem. comp.*, do gr. *phen(o)-*, de *phaino* 'brilhante', que se documenta em alguns vocs. da linguagem científica internacional, particularmente no domínio da química ▶ fenACET·INA XX || fenANTRO·ENO XX || fenATO | *phe-* 1873 || fenAZ·INA XX || fênICO | *phe-* 1873 || fenIL XX || fenoCRISTAL XX || fenOL | *phe-* 1873 || fenOL·FTALE·ÍNA XX || fenÓTIPO XX.

fenômeno *sm.* 'tudo que é percebido pelos sentidos ou pela consciência' 'maravilha, raridade' | *phe-* 1813 | Do lat. tard. *phaenomenon*, deriv. do gr. *phainómenon* || **fenomenAL** | *phe-* 1873 || fenomenoLOG·IA | *phe-* 1873 | Do lat. cient. *phaenomenologia*, voc. criado por J.H. Lambert, em 1764, e difundido por Hegel (1804).

fenótipo → FEN(O)-.

fera → FERO.

feraz *adj. 2g.* 'de grande força produtiva, fértil, fecundo' 1858 (o superlativo *feracissimo* já ocorre no séc. XVI). Do lat. *ferāx -cis* || feracidade 1858. Do lat. *ferācĭtās -ātis.*

férculo *sm.* 'andor ou palanquim usado em certas solenidades pagãs' XVI. Do lat. *fercŭlum -i* 'o que serve para levar'.

ferecrácio *adj.* 'tipo de verso da lírica grega' | *phe-* 1873 | Do lat. *pherecrătius* (*versus*) e, este, do gr. *pherekráteion* (*métron*), verso criado por Ferécrates (gr. *Pherekrátes*), poeta da comédia antiga.

féretro *sm.* 'tumba, ataúde, esquife' XVI. Do lat. *ferĕtrum -i.*

fereza → FERO.

féria(s) *sf.* (*pl.*) 'o dinheiro das vendas realizadas no dia' 'período destinado ao descanso do trabalhador ou do estudante' XVII. Do lat. *fĕria* | feriADO *adj. sm.* XIV. Do lat. *feriātus* || feriAR XVI. Do lat. **feriare*, por *feriāri*. Cp. FEIRA.

ferida → FERIR.

fer·idade, -ino → FERRO.

ferir *vb.* 'fazer feridas em, golpear, ofender, magoar' XIII. Do lat. *fĕrīre* || DESferir XVI || ferIDA *sf.* XIII || ferIDO XIII || ferIMENTO XVI.

fermata *sf.* (Mús.) parada do compasso musical sobre uma nota, cuja duração pode ser arbitrariamente prolongada pelo executante' XX. Do it. *fermata.*

fermentar *vb.* 'fazer levedar' (*fig.*) agitar, fomentar, excitar' XVI. Do lat. *fermentāre* || fermentAÇÃO 1813 || fermentANTE 1813. Do lat. *fermentans -antis*, part. de *fermentāre* || fermentATIVO 1858 || fermentÁVEL 1844 || fermentESC·ENTE 1844. Do lat. *fermentescens -entis*, part. de *fermentescĕre* 'afofar (a terra)' || fermentESC·IBIL·IDADE 1873 || fermentESC·ÍVEL 1858 || fermento XIV. Do lat. *fermentum -i.*

⇨ **fermentar — Afermentado** | *aformentado* XV SEGR 30 || fermentÁVEL | 1836 SC || fermentESC·ENTE | 1836 SC |.

fero *adj.* 'feroz, selvagem, bravio' XIII. Do lat. *ferus* || **fera** *sf.* XVI. Do lat. *fĕra (bestia)*, substantivação do fem. de *ferus* || ferEZA XVI || ferIDADE 1572. Do lat. *ferĭtās -ātis* || ferINO 1572. Do lat. *ferīnus* || ferócIA 1858. Do lat. *ferōcĭa* || ferocIDADE XIII. Do lat. *ferocĭtās -ātis* || feroz 1572. Do lat. *ferōx -ōcis.*

-fero *suf nom.*, do lat. *-fer*, raiz de *ferre* 'trazer, conter', que já se documenta em alguns vocs. formados no próprio latim, como *aurífero*, e em alguns outros introduzidos nas línguas modernas, como *aerífero, amilífero* etc.
ferrabrás *adj. s2g.* 'valentão, fanfarrão' XIX. Do fr. *fier-à-bras*, de *Fierabras*, nome de um gigante sarraceno nas canções de gesta.
ferr·ado, -ador, -adura, -ageiro, -agem → FERRO.
ferragoulo *sm.* 'gibão de mangas curtas com cabeção e capuz' XVII. Adapt. do it. *ferraiòlo* e, este, do ár. *ferjūl*, deriv. do lat. *palliŏlum -i* 'mantilha'.
ferr·amenta, -ão, -ar, -aria, -eiro, -enho, -eo, -ete → FERRO.
ferribote *sm.* 'tipo de embarcação mista de transporte de passageiros e veículos' XX. Do ing. *ferry-boat*.
ferr·ífero, -ificação → FERRO.
ferro *sf.* 'metal maleável e tenaz, de numerosas aplicações na indústria e na arte' XIII. Do lat. *ferrum-i* | AferrAR XVI | Aferro *sm.* XVIII | AferrOLH·AR XVII || DES·AferrAR XVI || DES·AferrOLH·AR 1813 || DES·ENferrUJ·AR 1813 || DESferrAR XVI || ENfarrUSC·ADO 1813 || ENfarrUSC·AR 1813 || ENferrUJ·ADO 1813 || ENferrUJ·AR 1813 || farrUSCA 1813 || ferrADO 1844 || ferrADOR XIII || ferrADURA XIII || ferrAG·EIRO 1858 || ferrAGEM XIII || ferrAMENTA XIV. Do lat. *ferramenta*, nom. pl. de *ferramentum* 'instrumento ou utensílio de ferro' || ferrÃO 1813 || ferrAR XIII || ferrARIA XIII || ferrEIRO XIII || ferrENHO XVI || férrEO 1572. Do lat. *ferrĕus* || ferrETE XVI. Do fr. *ferret* || ferrí·FERO XIX || ferrI·FIC·AÇÃO XX || ferro·ADA 1858. De *ferrão* || ferro·AR 1899 || ferrOLHO XIV. Do lat. *vĕrūcŭlum*, com influência de *ferro* || ferrOPEIA |*ferropeas* pl. XVI || ferroso 1873 || ferrOVIA XX. Do it. *ferrovia* e, este, calcado no al. *Eisenbahn* || ferrOVI·ÁRIO *adj. sm.* XX. Do it. *ferroviàrio* || ferrugem | *fferrugē* XIV | Do lat. *ferrŭgŏ -gĭnis* || ferrUG·ENTO |*ferrugeēto* XIV || ferrUGÍN·EO XVI. Do lat. *ferrŭgĭnĕus* || ferrUGIN·OSO 1844. Do lat. tard. *ferruginōsus* || ferrUNCHO XIX.
↪ **ferro** — AferrADO *p. adj.* 'abalroado, abordado' | XV CESA III.5§23.8 || AferrAMENTO *sm.* 'abalroamento, abordagem' | XV LOPJ 1.230.*35* || AferrAR *vb.* 'abalroar, abordar' | XV CESA II.6§*9.1*, *aferar* XV REIX I.129.*23* || ferrADO | 1836 SC || ferrUGIN·OSO | 1836 SC |.
fértil *adj. 2g.* 'produtivo, fecundo, úbere, feraz' | *fertiles* pl. XVI | Do lat.*fertĭlis -is* || fertiLIDADE XVI. Do lat. *fertilĭtās -ātis* || fertiLIZ·AÇÃO 1844 || fertiLIZ·ADOR 1833 || fertiLIZ·ANTE *adj. 2g. sm.* 1873 || fertiLIZAR XVI || INfértil 1844. Do lat. *infetĭlis -is* || INfertiLIDADE 1844. Do lat. *infertilĭtās -ātis*.
↪ **fértil** — fertiLIZ·AÇÃO | 1836 SC || fertiLIZ·ANTE | 1836 SC || INfértil | 1836 SC || INfertiLIDADE | 1836 SC |.
férula *sf.* 'palmatória' '(Bot.) gênero de plantas umbelíferas' XVI. Do lat. *ferŭla*.
ferver *vb.* 'entrar em ebulição' 'agitar-se, excitar-se, exaltar-se' XIII. Do lat. *fervēre* || AfervENT·AR XV || AfervorAR XVI || **defervesc**ÊNCIA *sf.* '(Quím.) diminuição da efervescência' 'decréscimo ou cessação da febre' XX. Do fr. *défervescence*, deriv. do lat. *defervescentĭa*, neutro pl. do part. pres. *defervescens -entis*, de *defervescēre* || EfervESC·ÊNCIA | *eff-* XVIII | Do lat. *effervescentĭa*, nom. pl. neutro de

effervescens, part. de *effervēscĕre* || EfervESC·ENTE | *eff-* 1881 | Do lat. *effervescens -entis*, part. de *effervēscĕre* || EfervESC·ER | *eff-* 1858 | Do lat. *effervēscĕre* || fervEDOURO XVII || fervENTE XIII. Do lat. *fervens -entis*, part. de *fervēre* || fervESC·ENTE XVI. Do lat. *fervescens -entis*, part. de *fervēscĕre* || férvido 1572. Do lat. *fervĭdus* || fervILHAR XIX || fervor XIII. Do lat. *fervor -ōris* || fervoroso XVII || fervURA XVI. Do lat. *fervūra* || frevo XX. Forma metatética de *fervo*, de verb. regress. de *ferver*, em alusão à agitação calorosa da música e da dança || REfervENTE 1899. Do lat. *refervens -entis*, part. de *refervēre* || REferver 1881. Do lat. *refervēre*.
↪ **ferver** — AfervECER | *affevveçer* XIV MENI 52.*15* || fervURA | XIV TEST 99.*2* || REferver | 1836 SC |.
fescenino *adj.* 'burlesco, obsceno, licencioso' XVI. Do lat. *fescennīnus*.
festa *sf.* 'solenidade, comemoração, celebração' XIII. Do lat. *fēsta* || festANÇA 1858 || festEIRO 1813 || festEJAR 1572 || festEJO XVIII || festIM XVII. Do it. *festino* || festIV·AL¹ *adj. 2g.* XIV || festIV·AL² *sm.* XVII. Do ing. *festival* || festIV·IDADE XVII. Do lat. *festivĭtās -ātis* || festIVO XVI. Do lat. *festīvus* || festo¹ *adj.* XVI. Do lat. *festus*.
festão *sm.* 'grinalda, ornamento em forma de grinalda' XVIII. Do fr. *feston* e, este, do it. *festòne*.
fest·eiro, -ejar, -ejo, -im, -ival, -ividade, -ivo, -o¹ → FESTA.
festo² *sm.* 'largura de um tecido qualquer' XVII. De origem controversa || ENfestADO 1844|| ENfestAR 1873.
↪ **festo²** — ENfestADO | 1836 SC |.
fetich·e, -ismo, -ista → FEITIÇO.
feticid·a, -io → FETO¹.
fetid·ez, -o → FEDER.
feto¹ *sm.* 'ser vivo, enquanto não sai do útero' XVIII Do lat. *fētus -us* || ExfetAÇÃO 1873 || fetAÇÃO 1881|| fetAL¹ *adj.* 1844|| fetI·CIDA XIX || fetI·CÍD·IO 1881.
↪ **feto¹** — fetAL¹ | 1836 SC |.
feto² *sm.* 'nome comum para todos os pteridófitos da ordem filicales' | *feeito* 1500 | Do lat. *filictum -i* || **felgueira** *sf.* 1899. Do lat. *filicarĭa*, calcado em *filix -ĭcis* || fetAL² *sm.* XVII.
feudo *sm.* 'propriedade nobre com condição de vassalagem' XIV. Do lat. med. *feudum*, e, este, do frâncico **fēhu ōd* 'posse de gado'. A forma apocopada *feu* ocorre também no séc. XIV || feudAL 1813 || feudAL·ISMO 1833. Do fr. *féodalisme*.
↪ **feudo** — ENfeudAR | *empheudar* 1614 SGonç II.227.*15* || feudAT·ARIA | *feudotaria* 1614 SGonç I.25.*10* || feudAT·ÁRIO | *feudatareo* 1582 Liv. Fort. 6.*17* |.
fevereiro *sm.* 'segundo mês do ano civil' | XIII, *ffeuereiro* XIII etc. | Do lat. pop. *fēbrārius* (cláss. *fĕbrŭārĭus*.
fez¹(es) *sf. (pl.)* 'sedimento de líquido, matéria fecal' XV. Do lat. *faex -cis* || feCAL XVI. Do fr. *fécal* || feCAL·OIDE XIX || feCAL·OMA XX.
fez² *sm.* 'barrete turco' 1873. Do fr. *fez* e, este, do topônimo *Fez*, ant. capital do Marrocos.
fi *sm.* 'nome da 21.ª letra do alfabeto grego' | *phi* 1873 | Do grego *phî*, por via erudita.
fiã *sf.* 'antiga medida de capacidade' | *ffiaã* XV | De origem obscura.
fiação → FIO.

fiacre *sm.* 'ant. carro de aluguel de tração animal' XIX. Do fr. *fiacre.*
fiado¹ → FIO.
fi·ado², **-ador** → FIAR².
fiambre *sm.* 'carne (especialmente o presunto) preparada para comer-se fria' 1813. Do cast. *fiambre*, deriv. do lat. tard. *frigidamĕn -mĭnis.*
fiança → FIAR².
fi·and·eira, -eiro, fiapo, fiar¹ → FIO.
fiar² *vb.* 'abonar, afiançar' 'confiar' XIII. Do lat. **fĭdāre*, por *fidēre* || **Afiançar** 1813 || **Afiançável** XX || CONfiança XVI || CONfiante | *cōfiãte* XIV || CONfiar XIII || DES·Afiar | XIII, *desfiar* XIII | DES·CONfiado XVI || DES·CONfiança XVI || DES·CONfiar XIV || fiado² XVI || fiador XIII || fiança XVI. Do a. fr. *fiance* || IN·Afiançável XX.
⇨ **fiar**² — **Afiar**² *vb.* 'afiançar' | XIV GRAL 168c45 || **fiança** | XIV ORTO 6.9, TROY II.154.7 |.
fiasco *sm.* 'êxito desfavorável, vexatório, ridículo' 1881. Do it. *fiasco.*
fibra *sf.* 'cada um dos filamentos que, enfeixados, constituem tecidos animais ou vegetais e eventualmente minerais' | XVIII, *fevera* XIII | Do lat. *fibra* || DESfibrADO 1899 || DESfibrAR 1881 || **fibrila** XVII. Do fr. *fibrille* || **fibrilOSO** 1873. Adapt. do fr. *fibrilleux* || **fibrINO** 1858. Do lat. *fibrīnus* || **fibrO·BLASTO** XX. Do fr. *fibroblaste* || **fibrOIDE** 1873 || **fibrO·LITA** 1873. Do fr. *fibrolite* || **fibrOMA** | -me 1873 | Do fr. *fibrome* || **fibrOSO** 1844.
fíbula *sf.* 'perônio' 'que serve para prender, fivela' XVII. Do lat. *fĭbŭla* || **fibulAÇÃO** 1873. Adapt. do fr. *fibulation.* Cp. INFIBULAR.
ficáceo → FIGO.
ficar *vb.* 'permanecer' XIII. Do lat. vulg. **fīgĭcāre* || **ficADA** *sf.* 'permanência' XIII. Cp. FINCAR.
-ficar → -IFICAR.
ficção *sf.* 'ato ou efeito de fingir' 'simulação, coisa imaginária' 1813. Talvez adapt. do fr. *fiction* e, este, do lat. *fictĭo -ōnis*, cujo rad. *fict* é o mesmo do supino de *fingĕre* 'modelar, criar, inventar' || **ficcionISMO** XX || **ficcionISTA** XX || **fictÍCIO** XVI. Do lat. *fictĭcĭus* || **ficto** XVII. Do lat. *fictus*, part. de *fingĕre* || **fita**³ *sf.* 'fingimento' XX. Do lat. *ficta*, fem. do part. de *fingĕre* || **fitEIRO** XX.
⇨ **ficção** | *ficçõis* pl. *a* 1542 JCASE 43.*18* || **fitEIRO** | 1836 sc |.
ficha *sf.* 'tento para o jogo' 'folha ou cartão solto para anotações' 1858. Do fr. *fiche* || **fichAMENTO** XX || **fichAR** XX || **fichÁRIO** XX || **fichEIRO** XX.
⇨ **ficha** | 1836 sc |.
fichu *sm.* 'lenço para cobrir a cabeça e o pescoço' 1813. Do fr. *fichu.*
ficiforme → FIGO.
fico- *elem. comp.*, do gr. *phyko-*, de *phykos* 'alga', que se documenta em alguns vocs. eruditos introduzidos na linguagem científica internacional, a partir do séc. XIX ▸ **ficoCIAN·INA** XX || **ficoIDE** | *phycoideas* 1873 || **ficoLOG·IA** | *phy-* 1873 || **ficoTERAP·IA** XX.
fict·ício, -o → FICÇÃO.
ficus → FIGO.
fidalgo *sm.* 'indivíduo que tem título de nobreza' | *filho dalgo* XIII | De FILHO + DE + ALGO (> *filho dalgo* > *fi- dalgo* > *fidalgo*) || **AfidalgADO** XVII || **AfidalgAR** || **fidalguIA** | *-guya* XIII.

fidediguo *adj.* 'digno de fé' XVI. Do lat. **fidedignus* || **fidedignIDADE** 1899. Cp. FIEL.
fideicomisso *sm.* '(Dir.) disposição testamentária pela qual o testador institui dois ou mais herdeiros com obrigações especificamente definidas' | *-mmisso* 1813 | Do lat. *fidĕĭcommissum*, com provável interferência do fr. *fidéicommis* || **fideicomitente** XX. Do lat. *fidĕĭcommittente*, por via erudita || **fideÍSMO** XX. Do fr. *fidéisme* || **fideÍSTA** 1873. Do fr. *fidéiste* || **fidejussÓRIA** 1899. Do fr. *fidéjussoire* || **fidejussÓRIO** 1844. Cp. FIEL.
⇨ **fideicomisso** — **fidejussório** | 1836 sc |.
fidelidade → FIEL.
fidéus *sm. pl.* 'aletria, massa em fios' | *fideos* 1813 | Do cast. *fideos*, pl. de *fideo*, que deriva do ár. *fâḍid.*
fido → FIEL.
fidúci·a, -ário → FIEL.
fieira → FIO.
fiel *adj.* 2g. 'seguro, leal, sólido' XIII. Do lat *fidēlis* || **fidelidade** | 1572, *fialdade* XIII, *fieldade* XIV etc. | Do lat. *fĭdēlĭtās -ātis* || **fido** 1572. Do lat. *fīdus* || **fidúcia** XVII. Do lat. *fĭdūcĭa.* Cp. FIÚZA || **fiduciário** 1813. Adapt. do fr. *fiduciaire*, deriv. do lat. *fiduciārĭus* || **INfidelidade** XVI. Do lat. *infidelĭtās -ātis* || **INfido** 1572. Do lat. *infidus* || **INfiel** XV. Do lat. *infidēlis.*
figa *sf.* 'amuleto em forma de mão fechada, com o polegar entre o indicador e o médio' XIII. Do fr. *figue*, deriv. do lat. vulg. **fica* (cláss. *ficus*).
fígado *sm.* 'víscera glandular volumosa, situada na parte superior do abdômen, à direita' XIII. Do lat. **ficătum* por *ficatum* || **figadAL** XVI.
fígaro *sm.* 'barbeiro' XX. Do fr. *figaro*, do antrop. *Figaro*, nome do célebre personagem de *O Barbeiro de Sevilha* (1775), de Beaumarchais (1732-1799).
figo *sm.* 'o fruto da figueira, planta da família das moráceas' XIII. Do lat. *ficus* || **ficÁCEO** 1899 || **ficI·FORME** 1873 || **ficus** XX. Do lat. *ficus* || **figuEIRA** XIII || **figuEIR·AL** XIV || **figuEIR·EDO** XIII.
figulino *adj.* 'feito de barro' '(*fig.*) dócil, brando, domesticável' 1873. Adapt. do fr. *figulin* e, este, do lat. *figulīnus* || **fígulo** 1881. Do lat. *figŭlus* 'oleiro'.
figura *sf.* 'forma exterior, aspecto, representação' | XIII, *fe-* XIII | Do lat. *figūra* || **AfigurADO** | XIV, *afe-* XIV || **AfigurAR** XV || **CONfigurAÇÃO** 1796 || **CONfigurAR** 1802 || **DESfigurAÇÃO** 1844 || **DESfigurADO** 1813 || **DESfigurAR** 1873 || **figurAÇÃO** | *figuraçom* XV || Do lat. *figūrātĭō -ōnis* || **figurADO** | XIII, *fe-* XV || **figurANTE** 1858. Adapt. do fr. *figurant* || **figurAR** XIII. Do lat. *figūrāre* || **figurATIVO** XVI. Do fr. *figuratif* || **figurIN·ISTA** XX || **figurINO** XIX. Do fr. *figurino.*
⇨ **figura** — **figurATIVO** | *afigurativo* XV VITA III. 69c(AM) || **DESfigurAÇÃO** | 1836 sc |.
-fil- → -FIL(I)-, -FIL(O)-.
fila *sf.* 'série de coisas, pessoas etc. em linha reta, fileira' 1813. Do fr. *file*, relacionado com o lat. *filum* 'fio' || **DESfilADA** XVII || **DESfilAD·EIRO** 1813 || **desfilAR** 1769 || **DESfilE** 1899 || **ENfilEIR·ADO** 1813 || **ENfilEIR·AR** XVII || **filEIRA** | *-eyra* XV.
-filác(io)- *elem. comp.*, do gr. *-phylák(ion-)*, de *phýlax* 'guarda', que se documenta em alguns compostos formados no próprio grego, como

filactério e *gazofilácio*, e em um ou outro voc. introduzido na linguagem científica internacional, como *aerofilácio*. Este elemento assume, também, a forma *-filax-* em eruditismos como *profilaxia*, por exemplo.

filactério *sm.* '*ant.* amuleto' XVIII. Do lat. *phylactērium*, deriv. do gr. *phylaktē´rion*.

filamento *sm.* 'fio de diâmetro muito pequeno' XVIII. Do fr. *filament*, relacionado com *fil* 'fio' || **filament**OSO 1858.

filandra(s) *sf. (pl.)* 'fio(s) delgado(s) e longo(s)' | *fyllanda* XIV, *firlanda* XIV etc. | Do a. fr. *filandre*, relacionado com *fil* 'fio'.

filante → FILHAR.

filanto → -FIL(O)-.

fil·antrop·ia, -ico, -o →- FIL(O)-.

filão *sm.* 'veio de minerais' XIX. Do fr. *filon*, deriv. do it. *filone*.

filar → FILHAR.

fil·arco, -argiria → -FIL(O)-.

filária *sf.* 'nome comum aos vermes da fam. dos filarídeos' XX. Do lat. cient. *filāria*, relacionado com *filum* 'fio', em alusão à forma alongada e fina desses vermes.

filarmôn·ica, -ico → -FIL(O)-.

fil·atel·ia, -ico, -ista → -FIL(O)-.

filatório *sm.* 'aparelho para fiação' XVII. De um lat. **filatorĭum*, relacionado com *filum* 'fio'.

filáucia → -FIL(O)-.

-filax- → -FILÁC(IO)-.

filé *sm.* 'fatia de carne de vaca, de peixe etc.' XIX. Do fr. *filet*. V. FILETE.

fileira → FILA.

filete *sm.* 'fio pequeno' | *fillete* XVIII | Do fr. *filet*. V. FILÉ.

filhar *vb.* 'conquistar, pilhar' 'tomar, obter' | XIII, *fillar* XIII | Do lat. **pīliāre* (cláss. *pīlāre*), com provável interferência de *filho*. O voc. *filar*, de acepção idêntica ou muito semelhante, parece ser mera variante despalatalizada de *filhar* || **filh**ANTE XIV. O voc. *filante* será mera variante despalatalizada de *filhante*.

▷ **filhar** — A**filh**AMENTO | XV PAUL 24.*30* |.

filho -a *sm. f.* 'indivíduo em relação aos pais, descendente' XIII. Do lat. *filĭus filĭa* || A**filh**ADO 1813 || A**fili**·ADO *aff-* 1844 || A**fili**·AR *aff-* 1844 || **filh**AR·ADA 1873 || **filh**OTE 1813 || **filh**OT·ISMO XX || **fili**·AÇÃO XVII || **fili**·ADO XX || **fili**·AL 1813 || **fili**·AR 1881 || PER**filh**AÇÃO XVIII || PER**filh**AMENTO | *porfillamento* XV || PER**filh**AR | *porfillar* XIV.

▷ **filho** — A**filh**ADO | XV LOPJ I.358.*32*, *afylhado* XV ZURD 293.*19* | A**fili**·ADO | *affiliado* 1836 SC || A**fili**·AR | *affiliar* 1836 SC || **filh**AMENTO | 1582 *Liv. Fort.* 8.*5* || **filh**AR·ADA | 1680 AOCad I.30.*13* || **fili**AL | 1532 JBaRR 111.*8* |.

filhó *s2g.* 'tipo de bolo de farinha, frito e adocicado' XVI. Do lat. **foliŏla*, forma de pl. de um **foliŏlum*, por *foliŏlum -i*.

▷ **filhó** | *felhoo* XIV TEST 235.*17* |.

filh·ote, -ot·ismo → FILHO.

-fil(i)¹-, -fil(i)²- *elem. comp.*, ambos de origem latina, mas de étimos distintos: (i) *-fil(i)¹-*, do lat. *-fil(i)-*, de *filum* 'fio', ocorre em alguns compostos eruditos, quase todos introduzidos por via francesa e/ou italiana; (ii) *-fil(i)²-*, do lat. *-fil(i)-*, de *filĭus* 'filho', só se documenta em alguns vocs. de uso restrito à linguagem erudita. Registram-se, a seguir, por ordem alfabética, apenas os principais compostos desses dois elementos; para distingui-los, adotou-se o critério de indicar com (i), adiante do vocábulo, os do primeiro grupo e com (ii), os do segundo ▶ **fili**CIDA (ii) XX || **fili**CÍD·IO (ii) | *fillicidio* XVII || **fili**CÓRNEO (i) XIX || **fili**FERO (i) XIX || **fili**FOLHA (i) XVI || **fili**FORME (i) 1844. Do fr. *filiforme* || **fili**grana (i) | *filli-* XVI | Do it. *filigrana* || **fili**PLUMA (i) XX || **fili**RROSTRO (i) XIX || **filó** (i) XIX.

▷ **fil(i)-** — **fili**FORME | 1836 SC |.

fili·ado, -al, -ar → FILHO.

fili·cida, -cídio, -córneo, -fero, -folha, -forme, -grana, -pluma, -rrostro → -FIL(I)-.

filisteu *adj. sm.* 'pertencente ou relativo ao povo semita estabelecido no litoral da Palestina desde o séc. XII a. C.' 'inimigo dos hebreus' XIII. Do hebraico *p'lishtî*, transcrito por *Philistieím* (na versão grega dos *Setenta*) e por' *Philisthiim* (na versão latina da *Vulgata*).

filito → -FIL(O)-.

filme *sm.* 'rolo de película de celuloide preparado para receber imagens fotográficas' 'espetáculo cinematográfico, fita' XX. Do ing. *film* 'película' || **film**AGEM XX || **film**AR XX || **film**O·TECA XX.

-fil(o)¹-, -fil(o)²-, fil(o)³- *elem. comp.*, derivados do grego, mas de étimos distintos: (i) *-fil(o)¹-*, do gr. *phil(o)-*, de *phílos* 'amigo', ocorre em vários compostos já formados no próprio grego, como *filósofo*, por exemplo, e em muitos outros introduzidos na linguagem científica internacional, a partir do séc. XVIII; (ii) *-fil(o)²-*, do gr. *phyllo-*, de *phýllon* 'folha', tal como o anterior, já se documenta em alguns vocs. formados no próprio grego, como *filódio*, por exemplo, e em alguns outros introduzidos na linguagem científica internacional; (iii) *-fil(o)³-*, do gr. *phyl(o)-*, de *phýlon*, *phylē* 'tribo, grupo de famílias da mesma raça', bem menos frequente do que os dois elementos anteriores, ocorre em alguns poucos vocs. da linguagem científica internacional. Registram-se, a seguir, por ordem alfabética, os principais compostos desses três elementos; para distingui-los, adotou-se o critério de indicar com (i), adiante do vocábulo, os do primeiro grupo, com (ii) os do segundo e com (iii) os do terceiro: ▶ **fil**ANTO (i) | *phyllantho* 1873 | Do lat. cient. *philanthus*, deriv. do gr. *philanthē´s* || **fil**ANTROP·IA (i) | XVIII, *ph-* XVIII | Do fr. *philanthropie*, deriv. do gr. *philanthrōpía* || **fil**ANTRÓP·ICO (i) | *phi-* 1813 | Do fr. *philanthropique*, deriv. do gr. *philanthrōpikós* || **fil**ANTROPO (i) 1844. Do fr. *philanthrope*, deriv. do gr. *philánthrōpos* || **fil**ARCO (iii) | *phylarcho* 1873 | Do lat. *phýlarchus*, deriv. do gr. *phý'larchos* 'comandante de cavalaria ateniense' || **fil**ARGIR·IA (i) XV. Do lat. *philargyria*, deriv. do gr. *philargyría* 'amor ao dinheiro, avareza' || **fil**ARMÔN·ICA (i) | *phi-* 1873 | Do fr. *philarmonique* || **fil**ARMÔN·ICO (i) | *phi-* 1858 || **fil**ARQU·IA (ii) | *phylarchia* 1873 || **fil**ATEL·IA (i) | *phi-* 1899 | Do fr. *phi-latélie*, voc. criado pelo colecionador de selos francês, Herpin, e por ele proposto em 1864 em *Le collectionneur de timbres-poste* || **fil**ATÉL·ICO (i) | *phi-* 1899 || **fil**ATEL·ISTA (i) | *phi-'* 1899 || **fil**ÁUC·IA (i) | *phi-* 1572 | Cp. gr. *philautía* || **fil**ITO (ii) | *phyllitho* 1873 | Do lat. cient. *phyllītis*

‖ filoCLÁDIO (ii) XX. Do lat. cient. *phyllocladium* ‖ filoCOMUN·ISTA (i) XX ‖ filoDENDRO (i) XX ‖ filoDERME (ii) | *phylloderme* 1873 | Do lat. cient. *phylloderma* ‖ filoDÉRM·ICO (ii) XX ‖ filÓDIO (ii) | *phylloide* 1873, *phyllódio* 1909 | Cp. gr. *phyllõ'dēs* ‖ filóFAGO (ii) | *phyllophago* 1873 ‖ filoGÊNESE (iii) XX. Do al. *Phylogenese*, voc. criado pelo naturalista alemão Haeckel em 1866 ‖ filoGEN·IA (iii) | *phylogenia* 1895 | Do al. *Phylogenie*, voc. criado também por Haeckel em 1866 ‖ filoGIN·IA (i) | *philogynia* 1873 | Cp. gr. *philogynía* ‖ filóGINO (i) | *philogyno* 1873 ‖ filoLOG·IA (i) | *phi-* 1813 | Do lat. *philologĭa*, deriv. do gr. *philología* ‖ filoLÓG·ICO (i) | *ph-* 1712 ‖ filóLOGO | *ph-* 1813 | Do lat. *philolŏgus*, deriv. do gr. *philólogos* ‖ filoMÁT·ICO (i) | *philomathico* 1833, *-tico* 1833 | Cp. gr. *philomathēs* 'amante da ciência' ‖ filoSOF·AL (i) | *-safal* XIV ‖ filoSOF·ANTE (i) XX ‖ filoSOF·AR (i) XVIII filoSOF·IA (i) XIV. Do lat. *philosophĭa*, deriv. do gr. *philosophía* ‖ filoSÓF·ICO (i) XVIII ‖ filóSOFO (i) XIII. Do lat. *philosŏphus*, deriv. do gr. *philósophos* ‖ filoTECN·IA (i) XX ‖ filoTÉCN·ICO (i) | *ph-* XIX ‖ filoTIM·IA (i) XVIII. Cp. gr. *philotimía* ‖ filoXERA (ii) | *phylloxera* XIX ‖ filoXÉR·ICO (ii) | *phylloxérico* 1909.
⇨ fil(o)- — filANTROPO | *philanthropo* 1836 SC ‖ fiLÁUC·IA | *philautia* 1568 *Dial. Espir.* Axiij. *15, philaucia* 1572 *Lus.* IX.*27* ‖ filóLOGO | *philologo* 1789 JS ‖ filoSÓF·ICO | 1660 FMMelE 430.*27* |.
filo *sm.* '(Zool.) o mais alto nível hierárquico da classificação zoológica' XX. Do lat. cient. *phylum*, deriv. do gr. *phýlon, phylē* 'raça, tribo'. V. -FIL(O)³-.
filó → -FIL(I)-.
filo·cládio, -comunista, -dendro, -derme, -dérmico, -dio, -fago, -gênese, -genia, -ginia, -gino, -logia, -lógico, -logo, -mático → -FIL(O)-.
filomela *sf.* '(Poét.) rouxinol' | *phi-* 1572 | Do antropônimo *Filomela*, do gr. *Philomēla* (> lat. *Philŏmēla*), personagem que, segundo a mitologia grega, foi metamorfoseada em rouxinol.
filo·sof·al, -ante, -ar, -ia, -ico, -o → -FIL(O)¹-.
filo·tecn·ia, -ico → -FIL(O)¹-.
filo·timia, -xera, -xérico → -FIL(O)¹-.
filtro¹ *sm.* 'tipo de coador' | 1844, *ph-* 1844 | Do fr. *filtre* e, este, do lat. med. *filtrum* ‖ **filtração** 1813. Do fr. *filtration* ‖ **filtrar** 1813. Do fr. *filtrer* ‖ INfiltrAÇÃO 1813 ‖ INfiltrADO | *enfeltrado* XV ‖ INfiltrAR XVII.
filtro² *sm.* 'beberagem que se supunha despertar o amor' XIV. Do lat. *philtrum -i* e, este, do gr. *philtron*.
fim *sm.* 'termo, remate, acabamento' 'intenção' XIII. Do lat. *finis -is*. O gênero feminino prevaleceu durante todo o período medieval e chegou até à segunda metade do séc. XVI, embora no masculino o vocábulo já se documente em um ou outro texto do séc. XV ‖ AfinAÇÃO | *afinaçom* XVI ‖ AfinADO XV ‖ AfinAL 1813 ‖ AfinAR XVI. Do fr. *affiner* ‖ ALfim XVI ‖ DES·AfinAÇÃO XX ‖ DES·AfinADO 1813 ‖ DES·AfinAR XVIII ‖ DES·AfinAR XIX ‖ finAL 1813. Do lat. *finālis* ‖ finAL·IDADE 1873 ‖ finAL·ISTA *adj. s2g.* XX ‖ finAL·IZAR XVIII ‖ finAMENTO XIII ‖ finAR XIII ‖ finda | *fiin-* XIII ‖ findAR | *fiin-* XIV | Do lat. **finitare*, deriv. de *finitus*, parto de *finīre* ‖ findo | *fijdo* XIII ‖ finEZA XVI ‖ finítimo XVII. Do lat. *finitĭmus*.

‖ **finito** XVI. Do lat. *finitus* ‖ **fino** *adj.* 'delgado, afilado' 'apurado, refinado' | XIV, *fim* XIII | Do lat. *finis* 'fim', que passou a designar a parte mais perfeita de qualquer coisa, assumindo as acepções de 'perfeito' e, por extensão, as de 'refinado, astuto' 'delicado, amável' etc. ‖ finÓRIO XIX ‖ finURA XIX ‖ INfindÁVEL 1899 ‖ INfindo | *jmfijmdo* XV | Do lat. *infinitus* ‖ INfinIDADE XVI. Do lat. *infinitas -ātis* ‖ **infinitesimAL** 1858 ‖ **infinitésimo** 1858. Do lat. cient. *infinitesĭmus* ‖ INfinITIVO XVII. Do lat. *infinitivus* ‖ INfinito XV. Do lat. *infinītus* ‖ REfinAÇÃO XX ‖ REfinADO XVII ‖ REfinAMENTO 1858 ‖ REfinAR XVI ‖ REfinARIA XVIII ‖ SUPERfino XX.
⇨ fim — REfinAÇÃO | 1836 SC ‖ REfinADO | *a* 1595 *Jorn.* 69.*9* |.
fimatose *sf.* 'doença provocada pelo bacilo de Koch' 'tuberculose' | *phy-* 1873 | Do lat. cient. *phȳmatosfis* e, este, do grego *phymatosfis* ‖ **fimatoI·DE** | *phy-* 1873.
fímbria *sf.* 'franja, orla, guarnição (do vestido)' XVI. Do lat. *fimbria* ‖ **fimbrIADO** 1813.
fimícola *adj. 2g.* 'que vive no estrume' | *fimículo* 1873 | Do fr. *fimicole*.
fimose *sf.* '(Med.) aperto na abertura do prepúcio' | *phi-* 1844 | Do fr. *phimosis* e, este, do lat. cient. *phimōsis*, deriv. do gr. *phīmōsis*.
fin·ado, -al, -alidade, -alista, -alizar, -amento → FIM.
finança *sf.* 'recursos pecuniários (de um indivíduo, de um país etc.)' XVI. Do fr. *finance* ‖ financEIRO 1813 ‖ financIAMENTO XX ‖ financIAR XX ‖ financISTA XX.
finar → FIM.
fincar *vb.* 'cravar' | XV, *ficar* XIII | Do lat. vulg. **figĭcāre*, de *figĕre* 'cravar' ‖ AfincADO | *aficado* XIII, *aficado* XIII ‖ AfincAMENTO | *aficamento* XIV, *affi-* XIV ‖ AfincAR | *aficar* XIII, *afficar* XIII. Cp. FICAR.
⇨ fincar — AfincAÇÃO | *aficaçõ* XV BERN 746 ‖ AfincAD·IÇO | *aficadiço* XV OFIC 132.*16* ‖ AfincADOR | *affycador* XV BENF 239.*3*, *aficador* VITA 125*d*22 |.
fin·da, -dar, -do, -eza → FIM.
fingir *vb.* 'simular, inventar, fantasiar' | *fynger* XV | Do lat. *fingĕre* ‖ fingIDO 1572 (o adv. *fingidamente* já ocorre no séc. XV) ‖ fingIDOR XVII ‖ finGIMENTO XV.
fin·ítimo, -ito, -o, -ório → FIM.
finta *sf.* 'imposto extraordinário' XIII. De origem controversa.
finura → FIM.
fio *sm.* 'fibra extraída de plantas têxteis' 'corrente tênue de líquido' 'encadeamento' 'gume de instrumentos cortantes' XIII. Do lat. *filum -i* ‖ AfiAÇÃO 1881 ‖ AfiADO | *aff-* XIII ‖ AfiADOR XVIII ‖ AfiAR XV ‖ DES·EnfiAR XVII ‖ DESfiADO XV ‖ DESfiAR XVI ‖ EnfiADO | 1572 *enffiado* XIV ‖ EnfiAR | XVI *infiar* XVI ‖ ESfiAP·AR XX ‖ fiAÇÃO 1797 ‖ fiADO¹ *sm.* XIV ‖ fiAND·EIRA XVI ‖ fiAND·EIRO XVI ‖ fiAPO XX ‖ **fiar**¹ XVI. Do lat. *filāre* ‖ fiEIRA XV.
⇨ fio — AfiAÇÃO | 1836 SC |.
fiorde *sm.* '(Geog.) golfo estreito e profundo entre montanhas altas' XX. Do fr. *fiord*, deriv. do nor. *fjord*.
fiorita *sf.* '(Min.) variedade de quartzo' 1881. Do ing.*fiorite*, voc. criado por Thomson, em 1796, de

Santa Fiora, nome de uma localidade italiana, e *-ite* (v. -ITA).
fioritura → FLOR.
firme *adj. 2g.* 'seguro, fixo, estável' XIII. Do lat. vulg. *firmĭs* (cláss. *firmus*) || **firma** XVI. Deriv. regress. de *firmar* || **firm**AÇÃO | *firmaçã* XIV || **firm**ADO XIII. Do lat. *firmātus* || **firm**ADOR XVII. Do lat. *firmātor -ōris* || **firm**AL XIV || **firm**AMENTO XIII. Do lat. *firmamentum -i* || **firm**ANÇA XIV || **firm**AR XIII. Do lat. *firmare* || **firm**EZA XIV || IN**firm**AÇÃO XX || **firm**AR 1813 || IN**firm**ATIVO 1881 || IN**firm**e XX. Do lat. *infirmis*. Cp. AFIRMAR.
fisalita *sf.* '(Min.) variedade opaca do topázio' | *phi-* 1873 | Do gr. *phisalita*, por via erudita.
fiscal *adj. s.2g.* 'relativo à fazenda pública' 'empregado aduaneiro etc.' XVIII. Do fr. *fiscal*, deriv. do lat. *fiscālis* || CON**fisc**AÇÃO 1813. Do lat. *confiscatio -ōnis* || CON**fisc**AR XVII. Do lat. *confiscare* || CON**fisco** 1858. Deriv. regress. de *confiscar* || **fiscal**IZ·AÇÃO 1813 || **fiscal**IZAR XVII || **fisco** XVIII. Do lat. *fiscus*.
➪ **fiscal** — CON**fisc**AÇÃO | 1535 *in* CDP III.236.*8* || CON**fisc**ADO | 1517 *in* CDP I.470.*35* || CON**fisc**AR | 1525 ABEJP 23.*1* || **fisco** | 1534 *in* CDP III.115.*24*, *fisquo* 1534 Id. III.109.*33* |.
fiscela *sf.* 'cestinho' 'açaimo' | *fiscella* 1813 | Do lat. *fiscella*.
fisco → FISCAL.
-fise *elem. comp.*, do gr. *phýsis* 'natureza', que se documenta em alguns vocs. eruditos já formados no próprio grego, como *apófise* (gr. *apóphysis*), *epífise* (gr. *epíphysis*) etc. V. FISIO-.
fisgar *vb.* 'pescar com arpão' 'prender, apanhar com rapidez' XVI. Do lat. **fixicare*, de *fixus*, part. de *figere* 'cravar' || **fisga** XVI. Deriv. regress. de *fisgar* || **fisg**ADA *sf.* XX || **fisg**ADOR 1844.
➪ **fisgar** — **fisg**ADOR | 1836 SC |.
física *sf.* '*ant.* medicina' XIII; '*ant.* ciência da natureza' XIV; na acepção atual 'ciência que investiga as propriedades da matéria, seus aspectos e níveis de organização, e as leis de seu movimento' o voc. é bem moderno, pois só a partir do séc. XVIII é que em português, como nas principais línguas de cultura, ele veio a assumir esta nova acepção. Do lat. *phýsĭca*, deriv. do gr. *physyké* 'ciência da natureza' || **físico** *sm.* '*ant.* médico' XIII; o voc. teve evolução semântica paralela à do anterior. Do lat. *phýsĭcus*, deriv. do gr. *physifikós*.
fisio- *elem. comp.*, do gr. *physio-*, de *phýsis* 'natureza', que se documenta em alguns vocs. eruditos formados no próprio grego, como *fisiognomonia*, e em alguns outros introduzidos na linguagem científica internacional a partir do séc. XIX ▶ **fisio**CRAC·IA | *phy-* 1844 | Do fr. *physiocratie* || **fisio**CRATA | *phy-* 1881 | Do fr. *physiocrate* || **fisio**GEN·IA XX. Do lat. cient. *physiogenia* || **fisio**GNOMON·IA | *phy-* 1844 | Cp. gr. *physiognōmonía* || **fisio**GRAF·IA | *physiographia* 1858 | Do fr. *physiographie* || **fisiol**og·ia | *phy-* 1844 | Do lat. *physiologia*, deriv. do gr. *physiología* || **fisio**LÓG·ICO | *phy-* 1844 || **fisio**LOG·ISTA | *phy-* 1858 || **fisio**NOM·IA | *phy-* 1844 | Do lat. *physionomia*, deriv. do gr. *physiognōmonía*; cp. *fisiognomonia*. No séc. XV documenta-se uma var. *filosomja*, na qual parece ter havido interferência do voc. *filosofia* || **fisio**NOM·ISTA | *phy-* XVI || **fisio**TE-RAPEUTA XX || **fisio**TERAP·IA XX || **fisio**TERÁP·ICO XX.

➪ **fisio-** — **fisio**LOGIA | *physiologia* 1836 SC || **fisio**LÓGICO | *physiologico* 1836 SC || **fisio**NOM·IA | *phisionomia* 1532 JBarR 52.*11* || **fisio**NOM·ISTA | *phisionomista* 1532 JBarR 172.*10* |.
fiso- *elem. comp.*, do gr. *phýso-*, de *phýsa* 'vento, ar', que se documenta em alguns vocs. eruditos formados no próprio grego, como *fisoide*, e em alguns outros introduzidos na linguagem científica internacional a partir do séc. XIX ▶ **fiso**CARPO | *phy-* 1873 || **fiso**CELE | *phy-* 1873 || **fiso**IDE | *phy-* 1899 | Cp. gr. *phýsoeidés* | **fiso**METRIA·IA | *phy-* 1899 → **fis**ÔMETRO | *phy-* 1873.
fissão *sf.* 'ato de fender, de dividir' XX. Do ing. *fission*, deriv. do lat. *fissiō -ōnis*.
fissi- *elem. comp.*, do lat. *fissi-*, de *fissus*, part. de *findĕre* 'fender, cortar', que se documenta em alguns vocs. eruditos, particularmente na linguagem da biologia ▶ **fissi**FLORO | *fissiflor* 1873 || **fissi**FORME 1873 || **fissi**LABRO 1873 || **fissí**PARO | *fissipara* XVII || **fissí**PEDE 1844 || **fissi**PENE | *fissipenna* 1873 || **fissi**R-ROSTRO | *fissirostro* 1858.
➪ **fissi-** — **fissí**PEDE | 1836 SC |.
físsil *adj. 2g.* 'fácil de fender' XIX. Do fr. *fissile*.
fissura *sf.* 'fenda, cisura, abertura' XVIII. Do fr. *fissure*.
fístula *sf.* '(Med.) úlcera em forma de canal estreito e profundo' 'cano, canal' 'flauta' | *fistola* XIV | Do lat. *fistŭla* || **fistul**ADO | *fistolado* XIII || **fistul**AR[1] *vb.* | *fisto-* XIV || **fistul**AR[2] *adj.* XIV. Do lat. *fistulāris* || **fistul**I·VALVO 1881 || **fistul**OSO XVII. Do lat. *fistulōsus*.
fita[1] → FITAR.
fita[2] *sf.* 'tira, faixa' 'filme' XIV. Provavelmente do lat. *vitta* 'faixa.'
fit·a[3], *-eiro* → FICÇÃO.
fitar *vb.* 'fixar a vista em' XVII. Do lat. **fictare*, de *fictus*, part. de *figēre* 'cravar, fixar' || A**fit**AR 1881 || **fita**[1] XX. Deriv. regress. de *fitar* || **fito** XIII. Do lat. *fictus*.
➪ **fitar** | **fit**ADO *p. adj.* 1573 NDias 375.*9* || A**fitar** | 1836 SC |.
➪ **fiteiro** → | FICÇÃO |.
-fit(o)- *elem. comp.*, do gr. *-phyt(o)-*, de *phytón* 'planta', que se documenta em inúmeros vocs. eruditos introduzidos na linguagem científica internacional, a partir do séc. XVIII, particularmente no domínio da botânica ▶ **fit**INA XX || **fito**FISIONOM·IA XX || **fito**GÊN·EO | *phy-* 1873 || **fito**GEN·IA | *phy-* 1899 || **fito**GEOGRAF·IA | *phytogeographia* 1873 || **fito**GNOM·IA | *phy-* 1899 || **fito**GNOMÔN·ICA | *phy-* 1899 || **fito**GNOS·IA XX || **fito**GRAF·IA | *phy-* 1858 || **fitó**GRAFO | *phy-* 1899 || **fito**IDE | *phy-* 1899 || **fito**LOG·IA | *phy-* 1858 || **fito**NOM·IA | *phy-* 1858 || **fito**NOSE | *phy-* 1899 || **fito**PALEONTO·LOG·IA XX || **fito**RMÔN·ICO XX || **fito**SE XX || **fitos**·SANITAR·ISTA XX || **fitos**·SOCIOLOG·IA XX || **fito**TECA XX || **fito**TECN·IA XX || *phytotechnia* 1873 || **fito**ZO·ÁRIO | *phy-* 1873.
fiúza *sf.* 'fé, confiança' | XIII, *fe-* XIII | Do lat. *fidūcĭa*. Cp. FIDÚCIA.
➪ **fiúza** — A**fiuz**ADO | *afeuzado* XIV TROY II.137.*10* || A**fiuz**AR | XIV TROY I.279.*13*, *afeuzar* XIV TROY II.96.*7* |.
fivela *sf.* 'peça usual para prender partes do vestuário' 1813. Do lat. vulg. **fibella*, de *fibŭla*, com troca de sufixo || A**fivel**AR 1881 || DES·A**fivel**ADO 1881

|| DES·AfivelAR 1881 || DESfivelADO | -vellado 1813 || DESfivelAR | -vellar 1813 || fivelAR 1813.
⇨ **fivela** | XV FRAD I.381.*17, fyvella* XV CAVA 33.*13* | DES·AfivelAR | 1836 SC |.
fixo *adj.* 'firme, cravado, estável' XVI. Do lat. *fixus*, part. de *figĕre* 'pregar, cravar' || AfixAÇÃO | *aff-* 1844 || AfixADO | *aff-* 1844 || AfixAR | *aff-* XVI || Afixo | *aff-* XVII || **fixa** *sf.* 1813. Do lat. *fixa*, fem. de *fixus* || **fix**AÇÃO 1813 || **fix**ADO XVI || **fix**ADOR 1873 || **fix**ANTE 1813 || **fix**AR XVIII. Possível adapt. do fr. *fixer* || **fix**IDEZ XIX.
⇨ **fixo** — AfixAÇÃO | *aff-* 1836 SC || AfixADO | *aff-* 1836 SC |.
flabelo *sm.* 'leque, ventarola' '(Bot.) planta da fam. das gramíneas' XIX. Do lat. *flābellum -i* || **flabel**ADO | *-llado* 1858 | Adapt. do fr. *flabellé* || **flabel**Í·FERO XIX. Do lat. *flābellifĕrus* || **flabel**Í·FOLI·ADO XIX || **flabel**Í·FORMEXIX.Do fr.*flabelliforme*|| **flabel**Í·PEDE XIX.
flácido *adj.* 'lânguido, mole, adiposo' | *-ccido* XVIII | Do lat. *flaccĭdus* || **flacid**EZ | *-ccidez* 1844.
flagelo *sm.* 'chicote' '(fig.) calamidade, castigo, tortura' | *fragello* XIV | Do lat. *flagellum -i* || **flagel**AÇÃO | *-llação* 1758 || **flagel**ADO *adj. sm.* | *-llado* XVI || **flagel**AR | *-llar* XVI || **flagel**ATIVO XVII || **flagel**Í·FERO XIX. Do fr. *flagellifère* || **flagel**Í·FORME | *-lli-* 1858.
flagício *sm.* 'ação infamante ou criminosa, ignomínia' XVII. Do lat. *flāgitiŭm -ii* || **flagici**OSO XVII. Do lat. *flāgitiōsus*.
flagrância *sf.* 'ardência, calor, abrasamento' XVI. Do lat. *flagrantia*, nom. pl. neutro de *flagrans -antis*, part. de *flagrāre* || **flagr**ANTE *adj. sm.* XVII. Do lat. *flagrans -antis*, part. de *flagrāre* || **flagr**AR XX.
flama *sf.* 'chama, ardor, vivacidade' XVI. Do lat. *flamma* || DES·INflamAÇÃO | *-mmação* 1881 || DES·INflamADO | *-mmado* 1899 || DES·INflamA·TÓRIO XX || flamÂNCIA | *-mmância* XVII. Do lat.*flammantĭa*, nomin. pl. neutro de *flammans -antis*, part. de *flammāre* || **flam**ANTE | *-mmante* 1601 | Do lat. *flammans -antis*, part. de *flammāre* || **flam**BAR | *-mbar* XV. Do fr. *flamber* e, este, do lat. *flammāre* || **flam**boaiã XX. Do fr. *flamboyant* || **flam**EJ·ANTE | *flamm-* 1813 || **flam**EJAR | *flamm-* 1813 || **flâm**EO XVII. Do lat. *flammĕus* || **flam**Í·FERO | *flammi-* XVII. Do lat. *flammĭfer* || **flam**Í·GERO | *flammi-* XVII | Do lat. *flammĭger* || **flam**Í·POTENTE | *flammi-* XVIII || **flam**Í·S·PIR·ANTE | *flammi-* XVII || **flam**Í·VOMO | *flammi-* XVIII || **flâm**ULA XVII. Do lat.*flammŭla* || INflamABIL·IDADE | *inflamma-* 1858 || INflamAÇÃO | XVII, *enflamaçam* XV | Do lat. *inflammātĭō -ōnis* || INflamADOR | *inflamm-* XVII || INflamAR | 1572, *enflamar* XIV, *enframar* XV | Do lat. *inflammāre* || INflamATIVO | *inflamm-* XVII || INflamA·TÓRIO | *inflamma-* 1813.
⇨ **flama** | XIV TEST 87.*25* DES·INflamAÇÃO | *-mmação* 1836 SC || DES·INflamADO | *-mmado* 1836 SC |.
flamengo¹ *adj. sm.* 'relativo a ou natural de Flandres' | XVIII, *fra-* XV | Do lat. med. *flamengus*, deriv. do neerl. *Vlaming* (m. neerl. *Vláming*).
flamengo², **flamingo** *sm.* 'ave da fam. dos fenicopterídeos, de plumagem brilhante' | *faramengo* 1575, *flamingo* XX | Do prov. *flamenc* 'da cor do fogo' 'brilhante'; a var. ant. *faramengo* (hoje *flamengo*²) foi influenciada pelo etnônimo FLAMENGO¹; o moderno *flamingo* provém do ing. *flamingo*.

flâm·eo, -ífero, -ígero → FLAMA.
flâmine *sm.* 'na antiga Roma, sacerdote que se consagrava ao culto de uma divindade particular' XVII. Do lat. *flamĕn -ĭnis*.
flamingo → FLAMENGO².
flami·potente, -spirante, -vomo, flâmula → FLAMA.
flanar *vb.* 'perambular ociosamente' 1899. Do fr. *flâner*.
flanco *sm.* 'lado de um corpo de tropas, ilharga' 1813. Do fr. *flanc*, deriv. do frâncico **hlanka* || **flanqu**EAR | *-car* 1813.
flandre(s) *sm.(pl).* 'folha de ferro estanhado utilizada no fabrico de diversos utensílios' 'folha de flandres' XIX . Do top. *Flandres* || **flandr**ISCO XVIII.
⇨ **flandre(s)** — **flandr**ISCO | *framdisco c* 1539 JCasD 77.*13* |.
flanela *sf.* 'tipo de tecido de lã' | *-ella* 1858 | Do fr. *flanelle*, deriv. do ing. *flannel* e, este, empréstimo do galês *gwlanen* 'tecido de lã', deriv. de *gwlān* 'lã'.
flanquear → FLANCO.
flape *sm.* 'dispositivo do avião na sua parte posterior e na inferior das asas, destinado a reduzir sua velocidade' XX. Do ing. *flap*.
flato *sm.* 'ventosidade, sopro, hálito' XVII. Do lat. *flātus -us* || **flatul**ência 1813. Do fr. *flatulence* || **flatul**ENTO 1813. Do fr. *flatulent* || **flatu**L·OSO 1844 || **flatuos**·IDADE 1813 || **flatu**OSO XVIII. Do fr. *flatueux*.
⇨ **flato** — **flat**ULO·SO | 1836 SC |.
flauta *sf.* 'instrumento musical de sopro' | *frauta* XV | Do ant. fr. *flaüte* e, este, do prov. *flaüto* || AflautADO 1899 || **flaut**AR | *frautar* XVI || **flaut**EAR XIX || **flaut**IM XIX. Do it. *flautino* || **flaut**ISTA XIX.
⇨ **flauta** — AflautADO | 1836 SC |.
flavo *adj.* 'louro, fulvo, da cor do ouro' 1572. Do lat. *flavus* || **flav**ESC·ENTE 1881. Do lat. *flavescens -entis*, part. de *flavescĕre* || **flav**ESC·ER | *flavecer* 1858 | Do lat. *flavescĕre* 'tornar amarelo' || **flaví**·PEDE 1899.
fleb(o)- *elem. comp.*, do gr. *phlebo-*, de *phleps phlebós* 'veia', que se documenta em alguns vocs. eruditos formados no próprio grego, como *flebotomia*, e em alguns outros introduzidos na linguagem científica internacional a partir do séc. XIX ♭ **fleb**ARTÉR·IA XX || **fleb**ECTAS·IA | *phl-* 1873 || **fleb**ECTOM·IA XX || **fleb**ECTOP·IA XX || **fleb**EURISMA XX || **fleb**ITE | *phl-* 1858 || **flebo**GRAF·IA | *phlebographia* 1858 || **flebo**GRÁF·ICO | *phlebográphico* 1899 || **fleb**ÓGRAFO | *phlebógrapho* 1899 || **flebó**LITO | *phlebólitho* 1899 || **flebo**MALAC·IA | *phl-* 1873 || **flebo**PALIA | *phl-* 1873. Cp. gr. *phlebopalía* || **flebo**RRAG·IA | *phleborrhágia* 1858 | Cp. gr. *phleborrhágia* || **flebo**STAS·IA XX || **flebo**TOM·IA | *phl-* 1844 | Cp. gr. *phlebotomía*.
flecha *sf.* 'arma de arremesso que consta de uma haste pontiaguda' 'seta' | *fre-* XV | Do fr. *flèche*, de origem gerrmânica || **flech**ADA | *fre-* 1813 || **flech**AR | *fre-* 1813 || **flech**EIRO | *fre-* 1813 || **frech**AL 1813.
⇨ **flecha** — **flech**ADA | *frechada* 1557 *Frol.* 81.*6* | **flech**AR | 1557 *Frol.* 26.*18* | **flech**EIRO | 1538 DCast 67v26, *frecheiro c* 1539 JCasD 90.*8* |.
flectir → FLEXÃO.
flegma *sf.* 'segundo a medicina antiga, um dos quatro humores do organismo humano' '(fig.) impas-

sibilidade' | *freyma* XIV, *flei-* XVI, *fle-* XVI | Do lat. tard. *phlegma -atis*, do gr. *phlégma -atos* || **flegmão** | *fleimão* XVII | Do lat. med. *phlegmon -onis*, do gr. *phlegmonē* || **flegmasia** | *phl-* 1858 | Do fr. *phlegmasie*, deriv. do gr. *phlegmasía* || **flegm**ÁTICO | *flei-* XVII | Do lat. *phlegmaticus* e, este, do gr. *phlegmatikós*.
flente *adj.* 2g. 'que chora, lastimoso' XIX. Do lat. *flens -entis*, part. de *flēre* 'chorar'.
flerte *sm.* 'namorico' XX. Do ing. *flirt* || **flert**AR XX.
flexão *sf.* 'ato de dobrar-se ou curvar-se' '(Ling.) variação morfológica nos vocábulos para marcar-lhes as categorias gramaticais' XVII. Do lat. *flĕxĭo -ōnis* || BI**flexo** 1871 || **flectir** | *fletir* XX | Do lat. *flēctĕrĕ* || **flex**IBIL·IDADE 1813. Do lat. *flexibĭlĭtās -ātis* || **flex**IBIL·IZAR XX || **fléxil** XIX. Do lat. *flĕxĭlis* || **flexí**·LOQUO XIX. Do lat. *flĕxĭlŏquŭus* || **flexion**AL 1899. Do fr. *flexionnel* || **flexion**AR 1899. Do fr. *flexionner* || **flexion**ISMO 1899 || **flexí**·PEDE 1844. Do lat. *flĕxĭpēs -ĕdĭs* || **flex**ÍVEL XVIII. Do lat. *flĕxĭbĭlis* || **flex**IVO 1899 || **flex**OR 1844 || **flexu**OSO XVII. Do lat. *flĕxŭōsus* || **flexu**RA XVII. Do lat. *flĕxŭră* || IN**flect**IR 1899. Do lat. *inflectĕre* || IN**flexão** 1873. Do lat. *ĭnflĕxĭo -ōnis* || IN**flex**IBIL·IDADE XVIII || **inflexí**vel XVI.' Do lat. *inflexibĭlis* || IN**flexo** XVIII. Do lat. *inflexus*, part. de *inflectĕre*.
⇨ **flexão** — **flex**OR | 1836 SC || IN**flexão** | 1836 SC |.
flibusteiro *sm.* 'pirata dos mares americanos nos sécs. XVII e XVIII' 1858. Do fr. *flibustier* e, este, do ing. *filibuster*, deriv. do neerl. *vrijbuiter*.
flictena *sf.* '(Med.) elevação circunscrita da epiderme, contendo líquido seroso ou hemorrágico' | *phlic-* 1873 | Do fr. *phlyctène*, deriv. do gr. *phlyktaina*.
floco *sm.* 'farfalha de neve' 'felpa, tufo de pelos, vaporização' | XVII, *froco* XIII | Do lat. *flŏccŭs* || **flo**coso 1844. Do lat. *floccosus* || **flóc**ULO 1873. Do lat.*flocculus*.
⇨ **floco** — **floc**OSO | 1836 SC |.
flog·ístico, -opite, -ose → FLOX.
flor *sf.* 'órgão de reprodução das plantas fanerogâmicas' | XIII, *frol* XIII | Do lat. *flōs -ōris* | A**flor**AR 1899. Adapt. do fr. *affleurer* || BI**floro** 1881 || DE**flor**AÇÃO XVI. Do lat. *defloratĭo -ōnis* || DE**flor**ADOR XVI || DE**flor**AMENTO 1881 || DE**flor**AR XVI. Do lat. *dēflōrārĕ* || DES**flor**ADO 1813 || DES**flor**ADOR 1813 || DES**flor**AMENTO 1881 || DES**flor**AR XVI || E**flor**ESC·ÊNCIA | *eff-* 1844 | Do lat. *efflorescentĭa*, nom. neutro pl. de *ēfflōrēscĕrĕ* || E**flor**ESC·ENTE | *eff-* 1858 | Do lat. *efflorescens -entis*, part. de *ēfflōrēscĕrĕ* || E**flor**ESCER | *eff-* 1858 | Do lat. *ēfflōrēscĕrĕ* || EN**flor**AR XIX || EN**flor**ESCER | XV, *enflorecer* XV || ES**flor**ADO | *-frol-* XV || **fioritura** | *-re* 1899 | Do it. *fioritura* || **flora** XIX. Do lat. *Flōra* 'Flora, a deusa das flores e da primavera' | **flor**ADA XVII || **flor**AL | *floraes* pl. XVI | Do lat. *flōrālĭs* || **flor**ÃO *sm.* 'ornato' XVII || **flor**E·AMENTO XV || **flor**E·AR XVI || **flor**E·IO | *floreo* XVI | Deverbal de *florear* || **flor**EIRA XIX || **flor**ENTE XVI. Do lat. *flōrens -ēntis*, part. de *florēre* || **flór**EO XVI. Do lat. *flōrĕus* || **flor**ESC·ÊNCIA | *-ecência* XVIII | Do lat. *flōrēscĕntĭa*, part. pl. neutro de *flōrēscĕrĕ* || **flor**ESC·ENTE | *-ecente* XV | Do lat. *flōrēscēns -ēntĭs*, part. de *flōrēscĕrĕ* || **flor**ESC·ER | *floreçer* XIV, *floreçer* XIV | Do lat. *flōrēscĕrĕ* || **flor**ETA XVII || **flor**ETE XIX. Do a. fr. *floret* || **flor**ET·EAR XVI || **flori**·CULT·OR XX || **flori**·CULT·URA 1899 || **flor**IDO | *frolido* XVI || **flór**IDO | *frolido* XVII | Do lat. *flōrĭdús* || **florí**·FAGO XIX || **flor**ÍFERO XVIII. Adapt. do fr. *florifère*, do lat. *florĭfer* || **flori**·FORME 1873 || **flori**·GERO XVIII. Do lat. *flōrĭger* || **florilégio** XVIII. Do fr. *florilège*, deriv. do lat. *florilegĭum* || **florí**·PARO 1858. Do lat. *florĭpărus* || **flor**IR XIX. Do prov. *florir* || **flor**ISTA 1813 || **floro**·MAN·IA 1873 || **flósculo** 1858. Do lat. *flōscŭlus* || **floscul**OSO 1858 || IN**flor**ESC·ÊNCIA 1858 || RE**flor**ESC·ER | *reflorecer* XVI | Do lat. *reflōrēscĕre* || RE**flor**ESC·IMENTO 1899.
⇨ **flor** — BI**floro** | *biflor* 1836 SC || E**flor**ESC·ÊNCIA | *eff-* 1836 SC || RE**flor**ESCER | *rrefroreçer* XV IMIT 22.29 |.
floresta *sf.* 'conjunto extenso e denso de árvores' | 1572, *furesta* XIV, *fo-* XIV, *fro-* XIV | Do a. fr. *forest* e, este, do baixo lat. *florestis (silva)* a '(bosque) externo'. Na forma *floresta* houve provável influência de *flor* || DES**florest**AMNETO XX || DES**florest**AR XX || **florest**AL 1813 || RE**florest**AMENTO XX || RE**florest**AR XX.
florim *sm.* 'unidade monetária da Holanda e da Hungria' 'na Idade Média, moeda de prata cunhada em Florença' | *frolij* XIV, *floriins* pl. XIV | Do it. *fiorino*.
flor·íparo, -ir, -ista, -omania → FLOR.
flóscul·o, -oso → FLOR.
⇨ **flotilha** → FROTA.
flox *sm.* '(Bot.) gênero de polemoniáceas ornamentais' 1899. Do lat. *phlox -gis* e, este, do gr. *phlóx -gós* 'flama' || **flog**ÍSTICO | *phlo-* 1844 | Do fr. *phlogistique*, do lat. cient. *phlogistĭcum*, voc. criado pelo químico alemão Becker (1628-1685), do gr. *phlogistós* 'inflamável' || **flogopite** XX. Do fr. *phlogopite* || **flogose** | *flogosi* XVIII | Do lat. cient. *phlogōsis* e, este, do gr. *phologosis* 'combustão' || **flox**INA XX.
fluên·cia, -te → FLUIR.
fluido *adj. sm.* 'que corre como líquido' 'designação genérica de qualquer líquido ou gás' 1813. Do lat. *fluidus* || **fluid**EZ XIX || **fluid**IFICAR 1813.
⇨ **fluido** | *a* 1542 JCASE 56.7 |.
fluir *vb.* 'correr, escorrer (como os líquidos)' 'manar, proceder, derivar' XVIII. Do lat. *flŭĕre* || CON**fluência** 1813 || CON**fluente** XVIII || CON**fluir** XVIII. Do lat. *conflŭĕre* || E**fluência** || *eff-* 1844 | Do fr. *effluence* e, este, do lat. *effluentĭa* || E**fluente** | *effl-* 1844 | Do lat. *effluens -entis*, part. de *efflŭĕre* || **fluência** 1858. Talvez do fr. *fluence*, deriv. do lat. *fluentĭa* || **flu**ENTE 1813. Do lat. *fluens -entis*, part. de *flŭĕre* || IN**fluência** XV. Do lat. med. *influentĭa* || IN**fluenci**·AR XIX || IN**fluente** 1844. Do lat. *influens -entis*, part. de *inflŭĕre* || **influenza** XIX. Do ing. *influenza* e, este, do it. *influenza* || IN**flu**IÇÃO 1572 || IN**flu**IDOR XVII || IN**fluir** | 1553, *enfruyr* XV || IN**flux**O 1572. Do lat. *influxus*, part. de *inflŭĕre* || RE**fluir** XIX. Do lat. *reflŭĕre* || RÉ**fluo** XX. Do lat. *reflŭus*.
⇨ **fluir** — E**fluência** | *effl-* 1836 SC || E**fluente** | *effl-* 1836 SC || **fluente** | 1836 SC |.
flume *sm.* 'rio' XIV. Do lat. *flumen -ĭnis* || **flumin**ENSE XIX || **flumíneo** 1858. Do lat. *flūmĭnĕus*.
flúor *sm.* '(Quím.) elemento de número atômico 9' 1858. O vocábulo já se documenta no séc. XVIII, no sentido de 'fluxo, corrimento'. Do lat. *flŭor -ōris* || **fluor**ESCE·ÍNA XX || **fluor**ES·CÊNCIA 1899. Do fr. *fluo-*

rescence || **fluor**ESC·ENTE 1899. Do fr. *fluorescente* || **fluor**ETO 1858 || **fluor**ÍDR·ICO | *fluorhýdrico* 1899 | Do fr. *fluorhydrique* || **fluor**ITE 1873 || **fluor**IZ·AÇÃO XX || **fluoro**·GRAF·IA XX || **fluoro**·SCÓP·IO 1899.
flutí·cola, -geno, -ssonante, -vago → FLUXO.
flutu·ação, -ante. -ar, -oso → FLUXO.
fluvial *adj. 2g.* 'relativo ou pertinente a rio' XVII. Do lat. *fluviālis* || **fluvi**ÁTIL 1873. Do fr. *fluviatile* e, este, do lat. *fluviatĭlis* || **fluvi**Ô·METRO XIX.
fluxo *sm.* 'fluido que corre, que deixa correr' XIV. Do lat. *fluxus -us* 'corrimento' || **flut**ÍCOLA XX. Do lat. *flucticŏla* || **fluti**GENO XX. Do lat. *fluctigĕnus* || **fluti**·S·SON·ANTE | *fluctisonante* XVII || **fluti**·VAGO XX. Do lat. *fluctivăgus* || **flutu**AÇÃO | *fluct-* 1844 | Do lat. *fluctuātiō -ōnis* || **flutu**ANTE | *fluct-* 1813 | Do lat. *fluctuans -antis*, part. de *fluctuāre* || **flu**tuAR | *fluct-* 1572 | Do lat. *fluctuāre* || **flutu**OSO | *fluct-* 1572 || **flux** XVIII. De *fluxo*, com apócope || **fluxão** XVIII. Do lat. tard. *fluxĭo -onis* || **fluxi**BIL·IDADE XVII || **fluxion**ÁRIO XVIII || **flux**ÍVEL 1873 || **fluxo**·GRAMA XX || **flux**Ô·METRO XX || RE**flu**ENTE XX || RE**flux**O XVII. Cp. FLUIR.
⇨ **fluxo** — **flux**ÍVEL | 1836 SC || RE**fluxo** | *a* 1542 JCaSE 70.*12*, 1573 GLeão 119.*4* |.
-fob- → -FOB(O)-.
fobia *sf.* 'designação genérica das diferentes espécies de medo mórbido' XX. Do fr. *phobie* e, este, do gr. *phóbos* 'pavor'; a palavra foi tirada do segundo elemento de palavras como *hidrofobia*. V. -FOB(O).
-fob(o)- *elem. comp.*, do gr. *-phobo*, de *phóbos* 'medo', que se documenta como segundo elemento de compostos eruditos, como *antropófobo* e *hidrófobo*, por exemplo, e em seus derivados, como *antropofobia* e *hidrofobia*.
foca *sf.* 'mamífero pinípede da família dos focídeos' 1572. Do lat. *phōca* e, este, do gr. *phōke*.
focinho *sm.* 'parte da cabeça do animal que compreende boca, ventas e queixo' XVI. Do lat. **faucinus*, deriv. de *faux* 'garganta' || **foç**AR XIV || **focinh**EIRA XVII || **focinh**UDO XVI || **fuç**A XX. Deriv. regress. de *fucinho*, pronúncia vulgar de *focinho*, no qual a terminação foi tomada pelo suf. dim. *-inho* || **fuç**AR XX.
⇨ **focinho** → **fuç**AR | 1836 SC |.
foco *sm.* 'centro, sede, ponto de convergência' XVIII. Do lat. *fŏcus* || BI**foc**AL XX || EN**foc**ADO XX || EN**foc**AR XX || **foc**AL 1873. Do fr. *focal* || **foc**AL·IZAR XX || **foco**·METR·IA XX || **foc**Ô·METRO XX. Cp. FOGO.
⇨ **foder** *vb.* 'copular' | XIII CPB 1073, PFE 123, PMM 491 etc. | Do lat. **fŭtĕre, por fŭtŭĕre* || **foda** *sf.* 'cópula' | 1975 AF |.
fofo *adj.* 'macio, brando, elástico' XVI. Palavra onomatopaica || **fof**ICE 1844.
fofoca *sf.* 'mexerico, maledicência' XX. Palavra expressiva || **fofoc**AR XX || **fofoqu**EIRO XX.
fogo *sm.* 'desenvolvimento simultâneo de calor e luz produzido pela combustão de certos corpos' 'lume, incêndio' XIII. Do lat. *fŏcus* || A**fogu**EADO XVI || ES**fogu**EAR XX || **foga**ÇA XVI || **fog**ACHO XVIII || **fo**GAGEM 1813 || **fog**AL 1844 || **fogão** XVI || **fog**AR·EIRO XVI || **fog**AR·ÉU | *-reeos* pl. XV || **fog**OSO XVI || **fo**GUEADO XVI || **fogu**EIRA | XIII *fugueyra* XIV | Do lat. **fŏcārĭa*, por *fŏcāria* 'cozinheira' || **fogu**ETE XV. Do cat. *coet*, deriv. de *coa* e, este, do lat. *coda* 'cauda'. No português o voc. sofre influência de *fogo* || **fogu**ETE·EIRO 1813 || **fogu**ISTA XIX || RE**fog**ADO 1813 || RE**fog**AR 1813.
⇨ **fogo** — **fog**AL | 1836 SC |.
foice *sf.* 'instrumento curvo para ceifar' | *fouce* XIII, *ffojçe* XIV | Do lat. *falx -cis* || **falc**ADO | *falcato* XVII | Do lat. *falcatus* || **falcí**·FERO 1858. Do lat. *falcĭfer* || **falci**·FOLI·ADO XIX || **falci**·FORME 1858 || **falcí**·PEDE 1858 || **foiç**ADA | *fouçada* 1813 || **foiç**AR 1813.
fojo *sm.* 'cova funda que serve de armadilha' 'sorvedouro para as águas' 1813. Origem controversa.
folclore *sm.* 'conjunto das tradições, conhecimentos ou crenças populares expressas nos provérbios, contos e canções' XX. Do ing. *folklore* || **folclór**ICO XX || **folclor**ISTA XX.
fole *sm.* 'utensílio destinado a produzir vento para ativar a combustão' 'tipo de saco de couro' | *folle* XIV | Do lat. *follis*.
⇨ **fole** — **fol**EIRO | XV CART 160.*10* |.
folgar *vb.* 'descansar, ter alívio, despertar' | XIII, *follegar* XV | Do lat. *follĭcārĕ* 'respirar como fole', deriv.de *follis* || **fôlego** | XIII, *folgo* | XVI | Deverbal do a. port. *folegar* || **folga** | *folgua* XV || **folg**AD·IO XV || **folg**ADÃO XIII || **folg**ANÇA | *-cia* XIII || **folg**AZÃO || *folgasão* 1813 || **folgu**EDO XVI || RES**folegar** XVII.
⇨ **folgar** — RES**folegar** | *c* 1584 FCaRC 26.*20* |.
folha *sf.* 'nome dado aos órgãos que se desenvolvem no caule das plantas' 'parte cortante de alguns instrumentos' 'pedaço de papel quadrilongo dobrado ao meio' | *ffolha* XIV | Do lat. tard. *fŏlĭa*, deduzido do nom. pl. de *fŏlĭum* || BI**fóli**O 1881 || DES**folh**AMENTO 1899 || DES**folh**AR XVI || ES**folh**ADA 1881 || ES**folh**AR 1844 || EX**foli**AÇÃO 1844 || EXTRA**fó**lio 1858 || **folh**ADO 1813. Do lat. *foliātus* || **folh**AGEM XVI || **folh**ÃO 1844 || **folh**EAR 1813 || **folh**EIRO XX || **folh**ETIM 1873. Adapt. do fr. *feuilleton* 'caderno pequeno', talvez com interferência do cast. *folletín* || **folh**ETO XVIII. Do it. *fogliétto* 'folha de jornal' || **folh**INHA XIX || **folho** 1813. Do lat. *fŏlĭum* || **folh**OSO XVI. Do lat. *foliōsus* || **folh**UDO XVII || **foli**AÇÃO 1873 || **foli**ÁCEO 1873. Do lat. *foliācĕus* || **foli**ADO 1844. Do lat. *foliātus* || **foli**AGUDO XIX || **foli**AR² *adj.* 1813 | **folí**FAGO XIX || **folí**FERO | *foliifero* 1873 || **foli**FORME XIX || **fól**IO 1858. Do lat. *fŏlĭum* || **folí**OLO 1873. Do lat. *foliŏlus* || **folí**PARO | *folii-* 1873 || IN**fóli**O XIX. Do lat. *in folĭum* || INTER**folh**EAR 1873 || INTER**foli**ÁCEO | *-folheaceo* 1858 || PER**folh**ADA 1858 || PER**foli**AÇÃO 1858 || PER**foli**ADO XX.
⇨ **folha** — ES**folh**ADA | 1836 SC || ES**folh**AR | 1836 SC || EX**foli**AÇÃO | 1836 SC || **folh**ÃO | 1836 SC || **foli**ADO | 1836 SC |.
folia *sf.* 'dança rápida ao som do pandeiro' 'folgança ruidosa, pândega' XVI. Do fr. *folie* || **foli**ADA XVI || **foli**ÃO | *foliães* pl. XVI || **foli**AR¹ *vb.* XVI.
foli·ação, -áceo, -ado, -agudo, -ar¹ → FOLHA.
foli·ão, -ar¹ → FOLIA.
folículo *sm.* 'fole pequeno' 'fruto seco unicarpelar e unilocular que se abre pela sutura lateral' '(Anat.) pequena cavidade ou depressão' | *folli-* 1813 | Do lat. *follicŭlus* || **folicul**ÁRIO | *follicullario* 1858. Do fr. *folliculaire* || **folicul**OSO | *folli-* 1858 || **folicul**ITE | *folli-* 1873.
folí·fago, -fero, -forme, -o, -olo, -paro → FOLHA.
fome *sf.* 'grande apetite de comer' *fig.* avidez' | XIV, *fame* XIII | Do lat. *famēs* || ES**faim**ADO XVII. Do part. do ant. *esfamear* || ES**faim**AR. XVII. Do ant. *esfamear*

| ESfomeADO XVIII | ESfomeAR | XVII, -famear XVI || famélico XVI. Do lat. famēlĭcus || faminto | XVI, famiinto XIV | Do lat. vulg. *famĭnĕntus (< *faminen < famēs) || famulento 1572. Trata-se, provavelmente, de vocábulo expressivo, oriundo do cruzamento do antigo fame com fâmulo 'servo'.
fomentar vb. 'promover o desenvolvimento de' XVI. Do lat. fomentare 'dar calor, aquecer' || fomentAÇÃO | fomentaçoens pl. XVIII | fomentADOR XVI | fomentATIVO 1858 || fomento XVII. Do lat. fomentum -i.
fomo sm. 'bacia chata de barro ou cobre em que se seca e torra a mandioca' 1813. De origem obscura.
fon- → -FON(O)-.
fona¹ sf. 'centelha que se apaga no ar' XVIII. Do gót. fōn. 'fogo'.
fona² sm. 'avarento' 1813. Origem obscura.
-fon(o)- elem. comp., do gr. phōnḗ 'som, voz', que se documenta em vocs. eruditos, alguns formados no próprio grego, como fonético, e alguns outros introduzidos, a partir do séc. XIX, na linguagem científica internacional ▶ fonAÇÃO | pho- 1899 | Do fr. phonation || fonADOR | pho- 1899 | Do fr. phonateur || fonAL·IDADE | pho- 1873 | Do fr. phonalité || fonASCIA | pho- 1873 | Cp. gr. phōnaskía || fone XX. Forma abreviada de TELEFONE || fonEMA | pho- XIX | Do fr. phonème, deriv. do gr. phṓ'nēma || fonEM·ÁTICA XX || fonEM·ÁTICO XX || fonÉT·ICA | pho- 1858 || fonÉT·ICO | pho- 1858 | Cp. gr. phōnētikós -éon || fonIATRA XX || fonIATR·IA XX || fônICA | pho- 1899 || fônICO | pho- 1873 || fonoCÂMPT·ICO | pho- 1873 || fonoFOB·IA XX || fonoGRAF·IA | phonographia 1873 || fonóGRAFO | phonographo 1881 | Do fr. phonographe || fonóLITO | pho- 1873 || fonoLOG·IA | pho- 1873 || fonôMETRO | pho- 1858 || fonoSPASM·IA | pho- 1873.
fonte sf. 'nascente de água, chafariz' XIII. Do lat. fons -tis || fontainha | fontaynhas pl. XIV || fontanAL XVII. Do lat. tard. fontanalis || fontanÁRIO 1881 || fontanela | fontanella 1813 | Do it. fontanella || fontano 1844. Do lat. fontānus || fontÍCULO 1813. Do lat. fontĭcŭlus || fontinal 1873. Do lat. Fontinālis (porta), uma das portas de Roma.
⇨ fonte — fontinal | -naes pl. 1836 SC |.
-for- → -FOR(O)-.
fora adv. 'na parte exterior' | XIII, foras XIII | Do lat. fŏras || afora adv. 'longe de, para fora de' XIII; prep. 'com exceção de, exceto' XIII. Do lat. affŏras.
-fora suf. nom., do gr. -phora, do phorá 'movimento', de phérein 'conduzir, levar' que se documenta em compostos eruditos, alguns formados no próprio grego, como hipófora, e outros introduzidos na linguagem científica internacional, como acrófora, por exemplo. V. -FOR(O)-.
foragido adj. sm. 'emigrado, fugido, escondido' | foraxido 1546 | Tal como o cast. forajido (de 1577), o voc. port. deve proceder do a. prov. foreissit, da expressão latina fŏras exĭtus 'saído fora' || foragIR 1899.
forame sm. 'cova, buraco' XVII. Do lat. forāmen -mĭnis || foraminí·FERO 1873 || foraminOSO XVII. Do lat. foraminosus.
forâneo adj. 'estrangeiro, forasteiro' | XVII, forãio XIV | Do baixo lat. foranĕus.

foranto sm. 'receptáculo para flores' | phorantho 1873 | Do gr. phorántos, por via erudita.
forasteiro adj. sm. 'estrangeiro, peregrino' XVI. Do cast. forastero, deriv. do cat. foraster.
forata sf. 'aparelho para a espremedura das azeitonas' 1881. Do it. forata.
forca sf. 'instrumento para o suplício da estrangulação' XIII. Do lat. fŭrca || ENforcADO XVI || ENforcAMENTO XX || ENforcAR XIII || forcADA XIII || forcADO XIII || forquilha 1813. Adapt. do cast. horquilla.
força sf. 'causa capaz de produzir movimento ou sua alteração' 'energia, vigor, robustez' XIII. Do lat. tard. fŏrtĭa || DESforçAR XVII || DESforço 1858 || ESforçADO XIII || ESforçAR XIII || ESforço XIII || forçADO XVI (o adv. forçadamente já se documenta no séc. XIV) || forçADOR XIII || forçAMENTO XV || forçAR XIII || forçEJAR XVII || forçOSO XIV || forçURA XVII (o part. adj. aforçurado já se documenta também no séc. XVII) || REforçADO XVII || REforçAR 1813 || REforço XVI.
fórceps sm. 'tenaz ou pinça cirúrgica para de um corpo extrair corpos estranhos' 'instrumento com que se extrai do útero a criança' 1858. Do lat. forceps -ĭpis.
for·eiro, -ense → FORO
fórfex sm. 'instrumento cirúrgico em forma de tesoura ou pinça' 1881. Do lat. forfex -fĭcis 'tesoura'.
forja sf. 'conjunto de fornalha, fole e bigorna de que se servem os ferreiros' 'oficina de ferreiro' | foria XV, -gia XVI | Do fr. forge e, este, do lat. fabrĭca || DESforjAR | -riar XIV || forjADOR 1813 || forjAR 1572 || forjIC·AR XV.
⇨ forja — forjADO | c 1539 JCasD 11.7 |.
-form- → -FORM(E)-.
forma¹ sf. 'modo sob o qual uma coisa existe ou se manifesta' 'configuração, feitio, feição exterior' XIII. Do lat. forma || forma² sf. 'molde' XVII. Do lat. forma || DEformAÇÃO 1844. Do lat. deformātĭō -ōnis || DEformAR XVI. Do lat. dēformāre || DEformATÓRIO 1844 || DEforme XVI. Do lat. deformis || DEformIDADE XVII. Do lat. dēformĭtās -ātis || DISforme XVI || formAÇÃO | -çom XIV || formātĭō -ōnis || formADOR 1881. Do lat. formātor -ōris || formADURA 1881. Do lat. formātūra || formal¹ sm. '(Jur.) carta de partilhas de propriedade enfitêutica' XIII || formal² adj. 1572. Do lat. formālis || formAL·IDADE XVIII. Do fr. formalité || formAL·ISMO 1873. Do fr. formalisme || formAL·ISTA 1844. Do fr. formaliste || formAL·IZAR | -isar 1801 | Do fr. formaliser || formão¹ XVIII || formAR XIII || formATIVO XVIII || formato 1858. Do fr. format || formATURA 1813. Do lat. formātūra || INformAÇÃO | XV, enformaçom, -çam, ·-çon XIV | Do lat. infŏrmātĭō -ōnis || INformADOR 1813 || INformAL | informaaes pl. XV || INformANTE 1813 || INformAR | 1572, en- XIV | Do lat. in- fŏrmāre || INformATIVO | en- XV || INforme¹ sm. XVIII. Deverbal de informar || INforme² adj. XV. Do lat. informis || INformIDADE 1844 || REforma XVII. Deriv. regress. de reformar || REformAÇÃO XV. Do lat. reformātĭō -ōnis || REformADOR XVI || REformAR XIV. Do lat. reformāre || REformATIVO XVIII || REformATÓRIO 1813 || REformISTA 1881.
⇨ forma¹ — DEformAÇÃO | 1836 SC || DEformATÓRIO | 1836 SC || DISformIDADE a 1542 JCasE 49.16 || formADOR | 1836 SC || formAL·IDADE | 1660 FM-

MelE 150.*4* || formAL·ISTA | 1836 SC || formATURA | 1680 AOCad I.86.*23* || INformADOR | *enformador* 1634 MNor 84.*35* || INformIDADE | 1836 SC || REformADOR | XV FRAD I.46.*2* || REformAMENTO | XV SBER 127.*26* |.
form·aldeído, -al·ina → FORMIGA.
formão[1] → FORMA.
formão[2] *sm.* 'ordem emanada de um soberano muçulmano' 'carta régia' XVI. Do persa *farmān* (< a. persa *framānā* = sânscr. *pramāṇam* 'medida correta, padrão, autoridade').
-form(e)- *elem. comp.*, do lat. *-form(e)-*, de *forma* 'forma', que se documenta em vocs. eruditos, alguns já formados no próprio latim, como *multiforme*, e alguns outros introduzidos nas línguas modernas, como *actiniforme*, *amilofórmio* etc.
form·ena, -iato, -ica, -icação, -icante, -icário, -icida, -icívoro, -ico, -icular → FORMIGA.
formidando *adj.* 'que infunde medo, terrível' 1813. Do lat. *formidandus*, gerundivo de *formidāre* 'temer' || formidÁVEL XVIII. Do lat. *fŏrmīdābĭlis* || **formidoloso** XVII. Do lat. *fŏrmīdŏlōsŭs* 'medroso'.
formiga *sf.* 'designação geral dos insetos himenópteros da fam. dos formicarídeos' XIII. Do lat. *fŏrmīcă* || formALDEÍDO XX || formAL·INA XX || formENA XX || formIATO XX || formica 1844. Do lat. *fŏrmīcă* || formICAÇÃO 1881. Do lat. *fŏrmīcātĭo -ōnis* || **formicante** 1858. Do lat. *formīcans -antis*, part. de *formicāre* 'formigar' || formicÁRIO *adj. sm.* 1873. Do lat. cient. *formicarius* || formicIDA XX || formicí·voro 1881 || fórmICO 1858 || **formicular** 1873. Do lat. *formicularis*, de *fŏrmīcŭla* 'formiguinha' || formigAMENTO 1813 || formigANTE 1899 || formigÃO XVI || formigAR 1844. Do lat. *formicāre* || formigUEIRO XVI || formigUILHO 1813. Talvez adapt. do cast. *hormiguillo* || formOL 1899.
⇨ **formiga** — **formigar** | 1836 SC |.
formoso *adj.* 'de bela aparência, bonito' | XIV, *fer-* XIV, *fre-* XIII etc. | Do lat. *formosus*. As vars. *fermoso* e *fremoso* predominaram durante todo o período medieval e até meados do séc. XVII sobre a atual var. *formoso*, apesar de esta já se documentar esporadicamente em um ou outro texto medieval || AformosEAR | *afremosar* XV, *fremosar* XIV etc. | No port. med. ocorria, a par destas formas, *afremosentar* (séc. XIV) || formosIDADE XVIII || formosURA | XVI, *fer-* XIV, *fre-* XIII.
fórmula *sf.* 'expressão de um preceito ou princípio, receita' XVIII . Do lat. *fŏrmŭlă* || formulAR XVIII || formulÁRIO XVII. Do lat. *formulārius* 'homem prático em leis', com modificação de sentido || REformulAÇÃO XX ||REformulAR 1899.
forn·ada, -alha → FORNO.
fornec·edor, -er, -ido, -imento → FORNIR.
forneiro → FORNO.
fornicar *vb.* 'praticar o coito' | *fornigar* XIV | Do lat. *fornicare, por *fornicari* || fomicAÇÃO | *fornicaçom* XV | Do lat. *fornicātĭo -ōnis* || fomicADOR | *fornigador* XIV || forÍZIO | XIV, *-iço* XIII, *-icio* XIII, *-izeo* XII | Do lat. med. *fornicium*, de *fornix -ĭcis*.
fornir *vb.* 'tornar nutrido, abastecer, prover' XIV. Do ant. fr. *fornir* e, este, do frâncico *frumjan 'executar' || fornEC·EDOR 1858 || fornECEDOR | *forneçer* XIV || fornEC·IDO XVI || fornEC·IMENTO 1858 || fornIDO | *fornydo* XIV.

forno *sm.* 'recipiente para cozer alimentos' XIII. Do lat. *fŭrnus* || DES·ENfurnAR 1844 || ENfurnAR 1844 || fornADA XIII || fornALHA XIV. Do lat. *fornācŭla* || fornEIRO 1813. Do lat. tard. *furnarius* || fornILHO 1813. Adapt. do cast. *hornillo*.
foro *sm.* 'jurisdição, alçada' XIII. Do lat. *fŏrum* || AforADOR XVII || AforAMENTO | XV, *affo-* XIV || AforAR | XIII, *aff-* XIII || DES·AforADO XIV || DES·AforAMENTO XIV || DES·AforAR XIV || DES·Aforo XVIII || forEIRO | XIV, *fforeyro* XIII, *foreyro* XIII etc. || forENSE 1712. Do lat. *forēnsis -e*.
for(o)- *elem. comp.*, do gr. *phor(o)-*, de *phorós* 'que leva, que sustenta, que contém', que se documenta em compostos eruditos, alguns formados no próprio grego, como *hidróforo*, e outros introduzidos na linguagem científica internacional, como *autóforo*, *aeróforo* etc. V. -FORA.
forquilha → FORCA.
forr·ado[1]**, -ageal, -agear, -ageiro, -agem, -ar**[1]**, -eta** → FORRO[1].
forr·ado[2]**, -amento, -ar**[2] → FORRO[2].
forro[1] *sm.* 'guarnição interna' XV. Do a. fr. *feurre*, de origem germânica || DESforrAR[1] XVI || forrADO[1] XIV||forrAGE·AL XVI||forrAGE·AR XVII||forrAG·EIRO XVII || forrAGEM XV. Do fr. *fourrage* || forrAR[1] XVI || forrETA 1813.
forro[2] *adj.* 'liberto, alforriado' XIV. Do ár. *ḥurr* || AforADOR | XIV, *aff-* XIII || AforAR | *aff-* XIII || DESforrA 1813 || DESforrADO 1813 || DESforrAR[2] 1813 || forrADO[2] XIII || forrAMENTO XV || forrAR[2] XIII.
forrobodó *sm.* 'baile popular' 'desordem, confusão' 1899. Vocábulo de origem expressiva || **forró** XX. Provável redução de *forrobodó*.
forte[1] *adj.* 'rijo, robusto' XIII. Do lat. *fŏrtis* || **forte**[2] *sm.* 'lugar fortificado, fortaleza' 1844 || AfortAL·EZ·ADO |*-tele-* XIV|| Afortif·IC·AMENTO |*-tele-* XIV || AfortAL·EZ·AR | XV, *-tele-* XIV || AfortAL·ECER XVI || fortAL·EC·IMENTO 1813 || fortAL·EZA | XIII, *-te-* XIII etc. | Do a. fr. *forterece* ou do prov. *fortaleza*, formados sobre o lat. *fŏrtis* || fortif·IC·AÇÃO XVII || fortIF·IC·ANTE *adj. sm.* 1858 ||fortIFICAR XV || fortIM 1813. Do it. *fortino* || fortUM XVI etc.
⇨ **forte**[1] — AfortAL·ECER | XV MONT 76.*15*, *afortaleçer*XIVDICT684 || Afortif·IC·ADO XIV ORTO 13.*21* || **forte**[2] | 1836 SC || fortIDÃO | 1680 AOcad I.494.*17* || fortIF·IC·AÇÃO | 1571 FOlF 71.*10* |.
fortuito *adj.* 'casual, acidental, inopinado' XV. Do lat. *fŏrtŭĭtŭs*.
fortum → FORTE[1].
fortuna *sf.* 'sucesso imprevisto, ventura, revés da sorte' 'riqueza' | *ffor-* XV, *fur-* XV | Do lat. *fŏrtūnă* || AfortunADO XVII || AfortunAR XV || DES·AfortunADO XVII || fortunADO XVI || fortunAR 1858. Do lat. *fortunāre* || fortÚNICO XVI || fortunOSO XVI || INfortunADO | XVI, *en-* XV | Do lat. *infortunātus* || INfortúNIO XVII. Do lat. *infortūnium*.
⇨ **fortuna** — AfortunADO | XV CESA III.4§*1.1* || INfortúNIO | *c* 1538 JCasG 125.*17* |.
fosca *sf.* 'gesto, momice, disfarce' XVI. De origem obscura.
fosco *adj.* 'embaciado, sem brilho, não transparente' XVIII. Do lat. *fŭscŭs* || ofuscAÇÃO | *offus-* 1858 | Do lat. *offŭscātĭo -ōnis* || ofuscADO | *offus-* 1813 || ofuscAMENTO | *offus-* 1873 || ofuscANTE XX || ofuscAR | *obfus-* XV | Do lat. *ŏffŭscāre* (< *obfuscāre*) 'obscurecer'.

⇨ **fosco** — ofuscado | xiv orto 311.*10* |.
fósforo *sm*. '*orig*. substância que resplandece, que brilha no escuro' 1813; 'palito provido de uma cabeça composta de fósforo e outras substâncias químicas que se inflamam quando atritadas numa superfície áspera' | *phosphoro* 1860 |; '(Quím.) elemento químico, não metálico, de número atômico 15' | *phosphoro* 1844 | Do lat. *phōsphorus*, deriv. do gr. *phōsphóros* (< *phōs* 'luz' + *-phorós* 'que conduz') 'estrela da manhã'. O elemento químico foi obtido acidentalmente da urina, por Brandt, em 1669 || fosfato | *phosph-* 1858 | Do fr. *phosphat*, voc. introduzido na linguagem científica internacional, em 1787, pelo francês de Morveau || fosfat·úria | *phosph-* 1899 || fosfena | *phosph-* 1873 || fosfeto xx || fosfina xx || fosfito | *phosph-* 1858 || fosfoproteina xx || fosfóreo | *phosph-* 1881 || fosforesc·ência | *phosph-* 1858 | Do fr. *phosphorescence* || fosforesc·ente | *phosph-* 1858 | Do fr. *phosphorescent* || fosfórico 1813 || fosforí·fero | *phosphoriphoro* 1873 || fosforoscópio | *phosph-* 1873.
fossa *sf*. '*ant*. sepultura' xiii; 'fosso' xiv. Do lat. *fŏssa* || fossado xvi || fossar xvi || fossário *sm*. '*ant*. cemitério' | xv, *fossayro* xiv || fossento xx || fóssil 1844. Do fr. *fossile* e, este, do lat. *fossĭlis* 'tirado da terra' || fossilí·fero 1873 || fossiliz·ação | *-isação* 1873 || fossil·i zar 1873 || fossí·pede 1899 || fosso xv. Do it. *fòsso*.
⇨ **fossa** — fóssil | 1836 sc |.
fota *sf*. 'turbante mourisco' xv. Do ár. *fōṭà* 'aventa'.
-fot(o) *elem. comp.*, do gr. *phōto-*, de *phōs photós* 'luz', que se documenta em numerosos compostos introduzidos nas línguas modernas de cultura, a partir do séc. xix, como *fotografia, fotometria, fotosfera* etc. Pelo modelo de *fotografia*, cuja forma abreviada *foto* veio a constituir novo elemento de composição, formaram-se dezenas de outros compostos, tais como *fotocarta, fotonovela, fototeca* etc. ♦ fotismo xx || foto *sm*. 'fotografia' xx || fotocarta xx || fotocarto·graf·ia xx | fotocompos·ição xx | fotocompos·it·ora xx || fotocópia xx || fotocrom·ia xx || fotodoscópio | *pho-* 1873|| fotoelétr·ico|*pho-*1873||fotoeletr·ôn·ica xx || fotoemissão xx || fotofob·ia | *photophobia* 1873 || fotogên·ico | *pho-* 1881 || fotógraf·ar | *photographer* 1873 || fotograf·ia | *photographia* 1858 || fotográf·ico | *photographico* 1858 || fotógrafo || *photographo* 1858 || fotograv·ador | *pho-* 1873 || fotograv·ura | *pho-* 1881 || fotolito xx || fotolito·graf·ia | *photolithographia* 1873 || fotolog·ia | *pho-* 1858 || fotomagnét·ico | *pho-* 1873 || fotomecân·ico xx || fotometr·ia | *pho-* 1858 || fotômetro | *pho-* 1858 || fotomicro·graf·ia xx || fotominiatura xx || fotomont·agem xx || fotomultiplic·adora xx || fotonovela xx || fotopat·ia xx || fotops·ia xx || fotoquím·ica xx || fotosfera | *photosphera* 1873 || fotos·síntese xx || fotostát·ico xx || fototax·ia xx || fototeca xx || fototele·graf·ia xx||fototerap·ia xx||fototipo xx || fototrop·ismo xx || fotozinco·graf·ia | *photozincographia* 1899.
fouveiro *adj*. 'ruivo' 'diz-se de cavalo castanho--claro' xv. Do lat. med. **falvuarius*, de *falvus* e, este, do frâncico **falw*.

fóvea *sf*. 'fossa, depressão' '(Med.) região da mácula retiniana' xx. Do lat. *fŏvĕa* 'fosso'.
fovente *adj*. 2g. 'que favorece, propício' 1813. Do lat. *fovens -entis*, part. de *fovēre*.
fovila *sf*. '(Bot.) líquido contido no tubo polínico' xviii. De origem controversa. O vocábulo foi usado por Lineu em 1766.
foxtrote *sm*. 'espécie de dança a quatro tempos, originária dos EUA' xx. Do ing. *foxtrot*; a forma abrev. ing. *fox* difundiu-se também em port., onde se documenta, inclusive, o pl. *foxes*, já adaptado à morfologia portuguesa.
foz *sf*. 'desembocadura de um rio' xiii. Do lat. vulg. *fōx fōcis* (cláss. *faux faucis*).
fração *sf*. 'ato de partir, quebrar, dividir' 'a parte de um todo' | *fracção* xviii | Do lat. *frāctĭo -ōnis* || fracionamento | *fraccion-* 1881 || fracionar | *fraccion-* 1881 || fracionário | *fraccion-* 1844 || infração | *-fracção* 1813 || Do lat. *infrāctĭo -ōnis* || infracto xvii. Do lat. *infractus*, part. de *infringere* || infrator | *-fract-* xviii || infringente xx || infringir 1813. Do lat. *infringĕre* (< **infrangĕre*).
⇨ **fração** — fracionar | *fracci-* 1836 sc || fracionário | *fracci-* 1836 sc |.
fracassar *vb*. 'arruinar, quebrar' xviii. Do it. *fracassare* || fracasso xviii. Do it. *fracasso*.
fracion·amento, -ar, -ário → fração.
fraco *adj*. 'frouxo, brando, sem força' xiii. Do lat. *flăccus* || enfracamento | *em-* xv || enfraquecer | xiii, *-zer* xiv, *enfla-* xiv etc. || enfraquec·imento | *emfraqueçemento* xv || enfraquent·amento xv || enfraquentar | *enflaquẽtar* xiv || enfraquido 1813 || enfraquimento 1881 || fraquera xviii || fraque·jar xviii || fraqueza xiii.
⇨ **fraco** — afracar *vb*. 'enfraquecer' | xv lopj ii.12.*2* |.
frade *sm*. 'nome que se dá aos religiosos de certas ordens' xiii. Do lat. *frater -tris* || fradi·cida | *fradecida* 1899 || frei | xiii, *frey* xiii | Forma apocopada de *freire* || freira xiii || freire | xiii, *frey-* xiii, *frai-* xiii etc. | Do antigo *fraire*, deriv. do a. prov. *fraire*. Cp. fraterno.
fraga *sf*. 'penhasco, penha, terreno escabroso' | xv, *fragoa* 1572 | Do lat. med. *fraga*, deriv. regr. de *fragōsus* || fragor xvi. Do lat. *fragor -ōris* || frag·os·idade 1813 || fragoso xiii. Do lat. *fragōsus* || fragura xv.
fragata *sf*. 'espécie de belonave' xvi. Do it. *fregata*.
frágil *adj*. 2g. 'quebradiço, fraco' xvi. Do lat. *fragĭlis* || fragil·idade xiv. Do lat. *fragilĭtas -atis* .
fragmento *sm*. 'pedaço, fração, migalha' | *framento* xvi | Do lat. *fragmentum -i* || fragment·ação 1873 || fragment·ar 1873 || fragment·ário 1899 || fragment·ável xx.
frag·or, -osidade, -oso → fraga.
fragrância *sf*. 'aroma, perfume, odor' xvi. Do lat. *fragrantĭa* || fragr·ante xvi. Do lat. *fragrans -antis*, 'part. de *fragrāre*.
frágua *sf*. 'forja, fornalha' | xiv, *fravega* xiv | Do lat. *fabrica*.
fragura → fraga.
frajola *adj*. 2g. 'elegante' xx. Origem controversa.
fralda *sf*. 'parte inferior da camisa, cueiro' 'sopé' xvi. Do gót. **falda* 'pano de envolver' | desfral-

dAR | -falldar XV || fraldADO XVI || fraldICA XVI || fraldILHA XVI || fraldIQU·EIRO | -queyro XVI.
framboesa *sf.* 'fruto da framboeseira, planta da fam. das rosáceas' | *-eza* 1858 | Do fr. *framboise* || framboesEIRO | *-zeiro* 1873.
frança(s) *sf.* (*pl.*) 'conjunto das ramificações menores da copa das árvores' | XV, *fronça* XIV | Do antigo *fronça*, com possível influência de *França*, e aquele derivado do lat. *frondĕa*, f. do adj. *frondĕus* 'coberto de folhas'.
francês *adj. sm.* 'relativo à, ou natural da França' XIII. Do a. fr. *franceis* || AfrancesAR | *-zar* 1858 || francA·TRIPA XVII || francesIA 1858 || francesISMO 1858 || frâncIO XX || francIÚ XX || franco[1] *adj. sm.* 'indivíduo dos Francos, ou relativo a estes' 1813. Do fr. *franc* e, este, do germânico *frank* || franco[2] *adj.* 'leal, isento, liberal' XIII || franco[3] *sm.* 'moeda' XIV || francó·FILO XX || francó·FOBO XX || franquEAR XIX || franquEZA XIII || franquIA XVI.
➪ **francês** — AfrancesAR | *afrancezar* 1836 sc || franquEADO | *ffranqueado* 1392 VERE 145.5 || franquEAR | 1582 *Liv. Fort.* 50v19 |.
franchado *adj.* 'diz-se de brasão cujo campo é dividido diagonalmente ao meio' 1813. De origem obscura.
frâncio → FRANCÊS.
franciscano *adj.* 'pertencente à ordem de S. Francisco' XVI. Do lat. ecles. da Idade Média *franciscanus*, deriv. de *Franciscus*, latinização do antrop. *Francisco*, de S. Francisco de Assis (*c* 1182-1226), fundador da ordem.
franciú → FRANCÊS.
franco[1,2,3] **-filo, -fobo** → FRANCÊS.
frangalho *sm.* 'farrapo' XVI. De origem obscura || ESfrangalhAR 1873.
franger *vb.* 'quebrar, despedaçar' 'enfraquecer' XIII. Do lat. *frangĕre* || frangIBIL·IDADE 1873 || frangível XVI || franzINO XVIII || franzIR XVII.
frango *sm.* 'o filhote da galinha, já crescido, mas antes de ser galo' | XIV, *frâgau* XIII, *framgauus* pl. XIII, *frangãas* pl. XIV, *frangão* XIV, *ffrangão* XIV etc. | A origem é controversa; a forma *frango proveio de frangão*, possivelmente por ter sido esta última considerada como aumentativo.
frangolho *sm.* 'trigo mal partido, que se coze em papas' 1813. Do cast. *frangollo*.
frângula *sf.* 'planta da fam. das rosáceas' 1899. Do lat. cient. *frangula* || frangulÁCEA 1899.
franja *sf.* 'cadilhos de linho, algodão etc. para enfeitar ou guarnecer as peças de estofo' 'cabelo puxado para a testa e aparado' 1813. Do francês *frange* e, este, do lat. **frimbia*, de *fimbria* || franjADO XVIII franjAR 1813.
franqu·ear, -eza, -ia → FRANCÊS.
franquisque *sm.* 'antiga arma branca de origem germânica, particularmente comum entre os godos' | *frankisk* XIX | De origem obscura.
franz·ino, -ir → FRANGER.
fraque *sm.* 'casaco curto, cujas abas se afastam do peito para baixo' 1844. Do fr. *frac*.
fraqu·ear, -ejar, -eza → FRACO.
frasco *sm.* 'pequena garrafa para medicamentos, perfumes etc.' XVI. Do lat. tard. *flasco -onis* 'garrafa de vinho'; o voc. port. provém do nominativo latino || frascA XV || frascARIA XVI || frascÁRIO XVI || frasquEIRA *sf.* 1858.
➪ **frasco** — ENfrascADO | 1680 AOCad II.124.*19* || frasquEIRA | 1680 AOCad I.420.*29* |.
frase *sf.* 'qualquer enunciado linguístico transmissor de uma mensagem' 'cada um dos constituintes imediatos de uma oração' | *phrasis* XVI | Do lat. *phrasis* e, este, do gr. *phrásis* || frasE·ADO XVIII || frasEAR | *phrasear* XVIII || frasEO·LOGIA 1813. Do fr. *phraseologie*.
frasqueira → FRASCO.
fraterno *adj.* 'relativo ou pertinente a irmãos, afetuoso' XVI. Do lat. *fraternus* || fraternA *sf.* 'preensão amigável' XVI || fraternAL XV || fraternIDADE XVII. Do lat. *frăternĭtās -ātis* || fraternIZAR | 1858, *-isar* 1858 || fratrI·CIDA XVI. Do lat. *frātrĭcīda* || fratrI·CÍD·IO XVII. Do lat. *frātrĭcīdĭum-ii*. Cp. FRADE.
fratria *sf.* 'subdivisão de uma tribo em Atenas e Esparta' 1899. Do gr. *phratría*, por via erudita || fratriARCA XX.
fratura *sf.* 'quebradura, fragmentação' | *fract-* XIX | Do lat. *fractura* || fraturAR | *fract-* XIX. Cp. FRADE.
fraudar *vb.* 'burlar, enganar' XVIII. Do lat. *fraudare* || fraudAÇÃO 1899. Do lat. *fraudātiō -ōnis* || fraudADOR 1844. Do lat. *fraudātōr -ōris* || fraudATÓRIO 1844 || fraudÁVEL 1844 || fraudE XV. Do lat. *fraus -audis* || fraudUL·ENTO 1572; o adv. *fraudulentamente*, contudo, já se documenta no séc. XIV || fraudUL·OSO XVI. Do lat. *fraudulosus*.
➪ **fraudar** — fraudADOR | 1836 sc || fraudÁVEL | 1836 sc |.
fraxíneo → FREIXO.
freático *adj.* 'diz-se de lençol de água' XX. Possivelmente do fr. *phréatique* e, este, do gr. *phreas -atos* 'poço, cisterna'.
frechal → FLECHA.
fregona *sf.* 'empregada doméstica' XVII. Do cast. *fregona*, de *fregar* e, este, do lat. *fricāre* 'esfregar'.
freguês *adj. sm.* 'orig. dizia-se de ou o que pertencia à mesma paróquia' '*mod.* o que compra ou vende habitualmente a determinada pessoa, cliente' | *free-* XIII, *ffreguees* XIII etc. | Possivelmente do lat. hisp. **filiuecclesiae* 'filho da igreja, paroquiano' || AfreguesAR XVI || freguesIA | *free-* XIII, *ffréeguisia* XIII etc.
frei → FRADE.
freio *sm.* 'todo dispositivo que serve para fazer cessar ou diminuir um movimento' | XIV, *frêo* XIII, *freo* XIII etc. | Do lat. *frēnum* || DES·ENfreADO 1844 || DES·ENfreAR XV || ENfreADO XIII || ENfreAR XIII || freAR XX || frenAÇÃO XX. Do lat. *frēnātiō -ōnis* || frenADOR XX. Do lat. *frēnātor -ōris* || frenAR XX. Do lat. *frēnāre* || freno·TOM·IA *sf.* '(Med.) incisão do freio da língua' XX || INfrene XVIII. Do lat. *infrēnis* || IR·REfreÁVEL | 1858, *irefreiavel* 1858 | Do lat. *irrefrēnābĭlis* || REfreAMENTO | *rre-* XIV || REfreAR XIV. Do lat. *refrēnāre* || SOfreAR XVI. Do lat. **suffrenāre*.
➪ **freio** — DES·ENfreADO | *desenfreadamente* adv. 1525 ABeJP 27.*30*, 1614 SGonç I.219.*21* |.
freira, freire → FRADE.
freixo *sm.* 'planta da fam. das oleáceas' | *frey-* XIII | Do lat. *frāxĭnus* || fraxíneo XVII. Do lat. *frăxĭneus* .
fremir *vb.* 'ter rumor surdo e áspero, rugir, gemer' 1572. Do lat. *frĕmĕre* || fremE·BUNDO XIX. Do lat. *fremebundus* || fremENTE 1813. Do lat. *fremens*

-entis, part. de *frĕmĕre* ‖ **frêm**ITO XVIII. Do lat. *fremĭtus -uso*
frender *vb.* 'ranger os dentes' 1899. Do lat. *frēndĕre* ‖ **frend**ENTE 1899. Do lat. *frendens -entis*, part. de *frēndĕre* ‖ **frend**OR 1899. Do lat. *frēndŏr -ōris*.
frenesi *sm.* 'delírio, excitação, arrebatamento' | XV, *frenesia* XIII | Adapt. do fr. *frénésie* e, este, do lat. med. *phrenēsia*, adapt. do gr. **phrenēsis* ‖ **fren**ÉTICO XIV. Do lat. *phrenetĭcus* e, este, do gr. *phrenētikós* ‖ **fren**IC·ECTOM·IA XX ‖ **frên**ico XVII. Do fr. *phrénique* e, este, do lat. cient. *phrenicus*, deriv. do gr. *phrenikós* 'relativo ao diafragma' ‖ **fren**ITE | *phre-* 1858 ‖ **freno**LOG·IA | *phre-* 1858 | Provavelmente do fr. *phrénologie* ‖ **freno**PAT·IA | *phrenopathia* 1899 | Do lat. cient. *phrenopathia* ‖ **freno**PLEG·IA XX. Do lat. cient. *phrenoplēgĭa*.
⇨ **frenesi** — **fren**ITE | *phrenitis* 1836 SC ‖ **freno**LOG·IA | *phrenologia* 1836 SC |.
frente *sf.* 'parte anterior de qualquer coisa, lado dianteiro, vanguarda' XVIII. Do cast. *frente*, do ant. *fruente* e, este, do lat. *frons -ontis* ‖ EN**frent**AR 1899. Do cast. *enfrentar*. Cp. FRONTE.
frequente *adj.* 'assíduo, repetido, continuado' XVII. Do lat.*frĕquēns -ēntis* ‖ **frequência** XVI. Do lat. *frĕquēntĭa* ‖ **frequencí**METRO XX ‖ **frequent**AÇÃO XVI. Do lat. *frequēntātĭo -ōnis* ‖ **frequent**ADOR XVII ‖ **frequent**AR XVI. Do lat. *frequēntāre* ‖ **frequent**ATIVO 1813 ‖ IN**frequência** 1844. Do lat. *infrĕquēntĭa* ‖ IN**frequent**ADO 1873 ‖ IN**frequente** 1844. Do lat. *infrequens -entis*.
⇨ **frequente** — IN**frequência** | 1836 SC ‖ IN**frequente** | 1836 SC |.
fresa *sf.* 'engrenagem motora constituída de um cortador giratório' XX. Do fr. *fraise* 'ferramenta' ‖ **fres**ADOR XX ‖ **fres**AR XX ‖ **frese**[1] *sf.* 'espécie de broca em forma de cone denteado que serve para alargar orifícios' | *fresa* XVI | Do fr. *fraise* 'ferramenta'.
fresco[1] *adj.* 'temperatura entre frio e morno' 'viçoso, verdejante' XIII. Do gerrnânico *frisk* ‖ **fresc**A *sf.* 'aragem' XIX ‖ **fresco**[2] *sm.* 'ar nem quente nem frio' XVI ‖ **fresco**[3] *sm.* 'técnica de pintura' XVII. Do it. *frésco* ‖ **fresc**OR XVI ‖ **fresc**URA XVI ‖ **fresqu**IDÃO | *fresquidam* XVI ‖ RE**fresc**AR | XIV, rrefrescar XV ‖ RE**fresco** XV.
frescobol *sm.* 'jogo praticado especialmente na praia por dois parceiros munidos de raquetes e uma pequena bola de borracha' XX. De origem desconhecida, mas criado, sem dúvida, pelo modelo de *futebol, voleibol* etc.
frese[1] → FRESA.
frese[2] *adj.* 2g. *sm.* 'diz-se de, ou o que tem a cor de morango' XX. Do fr. *fraise* 'morango'.
fressura *sf.* 'conjunto das vísceras mais graduadas dos animais' | *fresura* XV, *fersura* XVI | Do fr. *fressure*, deriv. do lat. vulg. *frixūra*.
fresta *sf.* 'abertura estreita na parede para deixar passar luz' 'fenda, greta, fisga' | XV, *feestra* XIII etc. | Do lat. *fĕnēstra*.
frete *sm.* 'aluguel de embarcação, carro etc.' XIII. Do fr. *fret* e, este, do neerl. *vrecht* 'preço do transporte' ‖ A**fret**AR XIV ‖ **fret**ADOR XIV ‖ **fret**AMENTO | *affre-* XIII, *ffretamento* XIV ‖ **fret**AR XIII.
freto *sm.* 'estreito, braço de mar' XVII. Do lat. *fretum*.

frevo → FERVER.
fri·a, -abilidade, -agem, -aldade, -ável →FRIO.
fricandó *sm.* 'variedade de assado culinário lardeado' 1858. Do fr. *fricandeau*.
fricassê *sm.* 'guisado de carne ou peixe' XVII. Do fr. *fricassée*.
fricção *sf.* 'esfrega, atrito' 'medicamento para fomentações' 1813. Do lat. *frictio -onis* ‖ **fric**ATIVO 1899. Do fr. *fricatif* ‖ **friccion**AR XIX. Provável adapt. do fr. *frictionner* ‖ **frict**OR 1881. Do lat. *frictor -ōris*.
fricote *sm.* 'sestro, manha, dengue' XX. Talvez do fr. *fricot*, que na linguagem coloquial significa 'manha, mania' ‖ **fricot**EIRO XX.
frictor → FRICÇÃO.
fri·eira, -eza, -gidez, -gido, -gífugo - FRIO.
frígio *adj. sm.* 'diz-se de, ou natural ou habitante da Frígia, antiga região da Ásia' | *phrigio* 1572 | Do lat. *phrygius* e, este, do gr. *phrýgios*.
frigir *vb.* 'fritar' *fig.* apoquentar com perguntas, pedidos' 'ficar frito' 1813. Do lat.*frigĕre* ‖ **frig**ID·EIRA XVI ‖ **frita** *sf.* 1881 ‖ **frit**ADA *sf.* 1813 ‖ **frit**AR 1881 ‖ **frito** XIII. Do lat. *frictus*, part. de *frigĕre* ‖ **frit**URA 1844.
⇨ **frigir** — **frit**URA | 1836 SC |.
frigor·ífero, -ífico → FRIO
frincha *sf.* 'fenda, greta' 1813. Voc. de origem obscura.
frio *adj. sm.* 'que cedeu calor' 'insensível, indiferente' 'baixa temperatura' XIII. Do lat. *frīgĭdus* ‖ ES**fri**ADO XIX ‖ ES**fri**AMENTO XV ‖ ES**fri**AR XIII *sf.* 1873 ‖ **fri**ABIL·IDADE XVII ‖ **fri**AGEM XVI ‖ **fri**ALDADE | XIV, *frieldade* XIV | Do lat. med. *frigĭdĭtas -ātis*, com evolução fonética ainda mal determinada ‖ **fri**ÁVEL 1813. Do lat.*friābĭlis* ‖ **fri**EIRA XVIII ‖ **fri**EZA XVI ‖ **frigid**EZ 1899 ‖ **frigido** XVI. Do lat. *frīgĭdus* ‖ **frigi**FUGO 1899 ‖ **frigorí**·FERO XVII ‖ **frigorí**·FICO 1858. Do fr. *frigorifique* ‖ **frior**ENTO XIV. Do lat.*frigorentus*, de *frīgŭs -ŏris* 'frialdade' ‖ **fri**ÚRA XIII ‖ RE**friger**AÇÃO XVIII. Do lat. *refrīgĕrātĭo -ōnis* ‖ RE**friger**ADOR *adj. sm.* 1899 ‖ RE**friger**ANTE XVII. Do lat. *refrigerans -antis*, part. de *refrĭgĕrāre* ‖ RE**friger**AR XVI. Do lat. *refrĭgĕrāre* ‖ RE**friger**ATIVO 1881 ‖ RE**frig**ÉRIO 1572. Do lat. *refrīgĕrĭum* ‖ RES**fri**ADO *adj. sm.* XVI ‖ RES**fri**AMENTO 1881 ‖ RES**fri**AR XVI.
⇨ **frio** — RE**friger**AR | *rre-* XV CONT 165*v*20 ‖ RE**friger**ATIVO | 1836 SC ‖ RE**frig**ÉRIO | 1538 DCast 77*v*5, *rrefrigerio* XV BERN 1228 ‖ RES**fri**ADO | *rres-* XV VERT 137.*20* ‖ RES**fri**AMENTO | 1836 SC ‖ RES**fri**AR | XV SEGR 30*v* |.
frioleira → FRÍVOLO.
frisa[1] *sf.* 'tecido grosseiro de lã' | XIII, *friza* XVI | Do baixo lat. (*tela*) *frisia*, do top. *Frísia* ‖ **fris**AR[1] 'encrespar' XV.
frisa[2] *sf.* '(Mil.) cada uma das traves que se dispunham à distância regular, com a finalidade de guarnecer uma fortificação' 1873. Do fr. *frise* e, este, do neerl. *friese*.
⇨ **frisa**[2] | 1836 SC |.
friso *sm.* 'entablamento entre a cornija e a arquitrave' 'filete, ornato' XVI. Do it. *friso* e, este, do lat. med. *frisium* ‖ **frisa**[3] *sf.* 'camarote que nos teatros fica abaixo do balcão nobre' 1844 ‖ **fris**ADOR 1881 ‖ **fris**ANTE XVII ‖ **fris**AR[2] 'tornar saliente' 'citar ou referir com destaque' XX.

⇨ **friso** — fris AR² | 1836 SC |.
frit·ada, -ar → FRIGIR.
fritilo sm. 'copo para jogar dados' | *fritillo* 1899 | Do lat. *frĭtĭllus* || **fritil**ARIA | *fritillaria* 1873.
frit·o, -ura → FRIGIR.
friúra → FRIO.
frívolo adj. 'sem importância, sem valor, vão, fútil' XVI. Do lat. *frĭvŏlus* || **friol**EIRA XVII || **frivol**IDADE XVI.
fronde sf. 'a copa das árvores' 1858. Do lat. *frons -dis* || **frond**AR XIX || **frond**ENTE 1572. Do lat. *frondens -entis*, part. de *frondēre* || **frônd**EO XIX. Do lat. *frŏndĕus* || **frond**ESC·ENTE 1873. Do lat. *frondescens -entis*, part. de *frondescĕre* || **frond**ESC·ER 1873. Do lat. *frondescĕre* || **frondí**·CULA XIX || **frondí**·FERO XVI. Do lat. *frondifĕrus* || **frondí**·PARO 1873 || **frond**OSO XVI. Do lat. *frondōsus*.
fronha sf. 'capa que envolve o travesseiro' XIV. De origem obscura || DES·EN**fronh**AR 1844 || EN**fronh**AR XVI.
⇨ **fronha** — DE·SEN**fronh**AR | 1836 SC |.
fronte sf. 'testa, cabeça' XIII. Do lat. *frons -tis* || A**front**A sf. 'ataque, peleja' XIV; 'perigo, aflição' XIV; 'ofensa, injúria' XIV || A**front**ADO XIV || A**front**AMENTO XIV || A**front**AR XIII || DE**front**AR XIX || DE**fronte** XIII || DES·A**front**A 1813 || DES·A**front**AR XVI || **front**AL 1844 || **front**ÃO 1858. Do fr. *fronton* e, este, do it. *frontone* || **front**ARIA XIV || **front**EIRA XIII || **front**EIRO¹ adj. 'que está em frente' XIII || **front**EIRO² sm. 'chefe, comandante' | *fronteyro* XIV || **front**INO XVI || **fronti**·SPÍC·IO XVI. Do baixo lat. *frontispicium*. Cp. FRENTE.
⇨ **fronte** — **front**AL | 1836 SC |.
frota sf. 'conjunto de navios de guerra ou *mer*cantes' | XIII, *flota* XIV | Do fr. *flotte*, deriv. do ant. escandinavo *floti* || **flot**ILHA 1844. Do cast. *flotilla*.
⇨ **frota** — **flot**ILHA | 1836 SC |.
frouxo adj. 'pouco apertado, mole' 'lânguido, indolente' | *froixo* XIV | Do lat. *fluxus* | A**froux**AR | *afroxar* XV || **froux**EL | XIV, *froxel* XIII || **froux**IDÃO | *froxidão* XVI. No port. med. ocorre, também, o deriv. *frouxidade*, com a grafia *floxedade* (séc. XV).
⇨ **frouxo** — A**froux**AMENTO | *afroixamento* XV LEAL 358.*1* |.
fru-fru sf. 'rumor de folhas, de vestidos' XIX. Do fr. *frou-frou*.
frugal adj. 2g. 'relativo a frutos' 'sóbrio' XIX. Do lat. *frūgālis* || **frugal**IDADE XIX. Do lat. *frūgālĭtas -ātis* || **frugí**·FERO XIX. Do lat. *frūgiferum* || **frugí**·VORO XIX. Do fr. *frugivore*.
fruir vb. 'desfrutar, estar de posse de, gozar' XVII. Do lat. **fruĕre*, por *fruī* || **frui**ÇÃO | *fruiçom* XV || **frui**TIVO XVI.
frumento sm. 'o melhor trigo' '*ext*. qualquer cereal' 1899. Do lat. *frumentum* || **frument**AÇÃO 1899. Do lat. *frumentātio -ōnis* || **frument**ÁCEO 1858. Do lat. *frŭmentāceus*.
frustrar vb. 'enganar a expectativa de, iludir, baldar' XVI. Do lat. *frustrāre* || **frustr**AÇÃO 1881. Do lat. *frustrātio -ōnis* || **frustr**ADOR 1813 || **frustra**·TÓRIO XVI.
fruto sm. 'o produto do vegetal que sai da flor' 'produto, proveito, lucro' | XIV, *fructo* XIII, *fruyto* XIII etc. | Do lat. *frūctus*. DES**frut**AR | *defruytar* XIII || DES**frut**ÁVEL XX || DES**frute** | *-fructe* 1881 || **frut**A | XVI, *fructa* XIV, *fruyta* XIV, *froyta* XIII etc. | Do lat. vulg. *frŭcta* || **frut**EIRA 1813 || **frut**EIRO adj. sm. XVIII || **frut**ESC·ÊNCIA 1873 || **frut**ESC·ENTE XIX || **frú**·TICE XVI. Do lat. *frŭtĕx -ĭcis* || **frut**IC·OSO XIX. Do lat. *fruticōsus* || **frut**I·CULT·OR XX || **frut**I·CULT·URA XX || **frutí**·FERO | *fruct-* XIV || **frut**I·FIC·AÇÃO | *fruct-* 1881 || **frut**I·FICAR XV. Do lat. *fructificare* || **frut**I·FIC·ATIVO | *fruct-* 1881 || **frut**I·FORME | *fruct-* 1881 || **frutí**·GERO | *fruct-* 1899 || **frut**ILHA | *-illa* 1873. Do cast. *frutilla* || **frutí**·VORO 1858 || **frutu**ÁRIO | *fruct-* 1899 | Do lat. *frūctŭārius* || **frutu**OSO | *fruct-* XV | Do lat. *frūctŭōsus* || IN**frut**ESC·ÊNCIA XX || IN**frutí**·FERO | *-fruct-* XVII || IN**frutu**OSO XVI. Do lat. *infructuosus*.
ftiríase sf. '(Med.) doença da pele produzida pelos piolhos' | *phtiriase* 1873 | Do lat. *phthiriāsis*, deriv. do gr. *phtheiríāsis*.
fubá sm. 'farinha de milho' | *fuba* 1681 | Do quimb. *fu'ba*.
fubeca sf. 'surra' 'derrota' 1899. De origem obscura.
fuça, -r → FOCINHO.
fuco sm. 'espécie de alga marinha' 'tintura para o rosto' 'impostura, disfarce' XVI. Do lat. *fūcus -i* || **fucí**·COLA XX || **fuci**·FORME XIX || **fuc**OIDE 1873.
fúcsia sf. 'planta da fam. das onagráceas, brinco-de-princesa' | *fuchsia* 1873 | Do fr. *fuchsia* e, este, do lat. cient. *fuchsia*, termo criado pelo botânico Charles Palmier, em 1693, em homenagem ao botânico bávaro Leonard Fuchs (1501-1566).
fucsina sf. 'matéria corante de cor avermelhada' | *fuchsina* 1873 | Do fr. *fuchsine*, termo criado pelo químico Verguin, que se baseou no termo al. *Fuchs* 'raposa', em homenagem ao industrial lionês Renard, a serviço do qual Verguin se encontrava.
fueiro sm. 'estaca para amparar a carga do carro' 1844. Do lat. tard. *fūnārius* 'relativo a corda' e, este, deriv. de *funis* 'corda'.
⇨ **fueiro** | 1836 SC |.
fúfia sf. 'empáfia' 'mulher pretensiosa e ridícula' 1881. De origem obscura || **fúfio** XX.
fuga¹ sf. 'saída, escapatória, retirada, subterfúgio' XVII. Do lat. *fŭga* || A**fug**ENTAR | XIV, *afojontar* XV || **fuga²** sf. '(Mús.) composição polifônica em estilo contrapontístico' 1813 || **fug**AC·IDADE XVII. Do lat. tard. *fugācĭtās -ātis* || **fug**ATO 1899. Do it. *fugato* || **fug**AZ | *fugace* 1572 | Do lat. *fugāx -ācis* || **fug**ENTE adj. 2g. ant. 1844 || **fug**IDA | *fogida* XV || **fug**ID·IÇO XIV || **fug**ID·IO XV. Do lat. *fugitīvus* || **fug**IR XIII. Do lat. *fŭgĭre* (séc. III), do cláss. *fŭgĕre* || **fug**ITIVO XV. Do lat. *fugitīvus* || **fuj**ÃO 1813 || PRÓ**fugo** XVII. Do lat. *profŭgus* | RE**fug**AR | *rrefugar* XIV | Do lat. *refugare* || RE**fúg**IO 1813 || RE**fúg**IO 1572 || RE**fug**IR XIV. Do lat. **refugīre* por *refugĕre* || RE**fugo** 1813. Do lat. *rĕfŭgus*.
⇨ **fuga¹** — **fug**ENTE | 1836 SC || RE**fúg**IO | XV SBER 77.*36* |.
fuinha sf. 'mamífero roedor da fam. dos mustelídeos' XIII. Do fr. *fouine* e, este, do lat. **fagĭna* por *fagīna*, fem. de *fagĭnus*.
fujão → FUGA.
fula¹ sf. 'vão das bochechas, onde se acumula a comida mastigada' 1813. De origem obscura.
fula² sf. 'preparação do feltro para chapéus' 1858. Possivelmente do fr. *foule* e, este, do lat. pop. **fulare*.

fula³ *adj.* 'diz-se do mestiço de negro e mulato' 1899. De origem controversa.
fulano *sm.* 'designação vaga de pessoa que não se quer nomear' XVI. Do ár. *fulân* 'um certo (indivíduo)'.
fulcro *sm.* 'sustentáculo, apoio, amparo' 1858. Do lat. *fulcrum*.
fulgir *vb.* 'brilhar, fazer brilhar, resplandecer' 1844. Do lat. **fulgīre* por *fulgĕre* || fulgÊNCIA 1858 || fulGENTE 1572. Do lat. *fulgens -entis*, part. de *fulgĕre* || fúlgIDO XVI. Do lat. *fulgĭdus* || fulgOR XVII. Do lat. *fŭlgŏr -ōris* || fulgurAÇÃO 1873. Do lat. *fŭlgŭrātĭo -ōnis* || fulgurÂNCIA 1899 || fulgurANTE XIX. Do lat. *fŭlgŭrans –āntis*, part. de *fŭlgŭrāre* || fulgurAR XVII. Do lat. *fŭlgurāre* || fulgurITO | *-ite* 1873 || fulgurOSO XVI || PERfulgENTE XVI.
⇨ **fulgir** | 1836 SC |.
fulheiro *adj. sm.* 'que, ou aquele que trapaceia no jogo' 1813. Do cast. *fullero* || fulheirA *sf.* 'trapaça no jogo' 1813.
fuligem *sf.* 'fumo espesso' 1813. Do lat. *fūlīgō -ĭnis* || ESfulinH·AR 1881 || fuliginOS·IDADE 1858 | fuliginOSO XVII. Do lat. *fuliginōsus*.
fulminar *vb.* 'despedir raios contra, ferir, matar, aniquilar' XVI. Do lat. *fŭlmĭnāre* || fulminAÇÃO 1844. Do lat. *fulmĭnātĭo -ōnis* || fulminADO XV || fulminADOR 1813. Do lat. *fulminātor -ōris* || fulminANTE XV. Do lat. *fulmĭnans -āntis*, part. de *fŭlmĭnāre* || fulminATO XIX || fulminATÓRIO XIX || fulmíneO XVII. Do lat. *fulmīnĕus* | fulmínICO 1858 | fulminí·FERO 1873 | fulminí·VOMO 1881 | fulminOSO XVI.
⇨ **fulminar** — fulminAÇÃO | 1836 SC |.
fulvo *adj.* 'alourado' 1572. Do lat. *fulvus* || fulo XVIII. Do lat. *fulvus* || fulverino XIX. Do fr. *fulverin* || fulvI·ANA 1858. Do lat. *fulviāna*, fem. de *fulviānus* || fulvI·CÓRN·EO XIX || fúlvIDO XVI. Do lat. *fulvĭdus* || fulví·PEDE 1873 || fulví·PENE | *-penne* 1873 | fulvI·R·ROSTRO | *-irostro* 1873.
fumo *sm.* 'vapor que se eleva dos corpos em combustão' 'tabaco' 'faixa de crepe para luto' XIII. Do lat. *fūmŭs -i* || DEfumAÇÃO XX || DEfumADOR 1873 || DEfumAR XIII || ENfumAÇ·ADO XX || ENfumAÇ·AR XX || ESfumADO 1844. Do it. *sfumato* || ESfumAR 1844. Do it. *sfumare* || ESfumATURA XX. Do it. *sfumatura* || ESfumINHO 1844. Do it. *sfumino* || fumAÇA XV || fumAC·EIRA 1899 || fumADA *sf.* 'sinal que se dá através da fumaça' XV || fumÁDEGO XVI. Do lat. **fumatĭcu* || fumAGINA 1873. Do fr. *fumagine* || fumANTE XVII || fumAR XVI. Do lat. *fumāre* || fumAR·ADA XVII || fumAR·OLA 1899. Do it. *fumaròle* || fumê XX. Do fr. *fumée* || fumeANTE XVII || fumegAR XVI. Do lat. *fumĭgāre* || fumEIRO | *fumeyro* XV || fúmEO XIX. Do lat. *fumĕus* || fumi·CULT·OR XX || fumi·CULT·URA XX || fúmIDO 1899. Do lat. *fumĭdus* || fumí·FERO XVII. Do lat. *fumifĕrum* || fumí·FICO 1858. Do lat. *fumifĭcus* || fumi·FLAM·ANTE XIX || fumí·FUGO 1873 || fumigAÇÃO 1858. Do lat. *fūmĭgātĭo -ōnis* || fumigAR XVI. Do lat. *fumĭgāre* || fumigATÓRIO 1858 || fumí·VOMO 1899 || fumí·VORO 1873 || fumOS·IDADE XV || fumOSO XIII. Do lat. *fumōsus* || sufumigAÇÃO XVII. Do lat. *suffumigātĭo -ōnis* || sufumigAR XX.
⇨ **fumo** — AfumADO *p. adj.* 'enegrecido pelo fumo' | XIII CSM 39.35 || AfumAD·URA | XIV ESTO 174.21(*L¹*) || AfumAR *vb.* 'enegrecer ao fumo' | XIII CSM 116.58 || DEfumADOR | *diffumador* c 1538 JCaSG

122.26 || DEfumADURA | XV PAUL 34v24 || EsfumADO | 1836 SC | EsfumAR | 1836 SC || EsfumINHO | 1836 SC || fumegAR | XIV TEST 105.21 |.
funâmbulo *sm.* 'equilibrista que anda na corda bamba' XVII. Do lat. *funambŭlus*.
função *sf.* 'exercício de órgão ou aparelho' 'prática, uso, cargo' 'espetáculo, solenidade | *funcção* XVIII | Do lat. *functĭo -ōnis* | funcionAL | *funccion-* 1873 || funcionAL·IDADE XX || funcionAL·ISMO XIX || funcionAMENTO XX. Do fr. *fonctionnement* || funcionAR | *funccion-* 1858 | Do fr. *fonctionner* || funcionÁRIO XVIII. Do fr. *fonctionnaire*.
funcho *sm.* 'planta medicinal da fam. das umbelíferas' XIV. Do lat. **fenucŭlus*, por *fenicŭlus*.
funcion·al, -alidade, -alismo, -amento, -ar, -ário → FUNÇÃO.
funda *sf.* 'arma de lançar pedras, catapulta' XIV. Do lat. *funda* || fundEIRO¹ *sm.* 'o que fabrica fundas ou atira com elas' XV || fundibulÁRIO XVII. Do lat. *fundibularĭus* || fundíbulo 1873. Do lat. *fundibŭlus*.
⇨ **funda** — fundíbulo | 1836 SC |.
fundeiro² → FUNDO.
fundidor → FUNDIR.
fundilho → FUNDO.
fundir *vb.* 'derreter, liquefazer' 'organizar, juntar, unir' | *fonder* XIV | Do lat. *fundĕre* || DIfundIR XVII. Do lat. *diffundĕre* || DIfusÃO 1813. Do lat. *diffusĭo -ōnis* || DIfusIBIL·IDADE XX || DIfusionISMO XX || DIfusIVO XVI || DIfuso | XV, *defuso* XV | Do lat. *diffūsus* || DIfusOR XX || DIfusorA *sf.* XX || fundENTE 1813. Do lat. *fundens -entis*, part. de *fundĕre* || fundIÇÃO | *fondiçõ* XIV || fundIDOR XVI || fusÃO 1813. Do lat. *fūsĭō -ōnis* || fusIBIL·IDADE 1813 || fúsIL | *-zil* XIX | Do lat. *fusĭlis* || fusÍVEL *adj. 2g. sm.* 1844. Do baixo lat. *fusibĭlis*, de *fusĭlis* || fusÓRIO 1844. Do lat. *fusōrĭus* || InfundIBULI·FORME 1873 || InfundÍBULO 1881. Do lat. *infundibŭlum* || InfundICE 1813 || InfundIR XV. Do lat. *infundĕre* || InfusA | *em-* XIV || Infusão | *enfusom* XV | Do lat. *infūsĭo -ōnis* || Infuso XVII. Do lat. *infūsus*, part. de *infundĕre* || InfusÓRIO 1844. Do lat. cient. *infusorius*, termo criado por Wrisberg em 1765 || InfusURA XVII. Do lat. *infusura* || PERfusÃO 1873. Do lat. *perfūsĭo -ōnis* || sufusÃO XVII. Do lat. *suffūsĭo -ōnis*.
⇨ **fundir** — fusÍVEL | 1836 SC || fusÓRIO | 1836 SC || InfundÍBULO | 1836 SC |.
fundo *adj. sm.* 'profundo' 'a parte mais interior de um objeto, cavidade etc.' 'âmago', 'capital, lastro' XIII. Do lat. *fundus* || AfundAR | *afondar* XIII || A·PROfundAR 1873 || fundAÇÃO -*çom* XIV | Do baixo lat. *fundātĭo -ōnis* || fundADOR XVI. Do lat. *fundātor -ōris* || fundAMENT·AÇÃO XX || fundAMENT·AL. XVII. Do baixo lat. *fundamentālis* || fundAMENT·AR XVI. Do baixo lat. *fundamentāre* || fundAMENTO XIII. Do lat. *fundamentum -i* || fundAR 1899 || fundEAR XIII. Do lat. *fundāre* || fundEAR | *-diar* XV || fundEIRO² *adj.* 'que está ao fundo' 1844 || fundi·ÁRIO 1899 || fundILHO 1813. Do cast. *fondillos* || fundURA XVII || InfundADO 1881 || PROfundAR XV || PROfundEZA | XV, *perfundeza* XV || PROfundIDADE XVII || PROfundo XIV. Do lat. *profundus*.
⇨ **fundo** — AfundADOR | 1466 MARR II.360.2 || AfundAMENTO | *afundamẽto* XV SOLI 83.28 || A·PROfundAR | 1836 SC |.

fúnebre *adj.* 'relativo à morte ou aos mortos' XVI. Do lat. *fūnĕbris*, de *funus -ĕris* || **funeral** XVI. Do lat. *funerālis* || **funer**ÁRIA *sf.* 1873 || **funer**ÁRIO *adj.* 1873 || **funéreo** XVI. Do lat. *fūnĕrĕus* || **funest**AÇÃO 1813 || **funest**ADOR 1813 || **funest**AR XVII. Do lat. *funestāre* || **funesto** XVIII. Do lat. *funestus*.
fungão¹ → FUNGO¹.
fungar *vb.* 'absorver pelo nariz, resmungar' 1813. Certamente de origem onomatopaica || **fung**ÃO² 1881 || **fungo**² 1899.
⇨ **fungar** — **fung**ÃO² |1836 SC || **fungo**² | 1836 SC |.
fung·icida, -ícola, -iforme, -ite → FUNGO¹.
fungível *adj.* 2g. 'que se gasta' 'que se pode gozar' 1858. Do lat. **fungĭbĭlis*, de *fungi* 'desfrutar, gozar'.
fungo¹ *sm.* 'cogumelo' 1813. Do lat. *fungus -i* || **fung**ÃO¹ 1844 || **fungi**·CIDA XX || **fungí**·COLA | *-colo* 1873 || **fungi**·FORME 1873 || **fung**ITE XX || **fung**OSO 1813. Do lat. *fungōsus*.
⇨ **fungo**¹ — **fung**ÃO¹ | 1836 SC || **fung**OSO | 1836 SC |.
fungo² → FUNGAR.
fungoso → FUNGO¹.
funícolo *sm.* 'pequena corda' 'cordão umbilical' 1858. Do lat. *funicŭlus*, de *funis* 'corda' || **funicul**AR *adj.* 2g. *sm.* 1813. Do fr. *funiculaire* || **funi**FORME 1873.
funil *sm.* 'utensílio de forma cônica que serve para extravasar líquidos' | *fonil* XVI | Do prov. *fonilh* e, este, do lat. *fundibŭlum* || A**funil**ADO XVII || A**funil**AR 1844 || EN**funil**ADO XVII || EN**funil**AR 1813 || **funil**ARIA 1899 || **funil**EIRO 1844.
⇨ **funil** — A**funil**AR | 1836 SC || **funil**EIRO | 1836 SC |.
furacão *sm.* 'vento com velocidade acima de 90 km/h' XVI. Do cast. *huracán*, deriv. do taíno antilhano *hurakán*, com provável influência de *furar*.
furacidade → FÚRIA.
furar *vb.* 'esburacar, arrombar, romper, penetrar em' XIII. Do lat. *forāre* || ES**fur**AC·AR XVI. No port. med. documenta-se a forma *furacar* (séc. XIV) || **fur**ADO *adj. sm.* 'furo, buraco XIII. Do lat. *fŏrātum* || **fur**ADOR XIII || **fur**ÃO 1813 || **furo** XVI || PER**fur**AÇÃO | *perfor-* 1844 || PER**fur**ADOR 1899 || PER**fur**AR | *perforar* 1813 || PER**fur**ATRIZ XX.
⇨ **furar** — **fur**ÃO | *forões* pl. 1614 SGONÇ I.407.*23* || PER**fur**AÇÃO | *perforação* 1836 SC || PER**fur**AR | *perforar* 1635 *in* RB |.
furbesco *adj.* 'velhaco' 1899. Do it. *furbesco*.
furcífero *adj.* 'que tem bifurcada uma parte do corpo' 1899. Do lat. *furcĭfĕrum* 'que merece a forca' || **fúrc**ULA *sf.* 'parte do esqueleto das aves formada pelas duas clavículas' XVII. Do lat. *furcŭla*.
furente → FÚRIA.
furfuráceo *adj.* 'relativo ou semelhante a farelo, farináceo' 1813. Do lat. *furfurācĕus*, de *furfur* 'casca que envolve os grãos' || **furfur**AMIDO 1899 || **furfú**rEO 1899. Do lat. *furfurĕus* || **furfur**OL 1899.
furgão *sm.* 'carro coberto para transporte de bagagens' XX. Do fr. *fourgon*.
fúria *sf.* 'raiva, ira, exaltação do ânimo' | *foria* XV | Do lat. *furĭa* || EN**fur**ECER XVII || EN**fur**EC·IDO 1813 || **furac**IDADE 1899. Do lat. *furacĭtas -ātis* || **furente** 1813. Do lat. *furens -entis*, part. de *furĕre* || **furibundo** XVI. Do lat. *furibundus* || **furi**OSO | XVI,

forioso XV | Do lat. *furiōsus* || **fur**OR XIV. Do lat. *furor- oris*.
furna *sf.* 'caverna, gruta, fojo' XVI. Trata-se, provavelmente, de palavra criada a partir de *forno*, com influência do lat. *furnus* e mudança de gênero || DES·EN**furn**AR 1844 || EN·**furn**AR 1844. Cp. FORNO.
furo → FURAR.
furor → FÚRIA.
furriel *sm.* 'antigo posto militar entre cabo e sargento' 'ave da fam. dos traupídeos' || *forriel* 1813 | Do fr. *fourrier*.
furto *sm.* 'roubo' XIII. Do lat. *furtum* || **furt**AR XIII | **furt**IVO XVIII. Do lat. *furtīvus*.
furúnculo *sm.* 'inflamação circunscrita de origem estafilocócica | *foruncho* XIV, *forunço* XVI | Do lat. *furuncŭlus* || **furuncul**AR XIX || **furuncul**OSE XX || **furuncul**OSO 1873.
fusa *sm.* '(Mús.) figura musical que vale a metade da semicolcheia' 1813. Do it. *fusa*.
fusão → FUNDIR.
fusco *adj.* 'escuro, pardo' XV. Do lat. *fuscus* || EN**fusc**AR 1844 || **fuscí**·COLO XIX || **fuscí**·CÓRN·EO XIX || **fuscí**·MANO 1899 || **fuscí**·PENE | *-penne* 1873 || **fuscí**·R·ROSTRO | *-irostro* 1881.
fus·eira, -eiro, -ela, -elado, -elagem → FUSO.
fusibilidade → FUNDIR.
fúsil → FUNDIR.
fusípede → FUSO.
fus·ível, -ório → FUNDIR.
fuso *sm.* 'instrumento roliço sobre que se forma a maçaroca ao fiar' '(Geom.) parte da superfície esférica compreendida entre duas semicircunferências de círculos máximos que têm o mesmo diâmetro' XV. Do lat. *fusus -i* || **fus**EIRA *sf.* 'grande fuso' 1881 || **fus**EIRO *sm.* 'fabricante de fuso' XIII || **fus**ELA XVII || **fusel**·ADO 1899 || **fusel**·ADO XX. Do fr. *fuselage* || **fusí**·PEDE 1899 || **fus**OIDE XX.
fusta¹ *sf.* 'tipo de embarcação longa e chata de vela e remo' XIV. Origem controversa.
fustão *sm.* 'pano de algodão, linho, seda ou lã' 1813. De origem controversa || **fusta**² 1899. De origem obscura.
fuste *sm.* 'acha de lenha, pau' XIII. Do lat. *fūstis* || EN**fus**AR 1899.
fustete *sm.* 'nome de diversas plantas da fam. das anacardiáceas' XVIII. Do cast. *fustete*, deriv. provavelmente do cat. *fustet* e, este, do ár. *fustaq*.
fustigar *vb.* 'bater com vara, vergastar, açoitar' XVI. Do lat. *fustigāre*.
futebol *sm.* 'jogo esportivo praticado entre duas equipes com onze jogadores cada uma, cujo objetivo é fazer a bola ultrapassar a meta da equipe adversária' XX. Do ing. *foot-ball* || **futebol**ISTA XX.
futicar *vb.* 'espetar, mexer, importunar' XX. Trata-se, provavelmente, de palavra expressiva.
fútil *adj.* 2g. 'frívolo, insignificante' XVIII. Do lat. *futĭlis* || **futil**IDADE XVII. Do lat. *futĭlĭtas-atis*.
futre *sm.* 'bandalho, homem desprezível' XVIII. Do fr. *foutre* || **futr**ICA 1881 || **futric**·AGEM 1899 || **futr**ICAR 1899 || **futr**ICO XX || **futr**IQU·EIRO.
futuro *adj. sm.* 'diz-se de, ou tempo que há de vir' | 1572, *foturo* XVI | Do lat. *futurus* || **futur**A *sf.* 1881 || **futur**AR XIX || **futur**ISMO XX. Do fr. *futurisme* e, este, do it. *futurismo* || **futur**ISTA XX. Do fr. *futuriste* e, este, do it. *futurista* || **futur**OSO XX.

fuzarca → FUZO.
fuzil *sm.* 'carabina, espingarda' 1873. Do fr. *fusil*, deriv. do lat. **focīlis*, de *fŏcus* 'fogo'. Nas acepções menos usadas de 'anel de cadeia, aro de metal' 'peça com que se fere lume na pederneira', o voc. port. já se documenta em textos do séc. XIV, com as grafias *fozil* e *ffusies* pl. || ESfuziANTE XX || ESfuziAR | -*fo*- XVI || fuzilAMENTO XIX || fuzilAR 1572 || fuzilARIA 1844 || fuzilEIRO 1844.
⇨ **fuzil** | 1836 SC || **fuzil**EIRO | 1836 SC |.
fuzo *sm.* 'arrasta-pé, orgia' XX. Palavra de origem expressiva; talvez seja uma forma abreviada de *(con)fuso* || fuzARCA XX || fuzuê XX.

G

gab·ação, -ador → GABAR.
gabão *sm.* 'capote com mangas, capuz e cabeção' XVI. Do it. *gabbano*, deriv. do ár. *qabā'* 'túnica' e, este, do persa *qäbā*.
gabar *vb.* 'jactar(-se), vangloriar(-se)' XIII. Do a. prov. *gabar*, deriv. do a. fr. *gaber* e, este, do escandinavo *gabb* 'mentira' || **gab**AÇÃO 1881 || **gab**ADOR XIV || **gab**o XIII || **gab**OLA XVII || **gab**OL·ICE XX.
gabardina *sf.* 'pano de lã tecido em diagonal' | *gabardyna* XV | Do cast. *gabardina*.
gabardo *sm.* 'capote de cabeção e mangas' XX. Origem obscura.
gabarito *sm.* 'medida-padrão' 'categoria, hierarquia' | XX, *gabari* 1873 | Do fr. *gabarit*.
gabarra *sf.* 'tipo de embarcação com vela e remo e fundo chato' 'rede de arrastar' 1858. Do fr. *gabarre*, deriv. do prov. *gabarra* e, este, do gr. *karabos* 'barco'.
gabarro *sm.* 'infecção que ataca o casco dos bovinos e dos cavalos' 1899. De origem incerta.
gabela *sf.* 'imposto que antigamente incidia sobre o sal' 1844. Do fr. *gabelle*, deriv. do it. *gabèlla* e, este, do ár. *qabāla*; cp. ALCAVALA.
⇨ **gabela** | *-lla* 1836 SC |.
gabião *sm.* 'cesto grande para transporte de terra, adubos etc.' 1844. Do it. *gabbione*, de *gàbbia* e, este, do lat. *cavĕa*.
⇨ **gabião** | 1836 SC |.
gabinete *sm.* 'camarim, escritório' 'ministério' XVII. Do fr. *cabinet*.
gabo, gabol·a, -ice → GABAR.
gabordo *sm.* 'qualquer das pranchas que formam o bordo inferior de um navio' 1873. Do ing. *garboard*.
gabro *sm.* 'rocha magmática plutônica' XX. Do it. *gabbro*.
gacho *sm.* 'parte posterior do cachaço do boi' 1813. De origem obscura.
gadanha *sf.* 'colher grande de tirar sopa' 'espécie de foice' XV. De origem controversa. || A**gadanh**AR XVIII || ES**gadanh**AR XX || **gadanho** XVI.
gado *sm.* 'reses em geral, rebanho, armento, vara' | XIV, *gaado* XIII, *guaado* XIV etc. | Do lat. *ganātu*, part. de *ganāre*.
gadolínio *sm.* 'elemento químico de número atômico 64' XX. Do lat. cient. *gadolinium*. O termo foi criado em homenagem ao químico sueco I. Gadolin (séc. XVIII) || **gadolin**ITA *sf.* '(Min.) silicato de ítrio, encontrado em cristais escuros' | *-te* 1858.

gaélico *adj. sm.* 'diz-se de, ou o que é pertinente aos grupos étnicos de origem céltica na Escócia, Irlanda e na ilha de Mann' 'a língua destes grupos' 1899. Do fr. *gaélique*, deriv. do ing. *gaelic* e, este, do gaélico *gaidheal*, alteração do irl. *gaoidheal*.
gafa[1] *sf.* 'gancho' XVI. Do cat. *gafa* e, este, provavelmente, do ár. *qáf·a* || EN**gaf**ECER XIV || **gafa**[2] *sf.* 'lepra' XVI. De *gafa*[1], talvez por alusão aos efeitos dessa doença, que deixa os dedos das mãos contraídos em forma de gancho || **gafanhoto** XIV. Por alusão às formas ganchosas de suas patas || **gaf**EIRA XVI || **gafém** | *gafeen* XIII, *gafẽ* XIV etc. || **gaf**IDADE XIII || **gafo** *adj.* 'leproso' XIII.
gafa[3] *sf.* 'pequeno caranguejo escuro' XX. Origem obscura; talvez se relacione com *gafa*[1], em alusão às patas ganchosas do caranguejo.
gafa[4] *sf.* 'vaso para transporte de sal' 1873. Origem obscura.
gafanhoto → GAFA[1].
gafe *sf.* 'indiscrição involuntária' XX. Do fr. *gaffe*.
gaf·ém, -idade → GAFA[1].
gafieira *sf.* 'casa de dança de música popular' XX. De origem obscura.
gafo → GAFA[1].
gaforinha *sf.* 'penteado extravagante' XIX. Do antropônimo Isabel *Gafforini*, cantora lírica italiana que, tendo se exibido entre 1802-1805 em Lisboa, se celebrizou pelo seu penteado em aparente desalinho.
gagata *sf.* 'azeviche' | XVII, *gargates* XIV, *gorgate* XIV | Do lat. *găgātes*, deriv. do gr. *gagátēs* 'natural ou relativo a *Gagās* (antiga cidade da Grécia onde abundava esse mineral)'.
gago *adj. sm.* 'tartamudo, tártaro' XIII. De origem onomatopaica || **gagu**EIRA 1813 || **gagu**EJAR 1813 || **gagu**EZ XVI.
gaio[1] *adj.* 'jovial, alegre' XVI. Do fr. *gai* || **gai**AS 1881 || **gai**AT·ADA 1821 || **gai**AT·ICE 1881 || **gai**ATO 1881 || **gai**OSA | *gayosa* XIII.
gaio[2] *sm.* 'ave de penas mosqueadas e do tamanho da pega' 1899. Do lat. trad. *gāius*.
gaiola *sf.* 'pequena clausura para encerro de aves' | *gayola* XIV, *-olla* XIV | Do baixo lat. c*aveola*, de *cavĕa* || DES·EN**gaiol**AR 1858 || EN**gaiol**AR 1813. Cp. JAULA.
⇨ **gaiola** — DES·EN**gaiol**AR | 1836 SC |.
gaiosa → GAIO[1].
gaita *sf.* 'flauta reta de folha de flandres ou de bambu' 'pífaro, realejo' | 1500, *gayta* XVI | De ori-

gem obscura || gaitEIRA XVI || gaitEIRO | XVII, *-eyro* 1500.
gaiv·a, -el → GÁVEA.
gaivão *sm.* 'aparelho de pesca, de forma cônica' XX. De origem obscura.
gaivota *sf.* 'designação comum às aves da fam. dos larídeos' | *guayuota* XV | Do lat. *gāvĭa* || **gaiv**INA 1881.
gajão *sm.* 'título que os ciganos dão aos que não pertencem à sua raça' 1899. Do cigano espanhol *gachó* || **gajo** 1899. Deduzido de *gajão* que, por etimologia popular, teria sido considerado como forma aumentativa.
gajeiro → GÁVEA.
gajeta *sf.* 'espécie de bolacha ou biscoito' XX. Do cast. *galleta* 'espécie de biscoito que os marinheiros consomem a bordo'. O vocábulo entra no português pelo sul do Brasil, como atesta a pronúncia fricativa do *ll* castelhano.
gajo → GAJÃO.
gala[1] *sf.* 'traje para solenidade' 'pompa, ornamento' XVII. Do it. *gala* 'guarnição das vestes', deriv. do a. fr. *gale*, de *galer* e, este, do antigo alto al. *wallan* 'adornar' | ENgalanAR XX || **galã** | *galan* 1813 | Do cast. *galán*, deriv. do fr. *galant* || **galant**ARIA | XV, *-eria* XV | Do fr. *galanterie* || **galante** XV. Do fr. *galant*, part. do antigo *galer* || **galant**EADOR 1844 || **galant**EAR XVI || **galant**EIO | *galanteo* XVII.
gala[2] → GALINÁCEO.
galã → GALA[1].
galact(o)- *elem. comp.*, do gr. *galakt-.*, de *gála, galaktos* 'leite', que se documenta em alguns vocs. introduzidos na linguagem científica internacional, a partir do séc. XIX ▶ **galact**AGOGO | *-gue* 1873 || **galáct**ICO XX || **galacto**CELE 1873 || **galactó**FAGO | *-phago* 1899 || **galactó**FORO XVII || **galacto**LOG·IA 1858 || **galactó**METRO 1858 || **galacto**POESE | *-poiese* 1858 || **galacto**POSIA 1899 || **galactor·REIA** | *-rrhea* 1873 || **galacto**SCÓPIO 1873 || **galacto**SE 1858 || galactos·ÚRIA XX || **galact**ÚRIA 1873 || **galalite** XX. Do fr. *galalithe*.
galagala *sf.* 'espécie de betume usado para calafetar embarcações' XVI. Do malaio *galagala*.
galalau *sm.* 'homem de estatura elevada' 1899. Do antropônimo francês *Ganelon*, personagem da *Chanson de Roland*, cuja versão portuguesa se popularizou no Brasil. *Ganelon* teria se transformado em *Galalão* que, por desnasalização, passou a *galalau*.
galalite → GALACT(O)-.
galanga *sf.* '(Bot.) raiz aromática de certas plantas da Índia oriental, usada para fins tanto medicinais quanto culinários' XVI. Do lat. cient. *galanga* e, este, do ár. *halangān*.
galant·aria, -e, -eador, -ear, -eio → GALA[1].
galantina *sf.* 'prato de carne picada de ave, vitela ou porco, coberto de gelatina' 1881. Do fr. *galantine*, alt. de *galatine*, do lat. med. *galatina*.
galão[1] *sm.* 'tira entrançada para debruar ou enfeitar' | *gallão* XVIII | Do fr. *galon*, deverb. de *galonner* || Agalo ADO 1871.
⇨ **galão**[1] — AgaloADO | 1836 SC |.
galão[2] *sm.* 'medida de capacidade' XIX. Do ing. *gallon*.
galão[3] *sm.* 'corcovo do cavalo em que este levanta as patas dianteiras' 1813. De origem obscura.

galápago *sm.* 'úlcera na coroa do casco das cavalgaduras' XVII. Do cast. *galápago*.
galapo *sm.* 'coxim da sela do cavalo' XIX. Do cast. *galapo*.
galar → GALO.
galardão *sm.* 'recompensa de serviços valiosos, prêmio, glória' | XV, *-dom* XIII, *-don* XIII etc. | De origem germânica || **galardo**ADOR XIII || **galardo**AR XIII.
⇨ **galardão** — AgalardoADO | XV ZURC 12.*14* || AgalardoADOR | XIV GREG 4.14.*3 agualardoador* XIV ARIM 265*r* || AgalardoAR | XIV GREG 1.22.7 etc. |.
galarim *sm.* 'o dobro da parada (no jogo)' 'cúmulo, fastígio' XVI. De origem obscura.
galáxia *sf.* 'via-láctea' XVIII. Do lat. *galaxĭās -ae*, deriv. do gr. *galaxías (kýklos)* 'círculo lácteo'. V. GALACT(O)-.
gálbano *sm.* 'planta da fam. das umbelíferas' 'resina que se extrai dessa planta' XV. Do lat. *galbănum -i*.
galdrope *sm.* 'cabo com que se puxa a picota da bomba, a bordo, ou se auxilia o governo do leme' | *aldrope* XVI, *gualdrope* XVIII | Do ing. *guide-rope*, provavelmente.
galé *sf.* 'antiga embarcação de vela e remos' | *galee* XIII, *gallee* XIII, *galea* XIII etc. | Do a. fr. *galée*, deriv. do it. *galèa* e, este, através do lat. med. *galea*, do gr. bizantino *galáia* || **gale**AÇA XVI. Do it. *galeazza* || **gale**ÃO | *galeon* XIII | Do fr. *galion* || **gale**OTA | *-li-* XIV | Do it. *galeòtta* || **gale**OTE | *gallijotes* XIV | Do it. *galeòtto* 'o condenado às *galés*' || **galera** | XV, *gualera* XV | Do cat. *galera*, de *galea* || **galez·IA** | *-azia* XVI.
gálea *sf.* 'capacete de guerreiro, elmo' XVIII. Do lat. *galĕa* || **galei·FORME** 1858.
gale·ação, -ão → GALÉ.
galego *adj. sm.* 'diz-se de, ou natural da Galiza' 'a língua galega' | *gallego* XIII | Do lat. *gallaecus* || AgalegADO | *agallegado* 1844.
⇨ **galego** — AgalegADO | *-lle-* 1836 SC |.
galeiforme → GÁLEA.
galeirão *sm.* 'espécie de pato' XVIII. Do cast. *gallarón*.
galena *sf.* '(Min.) mineral monométrico, constituído de sulfeto de chumbo' 1883; 'aparelho rudimentar de rádio, onde se emprega o cristal de galena' XX. Do lat. *galēna*.
galeno *sm.* 'médico' 1899. Do antr. *Galenus*, famoso médico de Pérgamo, Ásia Menor, que viveu no séc. II || **galên**ICO 1858 || **galen**ISMO 1873.
gale·ota, -ra → GALÉ.
galeria *sf.* 'corredor de edifício, com lojas comerciais, locais destinados à exposição de quadros e objetos de arte em geral etc.' | XVIII, *galaria* XVII | Do it. *gallerìa*.
galês *adj. sm.* 'nome de um tecido' | *gallez* XV |; 'diz-se de ou natural ou habitante do País de Gales' XX. Do top. *Gales*.
galeto → GALINÁCEO.
galezia → GALÉ.
galfarro *sm.* 'agente de polícia' XVII. Do cast. *galfarro*.
galg·a, -ar, -o → GÁLICO[1].
galha[1] → GALHO.
galha[2] *sf.* 'primeira barbatana dorsal dos peixes' 1899. Provavelmente do cast. *agalla* 'guelra'.

galh·ada, -eiro → GALHO.
galhardo *adj.* 'garboso, elegante, folgazão' 1813. Do fr. *gaillard* e, este, do prov. *galhart* ‖ **galhar**dETE XVI. Do fr. *gaillardet* ‖ **galhard**IA XIV.
⇨ **galhardo** | 1660 FMMelE 524.*3* |.
galheta *sf.* 'pequeno vaso de vidro em que se serve azeite e vinagre' XIV. Provavelmente do cast. *galleta* 'vasilha' ‖ **galhet**EIRO 1858.
galho *sm.* 'ramo de árvore' 1813. Do lat. **galleus* ‖ DES**galh**AR XVII ‖ EN**galh**AR XV ‖ ES**galh**AR XVIII ‖ **galha**¹ XVI. Do lat. **gallea* (*nuce*) 'noz de galha' ‖ **galh**ADA 1881 ‖ **galh**EIRO 1899 ‖ **galh**UDO 1813 ‖ **gál**ICO² *adj.* 'diz-se de um ácido extraído da noz de galha' | **galli**- 1873 ‖ **galí·**FERO | **galli**- 1873.
⇨ **galho** — ES**galho** | *c* 1538 JCasG 207.*29* ‖ **gál**ICO² | *gallico* 1836 SC |.
galhofa *sf.* 'gracejo, folia' XVII. Do cast. *gallofa* 'esmola'. O sentido atual do vocábulo teria surgido pela algazarra que os pedintes às portas de conventos faziam à espera dos alimentos que se lhes distribuiriam ‖ **galhof**EIRO XVII.
galhudo → GALHO.
galiambo *sm.* 'na métrica latina, espécie de verso de seis pés em que predomina o verso jâmbico' | *galliambo* 1873 | Do lat. *galliambus.*
galicínio → GALINÁCEO.
gálico¹ *adj. sm.* 'diz-se de, ou natural da Gália' 'sífilis' XVII. Do lat. *gallicus*, de *Gallĭa* ‖ **galg**A XVI ‖ **galg**AR XVIII ‖ **galgo** XVII. Do lat. lus. *gálego* e, este, do lat. *gallĭcus* ‖ **galic**ADO | **galli**- XVII ‖ **galic**ANO XVIII. Do lat. *gallĭcānus* ‖ **galici·**PARLA XVIII. Termo criado por Felinto Elísio, calcado em *latiniparla* ‖ **galic**ISMO | **galli**- 1833 | Do fr. *gallicisme*, criado no séc. XVI por H. Étienne ‖ **galo**FOB·IA | *gallophobia* 1873 ‖ **galo**MANCIA | *gallo*- 1873.
⇨ **gálico**¹ — EN**galg**ADO | *emgalgado* 1614 SGonç I.125.*30* ‖ **galgo** | 1532 JBaTR 68.*20* |.
gál·ico², **-ífero** → GALHO.
galileu *adj. sm.* 'relativo à Galileia' 'diz-se de, ou habitante ou natural da Galileia' XVIII. Do lat. *galilaeus.*
galimatias *sm. 2n.* 'discurso arrevesado e confuso' XIX. Do fr. *galimatias.*
galináceo *adj. sm.* 'relativo a, ou indivíduo dos galináceos, ordem de aves de patas não palmadas, bico curto e não adunco' | *gallinaceo* 1858 | Do lat. *gallīnācĕus* ‖ **gala**² XX ‖ **gal**AR 1813 ‖ **gal**ETO XX. Do it. *galletto* 'galinho' ‖ **galicínio** *sm.* 'o canto do galo' XVI. Do lat. *gallicinĭum* ‖ **galinha** XVI. Do lat. *gallina* ‖ **galinh**EIRO XV ‖ **gál**IO *sm.* 'elemento químico de número atômico 31' XX. Do fr. *gallium*, latinização do nome Lecoq (*de Boisbaudran*), descobridor deste elemento ‖ **galo** XIII. Do lat. *găllus* ‖ **galo**CRISTA 1813.
⇨ **galináceo** — **gala**² ‖ -*lla* 1836 SC ‖ **galinh**OLA ‖ *gallinholla* 1624 SesilR 41.*28* |.
galipote *sm.* 'resina que fica aderente ao tronco do pinheiro depois de colhida a terebintina' 1881. Do fr. *galipot.*
galivar *vb.* 'tornar apropriado, dar o feitio próprio ou adequado a' XVIII. De origem controversa.
galo → GALINÁCEO.
galocha *sf.* 'espécie de calçado de borracha que se calça sobre os sapatos para protegê-los da umidade' 1813. Do fr. *galloche.*

⇨ **galocha** | XV CART 19.*8* |.
galocrista → GALINÁCEO.
galo·fobia, -mania → GÁLICO¹.
galope *sm.* 'a carreira mais rápida de alguns animais, especialmente o cavalo' XIV. Do fr. *galop* ‖ **galop**ADA 1844 ‖ **galop**ANTE 1873 ‖ **galop**AR XVI. Do fr. *galoper* ‖ **galop**EAR XVII ‖ **galop**IM XVIII. Do fr. *galopin.*
⇨ **galope** — **galopar** | *agallopar* XV CAVA 18.*23* |.
galpão *sm.* 'área coberta geralmente para fins industriais' XIX. Do cast. *galpón*, do ant. *galpol* e, este, do asteca *kalpúlli* 'casa ou sala grande'.
galrar → GARRULAR.
galvanismo *sm.* 'eletricidade produzida por ação química' 'o uso terapêutico da mesma' 1858. Do fr. *galvanisme*, do nome de seu descobridor, em 1780, o físico italiano L. *Galvani* ‖ **galvân**ICO 1858. Do fr. *galvanique* ‖ **galvan**IZ·AÇÃO | -*isação* 1873 | Do fr. *galvaniser* ‖ **galvano** *sm.* 'clichê galvanotípico' XIX ‖ **galvano·**CÁUSTICA 1873 ‖ **galvano·**CAUTÉRIO XX ‖ **galvano·**GLIF·IA XX ‖ **galvano·**GRAF·IA | -*graphia* 1873 | Do fr. *galvanographie* ‖ **galvano·**GRAV·URA XX ‖ **galvano·**MAGNÉT·ICO | *galvano-magnético* 1873 ‖ **galvanô·**METRO 1858 ‖ **galvano·**NÍQUEL XX ‖ **galvano·**PLAST·IA 1899. Do fr. *galvanoplastie* ‖ **galvano·**PLASTICO·TIP·IA XX ‖ **galvano·**SCÓP·IO 1899 ‖ **galvano·**TERAP·IA | -*therapia* 1899 ‖ **galvanó·**TIPO XX.
-gam- → -GAM(O)-.
gama *sm.* 'terceira letra do alfabeto grego' 1813. Do lat. *gamma*, e, este, do gr. *gámma* ‖ **gamacismo** XX. Do it. *gammacismo* ‖ **gam**ADO XIX. Do lat. *gammatus* 'com forma de gama'.
gamão *sm.* 'jogo de tábulas e dados entre dois parceiros' 1813. Palavra de origem incerta.
gamarra *sf.* 'correia que se ata da cilha ao bocal ou cabeção da cavalgadura, para que esta não levante muito a cabeça' 1813. Do it. *gamarra*, do ant. *camarra.*
gamba *sf.* 'certo tipo de viola antiga' XX. Do it., na expr. *viòla di gamba* ‖ EN**gamb**IT·AR XX ‖ **gambérria** 1813 ‖ **gamb**ETA XX ‖ **gâmb**IA XVIII ‖ **gambi**ARRA 1881 ‖ **gamb**ITO XVI. Do it. *gambitto.*
gambá *sm.* 'mamífero marsupial do gênero *Didelphis*' 1817. De origem tupi, mas de étimo obscuro.
gambadonas *sf. pl.* 'cordas em que se envolvem os mastros para torná-los mais fortes' 1858. De origem obscura.
gamb·érria, -ia, -iarra, -ito → GAMBA.
gamboa *sf.* 'fruto do gamboeiro, variedade de marmeleiro' XVII. De origem obscura ‖ **gambo**EIRO 1858.
gamela *sf.* 'espécie de alguidar feito de madeira' XIII. Do lat. *camella*, dimin. de *camĕra* 'vaso para beber' ‖ **gamel**EIRA | -*ll*- XVII.
gamenho *adj. sm.* 'diz-se de, ou indivíduo garrido, peralta, vistoso' XVI. Provavelmente do fr. *gamin.*
gam·eta, -ico → -GAMO-.
gamo *sm.* 'cervo de origem asiática' XIV. Do lat. trad. *gammus.*
-gam(o)- *elem. comp.*, do gr. *gamo*-, de *gamos* 'casamento', que se documenta em vocs. eruditos, quase todos do domínio da biologia ▶ **ga-**

META | -*eto* 1899 || **gâm**ICO XX || **gamo**CARPEL·AR XX || **gam**ÓFILO | -*phyllo* 1858 || **gamo**GÊNESE XX || **gam**OLOG·IA 1858 || **gamo**MAN·IA 1873 || **gam**OPÉTALO 1858 || **gamos**·SÉPALO | -*sépalo* 1873 || **gamos**TILO | -*stylo* 1873.
gana *sf.* 'grande apetite ou vontade' 'fome, raiva' 1813. Do cast. *gana* || ESG**an**AÇÃO 1881 || ESG**an**ADO 1813 || ESG**an**AR XIV.
↪ **gana** | CV COND 22*d*19 |.
ganacha *sf.* 'maxila inferior do cavalo' XVII. Do it. *ganascia*.
ganânci·a, -oso → GANHAR.
gancho *sm.* 'peça recurvada de metal ou outro material que serve para suspender pesos' XVI. Provavelmente do céltico **ganskio* || DES·EN**ganch**ADO 1899 || DES·EN**ganch**AR 1881 || EN**ganch**ADO XVII || EN**ganch**AR 1844.
↪ **gancho** — EN**ganch**AR | 1836 SC |.
gandaia *sf.* 'a cata, no lixo, de objetos' *'fig.* vadiagem, vida dissoluta' | *gandaya* 1813 | De origem obscura || **gandai**AR 1844 | *gandayar* 1873.
↪ **gandaia** — **gandai**AR | 1836 SC |.
gândara *sf.* 'charneca, terra estéril e arenosa' 1813. Do lat. ibérico *gandera*, de origem pré-romana.
gandola *sf.* '(Mil.) espécie de blusão utilizado, em atividades internas, por militares' XX. De origem obscura.
ganga¹ *sf.* 'espécie de tecido originário da Índia' | *canga* XVI | Do chinês *káng*.
ganga² *sf.* 'resíduo de uma jazida filoniana' 1878. Do al. *Gang* 'caminho, veio metálico'.
gangana *sf.* 'mulher idosa' 1899. Do quimb. *ŋa'ŋana* 'senhora duas vezes'.
gangético *adj.* 'relativo ao Ganges, rio da Índia' 1572. Do lat. *gangēticus*.
gânglio *sm.* 'dilatação no trajeto dos nervos de onde irradiam fibras nervosas' 1813. Do lat. *ganglĭon*, deriv. do gr. *gágglion* || **gangli**ECTOM·IA XX || **gangli**FORME 1873 || **ganglion**AR 1858 || **ganglion**ITE 1858.
gangorra *sf.* 'orig. tipo primitivo de engenho de cana-de-açúcar' 'aparelho para divertimento infantil, que consiste numa tábua apoiada num espigão, sobre o qual gira horizontalmente' XVI. De origem obscura.
gangrena *sf.* '(Med.) necrose' *fig.* corrupção moral' 1813. Do lat. trad. *gangrǣna*, adapt. do gr. *gaggraina* || **gangren**AR 1813 || **gangren**OSO 1813.
gângster *s.* 2g. 'membro de organizações contraventoras surgidas nas metrópoles dos EUA' XX. Do ing. *gangster*, de *gang* || **gangster**ISMO XX ||
gangue *sf.* 'grupo de pessoas que andam ou agem em comum acordo, especialmente para fins criminosos' XX. Do ing. *gang*.
ganhar *vb.* 'obter, conseguir' | *gãar* XIII, *gaar* XIII, *gaanar* XIII, *guaannar* XIII, *guaanhar* XIII, *gaanhar* XIII etc. | Do germ. **waidanjan* 'colher', com possível cruzamento do gót. **ganan* 'cobiçar', que explica melhor as vars. ant. *gãar, gaanar* etc. || **ganância** | XVI, *gaança* XIII, *guãança* XIII etc. | Do lat. med. *ganantia*; a forma moderna *ganância* deriva imediatamente do cast. *ganancia* || **ganancioso** 1813. Do cast. *gananciozo* || **ganh**ADOR XVI || **ganho** | *gaanho* XIII.
ganir *vb.* 'latir (o cão) com expressão de dor ou medo' 'gemer como os cães' XVI. Do lat. *ganni*re || ESG**aniç**·ADO 1899 || ESG**aniç**·AR XVI || **gan**IDO 1813.
ganja¹ *sf.* 'vaidade, presunção' 1899. Do quimb. *'naži* || **ganj**ENTO 1899.
ganja² *sf.* 'resina de uma espécie de cânhamo' 1881. Do hindust. *ganjhā*.
ganoide *adj.* 2g. *sm.* 'diz-se de, ou espécime dos ganoides, antiga ordem de peixes de escamas grandes com espinhos medianos' 1899. Provavelmente do fr. *ganoïde*, do gr. *ganos* 'brilhante' e *eidos* 'forma' (v. -OIDE) || **ganoí**NA XX.
ganso *sm.* 'ave palmípede da ordem dos anseriformes' XIV. Do gót. **gans*.
ganzá *sm.* 'instrumento musical de percursão, tipo chocalho, de folha de flandres, de diversas formas' XX. Do quimb. *ŋã'za* 'cabaça'.
gaponga *sf.* 'aparelho de pesca utilizado pelos índios do Brasil, constituído de uma bola de osso de peixe-boi, presa por uma linha a um caniço, com a qual se bate na água para atrair o peixe' 1895. Do tupi **ïμa'poŋa* (< *ï'ua* 'fruta' + *'poŋa* 'sonante').
garabulho *sm.* 'confusão, embrulhada, aspereza' XVI. Do it. *garbuglio*, deverb. de *garbugliare* 'perturbar'.
garag·em, -ista → GARE.
garança *sf.* 'planta tintorial' 'a cor vermelha que se produz a partir desta planta' 1858. Do fr. *garance*, do baixo lat. *warantia*, deriv. do frâncico **wratja*.
garanhão *sm.* 'cavalo destinado à reprodução' | *garanhom* XVI | Do germ. *wranjon*, provavelmente através do cast. *garañon*.
garantir *vb.* 'afiançar, tornar seguro, afirmar como certo' XVIII. Do fr. *garantir*, deriv. de *garant* 'fiador' e, este, do germ. *wĕrento*, part. de *wĕren* 'fornecer, garantir' || **garante** 1813. Do fr. *garant* || **garant**IA 1844 || **garant**IDOR XX.
↪ **garantir** — **garant**IA | 1836 SC |.
garapa *sf.* 'bebida formada pela mistura de mel ou açúcar com água' 'o caldo de cana' XVI. De origem controversa. Em 1638, em carta escrita da Bahia, lê-se: "Vinho de assucar [= *aguardente de cana-de-açúcar*] a ŋ cá chamão garapa [...]".
garateia *sf.* 'aparelho de pesca formado de vários anzóis na extremidade da mesma linha' XX. De origem obscura.
garatuja *sf.* 'esgar, momice' 'rabisco' XVIII. Do it. *grattùgia* || **garatuj**AR 1881. Do it. *grattugiare*.
garatusa *sf.* 'logro' XVII. Do cast. *garatusa*.
garavato *sm.* 'pau com um gancho na extremidade para apanhar fruta' | *garauato* XV | Do cast. *garabato* || ESG**aravat**AR | *esgarauatar* XV || ESG**ravat**AR 1844. Cp. GRAVETO.
↪ **garavato** — ESG**ravat**AR | 1836 SC |.
garbo *sm.* 'elegância, galhardia, distinção' XVI. Do it. *garbo* || **garb**OSO 1844.
↪ **garbo** — **garb**OSO | 1836 SC |.
garça *sf.* 'ave pernalta aquática' XIII. Do lat. lusit. *gartia*.
garço *adj.* 'azulado (principalmente falando de olhos)' XVI. Provavelmente do cast. *garzo*.
garçom *sm.* 'orig. homem vil, desprezível' | *garçon* XIII, *garçoões* pl. XIV |; 'empregado que serve em restaurante, bar etc.' XX. Do fr. *garçon*, de origem germânica || **garçon**ETE XX. Do fr. *garçonnette*.

gardênia *sf.* 'planta ornamental da fam. das rubiáceas' XIX. Do lat. cient. *gardenia*, termo criado por Lineu em homenagem ao naturalista escocês Alexander Garden (1728-1792).
gardingo *sm.* 'homem nobre entre os visigodos' XVI. Do lat. tard. *gardingus*, deriv. do gót. **gords*.
gare *sf.* 'plataforma nas estações ferroviárias' 1873. Do fr. *gare* || gar**AGEM** 1871. Do fr. *garage* || gar**AGISTA** XX.
garela *sf.* 'perdiz no tempo do cio' 1813. Do lat. **garella*, por *garŭla*.
garfo *sm.* 'utensílio dentado que faz parte do talher' 'instrumento de suplício de forma dentada' 'enxerto de plantas' | *garfio* XIII, *garpho* XVI | Provavelmente do lat. *graphium* e, este, do gr. *graphêion* 'estilete', com possível interferência, no campo semântico, do ár. *gárfa* 'punhado' || garf**ADA** XVII || garf**AR** 1881.
gargalhar *vb.* 'rir franca e ruidosamente' 1844. De origem onomatopaica; tanto neste como nos vocs. adiante estudados, a raiz *garg-* (e *gorg-*, *gasg-* etc.) é uma onomatopeia do ruído da água durante o gargarejo ou o da garganta quando o alimento é engolido sofregamente; a raiz *garg-* é comum ao francês, ao castelhano, ao italiano etc., e remonta ao latim e ao grego || DES·EN**gasgAR** 1881 || EN**gasgADO** 1813 || EN**gasgAR** 1813 || EN**gasgo** 1881 || gargalh**ADA** XVIII || **gargalho** 1813 || gargal**o** XVI || **garganta** XIII || gargant**ÃO** *adj.* 'guloso' | *-on* XIII, *-õ* XIV, *-am* XV || gargant**EAR** XVII || gargant**ILHA** XVI. Do cast. *gargantilla* || **gargantoíce** *sf.* 'gula' | *-oyce* XIV, *guarganutyce* XIV, *gargantujce* XV etc. || **gargareJAR** 1813 || gargar**EJO** 1813 || **gárgula** XIX || **gasganete** 1881 || **gasguita** XX || **gasnate** XVII || **gorgolão** | *-lhão* 1813 || **gorgomilo** | *-mel* XIII, *-mela* XV.
⇨ **gargalhar** | 1836 SC || **gasguita** | *-to* 1836 SC |.
gari *s2g.* 'varredor de rua' XX. De antrop. Aleixo *Gary*, antigo incorporador de empresa que fazia as limpezas das ruas do Rio de Janeiro.
garibaldi *sm.* 'espécie de blusa vermelha usada pelas mulheres' | XIX, *garibaldo* XIX | Do antrop. Giuseppe *Garibaldi* (1807-1882), general italiano cujo uniforme, bem como o de seus comandados, se singularizava pelo vermelho das camisas.
garimp·agem, -ar, -eiro, -o → GRIMPAR[1].
garlar → GARRULAR.
garlindréu *sm.* '(Náut.) chapa de metal que abraça o mastro na bancada das embarcações pequenas' 1813. De origem obscura.
garlopa *sf.* 'plaina grande' 1813. Do cast. *garlopa* e, este, do prov. *garlopo*, deriv. do dial. da região nordeste da França *warlope* que, por sua vez, se preende ao neerl. *voorlooper* 'que corta antes'.
garnacha *sf.* 'veste talar larga, de cabeção, usada por certos monges e magistrados' XIII. Do lat. hisp. *garnacha* e, este, talvez do lat. *gaunăcum* 'manto de pele'.
garnierita *sf.* '(Min.) silicato hidratado de níquel e magnésio' XX. Do ing. *garnierite*, voc. criado pelo geólogo inglês W.B. Clarke (1798-1878), em 1875, em homenagem ao engenheiro francês Jules *Garnier* (1839-1904), que descobriu o mineral na Nova Caledônia, em 1865.
garnisé *adj. s. 2g.* 'diz-se de, ou galináceo de certa raça originária da ilha de Guernsey' XX. Do top. *Guernsey*, na Grã-Bretanha.

garo[1] *sm.* 'espécie de lagosta' XVII. Do lat. *garus*, deriv. do gr. *gáros* || **garo**[2] *sm.* 'salmoura feita com os intestinos do *garo*[1]' XVII. Do lat. *garum*, deriv. do gr. *gáron*.
garoa *sf.* 'nevoeiro fino' 1899. De origem controversa || garo**AR** 1899.
garoto *sm.* 'menino, rapazote' 1813. De origem incerta || garot**ADA** 1899 || garot**ICE** 1813.
garoupa *sf.* 'nome comum a várias espécies de peixes da fam. dos serranídeos' XVI. Possivelmente relacionado com o lat. *clupĕa*. Cp. CHOUPA[2].
garra[1] *sf.* 'unha aguçada e curva das feras e aves de rapina' *'ext.* unhas, dedos, mãos' *'fig.* ânimo forte, fibra' XVII. De um célt. **garra* || a**garrADO** XVI || a**garrAMENTO** XX || a**garrAR** XVI || DES**garrADA** 1813 || DES**garrAR** XV || ES**garrAR** XVI || **garra**[2] 1881. O voc. é usado na expr. *ir à garra* 'perder-se, desgarrar-se'. Deverb. de *garrar* || **garraio** 1813 || **garrancho** XVII. Provavelmente do cast., onde se teria formado do cruzamento de *garra* com *gancho* || **garrano** 1813 || **garrão** 1899. Do cast. *garrón* || **garrAR** XVII || **garrocha** XV. Provavelmente do cast. *garrocha* | **garrote**[2] *sm.* 'novilho' XX. Do fr. *garrot* 'parte saliente do dorso de um quadrúpede'.
garrafa *sf.* 'vaso ordinariamente de vidro, com gargalo estreito e destinado a conter líquido' | 1813, *alguarrafa* XIV | Do ár. *garrāf* || EN**garrafAR** 1881 || EN**garrafADO** 1881 || EN**garrafAMENTO** 1881 || EN**garrafAR** 1881 || **garrafADA** 1873 || **garrafAL** 1813 || **garrafEIRA** XIX || **garrafEIRO** XX.
⇨ **garrafa** — DE·SEN**garrafAR** | 1836 SC || EN**garafADO** | 1836 SC || EN**garrafAR** | 1836 SC |.
garr·aio, -ancho, -ano, -ão, -ar → GARRA[1].
garrião *sm.* 'pequeno peixe do mar' XX. De origem obscura.
garrir *vb.* 'ressoar, tagarelar, chilrear' 'pompear, galhardear' 1881. Do lat. *garrire* || garr**IDA** *sf.* 'sineta' 1813 || garr**ID·ICE** | *guarrideçe* XIV || garr**IDO** | *gairido* XIII | Do lat. *garritus*.
garrocha → GARRA[1].
garrote[1] *sm.* 'pau curto com que se apertava a corda do enforcado' XVII. Do fr. *garrot* 'bastão' || **garrotILHO** XVIII. Do cast. *garrotillo*.
garrote[2] → GARRA[1].
garrucha *sf.* *'orig.* pau curto com que se armavam as bestas' | *guarrucha* XV |; 'pistola de carregar pela boca' XX. Do cast. *garrucha*.
garrular *vb.* 'palrar, tagarelar' XX. Do lat. *garrulare* || galr**AR** 1813 || garl**AR** XX || garrul**ICE** 1858 || *gárrulo* XVI. Do lat. *garrŭlus*.
garupa *sf.* 'anca do cavalo' XVII. Do gót. **kruppa*.
gás *sm.* 'fluido infinitamente compressível, cujo volume é o do recipiente que o contém' | *gaz* 1813 | Do fr. *gaz* (no séc. XVII *gas*), voc. criado pelo cientista flamengo van Helmont (1577-1644), a partir do gr. *cháos*, cujo som consonantal inicial correspondia, no flamengo, ao *g*. Eis como se refere van Helmont, em *Ortus Medicinae* (ed. 1652, p. *59a*), à criação do vocábulo: "halitum illum Gas vocavi, non longe a Chao veterum secretum" ("chamei aquele sopro de Gas, forma não muito distinta do chaos dos antigos") || **gasEI·FIC·AÇÃO** | *-zei-* 1873 || **gasEI·FIC·AR** | *-zei-* 1858 | Adapt. do fr. *gazéifier* || **gasEI·FORME** | *-zei-* 1844 | Do fr. *gazéiforme* || **gasISTA** XX || **gasO·GÊN·IO** | *gazogêno* 1873

| Do fr. *gazogène* ‖ **gas**OL·INA XX. Do fr. *gazoline* ‖ **gas**ô·METRO | *gazo-* 1858 | Do fr. *gazomètre* ‖ **gas**OSA *sf.* XX ‖ **gas**OSO | *gazoso* 1844.
⇨ **gás** — **gas**ei·FORME | *gaze-* 1836 SC ‖ **gas**OSO | *gazo-* 1836 SC |.
gascão *adj. sm.* 'relativo à Gasconha' 'indivíduo natural daquela região francesa' 'dialeto ali falado' | *gascon* XIII | Do fr. *gascon*, do lat. pop. *wascone*, por *vascõne* em lugar de *vascõne*.
gasei·ficação, -ficar, -forme → GÁS.
gas·ganete, -guita, -nate → GARGALHAR.
gas·ista, -ogênio, -olina, -ômetro, -osa, -oso → GÁS.
gaspacho *sm.* 'sopa de pão com vários temperos' XVI. Do cast. *gazpacho*.
gasparinho *sm.* 'fração mínima do bilhete de loteria' XX. Do diminutivo do antrop. *Gaspar* da Silveira Martins (1835-1901), ministro da Fazenda do Império do Brasil, em 1878, que autorizou o fracionamento dos bilhetes da loteria.
gáspea *sf.* 'parte dianteira do calçado' | *gaspa* XV | De origem obscura.
gastar *vb.* 'arruinar, devastar' 'consumir' | XIII, *guastar* XIV | Do lat. *vastāre*, com influência do germ. *wôstjan* ou *wostan* ‖ AgastAMENTO XVI ‖ AgastAR XVI ‖ DESgastAR 1844 ‖ DESgastE 1899 ‖ gastAD·EIRO | *guastadeyro* XV ‖ gastADOR XIV ‖ gastALHO 1813 ‖ **gasto** XV. Deverbal de *gastar*.
⇨ **gastar** — AgastADOR *adj.* 'gastador' | XV YSAC 25.6 ‖ AgastAMENTO *sm.* 'enfado, aborrecimento' | XV FRAD II.193.*20* | AgastAR *vb.* 'enfadar, aborrecer' | XV VITA 7*b*6 ‖ DESgastAR | 1836 SC |.
-gastr(o)- *elem. comp.*, do gr. *gastēr gastrós* (e *gastéros*) 'ventre, estômago', que se documenta em inúmeros vocs. eruditos a partir do séc. XIX ♦ gastRALGIA 1858 ‖ gastRECTAS·IA XX ‖ gastRECTOM·IA XX ‖ gástRICO 1844 ‖ gastRITE 1844 ‖ **gastro** 1858 ‖ gastroCNÊM·ICO | *-chnemio* 1858 ‖ gastroCOL·ITE 1873 ‖ gastroCONJUNTIV·ITE 1873 ‖ gastroDIN·IA | *-dy-* 1858 ‖ gastroDUODEN·ITE 1873 ‖ gastroDUODENO·STOM·IAXX ‖ gastroENTER·ITE 1858 ‖ gastroENTERO·COL·ITE 1873 ‖ gastroLATR·IA XX ‖ gastroLITÍASEXX ‖ gastroLOG·IA 1858 ‖ gastroNECTO XX ‖ gastroNOM·IA 1858 ‖ gastroNÔM·ICO 1858 ‖ gastrÔNOMO 1858 ‖ gastroPAT·IAXX ‖ gastroPERITON·ITE 1873 ‖ gastrÓPODE | *-do* 1899 ‖ gastroPTERÍGIO XX ‖ gastROR·REIA | *-rrhéa* 1858 ‖ gastroSCOP·IA XX ‖ gastrOSE 1858 ‖ gastroSPASMO | *gastro-spasma* 1873 ‖ gastroSTOM·IA XX ‖ gastroTOM·IA 1858 ‖ gastroZO·ÁRIO XX ‖ gástrULA 1899.
⇨ **-gastr(o)-** — gástrICO | 1836 SC ‖ gastRITE | 1836 SC |.
gato *sm.* 'animal doméstico da fam. dos felídeos' 'grampo' 'utensílio de tanoeiro para arquear vasilhas' 'peça metálica que une e segura duas peças de cantaria' XIII. Do lat. trad. *cattus* ‖ DES·ENgatAR 1873 ‖ DES·ENgatILH·AR 1881 ‖ ENgatAR XVI ‖ ENgatE 1881 ‖ ENgatILH·AR 1881 ‖ ENgatINH·AR XVI ‖ ESgatANH·AR XIX ‖ gatA *sf.* 'máquina de guerra' XIV ‖ gatafunhos 1881 ‖ gatARIA 1813 ‖ gatÁZIO XVII ‖ gatE·ADO 1813 ‖ gatEZA XX ‖ gatí·CIDA 1899 ‖ gatí·CÍD·IO 1899 ‖ gatILHO 1813. Do cast. *gatillo* ‖ gatí·MANH·OS *sm. pl.* XVI ‖ gatINH·AS 1813 ‖ gatunAGEM 1881 ‖ gatunAR XVIII ‖ gatunICE XVIII ‖ **gatuno** 1813. Do cast. *gatuno*.

⇨ **gato** — gatARIA | 1836 SC |.
gaturamo *sm.* 'nome de diversos pássaros da fam. dos tanagrídeos' 1843. De origem tupi, mas de étimo obscuro.
gaúcho *adj. sm.* '*orig.* relativo ao habitante do campo, oriundo de indígenas, portugueses e espanhóis' 'o natural do Rio Grande do Sul' XIX. Do esp. plat. *gaucho*, de origem incerta ‖ AgauchADO XX ‖ gauchADA 1899. Do esp. plat. *gauchada* ‖ gauchAGEM XX ‖ gauchESCO XX. Do esp. plat. *gauchesco*.
gauda *sf.* 'planta tintorial, espécie de resedá' 1858. Do fr. *gaude*, deriv. do germânico **walda*.
gáudio *sm.* 'júbilo, folgança' XVIII. Do lat. *gaudium* ‖ gaudÉRIO 1899.
gaulês *adj. sm.* 'relativo à Gália, natural ou habitante da Gália' 1899. Do top. *Gaula*, deriv. do lat. med. **walua* e, este, do germânico *walu*.
gauro *sm.* 'boi selvagem da Índia' XIX. Do lat. cient. (*Bos frontalis*) *gaurus* e, este, do hindust. *gaur*.
gauss *sm.* '(Fís.) originariamente, unidade C.G.S. de intensidade de um campo magnético' 'modernamente, unidade C.G.S. de indução magnética' XX. Do antrop. K.F. *Gauss* (1777-1855), matemático e físico alemão.
gávea *sf.* '(Náut.) espécie de tabuleiro ou plataforma, a certa altura de um mastro' | *gauea* 1572 | Do lat. med. *gabia* (cláss. *cavěa*), com provável interferência do it. *gàbbia* ‖ ESgaivAR XX ‖ **gaiva** *sf.* 'jaula, fosso' 1813 ‖ gaivEL 1899 ‖ gajeiro *sm.* 'marinheiro que vigia da gávea' | *-geiro* 1813 | Do it. *gàggia* e, este, do genovês *gàgia*, deriv. do lat. *cavěa*.
⇨ **gávea** — **gajeiro** | *gageiro c* 1538 JCasG 156.*10* |.
gaveta *sf.* 'espécie de caixa corrediça de certos móveis, própria para guardados' 1813. Do prov. *gàveda*, com permuta do sufixo, e, este, do lat. **gabīta* por *gabāta* 'escudela, tijela' ‖ DES·ENgavetAR ‖ ENgavetAR XX ‖ gavetEIRO XX.
gavial *sm.* 'grande crocodilo natural do rio Ganges, na Índia' XIX. Provavelmente do fr. *gavial* e, este, do hindust. *ghạriyāl*.
gavião *sm.* 'designação de grande número de aves falconiformes' *fig.* sujeito esperto, fino, conquistador' | *gauiã* XIII | Provavelmente do germânico **gavilane* ‖ gavionAR XX.
gaviete *sm.* 'espécie de alavanca para suspender a âncora' XVII. Do cast. *gaviete*.
gavinha *sf.* 'órgão de fixação das plantas sarmentosas, com o qual elas se prendem a outras ou a estacas' XIX. De origem obscura.
gavionar → GAVIÃO.
gavota *sf.* 'antiga dança francesa' XVIII. Do fr. *gavotte*.
gaxeta *sf.* '(Náut.) cinta para ferrar velas nas vergas' 'peça de amianto, metal, borracha etc., com que se vedam juntas de canalizações, tampas de cilindros etc.' 1813. De origem obscura.
gaze *sf.* 'tecido leve e transparente, escumilha' XVII. Do hindust. *gazi*, ou talvez do ár. *Gazza*, nome de uma cidade da Palestina, onde se fabricava esse tecido, através do fr. *gaze*.
gazear[1] *vb.* 'cantar (a garça, a andorinha)' 1813. De origem onomatopaica ‖ **gazeio**[1] 1813. Deverbal de *gazear*[1].
gazear[2] *vb.* 'faltar às aulas ou ao trabalho para vadiar, fazer gazeta' 1813. De origem obscura ‖

gazeio² | 1813, *gazio* XVIII | Deverbal de *gazear*² || **gazeta**² *sf.* 'falta às aulas ou ao trabalho, ato de gazetear' 1881. A origem do voc. é obscura; não se deve, contudo, desprezar a possibilidade da interferência de *gazeta*¹ || gazetEAR 1881 || gazetEIRO² *adj. sm.* 1881.
gazela *sf.* 'designação geral dos ruminantes cavicórneos' XVI. Do ár. vulg. *ġazēl* (cláss. *gazāla*).
gázeo *adj.* 'garço, esverdeado (falando de olhos)' XVII. Origem incerta || ESgazeADO 1873 || ESgazeAR XVI.
⇨ **gázeo** — ESgazeADO | 1836 SC |.
gazeta¹ *sf.* 'publicação periódica, jornal' XVII. Do it. *gazzetta*¹ 'jornal' e, este, do veneziano *gazeta dele novità*, jornal que no início do séc. XVII circulava em Veneza ao preço de uma *gazzetta*² 'unidade monetária em Veneza, na época' || gazetEIRO¹ 1844 || gazetILHA XIX. Adapt. do cast. *gacetilla*.
⇨ **gazeta**¹ — gazetEIRO | 1836 SC |.
gazet·a², **-ear**, **-eiro**² → GAZEAR².
gazofiláceo *sm.* 'local onde se conservava o tesouro do templo em Jerusalém' *'ext.* erário, tesouro público' | *gazofilacio* XV | Do lat. *gazophylacĭum*, deriv. do gr. *gāzophylákion*, de *gāzophýlaks* 'tesoureiro'.
gazola *sf.* 'ave pernalta de arribação' XIX. De origem obscura.
gazua *sf.* 'chave falsa' XVII. De origem obscura.
gázua *sf.* 'guerra santa dos mouros contra os portugueses' | XVI, *algazu* XV, *garzua* XVI | Do ár. *gazūa*.
ge·ada, **-ar** → GELO.
geba → GIBA.
geena *sf.* 'o inferno' *'fig.* lugar de suplício' | *gehena* XVI | Do lat. ecles. *gehenna* e, este, do gr. *géenna*, deriv. do hebr. *gēhinōm* (de *gēbenē Hinnōm* 'vale dos filhos de Enom'). Este vale ficava a sudeste de Jerusalém, e ali os hebreus, ao tempo de Ezequias, imolavam crianças ao deus fenício Moloque, degolando-as e depois queimando-as.
gêiser *sm.* 'fonte de água quente com erupções periódicas, que traz normalmente muitos sais em dissolução' 1899. Do ing. *geyser*, deriv. do islandês *Geysir*, nome próprio de certa fonte de água quente na Islândia.
gel → GELO.
gel·adeira, **-ado**, **-ar**, **gelatin·a**, **-iforme**, **-ografia**, **-oso**, **-otipia**, **gel·eia**, **-eira** → GELO.
gelha *sf.* 'grão de cereais com tegumento enrugado' *'ext.* ruga' 1813. Origem incerta || ENgelhADO XVI || ENgelhAMENTO XV || ENgelhAR | *engelhar* XV |.
⇨ **gelha** | Do lat. *genĭcŭla*, pl. de *genĭcŭlum*, dim. de *genu* 'joelho' |.
gelo *sm.* 'água em estado sólido' *'ext.* frio excessivo' *'fig.* indiferença' | XIV, *geo* XIII | Do lat. *gelum* | CONgelAÇÃO 1813. Do lat. *congelātĭo -ōnis* | CONgelADOR 1813 || CONgelAMENTO | *coge-* XV || CONgelAR XVI. Do lat. *congelāre* || CONgelATIVO 1844 || DEgelAR XVII || DEgelo 1844 || DES·CONgelAR XVIII || EN·REgelADO XVI || EN·REgelAR XVI || geADA XIII. Do lat. *gelāta*, substantivação do fem. do part. *gelatus* || geAR XVII. Do lat. *gelare* || gel *sm.* 'substância gelatinosa, obtida da coagulação de um líquido coloidal' XX. Do ing. *gel*, vocábulo criado a partir da raiz do voc. *gel(atine)* || gelAD·EIRA XX || gelA-

DO 1572. Do lat. *gelātus*, part. de *gelāre* || gelAR XIV. Do lat. *gelāre* || gelatina XIX. Do it. *gelatina*, do lat. med. *gelatina*, de *gelāre* || gelatINI·FORME XIX || gelatino·GRAF·IA XX || gelatinOSO 1844 || gelatino·TIP·IA XX || geleia | *geléa* 1813 | Do fr. *gelée*, part. pass. de *gêler* 'gelar' || gelEIRA XX || gélIDO XVII. Do lat. *gelĭdus* || gélULA XX || IN·CONgelÁVEL 1873 || REgelAÇÃO XX || REgelADO | *rregelado* XIV | Do lat. *regelātus*, part. de *regelāre* || REgelANTE 1844 || REgelAR | *rregelar* XIV | Do lat. *regelāre* || REgelo XVI.
⇨ **gelo** — CONgelATIVO | 1836 SC || DEgelo | 1836 SC || gelEIRA | SC || REgelANTE | 1836 SC || REgelo | XV FRAD II.169.*8* |.
gelosia *sf.* 'persiana' XVI. Do it. *gelosía* 'persiana'.
gélula → GELO.
gema *sf.* 'parte central amarela do ovo das aves' 'rebento, gomo do vegetal' 'pedra preciosa' | *gemma* XVI | Do lat. *gemma* || gemAÇÃO | *gemmação* 1881 || gemADA | *gemmada* 1844 || gemAR | *gemmar* 1813. Do lat. *gemmāre* || gemí·FERO | *gemmifero* 1844 || gemi·PARO | *gemmiparo* 1881 || gêmULA | *gemmula* 1881.
⇨ **gema** | XV ESOP 1.*4*, *gēma* XV CESA IV. 2§3.*1*, *geme* Id. III.15§19.*1*, *jame* Id.III.15.§17.*3, jema* XV INFA 89.*28* || gemADA | 1836 SC |.
gemebundo → GEMER.
gemel·ar, **-ípara**, **-o** → GEMINAR.
gemente → GEMER.
gêmeo → GEMINAR.
gemer *vb.* 'prantear, lastimar, soltar lamentos' XIII. Do 1at. **gemĕre*, por *gemĕre* || gemebundo 1873. Do lat. *gemebundus* || gemENTE 1844 || gemIDO XIV. Do lat. **gemītus*, por *gemĭtus*.
⇨ **gemer** — gemENTE | 1836 SC |.
gemífero → GEMA.
geminar *vb.* 'duplicar (letras)' XX. Do 1at. *gemināre* || CONgeminAÇÃO 1899. Do lat. *congeminātĭo -onis* || CONgeminar 1899. Do lat. *congemināre* || gemelAR *adj.* XX. Do 1at. *gemellaris* || gemelí·PARA XX. Do lat. *gemellipāra* || gemELO | *-ello* 1881 | Do lat. *gemellus*, dimin. de *gemĭnus* || gêmeo¹ || gêmeo XIII. Do lat. *gemĭnus* || geminAÇÃO 1881. Do lat. *geminātĭo -onis* || geminADO 1844. Do lat. *geminātus* || gemini·ANO XX || gêmino XVI. Do lat. *gemĭnus*.
⇨ **geminar** — CONgeminAÇÃO | 1836 SC |.
gemíparo → GEMA.
gemônias *sf. pl.* 'degraus na encosta do monte Capitolino, por onde se arrastavam ou se expunham os corpos dos supliciados' *'fig.* opróbrio público' 1858. Do lat. *Gemōniae -ārum*.
gêmula → GEMA.
gen, gene *sm.* '(Biol.) um dos fatores ou elementos relativos ao desenvolvimento da descendência dos caracteres hereditários' XX. Do fr. *gène*, deriv. do al. *Gen*, voc. criado pelo biólogo dinamarquês W. L. Johannsen (1857-1927), com base no radical grego *gēn-* 'geração'; v. -GÊNEO.
genal *adj.* 2g. 'relativo às faces' 1858. Do lat. *genae -arum* + -AL.
genciana *sf.* 'planta medicinal da fam. das gencianáceas' XVII. Do lat. *gentiāna*.
gendarme *sm.* 'soldado da força pública, na França, 1873. Do fr. *gendarme*.

gene → GEN.
genealogia *sf.* 'estirpe, linhagem' 'estudo da origem das famílias' XVII. Do lat. *genealŏgĭa*, deriv. do gr. *genealogía* ‖ **genealóg**ICO 1813 ‖ **genealog**ISTA 1844. Cp. -GÊNEO.
⇨ **genealogia** | 1573 GLeão 139.*6, genologia* 1538 DCast 26.*19, genalogia c* 1541 JCasR 352.*27, genelosia* 1571 FOlF 123.*19, geanolosia* 1572 *Lus.* III.3 ‖ **genealóg**ICO | *geneologico* 1660 FMMelE 346.10 ‖ **genealog**ISTA | 1836 SC |.
genearca *sm.* 'o fundador de uma família, de uma linhagem ou de uma espécie' | *-archa* 1873 | Do gr. *geneárchēs*, por via erudita. Cp. -GÊNEO.
genebra *sf.* 'espécie de bebida alcoólica preparada com bagas de zimbro' 1844. Do a. fr. *genevre* (atual *genièvre*), do lat. *junĭpĕrŭs* 'zimbro'.
⇨ **genebra** | 1836 SC |.
-gêneo, -genia, -gênico, -gênio, -geno *suf. nom.*, todos de remota origem grega, mas de formações distintas:
(i) *-gêneo* é adaptação, com provável interferência do francês e/ou do latim científico, do gr. *-genḗs* (de *gēn-*, radical de *gignesthai* 'originar-se, provir'), que já se documenta em vocs. formados em próprio grego, com duas acepções diferentes: a) 'nascido em certo lugar ou em determinada condição': gr. *endógenḗs*, que foi adaptado em português numa acepção diferente da original e sob a forma *endógeno* [v. (v)]; b) 'de uma maneira específica': gr. *homogenḗs* → port. *homogêneo*;
(ii) *-genia* (≤ fr. *-génie* = cast. *-genía* = it. *-genìa* = ing. *-geny*) é adaptação do gr. *-géneia*, terminação de substantivos abstratos gregos derivados de adjetivos em *-genḗs* [v. (i)] (como *homogéneia* 'homogenia' < *homogenḗs* 'homogêneo'); cp. *androgenia, antropogenia, astrogenia* etc.;
(iii) *-gênico* [< *-gen(ia)* + *-ico*] é a terminação dos adjetivos portugueses oriundos dos substantivos em *-genia: androgenia/androgênico, antropogenia/antropogênico* etc.;
(iv) *-gênio* é a terminação dos substantivos portugueses eruditos, particularmente da linguagem da química, que se origina do fr. *-gène* [< gr. *-genḗs*; v. (i)], suf. proposto pelos químicos franceses do séc. XVIII (Lavoisier, G. de Morveau) para a formação dos nomes dos elementos *oxygène* 'gerador de ácidos' e *hydrogène* 'gerador de água' e, por analogia com estes, *cyanogène, nitrogène* etc. Para a fixação nas formas portuguesas correspondentes (*oxigênio, hidrogênio, cianogênio, nitrogênio* etc.) do suf. *-gênio* (e não *-gêneo* ou *-geno*) deve ter contribuído a terminação *-genium* com que esses vocs. são designados no latim científico moderno (*hydrogenium*);
(v) *-geno* (no fem. *-gena*) é a terminação de adjetivos portugueses eruditos, particularmente da linguagem da botânica, que se origina, como o anterior e sem dúvida por analogia com ele, do fr. *-gène*, suf. proposto pelo botânico suíço A. P. de Candolle (1778-1841), em 1813, em sua *Théorie de Botanique*, para designar as duas classes de plantas que se distinguem pela forma de reprodução dos novos tecidos: *endogène* (> port. *endógeno*) 'que se reproduz internamente' e *exogène* (> porto *exógeno*) 'que se reproduz externamente'.

Pelo modelo destes vocs. foram criados *anfigeno, antógeno* etc. Cp. -GÊNESE, -GENÉTICO.
gênero *sm.* 'conjunto de espécies com caracteres comuns' 'espécie, ordem, classe' XV. Do lat. **genĕrum*, por *genus -ĕris*, com mudança de declinação ‖ CON**gênere** 1844. Do fr. *congénère* e, este, do lat. trad. *congener -ĕris* ‖ **gener**AL[1] *adj.* 'geral' XIV. Provavelmente do cast. *general* ‖ **gener**AL[2] *sm.* 'posto da hierarquia militar' XVII. Substantivação do adj. *general*, na expressão *tenente-general* ‖ **gener**AL·IDADE XVII. Do lat. *generalĭtās -ātis* ‖ **gener**AL·IZAR XVII. Do fr. *généraliser* ‖ **gener**ANTE XVI. Do lat. *genĕrans -antis*, part. de *generare* ‖ **gener**ATIVO XV. Do lat. tard. *generatīvus* ‖ **gener**ATRIZ 1881. Do lat. *generātrix -īcis* ‖ **gener**ICO 1813. Do fr. *générique* ‖ **ger**AÇÃO | *geeraçom* XIII | Do lat. *generātĭo -ōnis* ‖ **ger**ADOR | *geerador* XV | Do lat. *generātor -ōris* ‖ **ger**AL | *geeral* XIII | Do lat. *generālis* ‖ **ger**AR | *gĕerar* XIII | Do lat. *generare* ‖ **ger**ATIVO XX ‖ **ger**ATRLZ 1881. Do lat. *generātrix -īcis*. Cp. GENITAL, GENTE.
⇨ **gênero** — CON**gênere** | 1836 SC ‖ **general**ATO | 1660 FMMelE 393.*18, generalado* 1614 SGonç I.116.*16* |.
generoso *adj.* 'nobre, leal, valente' XVI. Do lat. *generōsus* ‖ **geneos**IDADE 1813. Do lat. *generosĭtās -ātis*. Cp. GÊNERO.
gênese *sm.* 'nome do primeiro livro do Antigo Testamento' | *genesis* XIV |; *sf.* 'formação dos seres, geração' 'criação, constituição'. Do lat. *genĕsis*, deriv. do gr. *génesis* 'origem'. Tanto em português como nas demais línguas de cultura, o voc. designa, originariamente, o primeiro livro do Antigo Testamento, por influência do lat. *genĕsis* (< gr. *génesis*) da Vulgata ‖ **genesí**ACO 1873. Do lat. *genesĭacus*.
-gênese *suf nom.*, do gr. *génesis* (> lat. *genĕsis*) 'origem, criação, geração', de radical *-gēn-*, de *gignesthai* 'originar-se, provir', que se documenta em compostos introduzidos na linguagem científica internacional, como *androgênese* (e *androgenesia*), *biogênese* (e *biogenesia*) etc. Cp. -GÊNEO, -GENÉTICO.
genética *sf.* '(Biol.) ciência que estuda os processos de transmissão dos caracteres hereditários nos indivíduos' XX. Substantivação do fem. do adj. *genético* ‖ **genético** XIX. Do fr. *genétique*, deriv. do gr. *genetikós* 'próprio para a geração'.
-genético *suf nom.*, formado, a partir de *-gênese*, por analogia com derivados do tipo *antítese/antitético*, que se documenta em alguns compostos introduzidos na linguagem científica internacional, como *androgenético, biogenético* etc. Cp. -GÊNEO, -GÊNESE.
genetlíaco *adj. sm.* 'relativo ao nascimento' 'aquele que prevê o futuro do recém-nascido pela observação dos astros' XVIII. Do lat. *genethliăcus* e, este, do gr. *genethliakós* ‖ **genetli**O·LOG·IA | *-th-* 1858 | Do lat. trad. *genethliologia* e, este, do gr. *genethliología* ‖ **genetli**O·LÓG·ICO XX.
genetriz → GENITAL.
gengibirra *sf.* 'bebida fermentada feita à base de gengibre' XX. Do ing. *gingerbeer*.
gengibre *sm.* 'planta monocotiledônea da fam. das zingiberáceas' | XIII, *gingiure* XV, *gingibre* XV etc. | Do lat. *zingĭber -ĕris*, deriv. do gr. *ziggiberis*.

gengiva *sf.* 'tecido fibromuscular coberto de mucosa, onde se implantam os dentes' | *gingiua* XV | Do lat. *gingiva*.
-genia → -GÊNEO.
genial, -idade → GÊNIO.
-gênico → -GÊNEO.
genicul·ação, -ado → JOELHO.
gênio *sm.* 'talento, dom natural' 1572. Do lat. *genĭus* || **geni**AL 1813 || **geni**AL·IDADE XX.
-gênio → -GÊNEO.
genital *adj.* 'relativo à geração, que serve para a geração' 1572. Do lat. *genitālis* || CON**gênito** XVIII. Do lat. *congenĭtus* || **genetriz** XVII. Do lat. *genĕtrix -īcis* || **genitivo** | *genitivo* XVI | Do lat. *genitīvus* || **gênito** XVI. Do lat. *genĭtus*, part. de *gignĕre* 'gerar' || **genitor** XVII. Do lat. *genitor -ōris* || **genitura** XVI. Do lat. *genitūra*. Cp. GÊNERO, GENTE.
geno- *elem. comp.*, do gr. *gēn-*, radical de *gignesthai* 'originar-se, provir', que se documenta em alguns compostos introduzidos na linguagem científica internacional, a partir do séc. XIX ▸ **geno**CÍD·IO XX || **genó**TIPO XX.
-geno → -GÊNEO.
genovês → GENUÊS.
genro *sm.* 'o marido da filha em relação aos pais da mesma' | XIII, *genrro* XIII, *jenrro* XV | Do lat. *genĕrum*.
gente *sf.* 'quantidade de pessoas, família' 'alguém de importância' XIII. Do lat. *gens gentis* || **gent**ALHA XVIII || **gent**IL | *gentiis* pl. XIII | Do lat. *gentīlis* || **gent**IL·EZA XIV || **gent**IL·ÍC·IO XX. Do lat. *gentīlicĭus* || **gent**ÍL·ICO XVI. Do lat. tard. *gentīlĭcus* || **gent**IL·IDADE XVI. Do lat. *gentilitās -ātis* || **gent**IO¹ *sm.* 'grande quantidade de gente' XVI || **gentio²** *sm.* 'pagão' XIII. Do lat. *genetivus*. Cp. GÊNERO, GENITAL.
genuês, genovês *adj. sm.* 'relativo a Gênova, o habitante ou natural de Gênova' | *genoeses* pl. XIII, *janoes* XIV, *janues* XIV | Do top. *Genoa*, do lat. *Genŭa* 'Gênova'.
genu·flectir, -flector, -flexão, flexo, -flexório → JOELHO.
genuíno *adj.* 'puro, original, natural' XVII. Do lat. *genuīnus*.
genu·valgo, -varo → JOELHO.
-ge(o)- *elem. comp.*, do gr. *gēo-*, de *gē (gés)* 'terra', que se documenta em vários compostos já formados no próprio grego, como *geografia*, por exemplo, e em muitos outros introduzidos na linguagem científica internacional, a partir do séc. XIX ▸ **geo**BATRÁQUIO 1890 || **geo**BIO·LOG·IA XX || **geo**BIO·LÓG·ICO XX || **geo**BLASTO XIX || **geo**BOTÂN·ICA XX || **geo**BOTÂN·ICO XX || **geo**CARP·IA XX || **geo**CÊNTR·ICO 1858 || **geo**CENTR·ISMO 1913 || **geo**CENTR·ISTA 1913 || **geo**CÍCL·ICO | -cy- 1858 || **geo**CÊNTR·ICO 1899 || **geó**CLASE XX || **geo**CORÔN·IO XX || **geo**CRONO·LOG·IA XX || **geo**CRONO·LÓG·ICO XX || **geodesia** 1813. Do fr. *géodésie*, deriv. do gr. *geōdaisía* || **geodés**ICA XX || **geodés**ICO 1813 || **geodét**ICO 1813 || **geo**DINÂM·ICA | -dy- 1873 || **geo**DINÂM·ICO XX || **geodo** 1873. Do lat. *geōdēs*, deriv. do gr. *geōdēs* || **geo**FAG·IA | -ph- 1858 || **geó**FAGO | -ph- 1858 || **geo**FÍS·ICA XX || **geo**FÍS·ICO XX || **geó**FITO XX || **geo**GENIA 1881 || **geo**GÊN·ICO XIX || **geo**GNOS·IA 1835 || **geo**GNÓST·ICO XIX || **geo**GON·IA 1858 || **geo**GRAF·AR | -phar 1913 || **geo**GRAF·IA 1537 || **geo**GRÁF·ICO 1537 || **geó**GRAFO 1537 || **geo**IDE 1899 || **geo**IDRO·GRAF·IA | -hydrographia 1858 || **geo**IDRO·GRÁF·ICO XX || **geo**ISTÓR·IA | -his- 1899 || **geo**ISTÓR·ICO XX || **geo**LOG·IA 1858 || **geo**LÓG·ICO 1862 || **geó**LOGO 1858 || **geo**MAGNÉT·ICO XX || **geo**MAGNET·ISMO XX || **geo**MAGNET·ISTA XX || **geo**MANC·IA | *gyomançya* XV, *geomãcia* XVI || **geo**MANTE 1913 || **geo**MÂNT·ICO 1858 || **geô**METRA XV || **geo**METR·AL 1858 || **geo**METR·IA | XIV, *gemetria* XIII || **geo**MÉTR·ICO 1537 || **geo**METR·IZ·AÇÃO XX || **geo**METR·IZAR XX || **geo**MORFO·LOG·IA | -pho-1913 || **geo**MORFO·LÓG·ICO | -pho- 1913 || **geo**NÍM·IA XX || **geo**ONOMÁST·ICO XX || **geo**NOM·IA 1858 || **geo**POLÍT·ICA XX || **geo**POLÍT·ICO XX || **geo**PON·IA 1858 || **geo**POTENC·IAL XX || **geo**QUÍM·ICA XX || **geo**QUÍM·ICO XX || **geo**RAMA 1858 || **geo**SCOP·IA 1858 || **geo**SCÓP·ICO 1873 || **geo**SCOPO 1873 || **geo**SFÉR·ICO 1890 || **geo**SAURO 1890 || **geo**SSINCLIN·AL | *géosynclinal* 1910 || **geo**SSINCLÍN·ICO XX || **geo**SSOF·IA | -sophia 1873 || **geo**SSÓF·ICO | -sophico 1873 || **geo**STÁT·ICA 1899 || **geo**STRATÉG·IA 1873 || **geo**TÉCN·ICO XX || **geo**TECTÔN·ICA 1899 || **geo**TECTÔN·ICO XX || **geo**TERM·IA 1890 || **geo**TÉRM·ICO 1899 || **geo**TERMÔ·METRO XX || **geót**·ICO 1873 || **geo**TOM·IA XX || **geó**TOMO XX || **geo**TRÓP·ICO 1901 || **geo**TROP·ISMO | -tru- 1913 || **geó**TROPO 1913.
⇨ **-ge(o)- geó**FAGO | *geophago* 1836 SC || **geo**LOG·IA | 1836 SC || **geo**LÓG·ICO | 1836 SC || **geó**LOGO | 1836 SC || **geo**MANTE | 1836 SC || **geo**MÂNTICO | 1836 SC || **geo**METR·AL | 1836 SC || **geo**NOM·IA | 1836 SC |.
georgiano *adj. sm.* 'relativo à Geórgia' 'o natural ou a língua dessa república' XVI. Do top. *Geórgia* || **geórg**ICA *sf.* 'obra sobre trabalhos agrícolas' XVI. Do lat. *georgĭca* e, este, do gr. *georgiké* 'agricultura' || **georg**ISMO XIX. Do antrop. Henry *George* (1838-1896), economista estadunidense que preconizava um sistema tributário baseado no imposto único, o qual incidiria sobre a renda da terra.
geoso → GELO.
ger·ação, -ador, -al → GÊNERO.
gerânio *sm.* 'gênero de plantas dicotiledôneas' 1858. Do lat. *geranĭon -ii* e, este, do gr. *gerániŏn*, de *géranos* 'grou', pela semelhança entre a flor e a ave, assim captada pelos gregos antigos.
ger·ar, -ativo, -atriz → GÊNERO.
gergelim *sm.* 'planta da fam. das pedaliáceas' 'semente dessa planta' 'certas iguarias feitas com essa semente' | XVI, *gergelin* XV, *girgilim* XV | Do ár. vulg. *ğiğilān* (cláss. *ğulğulān*) 'grão do coriandro'.
geriatria *sf.* 'ramo da medicina e das ciências sociais que trata da saúde física e mental das pessoas idosas' XX. Do gr. *gérōn -ontos* [v. GERO-] 'velho' e *iatreia* [v. -IATR(O)-] 'tratamento', por via erudita || **geriatra** XX || **geriátr**ICO XX.
gerifalte *sm.* 'ave de rapina, diurna, da fam. dos falconídeos' | *girifalte* XIV, *girofalco* XIV | Do a. fr. *gerfalc* (atual *gerfaut*), de origem germânica.
geringonça *sf.* 'calão, gíria, coisa malfeita e de fácil destruição' XVI. Do cast. *jerigonza*.
gerir *vb.* 'administrar, dirigir, regular' XIX. Do lat. *gerīre, por *gerĕre* | DI**gerir** | XVII, *digirir* XV | Do lat. *digerīre, por *digerĕre* || DI**gestão** | XVII, -tam XV, *degestam* XV | Do lat. *digestĭo -ōnis* ||

digestibil·idade XX ‖ digestir | *degestir* XV ‖ digestível | *-gestibele* XV | Do lat. *digestibĭlis* ‖ digestivo | XV, *de-* XVII | Do lat. tard. *digestivus* ‖ digesto¹ *adj.* 'digerido' XV. Do lat. *digestus*, part. pass. de *digerĕre* ‖ digesto² *sm.* 'coleção justiniana das decisões dos jurisconsultos romanos' 1813. Do lat. *dīgestus -ūs* ‖ digestor *sm.* 1844. Do lat. cient. *digestor -ōris* ‖ digestório 1899. Do lat. cient. *digestōrĭus* ‖ gerência 1881 ‖ gerenc·iar XX. De *gerência* ‖ gerente 1881. Do lat. *gerens -entis*, part. de *gerĕre*, com possível influência francesa ‖ gesta XIII. Do fr. *geste*, e este, do lat. *gesta* 'façanhas, nom. pl. neutro de *gestus*, part. de *gerĕre* ‖ gestão 1858. Do lat. *gestĭo -ōnis* ‖ gestatório XVII. Do lat. *gestatorius* ‖ gestor 1844. Do lat. *gestor -ōris* ‖ in·digestão 1813. Do lat. *indigestĭo -onis* ‖ in·digestível XVII. Do lat. *indigestibĭlis* ‖ in·digesto 1813. Do lat. *indigestus* ‖ ingerência 1813 ‖ ingerente XX ‖ ingerir XVIII ‖ ingestão 1873.
⇨ gerir — digestor | 1836 SC |.
germano¹ → IRMÃO.
germano² *adj. sm.* 'relativo à Germânia, o natural dessa região' | *germão* XIII, *germāno* XIV | Do lat. *germanus* ‖ germânico 1572. Do lat. *germanĭcus* ‖ germânio *sm.* '(Quím.) elemento de número atômico 32' XIX. Do lat. cient. *germanium* ‖ germanismo 1873. Do fr. *germanisme* ‖ germanista 1873. Do fr. *germaniste* ‖ germanófilo XX. Do fr. *germanophile* ‖ germanófobo XX. Do fr. *germanophobe*.
⇨ germano² — germânico | 1538 DCast 80.5 |.
germe *sm.* 'rudimento de um novo ser, embrião' XVII. Do lat. *germen -ĭnis* ‖ germi·cida XX ‖ germinação 1844. Do lat. *germinātĭo -ōnis* ‖ germinador 1881 ‖ germinal XVIII. Do fr. *germinal* 'mês do antigo calendário revolucionário francês em que ocorre a germinação das plantas' ‖ germinante XVIII ‖ germinar 1844. Do lat. *germināre* ‖ germinativo 1844 ‖ germiní·paro 1873.
⇨ germe — germinação | 1836 SC ‖ germinar | 1836 SC ‖ germinativo | 1836 SC |.
gero-, geronto- *elem. comp.*, do gr. *gérōn -ontos* 'velho, ancião', que já se documenta em alguns compostos formados no próprio grego (como *gerocomia*) e em alguns outros introduzidos na linguagem científica internacional, a partir do séc. XIX ▶ gerocomia 1899. Cp. gr. *gērokomía* ‖ geroderm·ia XX ‖ gerontocrac·ia XX ‖ gerontolog·ia XX.
-gero *elem. comp.*, do lat. *-gerum*, de *-ger* 'que produz, que gera, que contém', que já se documenta em alguns vocs. formados no próprio latim, como *florígero*, por exemplo, e em alguns outros formados nas línguas modernas, como *astrígero*.
gerúndio *sm.* 'forma nominal dos verbos latinos que se flexiona apenas nos casos oblíquos' '*ext.* o remanescente do gerúndio latino nas línguas românicas, especialmente no português, o qual se caracteriza morfologicamente pela terminação *-ndo* dos verbos' XVI. Do lat. *gerundium*, de *gerĕre*, surgido da expressão *gerundi modus* ‖ gerundivo *sm.* 'o particípio futuro passivo dos verbos latinos' 1899. Do lat. *gerundivus*.
gesso *sm.* '(Min.) mineral monoclínico, constituído de sulfato de cálcio hidratado' 'o produto obtido pelo cozimento deste mineral com usos muito diversificados, em especial na medicina ambulatorial' | *jesso* XVI | Do lat. *gypsum* e, este, do gr. *gýpsos* ‖ des·engessar XX ‖ engessar 1813 ‖ gípseo XVII. Do lat. *gypsĕus* ‖ gipsí·fero | *gypsifero* 1873 ‖ gipsita XX ‖ gipsófila *sf.* '(Bot.) gênero de plantas da fam. das cariofiláceas, que se desenvolvem sobretudo em terrenos ferrosos' | *gypsophyla* 1873 | Do lat. cient. *gypsophila* (*struttium*), usado por Lineu ‖ gipsografia XX ‖ gipsoso | *gypsoso* 1858 ‖ gipsostereo·tip·ia ‖ giz | *gis* XVI | Do ár. *ğibs* e, este, do gr. *gýpsos* ‖ gizar *vb.* XVI.
gesta → GERIR.
gestação *sf.* 'tempo de desenvolvimento do embrião no útero, desde a concepção até o nascimento' XVII. Do lat. *gestatĭo -onis*, de *gestāre*, frequentativo de *gerĕre* ‖ gestante XVIII. Cp. GERIR.
gest·ão, -atório → GERIR.
gesto *sm.* 'movimento expressivo do corpo, em especial da cabeça e dos braços ou mãos' 'mímica, semblante' | XIV, *geesto* XIV | Do lat. *gestus -us* ‖ gesticulação 1858. Do lat. *gesticulātĭo -ōnis* ‖ gesticulador 1858. Do lat. *gesticulātor -ōris* ‖ gesticular 1858. Do lat. *gesticulare*, por *gesticulāri*. Cp. GERIR.
gestor → GERIR.
giba *sf.* 'corcunda' XVI. Do lat. *gibba* ‖ geba 1813. Forma divergente de *giba* ‖ gibo XIV ‖ gibos·idade 1858 ‖ giboso XVII.
gibão *sm.* 'vestidura antiga, que cobria os homens desde o pescoço até a cintura' 'casaco de couro usado no nordeste brasileiro pelos vaqueiros' | *gibom* XV, *jubam* XV | Do it. *giubbone*, de *giubba*, deriv. do ár. *ğubba*. Cp. ALJUBA.
gibbsita *sf.* '(Min.) hidrato de alumínio encontrado em formas estalactíticas' | *-te* 1858 | Do ing. *gibbsite*, deriv. do antr. George *Gibbs*, mineralogista norte-americano.
gib·o, -osidade, -oso → GIBA.
giesta *sf.* 'planta ornamental da fam. das leguminosas' | *geesta* XIII | Do lat. *genesta*.
giga¹ *sf.* 'selha larga e baixa' 'canastra' | *gyga* XV | De origem obscura.
giga² *sf.* 'antigo instrumento de cordas, semelhante ao bandolim' XIV. Do it. *giga* (ou do a. prov. *giga*), de origem germânica.
gigante *sm.* 'homem de estatura descomunal' | XIV, *-to* XIV | Do lat. *gĭgas -antis* e, este, do gr. *gígas -antos*. No port. med. ocorre, também, *jayam* (séc. XIV), do a. fr. *jeant, jaiant* ‖ agigantado XIV ‖ gigantesco 1844. Do it. *gigantesco* ‖ giganteu | *-tea* f. 1572 | Do lat. *gigantēus* ‖ gigantismo XIX. Provavelmente do fr. *gigantisme*.
⇨ gigante — gigantesco | 1836 SC |.
gigolô *sm.* 'indivíduo que vive a expensas de prostituta ou de mulher mantida por outro homem' XX. Do fr. *gigolo* 'amante'.
gilbardeira *sf.* 'planta da fam. das liliáceas' XVI. De origem obscura.
gilete *sf.* 'lâmina de barbear' XX. Do antrop. Charlie *Gillette* (1855-1932), norte-americano inventor desse tipo de lâmina.
gilvaz *sm.* 'golpe ou cicatriz na cara' | *-vás* XIV | De origem obscura.
gim¹ *sm.* 'aguardente de cereais e zimbro' XX. Do ing. *gin*, abrev. de *geneva* 'genebra', deriv. do

neerl. *genever* e, este, do a. fr. *genevre*. Cp. GENEBRA.
gim² *sm.* 'instrumento para encurvar os trilhos das vias férreas' XX. Do ing. *gin* e, este, do a. fr. *engin* 'instrumento, máquina'.
-gimn(o)- *elem. comp.*, do gr. *gymnós* 'nu, despido', que se documenta em alguns vocs. eruditos a partir do séc. XIX ▶ **gimno**CAULE | *gy-* 1873 || **gimno**CÉFALO | *gy-* 1873 || **gimno**DERMO | *gy-* 1873 || **gimn**ODONTE | *gy-* 1873 || **gimn**OFÍDIO | *gymnophida* 1873 || **gimn**OFOB·IA XX || **gimn**ÓGINO | *gy-* 1858 || **gimn**ONECTO XX || **gimn**ÓPODE | *gymnopodo* 1873 || **gimn**OPONO | *gy-* 1873 || **gimn**OSPERMA | *gy-* 1844 || **gimn**ÓSPORO | *gy-* 1873 || **gimn**ÓPTERO | *gy-* 1873 || **gimnos**·SOF·ISTA | *gymnosophista* XIV | Do lat. *gymnosophistae* (pl.), deriv. do gr. *gymnosophistaí* || **gimnos**·SOMO | *gy-* 1873 || **gimn**URO | *gy-* 1873. Cp. GINÁSIO.
⇨ **-gimn(o)-** — **gimn**OSPERMA | *gy-* 1836 SC |.
gin·andro, -andróforo, -antropo → GINEC(O).
ginásio *sm.* 'lugar onde se praticam exercícios físicos' 'estabelecimento de ensino' XVI. Do lat. *gymnasium*, deriv. do gr. *gymnásion* || **ginasi**AL XX || **ginasi**ANO XX || **ginasta** | *gymnasta* 1858 | Do fr. *gymnaste*, deriv. do gr. *gymnastḗs* || **ginástica** *sf.* | *gymnástica* 1858 | Do lat. *gymnastĭca*, substantivação do adj. *gymnastĭcus*, do gr. *gymnastiké* || **ginástico** | *gymn-* XVII | Do lat. *gymnastĭcus*, deriv. do gr. *gymnastikós*.
gincana *sf.* 'espécie de competição esportiva entre várias equipes encarregadas de desempenhar diversas tarefas no menor espaço de tempo' XX. Do ing. *gymkhana*, deriv. do hindustâni *gendkhāna*.
-ginec(o)-, -gin(o)- *elem. comp.*, do gr. *gynaik(o)-, gyn-*, de *gynḗ* 'mulher, fêmea' (o gr. *gyn-* é forma reduzida de *gynaiko-*), que já se documenta em vocs. formados no próprio grego (como *gineceu*) e em vários outros introduzidos na linguagem científica internacional, a partir do séc. XIX ▶ **gin**ANDRO | *gy-* 1873 | Cp. gr. *gýnandros* 'de sexo dúbio' || **gin**ANDRÓ·FORO XX || **gin**ANTROPO | *gynanthropo* 1858 || **gineceu** | *gy-* XVIII | Do lat. *gynaecēum -īum*, deriv. do gr. *gynaikeîon* || **gineco**CRAC·IA | *gyn-* 1858 || **gineco**CRATA | *gyn-* 1899 || **gineco**FOB·IA XX || **gineco**GRAF·IA | *gynecographia* 1858 || **gineco**LOG·IA | *gyn-* 1873 || **gineco**LÓG·ICO | *gyn-* 1899 || **gineco**LOG·ISTA | *gyn-* 1873 || **gineco**MAN·IA | *gyn-* 1858 || **gineco**MANO XX || **gineco**MASTO | *gyn-* 1858 || **gineco**PAT·IA XX || **gineco**PLAST·IA XX || **gino**BÁS·ICO | *gyn-* 1858 || **gino**FOB·IA | *gynophobia* 1899 || **gin**ÓFORO | *gynophoro* 1858 || **gino**STÊMIO | *gynostema* 1858.
⇨ **-ginec(o), -gin(o)-** — **gineceu-** | *gy-* 1836 SC |.
ginete *sm.* 'soldado a cavalo que lutava com adaga e lança' 'cavalo de boa raça' | *genete* XIII | Do ár. vulg. *zenêti* (cláss. *zanāti*), indivíduo dos Zenetas, tribo berbere, famosa por sua cavalaria ligeira, que participou da defesa do reino de Granada no séc. XIII || **ginet**A *adj. sf.* XIV || **ginet**AÇO XIX || **ginet**EAR XX.
gingar *vb.* 'remar com um só remo pela popa' 'inclinar-se para um e outro lado ao andar, bambolear-se' | 1858, *gingrar* XV | De origem obscura || **ginga** XX. Deverbal de *gingar*.
ginglimo *sm.* '(Anat.) articulação que permite movimento em apenas dois sentidos, opostos' | *gin-*

glymo 1858 | Do lat. cient. *ginglymus*, deriv. do gr. *gígglymos* 'gonzo, dobradiça'.
ginja *sf.* 'fruto da ginjeira, que é uma variedade da cerejeira' XVIII. De origem obscura || **ginj**EIRA 1813.
gino·básico, -fobia, -foro, -stêmio → -GINEC(O)-.
gio *sm.* '(Náut.) peça que entalha no contracadaste do navio' 1813. De origem obscura.
gíps·eo, -ífero, -ita, -ófila, -ografia, -oso, -ostereotipia → GESSO.
gir *adj. sm.* 'diz-se de, ou uma variedade de gado indiano originário da província do mesmo nome' XX. Do top. *Gir*, na Índia.
gira → GIRO.
girafa *sf.* 'grande mamífero ruminante, notável sobretudo pelo comprimento do pescoço' | *gy-* XV | Do it. *giraffa*, deriv. do ár. *zurāfa*.
gir·ândola, -ante, -ar, -assol → GIRO.
gíria *sf.* 'linguagem peculiar a um grupo (profissional, etário, socioeconômico etc.), a qual se caracteriza pela plasticidade e informalidade de sua construção' XVII. De origem obscura || **gírio** *adj.* 'que contém gíria ou se refere a ela' XVII.
girino *sm.* 'forma larvar, pisciforme, dos anfíbios anuros' | *gyrino* 1858 | Do lat. *gyrīnus*, deriv. do gr. *gyrínos*.
gírio → GÍRIA.
giro *sm.* 'circuito, volta, rotação, circunlóquio' XV. Do lat. *gyrus*, deriv. do gr. *gýros* || **gira** 1899. Deverbal de *girar* || **girândola** 1813. Do it. *girandola* || **gir**ANTE 1844 || **gir**AR XV. Do lat. *gyrāre* || **gir**A·S·SOL¹ *sm.* 'certo tipo de pedra preciosa' | *gyrassoes* pl. XVI | Do it. *girasole* || **gir**A·S·SOL² *sm.* 'planta da fam. das compostas' 1813 || **giro**·SCÓPIO *sm.* 'aparelho inventado por L. Foucault (1819-1868) para provar experimentalmente a rotação da Terra' | *gyroscopio* 1873 | Do fr. *gyroscope* || **regir**AR 1844.
⇨ **giro** — **gir**ANTE | 1836 SC || **gir**A·S·SOL² | *giraçoes* pl. 1614 SGonç I.218.*12* || **regir**AR | 1836 SC |.
giroma *sf.* '(Bot.) apotécio com pregas circulares como em certos liquens' | *gyroma* 1858 | Cp. gr. *gýroma* 'círculo, bola'.
gironda *sf.* 'o partido político dos moderados na Revolução Francesa' 1873. Do top. *Gironde*, departamento francês donde provieram os deputados que formaram o partido político || **girond**INO 1873. Do fr. *girondin*.
giroscópio → GIRO.
gitano *sm.* 'cigano da Espanha' XVII. Do cast. *gitano* 'nômade africano', deriv. do lat. **(ae)giptanus* 'do Egito'. Cp. CIGANO.
giz, -ar → GESSO.
glabro *adj.* 'imberbe' '(Bot.) diz-se dos órgãos vegetais que não têm pelos' 1873. Do lat. *glaber* -*bri* || **glabela** *sf.* 'espaço compreendido entre as sobrancelhas' XVII. Do lat. *glabella*, forma feminina e substantivada do adj. *glabellus*, dimin. de *glaber*.
glacê *adj.* diz-se das frutas secas e cobertas de açúcar cristalino' 1881. Do fr. *glacé*.
glaciação *sf.* 'ação exercida sobre a superfície da terra pelas geleiras' XX. Do fr. *glaciation* || **glaci**AL | XVII, *glaçiale* 1500 | Do lat. *glaciālis*, com possível influência do fr. *glacial* || **glaci**AR 1899. Adapt. do

fr. *glacier* 'lugar frio' || **glaci**ÁRIO 1899. Adapt. do fr. *glaciaire*.
gládio *sm.* 'espada de dois gumes' XVI. Do lat. *gladĭum -ii* || DI**gladi**AR 1844. Do lat. **digladiare*, por *digladiari* || **gladi**ADOR XVII. Do lat. *gladiātor -ōris* || **gladi**ATÓRIO 1844. Do lat. *gladiatōrĭus* || **gladi**ATURA 1899. Do lat. *gladiātura* || **gladí**FERO 1881 || **gladí**olo XIX. Do lat. *gladĭŏlus*.
⇨ **gládio** — DI**gladi**AR | 1836 SC || **gladi**ATÓRIO | 1836 SC |.
glagolítico *adj.* '(Filol.) diz-se do alfabeto eslavo usado na Sérvia e na Croácia, cuja introdução é atribuída a S. Jerônimo' 1873. Do fr. *glagolitique*, provável adaptação do sérvio *glagolica* (*c* =ts), deriv. de *glagol* 'palavra'.
glande *sf.* 'a cabeça do pênis' 'o fruto do carvalho' XIX. Do lat. *glans -andis* || **glandí**·FERO 1844. Do lat. *glandifĕrum* || **glandi**·FORME 1844 || **glândula** XVIII. Do lat. *glandŭla* || **glandu**LAR XVII || **glandulí**·FERO 1881 || **glanduli**·FORME 1881 || **glandul**OSO 1844. Do lat. *glandulōsus*.
⇨ **glande** — **glandí**·FERO | 1836 SC || **glandul**OSO | *glādoloso* 1624 SESILR 43.9 |.
glauco *adj.* 'verde-claro, verde-mar' 1813. Do lat. *glaucus*, deriv. do gr. *glaukós* || **glaucó**FANA XX || **glaucoma** XVII. Do lat. *glaucōma -ătis*, deriv. do gr. *glaúkoma -atos* || **glaucomat**OSO 1899 || **glaucôn**IO 1873. A palavra teria sido formada a partir do nomin. neutro do gr. *glaukón* || **glaucon**ITA 1899.
gleba *sf.* 'torrão, solo de cultura, terreno feudal' XVII. Do lat. *glēba*.
glena *sf.* 'cavidade articular pouco profunda de um osso' 1881. Do fr. *glène*, deriv. do gr. *glḗnē* 'pupila' || **glen**OID·AL 1873. Do fr. *glénoidal* || **glen**OIDE 1899. Do fr. *glénoïde*.
glia *sf.* 'tecido intersticial dos centros nervosos' XX. Cp. gr. *glía* || **gliad**·INA XVII. Do fr. *gliadine* || **glioma** XX. Do lat. cient. *glioma -atis*.
-glicer(o)-, -glic(o)- *elem. comp.*, do gr. *glykerós glykýs* 'doce', que se documenta em vocs. eruditos, particularmente no domínio da química, introduzidos na linguagem científica internacional, a partir do séc. XIX ▶ **glic**EM·IA XX || **glicéri**CO XX || **gliceri**NA | *gly-* 1858 | Do fr. *glycérine*, voc. criado pelo químico francês M. E. Chevreul (1786-1889), em 1823 || **glicero**FOSF·ATO | *glycero-phosphato* 1899 || **glicer**OL XX || **glicer**ÓLEO XIX || **glic**INA | *gly-* 1899 || **glicín**·IA | *gly-* 1873 || **glico**COLA | *glycocolla* 1899 || **glico**FOSF·ATO | *glycophosphato* 1899 || **glico**GÊNESE XX || **glico**GEN·IA | *gly-* 1899 || **glico**GÊNIO XX || **glicó**-GENO | *gly-* 1899 || **glic**OL | *gly-* 1899 || **glicó**LISE XX || **glico**LÍT·ICO XX || **glicô**METRO | *gly-* 1899 || **glic**OSE | *gly-* 1881 || **glicos**·ÚRIA | *gly-* 1899 || **glucínio** 1899. Do lat. cient. *glucinium*, anteriormente *glucinum*, voc. criado pelo químico inglês H. Davy em 1812, para denominar um novo elemento químico, mais tarde substituído por BERÍLIO.
glicônico *adj. sm.* 'tipo de verso grego e latino formado de um espondeu e dois dáctilos' XVII. Do baixo lat. *glyconius*, deriv. do gr. *glykṓneios*, de *Glýkōn* nome de um poeta lírico.
glic·ose, -osúria → -GLICER(O)-.
glipt(o)- *elem. comp.*, do gr. *glyptós* 'gravado, esculpido' (*glýphein* 'gravar, esculpir'), que se documenta em alguns vocs. eruditos introduzidos na linguagem científica internacional, a partir do séc. XIX ▶ **glipt**ODONTE XX || **glipto**GÊNESE XX || **glipto**GNOS·IA | *glypto-*1858 || **glipto**GRAF·IA | *glyptographia* 1858 || **glipto**LOG·IA | *gly-* 1899 || **glipto**TECA | *glyptotheca* 1899.
globo *sm.* 'corpo esférico, bola, a esfera terrestre' 1572. Do lat. *globus -i* || CON**glob**AÇÃO 1813. Do lat. *conglobātĭo -ōnis* || CON**glob**AR XVII. Do lat. *conglobāre* || DES·EN**glob**AR 1881 || EN**glob**AR 1844 || **glob**AL XX || **globí**·FERO XVII || **globi**·FLORO 1899 || **globos**·IDADE 1844 || **glob**OSO XVII || **glob**UL·AR 1858 || **glob**UL·ITO XX || **glób**ULO 1858. Do lat. *globŭlus* || **glob**UL·OSO 1858. Do lat. *globulōsus*.
⇨ **globo** | *a* 1542 JCASE 54.*3* || CON**glob**AR | *conglobado* p.adj. *a* 1542 JCASE 51.*2* || EN**glob**AR | 1836 SC || **globos**·IDADE | 1836 SC || **glob**OSO | *a* 1542 JCASE 53.*5* |.
glomer·ar, -ulo, -ulo·nefrite → AGLOMERAR.
glória *sf.* 'bem-aventurança, renome, esplendor, grande mérito' | XIII, *goloria* XIV, *grorea* XV | Do lat. *gloria* || **gloria**BUNDO 1899. Do lat. *gloriābundus* || **gloria**R XIV. Do lat. **gloriāre*, por *gloriāri* || **glori**FIC·AÇÃO | *-çõ* XV | Do lat. *glōrificātĭo -ōnis* || **glori**FIC·ANTE 1881 || **glori**FIC·AR | *gro-* XIII | Do lat. *glorificāre* || **glorí**OLA 1899. Do lat. *gloriŏla* || **glori**OSO XIII. Do lat. *gloriōsus* || IN**glór**IO XVIII. Do lat. *inglorĭus* || IN**glori**OSO XVII. Do lat. *inglorīōsus*.
glosa *sf.* 'comentário, interpretação de uma palavra de um texto' 'anotação marginal' XIV. Do lat. tard. *glosa*, var. de *glōssa*, deriv. do gr. *glōssa* 'língua, linguagem' 'idiotismo' || **glos**ADO *adj.* 'interpretado' | *grossado* XIII || **glos**ADOR *adj. sm.* 'comentador, intérprete' XVI || **glos**AR | *gro-* XVI.
-gloss(o)- *elem. comp.*, do gr. *glōsso-*, de *glōssa (glōtta)* 'língua', em suas duas acepções —'linguagem' e 'órgão anatômico'—, que já se documenta em compostos formados no próprio grego, como *glossópetra*, por exemplo, e em alguns vocs. introduzidos na linguagem científica internacional, a partir do séc. XIX ▶ A**gloss**IA 1858 || A**glosso** | *-a* 1871 || **gloss**ALG·IA 1873 || **gloss**ALG·ITE XX || **gloss**ANTRAZ 1881 || **gloss**ÁRIO 1813. Do lat. *glossarium* || **gloss**EMA XX || **gloss**EM·ÁTICA XX || **gloss**IA·NO XX || **glóss**ICO XX || **gloss**ITE 1881 || **glosso**CÁTICO | *-tocho* 1858 || **glosso**CELE 1881 || **glosso**FARÍNGEO XX || **glosso**GRAF·IA | *-phia* 1858 || **glosso**IDE 1899 || **glosso**LOG·IA 1858 || **glosso**MANC·IA XX || **glosso**MANTE XX || **glossópetra** 1899 Do lat. *glōssopetra*, deriv. do gr. *glōssópetra* || **glosso**TOM·IA 1858.
glote *sf.* '(Anat.) abertura da laringe circunscrita pelas cordas vocais inferiores' 1813. Do lat. mod. *glottis* e, este, do gr. *glottís* || **glot**AL XX || **glót**ICA *sf.* 1873 || **glót**ICO XX || **gloto**LOG·IA | *-tto* 1881. Cp. -GLOSS(O)-.
glotorar *vb.* 'emitir sons vocais (a cegonha)' | *gloterar* 1899 | Do lat. tard. *glottorāre*.
gloxínia *sf.* 'planta ornamental da fam. das gesneráceas' 1899. Do lat. cient. *gloxinia*, voc. criado por L'Héritier em homenagem a B.P. *Gloxin*, que descreveu essa planta em 1785.
glucínio → -GLICER(O)-.
glu-glu *sm.* 'a voz do peru' 'som do líquido ao passar pelo gargalo de uma garrafa' 1881. De origem onomatopaica.

gluma '(Bot.) bráctea da inflorescência das gramíneas e ciperáceas' 1858. Do lat. *glūma* 'película dos grãos' || **glum**ı·FLORA XX.
glutão *adj. sm.* 'que, ou quem come muito e com avidez' | *gloto* XIV | Do lat. *gluttō -ōnis*.
glúten → AGLUTINAR.
glúteo *adj.* 'que diz respeito às nádegas' XX. Do gr. *glutós* 'nádega', por via erudita.
glut·ina, -inar, -inativo, -inoso → AGLUTINAR.
gnafálio *sm.* 'nome comum às plantas cujas folhas têm o aspecto e a maciez de algodão' | *gnaphalio* 1844 | Do lat. *gnaphalĭum* e, este, do gr. *gnaphálion*, de *gnáphallon* 'floco de lã'.
gnaisse *sm.* 'rocha metamórfica feldspática laminada, nitidamente cristalina, de composição muito variável' | *gneiss* 1899 | Do al. *Gneiss*.
-gnat(o)- *elem. comp.*, do gr. *gnáthos* 'queixo, maxilar', que se documenta em alguns compostos eruditos, particularmente nos domínios da medicina e da biologia ▶ AGNATIA XX || **Ágnato** -*tho* 1871 || **gnat**ALG·IA XX || **gnat**ODONTE 1899 || **gnat**OPLAST·IA XX || **gnat**OPLEG·IA XX.
gnoma *sf.* 'provérbio, sentença moral' 1858. Do lat. *gnōmē* e, este, do gr. *gnómē* 'inteligência, razão, proposição' || **gnôm**ICO XVIII. Do lat. tard. *gnomĭcus* e, este, do gr. *gnōmikós* || **gnomo** *sm.* 'espírito que, segundo os cabalistas, preside à Terra e a tudo que ela contém' 1813. Do lat. med. *gnomus*, termo usado inicialmente por Paracelso, que possivelmente o tomara emprestado ao gr. *gnṓmē* || **gnomo**LOG·IA 1858. Cp. gr. *gnōmología* || **gnomo**LÓG·ICO 1899 || **gnom**ÓLOGO 1899.
gnômon *sm.* 'relógio solar' 1813. Do lat. *gnōmōn -ōnis*, deriv. do gr. *gnómōn -onos* || **gnomôn**ICA *sf.* 1813 || **gnomôn**ICO 1813. Do lat. *gnōmonĭcus*, deriv. do gr. *gnōmonikós*.
⇨ **gnômon** | *nhomão* c 1539 JCASD 109.*18*, *nhomam* c 1541 JCASR 302.*21* |.
gnose *sf.* '(Filos. e Teol.) conhecimento perfeito, verdadeiro, das coisas divinas' | *gnosis* 1873 | Cp. gr. *gnôsis* || **gnos**IA 1873 || **gnosio**LOG·IA XX || **gnostıc**·ISMO 1873 || **gnóst**ICO XVII. Do lat. *gnostĭcus*, deriv. do gr. *gnōstikós*.
gnu *sm.* 'espécie de antílope sul-africano' | *gnou* 1858 | Do fr. *gnou*, de origem africana.
⇨ **goano** *adj.sm.* 'relativo a ou natural de Goa' | 1614 SGonç I.11.*1* | De *Go(a)* + -ANO).
gobelino *sm.* 'gênero de tapeçaria' | *gobelim* 1873 | Do fr. *gobelin*.
gobião *sm.* 'peixe malacopterígio' XIX. Do lat. *gobĭō -ōnis*, deriv. do gr. *kōbiós*.
godê *sm.* 'pequeno recipiente onde se desmancha a tinta de aquarela' 'recorte de pano em viés, aplicado num vestido, saia etc.' XX. Do fr. *godet*.
godeme *sm.* 'soco na cara' 'alcunha pitoresca dada aos ingleses' XX. Do ing. *God damn*.
godilhão *sm.* 'nó formado de fios empastados' | *gudilhão* 1844 | De origem incerta.
⇨ **godilhão** | 1836 SC |.
godo *adj.* 'relativo a uma antiga tribo germânica que nos séculos III, IV e V invadiu os impérios ocidentais e orientais da Europa e fundou reinos na Itália, França e Espanha' 'indivíduo dos godos' XIII. Do lat. tard. *gothus*.
goela *sf.* 'garganta' | *guela* XVII | Do lat. **gulella*, dimin. de *gŭla* 'esôfago' || **esgoel**ADO XX || **esgoel**AR XX || **gogó** XX. Formação expressiva, baseada na reduplicação da primeira sílaba de *goela*.
gofrar *vb.* 'fazer as nervuras de (folhas ou flores artificiais)' 1881. Do cast. *gofrar* || **gofr**ADOR 1881.
gogo *sm.* 'gosma das galinhas' 1813. De origem onomatopaica.
gogó → GOELA.
goiaba *sf.* 'fruto da goiabeira (*Psidium guayava*)' | 1858, *guayaba* 1557, *gouyaba* 1596 | Do taino de S. Domingos, com provável interferência do cast. *guayaba* || **goiab**ADA XVII || **goiab**AL XX || **goiab**EIRA 1873.
goiasita *sf.* 'mineral de Goiás, constituído de hidrofosfato de alumínio e sulfato de cálcio' XX. Do topônimo *Goiás* + -ITA || **goi**ANO XX.
goiva *sf.* 'espécie de formão que corta em forma de meia-cana côncava' 'antiga agulha com que o artilheiro desimpedia o ouvido da peça' XVII. Do lat. trad. *gŭbĭa*.
goivo *sm.* 'orig. gozo, alegria' | *gouuho* XIII, *gouvho* XIV, *goyvo* XIV | Cp. GOZO[1]; 'flor do goiveiro, nome genérico de várias plantas ornamentais' XVII. Do lat. *gaudĭum*.
gol *sm.* 'no futebol, a transposição da linha da meta pela bola' 'objetivo, finalidade' XX. Do ing. *goal* || **gol**E·ADA XX || **gol**E·ADOR XX || **gol**EAR XX || **gol**EIRO XX.
gola *sf.* 'colarinho' 1813. Do lat. *gŭla* 'pescoço, garganta' || **gol**ADA[2] *sf.* 'canal de navegação no extremo dos bancos de areia de uma barra' 1899 || **gol**ELHA XVI. Provavelmente do cast. *goliella* || **gol**ETA[1] *sf.* 'angra, barrinha' 1899.
gol·ada[1], -**e** → ENGOLIR.
gol·eada, -eador, -ear, -eiro → GOL.
golelha → GOLA.
goles *sm. pl.* 'sinal adotado em heráldica para exprimir a cor vermelha' 1813. Do fr. *gueules*.
goleta[1] → GOLA.
goleta[2] *sf.* 'pequena escuna' 1813. Do cast. *goleta*, deriv. do fr. *goélette*, dimin. de *goéland* e, este, do bretão *gwelan*.
gólfão → GOLFO.
golfar *vb.* 'vomitar, jorrar, arremessar em grande quantidade' XIX. De origem desconhecida || **golf**ADA 1813.
golfe *sm.* 'jogo esportivo que consiste em tocar com um taco uma bola pequena e maciça, fazendo-a entrar numa série de buracos distribuídos em larga extensão de terreno' XX. Do ing. *golf* || **gol**FISTA XX.
golfinho *sm.* 'grande cetáceo da fam. dos delfinídeos' | *dolfinho* XIV, *gulfinho* XV | Do lat. lus. *dolfinos* e, este, do lat. *delphĭnus*, deriv. do gr. *delphís -ínos*. A forma atual do vocábulo português teria sofrido interferência de *golfo*.
golfista → GOLFE.
golfo *sm.* 'porção de mar que entra profundamente pela terra e cuja abertura é muito larga, baía' | *golfo* XVI | Do lat. tard. *colfus* e, este, do gr. *kólpos*, com provável influência do italiano || **en**GOLFAR XVII || **gólf**ÃO | *gólfam* XVI | A variante atual *gólfão* teria provindo de uma provável confusão entre os diferentes valores, antigo e atual, do acento agudo; com efeito, parece que em *gólfam* o agudo es-

taria a indicar o timbre aberto da primeira vogal e não, propriamente, a tonicidade ‖ REgolfAR XX ‖ REgolfo 1844.
⇨ **golfo** — REgolfo | 1836 SC |.
gólgota sm. 'lugar de suplício, sofrimento atroz' | *gólgotha* 1899 | Do lat. da Vulgata *golgŏtha*, deriv. do gr. *golgothá* e, este, por metátese, do aramaico *gogoltã*, nome do monte em Jerusalém onde Jesus, segundo o Novo Testamento, foi crucificado.
goliardo sm. 'frequentador de tavernas' XV. Do lat. med. *goliardus* 'clérigo vagante', designação de religiosos que, abandonando as ordens, pelos mais diferentes motivos, se entregavam normalmente a uma vida dissipada.
golpe sm. 'pancada, ferimento, lance, crise' | XIII, *colbe* XIII, *colpe* XIII etc. | Do lat. vulg. *cŏlŏpus (< *colpus), deriv. do cláss. *cŏlăphus* 'bofetada' e, este, do gr. *kólaphos* ‖ golpEAR | XIV, *golpar* XIV, *colpar* XIII | Do lat. *colaphare* ‖ golpISMO XX ‖ golpISTA XX.
golpelha sf. 'ant. raposa' | XIV, -ello XIII | Do lat. *vŭlpēcŭla*, de *vulpes*.
goma sf. 'seiva translúcida e viscosa de alguns vegetais' XV. Do lat. tard. *gumma* ‖ ENgomAD·EIRA 1813 ‖ ENgomAR 1813 ‖ **gomalina** | *gommalina* 1873 | De *goma*, por analogia com *vaselina* ‖ gomE·FIC·AR XVI ‖ gumí·FERO | *gomíferas* s. pl. XVI, *gummifero* 1881 | Do lat. cient. *gummifĕrum*.
gomenol sm. 'óleo cuja essência é extraída de uma certa mirtácea' XX. Do fr. *goménol*, deriv. do top. *Gomen*, localidade da Nova Caledônia, onde foi produzida pela primeira vez esta essência.
gomo sm. 'rebento vegetal, botão de planta' XVI. De origem obscura.
-gon- → -GON(O)¹-, -GON(O)²-.
gôndola sf. 'tipo de embarcação de remo, de pequenas dimensões e com as extremidades um tanto levantadas' | XVII, *gondora* XIV | Do it. *góndola* e, este, do lat. med. *gondŭla* ‖ gondolEIRO 1858.
⇨ **gôndola** — gondolEIRO | 1836 SC |.
gonete sm. 'trado, pua' 1813. De origem obscura.
gonfalão sm. 'bandeira de guerra, com três ou quatro pontas pendentes' XV. Do fr. *gonfalon*, deriv. do frâncico *gundfano* 'estandarte'.
gonfose sf. 'articulação imóvel' | *gomphose* 1873 | Do lat. cient. *gomphōsis*, deriv. do gr. *gómphōsis*.
gongá sm. 'espécie de sabiá' 'espécie de pequena cesta, com tampa' '(na Umbanda) altar' XX. Do quimb. *ŋo'ŋa*.
gôngilo sm. 'corpúsculo reprodutor de algumas plantas' | *gongylos* 1858 | Do gr. *goggýlos* 'redondo', por via erudita.
gongo¹ sm. 'disco metálico que se faz vibrar tangendo-o com uma baqueta' 1873. Do malaio *gŏng*, de origem onomatopaica.
gongo² sm. 'espécie de croque usado em pequenos barcos' XX. De origem obscura.
gongolô sm. 'nome comum a diversos miriápodes das famílias dos julídeos e dos polidesmídeos, embuá' XX. Do quimb. *ŋoŋo'lo* 'centopeia'.
gongorismo sm. 'escola espanhola de poesia do final do séc. XVI e início do XVII, que se caracteriza pelo grande uso de figuras de linguagem e de pensamento' 1858. Do antr. Luis *Góngora y Argote*

(1561-1627), poeta espanhol ‖ **gongorADO** adj. XVII ‖ **gongórICO** 1881.
gônio sm. 'região angular do maxilar superior' 1909. Do gr. *gônion*, neutro do adj. *gônios* 'angular', de *gōnía* 'ângulo', por via erudita ‖ **goniógrafo** | *goniógrapho* 1899 ‖ goniomETR·IA 1858 ‖ goniômETRO 1858. Cp. -GON(O)¹-.
-gon(o)¹- elem. comp., do gr. -*gōnos* (neutro -*gōnon*), que já se documenta em compostos formados no próprio grego, como *hexágono* (gr. *hexágōnon*, neutro de *hexágōnos*), *heptágono* (gr. *heptágōnon*, neutro de *heptágōnos*), designando '(figura geométrica plana) com seis ângulos' e '(figura geométrica plana) com sete ângulos', respectivamente, e que, nas línguas modernas, particularmente na linguagem da geometria, é de grande vitalidade: *isógono* (e *isogonal, isogônico*), *pentadecágono* (e *pentadecagonal, pentadecagônico*), *tetrágono* (e *tetragonal, tetragônico*) etc. Cp. GÔNIO.
-gon(o)²- elem. comp., deriv. do gr. *gono-*, de *gónos* (*gonḗ*) 'geração, órgãos genitais' 'semente, esperma', que já se documenta em compostos formados no próprio grego, como *gonorreia*, por exemplo, e em alguns vocs. introduzidos na linguagem científica internacional, a partir do séc. XIX ▸ **gônada** XX. Do lat. cient. *gonades* (pl. de *gonas*, deriv. do gr. *gónos*) ‖ goniALG·IA | *gonalgia* 1873 ‖ **gonídia** 1899. Do lat. cient. *gonidia* (pl. de *gonidium*) ‖ **gonídio** XX. Do lat. cient. *gonidium* ‖ gonoCOCO | -cócco 1899 ‖ gonóFORO | -ph- 1858 ‖ gonOR·REIA | -rrhea XVIII | Do lat. med. *gonorrhoea*, deriv. do gr. *gonórrhoia*.
gonzo sm. 'quício, dobradiça' | *gonço* XV | Do fr. antigo *gons*, pl. do antigo *gont* (atual *gond*), deriv. do lat. *gŏmphus* e, este, do gr. *gómphos* 'cavilha, prego' ‖ DES·ENgonçADO 1813 ‖ DES·ENgonçAR 1813 ‖ DES·ENgonço 1813 ‖ ENgonço 1813.
gorar vb. 'malograr, frustrar, inutilizar' | *golar* XVI | De origem obscura ‖ **goro** 1813.
górdio adj. 'pertencente ou relativo a Górdio, antigo rei da Frígia' 'diz-se de situação que apresenta grande dificuldade de resolução (na expressão *nó —)*' 1873. Do lat. (*nodus*) *Gordius* '(nó) górdio', de *Gordius*, rei de *Gordium*, na Frígia.
⇨ **górdio** | 1836 SC |.
gordo adj. 'untuoso, de tecido adiposo desenvolvido' XIII. Do lat. *gŭrdus* 'tolo, grosseiro' ‖ DES·ENgordUR·AR 1858 ‖ ENgordA 1881 ‖ ENgordAR | *engrodar* XVI ‖ ENgordo 1881 ‖ ENgordUR·AR 1858 ‖ gordUCHO 1881 ‖ gordURA XIV ‖ gordUR·ENTO 1844 ‖ gordUR·OSO 1844.
⇨ **gordo** — ENgordAR | XIV TEST 174.*8* |.
gorg·olão, -omilo → GARGALHAR.
gorgôneo adj. 'relativo às Górgones, cada uma das três personagens da mitologia grega que tinham serpentes por cabelos e que transformavam em pedra os que as encaravam' XVII. Do lat. *gorgonĕus*, de *Gorgon·ŏnis*, deriv. do gr. *Gorgónes*, pl. de *Gorgṓ*, de *gorgós* 'terrível'.
gorgonzola sm. 'queijo tipo italiano feito com leite de cabra e pão mofado' XX. Do it. *gorgonzòla* 'da região de Gorgonzola'.
gorgorão sm. 'tecido encorpado de seda ou de lã' XVII. Adapt. do a. ing. *grogoran* (hoje *grogram*), anteriormente *grograin* e, este, por sua vez, do fr.

gros grain || **grogue**¹ *sm.* 'bebida alcoólica misturada com água, açúcar e casca de limão' XIX. Do ing. *grog*, abreviação de *grogram*, epíteto do almirante inglês Vernon (1684-1757), por sempre vestir-se com roupas de *gorgorão*, o qual determinou aos homens de sua esquadra, em agosto de 1740, que juntassem água à aguardente, mistura essa a que os marinheiros deram o nome do autor || **grogue**² *adj.* 'meio tonto, embriagado' XX.
gorgulho *sm.* 'inseto coleóptero da família dos curculionídeos' 'fragmento de rocha que contém ouro' | *gurgullo* XIV | Do lat. *gorgulĭo*.
gorila *sm.* 'macaco antropoide da África equatorial oriental' | *gorilha* 1873 | Do lat. cient. *gorilla*, deriv. do gr. *górillai*, de uma possível palavra africana ocorrente no relatório de viagem do cartaginês Hanão, traduzido para o grego no séc. IV a.C., palavra que foi retomada por Savage, em 1847, na acepção atual.
gorja *sf.* 'garganta, cachaço' '(Náut.) a parte mais estreita da quilha' XVI. Do fr. *gorge*, deriv. do lat. **gŏrga*, por *gurges* 'abismo, goela' || **gorj**EAR | *gorgeiar* 1813 || **gorj**EIO 1813 || **gorj**ETA | *-geta* 1844 || **gorj**ILO | *gorgilo* 1881. Cp. GARGALHAR.
⇨ **gorja** — **gorj**EAR | *gorgear* 1532 JBArR 105.*22* |.
gorne *sm.* 'abertura dos moitões onde encaixam as rodas para laborarem os cabos dos navios' 1813. Do it. *górna*.
goro → GORAR.
gorotil *sm.* '(Náut.) o alto das velas onde estão os ilhós' 1813. De origem obscura.
gorovinhas *sf. pl.* 'pregas no vestido, rugas' XIX. Etimologia obscura || ENgorovinhADO | 1813, *engrovinhado* 1813.
gorra *sf.* 'carapuça, espécie de barrete' 1572. Do cast. *gorra*, deriv. do basco *gorri* 'encarnado' || **gorr**O 1858.
gosma *sf.* 'doença que ataca a língua das aves, especialmente galináceas, gogo' | *gozme* XIV | De origem controversa || **gosm**AR | *grozmar* XVI || **gosm**ENTO 1813.
gosto *sm.* 'paladar, sabor' '*fig.* prazer, simpatia, elegância' XV. Do lat. *gŭstus* || CONTRA**gosto** XX || DE**gust**AÇÃO XX. Do lat. *degustātĭō -ōnis* || DE**gust**AR XX. Do lat. *degustare* || DES**gost**AR XVII || DES**gosto** XVI || DES**gost**OSO XVI || **gost**AMENTO XV || **gost**AR XIII || **gost**ILHO XVII || **gost**OSO XVI || **gost**OS·URA XX || **gust**AÇÃO 1881. Do lat. *gustātĭō -ōnis* || **gust**ATIVO 1881.
⇨ **gosto** — DES**gost**AR | 1569 in *Studia* nº 8, 209.*32* |.
gota¹ *sf.* 'pingo de qualquer líquido' XIII. Do lat. *gŭtta* || ES**got**ADO XVI || ES**got**AMENTO 1844 || ES**got**AR XVI || **gota**² *sf.* '(Med.) diátese caracterizada por perturbações viscerais ou articulares com depósitos de uratos' XIII. De *gota*¹ || **got**ADO XIV || **got**EIRA | *-eyra* XIII || **got**EJ·ANTE | *gottejante* 1881 || **got**EJAR | XVI, *-eyar* XIV || **got**Í·CULA XX || **got**OSO XIV. De *gota*² || **gut**Í·FERO | *-tti-* 1858.
⇨ **gota**¹ — ES**got**AMENTO | 1836 SC |.
gótico *adj.* 'relativo ou pertencente aos godos' | XIV, *-go* XIV, *-tygo* XIV | Do lat. *gottĭcus*.
gotícula → GOTA.
goto *sm.* 'entrada da laringe, glote' XVI. Do lat. *gŭttŭr* 'garganta' || **gutur**AL XVII. Do fr. *guttural*,

deriv. do lat. **gutturalis*, de *gŭttŭr* || **gutur**OSO | *gutturosa* 1873.
governar *vb.* 'dirigir, administrar, reger' XIII. Do lat. *gŭbĕrnāre* || DES**governar** | *desguovernar* XV || DES**govern**ÁVEL XX || DES**governo** XVII || **govern**AÇÃO | *-çon* XV | Do lat. *gŭbernātĭō -ōnis* || **govern**ADOR XIV. Do lat. *gŭbernātōr -ōris* || **govern**AMENT·AL 1881. Do fr. *gouvernamental* || **govern**AMENTO XIV || **govern**ANÇA XV || **govern**ANT·A 1881. Do fr. *gouvernante* || **govern**ANTE XVIII. Do fr. *gouvernant* || **govern**ATIVO 1881. Do lat. *gubernātivus* || **govern**ATRIZ 1813. Do lat. *gubernātrix -īcis* || **govern**ÁVEL 1899. Do lat. *gubernābĭlis* || **govern**ISTA 1899 || **governo** XIII. Deverbal de *governar*.
gozo¹ *sm.* 'gosto, utilidade, fruição, prazer' XIV. Do cast. *gozo*, deriv. do lat. *gaudĭum* || ANTE**gozar** | *-sar* 1881 || ANTE**gozo** | *-oso* 1881 || **goz**AÇÃO XX || **goz**ADO XX || **goz**AR XIV || **goz**OSO | XIV, *gouçoso* XIV. Cp. GOIVO.
⇨ **gozo**¹ — **goz**ADO | 1836 SC |.
gozo² *sm.* 'cão pequeno e vulgar' 'caçador inexperiente' XVI. De origem controversa.
gozoso → GOZO¹.
grã¹ → GRÃO¹.
grã² → GRANDE.
graal *sm.* 'vaso santo que, segundo a tradição medieval, teria servido a Jesus na última ceia e no qual José de Arimateia teria recolhido o sangue do Mestre' XIII. Do fr. *graal*, deriv. do lat. *gradālis* 'vaso em que se colocam os alimentos, de forma gradual, de acordo com seu peso'. Cp. GRAU.
grabato *sm.* 'leito pequeno e pobre' 1556. Do lat. *grabātus*, deriv. do gr. *krábatos*.
graça *sf.* 'favor, mercê, agradecimento' XIII. Do lat. *gratĭa* || AGRACIAR XVII || DES·EN**graç**ADO 1844 || DES**graça** XVII || DES**grac**IAR XVII || DES**graç**AR 1813 || DES**grac**EIRA XX || DES**grac**IOSO 1881 || EN**graç**AR XVII || EN**graç**AR XIV || **gracej**·ADOR XVI || **gracej**AR XVI || **gracej**O XVII || **graci**OS·IDADE XVI || **graci**OSO XIII || **graç**OLA 1813.
⇨ **graça** — CON**graç**ADO | *congraciado* 1634 MNor 76.*36* | DES·EN**graç**ADO | 1836 SC || DES**graç**ADO | *desgraciado a* 1595 Jorn. 33.*33* || **grac**ETA 'gracejo, piada' | 1680 AOCAd II. 86.*3* |.
grácil *adj.* 2g. 'delgado, delicado, fino, sutil' 1844. Do lat. *grăcĭlis* || **gracil**IDADE XVII. Do lat. *gracilĭtas -ātis* || **gracili**FOLI·ADO 1899 || **gracilí**PEDE 1899.
gracios·idade, -o → GRAÇA.
gracitar *vb.* 'soltar a voz (o pato)' XIX. Do lat. tard. *gracitāre*.
graçola → GRAÇA.
grad·ação, -ativo → GRAU.
grade *sf.* 'armação de peças encruzadas' XIII. Do lat. vulg. **gratem*, por *crates -is* || EN**grad**ADO 1899 || EN**grad**AR 1844 || **grad**E·ADO 1813 || **grad**EAR XVII || **grad**IL XX.
⇨ **grade** — EN**grad**AR | 1836 SC |.
gradiente → GRAU.
gradil → GRADE.
gradim *sm.* 'instrumento de escultor para desbastar asperezas que o ponteiro deixou no mármore' 1881. Do fr. *gradin*, deriv. do it. *gradino*.
grado¹ → GRÃO¹.
grado²,³ → GRATO.
grado⁴ → GRAU.

gradu·ação, -al, -ar → GRAU.
graeiro → GRÃO¹.
grã-fino adj. sm. 'diz-se de, ou indivíduo metido a rico e elegante, aristocrata' XX. O vocábulo se criou da expressão *grãfina* (*grãa fina* séc. XVI), a qual se referia a um tipo de grã, corante pulverizado de origem vegetal, de grãos diminutíssimos e da melhor qualidade ‖ **grã-fin**AGEM XX ‖ **grã-fin**ISMO XX.
-graf(o)- elem. comp., deriv. do gr. *-graph(o)-*, de *gráphein* 'escrever, descrever, desenhar', que se documenta em compostos já formados no próprio grego, como *geografia* (gr. *geōgraphía*) e *geográfico* (gr. *geōgraphikós*), *geógrafo* (gr. *geōgráphos*), e em vários outros vocs. introduzidos na linguagem científica internacional, a partir do séc. XIX ♦ **agraf**IA XX ‖ **ágrafo** | *agraphus* 1871 ‖ **graf**AR XX ‖ **graf**EMA XX ‖ **graf**IA | *-ph-* 1899 ‖ **gráf**ICA | *-ph-* 1873 ‖ **gráf**ICO | *graphico* 1844 ‖ **graf**ISMO XX. Adapt. do fr. *graphisme* ‖ **graf**ISTA XX ‖ **graf**ITA | *graphite* 1858, *-fitto* 1873 | O voc. foi forjado em 1789 pelo mineralogista alemão A.G. Werner (1750-1817), que denominou o mineral *Graphit* em alusão ao seu emprego como lápis ‖ **graf**OFONE XX ‖ **graf**OLOG·IA | *-ph-* 1899 | Do fr. *graphologie*, voc. criado pelo padre francês J.H. Michon (1806-1881) ‖ **graf**OLÓG·ICO | *-ph-* 1899 ‖ **graf**ÓLOGO | *-ph-* 1899 ‖ **graf**ÔMETRO 1813 ‖ **graf**OSTÁTICA | *graphoestática* 1899.
⇨ **-graf(o)-** — **graf**IA | *-phi-* 1836 SC |.
grainha → GRÃO¹.
gralha sf. 'nome comum a diversas aves da fam. dos corvídeos' '(Tip.) qualquer sinal gráfico colocado fora do lugar' XVI. Do lat. *gracŭla* ‖ **gralh**ADA 1813.
grama¹ sf. 'designação de várias plantas forrageiras, ornamentais ou medicinais' XIV. Do lat. **gramma* (< **gramna*), de *gramĭna*, nomin. pl. de *grāmen -ĭnis* ‖ **desgram**ADO XX ‖ **esgramin**AR 1899 ‖ **gram**ADO¹ XX ‖ **gram**AR¹ 1899 ‖ **grame**·AL XX ‖ **gramín**EAS sf. pl. 1873 ‖ **gramín**EO adj. 1572 ‖ **graminí**·COLA 1899 ‖ **gramin**I·FÓL·IO 1899 ‖ **gramin**I·FORME 1899 ‖ **gramin**OSO 1844.
grama² sm. 'unidade de massa no sistema CGS' | *gramma* 1858 | Do fr. *gramme*, deriv. do lat. *gramma* 'vigésima-quarta parte da onça' e, este, do gr. *grámma -atos* 'pequeno peso'. Na acepção de 'pequeno peso usado entre os gregos e romanos', o voc. port. já se documenta no séc. XVI.
⇨ **grama**² | 1836 SC |.
-grama elem. comp., do gr. *grámma -atos* 'letra, sinal, marca', que se documenta em alguns compostos portugueses eruditos: *acrograma*, *aerograma*, *telegrama* etc.
gramar¹ → GRAMA¹.
gramar² vb. 'trilhar (o linho) com gramadeira' '*ext*. engolir, tomar, suportar' 1813. De origem obscura ‖ **gram**AD·EIRA 1813 ‖ **gram**ADO² 1813.
gramática sf. 'o modo como numa língua particular estão organizados os princípios gerais da linguagem humana' 'estudo ou tratado que explicita a estrutura de uma língua' 'estudo ou tratado de caráter normativo sobre os usos de uma língua' | *gramatyca* XIV | Do lat. *grammatĭca*, deriv. do gr. *grammatiké* 'a arte de escrever ou ler', de *grámma*

-atos 'letra' ‖ **agramatic**AL XX. Do ing. *agrammatical*, termo com que os linguistas gerativistas adjetivam as sentenças estruturalmente malformadas ‖ **agramatic**AL·IDADE XX ‖ **agramat**ISMO XX. Do fr. *agrammatisme* ‖ **gramatic**AL | *grammaticães* pl. XVI | Do lat. *grammaticālis* ‖ **gramático** | *grãmatico* XVI | Do lat. *grammatĭcus*, deriv. do gr. *grammatikós* ‖ **gramatiqu**ICE XVII ‖ **gramat**ISTA | *grammatista* 1873 | Do fr. *grammatiste*, deriv. do lat. *grammatista* e, este, do gr. *grammatistés* 'professor de língua'.
grameal → GRAMA¹.
grameiras sf. pl. 'orifícios que circundam os cadinhos nos fornos de fundição de bronze' 1881. De origem obscura.
gramíneas → GRAMA¹.
graminho sm. 'instrumento de carpintaria, para traçar riscos paralelos ao bordo das tábuas' 1844. Do cast. *gramil*, com troca de sufixo.
⇨ **graminho** | 1836 SC |.
gramin-ícola, -ifólio, -iforme, -oso → GRAMA¹.
gramofone sm. 'fonógrafo que reproduz sons por meio de discos' XX. Do fr. *gramophone*, deriv. do ing. *gramophone*.
grampo sm. 'peça de metal que segura e liga duas peças numa construção' 'peça de metal usada para prender os cabelos' 1881. De *grampa*, provavelmente ‖ **grampa** sf. 'instrumento náutico para apertar por meio de roscas e parafusos' 1858. Do germ. **krampa*, provavelmente através do it. *grampa* ‖ **grampe**·ADOR XX ‖ **grampe**AR XX.
granad·a, -eiro, -ilho → GRÃO¹.
granadino adj. sm. 'natural ou habitante de Granada' XVI. Do cast. *granadino* 'de Granada'.
gran·al, -alha, -ar, -atária, -ates → GRÃO¹.
grande adj. 2g. 'vasto, comprido, desmedido, numeroso' XIII. Do lat. *grandis* ‖ **engrand**ECER XVI ‖ **engrand**EC·IMENTO 1813 ‖ **grã**² | *gram* XIII | Forma apocopada de *grande* ‖ **grand**EIRA sf. 'maço de bater palha na estrebaria' 1844 ‖ **grand**EVO XVII. Do lat. *grandaevus* ‖ **grand**EZA | XIII, *graãdece* XIII ‖ **grand**ILOQU·ÊNCIA XVII ‖ **grand**I·LOQUENTE XX ‖ **grand**ÍLOQUO | *grandiloco* 1572 | Do lat. *grandilŏquus* ‖ **grand**IOS·IDADE XVI ‖ **grand**IOSO XVI. Provavelmente do it. *grandióso* e, este, talvez do lat. escolástico *grandiōsus* ‖ **grand**OR | *grãdor* XVI | Adapt. do fr. *grandeur* ‖ **grand**URA XV ‖ **granjola** XIX. De origem obscura ‖ **grão**² XIV. Forma apocopada de *grande*.
gran·ear, -eiro, -el, -eleiro → GRÃO¹.
graní·fero, -forme, -lito, -r, -ta, -tico, -tito, -to, -toide, -voro, -zo, granj·a, -aria, -ear, ·eiro → GRÃO¹.
granjola → GRANDE.
gran·odiorito, -oso, -ulação, -ular, -uliforme, -ulo, -uloma, -ulometria, -uloso → GRÃO¹.
grão¹ sm. 'semente de cereais e outras plantas' 'glóbulo, pequeno corpo arredondado' 'elemento que caracteriza a granulação da rocha' | XIII, *graão* XIV | Do lat. *grānum* ‖ **degran**AR XVI ‖ **engran**ECER 1873 ‖ **engranz**·AR XVI ‖ **grã**¹ | *grãa* XIII | De *grãna*, nominativo pl. de *grānum* ‖ **grado**¹ adj. 'que tem grão, graúdo' '*fig*. notável, importante' | *grãado* XIII, *graado* XIII, *granado* XIII etc. | Do lat. *granātum* 'abundante em grãos', de *grānum* ‖ **gra**EIRO 1881 ‖ **grain**HA 1813 ‖ **gran**ADA 1813. Do fr. *grenade*

'romã' *fig.* projétil', deriv. do lat. *granātum* || granAD·EIRO 1813 || **granadilho** *sm.* 'planta da fam. das papilionáceas' 1813. Do cast. *granadillo* || granAL 1813 || granALHA 1881 || granAR *vb.* XVIII || **granat**ÁRIA XX || **granates** *sm. pl.* 'pedras que se parecem com o rubi' 1813. Do fr. *grenat* 'pedra preciosa', deriv. do lat. *granātum* || granEAR XX. Do cast. *granear* || granEIRO *sm.* 'celeiro' XVII. Do lat. *grānārĭum -ĭī* || **granel** | *garnel* XVI | Do cat. *granell*, deriv. do lat. *granellum || **granel**EIRO XX || **grani**·FERO 1844 || **grani**·FORME 1873 || **grani**·LITO | *-litha* 1873 || **gran**IR 1858. Do it. *granire* || **gran**ITA XIX || **granít**·ICO 1873 || **granit**ITO XX || **gran**ITO XVI. Do it. *granito* || **granit**OIDE 1873 || **graní**·VORO 1813 || **granizo** XVI. Do cast. *granizo.* A var. arcaica *grando* (do séc. XIV) procede do lat. *grandŏ -ĭnis* || **granja** XV. Do fr. *grange*, deriv. do lat. *granĭca || **granj**ARIA XVI || **granj**EAR | -*gear* XVI || **granj**EIRO | -*geiro* XIII || **grano**DIOR·ITO XX || **granoso** 1858. Do lat. *granōsus* || **granul**AÇÃO 1844 || **granul**AR[1] *adj.* 1813 || **granul**AR[2] *vb.* 1813 || **granulı**·FORME 1858 || **grânulo** 1858. Do lat. *granulum* 'pequeno grão', de *granum* || **granul**OMA 1899. Do lat. cient. *granuloma -ātis*, termo criado por R. Virchow || **granulo**·METR·IA XX || **granul**OSO 1858 || **graúdo** XVI. Do fr. *granutus* || **gra**ÚLHO 1813 || **grená** *adj. sm.* XX. Do fr. *grenat* 'pedra preciosa', daí 'a cor avermelhada comum ao rubi', deriv. do lat. *granātum* || **grenadina** XX. Do fr. *grenadine* 'seda granulada', de *grenade* e, este, do lat. *granātum*.
⇨ **grão**[1] — ENGRAECER | 1836 SC || **granul**AÇÃO | 1836 SC |.
grão[2] → GRANDE.
grapa *sf.* 'ferida na dianteira das curvas e na traseira dos braços da cavalgadura' XIV. Do cat. *grapa*, deriv. do frâncico *krāppa 'gancho, garra'.
grasnar *vb.* 'soltar a voz (o pato, o corvo, a rã etc.), crocitar' XV. Do lat. *gracinare, por *gracitāre* || **grasn**ADA | *graz-* XVI || **grasn**EAR XVII || **grasn**IDO 1813 || **grazin**AR 1858.
graspa *sf.* 'aguardente proveniente da destilação das borras do vinho' XX. Provavelmente do it. *grappa* 'certo tipo de aguardente', com influência de *raspa*.
grassar *vb.* 'alastrar-se, propagar-se, difundir-se' XVIII. Do lat. *grassāre, por *grassāri* 'caminhar, andar'.
grasso *adj.* 'espesso, denso, gorduroso' XVI. Do lat. med. *grassus*, deriv. do lat. cláss. *crassus* 'gordo' || ENGRAXAMENTO 1813 || ENGRAXAR | -*graixar* XVI | Do lat. *ingrassiāre, deriv. do lat. tard. *incrassāre* || ENGRAxate XX. O vocábulo, dada a sua terminação, teria sofrido influência do italiano, onde existem *ingrassato, ingrassatore* || **graxa** | *graixa* 1813 | Do lat. vulg. *grassĭa*, por *crassĭa, de *crassus* || **graxo** XVII. De *grassius, do lat. med. *grassus*, deriv. do cláss. *crassus*.
⇨ **grasso** — **graxa** | 1836 SC, *graixa* 1813 (MS) |.
gratear *vb.* 'rocegar' XX. Do fr. *gratter* || **grateia** XX.
grato *adj.* 'agradecido, agradável, aprazível, suave' XV. Do lat. *gratus* || AGRADAR XV || AGRADÁVEL | XVI, -*able* XV || AGRADEC·EDOR | XV, *guardecedor* XIV || AGRADECER XIV. De *gradescer* (documentado no séc. XIII), incoativo de *gradir, do lat. *gratire (<

gratus 'grato')|| AGRADEC·IDO XV || AGRADEC·IMENTO | XV, *gradicimento* XIV || AGRADO XV || CONGRATULAÇÃO XVIII. Do lat. *congratulātĭo -ōnis* || CONGRATULAMENTO XX || CONGRATULANTE 1844 || CONGRATULAR XVI. Do lat. *congratulare, por *congratulari*, de *gratulāri* || CONGRATULATÓRIO 1844 || DES·AGRADAR XVI || DES·AGRADÁVEL 1813 || DES·AGRADO XVII || **grado**[2] *adj.* 'agradável' XIII | **grado**[3] *sm.* 'vontade, gosto' | *graado* XIII | Substantivação de *grado*[2] || **gratidão** XVII. Do lat. trad. *gratitudo -ōnis* || **grati**·FIC·AÇÃO XVI. Do lat. *gratificātĭo -ōnis* || **grati**·FIC·ADOR 1813 || **grati**·FIC·ANTE XX || **grati**·FICAR XVI. Do lat. *gratificāre* || **grati**·FICO 1881 || **grátis** XVI. Do lat. *grātis* (*grātiīs*), ablat. de *gratus*, empregado adverbialmente || **gratuito** XVII. Do lat. *gratuītus* || **gratul**AÇÃO 1844. Do lat. *grātulātĭo -ōnis* || **gratul**AR XVI. Do lat. *gratulāre, por *gratulāri* (< *gratulus < *grātus*) || **gratul**ATÓRIO 1813 || **grātulātōrĭus* || INGRATIDÃO | *jngratidam* XIV, *emgratidōoe* XV || INGRATO XVI.
⇨ **grato** — AGRADECER | XIII CFV 121 etc. || **agradecível** | *agradeciuil* XV YSAC 77.17, *agradeçivell* XV FRAD I.164.*13* || CONGRATULANTE | 1836 SC | CONGRATULATÓRIO | 1836 SC || **gratuito** | 1532 JBarR 41.*22* || **gratul**AÇÃO | 1836 SC |.
grau *sm.* 'passo, medida, hierarquia, intensidade' | *grao* XIII, *graao* XIV | Do lat. *gradus* || DEGRADAÇÃO 1813 || DEGRADADO XIV || DEGRADANTE XX || DEGRADAR XIV. Do lat. trad. *degradāre* || GRADAÇÃO XVII. Do lat. *grădātĭo -ōnis* || GRADATIVO XX || GRADIENTE XX. Do lat. *gradiens -entis*, part. de *gradi* 'caminhar' || **grado**[4] 'grau' XV. Forma divergente de *grau*, do lat. *gradus* || GRADUAÇÃO XVI || GRADUAL XVI || GRADUAR XVI. Do fr. *graduer*, deriv. do lat. med. *graduāre*.
gra·údo, -úlho → GRÃO[1].
graúna *sf.* 'nome de diversos pássaros de coloração predominantemente negra, quase todos da fam. dos icterídeos' | 1865, *guarahú c* 1631, *gurauna c* 1631 etc. | Do tupi *ŭara'una* ou *ŭira'una*, forma que é preconizada por outras vars., como *uiraúna*, de 1777, *uraúna*, de 1833 etc.).
grauvaque *sf.* 'sedimento arenoso, cujos detritos derivam principalmente de rochas básicas pouco decompostas' | *grauwache* 1899 | Do al. *Grauwacke*, de *grau* 'cinzento' e *wacke* 'psamito'.
grav·ação, -ador → GRAVAR[2].
gravame → GRAVE.
gravanço *sm.* 'grão-de-bico' '*ext.* comida, refeição' | *garvança* XIII | De origem controversa.
gravar[1] → GRAVE.
gravar[2] *vb.* 'esculpir, estampar, imprimir, registrar' | *grauar* XV | Do fr. *graver*, deriv. do frâncico *graban || **grav**AÇÃO XVII || **grav**ADOR XVIII || **grav**URA XVIII. Do fr. *gravure*.
gravata *sf.* 'tira de tecido, estreita e longa, usada em volta do pescoço e amarrada em nó ou laço na parte da frente' | XVIII, *caravata* XVIII, *carvata* XVIII, *crvata* XVIII, *gorouata* XVIII etc. | Do fr. *cravate* 'gravata' e 'croata, indivíduo natural da Croácia', em alusão à tira de pano que os soldados croatas, que integravam um regimento de mercenários do exército francês no séc. XVII, usavam amarrada ao pescoço. O fr. *cravate* provém do alemão dialetal *krawat*, deriv. do servo-croata *hrvat*, de origem

iraniana. Em português, o etnônimo *croata* ocorre em 1643, e *croato* em 1650 || DES·ENgravatADO XIX || DES·ENgravatAR XX || ENgravatADO XIX || ENgravatAR XIX || ENgravatIZAR XIX || gravatARIA XX || gravatEIRO XX. Cp. CROATA.

grave *adj.* 'pesado, poderoso, importante, sério' XIII. Do lat. *gravis*. No séc. XIII, ocorre, também, a forma divergente *greu*, de provável origem provençal || AgravAÇÃO | *aggr-* XVII | Do lat. *aggravātĭō -ōnis* || AgravADO | XIII, *aggraueado* XIII || AgravADOR | *aggr-* XVI || AgravAMENTO XIII || AgravANTE *adj. s2g.* | XVII, *aggr-* XVI || AgravAR XIII. Do lat. *aggravāre* || AgravATIVO | *aggr-* XVII || Agravo XIII || AgravOSO | *aggr-* XV || DES·AgravAR | XIV, *-ggr-* XVI || DES·Agravo | *-ggr-* XVIII || ENgraVECER XIV || ENgravID·AR XX || gravADO XV. Do lat. *gravātus* || **gravame** XV. Do lat. *gravamen -ĭnis* || gravAR¹ 'agravar' XIV. Do lat. *gravāre* || gravATIVO XVII || **graveolência** XVII. Do lat. *graveolentĭa* || **graveolente** | *-olento* XVII | Do lat. *graveŏlens -ēntis* || gravEZA | XIII, *agraveza* XIV || gravidAÇÃO 1813 || gravIDADE XIII. Do lat. *gravĭtās -ātis* || gravidAR XVII. Do lat. *gravidāre* || gravIDEZ 1858 || gravID·ISMO 1873 || **grávido** XVI. Do lat. *gravĭdus*, de *gravis* || gravÍGRADO 1873 || gravÍMETRO 1858. Provavelmente do fr. *gravimètre* || gravISCO *adj.* 'de aspecto grave' XVI || gravitAÇÃO XVIII. Do fr. *gravitation*, deriv. do lat. cient. *gravitatio*, a partir do lat. *gravĭtas -ātis* || gravitAR XVIII. Do fr. *graviter*, deriv. do lat. cient. *gravitare*, a partir de *gravĭtas -ātis* || gravOSO XVII.

⇨ **grave** — AGRAVANTE | XV LEAL 277.*12* || gravOSO | *agravoso* XV CESA I. 9§7.*1* |.

graveto *sm.* 'pedaço de lenha miúda, cavaco' 1899. Forma sincopada de *garaveto*, deriv. de *garavato* || ENgaravitADO 1844 || ENgaravitAR 1873. Cp. GARAVATO.

⇨ **graveto** | 1836 SC || ENgravitADO | 1836 SC |.

graveza, gravid·ação, -ade, -ar, -ez, -ismo, -o, grav·ígrado, -ímetro → GRAVE.

graviola *sf.* 'planta da fam. das anonáceas, o fruto dessa planta' XX. De origem obscura.

gravisco, gravit·ação, -ar → GRAVE.

gravito *adj.* 'diz-se de touro que tem as hastes quase verticais' XX. De origem obscura.

gravoso → GRAVE.

gravura → GRAVAR².

grax·a, -o → GRASSO.

grazinar → GRASNAR.

grec·iano, -ismo, -izar, -omania → GREGO.

greda *sf.* 'calcário friável que geralmente contém sílica e argila' XIII. Do lat. *crēta* || gredOSO 1844.

⇨ **greda** — gredOSO | 1836 SC |.

grega → GREGO.

gregal¹ → GREI.

gregal² → GREGO.

gregar·ina, -io → GREI.

grego *adj. sm.* 'relativo à, ou natural da Grécia' 'a língua grega' XIII. Do lat. *graecus*, deriv. do gr. *graikós* que, para Aristóteles, era o nome pré-histórico dos helenos || grecIANO XVI || grecISMO 1813 || grecIZAR 1899 || grecoMANIA 1899 || **grega** *sf.* XIX || gregAL² 1813. Do lat. *graecalis* || **gregotim** | *gregotil* XVI | Da expressão *y grego til* os dois últimos símbolos do alfabeto || greguEJAR XVIII.

gregoriano *adj.* 'diz-se do rito atribuído ao papa Gregório I para a celebração dos ofícios e a administração dos sacramentos' 1873. Do lat. tard. *gregorianus*, de *Gregorĭus*.

greg·otim, -uejar → GREGO.

grei *sf.* 'rebanho de gado miúdo' '*fig.* sociedade, partido' | XV, *gree* XIII, *grey* XIV | Do lat. *grex grĕgis* || gregAL¹ 1813. Do lat. *gregālis* || gregAR·INA *sf.* 'designação de protozoários esporozoários que vivem no tubo digestivo dos animais articulados' 1899. De *gregário* || gregÁRIO 1873. Do lat. *gregarĭus*.

grela *sf.* 'instrumento que serve para amaciar os pentes de alisar' 1881. Do fr. *grêle*, antigo *graisle* e, este, do lat. *gracĭlis*.

grelar → GRELO.

grelha *sf.* 'pequena grade de ferro sobre a qual se assam certos alimentos' 'antigo instrumento de suplício' | XIV, *greela* XIV | Do a. fr. *greïlle* (atual *grille*), do lat. *craticŭla*, dimin. de *crates* 'grade' || grelhAR XVIII.

grelo *sm.* 'gema desenvolvida na semente, rebento, bulbo, haste de algumas plantas antes de desabrocharem as flores' XVI. De origem obscura || grelAR 1813.

grêmio *sm.* 'seio, regaço, comunidade, corporação, assembleia' 1572. Do lat. *gremium*, onde está presente a raiz **ger*, com a ideia geral de juntar. A mesma raiz ocorre em *grex* 'grei' || AgremiAÇÃO 1899 || AgremiADO 1871 || AgremiAR 1871 || gremiAL 1844.

⇨ **grêmio** — gremiAL | 1836 SC |.

gren·á, -adina → GRÃO¹.

grenha *sf.* 'cabelo em desalinho, juba de leão' | XVI, *granhões* pl. XIII, *granhon* XIII | Do lat. **grennio -ōnis*, formado do radical germ. *grĕnn-* 'pelo da cara' || DESgrenhADO XVI || DESgrenhAR 1813.

grés *sm.* 'rocha formada de areias consolidadas por um cimento, arenito' XVIII || Do fr. *grés*, deriv. do frâncico **griot* 'espécie de rocha' || gresí·FERO XX || gresI·FORME | *grezi-* 1873.

gretar *vb.* 'fender, rachar (o chão, a madeira etc.)' XVI. Do lat. *crepitāre* 'estalar ruidosamente' || greta XVI || gretADO XVI.

grevas *sf. pl.* 'parte da antiga armadura que cobria a perna, do joelho ao pé' | *greuas* 1572 | Do fr. antigo *greve*.

greve *sf.* 'cessação do trabalho' 1873. Do fr. *grève*, deriv. do lat. vulg. **grava* 'praia de areia', donde, em Paris, a praça da Grève, às margens do rio Sena, local onde se reuniam os desempregados || grevISTA 1881. Do fr. *gréviste*.

gridelém *adj.* 'de cor semelhante à da flor do linho' | *gredelin* 1813 | Da expressão francesa *gris de lin* 'o cinza do linho'.

grifa *sf.* 'garra' 'instrumento ou utensílio que possua tenazes, chave de grifa' XVI. Do fr. *griffe*, deverbal de *griffer*, que provém do alto alemão *gripan* 'apanhar'.

grifo¹ *sm.* 'animal fabuloso, com cabeça e garras de leão' XIV, Do lat. *grȳphus* (*grȳps -pis*), deriv. do gr. *grýps* 'ave fabulosa, ave de rapina'.

grifo² *adj. sm.* 'diz-se da, ou letra itálica' 'sublinhado, encaracolado' 1813. Do antr. S. *Gryphe*, impressor alemão estabelecido em Lião (1491-

1556), que inventou esse tipo de letra || **grif**ADO | *gryphado* 1899 || **grif**AR | *gryphar* 1899.
grifo³ *sm.* 'enigma, questão embaraçosa, elocução ambígua' | 1844, *grypho* 1844 | Do lat. tard. *grīphus*, deriv. do gr. *grîphos* 'rede de pescar, linguagem enredada'.
⇨ **grifo**³ | *-pho* 1836 SC |.
grigri *sm.* 'amuleto' 'pessoa dotada de poder sobre-humano, pelo uso desse amuleto' XX. Do fr. *grigri* 'espírito malfazejo'.
grilar¹ → GRILO¹.
gril·ar², **-eiro**, **-ento** → GRILO².
grilh·ão, **-eta**, **-o** → GRILO¹.
grilo¹ *sm.* 'inseto ortóptero da ordem dos saltatórios' XIII; *'fig.* ruído de peças da carroçaria de automóveis velhos ou mal ajustados' *'fig.* indivíduo, situação ou coisa que apoquenta, preocupa' XX. Do lat. *grillus* || **gril**AR¹ *vb.* 'cantar (o grilo)' *'fig.* apoquentar' XX || **grilh**ÃO XVI. De *grilho* || **grilh**ETA XIX. Do cast. *grillete* || **grilho** *sm.* 'corrente em que se prendiam os condenados' *'fig.* laço, prisão' XVI. Do cast. *grillo* 'corrente em que se prendem os condenados'.
grilo² *sm.·* 'propriedade territorial legalizada por meio de título falso' XIX. De origem desconhecida; talvez haja alguma relação com *grilo*¹; é difícil, contudo, detectá-la || **gril**AR² *vb.* 'fazer títulos falsos de terra' XX || **gril**EIRO XIX || **gril**ENTO XIX.
grimpar *vb.* 'subir, trepar, galgar' 'responder com insolência' 1844. Talvez do fr. *grimper* || **garimp**AGEM XX || **garimp**AR XX || **garimp**EIRO 1881. De *grimpa*, com epêntese do *a*, desfazendo-se o grupo consonantal *gr-*. O termo surge com a função de vigia das minerações clandestinas, o qual, para exercê-la, tinha que subir às grimpas das montanhas, recebendo daí o nome de *grimpeiro*, donde *garimpeiro* || **garimpo** 1899. Derivado regr. de *garimpeiro* || **grimpa** | XVI, *grympa* XVI.
⇨ **grimpar** | 1836 SC || **garimp**EIRO | 1836 SC |.
grinalda *sf.* 'coroa de flores, ramos, pedraria' 'ornato arquitetônico de folhas ou flores' | 1572, *guerlanda* XIII, *grilanda* XIV | Do prov. *guirlanda* || ENGRINALDAR XVII.
grindélia *sf.* 'planta medicinal da fam. das compostas' 1881. Do lat. cient. *grindelia* (*camphorium*), nome dado em homenagem a D. G. *Grindel* (1807).
gringal *sm.* 'certa espécie de pano alemão' 1899. Do al. *gering* 'de pouco valor, barato'.
gringo *sm.* 'designação depreciativa dada a estrangeiros, principalmente de tipo alourado ou arruivado' XIX. Do esp. platino *gringo*, deriv. do cast. *gringo* 'depreciativamente, língua estrangeira', da expressão *hablar en griego* 'falar em língua ininteligível'; de difícil explicação é a nasalidade da primeira sílaba.
gripe *sf.* 'moléstia infecciosa, aguda, caracterizada por catarro dos tratos respiratórios e digestivos' 1881. Do fr. *grippe*, de *gripper*, que, por sua vez, provém do frâncico **gripan* || **grip**ADO XX || **grip**AL XX || **grip**AR XX.
gris *adj.* 2g. *sm.* 'cinzento' | XIII, *grisa* XIV | Do a. prov. *gris*, *grisa*, deriv. do frâncico *grîs* || **gris**ADO XX. Adapt. do fr. *grisé* || **grisalho** XVII. Do fr. *grisaille* || **grisé** XVI. Do fr. *grisé* || **grisete** 1734. Do fr. *grisette*.

griseta *sf.* 'peça metálica onde se enfia a torcida das lâmpadas' 'caixa que, nas lanternas, contém o azeite' | *grizeta* 1813 | De origem obscura.
grisete → GRIS.
grisu *sm.* 'gás inflamado nas minas de carvão, que contém certa quantidade de metano' 1881. Do fr. *grisou*, deriv. do valão *feu grisou*, forma dialetal do fr. *feu grégeois* 'fogo grego'.
gritar *vb.* 'emitir sons intensos e inarticulados, falar alto, clamar por socorro' XVI. Do lat. **crītāre*, de *quirītāre* 'chamar, invocar os cidadãos', deriv. de *quirites* 'cidadão romano' || **grita** 1572 || **grit**ADOR 1813 || **grit**ANTE XX || **grit**ARIA XVII || **grito** XIV. Deverbal de *gritar*.
grogue → GORGORÃO.
groma *sf.* 'vara de sete pés com que os romanos mediam os campos' 1899. Do lat. *groma* || **grom**ÁTICA *sf.* 1899 || **grom**ÁTICO 1899. Do lat. *grōmatĭcus*.
grosa¹ → GROSSO.
grosa² *sf.* 'lima com que se desbasta madeira' 1813. De origem controversa.
groseira → GROSSO.
groselha *sf.* 'fruto da groselheira, nome comum a diversas plantas da fam. das saxifragáceas' 'plantas da fam. das euforbiáceas' 'a cor vermelha da groselha' 1858. Do fr. *groseille* || **groselh**EIRA 1858 || **grossulária** | *grossulareas* *sf.* pl. 1873 | Do lat. cient. *grossularia*.
grosso *adj.* 'de grande diâmetro, sólido, denso, áspero, grave' XIII. Do lat. *grŏssus* || DES·ENGROSSAR 1844 || ENGROSSADO XVI || ENGROSSAMENTO 1881 || ENGROSSAR XIII || ENGROSSENTAR XIV || **grossa**¹ *sf.* 'doze dúzias' | *groza* 1813 | Do it. *gròssa*, feminino de *grosso* || **gross**EIRA XX. De *grosa*¹ || **gross**EIR·ÃO 1813 || **gross**EIRO XVII. Adapt. do fr. *grossier* || **gross**ERIA XVII. Do fr. *grosserie* || **gross**IDÃO XVI. No port. med. ocorre *grossidade* (séc. XV) || **gross**URA XIII.
⇨ **grosso** — DES·ENGROSSAR | 1836 SC || **gross**EIRO | *groceiro a* 1542 JCASE 55.2, *groseiro* 1571 FOIF 149.9 || **gross**IDÃO 'grossura' | *grossidôoe* XV CESA III. 15§51.2, *grossidom* XV PAUL 72v19 |.
grossulária → GROSELHA.
grot·a, **-ão**, **-esco** → GRUTA.
grou *sm.* 'ave da fam. dos cultrirrostros, de pescoço, bico e pernas longas' | *grua* f. XIV | Do lat. lus. *grou* e, este, de *grŭus*, deriv. de *grus -is*, com mudança de declinação || ESGROUVIADO XVI. De **esgrouuiado*, com desdobramento da semivogal *-u* e posterior consonantização da segunda. Ocorrem, ainda, as vars. *engrouvinhado*, *esgrouvinhado* || ESGROUVINHAR 1873 || **grua**² *sf.* 'fêmea do *grou*' XIV || **grua**² *sf.* 'máquina para introduzir água nas locomotivas' 1813. Do fr. *grue* || **gru**EIRO | *-eyros* pl. XIII || **gru**IR 1858 || **grulha** 1813. Do cast. *grulla*.
grude *sm.* 'espécie de cola' | XV, *engrude* XIII, *glude* XIV, *grudo* XIV | Do lat. *gluten* || **grud**AR | XVI, *engrudar* XIII, *gludar* XV | Cp. AGLUTINAR.
gru·eiro, **-ir**, **-lha** → GROU.
grumete *sm.* 'marinheiro de graduação inferior' | *gurmete* XIV, *gromete* 1500 | Do a. fr. *gromet*, atual *gourmet*.
grumixama *sf.* 'planta da fam. das mirtáceas' | 1863, *comichã* 1587, *comixá* 1618 | De origem tupi, mas de étimo obscuro || **grumixam**EIRA 1817.
⇨ **grumixama** | 1836 SC |.

grumo *sm.* 'grânulo, pequeno coágulo' 1813. Do lat. *grŭmus* 'montículo'.
grunhir *vb.* 'soltar a voz (o porco)' | XVI, *grunir* XIV | Do lat. *grunnīre* || **grunh**IDO XVI.
grup·al, -amento, -ar, -elho, -eto → GRUPO.
grupiara *sf.* 'terreno próprio para lavra de ouro e diamantes' 'espécie de tabuleiro junto às margens dos rios' | 1872, *guapiara* 1733, *gupiara a* 1800 etc. | De origem tupi,mas de étimo obscuro.
grupo *sm.* 'reunião de pessoas, animais ou coisas formando um todo, um conjunto' 1813. Do it. *gruppo*, deriv. do germ. **kruppa* || A**grup**AMENTO 1899 || A**grup**AR 1871 || **grup**AL XX || **grup**AMENTO 1873 || **grup**AR 1858 || **grup**ELHO XX || **grup**ETO 1873. Do it. *gruppétto* 'grupo de notas musicais' || RE·A**grup**AMENTO XX || RE·A**grup**AR XX.
⇨ **grupo** — **grup**AR | 1836 SC |.
gruta *sf.* 'caverna natural ou artificial, lapa, antro' XVI. Do napolitano antigo *grutta* (it. *gròtta*) e, este, do lat. vulg. *crupta* (cláss. *crypta*), do gr. *krýpte* 'cripta' || **grota** *sf.* 'abertura produzida pela enchente na ribanceira' 'vale profundo' 1540. Do it. *gròtta* || **grot**ÃO XVII || **grotesco** XVI. Do it. *grottésco* 'diz-se de um adorno que imita o tosco das grutas'. Cp. CRIPTA.
guabiroba *sf.* 'nome comum a diversas plantas da fam. das mirtáceas' | 1817, *gabiraba* 1618, *guavirova* 1783, *gabiroba* 1946 | Do tupi *ïu̯au̯e'rau̯a* (< *i'u̯a* 'fruta' + *u̯e'rau̯a* 'brilhante'). Cp. IBABIRABA || **guabirob**EIRA | *-bira-* 1817.
guabiru *sm.* 'espécie de rato grande, ratazana' XX. Do tupi *u̯au̯i'ru*.
guacá *sm.* 'gaivota' *c* 1584. Do tupi *ü̯a'ka*.
guacaré *sm.* 'espécie de búzio' | *oacaré* 1587 | Do tupi *u̯aka're*.
guache *sm.* 'preparação feita com substâncias corantes destemperadas em água de mistura com goma e tornadas pastosas pela adição de mel' 'pintura executada com esse preparado' 1881. Do fr. *gouache*, deriv. do it. *guazzo* (na express. *dipingere a guazzo*), do lat. *aquātĭo -ōnis* 'aguada'.
guacho *adj.* 'animal sem mãe, separado, enjeitado' 1899. Do esp. sul-americano *guacho*, deriv. do quíchua *uájcha* 'pobre, indigente', dimin. de *uaj* 'estranho, estrangeiro'.
guaco[1] *sm.* 'espécie de falcão originário da América Central' 1881. Do idioma indígena da Nicarágua *guaco* ou *huaco*, voc. que se teria criado onomatopaicamente em virtude da voz da referida ave || **guaco**[2] *sm.* 'planta medicinal da fam. das compostas' 1873. O voc. teria provindo, por extensão de sentido, de *guaco*[1], tendo em vista o fato de essa ave comer do fruto da planta como remédio contra o veneno de cobras.
guaçu → AÇU.
guacucuiá *sf.* 'peixe de mar da fam. dos oncocefalídeos' | *bacupuá* 1587, *acucua c* 1594, *vaquocoha c* 1631 | Do tupi *u̯akuku'i̯a*.
guacuri *sm.* 'espécie de palmeira' 1873. Do tupi *ïu̯aku'ri*.
guadameci *sm.* 'tapeçaria de couro com pinturas e dourados' | *ġodomeçjl* XIII, *-micil* XIV etc. | Do ár. *ġodāmesī*.
guaiá *sm.* 'variedade de caranguejo' | *goaiá* 1587, *goajá* 1618 | Do tupi *u̯a'i̯a*.

guaiaca *sf.* 'cinto de camurça ou de couro macio, que serve para o porte de armas e para se guardar dinheiro e outros objetos' 1899. Do esp. sul-americano *guayaca*, deriv. do quíchua *huayaka* 'saco'.
guáiaco *sm.* 'planta medicinal da fam. das zigofiláceas' 1813. Do cast. *guayaco*, deriv. do lat. cient. *Guaiacum officinale* e, este, do taino *guayacán* || **guaiac**OL *sm.* 'éter extraído da resina do guáiaco' 1899.
guaiamum *sm.* 'caranguejo da fam. dos gecarcinídeos' | XX, *guanhŭmig c* 1584, *guoanhamu* 1587, *guanhemŭ c* 1594, *guanhamu* 1618 etc. | Do tupi *u̯añu'mĩ*.
guaiarara *sf.* 'variedade de caranguejo' | *goaiarara* 1587 | Do tupi **u̯ai̯a'rara*.
guaibicuara *sf.* 'peixe marinho (*Conodon nobilis* L.)' | *goaivicoara* 1587 | Do tupi **ü̯aimi̯'ku̯ara* (< *ü̯ai'mĩ* 'velha' + *'ku̯ara* 'buraco') || **guaibicuar**AÇU | *gai-* 1618 || **guaibi**CUATI | *goaiibicoati* 1587.
guainumbi *sm.* 'beija-flor' | *guainumbíg c* 1584, *gainambi* 1587, *haynãbig c* 1594, *guanibu c* 1631 etc. | Do tupi *u̯ainu'mĩ*.
guaiule *sm.* 'planta gomífera da fam. das compostas' XX. Do esp. mexicano *guayule*, deriv. do náuatle *quauholli* 'planta da borracha'.
guajará *sm.* 'planta da fam. das sapotáceas' 1624. Do tupi **ïu̯ai̯a'ra* | **guajaraí** | *guajaraí c* 1777.
guajeru *sm.* 'planta da fam. das rosáceas' | 1618, *abajeru* 1587 etc. | Do tupi *ïu̯ai̯u'ru*.
guaju-guaju *sm.* 'espécie de formiga' | *goaju-goaju* 1587 | Do tupi *ü̯a'ï̯u*.
gualdir *vb.* 'comer, gastar, dissipar' | *galdida* part. XVI | De origem controvertida || ES**galdripar** XX || **gualdripar** XVII.
gualdo *adj.* 'amarelo' | XVII, *gualde* XVII | Provavelmente do cast. *gualda*, deriv. do a. fr. *gualde* e, este, do germ. **walda*.
gualdra *sf.* 'argola para puxar pelas gavetas' XVII. De etimologia obscura.
gualdrapa *sf.* 'chairel, espécie de manta, que se estende debaixo da sela, prendendo aos lados' 'grandes abas de casacão' XIII. De origem controvertida.
gualdripar → GUALDIR.
guampa *sf.* 'chifre, especialmente o que foi preparado para servir como copo' 1881. Do esp. plat. *guampa* e, este, possivelmente, do mapuche || **guamp**AÇO 1899.
guanabano *sm.* 'planta da fam. das anonáceas, natural das Antilhas' XX. Do cast. *guanábano*, deriv. do taino.
guanaco *sm.* 'ruminante selvagem, natural dos Andes meridionais' XIX. Do cast. *guanaco*, deriv. do quíchua *uanácu*.
guanandi *sm.* 'planta da fam. das gutíferas' 1587. Do tupi *ïu̯ana'ni* || **guanandi**RANA 1817.
guandu *sm.* 'espécie de feijão' | 1813, *oando* 1620, *uando* 1681, *andú* 1813 | De origem africana, provavelmente do conguês *'u̯anu* || **guand**EIRO 1899.
guano *sm.* 'acúmulo de matéria excrementícia de aves marinhas, que se encontra em grande quantidade nas costas e ilhas peruanas e ao norte do Chile' 'fosfato de cálcio extraído dessa matéria e usado na agricultura como fertilizante' 1858. Do cast. *guano*, deriv. do quíchua *uánu* 'esterco'.

guante *sm.* 'luva de ferro, na armadura antiga' | XVI, *gante* XV | Do lat. med. *wantus*, deriv. do frâncico **wanth* 'defesa, punho'.
guapear → GUAPO.
guapeba *sf.* 'planta da fam. das sapotáceas' | *guapeva* 1741 | Do tupi *ïu̯a'peu̯a*. Cp. UBAPEBA || **guapeb**EIRA 1812.
guapo *adj.* 'corajoso, valente' 'bonito, airoso, elegante' XVII. Do cast. *guapo* 'chulo, rufião', posteriormente 'valente' 'bem parecido' e, este, do fr. ant. e dialetal *wape* ou *gape*, deriv. do lat. *vappa* 'vinho insípido' || **guap**EAR XX. Do cast. *guapear* || **guapetão** 1899. Do cast. *guapetón* || **guap**EZA XX. Do cast. *guapeza*.
guará[1] *sm.* 'ave da fam. dos tresquiornitídeos' | 1585, *goará* 1576, *guarâ c* 1584 etc. | Do tupi *u̯a'ra*.
guará[2] *sm.* 'nome comum a peixes de diversas famílias, alguns dos quais foram identificados como o xaréu, da fam. dos carangídeos' | *gorazes* pl. *c* 1586, *guiará* 1587, *guara c* 1631 | Do tupi *u̯a'ra*.
guará[3] *sm.* 'mamífero carnívoro da fam. dos canídeos (*Chrysocyon brachyurus*), | 1817, *aguará* 1618, *avará c* 1777 | Do tupi *au̯a'ra*. V. JAGUARAGUAÇU.
guarabebe *sm.* 'espécie de peixe-voador' *c* 1594. Do tupi *u̯arame'me* (< *u̯a'ra* 'guará[2]' + *me'me* 'voar').
guarabu *sm.* 'planta leguminosa da subfam. das cesalpináceas' 1817. Do tupi **ïu̯ara'mu*.
guaracema *sf.* 'peixe da fam. dos carangídeos' 1730. Do tupi *u̯ara'sïma* (< *u̯a'ra* 'guará[2]' + *'sïma* 'liso').
guaraciaba *sf.* 'variedade de beija-flor' | *guaracigâ c* 1584, *garaciça c* 1594 etc. | Do tupi **ku̯arasï'au̯a* (< *ku̯ara'sï* 'sol' + *'au̯a* 'cabelo').
guaraguá *sm.* 'peixe-boi' | *goaragoá* 1587, *guaragua c* 1631 | Do tupi *ïu̯ara'u̯a*.
guaraí *sm.* 'peixe da fam. dos serranídeos' | *guara hi c* 1631 | Do tupi **u̯ara'i* (< *üa'ra* 'guará[2]' + *'i* 'pequeno').
guarajuba *sf.* 'espécie de papagaio (*Guaruba guaruba*)' | *quigraiuba c* 1584, *virajuba c* 1777 | Do tupi *ü̯ïra'ïu̯a* (< *ü̯ï'ra* 'ave' + *'ïu̯a* 'amarelo').
guaraná *sm.* 'bebida refrigerante preparada com a massa das sementes da *Paullinia cupania*, planta da fam. das sapindáceas' 1881. Do tupi **u̯ara'na* || **guaranaz**·AL XX || **guaranaz**·EIRO XX.
guarani *adj. 2g. sm.* 'divisão etnográfica da grande família tupi-guarani' 'a língua falada por esse grupo étnico' XIX. De um idioma indígena sul-americano, mas de étimo mal determinado.
guarantã *sm.* 'planta da fam. das rutáceas' | *guaratan* 1817 | Do tupi **ïu̯ara'tã*.
guarapicu *sm.* 'peixe da fam. dos tuniídeos' 1587. Do tupi *u̯arapu'ku* (<*u̯a'ra* 'guará[2]' + *pu'ku* 'comprido').
guarara *sm.* 'peixe da fam. dos ciprinodontídeos' 1587. Do tupi **u̯a'rara*.
guarariei *sm.* 'variedade de rã' | *guararigeig c* 1584 | Do tupi *u̯ararïe'ï*.
guaravira *sf.* 'peixe da fam. dos gimnotídeos' | *guoara emuira c* 1631 | Do tupi **u̯ara'mïra < u̯a'ra* 'guará[2]' + **'mïra (= ï'mïra* 'fibra, filamento').

guaraxaim *sm.* 'espécie de cachorro-do-mato' 1817. Do tupi **au̯araša'i*.
guard·**a, -adeiro, -ador, -amoria**, → GUARDAR.
guardanapo *sm.* 'pequena peça de pano ou, atualmente, de papel também, com que se limpa a boca às refeições' | XVI, *gardanapo* XVI | Do fr. *gardenappe*, deriv. do lat. med. *guardanappa*, de *guardamappa*, com dissimilação *-m...-p → -n...-p*. A palavra é composta de *guarda-* (de GUARDAR) + lat. *-mappa* 'guardanapo'.
guardar *vb.* 'proteger, conservar, cumprir' | XIII, *gardar* XIII | Do lat. med. *guardāre*, deriv. do germânico **wardon* 'estar em guarda' || **aguard**AR *vb.* 'ant. guardar' XIII; 'esperar' XIII || **esg**ar XVI. Provavelmente do fr. ant. *esgart* 'ato de olhar, de vigiar', de *esgarder* || **esguard**ADOR | *sguar-* XV || **esguard**AMENTO XIII | *esgardar* XIII || **esguard**AR | XIII, *esgardar* XIII || **esguardo** XV || **guarda**[1] *sf.* 'ato ou efeito de guardar, vigilância' | XIII, *garda* XIII | Dada a existência deste voc. em diversas línguas românicas, ele procederia, possivelmente, do lat. med. **guarda*, do germ. *warda* || **guarda**[2] *sm.* 'vigilante' XV. Provavelmente de *guarda*[1], com mudança de gênero gramatical || **guarda**-CHUVA 1858 || **guard**AD·EIRO | *-eyra* f. XV || **guard**ADOR XIII || **guard**AMOR·IA XX || **guard**ÁVEL | *guardable* XV || **guardião** XIII, *guardam* XIII, *-dian* XIV, *-diom* XV, *-diam* XV | Do lat. *wardianus*, deriv. do germ. *wardjan* || **guard**IM XVI. Do cast. *gardín* || **reguarda** *sf.* 'retaguarda' | *reguorda* XV | Possivelmente do cat. *rereguarda*, de *reraguarda* e, este, de **retraguarda* || **reguard**AR | XV, *rre-* XIV | Do fr. *regarder* || **reguardo** | XIII, *rreguardo* XIV | Deverb. de *reguardar* || **resguard**ADO XVI || **resguard**AR XV. Do lat. **reexguardāre* || **resguardo** XIV. Deverb. de *resguardar*.
↪ **guardar** – AGUARDADO | XIII FUER I.39, *agardado* XIV BENT 35.27 | AGUARDADOR | XIII CSM 96.59 || AGUARDAMENTO | XIII FUER I.360 || AGUARDANTE | *aguardāte* XIV BENT 28.28 |.
guariba *sm.* 'macaco da fam. dos cebídeos' 1587, *gariba* 1596 etc. | Do tupi *u̯a'riu̯a*.
guaricanga *sf.* 'variedade de palmeira' 1817. Do tupi **u̯ari'kaŋa*.
guarida *sf.* 'amparo, proteção, socorro' XIII. Do a. port. *guarir* 'escapar de um perigo, defender-se' (documentado no séc. XIII), deriv. do gót. *warjan* 'defender' || **guarita** | XVI, *gorita* XVI | Possivelmente do it. *garitta*, com influência de *guarida* || **guarit**EIRO XVII.
guaripoapém *sm.* 'variedade de molusco, lingueirão, unha-de-velho' 1587. Do tupi *u̯aripoa'pema*.
guariroba *sf.* 'variedade de palmeira, coqueiro-amargoso' | *guarirova* 1783, *guarerova* 1792 | Do tupi **u̯ari'roua*.
guarit·a, -eiro → GUARIDA.
guariúba *sf.* 'planta da fam. das moráceas 1763. Do tupi *u̯ari'ïu̯a*.
guarnecer *vb.* 'prover do necessário, munir, fortalecer, adornar' | XIV, *garnecer* XV etc. | Do lat. lus. *garnescere* e, este, incoativo do lat. med. **guarnīre*, do germ. **warnjan*, que deu no ant. port. *guarnir* 'adornar, guarnecer' || DESguarnecer 1813 || **guarnec**IMENTO | *-ni-* XV || **guarn**IÇÃO | *-çõ* XIV, *garniçõ* XIV etc. | Do ant. port. *guarnir*

|| **guarn**IDO XIV || **guarn**IMENTO XIV || **guarnir** vb. 'ant. guarnecer' | XIII, gor- XIV.
⇨ **guarnecer** — DES**guarnecer** | c 1539 JCasD 97.16 |.

guaruçá sm. 'espécie de caranguejo' | goaiauçá 1587, garausâ 1618, garaûsa 1730 | Do tupi au̯arau̯'sa.

guaru-guaru sm. 'peixe de água doce da fam. dos ciprinodontídeos' | varu varu c 1631 | Do tupi ṷaruṷa'ru

guarumá sf. 'planta da fam. das marantáceas' 1833. Do tupi *iṷaru'ma.

guasca sf. 'tira ou correia de couro cru' 1881. Do esp. platino guasca, deriv. do quíchua uáskha 'laço, corda para atar' || **guasc**AÇO 1881 || **guas-qu**EAR 1881.

guatambu sm. 'planta da fam. das apocináceas' XX. Do tupi *ïṷata'mu.

guatapu sm. 'variedade de búzio' | guatapig c 1584, oatapu 1587 etc. | Do tupi ṷata'pï.

guatemalteco adj. sm. 'relativo à Guatemala, natural ou habitante desse país' XX. Do cast. guatemalteco.

guaxe sm. 'pássaro da fam. dos icterídeos' | guaxa 1618 | Do tupi ṷai'šo.

guaxima sf. 'nome comum a numerosas plantas de famílias afins, que fornecem fibras utilizadas para cabos, cordas, etc.' | 1587, guaxiuma, 1693 etc. | Do tupi *ṷa'šïma (< 'ṷaia 'rabo, extremidade' + 'sïma 'liso') || EN**guanxum**ADO XX.

guaxupé sf. 'abelha da fam. dos meliponídeos' 1872. Do tupi *ṷašu'pe.

guebro sm. 'sectário de Zoroastro' XIX. Do persa gabr 'adorador do fogo, sectário de Zoroastro', pelo fr. guèbre. Diretamente do persa provém o a. port. gaor (séc. XVII).

guedelha sf. 'cabelo desgrenhado e longo' XIV, -lla XIV | Do lat. vītīcŭla 'vide pequena', com influência do gót. *wathils 'penacho'.
⇨ **guedelha** — guedelhudo | gadelhudo c 1608 NOReb 112.31 |.

gueixa sf. 'dançarina' | geycha XIX | Do japonês gēiša (de gei 'arte' + ša 'pessoa').

guelra sf. 'aparelho respiratório dos animais que vivem ou podem viver na água e que não respiram por pulmões' | gelrra XVI | De origem controvertida.

guenzo adj. 'magriço, enfezado, adoentado' 1899. De origem obscura.

guerra sf. 'luta armada' XIII. Do lat. med. guerra, anteriormente werra (que substituiu, em toda a România ocidental, o voc. latino bellum), deriv. do germânico werra || **aguerrir** XIX. Do fr. aguerrir || **guerr**E·ADOR XIV || **guerr**EAR XIV || **guerr**EIRO XIII || **guerr**IL adj. XIX || **guerr**ILHA 1813. Do cast. guerrilla || **guerr**ILH·EIRO 1881.

guete sm. 'escrito, carta de separação, separação' XV. Do hebraico gēt 'carta de quitação'.

gueto sm. 'bairro onde, na Itália, os judeus eram forçados a residir' 'ext. bairro, em qualquer cidade, onde são confinadas certas minorias, por imposições econômicas e/ou raciais' XVI. Do it. ghetto.

guiar vb. 'orientar, aconselhar, ensinar' 'dirigir, encaminhar, governar' | XIII, aguiar XIV | Do lat. med. *guidāre e, este, provavelmente, do gót. *widan 'juntar' 'ext. escoltar, acompanhar' || **guia** s2g. XV || **gui**AD·EIRO | -eyro XIV || **gui**ADOR XIII || **gui**AMENTO XIII || **gui**ANTE XVI || **guião** sm. 'estandarte que vai à frente das tropas' | guioens pl. XVI | Do fr. ant. guión || **guidom** 'barra de direção de veículos de duas ou três rodas' XX. Do fr. guidon.

guichê sm. 'portinhola aberta numa grade, numa porta, num muro' XX. Do fr. guichet, provavelmente do fr. ant. uisset 'portinhola' (dimin. de uis, huis), deriv. do escandinavo ant. vik 'esconderijo'.

guidom → GUIAR.

guiga sf. 'espécie de embarcação para regatas' 1881. Do ing. gig.

guilda sf. 'associação de mutualidade, típica da Idade Média, entre corporações de operários, negociantes e artistas' XX. Do fr. guilde, deriv. do lat. med. gilda, e, este, do m. neerl. gilde 'corporação'.

guilherme sm. 'plaina de carpinteiro' 1813. Adapt. do fr. guillaume, do antr. Guillaume, por metáfora.

guilho sm. 'espéeie de espigão de ferro' 1813. De origem controvertida.

guilhochês sm. pl. 'ornatos de traços ondulados que se entrelaçam com simetria' | guilloches 1899 | Do fr. guilloché, part. de guillocher 'cinzelar em forma de linhas onduladas'.

guilhotina sf. 'instrumento de decapitação' 'ext. máquina de cortar papel' 1873. Do fr. guillotine, do antr. Guillotin (1738-1814), médico francês que preconizou o seu uso || **guilhotin**AR 1844.

guinar vb. 'bordejar, desviar-se rapidamente' XVI. De origem obscura || **guin**ADA XVI.

guincho¹ sm. 'som agudo e inarticulado de homem e animais' 'nome de certo pássaro' XVI. De origem onomatopaica || **guinch**AR¹ 1813.

guincho² sm. 'guindaste' 'veículo provido de guindaste para rebocar automóveis' XX. Do ing. winch || **guinch**AR² XX.

guindar vb. 'içar, levantar, erguer a uma posição devida' XIV. Do fr. guinder 'erguer um fardo por meio de máquina' e, este, do antigo escandinavo vinda || **guinda** 1813. Deverbal de guindar || **guind**AGEM | gujn- XV | Do fr. guindage || **guindareza** XV. Do fr. guindaresse || **guindaste** | gindaste XV | Do prov. guindatz, deriv. do fr. ant. guindas (atual guindeau) e, este, do ant. escandinavo vindáss, de vind- 'erguer' + áss 'madeira'.

guinéu¹ adj. sm. 'relativo à Guiné, natural ou habitante da Guiné' | guineo 1873 | Do top. Guiné || **guinéu**² sm. 'moeda de ouro inglesa cunhada até 1813' | guinéa 1813 | Do ing. guinea 'Guiné'.
⇨ **guinéu**² | guineo 1836 sc |.

guingão sm. 'tecido fino de algodão' 'borra de seda' XVI. Do malaio guingong 'cotonia listrada ou axadrezada', deriv. do tam. kindan.

guipura sf. 'renda de linho ou de seda, de malhas largas e sem fundo' 1881. Do fr. guipure, deriv. de guiper 'recobrir com seda' e, este, do gót. weipon, ou do frâncico *wīpan 'rodear de seda'.

guirapuru sm. 'pássaro da fam. dos piprídeos' 1876. Do tupi ṷïrapu'ru.

guira-téu-téu sm. 'ave da fam. dos caradrídeos' | guiratéoteo c 1584, uirateonteon 1587 | Do tupi ṷïrateõte'õ. Cp. TÉU-TÉU.

guiratinga *sf.* 'garça' | *guigratinga c* 1584, *uratinga* 1587, *guratimgua c* 1631 etc. | Do tupi *ÿïra'tiŋa* (< *ÿï'ra* 'ave' + *'tiŋa* 'branco').

guiraundi *sm.* 'pássaro da fam. dos tanagrídeos' | *urandi* 1587 | Do tupi *ÿïrau'ni*.

guiraupiaguara *sf.* 'cobra da fam. dos colubrídeos, papa-ovos' | *guigraúpiagoara c* 1584, *urapiagara* 1587 etc. | Do tupi *ÿïraupia'ÿara* (< *ÿï'ra* 'ave' + *upi'a* 'ovo' + *'ÿara* 'que come, comedor').

guiri *sm.* 'bagre' | *curi* 1587, *guori c* 1631 | Do tupi *ÿï'ri*.

guisa *sf.* 'maneira, modo, feição' | XIII, *gisa* XIV, *guysa* XIV etc. | Do germânico *wīsa*, através do lat. vulg. **guisa* || **A**guis**ADO** | XIII, *aguysado* XIII etc. || **A**guis**AR** | XIII, *aguysar* XIII etc. || DES·**A**guis**ADO** | XIII, *desguisado* XIII etc. || DES·**A**guis**AR** XX || **guis**ADO *adj. sm.* | XIII, *gisado* XIV, *guysado* XIV etc. || **guis**AMENTO XIII || **guis**AR | XIII, *guysar* XIV etc.

guitarra *sf.* 'instrumento musical de cordas com um braço dividido em meios tons por filetes metálicos' | *gitarra* XIV | Do ár. *kītâra*, deriv. do gr. *kithára* 'cítara' || **guitarr**ISTA 1873.

guizo *sm.* 'globozinho oco de metal que, ao agitar-se, produz som, devido às bolinhas que contém' 1813. De origem obscura.

gula *sf.* 'excesso no comer e no beber' | XIV, *gulla* XIV | Do lat. *gula* || **gul**eima *sm.* XVII || **gul**odice XVI. Parece ser alteração de *gulosice* || **gul**os·EIMA 1881 || **gul**OS·ICE XV || **gul**OS·INA XVII || **gul**OSO | *go-* XIV, *gooso* XIV | Do lat. *gulōsus*.

gume *sm.* 'o lado afiado do instrumento de corte' XVI. Do lat. *acūmen*.

gúmena *sf.* 'calabre de embarcação' 1813. Do cat. *gúmena*.

gumífero → GOMA.

guri *sm.* 'bagre novo e, por extensão, criança' XX. Do tupi *ÿï'ri*. V. GUIRI.

guriatã *sm.* 'pássaro da fam.dos tanagrídeos' | *guigranheengetâ c* 1584, *uranhengatá* 1587 etc. | Do tupi *ÿïrañeeŋa'tã* (< *ÿï'ra* 'ave' + *añeeŋa'tã* 'falar').

gurijuba *sm.* 'peixe siluriforme da fam. dos arídeos' | *gorujúba* 1817 | Do tupi *ÿïri'iuÿa* (< *ÿï'ri* 'bagre' + *'iuÿa* 'amarelo').

guru *sm.* 'sacerdote hindu, preceptor espiritual' '*ext.* guia espiritual' | *garu* 1607, *góru* 1608, *curu* 1616 | Do neoárico *gurū*, deriv. do sânscr. *guru* 'pessoa grave'. Tanto em português como nas demais línguas de cultura do Ocidente, o voc. *guru* adquiriu nova vitalidade nesta segunda metade do século, graças à difusão das doutrinas filosófico-religiosas da Índia. V. IOGA.

gurupés *sm.* 'mastro na extremidade da proa do navio' | *garoupez* XV, *guaroupaz* XVI | De origem controvertida.

gusa *sf.* 'ferro fundido com elevada proporção de carbono' XVII. Do fr. *gueuse*, deriv. do b. al. *göse*, pl. do al. *Gans* 'pedaços informes de ferro fundido'.

gusano *sm.* 'molusco bivalve, de aspecto vermiforme, que se alimenta de matéria em decomposição' XVI. Do cast. *gusano*.

gusla *sf.* 'espécie de rabeca de uma corda que emite sons suaves' | 1899, *gousli* 1842 | Da var. fr. *gousle* (hoje *guzla*), deriv. do it. *gusla* e, este, do servo-croata *güsle*.

gust·ação, -ativo → GOSTO.

guta-percha *sf.* 'substância glutinosa extraída de uma planta da fam. das sapotáceas' | *gutta-percha* 1857 | Do ing. *gutta-percha*, deriv. do mal. *gĕtah pĕrčah*.

gutífero → GOTA.

gutur·al, -oso → GOTO.

H

habanera *sf.* 'música e dança típicas de Cuba' xx. Do cast. *habanera*, fem. de *habanero* 'natural de Havana'.
habena *sf.* 'rédea, chicote' xviii. Do lat. *habēna*.
hábil *adj. 2g.* 'destro, inteligente, fino' 'que tem capacidade legal para certos atos' | *abile* xv, *avilles* pl. xv | Do lat. *hăbĭlis* || **habil**IDADE xvi. Do lat. *hăbĭlĭtās -ātis* || **habil**ID·OSO 1813 || **habil**IT·AÇÃO xvi. De *habilitar* || **habil**IT·ADO 1844. De *habilitar* || **habil**IT·ADOR 1881. De *habilitar* || **habil**IT·ANDO 1844. De *habilitar* || **habil**IT·ANTE 1858. De *habilitar* || **habil**ITAR | *abilitar* xv | Do lat. med. *habilitāre* || IN**abil** | *inhábil* xvi | Do lat. *inhăbĭlis* || IN**abil**IDADE | *inhabilidade* 1813 || IN**abil**IT·AÇÃO | *inhabil-* xiv || IN**abil**IT·ADO 1813 || IN**abil**ITAR xvi || RE**abil**IT·AÇÃO | *rehabil-* 1813 || RE**abil**IT·ADO | *rehabil-* 1813 || RE**abil**ITAR | *rehabil-* 1813.
⇨ **hábil** — **habil**IT·ADO | 1836 sc || **habil**IT·ANDO | 1836 sc || IN**abilid**ADE | *inhabilidade* 1614 sGonç ι.62.28 |.
habitar *vb.* 'ocupar como morada, residir ou viver em' | 1572, *abitar* 1572 | Do lat. *habitāre* || CO**abit**AÇÃO xx. Do lat. *cŏhăbĭtātĭo -ōnis* 'vida em comum' || CO**abit**ANTE xx. Do lat. *cŏhăbĭtans -antis*, part. de *cŏhăbĭtāre* || CO**abit**AR xx. Do lat. *cŏhăbĭtāre* || DES**abit**ADO 1813 || DES**abit**AR xvi || **habit**ABIL·IDADE xx || **habit**AÇÃO | xvi, *abitaçom* xv, *avytação* xv | Do lat. *hăbĭtātĭo -ōnis* || **habit**ACION·AL xx || **habit**ÁCULO xvi. Do lat. *habitacŭlus* || **habit**ADOR xvi. Do lat. *hăbĭtātor -ōris* || **habit**ANTE 1572. Do lat. *habitans -antis*, part. de *habitāre* || **hábitat** *sm.* 'lugar de vida de um organismo' 1881. Do fr. *habitat* e, este, do lat. *habĭtat* 'ele habita', 3.ª p.s. do pres. do ind. de *habitāre*. A substantivação desta forma verbal se prende ao fato de que nos tratados de flora e fauna do séc. xviii, redigidos em latim, o termo ocorria introduzindo o nome do lugar natural de crescimento ou ocorrência de uma espécie || **habit**ÁVEL 1813. Do lat. *habitabĭlis* || **habite-se** *sm. 2n.* 'documento fornecido pelo poder municipal autorizando a ocupação de um edifício' xx. Substantivação da forma do imperativo pron. de *habitar* || IN**abit**ADO| *inhabitado* 1572 || IN**abit**ÁVEL | *inhabitável* 1813.
⇨ **habitar** | 1537 pNun 107.*14*, *abitar* Id.6.*12* ||**habit**ÁVEL | 1537 pNun 29.*6* | IN**abit**ÁVEL | *inhabitauel a* 1542 jCASE 81.*6* |.
hábito *sm.* 'uso, costume, maneira usual de ser' 'traje, vestimenta' | xv, *avito* xiii, *abito* xiii, *abeto* xiv | Do lat. *habĭtus -us* || DES**abitu**ADO 1813 || DES**abitu**AR 1813 || **habitu**ADO xvi || **habitu**AL 1813. Do lat. med. *habituālis* || **habitu**AR xvi. Do lat. med. *habituāre* || **habitude** xvii. Do lat. med. *habitudo -ĭnis* || **habitudin**ÁRIO xx.
hacaneia *sf.* 'cavalgadura bem proporcionada, mansa e de tratamento regular' xvii. Do fr. *haquenée*, deriv. do ing. med. *haquenei*. No port. med. ocorrem as vars. *facanea* e *facanee*, ambas no séc. xv. Cp. FACA².
hachuras *sf. pl.* 'traços equidistantes e paralelos que produzem, em desenhos e gravuras, o efeito do sombreado' xx. Do fr. *hachure*, deriv. de *hache* e, este, do frâncico. *hapja.
hadji *sm.* 'entre os muçulmanos, o que peregrina à Seca e Medina' | *age* xvi | Do persa *hăğği* 'peregrino', deriv. do ár. *hăğğ* 'peregrinação'.
hagio- *elem. comp.*, do gr. *hágios* 'santo, sagrado', que se documenta em vocábulos eruditos, alguns formados no próprio grego, como *hagiógrafo*, e alguns outros introduzidos nas línguas de cultura, particularmente na linguagem da Igreja ▶ **hagio**GRAF·IA | *agiographia* 1858 | Do fr. *hagiographie* || **hagio**GRAFO *adj. sm.* | *agiographo* xiv | Do lat. tard. *hagiogrăphus* e, este, do gr. *hagiógraphos* || **hagio**LÓG·ICO | *agio-* 1858 | Do fr. *hagiologique* || **hagio**LÓG·IO xvii || **hagio**MACO xviii || **hagio**MAQU·IA | *agiomachia* 1858.
hahnemanniano *adj.* 'relativo à homeopatia' 1899. Do antr. *Hahnemann* (1755-1843), médico alemão que criou a homeopatia || **hahnemannian**ISMO 1899.
haicai *sm.* 'tipo de poema japonês de três versos, sendo os ímpares de cinco sílabas e o par de sete' xx. Do japonês *hai-kay* 'poema breve', com provável interferência do ing. *haikai*.
haitiano *adj. sm.* 'relativo ao Haiti, natural ou habitante desse país' 1899. Do top. *Haiti*, voc. que na língua autóctone significa 'montanhoso'.
hali·eto, -êutica, -êutico, -stase, -ta → HAL(O)-.
hálito *sm.* 'ar expirado, cheiro de boca, bafo' xvii. Do lat. *hālĭtus* || **halit**OSE xx.
halo *sm.* 'círculo luminoso em volta do sol ou da lua, auréola' 1899. Do lat. *hălos*, deriv. do gr. *hálōs* 'campo para o plantio de cereal' 'disco de um escudo'.
hal(o)- *elem. comp.*, do gr. *halo-*, de *hals halos* 'sal' 'mar' 'pesca', que se documenta em vocábulos formados no próprio grego, como *halieto*, e em

alguns outros introduzidos, a partir do séc. XIX, na linguagem científica internacional, particularmente no 'domínio da química ▶ **halieto** XVI. Do lat. *haliaĕtus*, deriv. do gr. *haliáetos* 'águia do mar' || **haliêutica** *sf.* 1873. Do lat. *halieutĭca* e, este, adapt. do gr. *halieutiké* (substantivação do fem. do adj. *halieutikós*) 'tratado sobre pesca' || **haliêutico** *adj.* 1844. Do lat. *halieutĭcus*, deriv. do gr. *halieutikós* 'piscatório' || **halístase** XX || **hal**ITA XX || **halóFILO** 1899 || **halo**GÊNEO 1899 || **halo**GRAF·IA | -*graphia* 1858 || **hal**OIDE 1899 || **halo**LOG·IA 1858 || **halo**MANC·IA 1899 || **halo**MANTE XX || **halo**METR·IA XX || **halo**TECN·IA | -*technia* 1858 || **hal**URG·IA 1858.
haltere *sm.* 'aparelho de ginástica' 1899. Do fr. *haltère*, deriv. do lat. *haltēr* e, este, do gr. *haltêres* 'pesos para fazer ginástica' || **haltero**·FIL·ISMO XX || **haltero**·FIL·ISTA XX.
halurgia → HAL(O)-.
hamadríade *sf.* '(Mitol.) ninfa dos bosques' | -*drýadas* 1813 | Do lat. *hamadryas -ădis*, deriv. do gr. *hamadryás -ádos*.
hamamélis *sf. 2n.* 'planta dicotiledônea originária dos EUA' | *hamamélia* 1899 | Do lat. *cient. hamamēlis (virginiana)*, deriv. do gr. *hamamēlís -idos* 'espécie de nespereira' || **hamamélida** XVII || **hamamelid**ÁCEA XX.
hamígero *adj.* '(Bot.) que tem pelos recurvados em forma de anzol' 1899. Do lat. *cient. hamĭgerum* (de *hāmus* 'anzol').
hâmula *sf.* 'pequeno balde para incêndio' XVIII. Do lat. *hamŭla*, dim. de *hama*.
hangar *sm.* 'galpão' | *angar* 1899 |; 'abrigo fechado para aeronaves' XX. Do fr. *hangar* e, este, possivelmente, do frâncico **haimgard* 'cobertura em torno da casa'.
hansa *sf.* 'antiga liga de várias cidades do norte da Europa, na Idade Média, para fins comerciais' XIX. Do fr. *hanse*, deriv. do alto alemão medieval *hanse* 'esquadrão combatente' *ext.* união, associação' || **hanseático** XVIII. Do fr. *hanseatique*, deriv. do al. *hanseatisch*.
hanseniano *adj.* 'leproso' XX. Do antr. G.H.A. Hansen (1841-1912), médico norueguês que isolou o bacilo da lepra.
hapl(o)- *elem. comp.*, do gr. *haplóos* 'simples, natural, não composto', que se documenta em vocábulos já formados no próprio grego, como *haplotomia*, e em alguns outros introduzidos, a partir do, séc. XIX, na linguagem científica internacional, particularmente nos domínios da zoologia e da botânica ▶ **hapló**CERO | *aplo-* 1871 || **haplo**CNEM·IA | *aplo-* 1871 || **haplo**DÁCTILO | *aplodactylo* 1871 || **haplo**DISCO | *aplo-* 1871 || **haplo**DONT·IA | *aplo-* 1871 || **haplo**FI-LO | *aplophyllo* 1871 || **haplo**FLORO | *aplofloro* 1871 || **haplo**GRAF·IA XX || **hapl**OIDE XX || **haplo**LOG·IA XX || **hapl**ÔMERO | *aplo-* 1871 || **haplo**PÉTALO XIX || **haplo**TOM·IA | *aplo-* 1858 | Cp. gr. *haplotomía*.
haraquiri *sm.* 'modo de suicídio japonês, que consiste em cortar o ventre' XIX. Do japonês *hara* 'ventre' + *kiri* 'cortar, rasgar', com provável interferência do fr. *hara-kiri*.
haras *sm.* 'estância de criação de cavalos selecionados' XX. Do fr. *haras*.
harém *sm.* 'parte do palácio do sultão muçulmano onde estão encerradas as odaliscas, serralho' XIX.
Do fr. *harem*, deriv. do ár. *ḥáram* 'sagrado, o que é proibido'. No séc. XVI ocorre a var. *arame*, de imediata procedência árabe.
haríolo *sm.* 'adivinho' 1844. Do lat. *hariŏlus*, o mesmo que *haruspex -ĭcis*, de *haru-* 'intestino' + *specio* 'examinar'. Entre os antigos romanos havia sacerdotes especializados em emitirem um parecer sobre a oportunidade ou não de um empreendimento; para tal, louvavam-se no exame dos intestinos de certas aves captadas em pleno voo || **hariolo**MANC·IA XX || **hariolo**MANTE XX.
⇨ **haríolo** | 1836 SC |.
harmala *sf.* 'espécie de arruda silvestre' | *harmale* 1813 | Provavelmente do fr. *harmale*, deriv. do lat. tard. *harmăla* e, este, do gr. *hármala*, de origem semítica.
harmonia *sf.* 'disposição bem ordenada entre as partes de um todo' 'sucessão agradável de sons' 'concórdia, consonância, ordem, simetria' | *armonia* XV | Do lat. *harmonĭa*, deriv. do gr. *harmonía* 'união, proporção, acordo' || DES**armonia** | *deshar-* 1844 || DES**armônico** | *deshar-* 1873 || DES**armoni**-ZAR | *deshar-* 1844 || **harmôn**ICA *sf.* 1881. Do ing. *harmonica*, instrumento e nome adaptados. por Benjamin Franklin, em 1762, do al. *Harmonika*, deriv. do lat. *harmonĭca*, fem. de *harmonĭcus* || **harmôn**ICO 1813. Do lat. *harmonĭcus* e, este, do gr. *harmonikós* || **harmoni**CORDE 1881 || **harmoniflute** 1881. Do fr. *harmoniflûte* || **harmônio** | *harmonium* 1858 | Do fr. *harmonium*, voc. criado em 1840, por Debain, fabricante de órgãos || **harmonioso** XIX || **harmon**ISTA 1858 || **harmon**IZAR 1813 || **harmon**Ô·METRO 1858.
⇨ **harmonia** — DES**armon**IZAR | 1836 SC || EN**armôn**ICO | *enharmonico* 1576 DNLeO 15.*20* |.
harpa *sf.* 'instrumento de cordas' | *arpa* XIV | Do fr. *harpe*, deriv. do lat. tard. *harpa* e, este, do germ. *harpa* || **harp**EAR 1899 || **harp**ISTA | *arpista* 1813. Cp. ARPEJO.
⇨ **harpa** — **harp**EAR | 1836 SC |.
hárpaga *sf.* 'antiga máquina de guerra, espécie de catapulta' 1899. Do lat. *harpăga*, deriv. do gr. *harpágē*.
harpagão *sm.* 'avaro' XX. Do fr. *harpagon*, do nome do personagem de *l'Avare*, de Molière (1668).
harp·ear, -ejar, -ejo → HARPA.
harpia *sf.* '(Mit.) monstro fabuloso com rosto de mulher e corpo de abutre' | 1572, *arpia* 1572 | Do lat. *harpȳia*, deriv. do gr. *harpȳia*.
harpista → HARPA.
harto *adj.* 'forte, robusto' XVII. Do cast. *harto*, deriv. do lat. *fartus*, part. de *farcire* 'fartar'.
hasta *sf.* 'leilão público' 1873. Do lat. *hasta* 'lança'. O significado de leilão, em português, provém do fato de que na antiga Roma a lança era o símbolo da propriedade pública e, por isso, era espetada defronte do lugar onde se procedia à venda dos bens dos devedores ao tesouro público. Em português moderno o vocábulo só é usado na expressão *hasta pública* || **haste** *sf.* 'pau comprido e reto onde se espeta algo' 'pau de bandeira' 'lança, dardo' | *asta* XIII, *aste* XIV, *astea* 1572 | Do lat. *hasta*; forma divergente de *hasta* || **hast**EAR XVII || **hasti·BRANCO** 1899 || **hasti·FINO** 1899 || **hasti·FOLI·ADO** 1899 || **hasti·FORME** 1899 || **hastil** *sm.* 'cabo de lança' | *as-*

til XIV | Do lat. *hastile*, de *hasta* ‖ hast**ILHA** | XVI, *astilha* XVIII hast**I**·VERDE 1899.
⇨ **hasta** | 1836 SC |.
hauinita *sf.* '(Min.) mineral monométrico, constituído de silicato de sódio e alumínio com sulfato de cálcio' XX. Do ing. *haüynite*, do antr. René Just Haüy (1743-1822), mineralogista francês, + -*ite* (v. -ITA).
haurir *vb.* 'esgotar, aspirar, sorver' XVIII. Do lat. *haurīre* ‖ EX**aurir** | *exhaurir* 1813 | Do lat. *exhaurīre* ‖ EX**aurível** | *exhaurível* 1899 ‖ EX**austão** | *exhaustão* 1881 | Do lat. *exhaustīo -ōnis* ‖ EX**austar** | *exhaustar* 1813 ‖ EX**austivo** | *exhaustivo* 1881 ‖ EX**austo** | *exhausto* 1813 | Do lat. *exhaustus*, part. de *exhaurīre* ‖ EX**austor** XX ‖ **hausto** *sm.* XVII. Do lat. *haustus -us* 'ato de haurir, gole' ‖ IN·EX**austo** | *inexhausto* 1813 | Do lat. *inexhaustus* ‖ IN·EX**aur·ível** | *inexhaurível* 1785.
hausmannita *sf.* '(Min.) metamanganato de manganês' XX. Do ing. *hausmannite*, voc. criado em 1827, de *hausmann* + *ite* (v. -ITA), em homenagem a J.F.L. *Hausmann* (1782-1859).
hausto → HAURIR.
havaiano *adj. sm.* 'relativo ao Havaí, natural ou habitante desse arquipélago' XX. Do top. *Havaí*.
havanês *adj. sm.* 'relativo a Havana, natural ou habitante dessa cidade' 1899. Do top. *Havana* ‖ **havana** *sm.* 'charuto fabricado em Havana XX ‖ **havano**¹ *adj.* 'havanês' XX ‖ **havano**² *sm.* 'havana' 1899. Substantivação de *havano*¹.
haver¹ *vb.* 'ter, possuir, alcançar, considerar, existir' | *aver* XIII etc. | Do lat. *habēre* ‖ **haver**² *sm.* 'bem, riqueza (mais usado no plural)' 'a parte do crédito na escrituração comercial' | *aver* XIII etc. | De *haver*¹.
haxixe *sm.* 'folhas secas de cânhamo índico que se usam para fumar ou para mascar' | *hachich* 1858 | Do fr. *hachisch*, deriv. do ár. *ḥašīš* 'erva'. Cp. ASSASSINO.
hebdômada *sf.* 'semana' 'o espaço de sete dias, semanas ou anos' 1813. Do lat. *hebdŏmas -ădis*, deriv. do gr. *hebdomás -adós* 'número sete' ‖ **hebdomadário** 1813. Do lat. tard. *hebdomadarĭus* ‖ **hebdom**ÁTICO 1813. Do lat. tard. *hebdomatĭcus*, deriv. do gr. *hebdomatikós* 'séptuplo'.
hebefrenia *sf.* '(Med.) conjunto de perturbações intelectuais ocorrentes na puberdade' XX. Do lat. cient. *hebephrenĭa*, termo criado em 1871 por K.L. Kahlbaum e Becker, a partir dos vocábulos gregos *hḗbē* 'juventude' + *phrén -nós* 'mente'.
hebetar *vb.* 'tornar bronco, obtuso, embotado' XVII. Do lat. *hĕbĕtāre* 'embotar' ‖ **hebet**AÇÃO 1873 ‖ **hebet**ISMO 1858.
hebreu *adj. sm.* 'relativo ao judeu ou israelita, o indivíduo desse povo' | *ebreo* XIII, *ebreu* XIII | Do lat. *hebraeus*, deriv. do gr. *hebraíos*, que é adaptação do aramaico '*ebrai* e, este, do hebraico '*ibrī* 'o do lado de lá, rival', de '*ēber* 'a margem oposta do rio' ‖ **hebraico** | *hebrayco* XIV, *ebrayco* XIV, *abrayco* XIV etc. | Do lat. ecles. *hebraicus*, deriv. do gr. *hebraikós* ‖ **hebra**ÍSMO 1813. Provavelmente do fr. *hebraïsme* ‖ **hebra**ÍSTA 1873 ‖ **hebra**IZ·ANTE XVII ‖ **hebra**IZAR 1858.
hecaton-, hect(o)- *elem. comp.*, do gr. *hekatón* 'cem', que se documenta em vocábulos formados no próprio grego, como *hecatombe*, e em vários outros introduzidos na linguagem internacional, a partir do séc. XIX. O elem. comp. *hect(o)-*, que é redução (não etimológica) de *hecaton-*, foi introduzido na linguagem científica internacional pelos franceses, com a criação do sistema métrico decimal ♦ **hecatombe** | *hecatōba* XVI | Do lat. *hecatombe*, deriv. do gr. *hekatómbē* 'sacrifício de cem bois' 'grande sacrifício' ‖ **hecatôm**PEDO 1899. Do gr. *hekatómpedon* 'O Partenon', substantivação do adj. *hekatómpedos* 'que tem cem pés quadrados', por via erudita ‖ **hecatôn**STILO | *-stylo* 1899 ‖ **hect**ARE 1873. Do fr. *hectare* ‖ **hecto**GRÁF·ICO XX ‖ **hect**ÓGRAFO XX. Do ing. *hectograph* ‖ **hecto**GRAMA | *-gramma* 1858 | Do fr. *hectogramme* ‖ **hecto**LITRO 1858. Do fr. *hectolitre* ‖ **hecto**MÉTR·ICO 1873 ‖ **hect**ÔMETRO 1858. Do fr. *hectomètre* ‖ **hecto**STÉREO | *-stere* 1873 | Do fr. *hectostère*.
hechor *sm.* 'asno que serve de garanhão em uma manada de éguas' 1899. Do esp. plat. *hechor*, deriv. do cast. *hechor*, 'o que faz' '*ext.* garanhão', do lat. *factor -oris*.
hectare → HECATON-.
héctico *adj.* 'habitual, contínuo' '(Med.) tísico, tuberculoso' | XVII, *hétego* XVI | Do lat. *hectĭcus*, deriv. do gr. *hektikós* 'habitual' ‖ **héctic**A *sf.* '(Med.) consunção progressiva do organismo' XVII ‖ **hectigui**DADE | XVII, *eteguidade* XVI, *etiguidade* XVI. De *hétego*, com influência de *héctico*.
hect(o)- → HECATON-.
hecto·gráfico, -grafo, -grama, -litro, -métrico, -metro, -stéreo → HECATON-.
hedenbergita *sf.* '(Min.) piroxênio de cálcio e ferro' XX. Adapt. do al. *Hedenbergit*, termo criado pelo químico sueco Berzelius, em 1819, em homenagem a M.A.L. *Hedenberg*, compatriota e colega de Berzelius.
heder·áceo, -iforme, -ígero, -oso → HERA.
hediondo *adj.* 'sórdido, repugnante, depravado' XVII. Do cast. *hediondo*, deriv. do lat. vulg. *foetibundus*, de *foetere* 'feder' ‖ **hediond**EZ(A) XVIII.
hedonismo *sm.* '(Filos.) doutrina ou teoria ética segundo a qual o prazer deve ser considerado como o bem supremo, como o objetivo principal dos atos humanos' XIX. Do lat. cient. *hedonismus*, deriv. do gr. *hēdonḗ* 'prazer' ‖ **hedôn**ICO XIX. Do fr. *hedonique*, deriv. do lat. tard. *hedonīcus* ‖ **hedon**ISTA XX.
hedrocele *sf.* '(Med.) hérnia intestinal através do ânus' XX. Do lat. cient. *hedrocēlē*, deriv. do gr. *hédra* 'assento' + *kḗlē* 'tumor'.
heftemímere *adj. sm.* diz-se de, ou verso de três pés e meio' | *hephtemimero* 1873 | Do lat. *hephtemĭmēres*, deriv. do gr. *hephthēmimerḗs* 'que tem sete meias medidas' 'de três medidas e meia'.
hegelianismo *sm.* 'doutrina filosófica de Hegel 1899. Do fr. *hégélianisme*, de G.W.F. *Hegel*, filósofo alemão (1770-1831) ‖ **hegel**IANO 1899.
hegemonia *sf.* 'liderança ou predominância de um estado, confederação ou cidade' 1873. Do fr. *hégémonie*, deriv. do gr. *hēgemonía* 'guia, condução, direção, preeminência' ‖ **hegemôn**ICO 1899.
hégira *sf.* 'era maometana que se inicia no ano 622, data da fuga de Maomé de Meca para Medina' | *alehegira* XVI | Do ár. *al-hiǧrah* 'fuga', de *haǧara* 'fugir, abandonar'.

heiduque *sm.* '(Hist.) soldado de infantaria húngara' | 1717, *euh-* 1686, *hey-* 1717, *heu-* 1740 | Do fr. *heiduque*, deriv. do al. *Heiduck* e, este, do húng. *hajdúk* (pl. de *hajdú* 'infante'); o voc. húng. procede do turco *ḥaidū* 'salteador'.
helcose *sf.* '(Med.) ulceração' 1873. Do gr. *helkōsis*, por via erudita || **heico**LOG·IA 1873. Do lat. cient. *helcologia*.
heléboro *sm.* 'planta' medicinal da fam. das liliáceas, usada desde a Antiguidade clássica como tratamento para doenças mentais' | *eléboro* XVII, *helleboro* 1858 || Do lat. *hellebŏrus*, deriv. do gr. *helléboros*.
heleno *adj. sm.* 'grego da antiga Hélade' | *helleno* 1858 | Do gr. *hellēn -os*, por via erudita || **helên**INO | *hellenico* 1858 | Do fr. *hellénique*, deriv. do gr. *hellenikós* || **helen**ISMO | *hellen-* 1844 | Do fr. *hellénisme*, deriv. do lat. *hellenismus* e, este, do gr. *hellenismós* || **helen**ISTA *s2g.* | *hellenista* 1844 | Do fr. *helléniste*, deriv. do gr. *hellenistés* || **helen**IZAR | *hellen-* 1899.
⇨ **heleno** | *-lle-* 1836 SC || **helên**ICO | *-lle-* 1836 SC || **helen**ISMO | *-lle-* 1836 SC || **helen**ISTA | *-lle-* 1836 SC |.
helespontíaco *adj.* 'relativo ao Helesponto, atual estreito de Dardanelos' | *hellespontíaco* 1899, *hellespontico* 1899 | Do lat. *hellespontiăcus*, deriv. do gr. *hellēspontiakós*. A forma *helespôntico* é de formação latina, e deriva diretamente do topônimo *Hellespontus*; talvez por isso, seja a forma que os dicionários consideram como a preferencial.
⇨ **helespontíaco** — **helespônt**ICO | 1538 DCast 19*v*20 |.
helí·aco, -anto → HELI(O)-.
heliasta *sm.* 'membro de um tribunal existente na antiga Atenas' | *-stes* 1813 | Do gr. *hēliastḗs*, de *Heliaía* 'praça ateniense onde funcionava o tribunal dos heliastas' e, este, do dór. *haliaía* 'tribunal popular', com influência de *hélios* 'sol'.
hélice *sf.* 'qualquer coisa em forma de espiral, quer num plano, quer girando em torno de um eixo' 'peça propulsora de navios e aeronaves' 1813. Do lat. *helix -icis*, deriv. do gr. *helix -ikós* 'espiral' || **helic**ITE 1873 || **helic**OID·AL 1873. Possível empréstimo do fr. *héli-coïdal* || **helic**OIDE 1858. Do lat. cient. *helicoīdes*, deriv. do gr. *helikoeidḗs* 'em forma de espiral' || **helicô**METRO 1881. Do fr. *hélicomètre* || **helic**ÓPTERO XX. Do fr. *hélicoptère*, que, na sua atual acepção de 'aparelho de navegação aérea', parece ter sido internacionalizado a partir da tradução do al. *Schraubenflieger* || **heli**PORTO XX. Do fr. *héliport*, calcado em *aéroport* || **hélix** 1858.
heli(o)- *elem. camp.*, do gr. *hḗlios* 'sol', que se documenta em inúmeros vocábulos introduzidos na linguagem científica internacional a partir do séc. XIX ♦ **heli**ACO 1813. Do lat. tard. *heliăcus*, deriv. do gr. *hēliakós* 'solar' || **heli**ANTO | *-antho* 1873 | Do lat. cient. *helianthus* || **hélio** *sm.* 'elemento químico de número atômico 2, gás nobre' 1881. Do lat. cient. *helium*, por ter sido detectada sua existência na cromosfera solar || **helio**CÊNTR·ICO 1858 || **helio**CRISO | *-chryso* 1899 || **helio**CROM·IA | *-chromia* 1873 || **helió**FUGO | *-phugo* 1873 || **helio**GRAF·IA | *-phia* 1873 | Do fr. *héliographie* || **helio**GRAV·URA 1881. Do fr. *héliogravure* || **helió**LATRA XX || **he-

lio**METRO 1881. Do fr. *héliomètre*, instrumento e nome inventados por Bourguer (1747) || **helion**OSE XX || **helio**SCÓP·IO | *-scopo* 1858 | Do fr. *hélioscope* || **heli**OSE 1873 || **helio**STÁT·ICA 1873 || **helió**STATO 1858 || **helio**TERAP·IA XIX || **helio**TERMÔ·METRO | *-hermo-* 1881 || **helio**TROP·IA 1813 || **helio**TROP·INA XX || **helio**TRÓP·IO[1] *sm.* 'pedra preciosa' | *-pia* 1844 || **helio**TRÓPIO[2] *sm.* 'planta' XVII || **helio**TROP·ISMO 1873.
⇨ **heli(o)-** — **heli**ÁCO | *a* 1542 JCASE 82.*14* || **heli**ANTO | 1836 SC || **helio**CÊNTRI·CO | 1836 SC || **heliô**METRO | 1836 SC || **helio**SCÓP·IO | *-scopo* 1836 SC || **helio**TRÓP·IO | *-pia* 1836 | SC |.
heliporto, hélix → HÉLICE.
helmint(o)- *elem. comp.*, do gr. *helminth-*, de *helmins -inthos* 'verme intestinal', que se documenta em alguns vocs. introduzidos na linguagem científica internacional, particularmente no domínio da medicina, a partir do séc. XIX ♦ **helmint**ÍASE | *-thiase* 1873 || **helminto** | *-thes* 1858 || **helmint**OIDE | *-thoide* 1873 || **helmint**ÓLITE | *-litho* 1873 || **helminto**LOG·IA | *-tho-* 1858.
⇨ **helmint(o)-** — **helminto** | *-thes* 1836 SC |.
helocero *adj. sm.* '(Zool.) diz-se de, ou insetos que têm antenas em forma de prego' | *heloceros* pl. 1858 | Do lat. cient. *helocerus*, formado do gr. *hêlos* 'prego' + *kéras* 'chifre'.
helvécio *adj. sm.* 'relativo à Helvécia ou Suíça' 'indivíduo dos helvécios, antigo grupo étnico que habitava a Gália' 'o natural ou habitante da Suíça' 1873. Do lat. *helvētius*.
⇨ **helvécio** | *-cia* 1836 SC |.
-hemat(o)- *elem. comp.*, do gr. *haimato-*, de *haima -atos* 'sangue', que se documenta em vocs. formados no próprio grego, como *hematose*, por exemplo, e em vários outros introduzidos na linguagem científica internacional, a partir do séc. XIX ♦ **hematê**MESE 1899 || **hemat**IA 1873. Do fr. *hématie*; a forma *hemácia*, mais moderna, é a que predomina na linguagem médica contemporânea || **hemat**IDR·OSE 1873 || **hemat**ÍMETRO XX || **hemat**INA 1858 || **hemat**ITA | *-ites* XVIII || **hemato**CÉFALO | *-ph-* 1873 || **hemato**CELE 1858 || **hemató**CRITO XX || **hematode** | *-odo* 1873 | Cp. gr. *haimatódes* || **hemató**FAGO | *-ph-* 1873 || **hemato**FILO | *-phylo* 1873 || **hemató**FILO XX || **hemat**OIDE | *-ph-* 1873 || **hemato**OIDE 1873. Cp. gr. *haimatoeidḗs* || **hemato**LOG·IA 1858 || **hematoLÓG·**ICO 1873 || **hemato**LOG·ISTA XX || **hemató**LOGO XX || **hemato**MA | *-me* 1873 || **hemat**ÔNFALO | *-omphale* 1858 || **hemato**POESE | *hemopoese* 1873 || **hemato**POÉT·ICO | *hemopoetico* 1873 || **hemat**OSE 1858. Cp. gr. *haimátōsis* || **hemato**ZO·ÁRIO 1873 || **hemat**ÚRIA 1844 || **hemat**ÚR·ICO XX. Cp. -HEM(O)-.
⇨ **-hemat(o)-** — **hematê**MESE | *-sis* 1836 SC || **hemat**OSE | 1836 SC || **hemat**ÚRIA | 1836 SC |.
hemer(o)- *elem. comp.*, do gr. *hêmer-*, de *hêmera* 'dia', que se documenta em alguns vocs. introduzidos na linguagem científica internacional, a partir do séc. XIX ♦ **hemer**ALOPIA 1881. Cp. gr. **hēmeralōpía*, de *hemerálōps* || **hemero**LOG·IA | 1873, *hemera-* 1858 || **hemero**PAT·IA | *-thia* 1873 || **hemero**TECA XX.
⇨ **hemer(o)** — **hemer**ALOPIA | 1836 SC || **hemero**LOG·IA | *-gio* 1836 SC |.

hemi- *elem. comp.*, do gr. *hémi-* 'meia (parte), metade', que se documenta em vocs. formados no próprio grego, como *hemisfério*, por exemplo, e em muitíssimos outros introduzidos, desde o séc. XVI, na linguagem científica internacional. Tal como o lat. *sēmi-* [v. SEM(I)-], o elem. *hemi-* foi e continua sendo de grande vitalidade na formação de compostos eruditos em português e nas demais línguas de cultura. Registram-se, a seguir, apenas alguns dos principais compostos ◗ **hemi**ALG·IA 1881 || **hemi**CARPO 1873 || **hemi**CÍCL·ICO | -*cy*- 1873 || **hemi**CICLO | -*cy*- 1813 || **hemi**CILINDRO | -*cy*- 1873 || **hemi**CRAN·IA | -*cranea* 1813 || **hemi**EDR·IA 1873 || **hemi**PLEG·IA 1844 || **hemi**PLÉG·ICO 1858 || **hemí**PTERO 1858 || **hemi**SFÉR·IO | -*perio* XVI, *emispherio* XVI etc. | Do lat. *hēmisphaerium*, deriv. do gr. *hēmisphaírion* || **hemistíquio** | -*chio* 1813 | Do lat. tard. *hēmistichium*, deriv. do gr. *hēmistíchion* || **hemi**TROP·IA 1873.

-hem(o)- *elem. comp.*, do gr. *haimo-*, forma reduzida de *haimato-* [v. -HEMAT(O)-], de *haima -atos* 'sangue', que se documenta em vocs. formados no próprio grego, como *hemorragia*, por exemplo, e em vários outros introduzidos na linguagem científica internacional, a partir do séc. XIX ◗ **hemalopia** 1858. Cp. gr. *haimalops* || **hem**ANGI·OMA XX || **hem**ARTR·OSE XX || **hemo**CIAN·INA XX || **hemo**CITÓ·METRO XX || **hemo**CULTURA XX || **hemo**DINÂMICA XX || **hemo**DINAMÔ·METRO | -*dyn*- 1858 || **hemo**DROMÔ·METRO XX || **hemo**FIL·IA | -*ph*- 1873 || **hem**OFTALM·IA | -*phth*- 1881 || **hemo**GLOB·INA 1881 || **hemo**GLOB·IN·ÚRIA 1881 || **hemo**GRAMA XX || **hemó**LISE XX || **hem**ÔMETRO 1858 || **hemo**PAT·IA | -*pathia* 1899 || **hem**ÓPT·ICO 1813 || **hemo**PTISE | -*yse* 1813 || **hem**OR·RAG·IA | -*rrha*- 1813 | Do lat. *haemorrhagia*, deriv. do gr. *haimorrhagía* || **hemorroidas** | -*rrhoidas* 1813 | Do lat. *haemorrhoida*, deriv. do gr. *haimorrhoïda, haimorrhoïdes* || **hemorroíssa** | *emoroysa* XV, *emorroysa* XV | Do lat. ecles. *haemorrhoissa* || **hemo**SPAS·IA 1873 || **hemo**SPÁST·ICO 1873 || **hemos**·SEDIMENT·AÇÃO XX || **hemó**STASE 1881 || **hemo**STÁT·ICO 1858 || **hemo**TEX·IA 1899 || **hemo**TÓRAX | -*th*- 1873. Cp. -HEMAT(O)-.

hendeca- *elem. comp.*, do gr. *héndeka* 'onze', que se documenta em vocs. formados no próprio grego, como *hendecassílabo*, por exemplo, e em alguns outros introduzidos na linguagem científica internacional, a partir do séc. XIX ◗ **hendeca**FILO | -*phyllo* 1873 || **hendecá**GINO | -*gyno* 1873 || **hendecá**GONO 1844 || **hendeca**SSÍLABO | -*syllabo* 1813 | Do lat. *hendecasyllabus*, deriv. do gr. *hendekasýllabos*.

hendíadis *sf. 2n.* '(Ret.) expressão redundante de um conceito por meio de dois substantivos coordenados' XX. Do lat. tard. *hendiădys* e, este, lexicalização da frase gr. *hén diá dyoîn* 'uma coisa por meio de duas'.

henequém *sm.* 'planta da fam. das amarilidáceas' | *enequê* 1557 | Do cast. *henequén*, deriv. de uma língua das Antilhas.

henry *sm.* '(Fis.) unidade de indutância no sistema MKS'. Do ing. *henry*, do nome do físico norte-americano J. Henry (1797-1878).

heortônimo *sm.* 'nome atribuído a qualquer festividade popular' XX. Neologismo forjado a partir do gr. *heorté* 'festa' e -ÔNIMO.

hepat(o)- *elem. comp.*, do gr. *hēpato-*, de *hēpar -atos* 'fígado', que se documenta em vocs. formados no próprio grego, como *hepatite*, por exemplo, e em alguns outros introduzidos, a partir do séc. XIX, na linguagem científica internacional. ◗ **hepat**ALG·IA 1858 || **hepát**ICO | *epatico* XV | Do lat. *hēpaticus*, deriv. do gr. *hēpatikós* || **hepat**ITE | 1844, -*tis* 1844 | Do lat. *hēpatītis*, deriv. do gr. *hēpatîtis* || **hepato**CELE 1873 || **hepato**GRAFIA | -*phia* 1858 || **hepató**LISE XX || **hepato**LOG·IA 1858 || **hepato**LÓG·ICO XX || **hepato**PAT·IA XX || **hepato**RREIA | -*rrhea* 1873 || **hepato**TOM·IA 1858.
⇨ **hepat(o)** — **hepat**ITE | -*tis* 1836 SC |.

hept(a)- *elem. comp.*, do gr. *heptá* 'sete', que se documenta em vocs. formados no próprio grego, como *heptacordo*, por exemplo, e em vários outros introduzidos, a partir do séc. XIX, na linguagem científica internacional ◗ **hepta**CORDO 1858. Do fr. *héptacorde*, deriv. do gr. *heptáchordos* || **hepta**DÁCTILO | -*tylo* 1873 || **hepta**EDRO 1858 || **hepta**FILO | -*phyllo* 1858 || **hepta**FONO | -*phono* 1858 || **heptá**GENO | -*gyno* 1873 || **heptá**GONO 1813. Do fr. *heptagone*, deriv. do gr. *heptágōnon* || **heptâ**METRO 1858 || **hept**ANA XX || **hept**ANDRO 1873 || **hept**ANEMO | -*me* 1873 || **hept**ANTER·ADO | -*anthe*- 1899 || **hept**ARCA | -*cho* 1873 || **hepta**SSÍLABO | -*syllabo* 1873 || **heptateuco** 1844. Do lat. *heptateuchus*, deriv. do gr. *heptáteuchos* || **hept**ILO XX.

hera *sf.* 'designação de várias plantas trepadeiras, da fam. das araliáceas' | XIV, *edra* XIII, *hedra* XIV, *era* XIV | Do lat. *hedĕra* || **heder**ÁCEO 1873. Do lat. *hederācĕus* || **hederí**·FORME 1873 || **hederí**·GERO 1858. Do lat. *hederĭger -gēri* || **heder**OSO 1858. Do lat. *hederōsus*.

heráclias *sf. pl.* 'na antiga Grécia, festas em homenagem a Hércules' XVI. Adapt. do gr. *herákleia* -*ōn*.

heráldico *adj.* 'referente a brasões' 1873. Do fr. *héraldique*, deriv. do lat. med. *heraldĭcus*, de *heraldus* || **heráldica** *sf.* 1881. Adapt. do fr. *héraldique*, substantivação do adjetivo || **herald**ISTA XX. Do fr. *héraldiste* || **heraldo** | 1858, *herau* XVI Do ant. fr. *héralt* (hoje *héraut*), deriv. do lat. med. *heraldus* e, este, do frâncico **heriwald* 'que dirige (*wald*) o exército (*heri*)'.

herança *sf.* 'patrimônio deixado por alguém ao morrer' 'aquilo que se transmite geneticamente' | *erança* XIII | Do lat. hisp. *herēntia*, substantivação do lat. *haerentia*, neutro pl. de *haerens -entis*, part. pres. de *haerēre* 'estar' ligado, pregado, fixo'. A substituição de -*ença* por -*ança* parece dever-se à influência de *herdar*, do qual, no português, *herança* passa a ser correspondente nominal, assim como, por exemplo, *matança* o é de *matar*. Cumpre notar que no port. med. ocorria, também, *herença* (séc. XIII) || DEs**erd**ADO | XIII, *desher-* XIV | DEs**erdar** | *desher-* XIV || Exer**d**AÇÃO XX. Do lat. *exherdatĭō -ōnis* || EXer**d**AR | XIV, *enxerdar* XIII, *eixerdar* XIII etc. | Do lat. *exhērēdāre* || **herdade** | XIII, *er-* XIII | Do lat. *herēdĭtas -atis* || **herd**ADOR | *er-* XIII || **herd**AMENTO XIII || **herdar** | XIII, *erdar* XIII | Do lat. *herēdĭtāre* || **herd**EIRO | *er-* XIII, *herdeyro* XIII etc. | Do lat. *hērēdĭtārĭus* || **hereditari**EDADE 1881. De *hereditário* || **hereditário** XVI. Do lat. *hērēdĭtārĭus*.

herb·áceo, -anário, -ário, -ático, -ífero, -iforme, -ívoro, -olário, -óreo, -orizar, -oso → ERVA.
hercotectônica sf. 'arte de fortificar praças' | *-tectónica* 1899 | Do gr. *hérkos* 'muralha' + *tektoniké* 'arte de construir', por via erudita.
⇨ **hercotetônica** | 1836 SC |.
hércules sm. 2n. '(Mit.) homem de força extraordinária, valente, robusto' | *Hércules* mitônimo 1572 | Por antonomásia, do lat. *Hercŭlēs*, deriv. do gr. *Heraklês* 'semideus mitológico dotado de uma força física extraordinária' || **herculano** 1572. Do lat. *herculānus* || **hercúleo** 1572. Do lat. *herculēus*. Cp. HERÁCLIAS.
herd·ade, -ador, -amento, -ar, -eiro, hereditari·edade, -o → HERANÇA.
herege adj. s2g. 'diz-se de, ou que professa doutrina contrária aos dogmas da Igreja' | XIII, *erege* XIII | Do prov. *heretge*, deriv. do lat. *haeretĭcus* e, este, do gr. *hairetikós* || **heresia** | XIV, *eregia* XIII, *eresya* XIII, *erigia* XIII etc. | Do lat. *haeresis*, deriv. do gr. *háiresis* || **heresi**ARCA XVII. Do lat. tard. *haeresiarcha*, deriv. do gr. *hairesiárches* || **heresio**·GRAFIA | *-graphia* 1873 || **heretic**AL XVIII || **herético** | XVII, *eretjco c* 1596 | Do lat. *haeretĭcus*, deriv. do gr. *hairetikós*.
heril adj. 2g. 'próprio do senhor em relação ao escravo' 1844. Do lat. *herīlis*.
⇨ **heril** | 1836 SC |.
herma sf. 'busto esculpido de forma tal que o peito, as costas e os ombros são cortados em planos verticais' XVII. Do lat. *Herma -ae*, latinização de *Hermes*, do mit. gr. *Hermēs*, filho de Zeus e Maia, que era o mensageiro dos deuses e o protetor dos viajantes || **hermafrodito** XVI. Do lat. *Hermaphrodītus*, deriv. do gr. *Hermaphródītos* 'filho de Hermes (Mercúrio) e de Afrodite (Vênus), que possuía as características de homem e mulher, simultaneamente' || **hermético** 1813. Do lat. med. *hermetĭcus*, deriv. do gr. *hermetikós* || **hermet**ISMO XX. Provavelmente do fr. *hermetisme*.
hermeneuta s2g. 'exegeta, intérprete' 1899. Adapt. do gr. *hermēneutḗs*, de *hermēneúein* 'interpretar' || **hermenêutica** sf. 1844. Do lat. tard. *hermeneutĭca*, deriv. do gr. *hermēneutikḗ* || **hermenêutico** adj. 1873. Do lat. tard. *hermeneutĭcus*, deriv. do gr. *hermēneutikós*.
⇨ **hermeneuta** — **hermenêutica** | 1836 SC |.
hermét·ico, -ismo → HERMA.
hérnia sf. '(Med.) tumor mole formado pela saída total ou parcial de uma víscera através de uma abertura da membrana que a cobre' | *hernea* 1782 | Do lat. *hernĭa* || **herni**AL 1858 || **herni**ÁRIO 1813 || **herni**OLA 1873 || **herni**OSO | *-ozo* 1782 || **hernio**·TOM·IA 1873.
herói sm. 'homem extraordinário por seus atos guerreiros' 'protagonista de uma obra literária' | *eroe* XV, *heroa* f. XVI | Do lat. *hērōs -ōis*, deriv. do gr. *hērōs -oos* || **heroic**IDADE XVIII || **heroi**CO | *eroyco* XV | Do lat. *hērōĭcus*, deriv. do gr. *hēroikós* || **heroide** | 1873, *-des* 1844 | Do gr. *herois -ĭdis* || **heroi**FICAR 1881 || **heroína**[1] sf. 'feminino de herói' XVII. Do lat. *hērōīnē -ēs*, deriv. do gr. *hērōínē* || **heroína**[2] sf. 'acetilmorfina, narcótico de ação semelhante à da morfina' XX. De *heroína*[1], por causa da grande eficácia da droga. O voc. foi introduzido na linguagem científica internacional, nos últimos anos do séc. XIX, pelos químicos alemães; do al. *Heroin*, passou às demais línguas de cultura || **hero**ÍSMO 1844.
⇨ **herói** — **heroide** | *-des* 1836 SC || **hero**ÍSMO | 1836 SC |.
herpes sm. pl. '(Med.) erupção aguda de vesículas agrupadas em número variado e de localização cutânea ou mucosa' | *erpes* XVI | Do fr. *herpès*, deriv. do lat. *herpes -ētis* e, este, do gr. *herpēs* || **herpét**ICO 1858 || **herpet**O·GRAF·IA | *-graphia* 1873 || **herpet**O·LOG·IA 1858.
⇨ **herpes** — **herpét**ICO | 1836 SC |.
hertz sm. '(Fís.) unidade de frequência igual a um ciclo por segundo' XX. O termo, que entrou em todas as línguas de cultura, é uma homenagem ao físico alemão H.R. *Hertz* (1857-1894) || **hertz**IANO XX.
hesitar vb. 'titubear, vacilar, mostrar-se indeciso' 1844. Do lal. *haesitāre* || **hesit**AÇÃO 1844. Do lat. *haesitatĭō -ōnis* || **hesit**ANTE 1873.
⇨ **hesitar** | 1836 SC || **hesit**AÇÃO | 1836 SC |.
hespério adj. 'do ocidente, ocidental' | *Hesperio* astrônimo 1572 | Do lat. *hesperĭus*, deriv. do gr. *hespérios* 'relativo ao poente, à tarde' || **hespér**ICO | *es-* 1572.
hessiano sm. '(Mat.) determinante funcional que envolve as derivadas de uma função' XX. Do ing. *hessian*, do antr. Otto *Hesse* (1811-1874), matemático alemão da universidade de Königsberg, na Prússia.
hesterno adj. 'de ontem, da véspera' XVIII. Do lat. *hesternus*.
hetaira sf. 'cortesã, amásia' XIX. Do fr. *hétaïre*, deriv. do gr. *hetaíra*.
heter(o)- elem. comp., do gr. *heteros* 'outro, diferente', que se documenta em vocs. formados no próprio grego, como *heterodoxo*, por exemplo, e em vários outros introduzidos, a partir do séc. XIX, na linguagem científica internacional ▶ **hete**RANDRA | *chto* 1873 || **hetero**BRÂNQUIO | *-chio* 1873 || **hetero**CARPO 1873 || **heter**ÓCERO 1873 || **hetero**CISTO XX || **heter**ÓCLITO 1813. Cp. gr. *heteróklitos* || **hetero**DÁCTILO | *-tylos* 1873 || **hetero**DINÂM·ICO XX || **heter**ÓDINO XX || **hetero**DOX·IA 1844 || **hetero**DOXO 1813. Cp. gr. *heteródoxos* || **hetero**FILO | *-phyllo* 1858 || **hetero**GAMO 1873 || **hetero**GENE·IDADE 1844 || **hetero**GÊNEO 1813. Do fr. *hétérogène*, deriv. do gr. *heterogenḗs* || **hetero**GENES·IA 1873 || **hetero**GINO | *-gyno* 1873 || **hetero**GONO 1858 || **heter**ÓGRADO XX || **hetero**LOG·IA 1881 || **heter**ÓLOGO 1873 || **heter**ÔMERO 1858. Cp. gr. *heteromerḗs* || **hetero**MORFO | *-pho* 1873 || **heter**ÔNIMO | *-nymo* 1873 || **hetero**NOM·IA 1873 || **heter**ÔNOMO 1873 || **hetero**PAT·IA | *-thia* 1873 || **hetero**PÉTALO | *-la* 1873 || **hetero**PLAS·IA 1873 || **hetero**PLASMA 1873 || **heter**ÓPTERO 1881 || **heter**ÓSCIO 1873. Do lat. *heteroscius*, deriv. do gr. *heteróskios* || **hetero**TAX·IA 1873.
⇨ **heter(o)-** — **hetero**GENE·IDADE | 1836 SC || **heter**óscio | 1836 SC |.
hétmã sm. '(Hist.) título antigamente conferido aos chefes dos cossacos da Polônia e da Ucrânia' | *hetman* 1781, *itman* 1781 | Do fr. *hetman*, deriv. do pol. *hetman* e, este, do m. al. *häuptmann*. A var. port. *atman*, de 1738, deve provir do rus. *atamán*,

que, por sua vez, remonta ao turc.-tárt. *odaman* 'chefe dos cossacos'.
heulandita *sf.* '(Min.) mineral monoclínico do grupo das zeólitas, constituído de silicato hidratado de alumínio, cálcio e sódio' XX. Do inglês *heulandite*, termo criado em 1822, em homenagem ao mineralogista inglês H. *Heuland*.
heureca *interj*. 'achei! encontrei!' | *heureka* 1899 | Do gr. *heúreka*, perf. do indic. de *heurískein* 'achar, encontrar', por via erudita. Tradicionalmente a expressão é atribuída a Arquimedes, quando descobriu a lei do peso específico dos corpos || **heurema** XIX. Do gr. *heurema* 'invenção, descoberta', por via erudita || **heurético** 1813. Do gr. *heuretikós* 'inventivo', por via erudita || **heurística** *sf.* 1899. Vocábulo irregularmente formado a partir do gr. *heurískein*. Parece que em sua formação houve o cruzamento de *heurískein* e *heuretikós* || **heurístico** *adj.* 1899.
hévea *sf.* '(Bot.) gênero de plantas da fam. das euforbiáceas, a que pertence a seringueira' 1873. Do lat. cient. *Hevea* (*brasiliensis*) e, este, provavelmente, do omágua *hebe* ou *heve*. O termo foi recolhido pelo naturalista francês Charles de La Condamine, que o afrancesou, em 1751, sob a forma *hhévée* || **heveína** 1873.
hexa- *elem. comp.* do gr. *hex* 'seis', que se documenta em compostos formados no próprio grego, como *hexágono*, por exemplo, e em vários outros introduzidos na linguagem científica internacional, a partir do séc. XIX ♦ **hex**ACANTO | *-tho* 1873 || **hex**ACICLO | *-cy-* 1873 || **hex**ACORÁLIA | *-llia* 1899 || **hex**ACÓRD·IO | *-cordo* 1844, *-chordo* 1844 | Cp. gr. *hexáchordos* || **hex**ADÁCTILO | *-tylo* 1873 || **hex**AEDRO 1844 | Cp. gr. *hexaedros* || **hex**AFILO | *-phyllo* 1858 || **hex**AGINO | *-gyno* 1858 || **hex**AGON·AL 1858 || **hex**ÁGONO 1844 | Cp. gr. *hexágōnon* || **hex**AGRAMA | *-mma* 1873 || **hex**ÂMERO | *-rão* XVI || **hex**ÂMETRO 1844. Cp. gr. *hexámetros* || **hex**ANA XX || **hex**ANDRO 1858 || **hex**AOCTA·EDRO 1899 || **hex**APÉTALO 1858 || **hex**ÁPODE | *-do* 1858 || **hex**ASPERMO 1873 || **hex**AS·SÉPALO | *hexasepalo* 1873 || **hex**AS·SÍLABO | *-syllabo* 1873 || **hex**ÁSTICO 1873. Cp. gr. *hexastichon* || **hex**ÁSTILO | *-tylo* 1858 | Cp. gr. *hexastýlos*.
⇨ **hexa-** — **hex**ACÓRD·IO | *-cordo* 1836 SC || **hex**ÁGONO | 1836 SC || **hex**ÂMETRO | 1836 SC |.
hiacintino → JACINTO.
hial(o)- *elem. comp.*, do gr. *hyalos* 'pedra transparente' 'vidro', que se documenta em compostos formados no próprio grego, como *hialóide*, por exemplo, e em alguns outros introduzidos na linguagem científica internacional, a partir do séc. XIX ♦ **hial**INO | *hy-* 1858 | Do lat. *hyalinus*, deriv. do gr. *hyálinos* || **hial**ITA | *hy-* 1899 | O voc. foi introduzido na linguagem da mineralogia pelo alemão Werner em 1794 || **hial**ÓGRAFO | *hyalographo* 1858 || **hial**OIDE | *hy-* 1873, *hyaloideo* 1858 | Do lat. *hyaloīdes*, deriv. do gr. *hyaloeidēs* || **hialo**PLASMA | *hy-* 1899 || **hialo**TECN·IA | *hyalotechnia* 1899 || **hialo**TIP·IA XX || **hial**URG·IA | *hy-* 1881.
⇨ **hial(o)-** — **hial**INO | *hy-* 1836 SC |.
hiato *sm*. 'abertura da boca, palavra pronunciada' XVI; '(Gram.) encontro de duas vogais ou de um ditongo decrescente com uma vogal, tanto no interior do vocábulo, quanto no fim de um e no início de outro' '(Anat.) fenda, intervalo' 'lacuna' 1813. Do lat. *hiātus*, de *hiāre* 'estar aberto, abrir a boca' || **hiante** XVIII. Do lat. *hians -antis*. part. pres. de *hiāre*.
hibern·ação, -áculo, -al, -ante, -ar → INVERNO.
hibérnico *adj. sm.* 'relativo à Hibérnia, hoje Irlanda, e à língua céltica aí falada' 1899. Do ant. top. *Hibérnia*, deriv. do lat. *Hibernĭa*, alteração de *Juberna*, que se relaciona com o gr. *Iérnē* (< *Iwérnē*) e com o antigo celta *Iveriu*; deste procede o irlandês *Eirinn*. acus. de *Eriu*, donde o antigo inglês *Iraland* e, deste, o inglês contemporâneo *Ireland* || **berne**², **bérneo** *sm*. 'certo tipo de pano vermelho usado nos reposteiros' | XV, *bernio* XVI | Do lat. *hibernius*, de *Hibernĭa*.
hiberno → INVERNO.
híbrido *adj.* 'resultante do cruzamento de espécies diferentes, que se afasta das leis naturais' '(Gram.) diz-se de vocábulos compostos com elementos de diferentes línguas' | *hybrido* 1844 | Provavelmente do fr. *hybride*, deriv. do lat. *hybrida* e, este, relacionado com o gr. *hýbris -idos* || **hibrid**EZ | *hibridez* 1873 || **hibrid**ISMO 1873.
⇨ **híbrido** | *hybrido* 1836 SC |.
hidátide *sf.* 'forma' larvar enquistada dos cestoides do gênero *Echinococcus*' | *hy-* 1844 | Do fr. *hydatide*, deriv. do gr. *hydatís -idos* || **hidát**ICO | *hy-* 1873 | Do fr. *hydatique*, deriv. do gr. *hydatikós* || **hidatido**CELE | *hy-* 1899 || **hidati**FORME | *hy-* 1899 || **hidatí**GERO | *hy-* 1899 || **hidat**ISMO | *hy-* 1899 | Do fr. *hydatisme*, deriv. do gr. *hydatismós* || **hidato**IDE | *hy-* 1899 | Do fr. *hydatoïde*, deriv. do gr. *hydatoeidēs* || **hidato**LOG·IA | *hy-* 1899 || **hidato**MORF·ISMO XX.
⇨ **hidátide** | *hy-* 1836 SC |.
hidra *sf.* '(Mil.) serpente fabulosa, morta por Hércules' | *idra* XVI, *ydra* XVI | Do lat. *hydra*, deriv. do gr. *hýdra*.
hidr(o)- *elem. comp.*, do gr. *hydro-*, de *hýdōr -atos* 'água', que se documenta em vocs. formados no próprio grego, como *hidrofobia*, e em vários outros introduzidos na linguagem científica internacional, a partir do séc. XIX ♦ DESIDRAT·AÇÃO | *deshy-* 1899 | DESIDRAT·AR | *deshy-* 1899 || **hidrá**CIDO | *hy-* 1858 || **hidr**AGOGO | *hy-* 1858 | Do lat. *hydragōgus*, deriv. do gr. *hydragōgós* || **hidrante** XX. Do anglo-americano *hydrant* || **hidrargilita** XX. Do ing. *hydrargillite*, voc. proposto em 1805 pelo químico inglês H. Davy (1778-1829) || **hidrargírio** *sm*. 'nome antigo do mercúrio' | *hydrargiro* 1813 | Do lat. *hydrargyrus*, deriv. do gr. *hydrárgyros* || **hidr**ARTROSE XX || **hidr**AT·ADO | *hy-* 1858 || **hidr**AT·AR | *hy-* 1899 || **hidr**ATO | *hy-* 1858 || **hidráulica** *sf.* | *hy-* 1813 | Substantivação do adj. *hidráulico* || **hidráulico** *adj.* | *hy-* 1813 | Do lat. *hydraulicus*, deriv. do gr. *hydraulikós* || **hidr**AVIÃO XX || **hidr**ELÉTRICO, **hidr**ELÉCTRICO XX || **hidr**ETO XX || **hídria** *sf.* 'vaso para água' XVII. Do lat. *hydria*, deriv. do gr. *hydría* || **hidr**IATR·IA XX || **hídr**ICO XX || **hidro** *sm*. 'macho da hidra' | *hy-* 1813 || **hidro**CARBON·ATO | *hy-* 1899 || **hidro**CARBON·ETO XX || **hidro**CEFAL·IA | *hydrocephalia* 1881 || **hidro**CÉFALO | *hydrocéphalo* 1813 | Cp. gr. *hydroképhalon* || **hidro**CELE | *hy-* 1813 | Do lat. *hydrocēlē*, deriv. do gr. *hydrokēlē* || **hidro**CÉL·ICO | *hy-* 1899 || **hidro**CIÂN·ICO | *hydrocya-*

nico 1858 || **hidro**DINÂM·ICA | *hydrodynàmica* 1813 || **hidro**DINÂM·ICO | *hydrò-dynâmico* 1899 || **hidro**-ELÉTRICO | *hydrò-eléctrico* 1899 | Cp. *hidrelétrico* || **hidro**EM·IA XX || **hidró**FANO | *hydrophano* 1873, *-fana* 1899 || **hidró**FILO | *hydrophilo* 1858 || **hidró**-FITO XX || **hidro**FITO·GRAF·IA | *hydrophitographia* 1899 || **hidro**FITO·LOG·IA | *hydrophitologia* 1899 || **hidro**FOB·IA | *hydrophobia* 1813 | Do lat. *hydrophobia*, deriv. do gr. *hydrophobía* || **hidro**FÓB·ICO | *hydròphóbico* 1899 || **hidró**FOBO | *hydrophobo* 1813 || **hidró**FORO | *hydróphoro* 1899 | Cp. gr. *hydrophóros* || **hidro**GÊNIO | *hydrógeno* 1813, *hydrogeneo* 1858, *-nio* 1844 | Do fr. *hydrogène* || **hidro**GEO·LOG·IA | *hy-* 1858 || **hidro**GRAF·IA XVII || **hidro**GRÁF·ICO XVII || **hidr**OIDE | *hydroides* 1899 || **hidró**LATRA | *hy-* 1899 || **hidró**LISE XX || **hidro**LOG·IA | *hy-* 1844 || **hidro**MANC·IA XVI. Do lat. *hydromantía*, deriv. do gr. **hydromanteía* || **hidro**MAN·IA | *hy-* 1844 || **hidro**MÂNT·ICO | *hy-* 1813 || **hidro**MECÂN·ICO | *hydromechanico* 1873 || **hidro**MEDUSA | *hydròmedusa* 1899 || **hidro**MEL XVII. Do lat. *hydromel*, deriv. do gr. *hydrómeli* || **hidro**METR·IA | *hy-* 1813 || **hidrô**METRO | *hy-* 1813 || **hidro**MINERAL | *hy-* 1899 || **hidro**MOTOR XX || **hidro**NEFR·OSE XX || **hidrô**NFALO | *hydromphalo* 1844 || **hidro**PAT·IA | *hydropathia* 1858 || **hidro**PERICÁRDIO | *hy-* 1858 || **hidró**pico | *ydropico* XIII | Do lat. *hydrōpicus*, deriv. do gr. *hydrōpikós* || **hidro**PISIA | *idropisia* XIII, *ydropesia* XIV, *itropisia* XV || **hidro**PLANO XX || **hidró**POTA | *hydropoto* 1899 | Do lat. tard. *hydropota*, deriv. do gr. *hydropótēs* || **hidro**QUIN·ONA XX || **hidror**·REIA | *hy-* 1899 | Cp. gr. *hydrórroia* || **hidro**SCOP·IA | *hy-* 1873 || **hidró**SCOPO | *hy-* 1858 | Do fr. *hydroscope*, deriv. do gr. *hydroskópos* || **hidro**OSE XX || **hidros**-FERA | *hydrosphera* 1899 || **hidros**·SILIC·ATO | *hydrosilicato* 1899 || **hidros**·SOLÚVEL XX || **hidros**·SULF·ATO | *hydrosulphato* 1858 || **hidros**·SULF·ITO XX || **hidros**·SULF·ÚR·ICO | *hydrosulphurico* 1873 || **hidros**·SULF·UR·OSO | *hydrosulphuroso* 1873 || **hidros**TÁT·ICA XVIII || **hidros**TÁT·ICO | *hy-* 1858 || **hidros**TATO | *hy-* 1881 || **hidro**TECN·IA | *hydrotechnia* 1858 || **hidro**TERAP·IA | *hydrotherapia* 1858 || **hidro**TÉRM·ICO | *hydrothérmico* 1873 || **hidrót**·ICO | *1858, hy-* 1858 || **hidro**TÓRAX | *hydrothorax* 1858 || **hidro**TRÓP·ICO XX || **hidro**TROP·ISMO XX || **hidróxi**DO | *hydroxydo* 1899 || **hidr**ÚRIA | *hydrura* 1858, *hydrúria* 1899.
⇨ **hidr(o)-** — **hidr**ATO | *hydrate* 1836 SC || **hidro**FÓB·ICO | *hydrophobico* 1836 SC || **hidro**TÓRAX | *hydrothorax* 1836 SC |.

hiemação *sf.* 'hibernação' 'propriedade das plantas que crescem no inverno' 1899. Do lat. *hiematiō -ōnis* || **hiem**AL | *-all* XVI | Do lat. *hiemālis* || **hiemí**·FUGO XX.

hiena *sf.* 'mamífero carnívoro digitígrado' | *hyena* XVI | Do lat. *hyaena*, deriv. do gr. *hýaina*.

hier(o)- *elem. comp.*, do gr. *hierós* 'sagrado, santo', que se documenta em compostos formados no próprio grego, como *hierarquia*, por exemplo, e em alguns outros introduzidos, a partir do séc. XV, nas línguas de cultura ▶ **hier**ARQUIA | *-chia* XVI, *iherarchia* XV | Do lat. tard. *ierarchia*, deriv. do gr. *hierarchía* || **hier**ÁRQU·ICO | *jerarchico* 1813 || **hier**ático 1873 | Do lat. *hierāticus*, deriv. do gr. *hierātikós* || **hier**ofante | *-ph-* 1873 | Do lat. tard.

hierophantēs, deriv. do gr. *hierophántēs* || **hiero**GLÍ-FICO | XVII, *jero-* 1758, *gerogliphyco* XVIII | Do lat. tard. *hieroglyphicus*, deriv. do gr. *hieroglyphikós* || **hieró**glifo | *-glypho* 1844 | Do fr. *hiéroglyphe* || **hiero**GRAF·IA | *-phia* 1858 || **hiero**GRÁF·ICO | *-phico* 1858 || **hiero**GRAMA | *-mma* 1873 || **hiero**GRAMÁT·ICO | *-mma-* 1873 || **hiero**LOG·IA 1844 || **hier**ONÍM·ICA XX || **hier**ONÍM·ICO | *hieronymico* 1873 || **hier**ÔNIMO XX.
⇨ **hier(o)-** — **hiero**fante | *-phan-* 1836 SC || **hieró**-GLIFO | *-glypho* 1836 SC |.

hifema *sm.* 'hemorragia da câmara anterior do olho' XX. Do gr. *hýphaimos* 'injetado de sangue', por via erudita || **hifem**IA XX.

hífen *sm.* '(Gram.) traço de união' 'sinal diacrítico com que se indica que dois ou mais vocábulos formam uma unidade semântica' 'sinal com que se unem os pronomes enclíticos a verbos dos quais são complementos' | *hýphen* 1813 | Do lat. tard. *hyphen*, deriv. do gr. *hýphen* 'juntos, em um só corpo'.

hígido *adj.* 'relativo à saúde, sadio, são' | *hýgido* 1899 | Vocábulo composto do gr. *hyg(iḗs)* + *-IDO* || **higid**EZ XX. Cp. HIGIENE.

higiene *sf.* 'conhecimento da, ou prática relativa à manutenção da saúde' 'ciência sanitária' '*ext.* limpeza, asseio' | *hyg-* 1844 | Do fr. *higiène*, deriv. do gr. *hygieinḗ*, substantivação de fem. de *hygieinós* 'são, que tem saúde' || **higiên**ICO | *hyg-* 1858 | Do fr. *hygiénique* || **higien**ISTA XX. Do fr. *hygiéniste* || **higien**IZ·ADOR XX || **higien**IZAR XX.
⇨ **higiene** | *hy-* 1836 SC |.

higr(o)- *elem. comp.*, do gr. *hygro-* de *hygrós* 'úmido, molhado', que se documenta em alguns compostos introduzidos na linguagem científica internacional, a partir do séc. XIX ▶ **higró**FILO XX || **higró**FITO XX || **higro**LOG·IA | *hy-* 1881 || **higr**OMA | *hy-* 1881 || **higro**METR·IA | *hy-* 1844 || **higro**MÉTR·ICO | *hy-* 1858 || **higrô**METRO 1813 || **higro**SCÓP·IO | *hy-* 1881 || **higró**scopo 1844.
⇨ **higr(o)-** — **higro**METR·IA | *hy-* 1836 SC || **higro**MÉTR·ICO | *hy-* 1836 SC || **higró**SCOPO | *1836* SC |.

hílare *adj. 2g.* 'risonho, contente, folgazão' 1881. Do lat. *hilāris* 'alegre', anteriormente *hilārus* e, este, deriv. do gr. *hilarós* 'alegre, engraçado' || **hilar**IDADE 1881. Do lat. *hilarītas -ātis* || **hila**-riANTE[1] *adj.* '(Quím.) diz-se do gás protóxido de nitrogênio' 1873. Adapt. do fr. (*gaz*) *hilarant* || **hila**-riANTE[2] 'que produz alegria, que faz rir' 1881 || **hilar**IZAR XX.

hilo *sm.* '(Bot.) lugar de inserção do funículo no óvulo' '(Anat.) ponto em que uma víscera recebe os seus vasos' 1844. Do lat. *hīlum* 'insignificância, ninharia' || **hil**ÁRIO 1873 || **hilí**·FERO 1873.

hil(o)- *elem. comp.*, do gr. *hylo-*, de *hýlē* 'madeira, matéria', que se documenta em alguns compostos introduzidos na linguagem científica internacional, a partir do séc. XIX ▶ **hilo**GEN·IA | *hy-* 1899 || **hilo**MORF·ISMO XX || **hilozo**·ÍSMO | *hy-* 1858 || **hilozo**·ÍSTA XX. Cp. -IL[2].

hilota *sm.* 'entre os espartanos, prisioneiro escravizado' XIX. Do lat. *Hēlōtēs*, deriv. do gr. *Eílōtas* (pl. de *Eílōs*).

hilozo·ísmo, -ísta → HIL(O)-.

hímen *sm.* 'membrana que fecha em parte a vagina' 1881. Do lat. *hymen*, deriv. do gr. *hymḗn -énos*

'membrana, película que envolve algum órgão do corpo' || **himeneu** | *hymeneo* 1572 | Do lat. *hymenaeus*, deriv. do gr. *hyménaios* 'casamento' || **himênio** | *hymenion* 1858 | Do lat. cient. *hymenium*, deriv. do gr. *hyménion* 'pequena membrana' || himenO·CARPO | *hym-* 1899 || himenO·GRAF·IA | *hymenographia* 1858 || himenO·LOG·IA | *hym-* 1858 || himenÓ·PODE | *hymenópodo* 1899 || himenÓ·PTERO | *hym-* 1858 || himenO·TOM·IA | *hym-* 1858.
hinário → HINO.
hindi *sm.* 'língua indo-europeia falada na região nordeste da Índia' 1899. Do ing. *hindi*, deriv. do hindustani *hindī*, de *Hind* 'Índia' || **hindu** *adj. s2g.* 'relativo à Índia e à Civilização bramanista, particularmente aquele que professa o hinduísmo' | *indu* XVI | Do hindustani *hindū* 'rio grande (o rio Indo)', donde 'o habitante de suas margens' || **hinduísmo** | *induismo* XIX || **hinduísta** XX || hinduIZAR XX || **hindustani** *sm.* 'língua dos conquistadores maometanos do Hindustão' | *industan* XVII | Do hindustani *hindustānī* 'país (*-stān-*) dos hindus'.
hino *sm.* 'canção religiosa' 'poesia acompanhada de música, em honra de uma nação, cidade, partido ou agremiação esportiva' 'canto' | *yno* XIII, *ymno* XIV, *hymno* XIV etc. | Do lat. *hymnus*, deriv. do gr. *hýmnos* || hinÁRIO | *hymnario* 1858 || **hinodo** | *hymnodos* pl. 1873 | Cp. gr. *hymnodós* 'cantor' || hinoGRAF·IA | *hymnographia* 1873 || **hinógrafo** | *hymnographe* XVIII || hinoLOG·IA | *hymno-* 1844 || hinóLOGO | *hymno-* 1881.
hinterlândia *sf.* 'território que fica afastado da costa ou da parte industrial do país, sertão' | *hinterland* 1899 | Adapt. do al. *Hinterland* 'região (*land*) interior (*hinter*)'.
hioide *sm.* '(Anat.) pequeno osso situado entre a laringe e a base da língua' | *hyoide* 1813 | Do fr. *hyoïde*, deriv. do gr. *óstoún hyoeidés* 'osso em forma de ípsilon' || hioGLOSSO *sm.* '(Anat.) músculo par que se liga ao hioide' | *hyoglosso* 1858 | De *hio-* (forma apocopada de *hioide*) + *glosso* [v. -GLOSS(O)-].
hioscíamo *sm.* 'planta medicinal da fam. das solanáceas' | *hyosciama* 1899 | Do lat. *hyoscyamus*, deriv. do gr. *hyoskýamos* 'fava de porco' (de *hyós*, genitivo de *ýs* 'porco', + *kýamos* 'fava, feijão').
hipálage *sf.* 'figura de linguagem que consiste em atribuir-se a um certo vocábulo, no interior de uma frase, propriedades semânticas de outro vocábulo igualmente ocorrente na frase' | *hypállage* 1813 | Do lat. *hypallagē -es*, deriv. do gr. *hypallagḗ* 'troca'.
hiper- *elem. comp.*, do gr. *hyper-*, de *hypér* 'em cima de, em posição superior', que se documenta em compostos formados no próprio grego, como *hipérbato*, por exemplo, e em muitíssimos outros formados nas línguas modernas; tal como *hip(o)¹-*, de sentido oposto, o pref. *hiper-* foi e continua sendo de grande vitalidade na formação de compostos eruditos, particularmente nas linguagens da medicina, da química e da matemática ♦ **hiper**ACIDEZ XX || hiperÁCIDO XX || hiperALG·IA XX || hipérBATO | *hy-* 1813 | Do lat. *hyperbaton*, deriv. do gr. *hypérbaton* || hipérBOLE | *hy-* 1813 | Do lat. cient. *hyperbola*, deriv. do gr. *hyperbolḗ* || hiperBÓL·ICO | *hy-* XV | Do gr. *hyperbolikós* || hiperBOL·OIDE | *hy-* 1873

|| **hiper**BÓREO | *hy-* 1500 | Do lat. *hyperboreus*, deriv. do gr. *hyperbóreos* || hiperCATALÉCTICO | *hy-* 1899 | Do lat. *hypercatalēcticus* || hiperCATALECTO | *hypercatalécto* 1813 || hiperCERAT·OSE | *hy-* 1881 || hiperCINES·IA XX || hiperCROM·IA XX || hiperEM·IA | *hy-* 1899 || hiperGLICEM·IA | *hyperglycemia* 1899 || **hiperinose** | *hy-* 1881 | Do fr. *hyperinose* || hiperMETR·IA | *hy-* 1813 || hiperMETR·OP·IA | *hy-* 1899 || hiperPLAS·IA XX || hiperSENS·IBIL·IDADE XX || hiperSENS·ÍVEL XX || hiperSTÊN·IO XX || hiperTENSÃO XX || hiperTENSO XX || hiperTERM·IA XX || hipérTESE XX || hiperTON·IA | *hy-* 1858 || hiperTROF·IA | *hypertrophia* 1858.
hipn(o)- *elem. comp.* do gr. *hýpnos* 'sono', que se documenta em alguns compostos formados no próprio grego, como *hipnótico*, por exemplo, e em alguns outros introduzidos, a partir do séc. XIX, na linguagem científica internacional ♦ hipnAGÓG·ICO | *hy-* 1899 || hipnoBLEPS·IA | *hy-* 1899 || hipnoFOB·IA | *hypnophobia* 1899 || hipnóFONO | *hypnóphono* 1899 || hipnóGENO | *hy-* 1899 || hipnoGRAF·IA | *hypnographia* 1899 || hipnoLOG·IA | *hy-* 1858 || hipnOSE | *hy-* 1899 || hipnOS·IA | *hy-* 1899 || **hipnótico** | *hy-* 1858 | Do fr. *hypnotique*, deriv. do gr. *hypnōtikós* || hipnotISMO | *hy-* 1881 | Do ing. *hypnotism*, voc. criado pelo médico inglês James Braid, de Manchester, em 1843, com base em *hypnotic* 'hipnótico' || hipnotIZ·ADOR XX || hipnotIZAR XX.
hip(o)-¹ *prej.*, **hip(o)-²** *elem. comp.*, ambos oriundos do grego, mas de étimos distintos: (i) *hip(o)-¹*, do gr. *hypo-*, de *hypó* 'debaixo de, em posição inferior', ocorre em vários compostos já formados no próprio grego, como *hipótese*, por exemplo, e em muitíssimos outros formados nas línguas modernas; tal como *hiper-*, de sentido oposto, o pref. *hip(o)-¹* foi e continua sendo de extraordinária vitalidade na formação de compostos eruditos, particularmente nas linguagens da medicina (onde ele ocorre em vocábulos que indicam a deficiência de uma atividade orgânica) e da química (onde ele aparece designando os ácidos — e os sais correspondentes — que possuem um grau inferior de oxidação); (ii) *hip(o)-²*, do gr. *hippo-*, de *híppos* 'cavalo', aparece também em compostos formados no grego, como *hipopótamo*, por exemplo, e em outros formados nas línguas modernas; sua vitalidade, porém, é bem menor do que a do anterior. Registram-se, a seguir, por ordem alfabética e numa única relação, os principais compostos desses dois elementos; para distingui-los, adotou-se o critério de indicar com (i), adiante do vocábulo, os do primeiro grupo, e com (ii) os do segundo ♦ hipABISS·AL (i) XX || hipACUS·IA (i) XX || hipACÚST·ICO (i) XX || hipALGES·IA (i) XX || hipALG·IA (i) XX || hipANTO (i) | *hypantho* 1899 || hipANTROP·IA (i) || hippanthropia* 1858 || hipIATR·IA (ii) | 1831, *hippiatrica* 1858 || hipIÁTR·ICO (ii) | *hippiatrico* 1899 || hipIATRO (ii) | *hippiatro* 1873 || hípICO (ii) | *hippico* 1881; cp, gr, *hippikós* || hipIDIO·MÓRF·ICO (i) XX || hipIN·OSE (i) XX || hipISMO (i) | *hy-* 1926 || hipISTA (ii) XX || **hipo**ABISS·AL (i) XX; cp. *hipabissal* || hipoACUS·IA (i) | *hypo-* 1909 || hipoALGES·IA (i) XX; cp. *hipalgesia* || hipoALG·IA (i) XX; cp, *hipalgia* || **hipo**BIBASMO (i) | *hypo-* 1873 | Cp. gr. *hypobibasmós* || hipoBRÂNQUIO (i) | *hypòbranchio* 1899 ||

hip(o)- | HIP(O)-

hipoCALÓR·ICO (i) XX ‖ **hipocampo** (ii) 1813, Do lat. *hippocampus*, deriv, do gr. *hippókampos* ‖ **hipo**CARPO (i) | *hypòcarpo* 1899 ‖ **hipo**CENTRO (i) XX ‖ **hipo**CICL·OIDE (i) | *hypòcycloide* 1899 ‖ **hipo**CINES·IA (i) XX ‖ **hipo**CINÉT·ICO (i) XX ‖ **hipo**CISTE (i) | *hypociste, -cistido, -cisto* 1858 | Do lat. *hypocist(h)is*, deriv. do gr. *hypókistís* ‖ **hipo**CLOR·IDR·IA (i) XX ‖ **hipo**CLOR·INA (i) XX ‖ **hipo**CLOR·ITO (i) | *hypochlorito* 1916 ‖ **hipo**CLOR·OSO (i) | *hypòchloroso* 1899 ‖ **hipo**COFOSE (i) | *hypocòphose* 1899 ‖ **hipo**CONDR·IA (i) | *hy-* 1813 ‖ **hipo**CONDR·ÍACO (i) | *hy-* 1813 | Cp. gr. *hypochondriakós* ‖ **hipo**CÔNDR·IO (i) | *hypocòndrio* 1813 | Do lat. tard. *hypochondrion*, deriv. do gr. *hypochóndrion* ‖ **hipo**COR·ISMO (i) XX. Do lat. *hypocorisma -atis*, deriv. do gr. *hypokórisma -atos* ‖ **hipo**COR·ÍST·ICO (i) XIX; cp. gr. *hypokoristikós* ‖ **hipo**CÓTIL·O (i) XX (voc. criado por T. Irmisch e composto de *hypo* e *korýlē* 'cavidade'); cp. COTILÉDONE ‖ **hipo**CRANI·ANO (i) | *hypòcraniano* 1899 ‖ **hipo**CRATE·ÁCEA (ii) XX. Do lat. cient. *hippocratēacea*, formado sobre o lat. *Hippocratēs*, nome do famoso médico grego Hipócrates (em gr. *Hippokrátes*) ‖ **hipo**CRÁT·ICO (ii) | *hippocratico* 1858 | Do lat. *hippocraticus* 'relativo a Hipócrates' ‖ **hipocraz** (ii) | *hippocraz* 1858 | Do fr. *hypocras* ‖ **hipo**CRÊN·ICO (ii) XVI. De *Hipocrene* 'famosa fonte da Beócia' ‖ **hipocrisia** (i) | *ypocresia* XIV | Do lat. tard. *hypocrisia*, deriv. do gr. *hypokrísía* ‖ **hipócrita** (i) | XIV, *ipocrita* XIV | Do lat. *hypocrĭta*, deriv. do gr. *hypokrītēs* ‖ **hipo**DÁCTILO (i) | *hypòdáctylo* 1899 ‖ **hipo**DERMA·TOM·IA (i) | *hypòdermatomia* 1899 ‖ **hipo**DERME (i) XX ‖ **hipo**DÉRM·ICO (i) | *hypòdérmico* 1899 ‖ **hipo**DROM·IA (ii) | *hippodromia* 1873 ‖ **hipó**DROMO (ii) XVII. Do fr. *hippodrome*, deriv. do lat. *hippodromus* e, este, do gr. *hippódromos* ‖ **hipo**EM·IA (i) | *hypoema* 1899 ‖ **hipo**EPAT·IA (i) XX ‖ **hipo**ESTES·IA (i) XX ‖ **hipo**FAG·IA (ii) | *hippòphagia* 1899 ‖ **hipo**FÁG·ICO (ii) XX ‖ **hipófago** (ii) | *hippophago* 1873 ‖ **hipó**FASE (i) | *hypòphase* 1899; cp. gr. *hypophasis* ‖ **hipo**FAS·IA (i) | *hypophasia* 1858 ‖ **hipó**FISE (i) | *hypòphyse* 1899; cp. gr. *hypóphysis* ‖ **hipó**FORA (i) | *hypóphora* 1899 | Do lat. *hypóphŏra*, deriv. do gr. *hypophorá* ‖ **hipo**FOSF·ATO (i) *hypòphosphato* 1899 ‖ **hipo**FOSF·ITO (i) | *hypophosphito* 1858 ‖ **hipo**FOSF·ÓR·ICO (i) | *hypophosphorico* 1858 ‖ **hipo**FOSF·OR·OSO (i) | *hypophosphoroso* 1873 ‖ **hipo**GÁSTR·ICO (i) | *hy-* 1813 ‖ **hipo**GÁSTR·IO (i) | *hy-* XVIII | Do fr. *hypogastre, -ique*, deriv. do gr. *hypogástrion* ‖ **hipogeu** (i) | *hypogeo* 1844, *-geu* 1873 | Do lat. *hypogēum*, deriv. do gr. *hypógeion* ‖ **hipo**GIN·IA (i) | *hypògynia* 1899 ‖ **hipó**GINO (i) | *hypògýno* 1899, *hypògyno* 1899 ‖ **hipo**GLIC·EM·IA (i) XX ‖ **hipo**GLIC·ÊM·ICO (i) XX ‖ **hipo**GLOSSA (i) | *hy-* 1858 ‖ **hipo**GLOSSO (i) | *hypoglosse, -sso* 1858 ‖ **hipo**GNAT·IA (i) | *hypògnathia* 1899 ‖ **hipó**GNATO (i) | *hypògnatho* 1899 ‖ **hipo**GRIFO (ii) 1813. Do fr. *hypogriffe*, deriv. do it. *ippogrifo* (voc. criado por Ariosto, em 1516, e composto de *ippo-* e *grifo* 'animal fabuloso') ‖ **hipó**LITO (ii) | *hippolitho* 1858 ‖ **hipo**LOG·IA (i) | *hypo-* 1881 ‖ **hipo**LÓG·ICO (ii) XX ‖ **hipó**LOGO (i) | *hippo-* 1881 ‖ **hipo**MANC·IA (ii) XX ‖ **hipo**MAN·IA (i) | *hippo-* 1873 | Do fr. *hippomanie*, deriv. do gr. *hippomanía* ‖ **hipo**MAN·ÍACO (ii) | *hippo-* 1881 ‖ **hipo**MANTE (i) XX ‖ **hipo**MÂNT·ICO (ii) XX ‖ **hip**ô**METRO** (ii) XX ‖

hipoMÓVEL (ii) | *hippomovel* 1928 ‖ **hipo**NITR·ITO (i) | *hy-* 1873 ‖ **hipo**PATO·LOG·IA (ii) | *hippopathologia* 1873 ‖ **hipo**PATO·LÓG·ICO (ii) | *hippopathologico* 1881 ‖ **hipo**PÉD·IA (ii) XX; cp. gr. *hippopédē* 'pata de cavalo' 'nome de uma curva geométrica pesquisada pelo matemático grego Eudoxo de Cnido, no séc. IV a.C.' ‖ **hipo**PEPS·IA (i) | *hypopepsia* 1909 ‖ **hipo**PETAL·IA (i) | *hy-* 1858 ‖ **hipo**PÉTALO (i) | *hypòpétalo* 1899 ‖ **hipo**PIESE (i) XX ‖ **hipo**PÍG·IO (i) | *hypòpýgio* 1899 ‖ **hipópio** (i) | *hypopyon* 1844 | Do lat. cient. *hypopyum*, deriv. do gr. *hypopyon* ‖ **hipo**PLAS·IA (i) XX ‖ **hipo**PLÁST·ICO (i) XX ‖ **hipó**PODE (ii) | *hippopodo* 1858 ‖ **hipo**POTÂM·ICO (i) | *hippo-* 1928 ‖ **hipo**PÓTAMO (ii) XVI. Do lat. *hippopotamus*, deriv. do gr. *hippopótamos* ‖ **hipo**SCÊNIO (i) | *hypòscenio* 1899 | Cp. gr. *hyposkénion* ‖ **hiposfagma** (i) | *hyposphagma* 1899. | Cp. gr. *hypósphagma* ‖ **hipo**SM·IA (i) XX ‖ **hipospadia** (i) | *hypospadia* 1858 | Do lat. cient. *hypospadia*, deriv. do gr. *hypospadiās* ‖ **hipo**SSISTOL·IA (i) | *hyposystolia* 1909 ‖ **hipo**SSUFICIENTE (i) XX ‖ **hipo**SSULF·ATO (i) | *hypòsulfato* 1899 ‖ **hipo**SSULF·ITO (i) | *hyposulphito* 1858 ‖ **hipo**SSULFÚR·ICO (i) | *hyposulfúrico* 1899 ‖ **hipo**SSULFUR·OSO (i) | *hyposulphuroso* 1873 ‖ **hipo**STAM·IN·ADO (i) | *hipòs-* 1899 ‖ **hipo**STAM·IN·IA (i) | *hypòs-* 1899 ‖ **hipó**STASE (i) | *hypóstasis* 1813 | Do lat. tard. *hypostasis*, deriv. do gr. *hypóstasis* ‖ **hipo**STAS·IA (i) | *ypostasia* XV ‖ **hipo**STÁT·ICO (i) | *hy-* 1696 | Do lat. tard. *hypostaticus*, deriv. do gr. *hypostatikós* ‖ **hipo**STEN·IA (i) | *hyposthenia* 1858 | Do lat. cient. *hyposthenīa* ‖ **hipo**STÊN·ICO (i) | *hyposthenico* 1858 | Do lat. cient. *hyposthenicus* ‖ **hipo**STEN·OSE (i) XX ‖ **hipo**STILO (i) | *hypóstylo* 1899 | Cp. gr. *hypóstỹlos* ‖ **hipo**TALÂM·ICO (i) XX ‖ **hipo**TÁLAMO (i) XX. Do lat. cient. *hypothalamus* ‖ **hipo**TALÁSS·ICO (i) | *hypòthalássico* 1899 ‖ **hipo**TALO (i) X ‖ **hipo**TECA (i) | *ypoteca* 1384 | Do lat. tard. *hypothēca*, deriv. do gr. *hypothḗkē* ‖ **hipo**TEC·AR (i) | *hypothecar* 1813 ‖ **hipo**TEC·ÁRIO (i) | *hypothecário* 1813 ‖ **hipo**TÊC·IO (i) XX ‖ **hipotenar** (i) | *hypothenar* 1899 | Cp. gr. *hipóthenar* ‖ **hipo**TENSÃO (i) XX ‖ **hipo**TENSO (i) XX ‖ **hipo**TENS·OR (i) XX ‖ **hipotenusa** (i) | *ypotemisa* [sic; *-mi-* por *-nu-*] 1519 | Do lat. tard. *hypŏtēnūsa*, deriv. do gr. *hypoteínousa* ‖ **hipo**TERM·AL (i) XX ‖ **hipo**TERM·IA (i) XX. Do lat. cient. *hypothermia*; cp. gr. *hypóthermo* ‖ **hipó**TESE (i) | *hypóthese* 1813, *-sis* 1813 | Do lat. *hypothesis*, deriv. do gr. *hypóthesis* ‖ **hipo**TÉT·ICO (i) | *hypothético* 1813 | Do lat. *hypotheticus*, deriv. do gr. *hypothetikós* ‖ **hipó**TIPO (i) XX ‖ **hipo**TIP·OSE (i) 1813 Do fr. *hypotypose*, deriv. do gr. *hypotýpōsis* ‖ **hipo**TOM·IA (ii) | *hippotomia* 1881 ‖ **hipo**TÔM·ICO (ii) | *hippotomico* 1881 ‖ **hipo**TON·IA (i) | *hypòtonia* 1899 ‖ **hipo**TROF·IA (i) | *hypotrophia* 1899 ‖ **hipo**ZEUGMA (i) | *hy-* 1873 | Do lat. tard. *hypozeugma*, deriv. do gr. *hypózeugma* ‖ **hipozeuxe** (i) | *hypozeuxis* XVI | Do lat. tard. *hypozeuxis*, deriv. do gr. *hypózeuxis* ‖ **hipo**ZOICO (i) | *hypózoico* 1899 ‖ **hipozoma** (i) | *hypozome* 1858, *-mo* 1873 | Cp. gr. *hypózōma* ‖ **hip**ÚR·ICO (i) | *hippúrico* 1899 ‖ **hip**UR·INA (i) | *hippurina* 1899 ‖ **hip**UR·ITA (ii) | *hippurita* 1899.

⇨ **hip(o)-** — **hipi**ATR·IA | *hippiatrica* 1836 SC ‖ **hipogeu** | *hypogéo* 1836 SC ‖ **hipo**GLOSSO | *-ppo-* 1836 SC ‖ **hipo**TOM·IA | *-ppo-* 1836 SC |.

hipso- *elem. comp.*, do gr. *hypso-*, de *hýpsos* 'altura, elevação', que se documenta em alguns compostos introduzidos na linguagem científica internacional, a partir do séc. XIX ♦ **hipso**CÉFALO | *hypsocéphalo* 1899 || **hipso**GRAF·IA | *hypsographia* 1899 || **hipso**METR·IA | *hy-* 1881 || **hips**ÔMETRO | *hypsómetro* 1881.
hirco *sm.* 'bode, cheiro de bode' XVII. Do lat. *hircus* || **hirc**INA *sf.* 'substância que se extrai da gordura do bode' 1899. Substantivação do adj. *hircino* || **hirc**INO 1881. Do lat. *hircīnus* || **hirc**ISMO 1881 || **hirc**OSO 1899. Do lat. *hircōsus*.
hirsuto *adj.* 'de pelos longos, duros e espessos, cerdoso, eriçado' 1572. Do lat. *hirsūtus*, de **hirsus*, relacionável com *hirtus* || **hirt**EZA | *yr-* XIV || **hirto** *adj.* 'eriçado, teso' | *yrto* XIII | Do lat. *hirtus*.
hirundino *adj.* 'relativo à andorinha' 1899. Do lat. *hirundinus*, de *hirundo -inis* 'andorinha'.
⇨ **hirundino** | 1836 SC |.
hispalense *adj. s2g.* 'relativo a Híspalis, antiga colônia romana da Bética, hoje Sevilha' 1899. Do lat. *hispalensis*, de *Hispălis* || **hispál**ICO 1572.
hispânico *adj.* 'relativo à Península Ibérica' XVI. Do lat. *hispanĭcus*, de *Hispanĭa* 'Península Ibérica' || **hispano** 1572. Do lat. *hispănus*.
híspido *adj.* 'eriçado, de pelo hirsuto' 1813. Do lat. *hispĭdus* || **hispid**AR 1899 || **hispid**EZ 1844.
hissopo *sm.* 'planta medicinal da'fam. das labiadas' | *ysope* XIV | Do lat. *hyssōpum*, deriv. do gr. *hýssōpon* e, este, do hebraico *ēzōb* || **hissop**AR | *ysopar* XIII || **hissope** | *ysope* XIV | De *hissopo*, por ser primitivamente com o ramo desta planta que se fazia a aspersão.
hister(o)- *elem. comp.*, do gr. *hystéra* 'útero', que se documenta em alguns vocs. formados no próprio grego, como *histérico*, por exemplo, e em vários outros introduzidos, a partir do séc. XIX, na linguagem científica internacional ♦ **hister**ALG·IA | *hy-* 1844 || **hister**ANTO | *hysterantho* 1899 || **histerese** XX. Cp. gr. *hystérēsis* || **hister**IA | *hy-* 1858 || **histér**ICO | *hy-* 1844 | Do lat. *hystericus*, deriv. do gr. *hysterikós* || **histero**CELE | *hy-* 1858 || **histero**GRAF·IA | *hysterographia* 1858 || **histeró**LITO | *hysterolitha* 1858 || **histero**LOG·IA | *hy-* XVII | Do fr. *hystérologie*, deriv. do gr. *hysterología* || **histero**MALAC·IA | *hy-* 1899 || **histerô**METRO | *hy-* 1899 || **histero**PTOSE | *hy-* 1899 || **histero**SCÓP·IO | *hy-* 1899.
⇨ **hister(o)-** — **histér**ICO | *hys-* 1836 SC |.
histo- *elem. comp.*, do gr. *histós* 'tecido', que se documenta em vários compostos introduzidos, a partir do séc. XIX, na linguagem científica internacional, particularmente no domínio da biologia ♦ **histo**FISIO·LOG·IA | *-phy-* 1899 || **histo**GÊNEO 1881 || **histo**GEN·IA 1881 || **histo**GRAF·IA || *-phia* 1881 || **histo**GRAMA XX || **histo**LOG·IA 1858 || **histo**TOMA XX || **histo**NEURO·LOG·IA | *-nevro-* 1899 || **histo**NOM·IA 1881 || **histo**QUÍMICA XX || **histo**TIP·IA XX || **histo**TRIPS·IA 1899 || **histo**TROM·IA 1899.
história *sf.* 'crônica, relato' | XV, *estoria* XIII, *ys-* XIII, *hys-* XIV etc. | Do lat. *histŏrĭa*, deriv. do gr. *historía*. Modernamente, por sugestão do escritor e folclorista brasileiro Luís da Câmara Cascudo (1898-1986), foi introduzida na linguagem do folclore e das ciências humanas em geral, a variante popular e arcaica *estória*, para designar, especificamente, os contos, narrativas, tradições e lendas do povo (brasileiro); com *história/estória* compare-se o ing. *history/story* || **histori**ADOR | *esto-* XIV || **histori**AL | *istorial* XV | Do lat. *historiālis*. O adv. *estoryalmente* já ocorre no séc. XIV || **histori**AR | *estoriar* XIV || **histor**IC·IDADE | *storicidade* XV || **histor**IC·ISMO XX. Do fr. *historicisme* || **histór**ICO XVI. Do lat. *historĭcus*, deriv. do gr. *historikós* || **histori**ETA | *-etta* 1844 | Do fr. *historiette* || **histori**O·GRAF·IA 1881. Do lat. med. *historiographia*, deriv. do gr. *historiographía*||**histori**O·GRÁF·ICO XX||**histori**Ó·GRAFO | *istoriograffo* XV | Do lat. *historiogrăphus*, deriv. do gr. *historiográphos* || **histori**O·LOG·IA XX. Provavelmente do ing. *historiology* || **histor**ISMO XX. Do fr. *historisme* || PRÉ-**história** | *prèhistória* 1899 | Adapt. do fr. *préhistoire* || PRÉ-**histór**ICO 1881. Adapt. do fr. *préhistorique*.
histo·tipia, -tripsia, -tromia → HISTO-.
histrião *sm.* 'palhaço, bobo, farsista' | *estrioens* pl. XVII | Do lat. *histrĭō -ōnis* 'ator, comediante'.
hitlerismo *sm.* 'o conjunto das doutrinas de Hitler' XX. De Adolf *Hitler* (1899-1945) || **hitler**ISTA XX.
hiulco *adj.* 'hiante, fendido' XVIII. Do lat. *hiulcus*.
hodierno → HOJE.
hodo- *elem. comp.*, do gr. *hodós* 'via, caminho', que se documenta em alguns vocábulos introduzidos na linguagem científica internacional, a partir do séc. XIX ♦ **hodó**GRAFO XX || **hodo**METR·IA 1858 || **hodo**MÉTR·ICO 1873 || **hodô**METRO 1858.
hoje *adv.* 'o dia em que se está' | XIV, *oge* XIII, *oje* XIII etc. | Do lat. *hŏdĭe*, lexicalização de *hŏc die* 'neste dia' || **hodierno** 1813. Do lat. *hodiĕrnus*.
holanda *sf.* 'tecido de linho finíssimo' | *ollanda* XV | Do top. *Holanda* || **holand**ÊS | *ollandes* XV || **holand**ILHA | *hollan-* 1858 | Provavelmente do cast. *holandilla*.
hólmio *sf.* '(Quím.) elemento de número atômico 67' XX. Do lat. cient. *holmium*, de *Holmia*, latinização de (Stock) *holm*, capital da Suécia, cidade natal do químico Cleve, que descobriu o metal.
holo- *elem. comp.*, do gr. *holos* 'completo, total, inteiro', que já se documenta em vocábulos formados no próprio grego, como *holocausto*, por exemplo, e em vários outros introduzidos, a partir do séc. XIX, na linguagem científica internacional ♦ **holo**BRÂNQUIO | *-chio* 1858 || **holocausto** | *olocausto* XIV | Do lat. tard. *holocaustum*, deriv. do gr. *holókauston* || **holo**CENO XX || **holo**CRISTAL·INO | *-crystallino* 1899 || **holo**EDRO 1881 || **holo**FOTE | *-phote* 1899 || **holo**GAM·IA XX || **holo**GÊNESE XX || **holó**GRAFO | *-pho* 1858 || **holo**METR·IA 1873 || **holô**METRO 1858 || **holo**PETAL·AR XIX || **holó**PODO XX || **hol**ÓSTEO XX || **hol**ÓSTOMO XX || **holo**TÔN·ICO XIX || **hol**ÓTRICO XIX || **hol**OTÚRIA | *-thu-* 1899 | Do lat. cient. *holothūria*, deriv. do gr. *holothoúrion*.
homem *sm.* 'animal racional que ocupa o primeiro lugar na escala zoológica' 'ser humano' 'pessoa do sexo masculino' | XIV, *ome* XIII, *home* XIII, *homēe* XIII etc. | Do lat. *hŏmŏ -īnis* || **hombridade** XVI. Do cast. *hombredad*, de *hombre* 'homem' || **homenage**ADO XX || **homenage**AR XX || **homenagem** | *homenagee* XIV, *omenagen* XIV etc. | Do prov. *homenatge*, deriv. do lat. **homĭnatĭcu*, de *homĭne* || **homicida** | *homecida* XIV | Do lat.

homĭcīda || **homicídio** XV. Do lat. *homicidĭum* || **homin**AL 1899 || **hominí**·COLA XIX || **homín**IDO 1899 || **homizi**ADO *adj.* | *omeziado* XIII, *omiiziado* XIII || **homizi**AR | *enmiziar* XIV || **homizio** | *omezio* XIII | Do lat. *homicīdĭum* || **homúnculo** XVII. Do lat. *homuncŭlus* || SUPER-**homem** XX. Tradução do ing. *superman*, de 1903 (Bernard Shaw), o qual, por sua vez, traduz o al. *Übermensch*, de 1883 (Nietzsche). Cp. HUMANO.
homeo- *elem. comp.*, do gr. *homoios* 'da mesma natureza' 'igual, semelhante', que se documenta em alguns compostos introduzidos, a partir do séc. XIX, na linguagem científica intérnacional ▶ **homeo**GRAF·IA XX || **homeô**MERO XX || **homeo**PATA | *-tha* 1858 || **homeo**PAT·IA | *-thia* 1858 | Do fr. *homéopathie*, deriv. do al. *Homöopathie*, voc. criado em 1796 pelo médico alemão S.C.F. Hahnemann (1755-1843) || **homeo**PÁT·ICO | *-thico* 1858 || **homeoptoto** | *-ton* 1881 | Do lat. cient. *homoeoptoton*, deriv. do gr. *homoióptōton* || **homeoteleuto** | *-ton* 1881 | Do lat. cient. *homoeoteleuton*, deriv. do gr. *homoiotéleuton*. Cp. HOM(O)-.
homérico *adj.* 'relativo a Homero, ao seu estilo, às suas obras' *fig.* grande, épico, retumbante' XVI. Do lat. *homerĭcus*, deriv. do gr. *homērikós* || **homéri**DA | *-das* pl. 1873 | Do lat. *homēridae*, deriv. do gr. *homērídēs* 'rapsodo que cantava os poemas de Homero'.
homicid·**a**, **-io** → HOMEM.
homilia, homília *sf.* 'sermão que tem por objeto explicar assuntos doutrinários' | *homelia* XIV, *humillia* XV, *omillia* XV | Do lat. *homīlĭa*, deriv. do gr. *homilía* 'lições de professor' || **homilética** *sf.* XIX. Substantivação do feminino do adj. *homilético* || **homilético** *adj.* XIX. Do lat. *homiletĭcus*, deriv. do gr. *homilētikós* || **homili**AR *vb.* 1858 || **homili**ASTA 1858.
homin·**al, -ícola, -ido, homiz**·**iado, -iar, -io** → HOMEM.
hom(o)- *elem. comp.*, do gr. *homós* 'igual, semelhante', que se documenta em compostos formados no próprio grego, como *homogêneo*, por exemplo, e em vários outros introduzidos, a partir do séc. XIX, na linguagem científica internacional▶**homo**CÊNTR·ICO 1813 || **homo**CENTRO 1873 || **homo**DERMO 1858 || **homo**FILO | *-phyllo* 1881 || **homo**FON·IA | *-ph-* 1844 || **homó**FONO | *-ph-* 1873 || **homó**GAMO 1881 || **homo**GÊNEO 1813 | Do fr. *homogène*, deriv. do gr. *homogenēs*||**homo**GENES·IA 1899||**homo**GEN·IA 1858 || **homó**GRAFO | *-pho* 1873 || **homo**LOG·AÇÃO 1844 || **homo**LOG·AR 1813 || **homo**LÓG·ICO 1899 || **homóLOGO** 1813 || **homô**MERO 1899 || **homo**MORFO | *-pho* 1873 || **hom**ONÍMIA | *-ny-* 1844 || **homô**NIMO | *-ny-* 1844 || **homo**PÉTALO 1881 || **homo**PLAS·IA 1881 || **homó**PTERO 1881||**hom**ORGÂN·ICO 1881||**homo**SE 1881 || **homos**·SEXU·AL | *-mose-* 1899 || **homo**TERM·AL | *-th-* 1881 || **homo**TERM·IA XX || **homo**TIP·IA | *-ty-* 1881 || **homó**TONO 1899 || **homó**TROPO 1899. Cp. HOMEO-.
⇨ **hom(o)-** — **hom**ÔNIMO | 1836 SC |.
homúnculo → HOMEM.
hondurenho *adj. sm.* 'relativo a Honduras, natural ou habitante desse país centro-americano' XX. Do cast. *hondureño*.
honesto *adj.* 'conforme à honra, casto, virtuoso, conveniente' | XIV, *onesto* XIII | Do lat. *honēstus*, de *honōr* (< *honōs*), com alternância vocálica *o*/*e* || DES**onest**IDADE XVI || DES**onesto** | XIV, *deshonesto* XIV || **honest**AR XVI. Do lat. *honestāre* || **honest**IDA-DE | XIV, *onestidade* XIV. Cp. HONRAR.
honrar *vb.* 'conferir honra, respeitar, dignificar, dar crédito a' | *onrrar* XIII, *honrrar* XIII etc. | Do lat. *hŏnōrāre* || DES**onra** | XIV, *deronrra* XIII || DES**on**rAD·IÇO | *-onrra-* XV || DES**onr**ADO | *-onrrado* XIII, *-omrado* XIII, *-honrado* XIV etc. || DES**onr**AMENTO | *-rra-* XIV || DES**onrar** | *-onrrar* XIII, *-omrar* XIII etc. || DES**onr**OSO | *deshon-* 1844 || **honor** | XIII, *onor* XV | Do lat. *honōr -ōris* || **honor**ABIL·IDADE 1899. Do fr. *honorabilité*, deriv. do lat. *honorabilĭtas -ātis* || **honor**ÁRIO 1813. Do lat. *honorarĭus* || **honor**IFICAR XVII. Do lat. *honorificāre* || **honor**IFIC·ÊNCIA | *honorificentia* XVII | Do lat. *honorificentĭa*, nom. pl. neutro de *honorificens -ēntis*, part. pres. de *honorificāre* || **honor**ÍFICO XVI. Do lat. *honorificus* || **honra** | XIV, *onrra* XIII | Deverbal de *honrar* || **honr**ADO | XIV, *onrrado* XIII etc. || **honr**ADOR | *onrrador* XIV || **honr**AMENTO | *onrra-* XIII || **honr**ARIA 1881 || **honr**ÁVEL XV || **honr**OSO | *homrroso* XV.
hoplita *sm.* 'na Grécia antiga, soldado de infantaria com armadura pesada' 'XIX. Do lat. *hoplites -ae*, deriv. do gr. *hoplítēs*.
hóquei *sm.* 'espécie de jogo esportivo que se pratica sobre patins' XX. Do ing. *hockey*.
hora *sf.* 'vigésima quarta parte do dia natural, o período de sessenta minutos' 'oportunidade, ensejo' | XIV, *ora* XIII | Do lat. *hōra*, deriv. do gr. *hôra* || DES**oras** | XIII, *dessoras* XV || **hor**AL XX || **hor**ÁRIO[1] *adj.* 1813 || **hor**ÁRIO[2] *sm.* XIX || **hor**ISTA XX || **horo**·GRAF·IA | *-phia* 1844 || **horo**·GRÁF·ICO XX || **horó**·GRAFO XX || **horologi**AL 1813 || **horológio** | *horalogio* XVI | Do lat. *hōrologĭum*, deriv. do gr. *hŏrológion*. V. RELÓGIO || **horóscopo** 1813. Do lat. *horoscŏpum*, deriv. do gr. *horóskopos*.
horaciano *adj.* 'relativo ao poeta latino Horácio (c65-8 a.C.), às suas obras e ao seu estilo' XIX. Do lat. *horatiānus*.
hor·**al, -ário** → HORA.
horda *sf.* 'orig. nome atribuído às tribos nômades da Tartária e, posteriormente, a outros povos errantes' 'ext. bando indisciplinado, caterva' | 1651, *orda* 1651 | Do fr. *horde*, deriv. do turc.-tárt. (quirguizo *orda*, osmanli *ordu*, mongólico *ordu* etc.). A ant. var. port. *orda*, que ocorre nessa passagem da *História Universal* (de 1651) de Fr. Manuel dos Anjos "As Prouincias, em que está diuidido o Ducado [*sc.* a Rússia], se chamão Ordas, que significa naçoens", talvez provenha do rus. *ordá*, pois é sugestivo que o autor, ao se refirir às *hordas* tártaras, escreva sempre o vocábulo com *h-* inicial. O *h-* inicial, que se documenta nos idiomas românicos (com exceção do italiano) e germânicos, deve-se à influência da grafia polaca.
hordeáceo *adj.* 'semelhante a grãos ou espigas de cevada' 1873. Do lat. *horeacěus*,de *hordeum* 'cevada' || **horde**ÍNA XIX || **hordenina** || **hord**ÉOLO 1813.
horista → HORA.
horizonte *sm.* 'círculo limitante do campo da nossa observação' *ext.* extensão, espaço, perspectiva' | *orizon* XV, *orizonte* XV | Do lat. *horizon -ontis*, deriv. do gr. *horízōn -ontos* || **horizont**AL | *-sontal* 1813 || **horizont**AL·IDADE 1873.

hormônio *sm.* 'princípio ativo das glândulas de secreção interna' XX. Adapt. do ing. *homone*, termo introduzido na linguagem científica internacional, em 1905, pelo fisiologista inglês Ernest Henry Starling (1866-1927), que o criou calcado no gr. *hormōn*, part. pres. de *hormān* 'pôr em movimento, empurrar, dirigir' || **horman**AL XX.

⇨ **hornaveque** *sm.* '(Mil.) tipo de fortificação muito comum nos séculos XVI-XVIII' | *ornaueque* 1657 FMMelv 100.*11*, *hosnavegue* 1697 in GFer 199.*3*, *ornabeque* 1702 Id.200.*1* | Do al. *Hornwerk* (neerl. *hoornwerk*), de *Horn* 'corno, ponta' e *Werk* 'trabalho, obra (de fortificação)'.

hornblenda *sf.* '(Min.) mineral monoclínico o grupo dos anfibólios, mistura isomorfa de silicatos de cálcio, magnésio, ferro, alumínio e, às vezes de sódio' 1899. Do al. *Hornblende*.

hornfel *sm.* 'rocha finamente granulada, formada por metamorfismo de contato, cornubianito' XX. Do al. *Hornfels*.

horograf·ia, -ico, -o, horo·logial, -lógio, -scopo → HORA.

horror *sm.* 'coisa repelente, ódio, aversão' XVII. Do lat. *horror –ōris* || **horr**ENDO 1572. Do lat. *horrendus* || **horr**ENTE XVII. Do lat. *horrens –entis*, part. pres. de *horrēre* 'ser horrível' || **horr**IBIL·IDADE XVI | **hórr**IDO 1572. do lat. *horrĭdus* || **horrí**·FERO XVI. Do lat. *horrifĕrum* || **horrí**·FICO 1572. Do lat. *horrificus* || **horripilação** 1813. do lat. *horripilatĭo –ōnis* || **horripil**ANTE 1881 || **horripilar** 1844. Do lat. *horripilāre*, de *horrēre* + *pilus* 'pelo' || **horr·í·s·**SONO 1572 || **horrível** | *horribel* XVIII | Do lat. *hŏrrĭbĭlĭs* || **horror**ÍFICO 1899 || **horror**IZAR 1813 || **horror**OSO XVII.

⇨ **horror** — **hórr**IDO | 1572 *Lus.* II.25, *orrido c* 1539 JCasD 51.*12* || **horipilar** | 1836 SC |.

hortativo *adj.* 'que exorta' 1858. Do lat. *hortativus*, de *hortāre* 'exortar'.

horto *sm.* 'jardim, pomar' XIII. Do lat. *hŏrtus* || **horta** XIV, *orta* XIII || Do lat. med. *horta*, de *hŏrtus* || **hortal**IÇA | *ortariça* XV, *ortoriça* XV || Do lat. *hortalitia* || **hortar** XVI || **hortelã** *sf.* 'planta da fam. das labiadas' XVI. Do lat. *hortŭlāna*, fem. o adj. *hotŭlanus* com provável dissimilação || **hortelão** | *ortolam* XIII, *hortelan* XIV etc. | Do lat. *hortŭlanus* 'jardineiro', com provável dissimilação || **hort**ENSE XVII. Do lat. *hortensis* || **hortênsia** *sf.* 'planta da fam. das saxifragáceas' 1858. Do fr. *hortensia*, deriv. do lat. bot. *hortensia*, nome criado por Commerson (1727-1773) em honra de *Hortense* Lepaute, mulher de Lepaute, célebre relojoeiro da época || **hortí**·COLA 1858 || **horti**·CULT·OR 1873 || **horti**·CULT·URA 1858 || **horti**·GRANJ·EIRO XX.

hosana *sm.* 'hino eclesiástico de louvor' '*ext*. louvor, saudação' | *hosannas* pl. 1844 | Do lat. ecles. *hōsanna* 'louvor, bênção', deriv. do gr. *hōsanná* e, este, do hebr. *hōšī'ā-nnā* 'salva-nos'.

⇨ **hosana** | *-nna* 1836 SC |.

hosco *sm.* 'gado vacum de cor escura com lombo tostado' 1899. do esp. plat. *hosco*, do cast. *hosco* 'escuro' '*ext.*, arisco' e, este, do lat. *fŭscus* 'pardo, escuro'.

hóspede *s2g.* 'pessoa que se aloja temporariamente em casa alheia, visitante' | XIII, *os-* XIII etc. | Do lat. *hŏspes –ĭtis* || **hóspeda** *sf.* | *os-* XIII || **hosped**AGEM | *ospedaje* XVI. No port. med. ocorre *ospedadigo*, no séc. XIV || **hosped**AR | *os-* XIV || **hosped**ARIA XVI || **hosped**ÁVEL 1873 || **hosped**EIRO 1813 || **hospício** XIV. Do lat. *hospitĭum* || **hospital** | XIII, *espital*, XIII, *spital* XIII, *espirital* XIV etc. | Do lat. *hospitalis (domus)* || **hospital**AR *adj.* 1881 || **hospital**EIRO | XVI, *espitaleiro* XIII || **hospital**IDADE | *espitalidade* XIV || **hospital**IZAR 1899 | IN**ospital**IDADE | *inhos-* 1813 | Do lat. *inhospitālitas -ātis* || IN**óspito** | *inhos-* XVIII | Do lat. *inhospĭtus*.

⇨ **hóspede** — **hosped**ÁVEL | *hospedavelmente* adv. 1836 SC |.

hospodar *sm.* '(Hist.) título dos antigos governadores dos principados da Moldávia e da Valáquia (Romênia), nomeados pelo sultão do Império Otomano, sob cujo domínio se encontravam aqueles principados' 1715. Do romeno *hospodár*, deriv. do rus. *gospodár* (= búlg. *gospodár* = pol. *gospodarsz* etc.) e, este, de *gospód* 'Senhor, Deus' || **hospodar**ATO 1873.

hoste *sf.* 'exército, acampamento' | XIII, *oste* XIII | Do lat. *hŏstis* 'inimigo'|| **hostil** 1813. Do lat. *hostīlis* || **hostil**IDADE XVII. Do lat. *hostīlĭtas -ātis* || **hostil**IZAR | 1844, *-isar* 1844.

⇨ **hoste** — **hostil**IZAR | 1836 SC |.

hóstia *sf.* 'vítima oferecida em sacrifício à divindade' 'partícula de pão ázimo que se consagra na missa' | XIII, *ostia* XIII | Do lat. *hostia* || **host**IÁRIO 1858.

hostil, -idade, izar → HOSTE.

hotel *sm.* 'estabelecimento comercial onde se alugam quartos mobiliados'1881. Do fr. *hôtel*, deriv. do lat. *hospitale (cubiculum)* || **hotel**ARIA XX || **hotel**EIRO 1899.

huguenote *sm.* 'designação depreciativa que os católicos franceses deram aos protestantes, sobretudo aos calvinistas' | *hugonote* XVI | Do fr. *huguenot*, alteração do m. a. al. *eidgenoss* 'confederado'.

⇨ **huguenote** | *vgonote a* 1595 *Jorn.* 183.*18* |.

hulha *sf.* 'carvão fóssil muito usado na indústria' 1881. Do fr. *houille* || **hulh**Í·FERO 1899.

humano *adj.* 'relativo ao homem, bondoso' | XIV, *humāa* XIII | Do lat. *humānus* || DES**uman**IDADE | *deshu-* XVII | DES**umano** | *deshu-* XVI | **human**AL XIV || **human**AR XVI. Do lat. *humanāre* || **human**IDADE | XIII, *humanydade* XIV, *omanidade* XV | Do lat. *humānĭtas -ātis* || **human**ISMO | 1899. Do fr. *humanisme* || **human**ISTA XVI. Do fr. *humaniste* || **humanit**ÁRIO 1858. Adapt. do fr. *humanitaire* || **human**IZAR | 1858, *-isar* 1844 | Do fr. *humaniser*. Cp. HOMEM.

⇨ **humano** — IN**uman**IDADE | *inhumanidade* | 1549 SNOR 43.*3* |.

humildade *sf.* 'modéstia, submissão, pobreza, inferioridade' | XIII, *omildade* XIII etc. | Do lat. *hŭmĭlĭtas -ātis* || **húmil** | *omil* XIII | Do lat. *humĭlis* || **humild**AÇÃO | *-çõ* XIV || **humild**ANÇA | *omil-* XIII || **humildar** *vb.* | XIV, *omildar* XIII etc. | Do lat. tard. *humilitāre* || **humilde** | *omilde* XV, *humjlde* XV. De origem controversa || **humild**OSO | XIV, *omil-* XIII, *homil-* XIV || **humilh**AÇÃO | *omilhaçom* XV, *humiliaçom* XV || **humilh**ANTE 1844 || **humilhar** | XVI, *omillar* XIII etc. | Do lat. *hŭmĭlĭāre*. Cp. HÚMUS.

⇨ **humildade** — **humilh**ANTE | 1836 SC |.

humor *sm.* 'líquido contido num corpo organizado, umidade' | XIV, *umor* XIII | ; '(Med.) cada um dos quatro principais fluidos do corpo que se julgavam de terminantes das condições físicas e mentais do indivíduo' *'ext.* disposição do espírito' XV; 'boa disposição do espírito, veia cômica, ironia' 1899. Do lat. *hūmōr -ōris*. A última acepção provém do ing. *humour* || **humor**ADO 1858 || **humor**ISMO¹ *sm.* 'sistema dos que atribuem todas as doenças à alteração dos humores' 1858 || **humor**ISMO² *sm.* 'comicidade, espirituosidade, sagacidade' 1899. Do ing. *humorism* || **humor**ISTA¹ *sm.* 'médico galenista que segue os princípios do humorismo, doutrina médica' 1873. Do fr. *humoriste* || **humor**ISTA² *s2g.* 'o que escreve ou fala com gracejo' XIX. Do ing. *humorist* || **humor**ÍST·ICO 1881. Do ing. *humoristic* || **humor**OSO XIV. Do lat. *humorosus*. Cp. ÚMIDO.
⇨ **humor** 'boa disposição de ânimo' | 1836 SC |.
húmus, humo *sm.* 'matéria orgânica em decomposição, rica em coloides e elementos nutritivos para as plantas' 1858. Do lat. *humus* 'terra, solo'. Cp. HUMILDADE.
húngaro *adj. sm.* 'relativo à Hungria, natural ou habitante desse país europeu' 'o idioma falado pelos húngaros' | *ungro* XVI, *ungaro* XVI | Do lat. med. *hungărus*, deriv. do germ. *Ungar*.
⇨ **húngaro** | 1538 DCast 39v19 |.

huno *adj. sm.* 'relativo ao povo da Ásia central que, sob o comando de Átila, invadiu a Europa em meados do séc. V' 'indivíduo desse povo' *'ext.* bárbaro, cruel' | *Unus* pl. XIV | Do lat. med. *Hunni* (*Chunni, Chuni*), que parece representar o nome nativo do povo.
huri *sf.* 'cada uma das belíssimas virgens que, segundo o Alcorão, hão de desposar os crentes no paraíso muçulmano' *'fig.* mulher de beleza extraordinária' 1873. Do fr. *houri*, deriv. do persa *ḥūrī* e, este, do ár. *ḥūr*, pl. de *ḥáyra*.
hússar, hussardo *sm.* '(Hist.) soldado da cavalaria ligeira, instituída na Hungria na segunda metade do séc. XV' | *a. ussares* pl. 1688, *usares* pl. 1818; β. *hussar* 1716, *husares* pl. 1716, *huzares* pl. 1719, *hussaro* 1721; γ. *hussardo* 1727, *hussarto* 1727, *ussarto* 1728, *hussard* 1865 | Do húng. *huszár*, através do it. *ússaro* (vars. α), do al. *Husar* (vars. β) e do fr. *hussard* (vars. γ); húng. *huszár* < a. sérv. *chusar, husar* 'bandido, ladrão, malfeitor' < a. sérv. *chusa, husa* 'emboscada' < esl. *χŏsa* < gót. *hansa* 'bando, tropa, séquito'.
hussita *s2g.* 'adepto da doutrina de Huss (1369-1415), segundo a qual as boas obras eram indiferentes para a salvação eterna' | *husisto* 1651, *husita* | 1671 | Do fr. *hussite*, do antr. J. *Huss*, reformador religioso tcheco. A ant. var. *husista* parece de formação vernácula: de *Hus(s)* + -ISTA.

I

i¹- → IN¹-.
i²- → IN²-.
-í *elem. comp.*, do tupi *'i*, que se documenta em alguns vocs. port. de origem tupi, particularmente com a noção de 'pequeno, diminuto': *cajuí, tatuí* etc. Embora menos frequente, ocorre, também, a var. nasalada *-im²: ajuruim*.
-i- *vogal de ligação*, do lat. *-i-* (= gr. *-o-*, raramente *-i-*), que se documenta em compostos já formados no próprio latim, como: a) *omni·vorus*, em que o *-i-* é vogal temática do primeiro elemento do composto; b) *herb·i·vorus* (< *herb·a* + *-i-* + *vorus*), ou *gran·i·vorus* (< *gran·o* + *-i-* + *vorus*), em que o *-i-* substitui as vogais temáticas *-a-* e *-o-*; c) *gramin·i·vorus* (< *gramin* + *-i-* + *vorus*), em que o *-i-* é um simples conectivo. A vogal de ligação *-i-* participa, também, na formação de alguns sufixos compostos, como *-iaco* (< *-i-* + *-aco*), *-ial* (< *-i-* + *-al*) etc. A exemplo do latim, a vogal de ligação *-i-* ocorre na formação de alguns compostos portugueses, como *cafeicultor* (< *café* + *-i-* + *cultor*), entre outros.
-ia¹ *suf. nom.*, deriv. do gr. *-ía* (> lat. *-ia*), que se documenta em vocs. formados no próprio grego (como *astronomia, hipocondria* etc.), ou do gr. *-eia* (*aristocracia*), e que se liga a numerosos elementos de composição, também de origem grega, na formação de um sem-número de novos elementos: *-alg·ia, -crac·ia, -fil·ia, -gen·ia, -latr·ia, -man·ia, -op·ia, -pat·ia, -sof·ia, -tip·ia* etc. O suf. *-ia* ocorre em português: (i) na formação de substantivos derivados de outros substantivos, com as noções de: a) 'profissão, titulatura' (*advocacia, baronia*); b) 'lugar onde se exerce uma atividade' (*chancelaria, tipografia*) e c) 'intensidade, quantidade' (*cantoria, clerezia*); (ii) na formação de substantivos derivados de adjetivos, com a noção de 'qualidade' (*covardia, teimosia*).
-ia² *suf. nom.*, deriv. do lat. *-ĭa*, que se documenta em alguns substantivos latinos da primeira declinação (lat. *constantĭa* > port. *constância*, lat. *prudentĭa* > port. *prudência*), ou do gr. *-ía* (v. -IA¹), através do lat. *-ia* (gr. *parōdía* > lat. *parōdia* > port. *paródia*, gr. *prosōdía* > lat. *prosōdia* > port. *prosódia* etc.) e que se liga a numerosos elementos de composição, também de origem greco-latina, na formação de um sem-número de novos sufixos: *-ânc·ia, -ár·ia, -ênc·ia, - oním·ia* etc.
iá *sm.* 'planta da fam. das cucurbitáceas (*Lagenaria vulgaris*), cujo fruto os indígenas do Brasil utilizavam como vasilhas ou cabaças' | *yha c* 1631 | Do tupi *ï'a* 'cabaça'.
-íaco *suf. nom.*, do lat. *-iacus* (< gr. *-iakós*), oriundo da fusão da vogal de ligação *-i-*, já presente na palavra derivante, com o suf. *-aco²* (< lat. *-acus* < gr. *-akós*): austríaco/Áustria, demoníaco/demônio, hipocondríaco/hipocondria etc. V. -I-, -ACO².
-ial *suf. nom.*, do lat. *-iālis -iāle*, oriundo da fusão da vogal de ligação *-i-*, já presente na palavra derivante, com o suf. *-al* (< lat. *-ālis -āle*): industrial/indústria, melancial/melancia, potencial/potência etc. V. -I-, -AL.
iambo, jambo *sm.* 'nas poesias grega e latina, pé de verso composto de uma sílaba breve e outra longa' 'o verso composto desses pés' | *jambo* 1844 | Do lat. *iambus*, deriv. do gr. *íambos* | **iâmb**ICO, **jâmb**ICO/*jâmbico* 1844 | Do lat. *iambicus*, deriv. do gr. *iambikós*, de *íambos*.
iamologia *sf.* 'tratado dos medicamentos' 1881. Do gr. *íama* 'medicamento' + -LOG·IA, por via erudita || **iamo**TECN·IA | *-technia* 1881.
-iano, iana *suf. nom.*, do lat. *-iānus -iāna*, oriundos da fusão da vogal de ligação *-i-*, já presente na palavra derivante, com o suf. *-ano -ana* (< lat. *-ānus -āna*): australiano-a/Austrália, diluviano/diluvio etc. V. -I-, -ANO.
ianque *adj. s2g.* 'diz-se de, ou natural ou habitante dos EUA' XIX. Do ing. *yankee*, de origem controversa.
iaque *sm.* 'animal bovino encontrado em estado selvagem ou domesticado, tanto no Tibé quanto em outras altas regiões da Ásia central' | *yaque* XIX | Do ing. *yak*, deriv. do tibetano *gyag*.
-iar *suf. verb.*, oriundo da fusão da vogal de ligação *-i-*, já presente na palavra derivante, com a desinência -AR¹ (< lat. *-āre*) dos verbos da primeira conjugação: anistiar/anistia, antologiar/antologia etc. V. -I-, -AR¹.
iara *sf.* 'sereia dos rios e dos lagos, mãe-d'água, segundo a mitologia dos índios do Brasil' | *yara* XIX | Do tupi *ïara* 'senhora'.
-íase *suf. nom.*, do gr. *-íasis* (> lat. *-iasis*), que se documenta, com a noção de 'doença', em vocs. formados no próprio grego (como *elefantíase*) e em alguns outros introduzidos modernamente na linguagem científica internacional (como *amebíase*).
iatagã *sm.* 'sabre, arma de combate e de execução, usado pelos turcos e árabes' XIX. Do fr. *yatagan*, deriv. do turco *iatağan*.

iate *sm.* '*orig.* navio de pequena lotação, com dois mastros sem vergas e vela latina' | *yathe* 1640, *hiate* 1753 |; 'modernamente, espécie de embarcação de recreio, a velas e/ou a motor' xx. Do neerl. *jacht*; numa relação portuguesa de 1640 lê-se: "yathes de Amsterdama". Na segunda acepção o termo sofre influência do ing. *yacht* || **iat**ISMO XX || **iat**ISTA XX.

-iatr(o)- *elem. comp.*, do gr. *iatro-*, de *iatrós* 'médico', que se documenta em vocs. formados no próprio grego, como *iatralíptica*, por exemplo, e em alguns outros introduzidos, a partir do séc. XIX, na linguagem científica internacional ▶ **iatralipta** | 1899, -*lépta* 1858 || **iatralíptica** | -*lépt-* 1858 | Cp. gr. *iatraleiptikós* || **iátr**ICO 1858. Cp. gr. *iatrikós* || **iatro**FÍS·ICA | -*phy-* 1858 || **iatro**QUÍM·ICA | -*chimia* 1858, -*chymia* 1858.

iauô, iaô *sf.* 'título que no candomblé nagô se dá à iniciada, esposa de orixá' XX. Do ioruba *iia'uo* 'esposa mais jovem, recém-casada'.

-iba- *elem. comp.*, do tupi *'iua* 'pé, haste (de plantas), planta, árvore', que se documenta em alguns vocs. port. de origem tupi, com as grafias: a) -*iba* (copa*iba*, ibir*iba* etc.); b) -*uba* (maçarand*uba*, mung*uba* etc.); c) -*uva* (bocai*úva*, peúva etc.).

-ibá- *elem. comp.*, do tupi *ï'ua* 'fruta', que se documenta em alguns vocs. port. de origem tupi, com as grafias: a) *a-* (aça*í*); b) *aba-* (*aba*caxi); c) *ba-* (*ba*curi); d) -*bá* (jato*bá*); e) *ga-* (*ga*ponga); f) *gua-* (*gua*biju); g) *iba-* (*iba*camuci); h) -*ibá* (arar*ibá*); i) *uba-* (*uba*ia).

ibabiraba *sf.* 'nome comum a diversas plantas da fam. das mirtáceas' | *baibiraba* 1648, *ibabirāba* 1663 | Do tupi *ïuau e'raua < ï'ua* 'fruta' + *ue'raua* 'brilhante'. Cp. GUABIROBA.

ibacamuci *sm.* 'planta indígena brasileira, cujos frutos, em forma de pote, têm sabor semelhante aos dos marmelos' | *ibá camuci* 1561, *jgbacamuçi c* 1584, *jbacamuçu c* 1594 | Do tupi *ïuakamu'si < ï'ua* 'fruta' + *kamu'si* 'pote'.

ibamirim *sm.* 'planta indígena brasileira, cujos frutos têm sabor semelhante aos dos limões e a madeira foi muito utilizada em construção civil' | *iba merim* 1618, *hiba mirim* 1700, *uba merim* 1731 | Do tupi *ïuami'rĩ < ï'ua* 'fruta' + *mi'rĩ* 'pequena'.

ibapuringa *sf.* 'planta da fam. das ramnáceas' | *vbaperungua* 1618, *ibapurũga* 1663 | Do tupi **ïuapi'raua < ï'ua* 'fruta' + *pi'raua* 'vermelha'.

ibero *adj. sm.* 'relativo à Ibéria, natural ou habitante da Ibéria' XVI. Do lat. *iberus* 'o habitante primitivo da Península Ibérica' || **ibér**ICO 1844. Do lat. *ibericus*.
⇨ **ibero** | *hibero* 1538 DCast 24*v* 18 |.

ibiboca, ibiboboca *sf.* 'nome tupi da cobra-coral' | *jgbigboboca c* 1584, *ububoca* 1587, *jbibiboca c* 1594, *ibigboboe* 1610 | Do tupi *ïmï'moka, ïmïmo'moka< ï'mï* 'terra, chão' + *'moka, mo'moka* 'abertura, fenda'. Cp. BIBOCA.

ibijara *sf.* 'réptil lacertílio da fam. dos anfisbenídeos, cobra-de-duas-cabeças' | *hebijára a* 1576, *ubojara* 1587, *jbigyara c* 1594, *ebijara* 1605 | Do tupi *ïmï'iara < ï'mï* 'terra, chão' + *'iara* 'senhor, senhora'.

ibijaú *sm.* 'ave da fam. dos caprimulgídeos' | *ubujaú* 1587 | Do tupi *ïmïia'u*.

-íbil, -ibilidade → -ÍVEL.

ibiraçanga *sf.* 'tacape' | *ybirassanga a* 1698 | Do tupi *ïmïraï'sana*.

ibiracica *sf.* 'almecegueira do Brasil' | *ubiracica* 1587, *inuiracica* 1648, *burissîca* 1711 | Do tupi *ïmïraï'sïka < ïmï'ra* 'madeira, pau' + *i'sïka* 'resina'. Cp. ICICA, ICICARIBA.

ibiraçoca *sf.* 'muriçoca' | *ubiraçoca* 1587 | Do tupi **ïmïra'soka*.

ibiracuá *sf.* 'variedade de cobra' | *jgbigracuá c* 1584, *ubiracoá* 1587, *jbiracua c* 1594 | Do tupi *ïmïra'kua*.

ibiracuatiara *sf.* 'madeira rajada' | *uburaquatiara* 1618, *iburâquatiára* 1627, *buracutiará* 1628 etc. | Do tupi *ïmïrakua'tiara < ïmï'ra* 'madeira, pau' + *kua'tiara* 'pintado'. Cp. CUATIARA.

ibiracuí *sm.* 'espécie de madeira' | *c* 1607, *buraquihi* 1618 | Do tupi *ïmïraku'i < ïmï'ra* 'pau' + *ku'i* 'pó'.

ibiraigara *sf.* 'madeira própria para a construção de canoas' | *ubiragara* 1587 | Do tupi *ïmïraï'ara* 'canoa'.

ibiraipu *sm.* 'nome tupi de uma variedade de abelha' | *ubiraipu* 1587 | Do tupi *ïmïraï'pï*.

ibiraitá *sf.* 'pau-ferro' | *ubiraetá* 1587 | Do tupi *ïmïraï'ta < ïmï'ra* 'pau' + *i'ta* 'pedra, ferro'.

ibiraobi *sf.* 'pau-ferro' | *ibiraobj c* 1574 | Do tupi *ïmïrao'mï < ïmï'ra* 'pau' + *o'mï* 'verde, azul'.

ibirapariba *sf.* 'madeira dos arcos dos índios do Brasil' | *ubirapariba* 1587 | Do tupi *ïmïrapa'rïua < ïmïra'para* 'arco' + *'ïua* 'planta'.

ibirapinima *sf.* 'madeira rajada' | *gurapinima* XVII, *burapinima* 1656, *burapenimâ* 1730 etc. | Do tupi **ïmïrapi'nima < ïmï'ra* 'pau' + *pi'nima* 'pintado, malhado'.

ibirapiroca *sf.* 'planta da fam. das mirtáceas' | *ubirapiroca* 1587, *buraperoca* 1617, *burapiroqua* 1618 | Do tupi *ïmïrapi'roka < ïmï'ra* 'pau' + *pi'roka* 'esfolado'.

ibirarema *sf.* 'planta da fam. das fitolacáceas, pau-d'alho' | *ubirarema* 1587, *burarema* 1617 etc. | Do tupi *ïmïra'rema*, que provém do cruzamento de *ïmï'ra* 'pau' com *ima'rema* 'alho'.

ibiratinga *sf.* 'planta da fam. das aspidospermas' | *ubiratinga* 1587 | Do tupi *ïmïra'tina < ïmï'ra* 'pau' + *'tina* 'branco, claro'.

ibiraúna *sf.* 'planta da fam. das anacardiáceas' | *ubiraúna* 1587, *muraú c* 1777 | Do tupi *ïmïra'una < ïmï'ra* 'pau' + *'una* 'preto'.

ibiriba *sf.* 'nome comum a várias plantas, particularmente às da fam. das anonáceas, que fornecem embira' 1587. Do tupi **mïrïua < *mïra* (forma paralela de *ï'mïra* 'fibra, filamento, estopa') + *'ïua* 'planta'. Cp. BIRIBÁ, EMBIRA.

íbis *s2g.* 2*n.* 'ave pernalta da ordem dos ciconiformes, cultuada no antigo Egito como ave sagrada' XVIII. Do lat. *ībis -idis*, do gr. *íbis -idos*.

-ica[1] → -ICO[1].

-ica[2] → -ICO[2].

-iça, -ice, -ícia, -ície, -ício, -iço *suf. nom.*, todos de origem latina, mas de formações distintas: (i) *-iça* é adaptação popular do lat. *-itīa*, que se documenta em substantivos oriundos de adjetivos, quase todos já formados no próprio latim, com a noção de 'qualidade, propriedade': justi*ça* (< lat.

jūst*itĭa*), pregu*iça* (< lat. pigr*itĭa*) etc. O suf. *-iça* é, também, a forma feminina de *-iço* [v. (vi)] em adjetivos oriundos de verbos, com a noção de 'referência', como moved*iça*/moved*iço*, quebrad*iça*/ quebrad*iço* etc.; (ii) *-ice* é, também, adaptação popular do lat. *-itĭa* ou *-itĭe*, que se documenta em substantivos oriundos de adjetivos, com a noção de 'qualidade, propriedade, maneira de ser': led*ice* (< a. port. led*iça* < lat. laet*itĭa*), meigu*ice* (< meig·o + *-ice*), tol*ice* (< tol·o + *-ice*) etc.; o suf. *-ice* ocorre com grande frequência na formação de substantivos com noção pejorativa (como bebed*ice*, fanfarr*ice* etc.) e/ou com cunho irônico-jocoso (como mineir*ice*, modern*ice* etc.); (iii) *-icia* é adaptação erudita do lat. *-itĭa*, que se documenta, tal como a var. pop. *-iça*, em substantivos oriundos de adjetivos, quase todos já formados no próprio latim, com a noção de 'qualidade, propriedade': mal*ícia*, puer*ícia* etc. O suf. *-icia* é, também, a forma feminina de *-ício* [v. (v)] em adjetivos oriundos de verbos, como acomodat*ícia*/acomodat*ício*, e em adjetivos oriundos de substantivos, como aliment*ícia*/aliment*ício*; (iv) *-ície* é adaptação erudita do lat. *-itĭa* ou *-itĭe*, que se documenta, tal como a var. pop. *-ice*, em substantivos oriundos de adjetivos, com noção de 'qualidade, propriedade, maneira de ser': calv*ície* (< lat. calv*itĭe*), imund*ície* (< lat. immund*itĭa*); (v) *-ício* é adaptação erudita do lat. *-īcĭus*, que se documenta em adjetivos oriundos de verbos, com a noção de 'referência', como fact*ício* (< lat. fact*īcĭus*), e em adjetivos oriundos de substantivos, com a mesma noção de 'referência', como natal*ício* (< lat. natal*īcĭus*). No port. med. ocorre, a par do erudito *-ício*, como advent*ício* (< lat. advent*īcĭus*), a var. pop. *-iço* [v. (vi)], como avijnd*iço* (séc. xiv), avind*iço* (séc. xv) etc.; (vi) *-iço* é adaptação popular do lat. *-īcĭus*, que se documenta, também, em adjetivos oriundos de verbos, com a noção de 'referência', como moved*iço*, quebrad*iço* etc.
içá *sf.* 'variedade de formiga, a fêmea da saúva' | *içans* pl. 1587 | Do tupi *ï'sa*.
-icar *suf. verb.*, oriundo da fusão do suf. dimin. -ico² com a desinência -ar¹ dos verbos da primeira conjugação, que se documenta, com noção frequentativo-diminutiva, na formação de alguns verbos portugueses de cunho nitidamente popular: *bebericar, depenicar* etc.
içar *vb.* 'erguer, levantar' xviii. Do fr. *hisser* e, este, do neerl. *hijsen*, ou do baixo al. *hissen* || içamento xx.
⇨ **içar** | *c* 1541 jcasr *375.23* |.
icástico *adj.* 'sem artifício, que representa explicitamente uma ideia' 1842. Do gr. *eikastikós*, de *eikádzo*, deriv. de *eikón* 'imagem', por via erudita. Cp. ícone.
-ice → -iça.
-icho, -icha *suf. nom.*, que provém, segundo tudo indica, da combinação do suf. -isco com o suf. lat. *-cŭlu: -isco + -cŭlu > *-iscŭlu > *-isc'lu > -icho*; ocorre na formação de diminutivos, quase sempre com noção depreciativa: *barbicha, governicho* etc.
ichó *sm.* 'armadilha em forma de alçapão para apanhar coelhos e perdizes' | *ichoo* xv | Do lat. *ostiŏlum* 'portinha'. Note-se, contudo, a evolução atípica da vogal inicial do voc. latino para a forma portuguesa.
-ícia → -iça.
icica *sf.* 'almecegueira' | *jgcigca c* 1584 | Do tupi *ï'sïka*. Cp. ibiracica, icicariba.
icicariba *sf.* 'planta da fam. das burseráceas' | *sequeriba c* 1631, *icicatyba* 1663, *issicariba* 1817 | Do tupi **ïsïka'rïŋa < ï'sïka* 'resina' + *'ïŋa* 'planta'. Cp. ibiracica, icica.
-ície, -ício → -iça.
icnêumon *sm.* 'rato-do-egito, animal que segue o crocodilo e lhe destrói os ovos' | *ichneumon* 1813 | Do lat. *ichneumōn -ŏnis*, deriv. do gr. *ichneúmōn*.
⇨ **icnêumon** | *ichneumom* 1538 dcast 74*v* 15 |.
icnografia *sf.* 'planta de uma construção, a técnica de desenhar plantas ou esboços' | *ichnographia* 1813 | Do lat. *ichnographia*, deriv. do gr. *ichnographía*.
-ico¹, -ica¹ *suf. nom.*, do lat. *-ĭcus* (< gr. *-ikōs*), que se documenta em vocs. formados no próprio latim (como *cívico -a*) ou no grego (*gramático -a*), e que, com a noção de 'participação, referência, pertinência', ocorre na formação de vários adjetivos portugueses: *elmânico -a, daltônico -a* etc. Na nomenclatura química, emprega-se o suf. *-ico* para denominar os compostos químicos de maior valência (ácido clórico: $HClO_3$), em oposição aos de menor valência, para os quais se adota o suf. -oso (ácido cloroso: $HClO_2$).
-ico², -ica² *suf. nom.*, de origem incerta, que se documenta na formação de substantivos portugueses com valor diminutivo (*abanico, burrico* etc.) e, às vezes, com conotações francamente depreciativas (*marica(s), nanico* etc.).
-iço → -iça.
ícone *sm.* 'na igreja ortodoxa russa, representação, em superfície plana, de Cristo, da Virgem e de certos santos' 'retrato, desenho, figura' xx. Do fr. *icône*, deriv. do russo *ikóna* e, este, do gr. bizantino *eikóna* 'imagem sacra', de *eikôn -ónos* 'imagem' || **icôn**ico xvi. Do lat. *iconĭcus*, deriv. do gr. *eikonikós* || **icon**ista xviii || **icono**clasmo 1899. Do fr. *iconoclasme*, deduzido de *iconoclaste*, onde o elemento *-claste* (gr. *klástes*) está para *-clasme*, assim como o elemento *-plaste* (gr. *plástes*) está para *-plasme* (gr. *plásma*) || **icono**clasta xvii. Do lat. med. *īconoclastēs*, deriv. do gr. *eikonoklástēs* 'destruidor de imagens' || **iconó**filo | *-philo* 1858 || **icono**graf·ia | *-graphia* 1813 | Do fr. *iconographie*, deriv. do lat. med. *īconographia* e, este, do gr. *eikonographía* || **iconó**grafo | *-pho* 1881 | Do fr. *iconographe* || **iconó**latra 1842 | Do fr. *iconolâtre* || **icono**log·ia 1813. Do fr. *iconologie* || **iconô**maco xvii. Do lat. ecles. *īconomachus*, deriv. do gr. bizantino *eikonomáchos* || **icono**mania 1899. Do lat. cient. *īconomania* || **iconos**cóp·io xx. Do fr. *iconoscope* || **icono**teca xx. Do fr. *iconothèque*.
icor *sm.* 'serosidade purulenta e fétida que escorre de certas úlceras ou abscessos, sânie' | *ichor* 1813 | Do fr. *ichor*, deriv. do gr. *ichōr* 'sangue, humor aquoso' || **icor**oso | *ichor-* 1858.
icos(a)- *elem. comp.*, do gr. *eíkosi* 'vinte', que já se documenta em compostos formados no próprio grego, como *icosaedro*, e em alguns outros vo-

cábulos eruditos, a partir do séc. XIX ▶ **icosa**EDRO 1842. Do lat. tard. *icosahedrum*, deriv. do gr. *eikosáedron* ‖ **icosá**GONO XX ‖ **icos**ANDRO 1858.

icterícia *sf.* '(Med.) estado mórbido caracterizado pelo aumento de bilirrubina no sangue, com deposição consecutiva deste pigmento nos diversos tecidos, de onde a cor amarela apresentada pelo paciente' 1813. Do lat. tard. *icteritĭa*, de *ictĕrus* e, este, do gr. *íkteros* 'icterícia' ‖ **ictérico** 1813. Do lat. *ictericus*, deriv. do gr. *ikterikós* ‖ **ictero**CÉFALO | *icterocéphalo* 1899 ‖ **ictero**OIDE 1899.

icti(o)- *elem. comp.*, do gr. *ichthýs* -*yos* 'peixe', que se documenta em vocábulos eruditos, alguns formados no próprio grego, como *ictiocola*, e muitos outros introduzidos na linguagem científica internacional, particularmente no domínio da zoologia, a partir do séc. XIX ▶ **ictí**ICO | *ichthyico* 1899 | Cp. gr. *ichthyikós* ‖ **ictiocola** | *ichthyocólla* 1858 | Do lat. *ichthyocōlla*, deriv. do gr. *ichthyókolla* ‖ **ictio**ODONTE | *ichthyodonte* 1881 ‖ **ictio**ODORI·LITE | *ichthyodorylitho* 1899 ‖ **ictio**FAG·IA | *ichthyophagia* 1899 ‖ **ictió**FAGO | *ichthyóphago* 1813 | Do lat. *ichthyophagus*, deriv. do gr. *ichthyophágos* ‖ **ictio**OI·DE | *ichthioideo* 1881 ‖ **ictio**OL XX. Do fr. *ichthyol* ‖ **ictio**LOG·IA | *ichthy-* 1842 | Do fr. *ichthyologie*, deriv. do lat. cient. *ichthyologia* ‖ **ictio**PSOF·OSE | *ichthyopsophose* 1899 ‖ **ictio**SSAURO | *ichthyosàurio* 1899 | Do lat. cient. *ichthyosaurus* ‖ **icti**OSE | *ichthyose* 1881 | Do lat. cient. *ichthyōsis*.

⇨ **icti(o)-** — **ictió**FAGO | *ichthiofagis* pl. *c* 1541 JCASR 308.*31* |.

-ículo *suf. nom.*, do lat. -*ícŭlu* (-*cŭla*), que já se documenta, com valor diminutivo, em vocs. formados no próprio latim (cp. *genīcŭlum, apīcŭla* etc.), e que ocorre em vocs. port. de cunho erudito, como *canícula, funículo* etc. Cp. -ELHO, -ILHO.

id *sm.* '(Psican.) o substrato instintivo da psique' XX. Do ing. *id* (< lat. *id*, nominativo neutro singular do pronome demonstrativo *is*), introduzido na linguagem da psicanálise, em 1924, para traduzir o conceito expresso pelo al. *es*, usado por Freud, em 1923, com o sentido específico de 'impulso instintivo do indivíduo'.

-id- → -OIDE.

ida → IR.

-ida[1] → -IDO[1].

-ida[2], **-ide** *suf. nom.*, deriv. do gr. -*is* -*ida* (pl. -*ídes*), que se documentam em vocs. eruditos: caró*tida* (gr. *karōtídes* pl.), pirâm*ide* (gr. *pyramídes* pl.) etc. Cp. -ÍDEA.

-ida[3] → -IDO[3].

idade *sf.* 'número de anos de alguém ou de alguma coisa' 'época da vida, época histórica, tempo' | XIV, *ydade* XIII, *jdade* XIII etc. | Do lat. *aetās -tātis* ‖ **ido**OSO | *idioso* XIV | Forma haplológica de *idadoso < *idad (e)* + -OSO.

-idade → -DADE.

idálio *adj.* 'relativo ao monte Ida, consagrado a Vênus, na ilha de Chipre' 1572. Do lat. *idalīus*.

-idão → -DÃO; **-ide** → -IDA[2].

-ídea, -ídeo *suf. nom.*, do lat. -*idae*, pl. de -*idēs* e, este, deriv. do suf. patronímico gr. -*idēs* (= 'filho de', 'descendente'), que se documentam em vocs. eruditos, particularmente, nos domínios da botânica (orqu*ídea*), da zoologia (aracn*ídeo*) e da quími-

ca (actin*ídeo*); -*ídio* é forma variante que alterna com -*ideo*: lip*ídio*, of*ídio* etc. Cp. -OIDE.

ideia *sf.* 'representação mental de uma coisa concreta ou abstrata, concepção intelectual, imaginação, lembrança' | *idea* 1572 | Do lat. *idĕa*, deriv. do gr. *idéa* ‖ **idea**AÇÃO XIX ‖ **idea**AL *adj.* 2g. *sm.* 1842 ‖ **idea**AL·ISMO 1858. Do fr. *idéalisme* ‖ **idea**AL·ISTA 1873. Do fr. *idéaliste* ‖ **idea**AL·IZAR XIX. Do fr. *idéaliser* ‖ **idea**AR XVII ‖ **ideo**·FREN·IA XX ‖ **ideo**·GEN·IA 1881 ‖ **ideo**·GRAF·IA | -*phia* 1858 | Do fr. *idéographie* ‖ **ideo**·GRAMA | -*mma* 1881 | Do fr. *idéogramme* ‖ **ideo**·IDE *idéologie*, voc. criado por G. L. Destutt de Tracy em 1796 ‖ **ideo**·LÓG·ICO 1881. Do fr. *idéologique* ‖ **ideó**·LOGO 1844.

idem *pron.* 'o mesmo, a mesma coisa' 1858. Do lat. *idem* ‖ **idênt**ICO 1844. Do lat. med. *identĭcus* ‖ **ident**IDADE XVII. Do lat. med. *identitas -ātis* ‖ **identi**·FIC·AÇÃO 1881 ‖ **identi**·FICAR XVII. Do lat. med. *identificāre*.

-ídeo → -ÍDEA.

ideo-frenia, -genia, -grafia, -grama, -log·ia, -ico, -o → IDEIA.

idílio *sm.* 'pequena composição lírica de caráter campestre ou pastoril' 'amor poético e suave' XVII. Do lat. *idyllium*, deriv. do gr. *eidýllion* 'poemeto', dim. de *eídos* 'forma, aspecto' ‖ **idíl**ICO | *idyllico* 1881 ‖ **idil**ISTA | *idyllista* 1881.

idio- *elem. comp.*, deriv. do gr. *idio-*, de *ídios* 'próprio, pessoal, privativo', que já se documenta em vocs. formados no próprio grego (como *idioma*) e em alguns compostos formados nas línguas modernas de cultura ▶ **idio**BLÁST·ICA XX ‖ **idio**BLASTO XX ‖ **idio**CROM·ÁTICOXX‖**idio**CRÔM·ICOXX‖**idio**ELÉTR·ICO | -*ectr-* 1873 ‖ **idió**GINO | -*gy-* 1858 ‖ **idio**LATRA 1881 ‖ **idioma** XVII. Do lat. *idiōma*, deriv. do gr. *idiōma* ‖ **idiomát**ICO 1881 ‖ **idiomat**ISMO XX ‖ **idiomét**R·ITE XX ‖ **idiomo**·GRAF·IA | -*phia* 1899 ‖ **idio**MORFO | -*pho* 1899 ‖ **idio**PAT·IA | -*thia* 1813 ‖ **idio**PÁT·ICO XVIII ‖ **idio**PLASMA XX ‖ **idios**·SINCRAS·IA | -*syn-* 1858 ‖ **idiota** I, XVI, *yndiota* XVIII | Do lat. *idiōta*, deriv. do gr. *idiōtēs* ‖ **idiót**ICO 1858. Do lat. *idioticus*, deriv. do gr. *idiōtikós* ‖ **idiot**ISMO XVIII. Do lat. tard. *idiōtismus*, deriv. do gr. *idiōtismós*.

-ídio → ÍDEA.

-ido[1], **-ida**[1] *suf. nom.*, oriundos das terminações dos particípios dos verbos das 2.ª e 3.ª conjugações, que se adjetivaram e, depois, se substantivaram: bater/bat*ido*, bat*ida*; correr/corr*ido*, corr*ida*; partir/part*ido*, part*ida*; sair/sa*ído*, sa*ída* etc.

-ido[2] *suf. nom.* do fr. -*yde*, de *oxyde*, voc. forjado por G. de Morveau, em 1787, de *ox(ygène)* + -*yde*, que se documenta em alguns vocs. eruditos da linguagem da química, como óx*ido*, por exemplo.

-ido[3], **-ida**[3] *suf. nom.*, adaptação do fr. -*yde*, de *oxyde* (v. -IDO[2]), que se documenta em alguns vocs. eruditos da linguagem da química, como anidr*ido*, am*ida* etc.

idocrásio *sm.* '(Min.) mineral tetragonal em cuja composição prevalece o silicato de cálcio e alumínio' | *idocráse* 1858 | Do fr. *idocrase*, voc. criado por Haüy, em 1796, com base no gr. *eídos* 'forma' + *krasis* 'fusão, mistura'.

ídolo *sm.* 'figura representativa de uma divindade e a que se presta culto' | XIII, *ydolo* XIII | Do lat. *idōlum* 'imagem', do gr. *eídōlon* 'imagem,

simulacro', de *eídos* 'forma' || **idólatra** 1572. Do lat. *idololătra*, com haplologia, e, este, do gr. *eidōlolátrēs* || **idolatr**AR XVI || **idolatria** | *ydol-* XIV | Do lat. *idololatria*, com haplologia, e, este, do gr. *eidōlolatréia* || **idolopeia** | 1858, *idolopéa* 1858 | Cp. gr. *eidolopoia* 'reprodução de imagem'.
idôneo *adj.* 'conveniente, apto, capaz' | *jdoneo* XIV, *ydoneo* XIV | Do lat. *idonĕus* || **idone**IDADE XVI.
-idor, -idora → -DOR.
idos *sm. pl.* 'no antigo calendário romano, o dia 15 dos meses de março, maio, julho e outubro e o dia 13 dos demais meses' | *ydus* XV | Do lat. *īdūs -uum*.
idoso → IDADE.
-idouro, -idoura → -DOURO.
-idr- → -HIDR(O)-.
idumeu *adj. sm.* 'relativo à Idumeia, na Palestina, o natural ou habitante daquela região' | *idúmeo* 1844 | Do lat. *idūmaeus*, deriv. do gr. *idumaîoi*.
⇨ **idumeu** | *ydumeo* XIV TEST 300.*29 ydumeu* Id. 236.*18* |.
iene *sm.* 'unidade monetária do Japão' XX. Do ing. *yen*, deriv. do jap. *yen*, de origem chinesa.
-ificar, -ficar *suf. verb.*, deriv. do lat. *-ificăre, -ficăre*, que se documenta, com a noção factitiva de 'tornar em estado de' 'transformar em', em verbos formados no próprio latim, como *bonificar*, por exemplo, e que ocorre na formação de inúmeros verbos portugueses, alguns de cunho nitidamente popular e até mesmo irônico-depreciativo, como *bestificar* 'tornar estúpido' 'causar espanto', *paulificar* 'tornar maçante' 'importunar' etc.
igaçaba *sf.* 'talha, pote' | *ext.* urna funerária dos índios do Brasil' 1663. Do tupi *ïa'saua*.
igapó *sm.* 'charco, pântano coberto de mato' XIX. Do tupi *̈ïa'po*.
igara *sf.* 'canoa dos índios do Brasil' 1817. Do tupi *ï'ara* || **igar**AÇU 1757. Do tupi *̈*ïara'su < ï'ara + a'su* 'grande' || **igarité** *sf.* 'canoa' | *igaritê c* 1764 | Do tupi *ïare'te < ï'ara + e'te* 'verdadeiro'.
igarapé *sm.* 'pequeno rio que corre entre duas ilhas ou entre uma ilha e a terra firme' 1693. Do tupi *̈*ïara'pe < ï'ara* 'canoa' + *'pe* 'caminho'.
igarité → IGARA.
iglu *sm.* 'cabana dos esquimós feita de blocos compactos de neve' XX. Do ing. *igloo*, deriv. do esquimó *idglo* 'casa'.
ignaro *adj.* 'falto de instrução, ignorante, estúpido' XVI. Do lat. *ignārus*.
ignavo *adj.* 'indolente, preguiçoso, fraco, covarde' 1572. Do lat. *ignāvus*. || **ignáv**IA XVIII. Do lat. *ignavĭa*.
ígneo *adj.* 'relativo ao fogo, que tem a sua natureza ou se lhe assemelha' 1572. Do lat. *ignĕus* || **ignesc**ÊNCIA 1881 || **ignesc**ENTE 1881. Do lat. *ignescens -entis*, part. pres. de *ignescĕre* || **ign**IÇÃO 1858. Do fr. *ignition*, e, este, do lat. med. *ignitio -onis*, de *ignīre*, igualmente latim medieval || **ign**ÍCOLA 1844 || **ign**ÍFERO XVII. Do lat. *ignifĕrum* || **ign**IFIC·AÇÃO 1881 || **ign**ÍGENO 1899 || **ign**ÍPEDE 1899. Do lat. *ignīpēs -pĕdis* || **ign**IPOTENTE XVII. Do lat. *ignipotens -entis* || **ign**ÍVOMO XVIII. Do lat. *ignivŏmus* || **ign**ÍVORO 1881 || **ign**IZAR XVII.
ignóbil *adj. 2g.* 'que não tem nobreza, baixo, vil, desprezível, abjeto' XVI. Do lat. *ignobĭlis* || **ignobi**lIDADE 1813. Do lat. *ignobilĭtas -ātis*.

ignomínia *adj.* 'grande desonra, opróbrio, infâmia' XVII. Do lat. *ignominĭa* || **ignomini**OSO XVII. Do lat. *ignominiōsus*.
⇨ **ignomínia** | 1549 SNor 90.*16, inominia* 1538 DCast 7v 20, *inominea* Id. 38.*6* |.
ignorar *vb.* 'não saber, não ter conhecimento' XVI. Do lat. *ignorāre* || **ignor**ÂNCIA | XIV, *ignorãcia* XIV, *ygnorancia* XIV | Do lat. *ignorantĭa* || **ignor**ANTE | XV, *inhorante* XVI | Do lat. *ignōrāns -antis*, part. pres. de *ignorāre*.
ignoto *adj.* 'ignorante, desconhecido, obscuro' | 1572, *ynoto* XVI | Do lat. *ignōtus*, part. pass. de *ignoscĕre*.
⇨ **ignoto** | 1537 PNun 181.*38* |.
igreja *sf.* 'comunidade religiosa' 'templo' | XIII, *egreja* XIII, *ygreja* XIII etc. | Do lat. vulg. *eclēsia* (cláss. *ecclēsia*). O voc. ocorre com um número excepcionalmente grande de variantes gráficas nos textos portugueses do séc. XIII ao XVI. Do séc. XVIII até o início do séc. XX, as vars. *egreja* e *igreja* assumem a preferência dos escritores, acabando por prevalecer a última das duas, que foi por fim oficialmente consagrada.
igual *adj.* 'idêntico, que tem as mesmas características, uniforme, inalterável' | XIII, *ygual* XIII etc. | Do lat. *aequālis* || DEs**igual** XIII || DEs**igual**AR 1813 || DEs**igual**DADE 1813 || **igual**ANÇA | -*llança* XV, *jgoalança* XV || **igual**AR | *igalar* XIV, *ygualar* XIV, *jgalhar* XV, *jgoalar* XV || **igual**DADE | XIV, *ygu-* XIII, *egu-* XIV etc. | Do lat. *aequālĭtas -ātis* || **igual**D·ANÇA | *ygualdança* XIV || **igual**D·AR | XV, *jgu-* XIV, *ygu-* XIV || **igual**D·EZA XIII || **igual**EZA XV || **igual**itário | *egualitário* 1881 | Adapt. do fr. *égalitaire* || **igual**itarismo 1899. Adapt. do fr. *égalitarisme* || **igual**IZAR 1810 || IN**igual**ÁVEL XX.
⇨ **igual** — DEs**igual**AR | 1660 FMMele 384.*9* || DEs**igual**DADE | *c* 1539 JCasD 135.*26* |.
iguano, iguana *sm.* 'gênero de sáurios de grandes dimensões e cores brilhantes' | *iguana* 1858 | Provavelmente do cast. *iguana* e, este, do aruaque antilhano *iwana* || **iguan**ODONTE 1899. Do ing. *iguanodont*, formado pelo modelo de *mastodont* (v. MASTODONTE).
iguaria *sf.* 'manjar apetitoso, comida' | *iguoaria* XV, *yguaria* XV | De origem controversa.
iídiche *adj.* 'língua usada entre os judeus na Europa e nas Américas, com base no alemão, mas com influência vocabular de línguas eslávicas, e que é escrita em caracteres hebraicos' XX. Do ing. *yiddish*, adapt. do al. *jüdisch (deutsch)* 'judeu (alemão)'.
il-¹ → IN¹-.
il-² → IN²-.
-il¹ *suf. nom.*, do lat. *-ilis* e *-īlis*, que se documenta, com a noção de 'referência, semelhança', em inúmeros vocs. formados no próprio latim (como *civil, hostil* etc.) e em vários adjetivos portugueses oriundos de substantivos (como *febril*/febre, *senhoril*/senhor etc.).
-il², -ila *suf. nom.*, do fr. *-yle*, deriv. do gr. *hýlē* 'substância, matéria', introduzido na linguagem da química pelos Wöhler e Liebig, em 1832, para designar 'princípio químico' e que se documenta em inúmeros vocs. introduzidos na linguagem científica internacional, a partir do séc. XIX: *acetil*, *acetila*, *etil*, *etila*, *hidroxila* etc. Cp. HIL(O)-.

ilação *sf.* 'dedução, conclusão, inferência' XVII. Do lat. *illatio -ōnis*, de *illatus*, part. pass. de *inferre* 'inferir' || **ilativo** | *illativo* 1813 | Do lat. *illātīvus*. Cp. INFERIR.
ilacerável → LACERAR.
ilacrimável → LÁGRIMA.
ilapso → LAPSO.
ilaquear → LAQUEAR¹.
ilativo → ILAÇÃO.
ilécebras *sf. pl.* 'blandícies, sedução, carícias, tudo que se faz para atrair' | *illecebras* XVII | Do lat. *illecĕbrae -arum* 'atrativo, sedução'.
ilegal, -idade → LEI.
ilegibilidade → LER.
i·legitim·idade, -o → LEI.
ilegível → LER.
íleo *sm.* 'última parte do intestino delgado' 1858. Do lat. *ilĕus*, deriv. do gr. *eileós* || **ileo**CEC·AL | *ileocecal* 1873 | Do lat. cient. *ileocaecalis* || **ileo**LOG·IA 1899. Do lat. cient. *ileologia* || **ileo**STOMIA XX.
ileso → LESÃO.
iletrado → LETRA.
ilha *sf.* 'terra cercada de água por todos os lados, menor do que continente' | XIV, *ylla* XIV etc. | Do cat. *illa*, deriv. do lat. *insŭla*; v. *ínsua* || **ilh**ADO 1813 || **ilh**AR 1813 || **ilhéu**¹ 'ant. pequena ilha' | *hilheeo* XV, *jlheeo* 1500, *jlheo* 1500 | De *ilha*, com provável influência do antigo fr. *isleau* || **ilhéu**² 'habitante de ilha' | *ilhéo* 1844 || **ínsua** | *insoa* XIII, *inssoa* XIII | Do lat. *insŭla* || **insulano** | *jnsulano* XVI | Do lat. *insulanus* || **insular**¹ *adj. 2g.* 1813. Do lat. *insulāris* || **insul**AR² *vb.* 1881 || **insul**INA XX. Do fr. *insuline*, deriv. do ing. *insulin*, termo introduzido na linguagem científica internacional pelo fisiologista inglês Schäfer, em 1916, com base no lat. *insŭla*, porque o hormônio que a constitui tem origem nos ilhéus de Langerhans, grupos celulares especiais existentes no pâncreas. Antes, em 1909, J. de Meyer, em artigo publicado em francês no *Archivio de Fisiol*. (VII. 96), observava que, se a secreção interna do pâncreas derivava, realmente, dos ilhéus de Langerhans, poderia chamar-se *insuline*. Em 1914 e depois em 1916, Schäfer propõe, também, que se adote o termo *insuline*; finalmente, em 1922, F. G. Banting sugere o emprego do voc. *insulin*, que prevaleceu em inglês.
⇨ **ilha** — **ilh**OTA | 1736 *in* GFer 223.*12* |.
-ilha → -ILHO.
ilhal *sm.* 'cada uma das depressões laterais do cavalo' XVI. Do lat. **iliale*, de *īlĭa* 'flanco, ventre' || **ilharga** *sf.* 'cada uma das partes laterais e inferiores do baixo-ventre' | XIV, *ilhargua* XIV | Do lat. **iliarĭca*, de *īlĭa* || **ilíaco**¹ *sm.* '(Anat.) osso da bacia' XVII Do fr. *iliaque*, deriv. do lat. *īlĭăcus*, de *īlia*.
-ilhar *suf. verb.*, oriundo da fusão do suf. dimin. -ILHO com a desinência -AR¹ dos verbos da primeira conjugação, que se documenta, com noção frequentativo-diminutiva, na formação de alguns verbos de cunho nitidamente popular: *dedilhar, fervilhar, polvilhar* etc.
ilhéu¹, **ilhéu**² → ILHA.
-ilho, -ilha *suf. nom.*, deriv. do lat. *-ĭcŭlu(-cŭla)*, que já se documenta, com valor diminutivo, em vocs. formados no próprio latim (cp. *genĭcŭlum*,

apīcŭla etc.), e que ocorre na formação de alguns derivados portugueses: *pecadilho, tropilha* etc. Cumpre assinalar que, em português, o suf. lat. *-ĭcŭlu- (-cŭla)* evoluiu normalmente para *-elho (-elha)*. Cp. -ELHO, -ÍCULO.
ilhó *s2g.* 'orifício por onde se enfia uma fita ou cordão' | *ilhoo* XVI | Do lat. **oculiŏlus*, dimin. de *ocŭlus* 'olho'.
ilíaco¹ → ILHAL.
ilíaco² *adj.* 'de Troia, relativo a Troia' XVII. Do gr. *iliakós* 'de Troia', por via erudita.
ilibado → LIBAÇÃO.
iliberal, -idade → LIVRE.
ilição *sf.* 'fomentação, untura' | *illição* 1899 | Do lat. **illitio -onis*, de *illĭtus*, part. pass. de *illinĕre* 'untar'.
iliçar *vb.* 'enganar, burlar, dispor de bens que não lhe pertencem' | *inliçar* XVI | Do lat. **illiciare*, por *illicĕre* 'seduzir' || **ilício** XVII. Do lat. *illicĭum* 'atrativo, engodo'.
ilícito → LÍCITO.
ilidir *vb.* 'refutar, rebater' | *illidir* XVII | Do lat. *illidĕre*, com mudança de conjugação.
ilimitado → LIMITE.
ilírico *adj.* 'da Ilíria, relativo à Ilíria' | 1572, *illyrico* XVI | Do lat. *illyrĭcus*, deriv. do gr. *illyrikós*.
iliterato → LETRA.
ilmenita *sf.* 'mineral romboédrico, titanato ferroso, empregado na fabricação de aços especiais' XX. Do fr. *ilmenite*, deriv. do top. *Ilmen*, na Rússia.
ilocável → LOCAR.
ilógico → LÓGICA.
iludir → ILUSÃO.
iluminar *vb.* 'derramar luz sobre, tornar claro' '*fig.* esclarecer, ilustrar' 'ornar com iluminuras' 1530. Do lat. *illumināre* || **alumi**ADOR | *alomeador* XV || **alumeador** XV || **alumi**AMENTO | *alomeamēto* XV || **alumiar** | *-mear* XIII | Do lat. **allūmināre* || **ilumin**AÇÃO | *illu-* XVI | Do lat. *illumĭnātĭo -ōnis* || **ilumin**ADO 1530 || **ilumin**ADOR XVI || **ilumin**ANTE | *illu-* 1881 || **ilumin**ATIVO XVII || **ilumin**ISMO | *illu-* 1844 | Do fr. *illuminisme* || **ilumin**URA 1530.
⇨ **iluminar** — **alumi**ADO | XV VITA 7*Bb* 43, *allomeado* XIV BARL 17*v* 21 etc. || **alumi**AMENTO | *alomeamento* XIV ORTO 177.*17* || **alumi**ANTE | *alomeante* XV SEGR 90 || **alumi**OSO | XV VITA 169*c* 29, *alomeoso* XV SEGR 60 || **ilumin**ATIVO | *illuminatiuo* 1573 GLeão 188.*27* |.
ilusão *sf.* 'engano, coisa efêmera, interpretação errônea' | *ilusion* XVI | Do lat. *illūsĭō -ōnis* || DESIL**ud**IDO | *-illu-* 1899 || DESIL**ud**IR | *-illu-* 1899 || DESIL**usão** | *-illu-* 1899 || **iludir** | *illu-* XVII | Do lat. *illudĕre* || **ilusion**ISMO XX. Do fr. *illusionisme* || **ilusion**ISTA XX. Do fr. *illusioniste* || **ilus**IVO | *illu-* 1844 || **iluso** | *illu-* XVII | Do lat. *illūsus*, part. pass. de *illūdĕre* || **ilusor** | *illu-* XVII | Do lat. *illūsor -ōris* || **ilusór**IO | *illu-* 1813 | Do lat. *illusŏrĭus*.
ilustrar *vb.* 'tornar ilustre, dar glória a, esclarecer, elucidar' | *illustrar* 1572 | Do lat. *illustrāre* || **ilustr**AÇÃO XVI || **ilustr**ADO | *illus-* XV || **ilustr**ADOR | *illus-* XVII | Do lat. *illustrātor -ōris* || **ilustr**ATIVO | *illus-* 1881 || **ilustre** XV. Do lat. *illustris*.
ilutar *vb.* 'banhar em lama ou lodo medicinal' XX. Do *lat.*illutare* de **inlutare* || **ilut**AÇÃO | *illutação* 1858 | Do lat. cient. *illutātĭō -ōnis* Cp. LODO.

iluviação *sf.* '(Geol.) concentração de argilas, carbonatos etc., numa certa camada do solo' XX. Do fr. *illuviation*.
ilvaíta *sf.* 'silicato escuro cristalino de ferro e cálcio' XX. Provavelmente do ing. *ilvaite*, do top. *Ilva* 'Elba'.
im¹- → IN¹-.
im²- → IN²-.
-im¹ → -INO(I).
-im² → -í.
ímã *sm.* 'óxido magnético de ferro, que tem a propriedade de atrair o ferro' '*fig.* que atrai, atrativo' | *iman* XVII | Do fr. ant. *aïmant*, deriv. do lat. vulgar *adimas -antis*, por *adamas -antis* 'ferro duro, diamante' || **iman**IZAR XX || **imant**AÇÃO XX. Adapt. do fr. *aimantation* || **imantar** XX. Adapt. do fr. *aimanter*.
i·macul·abilidade, -ada, -ado, -atismo, -ável, -o → MÁCULA.
imagem *sf.* 'representação de um objeto pelo desenho, pintura, escultura etc.' 'reprodução mental de uma sensação na ausência da causa que a produziu' 'reflexo de um objeto no espelho ou na água' 'figura, comparação, semelhança' | XIII, *ymagen* XIII, *omagen* XIII, *imagēe* XIV etc. | Do lat. *imāgŏ -gĭnis* || **imagin**AÇÃO XIV. Do lat. *imaginatĭō -ōnis* || **imagin**ANTE 1881 || **imagin**AR | *emaginar* XIV, *enmaginar* XIV etc. | Do lat. *imaginăre* || **imagin**ÁRIO XVI. Do lat. *imaginārĭus* || **imagin**ATIVA *sf.* 'arte de fazer imagens' XVI || **imagin**ATIVO | *ymaginatiuo* XV || **imagin**OSO 1873. Do lat. *imaginōsus* || **imagismo** XX. Do ing. *magism*, de *image* 'imagem', deriv. do fr. *image* e, este, do lat. *imāgŏ -gĭnis* || **imagista** XX. Do ing. *imagist* || **imago** XX.
⇨ imagem — DESimaginAR | 1614 SGONÇ I. 411.3 |.
imame, imã *sm.* 'ministro da religião muçulmana' 'título de certos soberanos muçulmanos' | *imamo* XVII | Do ár. *imām* 'chefe'.
imane *adj.* 'mau, cruel, feroz' 'medonho, terrível' 'gigantesco, enorme, prodigioso' | *immano* XVII | Do lat. *immānis* || **iman**IDADE XVI. Do lat. *immānĭtās -ātis*.
imanente *adj. 2g.* 'que existe sempre num mesmo objeto e é inseparável do mesmo' | *immanente* XVII | Do lat. tard. *immanēns -entis*, part. pres. de *immanēre* 'ficar, parar em' || **iman**ÊNCIA XVI. Do lat. tard. *immanentĭa*, nom. pl. neutr. de *immanēns -entis*.
imanidade → IMANE.
iman·izar, -tação, -tar → ÍMÃ.
i·marcesc·ibilidade, -ível → MARCESCENTE.
imaterial → MATÉRIA.
i·matur·idade, -o → MATURAR.
imbé *sm.* 'planta da fam. das aráceas' | *a* 1696, *goembe c* 1584, *embe c* 1594 etc. | Do tupi *ÿe'm̨e*.
imbecil *adj. s2g.* 'que, ou pessoa que revela tolice ou fraqueza de espírito' 'parvo, covarde' XVI. Do lat. *imbēcillis* || **imbecil**IDADE XVI. Do lat. *imbecillĭtas -ātis*.
imbele → BEL(I)-.
imberbe → BARBA.
imbricar *vb.* 'dispor como as telhas, encaixar, sobrepor' 1881. Do fr. *imbriquer*, deriv. do lat. *imbricāre* 'cobrir com telhas' || **imbric**AÇÃO 1858. Do fr. *imbrication* || **imbric**ANTE 1873 || **imbrí**FERO XVII. Do lat. *imbrĭfĕrum*, de *imber -bris* 'chuva' || **imbrí**FUGO 1873.
imbrólio *sm.* 'trapalhada, mixórdia, confusão' 1899. Do it. *imbròglio* 'negócio complicado, engano'.
imbu *sm.* 'nome comum a diversas plantas das fam. das anacardiáceas e das fitolacáceas' | *ombû c* 1584, *ambu* 1587, *vmbu c* 1594, *huambu* 1618 etc. | Do tupi *ï'm̨u* || **imbu**RANA | *em-* 1874 | Do tupi **ï̈m̨u'rana < ï'm̨u + 'rana* 'semelhante' || **imbu**Z·ADA | *am-* 1817 || **imbu**Z·EIRO | *am-* 1817, *um-* 1898.
imbuir *vb.* 'meter num líquido, impregnar, embeber' '*fig.* sugerir, infundir, insinuar' XVIII. Do lat. *imbuĕre*, com mudança de conjugação.
imbu·rana, -zada, -zeiro → IMBU.
imedi·ação, -atismo, -atista, -ato → MÉDIO.
imedicável → MÉDICO.
imemor·ado, -ável, -e, -ial → MEMÓRIA.
imens·idade, -idão, -o, -urável → MENSURAR.
-imento → -MENTO.
imerecido → MERECER.
imergir *vb.* 'mergulhar, fazer penetrar' XVII. Do lat. *immergĕre* 'mergulhar' || **imerg**ENTE 1881. Do lat. *immergens -entis*, part. pres. de *immergĕre* || **imersão** | *immer-* 1813 | Do lat. *immersĭo -ōnis* || **imers**ÍVEL XX || **imers**IVO | *immer-* 1873 || **imerso** XVII. Do lat. *immersus*, part. pass. de *immergĕre* || **imers**OR XVIII.
imérito → MÉRITO.
imers·ão, -ível, -ivo, -o, -or → IMERGIR.
imido *sf.* 'nome dado aos derivados da amônia em que dois átomos de hidrogênio são substituídos por um radical metálico ou orgânico' 1899. Provavelmente do inglês *imide*, de *amide*, com alteração arbitrária || **imidogênio** XX. Adapt. do ing. *imidogen*.
imigr·ação, -ado, -ante, -ar, -atório → MIGRAR.
iminente *adj. 2g.* 'que está por acontecer, pendente' | *imminente* XVII | Do lat. *imminēns -entis*, part. pres. de *imminēre*, 'estar situado ou suspenso sobre', de *minae -arum* 'saliência de uma parede ou rochedo' || **imin**ÊNCIA | *imminencia* 1813 | Do lat. *imminēntĭa*, part. pres. nomin. pl. neutro de *imminēre*.
imisc·ibilidade, -ível, -uir → MESCLAR.
imisericórdia → MISÉRIA.
imissão → IMITIR.
imitar *vb.* 'fazer da mesma maneira, tomar como modelo, reproduzir, arremedar' XVI. Do lat. *imitāre*, por *imitāri* || **imit**AÇÃO | *emitação* XVI | Do lat. *imĭtātĭō -ōnis* || **imit**ADOR XVI. Do lat. *imitātŏr -ōris* || **imit**ANTE 1572 || **imit**ÁVEL XVII. Do lat. *imitabĭlis* || IN**imit**ÁVEL 1813.
imitir *vb.* 'fazer entrar, meter, mandar para dentro' XX. Do lat. *imittĕre*, com mudança de conjugação || **imissão** XX. Do lat. *imissio -ōnis*.
imo *adj. sm.* 'íntimo, que está no lugar mais fundo, o âmago, o íntimo' XVIII. Do lat. *-ĭmus*.
i·mobili·ária, -ário, -dade, -smo, -sta, -zação, -zar → MOVER.
i·moder·ação, -ado → MODERAR.
i·modést·ia, -o → MODESTO.
imódico → MODO.
imolar *vb.* 'sacrificar em holocausto' '*fig.* prejudicar' 1572. Do lat. *immolāre* 'cobrir a vítima de

farinha moída e sal' 'sacrificar', de *mola -ae* 'farinha com que se polvilhavam as vítimas antes do sacrifício' 'moinho' || imolAÇÃO XVI || imolADOR | *imm-* 1813 | Do lat. *immolātor -ōris* || imolANDO 1881.
imoral, -idade → MORAL.
imorredouro → MORRER.
imortal, -idade, -izar → MORTE.
imoto → MOVER.
imóvel → MOVER.
im·paci·ência, ·entar, -ente → PACIÊNCIA.
impacto[1] *adj.* 'ant.* metido à força' XVII. Do lat. *impactus*, part. pass. de *impingĕre* || **impacto**[2] *sm.* 'choque, colisão' *fig.* efeito de uma ação forte, contundência' XX. Do fr. *impact*, deriv. do lat. tard. *impactus -us* || impactAR XX.
impagável → PAGAR.
impalp·abilidade, -ável → PALPAR.
im·palud·ar, -ismo → PALUDE.
impar *vb.* 'respirar com dificuldade, soluçar' XVI. Do cast. *hipar*.
ímpar → PAR.
imparcial, -idade → PARCELA.
impasse *sm.* 'situação intrincada em que fica difícil uma boa saída' XX. Do fr. *impasse*.
im·pass·ibilidade, -ível → PASSÍVEL.
impávido *adj.* 'destemido, intrépido, denodado' XVIII. Do lat. *impavĭdus*.
im·pec·abilidade, -ável → PECADO.
impedância *sf.* '(Fís.) o total impedimento oposto por um circuito elétrico ao fluxo de uma corrente alternada de frequência única' XX. Do ing. *impedance*, de *to impede* 'impedir'. Cp. IMPEDIR.
impedir *vb.* 'embaraçar, estorvar, obstar a, obstruir, interromper' XV. Do lat. *impedīre* || DESimpedIMENTO | *desem-* 1813 || DESimpedir | *desem-* XVII || impedIÇÃO XVIII. Do lat. *impeditĭo -ōnis* || impedIDO XIV || impedIDOR XVI || impediÊNCIA XX. Do lat. *impedientĭa*, nom. pl. neutro do part. pres. de *impedīre* || impediENTE 1813. Do lat. *impediens -entis*, part. pres. de *impedīre* || impedIMENTO | XV, *em-* XIV | Do lat. *impedimēntum* || impedIT·IVO XVII.
impelir *vb.* 'empurrar, arremessar, dirigir com força para algum lugar' | *impellir* 1572 | Do lat. *impellĕre*, com mudança de conjugação || impelENTE 1813 || impelIDO | *impellido* 1813 || **impulsão** 1844 || impulsAR 1844 || impulsionAR 1881 || impulsIV·IDADE XX || impulsIVO 1813 || impulso XVI. Do lat. *impulsus -us*, de *impulsum*, supino de *impellĕre* || impulsOR XVI. Do lat. *impulsor -ōris*.
impender *vb.* 'estar iminente, prestes a cair' 'caber, competir, tocar' XVII. Do lat. *impendēre* || impendENTE XVII.
impene → PENA[3].
impenetr·abilidade, -ável → PENETRAR.
impenit·ência, -ente → PENITÊNCIA.
imper·ador, -adora, -ante, -ar, -ativo, -atório, -atriz → IMPÉRIO.
imperceptível → PERCEBER.
⇨ **imperceptivo** → PERCEBER.
imperdoável → PERDOAR.
imperecível → PERECER.
im·perf·ectibilidade, -eição, -eito → PERFEITO.
imperícia → PERÍCIA.

império *sm.* 'comando, autoridade, predomínio' 'nação cujo soberano é um imperador' | XIV, *em-* XII, *empeiro* XIII etc. | Do lat. *ĭmpĕrĭum* || imperADOR | *em-* XIII, *en-* XIII, *jn-* XV etc. | Do lat. *imperātor -ōris* || imperADORA XVI || imperANTE 1813 || imperAR XVI || imperATIVO XVI. Do lat. *imperatīvus* || imperATÓRIO 1813. Do lat. *imperatōrius* || imperatriz | XVI, *emperadriz* XIII, *enperadriz* XIII etc. || imperiAL | *jmp-* XIV | Do lat. *imperiālis* || imperiAL·ISMO 1873 || imperiAL·ISTA 1873 || imperiOSO XVI. Do lat. *imperiōsus*.
imperito → PERÍCIA.
im·perme·abilidade, -abilização, -abilizante, -abilizar, -ável → PERMEÁVEL.
impermisto *adj.* 'não misturado com outra coisa' | *impermixto* XVIII | Do lat. *impermixtus*.
im·permut·abilidade, -ável → PERMUTAR.
imperscrutável → PERSCRUTAR.
impertérrito *adj.* 'que não se aterra, destemido' XIX. Do lat. *imperterrĭtus*.
im·pertin·ência, -ente → PERTINÊNCIA.
im·perturb·abilidade, -ável → PERTURBAR.
impérvio *adj.* 'intransitável, impenetrável, ínvio' 1844. Do lat. *impervĭus*.
impessoal → PESSOA.
impetigo *sm.*, **impetigem** *sf.* 'afecção pustulosa da pele' 1881. Do lat. *impetīgŏ -gĭnis* || impetiginOSO 1858. Do lat. *impetīginōsus* || **impigem** | *empigem* 1813 | De um ant. *impiigem*, deriv. do lat. *impetigĭnem*. É variante de *impetigo* e *impetigem*.
ímpeto *sm.* 'arrebatamento, assalto repentino, precipitação' XIV. Do lat. *ĭmpĕtus -ūs* || impetuOS·IDADE XVII || impetuOSO XVI. Do lat. *impetuōsus*.
impetrar *vb.* 'rogar, suplicar, requerer, interpor (um recurso)' | XV, *jmpetrar* XV, *em-* XV | Do lat. *impetrāre* 'obter, concluir' || impetrABIL·IDADE 1873 || impetrAÇÃO 1813. Do lat. *impetratĭō -ōnis* || impetrANTE *adj. s2g.* XVI. Do lat. *impetrans -antis*, part. pres. de *impetrāre* || impetrATIVO XVII || impetrATÓRIO XVI || impetrÁVEL 1858. Do lat. *impetrabĭlis*.
impetuos·idade, -o → ÍMPETO.
im·pied·ade, -oso → PIEDADE.
impigem → IMPETIGO.
impingir *vb.* 'dar com violência, obrigar a aceitar, fazer uma coisa passar por outra' 1813. Do lat. *impingĕre* 'pregar, dar à força, impelir'.
im·plac·abilidade, ável → APLACAR.
im·plant·ação, -ar → PLANTA.
implemento *sm.* 'o que é indispensável para fazer ou executar algo, petrechos, aprestos' 'o que serve para cumprir, cumprimento, execução' XVIII. Do ing. *implement*, deriv. do lat. med. *implementa* (pl.) e, este, do lat. med. *implēre*, 'empregar, despender'.
implexo *adj.* 'emaranhado, envolvido, complicado' XVIII. Do lat. *implexus*, part. pass. de *implectĕre* 'entrelaçar'.
implicar *vb.* 'enredar, embaraçar' 'fazer supor, dar a entender' 'produzir como consequência' 'contender, antipatizar' XVII. Do lat. *implicāre* || implicAÇÃO XVII. Do lat. *implicatĭō -ōnis* || implicÂNCIA 1813 || implicANTE 1858. Do lat. *implicans -antis* || implicATIVO 1858 || implicATÓRIO 1873 || **implícito**

1813. Do lat. *implicĭtus* 'envolto, implicado, junto, ligado', part. pass. de *implicāre*.
implodir → IMPLOSÃO.
implorar *vb.* 'suplicar, solicitar com instância, rogar com anseio e encarecidamente' | *jnplorar* XV | Do lat. *implōrāre* || **implor**AÇÃO | -*çon* XV | Do lat. *implōrātĭo* -*ōnis* || **implor**ADOR 1844 || **implor**ANTE 1881. Do lat. *implorans* -*antis*, part. pres. de *implōrāre* || **implor**ATIVO 1899 || **implor**ÁVEL 1858. Do lat. *implōrābĭlis*.
implosão *sm.* 'destruição de um corpo por meio do impacto da pressão externa sobre a interna' '(Fonét.) modo de articulação em que o som da fala é produzido pelo choque da maior pressão do ar externo contra a menor pressão do ar contido no interior da boca' XX. Do ing. *implosion*, por oposição a *explosion* || **implodir** XX. Do ing. *implode*, por oposição a *explode*, tendo por base o lat. *plodĕre*, de *plaudēre* 'bater um contra o outro' || **implosivo** *adj. sm.* '(Fonét.) diz-se de, ou som da fala produzido por meio da implosão' XX. Do ing. *implosive*.
implume → PLUMA.
implúvio *sm.* 'pátio das casas romanas, em cujo centro havia uma cisterna para receber as águas pluviais' 1899. Do lat. *impluvĭum*.
impolid·ez, -o → POLIR.
impoluto → POLUIR.
im·ponder·ado, -ável → PONDERAR.
impontual, -idade → PONTA.
impopular, -idade, -izar → POVO.
impor *vb.* 'tornar obrigatório, constranger a, observar, enganar' | *empor* XIV, *empoer* XIV, *inpor* XV | Do lat. *impōnĕre* || **impon**ÊNCIA XVI. Do lat. *imponentĭa*, nomin. neutro pl. do part. pres. de *impōnĕre* || **impon**ENTE 1873. Do lat. *imponens* -*entis*, part. pres. de *impōnĕre* || **imposição** | *empossiçoens* pl. XIV | Do lat. *impositĭo* -*ōnis* || **imposto** XVII. Do lat. *impŏsĭtus*, part. pass. de *impōnĕre* || **impostor** XVI. Do lat. tard. *impostor* -*ōris* || **impostura** XVI. Do lat. *impostūra*.
importar *vb.* 'causar, produzir' 'ter importância, custar' 'convir, ser útil, valer, ter consideração' XVI; 'introduzir num país produtos estrangeiros' 1813. Do lat. *importāre*. Na última acepção o termo sofre influência do ing. *to import*, do lat. *importāre* 'trazer para dentro' || **import**AÇÃO 1813. Do ing. *importation* || **import**ADOR 1813. Adapt. do ing. *importer* || **import**ADOR·A 1844 || **import**ÂNCIA XVII | **import**ANTE XVI. Do lat. *importans* -*āntis*, part. pres. de *importāre* || **impor**tÁVEL 1813.
⇨ **importar** — IMPORTÂNCIA | 1582 *liv. fort.* 1.9 |.
⇨ **importuno** *adj. sm.* ' que importuna' 'indivíduo importuno, maçante' | *emportuno* XV BENF 288.22, SEGR 93v, *inportuno* XV SBER 131.5 | Do lat. *importūnus -a -um* || **importun**AÇÃO | 1549 SNor 17.21 || **importun**AR | *emportunar c* 1539 JCasD II.34.7, *impurtunar* 1614 SGonç I 350.5 || **importun**IDADE | XV IMIT 13.11 | Do lat. *importūnĭtās-ātis* | Cp. OPORTUNO.
imposição → IMPOR.
im·poss·ibilidade, -ibilitar, -ível → POSSÍVEL.
impostar *vb.* 'emitir corretamente a voz' XX. Do it. *impostare* || **imposta** *sf.* 'a última pedra sobre o pilar, ou a pilastra, e da qual nasce a volta do arco' | *emposta* 1813 | Do it. *impòsta* || **impost**AÇÃO XX. Do it. *impostazione* || **impost**ADO XX. Do it. *impostato*.
impost·o, -or, -ura → IMPOR.
im·pot·abilidade, -ável → POTÁVEL.
im·pot·ência, -ente → PODER[1].
im·pratic·abilidade, -ável → PRÁTICA.
imprecar *vb.* 'pedir, suplicar, rogar com instância' XVI. Do lat. *imprecāre*, por *imprecāri* || **imprec**AÇÃO XVI. Do lat. *imprecātĭo* -*ōnis* || **imprec**ATIVO 1844 || **imprec**ATÓRIO 1881. Cp. PRECE.
imprecis·ão, -o → PRECISO.
impregnar *vb.* 'embeber, repassar, encher, imbuir' 1813. Do lat. tard. *impraegnāre* || **impregn**AÇÃO 1813 || **impregn**ADO 1813.
imprens·a, -ar → IMPRIMIR.
impresciência → PRESCIÊNCIA.
imprescindível → PRESCINDIR.
imprescritibilidade → PRESCREVER.
impress·ão, -ionante, -ionar, -ionável, -ionismo, -ionista, -o, -or → IMPRIMIR.
imprestável → PRESTAR.
impreterível → PRETERIR.
imprevi·dência, -dente, -são, -sível → PREVER.
imprimir *vb.* 'marcar, gravar' 'incutir, infundir, transmitir' | *empremir* XIV |; '(Tip.) estampar por meio de pressão do prelo' '*ext.* publicar pela imprensa' 1813. Do lat. *imprĭmĕre* || **imprensa** 1813. Do cast. *imprenta* || **imprensar** 1813 || **impressão** | *empressom* XV, *jmpressam* XV etc. | Do lat. *impressĭō -ōnis* || **impression**ANTE XX || **impression**AR XVII || **impression**ÁVEL 1858 || **impression**ISMO XIX. Do fr. *impressionnisme*, termo usado pejorativamente pelo crítico francês Leroy a propósito de certo quadro de Claude Monet, chamado *Impression*; posteriormente o termo é adotado pelos pintores dessa escola || **impression**ISTA XIX. Do fr. *impressionniste* || **impresso** | *empresso* XVI | Do lat. *impressus*, part. pass. de *imprĭmĕre* || **impress**OR | *empressor* XVI || **imprimar** | *en-* 1500 | Adapt. do fr. *imprimer* || RE**impressão** 1844 || RE**imprimir** 1844.
improb·idade, -o → PROBO.
improcedente → PROCEDER.
improdutivo → PRODUTO.
improferível → PROFERIR.
improfícuo → PROFÍCUO.
impropério *sm.* 'repreensão injuriosa, vitupério, doesto' XVI. Do lat. *improperĭum -ii* || **improperar** XVII. Do lat. *improperāre*.
im·propri·edade, -o → PRÓPRIO.
improrrogável → PRORROGAR.
impróspero → PRÓSPERO.
im·prov·ar, -ável → PROVAR.
improvid·ência, -ido → PROVER.
improviso[1] *adj.* 'repentino, súbito, imprevisto' | XVI, *emproviso* XVI | Do lat. *improvīsus* || **improvis**AÇÃO 1873 || **improvis**ADO 1813 || **improvis**ADOR 1844 || **improviso**[2] *sm.* 'produto intelectual inspirado na própria ocasião e feito de repente' 1844.
im·prud·ência, -ente → PRUDÊNCIA.
impúbere → PÚBERE.
im·pud·ência, -ente, -icícia, -ico, -or → PUDOR.
im·pugn·ação, -ador, -ante, -ar → PUGNAR.

impuls·ão, -ar, -ionar, -ividade, -ivo, -o, -or → IMPELIR.
im·pun·e, -idade → PUNIR.
im·pur·eza, -ificar, -o → PURO.
imputar *vb.* 'atribuir a responsabilidade de algo a alguém, classificar de erro ou crime, assacar' 1813. Do lat. *impŭtāre* ‖ **imput**ABIL·IDADE 1813 ‖ **imput**AÇÃO 1844 ‖ **imput**ADOR 1813. Do lat. *imputātor -ōris* ‖ **imput**ÁVEL 1813.
imudável → MUDAR.
i·mund·ícia, -ície, -o → MUNDÍCIA.
imune *adj.* 2g. 'isento' XVI. Do lat. *īmmūnis* ‖ **imun**IDADE XVI. Do lat. *īmmūnĭtās -ātis* ‖ **imun**IZ·AÇÃO XX ‖ **imun**IZAR XX ‖ **imun**O·LOG·IA XX. Do lat. cient. *immunologia*.
i·mut·abilidade, -ação, -ar, -ável → MUDAR.
in[1]- *pref.*, deriv. do lat. *in*[1]-, do adv. e prep. *in* 'em' 'dentro de', que já se documenta em vocs. formados no próprio latim (como *insinuāre* < *in*[1]- + *sinuāre*) e em inúmeros outros formados nas línguas modernas. O pref. lat. *in*[1]-, nos últimos anos do período clássico, modificou-se em *il*[1]-, diante de voc. iniciado por *l-* (*il·lustrāre*), em *im*[1]-, diante de *b-, m-* e *p-* (*im·bŭere, im·mittĕre, im·pellĕre*) e em *ir*[1]- diante de *r-* (*ir·radiāre*). Nos derivados portugueses eruditos o pref. lat. *in*[1]- assumiu essas mesmas formas (*ilustrar, imbuir, imitir, impelir* e *irradiar*); nos vocs. semieruditos e/ou de cunho popular, o prefixo evoluiu para: (i) *e*[3]- (*e·mal·ar*); (ii) *em*[1]- (*em·barc·ar*); (iii) *en*[1]- (*en·terr·ar*), e (iv) *i*[1]- (*i·migr·ar*). Na realidade, *e*[3]- e *i*[1]- constituem meras vars. de *em*[1]- e *im*[1]-, respectivamente, e resultam da simplificação imposta pelo atual sistema ortográfico: *e·mal·ar/em·mal·ar, i·migrar/im·migr·ar*. De grande vitalidade na língua portuguesa, esse prefixo se documenta em inúmeros vocs., nas seguintes acepções: a) movimento para dentro, introdução (*emalar, embarcar*); b) direção, aproximação (*encaminhar, encostar*); c) passagem para novo estado ou nova forma (*emagrecer, enodoar*); d) feição, provimento, acondicionamento, colocação (*embalar, encenar*); e) cobertura, proteção, defesa, revestimento (*empoeirado, encouraçado*).
in[2]- *pref.*, deriv. do lat. *in*[2]- (cognato do gr. *aan*- [v. A (iv)], do germ. *un-* etc.), que se documenta em inúmeros vocs. já formados no próprio latim, onde exprime a negação ou a privação (como *in·fēlix*), e em numerosíssimos derivados das línguas modernas. Tal como *in*[1]-, o pref. lat. *in*[2]- também se modificou em *il*[2]- diante de vocs. iniciados por *l-* (*il·litterātus*), em *im*[2]- diante de *b-, m-* e *p-* (*im·bellis, im·memoriālis, im·possibilis*), em *ir*[2]- diante de *r-* (*ir·regulāris*) e em *i*[2]- diante de *gn-* (*i·gnārus*). Cumpre assinalar, porém, que, contrariamente ao que ocorreu com o pref. *in*[1]-, e apesar de sua muito maior vitalidade em português, o pref. *in*[2]- não sofreu qualquer evolução, quer nos vocábulos eruditos de imediata procedência latina (*im·bele, im·possível* etc.), quer em formações vernáculas (*im·batível, im·perdível* etc.).
-ina → -INO.
inabalável → ABALAR.
inábil, -idade, -itação, -itado, -itar → HÁBIL.
in·abit·ado, -ável → HABITAR.

in·acab·ado, -ável → CABO.
inação → AÇÃO.
inaceitável → ACEITAR.
in·acess·ibilidade, -ível, -o → ACESSO.
inacreditável → CRER.
inadequado → ADEQUAR.
inadiável → DIA.
in·adimpl·emento, -ente, -ir → ADIMPLIR.
inadmissível → ADMITIR.
in·advert·ência, -ido → ADVERSO.
inafiançável → FIAR[2].
inalar *vb.* 'absorver com o hálito, aspirar' *fig.* receber, assimilar' | *inhalar* 1858 | Do lat. *inhālāre* ‖ **inal**AÇÃO | *inhalação* 1858 ‖ **inal**ANTE | *inhalante* 1844 | Do lat. *inhalans -antis*, part. pres. de *inhālāre* ‖ **inal**ADOR | *inhalador* 1881. Cp. HÁLITO.
in·alien·ar, -ável → ALIENAR.
inalterável → ALTERAR.
inamável → AMAR.
inambu *sm.* 'ave da fam. dos tinamídeos' | *nambu* 1587, *jnhambu* 1618, *nãbu* 1624 etc. | Do tupi *ina'mu*.
inambulação → AMBULAR.
inamistoso → AMISTAR.
⇨ **inamissível** → AMISSÃO.
inamovível → MOVER.
inane *adj.* 'vazio, oco, fútil' 1844. Do lat. *ĭnānĭs* ‖ **inânia** 1881 ‖ **inan**IÇÃO XVI ‖ **inan**IDADE 1873, Do lat. *ĭnānĭtās -ātis* ‖ **inanir** 1844. Do lat. *inanīre*.
in·anim·ado, -e → ÂNIMO.
inanir → INANE.
inapelável → APELAR.
in·apet·ência, -ente → APETITE.
inaplicabilidade → APLICAR.
inapreciável → PREÇO.
inaproveitável → PROVEITO.
in·apt·idão, -o → APTO.
inarrável → NARRAR.
in·articul·ado, -ável → ARTICULAR.
inartificial → ARTIFÍCIO.
inascível → NASCER.
inassimilável → ASSIMILAR.
inatacável → ATACAR[2].
inatingível → ATINGIR.
in·ativ·idade, -o → ATIVO.
inato → NASCER.
in·aud·ito, -ível → AUDI(O)-.
inaugurar *vb.* 'expor pela primeira vez à vista ou ao uso público, começar, encetar' 1813. Do lat. *inaugŭrāre* 'tomar o agouro, dedicar, consagrar' ‖ **inaugur**AÇÃO XVII. Do lat. *inaugurātĭō -ōnis* ‖ **inaugur**AL 1873 ‖ **inaugur**ATIVO XX ‖ **inaugur**ATÓRIO XX. Cp. AGOURO.
in·autentic·idade, -o → AUTÊNTICO.
inavegável → NAVEGAR.
inca *adj. s2g.* 'indivíduo dos Incas, tribo indígena do Peru' | *inguas* pl. XVI, *inga* 1757 | Do cast. *inca*, deriv. do quíchua *inca* ‖ **inca**ICO XX.
incabível → CABER.
incaico → INCA.
incalculável → CALCULAR.
incamer·ação, -ar → CÂMARA.
incandescer *vb.* 'tornar candente, pôr em brasa' XIX. Do lat. *incandescĕre* ‖ **incandesc**ÊNCIA XIX. Do fr. *incandescence* ‖ **incandesc**ENTE 1858. Do

fr. *incandescent*, deriv. do lat. *incandescens -entis*, part. pres. de *incandescĕre*. Cp. CANDENTE.
incansável → CANSAR.
in·capac·idade, -itado, -itar, in·capaz → CAPACIDADE.
inçar *vb.* 'encher muito, contagiar, grassar' XVI. Do lat. **indiciare*, de *indicĭum*.
incaracterístico → CARÁTER.
incauto → CAUTELA.
incender *vb.* 'encender' XVI. Do lat. *incendĕre* || **incend**IAR 1813 || **incendi**ÁRIO | *-dario* XIV | Do lat. *incendiārius* || **incêndio** | *jncendio* XVI | Do lat. *incendĭum* || **incens**AR | *ençencar* (sic) XIV, *ensençar* XIV, *incençar* XVI etc. | Do lat. tard. *incensāre* || **incens**ÁRIO | *inçençario* XIV | Do lat. tard. *incensārium* || **incenso** | *encensso* XIII, *encenso* XIV, *encenço* XIV etc. | Do lat. *incensum*, do radical supino de *incendĕre*. Cp. ENCENDER.
incentivo *sm.* 'estímulo' XVI. Do lat. *incentīvus* || **incentiv**AR XX || **incentor** *sm.* 'o que dá o tom' '*fig.* instigador' 1844. Do lat. *incentor -ōris*, de *incentum*, supino de *incinĕre* 'entoar um canto'.
incert·eza, -o → CERTO.
incessante → CESSAR.
in·cess·ibilidade, -ível → CEDER.
incesto *sm.* '(Antropol.) crime de intercurso sexual ou coabitação entre pessoas para quem, em razão de seu grau de parentesco, o casamento é proibido por lei' 1572. Do lat. *incestum* || **incest**AR XVI. Do lat. *incestāre* 'manchar, tornar impuro, corromper' || **incestu**OSO XVI. Do lat. *incestuōsus* 'não casto, impuro', de *in + cāstus*.
inchar *vb.* 'tornar túmido, intumescer, aumentar o volume de, enfunar' XIII. Do lat. *īnflāre* || DES**inchar** XIII || **inch**AÇÃO | *-çon* XIII || **inch**AÇO | *jn-* XIV, *jnchaco* XV || **inch**ADO | XIV, *jnchado* XIV || **inch**ADOR XV || **inch**AMENTO XV. Cp. INFLAR.
incidir *vb.* 'cair em ou sobre, suceder por acaso, sobrevir, acontecer' XVI. Do lat. *incidĕre*, de *in+cadĕre* || **incid**ÊNCIA 1813. Do lat. *incidentia* || **incid**ENT·AL 1858. Do lat. med. *incidentalis* || **incid**ENTE XVII. Do lat. *incidens -entis*, part. pres. de *incidĕre* || CO**incid**ÊNCIA 1844 || CO**incid**ENTE 1844 || CO**incidir** 1813. Do fr. *coïncider*, deriv. do lat. med. *coincidĕre* || RE**incid**ÊNCIA XVII || RE**incid**ENTE 1844 || RE**incidir** XVII.
in·ciner·ação, -ador, -ar → CINERÁRIO.
incipiente *adj. 2g.* 'que começa, principiante' 1858. De *incipiens -entis*, de *incipĕre* 'começar'.
incircunciso → CIRCUNCISÃO.
incircunscrito → CIRCUNSCREVER.
incisão *sf.* 'corte, talhe' 1844. Do lat. *incīsĭō -ōnis* || **incis**IVO 1813. Do lat. med. *incīsīvus* || **inciso** 1813. Do lat. *incīsum* || **incis**OR 1813. Do lat. tard. *incīsor -ōris* || **incis**ÓRIO 1858. Do lat. tard. *incīsorius* || **incis**URA 1813. Do lat. *incīsūra*.
incitar *vb.* 'provocar, desafiar, estimular, açular, enraivecer' 1525. Do lat. *incitāre* 'mover, impelir' || **incit**ABIL·IDADE XIX || **incit**AÇÃO XVII. Do lat. *incitātĭō -ōnis* || **incit**ADOR XV. Do lat. *incitātor -ōris* || **incit**AMENTO XVI. Do lat. *incitamentum* || **incit**ANTE 1873. Do lat. *incitans -antis*, part. pres. de *incitāre* || **incit**ATIVO XVI || **incit**ÁVEL 1881.
in·civil, -civilidade, -civilizado → CIVIL.
inclassificável → CLASSE.

in·clem·ência, -ente → CLEMÊNCIA.
inclinar *vb.* 'desviar da verticalidade, baixar, fazer pender' | XIV, *en-* XIII, *jn-* XIV etc. | Do lat. *īnclīnāre* || **inclin**AÇÃO | XVI, *-çom* XV, *jnclinaçom* XIV, *enclinaçom* XV etc. | Do lat. *īnclīnātĭō -ōnis* || **inclin**ANTE | *en-* XV || **inclin**ÁVEL | *encrinauel* XV | Do lat. *īnclīnābĭlis*.
ínclito *adj.* 'egrégio, celebrado, ilustre' 1572. Do lat. *inclĭtus* ou *inclȳtus*.
⇨ **ínclito** | 1571 FOLF 78.*19* |.
incluir *vb.* 'abranger, compreender, envolver' XVI. Do lat. *inclūdĕre*, com mudança de conjugação || **inclusão** XVII. Do lat. *inclusĭō -ōnis* || **inclusive** *adv.* | *jnclusive* XV, *jncrrusiue* XV | Do lat. med. *inclusīvē* || **inclus**IVO 1858. Do lat. med. *inclusīvus* || **incluso** | *encluso* XV, *jnclusos* pl. XV | Do lat. *inclūsus*, part. pass. de *inclūdĕre*.
incoação *sf.* 'começo' | *inchoação* 1881 | Do lat. *incohātĭō -ōnis* ou *inchoātĭō -ōnis*, de *incŏhāre* 'ter começo, começar' || **incoat**IVO | 1844, *inchoativo* 1844 | Do lat. tard. *inchohatīvus* ou *inchoatīvus*.
⇨ **incoação** — **inco**ADO | 1614 SGONÇ II. 191.*25* |.
incoercível → COERÇÃO.
in·coer·ência, -ente → COERÊNCIA.
in·cogit·ado, -ável → COGITAR.
in·cógnit·a, -o → COGNIÇÃO.
íncola *s2g.* 'habitante, morador' 1572. Do lat. *incŏla*.
incolor → COR¹.
incólume *adj.* 'são e salvo, livre do perigo, intato, ileso' XVII. Do lat. *incolŭmis* || **incolum**IDADE 1813. Do lat. *incolumĭtās -ātis*.
incombustível → COMBUSTÃO.
in·comod·ante, -ar, -ativo, -idade → COMODIDADE.
in·compar·abilidade, -ável → COMPARAR.
in·compat·ibilidade, -ibilizar, -ível → COMPATÍVEL.
in·compet·ência, -ente → COMPETÊNCIA.
incompleto → COMPLETO.
incomplexo → COMPLEXO.
⇨ **incomportável** → COMPORTAR.
in·compre·endido, -ensão, -ensibilidade, -ensível, -ensivo → COMPREENDER.
in·compress·ibilidade, -ível, incomprimido → COMPRIMIR.
incompto *adj.* 'feito sem arte, tosco, rude' 1881. Do lat. *in-cōmptus*.
in·comun·ic·abilidade, -ável → COMUM.
in·comut·abilidade, -ável → COMUTAR.
in·concebível, -concepto → CONCEBER.
in·concess·ível, -o → CONCEDER.
in·concili·abilidade, -ável → CONCILIAR.
in·concl·udente, -uso → CONCLUIR.
inconcusso → CONCUSSÃO.
incondicional → CONDIÇÃO.
incôndito *adj.* 'confuso, desorganizado' XVIII. Do lat. *inconditus*.
in·confess·ável, -o → CONFESSAR.
inconfidente → CONFIDÊNCIA.
inconformado → CONFORMAR.
inconfundível → CONFUNDIR.
incongelável → GELO.
in·congru·ência, -ente, -idade, -o → CÔNGRUO.
inconivente → CONIVÊNCIA.
inconjugável → CONJUGAR.

in·conquist·abilidade, -ável → CONQUISTAR.
in·consci·ência, -ente → CONSCIÊNCIA.
in·consequ·ência, -ente → CONSEQUÊNCIA.
in·consider·ação, -ável → CONSIDERAR.
in·consist·ência, -ente → CONSISTIR.
inconsolável → CONSOLAR.
in·con·son·ância, -ante → SOM.
in·const·ância, -ante → CONSTAR.
inconstitucional, -idade → CONSTITUIÇÃO.
inconsulto → CONSULTAR.
inconsumpto → CONSUMIR.
inconsútil → CONSÚTIL.
incontaminado → CONTAMINAR.
incontável → CONTAR.
incontentável → CONTENTO.
in·contest·ado, -ável, -este → CONTESTAR.
incontestável → CONTESTAR.
in·contin·ência, -ente, -enti → CONTER.
incontínuo → CONTINUAR.
incontrastável → CONTRASTAR.
incontrolável → CONTROLAR.
incontroverso → CONTROVERSO.
in·conveni·ência, -ente → CONVIR.
inconversível → CONVERTER.
in·corp·oração, -orador, -oral, -oralidade, -orante, -orar, -óreo → CORPO.
in·corr·eção, -eto, -igibilidade, -igível → CORREÇÃO.
incorrer → CORRER.
incorrupção, in·corrupt· ibilidade, -ível, -ivo, -o → CORROMPER.
in·cred·ibilidade, -ulidade, -ulo → CRER.
incremento sm. 'desenvolvimento, aumento, crescimento, o que serve para aumentar' 1813. Do lat. incrēmentum || incrementAR XX. Do lat. med. incrēmentāre.
increpar vb. 'responder asperamente' 'acusar, censurar, arguir' XVI. Do lat. increpāre 'elevar a voz contra' || increpAÇÃO XVIII. Do lat. increpātĭō -ōnis || increpADO 1844. Do lat. increpatus, part. pass. de increpāre || increpADOR 1844 || increpAMENTO | īcrepamēto XIV || increpANTE 1881. Do lat. increpans -antis, part. pres. de increpāre.
incréu → CRER.
in·crimin·ação, -ar → CRIME.
incriticável → CRÍTICO.
incrível → CRER.
incruento → CRUENTO.
incrustar vb. 'cobrir de crosta' 'cobrir, vestir, embutir, inserir' 1813. Do lat. incrustāre 'rebocar, aplicar uma camada a', de crustāre 'relacionado com crŭsta 'crosta, côdea' || incrustAÇÃO 1813 || incrustADO XVI. Do lat. incrustatus, part. pass. de incrustāre || incrustANTE 1858. Do lat. incrustans -antis, part. pres. de incrustāre. Cp. CROSTA.
incubar vb. 'chocar (ovos)' 'predispor, premeditar, planear, projetar' 1844. Do lat. incŭbāre 'estar deitado em, atirar-se sobre, chocar, guardar com cuidado' || incubAÇÃO XVII. Do lat. incubātĭō -ōnis || incubADO 1858 || incubADORA 1873 || íncubo adj. 'que se deita sobre alguma coisa' | XIV, jncobo XIV etc. | Do lat. incŭbus.
incude sf. 'bigorna' XVII. Do lat. incūs -ūdis || incudI·FORME 1899.

inculcar vb. 'apontar, citar, demonstrar' 'repisar, fazer penetrar na mente' XV. Do lat. inculcāre 'amontoar com o pé, calcar', de in + calcāre || inculca | XVI, en- XV || inculcADOR 1813. Do lat. inculcātor -oris. Cp. CALCAR.
in·culp·abilidade, -ação, -ado, -ar, -ável → CULPA.
in·cult·o, -ura → CULTO.
incumbir vb. 'encarregar, cometer, confiar' XVII. Do lat. incumbĕre | DESincumbir XX || incumbÊNCIA 1844 || incumbENTE XX.
incunábulo sm. 'berço, lugar de nascimento' XVII; 'qualquer livro impresso desde os primeiros anos da arte de imprimir até o ano de 1500' XIX. Do lat. incunabulum -i, por incunabŭla -ōrum 'berço, começo, princípio'. Na segunda acepção, o voc. port. sofre a influência do fr. incunable que, por sua vez, é divulgação do termo usado por Van Beughem na sua obra Incunabula typographiae, publicada em 1688; antes, em 1639, em seu De ortu et progressu artis typographicae, Bernard Mallinckdort refere-se a esse primeiro período da tipografia como 'primae typographiae incunabula'.
in·cur·abilidade, -ável → CURA.
incúria sf. 'falta de cuidado, desleixo, inércia' XVI. Do lat. incurĭa, de cūra 'cuidado'.
in·curios·idade, -o → CURIOSO.
incurs·ão, -o → CORRER.
incutir vb. 'infundir no ânimo de, insinuar, sugerir' 1844. Do lat. incutĕre 'espetar, sacudir' 'fig. inspirar, suscitar'.
inda → AINDA.
indagar vb. 'procurar saber, fazer por descobrir, investigar' XVI. Do lat. indagāre || indagAÇÃO XVIII. Do lat. indagātĭō -ōnis || indagADOR XVIII. Do lat. indagātor -ōris || indagATIVO XX || indagATÓRIO XX.
indaiá sm. 'nome comum às palmeiras da subfam. das cocosoídeas' | indayá 1734 | Do tupi *ina'ia (forma paralela de ina'ia; v. ANAJÁ).
indébito → DEVER.
in·dec·ência, -ente → DECÊNCIA.
in·decis·ão, -o → DECIDIR.
in·declin·abilidade, -ável → DECLINAR.
indecomponível → DECOMPOR.
in·defect·ibilidade, -ível, -ivo → DEFECÇÃO.
in·defens·ável, -o → DEFENDER.
in·defer·imento, -ir → DEFERIR.
indefeso → DEFENDER.
indefesso → DEFESSO.
indeficiente → DÉFICIT.
in·defin·ido, -ito, -ível → DEFINIR.
in·del·ebilidade, -ével → DELIR.
indeliberado → DELIBERAR.
in·delicad·eza, -o → DELICADO.
indemonstrável → DEMONSTRAR.
indene adj. 2g. 'que não sofreu dano ou prejuízo, ileso' | indemne XVIII | Do lat. indemnis, de in + damnum 'sem dano' || indenIDADE | indemnidade XVIII | Do lat. indemnĭtās -ātis || indenIZ· AÇÃO | indemnização XVIII | Do fr. indemnisation || indenIZAR | -mnisar XVIII | Do fr. indemniser || indenIZ·ÁVEL | -mnisável 1813.
in·depend·ência, -ente → DEPENDER.
indescritível → DESCREVER.
indesculpável → CULPA.

indesejável → DESEJO.
indestrutível → DESTRUIR.
in·determin·abilidade, -ado, -ável → DETERMINAR.
indevassável → DEVASSAR.
indevido → DEVER.
in·dev·oção, -oto → DEVOTAR.
índex *sm.* 'catálogo dos livros cuja leitura fora proibida pela Igreja' XVI; 'relação dos assuntos tratados num livro, lista, índice' 1813. Do lat. *index -ĭcis* ‖ CONTRA**indic**AÇÃO ‖ *contraindicação* 1844 ‖ **endez, indez** *adj. sm.* 'diz-se de, ou ovo que se deixa no ninho para servir de chamariz às galinhas' ‖ *endès* XVII ‖ Do lat. *indicĭi* (*ouum*), genit. de *indicĭum* 'sinal, aviso' ‖ **indic**AÇÃO 1842. Do lat. *indicātĭō -ōnis* ‖ **indic**ADOR 1844. Do lat. tard. *indicātor -ōris* ‖ **indic**ANTE 1813. Do lat. *indicans -antis*, part. pres. de *indicāre* ‖ **indic**AR XVIII. Do lat. *indicāre* ‖ **indic**ATIVO *adj. sm.* 1813. Do lat. tard. *indicatīvus* ‖ **indic**CÇÃO 1813. Do lat. *indictĭō -ōnis* 'declaração, imposto' ‖ **índice** 1813. Do lat. *index -ĭcis*, forma divergente de *índex*, esta vindo do nominativo e aquela do acusativo ‖ **indici**ADO 1813 ‖ **indici**AR XVI ‖ **indício** XVI. Do lat. *indicĭum* ‖ **indículo** 1881. Do lat. *indicŭlum*, dimin. de *index*.
⇨ **índex** 'dedo indicador' ‖ 1616 GFTran 110.*5* ‖ **in·dic**ÇÃO ‖ *indiçam* 1573 NDias 211.*1* ‖.
indian·ismo, -ista, -izar, -o, -ologia, -ólogo, indiático, indicana → ÍNDIO[1].
indic·ante, -ar, -ativo, -ção, -e, -iado, -iar, -io → ÍNDEX.
índic·o, -olita → ÍNDIO[1].
indículo → ÍNDEX.
in·difer·ença, -ente → DIFERIR.
indígena *adj. s2g.* 'diz-se de, ou o que é originário do país' XVI. Do lat. *indigĕna*, relacionado com o gr. *endogenés* 'nascido em casa' ‖ **indigen**ATO 1881. Do fr. *indigénat* ‖ **indigen**ISMO XIX ‖ **indigen**ISTA XX.
indigência *sf.* 'miséria, pobreza extrema' XV. Do lat. *indĭgĕntĭa* ‖ **indig**ENTE 1813. Do lat. *indĭgēns -entis*.
indigest·ão, -ível, -o → GERIR.
indígete *sm.* 'homem tornado herói após a morte' 1572. Do lat. *indĭgĕs -ĕtis* 'título atribuído aos heróis e varões notáveis depois de mortos e endeusados'.
indigitar *vb.* 'indicar, mostrar, apontar' XVI. Do lat. *indigitāre* ‖ **indigit**ADO 1899.
in·dign·ação, -ar, -ativo, -idade, -o → DIGNO.
índigo → ÍNDIO'.
in·dilig·ência, -ente → DILIGÊNCIA.
índio[1] *adj. sm.* 'natural ou habitante da Índia' XIV 'ext. o indígena das Américas, consideradas, inicialmente, como as Índias Ocidentais' XVIII. Do top. *Índia* ‖ **indian**ISMO XX ‖ **indian**ISTA XIX ‖ **indiani**ZAR 1899 ‖ **indiano** XVI. Do lat. tard. *indiānus*, por *indĭcus* ‖ **indiano**·LOG·IA XIX ‖ **indiano**·LOGO 1899 ‖ **indi**ÁTICO XVI ‖ **indic**·ANA *sf.* (Quím.) substância encontrada no índigo e também na urina' 1899. Do fr. *indican*, ou talvez do inglês *indican* ‖ **índic**O XV. Do lat. *indĭcus* ‖ **indic**·O·LITA *sf.* 'variedade de turmalina azul' XX. Do ing. *indicolite* ‖ **índigo** *sm.* 'anil, substância corante para tingir de azul' 1858. Do cast. *índigo* 'anil', do lat. *indĭcus* 'da Índia', porque era de lá que se trazia este produto; há, no entanto, possibilidade de o termo castelhano não ter vindo diretamente do latim, e sim do veneziano *indego*, onde já se documenta no séc. XIII. Notar, ainda, que no port. med. ocorre *jndio* (no séc. XIV) na acepção de 'cor azul escuro' ‖ **índio**[2] *sm.* 'metal cinza claro de extrema raridade que ocorre combinado com o zinco e outros metais' XX. Do lat. cient. *indium*.
in·diret·a, -o → DIREITO.
in·disciplin·a, -abilidade, -ado → DISCIPLINA.
in·discr·eto, -ição → DISCRETO.
in·discrimin·ado, -ável → DISCRÍMEN.
in·discut·ibilidade, -ível → DISCUTIR.
in·dispens·abilidade, -ável → DISPENSAR.
in·dispon·ibilidade, -ível, in·dispor, -disposição, -disposto → DISPOR.
in·disput·abilidade, -ável → DISPUTAR.
indissimulável → SIMULAR.
in·dissol·ubilidade, -úvel → SOLVER.
indistinto → DISTINGUIR.
inditoso → DITA.
in·dividu·ação, -al, -alidade, -alismo, -alista, -alizar, -ar, -o, in·divis·ibilidade, -ível, -o → DIVIDIR.
indizível → DIZER.
⇨ **indivisível** → DIVIDIR.
indócil, -idade → DÓCIL.
índole *sf.* 'propensão natural, tendência especial, caráter, temperamento' XVI. Do lat. *indŏles -is*.
indolência *sf.* 'apatia, negligência, ociosidade, preguiça, insensibilidade' 1813. Do lat. *indolentĭa* 'ausência de dor', de *dolēre* 'doer' ‖ **indol**ENTE 1813. Do lat. *indolens -entis*.
indolor → DOR.
in·dom·ável, -ito → DOMAR.
⇨ **indouto** → DOUTO.
in·dubit·ável, -ável → DUVIDAR.
indução *sf.* 'introdução, condução' 'raciocínio em que, de fatos particulares se tira uma conclusão genérica' ‖ *inducção* 1813 ‖ Do lat. *inductĭō -ōnis* ‖ **indut**ÂNCIA *sf.* '(Fís.) medida de autoindutância de um circuito' XX. Do fr. *inductance* e, este, do ing. *inductance* ‖ **indut**IVO ‖ *emdotivas* f. pl. XV ‖ Do lat. tard. *inductīvus* ‖ **indut**Ô·METRO *sm.* '(Fís.) aparelho que mede a inclinação do campo magnético da Terra' XX. Do fr. *inductomètre* ‖ **indutor** ‖ *-ctor* 1783 ‖ Do lat. *inductōris* ‖ **induz**IDOR ‖ *enduzidor* XV ‖ **induz**IMENTO ‖ *en-* XIV, *jnduzimento* XV ‖ **induzir** ‖ *en-* XIV, *enduzer* XIV, *inducir* XV, *induzer* XV ‖ Do lat. *inducĕre* 'conduzir, levar para dentro', com mudança de conjugação.
⇨ **indução** ‖ *induçam* 1614 SGonç II. 11.*21* ‖.
indúcias *sf. pl.* 'tréguas' ‖ *ĭduças* XIV ‖ Do lat. *indutiae -arum*.
indulgência *sf.* 'clemência, remissão de penas, perdão' ‖ *endulgencia* XIII ‖ Do lat. *indulgentĭa* ‖ **indulg**ENTE 1813. Do lat. *indulgens -ēntis* ‖ **indult**AR XV ‖ **indulto** XV. Do lat. tard. *indultum*, por *indultus -us*, de *indultum*, supino de *indulgĕre* 'perdoar'.
indumento *sm.* 'vestuário, revestimento' XVI. Do lat. *indumentum*, de *induĕre* ‖ **indument**ÁRIA 1899 ‖ **indúsio** *sm.* '(Bot.) tegumento dos óvulos vegetais' 'túnica que as mulheres na antiga Roma usavam por baixo do vestido' ‖ *indúsia* 1873 ‖ Do lat. *indusĭum -ĭī* ‖ **indut**AR 1881. Do lat. *indutus -ūs* ‖ **induto** *sm.* 'revestimento, guarnição, invólucro'

1881. Do lat. *indutus*, part. pass. de *induĕre* ǁ **indúvia** 1858. Do lat. *induvĭa*, de *induĕre*.
indústria *sf.* 'arte, destreza, engenho' | *jn-* XIV, *endustria* XV |; 'conjunto de operações destinadas a transformar as matérias-primas em produtos adequados ao consumo e a promover a realização das riquezas' 1813. Do lat. *industrĭa* ǁ **industri**ADO XVI ǁ **industri**AL XVII ǁ **industri**AL·ISMO XX ǁ **industri**AL·IZAR XX ǁ **industri**AR XVI ǁ **industri**ÁRIO XX ǁ **industri**OSO XVI. Do lat. *industriōsus*.
indutância → INDUÇÃO.
indut·ar, -o → INDUMENTO.
indut·ivo, -ômetro, -or → INDUÇÃO.
indúvia → INDUMENTO.
induz·idor, -imento, -ir → INDUÇÃO.
in·ebri·ante, -ar → ÉBRIO.
inédia *sf.* 'abstinência completa de alimento' XVII. Do lat. *inēdĭa* 'inanição, fome mortal', de *edĕre* 'comer'.
inédito → EDIÇÃO.
inefável *adj.* 'inexprimível por meio de palavras, indizível' | *-abel* XV, *-ffavel* XVI | Do lat. *ineffabĭlis*, de *fāri* 'falar, dizer' ǁ **inef**ABIL·IDADE 1813.
in·efic·ácia, -az, -iência, -iente → EFICÁCIA.
inegável → NEGAR.
in·eleg·ância, -ante → ELEGÂNCIA.
in·eleg·ibilidade, -ível → ELEGER.
inelutável → LUTA.
inenarrável → NARRAR.
in·ép·cia, -tidão, -to → APTO.
inércia → INERTE.
inerir *vb.* 'estar ligado intimamente' | *inherir* 1813 | Do lat. *inhaerēre*, com mudança de conjugação ǁ **inerência** | *inherencia* 1813 | Do lat. *inhaerentĭa* ǁ **inerente** XVII. Do lat. *inhaerens -entis*.
inerme → ARMA.
in·err·ância, -ante → ERRAR.
inerte *adj.* 2g. 'sem atividade' 1572. Do lat. *iners -tis*, de *ars -tis* ǁ **inércia** XVII. Do lat. *inertia*.
inescrupuloso → ESCRÚPULO.
in·escrut·abilidade, -ável → ESCRUTAR.
inescusável → ESCUSAR.
inesperado → ESPERAR.
inesquecível → ESQUECER.
inestimável → ESTIMAR.
in·evit·abilidade, -ável → EVITAR.
in·exat·idão, -o → EXATO.
in·exau·rível, -sto → HAURIR.
inexcedível → EXCESSO.
in·excit·abilidade, -ável → EXCITAR.
in·exequ·ibilidade, -ível → EXECUTAR.
inexorável *adj.* 2g. 'que não se move a rogos, implacável, austero, rígido' XVI. Do lat. *inexōrabilis* ǁ **inexor**ABIL·IDADE XVIII ǁ **inexor**ADO 1844.
inexpedito → EXPEDIÇÃO.
in·exper·iência, -iente, -to → EXPERIÊNCIA.
in·expi·ado, -ável → EXPIAR.
in·explic·abilidade, -ável → EXPLICAR.
inexplorado → EXPLORAR.
in·expr·essivo → EXPRIMIR.
in·expugn·abilidade, -ável → PUGNAR.
inextensível → EXTENSÃO.
inexterminável → TÉRMINO.
in·extingu·ibilidade, -ível, inextinto → EXTINGUIR.
inextirpável → EXTIRPAR.

inextricável *adj.* 2g. 'que não se pode deslindar' XVII. Do lat. *inextricabĭlis* ǁ **inextric**ABIL·IDADE 1873. Cp. TRICA.
infacundo → FACÚNDIA.
in·fal·ibilidade, -ível → FALIR.
in·fam·ação, -ado, -ador, -ante, -ar, -atório, -e, -ia → FAMA.
infante *adj.* *s2g.* 'os filhos dos reis de Portugal ou da Espanha, mas não herdeiros da coroa' | XIII, *ifante* XIII etc. |; 'criança' XIV; 'soldado de infantaria' XVII; 'infantil' XVII. Do lat. *infāns -antis* 'que não fala, infantil', de *fari* 'falar'. Na acepção de 'soldado' vem do a. it. *infante* 'soldado a pé' ǁ **infanção** *sm.* | XIII, *-çon* XIII etc. | Do lat. vulg. hisp. **infantĭo* *-ōnis* ǁ **infância** XVI. Do lat. *infantĭa -ae* ǁ **infando** XVI. Do lat. *infandus* ǁ **infanta** *sf.* XIII ǁ **infant**ADO | XIV, *inff-* XIV, *iff-* XIV ǁ **infant**AL 1813 ǁ **infant**ARIA | XVI, *fantaria* XVI | Do a. it. *infanteria* ǁ **infanticida** XVII. Do lat. *infantĭcīda* ǁ **infanticídio** XVIII. Do lat. *infanticidĭum* ǁ **infant**IL XVII. Do lat. tard. *infantīlis* ǁ **infant**IL·IDADE XX.
in·fatig·abilidade, -ável → FATIGAR.
infausto → FAUSTO.
infecto *adj.* 'pestilento, que lança mau cheiro' | *infeito* XV | Do lat. *infectus*, part. pass. de *inficĕre* ǁ DES**infecção** 1844 ǁ DES**infetado** *-fect-* 1844 ǁ DES**infet**ANTE | *-ctante* 1844 ǁ DES**infet**AR | *-ctar* 1772 ǁ **infecção** | *infeição* XVI | Do lat. tard. *infectio -ōnis* ǁ **infeccion**AR 1813 ǁ **infeccio**SO 1899. Adapt. do fr. *infectieux* ǁ **infect**ANTE 1873 ǁ **infect**AR 1830.
⇨ **infecto** — **infeccion**ADO | *infecionado* 1549 SNOR *69.21* ǁ **infeccion**AR | *inficionar* 1572 Lus. V. 82 |.
in·fecund·idade, -o → FECUNDO.
in·fel·icidade, -icitar, -iz → FELIZ.
infenso *adj.* 'inimigo, contrário, irado' XVI. Do lat. *infensus*.
inferência → INFERIR.
inferior *adj.* 2g. 'que está abaixo, que vale menos, insignificante' | XVI, *jn-* XV | Do lat. *inferiŏr*, comparativo de *infĕrus* ǁ **inferior**IDADE XVII. Adapt. do fr. *inferiorité* ǁ **inferior**IZAR XX. Adapt. do fr. *inferioriser* ǁ **ínfero** XVI. Do lat. *infĕrus*, de *infra* 'abaixo' ǁ **ínfimo** XVII. Do lat. *infĭmus*. Cp. INFERNO.
⇨ **inferior** — **ínfimo** | *a* 1542 JCASE *47.20* |.
inferir *vb.* 'tirar conclusão, deduzir por raciocínio' | *enferir* XVI | Do lat. **inferĕre*, por *inferre* ǁ **inferência** 1813. Provavelmente do fr. *inference*.
inferno *sm.* 'O lugar do suplício das almas condenadas' '*fig.* vida de martírio, tormento' XIII. Do lat. *infernus* 'região inferior' de *infra* ǁ **infern**AL | XIII, *jnfer-* XIII etc. | Do lat. *infernālis* ǁ **infern**AR XVI ǁ **infern**IZAR 1873. Cp. INFERIOR.
ínfero → INFERIOR.
infértil, -idade → FÉRTIL.
infesto *adj.* '*ant.* levantado' | *enfesto* XIV | Do lat. *infēstus* 'hostil' ǁ **infest**AÇÃO XVI ǁ **infest**ADOR XVII ǁ **infest**ANTE XVI ǁ **infest**AR *vb.* 'sublevar' | *en-* XIV | Do lat. *infestāre*.
infibular *vb.* 'afivelar' 1873. Do lat. *infibulāre* ǁ **infibul**AÇÃO 1813 ǁ **infibul**ADOR XIX. Cp. FÍBULA.
in·fid·elidade, -o, infiel → FIEL.
in·filtr·ação, -ado, -ar → FILTRO[1].
ínfimo → INFERIOR.

in·find·ável, -o, in·finidade, -finit·esimal, -ésimo, -ivo, -o → FIM.
in·firm·ação, -ar, -ativo, -e → FIRME.
infl·ação, -acionar, -acionário, -acionismo, -acionista, -ado → INFLAR.
in·flam·abilidade, -ação, -ado, -ador, -ar, -ativo, -atório → FLAMA.
inflar vb. 'encher de ar, enfunar, intumescer, inchar' | XVI, jnflar XIV | Do lat. inflāre || DES-inflAÇÃO XX || inflAÇÃO 'inchação' XVI; 'orgulho, vaidade' 1813; '(Econ.) depreciação da moeda com elevação dos preços' XX. Do lat. inflatiō -ōnis. Na última acepção o voc. provém do ing. inflation || inflacionAR XX || inflacionÁRIO XX. Do ing. inflationary || inflacionISMO XX. Do ing. inflationism || inflacionISTA XX. Do ing. inflationist || inflADO | XVI, infrado XV | Do lat. inflātus || inflATÓRIO 1899. Cp. INCHAR.
in·flectir, -flex·ão, -ibilidade, -ível, -o → FLEXÃO.
infligir vb. 'cominar, aplicar pena' XVIII. Do lat. infligĕre || inflicção 1873. Do lat. tard. inflictio -ōnis.
inflorescência → FLOR.
in·flu·ência, -enciar, -ente, -enza, -ição, -ir, -xo → FLUIR.
infólio → FOLHA.
in·form·ação, -ador, -al, -ante, -ar, -ativo, -e, -idade → FORMA.
in·fortun·ado, -io → FORTUNA.
in·fr·ação, -acto, -ator → FRAÇÃO.
infrene → FREIO.
in·frequ·ência, -entado, -ente → FREQUENTE.
in·fring·ente, -ir → FRAÇÃO.
in·frut·escência, -ífero, -uoso → FRUTO.
infundado → FUNDO.
in·fund·ibuliforme, -íbulo, -ice, -ir, in·fus·a, -ão, -o, -ório, -ura → FUNDIR.
ingá sm. 'nome comum a diversas plantas da fam. das leguminosas' | 1763, engá 1587, enga 1617, enguà 1618 etc. | Do tupi i'ŋa || ingaRANA XX || ingaZ·EIRA 1876 || ingaZ·EIRO 1763.
ingapenambi sf. 'adereço das espadas de madeira dos indígenas do Brasil' | jngapenābi c 1584 | Do tupi iãpena'mį < ĩã'pena 'espada de pau' + na'mį 'orelha'.
inga·rana, -zeira, -zeiro → INGÁ.
ingênito adj. 'de nascença, inato, não gerado' 1813. Do lat. ingenĭtus, part. pass. de ingenĕre.
ingente adj. 2g. 'muito grande, enorme' 1572. Do lat. ingēns -entis.
ingênuo adj. 'inocente, em que não há malícia' | engenuo XVIII | Do lat. ingenŭus 'livre de nascença' || ingenuIDADE XVI. Do lat. ingenuĭtās -ātis.
in·ger·ência, -ente, -ir, ingestão → GERIR.
inglês adj. sm. 'natural ou habitante da Inglaterra, a língua aí falada' | 1572, ingres XV, engres XIV | Do fr. ant. engleis (hoje anglais), deriv. de Angles 'anglos', nome do povo germânico que ocupou a Inglaterra.
in·glór·io, -ioso → GLÓRIA.
inglúvias sf. pl. 'papo ou primeiro estômago das aves' 'fig. voracidade, gulodice' 1881. Do lat. ingluvies -ei, com mudança de declinação || ingluviAL 1899 || ingluvIOSO | ingluviosamente adv. XVIII.
in·grat·idão, -o → GRATO.

ingrediente → INGRESSO.
íngreme adj. 2g. 'escarpado, que é de difícil acesso, que tem grande declive' | yngrime XVI | De origem controversa.
ingresso sm. 'ato de entrar, admissão, introito, início' XVI; 'bilhete de entrada em casas de espetáculo' XX. Do lat. ingressus, part. pass. de ingrĕdi || ingrediente 1813. Do lat. ingrediens -entis, part. pres. de ingrĕdi || ingressAR XX. Cp. EGRESSO, PROGRESSO, REGRESSO.
íngua sf. '(Med.) ingurgitamento de gânglio linfático, bubão' | XVI, inguen XIV | Do lat. tard. inguina, de inguĭna -um, plural de inguen -ĭnis || inguinAL 1844. Do lat. inguinālis.
ingurgitar vb. 'engolir avidamente, enfartar, obstruir' 1881. Do lat. ingurgitāre || ingurgitAÇÃO 1881.
inhame sm. 'planta da família das dioscoreáceas' 'o tubérculo dessa planta' | jnhame XV | De origem africana, mas de étimo indeterminado.
-inhar suf. verb., de -inh(o) [v. -INO (i)] + -AR¹, que forma verbos com sentido frequentativo-diminutivo-pejorativo, como cuspinhar, escrevinhar etc.
-inho → -INO (i).
inibir vb. 'impedir, embaraçar, proibir' XVI. Do lat. inhibēre 'ter mão em, fazer parar', de habēre 'ter'; houve mudança de conjugação || DESinibIÇÃO | deshi- 1844 || DESinibIDO | deshi- 1844 || DESinibir | deshi- 1844 || inibIÇÃO | enibiçom XV | Do lat. inhibitiō -ōnis || inibIT·IVO XVIII || inibIT·ÓRIA sf. 'documento que proíbe ou impede' XV. Do lat. med. inhibitoriae (litterae) '(carta) inibitória', substantivado || inibIT·ÓRIO XIX.
início sm. 'começo, princípio, exórdio' 1813. Do lat. initium, de inītum, supino de inire 'ir para, entrar em' || iniciAÇÃO 1813. Do lat. initiātiō -ōnis || iniciADO sm. 1844 || iniciADOR 1858. Do lat. initiātor -ōris || iniciAL 1813. Do lat. initiālis || iniciAR 1813. Do lat. initiāre || iniciATIVA sf. 1813 || iniciATIVO 1881 || iniciAT·ÓRIO XX.
inigualável → IGUAL.
inimbó sm. 'planta leguminosa da subfam. das cesalpináceas' | inimboya 1663 | Do tupi ini'mọ.
in·im·icícia, -igo → AMIGO.
inimitável → IMITAR.
in·imiz·ade, -ar → AMIZADE.
ininterrupto → ROMPER.
ininvestigável → INVESTIGAR.
ínion sm. 'vértice da protuberância do occipital' 1899. Termo introduzido no séc. XIX na linguagem científica, principalmente no ramo da antropologia, deriv. do gr. íníon 'nuca' || inioDIM·IA | -dymia 1899 | Forma haplológica de *iniodidimia || inioDIMO | -dymo 1899 | Forma haplológica de *iniodídimo.
iniqu·idade, -o → EQU(i)¹-.
injetar vb. 'introduzir (um líquido) numa cavidade do corpo' | injectar 1813 | Do lat. tard. injectāre, iterativo de injicĕre || injeção | -jecção 1813 | Do lat. injectiō -ōnis || injetADO 1844 || injetOR | -ctor 1899 | Adapt. do fr. injecteur.
injucundo → JUCUNDO.
injungir vb. 'obrigar, impor, pressionar' 1844. Do lat. injungĕre, com mudança de conjugação || injunção | -cção 1881 | Do lat. injunctiō -ōnis || injun-

tIVO 1899. De *injunctus*, part. pass. de *injungĕre*. Cp. JUNGIR.
⇨ **injungir** — **injunto** | *injuncto* 1573 NDias 210.*17* |.
injúria *sf.* 'injustiça, insulto, ofensa à dignidade ou ao decoro de alguém' XIV. Do lat. *injuria* || **injuria**DOR | XVI, *en-* XIV || **injuri**AR | *enjuriar* XV, *em-* XV || **injuri**OSO | *jnjurioso* XV | Do lat. *injūriōsus*.
in·just·iça, -ificável, -o → JUSTO.
-ino, -ina *suf. nom.* de origens e funções distintas: (i) é adaptação do lat. *-īnus -īna -īnum*, que já se documenta em adjetivos formados no próprio latim (como *adulterino -a, genuíno -a* etc.) e que ocorre na formação de alguns adjetivos portugueses eruditos e/ou semieruditos, com a noção de 'relação, natureza, origem' (como *dançarino -a, londrino -a* etc.), alguns dos quais são de imediata procedência italiana (como *citadino -a*). Já no latim o suf. *-īnus -īna -īnum* assumira, também, uma função diminutiva, em decorrência da noção de 'origem, descendência', que ele exprime em vocs. como *lībertīnus, sororīnus* etc., pois os descendentes, sendo mais jovens, seriam normalmente considerados 'mais pequenos'; em português ocorrem diminutivos em *-ino -ina* (*pequenino -a*), mas muito mais frequentes são os diminutivos em *-inho -inha* (*coelhinho, pedrinha*) — e *-zinho -zinha*, quando o primitivo termina em vogal nasal (*lãzinha*), em vogal tônica (*pazinha*) ou em ditongo (*mãezinha*); v. -z-. Raros são os diminutivos em *-im¹*, forma alterada do suf. *-ino*, por influência do francês *-in: fortim* (< fr. *fortin* < it. *fortino*); (ii) é adaptação do lat. *-ĭnus*, deriv. do gr. *-inos*, que se documenta em adjetivos formados no próprio grego (como *adamantino -a, cristalino -a* etc.) e que, tal como o anterior, atribui ao derivado a noção de 'relação, natureza, origem'; (iii) é adaptação do lat. *-īna*, deriv. do gr. *-ínē*, que já se documenta em substantivos formados no próprio grego (como *heroína*) e que, através do al. *-in*, deu origem à formação de substantivos que designam títulos de nobreza e/ou de cargos administrativos, como *landgravina* (< fr. *landgravine* < al. *Landgräfin*) 'mulher de landgrave', *margravina* (< fr. *margravine* < al. *Markgräfin*) 'mulher de margrave' etc.; (iv) é adaptação do lat. *-īna* (masc. *-īnus*, neutro *-īnum*), idêntico ao primeiro, e que forma substantivos femininos que designam, na linguagem da química, alcaloides, princípios extrativos em geral e derivados químicos de várias espécies: *acetilcolina, adrenalina, cafeína, estricnina* etc.
inobedi·ência, -ente → OBEDECER.
inobliterável → OBLITERAÇÃO.
in·observ·ado, -ância, -ante, -ável → OBSERVAÇÃO.
inocente *adj. s2g.* 'inofensivo, inócuo, falto de culpa, cândido' | *inoçente* XIV, *jnocente* XIV | Do lat. *innocens -entis*, de *nocēre* 'ser nocivo' || **inocência** | 1500, *ygnocencia* XIV etc. | Do lat. *innocentĭa* || **inocent**AR XX || **inócuo** *adj.* 'que não faz dano' XIX. Do lat. *innocŭus*.
inocular *vb.* 'inserir' '*fig.* transmitir, difundir, contagiar' 1844. Do fr. *inoculer* || **inocul**ABIL·IDADE 1881 || **inocul**AÇÃO 1844. Do fr. *inoculation*.
inócuo → INOCENTE.
inodoro → ODOR.

inofensivo → OFENDER.
inoficioso → OFICIAL.
inolvidável → OLVIDAR.
i·nom·in·ado, -ável → NOME.
inoperante → OPERAR.
inópia *sf.* 'penúria' '*fig.* defeito' 1572. Do lat. *inopīa* || **inopi**OSO XVII. Do lat. *inopiosus*.
inopinado *adj.* 'inesperado, imprevisto, extraordinário' XVII. Do lat. *inopīnātus* || **inopino** 1844. Do lat. *inopīnus*.
inopioso → INÓPIA.
in·oportun·idade, -o → OPORTUNO.
inorgânico → ORGANIZAR.
in·ospit·alidade, -o → HÓSPEDE.
i·nov·ação, -ador, -ar → NOVO.
inóxio *adj.* 'inócuo' XVI. Do lat. *innoxĭus*.
inqualificável → QUALIFICAR.
inquebrável → QUEBRAR.
inquérito → INQUIRIR.
inquestionável → QUESTÃO.
in·quiet·ação, -ador, -ante, -ar, -o, -ude → QUIETO.
inquilino *sm.* 'indivíduo que toma uma casa por aluguel' 1813. Do lat. *inquilīnus*, relacionado com *colĕre* 'habitar' || **inquilin**ATO 1881. Do lat. *inquilinātus*.
inquinar *vb.* 'poluir, corromper, infetar' XVIII. Do lat. *inquināre* || **inquin**AÇÃO XVII. Do lat. *inquinātĭo -ōnis*.
inquirir *vb.* 'procurar informações sobre, investigar, fazer perguntas a' | XVI, *enquerer* XIII, *em-* XII, *inquerir* XVI etc. | Do lat. *inquirĕre*, de *quaerĕre*, com mudança de conjugação || **inquérito** 1881. Certamente baseado no lat. *inquirĕre*, ou melhor ainda no lat. **inquāerītāre*, donde se teria originado como derivado regressivo. O vocábulo só existe em português || **inquir**IÇÃO | *enquiriço* XIII, *enqueriçôes* pl. XIV, *jnqueriçôes* pl. XV || **inquir**IDOR | XVI, *enqueredor* XIII || **inquir**IDOR·IA XVII || **inquisa** *sf.* 'testemunha' | *enquisa* XIII | Talvez derivado regressivo de *inquisição* || **inquis**IÇÃO | *enquisiçom* XIII | Do lat. *inquīsītĭo -ōnis* 'indagação, devassa' '(Jur.) processo', de *inquīsītum*, supino de *inquirĕre* || **inquis**IDOR XV. De *inquīsītor -ōris* || **inquis**IT·IVO 1525. Do lat. tard. *inquisitivus* || **inquis**IT·ORI·AL 1873 || **inquis**IT·ÓRIO 1873.
in·saci·abilidade, -ado, -ável → SACIAR.
in·salubr·e, -idade → SALUBRE.
in·san·abilidade, -ável, -ia, -idade, -o → SANAR.
in·satisf·ação, -eito → SATISFAZER.
insaturável → SATURAÇÃO.
in·sci·ência, -ente, -o → CIÊNCIA.
inscrever *vb.* 'insculpir, gravar, assentar em registro' 1844. Do lat. *inscribĕre*, de *scribĕre* || **inscr**IÇÃO | *-pção* XVI | Do lat. *inscriptĭo -ōnis*, de *inscriptum*, supino de *inscribĕre* || **inscrito** | *-pto* 1813 | Do lat. *inscriptus*, part. pass. de *inscribĕre* || REinscrever XX || REinscrição XX. Cp. ESCREVER.
inscrutável *adj. 2g.* 'impenetrável, insondável' 1844. Do lat. *inscrūtābĭlis*.
inscul·pir, -tor, -tura → ESCULPIR.
⇨ **insculpido** → ESCULPIR.
insecável → SECO.
inséctil → SECÇÃO.
in·segur·ança, -o → SEGURO.

⇨ **insemelhável** → SEMELHAR.
in·semin·ação, -ado, -ar → SEMEAR.
in·sens·atez, -ato, -ibilidade, -ibilizar, -ível → SENSO.
in·separ·abilidade, -ável → SEPARAR.
insepulto → SEPULTAR.
inserir *vb.* 'introduzir, meter em, intercalar' | XVII, *enxerir* XIII, *ensserir* XIII, *enserir* XIII, *ensyrir* XIV, *emserir* XV | Do lat. *inserĕre* 'introduzir'. Modernamente a variante arcaica e popular *enxerir* adquiriu no Brasil o significado de 'intrometer-se, tomar parte no que não lhe diz respeito', assim como *enxerido* 'intrometido, o que se mete onde não é chamado' || **enxertar** XV. Do lat. *insertare*, de *insertus*, part. pass. de *inserĕre* || **enxerto** | XV, *ẽxerto* XVI | Derivado regressivo de *enxertar* || **inserção** 1844. Do lat. *insertĭo -ōnis* || **inserido** | *ensirido* XV || **inserto** | *jmserto* XV | Do lat. *insertus*, part. pass. de *inserĕre*.
inservível → SERVIR.
inseto *sm.* 'animal provido de três pares de pernas articuladas com o tórax, e que respira por traqueias' | *insecto* 1813 | Do lat. *insectum -i*, de *insecāre* 'cortar'; o termo latino é tradução do gr. *éntomos* 'cortado' || insetI·CIDA | *-cticida* 1881 | Do fr. *insecticide* || insetI·CÍD·IO | *-cticídio* 1881 || insetí·FERO | *-ctífero* 1881 || insetí·FUGO | *-ctífugo* 1881 || **insetí·VORO** | *-ctívoro* 1844 || insetoLOG·IA | *insectologia* 1844 | Provavelmente do fr. *insectologie*. Cp. SECÇÃO.
insídia *sf.* 'emboscada, estratagema, perfídia' 1572. Do lat. *insidĭa -ae*, por *insidĭae -arum* || insidiADOR XVII. Do lat. *insidiātor -ōris* || insidiAR XVII. Do lat. *insidiāre*, por *insidiāri* || **insidi**OSO XVI; o adv. *insidiosamente* já se documenta no séc. XV.
insign·e, -ia, -ificância, -ificante, -ificativo → SIGNO.
in·simul·ação, -ar → SIMULAR.
in·sincer·idade, -o → SINCERO.
insinuar *vb.* 'pretender provar, dar a entender, induzir' XIV. Do lat. *insinuāre* || insinuAÇÃO | *-çom* XV | Do lat. *insinuatĭo -ōnis* || insinuADOR 1813. Do lat. *insinuātor -oris* || insinuANTE XVIII || insinuATIVA *sf.* 1844 || insinuATIVO *adj.* 1844.
in·sip·idez, -ido, -iência, -iente → SABER.
insistir *vb.* 'persistir, repetir, instar, perseverar' | *insystir* XVI | Do lat. *insistĕre* || insistÊNCIA XVII || insistENTE 1844.
ínsito *adj.* 'inserido, congênito, inato' XVII. Do lat. *insitum*, de *inserĕre* 'semear, plantar'.
in·soci·abilidade, -al, -ável → SÓCIO.
insofrido → SOFRER.
⇨ **insofrível** → SOFRER.
in·sol·ação, -ar → SOL¹.
in·sol·ência, -ente, -ito → SOER.
in·sol·ubilidade, -úvel, -vabilidade, -vável, -vência, -vente → SOLVER.
in·sond·abilidade, -ável → SONDAR.
in·son·e, -ia → SONO.
insonoro → SOM.
insonte *adj.* 'sem culpa, inocente' XVII. Do lat. *insōns -ontis*, de *sons* 'culpado, danoso'.
insopitável → SOPITAR.
insosso, ensosso *adj.* 'sem sal, sem tempero' 'diz-se da alvenaria assente sem argamassa' | XIX, *emssosso* XV, *insonso* XVIII | Do lat. *insulsus*. Cp. SAL.
inspeção *sf.* 'ato de ver, lance de olhos, vistoria, exame' | *inspecção* XVII | Do lat. *inspectĭo -ōnis* || **inspecion**AR | *-peccionar* 1813 || **inspetar** | *-ctar* 1813 | Do lat. *inspectare* || **inspet**OR | *-ctor* 1813 | Do lat. *inspector -ōris* || inspetOR·IA | *-ctoria* XIX.
inspirar *vb.* 'introduzir ar nos pulmões, incutir, infundir, fazer penetrar no ânimo' | XV, *insperar* XV | Do lat. *inspirāre* || inspirAÇÃO | XVI, *spiraçõ* XIV | Do lat. *īnspīrātĭo -ōnis* || inspirADOR XVI || inspirATIVO 1881 || inspirATÓRIO 1844. Cp. ESPIRAR, EXPIRAR.
inspissar *vb.* 'tornar espesso, condensar' 1813. Do lat. *inspissāre* || inspissADO 1813. Do lat. *inspissatus*.
instabilidade → ESTABELECER.
instalar *vb.* 'estabelecer, dispor para funcionar, alojar' XVIII. Do fr. *installer*, deriv. do lat. med. *installāre* || instalAÇÃO | *-llação* 1881 | Do fr. *installation*.
instar *vb.* 'estar iminente, urgir, questionar, solicitar com urgência' XVI. Do lat. *instāre* 'estar em, ameaçar, achar-se na iminência de' || instÂNCIA XIV. Do lat. *instantĭa* || instANT·ÂNEO XVII || instANTE¹ *adj.* XVII. Do lat. *instans -antis* || instANTE² *sm.* XV. Do lat. *instans -antis*, part. pres. de *instāre*, tomado substantivamente.
instaurar *vb.* 'fundar, formar, estabelecer' 1813. Do lat. *instaurāre* || instaurAÇÃO XVII. Do lat. *instauratĭo -ōnis* || instaurADO 1813.
instável → ESTAR.
instigar *vb.* 'incitar, induzir, estimular' XVII. Do lat. *instigāre* || instigAÇÃO XVII. Do lat. *instigatĭo -ōnis* || instigADOR XX. Do lat. *instigātor -ōris* || instigANTE XX || instigATÓRIO XX.
instilar *vb.* 'deitar às gotas, insuflar, induzir' XVI. Do lat. *instillāre*, de *stilla* 'gota, pingo' || instilAÇÃO 1813. Cp. DESTILAR.
instinto *sm.* 'instigação, impulso' | XVI, *es-* XV | Do lat. *instinctus* 'excitação' || instintIVO | *-ctivo* 1833.
institor *sm.* 'comissário, corretor, administrador de estabelecimento comercial' 1858. Do lat. *instĭtor -oris* 'negociante, comprador', de *instĭtum*, supino de *insistĕre* || institÓRIO *adj.* 1858.
instituir *vb.* 'fundar, estabelecer, nomear como herdeiro' | XV, *jnstituyr* XIV | Do lat. *instituĕre*, com mudança de conjugação || **institu**IÇÃO | *instituçom* XV, *-tuiçõ* XV || Do lat. *institutĭo -ōnis* || **institucio**NAL XX || **institucion**AL·IZAR XX || **instituto** XVI. Do lat. *institutus*.
⇨ **instituir** — instituIDOR | 1573 NDias 15.*1* |.
instruir *vb.* 'transmitir conhecimento a, lecionar, informar' XVI. Do lat. *instruĕre* || **instrução** | *instruição* XVI | Do lat. *instructĭo -onis* || instruÍDO XVI || instruMENT·AÇÃO 1873. Do fr. *instrumentation* || instruMENT·AL 1813. Do fr. *instrumental* || instruMENT·AL·ISMO XX. Do ing. *instrumentalism* || instruMENT·AR XVI. Do fr. *instrumenter* || instruMENT·ISTA XIX. Do fr. *instrumentiste* || **instru**MENTO | XIV, *stormēto* XVII, *strumento* XIII, *estru-* XIII etc. | Do lat. *īnstrūmĕntum* || **instru**TIVO | *instructivo* 1813 | Do fr. *instructif* || **instru**tOR | *-ctor* 1813 | Do lat. *instructor -ōris* || instrutURA | *-ctura* XVIII, *enstrutura* XVI | Do lat. *instructūra*.
ínsua → ILHA.

in·suav·e, -idade → SUAVE.
in·subm·issão, -isso → SUBMETER.
in·subordin·ação, -ado, -ar → SUBORDINAR.
insubornável → SUBORNAR.
in·subsist·ência, -ente → SUBSISTIR.
insubstituível → SUBSTITUIR.
insucesso → SUCEDER.
insueto *adj.* 'desacostumado, desabituado' 1813. Do lat. *insuētus*.
in·sufici·ência, -ente → SUFICIÊNCIA.
insuflar *vb.* 'soprar, encher de ar soprando' '*fig.* insinuar, sugerir' | *-fflar* 1813 | Do lat. *insufflāre* || **insufl**AÇÃO | *-ffla-* 1813 | Do lat. *insufflātio -ōnis* || **insufl**ADOR | *-fflador* 1881.
insul·ano, -ar¹, -ar², -ina → ILHA.
insultar *vb.* 'injuriar, ultrajar, afrontar' XVI. Do lat. *insultāre* 'saltar sobre, atacar', de *in+saltāre* || **insult**ADOR XIX || **insult**ANTE 1813. Do lat. *insultans -antis*, part. pres. de *insultāre* || **insulto** | XVI, *ensulto* XV | Do lat. *insultus -us* | **insult**UOSO XVIII.
insumo *sm.* '(Econ.) combinação dos fatores de produção que entram na elaboração de determinada quantidade de bens de serviço' XX. Neologismo criado (pelo modelo de *consumo*) para traduzir o ing. *input*.
insuperável → SUPERAR.
insuportável → SUPORTAR.
insurgir *vb.* 'sublevar, revolucionar, revoltar' 1844. Do lat. *insurgĕre* || **insurg**ÊNCIA XX. Do ing. *insurgence* || **insurg**ENTE 1844 || **insurrecion**AL | *-cc-* 1873 | Do fr. *insurrectionel* || **insurrecionar** | *-rreccion-* 1881 | Do fr. *insurrectioner* || **insurreição** 1844. Do lat. *īnsurrēctio -ōnis*.
in·susp·eição, -eito → SUSPEITAR.
insustentável → SUSTENTAR.
in·táct·il, -o → TATO.
in·tang·ibilidade, -ível → TANGER.
-inte *suf. nom.*, do lat. *-ins -intis*, que forma adjetivos oriundos de verbos, com a noção de 'ação, qualidade, estado': *constituinte, contribuinte, ouvinte, pedinte* etc.; alguns desses adjetivos podem ocorrer também substantivados: *constituinte, contribuinte* etc.
integrar *vb.* 'completar' XIV; '(Mat.) determinar a integral de uma função' 1813. Do lat. *integrāre* || DES**integr**AÇÃO XX || DES**integrar** XX || **integra** | 1813, *entrega* XIII || **integr**ABIL·IDADE XX || **integr**AÇÃO 1813 || **integr**ADOR XX || **integr**AL *adj.* 2g. sm. 1813. Do lat. tard. *integrālis* || **integr**AL·ISMO XX || **integr**AL·ISTA XX || **integr**ANTE 1813 || **integr**IDADE 1572. Do lat. *integrĭtās -ātis* || **integri** FOLIADO 1873 || **íntegro** | *entrego* XIV | Do lat. *īntĕgrus* || **inteirar** XVI. Forma divergente de *integrar* || **inteir**EZA | XVI, *enteireza* XVI || **inteir**IÇAR XVII || **inteir**ICE *sf.* 'integridade' | *enteyrice* XIV || **inteir**IÇO XVI || **inteiro** | XIV, *en-* XIII | Forma divergente e popular de *integro*, deriv. do lat. *īntĕgrus* || RE**integrar** 1881 || RE**integr**AÇÃO 1844 || RE**integr**ADO 1844 || RE**integrar** | *reyntegrar* XV || RE**integr**ATÓRIO XX.
inteligência *sf.* 'faculdade de compreender, rapidez de apreensão mental, sagacidade, entendimento' 'informação' | XV, *jntelligencia* XIV etc. | Do lat. *intelligentia*. Na última acepção há influência do ing. *intelligence* || DES**inteligência** | *-lli-* 1844 || **intelecção** | *-llecção* XVII | Do lat. tard. *intellēctio*

-ōnis, de *intellectum*, supino de *intellĭgĕre* 'ler entre, compreender' || **intelect**IVO | *entelectiuo* XV, *jntellectiuo* XV | Do lat. tard. *intellēctivus* || **intelecto** | *-leito* XVI, *intellecto* 1844 | Do lat. *intellectus -us*, de *intellĭgĕre* || **intelectu**AL | *-llect-* XV, *jntellectual* XIV, *inteleitual* XVI | Do lat. tard. *intellēctuālis* || **intelectu**AL·IDADE | *-llectualidade* 1844 | Do lat. tard. *intellēctuālĭtās -ātis* || **intelectu**AL·ISMO XX. Do lat. cient. *intellectualismus* || **intelectu**AL·IZAR | *intelectualisar* 1873 | Do fr. *intelectualiser* || **intelig**ENTE XVI. Do lat. *intellĭgens -ēntis*, part. pres. de *intellĭgĕre* || **intelig**IBIL·IDADE | *-elli-* 1873 || **inteligível** | XVI, *intelegibil* XVI | Do lat. *inteligibĭlis*.
intemerato *adj.* 'puro, incorrupto, íntegro' XV. Do lat. *intemerātus*.
in·temper·ado, -ança, -ante, -ar, -ie → TEMPERAR.
in·tempest·ividade, -ivo → TEMPO.
intender *vb.* 'exercer vigilância, superintender' XV. Do lat. *intendĕre* || **intenção** | *entençom* XIII | Do lat. *intentĭō -ōnis* || **intencion**ADO XVII || **intencion**AL | *-cional(mente)* XVII || **intencion**AR XX || **intencion**ISTA 1858 || **intend**ÊNCIA 1813. Do fr. *intendance* || **intend**ENTE 1813. Do fr. *intendant*, deriv. do lat. *intendens -entis*, part. pres. de *intendĕre* || **intensão** XVIII. Do lat. *intensĭō -ōnis*, de *intensus* || **intens**IDADE 1858 || **intensi**·FICAR XX. Talvez adapt. do fr. *intensifier* || **intens**IVO 1858 || **intenso** XVIII. Do lat. *intensus*, part. pass. de *intendĕre* || **intent**AR XVII. Do lat. *intentāre*, de *intendĕre* || **intento** | *jmtemto* XV, *en-* XV | Do lat. *intentus*, de *intentum*, supino de *intendĕre* || **intentona** XVIII. Do cast. *intentona*.
⇨ **intender** — **intencion**ADO | *a* 1583 FMPin 30.*21* || **intent**AR | 1582 *Liv. Fort.* 54v 7 || **intentona** | 1680 AOCad I. 467.*31* |.
inter- *pref.*, deriv. do lat. *inter-*, do adv. e prep. *ĭnter* (> ENTRE) 'entre, no meio de', que já se documenta em latim na formação de verbos (*interdĭcĕre*), substantivos (*intercolumnium*) e adjetivos (*intercalāris*) e que, em português, ora se manteve inalterado (*interdizer, intercolúnio, intercalar*), ora evoluiu para a forma romanceada e popular *entre-* (*entreabrir, entremeio, entrefino*). Modernamente, na formação de compostos eruditos, prevalece a forma *inter-* (*interespacejar, interfalangiano, intergaláctico*), enquanto que no português antigo a forma *entre-* foi consideravelmente mais fecunda. A par de *entre-*, ocorria também *antre-* (*antrecosto, antrerromper, antrelinhar*) e, com muito menor frequência, *ontre-* (*ontredito, ontremeio*) e *untre-*. Cp. INTRA-, INTRO-.
intercalar¹ *vb.* 'pôr de permeio, interpor, inserir' XVI. Do lat. *intercalāre* || **intercal**AÇÃO 1813. Do lat. *intercalātĭo -ōnis* || **intercal**AR² *adj.* XVI. Do lat. *intercalāris*.
intercâmbio → CAMBIAR.
interceder *vb.* 'pedir por outrem, rogar, suplicar' XVI. Do lat. *intercedĕre* || **intercessão** XVI. Do lat. *intercessĭō -ōnis* || **intercessor** | *yntersesora* f. XV | Do lat. *intercessor -ōris*.
intercepto *adj.* 'interrompido' 1813. Do lat. *interceptus*, part. pass. de *intercipĕre*, de *capĕre* 'tomar, captar' || **intercepção** 1813. Do lat. *interceptĭō -ōnis* || **intercept**AR 1813 || **intercept**OR XX.
interc·essão, -essor → INTERCEDER.

interciso *adj.* 'cortado ao meio, retalhado' XVII. Do lat. *intercisus*, part. pass. de *intercīdĕre* 'cortar pelo meio'.
intercontinental → CONTER.
intercorrer *vb.* 'interpor-se, sobrevir' 1873. Do lat. *intercurrĕre* ‖ **intercorr**ÊNCIA 1881 ‖ **intercorr**ENTE 1858. Do lat. *intercurrens -entis*, part. pres. de *intercurrĕre* ‖ **intercurso** *sm.* 'comunicação, trato, relação sexual' 1881. Do ing. *intercourse*, do antigo fr. *entrecours* 'intercâmbio' e, este, do lat. med. *intercursus*, de *intercurrĕre*.
intercostal → COSTA.
intercurso → INTERCORRER.
intercutâneo → CÚTIS.
interdependência → DEPENDER.
interdição *sf.* 'proibição, privação judicial de alguém reger a sua pessoa e os seus bens' | *interdiçom* XV | Do lat. *interdictio -ōnis* ‖ **interdit**AR XIX ‖ **interdito** | *-dicto* XIV, *entredito* XIV, *ontredito* XIV, *antredito* XV | Do lat. *interdictus*, part. pass. de *interdicĕre* ‖ **interdizer** XIV. Do lat. *interdicĕre* 'decretar, vetar, proibir'.
interesse *sm.* 'lucro, proveito, vantagem, sentimento' XV. Do lat. med. *interesse*, que é substantivação do lat. cláss. *interesse* 'importar' | DES**interess**ADO XVI ‖ DES**interess**ANTE XX ‖ DES**interess**AR XVI ‖ DES**interesse** XVII ‖ **interess**ADO XVII ‖ **interess**ANTE 1813 ‖ **interess**AR 1569 ‖ **interess**EIRO XVI.
interestadual → ESTADO.
interferir *vb.* 'intervir' 1873. Do fr. *interférer*, composto culto de *inter* e *ferre* 'levar entre' ‖ **interfer**ÊNCIA 1844. Do fr. *interférence* ‖ **interfer**ENTE 1873. Do fr. *interférent*.
inter·foli·áceo → FOLHA.
ínterim *sm.* 'intervalo de tempo' XVI. Do lat. *intĕrim* 'durante esse tempo', de *ĭnter* e *in(de)* ‖ **interino** 1813. Do it. *interino* ‖ **interin**IDADE 1881.
interior *adj.* 2g. *sm.* 'íntimo, particular, interno' 'aquilo que está dentro' XV. Do lat. *intĕrior*, comparativo de **intĕrus* ‖ **interior**ANO XX ‖ **interior**IDADE 1881.
interjacente → JAZER.
interjeição *sf.* 'palavra com que se exprimem sentimentos, exclamação' | *intereieiçã* XVI | Do lat. *interjectĭō -ōnis* 'inserção' ‖ **interjeccion**AL 1899 ‖ **interject**IVO 1873.
inter·lig·ação, -ar → LIGAR.
inter·locu·ção, -tor, -tório → LOCUTOR.
interlúdio *sm.* 'trecho musical intercalado entre as várias partes de uma longa composição' XX. Adapt. do ing. *interlude*, deriv. do lat. tard. *interlūdĭum*, de *ĭnter* 'entre' e *ludus* 'jogo, divertimento, passatempo'.
interlúnio → LUA.
inter·medi·ação, -ar, -ário, -o → MÉDIO.
in·termin·ável, -o → TÉRMINO.
intermitir *vb.* 'interromper-se, manifestar-se por acessos irregulares, cessar por algum tempo' | *-ttir* XVII | Do lat. *intermittĕre* ‖ **intermissão** XVII. Do lat. *intermissĭo -ōnis*, de *intermissum*, supino de *intermittĕre* ‖ **intermit**ÊNCIA | *-tência* 1813 ‖ **intermit**ENTE | *-ttente* XVIII | Do lat. *intermittens -entis*, part. pres. de *intermittĕre*.
intermúndio → MUNDO².
intermural → MURO.

inter·nacion·al, -alização, -alizar → NAÇÃO.
interno *adj. sm.* 'que está no interior de' 'aluno que reside no colégio' XVIII. Do lat. *internus* ‖ **intern**AÇÃO 1873 ‖ **intern**AMENTO 1873 ‖ **intern**AR 1813 ‖ **intern**ATO 1881. Do fr. *internat*.
internódio *sm.* 'intervalo entre dois artículos ou entre dois nós do caule das plantas' XX. Do lat. *internodĭum*. Cp. NÓ.
internúncio *sm.* 'agente diplomático do Vaticano, com atribuições de ministro plenipotenciário, mensageiro' XVII. Do it. *internunzio*, deriv. do lat. *internuntĭus*.
interoceânico → OCEANO.
interpelar *vb.* 'dirigir-se a alguém com perguntas, pedir explicações a' | *-llar* XVI | Do lat. *interpellāre* ‖ **interpel**AÇÃO | *-llação* 1844 | Do lat. *interpellatĭo -ōnis* ‖ **interpel**ANTE 1844. Do lat. *interpellans -antis*, part. pres. de *interpellāre*.
interpenetrar → PENETRAR.
interplanetário → PLANETA.
interpolar *vb.* 'intercalar, interpor, consertar, alterar' XVI. Do lat. *interpolāre* ‖ **interpol**AÇÃO XVI. Do lat. *interpolatĭo -ōnis* ‖ **interpol**ADOR 1844. Do lat. *interpolātor -ōris*.
interpor *vb.* 'fazer intervir, opor, entrar em juízo com um recurso' | *interpoer* XV | Do lat. *interponĕre* ‖ **interposição** XVII. Do lat. *interpositĭo -ōnis* ‖ **interposto** XVII. Do lat. *interpositus*.
interpresa *sf.* 'assalto imprevisto, sobressalto' XVII. Adapt. do fr. *entreprise*.
interpretar *vb.* 'traduzir, ajuizar da intenção, do sentido, representar como ator, exprimir o pensamento' | XVI, *enterpretar* XIV | Do lat. *interpretāri* ‖ **interpret**AÇÃO | *enterpretações* pl. XIV | Do lat. *interpretatĭo -ōnis* ‖ **interpret**ADOR 1525 ‖ **interpret**ANTE XVI ‖ **interpret**ATIVO 1858 ‖ **interpret**ÁVEL 1873 ‖ **intérprete** XVI. Do lat. *intērprĕs -ĕtis* 'medianeiro'.
interregno *sm.* 'tempo entre dois reinados, interrupção, intervalo' XVI. Do lat. *interregnum*.
interrogar *vb.* 'fazer perguntas a, inquirir, consultar' XIII. Do lat. *intērrŏgāre* ‖ **interrog**AÇÃO XVI. Do lat. *intērrŏgatĭo -ōnis* ‖ **interrog**ADOR 1899 ‖ **interrog**ANDO XX ‖ **interrog**ATIVO 1844 ‖ **interrog**ATÓRIO | *jnterrogatorio* XV | Do lat. tard. *intērrŏgatōrĭus*.
inter·r·omper, -upção, -upto, -uptor → ROMPER.
inter·secç·ão, -ional, intersectal → SECÇÃO.
interserir *vb.* 'inserir' XVII. Do lat. *interserĕre*.
interstício *sm.* 'intervalo, fenda, frincha' 1842. Do lat. *interstĭtĭum*.
intertrigem *sf.* '(Med.) inflamação eritematosa da pele nas porções em que ocorrem atritos, assadura' | *intertrigo* 1899 | Do lat. *intertrīgo -igĭnis*.
intertropical → TRÓPICO.
interurbano → URBE.
intervalo *sm.* 'espaço entre dois pontos, intermitência' | *antrevalo* XIII, *ontrevalo* XIV | Do lat. *intervallum* ‖ **interval**AR¹ *adj.* 1873 ‖ **interval**AR² *vb.* XVII.
intervir *vb.* 'tomar parte voluntariamente, interpor a sua autoridade, vir ou colocar-se entre' | *interviir* XVI | Do lat. *intervenīre* ‖ **intervenção** XVII. Do lat. tard. *interventĭo -ōnis*, de *interventum*, supino de *intervenīre* ‖ **interveniente** 1858. Do lat. *interveniens -ēntis*, part. pres. de *intervenīre* ‖ **interven**-

tIVO 1899 || **intervent**OR 1844. Do lat. *interventor -ōris*.
in·test·ado, -ável → TESTAR¹.
intestino¹ *sm.* 'víscera musculomembranosa abdominal' | *entestynho* XV, *stemtino* XV | Do lat. *intestinum -i* ou *intestina -orum* || **intestin**AL 1844. De *intestino*¹ || **intestino**² *adj.* 'interno, íntimo' 1572. Do lat. *intestinus*.
intimar *vb.* 'avisar, cientificar, falar com arrogância ou mando' XVII. Do lat. *intimāre* 'fazer penetrar em' || **intim**AÇÃO 1844 || **intim**ATIVA *sf.* 1899 || **intim**ATIVO 1858 || **intim**IDADE 1813 || **intim**ISMO XX. Do fr. *intimisme* || **intim**ISTA XX. Do fr. *intimiste* || **íntimo** XVI. Do lat. *intĭmus*.
in·timid·ação, -ar → TÍMIDO.
intim·ismo, -ista, -o → INTIMAR.
intinção *sf.* 'ato de lançar parte da hóstia em vinho consagrado' | *-nção* 1873 | Do lat. *intinctĭō -ōnis* 'ação de molhar, de embeber', de *intingĕre*.
intitular → TÍTULO.
intocável → TOCAR.
in·toler·ância, -ante, -ável → TOLERAR.
intonso → TONSURA.
in·toxic·ação, -ar → TÓXICO.
intra- *pref.*, deriv. do lat. *intrā-* 'no meio, no interior', que não se documenta como elemento de composição no latim clássico, mas que já ocorre no latim tard. e que, modernamente, é de grande emprego na formação de compostos, particularmente no campo da biologia (*intramedular, intramuscular, intravenoso*), e naturalmente usado em oposição a EXTRA-. Cp. INTER-, INTRO-.
intramuscular → MÚSCULO.
intranquilo → TRANQUILO.
intransferível → TRANSFERIR.
intransit·ável, -ivo → TRÂNSITO.
intransmissível → TRANSMITIR.
intransponível → TRANSPOR.
in·trat·ado, -ável → TRATO.
intrêmulo → TREMER.
intrépido *adj.* 'audaz, corajoso' XVI. Do lat. *intrepĭdus* || **intrepid**EZ XVII.
intricar, intrincar *vb.* 'confundir, complicar, enredar' XVII. Do lat. *intrīcāre* || **intriga** 1813. Do it. *intriga*, deverbal de *intrigare* || **intrig**ANTE 1813. Do it. *intrigante* || **intrigar** 1813. Do it. *intrigare*, deriv. do lat. *intrīcāre*.
intrínseco *adj.* 'que está dentro de uma coisa e lhe é próprio e essencial, interior, íntimo' | XV, *en-* XV, *jn-* XV | Do lat. *intrinsĕcus*.
intro- *pref.*, deriv. do lat. *intrō* '(movimento) para dentro, para o meio', que já se documenta no próprio latim (*intrōdūcĕre, intrōmĭttĕre*) e que, em português, ora manteve a mesma forma (*introduzir, intrometer*), ora evoluiu para as formas romanceadas, antigas e populares *entre-* (*entremeter*), *antre-* (*antremeter*) e *antro-* (*antrometer*), confundindo-se, com frequência, com o pref. INTER-; cp., ainda, INTRA-.
introduzir *vb.* 'fazer entrar, iniciar, admitir' | *introduzer* XV, *emtroduzir* XV | Do lat. *intrōdūcĕre* || **introdução** | *-ducção* 1813 | Do lat. *introdūctĭō -ōnis* || **introdut**IVO | *-ductivo* 1813 || **introdut**OR | *-ctor* 1813 | Do lat. *introdūctor -ōris* || **introdut**ÓRIO | *-ctório* 1873 | Do lat. *introdūctōrĭus*.

introito *sm.* 'começo, entrada, início' 'no antigo ritual da Igreja, parte inicial da missa' | *entroido* XIV, *entroito* XV | Do lat. *introĭtus -us*, de *introīre* 'entrar'.
intrometer *vb.* 'introduzir, intercalar' 'tomar parte, ingerir-se' | XV, *entrameter* XIII, *trameter* XIII, *tremeter* XIV etc. | Do lat. *intrōmĭttĕre* || **intromet**IDO 1844 || **intromet**IMENTO XX || **intromissão** 1873. De *intrōmissīo -ōnis*, de *intromissum*, supino de *intrōmĭttĕre*.
introrso *adj.* 'voltado para dentro' 1873. Do lat. *introrsum* 'para o interior', de *intro* 'dentro' + *versus* ou *vorsus* 'voltado para'.
introspecção *sf.* 'observação da vida interior pelo próprio sujeito' 'exame dos próprios pensamentos' 1873. Provavelmente do inglês *introspection*, de *to introspect*, deriv. do lat. *introspectus*, part. pass. de *intrōspicĕre* 'penetrar, sondar, ver' || **introspec**tIVO 1873. Do ing. *introspective*.
introverter *vb.* 'voltar para dentro, recolher, concentrar' XIX. Do lat. med *intrōvertĕre* || **introversão** XVIII || **introverso** XX. Do lat. med. *introversus*, part. pass. de *intrōvertĕre* || **introvert**IDO XX, part. pass. de *intrōvertĕre*.
intrujar *vb.* 'enganar, explorar, desfrutar empregando astúcia e falsidade' 1881. Provavelmente deriv. de *intruso* || **intruj**ÃO 1881 || **intruj**ICE 1881 || **intruj**IR | *-gir* 1881.
intruso *vb.* 'introduzido sem direito, empossado por violência ou fraude em cargo, função etc.' XVII. Do lat. *intrusus*, part. pass. de *intrūdĕre* || **intrus**ÃO XVII.
intuição *sf.* 'ato de ver, percepção de verdades sem raciocínio, visão beatífica' 1873. Do fr. *intuition*, deriv. do lat. tard. *intuitĭō -ōnis* || **intuicion**ISMO XX || **intuir** *vb.* 'ter intuição' XX. Formado a partir de *intuição* || **intuitivo** 1844. Do fr. *intuitif*, deriv. do lat. med. *intuitīvus* || **intuito** | *jntuito* XV | Do lat. *intuitus*.
in·tumesc·ência, -ente, -er → TUMOR.
in·turgesc·ente, -er → TÚRGIDO.
intuspecção *sf.* 'auto-observação, autoconhecimento' XIX. Do lat. *intus* 'para dentro' + *spectĭō -ōnis* 'observação', por via erudita.
intussuscepção *sf.* 'introdução em uma célula de substâncias nutritivas que lhe determinam o crescimento' | *intuscepção* 1813 | Do fr. *intussusception*, formado do lat. *intus* 'para dentro' + *susceptĭo -ōnis* 'ato de receber'.
inúbia *sf.* 'trompa, espécie de corneta, de som rouco, usada pelos índios brasileiros, particularmente durante os combates' 1781. De origem desconhecida.
inulina *sf.* 'substância orgânica, assemelhada com o amido, encontradiça nos turbérculos de muitas plantas, especialmente da fam. das compostas' 1858. Do fr. *inuline*.
inulto *adj.* 'que não se vingou ou foi vingado, impune' XVIII. Do lat. *inultus*, de *ultus*, part. pass. de *ulcisci* 'vingar-se'.
inumar *vb.* 'sepultar, enterrar' | *inhumar* 1881 | Do lat. *inhŭmāre* || **inum**AÇÃO | *inhum-* 1873. Cp. HÚMUS.
⇨ **inumanidade** → HUMANO.
i·numer·abilidade, -ável, -o → NÚMERO.
inundar *vb.* 'cobrir de água, alagar, submergir' XVI. Do lat. *inundāre*, de *ūnda* 'onda, água em movi-

mento' || **inund**AÇÃO XVII. Do lat. *inundātĭo -ōnis* || **inund**ANTE XVII. Do lat. *inundans -antis*, part. pres. de *inundāre* || **inund**ÁVEL 1881. Cp. ONDA.
inupta → NOIVA.
inusitado → USAR.
inútil, -idade, -izar → ÚTIL.
invadir *vb.* 'entrar à força em, entrar hostilmente' '*ext.* espalhar-se, alastrar-se' XVII. Do lat. *invādĕre* 'ir contra, marchar sobre', de *vādĕre* 'ir, caminhar'; houve mudança de conjugação || **invasão** XVII. Do lat. tard. *invasĭo -ōnis*, de *vasum*, supino de *vadĕre* || **invas**IVO 1813 || **invas**OR XVI. Do lat. *invāsor -ōris*.
invalescer *vb.* 'robustecer-se, tornar-se forte, adquirir forças' XVI. Do lat. *invalēscĕre*, de *valēre* 'ser forte, ter saúde'.
in·valid·ar, -ez, -o → VALER.
in·vari·abilidade, -ável → VARIAR.
invas·ão, -ivo, -or → INVADIR.
invectivo *adj.* 'agressivo, injurioso, insultuoso' XVII. Do lat. *invectīvus*, de *invectum*, supino de *invehĕre*, que na voz passiva significa 'atacar, investir, lançar-se contra' || **invectiva** *sf.* XVI. Do lat. tard. *invectīva*, fem. de *invectīvus*, tomado substantivamente || **invectiv**ADOR 1881 || **invectiv**AR 1813. Do fr. *invectiver*.
inveja *sf.* 'desgosto ou pesar pelo bem dos outros' | XVI, *enveja* XIII, *ĩvega* XIV etc. | Do lat. *ĭnvĭdĭa* || **invej**AR XV || **invej**ÁVEL XVIII || **invej**OSO | XVI, *enveioso* XIV etc. | Do lat. *invĭdĭōsus* || **invídia** | *en-* XIV, *invidya* XVI | Forma divergente de *inveja*, do lat. *ĭnvĭdĭa* || **ínvido** XVI. Do lat. *invĭdus* || **inviso**² 1899. Do lat. *invisus*, de *invidēre* 'invejar'.
invenal → VENAL.
invenção → INVENTAR.
invencibilidade → VENCER.
invencion·ar, -eiro, -ice → INVENTAR.
invencível → VENCER.
in·vend·ável, -ível → VENDER.
inventar *vb.* 'idear, criar na imaginação, urdir, contar falsamente' '(Jur.) achar coisa alheia perdida' XVI. Do lat. tard. *inventāre*, iterativo de *invenīre* || **invenção** | *-çom* XV | Do lat. *inventĭo -ōnis* || **invencion**AR XV || **invencion**EIRO 1813 || **invencion**ICE XIX || **invent**AR·IANTE 1813 || **invent**AR·IAR 1813 || **invent**ÁRIO XIV. Do lat. tard. *inventārium* || **invent**IVA *sf.* 1813 || **invent**IVO XVI. Do fr. *inventif* || **invento** XVII. Do lat. *inventus -us* || **invent**OR | *imuemtor* XV | Do lat. *inventor -ōris*.
in·verossím·il, -ilhança → VERDADE.
inverno *sm.* 'estação do ano que se inicia no solstício e se prolonga até o equinócio, tempo frio' | XIII, *yuerno* XIII, *ĩvernho* XIV etc. | Do lat. *hĭbĕrnum* (de *hĭbĕrnum tempus*) || **hibern**AÇÃO 1873. Do lat. cient. *hibernātĭo -ōnis* || **hibernáculo** 1873. Do lat. *hibernācŭlum -i*, por *hibernācŭla -ōrum* 'acampamento de inverno para os soldados' || **hibernal** 1873. Do lat. *hibernālis* || **hibern**ANTE 1873 || **hibernar** 1873. Do lat. *hibernāre* 'invernar, estar no quartel de inverno, repousar' || **hiberno** *adj.* XVII. Do lat. *hibernus* || **invernada**¹ *sf.* 'chuvas de inverno' XIII || **invern**ADA² *sf.* 'pasto para o gado durante o inverno' 1881. Do esp. plat. *invernada*, do cast. *invernadero* || **invern**AR | XV, *ynvernar* XIV etc. | Do lat. *hibernāre* || **invern**IA 1881.

in·ver·sa, -são, -sionista, -so, -sor → VERTER.
inver·ter, -tido, -tina, invés → VERTER.
invest·ida, -idor, -idura → INVESTIR.
invertebrado → VÉRTEBRA.
investigar *vb.* 'seguir os vestígios de, indagar, pesquisar' XV. Do lat. *investīgāre* || **IN**investig**ÁVEL 1899. Do lat. *ininvestigābĭlis* || **investig**AÇÃO 1813. Do lat. *investigātĭo -ōnis* || **investig**ADOR XVI. Do lat. *investigātor -ōris* || **investig**ANTE 1881 || **investig**ÁVEL XVII. Do lat. *investigābĭlis*. Cp. VESTÍGIO.
investir *vb.* 'atacar, acometer, fazer entrar na posse de, atirar-se com ímpeto' | *ẽvestir* XIV |; 'aplicar ou empregar capitais em negócios' XX. Do lat. med. *investīre*; a acepção relacionada a finanças se prende ao fr. *investir des capitaux* || **invest**IDA XVII || **invest**IDOR XX || **invest**IDURA XVI || **invest**IMENTO 1881.
inveterar *vb.* 'tornar-se velho' 'introduzir, entranhar, firmar à força do tempo, habituar, arraigar' XVII. Do lat. *inveterāre*, de *vetus -ĕris* 'velho, antigo' || **inveter**ADO | *en-* XV.
in·vi·abilidade, -ável → VIA.
invicto → VENCER.
invíd·ia, -o → INVEJA.
in·vigil·ância, -ante → VIGIAR.
ínvio → VIA.
in·viol·abilidade, -ado, -ável → VIOLAR¹.
in·vis·ibilidade, -ível, -o¹ → VER.
inviso² → INVEJA.
invitar *vb.* 'convidar' | XVIII, *envidar* XV | Do lat. *invitāre* || **invit**ATÓRIO XVII. Do lat. *invitātōrius*.
invito *adj.* 'que procede contra a vontade, forçado, constrangido, involuntário' | XVI, *anvido* XIII | Do lat. *invītus*, de **wi*, raiz de *vis* 'tu queres'.
invocar *vb.* 'chamar, pedir proteção ou auxílio, suplicar, recorrer' XV. Do lat. *invocāre* || **invoc**AÇÃO | *-çon* XIV | Do lat. ecles. *invocātĭo -ōnis* || **invoc**ADO 1572 || **invoc**ADOR XV. Do lat. tard. *invocātor -ōris* || **invoc**ATIVO 1858. Do lat. tard. *invocātīvus* || **invoc**ATÓRIA XV || **invoc**ATÓRIO 1881.
involução *sf.* 'movimento regressivo' '(Mat.) transformação que é idêntica à sua inversa' 1899. Do lat. *involutĭo -ōnis* || **involuto** *adj.* '(Bot.) que tem os bordos voltados para dentro' XX. Do lat. *involūtus*, de *involvĕre*.
invólucro *sm.* 'tudo o que serve para envolver, embrulho, envelope' '(Bot.) conjunto de brácteas que cercam certas inflorescências' 1844. Do lat. *involūcrum -i* 'envoltório, véu, disfarce' || **involu-cri**·FORME 1899.
involuntário → VONTADE.
involuto → INVOLUÇÃO.
invulgar → VULGO.
in·vulner·abilidade, -ado, -ável → VULNERAR.
-io¹ *suf. nom.*, deriv. do lat. cient. *-ium*, que se documenta em nomes de elementos químicos (como *cádmio, irídio, lítio, magnésio, ósmio* etc.), formados pelo modelo de *sódio* (< lat. cient. *sodium*) e *potássio* (< lat. cient. *potassium*), derivados de *soda* e *potassa*, respectivamente, que foram introduzidos na linguagem internacional da química pelo químico inglês H. Davy (1778-1829), em 1807. No lat. cláss. os nomes dos metais terminavam em *-um: argentum, aurum, ferrum* etc. Cumpre observar que a terminação *-io* de alguns outros

vocs. eruditos, como *hidroscópio* e *hipocôndrio*, por exemplo, é, na realidade, simples adaptação da terminação *-ion* dos étimos gregos *hydroskópion* (< *hydro-* + *-skopos* + *-ion*) e *hypochóndrion* (< *hypo* + *chóndros* + *-ion*).
-io² *suf. nom.*, deriv. do lat. *-īvus*, que se documenta em substantivos portugueses, com as noções de: (i) 'coleção, aglomeração, reunião': *gentio, mulherio, rapazio*; (ii) 'ação, referência' 'modo de ser' 'tendência' 'aproximação': *doentio, escorregadio, fugidio, lavradio, tardio* etc.
iode *sm.* 'a décima letra do alfabeto hebraico' '(Fonét.) nome da semivogal anterior, transcrita quer por y quer por j' XIX. Do fr. *yod*, deriv. do al. *Jod* e, este, do hebr. *yōd*.
iodo *sm.* 'elemento não metálico, de número atômico 53, de cor violeta' 1858. Do fr. *iode*, termo introduzido na linguagem cient. por Gay-Lussac em 1812, que o tomou do gr. *iódēs* 'de cor violeta, que tem o odor de violeta' || **iod**ETO 1899 || **iod**oFÓRM·IO 1899.
ioga *sf.* 'na filosofia hindu, sistema de união com o espírito supremo, por meio de contemplação e de práticas ascéticas' XIX. Do sânscr. *yoga* 'união', através do fr. ou do ing. *yoga* || **iogue** *s2g.* 'asceta hindu' 'indivíduo que pratica a ioga' | XVI, *jogue* XVI | Do hindustani *yogī*, deriv. do sânscr. *yogin*, de *yoga*. Tanto em português como nas demais línguas de cultura do Ocidente, o voc. *yoga* adquiriu nova vitalidade nesta segunda metade do século, graças à difusão das doutrinas filosófico-religiosas da Índia. V. GURU.
iogurte *sm.* 'espécie de coalhada' XX. Do ing. *yogurt* (ou do fr. *yogourt*), deriv. do turco *ioġurt*.
ioiô *sm.* 'brinquedo constituído de uma bobina ou carretel a que se enrola um cordel e se imprime um movimento rotativo ou de vaivém' XX. Do fr. *yo-yo*, palavra onomatopaica.
iole *sf.* 'canoa estreita, leve e rápida, usada nos esportes aquáticos' | *yole* 1899 | Do fr. *yole*, deriv. do neerl. *jol* e, este, do dinam. *jolle*.
íon, iônio, ionte *sm.* 'átomo ou grupamento de átomos que possui carga elétrica' XX. Do ing. *ion*, deriv. do gr. *ión ióntos*, part. pres. de *iénai* 'ir, caminhar'; o vocábulo foi introduzido na linguagem científica em 1834 pelo físico e químico inglês Michael Faraday (1791-1867) || **ion**IZ·AÇÃO XX. Do ing. *ionization* || **ion**IZAR XX. Adapt. do ing. *to ionize* || **ion**O·SFERA XX. Do fr. *ionosphère*.
ionona *sf.* 'substância química que cheira a violeta e é, por isso, muito empregada em perfumaria' XX. Do fr. *ionone*, baseado no gr. *íon -ou* 'violeta'.
ionte → ÍON.
iota *sm.* 'nona letra do alfabeto grego, correspondente ao i' 1899. Do gr. *iōta*, de origem fenícia || **iotacismo** 1899. Do lat. tard. *iotacismus*, deriv. do gr. *iōtakysmós*.
ipê *sm.* 'nome comum a diversas plantas das bignoniáceas e das leguminosas, que fornecem madeiras de cerne avermelhado e veios escuros muito ornamentais' | XVIII, *aipé* 1806, *ipê* 1817 etc. | Do tupi *ï'pe*.
ipeca¹ *sf.* 'nome tupi do pato' | *upeca* 1587, *upequa c* 1631, *ypeca* 1800 etc. | Do tupi *ï'peka* || **ipeca²** *sf.* 'ipecacuanha' XX. Forma reduzida de *ipecacuanha*

|| **ipecacuanha** *sf.* 'planta da fam. das rubiáceas, de cujas raízes se extrai o alcaloide emetina, de propriedades medicinais' | *jgpecacoāya c* 1584, *pecacuém* 1587, *picaquanha* 1716 etc. | Do tupi *ïpeka'kuaña < ï'peka* 'pato' + *a'kuaña* 'pênis'.
ipecu *sm.* 'ave da fam. dos picídeos, pica-pau' | *uapicu* 1587, *jpecum c* 1594, *vpecú* 1618, *opecu c* 1631 | Do tupi *ipe'kū*.
iperu *sm.* 'nome tupi do tubarão' | *uperu* 1587 | Do tupi *ïpe'ru*.
ipomeia *sf.* 'planta da fam. das convolvuláceas' 1873. Do lat. cient. *ipomoea*, composto do. gr. *ips ipós* 'verme que ataca a videira' e *hómoios* 'semelhante'.
ípsilon *sm.* 'nome da letra y' | *ypsilon* 1842 | Do lat. *hypsilon*, deriv. do gr. *hy psilón* '*u* fraco' || **ipsil**OIDE | *ypsiloide* 1874 | Cp. gr. *hypsiloeidés*.
ipueira *sf.* 'terreno alagado, charco' | *ipoeyra* 1588 | Do tupi **ï'puera < 'ï* 'água' + *puera* 'que já foi'.
ipupiara *sf.* 'monstro marinho, na mitologia dos índios do Brasil' | *hipupiára* 1576, *jgpupiara c* 1584, *upupiara* 1587 etc. | Do tupi *ïpupi'ara*.
ir *vb.* 'passar de um lugar para outro, partir, decorrer' XIII. Do lat. *īre* || **ida** *sf.* XIII. Do lat. *ita*, feminino de *itus*, part. pass. de *īre*.
ir¹- → IN¹-.
ir²- → IN²-.
ira *sf.* 'raiva, cólera' | *hira* XIII | Do lat. *īra* || **iracúndia** 1813. Do lat. *iracundĭa* || **iracundo** XVII. Do lat. *iracundus* || **ir**ADO XVIII. Do lat. *irātus* || **irasc·**IBIL·IDADE 1858. Do lat. tard. *irascibilitas -ātis* || **irasc·**ÍVEL | XIV, *hiracível* XV | Do lat. *irascībĭlis*, de *irāscī* 'encolerizar-se'.
⇨ **ira** — **ir**ADO | 1549 SNor 90.21 |.
iradê *sm.* 'ordem, decreto soberano nos países islâmicos' 1899. Do it. *iradé*, deriv. do ár. *irādeh* 'vontade (soberana)'.
irado → IRA.
iraniano *adj. sm.* 'do Irã (Ásia), natural ou habitante do Irã' XIX. Do fr. *iranien* (ing. *iranian*), do top. *Iran* 'Irã', deriv. do persa *Īrān* 'Pérsia' || **irân**ICO XX.
irara *sf.* 'mamífero carnívoro da fam. dos mustelídeos, papa-mel' | *eirara c* 1584, *jrarã* 1618, *heirate* 1618 etc. | Do tupi *ei'rara*.
irasc-ibilidade, -ível → IRA.
irerê *sm.* 'ave da fam. dos anatídeos, espécie de marreca' | *airire* 1618, *aréré* 1817 etc. | Do tupi **ire're*.
íris *s2g. 2n.* 'o espectro solar, quartzo irisado' '(Anat.) a pupila dos olhos' | *yris* XIV | Do lat. *iris -ĭdis*, deriv. do gr. *iris -ídos* 'arco-íris, círculo colorido ou vaporoso em redor de corpo luminoso' || AN**irid**IA 1871 || **irid**ECTOM·IA 1899. Do fr. *iridectomie* || **irid**ECTOP·IA 1899 || **irid**EM·IA 1899 || **irid**ESC·ENTE XX. Do fr. *iridescente* || **irid**Í·FERO 1899 || **irid**IO 1858. Do ing. *iridium*, deriv. do lat. cient. *iridium*, palavra criada pelo químico inglês Tennant em 1803 || **irid**ITE 1858 || **irid**ONC·OSE 1899 || **irid**O·PLEG·IA 1899. Do lat. cient. *iridoplēgia* || **irid**O·TOM·IA 1899 || **iris**OPS·IA XX.
iriz *sm.* 'certa moléstia própria do cafeeiro' 1899. De origem obscura.
irlandês *adj. 2g. sm.* 'relativo à Irlanda, natural ou habitante da Irlanda, língua céltica dos habitantes desse país' XV. Do top. *Irland(a)* + -ês.

irmão *sm.* 'filho dos mesmos pais ou de um deles apenas' 'membro de confraria' | XIII, *ermano* XIII etc. | Do lat. *germānus* ‖ co**irmão** | *coirmaão* XIII ‖ DE-sirmanAR XVII ‖ **germano**¹ *adj. sm.* 'que procede do mesmo pai e da mesma mãe' *fig.* verdadeiro, puro' XVI. Do lat. *germānus*, de *germen -ĭnis*, 'descendência, prole' ‖ **irmã** |*jrmaa* XIII, *irmãa* XIII, *irmana* XIII etc. | Do lat. *germāna* ‖ **irman**AÇÃO XX ‖ **irman**AR XVII ‖ **irman**DADE | *yrmandade* XIV ‖ **mano**¹ | *mana* fem. 1572 | Talvez do cast. *(her)mano*.
ironia *sf.* 'dito fino e dissimulado' '(Ret.) expressão que consiste em dar a entender o contrário do que se quer dizer' 1813. Do lat. *irōnīa*, deriv. do gr. *eirōneía*, de *éiron* 'interrogante' ‖ **irôn**ICO XV. Do lat. *irōnĭcus*, deriv. do gr. *eirōnikós* ‖ **iron**IZAR XX.
iroquês *sm.* 'indivíduo dos iroqueses, família indígena norte-americana' 1899. Adapt. do fr. *iroquis*, deriv. de um idioma indígena da América do Norte.
ir·racion·al, -ável → RAZÃO.
ir·radi·ação, -ante, -ar → RÁDIO.
irreal, -idade → REAL³.
ir·reconcili·abilidade, -ável → CONCILIAR.
irreconhecível → CONHECER.
irrecorrível → CORRER.
irrecuperável → RECUPERAÇÃO.
irrecusável → RECUSAR.
ir·redent·ismo, -ista, -o → REDIMIR.
ir·redut·ibilidade, -ível → REDUÇÃO.
ir·refle·tido, -xão, -xivo → REFLETIR.
irreformável → REFORMAÇÃO.
irrefragável *adj. 2g.* 'incontestável, irrefutável' 1813. Do lat. tard. *irrefragābĭlis*, de *refragārī* 'votar contra'.
irrefreável → FREIO.
ir·refut·abilidade, -ável → REFUTAÇÃO.
irregenerável → REGENERAR.
irregressível → REGREDIR.
irregular, -idade → REGRA.
ir·religi·ão, -osidade, -oso → RELIGIÃO.
irremeável *adj. 2g.* 'que não tem volta, irregressível' XVIII. Do lat. *irremeābĭlis*, de *remeāre* 'voltar'.
irremediável → REMEDIAR.
ir·remiss·ibilidade, -ível → REMIR.
irremovível → MOVER.
ir·remuner·ado, -ável → REMUNERAÇÃO.
irreparável → REPARAR.
irreplicável → REPLICAR.
ir·repreens·ibilidade, -ível → REPREENDER.
irreprimível → REPRIMIR.
irreprochável → REPROCHAR.
irrequieto → QUIETO.
ir·resist·ibilidade, -ível → RESISTÊNCIA.
ir·resol·ução, -uto, -úvel → RESOLUÇÃO.
irrespirável → RESPIRAÇÃO.
irrespondível → RESPONDER.
ir·respons·abilidade, -ável → RESPONSÁVEL.
ir·restr·ingível, -ito → RESTRIÇÃO.
irretorquível → RETORQUIR.
irretratável → RETRATAR¹.
ir·rever·ência, -ente → REVERÊNCIA.
irreversível → REVERSÃO.
ir·revoc·abilidade, -ável, irrevogável → REVOGAÇÃO.
ir·rig·ação, -ador, -ar, -atório → REGAR.

irrisão *sf.* 'zombaria, mofa, escárnio' XVII. Do lat. *irrīsĭo -ōnis* ‖ **irrisor** 1813. Do lat. *irrīsor -ōris* ‖ **irris**ÓRIO 1813.
irrit·ação, -ado, -ador, -ante¹ → IRRITAR¹.
irritante² → ÍRRITO.
irritar¹ *vb.* 'encolerizar, provocar, causar ira' | XVII, *inridar* XV, *enridar* XV | Do lat. *irrītāre* ‖ **irrit**AÇÃO 1813. Do lat. *irrītātĭo -ōnis* ‖ **irrit**ADO 1873 ‖ **irrit**ANTE¹ XVIII ‖ **irrit**ATIVO 1813 ‖ **irrit**ÁVEL 1881. Do lat. *irrītābĭlis*.
írrito *adj.* 'que não teve efeito, inútil, vão, nulo' XVII. Do lat. *irrĭtus*, de *ratus*, part. pass. de *reri* 'calcular, contar, julgar, crer' ‖ **irrit**ANTE² 1844 ‖ **irrit**AR² *vb.* 'anular' 1873.
ir·rog·ação, -ar → ROGAR.
irromper → ROMPER.
irrorar *vb.* 'cobrir de orvalho, umedecer, borrifar, aspergir' XVII, do lat. *irrōrāre*, de *rōrāre* e, este, de *rōs -ris* 'orvalho'.
ir·rup·tivo → ROMPER.
iru *sm.* 'variedade de abelha' | *heru* 1587 | Do tupi **e'iru*, por *ei'ruṛa* 'abelha' ‖ **iruçu** | *oruçu* 1789, *uruçu* 1817 etc. | Do tupi *eiru'su*.
-isa → -ESSA.
isabel¹ *adj.* 'que é de cor amarelada' 1813. Do antr. *Isabel*. Segundo uma lenda, a arquiduquesa Isabel, filha de Filipe II, rei de Espanha e dos Países Baixos no século XVII, teria feito uma promessa de não mudar de camisa enquanto não se resolvesse o cerco de Ostende (1601-04), e, à época de sua promessa, a cor de sua camisa era amarela; como o voc. já se documenta em francês em 1595 e em inglês no ano de 1600, outra lenda atribui a origem do vocábulo a episódio semelhante ocorrido com a rainha Isabel, a Católica, durante o cerco de Granada, em 1491.
isabel² *sf.* 'variedade de videira' 1899. Do antr. *Isabel* de Gibs, introdutora na Europa dessa variedade de videira, em 1816.
isagoge *sf.* 'introdução, preliminares, rudimentos' XVII. Do lat. *īsagōgē*, deriv. do gr. *eísagōgḗ* 'introdução' ‖ **isagóg**ICO 1881. Do lat. *isagogĭcus*, deriv. do gr. *eisagōgikós*.
isatis *sf. 2n.* 'planta da família das crucíferas' 1881. Do lat. cient. *isatis -idis*, deriv. do gr. *isátis -idos*.
isbá *sf.* 'habitação de madeira característica de algumas regiões do norte da Ásia' XX. Do fr. *isba*, deriv. do rus. *izbá*.
isca *sf.* 'engodo que se põe no anzol para pescar, engodo' 'o que serve para alimentar o fogo, pavio' | *ysca* XIV | Do lat. *ēsca -ae* 'nutrição, alimento', de *edĕre* 'comer', através de um incoativo **edescĕre* (daí **edsca*) ‖ **isqu**EIRO *sm.* 'espécie de sacola que servia para levar a isca, o pedernal, o dinheiro etc.' | *esquero* XIV | modernamente 'artefato destinado a produzir fogo, usado principalmente para acender cigarros, charutos ou cachimbos' XIX.
-isca → -ISCO.
-iscar *suf. verb.*, de -ISC(O) + -AR¹, formado por analogia com a terminação *-isc·ar* de verbos do tipo *chuvisc·ar* (<*chuvisc·o* + *-ar*), *petisc·ar* (<*petisc·o* + *-ar*) etc., que deu origem à formação de alguns outros verbos portugueses com sentido frequentativo-diminutivo, como *mord·iscar* (< *mord·er* + *-iscar*), por exemplo.

iscnofonia *sf.* 'fraqueza da voz' 1858. Do lat. cient. *ischnophōnia*, deriv. do gr. *ischnophonía*.
isc(o)- *elem. comp.*, do gr. *isch-*, raiz de *íschein* 'conter, reter', que se documenta em vocábulos introduzidos, a partir do séc. XIX, na linguagem científica internacional, particularmente no domínio da medicina ▶ **isco**BLEM·IA XX ‖ **isco**MEN·IA XX ‖ **isc**UR·ÉTICO 1858 ‖ **isc**ÚR·IA XVI ‖ **isqu**EM·IA | *ischemia* 1881 ‖ **isqu**IDR·OSE XX.
-isco, -isca *suf. nom.*, deriv. do gót. *-isk* (ou, com menos probabilidade, do gr. *-iskós*), que se documenta em adjetivos oriundos de substantivos, com a noção de 'referência, semelhança' (*flandrisco, levantisco, mourisco*) e em substantivos com valor diminutivo (*chuvisco, lambisco, petisco*). De mesma origem remota que este e também com a mesma noção de 'referência, semelhança', o suf. *-esco, -esca* deu origem à formação de numerosos derivados portugueses, quase todos, porém, veiculados pelo italiano, como *barbaresco, burlesco, carnavalesco, grotesco* etc.
isento *adj.* 'desobrigado, dispensado, livre' *eisento* XIII, *issento* XIV etc. | Do lat. *exemptus*, part. pass. de *eximĕre* ‖ *isenção* | XVI, *exauçom* XIV, *exebções* pl. XIV etc. | Do lat. *exemptĭo -ōnis* ‖ **isent**AR | *exentar* XIV, *issentar* XVI etc.
islã, islame, islão *sm.* 'religião dos muçulmanos' 'o mundo muçulmano' | *islam* 1873 | Do fr. *islam*, deriv. do ár. *islām*, de *aslama* 'ele está resignado com a vontade de Deus' ‖ **islâm**ICO XX ‖ **islam**ISMO 1858. Do fr. *islamisme* ‖ **islam**ITA 1881 ‖ **islam**IZAR XX. Do fr. *islamiser*.
-isma, -ismático *suf. nom.*, deriv. do gr. *-isma, -ismatikós*, que se documenta em alguns vocábulos eruditos já formados no próprio grego: *cisma* e *cismático* (cp. gr. *schísma* e *schismatikós*), *sofisma* e *sofismático* (cp. gr. *sophisma* e *sophismatikós*) etc.
ismaelita *adj. s2g.* 'indivíduo dos Ismaelitas, árabes descendentes de Ismael, filho de Abraão' | *hismaelita* XIV | Do lat. bíblico *ismaēlīta* 'descendente de Ismael', deriv. do gr. *ismaēlítēs*.
-ismo *suf. nom.* (= cast. *-ismo* = it. *-ismo* = fr. *-isme* = ing. *-ism* = al. *-ism* etc.), deriv. do gr. *-ismós* (> lat. *-ismus*), que já se documenta em vocs. formados no próprio grego (como *batismo*) e em numerosíssimos outros criados nas línguas modernas de cultura, alguns dos quais, particularmente do francês e do inglês, serviram de modelos para a formação de inúmeros derivados portugueses (como *empirismo* < fr. *empirisme*, *egotismo* < ing. *egotism*). A atestar a sua extraordinária vitalidade na língua portuguesa, o suf. *-ismo* participa também da formação de derivados de cunho nitidamente popular e com conotações irônico-pejorativas bem acentuadas (como *pão-durismo, puxa-saquismo*). Os derivados em *-ismo* designam, preferencialmente: (i) doutrinas ou sistemas artísticos (*parnasianismo, simbolismo*), filosóficos (*marxismo, positivismo*), políticos (*getulismo, lacerdismo*) ou religiosos (*budismo, umbandismo*); (ii) modo de proceder, maneira de pensar e/ou de sentir (*caboclismo, mineirismo*); (iii) características próprias da linguagem de certas pessoas (*plebeísmo, vulgarismo*), formas peculiares de línguas estrangeiras (*americanismo, galicismo*) ou particularidades de certos vocábulos e expressões (*arcaísmo, neologismo*); (iv) doença, defeito (*artritismo, sonambulismo*) etc. Cp. -ISTA.
is(o)- *elem. comp.*, do gr. *ísos* 'igual, semelhante', que se documenta em vocábulos eruditos, alguns formados no próprio grego, como *isósceles*, e muitos outros introduzidos, a partir do séc. XIX, nos mais diversos domínios da linguagem científica internacional ▶ **isó**BARO 1899. Do fr. *isobare*, deriv. do gr. *isobarḗs* ‖ **isó**BATA XX. Do fr. *isobathe*, deriv. do gr. *isobathḗs* ‖ **iso**CÁRP·ICO | *-peo* 1899 ‖ **iso**CÍCL·ICO XX. Cp. gr. *isókyklos* ‖ **isó**CLINO 1899. Do fr. *isocline*, deriv. do gr. *isoklinḗs* ‖ **iso**CLÍT·ICO XX ‖ **iso**CÓLON XX. Cp. gr. *isókōlos* ‖ **iso**CROMÁT·ICO | *-chromático* 1881 ‖ **iso**CROM·IA | *-chromia* 1899 ‖ **isó**CRONO | *-chrono* 1813 | Cp. gr. *isóchronos* ‖ **iso**DÁCTILO | *-ctylo* 1899 ‖ **iso**DIA·MÉTR·ICO XX ‖ **iso**DINAM·IA XX ‖ **iso**DONTE 1899 ‖ **iso**ÉDR·ICO 1881 ‖ **iso**ELÉTR·ICO XX ‖ **iso**FILO | *-phylleo* 1813 ‖ **isó**FONO | *-phono* 1881 ‖ **iso**GAM·IA XX ‖ **isó**GINO 1899 ‖ **iso**GLOSSA XX. Do fr. *isoglosse* ‖ **isó**GONO 1813 ‖ **iso**GRAF·IA | *-phia* 1881 ‖ **iso**IETA | *isòetas* 1899 ‖ **iso**ipsa XX. Do fr. *isohypse* ‖ **isó**LOGO 1899 ‖ **isô**MERO 1873 ‖ **iso**MÉTR·ICO 1881 ‖ **iso**METR·OP·IA XX ‖ **iso**MORFO | *-pho* 1858 ‖ **iso**NOM·IA 1858. Cp. gr. *isonomía* ‖ **iso**PATA | *-tha* 1899 ‖ **iso**PAT·IA XX ‖ **iso**PERÍ·METRO 1537 ‖ **iso**PÉTALO 1899 ‖ **isó**PETRO XX ‖ **iso**P·IA XX ‖ **isó**PODE 1881 ‖ **iso**quimena | *-chimeno* 1899 ‖ **isó**SCELES | 1813, *isoceles* 1813 | Do lat. tard. *īsoscelēs*, deriv. do gr. *isoskelḗs* ‖ **iso**SFÉR·ICO | *-pherico* 1899 ‖ **iso**S·M·IA XX ‖ **iso**SM·OSE XX ‖ **iso**S·POR·ADO XX ‖ **iso**STAS·IA XX ‖ **iso**STÁT·ICO XX ‖ **iso**STÊ·MONE 1899 ‖ **isó**STICA XX ‖ **isó**TERA | *-thero* 1899 ‖ **iso**TERMA XX ‖ **iso**TOM·IA XX ‖ **isó**TOPO·S *sm. pl.* XX ‖ **isó**TROPO XX ‖ **is**UR·IA XX.
isolar *vb.* 'tornar solitário, separar, deixar só' 1844. Do fr. *isoler*, de *isolé* e, este, adapt. do it. *isolato*, de *ísola*, que se prende ao lat. *insŭla* 'ilha' ‖ **isola**cionISMO XX. Do ing. *isolationism* ‖ **isola**cionISTA XX. Do ing. *isolationist* ‖ **isol**ADO 1844 ‖ **isol**ADOR 1873 ‖ **isol**AMENTO 1858 ‖ **isol**ANTE 1858.
isqu- → ISC(O)-.
isqueiro → ISCA.
ísquio(n) *sm.* 'a parte inferior do osso ilíaco' | *íschion* 1813 | Do fr. *ischion*, deriv. do gr. *ischíon* 'osso da bacia, bacia' ‖ **isqui**AGRA | *ischiagra* 1899 ‖ **isqui**ÁTICO | *ischiádico* 1873, *-ático* 1873 | Do lat. tard. *ischiatĭcus*, alteração do gr. *ischiadikós*. Este vocábulo, ainda que, etimologicamente, seja o correto, foi preterido por *ciático*, de procedência francesa ‖ **isqui**O·CELE | *ischiocélo* 1858. Cp. CIÁTICO.
israel *sm.* 'israelita, hebreu' 1899. Do antr. *Israel* (em lat. *Isrāēl* = gr. *Israḗl* < hebr. *Yisrāel*) ‖ **israel**ENSE *adj. s2g.* 'o natural ou habitante do Estado de Israel, relativo a esse Estado' XX ‖ **israel**ITA | *ysrraelita* XIV | Do lat. *israelīta -ae*, deriv. do gr. *israēlítēs* ‖ **israel**ÍT·ICO 1549. Do lat. *israelitĭcus*.
isso → ESSE.
-ista *suf. nom.* (= cast. *-ista* = it. *-ista* = fr. *-iste* = ing. *-ist* = al. *-ist* etc.), deriv. do gr. *-istēs* (> lat. *-ista*), que já se documenta em vocs. formados no próprio grego (como *batista*) e em numerosíssimos outros criados nas línguas modernas de cultu-

ra, alguns dos quais, particularmente do francês e do inglês, serviram de modelos para a formação de inúmeros derivados portugueses (como *empirista* < fr. *empiriste*, *egotista* < ing. *egotist*). A atestar a sua grande vitalidade na língua portuguesa, o suf. *-ista* (tal como *-ismo*, com que forma, habitualmente, pares do tipo *comunismo/comunista, salazarismo/salazarista* etc.) participa também da formação de derivados de cunho nitidamente popular e com conotações irônico-pejorativas bem acentuadas (como *machista, punguista*). Os derivados em *-ista* designam, preferencialmente: (i) partidários ou sectários de doutrinas ou sistemas artísticos (*academicista, simbolista*), filosóficos (*marxista, positivista*), políticos (*getulista, lacerdista*) ou religiosos (*budista, umbandista*); (ii) adeptos de divertimentos, esportes etc. (*futebolista, turfista*); (iii) profissão, ocupação, oficio (*dentista, pianista*); (iv) nomes pátrios e gentílicos (*paulista, sulista*) etc. Cp. -ISMO.
istmo *sm.* 'faixa de terra que une uma península a um continente' | *jsmo* XVI, *isth-* XVII |; '(Anat.) porção da massa cefálica que une o cérebro, o bulbo e o cerebelo' 1881. Do lat. *isthmus*, deriv. do gr. *isthmós* || **ístm**ICO | *isth-* 1881 || **istmo**PLEG·IA XX.
⇨ **istmo** | 1538 DCast 32*v 22* |.
isto → ESTE¹.
-ita¹, -ita², -ite¹, -ite², -ito¹, -ito², -ito³, -ito⁴ *suf. nom.* de origens e funções distintas:
(i) *-ita¹* é o fem. de *-ito²* e se documenta em subst. fem. com valor diminutivo: *casita, florzita* etc.;
(ii) *-ita²*, do gr. *-ítēs*, através do lat. *-īta* (ou *-ītēs*), documenta-se em vocs. de origem erudita: a) em nomes étnicos, com a noção de 'próprio de' 'relativo a' 'oriundo de', alguns já formados no próprio grego (como *estagirita* < lat. *stagirītēs* < gr. *stagirítēs*, *ismaelita* < lat. *ismaēlīta* < gr. *ismaēlítēs* etc.) e vários outros criados nas línguas modernas (como *jacobita* 'partidário de Jaime II da Inglaterra' < ing. *jacobite*, *jesuíta* 'membro da Companhia de Jesus' < it. *gesuita* etc.); b) em nomes de minerais, alguns já formados no próprio grego (como *pirita* < lat. *pyrītēs* < gr. *pyrítēs*) e inúmeros outros criados na linguagem científica internacional, como *calcita, magnetita* etc.;
(iii) *-ite¹*, do gr. *-ítis*, através do lat. *-itis*, documenta-se em vocs. eruditos, particularmente na linguagem da medicina, para designar 'inflamação (de um órgão)', alguns já formados no próprio grego (como *artrite* < lat. tard. *arthritis* < gr. *arthrîtis*) e inúmeros outros criados na linguagem científica internacional, como *bronquite, gastrite* etc.;
(iv) *-ite²*, do gr. *-ítēs*, através do lat. *-īta* (ou *-ītēs*), de mesma origem, portanto, que *-ita²* [v. (ii)], documenta-se: a) em nomes de 'fósseis', na linguagem da paleontologia: *amonite, dendrite* etc.; b) em nomes de explosivos como *lidite, melinite* etc., formados pelo modelo de *dinamite*; c) em nomes de produtos industrializados: *ebonite, vulcanite* etc.;
(v) *-ito¹*, do lat. *-ītus* (cp. -IDO¹), part. pass. de verbos em *-īre -ēre -ĕre*, documenta-se em alguns vocs. já formados no próprio latim (como *erudito, esquisito* etc.) e em alguns outros veiculados pelo italiano (como *favorito, granito* etc.);
(vi) *-ito²*, do lat. *-ittu*, documenta-se em substantivos com valor diminutivo: *jardinzito, pequenito* etc.;
(vii) *-ito³*, adotado pela linguagem da petrologia, pelo modelo de *granito*, e que parece mera extensão de *-ito¹*, ocorre em nomes de 'rochas ': *arenito, quartzito* etc.;
(viii) *-ito⁴*, adotado pela linguagem da química, que parece também mera extensão de *-ito¹*, ocorre em nomes de oxissais derivados de oxiácidos cujos nomes terminam em *-oso*: (ácido) sulfur*oso* H_2SO_3/sulf*ito* (de potássio) K_2SO_3; contrapõe-se a -ATO dos nomes de oxiácidos cujos nomes terminam em -ICO: (ácido) sulfúr*ico* H_2SO_4/sulf*ato* (de potássio) K_2SO_4. Cumpre observar que, tanto no Brasil como em Portugal, os suf. *-ita, -ite* e *-ito* não foram ainda definitivamente fixados na linguagem das geociências, pois não há uma nomenclatura científica que especifique o emprego de cada um deles. Modernamente, com a intenção de normalizar o seu emprego, vem sendo adotado o suf. *-ita* para minerais (*calcita, magnetita* etc.), *-ite* para fósseis (*amonite, dendrite*) e *-ito* para rochas (*arenito, quartzito*).
-ita- *elem. comp.*, do tupi *i'ta* 'pedra', que se documenta em inúmeros vocs. port. de origem tupi: *ibiraitá, itaimbé, itaúba* etc.
itã *sf.* 'molusco bivalve' 'concha bivalve' *c* 1584. Do tupi *i'tã*.
itabirito *sm.* '(Pet.) rocha metamórfica xistosa, composta essencialmente de grãos de quartzo e lamelas de hematita micácea, minério de ferro' XX. Adapt. do al. *Itabirit*, voc. criado pelo mineralogista alemão W. L. von Eschwege (1777-1855), com base no top. *Itabira* (cidade de Minas Gerais).
itacolomito *sm.* '(Pet.) rocha metamórfica, variedade flexível de quartzito' 1899. Do top. *Itacolomi* (pico do Estado de Minas Gerais) + -ITO.
itaicica *sf.* 'almécega' | *jgtaigcigca c* 1584, *jtaiçiqa c* 1594 | Do tupi *itaï'sïka*. Cp. JATAICICA.
itaimbé *sm.* 'vale de paredes abruptas, despenhadeiro' | *itambé* 1752 | Do tupi *ita'm̥e* < *i'ta* 'pedra' + *e'm̥e* 'lábio inferior' 'borda, beira'.
itaipava *sf.* 'cachoeira, corredeira, salto' 1721. Do tupi **itai'paṵa*.
italiano *adj. sm.* 'relativo a Itália, natural ou habitante desse país, o idioma desse país' | *hitaliano* XV | Do it. *italiano* || **itálico** | 1572, *ytalico* XV | Do lat. *italĭcus*, deriv. do gr. *italikós* || **italiota** 1899. Do it. *italiota* 'os fundadores, na Antiguidade, da Magna Grécia', deriv. do gr. *italiṓtēes* || **ítalo** 1572. Do lat. *italŭs*.
itamembeca *sf.* 'esponja do mar' 1587. Do tupi *itame'm̥eka* < *i'ta* 'pedra' + *me'm̥eka* 'mole'.
itaoca *sf.* 'peixe-sapo' | *jtaoca c* 1584, *taoca* 1789 | Do tupi *ita'oka*.
itaúba *sf.* 'planta da fam. das lauráceas' *c* 1777. Do tupi **ita'ÿua* < *i'ta* 'pedra' + *'ÿua* 'planta'.
-ite → -ITA.
item *sm.* 'cada um dos artigos ou incisos de uma exposição escrita, de um regulamento, contrato etc.' XIV. Do lat. *item* 'do mesmo modo, igualmente'.
iterar *vb.* 'repetir, tornar a fazer ou a dizer' XVI. Do lat. *iterāre* || **iter**AÇÃO 1858. Do lat. *iterătĭo -ōnis* || **iter**ATIVO 1873 || **iter**ÁVEL 1844. Do lat. *iterabĭlis*.

itérbio *sm.* '(Quím.) elemento de número atômico 70, metal do grupo dos lantanídeos' xx. Do lat. cient. *ytterbium*, do top. *Ytterby* (Suécia), onde o metal foi descoberto || **iterb**ITE 1844 || **ítria** | *ytria* 1858 | Do lat. cient. *yttria*, de *Ytt(erby)* || **ítrio** *sm.* '(Quím.) elemento de número atômico 39, metal do grupo do escândio' | *yttrio* 1874 | Do lat. cient. *yttrium*, de *Ytt(erby)*, onde o metal foi descoberto. Cp. ÉRBIO, TÉRBIO.
itinerário *sm.* 'roteiro de viagem' | *ytiner-* XVI | Do lat. *itinerārium -ii*, de *iter itinĕris* 'caminho' || **itiner**ANTE XVI. Do lat. *itinerans -antis*, de *itinerārī* 'viajar'.
-ito → -ITA.
ítr·ia, -io → ITÉRBIO.
-itude → -DÃO.
iúca *sf.* 'gênero de liliáceas ornamentais, originárias da América Central' | *yucca* 1844 | Do cast. *yuca*, deriv. do taino.
iugoslavo *adj. sm.* 'relativo à Iugoslávia, natural ou habitante desse país' XX. Do fr. *yougoslave*, deriv. do serv.-cr. *jugoslav*, propriamente 'eslavo do sul', de *jug* 'sul' + *slav* 'eslavo'.
iurta *sf.* 'espécie de tenda dos povos nômades da Ásia Central e das regiões árticas' | *yurta* 1839 | Do fr. *yourte*, deriv. do rus. *iurta* (a. rus. *iurt*) e, este, do turc.-tárt. *jurt*.
iva *sf.* 'planta da fam. das labiadas' | *yva* 1813 | Do fr. *ive*, fem. de *if* e, este, do gaulês *ivos*.

-ível *suf. nom.*, deriv. do lat. *-ībĭlis -ībĭle*, que já se documenta em adjetivos formados no próprio latim (como *possível*) e que forma em português adjetivos de temas verbais em *-e-* e em *-i-*, ora com valor ativo (*perecível* 'o que perece'), ora passivo (*admissível* 'o que se admite'). Cumpre observar que os substantivos derivados de adjetivos em *-ível* retomam a forma etimológica (*-ibilidade*), seguindo o modelo dos substantivos já formados no próprio latim (*possibilidade* < lat. *possibilitās -ātis*).
ivirapema *sf.* 'espécie de tacape' XIX. Do tupi *ïmïra'pema*.
-ivo *suf. nom.*, deriv. do lat. *-īvus*, que forma adjetivos oriundos de verbos, com noção de 'referência, modo de ser, ação', como *afirmativo, pensativo* etc. Em latim, o suf. *-īvus* acrescenta-se, comumente, aos radicais dos particípios: *act·īvus, nāt·īvus, pass·īvus* etc. Cumpre observar que, na grande maioria dos derivados latinos em *-īvus*, este sufixo ocorre ligado ao radical em *-at-* dos particípios de verbos em *-āre*: *dēmonstrāre* → *dēmonstrāt·īvus* (> *demonstrativo*); em português, *-ativo* (lat. *-ātīvus*) ocorre, também, em adjetivos correspondentes a verbos em *-er* (*comb·ativo*) e em *-ir* (*atr·ativo*).
-izar *suf. verb.*, deriv. do lat. *-īzāre -īzāre* (< gr. *-ízein*), que se documenta em numerosíssimos verbos portugueses com sentido factitivo, como *concretizar, memorizar* etc.

J

já *adv.* 'neste momento, sem demora, agora, então' | *ia* XIII, *ya* XIV | Do lat. *jam*.

jabebira *sf.* 'espécie de arraia' | *c* 1594, *jabubirá* 1587, *yabebura c* l631 | Do tupi *i̯au̯e'm̥ïra* || **jabebirapinima** | *yabeburapeni c* 1631 | Do tupi *i̯au̯em̥ïrapi'nima* < *i̯au̯e'm̥ïra* + *pi'nima* 'pintado, manchado'.

jabota → JABOTI.

jaburandi *sm.* 'nome comum a diversas plantas da fam. das piperáceas e das rutáceas' | *jabigrandi c* 1584, *jaborandi* 1587, *jaburãdi c* 1594 etc. | Do tupi *i̯am̥ïra'n̥i*.

jaburu *sm.* 'nome comum a várias aves de grande porte das famílias dos ardeídeos e dos ciconídeos' | 1618, *jaboru* 1587 etc. | Do tupi *i̯am̥u'ru (i̯am̥uï'ru)*.

jabutapitá *sm.* planta da fam. das ocnáceas | *aiabutipigta c* 1584, *tabotipita (sic) c* 1594 etc. | Do tupi **im̥otipï'tã* < *ïm̥o' tïra* 'flor' + *apï' tãma* 'feixe'.

jabuti *sm.* 'réptil da ordem dos quelônios, fam. dos testudiníeos' | 1587, *jubati* 1624, *jabotins* pl. 1626 etc. | Do tupi *i̯au̯o'ti* || **jabota** *sf.* 'fêmea do jabuti' 1876 || **jabutipeba** | *jabutiapeba* 1587 | Do tupi *i̯au̯oti'peu̯a* < *i̯au̯o'ti* + *'peu̯a* 'chato'.

jabuticaba *sf.* 'fruto da jabuticabeira, planta da fam. das mirtáceas' | 1702, *jaboticaba c* 1584, *jabaticaba c* 1594 etc. | Do tupi *i̯au̯oti'kau̯a* || **jabuticab**AL | *jabo-* 1883 || **jabuticab**EIRA | 1817, *jabo-* 1813.

jabutipeba → JABUTI.

jaca *sf.* 'fruto da jaqueira, planta da fam. das moráceas' XVI. Do malaiala *chakka* || **jaqu**EIRA XVI **jaqu**EIR·AL XVII.

jaça *sf.* 'mancha em pedras preciosas' 'mancha' XVII. De origem obscura.

jacá *sm.* 'cesto feito de taquara' | *jacázes* pl. *c* 1698 etc. | Do tupi *ai̯a'ka*.

jacamim *sm.* 'ave gruiforme da fam. dos psofídeos' | *iacami c* 1631 | Do'tupi *i̯aka'mï*.

jaçanã *sf.* 'ave da fam. dos parrídeos' 1587. Do tupi *i̯asa'nã*.

jacarandá *sm.* 'nome comum a diversas plantas das famílias das leguminosas e das bignoniáceas que fornecem excelente madeira para móveis e outras obras finas de marcenaria' *c* 1584. Do tupi *i̯akara'n̥a* || **jacarand**ATÃ | *-tàn* 1813 | Do tupi **i̯akara-n̥a'tã* < *i̯akara'n̥a* + *a'tã* 'duro'.

jacaré *sm.* 'nome comum a vários répteis da fam. dos crocodilídeos' *c* 1584; 'ext. facão de folha larga e forte' xx; 'planta da fam. das leguminosas' XX. Do tupi *i̯aka're* | **jacarepinima** 1587. Do tupi *i̯akarepi'nima* < *i̯aka're* + *pi'nima* 'pintado, manchado' || **jacaretinga** 1833. Do tupi *i̯akare'tin̥a* < *i̯aka're* + *'tin̥a* 'branco' || **jacareúba** *sf:* 'planta da fam. das gutíferas' *c* 1777 || **jacarez**·ADA XX.

jacente → JAZER.

jacinto *sm.* 'pedra preciosa' 'gênero de plantas da fam. das liliáceas' XIV. Do fr. *jacinthe*, de *hyacinthe*, deriv. do lat. *hyacinthus* e, este, do gr. *Hyákinthos* 'personagem mitológico transformado em flor por Apolo' || **jacint**INO | **hiacint**INO | *hyacintino* 1572 | Do lat. *hyacinthínus*.

jacitara *sf.* 'espécie de palmeira do gênero *Desmoncus*' 1833. Do tupi **i̯asi'tara*.

jacobino 'membro de um clube político revolucionário fundado em Paris em 1790' 'ext. partidário exaltado da democracia' 'xenófobo, nacionalista radical' 1858. Do fr. *jacobin* 'orig. aplicado aos padres dominicanos do convento de Saint-Jacques' 'posteriormente, a partir de 1788, aplicado aos membros do clube político que se reuniam naquele antigo convento', deriv. do lat. *Jacōbus* || **jacobin**ISMO 1858. Do fr. *jacobinisme* || **jacobin**ISTA XX.

jacobita[1] *s2g.* 'membro de uma seita religiosa fundada no séc. VI pelo bispo de Edessa, na Síria, Jacob Baradeu' XV. Do lat. med. *jacōbīta*.

jacobita[2] *s2g.* 'nome dado na Inglaterra. após a revolução de 1688, aos partidários de Jaime II e da casa dos Stuarts' 1858. Do ing. *jacobite*, deriv. do lat. *Jacōbus* 'Jaime'.

jactar *vb.* 'gabar-se, ufanar-se, vangloriar-se, blasonar' 1572. Do lat. *jactāre* || **jact**AÇÃO XX. Do lat. *jactātĭo -ōnis* || **jact**ÂNCIA XVII. Do lat. *jactantīa* || **jact**ANCI·OSO XVII || **jact**ANTE | *iactante* 1572 | Do lat. *jactans -antis*, part. pres. *de jactāre* || **jacto, jato** XVII. Do lat. *jactus -us* 'lançamento, arremesso, tiro' || **jact**URA XVI.

⇨ **jactar** — **jact**ÂNCIA | 1573 GLeão 85.*21*, *jautancia* XV LEAL 276.*10* |.

jacu *sm.* 'ave galiforme da fam. dos cracídeos' 1576. Do tupi *i̯a' ku* | **jacucaca** *c* 1594. Do tupi *i̯aku'kaka* || **jacu**GUAÇU | *c* 1594, *jacu-açu* 1587 | Do tupi *i̯akui̯a'su* < *i̯a'ku* + *ü̯a'su* 'grande' || **jacu**PEMA *c* 1594. Do tupi *i̯aku'pem̥a* < *i̯a'ku* + *'pem̥a* 'anguloso' || **jacu**TINGA *c* 1594. Do tupi *i̯aku'tin̥a* < *i̯a'ku* + *'tin̥a* 'branco'.

jacular *vb.* 'lançar, arremessar' 1844. Do lat. *jaculāre*, por *jaculāri* || **jacul**AÇÃO 1813. Do lat. *jaculā-*

tĭo -ōnis ‖ **jacul**ADOR 1813. Do lat. *jaculātor -ōris* ‖ **jacul**ATÓRIA *sf.* XVII ‖ **jacul**ATÓRIO *adj.* XVIII. Cp. EJACULAR.
⇨ **jacular** | 1836 SC ‖ **jacul**ATÓRIA | 1571 FOlF 78.*3*, 1573 GLeão 217.7 |.
jacumã *sf.* 'espécie de remo usado como leme' *c* 1767. Do tupi *ñaku'mã, i̯aku'mã* ‖ **jacumaíba** *sm.* 'piloto de canoa' | *jacomaúba* 1763, *jacumayba c* 1767 | Do tupi **i̯akuma'i̯u̯a < i̯aku'mã + i'u̯a* 'guia, cabo, chefe' |.
jacundá *sm.* 'peixe da fam. dos ciclídeos' 1618. Do tupi *i̯aku'na.*
jacupema → JACU.
jacurutu *sm.* 'ave da fam. dos bubonídeos, coruja' 1587. Do tupi *i̯akuru'tu.*
jacutinga → JACU.
jade *sm.* 'designação genérica de vários minerais duros, compactos e esverdeados, usados como ornamento' 1716. Do fr. *(e)jade*, deriv. do cast. *(piedra de la) ijada* e, este, do lat. *ilĭa -ĭum* 'baixo ventre', porque a pedra, segundo a medicina antiga, curava as cólicas renais.
jaez *sm.* 'aparelho e adorno para bestas' '*fig.* espécie; qualidade, índole' | XVI, *ajaez* XVI | Do ár. *ǧehêz* 'provisões' ‖ AjaezA DO XVI.
jaguacati *sm.* 'ave coraciforme da fam. dos alcedinídeos, também chamada martim-pescador' *jabacatim* 1587 | Do tupi *i̯au̯aka'ti̯'.*
jaguar *sm.* 'nome comum aos grandes mamíferos carnívoros da fam. dos felídeos, particularmente os do gênero *Felis*; onça, jaguaretê' 1610. Do tupi *i̯a'u̯ara* ‖ **jaguacininga** *sf.* 'mamífero carnívoro da fam. dos procionídeos (*Procyon cancrivorus* Cuv.)' | *jaguaçini c* 1584, *guaçonĩ c* 1594, *guasuni* 1618, *guassinins* pl. 1730, *guaxinim* 1817 etc. | Do tupi *i̯au̯asi'niŋa < i̯a'u̯ara + si'niŋa* 'retinir' ‖ **jaguané** *sm.* 'cão', Do tupi **i̯au̯a're* ‖ **jaguapeva** *sm.* 'variedade de cão doméstico de pernas curtas' XX. Do tupi **i̯au̯a'peu̯a < i̯a'u̯ara + 'peu̯a* 'chato' ‖ **jaguapitanga** *sf.* 'espécie de raposa' 1587. Do tupi *i̯au̯api'taŋa < i̯a'u̯ara + pi'taŋa* 'avermelhado, pardo' ‖ **jaguapopeba** *sf.* 'nome tupi da lontra' | *iguapopêba c* 1584, *jagoarapeba* 1587 | Do tupi *i̯au̯apo'peu̯a* ‖ **jaguaracanguçu** *sm.* 'jaguar' | *-goçu* 1587 | Do tupi *i̯au̯arakaŋu'su < i̯a'u̯ara + a'kaŋa* 'cabeça' + *u'su* 'grande' ‖ **jaguaruapém** *sm.* 'espécie de cachorro-do-mato' | *jagararuapem* 1618 | Do tupi **i̯au̯ararua'pẽ* ‖ **jaguaretê** *sm.* 'jaguar' | *jagoaretê c* 1584 | Do tupi *i̯au̯are'te < i̯a'u̯ara + e'te* 'verdadeiro' ‖ **jaguaruçá** *sm.* 'peixe da fam. dos holocentrídeos (*Holocentrum ascensionis*)' | *jagoaraça* 1587 | Do tupi *i̯au̯are'sa < i̯a'u̯ara + e' sa* 'olho' ‖ **jaguaruçu** *sm.* 'jaguar' *c* 1584. Do tupi *i̯au̯aru'su < i̯a'u̯ara + u'su* 'grande' ‖ **jaguatirica** sf. 'gato-do-mato' | *jaguatarica* 1772 | Do tupi **i̯au̯ati'rika < i̯a'u̯ara + ti'rika* 'ruído de estalo'.
jaguaroba *sf.* 'variedade de palmeira' 1734. Do tupi **i̯au̯a'rou̯a*; cp. GUARIROBA.
jagua·ruçá, -ruçu, -tirica → JAGUAR.
jagunço *sm.* 'orig. arma de defesa' 'ext. o indivíduo que a manipula, cangaceiro, valentão assalariado' XIX. Talvez de *zaguncho* 'arma (do séc. XVI)', também de origem incerta, com troca da posição da alveolar e da palatal ‖ **jagunç**ADA XIX.

jalapa *si.* 'raiz de uma planta medicinal da família das convolvuláceas' 1813. Do cast. *jalapa*, deriv. do top. *Jalapa* (*Xalapa*), cidade mexicana.
jaleco *sm.* 'espécie de véstia, geralmente sem gola e com mangas curtas, hoje em dia de uso profissional' '*pop.* uma das muitas alcunhas do português no Brasil' XVIII. Do cast. *jaleco*, deriv. do ár. argelino *ǧalîka* e, este, do turco *i̯elék*.
jamais *adv.* 'nunca, em tempo algum' XIII. Do lat. *jam magis.*
jamanta *sf.* 'indivíduo mal-amanhado' 'calçado grosseiro' 'modernamente, caminhão usado para transportar automóveis' 1890. Etimologia obscura.
⇨ **jamarluco** *sm.* '*ant.* espécie de capa para chuva usada pelos turcos' | *jammarluco c* 1608 NOReb 154.*17* | Do turco *i̯agmurlyk*, de *i̯agmur* 'chuva' e *lyk* '(sufixo que indica vestimenta)'; o voc. turco passou ao it. *giamberluco* (séc. XVI), ao cast. *chamerlucco* (séc. XVIII) e às línguas eslávicas.
jambo *sm.* 'fruto do jambeiro, planta da fam. das mirtáceas' XVI. Do sânscr. *jambu* ‖ **jamb**EIRO XVIII.
jambolão *sm.* 'planta da fam. das mirtáceas' XIV. Do conc. *jambulām*, pl. de *zāmbul*, e, este, do sânscr. *jambūla* ‖ **jamelão** XX.
jandaia *sf.* 'ave psitaciforme da fam. dos psitacídeos | *jandaj(ete) c* 1594, *hyendaya* 1618, *jimdaia c* 1631 etc. | Do tupi *i̯a'ŋai̯a*.
jandiá *sm.* 'nome comum aos bagres de rio, da fam. dos pimelodídeos' | 1763, *nhũdia c* 1594, *iundia c* 1631 etc. | Do tupi *i̯uŋi'a.*
janeiro *sm.* 'primeiro mês do ano civil' XIII. Do lat. *jānŭārĭus.*
janela *sf.* 'abertura na parede de um edifício' XIII. Do lat. vulg. **janŭella*, dimin. de *janŭa.*
jangada *sf.* 'tipo de embarcação construída com paus leves e bem unidos' XV. Do malaiala *changādam* 'balsa' ‖ ENj**ang**ADO XVI ‖ ENj**ang**AR 1881 ‖ **jangad**EIRA *sf.* 'planta da fam. das tiliáceas, de cujo tronco se fabricam as jangadas' ‖ **jangad**EIRO 1873.
⇨ **jangada** — **jangad**EIRO | 1836 SC |.
jângal *sm.* 'floresta, matagal, deserto' XX. Do anglo-indiano *jungle*, deriv. do hindustani *jangal* e, este, do sânscr. *jangala.*
janízaro *sm.* '(Hist.) soldado da guarda pessoal do sultão' | 1538, *janicero* 1552, *genicero* 1529, *-çaro* 1544 etc. | Do it. *giannizzaro, giannizero*, deriv. do a. turc. *i̯añyčari*, turc. *i̯eñičeri* (< *i̯eñi* 'novo, recente' + *čeri* 'milícia, tropa'). O a. turc. *i̯añyčari* designou, inicialmente, o soldado da milícia organizada por Orcão, no séc. XIV, constituída de jovens prisioneiros cristãos que os turcos exercitavam para as guerras.
janota *adj. sm.* 'diz-se de, ou indivíduo vestido com excessivo apuro' 1851. Adapt. do fr. *janot.*
jansenismo *sm.* 'doutrina defendida pelo teólogo holandês Jansen (1585-1638) sobre a graça e a predestinação' 1858. Do fr. *jansénisme*, deriv. do antr. *Jansen*, bispo de Ypres, Flandres ‖ **jansen**ISTA 1858. Do fr. *janséniste.*
jantar[1] *vb.* 'tomar a refeição da noite' XIII. Do lat. vulg. *jantāre* (clássico *jentāre*) ‖ **jantar**[2] *sm.* 'a refeição da noite' XIII. De *jantar*[1] ‖ **janta** 1881. De *jantar*[2].

japacanim *sm.* 'ave falconiforme, espécie de gavião' | *yapacani* c 1777, *japocani* 1783 | Do tupi *i̯apaka'ni*.
japarana *sf.* 'variedade de cobra' *a* 1576. Do tupi, mas de étimo indeterminado.
japaranduba *sf.* 'planta da fam. das lecitidáceas' | -*diba* 1663 | Do tupi *i̯apara'ni̯ua*.
japecanga *sf.* 'planta da fam. das liliáceas' | 1875, *japi*- 1813 | Do tupi **i̯apĩ'kaŋa*.
japeraçaba *sf.* 'espécie de palmeira (*Attalea funifera* M.)' 1587. Do tupi, mas de étimo indeterminado.
japerujaguara *sm.* 'espécie de tubarão' *c* 1594. Do tupi **i̯aperui̯a'ṳara:* Cp. tupi *ĭpe'ru* 'tubarão'.
japicaí *sm.* 'espécie de timbó' | -*cay* 1663, *iupicai c* 1677 | Do tupi *i̯apika'i*.
japona *sf.* 'japonesa' 'espécie de jaquetão' XIX. Do top. *Japão* || **japon**ÊS | -*ez* 1858 || **japôn**ICO XVII.
⇨ **japona** — **japão** *sm.* 'japonês' | *jappões* pl. 1614 SGONÇ I.343.*10* | **japon**ÊS | *japponez* 1614 SGONÇ I.343.*7* |.
japu *sm.* 'nome comum a várias aves passeriformes da fam. dos icterídeos' | *c* 1594, *yapû c* 1584, *japĩ c* 1594 etc. | Do tupi *i̯a'pĩ*.
jaqu·eira, -eiral → JACA.
jaqueta *sf.* 'espécie de casaco curto para homem e que chega até a cintura' XV. Do fr. *jaquette*, do a. fr. *jaque* || **jaquet**ÃO 1881.
jaquiranaboia *sf.* 'inseto homóptero da fam. dos fulgorídeos, de aspecto feio e assustador, mas inofensivo' 1833. Do tupi **i̯akĩrana'moi̯a < i̯akĩ'rana* 'cigarra' + '*moi̯a* 'cobra'.
jaracatiá *sf.* 'planta da fam. das caricáceas' | *jaracateá* 1587, *jaracatia c* 1594, *yaraquatia c* 1631 etc. | Do tupi *i̯arakati' a*.
jaraqui *sm.* 'nome comum a vários peixes da fam. dos caracídeos' *c* 1777. Do tupi **i̯ara'ki*.
jararaca *sf.* 'cobra da fam. dos crotalídeos (*Bothrops jararaca*)' | *c* 1584, *geraraca* 1576 etc. | Do tupi *i̯ara'raka* || **jararaca**PEBA | *jararacpéba c* 1584 || **jararac**UÇU *c* 1584 || **jararaguaipitanga** | *jararagoaipigtanga c* 1584. Do tupi *i̯araraṳaipĩ'taŋa < i̯ara'raka* + '*ṳai̯a* 'rabo, cauda' + *pĩ'taŋa* 'pardo'.
jarda *sf.* 'medida linear do sistema inglês, equivalente a 914 mm' 1858. Do ing. *yard*.
jardim *sm.* 'terreno onde se cultivam plantas ornamentais' XIII. Do fr. *jardin*, do antigo *jart*, derivado do frâncico **gard* || A**jardin**AR 1873 || **jardin**AGEM 1873 || **jardin**AR 1873 || **jardin**EIRA 1858 || **jardin**EIRO XVII || **jardin**ISTA 1873.
⇨ **jardim** — **jardin**EIRA | 1836 SC |.
jargão *sm.* 'gíria profissional, calão' XVIII. Do fr. *jargon* 'linguagem dos pássaros' 'gíria dos malfeitores' .
jarra *sf.* 'vaso para água ou flores' | 1540, *jara* 1565 | Do ár. *ǧárra* || **jarr**O XVII. De *jarra*.
jarrete *sm.* 'curvejão' '(Anat.) parte da perna situada atrás da articulação do joelho' 'nervo ou tendão da perna dos quadrúpedes' | XVI, *jareto* XV | Do fr. *jarret*, deriv. do gaulês **garrã* 'perna' || **jarret**A *adj. s2g.* 'diz-se de, ou pessoa de mau gosto no vestir-se' 1813. De *jarrete* || **jarret**AR XIV || **jarret**EIRA 1813. Do fr. *jarretière*.
jarro → JARRA.
jasmim *sm.* 'planta da fam. das oleáceas' | XVI, *gesmin* XVI | Do fr. *jasmin*, deriv. do árabe *jasāmīn* e, este, do persa *jāsämin* || **jasmin**EIRO 1813.
jaspe *sm.* 'variedade semicristalina de quartzo, de cor variada, sendo contudo mais comum a cor vermelha' | XIV, *jaspis* XIII | Do lat. *iaspis -ĭdis*, deriv. do gr. *íaspis -ídos* || **jaspe**·ADO XVI || **jaspe**·ADOR XVII || **jasp**EAR XVII || **jasp**ÍDEO XVII || **jasp**OIDE 1873.
jataí[1] *sm.* 'planta da fam. das leguminosas, cuja madeira é utilizada em construção civil' | *gitai* 1618, *gitahi* 1693, *jetay* 1711 etc. | Do tupi *i̯eta'i* | **jataíba** *sf.* 'nome de várias plantas das fam. das moráceas e das leguminosas' | *jatauba* 1618, *jatayba* 1663, *getaígba* 1663 | Do tupi *i̯eta'i̯ṳa* || **jataicica** *sf.* 'nome de várias plantas da fam. das leguminosas' 'resina extraída dessas plantas' | *jutahicica c* 1777, *jutaycica* 1787, *getaicica* 1817 | Do tupi **i̯etaï'sĩka < i̯eta'i + i''sĩka* 'resina' || **jatai-mondé** *sm.* 'planta da fam. das leguminosas' 1587. Do tupi *i̯etaimu'ne < i̯eta'i + mu'ne* 'armadilha' || **jatai**PEBA *sm.* 'planta da fam. das leguminosas' | *ju*- 1587, *jataypeva* 1730 etc. | Do tupi *i̯etai'peṳa < i̯eta'i + 'peṳa* 'chato' || **jatai**Z·EIRO | *jutahizeiro* 1873.
jataí[2] *sm.* e *f.* 'abelha da fam. dos melipoídeos' | *gitaí* 1789, *getahy* 1817 etc. | Do tupi *i̯ate'i*.
jataí·ba, -cica, -mondé, -peba, -zeiro → JATAÍ
jatium *sm.* 'espécie de mosquito da fam. dos culicídeos' | *inhatium* 1587, *nhatium* 1587, *iateum* 1656, *jateum* 1656 | Do tupi *i̯ati'ũ (ñati'ũ)*.
jato → JACTAR.
jatobá *sm.* 'planta da fam. das leguminosas; variedade de jataí' | 1801, *jatubá* 1757 || Do tupi **i̯etï'ṳa < i̯etaï'ṳa < i̯eta'i* 'jataí'[1] + *i''ṳa* 'fruta'.
jatuaíba *sf.* 'planta da fam. das meliáceas' 1587. Do tupi *i̯etua'i̯ṳa*. Cp. JATAÍ, JATAÍBA.
jau → JAVANÊS.
jaú *sm.* 'peixe siluriforme da fam. dos pimelodídeos' *c* 1584. Do tupi *i̯a'u*.
jauaraicica *sf.* 'espécie de resina' | *jauaráhicica c* 1777, *jarauassica* 1886 | Do tupi **i̯aṳaraï' sĩka*.
jaula *sf.* 'gaiola, prisão de feras' | *iauola* XIV | Do fr. antigo *jaiole* (mod. *geôle*), deriv. do b. lat. *caveola*, de *cavéa* || DES·EN**jaul**AR XX || EN**jaul**ADO 1844 || EN**jaul**AR XVIII. Cp. GAIOLA.
⇨ **jaula** — EN**jaul**ADO | 1836 SC |.
javali *sm.* 'porco-montês' | XVII, *jauaril* XIV | Do ár. *ǧabalî* 'montês', forma abreviada de *ḫinzīr* (porco) *ǧabalî* (montês) || **javal**INA *sf.* XX.
⇨ **javali** — 1614 SGONÇ 359 |.
javanês *adj. sm.* 'de Java, natural ou habitante de Java (Oceânia), o idioma de Java' XIX. Do fr. *javanais* || **jau** *adj. sm.* 'javanês' | *jáo* XVI | Do malaio *jau*.
javre *sm.* 'encaixe na extremidade das aduelas dos tonéis, para embutir os tampos' 1813. Do fr. *jable* || **javr**AD·EIRA 1813 || **javr**AR 1873. Do fr. *jabler*.
jazer *vb.* 'estar deitado, estendido, no chão ou na cama, estar morto ou como morto' XIII. Do lat. *jăcēre* || INTER**jac**ENTE 1881 || **jac**ENTE XV. Do lat. *jăcens -ēntis*, part. pres. de *jăcēre* || **jaz**EDOR XIV || **jaz**IDA XVII || **jaz**IGO XV || SUB**jac**ENTE XVIII. Do lat. *subjacens -entis*, part. pres. de *subjăcēre*.
⇨ **jazer** — **jaz**IDA | *jazeda* XIV ORTO 16.*32*, XV LOPJ II.189.*2* |.
jazz *sm.* 'orig. música vocal ou instrumental dos negros norte-americanos' XX. Do ing. *jazz* || **jazz**ISTA XX || **jazz**ÍST·ICO XX.

jeca *adj. s2g.* 'caipira, matuto, capiau' XX. De *Jeca* (hipocorístico de *José*), redução de *Jeca-tatu*, nome de um personagem de Monteiro Lobato, no conto *Urupês*, de 1918 || **jequ**ICE XX.
jecoral *adj. 2g.* 'figadal' 1890. Do lat. **jecorālis*, de *jecur -oris* 'figado' || **iécor**ÁRIO XVII. Do lat. **jecorārius*.
jegue *sm.* 'jumento' XX. Do ing. *jackass* 'burro'.
jeira *sf.* 'terreno que uma junta de bois podia lavrar num dia' 'medida agrária de dimensão variada' 'serviço de um jornaleiro em cada dia' 'o salário por um dia de serviço' | *geira* XVI | Do lat. *diarĭa (opera)* 'tarefas diárias'.
jeito *sm.* 'modo, maneira, feição, gesto, habilidade, propensão' | *geito* XIII, *geyto* XIII | Do lat. *jactus -us* || **A**jeit**AR** | *ageitar* XVI || DES·A·**jeit**AR | *-ageitar* 1899 || **jeit**OSO | *geitoso* XV.
jeju *sm.* 'peixe da fam. dos caracídeos' | *yeiguo c* 1631, *ieiu c* 1631, *gejú c* 1777 etc. | Do tupi *i̯e'i̯u*.
jejum *sm.* 'abstinência total ou parcial de alimentos' *·fig.* privação de alguma coisa' | XVI, *jajūu* XIII, *jejūu* XIV etc. | Do lat. *jejunus* (no lat. vulg. *jājūnus*) || DES**jejum** XX || **jeju**ADOR | *jajunhador* XIV || **jejuar** | *jejŭar* XIII, *jajŭar* XIII etc. | Do lat. *jejūnāre* (no lat. vulg. *jājūnāre*) || **jejuno** 1844. Do lat. *jējūnus*.
⇨ **jejum** — **jejuno** | 1836 SC |.
jeneúna *sf.* 'planta da fam. das leguminosas (*Cassia leiandra* Benth.)' | *geneúna* 1587 | Do tupi *i̯ene'una*.
jenipapo *sm.* 'planta da fam. das rubiáceas, jenipapeiro' | *c* 1574, *ge- c* 1574, *janipaba c* 1584 etc. | Do tupi *i̯ai̯i'pai̯a* (*i̯ai̯ï'pai̯a*) || **jenipap**EIRO | *ju-*1734, *genipapeyro* 1752, *ginipapeiro c* 1762 etc.
jequi *sm.* 'rede de malhas utilizadas em pescaria' | *gequi* 1874, *jequy* 1875 etc. | Do tupi *i̯eke'i*.
jequice → JECA.
jequitibá *sm.* 'planta da fam. das lecitidáceas' | *juquitibá* 1587, *jequitiba* 1711 etc. | Do tupi *ükïtï'ua*.
jequitiguaçu *sm.* 'planta da fam. das sapindáceas, saboeiro' | *jequigtïÿgoaçû c* 1584, *teguitî tiguaçu c* 1594 | Do tupi *i̯ekïtïi̯a'su*.
jeremiar *vb.* 'lastimar, fazer lamúria, choramingar' 1899. Do antr. *Jeremias*, o profeta das lamentações || **jeremí**ADA 1873. Do fr. *jérémiade*.
jerico *sm.* 'jumento' XVI. De origem obscura.
jerimum *sm.* 'fruto do jerimuzeiro: abóbora' | *gerumu* 1587, *jeremu* 1618, *geremu* 1619 etc. | Do tupi *i̯uru'mũ* || **jerimu**Z·EIRO | *gerumuseiro* 1876.
jerivá *sm.* 'palmeira da subfam. dos cocosoídeas' | *ja-* 1783, *gerivá* 1792 | Do tupi **i̯eri'ua*.
jerosolimitano *adj. sm.* 'diz-se de, ou natural ou habitante de Jerusalém' XVI. Forma var. de *hierosolimitano* (< lat. *hierosolymĭtānus* < *Hierosolýma -ae* 'Jerusalém'), também documentado no séc. XVI, com visível influência de *Jerusalém*.
jérsei *sm.* 'espécie de tecido de malhas de seda' XX. Do *fr. jersey*, deriv. do ing. *jersey*, de Jersey 'ilha do Canal da Mancha'.
jesuíta *sm.* 'membro da ordem religiosa, Companhia de Jesus, fundada por Santo Inácio de Loiola em 1534' XVI. Do it. *gesuìta*, de *Gesù*, 'Jesus' || **jesuít**ICO 1813. Provavelmente do fr. *jésuitique* || **jesuíti**SMO 1858. Provavelmente do fr. *jésuitisme*.
jetatura *sf.* 'mau-olhado' XX. Do it. *gettatura*,

de *gettare* 'lançar', do lat. vulg. **jectāre* (cláss. *jactāre*, de *jăcēre*).
jetica *sf.* 'nome tupi da batata-doce, planta da fam. das convolvuláceas' | *gi- c* 1631, *jetíca* 1663 | Do tupi *i̯e'tïka* || **jeticuçu** *sm.* 'batata de purga, planta da fam. das convolvuláceas' | 1587, *jetigcuçû c* 1584 | Do tupi *i̯etïku'su* < *i̯e'tïka* + *u'su* 'grande' || **jetivi** *sm.* 'vinho de batata' | *jetiuy* 1663, *jetivy* 1757 | Do tupi *i̯etï'ï* < *i̯e'tïka* + *'ï* (v. NANAUÍ).
jia *sf.* 'espécie de rã | *gia* 1618 | Fem. de **ji*, por *juí*, deriv. do tupi *i̯u'i*; v. JUÍ.
jiboia *sf.* 'cobra não venenosa da fam. dos boídeos (*Constrictor constrictor*)' | *giboya c* 1584, *giboja c* 1594 etc. | Do tupi *ïï'mo̯i̯a* || **jiboiaçu** | *giboyassú a* 1576, *giboiassum a* 1576 etc. | Do tupi *ïï'mo̯i̯a'su* < *ïï'mo̯i̯a* + *a'su* 'grande'.
jiga *.sf.* 'espécie de dança rápida e vivaz, a música para essa dança' 'canção ou balada de caráter jocoso e ligeiro' 1813. Do ing. *jig*.
jigajoga *sm.* 'antigo jogo de cartas' | *gigajoga* 1813 | De origem obscura: talvez de formação expressiva, com aliteração.
jiló *sm.* 'fruto do jiloeiro, planta da fam. das solanáceas' | *gilô* 1730 | De origem africana, mas de étimo indeterminado || **jilo**EIRO 1899.
jimbo *sm.* 'primitivamente, tipo de marisco usado como moeda em Angola' 'moeda, dinheiro' | *zibo* 1550 | Do quimb. *'ńimu* 'búzio, concha'.
jingoísmo 'patriotismo belicoso, chauvinismo' XX. Do ing. *jingoism*, de *jingo* 'partidário da guerra com a Rússia em 1878' || **jingoí**STA XX.
jinriquixá *sm.* 'veículo de duas rodas, parecido com a charrete, puxado por homem, usado no Oriente' 1874. Do japonês *djinrikisha* (< *djin* 'homem' + *riki* 'força' + *sha* 'veículo').
jinsão *sm.* 'planta da fam. das araliáceas' | *ginsão* XVII, *ginsen* XVIII | Do chinês *jen-šen*.
jipe *sm.* 'pequeno veículo automóvel para transporte de reduzido número de pessoas, concebido e fabricado pelos norte-americanos para ser usado na 2.ª guerra mundial' XX. Do ing. *jeep*, das iniciais *G(eneral) P(urposes)* '(para) diversos usos'.
jiquitaia *sf.* 'pimenta-malagueta reduzida a pó' *a* 1696, *juquitaia c* 1607 etc. | Do tupi *i̯ukï'tai̯a*.
jirau *sm.* 'espécie de estrado' | 1587, *iurao c* 1596, *juraó* 1672. Do tupi *i̯u'ra*.
jitinga *sf.* 'espécie de mosquito' | *nhitinga* 1587 | Do tupi *i̯e'tïna*.
jitirana *sf.* 'planta da fam. das leguminosas' | *gityrana* 1782 | Do tupi **i̯etï'rana*.
jiu-jítsu *sm.* 'sistema de luta corporal japonês de origem chinesa' XX. Do ing. *jiu-jitsu*, deriv. do japonês *jūjutsu*, de *jū* (chinês *jeu*) 'flexível' e *jutsu* (chinês *shut*) 'arte, ciência, técnica'.
joanete *sm.* '(Mar.) vela superior da gávea' '(Anat.) saliência da articulação do dedo grande do pé com o metatarso' XVII. Adapt. do cast. *juanete*, de *Juan*, nome típico do camponês espanhol que, geralmente, tem joanete.
⇨ **joanete** | XV FRAD II.75.5 |.
jocos·idade, -o → JOGO.
joeir·a, -ar → JOIO.
joelho *sm.* 'parte anterior da articulação da perna com a coxa' | *gẽollo* XIII, *geollo* XIII, *giolho* XIV etc. | Da var. ant. *geollo*, por metátese, deriv. do lat. tard.

genucŭlum, por *genicŭlum*, dimin. de *genu* 'joelho' || AjoelhAR | XVI, *agẽollar* XIII || **geniculação** XX. Do lat. *geniculatio -ōnis* || **geniculado** 1858. Do lat. *geniculātus* || **genu**FLECTIR 1858. Do lat. tard. (Vulgata) *genuflectĕre*, com mudança de conjugação || **genu**FLECTOR XX || **genu**FLEXÃO XVIII. Talvez do fr. *génuflexion*, deriv. do lat. tard. *genuflexĭo -ōnis* || **genu**FLEXO XX. Do lat. med. *genuflexus* | **genu**FLEX·ÓRIO 1813. Do lat. med. *genuflexorĭum* || **genuvalgo** *adj.* '(Med.) diz-se da perna encurvada para fora por malformação do joelho' XX. Vocábulo criado pela justaposição dos vocábulos latinos *genu* 'joelho' e *valgus* 'que tem as pernas voltadas para fora' || **genuvaro** *adj.* '(Med.) diz-se da perna encurvada para dentro por malformação do joelho' XX. Voc. criado pela justaposição dos vocábulos latinos *genu* 'joelho' e *varus* 'que tem as pernas voltadas para dentro' || joelhADA 1858 || joelhEIRA | *geolheira* XIII, *geolheyra* XIII.
jogo *sm.* 'brinquedo, folguedo, divertimento, passatempo sujeito a regras' 'série de coisas que forma um todo ou coleção' XIII. Do lat. *jŏcus* || jocOS·I·DADE 1813 || jocOSO XVI. Do lat. *jocōsus* || jogADA 1858 || jogADOR XIII || jogAR | XIII, *ju-* XIII | Do lat. *jŏcāre*, por *jŏcāri* || jogatINA 1881. *De jogatar*, var. *de joguetar* || **jogral** *sm.* 'na Idade Média, trovador ou intérprete de poemas e canções de cárater épico, romântico ou dramático' | XIII, *-grar* XIII, *jugrall* XIII etc. | Do lat. *jŏcŭlāris* 'divertido, faceto, risível' || jogralESA | *jograresa* XIV || jogralIA | *ioglaria* XIV || joguET·AR | *-getar* XIII, *-gatar* XVI || joguETE XIV. Do cast. *juguete*.
joia *sf.* 'artefato de matéria preciosa usado em geral como ornamento' | XV, *joya* XIV | Do a. fr. *joie*, derivado regressivo de *joiel* (atual *joyau*) e, este, do lat. **jŏcālis* 'aquilo que alegra', *de jŏcus* 'jogo' || joalheiro | 1813, *joyalheiro* XVIII | Adapt. do fr. *joaillier* || joalheria | *-lharia* 1881 | Adapt. do fr. *joaillerie*.
joio *sm.* 'planta da fam. das gramíneas que nasce entre o trigo' '*fig.* coisa ruim, daninha, que surge entre as boas e as danifica' XVI. Do lat. vulg. ibérico **liolium* (cláss. *lŏlĭum* 'joio') || joEIRA | *jueira* XIII || joEIR·AR XVI.
jongo *sm.* 'dança dos escravos' 1899. De origem africana, mas de étimo indeterminado.
jônico *adj. sm.* 'pertencente ou relativo à antiga Jônia, na Asia Menor, ou aos seus habitantes' 'diz-se de um dos dois dialetos eminentemente literários da Grécia antiga falado nas ilhas e colônias gregas' 'diz-se de verso de um pé' XVI. Do lat. *iōnĭcus* || **jônio** | *yonyo* XIV | Do lat. *ionĭus*, deriv. do gr. *iónios*.
jóquei *sm.* 'aquele que tem por profissão montar cavalos em corridas' | *-ckei* 1858, *-ckey* 1858 | Do ingl. *jockey*, dimin. de *Jock*, forma escocesa do antrop. *John*.
jornada *sf.* 'caminho, marcha que se faz num dia' 'expedição militar' 'duração do trabalho de um dia' XIII. Do prov. *jornada*, *de jorn* e, este, do lat. *diurnum (tempus)*, forma neutra substantivada do adj. *diurnus*, de *diēs diēī* || **jorna** *sf.* 'vagar, tempo desocupado, ócio' XVIII; 'dinheiro, salário' 1881. Deriv. regress. de *jornal* || jornadEAR 1881 || **jornal** *sm.* 'pagamento de um dia de trabalho' XIII; 'publicação periódica que noticia os acontecimentos políticos, científicos, literários e os mais diversos fatos' 1873. Adapt. do fr. *journal*; na segunda acepção é abrev. da expr. (*papier) journal*, do lat. *diurnālis* || jornalECO XX || jornalEIRO *sm.* 'empregado diarista' XIII; 'vendedor de jornal' XX || jornalISMO 1881. Adapt. do fr. *journalisme* || jornalISTA 1881. Adapt. do fr. *journaliste*.
⇨ **jornada** — **jornal** 'publicação periódica' | 1836 sc |.
jorra *sf.* 'breu para vasilhas de barro, escórias de ferro que se separam nas forjas' XVIII. De origem obscura.
jorro, chorro *sm.* 'grande jato, saída impetuosa de um líquido, fluência' XVI. Talvez do cast. *chorro*, de origem onomatopaica || chorrILHO XVI. Do cast. *chorrillo* || ENxurrADA XVI || ENxurrAR 1844 || ENxurro | *emxurro* XV.
⇨ **jorro** — jorrAR | XIV GREG 3.26.6 |.
jota[1] *sm.* 'décima letra do alfabeto português' 1813; 'porção mínima' XVI. Do lat. *iōta*, deriv. do gr. *iōta*.
jota[2] *sf.* 'dança e música popular da Espanha' 1873. Do cast. *jota*, de origem controversa.
joule *sm.* '(Fís.) unidade elétrica correspondente à soma de trabalho desempenhado ou do calor gerado por uma corrente de um ampère que age por um segundo contra a resistencia de um ohm' XX. Do ing. *joule*, voc. introduzido na linguagem científica em 1882 e criado em homenagem ao físico inglês J.P. Joule (1818-1889).
jovem *adj. s2g.* 'diz-se de, ou pessoa moça' XVI. Do lat. *juvěnis* || **jovial** XVI. Do lat. tard. *joviālis* || jovialIDADE XVIII || **juvenais** *sm. pl.* 'festas em homenagem à juventude, na antiga Roma, instituídas por Nero' XX. Do lat. *juvenales(dies)* || **juvenescer** XX. Do lat. *juvenescĕre* || **juvenil** XVII. Do lat. *juvenīlis* || juvenilIDADE XVIII. Do lat. *juvenilĭtas -ātis* || **juventude** XV. Do lat. *juventus -ūtis* || REjuvenescer 1881 || REjuvenescIMENTO 1881.
⇨ **jovem** — **juvenais** | *-nal* 1836 sc || **juvenil** *iuuenil* 1538 DCast 58.5 |.
juá *sm.* 'nome comum a diversas plantas da fam. das solanáceas e das ramnáceas e aos seus frutos' | *joá* 1663 | Do tupi *ĭu'a* || juaZ·EIRO | *joazeiro* 1817, *-seiro* 1865.
-juba- *elem. comp.*, do tupi '*ĭuŭa* 'amarelo', que se documenta em alguns vocs. port. de origem tupi: *ajuberaba, jurujuba* etc.
juba *sf.* 'crina de leão' XVI. Do lat. *jŭba* || jubADO XVIII. Do lat. *jŭbātus*.
jubil·ação, -ado, -ar → JÚBILO.
jubileu *sm.* 'entre os hebreus, antigamente, remissão de servidão, dívidas e culpas, de cinquenta em cinquenta anos' 'entre os cristãos, indulgência plenária, solene e universal, concedida pelo papa em certas épocas' 'quinquagésimo aniversário de casamento, de exercício de uma função etc., aniversário solene' XIV. Do lat. *jubilaeus*, deriv. do gr. *iōbēlaíos*, de *iōbēlos* e, este, do hebr. *yōbēl* 'carneiro'; o nome da solenidade hebraica provém do fato de que a festa era anunciada com chifre de carneiro. Na Idade Média (*c* 1300) Bonifácio VII instituiu a festividade no mundo católico, a qual, na época, já era popular e tradicional. No latim, o termo sofreu influência *de jūbĭlum*.

júbilo *sm.* 'grande alegria, muito contentamento' XVII. Do *lat. jūbĭlum* || **jubil**AÇÃO 1813 || **jubil**ADO XVII || **jubil**AR XVII. Do lat. *jubilāre* || **jubil**OSO XVIII || REj**ubil**AR 1881.
⇨ **júbilo** — jubilAÇÃO | 1573 GLeão 282.*3* || jubilADO | *iubilado a* 1595 *Jorn.* 25.*16* || **jubil**AR | *a* 1583 FMPin III.155.*14* |.
jucá *sm.* 'pau-ferro' 1878. Do tupi *ju'ka* 'matar'. Os portugueses chamaram *pau de jucar* ao pau que os índios utilizavam para matar os inimigos; *pao de jucar* ocorre em textos de 1612, 1648, a 1667; a forma *jucar*, em lugar de *jucá*, deve-se à influência analógica dos verbos portugueses da primeira conjugação, em -AR¹.
juçana *sf.* 'armadilha para apanhar pássaros' | *iuçana* 1663 | Do tupi *ju'sana (ñu'sana)*.
juçara *sf.* 'palmeira da subfam. das ceroxilíneas' | *c* 1767, *yçara* 1568, *isara* 1575, *gesara c* 1607 etc. | Do tupi *ïi'sara (ieĩ'sara)*.
jucundo *adj.* 'alegre, aprazível, prazenteiro' | *jocundo* 1572 | Do lat. *jucundus* || INj**ucundo** XVII || **jucund**IDADE XVII. Do lat. *jucundĭtas -ātis*.
judeu *adj. sm.* 'relativo à Judeia' 'diz-se de, ou natural ou habitante da Judeia, o que professa a religião judaica' XIII. Do lat. *jūdaeus* || **judaico** 1813. Do lat. *judaicus*, deriv. do gr. *ioudaikós* || **juda**ÍSMO 1813. Do lat. *judaismus*, deriv. do gr. *ioudaïsmós* || **juda**IZ·ANTE | -*sante* 1844 || **judal**ZAR | -*isar* 1813 | Do lat. tard. *judaizāre*, deriv. do gr. *ioudaïzein* || **judi**A *sf.* | XIII, *judea* XIII | A alternância vocálica *e/i* é a mesma que ocorre em *sandeu/sandia*; parece ser uma forma de realçar o hiato || **judi**AR | 1813, *-dear* XVIII || **judi**ARIA 'bairro de judeus' | XVI, *judaria* XIII.
⇨ **judeu** — Aj**ud**ENG·ADO | XV LEAL 20.*5* || **judaico** | *judayco* 1525 ABEJP 4.*13* || **juda**ÍSMO | 1614 SGonç I.47.*3* || **juda**IZ·ANTE | *judaisante* 1836 SC || **judal**ZAR | 1540 FAlv 16.*5* || **jud**ENGO | XIV ORTO 13.*26* || **judi**AR | *ajudyar* XV ZURD 286.*30* |.
judic·ante, -ativo, -atório, -atura, -ial, -iário, -ioso → JUÍZO.
judô *sm.* 'jogo esportivo de combate e defesa, que se baseia na agilidade e flexibilidade do jogador e inspirado nas técnicas do antigo jiu-jítsu' XX. Do jap. *ju do* 'princípios de arte' || **judoca** XX. Do *jap. judoka*.
jugo *sm.* 'canga, junta de bois' '*fig.* submissão, opressão, autoridade' XIV. Do lat. *jŭgum* || **jug**ADA *sf.* 'terra que uma junta de bois pode lavrar em um dia' XIII || **jug**AD·AR XV || **jug**AD·EIRO *adj.* XIV || **jug**ADOR XV || **jug**AL XVII. Do lat. *jugālis* 'relativo ao jugo ou à canga, conjugal, matrimonial' || **jug**AR 1881 || SUBj**ug**AÇÃO 1881 || SUBj**ug**ADOR | *subigador* XVI || SUBj**ug**ANTE 1899 || SUBj**ug**AR | *sujugar* XIV, *sojugar* XIV etc. | Do lat. *subjugāre*.
jugular¹ *vb.* 'debelar, extinguir (revolta, epidemia), dominar, sufocar' XX. Do lat. *jugulāre* || **jugul**AR² *adj.* 'referente ou pertencente à garganta' 1813.
juí *sm.* 'nome tupi da rã' | *juins* pl., *juii* 1587 Do tupi *ju'i* || **juiguaraigaraí** *sm.* 'variedade de rã' | *juigoaraigarai* 1587 | Do tupi, mas de étimo indeterminado || **juijiá** *sm.* 'variedade de rã' | *juigiá* 1587 | Do tupi, mas de étimo indeterminado || **juiperega** *sf.* variedade de rã' 1587. De *juí + perega* (< PERERECA), provavelmente || **juiponga** *sf.* 'variedade de rã' 1587. Do tupi *jui'poŋa < jui + 'poŋa* 'que soa, sonante'.

juízo *sm.* 'conceito, parecer, opinião, tino, seriedade' | XIII, *juyzo* XIII, *joyzo* XIII etc. | Do lat. *jūdĭcĭum* || Aj**uiz**ADO 1813 || Aj**uiz**AR XVIII || DES·Aj**uiz**ADO 1844 || **judic**ANTE XX || **judic**ATIVO XX || **judic**ATÓRIO XVII. Do lat. *jūdicatōrĭus* || **judicatura** XVII. Do lat. med. *jūdicātūra*, de *jūdicātus*, part. pass. de *jūdicāre* 'julgar' || **judici**AL XV. Do lat. *jūdiciālis* || **judici**ÁRIO XVI. Do lat. *jūdiciārĭus* || **judici**OSO XVIII || **juiz** XIII. Do lat. *jūdex -ĭcis* 'aquele que diz o direito', de *jū(s)* 'direito' + -*dex*, de *dicĕre* 'dizer'; pela tonicidade, nota-se que terá havido alteração da quantidade da penúltima sílaba *judĭcis > judīcis* || **juíz**A *sf.* 1858 || **juiz**ADO 1858 || **juiz**AR XVII || **julg**ADO¹ *sm.* 'território de jurisdição dos juízes municipais' XIII || **julg**ADO² *adj.* 'sentenciado' XIII || **julg**ADOR XIII || **julg**AMENTO XIV || **julgar** | XIII, *iuigar* XIII, *judgar* XIII | Do lat. *judicāre*. Na forma atual *julgar*, o *l* é de difícil explicação || **jura** XIII || **jur**ADO *sm.* 'cidadão que jurou cumprir seu ofício' XV; 'cidadão que faz parte do júri' 1873. Na segunda acepção o voc. parece ser adap. do fr. *juré* || **jur**ADOR XIII || **jur**AMENT·ADO XVI || **jur**AMENT·AR XIX || **jur**AMENTO XIII. Do lat. tard. *jūrāmēntum* || **jurar** XIII. Do lat. *jurāre* || **júri** 1861. Do ingl. *jury* || **jurídico** XVI. Do lat. *juridĭcus*, de *ju(s)* + -*dicus*, de *dicĕre* 'dizer' || **jurisconsulto** XVI. Do lat. *jurisconsultus*, de *jūris*, gen. de *jus*, e *consultus* 'decreto, decisão' || **jurisdição** | *jurisdiçõ* XIV, *jurdiçõ* XIV, *juridiçõ* XIV | Do lat. *jurisdictĭo -ōnis* || **jurisdicion**AL XVIII || **juris**PERITO XVIII. Do lat. *jurispĕrītus* || **jurisprudência** XVI. Do lat. *jurisprudentĭa* || **jurisprudente** XVII. Deduzido de *jurisprudência* || **jur**ISTA XVII. Adapt. do fr. *juriste*, deriv. do lat. med. *jurista* || **juro** XIII. Adap. do lat. *jūre*, ablat. de *jus juris* || **jus** XVII. Do lat. *jūris* 'direito' || PERj**ur**AR XIII. Do lat. *perjurāre* || PERj**úrio** 1813. Do lat. *perjurĭum -ii* || PERj**uro** XIII. Do lat. *perjurus*. Cp. JUSTO.
⇨ **juízo** — Aj**uiz**AR | 1706 SRPitP 125 || DES·Aj**uiz**ADO | 1836 SC || **judicatura** | *a* 1583 FMPin III.53.*17* || **juiz**ADO | 1582 *Liv. Fort.* 34.*9* || **jur**ADO 'cidadão que faz parte do júri' | 1836 SC || **jur**AMENT·ADO | XV CESA II.6§4.*2*, LOPF 130.*21* SBER 122.*1*, *aiuramentado* 1261 SALA 35.9(L¹) || **jurisdi**ÇÃO | *iurisdiçon* XIII FLOR 66 || **jur**ISTA | *iurista* XV BENF 333.*5* |.
jujuba *sf.* 'planta da fam. das ramnáceas e o seu fruto' 'suco ou massa desse fruto' XVI. Do fr. *jujube*, deriv. do lat. med. *jujuba*, alter. do lat. cláss. *zizyphun* e, este, do gr. *zizyphon*.
julepe, julepo *sm.* 'bebida calmante, que tem por base um xarope' 1813. Do cast. *julepe*, deriv. do ár. *ğullêb* e, este, do persa *gulāb* 'água de rosas', composto de *gul* 'rosa' *āb* 'água'.
julg·ado, -ador, -amento, -ar → JUÍZO.
julho *sm.* 'sétimo mês do ano civil' | XIII, *julio* XIII, *juyllio* XIV etc. | Do lat. *julĭus*.
juliana *sf.* 'espécie de sopa de legumes e verduras' 1873. Do fr. *julienne*, da antrop. *Julien* ou *Julienne*, com evolução semântica obscura.
juliano *adj.* 'referente à reforma cronológica de Júlio César' 1813. Do lat. *julianus* 'referente a Júlio (César)'.
jumento *sm.* 'asno, burro, jegue' | *gumento* XIV | Do lat. *jūmentum* (< *jougsmentom*, da raiz de *jeug*, a mesma de *jegum* 'jugo a que se atrelam bois, cavalos') || **jument**A 1813.

junça → JUNCO².
junção → JUNTO.
junco¹ *sm.* 'nome comum a várias plantas herbáceas' XIII. Do lat. *juncus* -i || **junça** XIII. Do lat. *juncea*, fem. de *junceus* 'relativo a junco' || **juncar** XVI || **junquilho** *sm.* 'planta bulbosa e aromática da fam. das amarilidáceas' XVII. Do cast. *junquillo*.
junco² *sm.* 'pequena embarcação oriental' XVI. Provavelmente do malaio-javanês *jung*.
jungir *vb.* 'unir, atar, ligar' XVI. Do lat. *jungĕre* || CONjungir XX. Do lat. *conjungĕre* || DISjungir 1813. Do lat. *disjungĕre*.
junho *sm.* 'sexto mês do ano civil' | XIII, *juyo* XIII, *jōyo* XIII etc. | Do lat. *jūnĭus*.
júnior *adj. sm.* 'o mais moço de dois' 'designação dada ao iniciante de uma carreira, em oposição a sênior' XIV. Do lat. *junior*, comparativo *de juvĕnis*. Cp. JOVEM.
junípero *sm.* 'planta da fam. das pináceas. zimbro' XVIII. Do lat. *junípĕrŭs*. Cp. GENEBRA, GIM¹, ZIMBRO.
⇨ **junípero** | XV PEST 196 |.
junquilho → JUNCO¹
junto *adj.* 'unido, pegado, próximo, chegado, anexo' XIV. Do lat. *junctus*, part. pass. de *jungĕre* 'jungir, juntar' || AjuntAMENTO XIII || AjuntAR XIII || CONjunção | *-çam* XVI | Do lat. *conjunctio -ōnis* || CONjuntIVA | *-ctiva* 1873 | Do fr. *conjonctive* || CONjuntIV·ITE | *-ct-* 1873 | Do fr. *conjonctivite* || CONjuntIVO | *-ctivo* 1813 | Do lat. *conjunetĭvus* 'que serve para ligar' || CONjuntO¹ *adj.* XV. Do lat. *conjunctus*, part. pass. de *conjungĕre* || CONjuntO² *sm.* XV. Do lat. *conjunctus -us* || CONjuntURA XIII. Do fr. *conjoncture* || conjuntUR·AL XX. Do fr. *conjoncturel* || DES·CONjuntADO 1813 || DES·CONjuntAR XVI || DISjunção | *-cção* 1873 | Do lat. *disjunctĭo -ōnis* || DISjuntIVO XVII || DISjunto | *-cto* 1873 || junção XVI. Do lat. *junctĭo -ōnis* || juntA *sf.* 'reunião' | *iūta* XIV |; 'articulação' XVI || juntADOR | *iūtador* XIII || juntAMENTO XIII || juntANÇA XIII || juntAR XIII || juntEIRA XV || juntURA XVI. Do lat. *junctūra*.
⇨ **junto** — CONjuntIVA | *conjunctiva* 1836 SC || DES·CONjuntADO | 1573 NDias 159.6 | conjuntIVO | 1576 DNLeo 28v10 | DES·CONjuntAMENTO | 1660 FMMeIE 247.*10* || DISjunção | *disjuncção* 1836 SC || DISjunto | *disjuncto* 1582 *Liv. Fort.* 49v2 || juntURA | XV CESA III.14§37.*3, jumtura* XV FRAD I.251.*9* |.
jupará *sm.* 'mamífero carnívoro da fam. dos procionídeos, macaco-da-meia-noite' 1587. Do tupi *įupa'ra*.
jupati¹ *sm.* 'mamífero marsupial da fam. dos didelfídeos' 1587. Do tupi **įupa'ti* || **jupati**² *sm.* 'palmeira da subfam. das lepidocarináceas' 1654. Do tupi **įupa'ti*.
jupiá *sm.* 'redemoinho, voragem' | 1734, *jopia* 1751 | Do tupi, mas de étimo indeterminado.
juquiraí *sm.* 'espécie de tempero' 1587. Do tupi *įukïra'i* < *įu'kïra* 'sal' + *'i* 'pequeno'.
juquiri *sm.* 'planta da fam. das leguminosas. subfam. das mimosáceas' | *jucuri* 1587 | Do tupi *įukï'ri*.
jur·a, -ado, -ador, -amentado, -amentar, -amento, -ar → JUÍZO.
jurará *sm.* 'espécie de tartaruga' 1624. Do tupi *įura'ra* || **jurara**PEBA | *yurarapeua c* 1631 | Do tupi *įurara'peųa* < *įura'ra* + *'peųa* 'chato'.
jurássico *adj. sm.* '(Geol.) diz-se do, ou segundo período da era mesozoica que se caracteriza pelo depósito, particularmente no Jura, de espessas camadas calcárias' XIX. Do fr. *jurassique*, termo proposto por A. Brongniart (1829), que o derivou do top. *Jura* 'sistema de montanhas e região no sudeste da França'.
jurema *sf.* 'planta da fam. das leguminosas' | *jerema* 1782, *gerêmma* 1817 etc. | Do tupi, mas de étimo indeterminado.
júr·i, -ídico, -isconsulto, -isdição, -isdicional, -isperito, -isprudência, -isprudente, -ista → JUÍZO.
juriti *sf.* 'ave columbiforme da fam. dos peristerídeos, rola' | *juruti* 1587, *yoroti c* 1631 etc. | Do tupi *įuru'ti*.
juro → JUÍZO.
jurubeba *sf.* 'planta da fam. das solanáceas' 1627. Do tupi *įuru'ųeųa* || **jurubeb**AL | *jerobebal* 1881.
jurucuá *sf.* 'nome tupi da tartaruga' | *girucoá* 1587 | Do tupi *įuruku'ųa*.
jurujuba *sf.* 'planta da fam. das verbenáceas' 1899. Do tupi **aįuru'įuųa*.
jurupari *sm.* 'um dos nomes do diabo entre os índios do Brasil' | *-rym* 1618, *-ry* 1663 etc. | Do tupi *įurupa'ri*.
jurupoca *sf.* 'peixe da fam. dos silurídeos' 1783. Do tupi **įuru'poka*.
jururu *adj.* 'melancólico, tristonho' 1872. Do tupi, mas de étimo indeterminado.
juruva *sm.* 'ave da fam. dos momotídeos' | *giruba* 1618, *jiriva* 1783 | Do tupi *ïi'rïųa*.
jus → JUÍZO.
jusante *sf.* 'baixa-mar, direção em que correm as águas de uma corrente fluvial' XVI. Do fr. *jusant*.
⇨ **jusante** | XV LOPF 44.*19* |.
justa- *elem. comp.*, do lat. *juxtã* 'perto de, ao lado de', que se documenta em alguns vocs. port. eruditos introduzidos a partir do séc. XIX ▶ justaFLUVIAL XX || justaLINEAR XX || justaPOR XX || justaPOSIÇÃO | *juxta-* 1813 || justaPOSTO XX.
justar *vb.* 'combater, competir, esgrimar' XIV. Provavelmente do cast. *justar*, deriv. do cat. *justar* e, este, do lat. **juxtare*, de *juxta* 'junto a, ao lado de' || **justa** *sf.* 'combate entre dois contendores armados de lança, luta' 'fig. luta questão' XIV.
⇨ **justar** — justADOR | XV CAVA 80.*2* |.
justo *adj. sm.* 'conforme à equidade, à razão, reto, apertado, homem virtuoso' XIII. Do lat. *justus* || AjustADO 1813 || AjustAMENTO 1813 || AjustAR 1813 || AjustÁVEL XX || Ajuste 1813. Deriv. regress. de *ajustar* | DES·AjustADO 1899 || DES·AjustAMENTO XX || DES·AjustAR 1858 || INjustIÇA 1549 || INjustIFIC·ÁVEL 1881|| INjusto | *enjusto* XV || justEZA XVII. Do lat. *justítĭa* || justiça XIII. Do lat. *jŭstítĭa* || justIÇADO 1813 || justIÇAR 1813 || justICEIRO XIII || justIFIC·AÇÃO | *-çom* XV | Do lat. *justificātĭo -ōnis* || justIFIC·ANTE 1813 || justIFIC·AR XV. Do lat. *justificāre* || justIFIC·ÁVEL 1844 || justILHO *sm.* 'espécie de colete muito justo, corpete' XVII. Do cast. *justillo*. Cp. JUÍZO.
⇨ **justo** — DES·AjustADO | 1836 SC || DES·AjustAR | 1836 SC || justIÇADO | XIV ORTO 209.*29* || justIÇAR | XV BENF 207.*25*, CESA II.21§24.3 etc. || justIÇOSO | XV BENF 73.*23*, CONT 165.7, LEAL 298.*19* etc. || justIFIC·ÁVEL | 1836 SC |.
juta *sf.* 'planta da fam. das tiliáceas, a fibra que se extrai dessa planta' 1881. Do ing. *jute*, deriv. do bengali *įhuṭo* e, este, do sânscr. *jūṭa*, var. de *jaṭã*, 'fita de cabelo'.
juven·ais, -escer, -il, -ilidade, -tude → JOVEM.

K

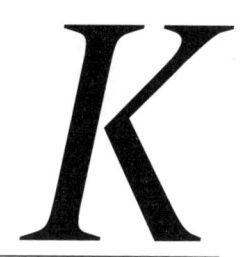

kafkiano *adj. sm.* 'relativo ou pertencente a Kafka' 'grande admirador e/ou profundo conhecedor de sua obra' xx. Do antr. Franz *Kajka* (1883-1924), escritor de língua alemã nascido na Tchecoslováquia (hoje dividida em República Tcheca e República Eslovaca).

kantiano *adj. sm.* 'relativo a Kant e às suas doutrinas filosóficas' 'adepto dessas doutrinas' xx. Do antr. Immanuel *Kant* (1724-1804), filósofo alemão || **kant**ISMO *sm.* 'doutrina de Kant e de seus discípulos' 1873 || **kant**ISTA *adj. s2g.* 'kantiano' 1873.

kardecismo *sm.* 'doutrina religiosa de Allan Kardec' xx. Do antr. Allan *Kardec*, pseudônimo de Hippolyte Léon Denizard Rivail (1804-1869), escritor francês, codificador do espiritismo || **kardec**ISTA xx.

kepleriano *adj. sm.* 'pertencente ou relativo a Kepler, ou próprio dele' 'profundo conhecedor da obra de Kepler' xx. Do antr. Johann *Kepler* (1571-1630), astrônomo alemão.

keynesiano *adj. sm.* 'pertencente ou relativo a Keynes ou próprio dele' 'que é seguidor ou admirador de suas ideias sobre economia' xx. Do antr. John' Maynard, primeiro barão *Keynes* (1883-1946), economista britânico.

keyserlinguiano *adj. sm.* 'pertencente ou relativo a Keyserling, ou próprio dele' 'que é seguidor ou admirador de seu pensamento filosófico' xx. Do antr. Hermann Alexander, conde *Keyserling* (1880-1946), filósofo e escritor alemão.

kierkegaardiano *adj. sm.* 'relativo ou pertencente a Kierkegaard, ou à sua doutrina' 'diz-se de, ou quem é adepto de sua doutrina' xx. Do antr. Sören Aabye *Kierkegaard* (1813-1855), filósofo e teólogo dinamarquês.

kneippismo *sm.* 'sistema terapêutico de Kneipp' xx. Do antr. Sebastian *Kneipp* (1821-1897), médico alemão || **kneipp**ISTA xx.

L

lá[1] → DÓ[2].
lá[2] *adv.* 'naquele lugar, ali' | XIII, *ala* XIII | Do lat. *ad īllac*, através do arc. *alá*. No port. med. ocorre, ainda, na mesma acepção, *alo* (< lat. *ĭllōc*), também no séc. XIII.
lã *sf.* 'pelo que cobre o corpo de certos animais' 'fazenda tecida com esse pelo' 'lanugem de certas plantas' | XVI, *lãa* XIII | Do lat. *lāna* || **laní**·FERO XVII. Do lat. *lanĭfer -ĕri* || **lan**I·FÍC·IO 1844. Do lat. *lanifĭcĭum* || **laní**·GERO XVI. Do lat. *lanĭger -ĕri* || **lan**OS·IDADE 1881. Do lat. *lānōsĭtas -ātis* || **lan**OSO XVII. Do lat. *lānōsus* || **lan**UDO XVII || **lan**UGEM XIV. Do lat. *lānūgō -ĭnis* || **lan**UGIN·OSO 1858. Do lat. *lānūgĭnōsus*.
⇨ **lã** — **lan**I·FÍC·IO | 1836 SC |.
labaça *sf.* 'planta da fam. das poligonáceas' 1813. Do lat. **lapăthĭa*, por *lapathĭum* ou *lapāthus* e, este, do gr. *lápathon*.
labareda *sf.* 'grande chama, língua de fogo' XVI. De etimologia obscura.
⇨ **labareda** | XV LOPJ II.36.29 |.
labaro *sm.* 'estandarte do exército romano, pendão, bandeira' 1813. Do lat. *labărum -i*, deriv. do gr. *labarón*.
labelo → LÁBIO.
labéu *sm.* 'nota infamante, mancha na reputação, desdouro, desonra' | *labeco* XV | De origem obscura.
lábi·a, -ada, -al → LÁBIO.
lábil *adj. 2g.* 'que escorrega facilmente, fraco, transitório' '(Geol.) diz-se de terreno ou rocha instável' 1881. Do lat. *labĭlis*, de *lābī* 'escorregar'. Cp. LAPSO.
lábio *sm.* 'parte exterior e vermelha do contorno da boca' '*ext.* parte do, ou objeto semelhante ao lábio, beiço' XVI. Do lat. *labĭum -ĭi* || **labelo** 1873. Do lat. *labellum*, dimin. de *labĭum* || **label**OSO XX || **lábia** XVII || **labi**ADO 1858 || **labi**AL XVII.
labirinto *sm.* 'jardim ou palácio de feitio tão complicado que é difícil encontrar a saída' '*fig.* coisa complicada, confusa' '(Anat.) o conjunto das cavidades flexuosas existentes entre o tímpano e o canal auditivo interno' | *laby-* XVI, *labyrintho* XVI, *laberinto* XVI etc. | Do lat. *labyrinthus*, deriv. do gr. *labýrinthos*, com referência ao palácio do Minotauro || **labirínt**ICO | *labyrinthyco* 1873 | Do lat. *labyrinthĭcus*, deriv. do gr. *labyrinthikós*.
⇨ **labirinto** | *laberinto* XV ZURG 21.*13* |.
labor, lavor *sm.* 'trabalho, faina' | *lauor* XIII, *labor* XVI | Do lat. *labor -ōris* 'dor, fadiga experimen-

tada na realização de um trabalho' || **labor**AÇÃO XVIII || **laborar, lavorar** | *laborar* XVI, *lauorar* XIII | Do lat. *laborāre* || **labor**ATÓRIO XVIII. Adapt. do fr. *laboratoire*, deriv. do lat. cient. *laboratōrĭum* || **labor**ATOR·ISTA XX || **laborioso** XVII. Do lat. *laboriōsus* || **labor**ISTA *adj. s2g.* 'relativo ao partido trabalhista inglês, membro desse partido' XX. Adapt. do ing. *labourist* || **labrego** *adj. sm.* 'rústico, aldeão' 1813. Do cast. *labriego* || **labuta** 1881. Deverbal de *labutar* || **labutar** | *lavutar* XVI | O termo, que parece de criação vernácula, talvez se tenha originado do cruzamento de *lab(or)* com *(l)utar*, dada a sua acepção 'trabalhar penosamente e com perseverança' || **lavoura** | *lauoira* XIII, *laboira* XIII | Do lat. **laborĭa*, de *labor* || **lavra** XIV || **lavradio** XIV. Do lat. **laboratīvus* || **lavr**ADO XIII || **lavr**ADOR XIII. Do lat. *laborator -ōris* || **lavr**ADURA XIII || **lavr**AGEM 1873 || **lavr**AMENTO XV || **lavr**ANÇA XVI || **lavrar** XIII. Forma divergente de *laborar* e *lavorar*, do lat. *laborāre*.
labro *sm.* '(Zool.) lábio superior que entra na formação das peças bucais dos insetos' 'lábio superior dos mamíferos' 1858. Do lat. *labrum -i*.
labrusca *sf.* 'videira silvestre, uva dessa videira' 1858. Do lat. *labrūsca*.
laburno *sm.* 'planta da fam. das leguminosas' 1858. Do lat. (*cityssus*) *laburnum*.
labut·a, -ar → LABOR.
laca, lacre *sf.* e *m.* 'substância resinosa, de procedência indiana, com várias aplicações' | *alacar* XV, *lacra* XV, *laca* XVI, *lacre* XVI etc. | Do ár. *lakk*, deriv. do persa *lāk* e, este, do sânscr. *lākṣā* || DES**lacr**AR 1778 || **lacr**AR 1778 || **laqu**EAR[3] *vb.* 'cobrir com laca' XX.
laç·ada, -ador → LAÇO.
lacaio *sm.* 'criado de libré para acompanhar o amo em passeio ou jornada' '*fig.* homem sem dignidade, sabujo, desprezível' | XVI, *allacayo* XIV | Do cast. *lacayo*, de origem controversa.
laç·ar, -aria, -arote → LAÇO.
lacerar *vb.* 'rasgar em pedaços, afligir, angustiar' | *lazerar* XIII, *lazeyrar* XIV | Do lat. *lacerāre* || DI**lacer**AÇÃO 1813. Do lat. *dilacerātio -ōnis* || DI**lacer**AR XVI. Do lat. *dilacerāre* || **lacer**ÁVEL | *illa-* 1813 | Do lat. *illacerabĭlis* || **laz**EIRA *sf.* 'miséria' | *-eyra* XIII | Do lat. vulg. **lacerĭa*, de *lacerāre* || **laz**EIR·ENTO 1813. Cp. LÁZARO.
lacínia *sf.* 'franjado das folhas' 1858. Do lat. *lacinĭa* 'franja, floco de lã' || **lacini**ADO 1858.

laço *sm.* 'nó que se desata facilmente, armadilha de caça' XIII. Do lat. vulg. **lacĕus*, por *laquéus* ‖ DES·ENlaçAR XIV ‖ DES·ENlace 1844 ‖ DESlaç·AR XIV ‖ ENlaçAR XIV ‖ ENlace 1813 ‖ ENTRElaçADO 1844 ‖ ENTRElaçAMENTO 1844 ‖ ENTRElaçAR 1844 ‖ laçADA XVI ‖ laçA DOR XX ‖ laçAR XIV ‖ laçARIA XVII ‖ laçAR·OTE 1890.
⇨ **laço** — DES·ENlace | 1836 SC ‖ ENTRElaçADO | 1836 SC ‖ ENTRElaçAMENTO | 1836 SC ‖ ENTRElaçAR | 1836 SC |.
lacônico *adj.* 'conciso, breve, resumido' XVI. Do lat. *laconĭcus*, deriv. do gr. *lakōnikós* ‖ laconISMO 1844. Talvez do fr. *laconisme* e, este, do gr. *lakōnismós* 'à maneira dos lacedemônios'.
⇨ **lacônico** — laconISMO | 1836 SC |.
lacrar → LACA.
lacrau *sm.* 'escorpião' | *alacrá* XIII, *alacrã* XVI, *alacrae* XIV, *alacram* XVI, *alacral* XVI, *alacraia* XVI | Do ár. *al-' aqrab* ‖ **alacran**ADO XX ‖ **lacraia** XX.
lacre → LACA.
lacrim·ação, -al, -ante, -atório, -ável, -ejante, -ejar, -ogêneo, -oso, -otomia → LÁGRIMA.
lact·ação, -ante, -ar, -ário, -ase, -ato, -ente, -eo, -escente, -icemia, -icínio, -icolor, -ífago, -ífero, -ífugo, -ígeno, -odensímetro, -ômetro, -ose, -osúria → LEITE.
lac·una, -unário, -unoso, -ustre → LAGO.
lada → LADO.
lad·ainha, -airo → LITANIA.
ládano *sm.* 'goma-resina extraída principalmente do xisto de Creta' 1858. Do lat. *lādanum, lēdanum*, deriv. do gr. *lēdanon* ‖ **ladan**I·FERO 1873.
lad·ear, -eira → LADO.
ladino → LATIM.
lado *sm.* 'parte direita ou esquerda de qualquer pessoa, animal ou coisa' 'face, superfície de um corpo' XIII. Do lat. *latus -ĕris* ‖ COlateral | XVI, *collateraaes* pl. XV ‖ **lada** *sf.* 'faixa navegável de rio' XIV ‖ ladEAR XV ‖ ladEIRA XV ‖ ladEIRO *adj.* XIV ‖ lateral 1813. Do lat. *laterālis*.
ladra → LADRÃO.
ladr·ado, -ador, -ante → LADRAR.
ladrão *sm.* 'aquele que furta ou rouba' | XVI, *ladron* XIII, *ladrom* XIII etc. | Do lat. *latro -ōnis* ‖ ladrA *sf.* XVI ‖ **ladro**[2] XVI ‖ ladroA XIII ‖ ladroAGEM 1899 ‖ ladroEIRA XVI ‖ ladroÍCE XV ‖ latrocinAR 1899. Do lat. **latrocināre*, por *latrocināri* ‖ **latrocínio** XVI. Do lat. *latrocinĭum*.
ladrar *vb.* 'latir, gritar à toa, esganiçar-se' XIII. Do lat. *latrāre* ‖ ladrADO XVI ‖ ladrADOR XIII ‖ ladrANTE XVI ‖ ladrIDO XIV ‖ **ladro**[3] XVI.
ladriço *sm.* 'corda que prende o pé do cavalo ao travão' 1813. De origem controversa.
ladrido → LADRAR.
ladrilho *sm.* 'peça quadrada ou retangular, de barro cozido, que serve, em geral, para pavimentos' | *-drillos* XIV | Do cast. *ladrillo*, dimin. de **ladre* e, este, de *later -ĕris* ‖ **ladri- lh**AR 1813 ‖ **ladrilh**EIRO 1844.
⇨ **ladrilho** — **ladrilh**EIRO | 1836 SC |.
ladro[1] *adj.* 'diz-se de piolho' 1813. De origem obscura.
ladro[2] → LADRÃO.
ladro[3] → LADRAR.
ladr·oagem, -oeira, -oíce → LADRÃO.

lag·amar, -ar → LAGO.
lagarto *sm.* 'nome comum a diversos lacertílios, especialmente os da fam. dos teídeos' XVI. Do lat. **lacartus*, por *lacertus* ‖ **lagart**A *sf.* 'a larva dos lepidópteros' 1813. Do lat. **lacarta*; a larva teria sido comparada ao lagarto ‖ **lagart**EAR XX ‖ **lagart**EIRO XVI ‖ **lagartixa** XVI. Do cast. *lagartija*, de *lagarto*.
⇨ **lagarto** | XV ZURD 194.*25* ‖ **lagarta** | XIV GREG 1.21.*3, laguarta* XV PAUL 39.*6* |.
lagena *sf.* 'vaso de barro com asa' 'antigo vaso semelhante a uma garrafa' 1899. Do lat. *lagēna* 'bilha de barro, muito bojuda'.
lago *sm.* 'porção de água circundada por terras' XIII. Do lat. *lăcus*, AlagAD·IÇO XVI ‖ AlagAMENTO XV ‖ AlagAR XIV ‖ **lacuna** *sf.* 'vazio, vão' 1858. Do lat. *lacūna*, de *lăcūs* ‖ **lacun**ÁRIO 1890 ‖ **lacun**OSO 1858. Do lat. *lacūnōsus* ‖ **lacustre** 1858. Do fr. *lacustre*, deriv. de *lac* 'lago', pelo modelo de *palustre* ‖ **lagaMAR** *sm.* 'cova no fundo do mar' XVI ‖ **lagar** XIII. Do lat. **lacale*, de *lăcŭs* ‖ **lagar**EIRO XIV ‖ **lagoa** XIII. Do lat. *lacūna*, de *lăcŭs* ‖ **laguna** 1858. Divergente de *lagoa* e *lacuna*, do lat. *lacūna*, de *lăcŭs*.
⇨ **lago** — **laguna** | 1571 FOLF 106.*24* |.
lago- *elem. comp.*, do gr. *lagós* 'lebre', que se documenta em vocábulos eruditos, alguns formados no próprio grego como *lagoftalmo*, e diversos outros introduzidos, a partir do séc. XIX, nas línguas modernas ⧫ lagoCÉFALO | *-phalo* 1873 ‖ lagOFTALMO | *-phtalmo* 1813 | Do lat. cient. *lagophthalmus*, deriv. do gr. *lagōphthalmos* ‖ **lagó**PODE | *-pede* 1858 ‖ lagoQUIL·IA XX ‖ lagoSTOM·IA XX.
lagosta *sf.* 'gafanhoto' XV; 'crustáceo macruro' XVI. Do lat. lus. *lagusta*, por *lōcusta* 'gafanhoto, lagosta'. No port. med. ocorre, também, a forma *locusta*, no séc. XV.
lagostomia → LAGO-.
lágrima *sf.* 'gota do humor segregado pelas glândulas do olho' XIII. Do lat. *lacrĭma* ‖ IlacrimÁVEL | *illa-* 1873 | Do lat. *illacrimabĭlis* ‖ **lacrim**AÇÃO 1873. Do lat. *lacrimātĭo -ōnis* ‖ **lacrim**AL XVI. Do lat. *lacrimālis* ‖ **lacrim**ANTE 1844. Do lat. *lacrĭmans -antis*, part. pres. de *lacrimāre* ‖ **lacrim**ATÓRIO 1858 ‖ **lacrim**ÁVEL 1858. Do lat. *lacrimabĭlis* ‖ **lacrimEJ·ANTE** XX ‖ **lacrim**EJAR | **lacrim**O·GÊ·NEO XX. Do fr. *lacrymogène* ‖ **lacrim**OSO | *lachrymoso* XVI ‖ *lacrimōsus* ‖ **lacrim·TOM·IA** XX.
⇨ **lágrima** — IlacrimÁVEL | *illacrymavel* 1836 SC ‖ **lacrim**AL | **lagremaaes** pl. XV INFA 83.*12* ‖ **lacrim**OSO | *lacrimoso* XV FRAD 1.*28.29, lagrimoso* Id. II.212.*7, lagrimosso* Id. I.55.*21* etc. |.
laguna → LAGO.
laia *sf.* 'qualidade, jaez, casta, feitio' | *laya* XVI | De origem obscura.
laic·al, -ismo, -izar, -o → LEIGO.
lais *sm.* '(Náut.) a ponta da verga' | *lays* XVI | De origem obscura.
laivo *sm.* 'mancha, nódoa, pinta, sinal' XVI. De origem obscura.
laje *sf.* 'pedra de superfície plana, lousa' | *lagea* XIII, *lagem* XVI | De origem controversa ‖ **laj**EAR | *-gear* 1813 ‖ **laj**OTA XX.
lalo- *elem. comp.*, do gr. *lálos* 'loquaz, falante', que se documenta em alguns vocábulos científicos,

particularmente no domínio da medicina ▶ laloMA-NIA XX || laloPLEG·IA XX.
lama[1] *sf.* 'mistura de argila e água, lodo' XIII. Do lat. *lama* || DES·ENlamE·ADO 1899 || DES·ENlamEAR 1858 || ENlamE·ADO 1813 || ENlamEAR XVI || lamAÇ·AL XVI || lamAC·EIRA 1899 || lamAC·ENTO 1813 || lamEIRO XVI || lamOJA *sf.* 'polme grosso de água e barro para a limpeza das nódoas' 1858. A terminação *-oja* talvez seja uma alteração do suf. *-osa* || lamoSO 1899.
lama[2] *sm.* 'sacerdote budista entre os mongóis e tibetanos' | XVII, *lambà* XVII etc. | Do tibetano *blama* (o *b-* é mudo nesse idioma).
⇨ lama — ENlamE·ADO | *enlammeado c* 1644 *Aned.* 158.*2* || lamEIR·ÃO | *lamorões* pl. *c* 1634 MNor 41.*24* | lamEIRO | *lameyro* XV ZURD 57.*14* |.
lam·açal, -aceira, -acento → LAMA[1].
lamb·ança, -ão → LAMBER.
lambari *sm.* 'nome de diversos peixes da fam. dos caracídeos' | *-re* 1749 | Do tupi *araye'ri* (> *araberi* > **aramberi* > **arambari* > **alambari* > *lambari*).
lambda *sm.* 'undécima letra do alfabeto grego' 1873. Do lat. *lambda*, deriv. do gr. *lámbda* e, este, do fenício || **lambdacismo** XVI. Do lat. *lambdacismus*, deriv. do gr. *lambdakismós* || **lambdOI-DE** 1813. Do lat. cient. *lambdoides*, deriv. do gr. *lambdoeidḗs*.
⇨ lambda | 1576 DNLeo 10*v* 12 |.
lambedor → LAMBER.
lambel *sm.* 'panos listrados com que se cobriam os bancos' | *lambes* pl. XV | Do ár. *alḥanbal*.
lamber *vb.* 'passar a língua sobre' XIV. Do lat. *lambĕre* || lambANÇA 1899 || lambÃO 1881 || lambEDOR 1813 || lambIDA 1813 || lambID·ELA | *-bedela* 1881 || lambISCAR XVII || **lambisgoia** 1890. Palavra express., com base em *lamber* || lambUGEM | *lãbugem* XVI || **lambuzar** 1813.
lambrequim *sm.* 'ornato que pende do elmo sobre o escudo' 'ornato com recortes de madeira ou lâmina metálica para beiras de telhados, cortinas etc.' 1858. Do fr. *lambrequin* e, este, talvez do med. neerl. *lamperkijn*, dimin. de *lamper* 'véu, crepe, ornamento'.
lambri(s) *sm. (pl.)* 'revestimento de madeira, mármore etc. aplicado até certa altura das paredes internas da peça de um edifício' 1899. Do fr. *lambris*.
lamb·ugem, -uzar → LAMBER.
lameiro → LAMA[1].
lamentar *vb.* 'lastimar, deplorar, chorar' XVI. Do lat. *lamentāre* || lamentAÇÃO XVI. Do lat. *lamentātio -ōnis* || lamentADOR 1813 || lamentÁVEL XVI. Do lat. *lamentabĭlis* || lamentO XVI. Do lat. *lamentum -i* || lamentOSO 1813.
⇨ lamentar | XIV BARL 32*v*17 || lamentAÇÃO | XIV BARL 33*v*21 |.
lâmia *sf.* 'espécie de monstro ou demônio fabuloso dos antigos que, segundo a crendice popular, aparecia sob a forma feminina para sugar o sangue das crianças' XIV. Do lat. *lamĭa* 'vampiro, papão', deriv. do gr. *lámia*.
lâmina *sf.* 'chapa delgada de metal ou de outro material' 'instrumento cortante' | XVI, *lamea* XIV | Do lat. *lamĭna* || laminAÇÃO 1890 || laminAR 1858 || laminOSO 1873.
⇨ lâmina — laminAR | 1836 SC |.

lam·oja, -oso → LAMA[1].
lâmpada *sf.* 'aparelho de iluminação' | XIII, *lampaa* XIV | Do lat. *lampăda -ae*, de *lampas -ădis* e, este, do gr. *lampás -ádos* 'archote' || lampadÁRIO | 1813, *-eiro* XVII | Do lat. *lampadārius*, deriv. do gr. biz. *lampadários* || **lamparina** 1858. Do cast. *lamparilla* || lampEJAR XVI || lampEJO 1873 || **lampião** | *-peão* 1813 | Do it. *lampione*, de *lampa* e, este, de *lampada* || lampÍRIDE *sf.* 'pirilampo' XX. Do lat. cient. *lampyris -ĭdis*, deriv. do gr. *lampyrís -ídos* || **lampo**[2] *sm.* 'relâmpago' XVII || RElampadEJAR XVI || RElâmpago | *rrelampago* XIV, *relanpo* XIV, *lampado* XIV, *relampado* XV | Do ant. e pop. *lâmpado*, com o prefixo *re-*, que indica a ideia de repetição do brilho; todavia, é de difícil explicação a troca do *-d-* pelo *-g-* || RElampaguEAR XVI || RElampEJAR 1813. De LAMPO[2].
⇨ lâmpada — lampadÁRIO | *alampadairo* 1614 SGonç 1.448.*28* || lampião | *lampeoens* pl.1704 *Inv.* 46 || lampo[2] || *alampo* XIII CSM 311.*26* |.
lampeiro → LAMPO[1].
lamp·ejar, -ejo, -ião → LÂMPADA.
lampinho *adj.* 'imberbe' XVII. De origem incerta.
lampíride → LÂMPADA.
lampo[1] *adj.* 'temporão (diz-se de uma casta de figos brancos)' 1813. De origem obscura || lampEIRO 1813.
lampo[2] → LÂMPADA.
lampreia *sf.* 'peixe ciclóstomo' | *lamprea* XV, *lã-* XV | Do lat. tard. *lampraeda*.
lamúria *sf.* 'lamentação, choradeira, queixa' 1813. Do lat. *lemurĭa -orum* 'dia dos finados, que se celebrava a 9 de maio, isto é, no quinto dia antes dos idos de maio', de *lemŭres* 'almas do outro mundo' || lamuriANTE 1881 || lamuriAR 1881.
lança *sf.* 'arma ofensiva' XIII. Do lat. *lancĕa* || lançaDA XIII || lançAD·EIRA XVI || lançAMENTO XV || lançANTE 1844 || lançAR | XIII, *alançar* XIII || **lance** XVII. Deriv. regr. de *lançar* || lancEAR XVI || lancEIRO | *-çey-* XIII || **lanceolado** 1858. Do lat. cient. *lanceolātus*, de *lanceŏlus*, dimin. de *lancĕa* || lancETA XIV. Do fr. *lancette* || lancET·AR 1813 || **lanço** XIV || RElançAR XVIII || RElance 1813.
⇨ lança — AlancE·ADO | 1614 SGonç II.34.*10* || lançADOR | *lanssador* 1634 MNor 52.*16* || lançANTE | 1836 SC |.
lançarote *sm.* 'indivíduo que auxilia o cavalo no ato de padreação' XVII. De origem controversa.
lanc·e, -ear, -eiro, -eolado, -eta, -etar → LANÇA.
lancha *sf.* 'orig.* embarcação pequena e rápida' | XVI, *lanchara* XVI | Do malaio *lančaran* 'rápido, ágil'. A var. port. *lanchara* é bastante frequente em autores port. do séc. XVI.
lanche *sm.* 'pequena refeição entre o almoço e o jantar' XIX. Adapt. do ing. *lunch*, abrev. de *luncheon* || **lanchAR** XX || **lanchonete** XX. Adapt. do ing. *luncheonette*.
lancil *sm.* 'laje de cantaria comprida e delgada para pavimentação' 1813. De origem obscura.
lancinar *vb.* 'picar, golpear, atormentar, pungir' XVIII | Do lat. *lancināre* || lancinANTE 1881. Do lat. *lancĭnans -antis*, part. pres. de *lancināre*.
lanço → LANÇA.
landau, landô *sm.* 'carruagem de quatro rodas, com dupla capota que se ergue e abaixa' 1881. Prova-

velmente do fr. *landau*, deriv. do top. al. *Landau*, onde foram fabricadas as primeiras carruagens daquele gênero.
lande *sf.* 'bolota, glande' || **ll**ande XV | Do lat. *glans -ndis*. Cp. GLANDE.
landgrave *sm.* '(Hist.) título ou dignidade de alguns príncipes alemães' XVI. Do al. *Landgrave* 'conde (*Grave*) da terra (*Land*)' || **landgravina** *sf.* 'mulher de landgrave' XX. Do fr. *landgravine*, deriv. do al. *Landgräfin*.
landô → LANDAU.
languir *vb.* 'enfraquecer, perder as forças, adoecer, definhar' XVIII. Do lat. *languēre*, com mudança de conjugação; em latim o voc. é relacionável com *laxus* 'enfraquecido' || Elangu**ESC·ENTE** 1899. Do lat. *elanguescens -entis*, part. pres. de *elanguescĕre* || Elangu**ESCER** 1881. Do lat. *elanguescĕre* || **langor** | *-guor* 1858 | Do lat. *languor -ōris* || **langoroso** 1881 || **langue** XVIII. Deriv. regr. de *languir* || **languENTE** 1899. Do lat. *languens -entis*, part. pres. de *languēre* || **languESC·ENTE** XX. Do lat. *languescens -entis*, part. pres. de *languescĕre* || **languESCER** 1890. Do lat. *languescĕre* || **languidEZ** XVIII || **lânguido** XVIII. Do lat. *languĭdus* || **languINH·ENTO** XVII || **languINH·OSO** XVI.
⇨ **languir** — **langor** | XV LEAL 99.*24* |.
lanhar *vb.* 'dar golpes em, ferir, maltratar, magoar' 1858. Do lat. *laniāre* 'rasgar, despedaçar' || **lanho** 1858. Deriv. regres. de *lanhar*.
⇨ **lanhar** | 1836 SC |.
lan·ífero, -ifício, -ígero, -osidade, -oso → LÃ.
lansquenê, lansquenete *sm.* '(Hist.) soldado de infantaria alemão que servia na França nos sécs. XV e XVI como mercenário' 'jogo de cartas introduzido na França e difundido pela Europa Ocidental por esses soldados' | *lanzquineque* XVI | Do fr. *lansquenet*, deriv. do al. *Landsknecht* 'servidor (*knecht*) da terra (*Lands*)'; a var. ant. *lanzquineque* é de imediata procedência alemã.
lantânio *sm.* 'elemento do grupo do escândio, metálico, branco, de número atômico 57' XX. Do lat. cient. *lanthanium*, formado com base no gr. *lanthánein* 'estar escondido'; o elemento, que foi isolado por Mosander em 1839, recebeu esse nome em razão da dificuldade de isolá-lo e de sua raridade.
lantejoula → LENTE².
lanterna *sf.* 'utensílio feito de matéria transparente, em cujo interior se coloca um foco de luz' XIII. Do lat. *lanterna*, deriv. do gr. *lamptēr -ēras* || **lanternAGEM** *sf.* 'operação de desamolgar carrocerias ou partes de carrocerias de automóveis' 'a oficina onde se fazem esses serviços' XX. De *lanterna*, possivelmente por referência aos faroletes dos automóveis, também chamados *lanternas*, e que comumente são peças que se submetem com os choques do veículo contra outro ou contra muros, postes etc. || **lanternEIRO** 1813 || **lanternIM** XIX. Do it. *lanternino*.
lan·udo, -ugem, -uginoso → LÃ.
lapa *sf.* 'grande pedra ou laje que forma um abrigo natural' XIV; 'molusco gastrópode da fam. dos patelídeos' XVII. Do lat. lus. *lapa*, deriv. do pré-céltico *lappa* 'pedra'. Possivelmente a segunda acepção provenha do fato de os referidos moluscos se agarrarem tenazmente às pedras || Alap**AR** 1881 || Alap**ARD·AR** *vb.* 'agachar-se' XVIII || **lapINHA** 1844 || sol**apa** 1500 || sol**apAMENTO** XVIII || sol**apAR** XVI.
⇨ **lapa** — **lapINHA** | 1836 SC |.
lapão *adj. sm.* 'relativo à, ou próprio da Lapônia, região do extremo norte da Europa' 'natural ou habitante da Lapônia' 'idioma da fam. uralo-altaica, aparentado com o finlandês, o estoniano e o careliano' XVII. Do lat. med. *Lapo -ōnis*, deriv. do sueco *Lapp*. Diretamente do sueco *Lapp* provém o a. port. *lappy*, documentado no trecho adiante transcrito de uma carta enviada ao rei D. Manuel, em 1500, por um certo Dr. Martim Lopes, viajante português que visitou várias regiões da Europa setentrional nos últimos anos do séc. XV: "[...] e sseguindo contra ho norte em muytos dias cheguey a grandissimos arvoredos os quaaes Tollomeu e outros cosmographos dizem seer terra deserta / mas eu achey en elles homẽs poucos e quasy ssalvagẽes [...] Chamansse no ffallar daquellas partes lappy [...]".
laparão *sm.* '(Pat.) intumescência ganglionar e de vasos linfáticos nos indivíduos atacados de mormo' | *lanparões* pl. XIII | De origem obscura.
láparo *sm.* 'o macho da lebre' 1813. De origem controversa.
laparo- *elem. comp.*, do gr. *laparon* 'flanco, lombo', que ocorre em alguns vocábulos da linguagem científica, particularmente no domínio da medicina, a partir do séc. XIX ⇨ **laparoCELE** 1858 || **laparoTOM·IA** 1873.
lapela *sf.* 'parte da frente de um casaco voltada para fora' 1899. De origem obscura.
lápide *sf.* 'pedra com qualquer inscrição comemorativa' 'laje que cobre uma sepultura' | *-ida* XVII | Do lat. *lapis -ĭdis* 'pedra' || D**ILAPIDAÇÃO** 1873. Do fr. *dilapidation*, deriv. do lat. *dilapidatĭo -ōnis* || D**ILAPIDAR** XVII, *delapidado* XVII | Do fr. *dilapider*, deriv. do lat. *dilapidāre* || **lapidAÇÃO** 1813. Do lat. *lapidatĭo -ōnis* || **lapidar**¹ *vb.* 'apedrejar, talhar, facetar' | 1813, *alla-* XV | Do lat. *lapĭdāre* || **lapidAR²** *adj.* 1813 || **lapidÁRIO** 1813. Do lat. *lapidarĭus* || **lapídEO** XVI. Do lat. *lapĭdĕus* || **lapidESC·ENTE** 1858. Do lat. *lapidescens -entis*, part. pres. de *lapidescĕre* || **lapidí·COLA** 1873 || **lapidí·FICAR** 1858 || **lapidí·FICO** XVIII || **lapidOSO** 1813. Do lat. *lapidōsus* || **lapiloso** *adj.* '(Bot.) diz-se do fruto que apresenta corpos muito duros no mesocarpo, como a pera' | *lapilloso* 1873 | Do lat. *lapillus*, dimin. de *lapis -ĭdis*, e *-oso* || **lápis** *sm. 2n.* 'espécie de carvão mineral, que se usa para escrever, debuxar, riscar' XVII. Do it. *lapis*, deriv. do lat. *lapis -ĭdis* || **lapisEIRA** | *-zeira* 1844, *-zeiro* 1844.
⇨ **lápide** — D**ILAPIDAÇÃO** | 1836 SC || **lapidÁRIO** | 1614 SCONÇ I.133.*5* |.
lapinha → LAPA.
lápis, -eira → LÁPIDE.
lapso *sm.* 'espaço de tempo' 'descuido, culpa' 1813. Do lat. *lapsus -us*, de *lapsum*, supino de *lābī* || I**LAPSO** XVII. Do lat. *illapsus*, part. pass. de *illābī* || R**ELAPSO** 1813. Do lat. *relapsus*, part. pass. de *relābī*.
⇨ **lapso** — R**ELAPSO** | 1569 in *Studia* n.º 8, 215 |.
laquear¹ *sm.* 'dossel do leito, sobrecéu' XVIII. Do lat. *laquear -is*, relacionado com *laquĕus*. Cp. LAÇO.

laquear² *vb.* 'ligar (a artéria cortada ou ferida)' 1813. Do lat. *laqueāre* 'apertar', de *laquĕus* 'laço' || ilaqueAR | *illaquear* XVIII | Do lat. *illaqueāre* || laqueADO 1844 || laqueÁRIO *sm.* 'gladiador romano que utilizava cordas para imobilizar o adversário' 1858. Do lat. *laqueārium -ii*.
⇨ **laquear**² — laqueADO | 1836 SC |.
laquear³ → LACA.
lar *sm.* 'chão da chaminé ou parte da cozinha sobre a qual se faz o fogo' XV; '*ext.* a casa' 1572. Do lat. *lār -is* || larÁRIO XVIII || larEIRA XVII || larEIRO XIX || larES *sm. pl.* 'deuses domésticos entre os romanos' XX. Do lat. *lāres -ium*.
laranja *sf.* 'fruto da laranjeira, planta da fam. das rutáceas' XIV. Do ár. *nāranğa*, deriv. do persa *nārang* || AlaranjADO | *laranjádo* 1813 || laranjADA 1873 || laranjAL | *-gal* XVI || laranjEIRA | *-geira* XIV.
⇨ **laranja** — AlaranjADO | *alaramjado c* 1541 JCaSR 370.*5* || laranjADA | 1836 SC |.
larápio *sm.* 'gatuno, ratoneiro' XVIII. De origem obscura.
larário → LAR.
lardo *sm.* 'toicinho em tiras para entremear peças de carne' '*fig.* condimento, ornato' 1844. Do lat. *lardum -i* (< *larĭdum*), relacionado com *lar* || lardEAR 1813 || lardI·FORME 1873 || lardÍ·VORO 1873.
⇨ **lardo** | 1836 SC |.
lar·eira, -eiro, -es → LAR.
largo *adj. sm.* 'que tem extensão transversal relativamente ampla' 'espaçoso, extenso, considerável, demorado' XIV. Do lat. *largus* || AlargAR XIII || largAR *vb.* 'soltar' XVI. De *largo*; *largar* é 'afrouxar os laços que prendem alguém ou algo' || largÍ·FLUO 1873. Do lat. *largiflŭus* || largUEZA XIII || largURA XIII.
⇨ **largo** — AlargAMENTO | XV YSAC 33.*15* |.
laringe *s2g.* '(Anat.) parte superior da traqueia, cujas bordas são circunscritas pelas cordas vocais' | *-rynge* 1813 | Do lat. mod. *larynx -nguis*, deriv. do gr. *lárygx -ggos* || laringALG·IA | *laryn-* 1873 || laringITE | *laryn-* 1858 || laringoLOG·IA | *laryn-* 1858 || laringoPLEG·IA | *laryn-* 1899 || laringoSCÓPIO | *laryngoscope* 1873, *laryngoscopio* 1873 || laringoSTOM·IA | *laryn-* 1873.
laroz *sm.* 'barrote que sustenta a tacaniça' 1813. De origem obscura.
larva *sf.* 'a alma dos maus' XVI: '(Zool.) o primeiro estado dos insetos, ao saírem do ovo' 1844. Do lat. *larva -ae* 'espírito dos mortos insepultos ou que em vida foram maus' 'fantasma, espectro, máscara': em latim opunha-se aos *lares*. Na 2.ª acepção o termo deve ter entrado pelo francês || larvADO 1844 || larvAL 1858.
⇨ **larva** | 1836 SC || larvADO | 1836 SC |.
lasanha *sf.* 'massa de farinha de trigo, em tiras largas' 'espécie de prato que se faz com essa massa' 1890. Do it. *lasagna*.
lasca *sf.* 'fragmento de um corpo, estilhaço, tira' XVI. De origem incerta || lascAR XVI.
lascarim *sm.* 'soldado indígena, na Índia' XVI. Do persa *laškary*, de *laškar* 'tropa'.
lascivo *adj.* 'libidinoso, sensual' 1572. Do lat. *lascīvus* || lascÍVIA XVII. Do lat. *lascivĭa*.
lasso *adj.* 'fatigado, cansado, enervado' 'dissoluto, gasto, frouxo' XIII. Do lat. *lassus* || lassIDÃO | XVI, *lassidoen* XIV | Do lat. *lassitūdo -ĭnis*.

lastimar *vb.* 'deplorar, lamentar, chorar' XIV. Do lat. vulg. *blastemāre*, deriv. do gr. tard. *blastemein*, alteração do gr. *blasphemein* 'difamar, pronunciar palavras ímpias' || **lástima** 1813 || lastimADOR XV || lastimÁVEL 1844 || lastimEIRO | *-meyro* XV. Cp. BLASFEMAR.
⇨ **lastimar** — **lástima** | 1549 SNor 96.*21* || lastimOSO | *lastimozo* 1706 SRPiTP 1598 |.
lastro¹ *sm.* 'peso que se põe no porão do navio para dar-lhe estabilidade' 'depósito em ouro que serve de garantia ao papel-moeda' XV. Do antigo fr. *last* (atual *lest*) , deriv. do neerl. *last* 'peso' || AlastrAMENTO 1881 || AlastrAR XVI || AlastrIM XX || lastrAR XV.
⇨ **lastro**¹ — AlastrADO | XIV ORTO 80.*6* |.
lastro² *sm.* 'camada de substância permeável posta no leito das estradas de ferro' 1899. Forma aferética de *balastro* (*ballastro* 1881). deriv. do ing. *ballast*.
⇨ **lastro**² | 1836 SC |.
lata *sf.* 'folha de ferro estanhado' 'caixa de ferro estanhado' XVI. Do it. *latta*, deriv. do lat. med. *latta* || ENlatADO XVI || ENlatAR 1881 || latADA XVI || latARIA XX.
latagão *sm.* 'homem robusto e de grande estatura' 1858. De origem obscura.
latão *sm.* 'liga de cobre e zinco' | *alotõ* XIII, *laton* XIV, *latam* XVI | Provavelmente do antigo fr. *laton* (atual *laiton*), deriv. do ár. *lāṭūn* 'cobre' e, este, de um idioma da fam. turco-tártara (cp. turco *altyn* 'ouro') || latoARIA 1899 || latoEIRO XVI.
lataria → LATA.
látego *sm.* 'açoite de correia ou de corda' '*ext.* castigo, flagelo' XIV. De origem obscura.
latejar *vb.* 'palpitar, arquejar, pulsar' XVI. De origem obscura || latejANTE 1873 || latejo 1858.
latente *adj. 2g.* 'oculto, subentendido, disfarçado' 1844. Do lat. *latens -entis*, part. pres. de *latēre*.
⇨ **latente** | 1836 SC |.
lateral → LADO.
lateranense *adj. 2g.* 'relativo a, ou próprio de Latrão, nome de um palácio romano que por dez anos foi residência dos papas, e de uma das cinco basílicas patriarcais de Roma (S. João de Latrão) onde se realizaram 12 concílios' XVI. Do lat. tard. *lateranensis*, de *Laterani*, família de nobres de Roma.
laterício *adj.* 'feito de tijolo' 1858. Do lat. *laterīcĭus*, de *later -ĕris* 'tijolo' || laterITA *sf.* '(Geol.) solo de cor vermelha das zonas úmidas e quentes' 1873.
látex *sm.* 'suco leitoso de certas plantas' 1873. Do lat. *latex -ĭcis* || laticí·FERO 1873.
latíbulo *sm.* 'esconderijo, lugar oculto, céu, morada dos deuses' 1813. Do lat. *latibŭlum -i*, de *latēre* 'estar oculto'. Cp. LATENTE.
laticífero → LÁTEX.
laticínio (var. de *lacticínio*) → LEITE.
lati·clávio, -clavo, -colo, -córneo → LATO.
latido → LATIR.
lat·ifloro, -ifólio, -ifundiário, -ifúndio, -ílabro → LATO.
latim *sm.* 'a língua do antigo Lácio, a língua dos antigos romanos' | *-tin* XIII, *-tyn* XIII etc. | Do adv. lat. *latine* 'em (bom) latim', substantivado || **ladino** *adj. sm.* 'latino' | *ladinho* XIV |: 'esperto, vivo, finório' XV: 'língua românica falada na antiga Grécia'

XIX. Forma divergente e popular de *latino*, deriv. do lat. *latīnus* || **latin**AR XVII. Do lat. tard. *latināre* || **latin**EIRO XV || **latin**IDADE XVI. Do lat. *latinĭtas -ātis* || **latin**I·PARLA XVII || **latin**ISMO 1873. Do fr. *latinisme* || **latin**ISTA 1873. Do fr. *latiniste* || **latin**IZ·ANTE | *-isante* 1873 || **latin**IZAR XVI. Do lat. tard. *latinizāre* || **latino** | XIV, *latyno* XIV | Do lat. *latīnus*.
⇨ **latim** — **latin**ISTA | 1836 SC |.
latímano → LATO.
latin·ar, -eiro, -idade, -iparla, -ismo, -ista, -izante, -izar, -o → LATIM.
latí·pede, -pene → LATO.
latir *vb.* 'soltar a voz (o cachorro)' XVI. Do lat. *glattīre* || **lat**IDO XVII.
lato *adj.* 'largo, amplo, dilatado, extenso' 1844. Do lat. *lātus* || **lati**·CLÁV·IO 1873. Do lat. *lāticlāvĭus* || **lati**·CLAVO *adj. sm.* XIII Do lat. *lāticlāvus* || **lati**·COLO | *-llo* 1899 || **lati**·CÓRN·EO 1899 || **lati**·FLORO 1899 || **lati**·FÓLIO 1899. Do lat. *lātifolĭus* || **lati**·FUND·I·ÁRIO XX || **lati**·FÚND·IO 1899. Do lat. *lātifundĭum -ii* || **latí**·LABRO 1899 || **latí**·MANO 1899 || **latí**·PEDE 1899 || **lati**·PENE | *-penne* 1899 || **lati**·R·ROSTRO 1858 || **latitude** || *llatitude* XVI | Do lat. *lātitūdo -ĭnis*.
lato·aria, -eiro → LATÃO.
latria *sf.* 'adoração de uma divindade' XVI. Do lat. *latria*, deriv. do gr. *latreía*, de *latrein* 'adorar'.
-latr(ia)-, -latr(a)- *elem. comp.* deriv. do gr. *-latreía* 'adoração, veneração, apreciação' e *-látrēs* 'adorador, venerador, apreciador', que se documentam em vocs. eruditos, alguns já formados no próprio grego, como *idolatria* (forma haplológica de *idololatria < lat. *īdōlolatrīa* < gr. *eidōlolatreía*) e *idólatra* (forma haplológica de *idólólatra < lat. *īdōlolatrēs, īdōlolatra* < gr. *eidōlolátrēs*) e outros formados nas línguas modernas, como *bibliolatria* e *bibliólatra*.
latrina *sf.* '(vaso) sanitário' XVI. Do lat. *lātrīna*, de *lāvatrīna* (< *lavāre*).
latrocin·ar, -io → LADRÃO.
lauda *sf.* 'folha de livro em geral' 'cada lado de uma folha de papel' XIV, De origem obscura. Há, contudo, uma possível relação com o lat. *laudāre* 'louvar', visto que a designação se deveria ao fato de *lauda* ser a folha reservada ao *louvor* daquele a quem se dedica o livro, donde, por extensão, o significado atual.
laudabilidade → LOUVAR.
láudano *sm.* 'medicamento que tem por base o ópio' '*fig.* bebida embriagante, inebriante' XVIII. Do latim moderno *laudanum*, palavra usada por Paracelso; é possível que o voc. tenha alguma relação com o lat. med. *ladanum*, var. do lat. *lādanum* (v. LÁDANO).
laud·atício, -ativo, -atório, -ável →LOUVAR.
laudel *sm.* 'antiga vestidura militar para preservar dos golpes da espada' XVI. De origem obscura.
laudêmio *sm.* 'pensão ou o prêmio que o foreiro paga ao senhorio direto, quando há alienação do respectivo prédio por parte do enfiteuta 1813. Do it. *laudemio*, deriv. do lat. med. *laudēmium*, de *laudāre*, no sentido de 'aprovar'.
laudo → LOUVAR.
láur·ea, -eado, -ear, -el, -eo, -ico, -ícomo, -ifólio, -ígero → LOURO¹.
lauto *adj.* 'suntuoso, magnificente, abundante' XVII. Do lat. *lautus*, part. pass. de *lavĕre* 'lavar'.

lava *sf.* 'rocha magmática natural que se derrama ou se derramou outrora na superfície da terra' 1813. Do napolitano *lava* 'massa fluida de aluvião', deriv. do latim *labes -is* 'estrago, ruína', de *labor*.
lavar *vb.* 'limpar banhando, banhar regar tornar puro, expurgar' XIII. Do lat. *lavāre* || DES**lav**ADO XVII || **lavabo** *sm.* 'oração que o sacerdote diz lavando as mãos, após o ofertório' 'o ato de o sacerdote lavar as mãos' 'toalhinha em que o sacerdote enxuga as mãos' 'móvel do toalete para lavar' 1873. Do lat. *lavabo* 'lavarei', fut. do indicativo de *lavāre*; o termo ocorre como primeira palavra do salmo XXVI 6, *lavabo inter innocentes, manus meas*, donde se substantivou || **lav**AÇÃO 1858. Do lat. *lavatĭō -ōnis* || **lav**ADEIRA 1813 || **lav**ADOR XIV || **lav**ADOURO | *-oiro* XV || **lav**ADURA XVI || **lav**AGEM 1500 || **lavanda**¹ *sf.* 'planta aromática, água de lavanda' 1873. Do it. *lavanda* 'essência que se misturava na água para o banho', deriv. do latim *lavanda*, gerundivo de *lavāre* || **lavanda**² *sf.* 'pequena taça com água que se põe na mesa para se lavarem os dedos' XX || **lavanderia** XVI. Do fr. *lavanderie* || **lav**ÁTICO 1813 || **lav**ATIVO 1813 || lav**ATÓRIO** XVI. Do lat. tard. *lavatorĭum* || PER**lav**AR 1899. Do lat. *perlavāre*.
⇨ **lavar** — **lav**ATÓRIO | XIV TEST 115.*10* |.
lav·or, -orar, -oura, lavr·a, -adio, -ado, -ador, -adura, -agem, -amento, -ança, -ar → LABOR.
laxar *vb.* 'tornar frouxo, relaxar' XVII. Do lat. *laxāre* || **lax**AÇÃO 1858. Do lat. *laxatĭō -ōnis* || **lax**ANTE 1813 || **lax**ATIVO 1844. Do lat. *laxativus* || **lax**I·FLORO | *laxiflor* 1873 || **lax**ISMO *sm.* 'doutrina moral, teológica, que tende a suprimir as interdições' XX, Do fr. *laxisme*, deriv. do lat. *laxus* || **laxo** 1844. Do lat. *laxus*.
⇨ **laxar** — **lax**ATIVO | XIV TEST 320.*30* || **laxo** | 1836 SC |.
lázaro *sm.* 'mendigo, pobre' 'leproso, pustulento' XIV. Do lat. med. *lazarus*, deriv. do antr. lat. *Lazarus*, o pobre citado pelo evangelista S. Lucas (XVI. 20), que estava à porta do mau rico || **lazar**ENTO 1813 || **lazar**ETO *sm.* 'hospital para lazarentos' XVII. Do it. *lazzaretto*, do hospital de Santa Maria de Nazaré, em Veneza, nome que foi relacionado com o do patrono dos leprosos, S. Lázaro || **lazar**ISTA *adj. s2g.* 'membro da Congregação da Missão fundada por S. Vicente de Paulo, em 1624' 1873. Do fr. *lazariste*, do nome do convento de S. Lázaro, em Paris (França) || **lazarone** *sm.* 'mendigo de Nápoles' 1873. Do it. *lazzarone*, de *lazzaro*. Cp. LACERAR.
lazeir·a, -ento → LACERAR.
lazer *sm.* 'ócio, passatempo' | *lezer* XIII | Do lat. *licēre* 'ser lícito, ser permitido'.
lazulita *sf.* 'mineral monoclínico azul, constituído de fosfato básico de alumínio, ferro e magnésio' | *-ite* 1858 | Do fr. *lazulite*.
lé *sm.* 'o menor dos três atabaques do candomblé' XX. Do ioruba *lee* 'pequeno'.
le·al, -aldade, -aldar, -aldoso → LEI.
leão *sm.* 'quadrúpede carnívoro da fam. dos felídeos' | *leon* XIII, *leom* XIV, *leõ* XIV, *lyon* XIV etc. | Do lat. *leō -ōnis* || **leo**A | XIV, *leôa* XIII, *lyoa* XIV || **leon**INO XVI. Do lat. *leonīnus* || **leontíase** 1890. Do lat. moderno *leontiăsis*, deriv. do gr. *leontíasis*.

lebre *sf.* 'mamífero da ordem dos lagomorfos' XIV. Do lat. *lĕpŭs -ŏris* ‖ **lebr**ADO 1813 ‖ **lebr**ÃO 1881 ‖ **leporino** 1899. Do lat. *leporīnus*, por via erudita.
lechetrez *sm.* 'maleiteira, planta da fam. das euforbiáceas' 1881. Do cast. *lechetrezna*, de **latrezna*, alterada por influência de *leche* 'leite'.
lechia *sf.* 'planta sapindácea, originária da China' 'a fruta dessa planta, vermelha e de forma esférica' | XVI, *lixia* XVI etc. | Do chinês *li-či*.
lecion·ar, -ário → LIÇÃO.
lecitina *sf.* '(Biol.) substância orgânica existente em abundância na gema de ovo e nos tecidos nervosos' | *lecithina* 1813 | Do fr. *lécithine*, do gr. *lékithos* 'gema de ovo' e *-ine*; v. -INO (iv) ‖ Alecítico *adj.* 'diz-se do ovo sem vitelo' XX.
lectícola → LEITO.
ledo *adj.* 'risonho, contente, alegre, jubiloso' XIII. Do lat. *laetus* 'alegre' ‖ **led**ICE *sf.* 'alegria, prazer' | XIV, -iça XIII etc. | Do lat. *laetĭtĭa*. Cp. LETÍCIA.
ledor → LER.
leg·ação, -ado¹, -ado² → LEGAR.
leg·al, -alidade, -alista, -alizar → LEI.
legar *vb.* 'enviar como representante, deixar por testamento' XIV. Do lat. *lēgāre* ‖ **leg**AÇÃO XVI. Do lat. *legatio -ōnis* ‖ **leg**ADO¹ *sm.* 'embaixador' XIII. Do lat. *lēgātus -us* ‖ **leg**ADO² *sm.* 'valor previamente determinado que alguém deixa por testamento' | *legato* XV | Do lat. *legatum -i* ‖ **legat**ÁRIO *sm.* 'pessoa a que se deixa algo por testamento' 1813. Do lat. *legatarĭus*.
legend·a, -ário → LER.
legião *sf.* 'corpo do antigo exército romano, composto de infantaria e cavalaria' 'corpo de qualquer exército' '*fig.* multidão' | XV, *ligion* XIV, *leigion* XIV etc. | Do lat. *legio -ōnis*, da mesma raiz de *legĕre* 'reunir, escolher' ‖ **legion**ÁRIO 1813. Do lat. *legiōnārĭus*, por *legionarii -orum*.
legisl·ação, -ador, -ar, -ativo, -atura, legisperito, legista, legitim·ação, -ar -idade, -o → LEI.
legível → LER.
legra *sf.* 'instrumento para examinar as fraturas do crânio' XV. Do lat. *lĭgŭla*, de *lingŭla*, dimin. de *lingŭa* 'língua' ‖ Alegr**AR**² XVII ‖ **alegre**² *sm.* 'legra' XX.
légua *sf.* 'medida itinerária' | XIII, *legoa* XIII | Do lat. tard. *leuga (leuca)*, de origem céltica.
⇨ **légua** — *legu*ÁRIO *sm.* 'marco que assinalava nas estradas as distâncias em léguas' | *legoario* 1571 FOlF 111.*23* | De *légu(a)* + -ÁRIO, pelo modelo de *miliário*.
legume *sm.* 'fruto seco, deiscente, unicarpelar, unilocular' | XIII, *legumea* XIII etc. Do lat. *legūmen -īnis* ‖ **legum**INA 1873 ‖ **legumin**ÁRIO 1873 ‖ **legumini**·FORME 1899 ‖ **leguminí**·VORO 1899 ‖ **leguminoso** 1813. Do lat. cient. *leguminōsus*.
lei *sf.* 'relação constante e necessária entre fenômenos' 'princípio, norma, regra' 'norma de direito tornada obrigatória pela força coercitiva do Estado' | XIII, *ley* XIII, *lee* XIII, *leix* XV, *lex* XV etc. | Do lat. *lex lēgis* ‖ DEsl**eal** XIII ‖ DEsl**eal**·DADE XIII ‖ Il**egal** | *ille-* 1873 ‖ Il**egal**·IDADE | *ille-* 1873 ‖ Il**egitimidade** | *ille-* 1873 ‖ Il**egítimo** | *ille-* 1873 ‖ l**eal** XIII. Do lat. *legālis* ‖ l**eal**·DADE XIII ‖ **lealdar** | XV, *alealdar* XIV | Do lat. **legalitāre* 'tornar legal' ‖ **leald**OSO XVIII ‖ **leg**AL XV. Do lat. *legālis* ‖ **leg**AL·IDADE XVI.

Do lat. med. *legalĭtas -ātis* ‖ **leg**AL·ISTA 1899. Do fr. *légaliste* ‖ **leg**AL·IZAR XVII. Do fr. *légaliser* ‖ **legislação** 1813. Do lat. *legislatio -ōnis*, de *legis* e *lat(io)*, de *latus*, part. pass. de *ferre* 'estabelecer' ‖ **legislador** XVI. Do lat. *legislātor*, de *legis* e *lat(or)*, de *latus*, part. pass. de *ferre* 'estabelecer, produzir' ‖ **legisl**AR 1813. De *legislador* ‖ **legislativo** 1844. Do fr. *législatif* ‖ **legislatura** 1875. Do fr. *législature*, deriv. do ing. *legislature* ‖ **legis**PERITO XVII. Do lat. *lēgisperītus* ‖ **leg**ISTA XVI. Talvez do fr. *légiste* e, este, do lat. med. *legista* ‖ **legitim**AÇÃO XVI ‖ **legitim**AR XIII. Do lat. med. *legitimāre* ‖ **legitim**IDADE 1813 ‖ **legítimo** XIII. Do lat. *legitīmus* ‖ **lídimo** | *lijdimo* XIII, *liidemo* XIII, *liidymo* XIV | Forma divergente de *legítimo*, do lat. *legitĭmus*.
⇨ **lei** — Il**egitim**IDADE | *ille-* 1836 SC ‖ Il**egítimo** | 1836 SC ‖ **legisl**AR | 1706 SRPitP 1623 ‖ **legislativo** | 1836 SC ‖ **leg**ISTA | XV LEAL 106.*12* ‖ **legitim**IDADE | *a* 1595 *Jorn*. 174.*11* |
leicenço *sm.* 'furúnculo, fleimão' 1813. De origem obscura.
⇨ **leicenço** | *leiçemço* XV LOPJ II. 169.*18* |.
leigo *adj. sm.* 'que, ou aquele que não tem ordens sacras, laicar' '*fig.* que, ou aquele que é estranho ou alheio a um assunto' XIII. Do lat. *laïcus* ‖ **laic**AL 1813 ‖ **laic**ISMO 1873. Do fr. *laicisme* ‖ **laic**IZAR XX. Do fr. *laiciser* ‖ **laico** XX. Forma divergente de *leigo*, deriv. do lat. *laïcus*.
leilão *sm.* 'venda pública de objetos a quem ofecer maior lanço, almoeda, hasta pública' | *aleilão* XVI | Do ár. vulg. *alā'lām* 'estandarte, aviso, tabuleta' ‖ **leilo**AR 1899 ‖ **leilo**EIRO 1899.
leira *sf.* 'tabuleiro de terra, elevação de terra entre dois sulcos' XIV. Do lat. lusit. *larea* e, este, provavelmente, do lat. cláss. *glārĕa* 'saibro, areia grossa, cascalho, pedregulho' ‖ **leir**ÃO 1813.
leishmaniose *sf.* 'doença causada por protozoários do gênero *Leishmania*, designação genérica de protozoários flagelados, parasitas de glóbulos brancos, comuns nas regiões tropicais' XX. Do lat. cient. *leishmaniosis*, do nome do biólogo inglês W. B. *Leishman* (1865-1926)
leite *sm.* 'líquido branco, opaco, segregado pelas glândulas mamárias das fêmeas dos animais mamíferos' 'suco branco de alguns vegetais' | XIII, *leyte* XIII | Do lat. *lac* ou *lacte lactis*, relacionado com o gr. *gála -aktos* ‖ Al**eit**ADO 1899 ‖ Al**eit**AR 1858 ‖ Al**eit**ATIVO XX ‖ **lact**AÇÃO 1858. Do fr. *lactation*, deriv. do lat. *lactātĭō-ōnis* ‖ **lact**ANTE XVII. Do lat. *lactans -antis*, part. pres. de *lactāre* ‖ **lact**AR 1813. Do lat. *lactāre* ‖ **lact**ÁRIO 1873. Do lat. *lactārĭus* ‖ **lact**ASE XX. Do fr. *lactase* ‖ **lact**ATO 1873. Do fr. *lactate* ‖ **lact**ENTE *adj. s2g.* 'que, ou aquele que mama' XX. Do lat. *lactens -entis*, part. pres. de *lactēre* 'ser amamentado' ‖ **láct**EO XVI. Do lat. *lactĕus* ‖ **lact**ESC·ENTE 1858. Do lat. *lactescens -entis*, part. pres. de *lactescĕre* 'transformar-se em leite, começar a ter leite' ‖ **lact**IC·EM·IA XX ‖ **lacticínio** 1813. Do lat. tard. *lacticinĭum* ‖ **láct**ICO 1873. Do fr. *lactique* ‖ **lactí**·COLOR 1899 ‖ **lactí**·FAGO | *-phago* 1858 ‖ **lactí**·FERO 1858. Do fr. *lactifère*, deriv. do lat. tard. *lactifer -fĕri* ‖ **lactí**·FUGO 1899 ‖ **lactí**·GENO XX ‖ **lacto**·DENS·I·METRO 1899. Do fr. *lactodensimètre* ‖ **lactô**·METRO 1858 ‖ **lact**OSE 1873 ‖ **lact**OS·ÚR·IA XX. Do lat. cient. *lactōsūrĭa* ‖ **leitão** |

leytões pl. XIII, *leitom* XV, *leitoa* f. XV | Do lat. **lacto -ōnis*. Note-se que ocorre no lat. lus. *leitones* || **leit**EIRO XVIII || **leit**ERIA XX. Adapt. do fr. *laiterie*. Ocorre também a variante *leitaria*, de pouco uso na linguagem corrente do Brasil || **leit**OSO 1873. Do lat. tard. *lactōsus*.
leito sm. 'armação de madeira, ferro etc., que sustenta o enxergão e o colchão da cama' XIII. Do lat. *lectus* || **lectí**·COLA 1899.
⇨ **leito** — **lect**ICA | 1538 DCast 57.*15* |.
leitor → LER.
leitoso → LEITE.
leitura → LER.
leiva sf. 'aduela' XIII; 'montículo de terra' '*ext*. terra lavrada, sulco de terra, gleba' XVI. Provavelmente do lat. **glēbea*, do lat. cláss. *glēba*. Cp. GLEBA.
lema sm. 'proposição que prepara a demonstração de outra' XVII. Do lat. *lēmma -ătis*, deriv. do gr. *lémma -atos* || **lemát**ICO | *lemmático* 1873.
lembrar vb. 'trazer à memória, fazer recordar, notar, advertir' | XV, *membrar* XIII, *nembrar* XIII etc. | Do lat. *memorāre* || DES**lembrar** XVIII || **lembr**ANÇA XV || **lembr**ETE 1813 || RE**lembrar** XV. Cp. MEMÓRIA.
leme sm. 'aparelho usado na parte traseira do barco e do avião e que serve para lhes dar direção' XV. De origem obscura.
lemingo sm. 'animal da ordem dos roedores, natural das regiões boreais' 1858. Do fr. *lemming*, deriv. do nor. *lemming*.
lemiste sm. 'tecido preto e fino de lã' XVIII. Do cast. *limiste*, deriv. do top. *Lemster*, cidade da Inglaterra onde se fabricava esse tecido.
lemna sf. 'planta aquática, lentilha-d'água' 1844. Do lat. cient. *lemna*, deriv. do gr. *lémna*.
lemnisco sm. 'critério de marcação gráfica que se usava nos manuscritos (das passagens da Bíblia) para indicar se foram transpostas (-) ou traduzidas não literalmente (÷) 'cobra cujo corpo é anelado de branco e preto' 1873. Do lat. *lemniscus* 'fita', deriv. do gr. *lemnískos* 'pequena fita ou faixa' || **lemniscata** sf. '(Geom.) curva plana em forma de oito, definida como lugar geométrico dos pontos cujo produto das distâncias é constante' 1873. Do fr. *lemniscate*, deriv. do lat. *lemniscata*, feminino de *lemniscātus* 'ornado de fitas'.
lêmures sm. pl. 'as almas dos mortos, fantasmas' 1813. Do lat. *lemŭres -um*.
lena sf. 'alcoviteira' XVII. Do lat. *lena -ae* 'alcoviteira, sedutora', de *lenāre* 'alcovitar' || **lenocínio** 'proxenetismo, rufianismo' XVII. Do lat. *lenōcinĭum*, de *lenāre*.
lenço sm. 'pedaço quadrado de estofo que serve para uma pessoa limpar o rosto' XIII. Do lat. *lentĕum*, por *lintĕum -ĕi* 'linho, tecido de linho', de *līnum* || **lenç**OL | XIV, *lançol* XVI | Do lat. **lenteōlum*, de *linteŏlum*.
lend·**a**, **-ário** → LER.
lêndea sf. 'ovo de piolho de cabeça' XVI, *lendões* pl. XIV | Do lat. **lendĭna*, deriv. do lat. tard. *lendis -dĭnis* (lat. cláss. *lens -dis*).
lene adj. 2g. 'brando, suave, macio' XVII. Do lat. *lēnis* || **len**IDADE XVI. Do lat. *lēnĭtas -ātis* || **leni**ENTE XVIII. Do lat. *lēniens -entis*, part. pres. de *lenīre* || **leni**·FICAR 1873 || **leni**MENTO | *lini-* XVIII || **lenir** 1813. Do lat. *lenīre* 'abrandar, acalmar' || **leni**TIVO XVII.
leneu adj. 'relativo a Baco' XVII. Do lat. *lenaeus*, deriv. do gr. *lenáios*.
lenga-lenga sf. 'narrativa fastidiosa, monótona' 1873. Palavra expressiva.
lenha sf. 'porção de madeira para queimar' 1813. Do lat. *ligna*, nom. pl. de *lignum -i* 'pau, lenho'. O voc. port. deve, contudo, ser bem mais antigo, tendo em vista encontrar-se em textos do latim lusitânico a forma *lenia* || **lenh**ADOR XVII. Do lat. *lignātor -ōris* || **lenhi**·FICAR 1881 || **lenho** | XIV, *lenno* XIII | Do lat. *lignum -i* || **lenh**OSO 1813. Do lat. *lignōsus*.
⇨ **lenha** | XIV GREG 4.37.*3*, *lenna* XIII CSM 78.*33* |.
len·**idade**, **-iente**, **-ificar**, **-imento**, **-ir**, **-itivo** → LENE.
lenocínio → LENA.
lentar → LENTO.
lente[1] adj. s2g. 'que, ou aquele que lê, professor' | *leente* XV | Do lat. *legens -entis*, part. pres. de *lĕgĕre* 'ler'.
lente[2] sf. 'disco de vidro' 1813. Do lat. *lens lentis* 'lentilha' || **lentejoula, lantejoula** sf. 'palhetinha circular metálica que serve como ornato de vestidos etc.' 1813. Do cast. *lentejuela*, dimin. de *lenteja* e, este, do lat. *lentícula* || **lenticela** sf. '(Bot.) poros encontrados na casca de diversos órgãos de certos vegetais por onde se verifica o arejamento dos tecidos' | *lenticella* 1899 | Do fr. *lenticelle*, de *lentille* e, este, do lat. *lentícula* || **lentí**·CULA XX. Do lat. *lentícula*, dimin. de *lens lentis* || **lenti**·CUL·AR adj. 'com a forma de lente ou de lentilha' 1873; sm. 'instrumento para furar os cascos dos animais' 1813. Do fr. *lenticulaire*, deriv. do lat. *lenticulāris*, de *lentícula* || **lenti**·FORME 1873 || **lentilha** | *lentella* XIV | Do lat. *lentícula*.
⇨ **lente**[2] — **lenti**·CUL·AR | 1836 SC |.
lent·**eiro**, **-escente**, **-escer**, **-eza**, **-idão** → LENTO.
lenti·**cela, -cula, -cular, -forme** → LENTE[2].
lentigo sm. 'sarda, lentigem' 1873. Do lat. *lentīgo -gĭnis* || **lentigem** 1881. Do lat. *lentigĭnem*, acus. de *lentīgo -gĭnis* || **lentigin**OSO 1873. Do lat. *lentiginōsus* || **lentig**OSO | XIV, *lentegoso* XIV.
lentígrado → LENTO.
lentilha → LENTE[2].
lentisco sm. 'aroeira-do-campo' XVI. Do lat. *lentiscum -i*.
lento adj. 'vagaroso, preguiçoso' 'levemente úmido, viscoso, pegajoso' 'frouxo, mole' XV. Do lat. *lentus* 'flexível, elástico, dúctil' 'mole, indolente, ocioso' 'vagaroso, demorado' 'viscoso, pegajoso' 'persistente, tenaz' 'frio, calmo, insensível' || **lent**AR vb. 'tornar lento' 'umedecer' 1813 || **lent**EIRO sm. 'terra úmida' XVI || **lent**ESC·ENTE 1858. Do lat. *lentescens -entis*, part. pres. de *lentescĕre* || **lent**ESCER 1881. Do lat. *lentescĕre* || **lent**EZA 1813 || **lent**IDÃO 1873. Do lat. *lentitudo -ĭnis* || **lentí**·GRADO 1899 || **lent**OR XVIII. Do lat. *lentor -ōris* 'flexibilidade'.
-lento suf. nom. do lat. *-lentus*, que se documenta em alguns vocs. de imediata procedência latina, como *pestilento, sanguinolento, turbulento* etc., mas que não é produtivo em português, ao contrário de -ENTO (< lat. *-entus*), bastante fecundo.

leo·a, -nino, -ntíase → LEÃO.
leonês *adj. sm.* 'relativo ao, ou próprio do antigo reino (hoje província) de Leão, na Espanha' XIII. Do top. cast. *Leon* 'leão' + *-ês*.
leopardo *sm.* 'mamífero carnívoro da família dos felídeos' | *leeos pardos* pl. XIV | Do lat. tard. *leopardus*, deriv. do gr. tard. *leópardos*.
lépido *adj.* 'risonho, jovial, alegre, gracejador' 'ligeiro, pronto, expedito' XVI. Do lat. *lepĭdus*.
lepid(o)- *elem. comp.*, do gr. *lepís -ĭdos* 'escama', que se documenta em alguns vocábulos introduzidos, a partir do séc. XIX, na linguagem científica internacional ▸ **lepid**OCARPO 1873. Do lat. cient. *lepidocarpus* ‖ **lepid**ó·CERO 1873 ‖ **lepid**OIDE 1873 ‖ **lepid**O·LITA | *litho* 1858 ‖ **lepid**ó·PTERO 1858 ‖ **lepid**O·PTERO·LOG·IA 1899.
leporino → LEBRE.
lepra *sf.* 'infecção crônica produzida por um bacilo específico (o bacilo de Hansen)' XV. Do lat. *lĕpra -ae*, deriv do gr. *lépra -as* ‖ **lepr**O·LOG·IA XX ‖ **lepr**ó·LOGO XX ‖ **lepr**OS·ÁRIO 1873. Adapt. do fr. *léproserie* ‖ **lepr**OSO XVII. Do lat. *lĕprosus*.
⇨ **lepra** — **lepr**OSO | XV FRAD I.133.*18, leprosso* Id. I.7.*26* |.
lept(o)- *elem. comp.*, do gr. *leptós* 'sutil, delgado, fino', que se documenta em vocábulos eruditos, alguns formados do próprio grego, como *leptologia*, e outros introduzidos, a partir do séc. XIX, na linguagem científica internacional ▸ **lept**OCÚRT·ICO XX ‖ **lept**ODONTE 1899 ‖ **lept**OFILO | *-phylla* 1899 ‖ **lept**OLOG·IA 1873. Cp. gr. *leptología* ‖ **lept**OPROSOPO XX ‖ **lept**ORRINO XX.
leque *sm.* 'ventarola, abano' | XVI, *lequeo* XVI | Forma abreviada da expressão *abano léquio*, que já se documenta, em 1561, com a grafia *avano lequeo*; *léquio* é adapt. do chinês *Lieu Khieu* 'ilhas léquias', nome com que os cronistas portugueses do séc. XVI se referiam a um arquipélago situado ao sul do Japão.
ler *vb.* 'percorrer com a vista e interpretar o que está escrito' 'recitar, prelecionar, lecionar' XIII. Do lat. *lĕgĕre* ‖ Il**leg**IBIL·IDADE XX ‖ **ileg**ÍVEL 1881 ‖ **led**OR | *leedor* XIII ‖ **leg**ENDA 1838. Do fr. *legende*, deriv. do lat. *legenda*, fem. de *legendus* 'o que deve ser lido', gerundivo de *lĕgĕre* ‖ **leg**END·ÁRIO 1859. Do fr. *legendaire* ‖ **leg**ÍVEL XVI. Do lat. tard. *legibĭlis* ‖ **leit**OR | XVI, *lector* XV | Do lat. *lector -ōris*, de *lectum*, supino de *lĕgĕre* ‖ **leit**URA | XIV, *ley-* XIV | Do lat. tard. *lectūra* 'orig. comentário' (no lat. cláss. *lectĭo -ōnis*) ‖ **lend**a *sf.* 'narrativa, conto, legenda' | *leenda* XIII | Do lat. *legenda* ‖ **lend**ÁRIO 1899 ‖ **let**IVO XX. Do lat. *lect(us)*, part. pass. de *lĕgĕre*. Cp. LIÇÃO.
lerdo *adj.* 'pesado, estúpido, acanhado' 'lento nos movimentos' XVI. De origem obscura ‖ **lerd**EZA XX.
léria *sf.* 'lenga-lenga, falácia, lábia' XVIII. De origem obscura.
lesão *sf.* 'alteração de um órgão (ou das funções) de um ser vivo' 'pancada' 'violação de um direito, prejuízo' | *lissõ* XIII, *lysion* XIII, *lijon* XIII, *lesom* XIV etc. | Do lat. *laesĭo -ōnis* ‖ il**es**O 1844 ‖ **les**ADO *adj. sm.* 'ferido, mutilado' | *lijado* XIII ‖ **les**AR 1813. Do lat. **laesāre* (no lat. cláss. *laedĕre*) ‖ **les**IVO 1890 ‖ **les**O 1843.

⇨ **lesão** — il**es**O | *ille-* 1836 SC | **les**O | 1836 SC |.
lésbio *adj.* 'relativo à, ou próprio da ilha de Lesbos, na Grécia' 'diz-se do amor de uma mulher a outra' XVII. Do lat. *lesbĭus*, deriv. do gr. *lésbios* ‖ **lesb**I·AN·ISMO 1899 ‖ **lesb**I·ANO 1899 ‖ **lésb**ICA *sf.* XX.
lesivo → LESÃO.
lesma *sf.* 'molusco gastrópode da subordem dos pulmonados' XV. De origem controversa.
leso → LESÃO.
leste → ESTE[2].
lesto *adj.* 'ligeiro, ágil, rápido, desembaraçado XVI. De origem obscura.
letal *adj. 2g.* 'que produz a morte, mortal' XVII. Do lat. *lētālis* (também *lēthālis*), de *lētum -i* 'morte' ‖ **let**Í·FERO XVII. Do lat. *letifĕrum* ‖ **let**Í·FICO[2] XVII ‖ **let**I·S·SIMUL·AÇÃO XX ‖ **let**O·MANIA 1899.
letão *adj. sm.* 'da Letônia, natural ou habitante da Letônia, o idioma dos letões' | *lettão* 1899 | Do lat. mod. *Lettō -ōnis*, adapt. do letão *latvi*.
letargia *sf.* 'estado em que parece estar-se morto, sem respiração e sem pulso' '(Med.) sono patológico, profundo e contínuo, do qual o paciente não tem a menor lembrança' *fig.* inércia, indolência' XV. Do lat. *lēthargia*, deriv. do gr. *lēthargía*, de *lēthe* 'esquecimento' e *argía* 'descanso, inércia' ‖ **letárg**ICO | *lethárgicas* f. pl. XVIII | Do lat. *lēthargĭcus*, deriv. do gr. *lēthargikós* ‖ **letarg**O XX. Do lat. *lethargus*, deriv. do gr. *léthargos*. Cp. LETEU.
leteu *adj.* 'referente ao rio Lete que, na mitologia grega, era o rio dos infernos, cujas águas faziam, a quem delas bebesse, esquecer de pronto o passado' 1572. Do lat. *lēthaeus*, deriv. do gr. *lēthaios*, de *lēthe* 'esquecimento', donde *Lete -es* 'Rio dos infernos'. Cp. LETARGIA.
letícia *sf.* 'alegria' 1873. Do lat. *laetitĭa* ‖ **let**I·FIC·ANTE XVIII. Do lat. *laetifĭcans* 'contente', part. pres. de *laetificāre* ‖ **let**I·FICAR XVII. Do lat. *laetificāre* ‖ **let**Í·FICO[1] *adj.* 'que produz alegria' XVII. Do lat. *laetifĭcus*. Cp. LEDO.
letífero → LETAL.
letific·ante, -ar, -o[1] → LETÍCIA.
let·ífico[2], **-issimulação** → LETAL.
letivo → LER.
letomania → LETAL.
letra *sf.* 'cada um dos caracteres do abecedário', sentido claramente expresso pela escrita' 'os versos das canções' 'carta' | XIII, *letera* XIII etc. | Do lat. *littĕra* ‖ **bil**ÍTERO 1899 ‖ il**letr**ADO | *illetrado* 1881 ‖ **letr**ADO *adj. sm.* 'culto, instruído' | XIV, *leterado* XIII | Do lat. *litteratus* ‖ **letr**EIRO | *letreyro* XIV ‖ **letr**ISTA XX ‖ **liter**AL XVI. Do lat. *litterālis* ‖ **liter**ÁRIO XVI. Do lat. *litterarĭus* ‖ **liter**ATO | *litterato* 1844 | Do lat. *litteratus* ‖ **liter**ATURA | *leteradura* XIV, *letradura* XIV | Do lat. *litteratura* ‖ so**letr**AÇÃO | *soletração* 1881 ‖ so**letr**AR XVI.
⇨ **letra** — **liter**AL | *leteral* XV INFA 8.*3* ‖ **liter**ATO | *-tto* 1836 SC |.
léu *sm.* '(na loc. *ao léu*) vagar, ensejo' | *léo* 1813 | Do prov. *leu* 'leve', deriv. do lat. *lĕvis*. Cp. LEVE.
-leuc(o)- *elem. comp.*, do gr. *leukós* 'branco', que se documenta em vocábulos eruditos, alguns formados no próprio grego, como *leucanto*, e vários outros introduzidos, a partir do séc. XIX, na linguagem científica internacional ▸ **leuc**ANTO | *-an-*

tho 1899 | Do lat. cient. *leucanthus* (cláss. *leucanthes*), deriv. do gr. *leukánthes* || **leuc**EM·IA 1899. Do fr. *leucémie* || **leuc**INA 1873 || **leuc**ITA 1873 || **leuci**TO 1899 || **leuco**CARPO 1899 || **leuco**CÉFALO | -*phalo* 1899 || **leucó**CITO | -*cyto* 1873 | Do fr. *leucocyte* || **leucó**COMO 1899 || **leuco**DERMO XX || **leuco**GRAF·IA | -*phia* 1873 || **leuco**MA 1873 || **leuco**MA·ÍNA XX || **leuco**NÍQU·IA XX || **leuco**PAT·IA 1858 || **leuco**PEN·IA XX || **leuco**PLAS·IA XX || **leuco**R·REIA | -*rrhéa* 1858 || **leuc**OSE 1899 || **leuco**TRIQU·IA XX.
levantar *vb*. 'alçar, erguer' XIII. Do lat. **levantāre* (de *lĕvāre* 'erguer') || Alevant*ADO* XIV || AlevantA-MENTO XIII || Alevant*AR* XIII || levant*AD·IÇO* XIV || levantAMENTO XIV || levant*ANTE* XIV || **levante**[1] *sm*. 'oriente' XIII. De *levantar*, usado originariamente como adj. na expr. *sol levante*, que se opõe a *sol poente* || **levante**[2] *sm*. 'rebelião' XVI || **levant**INO XVI. Do it. *levantino*. Cp. LEVAR, LEVE.
levar *vb*. 'transportar, retirar, afastar, induzir, tirar, roubar' XIII. Do lat. *lĕvāre* || EN**levar** XIV || EN**levo** 1881. Deverbal de *enlevar* || **leva**[1] *sf*. 'ato de levantar, manejo de lança' XV || **leva**[2] *sf*. 'magote, circunscrição militar' XVII. Do it. *leva*, de *levare* || lev*AD·IÇO* XVI | lev*AD·IO* XVI | lev*ADO* XVI || **leved**AR XVI. De *lêvedo* || **lêvedo** XVI. Do lat. **levĭtus*, part. pass. de *lĕvāre* 'erguer, levantar' || **leved**URA XVI. Cp. LEVANTAR, LEVE.
⇨ **levar** — EN**levo** | 1836 SC | lev*AD·IÇO* | XV LOPF I.*15* |.
leve *adj*. 'de pouco peso' 'ligeiro, ágil, fácil, tênue, delicado' XIII. Do lat. *lĕvis* || **lev**EZA XV || **levian**DADE || livialdade XIII, liveldade XIII || **leviano** | liviãa f. XIII, *livyão* XIV, *livão* XIII | Do lat. vulg. **levianus*, de *lĕvis* || **lev**IDADE | *levjdade* XV | Do lat. *lĕvĭtas -ātis* || **leví**·PEDE 1858. Do lat. *lĕvĭpes -ĕdis* || **levi**·R·ROSTRO | *levirostro* 1858 || **levit**AÇÃO 1899. Do fr. *levitation*, deriv. do lat. *lĕvĭtas -ātis* || **levit**AR 1899. Cp. LEVANTAR, LEVAR.
leved·**ar, -o, -ura** → LEVAR.
lev·**eza, -iandade, -iano** → LEVE.
leviatã *sm*. 'grande monstro marinho de que fala a Bíblia' | *leviathão* XIII | Do lat. bíblico *leviathan* (Job 41.1, Psa. 74.14 etc.), deriv. do hebr. *liviāthān* 'tortuoso'.
levidade → LEVE.
levigar *vb*. 'aplainar, polir, alisar' 1844. Do lat. *laevigāre* (ou *levigāre*), de *lĕvis* || **levig**AÇÃO 1858.
⇨ **levigar** | 1836 SC |.
levípede → LEVE.
levirato *sm*. 'obrigação que a lei de Moisés impunha ao irmão de um morto de casar-se com a viúva deste, desde que o mesmo não tivesse deixado órfãos' 1873. Adapt. do fr. *levirat*, deriv. do lat. *levir -i* 'cunhado'.
levirrostro → LEVE.
levita *sm*. 'membro da tribo de Levi, entre os hebreus' 'sacerdote da antiga Jerusalém, diácono, sacerdote' XIV. Do lat. bíblico *levīta -es*, deriv. do gr. *leuitēs* e, este, do hebr. *lēvī*.
⇨ **levita** — **levit**ADO 'sacerdócio levítico' | 1657 FMMelv 15.*17* |.
levit·**ação, -ar** → LEVE.
levogiro *adj*. '(Fís.) diz-se da substância que desvia para a esquerda o plano da polarização da luz' | -*gyro* 1873 | Do fr. *lévogyre*, deriv. do lat. cient.

laevogȳrus || **levulose** 1899. Do fr. *lévulose*, de *laevus* + *l* +*ose*, onde o -*l*- funciona como consoante de ligação.
léxico *sm*. 'dicionário' | *lexicon* XVI | Do gr. tard. *lexikón* (*biblion*), de *lexikós*, adj. de *léxis* 'palavra' || **aléctico** *adj*. 'relativo à alexia' 1899. Do gr. *álektos* 'inefável', por via erudita || Alexia 1871 || lexicoGRAF·IA | -*graphia* 1858 | Do fr. *lexicographie* | **lexico**GRÁF·ICO | -*gráphico* 1873 | Do fr. *lexicographique* || **lexicó**GRAFO | -*grapho* 1773 | Do fr. *lexicographe*, deriv. do gr. *lexikográphos* || **lexico**LOG·IA 1858. Do fr. *lexicologie*.
lezíria *sf*. 'terra plana alagadiça nas margens de um rio' XIII. Do ár. *al-jazīra*.
lhama *sm*. 'mamífero ruminante da fam. dos camelídeos' 1858. Do cast. *llama*, deriv. do quíchua *llama*.
⇨ **lhama** | 1836 SC |.
lhano *adj*. 'sincero, franco, despretensioso, amável' 1844. Do cast. *llano*, deriv. do lat. *planus* || **lhan**EZA XVII || **lhan**URA 1858. Do cast. *llanura*.
⇨ **lhano** | 1836 SC |.
lhe *pron*. | *lle* XIII, *le* XIII, *lli* XIII etc. | Do lat. *illī*, dativo do pron. demonstrativo *ille illa illud*.
li *sm*. 'medida itinerária chinesa equivalente a 576 m' | *lij* XVI, *ly* XVII | Do chinês *li*.
lia *sf*. 'fezes, borra, sedimento, o bagaço de que se faz a aguapé' 1813. Adapt. do fr. *lie* e, este, do gaulês **liga*.
liaça *sf*. 'feixe de palhas em que se envolvem os vidros para evitar que se quebrem durante o transporte' 1813. Do fr. *liasse* 'feixe', de *lier* e, este, do lat. *ligāre*.
liamba *sf*. 'maconha, diamba' 1899. De origem africana (cp. makonde *li'amạ*). Cp. DIAMBA.
liame *sm*. 'aquilo que prende uma coisa a outra, ligação' XVIII. Do lat. *ligamen -īnis* 'laço, fita', de *ligāre*. Cp. LIGAR.
liana *sf*. 'cipó lenhoso' 1899. Do fr. *liane* 'nome genérico de plantas grimpantes', de *lien* e, este, do lat. *ligamen -īnis*.
libação *sf*. 'ato de beber' 'cerimônia que na antiguidade greco-romana consistia em encher a taça de vinho ou outra bebida, prová-la e, em seguida, derramá-la no chão em homenagem a certa divindade' 1813. Do lat. *libatio -ōnis* || **ilib**ADO *illi-* XVIII. Do lat. *illibatus* 'que não foi violado' || **lib**AR XVII. Do lat. *libāre*.
libambo *sm*. 'cadeia de ferro a que se ligava pelo pescoço um lote de escravos (ou de condenados) em certas circunstâncias' | *lebãbo* 1550 | Do quimb. *lu'mạmọ* 'corrente'. Em texto relativo ao Congo, datado de 1550, lê-se: "Item. dom Bastiam [...] o qual estava prezo nũ lebãbo e prometeo dizer a verdade [...]". Tal como outros vocs. de procedência africana, *libambo* difundiu-se no Brasil, desde o período colonial, em decorrência do intenso e progressivo convívio dos brancos com os negros escravos oriundos da Africa; cp. MOCAMBO.
libanês *adj*. *sm*. 'do Líbano, na Ásia' 'natural ou habitante desse país' XX. Do top. *Líban(o)* [< lat. *Libanus* < gr. *Líbanos*] + -ês.
libar → LIBAÇÃO.
libelo *sm*. 'pequeno livro' 'exposição articulada do que se pretende provar contra um réu, feita após

a sentença de pronúncia' 'artigo com acusação contra alguém' | *libello* XIV | Do lat. *libellum* (< **liberlum*) 'pequeno livro' dimin. de *liber -bri*. Cp. LIVRO.
⇨ **libelo** | *libello* XIII FLOR 576 |.
libélula *sf.* 'inseto da ordem dos odonatos' | *libellula* 1899 | Adapt. do fr. *libellule*, do lat. dos naturalistas *libellula*, *libella*, dimin. de *libra* 'balança' Cp. LIBRA.
libente *adj. 2g.* 'agradável, amável' XVIII. Do lat. *libens -entis*, part. pres. de *libēre* 'aprazer, agradar'. Cp. LIBIDO.
líber *sm.* 'o tecido condutor da seiva elaborada ou orgânica nos vegetais vasculares' 1881. Do lat. *liber -bri* 'livro', em alusão às delgadas camadas que compõem esse tecido e que se separam facilmente, às vezes em folhas semelhantes às de um livro. Cp. LIVRO.
liber·ação, **-al**, **-alidade**, **-alismo**, **-alizar**, **-ar**, **-ativo**, **-atório**, **-tação**, **-tar**, **-ticida**, **-tinagem**, **-tino**, **-to** → LIVRE.
⇨ **liber·aleza** → LIVRE.
líbico → LÍBIO.
libido *sf.* 'o instinto sexual' XX. Do lat. *libīdō -idĭnis*, de *libēre* 'ter vontade de' || **libidin**AGEM XX || **libidin**OSO XVI. Do lat. *libidinōsus* || **líbito** 'arbítrio' 1899. Do lat. *libĭtum -i* (cláss. *libĭta -orum*). Cp. LIBENTE.
líbio *adj. sm.* 'da Líbia, na África' 'natural ou habitante desse país' 1873. Do lat. *libyus* || **líbi**CO | *lybico* XVIII | Do lat. *libўcus*, de *Libÿa*.
⇨ **líbio** | 1836 SC || **líbi**CO | 1660 FMMelE 461.*13* |.
libra *sf.* 'peso, moeda' | XIII, *livra* XIII etc. | Do lat. *libra* || **libr**AÇÃO 1813 || **libr**AR *vb.* 'equilibrar, suspender' XVII. Do lat. *librāre*.
libré *sm.* 'uniforme ou fardamento de criados de casas nobres' *fig.* vestuário, aparência, aspecto' || *livrees* pl. XV | Do fr. *livrée*, substantivação do part. pass. femin. de *livrer*, do lat. *liberāre*. Cp. LIVRE.
libreto → LIVRO.
liburno *sm*, 'na antiga Roma, escravo que transportava a liteira de nobres ou ricos' 1890. Do lat. *liburnus* 'carregador, moço de frete', substantivação do adj. *liburnus -a -um* 'da Libúrnia, província situada entre a Ístria e a Dalmácia'.
liça[1] *sf.* 'local destinado a torneios e justas' '*fig.* luta, briga, combate' XVI. Do fr. *lice* 'barreira', deriv. do frâncico **listja*.
liça[2] → LIÇO.
licantropia *sf.* 'doença mental em que o enfermo se supõe lobo' | *lycanthropia*, 1858 | Do fr. *lycanthropie*, deriv. do gr. *lykanthropía* || **licantropo** *sm.* 'que sofre de licantropia' '*ext.* lobisomem' | *lycanthropo* 1858 | Do fr. *lycanthrope*, deriv. do gr. *lykanthrōpos*, de *lýk(os)* 'lobo' e *ánthrōpos* 'homem'.
⇨ **licantropia** | *lycanthro-* 1836 SC |.
lição *sf.* 'exposição didática de qualquer assunto feita pelo professor aos alunos' | *liçon* XIII | Do lat. *lectĭō -ōnis* || **lecion**AR | *leccionar* 1873 || **lecion**ÁRIO | *leccionário* 1873. Cp. LER.
⇨ **lição** — **lecion**ÁRIO | *lecci-* 1836 SC |.
licença *sf.* 'permissão, faculdade, autorização' 'abuso de liberdade' | XIV, *lecença* XIII | Do lat. *licentĭa*, de *licēre* 'ser permitido' || **licenci**·ADO *sm.* | *liçençiado* XIV || **licenci**AR XVI. Do lat. med. *licentiāre* || **licenci**ATURA 1813 || **licenci**·OS·IDADE 1844 || **licenci**·OSO | *-ozo* XVII | Do lat. *licentiōsus*. Cp. LÍCITO.
liceu *sm.* 'estabelecimento de ensino secundário' XVI. Adapt. do fr. *lycée*, deriv. do lat. *lycēum* e, este, do gr. *lýkeion* 'ginásio onde Aristóteles lecionava'.
liciatório → LIÇO.
licitar *vb.* 'pôr em leilão ou hasta pública, oferecer lanço sobre' 1844. Do lat. **licitare*, 'por *licitārī* || **licit**AÇÃO 1844. Do lat. *licitatĭo -ōnis* || **licit**ADOR 1844. Do lat. *licitātor -ōris* || **licit**ANTE 1800. Do lat. *licitans -antis*, part. pr. de *licitārī*.
⇨ **licitar** — **licit**AÇÃO | 1836 SC |.
lícito *adj.* 'conforme a lei, permitido por lei' | XIV, *liçito* XV | Do lat. *licĭtus*, part. pass. de *licēre* 'ser permitido' || **ilícito** | *ilícito* | XVII, *enljiçito* XIV | Do lat. *illicĭtus*. Cp. LICENÇA.
licn(o)- *elem. comp.*, do gr. *lýchnos* 'lâmpada, tocha, vela', que se documenta em vocábulos eruditos, alguns formados' no próprio grego, como *licnóbio*, e outros introduzidos, a partir do séc. XIX, na linguagem científica internacional ♦ **licn**ÓBIO | *lychnóbio* 1899 | Cp. gr. *lychnóbios* || **licno**MANCIA | *lychno-* 1873 || **licnuco** XX. Cp. gr. *lychnouchos* 'candelabro'.
liço *sm.* 'cada um dos fios, entre duas travessas do tear, através dos quais passam os da urdidura, e que se levantam e abaixam para 'deixar passar os da tecelagem' XVI. Do lat. *licĭum* 'trama, cordão' || **liça**[2] *sf.* 'peça do tear' XX || **liciatório** *sm.* 'pente por onde passam os fios da teia' XVI. Do lat. *liciatorĭum -ii*.
⇨ **liço** | *lyço* XIV TEST 186.*37* |.
licopódio *sm.* 'planta criptogâmica' | *lyco-* 1858 | Do lat. cient. *lycopodĭum*, formado a partir dos radicais gregos *lýkos* 'lobo' e *pous podós* 'pé', isto é, 'pata de lobo'. O nome da planta provém do fato de ser ela tão velada quanto a pata do lobo.
licor *sm.* 'líquido, humor' 'bebida alcoólica açucarada, líquido alcoólico' XV. Do lat. *liquor -ōris* 'fluidez, líquido, água', de *liquēre* 'ser líquido ou fluido' || **licor**EIRA 1881 || **licor**EIRO 1881 || **licor**OSO XX. Cp. LÍQUIDO.
⇨ **licor** | *liquor* XIV TEST 123.*14*, *lyquor* XIV ORTO 97.*21* etc. |.
lictor *sm.* 'oficial romano que acompanhava os magistrados' 1899. Do lat. *lictor -ōris* || **lictó**RIO 1899.
⇨ **lictor** | 1836 SC |.
lide *sf.* 'contenda, luta, querela, questão jurídica' XIII. Do lat. *līs lītis* || **lida** *sf.* 'azáfama, trabalho, faina, luta' 1813. Deverbal de *lidar* || **lid**ADOR XIII || **lid**AR *vb.* 'batalhar, lutar, trabalhar' XIII; 'ter contato com' XIX. De *lide* || **litig**ANTE XVI. Do lat. *litigans -antis*, part. pres. de *lītigāre*. No português medieval, no séc. XIII, ocorre, com a mesma acepção, *lidiador* || **litigar** *vb.* 'pleitear, questionar em juízo' | XV, *lidear* XIII | Do lat. *lītigāre*, de *līs lītis* || **litígio** | XV, *le-* XV | Do lat. *lītigĭum ii* || **litig**IOSO XV. Do lat. *litigiōsus* || **litis**CONSÓRCIO XX || **litis**CONSORTE 1899 || **litis**CONTESTAÇÃO XX || **litis**PENDÊNCIA 1844. Do lat. tard. *litispendentĭa*.
⇨ **lide** — **litis**PENDÊNCIA | 1836 SC |.

líder *s2g.* 'tipo representativo de uma sociedade' 'representante de uma bancada partidária, no parlamento' 'chefe, condutor', 'aquele que está na primeira colocação num campeonato' XX. Do ing. *leader*, de *to lead* 'conduzir' || **lider**ANÇA XX || **lider**AR XX.
lídimo → LEI.
lídio *adj. sm.* 'da Lídia, na Ásia Menor' 'natural ou habitante dessa região' XVII. Do lat. *lȳdius*, deriv. do gr. *Lýdios* || **lid**ITA *sf.* '(Min.) variedade preta de jaspe, pedra da lídia' XX.
lidite *sf.* 'explosivo de grande potência, composto basicamente de ácido pícrico' XX. Do ing. *lyddite*, do top. *Lydd*, em Kent (Inglaterra), onde o explosivo foi testado pela primeira vez.
lienal *adj.* 'relativo ao baço, esplênico' 1899. Do lat. *lienalis*, de *liēn -ēnis* 'baço' || **lien**ITE 1899 || **lien**O·CELE XX.
lienteria *sf.* 'diarreia em que não ocorre a digestão' XVII. Do fr. *lienterie*, deriv. do lat. tard. *līenteria* e, este, do gr. *leienteria*, de *leios* 'liso, plano' e *enteron* 'intestino' || **lient**ÉRICO XVII. Do fr. *lienterique*, deriv. do lat. tard. *lientericus*.
ligar *vb.* 'atar, prender com laço, encadear, tornar conexo, unir' | *legar* XIII, *liar* XIII | Do lat. *ligāre* || COL**ig**AÇÃO | *colli-* XVII | Do lat. *colligātio -ōnis* || COL**ig**AR | *colli-* XVII | Do lat. *colligāre* || COL**ig**ATIVO XX || DEL**ig**AÇÃO *sf.* 'aplicação de ligaduras' 1873 || DES**lig**AMENTO 1844 || DES**lig**AR | *-legar* XIV, *-liar* XIII || INTER**lig**AÇÃO XX || INTER**lig**AR XX || **lig**A | XV, *ligua* XV || **lig**AÇÃO XVII || **lig**ADURA | *lia-* XIII, *lega* XIV | Do lat. *ligatūra* 'ato de ligar, laço' || **lig**âmen 1813. Do lat. *ligamen -ĭnis* || **lig**AMENTO | *legamento* XIV, *lia-* XIV | Do lat. *ligāmentum -i* || RE**lig**AMENTO XX || RE**lig**ar 1813. Do lat. *religāre*.
⇨ **ligar** | DES**lig**AMENTO | 1836 SC |.
ligeiro *adj.* 'orig. fácil, inconstante' 'ext. leve, desembaraçado' 'rápido, veloz' 'vago, leviano' | XIII, *ligeyro* XIII etc. | Adapt. do fr. *léger*, deriv. do lat. *lĕvĭarĭus*, de *lĕvis* || AL**igeir**AR XVII || **ligeir**EZA XVI || **ligeir**ICE | XIV, *legeirice* XIV.
lígio *adj. sm.* 'no regime feudal, dizia-se do, ou o indivíduo que estava ligado a seu príncipe para servi-lo em tudo' 1813. Do fr. *lige*, derivado, provavelmente, do lat. *laeticus* ou *liticus*, de uma raiz germ. *let-* 'livre'.
lígneo *adj.* 'lenhoso' XVII. Do lat. *ligneus*, de *lignum* || **ligní**·COLA 1890 || **ligni**·FICAR XVIII. Do lat. cient. *lignificāre* || **ligni**·FORME 1890 || **lignin**A *sf.* 'substância química que impregna as membranas de certas células vegetais aumentando sua consistência' XX. Do lat. cient. *lignina*, voc. criado por Schulze em 1827 || **lign**ITA, **linh**ITA | *lignito* 1873 | Do fr. *lignite* || **ligní**·VORO 1858. Cp. LENHA.
lígula → LÍNGUA.
lígure *sm.* 'nome de um povo de origem incerta, que se fixou na costa mediterrânea entre o sudeste da Gália e o nordeste da itália, por volta do séc. VI a. C.' 'a língua desse povo' 'o indivíduo desse povo' 1899. Do lat. *ligur -ŭris*.
ligúrio *sm.* 'ant. certa pedra preciosa' XIV. Do lat. *ligŭrius* (na Vulgata), deriv. do gr. *ligúrion* (no Livro dos Setenta), que se relaciona com outras formas gregas, como *lagoúrion*, *laggoúrion*, *lyggoúrion* e *lygkoúrion*; esta última, que passou ao lat. tard. *lyncŭrius*, alude a uma crença muito difundida na Idade Média de que essa pedra provinha da solidificação da urina (gr. *oûron*) do lince (gr. *lýgx -gkós*)
lila *sf.* 'espécie de tecido' | XV, *lyla* XV | Do top. *Lille*, cidade no norte da França, onde se fabricava esse tecido.
lilá, lilás *sm. adj. 2g.* 'arbusto da fam. das oleáceas' 'a flor dessa planta e o seu perfume' 'diz-se de, ou a cor dessa flor' 1844. Do fr. *lilas* (*lilac* no séc. XVII), deriv. do ár. *līlak* e, este, do persa *lilaḡ*, cuja var. *nīlak* (< *nīl* 'azul') é afim do sânscr. *nīla*.
⇨ **lilá, lilás** | *lilá* 1836 SC |.
lili·áceo, -floro, -forme → LÍRIO.
liliputiano *adj.* 'diz-se de pessoas muito pequenas' XIX, Do ing. *lilliputian*, de *Lilliput*, país imaginário do romance *As viagens de Gulliver* (1726), do escritor irlandês J. Swift (1667-1745), cujos naturais mediam, no máximo, seis polegadas.
lima[1] *sf.* 'ferramenta de aço com a superfície lavrada de estrias e que serve para carpar, polir ou desbastar madeiras, metais ou objetos de outras matérias' XIV; o masculino *limo* já ocorre no séc. XIII. Do lat. *līma* || **lim**ADURA XIV || **lim**AGEM 1813 || **lim**alha 1813. Do fr. *limaille* || **lim**AR[1] *vb.* 'desbastar com a lima' XIII. Do lat. *līmāre* || **limatão** *sm.* 'lima de seção circular' 1813. Do cast. *limatón*, de *lima*.
lima[2] *sf.* 'fruto da limeira, planta da fam. das rutáceas' | *ly-* XVII | Do ár. *līmā* (*līm*) || **lim**EIRA XVI. Cp. LIMÃO.
limagem → LIMA[1].
limão *sm.* 'fruto do limoeiro, planta da fam. das rutáceas, introduzida pelos árabes na região mediterrânea no séc. X' | XIV, *lymon* XV | Do lat. med. *limon -onis*, deriv. do ár. *līmūm*, forma divergente de *līmā* || **lim**AR[2] XVI. 'temperar com limão' 1881 || **lim**OEIRO XVI || **limon**ADA 1813. Cp. LIMA[2].
limar[1] → LIMA[1].
limar[2] → LIMÃO.
limatão → LIMA[1].
limbo *sm.* 'orla, rebordo' '(Bot.) parte laminar, geralmente verde, das folhas' 'lugar em que, segundo a crença cristã, estão as almas das crianças mortas sem batismo ou a dos justos falecidos antes da vinda de Cristo' XVI. Do lat. *limbus* || **limbí**·FERO 1890.
limeira → LIMA[2].
liminar *sm. adj. 2g.* 'limiar, soleira da porta' 'posto à entrada' 1813. Do lat. *limināris*, de *limen -ĭnis* 'soleira da porta' || **limiar** | XVI, *lumiar* XVI || PRE**liminar** 1813. Do fr. *préliminaire*.
⇨ **liminar** — **limiar** | *lumiar* XV COND 18b 19, *lomear* XV SBER 127.6 |.
limite *sm.* 'linha de demarcação, raia, fronteira, termo' XVI. Do lat. *limes -ĭtis* || DE**limit**AÇÃO 1873 || DE**limit**AR 1873. Do lat. tard. *delimitāre* || DE**limit**ATIVO XX || DES**lind**AR *vb.* 'destrinçar, extremar, demarcar' XVI || DES**linde** XX. Deverbal de *deslindar* || I**limit**ADO | *illi-* 1881 | Do lat. *illimitātus* || **limit**AÇÃO | *limitaçom* XV | Do lat. *limitātio -ōnis* || **limit**AR XV. Do lat. *limitāre* || **limit**ATIVO 1858 || **limítrofe** 1833. Do fr. *limitrophe*, do lat. tard. *limi(to)trophus* || **lind**AR *vb.* 'limitar, balizar, demarcar' 1813. Divergente de *limitar*, do lat.

limĭtāre || **linde, linda** 'limite, marco, baliza, limite de propriedade' 1813. Do lat. *limes -ĭtis*. O vocábulo, contudo, deve ser do português medieval, não só devido às características de sua evolução fonética, mas também porque já é encontrado em texto do latim lusitânico.
⇨ **limite** — ɪlimitADO | *illi-* 1836 SC |.
limno- *elem. comp.*, do gr. *límnē* 'tanque, lago, pântano', que se documenta em vocábulos introduzidos, a partir do séc. XIX, na linguagem científica internacional ▶ **limn**ÓFILO | *-philo* XIX || **limn**OGRAF·IA XX || **limn**OLOG·IA 1899 || **limn**ÔMETRO XX.
limo *sm.* 'lodo, lama, vasa' XIV. Do lat. *līmus -i* || **limon**ITA *sf.* '(Min.) mineral amorfo, constituído de hidróxido de ferro' 1899. Do fr. *limonite*, de *limon* 'terra de aluvião', do lat. vulg. **līmo -ōnis*, de *līmus -i* || **lim**OSO XIV. Do lat. *līmōsus*.
limo·eiro, -nada → LIMÃO.
lim·onita, -oso → LIMO.
limpo *adj.* 'claro, transparente, sem manchas' | *limpio* XIII, *limpo* XIV, *limpho* XIV etc. | Do lat. *limpĭdus* || ALIMPADURA XVII || ALIMPAMENTO XIV || ALIMPAR XIV || **limpa** 1844 || **limp**AR XVII || **limp**EZA XIV || **limp**IDÃO | *-dõe* XIII || **límpido** 1572. Forma divergente de *limpo*, do lat. *limpĭdus*.
⇨ **limpo** — **limpa** | 1836 SC || **limp**AR | XV BENF 254.*12* |.
limusine *sf.* 'automóvel fechado' XX. Do fr. *limousine* 'carro fechado' 'orig. tipo de capa de tecido grosseiro usada por pastores', substantivação do fem. de *limousin* 'de Limoges, região ao sul da França'.
linária → LINHO.
lince *sm.* 'mamífero carnívoro da fam. dos felídeos' | XVI, *liins* XIV | Do lat. *lynx -cis*, deriv. do gr. *lýgx -gkós*.
linchar *vb.* 'justiçar ou executar sumariamente um criminoso' | 1899, *lynchar* 1899 | Do ing. *to lynch*, do antr. Charles (ou William) *Lynch*, que pôs em prática, em 1776, na Virgínia, EUA, um tipo de punição sumária determinada por um tribunal judicial autocriado; tal prática passou a ser conhecida por *Lynch law* 'lei de Lynch' | **linch**AMENTO | 1899, *lynch-* 1899.
lind·ar, -e → LIMITE.
lindo *adj.* '*orig.* legítimo, autêntico' '*ext.* puro, bom' 'bonito, belo' | *lyndo* XIV, *liindo* XV. *limdo* XV | De origem incerta: talvez provenha do lat. *limpĭdus*, ou do lat. *legítĭmus*; na segunda hipótese, viria através de **lidmo* || ALINDADO XVII || ALINDAMENTO 1881 || ALINDAR 1844 || **lind**EZA XVI.
⇨ **lindo** — ALINDAR | 1836 SC |.
line·al, -alidade, -amento, -ar, -o, -olar → LINHA.
linfa *sf.* 'água' '(Anat.) líquido amarelado ou incolor que contém em suspensão glóbulos brancos' | *limpha* 1572 | Do lat. *lympha*, associado, por etimologia popular, ao gr. *nýmphē* 'água' || **linf**ADEN·IA XX || **linf**ADEN·OMA XX || **linf**AGOGO XX || **linf**ANGI·OMA | *lymph-* 1899 || **linf**ANG·ITE | *lymphangita* 1858 || **linf**ÁTICO | *lymph-* 1813 | Do lat. *lymphātĭcus* || **linf**ATISMO | *lymph-* 1873 | Do fr. *lymphatisme* || **linf**O·GRANUL·OMA·T·OSE XX || **linf**OIDE XX || **linf**O·R·RAG·IA | *lymphorrhagia* 1873 || **linf**O·TON·IA 1858. Cp. NINFA.
linga *sf.* 'entre os hindus, um falo venerado como símbolo do deus Xiva' | *lingam* XVII, *llingam* XVII, *lingao* XVII | Do sânscr. *linga*, nomin. de *lingam* 'marca, característica'.
lingote *sm.* 'barra de metal fundido' XX. Do fr. *lingot*.
língua *sf.* 'órgão muscular situado na boca' 'sistema de comunicação verbal, idioma' | XIII, *lengua* XIII etc. | Do lat. *lĭngŭa* || **lígula** *sf.* '(Bot.) apêndice laminar que têm as plantas gramíneas' 'gênero de vermes intestinais' 1858. Do fr. *ligule*, deriv. do lat. *ligŭla* ou *lingŭla*, dimin. de *lĭngŭa* || **lingu**ADO *sm.* 'peixe de mar da família dos botídeos' | *lingoado* XVI || **lingu**AGEM | XIV, *lenguage* XIII etc. | Do prov. *lenguatge* || **lingu**AJAR *sm.* 'fala' XVI || **lingu**AL 1813. Do lat. tard. *linguālis* || **lingu**ARAZ XVI || **lingu**ETA XVI. Do it. *lingueta*, dimin. de *lingua* || **lingu**Í·FERO 1899 || **lingu**I·FORME 1899 || **lingu**ISTA *s2g.* 1873. Do fr. *linguiste* || **lingu**ÍST·ICA 1873. Do fr. *linguistique*.
⇨ **língua** — **lingu**AZ *adj.* 'linguarudo, falador' | XV BERN 150 |.
linguiça *sf.* 'enchido de carne em tripa delgada' | *linguaianças* pl. XV | De origem controversa.
lingu·ífero, -iforme, -ista, -ística → LÍNGUA.
linha *sf.* 'fio de linho, de algodão, de metal' · 'fila, limite, baliza' 'norma, regra, série de grau de parentesco' 'serviço de transporte' | XIV, *linna* XIII, *lyna* XIII | Do lat. *līnĕa*, de *līnĕus* e, este, de *līnum* 'linho' || ALÍNEA XIX. Do lat. med. *ā līnĕā* 'à linha', expressão usada para indicar que o escriba devia partir do início da linha seguinte || ALINHADO 1813 || ALINHAMENTO 1813 || ALINHAR XVIII || *alinhavar* XVI. De *alinhavo* || **alinhavo** 1813. Da expressão (*coser*) *a linha vã* || DELINEAÇÃO 1813. Do lat. tard. *delineātĭō -ōnis* || DELINEADOR 1813 || DELINEAMENTO XVI || DELINEAR XVI. Do lat. *delineāre* || DELINEATIVO XVII || DES·ALINHADO 1813 | DES·ALINHAR 1813 || DES·ALINHO 1813. Dev. de *desalinhar* || ENTRELINHA | XVI, *an-* XIV | ENTRELINHAR | *antralinhar* XIII, *entrellinar* XIV etc. || LINEAL 1858. Do lat. *lineālis* || LINEAL·IDADE XX || LINEAMENTO XVI. Do lat. *lineamĕntum* || LINEAR 1873. Do lat. *lineāris* || LÍNEO XVII. Do lat. *līnĕus* || LINEOL·AR 1899. Do lat. *lineŏla*, dimin. de *līnĕa* || **linh**AGEM | *linhaiem* XIII, *linhage* XIII, *linagẽ* XIII etc. | Do fr. *lignage* (= a. prov. *linhatge*) || **linh**OTE XVIII || SUBLINHA 1890 || SUBLINHAR 1890. Cp. LINHO.
⇨ **linha** — ALINHADOR | *alynnador* XIII CSM 146.*23* || ALINHAMENTO | 1789 MS¹ || DELINEAÇÃO | *deliniação a* 1542 JCASE 111.*23* || **linh**AG·ISTA | 1660 FMMELE 347.*11* |.
linhaça → LINHO.
linhagem → LINHA.
linhita → LÍGNEO.
linho *sm.* 'nome comum a várias espécies de plantas da fam. das lináceas' 'a fibra que se extrai das hastes dessa planta' 'o tecido que se faz com essas fibras, tecido de linho' | XIII, *lino* XIII, *līo* XIII, etc. | Do lat. *līnum -i* || **lin**ÁRIA XVII. Do lat. cient. *linaria* | **linhaça** | *linaça* XIII, *llaça* XIII etc. || **linh**OL 1813. Do lat. med. *liniŏlus*, dimin. de *līnum* || **lin**I·FÍC·IO 1858 || **lin**Í·GERO XVIII. Do lat. *liniger* || **lin**O·GRAF·IA XX || **lin**ÓLEO *sm.* 'espécie de tecido impermeável, feito de juta e untado com óleo de linhaça e cortiça

em pó' XX. Do ing. *linoleum,* de *lin(um)* e *oleum,* termo criado por F. Walton em 1863.
linhote → LINHA.
lin·ifício, -ígero → LINHO.
linimento *sm.* 'medicamento untuoso destinado a fricções' XVIII. Do lat. *linīmentum -i.*
lino·grafia, -leo → LINHO.
linotipo *sm.* 'máquina de compor e fundir os caracteres tipográficos por linhas inteiras' XX. Do ing. *linotype,* de *line o' type* (por *line of type*); a máquina foi inventada, por Morgenthaler, em Baltimore, em 1884 || **linotip**ISTA XX.
lio- *elem. comp.* do gr. *leíos* 'liso, unido, polido', que se documenta em vocábulos eruditos, a partir do séc. XIX ▶ **lio**CARPO 1890 || **lio**CÉFALO XX || **lió**COMO 1899 || **lio**DERMO 1899 || **lio**MI·OMA XX || **lió**PODE XX || **lio**SPERMA 1899 || **lió**TRICO | *liotricho* 1899.
lioz *sm.* 'pedra calcária dura com um grão muito fino' XVI. Do a. fr. *liois* (hoje *liais*), de origem gaulesa.
liparocele *sf.* 'tumor escrotal gorduroso' 1858. Do gr. *liparós* 'oleoso' e *kḗle* 'tumor' [v.-CEL(O)-], por via erudita.
lipase → LIP(O)-.
lipemania *sf.* 'melancolia ou delírio depressivo' 1873. Do lat. cient. *lȳpēmania,* do gr. *lýpē* 'pesar, tristeza' e *mania* 'mania'.
lip(o)- *elem. comp.* do gr. *lípos* 'gordura, graxa', que se documenta em alguns vocábulos introduzidos, a partir do séc. XIX, na linguagem internacional da medicina ▶ **lip**ASE XX || **lip**EM·IA XX || **lip**ÍDIO XX || **lipo**CROMO XX || **lipo**GRAMA 1899 || **lipo**GRAM·ÁTICO | *-gramm* 1858 || **lip**OIDE XX || **lip**ÓLISE XX || **lip**OMA 1858 || **lipos**·SOLÚVEL XX || **lip**ÚR·IA 1899.
lipotimia *sf.* (Med.) desfalecimento, desmaio, vertigem' | *lipothýmia* 1813 | Do lat. cient. *lipothýmia,* deriv. do gr. *lipothymía,* de *lipo,* por *leipo* 'falta', e *thymia,* de *thymós* 'alma, vida, vontade, valor, coragem'.
lipúria → LIP(O)-.
liquação *sf.* 'separação, por meio de fusão, de metais que hajam formado liga; separação de substâncias heterogêneas liquefeitas' 1881. Do lat. *liquātĭo -ōnis.* Cp. LÍQUIDO.
lique·fação, -fativo, -fazer, -feito → LÍQUIDO.
líquen *sm.* 'planta talófita, criptógama, avascular, resultante da simbiose de uma alga e um fungo' '(Med.) nome de diversas dermatoses' | *lichen* 1844 | Do lat. *līchēn -ēnis,* deriv. do gr. *leichḗn -ēnos.*
⇨ líquen | *-chen* 1836 SC |.
liques *sm. 2n.* 'o cinco de ouros no jogo do truque' 'jogo do truque' 1890. De origem obscura.
líquido *adj.* 'que corre, que tem mobilidade e toma a forma dos vasos em que se encontra' 'livre de descontos, apurado' XV. Do lat. *liquĭdus* || **lique**-FAÇÃO | *-facção* XVIII || **lique**FATIVO XX || **lique**FAZER 1844. Do lat. *liquefacĕre* || **lique**FEITO 1899 || **li**quesCER XVI. Do lat. *liquescĕre* || **liquid**AÇÃO XVI || **liquid**ANTE XX || **liquid**AR XVI || **liquid**ATÓRIO 1858 || **liquidi**·FIC·ADOR XX || **liquidi**·FICAR 1881.
⇨ líquido — **lique**FAZER | 1836 SC |.
lira¹ *sf.* 'instrumento musical de corda usado na Grécia antiga, com formato de U' *fig.* estro poético, constelação do norte' XVI. Do lat. *lyra,* deriv. do gr. *lýra* || **lír**ICO XVI. Do lat. *lyrĭcus,* deriv. do gr. *lyrikós* || **liri**·FORME | *ly-* 1873 || **lir**ISMO | *ly-* 1873 | Do fr. *lyrisme* || **lir**ISTA *s2g.* 'tocador de lira' 1899 | Do lat. *lyrista,* deriv. do gr. *lyristḗs.*
lira² *sf.* 'unidade monetária da Itália' 1858. Do it. *lira,* deriv. do lat. *lībra.*
lír·ico, -iforme → LIRA¹.
lírio *sf.* 'gênero de plantas da fam. das liliáceas' 'a flor dessa planta' | *liro* XIII, *lilio* XIII etc. | Do lat. *lilĭum -iī,* deriv. do gr. *leírion* || **lili**ÁCEO 1858. Do lat. tard. *liliācĕus* || **lili**FLORO 1899 || **lili**FORME 1899 || **lis** *sm.* 'lírio' XIII. Do fr. *lis,* deriv. do lat. *lilĭum -iī.*
lir·ismo, -ista → LIRA¹.
lis → LÍRIO.
lise *sf.* '(Med.) período em que os sintomas da doença se atenuam e tendem a desaparecer' | *lisis* 1873 | Do fr. *lyse,* deriv. do gr. *lýsis.*
-lise *suf. nom.,* do gr. *lýsis* 'dissolução', que se documenta em alguns vocs. formados no próprio grego, como *análise,* e em vários outros introduzidos, a partir do séc. XIX, na linguagem científica internacional, como *biólise, electrólise* etc.
lisim *sm.* 'veio de pedreira' 1813. De origem obscura.
liso *adj.* 'que tem a superfície plana e sem asperezas, macio' XVI. De origem obscura || **alis**AR XVI || **lis**URA XIX.
⇨ liso | XV PAUL 77.5 || **lis**URA | 1836 SC |.
lisonja *sf.* 'louvor afetado, adulação' '*fig.* mimo, afago' XVI. Do cast. *lisonja,* deriv. do antigo *losenja* e, este, do a. prov. *lauzenja,* que se prende, provavelmente, ao baixo lat. *laudemia,* de *laudāre* || **lisonj**ARIA | *-jeria* XVI, *-geria* XVI || **lisonj**E·ADOR XVII || **lisonj**EAR XVI || **lisonj**EIRO | *-geiro* XVI.
⇨ lisonja — **lisonj**ARIA | *lisomjaria* XV VERT 95.18 | **lisonj**EAR | *lisomjar* XV VERT 95.24 || **lisonj**EIRO | *lisomjeiro* XV VERT 55.39 |.
lissa¹ *sf.* 'pústula que se desenvolve debaixo da língua de indivíduos mordidos por animais hidrófobos' | *lysses* pl. 1858 | Provavelmente do it. *lissa,* deriv. do gr. *lýssa* 'raiva'.
lissa² *sf.* 'cordel vertical no tear ordinário' XX. De origem obscura.
lissencéfalo *adj.* 'de cérebro liso, sem circunvoluções' XX. Do lat. cient. *lissencephala,* do gr. *liss(ós)* 'liso' + *egképhalos* 'cérebro' || **lissó**TRICO *adj.* 'que tem cabelos lisos' XX.
lista *sf.* 'relação, rol, tira comprida e estreita, risca' XIV. Do fr. *liste,* deriv. do germ. **lista* || **alist**ABIL·IDADE XX || **alist**AMENTO 1871 || **alist**AR XVIII || **list**AGEM XX || **list**AR XVII.
⇨ lista — **alist**AMENTO | 1836 SC |.
listel *sm.* 'moldura estreita e lisa, filete' 1881. Do fr. *listel,* deriv. do it. *listello,* dimin. de *lista.* Cp. LISTA.
lisura → LISO.
litania *sf.* 'oração formada por uma série de invocações aos santos ou à Virgem' XVII. Do lat. ecles. *lĭtănĭa,* deriv. do gr. *litaneía,* de *litanós* 'súplice' || **ladainha** | XIV, *ledanĩa* XIII, *ledaĩa* XIV etc. | Forma divergente e popular de *litania,* do lat. ecles. *lĭtănĭā* || **ladairo** 1813. Do lat. *litanārius.*
liteira *sf.* 'orig. 'roupas e ornatos de um leito' XIII; 'espécie de cadeirinha coberta, sustentada por dois

varais compridos e conduzida por duas bestas, uma atrás e outra adiante' 1813. Do lat. *lectuarĭa*, fem. de *lectuarius* 'relativo a leito'. Cp. LEITO.
liter·al, -ário, -ato, -atura → LETRA.
lit·íase, -ico → LIT(O)-.
litig·ante, -ar, -io, -ioso → LIDE.
lit·ina, -io → LIT(O)-.
litis·consórcio, -consorte, -contestação, -pendência → LIDE.
lit(o)- *elem. comp.*, do gr. *lithos* 'pedra', que se documenta em vocábulos eruditos, alguns formados no próprio grego, como *litíase*, e em muitos outros introduzidos, a partir do séc. XIX, na linguagem científica internacional ▶ litAGOGO | *lith-* 1858 || litíase | *lithiasis* 1858 | Do lat. cient. *lithiasis*, deriv. do gr. *lithíasis* || lítICO | *líthico* 1844| litINA | *lith-* 1844 | lítIO | *lithio* 1858 || litoCENOSE XX || litoCLASE | *lithòclase* 1899 || litoCLASTIA | *litho-* 1899 || litoCLASTO 1899 || litoCOLA | *lithocolla* 1813 || litoCROM·IA | *lithochromia* 1858 || litoDIÁLISE | *lithòdiályse* 1899 || litóFAGO | *litho-* 1858 | litóFILO | *lithophilo* 1899 || litóFITO | *lithophyto* 1873 || litoGENES·IA | *litho-* 1858 || litoGEN·ÉTICO XX || litoGLIF·IA | *lithoglyphia* 1899 || litoGLIFO | *lithoglypho* 1890 || litoGRAF·IA | *lithographia* 1844 || litoGRÁF·ICO | *lithographico* 1844 || litoGRAV·URA XX || litOIDE | *lithoido* 1858 || litoLÁB·IO | *litho-* 1858 || litóLATRA | *litho-* 1899 || litóLISE XX || litoLOG·IA | *lithologia* 1873 || litoMALAC·IA XX || litôMETRO | *litho* 1899 || litoN·TRÍPT·ICO | *lithon-* 1873 || litoPÉD·ICO XX || litoSFERA | *lithosphera* 1899 || litoSPERMO | *litho-* 1890 || litoTOM·IA | *litho-* 1844 || litoTRÍC·IA | *litho-* 1844 | Do fr. *lithotritie*.
⇨ **lito(o)-** — lítICO | *lithi-* 1836 SC || litóFITO | *lithophy-* 1836 SC || litoGRAF·IA | *lithographia* 1836 SC || litoGRÁF·ICO | *lithographico* 1836 SC || lito·NTRIPT·ICO | *lithontrip-* 1836 SC || litoTOM·IA | *litho-* 1836 SC || litoTRIC·IA | *lithotritia* 1836 SC |.
litoral *adj. 2g. sm.* 'relativo à beira-mar' 'terreno situado à beira-mar' 1844. Do lat. *littorālis*, de *līttus -ōris* 'praia' || litorÂN·EO XIX || litóREO | *littoreo* 1881 | Do lat. *littorĕus*.
⇨ **litoral** | 1836 SC |.
litorina *sf.* 'automotriz' XX. Do it. *littorina*, de *littorio*, deriv. do lat. *lictorius*, de *lictor -ōris* 'lictor'.
lito·sfera, -spermo → LIT(O)-.
litotes *sf. 2n.* '(Ret.) modo de afirmação por meio da negação do contrário' | *liptotes* 1873 | Do fr. *li(p)tote*, deriv. do lat. tard. *lītotēs e*, este, do gr. *litótēs -ētos* 'simplicidade'.
⇨ **litotes** | 1836 SC |.
lito·tomia, -trícia → LIT(O)-.
litro *sm.* 'unidade fundamental de capacidade do sistema métrico decimal, equivalente à capacidade de um decímetro cúbico' 'o conteúdo de um litro' 1844. Do fr. *litre*, do fr. ant. *litron*, deriv. do lat. med. *litra* e, este, do gr. *lítra* 'peso de doze onças'.
⇨ **litro** | 1836 SC |.
lituano *adj. sm.* 'pertencente ou relativo à Lituânia' 'natural da Lituânia' 'língua indo-europeia do grupo báltico' | *lutuano* XIV | Do top. *Litu(ânia)* + -ANO.
litura *sf.* 'rasura' 1844. Do lat. *litura*.
liturgia *sf.* 'complexo das cerimônias eclesiásticas, ritual' XVI. Do lat. ecles. *lītūrgia*, deriv. do gr.

leitourgía 'função ou serviço público, donde, no Novo Testamento, culto divino' || litúrgICO 1712.
lívido *adj.* 'da cor do chumbo, muito pálido' 1813. Do lat. *livĭdus*, de *livĕre* || lividEZ 1858 || livOR | *lyvor* XIV | Do lat. *livor -ōris*, de *livĕre*.
livre *adj. 2g.* 'que pode dispor de sua pessoa, que não está sujeito a algum senhor' 'não ocupado, solto, descomedido, espontâneo' | XIII, *libre* XIII | Do lat. *lībĕr* || liberAL XVII || liberAL·IDADE 1844 || liberAÇÃO XV. Do lat. *lībĕrātĭo -ōnis* || liberAL XIV. Do lat. *lībĕrālis* || liberAL·IDADE XVI. Do lat. *lībĕrālĭtas -ātis* || liberAL·ISMO 1858. Do fr. *libéralisme* || liberAL·IZAR XVI || liberAR XIX. Do lat. *lībĕrāre* || liberATIVO XVI || liberATÓRIO 1881 || **liberdade** XIV. Do lat. *lībĕrtas -ātis* || libertAR XVI. Do lat. med. *libertāre*, de *libertas -ātis* || libertAÇÃO XVI || libertI·CIDA XIX || libertinAGEM 1768 || libertINO 1813. Do fr. *libertin* || liberto XIV || livrADOR XIV || livrAMENTO XIV || livrAR XIII. Do lat. *lībĕrāre*.
⇨ **livre** — liberAL·EZA | 1525 ABEJP 2.*20* || liberAL·IDADE | XV LEAL 330.*25* || liberAR | XV VERT 137.*18* || libertINO | 1680 AOCD I.280.*30* |.
livro *sm.* 'porção de cadernos manuscritos ou impressos e cosidos ordenadamente' XIII. Do lat. *līber -bri* || libreto | *libretto* 1881 | Do it. *libretto*, dimin. de *libro* || livrARIA XIV || livrECO 1858 || livrEIRO | *-eyro* XVI || livrESCO XIX || livrETE | *librete* XV | Do fr. *livret*, dimin. de *livre* 'livro'.
lixar *vb.* 'desgastar com lixa' XVI. De origem incerta || lixa XV. Deverbal de *lixar*.
lixívia *sf.* 'água em que se ferve cinza para lavagem de roupa, barrela' 1813. Do lat. *lixīvĭa*, fem. de *līxīvĭus*.
lixo *sm.* 'o que se varre e, em geral, tudo que não presta' 'cisco, imundície' XIII. De origem obscura || lixEIRA XX || lixEIRO XX || lixOSO XIII. No port. med. ocorre o verbo *luxar* (séc. XIV) 'sujar, manchar', aparentado com *lixo*, através de uma forma **lixar* 'sujar com lixo'.
ló[1] *sm.* 'lado do navio que está voltado para o ponto de onde sopra o vento' XV. Provavelmente do fr. *lof*, deriv. do médio neerl. *loef*.
ló[2] *sm.* 'tecido fino como escumilha' XV. De origem obscura.
lo·a, -ar → LOUVAR.
loba[1] *sf.* 'beca, trajo eclesiástico' XVI. De origem incerta.
loba[2] → LOBO[1].
lobélia *sf.* 'gênero de plantas herbáceas ornamentais' 1873. Do lat. cient. *lobelia*, voc. criado em homenagem ao botânico flamengo *Lobel* (1538-1616).
lobo[1] *sm.* 'animal carnívoro, selvagem, da fam. dos canídeos' XIII. Do lat. *lŭpus -i* || **loba**[2] *sf.* 'a fêmea do lobo' 'meretriz' 1572. Do lat. *lŭpa -ae* || lobisoMEM | *lobishomem* XVI | De um lat. **lupis hominem* 'homem-lobo'.
⇨ **lobo**[1] — **loba**[2] *sf.* 'a fêmea do lobo' | XV FRAD I.274.*24* |.
lobo[2] *sm.* 'parte arredondada e saliente de qualquer órgão do corpo animal ou vegetal' XVI. Do lat. cient. *lobus*, deriv. do gr. *lobós*.
lôbrego *adj.* 'soturno, triste, escuro, cavernoso, lúgubre, assustado' XV. De origem obscura || lobregOSO | *lu-* XIII.

lobrigar *vb.* 'ver a custo, entrever, ver ao longe, enxergar' XVI. De origem obscura.
loca *sf.* 'esconderijo do peixe sob uma pedra debaixo da água' 'furna, toca subaquática, lapa, gruta pequena' 1873. De origem obscura.
loc·ação, -ador → LOCAR.
local, -idade, -ização, -izar → LUGAR.
locanda *sf.* 'taverna, tasca, tenda, loja de venda' 1881. Do it. *locanda* 'alojamento, quarto de aluguel em casa particular', deriv. do lat. *locanda (domus)* 'casa para ser alugada' || **locand**EIRO 1881. Cp. LOCAR e LUGAR.
loção *sf.* 'lavagem, ablução' 'líquido próprio para lavagens medicinais' 'líquido perfumado' 1858. Do lat. *lōtĭo -ōnis*, de *lōtus* (< *lautus*), part. pass. de *lavĕre* 'lavar'.
locar *vb.* 'alugar, dar de arrendamento' 1813. Do lat. *locāre* || DES**loc**ADO 1873 || DES**loc**AMENTO 1899 || DES**locar** XVII || **iloc**ÁVEL | *illo-* 1813 || **loc**AÇÃO XV. Do lat. *locātĭo -ōnis* || **loc**ADOR 1793. Do lat. *lacātor -ōris* || **loc**atário 1757. Do lat. *locatarĭus* || **loc**ATIVO¹ *adj.* 'relativo a locação' 1881. Do fr. *locatif* || **loc**ATIVO² *sm.* '(Gram,) antigo caso do latim' 1881 || SUB**loc**AÇÃO 1840 || SUB**loc**ADOR XX || SUB**locar** 1858 || SUB**loc**atário XX. Cp. LUGAR.
⇨ **locar** — DES**loc**ADO | 1836 SC || **loc**ATIVO³ *adj.* 'relativo a lugar' | XV BENF 223.*11* |.
loco- *elem. comp.*, do lat. *locus* 'lugar', que se documenta em vocábulos eruditos, principalmente a partir do séc, XIX ▶ **loco**MOBIL·IDADE 1873 || **loco**MOÇÃO 1844. Do fr. *locomotion* || **loco**MOTIVA *sf.* 1833. Do ing. *locomotive (engine)* || **loco**MOTIV·IDADE 1873. Do fr. *locomotivité* || **loco**MOTIVO *adj.*, XVII || **loco**MOTOR 1858. Do fr. *locomoteur* || **loco**MOTRIZ 1858 || **loco**MÓVEL *adj.* 2g. 1873 || **loco**MOVER XX.
⇨ **loco-** — **loco**MOÇÃO | 1836 SC |.
locução → LOCUTOR.
lóculo *sm*, 'pequena cavidade' 1873. Do lal. *lŏcŭlus* 'pequeno lugar', de *lŏcus -i* || **locul**ADO 1881. Do lat. *loculātus* || **locul**AMENTO 1858 || **locul**AR *adj.* 1873 || **locul**ICIDA 1873 || **locul**OSO 1881. Cp. LUGAR.
locupletar *vb.* 'tornar rico, enriquecer, saciar' XVII. Do lat. *locupletāre* (< *locus* 'terra, riqueza' + *plet(are)*, de *pletum*, supino de *plēre* 'encher') || **locuplet**AÇÃO XX. Do lat. *lo-cupletatĭo -ōnis*.
locutor *sm.* 'o que fala, grande falador' XVII: 'radialista que fala para uma audiência radiofônica' XX. Do lat. *locūtor -ōris*, de *loquī* 'falar' || A**locução** | *allo-* XVIII | Do lat. *allocutĭo -ōnis* || CO**locutor** 1844 || INTER**locução** 1813. Do lat. *interlocutio -ōnis* || INTER**locutor** | *-trolocutores* pl. XVI || INTER**locut**ÓRIO XIII || **locução** XVII. Do lat. *locutĭo -ōnis*. Cp. LOQUAZ.
lodaçal → LODO¹.
lódão *sm.* 'planta da fam. das ninfeáceas' 1813. Do lat. **lotānus*, de *lōtus*, deriv. do gr. *lōtós* || **lodo**² *sm.* 'lódão' XX. Forma divergente de *loto*¹, do lat. *lōtus*, deriv. do gr. *lōtós*. Cp. LOTO¹.
lodícula *sf.* 'invólucro da flor das gramíneas' 1873. Do lat. *lodicŭla*, dimin. de *lodix -ĭcis* 'cobertura, cobertor'.
lodo¹ *sm.* 'terra misturada com detritos orgânicos no fundo da água, lama' | XIV, *ludo* XIII | Do lat. *lŭtum -i* 'lama, lodo' || **lod**AÇ·AL XVII || **lod**OSO | XIV, *lodosso* XIV | Do lat. *lŭtōsus* || **lut**ITO *sm.* 'qualquer sedimento clástico argiloso' XX || **lut**AR² *vb.* 'tapar com *luto*²' XX || **luto**² *sm.* 'massa com que se vedam as frinchas dos aparelhos de destilação' 1873. Do lat. *lŭtum -i* || **lutulento** *adj.* 'lodoso, lamacento' XVI. Do lat. *lutulentus*.
⇨ **lodo**¹ — **luto**² | 1836 SC |.
loendro *sm.* 'planta da fam. das apocináceas, espirradeira' 1858. Do lat. *lorandrum*, variante de *rhodódendron*, do gr. *rhodódendron*.
-lof(o)- *elem. comp.*, deriv. do gr. *-lopho-*, de *lóphos* 'crista, cume, topo', que se documenta em alguns compostos eruditos, como *acantólofo, anfilofo* etc.
-log- → LOG(O)-.
logadite *sf.* 'inflamação da esclerótica' XX. Do lat. cient. *logaditis*, formado do rad. grego *logad-* (de *logás -ádos* 'esclerótica') + *-itis* (v. -ITE).
logaritmo *sm.* 'expoente da potência a que se deve elevar um número, chamado base, para obter um número dado'| *logarithmo* 1813 | Do lat. cient. *logarithmus*, vocábulo criado pelo escocês John Napier (1614), a partir dos vocábulos gregos *lógos* 'razão' e *arithmós* 'número' || **logarítm**ICO | *-rithm-* 1813.
-log·ia → LOG(O)-.
lógica *sf.* 'ciência que estuda as leis do raciocínio' 'coerência, raciocínio' | XIV, *losica* XIV | Do lat. *logĭca*, deriv. do gr. *'logikḗ (téchnē)* 'arte de raciocinar' || A**logi**A XX || I**lógico** | *illo*1881 | Do fr. *illogique* || **logic**·AL XVI || **lógico** XIV. Do lat. *logĭcus*, deriv. do gr. *logikós*, de *lógos* || **logíst·ica**¹ *sf.* 'parte da aritmética e da álgebra concernente às quatro operações' 1873; 'lógica matemática' XX. Do fr. *logistique*, do baixo lat. *logistica*, fem. do adj. *logistĭcus* e, este, do gr. *logistikós* || **logíst·ica**² *sf.* 'parte da arte militar referente ao transporte e suprimento das tropas em operações' 1873. Do fr. *logistique*.
-lóg·ico → LOG(O)-.
logo *adv.* 'imediatamente' XIII. Do lat. *lŏco*, ablativo de *lŏcus*.
-log(o)- *elem. comp.*, deriv. do gr. *lógos* 'palavra, estudo, tratado', que se documenta em compostos formados no próprio grego, como *astrologia* (gr. *astrología*) e *astrológico* (gr. *astrologikós*), *astrólogo* (gr. *astrológos*), e em vários outros vocs. introduzidos na linguagem científica internacional, a partir do séc. XIX ▶ **logo**GRAF·IA | *-phia* 1858 || **logo**GRÁF·ICO | *-phico* 1873 || **logó**GRAFO | *-pho* 1873 || **logo**GRIFO 1813 || **logo**MAQUIA | *-chia* 1858 || **logo**R·REIA *-rrhea* 1873 || **logo**TECN·IA | *-chnia* 1858 || **logo**TIPO XX.
lograr *vb.* 'interessar, tirar lucro' 'granjear, utilizar' 'fruir, gozar, desfrutar' 'obter, alcançar' XIII. Do lat. *lŭcrāre* || **logr**ADOR 1813 || **logr**ADOURO, **logr**ADOIRO 'tudo que é ou pode ser fruido por alguém, pastagem pública' 1813; 'as vias e praças públicas de uma cidade' XX || **logro** XV. Do lat. *lŭcrus*. Cp. LUCRAR.
⇨ **lograr** — **logr**ADOURO, **logr**ADOIRO 'passeio público' | 1836 SC |.
loio *adj. sm.* 'diz-se dos, ou frades da ordem de São João Evangelista' | 1813, *loyo* 1705 | Do antr. *Elói*, em alusão ao hospital de Santo Elói, em Lisboa, onde se instalaram esses frades.

loja *sf.* 'casa térrea, pavimento ao rés do chão, destinado a comércio ou indústria' 'alojamento' | *loya* XIV, *lógea* XV |; 'seção de ordem maçônica' 1881. Do fr. *loge*, deriv. do frâncico *laubja*. Na seg. acep. o voc. francês provém do ingl. *lodge* || **aloj**ADO 1813 || **aloj**AMENTO XV || **aloj**AR XIV || DES·**aloj**AR XVI || **loj**ISTA | 1858, *logista* 1858.
⇨ **loja** — **aloj**ADO | XIV ORTO 197.*7* || **aloj**AR | XV CESA II.21§20.*1*, *alogar* XIV DICT 1634 etc. |.
lombardo, longobardo *adj. sm.* 'da Lombardia (Itália), natural ou habitante da Lombardia' | *lombardo* XIV, *longobardo* XV | Do it. *lombardo*, deriv. do lat. med. *lombardus*, forma abrev. do lat. *longobardus*.
lombo *sm.* 'costas, dorso, parte carnosa aos lados da espinha dorsal' '*fig.* qualquer superfície convexa não esférica, lombada' XIII. Do lat. *lumbus -ī* || **lomba**¹ *sf.* 'planura sobre a serra ou qualquer altura' XIII || **lomba**² *sf.* 'preguiça' XX || **lomb**ADA¹ *sf.* 'dorso do livro' 1813 || **lomb**ADA² *sf.* 'declive' 1873 || **lomb**AR *adj.* 1813 || **lomb**EIRA *sf.* 'preguiça' 1890. Substantivação do feminino de *lombeiro*, subentendido o vocábulo *fraqueza*, isto é, fraqueza nos lombos || **lomb**EIRO *adj.* XVI.
⇨ **lombo** — **lomb**ADA² | *c* 1541 JCASR 278.*24* |.
lombriga *sm.* 'verme parasito do intestino' XIV. Do lat. *lŭmbrīcus*, com mudança de gênero || **lombri**CAL 1858 || **lombric**ITE | -*ita* 1899 || **lombric**OIDE 1873 || **lombrigu**EIRA XIV || **lumbric**ÁRIO 1899 || **lumbri**·CIDA 1899.
lomento *sm.* 'tipo de fruto encontrado em certas leguminosas' XX. Do lat. *lomentum -i* || **loment**ÁCEO 1873.
lona *sf.* 'tecido forte de linho grosso ou de cânhamo, que se prestava para velas de navio e que, hoje, é usado também para toldos e coberturas em geral' XV. Do top. *Olonne*, cidade da França, onde se fabricava esse tecido.
londrino *adj. sm.* 'de Londres (Inglaterra), natural ou habitante dessa cidade' 1858. Do top. *Londr(es)*+ -INO.
longana *sf.* 'planta da fam. das sapindáceas' 1881. Adapt. do ing. *longan*, deriv. do chinês *lungyen* 'olho de dragão', de *lung* 'dragão' + *yen* 'olho'.
longânime, longânimo *adj.* 'bondoso, magnânimo, corajoso, resignado, generoso' XVII. Do lat. *longanĭmis*, de *long(us)* + *animus* || **longanim**IDADE | XVI, *longaminidade* XV | Do lat. *longanimĭtas -ātis*.
longarina *sf.* 'cada uma das vigas em que assenta o tabuleiro das pontes' 1899. Do it. *longarina*.
longo *adj.* 'comprido, extenso' XIII. Do lat. *lŏngus* || **along**ADO XIII || **along**AMENTO XIII || **along**AR XIII || DE**longa** XIV || DE**long**AMENTO XIII || DE**long**AR XIII. Do lat. **delongāre* || **longe** *adj. adv.* 'distante, afastado' 'a grande distância' XIII. Do lat. *lŏnge*, de *lŏngus* || **longev**IDADE 1813. Do lat. *longaevĭtas -ātis* || **longevo** XVI. Do lat. *longaevus*, de *lŏngus* 'longo' + *aevum* 'duração' || **longi**·CAULE 1890 || **longi**·CÓRN·EO 1873 || **longi**·MANO XVI || **longi**·METR·IA 1813 || **longínquo** | 1572, *longinco* 1572 | Do lat. *longinqŭus* || **longi**·PALPO 1899 || **longí**·PEDE 1858. Do lat. *longĭpes -pĕdis* || **longi**·PENE 1873 || **longi**·PÉTALO XX || **longi**·R·ROSTRO 1873 || **longi**·TARSO 1873 || **long**ITUDE | *longetude* XV | Do lat. *longitudo -ĭnis* || **longitudin**AL 1858. Do fr. *longitudinal* || **longu**EIR·ÃO XVII || **longu**EIRO XV || **longu**EZA XV || **longu**RA XIV || **lonj**URA XX.
longobardo → LOMBARDO.
longu·eirão, -eiro, -ra, lonjura → LONGO.
lontra *sf.* 'mamífero carnívoro da fam. dos mustelídeos' XV. Do lat. *lŭtra*. É de difícil explicação a nasalização da primeira sílaba; observe-se, ainda, que o mesmo fenômeno ocorre no italiano *lontra*.
loquaz *adj.* 'falador, palrador, verboso, eloquente' | *locaz* XVI | Do lat. *loquāx -cis* || **loquac**IDADE XVI. Do lat. *loquācĭtās -ātis* || **loquela** 1813. Do lat. *loquēla*.
loquete *sm.* 'cadeado, ferrolho' | 1813, *aloquete* XV | Do fr. *loquet*, deriv. do antigo fr. *loc* e, este, do germ. *loc*.
lóquios *sm. pl.* 'líquido serossanguíneo que escorre dos órgãos genitais durante o sobreparto' | *lochios* 1813 | Do lat. tard. *lochĭa -ōrum*, deriv. do gr. *locheios* 'relativo ao parto' || **loquio**·METR·IA XX.
lorde *sm.* 'título dado na Inglaterra aos pares do reino e aos membros da câmara alta' | *lord* 1844 | Do ing. *lord*.
⇨ **lorde** | *lord* 1836 SC |.
lordose *sf.* '(Med.) encurvamento da coluna vertebral para diante' | *lordosis* 1858 | Do lat. cient. *lordōsis*, deriv. do gr. *lórdōsis* 'curvatura'.
loriga *sf.* 'veste militar, couraça' XIII. Do lat. *lōrīca* || **lorica** XVIII. Forma divergente de *loriga*.
lornhão *sm.* 'espécie de óculos' | *lorgnon* 1899 | Do fr. *lorgnon*.
loro *sm.* 'correia dupla que sustenta o estribo' XIV. Do lat. *lōrum -i* 'correia'.
lorota *sf.* 'mentira, conversa fiada' XX. De origem obscura.
losango *sm.* 'quadrilátero cujos lados são iguais e paralelos dois a dois e os ângulos opostos iguais dois a dois' 1873. Do fr. *losange*.
losna *sf.* 'designação de diversas plantas da fam. das compostas' | XIV, *alosna* XIV | Do lat. tard. *alóxĭna*, provavelmente do gr. *alóē oxines* 'aloés amargo'.
lote *sm.* 'parte de um todo que se distribui entre diversas pessoas' 'número de pessoas, rancho, bando' 'qualidade de mercadoria' 'pequena área urbana destinada à construção' XV. Do fr. *lot*, deriv. do frâncico **hlot* 'herança' || **lot**AR *vb.* 'fixar, taxar, determinar o número' 'ter a sua capacidade totalmente preenchida' 1813 || **lot**AÇÃO XVI || **lote**·AMENTO XX || **lot**EAR XX || SUPER**lot**AR XX.
loteria → LOTO².
loto¹ *sm.* 'planta da fam. das ninfeáceas' 'a flor dessa planta' | 1813, *lotus* 1813 | Do lat. *lōtus*, deriv. do gr. *lōtós*. Cp. LÓDÃO.
loto² *sm.* jogo de azar em que se empregam cartões com números que os jogadores vão marcando à medida que os ditos números são tirados de um saco' 1844. Do it. *lotto*, deriv. do fr. *lot*, e, este, do frâncico **hlot* || **lot**ERIA 1720. Do it. *lotteria* 'administração do *loto*²'. Cp. LOTE.
louça *sf.* 'artefato de barro, porcelana etc., especialmente para serviço de mesa' 'produto de cerâmica' XIII. Do lat. *lŭtea -orum*, substantivação do neutro do adj. *lŭtĕus* 'feito de barro'.
loução *adj.* 'garrido, elegante, gracioso, gentil, viçoso' XIII. Do lat. **lautiānus*, de *lautia*, que se rela-

ciona com *lautus* 'imponente, vultoso' ‖ **louçan**IA | XIV, *louçaÿa* XIII, *louçaynha* XIV etc.
louco *adj. sm.* 'que perdeu a razão, alienado, doido' XIII. De origem obscura ‖ **louc**URA XIII.
loureira *sf.* 'mulher provocante, sedutora' 'meretriz' XVIII. De origem incerta: talvez provenha do a. fr. *loire* (hoje *leurre*) 'artifício'.
louro[1] *sm.* 'a folha do loureiro, planta da fam. das lauráceas' XIV. Do lat. *laurus* ‖ **A**lour**ADO** | *aloirado* 1899 ‖ **A**lour**AR** | *aloirar* 1899 | De *louro*[2] ‖ **láur**EA XVII. Do lat. *laurĕa* ‖ **laur**E·ADO XVI. Do lat. *laureātus* ‖ **laur**EAR 1844. Do lat. tard. *laureāre* ‖ **laurel** XVI. Do cast. *laurel*, deriv. do a. prov. *laurier* ‖ **láur**EO XVII. Do lat. *laurĕus* ‖ **láur**ICO 1873. Do lat. cient. *laurĭcus*, de *laurus* 'loureiro' ‖ **laurí**·COMO 1858. Do lat. *lauricŏmus* 'coberto de louros' ‖ **laurí**·FERO XVII. Do lat. *laurifĕrus* ‖ **lauri**·FÓLIO 1873 ‖ **laurí**·GERO XVII. Do lat. *laurĭger* ‖ **lour**EIRO | *-eyro* XIV ‖ **louro**[2] *adj. sm.* 'castanho claro' XIII. De *louro*[1].
⇨ **louro**[1] — **laur**EAR | 1836 SC |.
louro[3] *sm.* 'papagaio' | *loiro* 1881 | De origem controversa.
lousa *sf.* 'ardósia, laje, pedra tumular' XVII. De origem desconhecida ‖ **lous**AR XIV.
louvar *vb.* 'elogiar, gabar, exaltar, enaltecer' | XIII, *louar* XV etc. | Do lat. *laudāre*; cp. *loar* ‖ **laud**ABIL·IDADE XX ‖ **laud**ATÍCIO XVI. Do lat. tard. *laudaticĭum* ‖ **laud**ATIVO XVII. Do lat. *laudativus* ‖ **laud**ATÓRIO XVI ‖ **laud**ÁVEL XV. Do lat. *laudabĭlis* ‖ **laudo** 1873. Do lat. *laudo* 'eu louvo' ‖ **loa** XVI. Deriv. regr. de *loar* ‖ **loar** *vb.* 'louvar' XIII. Forma divergente de *louvar*, do lat. *laudāre* ‖ **louv**AÇÃO | 1881, *loaçon* XIII ‖ **louv**ADO 1813 ‖ **louv**ADOR | *loador* XIII, *louuador* XIV ‖ **louv**AMENTO XV ‖ **louvaminha** XIV ‖ **louvaminhar**[1] XV ‖ **louvaminhar**[2] *sm.* | *louvamÿar* XIII ‖ **louvaminh**EIRO | XIV, *loamineyro* XIV etc. ‖ **louv**ÁVEL | *louuauees* pl. XV ‖ **louvor** | XIV, *loor* XIII.
⇨ **louvar** — **louv**ADO | XIII FLOR 680 |.
lovelace *sf.* 'sedutor de mulheres, conquistador' 1899. Do fr. *lovelace*, de *Lovelace*, nome do herói do romance *Clarisse Harlowe* (1748) do escritor inglês S. Richardson (1689-1761): o ing. *lovelace* traduz-se por 'laços de amor'.
loxodromia *sf.* '(Náut.) curva descrita por um navio quando segue constantemente o mesmo rumo de vento' 1858. Do fr. *loxodromie*, composto dos rad. gr. *loxos* 'oblíquo' e *drómos* 'caminho'.
⇨ **loxodromia** | 1836 SC |.
lua *sf.* 'satélite natural da Terra' | XIV, *lũa* XIII etc. | Do lat. *lūna -ae* ‖ **A**lu**ADO** XVI ‖ **A**lun**AÇÃO** XX ‖ **alunissagem** XX. Do fr. *alunissage*, de *alunir* 'pousar sobre a lua' ‖ **EN**lu**AR**·ADO XX ‖ **INTER**lún·IO | 1813, *entrelunho* XVI ‖ **lu**AR | *lũar* XV | Do lat. *lūnār -āris* ‖ **lun**AÇÃO XVII ‖ **lun**AR XVIII. Forma divergente de *luar*, do lat. *lūnār -āris* ‖ **lun**ÁRIO 1813 ‖ **lun**ÁTICO XV. Do lat. *lunatĭcus* ‖ **luní**·COLA 1873 ‖ **luni**·FORME 1873 ‖ **luni**·S·SOL·AR | *lunisolar* 1844 ‖ **lúnula** *sf.* 'cada um dos satélites de Júpiter' 1858. Do lat. *lunŭla* ‖ **lunul**ADO 1858 ‖ **SUB**lun**AR** XX.
⇨ **lua** — **lun**AÇÃO | *lũações* pl. XV PAUL 18.*21* ‖ **lun**AR | *a* 1542 JCASE 99.7 ‖ **luni**S·SOL·AR | *lunisolar* 1836 SC |.

lúbrico *adj.* 'escorregadio, úmido ou liso a ponto de fazer escorregar' *fig.* lascivo, sensual' XVII. Do lat. *lubrĭcus* ‖ **lubric**AR XVII. Do lat. *lūbricāre* ‖ **lubrici**·DADEXVII‖**lubri**·FIC·AÇÃO 1873‖**lubri**·FIC·ANTEXX ‖ **lubri**·FICAR 1873. Adapt. do fr. *lubrifier*.
lucanário *sm.* 'intervalo de duas vigas, numa construção' 1899. De origem obscura.
lucarna *sf.* 'trapeira, fresta, abertura no teto de uma casa para dar luz ao sótão' 1899. Do fr. *lucarne*.
luc·erna, -escente, -idar, -idez, -ido, -ifer, -iferário, -ífero, -ífugo, -ilar, -iluzir, -ina, -ipotente, -ivelo → LUZ.
⇨ **luciferino** → LUZ.
luco *sm.* 'bosque' XVII. Do lat. *lūcus -i*.
lucrar *vb.* 'ganhar, aproveitar, gozar, ter interesse' XVII. Do lat. *lucrāre* ‖ **lucr**ATIVO 1813. Do lat. *lucratīvus* ‖ **lucro** XVII. Do lat. *lucrum -i* ‖ **lucr**OSO XVII. Do lat. *lucrōsus*. Cp. LOGRAR.
luct·ífero, -ífico, -íssono → LUTO[1].
lucubrar *vb.* 'trabalhar de noite e à luz, estudar ou aprender trabalhando desveladamente' 1881. Do lat.*lūcubrāre* ‖ **lucubr**AÇÃO XVI. Do lat. *lūcubrātiōnis*. Cp. ELUCUBRAÇÃO.
lúcula *sf.* 'granulação luminosa que entra na composição da fotosfera do Sol' 1873. Do lat. *lucŭlus* (da raiz *leuk-* 'brilhar' > LUX).
ludâmbulo *sm.* 'turista' XIX. Neologismo proposto para traduzir o ing. *tourist* pelo filólogo brasileiro Antônio de Castro Lopes (1827-1901), que assim se refere, em 1889, à sua criação: "Por que não será *ludambulo* em portuguez, o que em inglez se chama *tourist*? [...] Meos senhores, *ludus* significa *divertimento, recreio, passatempo*; o sufixo *ambulo* é o verbo que significa *passeiar*. [...] Não conhecemos todos nós o *funambulo*, o *somnambulo* e o *noctambulo*? ... Pois *ludambulo* é primo irmão dos tres; [...]".
ludo *sm.* 'jogo, brinquedo' 'espécie de jogo em que se usam dados' XVI. Do lat. *ludus -i* ‖ **ludião** *sm.* 'histrião' '(Fís.) dispositivo que serve para estudar os diferentes casos que pode apresentar um corpo mergulhado na água' 1873. Do lat. *ludĭo -ōnis*, de *ludus* ‖ **ludibri**AR 1844 ‖ **ludíbrio** XVII. Do lat. *ludibrĭum*, de *ludus* ‖ **lúd**ICO XX. Do fr. *ludique* ‖ **lúdrico** 'ridículo' XVI. Do lat. *ludrĭcus*.
⇨ **ludo** — **ludibri**AR | 1836 SC |.
ludro *adj.* 'sujo, churdo (lã), turvo (líquido)' 1881 De origem obscura.
lues *sf.* 2*n.* 'sífilis' XX. Do lat. *luēs -is* 'epidemia, doença contagiosa' ‖ **luético** XX. Do ing. *luetic*.
lufa *sf.* 'ventania' *fig.* afã, azáfama' *ext.* vela de navio' 1881. Do ing. *loof* ‖ **luf**ADA XVI ‖ **luf**AR 1899.
lufa-lufa *sf.* 'grande pressa, azáfama' 1813. De origem onomatopaica.
lufar → LUFA.
lugar *sm.* 'espaço ocupado, localidade, cargo, posição' | XIII, *logar* XIII | Do lat. *locālis*, de *locus* ‖ **local** XV. Do lat. *locālis* ‖ **local**IDADE 1803 ‖ **local**IZ·AÇÃO 1873 ‖ **local**IZAR | *-isar* 1873 ‖ **lugar**EJO XIX. Cp. LOCANDA, LOCAR, LOCO-, LÓCULO, LOCUPLETAR.
lugente → LUTO[1].
lugre *sm.* 'navio mercante com vários sistemas de mastreação' 1881. Do ing. *lugger*.

lúgubre *adj.* 'relativo a luto, fúnebre, triste, medonho, funesto, escuro, sinistro, pavoroso' XVI. Do lat. *lūgŭbris*, de *lugēre*. Cp. LUTO¹.
luís *sm.* 'antiga moeda de ouro francesa que começou a circular em 1640, no reinado de Luís XIII' 1844. Do fr. *louis*, designação abreviada de *louis d'or*, do nome do rei de França *Louis* (Luís) XIII.
⇨ **luís** | 1836 SC |.
lula *sf.* 'molusco marítimo da fam. dos loliginídeos' XIV. De origem controversa.
lumaquela *sf.* 'calcário formado por fragmentos de conchas' | *lumachella* 1881 | Do it. *lumachella*, dimin. de *lumaca* 'caramujo'.
lumbago *sm.* 'dor forte e repentina na região lombar' 1858. Do baixo lat. *lumbāgo -gĭnis*, de *lumbus*. Cp. LOMBO.
lumbr·icário, -icida → LOMBRIGA.
lume *sm.* 'fogo, fogueira, luz, clarão, vela, círio' XIII. Do lat. *lūmen -ĭnis* ∥ **lúmen** *sm.* '(Fís.) unidade de fluxo luminoso' XX. Termo de uso internacional, do lat. *lūmen -ĭnis* ∥ **lumin**AR *adj. 2g.* 'que dá luz' 1813. Do lat. *luminaris* ∥ **lumin**ÁRIA *sf.* 'aquilo que alumia' | *lumynaria* XIV | Do lat. *luminarĭa*, nomin. neutro plural de *luminaris*. No port. med. ocorre a forma divergente *lumeeira* (séc. XIII) ∥ **lumin**ESC·ÊNCIA XX. Do lat. cient. *luminescentia* ∥ **lumin**ESC·ENTE XX ∥ **lumin**OS·IDADE 1873 ∥ **lumin**OSO | 1572, *lumioso* XIV, lumeoso XIV etc. | Do lat. *luminōsus*.
lun·ação, -ar, -ário, -ático → LUA.
lundu *sm.* 'primitivamente, dança cantada, rural, de origem africana' 'atualmente, canção solista em geral de caráter cômico' XVIII. De origem africana, talvez do cafre *landu* 'consequência, o que se segue a um ato'.
luneta *sf.* 'conjunto de lentes para auxiliar a vista' 'parte da custódia em que se segura a hóstia' XVIII. Do fr. *lunette*, dimin. de *lune*, do lat. *lūna* 'lua'.
lun·ícola, -iforme, -issolar, -ula, -ulado → LUA.
⇨ **lunissolar** → LUA.
lupa¹ *sf.* 'lente convergente de curto foco' 1881. Do fr. *loupe*.
lupa² *sf.* 'tumor no joelho de alguns animais' XVIII. De origem obscura.
lupanar *sm.* 'prostíbulo' XVII. Do lat. *lupanar -āris*.
luperco *sm.* 'divindade campestre que velava pelos rebanhos, afastando deles os lobos' 'pã' 1899. Do lat. *lupercus* ∥ **lupercais** *sf. pl.* 'festas anuais na antiga Roma, em honra do deus Pã' | *lupercaes* XVII | Do lat. *lupercālis*.
⇨ **luperco** | 1836 SC |.
lupinastro *sm.* 'variedade de trevo' 1873. Do lat. cient. (*trifolĭum*) *lupinaster -tri*.
lupino *adj.* 'relativo a lobo' 1873. Do lat. *lupīnus*, de *lŭpus*. Cp. LOBO¹.
⇨ **lupino** | 1836 SC |.
lupinose *sf.* 'intoxicação causada pela ingestão de tremoços' 1899. Do lat. cient. *lupinōsis* ∥ **lupino**·TOX·INA *sf.* 'alcaloide venenoso dos tremoços'.
lupo, lúpus *sm.* '(Med.) designação genérica de várias doenças da pele' 1858. Do lat. cient. *lupus excedens*. Cp. LOBO¹.
lúpulo *sm.* 'planta trepadeira da fam. das urticáceas, cujo fruto é empregado no fabrico da cerveja' | *luparo* XVIII | Do lat. med. *lupulus*.
lura *sf.* 'toca, esconderijo de coelhos e de outros animais' 1890. De origem obscura.
lúrido *adj.* 'pálido, lívido, escuro' 1813. Do lat. *lurĭdus*.
lusco *adj.* 'vesgo, que tem um só olho, que só vê através de um olho' XVI. Do lat. *luscus*.
luso *adj. sm.* 'natural ou habitante de Portugal (ou Lusitânia)' 1572. Do antr. lat. *Lusus -i*, filho de Líber, que deu seu nome à Lusitânia ∥ **lusitân**ICO 1572 ∥ **lusitano** 1572. Do lat. *lusitānus* 'natural ou habitante da Lusitânia'.
lustr·ação, -al → LUSTRAR².
lustrar¹ *vb.* 'tornar brilhante ou polido, luzir' XVI. Do lat. *lustrāre* ∥ DES**lustr**AR XVII ∥ DES**lustre** 1813 ∥ **lustre**¹ *sm.* 'brilho, polimento' XVI. Deverbal de *lustrar*¹ ∥ **lustre**² *sm.* 'lampadário' 1813. Do fr. *lustre* ∥ **lustr**INA *sf.* 'tecido muito lustroso de seda' 1873. Do fr. *lustrine* ∥ **lustro**¹ *sm.* 'lustre' XVI ∥ **lustr**OSO XVI.
lustrar² *vb.* 'purificar' 1813. Do lat. *lustrāre* 'purificar, andar em volta de um lugar para purificar' 'ext. percorrer, revistar, examinar' ∥ **lustr**AÇÃO *sf.* 'purificação, lavagem ritual' 1813. Do lat. *lustratĭo -ōnis* ∥ **lustr**AL XVI. Do lat. *lustrālis* ∥ **lustro**² *sm.* 'quinquênio' XIV. Do lat. *lustrum -i* 'sacrifício expiatório, purificação que, na antiga Roma, os censores realizavam de cinco em cinco anos' 'ext. período de cinco anos' ∥ PER**lustrar** *vb.* 'percorrer com a vista observando, examinando' 'percorrer, girar' XVIII. Do lat. *perlustrāre*, de *lustrāre*.
lustr·e¹ ᵉ ², **-ina, -o**¹ → LUSTRAR¹.
lustro² → LUSTRAR².
lustroso → LUSTRAR¹.
luta *sf.* 'combate, peleja, guerra, esforço, empenho' | XVI, *luita* XIII | Do lat. *lucta -ae* ∥ IN·E**lut**ÁVEL | *ineluctável* 1813 | Do lat. *ineluctabĭlis*, de *ineluctāri* (< *eluctāri* < *luctāri*) ∥ **lut**ADOR | *luitador* XIV | Do lat. *luctātor -ōris* ∥ **lut**AR¹ | *luitar* XIII | Do lat. *luctāri*, por *luctāri* ∥ RE**lut**ÂNCIA | *-luct-* XVII ∥ RE-**lut**ANTE | *-luct-* 1813 | Do lat. *reluctans -antis*, part. pres. de *reluctāri* ∥ RE**lut**AR XVI. Do lat. **reluctāre*, por *reluctāri*.
⇨ **luta** — RE**lut**AR | *reluctar* XV SBER 102.*23* |.
lutar → LODO¹.
lutécio *sm.* '(Quím.) elemento de número atômico 71, metal do grupo dos lantanídeos' XX. Do lat. cient. *lutetium*, deriv. do top. *Lutécia*, do lat. *Lutetĭa* 'antigo nome de Paris'.
lúteo *adj.* 'amarelo cor de fogo' XVI. Do lat. *lūtĕus*, de *lūtum* 'lírio-dos-tintureiros' 'planta que serve para tingir de amarelo' ∥ **lutei**·CÓRN·EO 1899 ∥ **lute**ÍNA XX. Do lat. cient. *lūteīna* ∥ **luteol**INA 1873. Do fr. *lutéolin* ∥ **lutéolo** 1873. Do lat. *lūtĕŏlus* 'de cor amarela'.
luterano *adj. sm.* 'relativo a Lutero e à sua doutrina' 'membro da Igreja Luterana' | 1537, *luteriano* 1523 | Do antr. Martin *Luther*, teólogo alemão (1483-1546). Em carta datada de Roma aos 10 de junho de 1523, informa o emissário português D. Miguel da Silva: "Martim luter nom he preso como em outra [carta] dise [...] mas era huum hutem grande luteriano e pesoa de alguma conta em alemanha" ∥ **luteran**ISMO | *luther-* 1858.

⇨ **luterano** — **lutero** | *lutaro* c 1608 NOReb 222.*24* |.
lutito → LODO¹.
luto¹ *sm.* 'sentimento de pesar ou dor pela morte de alguém' 'os sinais exteriores dessa dor' 'tristeza profunda' | *luito* XIII, *luyto* XIV etc. | Do lat. *luctus -us*, do radical supino de *lugēre* || ENlutAR XVII || luctí·FERO XVI. Do lat. *luctifer* || **luctí**·FICO XVII. Do lat. *luctificus* || **luctí**·S·SONO XVIII. Do lat. *luctisŏnus* || lugENTE 1899. Do lat. *lugens -entis*, part. pres. de *lugēre* 'estar ou andar de luto por' || **lutu**OSO XVI. Do lat. *luctuōsus*.
luto² → LODO¹.
lutulento → LODO¹.
lutuoso → LUTO¹.
luva *sf.* 'peça do vestuário para as mãos' XIII. Do gót. *lôfa* 'palma da mão' || **luv**EIRO 1793.
⇨ **luva** — **luv**EIRO | 1836 SC |.
lux → LUZ.
luxar¹ *vb.* 'deslocar, desconjuntar, desarticular (osso)' XVI. Do lat. *luxāre* || **lux**AÇÃO XVIII.
luxo *sm.* 'ostentação ou magnificência, ornamento' XIII. Do lat. *luxus -us* || **lux**AR² XIX || **lux**ENTO 1890 || **luxu**OS·IDADE 1899 || **luxu**OSO 1873 || **luxúria** *sf.* 'viço nas plantas, incontinência animal, libertinagem, lascívia' XIII. Do lat. *luxurĭa* || **luxu**riANTE XVII. Do lat. *luxurians -antis*, part. pres. de *luxuriāre* || **luxu**riAR XIV. Do lat. *luxuriāre* || **luxu**riOSO XIII. Do lat. *luxuriōsus*.
luz *sf.* 'tudo que produz claridade, tornando visíveis os objetos' 'brilho, fulgor' 'cavidade central de um órgão tubuloso' 'publicidade, evidência, ilustração' XIII. Do lat. *lux lucis*, da raiz *leuk 'brilhar' || **lucerna** *sf.* 'pequena luz, claraboia' XVI. Do lat. *lucerna* || **lucescente** *adj.* 2g. 'que começa a luzir' 1899. Do lat. *lucescens -entis*, de *lucescĕre*, incoativo de *lucēre* 'luzir' || **lucid**AR 1881 || **luci**dEZ 1873 || **lúcido** 1572. Do lat. *lucĭdus*, de *lucēre*. O adv. *lucidamente* já ocorre no séc. XV || **lúci**·FER | *Locifer* XIII | Do lat. *lucifer* || **luci**·FER·ÁRIO 1881 || **lucí**·FERO XVI. Do lat. *lucifer* || **lucí**·FUGO XVII. Do lat. *lucifŭgus* || **luc**ILAR *vb.* 1889 || **luci**·LUZIR | *luciluzir* 1899 || **luc**INA *sf.* 'lua' XVII || **luci**·POTENTE 1899 || **luci**·VELO, **luci**·VÉU *sm.* 'quebra-luz' XIX. Neologismo proposto para traduzir o fr. *abat-jour* pelo filólogo brasileiro Antônio de Castro Lopes (1827-1901), que se refere, em 1889, à sua criação: "Por que não traduzirmos nós o tal- *Abât-jour* - por *Lucivéo*, ou *Lucivélo*? [...] formado das palavras latinas *-luci*, de *lux, -ucis*, luz, e de *-velo-* ablativo de *velum -i*, véo?" || **lux** *sm.* '(Fís.) nome internacional da unidade de iluminação' XX. Do lat. *lux* || **luz**EIRO XIV || **luz**ENTE XIV || **luzerna** *sf.* 'clarão, grande luz' XIV. Do lat. *lucerna* || **luz**ID·IO 1813 || **luz**IDO XVII || **luz**IMENTO XVII || **luz**IR XIII. Do lat. *lucēre*, com mudança de conjugação || REluzENTE XIII. Do lat. *relūcens -entis*, part. pres. de *relucēre* || **Re**luzIR XIII. Do lat. *relucēre*, com mudança de conjugação.
⇨ **luz** — DESLuzIR | *deslusir* 1654 FBFrer 17.*8* || **luci**FER·INO | *luceferino* 1614 SGonç I.331.*22* |.

M

má → MAU.

maca *sf.* 'cama de lona onde dormem os marinheiros a bordo' 'espécie de padiola onde se transportam os doentes' 1813. Do cast. *hamaca* (com aférese do *ha*, tomado pelo art. A²), deriv. do taino *hamaca*.

maça *sf.* 'clava' 'pilão cilíndrico usado por calceteiros' XIV. Do lat. **matĕa*, por *matĕola* 'pau, cabo de enxada' || Emaçar *vb.* 'embrulhar, reunir em maço' | XX, *emmassar* XVII || maçADOR 1859 || maçADURA XVI || maçANTE XX || maçAR *vb.* 'bater com maça ou maço, pisar, importunar' XV || maCEIRO XVI || macETA *sf.* 'pequena maça de ferro que os pedreiros usam para bater no escopro' | *maçeta* XIV || macET·AR XX || macETE *sm.* 'pequeno maço de pau usado pelos marceneiros' 1813 || maço *sm.* 'ferramenta de pau, espécie de martelo, usado por marceneiros, escultores etc.' 'espécie de martelo usado pelos encadernadores antes de costurar os livros' 'conjunto de coisas atadas ou reunidas num mesmo liame' XIII || maçOLA XV || maçUDO XX || massagada 1844. De *maço*, por um processo pouco claro.

⇨ maça — macETE | *maçete c* 1539 JCASD 101.*14* |.

maçã *sf.* 'pomo' 'fruto da macieira, planta da fam. das rosáceas' | *maçãa* XIII, *maçaa* XIV | Do lat. *mattiāna* || maçanETA *sf.* 'remate esférico ou piramidal para o ornamento de certos objetos ou por onde se pega para fazer funcionar o trinco das portas' XVI. De *maçã*, devido à semelhança da peça com a maçã || maçanILHA XVI. Do cast. *manzanilla* || maCIEIRA | *mazeyra* XIII, *maçineyra* XIII, *maçeneyra* XIII etc. || **mancenilha** *sf.* 'planta da fam. das euforbiáceas' XVII. Do cast. *manzanilla*.

macabro *adj.* 'diz-se de uma dança alegórica que representa a morte' '*ext.* fúnebre, tétrico, afeiçoado a coisas lúgubres' 1858. Do fr. *macabre*, de *macabré*, var. de *macabé*, deriv. de *Macabeus*, heróis bíblicos cujo culto estava relacionado com a morte.

macac·ada, -ão → MACACO.

macacaúba *sf.* 'planta da fam. das leguminosas' 1833. De *macaca* (fem. de *macaco*) + *uba* (< tupi *'ɨ̈ɨa* 'planta').

macacica *sf.* 'pássaro da fam. dos cerebídeos (*Coereba chloropyga*), também chamado cambacica e mariquita' 1587. Do tupi *maka'sika*.

macaco *sm.* 'nome comum a todos os símios' 'maquinismo para levantar grandes pesos' XVI. De origem africana, mas de étimo indeterminado || macacADA XX || macacÃO *sm.* 'sujeito finório, manhoso' 1899; 'espécie de vestimenta' XX || macaquEAR 1833 || macaquICE 1873.

macacoa *sf.* 'doença, achaque' 1813. De origem incerta, provavelmente de um idioma indígena da América do Sul.

macadame *sm.* 'sistema de empedramento das estradas de rodagem que consiste numa camada de pedra britada com cerca de 30 cm de espessura, aglomerada com saibro ou areia grossa e comprimida a rolo depois de molhada' | *macadam* 1873 | Do ing. *macadam*, do antr. John Ludon *Mc Adam* (1756-1836), inventor dessa técnica.

maç·ador, -adura → MAÇA.

macaia *sf.* 'tabaco de má qualidade' XX. Do kicongo *makaia* 'folhas (das árvores)'.

maçal *sm.* 'soro do leite proveniente da batedura do queijo' XVII. De origem obscura.

macamba *s2g.* 'freguês' 'entre os escravos, nome com que nomeavam seus parceiros na mesma fazenda ou sujeitos ao mesmo senhor' 1899. Do quimbundo *ma'kama*, de *ma* (morfema de plural) + '*kama* 'camarada' || **macambúzio** *adj.* 'sorumbático, tristonho, nostálgico' | *macambusio* 1873 | Talvez de *macam(ba)* + BÚZIO; cp. *embuziado* (v. BÚZIO).

maçambará *sm.* 'planta da fam. das gramíneas' XX. Do quimbundo *masa'mala*.

macambira *sf.* 'planta da fam. das bromeliáceas' XIX. Do tupi **maka'mira*.

macaná *sm.* 'espécie de maça feita com madeira rija e pesada' 1890. Do cast. *macana*, deriv. do esp. de São Domingos.

maçan·eta, -ilha → MAÇÃ.

maçante → MAÇA.

maçapão *sm.* 'bolo de farinha de trigo com ovos e amêndoas' XVI. Do cast. *mazapán*, deriv. do it. *marzapane*.

macaqu·ear, -ice → MACACO.

maçar → MAÇA.

maçaranduba *sf.* 'planta da fam. das sapotáceas' | α. *moçorandigba c* 1584, *mosaranduba* 1618, *mussuranduba* 1627 etc.; β. *maçaranduba* 1587, *masaranduba* 1618, *massaranduba* 1711 etc. | Do tupi *mosarani'ɨ̈ɨa* || maçarandubEIRA 1877.

macaréu *sm.* 'choque entre as águas de um rio e o fluxo da maré, pororoca' | *macareo* XVI | De origem obscura.

maçarico *sm.* 'tubo por onde se sopra a chama para lhe dar poder oxidante ou redutor' 'aparelho que permite obter chama a uma temperatura muito elevada, por combustão do hidrogênio (ou do acetileno) com o oxigênio' 'designação genérica de aves de diversas famílias' 1813. De origem obscura.
maçaroca *sf.* 'fio que o fuso enrolou em volta de si' 'feixe, espiga de milho, rolo de cabelo' XV. De origem controversa.
macarrão *sm.* 'massa de farinha de trigo em canudinhos, ou de outro formato, da qual se fazem sopas e outros cozinhados' | *macarone c* l517 | Do it. *maccherone* || **macarron**ADA XX || **macarrôn**ICO XVI. Do it. *maccarònico* ou *macheronico*.
macaúba *sf.* 'espécie de palmeira' 1873. De origem tupi, mas de étimo indeterminado || **macaub**EIRA 1876.
macaxeira¹ *sm.* 'diabo, entre os índios do Brasil' | *macachera c* 1584, *macacheira* 1610 | Do tupi *maka'šera* || **macaxeira**² *sf.* 'mandioca doce, aipim' || *macacheira* 1698, *maquaxeira c* l631.
macedônia *sf.* 'iguaria feita de vários legumes ou de frutos' 'amálgama de assuntos ou gêneros numa só composição literária' | *macedonea* 1881 | Adapt. do fr. *macédoine*.
macedônio *adj. sm.* 'de, ou pertencente ou relativo à Macedônia' 'natural da Macedônia' 1548. Do lat. *Macedō -onis*, deriv. do gr. *Makedṓn -ónos* || **macedônico** *adj. sm.* 'macedônio' XVI. Do lat. *Macedonicus*, deriv. do gr. *Makedṓn -ónos*.
⇨ **macedônio** — **macedono** | 1538 DCast 29*v*3 |.
macega *sf.* 'relvado, erva daninha que surge nas searas' 1881. De origem obscura.
maceiro → MAÇA.
macela *sf.* 'camomila' | *macella* 1844 | De origem obscura.
⇨ **macela** | XV CART 257.*8* |.
macerar *vb.* 'amolecer, machucar' '*fig.* torturar, mortificar' XVII. Do lat. *mācerāre* || **macer**AÇÃO 1844. Do lat. *mācerātĭo -ōnis* || **macer**ADO 1813. Do lat. *mācerātus*, part. pass. de *mācerāre*.
macéria *sf.* 'obra de alvenaria, sem barro' XVII. Do lat. *mācerĭa*.
macet·a, -ar, -e → MAÇA.
machado *sm.* 'instrumento cortante encabado, para rachar lenha etc.' 1813. Do lat. **marculatum*, de *marcŭlus*, dimin. de *marcus* 'martelo' || **machad**ADA 1813 || **machad**INHA | *-jnha* XIV.
⇨ **machado**| XV ESOP 39.*2*, LOPJ II.85.*30* etc. |.
machão → MÁSCULO.
machete *sm.* 'pequena viola' XVIII; 'sabre de artilheiro, com dois gumes' 1813. Do cast. *machete*.
machial *sm.* 'montado, chaparral' 'lugar inculto, destinado a pastagens' 1881. De origem desconhecida.
mach·ismo, -ista, -o → MÁSCULO.
machucar *vb.* 'esmagar ou amoldar (um corpo) com o peso ou dureza de outro' 'amarfanhar, debulhar, pisar, esmigalhar' XIV. De origem controversa || **machuc**ADO 1813 || **machuc**ADOR XVIII | **machuc**ADURA XVIII.
⇨ **machucar** — **machuc**ADO | 1614 SGonç II.202.*31*, 1615 FNun 64*v*25 |.
maciço¹ *adj.* 'compacto, sólido, que não é oco' | *maciço* XIV, *mociço* XVI | Do cast. *macizo*, de *masa*

e, este, do lat. *massa* || **maciço**² *sm.* '(Geol.) formação eruptiva de grandes dimensões' 'conjunto de montanhas grupadas em torno de um ponto culminante' 1899. De *maciço*¹.
macieira → MAÇÃ.
macilento *adj.* 'magro e pálido' XVII. Do lat. *macilentus*, de *macies*, de *macer* 'magro'. Cp. MAGRO.
macio *adj.* 'suave ao tato, brando, liso' | XVI, *massyo* XV | De origem obscura || **A**maci**AR** 1813 || **maciEZ** 1858 || **maci**EZA 1881 || **maci**OTA XX.
macis *sm.* 'o arilo da noz-moscada' 'o óleo dele extraído' XIV. Do fr. *macis*, deriv. do lat. med. *macis* e, este, do lat. cláss. *maccis -idis*.
macla *sf.* '(Min.) cristal complexo resultante da reunião de vários cristais da mesma espécie e orientados diferentemente' 1899. Do fr. *macle*, provavelmente do germânico **maskila*, dimin. de **maska*.
maço, maçola → MAÇA.
maçom *sm.* 'membro da maçonaria, pedreiro livre' 1817. Do fr. *maçon*, deriv. do lat. med. *machio* e, este, do germ. **makjo*, de **makōn* 'fazer, preparar a argila para a construção' || **maçon**ARIA *sf.* '*orig.* arte ou obra de pedreiro' XV; 'sociedade filantrópica secreta que usa como símbolos os instrumentos do pedreiro e do arquiteto' 1817. Do fr. *maçonnerie* || **maçôn**ICO XX.
macometa → MAOMETANO.
maconha *sf.* 'variedade de cânhamo cujas folhas e flores são usadas como narcótico' 'diamba, liamba' XX. Do quimbundo *ma'kaña*, pl. de *di'kaña* 'tabaco, erva santa' || **maconh**ADO XX || **maconh**EIRO XX.
maçônico → MAÇOM.
maçorral *adj. 2g.* 'grosseiro, incivil' XVI. Do cast. *mazorral*, de *mazorro*.
macota *sm.* 'conselheiro de prestígio e influência em sua localidade' 1643. Do quimbundo *ma'kota* 'o maioral', de *ma-* (morfema de plural) + '*kota* 'maior'.
macramê *sm.* 'espécie de passamanaria feita de cordão trançado e com nós' 'tipo de linha ou fio próprio para bordados, filés e crochés' 1899. Do fr. *macramé*, deriv. do genovês *macramè* 'toalha de mão' e, este, do ár. (e turco) *maḥrama* 'coisa santa' 'o que é proibido, mulher'.
macr(o)- *elem. comp.*, do gr. *makrós* 'grande, comprido', que se documenta em vocábulos eruditos, alguns formados no próprio grego, como *macróbio*, e muitos outros introduzidos, a partir do séc. XIX, na linguagem científica internacional ▸ **macr**ANTO 1858 || **macr**EN·CEFAL·IA XX || **macr**ÓBIO 1858. Cp. gr. *makróbios* || **macro**BIÓTICA 1858 || **macro**BIÓTICO XX || **macro**CÉFALO | *-phalo* 1858 || **macró**CERO 1873 || **macró**CITO XX || **macró**COMO XX || **macro**CÓSMIO XVII || **macro**DÁCTILO | *-tylo* 1873 || **macro**ESTESIA XX || **macro**FILO | *-phyllo* 1873 || **macr**OFTALMO XX || **macro**GAMETA XX || **macro**GASTR·IA XX || **macro**GLOSSO | *-glossa* 1873 || **macró**LOFO | *-pho* 1899 || **macro**LOG·IA 1873 || **macro**PÉTA·LO 1873 || **macro**POD·IA 1899 || **macró**PODE | *-podo* 1873 || **macro**POMO 1899 || **macró**PTERO 1858 || **macror·RIZO** | *-rrhyza* 1873 || **macro**SCEL·IA 1873 || **macros**CÓP·ICO XX || **macros·**SOMAT·IA | *macrosòmatia* 1899 || **macros·**SOM·IA XX || **macró**STILO | *-stylo* 1873 || **macro**TÁRS·ICO 1899 || **macr**URO 1890.

macuca sf. 'espécie de pereira silvestre' 1881. De origem desconhecida.
macucaguá sm. 'ave da fam. dos tinamídeos, macuco' | c l584, -*goá* 1576 etc. | Do tupi *makuka'ÿa* || **macuco** sm. 'macucaguá' 1783. Deriv. regres. de *macucaguá*.
maçudo → MAÇA.
mácula sf. 'nódoa, mancha' '*fig*. desdouro, infâmia, labéu' XVI. Do lat. *macŭla* || IMACULABIL·IDADE 1890 || IMACULADA sf. XX || IMACULADO XVII. Do lat. *immaculatus* || IMACULAT·ISMO XX. Calcado no lat. *immaculat(us)* + -ISMO || IMACULÁVEL || *imma-* XVII || IMÁCULO adj. 'imaculado' XX. Deriv. regr. de *imaculado* || MACULADOR XVI || MACULAR XVI. Do lat. *maculāre* || *maculi*·FORME 1873 || *maculi·R·ROSTRO* 1890 || **mágoa** XV. Divergente popular de *mácula*, do lat. *macŭla* || MAGOADO XV. Do lat. *maculātus*, part. pass. de *maculāre* || MAGOAR XV. Divergente popular de *macular*, do lat. *maculāre* || MAGOATIVO XX || **malha**¹ sf. 'cada um dos nós ou voltas de um fio ou de qualquer fibra têxtil' 'abertura entre os nós de rede ou tecido' 'trança de fio ou metal com que se faziam armaduras' 'mancha na pele de animais, mancha natural' XIII. Do fr. *maille* e, este, do lat. *macŭla* || MALHADO adj. 'manchado, enredado' XIII || **mancha** XIV. Do lat. vulg. **mancla* e, este, do lat. *macŭla* || MANCHADO XVII || MANCHAR XIV || **mangra** sf. 'orvalho que o nevoeiro ou neblina deixa nos frutos que estão ainda no princípio de seu desenvolvimento e que os impede de medrar e vingar' | XVI, *mangra (mella)* XV | Do cast. *mangla* e, este, do lat. *macŭla*.
⇨ **mácula — mágoa** | XIV BARL 10.*21*, ORTO 97.*13* || MAGOAR | XIV GREG 4.13.*9*, ORTO 173.*5* |.
maculo sm. 'diarreia com relaxamento do esfíncter anal' 1899. De origem africana, mas de étimo indeterminado. Esta doença era muito comum nos negros novos, quando era intenso o tráfico da escravatura.
macumba sf. 'antigo instrumento musical de origem africana usado outrora nos terreiros' 'termo genérico para os cultos afro-brasileiros' 'quimbanda' 'despacho de rua' XX. Do quimbundo, mas de étimo controverso || MACUMBEIRO XX.
macuta sf. 'moeda de cobre da África Ocidental' 'coisa sem valor' 1881. Do quimbundo *mu'kuta*, com dissin·ilação do -*u* pretônico.
madama sf. 'senhora' XIII. Do fr. *madame*, de *ma* 'minha' + *dame* 'senhora', do lat. *domĭna*. Do fr. *mademoiselle* 'senhorita' há farta documentação em textos portugueses do séc. XVII: *madamusella* 1642, *madamoiselle* 1644, *madamuzella* 1648, *mademoiselle* 1648, *madamoçela* 1654 etc.
madapolão sm. 'tecido branco e consistente de lã' | *madapolam* 1881 | Do fr. *madapolam* ou do ing. *madapollam*, adapt. do top. *Mādhavapalam*, na costa oriental da Índia, subúrbio de Narasapur, onde se fabricava este tecido.
madarose sf. '(Med.) queda dos pelos, acentuadamente dos cílios' | *madarosis* 1873 | Do lat. cient. *madarōsis*, deriv. do gr. *madárōsis* 'calvície'.
madef·acção, -acto, -icar → MÁDIDO.
madeira sf. 'parte lenhosa das plantas, aplicável a trabalhos de carpintaria e marcenaria' XIII. Do lat. *materia*, de *māter* 'mãe' 'tronco das árvores' || madeirADO adj. XV || madeirAME XX || madeirAMENTO 1813 || madeirEIRO 1899 || **madeiro** XIII. Do lat. med. *maderium*, do lat. **matērĭum*. Cp. MATÉRIA.
madeixa sf. 'pequena meada, porção de fios de seda, lã' '*fig*. porção de cabelos da cabeça, trança' XVI. Do lat. *mataxa*, deriv. do gr. *mátaxa* 'seda crua'.
mádido adj. 'umedecido, orvalhado, encharcada' XVIII. Do lat. *madĭdus* 'molhado, banhado', de *madēre* 'umedecer, molhar', relacionado com o gr. *madáō* 'estou molhado' || madeFACÇÃO 1858. Do fr. *madefaction*, deriv. do lat. *madefactus*, part. pass. de *madefăcĕre* 'molhar, umedecer, banhar' || madeFACTO 1844. Do lat. *madefactus* || madeFICAR 1881.
madona sf. 'Nossa Senhora' 'estatueta, imagem que representa Nossa Senhora' 1873. Do it. *madonna*, do lat. *měa domĭna* 'minha senhora'.
madorna → MODORRA.
madraço adj. sm. 'que, ou aquele que é dado à preguiça, indolente' XVI. De origem obscura || **madraçRIA** XVI || MADRACEAR 1813 || MADRACEIR·ÃO XVII || MADRACICE XIX.
madr·asta, -e, -epérola, -épora, -eporífero, -eporiforme, madressilva → MÃE.
madria sf. 'ondas que formam carneirada, encapelamento de ondas' XVI. De origem obscura.
madrigal sm. 'pequena composição poética engenhosa e galante' 'poesia pastoril' 'galanteio dirigido a damas' 'certo gênero de composição musical para vozes com acompanhamento instrumental ou sem ele' XVI. Do it. *madrigale*, deriv. do lat. tard. *matricālis* 'relativo à matriz', de *matrix* -*īcis* || madrigalESCO 1873. Do it. *madrigalesco*. Cp. MÃE.
madrileno adj. sm. 'de Madri, capital da Espanha' 'natural ou habitante dessa cidade' | *madrilenho* 1827 | Do cast. *madrileño*.
madrinha → MÃE.
madrugar vb. 'levantar-se da cama muito cedo' 'praticar qualquer ato antes do tempo próprio, aparecer antes do tempo' | XIV, *madurgar* XIII | Do lat. **maturicare*, freq. de *maturāre* 'amadurecer' || madruga XX || madrugADA XIII || madrugADOR XVI. Cp. MATURAR.
madur·ação, -ador, -ar, -ecer, -eza, -o → MATURAR.
⇨ **madur·eza, -o** → MATURAR.
mãe sf. 'mulher que deu à luz um ou mais filhos' 'fêmea de animal que deu à luz um ou mais filhos' '*fig*. causa, fonte, origem' | *mae* XIII, *mãy* XIII etc. | Do lat. *mater* -*tris*, por meio de transformações fonéticas algo obscuras || ESmadrigADO XVII || ESmadrigAR 1873. Do lat. **exmatricare*, de *matrix* -*īcis* || madrasta XIII. Do lat. **matrasta* || **madre** sf. '*orig*. mãe (até o séc. XVI)' 'leito de rio', 'útero', 'terra mineral', 'superiora de convento' XIII. Do lat. *mater* -*tris* || **madrepérola** | *madre perola* 1601 | Do it. *madrepèrla*, deriv. do lat. med. *mater perlārum*, por *mater pernulārum*, de *pernŭla*, dimin. de *perna* 'espécie de concha, ostra perolífera' || **madrépora** sf. 'colônia de madreporários', 'subordem de antozoários cujas colônias são de natureza calcária' 1813. Do it. *madrèpora*, voc. criado por Ferrante Imperato (1599), provavelmente sob o modelo de *madressilva*. De *madre* 'mãe' + gr. *póros* 'poro', por alusão aos canais

de comunicação das células || **madrepor**ÁRIO XX || **madrepori**·FERO 1873 || **madrepori**·FORME 1873 || **madressilva** XVI. Do lat. med. *matrisilva* || **madrinha** 1813. Do lat. med. **matrīna*, dimin. de *mater*. Ocorre *madrina* no lat. lusitânico do séc. XII || **mamãe** | *mamãi* 1813 | Da linguagem infantil || **matern**AL XVI. Do lat. **maternālis* || **matern**IDADE XVI. Do lat. med. *maternĭtas -ātis* || **materno** XVI. Do lat. *maternus* || **matri**ARC·ADO | *-archado* 1899 | Do lat. cient. *matriarchātus* || **matricária** 1813. Do lat. tard. *matricaria (herba)*, de *matrix -īcis* || **matricida** 1813. Do lat. *matricīda* || **matricídio** 1813. Do lat. *matricīdĭum* || **matri**LINEAR XX || **matri**LOCAL XX || **mátr**IO XVII. Voc. criado pelo padre Antônio Vieira por analogia com *pátrio* || **matriz** XV. Do lat. *matrix -īcis* || **matrona** XVII. Do lat. *matrōna* || **matron**AL 1813. Do lat. *matronalis*. Cp. MATRÍCULA, MATRIMÔNIO.

⇨ **mãe** – **madrepérola** | *madre perola a* 1583 FMPin III.143.9 || **matern**AL | XV SBER 49.5 || **matr**ONA | XV FRAD II.42.20, 1573 NDias 333.3 |.

maestr·ina, -o → MESTRE.
mafarrico *sm.* 'diabo' 1881. De origem obscura.
mafomético → MAOMETANO.
mafuá *sm.* 'parque de diversões' XX. Etimologia obscura.
magano *adj.* 'jovial, engraçado, travesso' XVII. De origem desconhecida || **magana** *sf.* 'música antiga' 'mulher desenvolta e lasciva' XVI || **magan**ÃO *adj. sm.* 1844.
magarça *sf.* 'erva semelhante ao funcho, com flores brancas, e amarelas no centro' | *magarza* XIII | Do cast. *magarza*, deriv. do lat. **amaricacĕa*.
magarefe *sm.* 'o que mata e esfola reses nos matadouros' '*fig.* mau cirurgião' XIV. De origem obscura.
magazine[1] *sm.* 'publicação periódica com artigos e seções variados, e ornada em geral de fotografias' 'revista' XIX. Do ing. *magazine*, deriv. do fr. *magasin* e, este, do it. *magazzino*, da mesma origem árabe de ARMAZÉM. Foi na acepção de 'revista' que o voc. ing. passou às demais línguas da Europa.
magazine[2] *sm.* 'loja comercial' XX. Do fr. *magasin*, da mesma origem árabe (através do it. *magazzino*) do port. ARMAZÉM. Cp. MAGAZINE[1].
magdaleão *sm.* 'medicamento enrolado em cilindro' | *magdalião* 1844 | Do lat. tard. *magdalĭo -onis*. deriv. do gr. *magdalía* 'massa de pasta'.
magia → MAGO.
magiar *adj. s2g.* 'húngaro' XX. Do fr. *magyar*, deriv. do húngaro *magyar* 'povo que se estabeleceu no séc. IX, no atual território da Hungria'.
mágic·a, -o → MAGO.
magistério *sm.* 'cargo do professor, exercício do professorado' XVI. Do lat. *magisterĭum*, de *magister* 'mestre' || **magistrado** XVI. Do lat. *magistrātus -us* || **magistr**AL 1813. Do lat. tard. *magistrālis* || **magistr**ANDO 1813 || **magistrát**ICO 1844 || **magistrat**URA 1844. Do fr. *magistrature*. Cp. MESTRE.

⇨ **magistério** | XV SBER76.10 |.

magma *sm.* '(Quím.) massa espessa e gelatinosa' 'sedimento ou matéria espessa que fica depois de espremidas as partes mais fluidas de alguma substância' 1844; '(Geol.) massa incandescente na profundidade da terra, lava fluida' XX. Do fr. *magma*, deriv. do lat. *magma -ătis* e, este, do gr. *mágma -atos* 'pasta amassada' || **magmát**ICO XX.

magn·animidade, -ânimo, -ata → MAGNO.
magnésia *sf.* 'entre os alquimistas, mineral tido como ingrediente da pedra filosofal' '(Quím.) óxido e hidróxido de magnésio empregados como antiácido, laxativo e purgativo' 1813. Do fr. *magnésie*, do lat. med. *magnesĭa*, de *magnes -etis* (*lapis*) 'pedra de ímã' e, este, do gr. *mágnes -etos* (*lithos*) 'pedra de Magnésia', cidade da Ásia Menor, situada em região abundante em ímãs naturais || **magnésio** *sm.* 'elemento metálico de número atômico 12' 1858. Do fr. *magnésium*, de *magnésie* || **magnete** *sf.* e *m.* '*ant.* pedra ímã, bússola' XVI. Provavelmente do a. fr. *magnéte*, do lat. *magneta*, e, este, do gr. *mágnes -etos* || **magnét**ICO XVIII. Do fr. *magnétique*, do lat. *magnetĭcus* || **magnet**ISMO 1813. Do fr. *magnétisme* || **magnet**ITA | *-ite* 1899 | Do fr. *magnetite* || **magnet**IZ·AÇÃO | *-isação* 1873 | Do fr. *magnétisation* || **magnet**IZAR | *-isar* 1844 | Do fr. *magnétiser* || **magneto** XX. Do fr. *magnéto*, abrev. de *machine magnéto-électrique* || **magneto**·LOGIA 1873 || **magnetô**·METRO 1873. Do fr. *magnétomètre*.

magno *adj.* 'grande, importante' | XIV, *mãno* XIV | Do lat. *magnus* || **magn**ANIM·ENTO XV || **magn**ANIM·IDADE XVI. Do lat. *magnanimĭtas -ātis* || **magn**ÂNIMO XV. Do lat. *magnanĭmus*, de *magn(us) + animus* || **magnata** *sm.* 'pessoa importante ou ilustre, pessoa grada' | *magnate* XVII | Do lat. tard. (Vulgata) *magnās -ātis*, sob o modelo de *primās -ātis* || **magn**I·CIDA *s2g.* 'assassino de pessoa ilustre, de grande homem' XX || **magn**IFIC·AÇÃO XVIII || **magn**IFICAR XV. Do lat. *magnificāre* || **magn**IFIC·ATÓRIO 1873 || **magn**IFIC·ÊNCIA XVI. Do lat. *magnificentĭa -ae* || **magn**IFIC·ENTE | 1899, *magnificentíssimo* XVI | Do lat. *magnificens -entis*. deduzido de *magnificentĭa* || **magn**ÍFICO | XVI, *manífico* XV | Do lat. *magnifĭcus* || **magn**I·LOQU·ÊNCIA 1873. Do lat. *magniloquentĭa* || **magn**I·LÓQUO XVII. Do lat. *magniloquŭs* || **magn**ITUDE 1813. Do lat. *magnitudo -idĭnis*.

⇨ **magno** — **magn**ANIM·IDADE | *magnanymidade* XV OFIC 90.3, *magnanymydade* XV ZURD 76.29 || **magn**IFIC·ÊNCIA | XV PAUL 32v24, *manificencia* XV OFIC 127.21 |.

magnólia *sf.* 'gênero de plantas muito aromáticas' 1858. Do fr. *magnolia*, deriv. do lat. cient. *magnolia*, latinização do antr. (*Pierre*) *Magnol* (1638-1715), botânico francês a quem Plumier homenageou.
mago *adj. sm.* 'mágico, feiticeiro' 'encantador, delicioso, sedutor' XIII. Do lat. *magus*, deriv. do gr. *mágos* 'sábio e sacerdote da Pérsia', de *Mágoi* 'os Magos', tribo da Média, formadora da casta sacerdotal detentora de todas as ciências, inclusive das ocultas || **magia** *sf.* 'religião dos magos' 'feitiçaria' XVII. Do lat. tard. *magīa*, deriv. do gr. *mageīa* 'doutrina ou arte dos magos' || **mágica** 1873. Do lat. *magĭca (ars)* 'arte mágica', fem. de *magĭcus* || **mágico** XIV. Do lat. *magĭcus*, deriv. do gr. *magikós*, de *mágos* || **meigo** *adj.* 'carinhoso' XIII. Forma divergente popular de *mágico*.

mágo·a, -ado, -ar, -ativo → MÁCULA.
magote *sm.* 'grupo de pessoas ou coisas, rancho, multidão, acervo, montão' | *mogote* XIV, *magot* XIV

| Provavelmente do basco *mokoti* 'pontiagudo', de *moko* 'ponta, pico'. O cast. *magote* data do séc. XVII || **magot**AR *vb.* 'reunir em magotes' | *amagotar* 1512.
magro *adj.* 'falto de tecido adiposo, que tem pouca ou nenhuma gordura ou sebo' XIII. Do lat. *macer -cra, -crum* || **magr**EIRA | *magreyra* XVI || **magr**EZA 1873 || **magr**IC·ELA | *magrizela* 1881 || **magr**IÇO XVI. Cp. MACILENTO.
⇨ **magro** — **magr**EZA | XV VIRG IV.773 || **magr**IÇO XV ZURD 98.*29* |.
maguari *sm.* 'ave ciconiforme da fam. dos ciconídeos' | *magoari* 1587, *maguarim c* 1631 etc. | Do tupi *maüa'ri*.
magusto *sm.* 'fogueira para assar castanhas' 'castanhas assadas na fogueira' XVI. De origem desconhecida.
maia[1] → MAIO.
maia[2] *adj. s2g.* 'indivíduo dos maias, povo indígena da América Central e parte do México, notável pelo seu grau de civilização' 'a língua desse povo' 'relativo ou pertencente a esse povo' XX. Do etnônimo cast. *Maya*.
maiêutica *sf.* '(Fil.) processo utilizado por Sócrates para ajudar a pessoa a trazer ao nível da consciência as concepções latentes em sua mente' '(Didát.) método que possibilita a reflexão intelectual' 1899. Do gr. *maieutiké* (*téchnē*), fem. de *maieutikós* 'relativo ao parto', de *maieúō* 'eu partejo'.
maio *sm.* 'quinto mês do ano civil' | XIII, *mayo* XIII | Do lat. *mājus* 'mês consagrado a Apolo, o quinto do calendário romano, após a reforma de Júlio César' || **maia**[1] *sf.* 'dama, donzela' 'antiga festa popular portuguesa nos primeiros dias de maio' '*fig.* mulher que se enfeita com mau gosto' XIII. Do lat. *māja*, fem. de *mājus* 'maio.
maiô *sm.* 'vestimenta de nadadoras, banhistas etc.' XX. Do fr. *maillot*, de *maille* 'malha' do lat. *macŭla*.
maiólica *sf.* 'faiança italiana, especialmente a do Renascimento' 1899. Do it. *maiòlica*, do lat. tard. *Majorĭca* 'Maiorca', ilha mediterrânea, de onde provinha este tipo de cerâmica.
maionese *sf.* 'espécie de molho frio feito à base de azeite, vinagre, sal, mostarda e gema de ovo batidos juntos' | *mayonnese* 1881 | Do fr. *mayonnaise*, alteração de *mahonnaise*, possivelmente tirado do nome *Port-Mahon*, capital da Minorca, em memória da tomada da cidade pelo duque de Richelieu em 1756.
maior *adj. 2g.* 'comparativo irregular de grande' | XIII, *mayor* XIII, *maor* XIII, *móór* XIII, *mor* XIII | Do lat. *mājor -oris*, compar. de *magnus* || **maior**AL *sm.* | *mayoral* XIII || **maior**IA | *mayoria* XIII || **maiori**DADE | *mayor* XV || **maiúsculo** | 1813, *majúsculo* XVII | Do lat. *majusculus* 'um tanto maior' || **major** *sm.* 'posto militar entre capitão e tenente-coronel' 1813. Do fr. *major* 'oficial superior encarregado da administração'e, este, do lat. *mājor*, compar. de *magnus* || **major**AÇÃO XX. Do fr. *majoration*, de *majorer* || **major**AR XX. Do fr. *majorer* 'elevar o preço (uma mercadoria)' || **majorit**ÁRIO XX. Do fr. *majoritaire*, de *majorité* 'maioria'. Cp. MAGNO.
mais *adv.* 'designativo de aumento, de grandeza ou comparação' | XIII, *mays* XIII | Do lat. *măgis*, raiz *mag-*, a mesma de *magnus*. Cp. MAGNO, MAIOR.

maís *sm.* 'variedade de milho graúdo' XVI. Do cast. *maíz*, deriv. do taino *mahis*, nome que os tainos do Haiti davam ao cereal || **maisena** *sf.* 'certo produto farináceo constituído de amido de milho' XX. Do ing. *maizena*, nome comercial desse produto, deriv. de *maize* 'maís'.
maiúsculo → MAIOR.
majerioba *sf.* 'planta da fam. das leguminosas, fedegoso' | *magirioba* 1833, *manjerioba* 1876 | Do tupi *pajemari'oųa*, deturpado em *pau majerioba* (*páo magirioba* em 1833) e, daí, *majerioba*.
majestade *sf.* 'elevação, excelência, magnificência' 'título de rei ou imperador' | XIII, *magestade* XIII | Do lat. *majestas -ātis* || **majestát**ICO 1801 || **majest**OSO | *magestoso* XVII | De **majestatoso*, com haplologia.
maj·or·ação, -ar, -itário → MAIOR.
mal[1] *adv.* 'de modo irregular ou diferente do que devia ser' XIII. Do lat. *măle* || **mal**[2] *sm.* 'aquilo que prejudica ou fere' 'aquilo que se opõe ao bem, à virtude, à probidade' | XIII *males* pl. XIII, *maes* pl. XIII | Do lat. *malum -i* || **amaldiço**ADO XIV || **a**MALDIÇOAR XVI || **mal**-ANDANÇA *sf.* '*ant.* infortúnio, desgraça' XIII || **mal**-ANDANTE *adj. 2g.* '*ant.* infeliz, desgraçado' XIII || **mal**-AVENTURA XIII || **mal**-AVENTUR·ADO XIII || **mal**-AVINDO | *auij□do* XIV, *-aueudo* XIV || **mal**CHEIROSO 1899 || **mal**CRI·ADO XIV || **mal**DADE XIII. Do lat. *malĭtas -ātis* || **mald**AR XX. Possivelmente de *maldade*, com haplologia || **mald**·IÇÃO | *-çon* XIII, *-ço* XIII, *-çõ* XIII etc. | Do lat. *maledictĭō -ōnis* || **maldito** *adj.* XIII. Do lat. *maledictus*, part. pass. de *maledicĕre* || **mal**DIT·OSO 1844 || **mal**DIZENTE XIII. Do lat. *maledicens -entis*, part. pres. de *maledicĕre* || **mal**DIZER XIII. Do lat. *maledicĕre* || **mal**D·OSO XIX. De **maldadoso*, de *maldade*, com haplologia || **maledicencia** 1813. Do lat. *maledicentĭa* || **maledicente** 1890. Divergente culto de *maldizente*, do lat. *maledicens -entis*, part. pres. de *maledicĕre* || **maledico** XVIII. Do lat. *maledĭcus* || **maleficência** 1813. Do lat. *maleficentĭa* || **maleficio** XIV. Do lat. *maleficĭum* || **maléfico** 1813. Do lat. *maleficus* || **maleita** XVI. Do lat. *maledicta*, fem. de *maledictus*, part. pass. de *maledicĕre* || **maleit**EIRA 1844 || **maleit**OSO XVII || **malevolência** 1813. Do lat. *malevolentĭa* || **malevolente** 1899. Do lat. *malevŏlens -entis* || **malévolo** XVI. Do lat. *malevŏlus* || **maleza** XIII. Divergente popular de *malícia* || **malfad**ADO XIII || **malfad**AR 1844. De *mal*[1] + *fad(o)* + *-AR*[1] || **malfazejo** 1813. De *malfazer* || **malfazer** XIII. Do lat. *malefacĕre* || **malfeito** 1813. Do lat. *malefactus*, part. pass. de *malefacĕre* || **malfeit**OR XIII. Do lat. *malefactor -ōris* || **mal**FEITOR·IA XIII || **mal**FER·IDO XIII || **mal**FORMAÇÃO *sf.* '(Med.) qualquer deformidade ou anomalia geralmente congênita' XX. Do fr. *malformation*. Ocorre também no português *máformação*, que, inclusive, está mais de acordo com os princípios lexicológicos que regem a formação de vocábulos compostos como este || **malform**ADO XX || **mal**GRADO XIII || **malícia** XIII. Do lat. *malitĭa -ae* || **malic**IOSO XIV. Do lat. *malitiosus* || **malignar** 1813. Do lat. *malignāre* || **malign**IDADE XVII. Do lat. *malignĭtas -ātis* || **maligno** | XIV, *malino* XIV | Do lat. *malignus* || **malina** *sf.* 'alta maré, águas vivas' XVI. Do lat. med. *malina*, de *malus* || **mal-**

majuda | *malm'ajuda* 1844 | De *mal me ajuda* || **malmequer** XVI. De *mal me quer* || **malograr** XVIII. De *mal e lograr* || **malogro** | *mallogro* 1881 | Deriv. regres. de *malograr* || **maloio** 1881. De provável formação expressiva; talvez do cruzamento de *mal* com (*sa*)*loio* || **mal**PARADO | *mal-parado* XIII || **mal**POSTO XX || **mal**QUERENÇA | *mal querença* XIII || **mal**QUIST·AR XVI || **mal**QUISTO XIV || **mal**ROUP·IDO | *mal-roupido* 1899 || **malsinar**² *vb.* 'interpelar maldosamente, caluniar' 'desejar mal a' 1881. Do lat. *malesignare || **mal**SO·ANTE 1813. De *mal* + *soante*, de *soar* || **mal**TRAP·ILHO XVII. De *mal* + *trap(o)* + -*ilho* || **mal**TRATAR 1813 || **mal**TRATO XX || **mal**TREITO XIII. Do lat. *male* + *tractus*, part. pass. de *trahĕre* || **malvad**EZ 1881 || **malv**ADO | *maluas* XIII | Provavelmente do ant. provençal *malvat*, deriv. do lat. med. *malifatius* 'desgraçado', de *malum fatum* 'mal destino'. Terá havido uma mudança de sentido — de desgraçado' passou para 'aquele que causa a desgraça' — semelhante à que ocorreu com *miserável* || **malversação** XVIII. Do fr. *malversation*, do antigo verbo *malverser* e, este, do lat. *male versari* 'comportar-se mal' || **malvers**AR 1881. Provavelmente deduzido de *malversação* || **mal**VISTO XVII.
mala *sf.* 'saco de couro ou pano, ordinariamente fechado com cadeado' 'espécie de caixa de madeira, couro, lona, plástico etc., destinada, em geral, ao transporte de roupas em viagens' 1813. Do fr. *malle*, deriv. do frâncico *malha 'saco de couro' || **mal**ETA XIV. Do *fr. mallette* || **mal**OTE 1881.
malabar *adj. s2g.* 'de, ou natural de Malabar (Ásia)' | XVI, *malavar* XVII. Do top. *Malabar*, no sudoeste da Índia || **malabares** *adj. 2g. pl.* 'diz-se de certos exercícios de agilidade e destreza que se praticam como espetáculo, mantendo diversos objetos em equilíbrio instável, lançando-os para o alto e recolhendo-os' XX. Do top. *Malabar*, onde se praticava esse tipo de jogo || **malabar**ISMO XX || **malabar**ISTA XX.
malacacheta *sf.* 'mica' 1813. De origem desconhecida.
-malac(o)- *elem. comp.*, do gr. *malakós* 'mole, brando', que se documenta em vocábulos eruditos, alguns formados no próprio grego, como *malacia*, e diversos outros introduzidos, a partir do séc. XIX, na linguagem científica internacional ▶ **malacia** *sf.* 'calmaria' *fig.* debilidade, desalento' 1813. Do lat. *malacia*, deriv. do gr. *malakía* 'debilidade, frouxidão' || **malaco**DERMO 1858 || **malaco**LOG·IA 1873 || **malaco**PTERÍGIO | -*rygio* 1873 || **malaco**STRÁCEOS XX || **malaco**ZO·ÁRIO 1873.
malagma *sm.* 'medicamento tópico para amolecer os tecidos' 1858. Do lat. tard. *malagma -atis*, deriv. do gr. *málagmas -atos*, de *malakós*. Cp. -MALAC(O)-.
malagueta *sf.* 'espécie de pimenta muito ardida, da fam. das solanáceas' XV. De origem controversa.
malamba *sf.* 'desgraça, infelicidade, lamúria' XX. Provavelmente do quimb. *ma'lama*, de *ma*- (morfema de plural) + *lama* 'desgraça'.
mal·andança, -andante → MAL¹.
malandrim *sm.* 'vadio, gatuno' XVI. Do it. *malandrino*, de *malandro* || **malandr**AGEM 1881. Talvez adapt. do it. *malandràggio* || **malandr**AR 1890 ||

malandrICE 1881 || **malandro** 1890. Provavelmente deduzido de *malandrim*.
⇨ **malandrim** | XV FRAD I.96.25 |.
malaquita *sf.* 'mineral monoclínico de coloração verde, constituído de carbonato básico de cobre' | *malachita* 1881 | Provavelmente do fr. *malachite*, do antigo fr. *melochite*, deriv. do lat. *molochītis* e, este, do gr. *molochītes* (*lithos*), de *molóchē*, var. de *maláchē* 'malva', por causa da cor.
malar *adj. 2g. sm.* 'diz-se de, ou osso que forma a proeminência mais saliente da face' 1881. Do lat. cient. *mālāris*, do lat. cláss. *māla -ae* 'mandíbula, maxilar superior'.
malária *sf.* 'infecção produzida por protozoários do gênero *Plasmodium*' 1899. Do it. *malaria* 'ar insalubre', de *mala* 'má, insalubre' e *aria* 'ar' || **malári**CO XX || **malario**·LOG·IA XX || **malario**·TERAP·IA XX.
mal-aventura, -aventurado, -avindo → MAL¹.
malaxar *vb.* 'amassar para fazer emplastro' 'dar massagem em' 'fatigar' 1844. Do fr. *malaxer*, deriv. do lat. *malaxāre* 'amolecer', relacionado com o gr. *malássein* 'debilitar, suavizar' e com *malakós* 'mole'.
malbaratar *vb.* 'vender com prejuízo, gastar mal, dissipar' XVII. De *mal* + *baratar*. Cp. BARATAR.
mal·cheiroso, -criado, -dade, -dar, -dição, -dito, -ditoso, -dizente, -dizer, -doso → MAL¹.
malê *adj. s2g.* 'diz-se de, ou indivíduo dos malês, negros muçulmanos provenientes do Sudão' XX. De origem africana, mas de étimo indeterminado.
male·abilidade, -áceo, -ar, -ável → MALHO.
male·dicência, -dicente, -dico, -ficência, -fício, -fico → MAL¹.
maleiforme → MALHO.
maleit·a, -eira, -oso → MAL¹.
maleo·lar, -lo, -tomia → MALHO.
maleta → MALA.
male·volência, -volente, -volo, -za, mal·fadado, -fadar, -fazejo, -fazer, -feito, -feitor, -feitoria, -ferido, -formação, -formado → MAL¹.
malga *sf.* 'tigela vidrada, branca ou de cor' | *mallega* XVI | Do lat. vulg. *madīga, por *magīda* e, este, do acus. sing. do gr. *magís, -idos*.
malgaxe *adj. 2g. sm.* 'diz-se de, ou natural da ilha de Madagascar' 'grupo de línguas malaio-polinésias faladas em Madagascar' 1899. Do fr. *malgache*.
malgrado → MAL¹.
malha¹ → MÁCULA.
malha² *sf.* 'choça' XVI. Do lat. *magalia -ium* 'cabana, choupana' 'nome de um bairro na antiga Cartago (África do Norte)' || **malh**ADA² *sf.* 'cabana de pastores' 'curral de gado' XIII.
malh·a³, -ada¹ → MALHO.
malhada² → MALHA².
malhado → MÁCULA.
malho *sm.* 'espécie de martelo, maço de calceteiro' XVI. Do lat. *mallĕus -ī* || **male**ABIL·IDADE | -*llea*- 1873 | Do fr. *malléabilité*, de *malléable* || **male**ÁCEO *adj.* 'semelhante a martelo' | -*lleáceo* 1899 || **male**AR | -*llear* 1873 | Do lat. tard. *malleāre* || **male**ÁVEL | -*lleável* 1838 | Adapt. do fr. *malléable*, deriv. do lat. *mallĕus* || **male**IFORME | -*llei*- 1899 || **male**OL·AR | -*lleo*- 1881 | De *maléolo* || **maléolo** | -*lleo*- 1873 | Do lat. *malleŏlus*, dimin. de *mallĕus* || **maleo**·TOM·IA XX || **malha**³ *sf.* 'ato de malhar'

'chapa de metal para jogar o chinquilho' 'o jogo do chinquilho' | *malla* XV | De *malhar* || **malh**ADA¹ *sf.* 'ato de malhar' 1813 || **malh**AL XVIII || **malh**ÃO | *mollon* XIII, *malhões* pl. XIV etc. || **malh**AR XIII || **malh**EIR·ÃO 1813.
⇨ **malho** | XIV TEST 173.*3* |.
mal·ícia, -icioso → MAL¹.
málico *adj.* 'diz-se de um ácido extraído da maçã e de outras frutas' 1858. Do lat. cient. *mālicum*, de *mālum* 'maçã' || **mali**·FORME XX.
mal·ignar, -ignidade, -igno, -ina, -majuda, -mequer → MAL¹.
maloca *sf.* 'ranchada de índios bravos' 'aldeia de índios' 1890. Do cast. *maloca*, deriv. do araucano *malocan* || **maloc**ADO *adj.* XX || **maloc**AR XX.
malogr·ar, -o, maloio → MAL¹.
malônico *adj.* 'diz-se de um ácido que se obtém pela oxidação do ácido málico' 1899. Do fr. *malonique*. Cp. MÁLICO.
malote → MALA.
mal·parado, -posto, -querença, -quistar, -quisto, -roupido → MAL¹.
malsim *adj. sm.* 'denunciante, delator' 'fiscal alfandegário, zelador dos regulamentos policiais, beleguim' '*ext.* espião' XVI. Do cast. *malsín*, deriv. do hebr. *malšín* 'denunciador', de *lašón* 'língua, linguagem' || **malsin**AÇÃO 1813 || **malsin**ADURA XVII || **malsin**AR¹ *vb.* 'delatar' XVI. Do cast. *malsinar* || **malsin**ARIA XVI.
mal·sinar², -soante → MAL¹.
malta¹ *sf.* 'reunião de gente de baixa condição, súcia, caterva' 'vida airada, tuna, ciganagem' 1873. De origem desconhecida.
malta² *sf.* 'asfalto viscoso que se assemelha ao alcatrão' | *maltha* 1873 | Do lat. *maltha*, deriv. do gr. *máltha*.
malte *sm.* 'produto da germinação das sementes da cevada, para emprego industrial, especialmente no fabrico das cervejas' | *malt* 1881 | Do ing. *malt* || **malt**ADO XX || **malt**OSE XX.
mal·trapilho, -tratar, -trato, -treito → MAL¹.
maluco *adj.* 'diz-se de, ou indivíduo doido louco, extravagante' 1873. De origem controversa || **maluqu**ICE 1881.
malungo *sm.* 'camarada, companheiro' XVII. Do quimbundo *ma'luŋo*, provavelmente.
malva *sf.* 'nome de diversas plantas medicinais da família das malváceas' XIV. Do lat. *malva -ae* || **malv**ÁCEO 1873 || **malv**AÍSCO XVII. Do lat. *malva hibiscus*.
mal·vad·ez, -o → MAL¹.
malvaísco → MALVA.
malvasia *sf.* 'variedade de uva' 'vinho feito dessa uva' | *malvazia* 1608 | Do cast. *malvasía*, deriv. do top. *Malvasia*, forma romance da cidade grega *Monembasia*.
mal·vers·ação, -ar, malvisto → MAL¹.
mama *sf.* 'cada um dos órgãos glandulares, em número de dois ou mais, característicos dos mamíferos' 'teta, seio' XVI. Do lat. *mamma -ae* || AMAMENT·AÇÃO 1881 || AMAMENT·AR | XIV, *mamentar* XIII || DESMAMADO 1844 || DESMAMAR 1844 || mamAD·EIRA 1844 || mamADO XVI || mamADOR 1813 || mamADURA 1813 || **mam**ÃO *sf.* 'fruto do mamoeiro' XVI. De *mama*, por se assemelhar essa fruta a um seio || **mam**AR XIII. Do lat. *mammāre* || **mam**ÁRIO 1873. Do fr. *mammaire* || **mam**ATA XX || **mamelão** 1890. Do fr. *mamelòn*, de *mamelle*, deriv. do lat. *mamilla*, dimin. de *mamma* || **mamí**·FERO 1873. Do fr. *mammifère* || **mami**·FORME 1873 || **mam**IL·AR *adj. 2g.* | *-illar* 1813 | Do lat. *mamillaris* || **mam**ILO | *-yllo* XV | Forma masculina do lat. *mamilla*, dimin. de *mamma* || **mam**INHA 1813 || **mam**OEIRO 1813.
⇨ **mama** | XIV TEST 298.*24* |.
mamãe → MÃE.
mam·ão, -ar, -ário, -ata → MAMA.
mambembe¹ *sm.* 'lugar ermo, afastado' XX. De origem obscura || **mambembe**² *adj. 2g.* 'medíocre, inferior, ruim' XX. De *mambembe*¹.
mambo *sm.* 'música e dança originárias da América Central' XX. Provavelmente de origem africana; cp. zulu *im-amba*.
mamelão → MAMA.
mameluco *sm.* 'soldado de uma milícia turco-egípcia, originariamente formada de escravos' | *mamaluco* XVII; 'filho de índio com branco' XVII. Do ár. *mamlūk* 'o que se possui, escravo', substantivação do part. pass. de *malaka* 'possuir'.
mam·ífero, -iforme, -ilar, -ilo, -inha → MAMA.
mamoá *sf.* 'vagalume' 1587. Do tupi *mamo'ã*.
mamoeiro → MAMA.
mamona¹ *sm.* '(o demônio das) riquezas' '(personificação da) riqueza' XV. Do lat. ecles. (Vulgata) *mam(m)ōna*, deriv. do gr. (S. Mateus vi. 24, S. Lucas xvi. 9, 11, 13) *mam(m)ōnâs* e, este, do aramaico *māmōnā, māmōn* 'riqueza, lucro'.
mamona² *sf.* 'planta da fam. das euforbiáceas, o fruto dessa planta' 1813. Do quimbundo *mu'mono*, com interferência de *mamão*, provavelmente.
mamulengo *sm.* 'divertimento que consiste em representações teatrais por meio de bonecos' 1890. O termo, certamente de origem expressiva, terá sido produto do cruzamento de MÃO com *molengo*.
mamute *sm.* 'mamífero fóssil da fam. dos elefantídeos, que viveu nas regiões frias, particularmente na Sibéria' | *mammouth* 1815 | Do fr. *mammouth*, deriv. do rus. *mamot*, var. de *mámont*; o voc. russo dimana de um idioma da família turco-tártara.
maná *sf.* 'alimento que, segundo a Bíblia, Deus mandou em forma de chuva aos israelitas no deserto' 'suco resinoso de algumas plantas' '*fig.* alimento delicioso, coisa excelente' XIV. Do lat. tard. *manna*, deriv. do gr. (Livros dos Setenta) *mánna* e, este, do aramaico *mannā* (< hebr. *mān*) || **man**ITA *sf.* 'substância orgânica' 1813.
manacá *sm.* 'planta da fam. das solanáceas' 1862, *manacan* 1833 | Do tupi **mana'ka*.
manação → MANAR.
manada *sf.* 'rebanho de gado grosso' XIII. Do lat. *manuāta*, substantivação do fem. do adj. *manuātus*, de *manus* 'mão'. Cp. MÃO.
manaíba *sf.* 'pé de mandioca' | *mandiiba c* 1607, *baniba* 1616, *manaiba* 1663 etc. | Do tupi *maŋi'iŋa* || **manaibuçu** *sm.* 'variedade de mandioca' 1587. Do tupi *maŋiïu'su* || **manaitinga** *sf.* 'variedade de mandioca' 1587. Do tupi *maŋiï'tiŋa*. Cp. MANDIOCA.
man·ancial, -ante → MANAR.
manaquim *sm.* 'pássaro dentirrostro da América' 1881. De uma língua indígena americana, mas de étimo indeterminado.

manar *vb.* 'verter perenemente em abundância, produzir, dar origem, derramar' | XIII, *māar* XIII | Do lat. *manāre* || **man**AÇÃO XVI || **man**AD·EIRO | -*eyro* XIV || **manancial** | *manáçiales* pl. XIV | Do cast. *manantial* || **man**ANTE XVI.
manatim *sm.* 'peixe-boi' | *monatim a* 1557 | Do cast. *manatí*, de origem caribe.
manauê *sm.* 'espécie de bolo de fubá, mel e outros ingredientes' XIX. De origem desconhecida.
manc·ada, -ar → MANCO.
mancebo *sm.* 'moço, rapaz' 'amante, aquele que vive em mancebia' XIII. Do lat. *mancipus, de *mancipĭum* 'ação de adquirir ou tomar na mão' '*ext*. escravo', de *manceps* (de *manus* + *capiō*) || AMANCEBAR XVI || **manceba** *sf.* 'criada, concubina, mulher jovem' XIII || **manceb**IA *sf.* 'juventude' XIV; 'estado dos que vivem amancebados' 1813 || **mancipação** | *mançipaçon* XIV | Do lat. *mancipātiō* -*ōnis* || **mancip**ADO XVI || **mancip**AR XVII. Do lat. *mancipāre* || **mancípio** 1899. Divergente culto de *mancebo*. Cp. EMANCIPAR.
mancenilha → MAÇÃ.
manch·a, -ado, -ar → MÁCULA.
mancheia → MÃO.
manchete *sf.* 'título principal, em letras garrafais, na primeira página de um jornal' '*ext*. título de notícia, em letras maiores, em jornal ou revista' XX. Do fr. *manchette*, de *manche* e, este, do lat. *manĭca* 'manga (de roupa)'.
manchil *sm.* 'foice, arma de guerra' 'cutelo de carniceiro' XVI. Do ár. *manjil* 'foice para segar'.
-mancia *elem. comp.*, deriv. do lat. -*mantīa*, do gr. -*mantéia* 'adivinhação', que se documenta em vocs. eruditos, quase todos já formados no próprio grego, como *geomancia, quiromancia* etc.
mancip·ação, -ado, -ar, -io → MANCEBO.
manco *adj.* 'diz-se de pessoa ou animal a quem falta mão ou pé, coxo' XIII. Do lat. *mancus*, deriv. de *manus* 'mão' || **manc**ADA XX || **manc**AR *vb.* 'mutilar, ferir' 'andar como coxo' XIV || **manqu**EIRA XV || **manqu**EJAR XVI. Cp. MÃO.
⇨ **manco** — EMANQUECER | *enmanquecer c* 1608 NOReb 150.*22* |.
man·comun·ação, -ado, -ar, mancornar → MÃO.
manda → MANDAR.
mandacaru *sm.* 'planta da fam. das cactáceas' | *α. modurucu* 1587, *mandacarú* 1702 etc.; *β. Janamacara* 1618, *iamandacaru* 1618, *iamacarú* 1663 etc.; *γ. comanacaru c* 1631, *comandacaru c* l631 | Do tupi *ĩamaṇaka'ru (ñamaṇaka 'ru)*.
mandar *vb.* 'ordenar, dirigir como chefe' 'enviar, remeter' XIII. Do lat. *mandāre* || DESmandar XVI || DESmando XV || **manda**[1] *sf.* 'legado' XIII. Deriv. regr. de *mandar* || **manda**[2] 'sinal de referência com que se remete o leitor para outra parte do livro' 1813. Deriv. regr. de *mandar* || **manda**CHUVA 1899 || **mand**AD·EIRO XIII. Do lat. tard. *mandatārĭus* || **mand**ADO *sm.* 'ordem' XIII. Do lat. *mandātum -i* || **mand**AMENTO XIII || **mand**ANTE XIV || **mand**ÃO 1873 || **mand**ATÁRIO 1813. Do fr. *mandataire*, deriv. do lat. tard. *mandatārĭus* || **mand**ATO *sm.* 'autorização cedida por alguém a outrem, para que este em nome daquele pratique certos atos' XIV. Do lat. *mandātum -i*.
mandarim *sm.* 'alto funcionário público, antigamente, na China' XVI; 'o idioma dos mandarins' XVIII. Do malaio *măntări*, corruptela do sânscr. *mantri* 'conselheiro, ministro'. A mudança de *t* por *d* deve-se à influência de MANDAR || **mandarina**[1] *sf.* 'a mulher do mandarim' 1650 || **mandarina**[2] *sf.* 'tangerina' 1873 || **mandarin**ADO 1668 || **mandarin**ATO XIX || **mandarín**ICO 1604 || **mandarin**ETE 1650.
mandat·ário, -o → MANDAR.
mandestro → MÃO.
mandi *sm.* 'peixe de rio da fam. dos pimelodídeos' | *mandaig c* 1594, *mandeii* 1618, *manohi c* l631 etc. | Do tupi *maṇi'i*.
mandíbula *sf.* 'maxila inferior, queixada' 1844. Do lat. *mandibŭla*, de *mandĕre* 'mascar, mastigar' || **mandibul**AR 1873.
mandil *sm.* 'pano grosso para rodilhas e esfregão' XIV. Do cast. *mandil*, deriv. do ár. *mandîl* e, este, do lat. *mantēle* ou *mantīle -is* 'toalha de mão', de *manus* 'mão' + *tergĕre* 'enxugar'. Cp. MANTEL, MANTO.
mandinga *sf.* 'feitiço, talismã para fechar o corpo' 1813. Do top. *Mandinga*, na Guiné (África), lugar onde havia grandes feiticeiros || **mandingu**EIRO 1813.
mandioca *sf.* 'planta da fam. das euforbiáceas (*Manihot utilissima*), raiz tuberosa, comestível, que fornece amido, tapioca e farinha, e com a qual se preparam inúmeras iguarias' | 1549, 1557 etc., *mandioqua* 1556 etc. | Do tupi *maṇi'oka*. A atestar a extraordinária importância da mandioca como alimento indispensável aos índios do Brasil e aos primeiros colonizadores europeus, a documentação do voc. é abundante e extensa; nenhum outro voc. de origem tupi está tão amplamente documentado na língua portuguesa || **mandiocaí** *sf.* 'planta da fam. das araliáceas' 1587. Do tupi *maṇioka'i* || **mandioc**AL *sm.* 'plantação de mandioca' 1757 || **mandioqu**EIRO *sm.* 'plantador de mandioca' '*fig.* roceiro, matuto, caipira' XX.
mandrágora *sf.* 'gênero de plantas da família das solanáceas, muito empregadas em feitiçaria na Antiguidade e na Idade Média' | XIV, *mēdracola* XVI | Do lat. *mandragŏra -ae* e, este, do gr. *mandragóras* || **mandraca** *sf.* 'beberagem de feitiçaria' XX. De *mandraga, redução um tanto arbitrária de *mandrágora*.
mândria *sf.* 'preguiça, indolência' 1881. Do cast. *mandria* 'inútil, vagabundo, preguiçoso', deriv. do it. *mandria* 'rebanho, manada' e, este, do lat. *mandra* 'cavalariça', do gr. *mándrā* || **mandri**ÃO 1813 || **mandri**AR 1813.
mandril[1] *sm.* 'peça cilíndrica com que em artilharia se alisa o olhal do projétil' 1881. Talvez do cast. *mandril*, deriv. do fr. *mandrin* e, este, do prov. *mandre* 'manivela', o qual, por sua vez, proviria do lat. *mamphur*, com influência do germânico *manduls.
mandril[2] *sm.* 'grande mono da costa da Guiné' 1881. Do ing. *mandrill*, de *man* 'homem' + *drill*, termo da África Ocidental com que se designa este animal.
mandubi *sm.* 'peixe siluriforme da fam. dos ageneiosídeos' | *mandube c* 1631, *mandubé c* 1777 | Do tupi *maṇï'i*; cp. MANDI.

manducar *vb.* 'comer, mastigar' XVI. Do lat. *mandūcāre* ‖ **manduc**AÇÃO 1858. Do lat. *mandūcātĭō -ōnis*.

mane·ador, -ar, -ável, -ia, -io, maneir- a, -ar, -ismo, -ista, -o, -oso, manej·ar, -ável, -o → MÃO.

manequim *sm.* 'boneco que representa homem ou mulher e serve para estudos artísticos, científicos ou artesanais (costureira, alfaiate etc.)' '*fig.* pessoa sem vontade própria' 'moça que serve de modelo para modista' | *maniquins* pl. XVIII | Do fr. *mannequin* 'figurino', deriv. do m. neerl. *mannekîn*, dimin. de *man* 'homem'. Na última acepção o voc. só ocorre em português no séc. XX. Cumpre notar, também, que nessa última acepção o termo geralmente vem grafado, nas publicações e revistas de moda, à francesa.

manes *sm. pl.* 'almas dos mortos, divindades infernais que os romanos invocavam sobre as sepulturas' XVII. Do lat. *manes (dii)*, substantivação de *manis* 'bom, benévolo, favorável'.

maneta → MÃO.

manga¹ *sf.* 'parte da vestimenta onde se mete o braço' 'filtro afunilado para líquidos' 'qualquer peça de forma tubular que reveste ou protege outra peça' 'hoste de tropas, grupamento, ajuntamento, bando, turma' XIII. Do lat. *manĭca*, de *manus* 'mão' ‖ A·R·REmangar *vb.* 'arregaçar as mangas' 'levantar a mão contra alguém' XVII ‖ **mango** *sm.* 'cabo ou punho de certos utensílios' XIII. Do lat. **manĭcus*, de *manus* ‖ **mangu**AL *sm.* 'instrumento para malhar cereais' 1813. Do lat. *manuālis*, divergente popular de *manual* ‖ **man**GUEIRA¹ 1813 ‖ **mangu**ITO¹ *sm.* 'gesto obsceno que consiste em dobrar o braço com o punho fechado e segurar o cotovelo com a outra mão' XVII ‖ **mangu**ITO² *sm.* 'pequena manga¹ usada como enfeite ou abrigo dos punhos' 1813 ‖ **maniqu**ETE 1813. Talvez adapt. do fr. *manique*, do lat. *manicŭla*, dimin. de *manus* ‖ REmangAR XVI. Cp. MÃO.

➪ **manga**¹ — **mangu**AL | *mangoal* XV LEAL 321.*22*, 1680 AOCad I. 533.*5* |.

manga² *sf.* 'fruto da mangueira², planta da fam. das anacardiáceas' XVI. Do malaiala *mangā*, deriv. do tamul *mānkāy*, de *mān* 'mangueira²' + *kāy* 'fruto' ‖ **mangu**EIRA² 1813.

➪ **manga**² — **mangu**EIRA² | *mangueyra* 1525 (D) ‖ **mangu**EIR·AL | 1598 (D).

mangaba *sf.* 'planta da fam. das apocináceas, cujo fruto é muito apreciado' *c* 1584. Do tupi *ma'ŋaua* ‖ **mangabal** 1585 ‖ **mangaba**RANA *sf.* 'planta da fam. das sapotáceas' XX ‖ **mangab**EIRA 1587 ‖ **mangab**EIR·AL XX ‖ **mangab**EIRO XX.

mangação → MANGAR.

manganela *sf.* '*ant.* catapulta' | *māgēela* XIV, *mangeela* XIV | Do it. ant. *manganèlla* (hoje *manganèllo*).

manganês *sm.* 'elemento de número atômico 25, metálico, cinzento, mole, denso, usado em diversas ligas' | *manganésio* 1873, *manganez* 1873 | Do fr. *manganèse*, deriv. do it. *manganese* 'magnésia' e, este, do lat. med. *manganexum* ‖ **mangan**ATO *sm.* 'um sal do ácido mangânico' 1873. Adapt. do ing. *manganate* ‖ **mangân**ICO *adj.* 'diz-se do ácido de manganês' 1873. Do ing. *manganic* ‖ **manganí**·FERO 1899 ‖ **mangan**INA XX. Do ing. *manganin* ‖ **mangan**ITA XX. Do ing. *manganite*.

mangangá *sm.* 'abelha do gênero *Bombus*' XX. Do tupi *mana'ŋa*.

mangân·ico, -ífero, -ina, -ita → MANGANÊS.

mangar *vb.* 'zombar, escarnecer, fazer mofa' 1813. De origem obscura ‖ **mang**AÇÃO 1873.

mangará *sm.* 'planta da fam. das aráceas' *c* 1584. Do tupi *maŋa'ra* ‖ **mangar**ITO *sm.* 'planta da fam. das aráceas' 1781.

mango → MANGA¹.

mangona *sf.* 'preguiça, indolência' XVI. De origem desconhecida.

mangostão *sf.* 'planta gutífera originária da Ásia' 'o fruto dessa planta' | *magostães* pl. XVI | Do malaio *manggustan*.

mangra → MÁCULA.

mangual → MANGA¹.

mangue *sm.* 'planta da fam. das rizoforáceas' 'terreno pantanoso das margens das lagoas e desaguadouros dos rios, onde, em geral, vegeta o mangue' XVI. De origem controversa.

mangueira¹ → MANGA¹.

mangueira² → MANGA².

manguito → MANGA¹.

mangusto *sm.* 'mamífero da Ásia e da África, que habita as margens dos rios e se nutre de cobras e ratos' 1881. Do fr. *mangouste*, deriv. do concani (e marata) *mangūs*.

manha → MÃO.

manhã *sf.* 'parte do dia que vai do alvorecer até o meio-dia' | *mannãa* XIII, *manhana* XIII, *manãa* XIV etc. | Do lat. vulg. *maneănã*, abrev. de *hōrã *maneănã* 'em *hora* matutina', de *māne*, forma neutra do adj. *manis* 'bom, favorável, benévolo', aplicado ao tempo ‖ Amanhã XVI. O port. med. usava o adv. *cras* (< lat. *crãs*), que se arcaizou no início do séc. XVI, quando foi substituído por *amanhã* ‖ AmanhECER | *amanheecer* XIV, *amaneēçer* XIV, *amaesçer* XIV, *ameesçer* XIV etc. | Do lat. hisp. **admanescēre*, com influência de *manhã* ‖ ANTEmanhã | 1871, *-nhãa* XVI.

➪ **manhã** — ANTEmanhã | *ante manhã* XV LOPJ | I. 70.*40* etc. |.

manhoso → MÃO.

mania *sf.* '(Med.) doença caracterizada por um estado de excitação, que pode alternar com um estado de melancolia, constituindo a psicose maníaco-depressiva' '*fig.* excentricidade, esquisitice' XVI. Do lat. tard. *mania*, deriv. do gr. *manía* 'loucura, demência' ‖ **maní**ACO XVI. Do lat. *maniăcus* 'furioso, louco', deriv. do gr. *maniakós*.

maniatar → MÃO.

manicaca *sm.* 'sujeito fraco, moleirão, pusilânime' 1858. De origem obscura.

maniçoba *sf.* 'folha da mandioca' '*ext.* guisado feito com grelos de mandioca, carne e peixe' | 1605, *-soba* 1618 etc. | Do tupi *maŋi'soŋa* 'folha de mandioca' < **ma'ŋi* (< *maŋi'ĩŋa* 'mandioca') + '*soŋa* 'folha' ‖ **maniçob**AL XX.

manicômio *sm.* 'hospital de alienados mentais' XX. Do it. *manicòmio* (moldado em *nosocòmio*), de *mani(aco)* + *-comio*, do gr. *koméo* 'eu curo'. Cp. MANIA.

manicora *sf.* 'ornato arquitetônico que representa um animal híbrido, com cabeça e cauda de serpente e tronco globoso' 1899. De origem obscura.
manicórdio → MON(O)-.
man·ícula, -icura, -icure, -icuro, -icurto, -idestro, -ietar → MÃO.
manifestar *vb.* 'tornar público, notório' 'apresentar, declarar, revelar, divulgar' | *maenfestar* XIII, *meêfestar* XIII, *menfestar* XIV etc. | Do lat. *mănĭfestāre* || **manifest**AÇÃO | *manifestaçam* XVI | Do lat. *mănĭfestātĭo -ōnis* || **manifest**ANTE 1881 || **manifesto** *adj. sm.* 'patente, claro, evidente' 'declaração pública' | *maenfesto* XIII, *menfesto* XIV, *manyfesto* XIV, *magny-* XV | Do lat. *mănĭfestus*, part. pass. de *mănĭfestāre*.
⇨ **manifestar** — **manifest**AÇÃO | *-çom* XV FRAD I.38.27 |.
mani·flautista, -forme → MÃO.
manigância *sf.* 'prestidigitação, manobra misteriosa' 1899. Do fr. *manigance*, de origem obscura.
manilha[1] *sf.* 'argola com que se adornam os pulsos, pulseira' XV. Do cast. *manilla*, deriv. do lat. *manicŭla*, dimin. de *manus* || **manilha**[2] *sf.* 'tubo de barro ou de outra matéria, usado em canalização' 1844. De *manilha*[1], por extensão semântica, provavelmente. Cp. MÃO.
manilha[3] *sf.* 'certo jogo de cartas em que as de valor mais alto são chamadas de manilhas' XVI. Do cast. *malilla*, por dissimilação do *l*, deriv. de *mala* 'má, maliciosa', fem. de *malo* e, este, do lat. *malus* 'mau'. Cp. MAL.
manilha[4] *sf.* 'variedade de fumo' 1899. Do cast. *manilla*, do top. *Manilla*, capital das Filipinas.
manilúvio → MÃO.
manimelo *adj. sm.* 'idiota, homem efeminado' | *maninelo* XVI | De etimologia obscura.
maninho *adj.* 'inculto, estéril' XVI. Do lat. hisp. *mannīnus*, deriv. do ibérico *manna 'estéril'.
⇨ **maninho** | *manỹo* XIII CSM 21.1 |.
manipanso *sm.* 'ídolo africano, feitiço' '*burl.* indivíduo muito gordo' | *manipanço* 1881 | Termo de origem africana.
manipresto → MÃO.
manipueira *sf.* 'líquido venenoso extraído da mandioca ralada e utilizado pelos índios do Brasil para o preparo de uma espécie de vinho' | α. *manepoeira c* 1631; β *maniquera* XIX | Do tupi *mani'puera < *ma'ni* (< *mani'ĩua* 'mandioca') + *'puera* 'que já foi'. A var. *maniquera* parece provir de uma forma evoluída do tupi: *mani'kuera*.
manipul·ação, -ar, -o → MÃO.
manique·ísmo, -ísta → MANIQUEU.
maniquete → MANGA[1].
maniqueu *adj. sm.* 'diz-se de, ou herege que admite a existência de dois princípios opostos: o do bem e o do mal' | *maniquêo* 1873 | Do fr. *manichée*, deriv. do lat. *manichaeus*, de *Manes*, heresiarca persa, chefe da seita, que foi crucificado em 276 || **maniquE**ÍSMO | *manicheismo* 1858 | Do fr. *manichéisme* || **manique**ÍSTA XX.
⇨ **maniqueu** | *manicheu* 1538 DCast 22.1 |.
manirroto → MÃO.
manita → MANÁ.
manitó *sm.* 'entre os algonquinos (indígenas norte-americanos), espírito do bem ou do mal' | *manitu* 1873 | Do fr. *manitou*, deriv. do algonquino *manitu*.
manivela → MÃO.
maniversia *sf.* 'tramoia, burla, fraude, patifaria' 1881. De origem duvidosa.
manjar[1] *vb.* 'comer' XVI. Do ant. fr. *mangier*, deriv. do lat. *manducāre* || **manja** *sf.* 'o que se desfruta sem trabalho' XVI. De *manjar*[1] || **manjar**[2] *sm.* 'comida' | *mangiar* XIII || **manj**EDOURA | XV, *manjadoira* XV | Talvez se trate de adapt. do it. *mangiatoia*, de *mangiare*, do ant. fr. *mangier*.
manjericão *sm.* 'nome de diversas plantas medicinais da fam. das labiadas' | *majericã* XVI | De origem desconhecida.
manjerona *sf.* 'planta da fam. das labiadas' | *manjarona* XVI | De origem desconhecida. Cp. MANJERICÃO.
manjua *sf.* 'alimento' 1813. De origem obscura.
manjuba *sf.* 'peixe do mar da fam. dos aterinídeos' 1890. De origem obscura.
mano[1] → IRMÃO.
man·o[2], **-obra, -obrar, -obreiro, -oca, -ojo, -olho** → MÃO.
manômetro *sm.* 'instrumento destinado à medição de pressões' 1858. Do fr. *manomètre*, termo criado por Varignon (1654-1722), a partir do gr. *mano-*, de *manós* 'raro, escasso', e -METRO.
man·opla, -otaço, -oteador, -otear, -otudo → MÃO.
manqu·eira, -ejar → MANCO.
mansão *sf.* 'casa grande e luxuosa' XVI. Do lat. *mansio -ōnis*. Deve tratar-se de evolução normal do lat. *mansio -ōnis* o a. port. *meyĩo* (séc. XIV), mas será galicismo o a. port. *maison* (séc. XIII), *mayson* (séc. XIII).
⇨ **mansão** | *mansoes* pl. XV SEGR 45v |.
mansarda *sf.* 'trapeira, água-furtada' 1813. Do fr. *mansarde*, deriv. do antr. *(J.H.) Mansard* (1598-1666), arquiteto francês.
manso *adj.* 'de gênio brando ou índole pacífica, sereno, sossegado' XIII. Do lat. vulg. *mansus*, deriv. de *mansuētus*, part. pass. de *mansuescĕre < manus + suescĕre* 'habituar-se a mão (do dono)' || AMANSAR XIII || **mansidão** | *mansidõe* XIV, *-idom* XIV, *mansidã* XVI | Do lat. *mansuetudo -dĭnis* || **mansuetude** XVII. Do lat. *mansuetudo -dĭnis*.
⇨ **manso** — AMANSAMENTO | XV VIRG III.181 | AMANSÁVEL | XV SBER 138.24 |.
manta → MANTO.
-mant(e) *elem. comp.*, deriv. do lat. *-mantis*, do gr. *-mantis*, de *mantéia* 'adivinhação', que se documenta em vocs. eruditos, quase todos formados no próprio grego (ou no latim medieval), como *geomante* (e *geomântico*), *quiromante* (e *quiromântico*) etc., com a noção de 'indivíduo que adivinha, que prevê o futuro, através do exame de certas características peculiares aos seres vivos e aos inanimados'. Cp. -MANCIA.
manteiga *sf.* 'substância gorda e alimentícia que se extrai da nata do leite' XIII. Provavelmente de origem pré-romana | AMANTEIGADO 1813 || **manteig**UEIRA 1844.
mantel, mantéu *sm.* 'espécie de vestimenta' 'toalha de mesa ou de altar' | XIV, *mantees* pl. XIII, *manteos* pl. XV | Do lat. *mantēle -is* (< *măn(us) + tergo*) || DESMANTELADO 1813 || DESMANTELAMENTO 1844 ||

DESmantelAR XVII. Adapt. do fr. *démanteler*, do a. fr. *manteler*, deriv. do ant. *mantel* (atual *manteau*) e, este, do lat. *mantēllum*, dimin. de *mantum* || DESmantelo 1899 || **mantelete** XVII. Do fr. *mantelet*, deriv. do antigo *mantel* (atual *manteau*) || **mantô** | *mantol* XVII | Do fr. *manteau*, deriv. do a. fr. *mantel* e, este, do lat. *mantēllum*, dimin. de *mantum* 'cobertura, capa, véu'. Cp. MANDIL, MANTO.
manteler *sm.* '(Heráld.) figura constituída por duas linhas curvas, com as extremidades voltadas para os dois lados inferiores do escudo, formando dois meios escudos' 1813. De origem desconhecida.
mantelete → MANTEL.
manter *vb.* 'sustentar, prover do que é necessário à subsistência, conservar' XIII. Do lat. **manutenēre*, de *mănus* 'mão' + *tenēre* 'ter' || **mantença** | *mătenĕça* XIV, *mateença* XIV | Do lat. med. *manutenentia* || **mantenEDOR** | *mantēedor* XIII | Do cast. *mantenedor* || **mantEÚDO** XIV || **mantimento** | XIV, *manteemento* XIV etc. || **manutenção** XVII. Do fr. *manutention*, deriv. do lat. med. *manutentio -onis* || **manutenÍVEL** 1873.
mantéu → MANTEL.
mântica *sf.* 'pequeno saco, alforje' XVII. Do lat. *mantĭca*.
mantilha → MANTO.
mantimento → MANTER.
mantissa *sf.* '(Mat.) parte decimal do logaritmo' 1881. Do ingl. *mantissa*, deriv. do lat. *mantissa* 'excedente do peso'. O termo passou à linguagem internacional da matemática.
manto *sm.* 'vestidura larga e sem mangas, para abrigo da cabeça e do tronco' 'antiga capa de cauda e roda' XIII. Do lat. ibérico *mantus* || **manta** XIII. Do lat. med. *manta*, de *mantus* || **mantilha** XVI. Do cast. *mantilla*, de *manto*. Cp. MANDIL, MANTEL.
mantô → MANTEL.
mantuano *adj. sm.* 'de, ou natural de Mântua (Itália)' 'relativo a, ou próprio do poeta latino Virgílio (nascido nas proximidades de Mântua)' 1572. Do lat. *mantuānus*.
manual → MÃO.
manubial *adj. 2g.* 'relativo aos despojos do inimigo' 1881. Do lat. *manubialis*, de *manubiae -arum* 'despojos, presa', provavelmente relacionado com *mănus*.
manúbrio *sm.* '(Anat.) parte superior, ou punho, do esterno' 'apófise do osso martelo' 'manivela' 1813. Do lat. *manubrium* 'cabo (de um utensílio)' 'asa (de um vaso)', que se relaciona provavelmente com *mănus*.
manudução → MÃO.
manuelino *adj.* 'diz-se do estilo arquitetônico que em Portugal derivou do gótico florido' XIX. Do antr. D. *Manuel* I, rei de Portugal (1495-1521), em cuja época floresceu esse estilo arquitetônico.
manu·fator, -fatura, -faturar, -fatureiro, -leio → MÃO.
manumitir *vb.* 'dar alforria, libertar' XVII. Do lat. *mănŭmittĕre* 'propriamente, libertar das mãos', de *mănus* 'mão' + *mittĕre* || **manumisso** *adj.* XIX. Do lat. *manumissus*, part. pass. de *mănŭmittĕre* || **manumissor** 1881. Do lat. *manumissor -ōris* || **manumitENTE** XX. Do lat. *manumittens -entis*, part. pres. de *mănŭmittĕre*.

manu·scrito, -sdei, -seador, -sear, -seio → MÃO.
manu·tenção, -tenível → MANTER.
manutérgio *sm.* 'toalha em que o sacerdote enxuga as mãos' | *manistérgio* 1844 | Do lat. ecles. *manūtergium*, de *mănus* + *tergĕre*.
➪ **mao** — **meneio** | *meneo* XV BERN 543 | **molho**[1] | XV COND 41*d*30, INFA 51.*3*, *molho* XIV GREG 4.17.*7*, ORTO 350.*31*, TEST 61.*20* |.
mão *sf.* 'parte do corpo, na extremidade do braço, e que serve para o tato e para a preensão dos objetos' 'cada um dos membros anteriores dos quadrúpedes' 'poder, domínio, influência' XIII. Do lat. *mănus -us* || **amanhAR** XV || **amanho** XVII || ANTEmão | XVI, *antemaão* XIV || CONTRAmão XX || DEmão XIX || manCHEIA | *manchea* XVII || manCOMUN·AÇÃO XVIII || manCOMUN·ADO XVII || manCOMUN·AR 1813. De *mão* + *comum* + *-ar*[1] || manCORNAR 1813. Do cast. *mancornar*, de *mano* e *cuerno* || manDESTRO XX || manE·ADOR *sm.* 'correia de couro no freio do cavalo' 1881. Do esp. plat. *maneador*, de *manear*[1] || manEAR[1] *vb.* 'prender a besta com uma corda' 1881. Do esp. plat. *manear*, deriv. do cast. *manear* 'prender as patas dianteiras de uma cavalgadura', de *mano* 'mão' e, este, do lat. *mănus* || manEAR[2] *vb.* 'tratar com as mãos, apalpar, mexer, manejar' XV || manE·ÁVEL XVI. De *manear*[2] || **maneia** *sf.* 'corda que serve para pear a besta' 1881. Do esp. plat. *manea*, deriv. do cast. *manea*, de *manear* || **maneio** *sm.* 'ant. proveito, ganho' 'laboração, trabalho manual' | *maneo* XVI | De *manear*[2] || **maneira** *sf.* XIII. Do lat. vulg. *manuaria*, de *manuarius* 'relativo à mão' || **maneirAR** XX || **maneirISMO** XIX. Adapt. do fr. *maniérisme* || **maneirISTA** 1881. Do fr. *maniériste* || **maneiro** *adj.* XIX || **maneirOSO** 1899 || **manejar** | XVI, *maneiar* XIII | Do it. *maneggiare*, deriv. do lat. med. *manizzare* e, este, do lat. *mănus* || **manejÁVEL** 1858 || **manejo** XVII. Do it. *manéggio* || **manETA** 1813 || **manha** *sf.* 'habilidade' XIII. Do lat. vulg. **manīa* 'habilidade manual', de *mănus* 'mão' || **manhOSO** | XIV, *manoso* XIV, *mañoso* XI || **maniATAR** XVII. Do cast. *maniatar*, de *manus* 'mão' + *atar* 'atar, ligar' || **manícula** 1881. Do lat. *mănĭcŭla*, dimin. de *mănus* || **manicura, manicure** XX. Do fr. *manucure*, sob o modelo de *pedicure* || **manicuro** *sm.* XX. De *manicura* || **maniCURTO** 1881 || **maniDESTRO** XX || **manietar** *vb.* 'maniatar' 1873 || **mani·FLAUTISTA** | *mani-flautista* 1881 || **mani·FORME** 1873 || **maniluvio** | *manulúvio* 1858 | Do lat. med. *maniluvium* || **mani·PRESTO** XIX || **manipulAÇÃO** 1802. Do fr. *manipulation* || **manipular**[1] *vb.* 'preparar com a mão, engendrar' 1844. Do fr. *manipuler*, de *manipule* 'manípulo' || **manipulAR**[2] *adj. 2g.* 'relativo ao manípulo romano' XX. Do lat. *manipulāris* 'dizia-se do soldado raso dos exércitos romanos' || **manipulo**[1] *sm.* 'companhia no exército romano' XVII. Do lat. *manipŭlus* || **manípulo**[2] *sm.* 'pequena estola pendente do braço esquerdo do sacerdote, quando paramentado' XIV. Do lat. *manipŭlus* || **manIR·ROTO** XVII || **manivela** | *manivella* XVIII | Do fr. *manivelle*, deriv. do lat. vulg. **manibella*, alt. de *manibŭla*, var. de *mănĭcŭla*, dimin. de *mănus* || **mano**[2] *sf.* 'usado na expressão *mano a mano*' XVII || **manobra** XV. Adapt. do fr. *manoeuvre*, deriv. do lat. vulg. *manuopĕra*, de *mănus* 'mão + *opĕra*

'trabalho' || **manob**rAR 1844. Do fr. *manoeuvrer*, deriv. do lat. *manuoperāre* || **manob**rEIRO 1844 || **manoca** *sf.* 'molho de cinco a seis folhas de fumo assim dispostas para a secagem' 1890. Provavelmente do fr. *manoque*, do lat. *mănus* 'mão' || **manojo** *sm.* 'molho ou feixe que se pode abarcar com uma mão, manolho' XVII. Do cast. *manojo*, deriv. do lat. vulg. *mănŭcŭlus*, por *mănŭpŭlus*, de *mănus* 'mão' || **manolho** *sm.* 'manojo' 1813. Do lat. vulg. *mănŭcŭlus*, por *mănŭpŭlus* || **manopla** *sf.* 'luva de ferro que fazia parte das antigas armaduras de guerra' XVII. Do cast. *manopla*, deriv. do lat. *mănŭpŭlus* || **manot**AÇO *sm.* 'pancada que o cavalo dá com uma das patas dianteiras ou com ambas, quando perseguido ou tolhido' 1881. Do esp. plat. *manotazo*, derivado do cast. *manotazo* 'golpe com a mão' || **manot**E·ADOR XX. Do esp. plat. *manoteador* || **manot**EAR 1890. Do esp. plat. *manotear*, de *manota* 'mão grande' || **manot**UDO *adj.* 'diz-se de quem tem mão grande' XX || **manual**¹ *adj. 2g.* 'relativo à mão' XVI. Do lat. *manuālis*, de *mănus* || **manual**² *sm.* 'livro pequeno, compêndio' XVI. Do lat. tard. *manuale -is* 'livro que se pode ter em uma das mãos' e, este, tradução do gr. *egcheirídion* 'livro manual' || **manudução** *sf.* 'ato de guiar pela mão' | *manuduçoens* pl. XVII | Do lat. *mănus* 'mão' + *ductĭō -ōnis* 'ato de conduzir' || **manu**fatOR | -*factor* 1844 || **manufatura** | *manufactura* XVIII | Do fr. *manufacture*, deriv. do lat. *manufactura*, de *mănus*,'mão' + *factura*, de *facĕre* 'fazer' || **manufatur**AR | -*facturar* 1873 || **manufatur**EIRO | -*fact*- 1844 || **manuleio** *sm.* 'conchavo político' XX || **manuscrito** *adj. sm.* 1813. Provavelmente do fr. *manuscrit*, deriv. do lat. *manuscriptus*, de *manus* + *scriptus*, part. pass. de *scribĕre* 'escrever' || **manusdei** *sm.* 'antigo emplastro vulnerário' XVIII. Do lat. *mănus* 'mão' + *dei*, genit. de *deus* || **manus**E·ADOR XX || **manus**EAR | *manozear* XVIII, *manusiar* XVII || **manuseio** XX || **manz·**ONA XX || **maunça** *sf.* 'mancheia' 'a parte fina do fuso' 1813. Do lat. *manutĭa*, de *mănus* || **menear** XVI. Forma desenvolvida de *manear*, com especialização de sentido || **meneio** | *meneo* XVI || **molho**¹ *sm.* 'feixe, paveia, manada' XVI. Do lat. vulg. *mănŭcŭlus*, por *mănŭpŭlus*.
maometano *adj. sm.* 'diz-se de, ou sectário da religião de Maomé' | *maho-* XVI, *mau-* XVI | Do it. *maomettano*, de *Maométto*, forma italiana do nome do profeta do Islamismo (570-632), derivado do ár. *Muḥammad* || **macometa** *sf. 2g.* XVI. Do it. *macométta* || **mafomético** XVI. De *Mafamede* (*Mafomede*), formas port. ant. do nome do profeta || **maometa** | *maho-* 1572 || **maometan**ISMO | *maho-* 1813 | Do fr. *mahometanisme* || **maomético** | *maho-* 1572 || **maomet**ISTA | *mahu-* XVI.
mapa *sm.* 'carta geográfica' XVI. Do it. *mappa*, abrev. de *mappamondo* e, este, do lat. med. *mappa mundi* || **mapa-múndi** | XV, *mapamundo* XV | Do lat. med. *mappa mundi* || **map**E·AMENTO XX || **map**EAR XX || **map**O·TECA XX.
mapará *sm.* 'peixe de água doce da fam. dos serrassalmídeos' *c* 1767. Do tupi **mapa'ra*.
map·eamento, -ear, -oteca → MAPA.
mapuche *sm.* 'araucano' XX. Do araucano *maputche* 'pessoa da terra', de *mapu* 'terra, pátria' + *tche* 'pessoa, homem', provavelmente através do castelhano.
maqueta, maquete *sf.* 'esboço de uma estátua, ou de outra obra de escultura' 1881. Do fr. *maquette*, deriv. do it. *macchietta* 'pequena mancha', donde 'esboço (de desenho)', dimin. de *macchia* 'mancha' e, este, do lat. *macŭla*. Cp. MÁCULA.
maqui *sm.* 'organização da resistência francesa na 2ª grande guerra mundial (1939-1945)' 'os membros dessa organização' XX. Do fr. *maquis* 'orig. tipo de bosque, na Córsega, coberto de urzes, que servia entre outras coisas para o refúgio de marginais', deriv. do corso *macchia* 'mancha' e, este, do lat. *macŭla*. Cp. MÁCULA.
maquia *sf.* 'antiga medida de cereais, correspondente a 4,5 litros' 'porção de grão ou de azeitona, de farinha ou de azeite, que moleiros ou lagareiros tiram, em paga do seu trabalho' 1813. Do ár. vulg. *makīlâ* (ár. cláss. *makiāl* 'medida de grãos').
maquiavélico *adj.* 'astuto, velhaco, ardiloso' | *machiavellico* 1844 | Do fr. *machiavélique*, deriv. do antrop. Niccolò *Machiavelli*, estadista florentino (1469-1527) célebre por suas teorias políticas || **maquiavel**ISMO | -*chia-* 1844 | Do fr. *machiavélisme*.
maquilar *vb.* 'pintar o rosto' XIX. Do fr. *maquiller* || **maquil**AGEM XIX. Do fr. *maquillage*, de *maquiller*.
máquina *sf.* 'qualquer utensílio ou instrumento' | *machina* 1572 | Do lat. *machĭna*, deriv. do gr. dór. *máchăna* 'meio engenhoso para conseguir um fim' || **maquin**AÇÃO XVIII. Do lat. *machinātĭo -ōnis* || **maquin**ADOR XVI. Do lat. *machinātor -ōris* || **maquin**AL | -*chi-* 1873 | Do lat. *machinālis* || **maquin**AR | *machinar* XVI | Do lat. **machināre*, por *machināri* || **maquin**ARIA 1890 || **maquin**ÁRIO XX || **maquin**ISMO | -*chio-* 1858 | Do fr. *machinisme* || **maquin**ISTA 1813. Do fr. *machiniste*.
↪ **máquina** | *machina* 1537 PNum 56.37, *a* 1542 JCASE 64.*10* |.
mar *sm.* 'porção relativamente extensa de um oceano' 'grande massa de água situada no interior de um continente' '*fig.* grande quantidade, abismo, imensidão' XIII. Do lat. *măre -is* || **maré** | *maree* XIV | Do fr. *marée*, deriv. antigo de *mer* || **mar**E·AÇÃO XVI || **mar**E·ADO XVI || **mar**E·AGEM XVI || **mar**E·ANTE XIV || **mar**EAR XVI, *mariar* XVI || **mar**EIRO XVI || **ma**rEJAR XVI || **marema** *sf.* 'terrenos pantanosos no litoral italiano' 1873. Do it. *marémma*, deriv. do lat. tard. *maritima* (*loca*), nom. neutro pl. de *marítĭmus* || **mar**EMOTO XVI. O vocábulo ter-se-ia formado sob o modelo de *terremoto* || **mar**EÓ·GRAFO | -*pho* 1873 || **mar**EÔ·METRO 1873 || **mar**ES·IA 1521 || **mareta** XVII. Do it. *marètta* 'mar agitado com ondas um tanto altas' || **marinas** *sf. pl.* 'plantas que nascem e vivem no fundo do mar' 1873. Do lat. *marinae*, nom. p1. f. de *marīnus* || **marinha** *sf.* 'litoral' | XIII, *marinna* XIII etc. | Do lat. *marina*, f. de *marīnus*, de *măre* || **marinh**AGEM 1500 || **marinh**AR XVI || **marinh**ARIA XV || **marinh**EIRO | 1500, *marynheyro* XIII, *marīeiro* XIII etc. | Do lat. **marinarius* || **marinh**ESCO XVII. Do cast. *marinesco* || **marinho** | *marino* XVI | Do lat. *marīnus* || **marin**ISTA² *s. 2g.* 'pintor de paisagens marinhas' XX. Do it. *marinista* || **mar**ISC·AR XV || **mar**ISCO XIII || **marisma** *sf.* 'terreno baixo e pantanoso inundado pelas águas do

mar' XIV. Do cast. *marisma*, deriv. do lat. *maritĭma* || marISQU·EIRO XVII || **marítimo** XVI. Do lat. *maritīmus* || **marnota** *sf.* 'marisma' 'parte da salina onde se junta a água para o fabrico do sal' XV. O voc., ainda que de origem obscura, apresenta certamente na sua base o radical de *mar* || marOLA *sf.* 'ondulação na superfície do mar' 1899 || **marouço** *sm.* 'mar encapelado, grandes ondas' | *maroço* XVI, *maroiço* XVI || marUJA *sf.* 'marinhagem' 1813 || marUJ·ADA 1890 || marUJO 1813 || marulhAR 1873 || **marulho** XVI. Certamente do radical de *mar* || sub**marino**¹ *adj.* 'que está ou existe debaixo das águas do mar' 1844 || sub**marino**² *sm.* 'belonave que se desloca por baixo das águas do mar' XX. Do ing. *submarine*.
⇨ mar — marinho | XV ZURG 61.*13* |.
marabuto *sm.* 'eremita muçulmano' 'templo rural em que o marabuto exerce suas atividades religiosas' | XVI, *maraboto* XVI | Do ár. *murābiṭ* 'guarda de fronteira, eremita, religioso' || **marabu** *sm.* 'espécie de cegonha da África' XIX. Do fr. *marabout*, de mesma origem árabe que o anterior, com extensão de sentido, em alusão ao aspecto sério e circunspecto da cegonha africana.
maracá *sm.* 'espécie de chocalho, itamaracá' 1561. Do tupi *mara'ka*.
maracajá *sm.* 'mamífero carnívoro da fam. dos felídeos, espécie de gato-do-mato' | 1587, *-ja c* 1594, *-iá* 1618 etc. | Do tupi *maraka'ia*.
maracanã *sf.* 'ave psitaciforme da fam. dos psitacídeos, espécie de papagaio' | *marcanáo* 1576, *marcaná* 1587 etc. | Do tupi *maraka'na*.
maracatim *sm.* 'embarcação dos índios do Brasil' 1761. Do tupi *maraka'tĩ* < *mara'ka* 'maracá' + '*tĩ* 'nariz'.
maracatu *sm.* 'rancho carnavalesco que baila ao som de instrumentos de percussão, acompanhando uma mulher que conduz na extremidade de um bastão uma bonequinha ricamente adornada' 1890. De origem africana, mas de étimo indeterminado.
maracotão *sm.* 'espécie de pêssego' | α. *malecotoeēs* pl. XVI, *melocotão* XVI etc.; β. *maracotoens* pl. XVI, *maracotoēs* pl. XVI etc. | Do lat. med. *mēlum cotōneum*, deriv. do gr. *mḗlon kydṓnion* 'maçã de Cidônia, cidade grega na ilha de Creta'; no lat. tard. ocorre *mālum cotōneum* 'marmelo'. As vars. β teriam sido influenciadas pelo voc. *marmelo*. Para a mudança de sentido (*marmelo* → *pêssego*) têm sido apresentadas algumas hipóteses interessantes, mas o problema ainda não foi completamente elucidado.
maracuguara *sm.* 'peixe-porco' 1587. Do tupi *üamaiakuüa'ra*.
maracujá *sm.* 'nome comum a várias plantas da fam. das passifloráceas e aos seus frutos' | α. *murucujã c* 1584, *murucuiã* 1585, *morocuia c* 1590 etc.; β. *maracujá* 1587, *maraquiia c* l631 etc. | Do tupi *moruku'ia* || **maracuja**z·EIRO 1763.
marafona *sf.* 'meretriz' XVII. De origem incerta; talvez do ár. *mara haina* 'mulher enganadora'.
marajá¹ *sm.* 'título de certos príncipes da Índia' | *marraja* XVII | Do hindust. *mahārājā*, deriv. do sânscr. *mahārājā*, de *mahā* 'grande' + *rājā* 'rajá'. Cp. RAJÁ.
marajá² *sf.* 'nome comum a várias palmeiras do gênero *Bactris*' 1833. Do tupi **mara'ia* || **marajaíba** *sf.* 'espécie de palmeira' 1587. Do tupi *maraia'iua*.
maranduba *sf.* 'narrativa, história' '*ext.* enredo, intriga' 1763. Do tupi *mora'nuua*.
maranha *sf.* 'fibras ou fios enredados' | *maranas* pl. XIV, *marañas* pl. XV | Possivelmente de origem pré-romana || DES·EmaranhAR | *desemma-* 1813 | EmaranhADO | *emma-* XVII || EmaranhAR | *emma-* 1813 || **maranh**ão *sm.* 'grande mentira' 1881.
maranhense *adj. s2g.* 'natural ou habitante do Estado do Maranhão' 'relativo a esse Estado' 1881. Do top. *Maranh(ão)* + -ENSE.
marasca *sf.* 'variedade de cereja que serve para o fabrico do marasquino' 1899. Do it. *marasca*, de *amarasca*, provavelmente deriv. do lat. *amārus* || **marasquino** *sm.* 'licor fabricado com marascas' | *marasquinho* 1814, *marrasquino* 1814 | Do it. *maraschino*, de *marasca*.
marasmo *sm.* 'fraqueza extrema' '*fig.* apatia moral, indiferença' 1813. Do fr. *marasme*, deriv. do gr. *marasmós* 'magreza extrema' || **marasm**ADO XVII || **marasm**AR 1813.
marasquino → MARASCA.
marata *adj. s2g.* 'indivíduo dos maratas, povo da Índia que ocupa as regiões central e sudoeste desse país' 'o idioma desse povo' 'relativo a esse povo e às suas instituições, especialmente à língua' | XVII, *marastta* XVII | Do hindust. *marhaṭṭa*, deriv. do sânscr. *mahārāṣṭra* 'o grande reino'.
maratona *sf.* 'corrida pedestre olímpica de cerca de 42 km' XX. Do top. *Maratona* (do gr. *Marathṓn*), aldeia da Grécia, na Ática, célebre pela vitória que Milcíades obteve sobre os persas em 490 a.C., e cuja notícia foi levada a Atenas por um corredor que percorreu o trajeto de 42 km, distância entre Maratona e Atenas || **maratônio** XX. Do lat. *marathōnius*, deriv. do gr. *marathónios*.
maratro *sm.* 'funcho' XVII. Do lat. *marăthrum*, deriv. do gr. *márathron* 'funcho'.
marau *sm.* 'mariola, finório, espertalhão' | *marao* XVII | Do fr. *maraud* 'gato', regionalismo francês das regiões centro e oeste, de origem onomatopaica.
maravalha *sf.* 'apara de madeira' '*fig.* bagatela' XVI. De origem incerta.
maravedi *sm.* 'antiga moeda gótica que teve curso em Portugal' | XIII, *mo-* XIII etc. | Do ár. *murābiṭī*.
maravilha *sf.* 'ato, pessoa ou coisa extraordinária, que causam admiração' 'prodígio' XIII. Do lat. *mirabĭlia* 'coisas admiráveis', nom. neutro pl. de *mirabĭlis* 'admirável', de *mirāri* 'admirar-se' || **maravilh**ADO XIII || **maravilh**AMENTO XV || **maravilh**AR XIII || **maravilh**OSO XIV, -*llo-* XIII. Cp. MIRAR.
marca¹ *sf.* 'limite, província fronteiriça de um estado' XV. Do lat. tard. *marca*, deriv. do germ. *marka* 'limite, fronteira', aparentado com o lat. *margō* -*ĭnis* 'margem' 'limite, fronteira' || **marquês** *sm.* 'chefe militar e administrativo de uma marca¹ 'título de nobreza' XIII. Do prov. *marques*, deriv. do germ. *marka* 'limite, fronteira' || **marqu**ESA¹ *sf.* 'mulher do marquês' 1813 || **marqu**ESA² 'espécie de canapé largo com assento de palhinha' | *-eza* 1844 || **marqu**ES·ADO XVI || **marqu**ES·INHA *sf.* 'sombrinha' 'varanda de barraca de campanha' 'abrigo

em paradas de trens' 1881. De *marquesa* e, este, talvez, neste sentido, adapt. do fr. *marquise*, femin. de *marquis* 'marquês' || **marquise** *sf.* 'espécie de cobertura saliente, na parte externa de um edifício, que serve de abrigo' 1899. Do fr. *marquise*, femin. de *marquis*, deriv. de *marche* e, este, do germ. *marka*. Cp. COMARCA, MARCAR.
marc·a², -ação, -ador → MARCAR.
marçano *sm.* 'aprendiz de guarda-livros' 1858. De origem incerta.
marcar *vb.* 'assinalar, indicar, determinar, firmar, limitar' XIII. Provavelmente do it. *marcare* e, este, talvez de um germ. **markiān* || DEMARCAÇÃO XV || DEMARCAR XIII || DESMARCADO 1813 || DESMARCAR 1813 || **marca²** *sf.* 'nota, marca, sinal' 'direito de represália' XIV || **marca³** *sf.* 'antiga moeda de prata' XIV. Do lat. *marca*, deriv. do germ. *marka* 'sinal' e, daí, 'barra de prata selada' || **marc**AÇÃO XX || **marc**ADOR XVII || **marco¹** *sm.* 'baliza, poste, limite, sinal de demarcação' XV. Do lat. med. *marcus* e, este, do germ. *marka* || **marco²** *sm.* 'antiga moeda' XIII; 'padrão ponderal que se tomava como modelo e contraste da moeda com valor legal' XIV. Do lat. med. *marchus* e, este, adapt. do germ. *marka* || **marco³** *sm.* 'moeda divisionária da Alemanha' XX. Do alemão *Mark*. Cp. MARCA¹.
marcassita *sf.* 'mineral ortorrômbico, constituído de sulfeto de ferro' | *marcasita* 1813 | Do fr. *marcassite*, deriv. do lat. med. *marchasita*; o lat. med. reproduz, provavelmente, o ár. *marqāšītā*, deriv. do aramaico *maqqašīta*.
marceneiro *sm.* 'oficial que trabalha a madeira com mais arte que o carpinteiro' 1572. De origem incerta || **marcen**ARIA | *marçanarya* XVI.
marcescente *adj.* 2g. 'que murcha' '(Bot.) diz-se do cálice que persiste no fruto, depois de a flor ter murchado' 1873. Do lat. *marcescēns -entis*, part. pres. de *marcescĕre*, incoativo de *marcēre* 'estar seco, murcho' || IMARCESCIBIL·IDADE | *immar-* 1899 || IMARCESCÍVEL | *immar-* XVII | Do lat. *immarcescibĭlis* || **marces**CÍVEL 1813. Do lat. tard. *marcescibĭlis*.
márcido *adj.* 'murcho, sem viço ou vigor, frouxo' XVIII. Do lat. *marcĭdus*, de *marcēre*.
marcha → MARCHAR.
marchante *sm.* 'mercador' 'negociante de gado para os açougues' | XVII, *merchante* XIV | Do fr. *marchand* 'comerciante', deriv. do lat. vulgar **mercātans -antis*, part. pres. de **mercātāre*, por *mercāri*, de *mercatus* 'mercado'. Cp. MERCADO.
marchar *vb.* 'andar, caminhar, seguir os seus trâmites, progredir' XVI. Do fr. *marcher*, deriv. do frâncico *markôn* 'apressar o passo', relacionado com o germ. *marka* || CONTRA**marcha** 1813 || **marcha** XVII. Cp. MARCAR.
marchetar *vb.* 'embutir, tauxiar, entremear' | *marchetado* part. pass. XVI | Adapt. do fr. *marqueter* || **marcheta** *sf.* 'o lugar do manto onde se pregam as fitas' 1813 || **marchet**ARIA 1813 || **marchete** | *marcquetes* pl. XVI.
marcial *adj.* 2g. 'relativo à guerra, bélico, belicoso' XVII. Do lat. *martiālis*, de *Mars -tis* 'Marte, o deus da guerra' || **marci**ANO *adj.* 'relativo ao planeta Marte' XIX. Do fr. *martien* || **márcio** *adj.* 'marcial' 1572. Do lat. *martĭus*, de *Mars -tis* || **março** *sm.* 'terceiro mês do ano civil' XIII. Do lat. *martĭus*.

márcido → MARCESCENTE.
márcio → MARCIAL.
marco → MARCAR.
março → MARCIAL.
marcomano *sm.* 'indivíduo dos marcomanos, antigo povo da Germânia, que ao tempo de Marco Aurélio invadiu a Itália' 1572. Do lat. *marcomanus*.
mar·é, -eação, -eado, -eagem, -eante, -ear → MAR.
marechal *sm.* '*orig.* indivíduo que cuidava dos cavalos' 'modernamente, posto superior no exército' | *marichall* XIV, *mariscal* XV | Do fr. *maréchal*, deriv. do frâncico **marhskalk*, de *mar(a)h* 'cavalo amestrado' e *skalk* 'servo'.
marel *adj. sm.* 'diz-se de, ou animal destinado à padreação, padreador' XVI. De origem desconhecida.
mar·ema, -emoto, -eógrafo, -eômetro, -esia, -eta → MAR.
marfar *vb.* 'ofender, desgostar, enfurecer, amuar' 1881. De origem desconhecida.
marfim *sm.* 'substância branca e compacta que constitui a maior parte dos dentes dos mamíferos' 'presas ou defesas do elefante' | XIV, *almafi* XIII, *almofi* XIV, *marfil* XIV, *marffj* XIV etc. | De origem árabe, mas de étimo ainda mal determinado.
marga *sf.* 'calcário argiloso, ou argila com maior ou menor teor em calcário' 1858. Do lat. *marga* *-ae*, vocábulo de origem gaulesa || **marna** *sf.* 'marga' XVII. Do fr. *marne*, alteração mal explicada do a. fr. *marle* e, este, do lat. med. **margĭla*.
margarida *sf.* '*orig.* pérola' XV; 'gênero de plantas da fam. das compostas' 1813. Talvez adapt. do fr. *marguerite* 'pérola, margarida', deriv. do lat. *margarīta* 'pérola' e, este, do gr. *margarítēs* 'pérola, margarida' || **margárico** *adj.* '(Quím.) diz-se de um ácido que se obtém tratando a gordura com um álcali' 1873. Do fr. *margarique*, deriv. do gr. *márgaron* 'pérola', por causa da cor desse ácido || **margarina** *sf.* 'combinação do ácido margárico e da glicerina' 'substância graxa, parecida com a manteiga e que tem os mesmos usos' 1873. Do fr. *margarine*, voc. criado pelo químico francês Michel Eugène Chevreul (1786-1889), em 1813, com base no radical de *margarique* e o suf. *-ine* de *glycérine* 'glicerina'; na segunda acepção o voc. é bem posterior, tanto em português como nas demais línguas de cultura, e representa uma extensão de sentido do termo químico criado por Chevreul || **margarita** *sf.* 'pérola' 'gênero de conchas que produzem pérolas' 1813. Do lat. *margarīta* 'pérola', deriv. do gr. *margarítēs* 'pérola, de *márgaros* 'pérola ou ostra que a produz' || **margariti**·FERO 1873. Do lat. *margaritifĕrum*, acus. de *margaritifer*, adapt. do gr. *margaritóphoros*.
⇨ **margarida** — *margarita* | XV FRAD II.175.*10*, 1657 FMMelv 91.*5* |.
margem *sf.* 'borda, extremidade, trecho de terra banhado pelas águas de um curso de água ou de um lago' 'beira, riba' XVI. Do lat. *margŏ -ĭnis*, relacionável com o germ. *marka* || **marge**AR XVI. Do lat. *margĭnāre* || **margin**AL 1813. Provavelmente do fr. *marginal* || **margin**AL·IDADE XX || **margin**AL·ISMO XX || **margin**AR 1813. Do lat. *margĭnāre* || **marginá**RIO 1899 || **margin**ATURA 1899 || **margini**·FORME 1873.
⇨ **margem** | *marjēes* pl. XV VERT 109.*24* |.

margrave *sm.* 'título dado outrora na Alemanha aos governadores das províncias de fronteira' | 1813, *marcgravio* 1813 | Do fr. *margrave*, deriv. do al. *Markgraf* (antigo alto-alemão *marcgrāvo*) 'comandante de uma marca¹'. No lat. med. ocorre, também, *margravius*, de origem germânica. Cp. MARCA¹, MARCAR.

marialva *adj. 2g. sm.* 'relativo às regras de cavalgar à gineta' 'bom cavaleiro' 1881. Do onomástico do Marquês de *Marialva*, D. Pedro de Alcântara de Meneses (1711-1799), destro cavaleiro.

mariano *adj. sm.* 'relativo à Virgem Maria ou ao seu culto' 'frade da ordem dos marianos' XVIII. Do antr. *Maria* || **maricas** *sm. 2n.* 1813. Hipocorístico de *Maria* || **mario**·LATR·IA *sf.* 'culto ou adoração da Virgem Maria' XX. Do ing. *mariolatry* || **mar**ISTA *adj. s2g.* 'diz-se de, ou membro da congregação religiosa da Sociedade de Maria, fundada na França em 1816' XX. Do fr. *mariste*.

mariato *sm.* 'conjunto de bandeiras e galhardetes que servem de sistema de sinais na marinha' XX. Do antr. F. *Marryat* (1792-1848), almirante inglês.

maricá *sm.* 'planta da fam. das leguminosas, subfam. das mimosáceas' XX. Do tupi **mari'ka*.

maricas → MARIANO.

marido *sm.* 'cônjuge do sexo masculino' XIII. Do lat. *marītus* 'marido, esposo', provavelmente relacionado com *mās -ris* 'macho, do sexo masculino' || **marid**ANÇA XV || **marid**AR | *maridada* part. pass. XIII || **marit**AL XVI. Do lat. *maritālis* || **mariti**·CIDA XX.

marimba *sf.* 'instrumento músico' 1681. Do quimb. *ma'riṃa*, do pref. *ma-* e '*riṃa* 'tambor'.

marimbo *sm.* 'certo jogo de cartas' 1899. De origem desconhecida.

marimbondo *sm.* 'nome comum a diversas espécies de vespas' | *maribondo* 1813 | Do quimb. *mari'moṇo*.

mar·inas, -inha, -inhagem, -inhar, -inharia, -inheiro, -inhesco, -inho → MAR.

marinismo *sm.* 'afetação do estilo, semelhante à que se censura no poeta italiano Marini' XX. Do it. *marinismo*, do nome do poeta italiano Giovanni Battista *Marini* (1563-1625) || **marin**ISTA¹ XX.

marinista² → MAR.

mariola *sm.* '*ant.* moço de fretes, carregador' XVI; 'patife, malandro, biltre' 1873. De origem obscura.

mariolatria → MARIANO.

marionete *sf.* 'títere' 1899. Do fr. *marionnette*.

mariposa *sf.* 'designação geral dos lepidópteros heteróceros' 1813. Do cast. *mariposa*, de *María* e *posa*, imperativo de *posar* 'pousar'.

maririçó *sm.* 'planta da fam. das iridáceas' 1812. Do tupi **ṃaeriri'so*.

mar·iscar, -isco, -isma, -isqueiro → MAR.

marista → MARIANO.

maritacaca *sf.* 'mamífero carnívoro da fam. dos mustelídeos' | α. *biarataca* c 1584, *mariatacaca* c 1590, *maratacaca* c 1594 etc.; β. *jaguarecaca* 1587, *jarataquaqua* 1618, *jarutacáca* 1627 etc. | As vars. α dimanam do tupi *ṃiarata'taka* (*ṃiarata'kaka*); as vars. β talvez decorram de uma alteração dessa forma tupi por influência de *ịaụara* 'onça, jaguar': *ịa'ụara* ⇄ *ṃiara'taka* → **ịaụara'taka* | **ịarata'kaka* etc.

marit·al, -icida → MARIDO.

marítimo → MAR.

marlota *sf.* 'espécie de capote curto, com capuz, usado entre os mouros' XV. Do ár. *mallūṭâ*, deriv. do gr. *mallōté*, feminino de *mallotós* 'coberto de pelos, de lã'.

marma *sf.* 'chapa lisa de ferro com que se arredonda o vidro nas fábricas' 1899. De origem obscura.

marmanjo *sm.* 'homem adulto, homem abrutado' XVII. De origem controversa.

marmelo *sm.* 'fruto do marmeleiro, planta da fam. das rosáceas' XVI. Do lat. *melimellum, por *melimēlum* e, este, do gr. *melímēlon*, de *méli* 'mel' e *mêlon* 'maçã' || **marmel**ADA XVI. O port. *marmelada* 'doce pastoso de marmelo' passou às demais línguas da Europa numa acepção mais ampla, designando todo e qualquer doce pastoso de frutas, como a pessegada, a laranjada etc. || **marmel**AD·EIRA 1899 || **marmel**EIRO | -*lleyro* XVI.

marmita *sf.* 'espécie de panela com tampa onde se deposita a refeição' XVIII. Do fr. *marmite* 'hipócrita', por causa do conteúdo escondido do recipiente || **marmit**EIRO XX.

mármore *sm.* 'calcário metamorfizado e recristalizado' 'calcário compacto que pode ser polido' | XIV, *marmor* XIII, *marmol* XIII etc. | Do lat. *marmŏr -is* || **marmor**ARIA XX || **marmor**ÁRIO 1899 || **marmóreo** 1813. Do lat. *marmorĕus* || **marmor**ISTA 1899.

⇨ **mármore** — **marmóreo** | 1571 FOlF 122.*27* |.

marmota *sf.* 'caixa de lente de aumento' 1813; 'peixe, pescada pequena' 1873; 'pequeno quadrúpede roedor, leirão' 1881. Do fr. *marmotte*.

marna → MARGA.

marnota → MAR.

maro *sm.* 'planta labiada, medicinal' 1858. Do lat. cient. (*teucrium*) *marum*, de *marum* e, este, do gr. *mâron* 'maro'.

marola → MAR.

maroma *sf.* 'corda grossa' 'corda em que se equilibram funâmbulos ou arlequins' XVI. Do cast. *maroma*, deriv. do ár. *mabrūma*, part. de *báram* 'trançar, retorcer' || **maromba** *sf.* 'vara com que os funâmbulos ou arlequins mantêm o equilíbrio na maroma' '*fig.* situação que com dificuldade se sustenta' 1844. De *maroma* || **maromb**AR XX.

maronita *adj. s2g.* 'diz-se de, ou cristãos orientais da Síria e do Líbano que conservaram a liturgia siríaca' XVI. Do lat. tard. *maronīta*, do antrop. *Marôn*, nome do fundador desse ramo do cristianismo oriental.

marosca *sf.* 'trapaça, enredo, ardil' 1890. De origem desconhecida.

maroto *adj. sm.* 'moço mal composto e descortez' 'malicioso, brejeiro, lascivo' 1813. De origem desconhecida || **marot**AGEM 1813 || **marot**EIRA XVII.

marouço → MAR.

marqu·ês, -esa, -esado, -esinha, -ise → MARCA¹.

marra *sf.* 'sacho de monda, grande martelo de ferro, especialmente para quebrar pedra' 1813. Do lat. *marra*. O vocábulo, contudo, deve ser bem mais antigo, visto que já se documenta em textos do latim lusitânico do séc. XII || **marr**ACO *sm.* 'espécie de enxada' 1813 || **marr**ADA 1813 || **marr**ÃO² *sm.* 'marra' XVI || **marr**AR *vb.* 'dar marradas, bater

com a marra' XIV; '*ext.* arremeter com a cornada (animal cornígero)' 'arremeter e bater com a cabeça' XVII ‖ **marr**ETA 1813 ‖ **marr**ET·ADA 1899 ‖ **marr**ET·AR XX.
marrafa *sf.* 'madeixa de cabelos riçada e caída na testa' XVIII. Do antr. *Marrafi*, dançarino italiano que se apresentou em Lisboa em 1791 e que usava os cabelos do topete deitados para a testa.
marralhar *vb.* 'insistir, teimar procurando convencer alguém ou lograr alguma coisa' 1890. Do cast.
marrullar, vocábulo expressivo, produto do cruzamento de *maullar* 'miar' e *arrullar* 'arrulhar' ‖ **marralh**EIRO 1813. De *marralhar*, ou diretamente do cast. *marrullero* 'astuto, cauteloso' ‖ **marralh**ICE XX.
marrão¹ *sm.* 'porco desmamado' XIII. Do ár. *muḥarram* 'coisa proibida', em alusão à proibição entre os muçulmanos de comerem a carne de porco ‖ **marrano** *adj. sm.* 'dizia-se de, ou cristão novo' 'designação injuriosa que se dava aos mouros e judeus' XV. Do cast. *marrano* 'marrão¹' ‖ **marr**OTE *sm.* 'porco pequeno ainda não castrado' XX.
marrão², -ar → MARRA.
marraxo *adj. sm.* 'grande tubarão do Oceano Índico' '*fig.* terrível, sagaz, astuto' XVII. Provavelmente do cast. *marrajo* e, este, de origem incerta.
marreco *adj. sm.* 'ave semelhante ao pato e menor do que ele' 'astuto, sagaz' XVI. De origem obscura.
marret·a, -ada, -ar → MARRA.
marrom *adj. 2g. sm.* 'diz-se do que tem a cor castanha' 'esta cor' XX. Do fr. *marron*.
marroquim *adj. sm.* 'pele de cabra tingida do lado da flor' 'diz-se de utensílio produzido com esse tipo de pele' | *marroqui* XVI, *-quil* XVI | Do ár. *marrōkī* 'de Marrocos, marroquino' ‖ **marroquino** XVIII.
marrote → MARRÃO¹.
marruá *sm.* 'touro bravio, novilho ainda não domesticado' '*ext.* pessoa que se deixa enganar facilmente, inexperiente, calouro' 1899. De origem obscura; talvez se relacione com MARRUAZ².
marruaz¹ *sm.* 'certa embarcação asiática' XVI. Talvez do ár. *murauaj* 'usual, comum'.
marruaz² *adj. 2g.* 'teimoso, obstinado' 1813. De origem incerta; talvez se relacione com *marrar*. Cp. MARRA.
marsuíno *sm.* 'mamífero cetáceo' 1873. Do fr. *marsouin*, deriv. do escandinavo *marsvin* 'porco-do-mar'.
marsúpio *sm.* 'a bolsa formada pela pele do abdome dos marsupiais, ordem de mamíferos, caracterizada por uma espécie de bolsa que as fêmeas têm por baixo do ventre e onde trazem os filhos enquanto os amamentam' 1899. Do lat. *marsūpĭum -ii* 'bolsa', deriv. do gr. *marsýpion*, dim. de *mársypos*, de provável origem persa ‖ **marsupi**AL 1873. Do lat. cient. *marsupiālis*.
marta *sf.* 'gênero de mamíferos carnívoros e digitígrados, cuja pele é muito apreciada' XV. Do fr. *marte, martre*, deriv. do germ. **marthor*.
martagão *sm.* 'certa espécie de lírio' 1881. Do lat. cient. (*lilĭum*) *martagon* 'lírio martagão', deriv. do turco *martagān* 'forma de turbante introduzida pelo sultão Maomé I'.

martelo *sm.* 'instrumento de ferro destinado a bater, quebrar e cravar pregos' 'peça de piano para lhe percutir as cordas' 'ossículo do ouvido' '*fig.* aquele que persegue e procura exterminar um mal' 'pessoa inoportuna' 'gênero poético-musical da região nordestina brasileira' XIV. Do lat. med. **martellus*, por *martŭlus*, alteração de *marcŭlus* ‖ **camartel**ADA | *-lla-* XVII ‖ **camartelo** *sm.* 'martelo para desbastar a pedra' | *-llo* 1813 | O vocábulo relaciona-se indiscutivelmente com *martelo*, embora seja difícil dar-se uma satisfatória explicação gramatical bem como etimológica para o inusitado prefixo *ca-* ‖ **martel**ADA | *-lla-* 1813 ‖ **martel**AR XVI ‖ **martel**ETE | *-elle-* 1813.
martinete *sm.* 'espécie de andorinha de asas longas' XIV; 'martelo grande movido por água ou vapor' 'martelo de piano' 'ponteiro de relógio de sol' 1813. Do fr. *martinet*, do antr. *Martin*, por uma alusão obscura.
mártir *s. 2g.* 'pessoa que sofreu tormentos ou a morte por sustentar a fé cristã' 'indivíduo que é torturado e mesmo morto por causa de suas crenças ou opiniões e ações' 'pessoa que sofre muito' | XIII, *-ter* XIV etc. | Do lat. *martyr -is.* deriv. do gr. *mártyr -os* 'testemunha' ‖ **martír**IO | XVI, *marteiro* XIII, *-eyro* XIII etc. | Do lat. *martyrĭum*, deriv. do gr. *martýrion* 'testemunho, prova' ‖ **martir**IZAR XIV. No port. med. documentam-se, ainda, *marteirar* (séc. XIII) e *marteyrar* (séc. XIII), oriundos, diretamente, da var. ant. *marteiro* (séc. XIII) ‖ **martirológio** *sm.* 'lista dos mártires com a narração do seu martírio' | *martyrologio* XVI | Do lat. ecles. *martyrologĭum*, deriv. do gr. tard. *martyrológion*.
⇨ **mártir** — **martirológio** | *martillogio* XV FRAD I.191.9, *martrilojo* Id.I.263.24, *martilojo* Id.II.4.14 etc. |.
maruim *sm.* 'nome comum a vários mosquitos hematófagos' | *marigui* c 1584, *margui* 1587, *meruim* 1763 etc. | Do tupi *mari'ỹi*.
maru·ja, -jada, -jo, -lhar, -lho → MAR.
marxismo *sm.* 'doutrina filosófica (materialismo dialético), social (materialismo histórico) e econômica elaborada por Karl Marx (1818-1883), Friedrich Engels (1820-1895) e 'seus continuadores'' XX. Do fr. *marxisme*, deriv. do antr. (Karl) *Marx* ‖ **marxi**STA *adj. s2g.* XX. Do fr. *marxiste*.
marzoco *sm.* 'bufão, indivíduo que pretende fazer rir aos outros com suas graçolas' 1813. Do it. *marzòcco* 'estúpido'.
mas *conj.* | XIII, *mais* XIII | Do lat. *măgis*.
mascar → MASTIGAR.
máscara *sf.* 'peça com a feição do rosto de uma pessoa ou de um animal, que se destina a cobrir o rosto com a finalidade de disfarce e/ou de proteção' XV. Do a. it. *màscara* (atualmente *màschera*), derivado, provavelmente, do ár. *máshara* 'bufão, personagem ridículo' ‖ DES**mascar**ADO 1822 ‖ DES**mascar**AR 1844 ‖ **mascar**ADA *sf.* XIII ‖ **mascar**ADO 1813 ‖ **mascar**AR 1813 ‖ **mascar**ILHA 1881. Do cast. *marcarilla* ‖ **mascarra** 1813. Deriv. regr. de *mascarrar* ‖ **mascarrar** *vb.* 'borrar, emporcalhar, sujar' 1813. Do cast. *mascarar*, de *máscara*. A alteração da vibrante singela *-r-* pela vibrante múltipla *-rr-* parece ter sido motivada pela expressividade, estabelecendo-se desta forma uma distinção

entre o significado de *mascarar* 'pôr máscara' e *mascarrar* 'tisnar o rosto, sujá-lo com fumo ou carvão, borrá-lo'.

mascate *sm.* 'mercador ambulante, que percorre as cidades, povoados, estradas e lugares do interior a vender fazendas, miudezas, joias e outros objetos' 'alcunha depreciativa dada aos portugueses em Recife' 1873. Do top. *Mascate*, cidade da Arábia, situada às margens do mar de Omã, no Golfo Pérsico. O vocábulo adquire esse significado devido ao fato de, a partir do início do séc. XVII, terem vindo ao Brasil árabes procedentes daquela cidade, então sob o domínio português, com finalidade de comerciar fazendas e outras mercadorias || **mas**catARIA XVIII || **mascat**EAR 1881.

mascav·ado, -ar, -o → MENOS.
⇨ **mascavar** → MENOS.

mascotar *vb.* 'quebrar' XVI. De origem obscura || **mascoto** *sm.* 'maço de pisar, pilão' 1813.

mascote *s2g.* 'pessoa, animal ou coisa a que se atribui o dom de dar sorte, de trazer felicidade' XX. Do fr. *mascotte*, voc. popularizado a partir de 1880 pela opereta *Mascotte*, de Audran, do prov. *mascoto* 'sortilégio', deriv. de *masco* 'feiticeira'.

mascoto → MASCOTAR.

másculo *adj.* 'relativo ao homem ou ao animal macho' XVII. Do lat. *mascŭlus*, dimin. de *mās -ris* 'macho, do sexo masculino, viril' || EmasculAÇÃO 1899 || EmasculAR XX. Do lat. *emascŭlāre* || **mach**ÃO *sm.* 'mulher robusta, grande, despejada' 1813; 'homem prepotente com as mulheres, valentão' XX || **mach**ISMO XX || **mach**ISTA XX || **macho** *adj. sm.* XIII. Divergente popular de *másculo* || **masculin**IDADE XVII || **masculin**IZAR XIX || **masculino** XV. Do lat. *masculinus*.

masdeísmo *sm.* 'religião de Masda, o deus supremo dos povos iranianos, na qual se admitem dois princípios (o do bem e o do mal) e se adora o fogo' 'zoroastrismo' | *mazdeismo* 1899 | Talvez do fr. *mazdéisme*, deriv. do a. persa *mazda* 'sábio'.

masmarro *sm.* 'frade leigo, ermitão de hábitos talares' 1813. De origem desconhecida.

masmorra *sf.* 'prisão subterrânea' 'fig. lugar ou aposento sombrio e triste' | *mazmorra* XV, *mazmora* XV, *matamorra* XVI | Do ár. *maṭamōrā* 'calabouço'.

masoquismo *sm.* 'perversão sexual em que a pessoa goza com ser maltratada' XX. Do fr. *masochisme*, do antr. (*Leopold von Sacher-) Masoch* (1836-1895), romancista austríaco || **masoqui**STA 'XX. Do fr. *masochiste*.

massa *sf.* 'quantidade relativamente grande de substância sólida ou pastosa de forma indefinida' 'reunião de numerosos elementos distintos' '(Fís.)' quantidade de matéria de um corpo' 'multidão de pessoas' XIII. Do. lat. *massa* (≤ gr. *máza*) 'pasta, massa' || AmassADOR 1813 || AmassADOURO 1844 || AmassADURA XVI || AmassAR XIV || EmassAR *vb.* 'reduzir a massa, empastar' | *emmassar* 1881 || **mass**AME | *maçame* XVI || **massaroco** *sm.* 'pedaço de fermento para levedar o pão' 1881 || **mass**EIRA | *masseyra* XIII || **mass**IFIC·AÇÃO XX || **mass**IFICAR XX || **mass**ILHA XVIII. Do cast. *masilla*, de *masa*.
⇨ **massa** — AmassADOR | 1712 RB || AmassADOURO | 1793 DA || AmassAR | XIII CSM 258.*25* |.

massacrar *vb.* 'matar cruelmente, chacinar' 1858. Do fr. *massacrer*, de origem obscura || **massacre** | *masacra* XVI | Do fr. *massacre*.

massagada → MAÇA.

massagem *sf.* 'compressão metódica do corpo ou de parte dele, para melhorar a circulação ou obter outras vantagens terapêuticas' XX. Do fr. *massage*, de *masser*, deriv. de *masse* 'maça', do a. fr. *mace* e, este, do lat. **mattea*, por *matĕola* 'pau, cabo de enxada' || **massag**EAR XX || **massag**ISTA XX. Cp. MAÇA.

mass·ame → MASSA.

massapê, massapé *sm.* 'terra argilosa, comum no nordeste do Brasil, formada pela decomposição dos calcários cretáceos, quase sempre preta, muito boa para a cultura da cana-de-açúcar' XVII. Provavelmente de *massa + pé*, devido à propriedade de aderir esta terra firmemente ao pé de quem anda sobre ela, dificultando o caminhar.

massaroco → MASSA.

masseter *sm.* '(Anat.) músculo que faz mover a maxila inferior na mastigação' 1858. Do fr. *masséter*, deriv. do gr. *masētḗr -ēros* 'mastigador', de *masáomai* 'eu mastigo'.

mass·ificação, -ificar, -ilha → MASSA.

massorá *sf.* 'trabalho crítico acerca da Bíblia feito por doutores judeus' 1858. Do fr. *massorah*, deriv., provavelmepte, do ing. *massorah* e, este, do hebr. *māsŏreth* 'tradição'.

mastaréu *sm.* 'pequeno mastro suplementar' | *mastareo* 1813 | Do a. fr. *masterel* (hoje *mâtereau*).

mastigar *vb.* 'triturar com os dentes' XIV. Do lat. *mastĭcāre* || **mascar** | *maschar* XV | Forma divergente de *mastigar* || **mastica**TÓRIO XVI || **mastiga**ÇÃO 1881. Do lat. *masticatio -onis*.

mastigóforo *sm.* 'espécime dos Mastigóforos, classe dos protozoários providos de flagelo' XX. Adapt. do lat. cient. *mastigophŏra*, do gr. *mastigophóros*, de *mástyx -igos* 'açoite, flagelo, calamidade' e *-pherō* 'eu levo'.

mastim *sm.* 'cão para guarda de gado, cão bulhento' | *fig.* pessoa de má língua' | *mastin* XIII | Do a. fr. *mastin* (atual *matin*), deriv. do lat. med. **masetinus*, de **mansuētīnus* e, este, do lat. cláss. *mansuetus* 'domesticado, amansado'.

mástique *sm.* 'resina de almécega' 1813. Do fr. *mastic*, deriv. do baixo lat. *masticum* e, este, do gr. *mastichē* 'goma de aroeira'.

mast(o)- *elem. comp.*, do gr. *mastós* 'teta, seio', que se documenta em vocábulos eruditos introduzidos, a partir do séc. XIX, na linguagem científica internacional ▸ **mast**ADEN·ITE XX || **mast**ALG·IA XX || **mast**ATROF·IA XX || **mast**ECTOMIA XX || **mast**ITE XX || **mast**ODIN·IA | *-odynia* 1858 || **mast**ODONTE 1873 || **mast**OIDE | *mastoideo* 1873 | Do lat. cient. *mastoīdēs*, deriv. do gr. *mastoeidés* || **mast**OID·ITE XX || **mast**ONCOSE XX || **mast**OPTOSE XX || **masto**ZO·ÁRIO 1873 || **masto**ZOO·LOG·IA 1899 || **masto**ZOÓ·T·ICO 1873.

mastro *sm.* 'peça comprida, arvorada nas embarcações, para lhes sustentar as velas' 'haste sobre a qual se iça a bandeira' | XV, *masto* XIII, *maste* XIII etc. | Do a. fr. *mast* (hoje *mât*), deriv. do frâncico **mast* || DESmastrEAR XVI || **mastr**E·AÇÃO 1813.
⇨ **mastro** — DES·EmastrEAR | *desemmastear* 1569 in *Studia* nº 8,211 || EmastrE·AÇÃO | 1660 FMMeIe

247.21 || EmastrEAR | emmastear 1614 SGonç I.308.27 |.
mastruço sm. 'planta medicinal da fam. das crucíferas' | XV, masturço XVI | Do lat. *mastūrtĭum, por nasturtium.
masturbar vb. 'provocar o prazer sexual pelo contato da mão, ou por meio de instrumentos adequados, nos órgãos genitais' 1873. Do lat. *masturbare, por masturbāri || masturbAÇÃO 1858. Do lat. masturbātio -ōnis || masturbADOR XX || masturbATÓRIO XX.
mata sf. 'terreno onde nascem árvores silvestres' 'bosque, selva' XIII. Talvez do lat. tard. matta 'esteira de junco' || AmatUT·ADO XX || DESmatAMENTO XX || DESmatAR XX || matagal XVII. A base do voc. é, sem dúvida, mata; não é, contudo, de fácil explicação a terminação -agal; dada, porém, a significação 'conjunto de coisas densas ou eriçadas', poder-se-ia pensar que -g- seja uma consoante de ligação || mataG·OSO XX || matEIRO XVIII || mato XIII || matOSO XIV || matUT·AR 1890 || matUT·ICE 1844 || matUTO 1844.
matacão → MATAR.
mataco sm. 'assento, coxas' XVII. Talvez do quimbundo ma'taku.
matad·or, -ouro → MATAR.
matag·al, -oso → MATA.
matalote sm. 'marinheiro, camarada de bordo, companheiro de serviço' XVI. Do fr. matelot, do a. fr. matenot e, este, do neerl. med. mattenoot 'companheiro de cama' || matalotAGEM sm. 'provisões para a marinhagem' | XVI, matolagem XVI | Do fr. matelotage, de matelot.
matamatá sm. 'espécie de tartaruga' c 1631. Do tupi matama'ta.
matar vb. 'tirar violentamente a vida a' XIII. De origem desconhecida || matAÇÃO XV || matADOR XIII || matADOURO XVII || matANÇA XIV || matANTE XV.
mate[1] → XEQUE[2] (-MATE).
mate[2] sm. 'erva-mate' 'as folhas dessa planta, secas e pisadas' 'a bebida feita com a infusão dessas folhas assim preparadas' 1817. Do cast. mate, deriv. do quíchua máti 'cabacinha', por ser usada para tomar a infusão dessa erva.
mate[3] adj.2g. 'diz-se da tinta ou pintura fosca, não polida' 'trigueiro-claro, embaciado, fosco' XVII. Do fr. mat, deriv. do lat. mattus, de *madĭtus, part. pass. de madēre 'estar úmido'.
mateiro → MATA.
matemática sf. 'ciência que tem por objeto a medida e as propriedades das grandezas' | mathematica XVI | Do lat. mathēmatĭca, deriv. do gr. mathēmatikē (subentendido téchne ou epistémē) 'a ciência matemática', fem. de mathēmatikós, de máthēma -atos 'ensinamento', de mathánō 'eu ensino' || **matemático** | mathematico XVI | Do lat. mathēmatĭcus, deriv. do gr. mathēmatikós.
mateologia sf. 'estudo inútil de assuntos superiores ao alcance do entendimento humano' XVII. Do gr. mataiología 'linguagem inútil', por via erudita, de mátaios 'fútil, frívolo' || **mateo**TECN·IA sf. 'ciência vã' | mateotechnia 1881 | Do gr. mateotechnía, por via erudita.
matéria sf. 'qualquer substância que ocupa lugar no espaço' 'assunto de que se trata' XIV. Do lat. materĭa, da mesma raiz de māter -tris 'mãe' || **imateriAL** | immaterial 1813 || **materiAL** | XIV, matereal XV | Do lat. materiālis || **material·ISMO** 1833. Do fr. matérialisme || **materiAL·ISTA** XVIII. Do fr. matérialiste || **materiAL·IZ·AÇÃO** 1881. Do fr. matérialisation || **materiAL·IZAR** | -isar 1873 | Do fr. matérialiser. Cp. MADEIRA.
matern·al, -idade, -o → MÃE.
⇨ **maternal** → MÃE.
matetê sm. 'caldo grosso muito adubado e engrossado com farinha peneirada' 1890. Do quimbundo mate'te, provavelmente.
matilha sf. 'grupo de cães de caça' XIV. De origem obscura.
⇨ **matinada** → MATUTINO.
matin·ada, -al, -as, -ê → MATUTINO.
matiz sm. 'combinação de cores diversas num tecido, numa pintura, numa paisagem' XVI. De origem incerta || matizAR XVI.
mato → MATA.
matraca sf. 'instrumento de madeira formado por tabuinhas movediças que se agitam para fazer barulho' XVI. Do ár. miṭraqâ 'pau, cacete, martelo' || **matraqu**EAR 1813.
matraz sm. 'vaso de vidro, ou de outro material, de colo estreito e longo, outrora utilizado em alquimia e, hoje em dia, em química e em farmácia, para diferentes operações, principalmente a destilação' 1760. Do fr. matras.
matreiro adj. 'astuto, sabido, muito experiente' | matreyra f. XIII | Talvez do cast. matrero, de origem incerta.
matr·iarcado, -icária, -icida, -icídio → MÃE.
matricula sf. 'relação de pessoas sujeitas a certos serviços ou encargos' 'inscrição em registros oficiais ou particulares para legalização do exercício de certas profissões ou autorização do gozo de certos direitos' | matricola XIV | Do lat. mātrīcŭla, de mātrīx e, este, de māter -tris 'mãe' || **matricul**AR XVII. Cp. MÃE, MATRIMÔNIO.
matri·linear, -local → MÃE.
matrimônio sm. 'casamento' XV. Do lat. mātrimōnĭum, de māter -tris 'mãe' || **matrimoni**AL XV. Do lat. mātrimōniālis. Cp. MÃE, MATRÍCULA.
⇨ **matrimônio** → | XIV ORTO 37.8 |.
mátr·io, -iz, -ona, -onal → MÃE.
⇨ **matrona** → MÃE.
matula[1] sf. 'torcida de candieiro' XV. De origem incerta || **matula**[2] sf. 'corja, súcia' 1873. De matulão || **matul**ÃO sm. 'orig. torcida grande' 'fig. homem grande, abrutalhado' 'ext. homem grosseiro' 1813.
mátula sf. 'ant. urinol' XVI. Do lat. matŭla 'vaso para líquidos'.
matumbo sm. 'grande e alta cova aberta nos terrenos baixos e úmidos, onde se planta mandioca' 'elevação de terra entre sulcos' | matombo 1813 | Talvez do quimbundo ma'tumo.
matungo sm. 'cavalo velho, sem préstimo' 1881. De origem africana, mas de étimo indeterminado.
matupiri sm. 'peixe da fam. dos caracídeos' 1833. Do tupi *matupi'ri.
maturar vb. 'amadurecer' 1813. Forma divergente culta de madurar, do lat. maturāre, de matūrus || AmadurECER XIV || AmadurEC·IDO XVII

|| AmadurEC·IMENTO 1858 || ImaturIDADE 1881 || Imaturo XVI || madurAÇÃO 1813 || madurADOR 1881 || madurAR XVI. Do lat. *maturāre* || madurECER | XVI, *-escer* XIII || madurEZA XVI. No port. med. ocorre, também, *maduridõe* (séc. XIV), na mesma acepção || **maduro** XVI. Do lat. *matūrus* || maturAÇÃO 1813. Forma divergente culta de *maduração* || maturATIVO 1813 || maturESC·ÊNCIA 1858. Do lat. *maturescentia*, nom. pl. neutro de *maturescens -entis*, part. pres. de *maturescĕre*, de *matūrus* || maturIDADE 1873. Do lat. *mātūrĭtās -ātis*, de *matūrus* 'maduro' || **maturo** 1813. Forma divergente culta de *maduro*.
⇨ **maturar** — maduREZA | XIV ORTO 25.*21* || maduro | XIII FLOR 388 |.
maturi *sm.* 'castanha de caju ainda verde, com a qual se preparam algumas iguarias' | 1878, *mutorî* 1730 etc. | Do tupi **matu'ri*.
matur·idade, -o → MATURAR.
maturrango *sm.* 'indivíduo que monta mal a cavalo' 1899. De origem obscura.
matusalém *sm.* 'pessoa muito velha, macróbio' | *mathusalém* XVII | Do antr. *Matusalém*, oitavo patriarca antediluviano; entre os mencionados pela Bíblia é o que mais tempo viveu, visto que, segundo a cronologia do texto hebraico, morreu com a idade de 969 anos.
matut·ar, -ice, -o → MATA.
matutino *adj.* 'relativo à manhã' | *madodinno* XIII, *madodynno* XIII, *madodỹo* XIII, *matutĩo* XIV etc. | Do lat. *matutīnus*, de *Matūta*, antiga divindade itálica identificada com a Aurora, de **matu-*, da raiz **ma-* 'bom', a mesma que ocorre em *manis* 'bom, benévolo'. No port. med. ocorre, também, *matutinaas* pl. (séc. XIV), na mesma acepção || matinADA XVI. De *matinas* || matinAL XIII. Provavelmente do fr. *matinal* e, este, de *matin*, do lat. *matutīnus* || **matinas** *sf. pl.* 'primeira parte do ofício divino rezado pelos padres' XIII. Do a. prov. *matinas*, de *matutinas* (*horas*). No port. med. ocorriam, também, formas do masculino: *matĩis* (séc. XIV), *matijs* (séc. XIV), *matiins* (séc. XV), que procedem do cast. *matines* (<cat. *matí* < lat. **mattīnu* < lat. *matutīnum*) || **matinê** *sf.* 'festa, espetáculo realizado à tarde' | *matinée* 18991 Do fr. *matinée*, de *matin*.
⇨ **matutino** — matinADA | XV LOPJ II.208.*25* |.
mau *adj.* 'nocivo, irregular, difícil, imperfeito, funesto, perverso' | *mao* XIII, *maao* XIII | Do lat. *malus* || **má** | *maa* XIII etc. | Do lat. *măla*, feminino de *malus*.
maunça → MÃO.
mauro → MOURO.
mausoléu *sm.* 'sepulcro suntuoso' XVI. Do lat. *mausōlēum*, deriv. do gr. *mausōleîon*, de *Maúsōlos*, rei de Cária, cuja viúva, Artemísia, mandou erigir-lhe um túmulo em Halicarnasso, em 353 a.C., o qual, mais tarde, foi considerado uma das sete maravilhas do mundo.
mavioso → AMAR.
mavórcio *adj.* 'relativo a Marte, à guerra' 'marcial, guerreiro, belicoso' 1572. Do lat. *māvortius*, de *Māvors -tis*, forma arcaica do lat. *Mars -tis* 'Marte' || **mavórt**ICO XX. Cp. MARCIAL.
maxambomba *sf.* 'primitivo vagão de trem com dois pavimentos' 'trole usado nos portos fluviais para serviço de carga e descarga' 'veículo desconjuntado e velho, calhambeque' | *machambomba* 1899 | Provavelmente adapt. do ing. *machine pump* 'bomba mecânica'. Uma evidência para esta hipótese será a var. lusitana para o vocábulo, que é *maximbombo*.
maxila *sf.* 'queixada, queixo' | XVIII, *maxilha* XV | Do lat. *maxilla* || **maxi**lAR | *maxillar* 1881 | Do lat. *maxillāris*.
máximo *adj.* 'maior que todos, que está acima de todos' XVII. (O adv. *maximamente* já se documenta no séc. XVI). Do lat. *maxĭmus*, superl. de *magnus* (< **mag-sŏmos*) || **máxima** *sf.* 'axioma, sentença moral' XVII. Do lat. *maxima* (*sententia*) 'a proposição maior', fem. de *maxĭmus* || maximAL·ISTA 'bolchevique' XX. Do ing. *maximalist*, de *maximal* || **máxime** *adv.* 'principalmente' XVI. Do lat. *maxime*. Cp. MAGNO.
maxixe[1] *sm.* 'fruto do maxixeiro[1]', planta da fam. das cucurbitáceas' 1730. Do quimb. *ma'šiše* || **maxixe**[2] *sm.* 'dança urbana brasileira em compasso de dois por quatro rápido' 1890. Do cognome *Maxixe*, de certo boêmio carioca que num baile de carnaval dançou um lundu num ritmo diferente, levando os demais a acompanhá-lo || **maxix**AR *vb.* 'dançar o *maxixe*[2] XX || **maxix**EIRO[1] *sm.* 'planta cujo fruto é o maxixe[1]' XX || **maxix**EIRO[2] *sm.* 'dançarino do maxixe[2]' XX.
maxwell *sm.* '(Fís.) unidade de fluxo magnético do sistema C.G.S.' XX. Do ing. *maxwell*, deriv. do antr. (James Clerk) *Maxwell* (1831-1879), físico escocês, autor da teoria eletromagnética da luz.
mazagrã *sm.* 'café frio, servido em copo, ao qual se ajunta água' XX. Do fr. *mazagran*, deriv. do top. *Mazagran*, cidade da Argélia. Nessa cidade, em 1840, 143 soldados franceses foram cercados por 12.000 árabes. Estavam os franceses com escassez de provisão, ainda que possuíssem bastante água. Usaram então o artifício de tomarem café bastante ralo como medida de economia.
mazela *sf.* 'defeito moral' 'defeito físico' XIII. Do lat. vulg. **macella*, dimin. de *macŭla* || DESmazelADO XV || DESmazelAR 1874 || mazelADO XIV || mazelAR | *mã-* XIV.
⇨ **mazela** — AmazelADO | XIV TROY II.39.*11* || AmazelAR || *amesselar* XV LOPJ II.100.*22* || DESmazelAMENTO | *a* 1595 *Jorn*.43.*33* || DESmazelo *c* 1608 NOReb 80.*17* |.
mazorro *adj.* 'preguiçoso' 'sorumbático' XIX. De origem abscura || **mazorr**AL *adj.* 2*g.* 'grosseiro, incivil' XVI.
mazurca *sf.* 'dança (e música) popular, de origem polaca, em compasso ternário' | *mazurka* 1856 | Do fr. *mazurka*, deriv. do pol. *mazurka*.
me *pron.* | XIII, *mi* XIII | Do lat. *mē*.
me·ação, -ada, -alha, -albeiro → MÉDIO.
meandro *sm.* sinuosidade, volteio' '*fig.* enredo, intriga' XVI. Do lat. *maeāndrus*, deriv. do gr. *maiandros* 'sinuosidade', do top. *Maiandros*, rio da Cária, célebre por suas sinuosidades || **meândr**ICO 1873.
me·ante, -ão, -ar → MÉDIO.
meato *sm.* 'pequeno canal, abertura, caminho' 1438. Do lat. *meātus*, de *meāre* (< **mei* 'mudar') 'ir, passar, caminhar'.

mecânico *adj. sm.* 'relativo à Mecânica, parte da Física' 'maquinal' 'versado em Mecânica' 'operário que se ocupa da conservação e conserto de motores' 'artista, artesão' | *mecanyco* XIV, *machanico* XV, *macanico* XV etc. | Do lat. *mĕchanĭcus*, deriv. do gr. *mēchanikós*, de *mēchanḗ* 'máquina, invenção engenhosa, astúcia' ‖ **mecânica** XVI. Do lat. *mĕchanĭca*, deriv. do gr. *mēchaniké* ‖ **mecan**ICISMO XX ‖ **mecan**ICISTA XX ‖ **mecan**ISMO 1813. Do fr. *mécanisme* ‖ **mecan**IZ·AÇÃO XX ‖ **mecan**IZAR | *mecanisar* 1873, *-chanisar* 1873 | Do fr. *méchaniser* ‖ **mecano**·GRAF·IA XX. Do fr. *mécanographie* ‖ **mecanó**·GRAFO XX. Do fr. *mécanographe* ‖ **mecano**·TERAP·IA | *mechanotherapia* 1899 ‖ **mecano**·TIP·IA XX.
meças → MEDIR.
mecenas *sm. 2n.* 'protetor de artistas e homens de letras' XVI. Do antr. *Maecēnās -ātis*, cavaleiro romano (68 a.C.) que se servia de seu crédito junto a Augusto para proteger as artes e as letras. Virgílio, Horácio, Propércio foram alguns de seus protegidos.
mecha *sf.* 'pedaço de papel ou pano embebido em enxofre e que servia especialmente para defumar pipas e tonéis' 'qualquer espécie de pavio' XVI; 'porção de cabelos que, pela forma, cor e posição se distingue do restante da cabeleira' XX. Do fr. *mèche*, deriv. do lat. vulg. **micca*, de *myxa* 'pavio do candeeiro', com influência de *mucus* 'ranho do nariz' ‖ ESmechAR² *vb.* 'estar (o Sol) muito quente, abrasar' 1899.
⇨ **mecha** | XIV TEST 110.26 |.
mechoacão *sm.* 'planta convolvulácea purgativa' XVI. Do cast. *mechoacán*, deriv. do top. *Mechoacán*, província mexicana.
meco- *elem. comp.*, do gr. *mēkos* 'longitude, grandeza', que se documenta em vocábulos eruditos introduzidos na linguagem científica internacional, a partir do séc. XIX ▸ **mecô**METRO 1873 ‖ **mecópode** | *-podo* 1899
mecônio *sm.* '(Med.) substância escura ou esverdeada e viscosa que constitui o ferrado nos recém-nascidos' 1813. Do lat. *meconium*, deriv. do gr. *mēkônion*.
mecópode → MECO-.
meda *sf.* 'montão de molhos de trigo em forma cônica' '*fig.* montão, agrupamento' XVII. Do lat. *mēta -ae* 'qualquer objeto em forma cônica' ‖ **médão** *sm.* 'monte de areia ao longo da costa, duna' | *medoões* pl. XV | A base parece ser o lat. *mēta*. É de difícil explicação, contudo, a terminação.
medalha *sf.* 'peça metálica, ordinariamente redonda, com emblema, efígie e inscrição' 'insígnia de ordem honorífica' 1780. Do it. *medàglia*, deriv. do lat. **med(i)ālia*, de *mediālis* 'meio dinheiro', de *medĭus* ‖ **medalh**ÃO | 1858, *medalão* 1844 | Cp. MÉDIO.
⇨ **medalha** | 1571 FOlF 122.3 |.
médão → MEDA.
médi·a, -ação, -ador, -al, -aneiro, -ania, -ano, -ante, -ar, -astino, -ato, -atriz → MÉDIO.
medição → MEDIR.
médico¹ *sm.* 'aquele que é diplomado em Medicina e a exerce, clínico' XV. Do lat. *mĕdĭcus* ‖ IMedicÁVEL | *immedicavel* 1858 ‖ **medic**AÇÃO 1844 ‖ **medic**AMENTO 1813. Do lat. *mĕdĭcamēntum* ‖ **medic**AMENT·OSO 1813 ‖ **medic**AR XVII. Do lat. *mĕdĭcāre* ‖ **medic**ATIVO XX ‖ **medic**ATRIZ 1844 ‖ **medicina** | XV, *mediçina* XVI | Do lat. *mĕdĭcīna* ‖ **medicin**AL | *-cynal* XV | Do lat. *medicinālis* ‖ **medic**INEIRO 1881 ‖ **mezinha** *sf.* 'qualquer remédio caseiro' | XIV, *meezẏa* XIII, *meezynna* XIII etc. | Forma divergente popular de *medicina*, do lat. *mĕdĭcīna*. Cumpre notar que no a. port., pelo menos até meados do século XVI, ocorriam com muito maior frequência *físico* e *física*, em lugar de *médico* e *medicina*, respectivamente. Cp. FÍSICA.
⇨ **médico** — AmezinhADO | XV VITA 14b31 ‖ AmezinhAR | XIV DICT 1697 ‖ AmezinhÁVEL | *amezinhavel* XV SBER 152.33 |.
médico² → MEDO².
medid·a, -agem, -eira, -or → MEDIR.
médio *adj.* 'que está no meio ou entre dois pontos' XIV. Do lat. *mĕdĭus* ‖ AmealhAR XVIII ‖ ENTREmeAR XVII. Forma divergente popular de *intermediar* ‖ ENTREmeio | XVII, *ontremeyo* XIV | Forma divergente popular de *intermédio* ‖ ImediAÇÃO XVII ‖ ImediaTISMO XX ‖ ImediaTISTA XX ‖ Imediato XV ‖ INTERmediAÇÃO XX ‖ INTERmediAR 1881 ‖ INTERmediÁRIO 1831. Do fr. *intermediaire* ‖ INTERmédio 1844 ‖ meAÇÃO XIX ‖ meADA *sf.* XV ‖ meADO | XIII, *meyado* XIII ‖ **mealha** XVI. Do lat. vulg. **medālia*, de *mediālia*, nom. pl. neutro de *mediālis* ‖ **mealh**EIRO | *mjalheiro* XV ‖ **me**ANTE XV ‖ **meão** | *meaão* XIV, *meáá* XIII f., *meyaans* pl. XIII | Do lat. *mĕdĭānus* ‖ **mear** XIV. Forma divergente popular de *mediar*, do lat. *mĕdĭāre* ‖ **média** 1881. Do lat. *mĕdĭa*, fem. de *mĕdĭus* ‖ **medi**AÇÃO 1813. Do fr. *médiation* e, este, do lat. *mĕdĭātĭo -ōnis* ‖ **medi**ADOR XVII. Do lat. *mĕdĭātor -ōris* ‖ **medi**AL 1881 ‖ **medi**AN·EIRO | XV, *-eyra* f. XV, *medeaneiro* XV ‖ **medi**AN·EIRO | *-eyra* f. XV, *medeaneiro* XV ‖ **medi**ANO XV. Forma divergente culta de *meão*, do lat. *mĕdĭānus* ‖ **medi**ANTE XVI. Do lat. *mĕdĭans -antis*, part. pres. de *mĕdĭāre* ‖ **mediar** | *medear* XV | Do lat. *mĕdĭāre* ‖ **mediastino** *sf.* '(Med.) espaço existente entre os dois pulmões' 1813. Provavelmente do fr. *médiastin* e, este, do lat. med. *mediastinum* 'que está no meio' ‖ **mediato** XVII. Do lat. *mediatus* ‖ **mediatriz** XX. Do lat. *mediātrix -icis* ‖ **medi**eVAL 1881 ‖ **medi**eVAL·ISMO XX ‖ **medi**eVAL·ISTA XX ‖ **medi**eVICO XX. Do lat. cient. *mĕdĭum aevum* 'idade média' ‖ **medio**CRACIA XX ‖ **medíocre** XVI. Do lat. *mediŏcris* ‖ **mediocr**IDADE XVI. Do lat. *mediocrĭtas -ātis* ‖ **mediterrâneo** XVI, *medio terraneo* XVI, *medeoterrano* XIV | Do lat. *mediterrāneus*, de *mĕdĭus + terra* ‖ **medium** 1881. Do ing. *medium*, deriv. do lat. *mĕdĭum -ii* 'meio' ‖ **mediun**IDADE | *mediumnidade* 1899 | Do fr. *médiumnité* ‖ **me**EIRO | *meieiro* XVI ‖ **meia** *sf.* 'metade' | *meya* XV |; 'tecido de malha para cobrir o pé' XVI. De *mĕdĭa* fem. de *mĕdĭus*. Na 2ª acepção o termo vem da expressão *meia calça* ‖ **meia-**NOITE | *meyanoite* XIII, *meanoite* XIII etc. ‖ **meio** | XIII, *meyo* XIII, *meo* XIII | Forma divergente popular de *médio*, do lat. *mĕdĭus* ‖ **meio-**DIA | *meyodya* XIII, *meodya* XIV.
⇨ **médio** — **mealha** | XIV AVES XXVI.18, *mealla* XIII CSM 95.25 ‖ **me**ANTE ‖ XIII CSM 309.37 |.
medir *vb.* 'determinar ou verificar a extensão' XIII. Do lat. med. lus. *medire*, por *metiri* ‖ COmedIMENTO XVI ‖ COmedir XIII. Do lat. **commetire*, por

commetiri || DES·COmedIMENTO XVI || DES·COmedir XVII || DESmedIDO XVI || DESmedir XVI || meças *sf. pl.* 'medição, comparação' 1813. Deverbal de *medir* || medIÇÃO | *medições* pl. XV || medIDA | XIII, *mi-* XIII, *my-* XIII etc. || medID·AGEM XVI || medID·EIRA XIV || medIDOR XIV. Cp. MENSURAR, MESURAS.
⇨ **medir** — DES·COmedir | *a* 1595 *Jorn.* 156.*26* |.
meditar *vb.* 'ponderar, estudar, pensar sobre' XIV. Do lat. **meditare*, por *meditāri*, frequentativo de *medēri* 'pensar, medir, tratar (um doente)', relacionado com *medĭcus* || **meditabundo** XIX. Do lat. *meditābundus* || meditAÇÃO | *-çõ* XIV | Do lat. *meditātĭō -ōnis* || meditADOR XVI. Do lat. *meditator -ōris* || meditATIVO 1813.
medi·terrâneo, -um, -unidade → MÉDIO.
medo[1] *sm.* 'temor, terror, receio, apreensão' XIII. Do lat. *mĕtus* || **amedrontar** | XVI, *amedorentado* part. pass. XV, *amedentrar* XVI | De *medorento* (> **amed(o)rontar*) || medONHO XIV || **medorento** XIII. De *medoroso*, com mundança de sufixo || **medoroso** | *mederosamente* adv. XIII, *medoroso* XIV, *medoroso* XIV | De **medor*, sob o modelo de *temor* || medrOSO XIV. De *med(o)roso*. Cp. METICULOSO.
⇨ **medo** — AmendrontADO | XIV GREG 4.17.*16* | AmendrotAMENTO | *amendorentamento* XV LEAL 244.*13* | AmendrontAR | *amedorentar* XIV AVES VI.*15* |.
medo[2] *adj. sm.* 'relativo ou pertencente à Média, antiga região da Ásia' 'persa' 'natural ou habitante daquela região' XIV. Do lat. *mēdus*, deriv. do gr. *mêdos* || médICO[2] *adj.* 'relativo à Média' XVI. Do lat. *medĭcus*.
medrar *vb.* 'desenvolver, fazer crescer, fazer prosperar' XVI. Do cast. *medrar*, de *mej(o)rar* (> **mejdrar*) || medrANÇA XVI.
medronho *sf.* 'fruto do medronheiro, planta da fam. das ericáceas' | XVI, *madronho* XVI | De origem obscura || **medronhEIRO** 1813.
medroso → MEDO[1].
medula *sf.* '(Bot.) parte interna do cilindro central do caule ou da raiz' '(Anat.) tecido que enche as cavidades dos ossos' '*fig.* a parte mais íntima, o essencial' XVI. Do lat. *mĕdulla* || medulAR *adj.* | *medullar* 1813 | Do lat. *medullāris* || medulOSO | *-llo-* XVII.
medusa[1] *sf.* '(Mit.) uma das Górgonas, cujo olhar e cabeça tinham a virtude de converter em pedras aqueles que a contemplavam' 1572. Do lat. *Medūsa*, deriv. do gr. *Médousa* || **medusa**[2] *sf.* 'animal celenterado, formado de tecidos transparentes e de aparência gelatinosa, semelhantes a um sino ou a uma sombrinha sob a qual se encontram a boca e os tentáculos' 1873. Do fr. *méduse*, deriv. do gr. *Médousa*, por alusão às serpentes que cobriam sua cabeça || **medusEU** 1844. Do lat. *medūsaeus* || medúsICO XVI.
⇨ **medusa**[1] | 1572 *Lus.* III.77, *medusea c* 1538 JCasG 141.*16* |.
meeiro → MÉDIO.
mefítico *adj.* 'que tem cheiro nocivo, podre, pestilencial' | *mephitico* 1813 | Do b. lat. *mephitĭcus*, de *mephītis -is* 'exalação pestilencial'.
mega-, megal- *elem. comp.*, do gr. *mégas, megálē, méga* 'grande' 'grandemente, muito', que se documenta em vocábulos eruditos, alguns formados no próprio grego, como *megalografia*, e muitos outros introduzidos, a partir do séc. XIX, na linguagem científica internacional ▶ megaFONE XX. Do ing. *megaphone* || megaLANTO | *-antho* 1899 || megaLEGORIA 1873. Do gr. *megalēgoría* 'linguagem pomposa, jactância' || **megálio** 1899. Do gr. *megalion (mýron)* 'perfume magnífico' | megaLÍT·ICO | *-lithico* 1881 || megalo·BLASTO XX || megalo·CÉFALO | *-cephalo* 1899 || megalo·CITO XX || megaló·GONO | *-gónio* 1873 || megalo·GRAF·IA | *-graphia* 1858 | Do lat. *megalographia*, deriv. do gr. *megalographia* || megalo·MANIA 1899. Do fr. *megalomanie* || megalo·MAN·ÍACO XX || megalOPIA 1899 || megaló·PORO 1873 || megalo·SPLEN·IA 1873 || megalo·S·SAURO | *megalosauro* 1873 || megâMETRO 1858 || megasCÓPIO 1858 || megaTÉR·IO | *-therio* 1873 | Do lat. cient. *megathērium* || megaTON XX. Do fr. *mégatonne*.
megárico *adj. sm.* 'relativo a Mégara, cidade da antiga Grécia' 'habitante dessa cidade' 1813. Do lat. *megarĭcus*, deriv. do gr. *megarikós*.
megera *sf.* 'mulher de mau gênio, cruel' 'mãe desnaturada' 1858. Do fr. *mégère*, deriv. do lat. *megaera* e, este, do mit. gr. *Mégaira* 'uma das Fúrias'.
megistocéfalo *adj.* 'que tem a cabeça enorme' | *-cephalo* 1899 | Do gr. *mégistos* 'enorme, muito grande', superl. de *mégas*, e, -CÉFAL(O)- 'cabeça'.
meia → MÉDIO.
meigo → MAGO.
meimendro *sm.* 'planta medicinal da fam. das solanáceas' 1813. Do lat. tard. *milimindrus*.
meio → MÉDIO.
meiose *sf.* '(Biot.) redução dos cromossomos nas células sexuais' XX. Do fr. *méiose*, do gr. *meíōsis* 'diminuição'.
meirinho *sm.* 'antigo funcionário judicial correspondente ao oficial de diligências atual' 'antigo magistrado de nomeação régia, e que governava amplamente um território ou comarca' | XV, *meirỹo* XIII, *meyrĩo* XIII etc. | Do lat. *mājōrīnus*, de *mājor*, comparativo de *magnus* 'grande'.
mel *sm.* 'substância doce formada pelas abelhas' '*fig.* doçura, suavidade'· XIII. Do lat. *mel -llis* || melAÇO 1813 || melADO[1] *adj.* 'da cor do mel, adoçado com mel' XVI || melADO[2] *sm.* 'mel grosso do açúcar de que se faz a rapadura' 1813 || melADURA 1813 || melAR 1813 || melECA XX || **méleo** 1890. Do lat. *melleus* || **melgueira** *sf.* 'cortiço com favos de mel' XVI. Do lat. **mellicaria* || melIEIRO 1873 || melÍFERO XVI || melIFICAR XVI || melÍFICO XVII. Do lat. *mellificus* || melÍFLUO | *mellifluo* XVI || melÍVORO 1873 || melOSO XVII.
mela *sf.* 'doença dos vegetais que lhes impede o crescimento' 1813. Do lat. *magella*, dimin. de *macula*.
mel·aço, -ado → MEL.
melancia *sf.* 'planta da fam. das cucurbitáceas' 'o fruto dessa planta' | XVII, *balancia* XVI | De origem incerta; houve, contudo, influência do vocábulo *melão* na passagem do ant. *balancia* para *melancia*.
melancolia *sf.* 'estado de tristeza e depressão' | XV, *melanconia* XIII, *menãcoria* XIV, *manencoria* XV, *malancolia* XV etc. | Do lat. *melancholīa*, deriv. do gr. *melagcholía*, de *melan(ós)* 'negro' 'sombrio, triste, funesto' + *cholé* 'bílis, fel, veneno' ||

melancólico | *menencolico* XIV, *manencorico* XV, *menemcollico* XV etc. | Do lat. *melancholĭcus*, deriv. do gr. *melagcholikós*. Cp. MELA(NO)-.
⇨ **melancolia** — melancol*iz·*ADO | *manicolisado* 1568 *Dial. Espir.* Axiii.v.14 |.
mela(no)- *elem. comp.*, do gr. *mélas, mélaina, mélan* 'negro, que tem essa cor, sombrio, funesto, triste, obscuro', que se documenta em vocábulos eruditos, alguns formados no próprio grego, como *melanótrico*, e muitos outros introduzidos, a partir do séc. XIX, na linguagem científica internacional ▸ **meláfiro** | *melaphyro* 1873 | Do ing. *melaphyre*, de *melás + (por)phyre* 'pórfiro' || melanAGOGO 1858 || melanANTO | -*antho* 1899 || melanEM·IA 1873 || **melania** 1706. Cp. gr. *melanía* 'negrura' || melaniNA 1873 || melanISMO 1873 || melanITA | -*ite* 1858 || melanoCARPO 1899 || melanoCÉFALO | -*cephalo* 1899 || melanóCERO 1899 || melanoDERMA XX || melanOFTALMO | -*ophtalmo* 1873 || melanoGASTRO XX || melanOMA 1899 || melanOPE 1899 || melanÓPTERO 1899 || melanOSE 1858 || melanoSPERMA | -*mo* 1899 || melanÓSTOMO 1899 || melanÓTICO 1873. De *melanose* || **melanótrico** 1873. Cp. gr. *melanóthrix -trichos* || **melantéria** *sf.* 'espécie de pez usada por cordoeiros entre os antigos' 1858. Do lat. tard. *melantēria*, deriv. do gr. *melantēría* 'pigmento negro' || melanterITA | -*therita* 1858 || melanUR·IA XX || melanURO 1899.
melão *sm.* 'fruto do meloeiro, planta da fam. das cucurbitáceas' | *meloens* pl. XVI | Do lat. *melo -ōnis*, deriv. do gr. *mēlon* -*ou* 'maçã, ou fruto que se assemelha a ela' '*fig.* rosto', relacionado com *mālum -i* 'maçã' || meloEIRO 1813 || meloni·FORME 1899 || meloPLAST·IA *sf.* 'reparação plástica da face' 1873.
melar → MEL.
melasmo *sm.* '(Med.) mancha negra cutânea, equimose' 1873. Do fr. *mélasme*, deriv. do lat. cient. *melasma* e, este, do gr. *mélasma*. Cp. MELA(NO)-.
melcochado *sm.* 'seda furta-cor' XVII. Do cast. *melcochado*, deriv. de *melcocha*, de *miel* 'mel' + *cocho* 'cozido', do lat. *coctus*.
meleca → MEL.
melena *sf.* 'cabelo comprido, cabelo solto e desgrenhado' XVII. Do cast. *melena*, de origem controversa.
mél·eo, -gueira → MEL.
melhor *adj.* 2g. 'superior em qualidade' | XIII, *mellor* XIII etc. | Do lat. *mĕlior -ōris*, comparativo de superioridade irregular de *bonus* 'bom' || **melhora** | -*llo-* XIV | Deverb. de *melhorar* || melhorAMENTO | *mellioramento* XIII || melhorANÇA | -*llo-* XIV || melhorAR | XIII, *mellorar* XIII etc. | Do lat. *mĕliŏrāre* || melhorIA | XIII, *melloria* XIII etc.
meliante *sm.* 'malandro, patife, vadio' XIX. Do cast. *maleante*, de *malear*, deriv. de *malo* 'mau'.
mélico → MELODIA.
meli·eiro, -fero, -ficar, -fico, -fluo → MEL.
meliloto *sm.* 'erva medicinal' 1813. Do lat. cient. *melilōtus*, deriv. do gr. *melílōtos*.
melindre *sm.* 'delicadeza no trato, recato, suscetibilidade' XVIII. Do cast. *melindre*, de origem duvidosa || melindrAR 1881 || melindrOSA *sf.* 'mocinha afetada, exageradas nas maneiras e no vestir' XX || melindrOSO *adj.* 1813. Do cast. *melindroso*.

⇨ **melindre** — melindrOSO | *melindrozo c* 1608 NOReb156.*34* |.
melissa *sf.* 'erva-cidreira' 1881. Do fr. *mélisse*, deriv. do lat. med. *melissa* e, este, do gr. *mélissa* 'abelha, mel' (gr. ático *mellitta*).
melívoro → MEL.
melodia *sf.* 'sucessão rítmica de sons musicais simples' XVI. Do lat. *melōdĭa*, deriv. do gr. *melōdía* 'canto coral', de *melōdós* 'melodioso', de *mélos* 'canto' || **mélico** *adj.* 'musical, suave, harmonioso' XVIII. Do lat. *mēlĭcus*, deriv. do gr. *melikós*, de *mélos* || melódICO 1873 || melodIOSO | -*llo-* 1813 || meloDRAMA 1836. Do fr. *mélodrame* || meloDRAMÁT·ICO 1836. Do fr. *mélodramatique* || meloFONE | -*phone* 1881 || melóGRAFO | -*grapho* 1881 || meloMANIA 1858. Do fr. *mélomanie* || melôMANO 1890. Do fr. *mélomane* || **melopeia** 1813. Do fr. *mélopée*, deriv. do lat. *melopoeia* e, este, do gr. *melopoiía*, de *mélos* e *poiéō* 'eu faço' || meloPLASTO *sm.* 'fragmento de pauta musical' 1873. Do fr. *méloplaste* || meloTERAP·IA XX.
⇨ **melodia** | XV FRAD II.170.*30*, *mellodia* Id.I.35.*25*, *melodiia* Id.I.54.*22* |.
mel·oeiro, -oniforme → MELÃO.
melopeia → MELODIA.
meloplastia → MELÃO.
meloplasto → MELODIA.
melose *sf.* '(Med.) ato de explorar com a sonda' 1899. Do lat. cient. *mēlōsis*, deriv. do gr. *mēlōsis*, de *mēlē* 'sonda de cirurgião'.
meloso → MEL.
meloterapia → MELODIA.
melro *sm.* 'pássaro dentirrostro de plumagem negra e bico amarelo' | XVII, *merlo* XIII | Do lat. tard. *merŭlus*, por *merŭla*, do lat. cláss.
melúria *sf.* 'lamentação habitual ou astuciosa' 1881. De *mel*, com influência de *lamúria*.
membi *sm.* 'espécie de trombeta dos índios do Brasil' | *mumbiz* pl. *c* 1698, *memby* 1865 | Do tupi *mi'm̰i* || membiAPARA | -*byapára* 1663 | Do tupi *mimi̯a'para* || membiGUAÇU | -*by-guaçú* 1663 | Do tupi *mimi̯ü̯a'su < mi'm̰i + ü̯a'su* 'grande'.
membrana *sf.* 'tecido orgânico, mais ou menos laminoso, que envolve certos órgãos ou segrega certos líquidos' 1813. Do lat. *membrāna*, de *membrum* || membranÁCEO 1873. Do lat. *membrānācĕus* || membrani·FORME 1873 || membranOSO 1844 || membrânULA 1873. Do lat. *membranŭla*. Cp. MEMBRO.
membro *sm.* 'parte de um todo' | XIII, *nembro* XIII, *nenbro* XIV etc. | Do lat. *membrum* || DESmembraMENTO XVII || DESmembrAR | *desnembrado* part. XIV || membrUDO XIV. Cp. MEMBRANA.
memento *sm.* 'preces rezadas no cânon da missa' 'marca destinada a lembrar qualquer coisa' XVII. Do lat. *memento* 'lembra-te', 2ª pess. do sing. do imperativo de *meminisse* 'lembrar-se', da raiz **men-* 'pensar', com redobro.
memória *sf.* 'lembrança, reminiscência' XIII. Do lat. *mĕmŏrĭa*, de *memor -ōris* 'que se lembra', relacionado com *meminisse* || DESmemoriADO 1813 || ImemorADO 1890. Do lat. *immemorātus* || IMEMORÁVEL XVII. Do lat. *immemorābĭlis* || IMêmore 1890. Do lat. *immemor -ōris* || IMEMORIAL XV || memorANDO XVI. Do lat. *memorandus* 'que

deve ser lembrado', gerundivo de *memorāre* || **memor**AR XVI. Do lat. *memorāre*, de *memor -ŏris*.
É divergente culto de *lembrar* || **memor**ATIVO XV || **memor**ÁVEL XVI. Do lat. *memorabĭlis* || **memori**AL XIV. Do lat. *memoriālis* || **memori**AL·ISTA 1873 || **memori**OSO | -OZO XVII || **memor**IZAR XX. Do fr. *mémoriser* || RE**memor**AÇÃO 1873. Do lat. *rememorātĭo -ōnis* || RE**memor**AR XVIII. Do lat. *rememorāre, por *rememorāri* || RE**memor**ATIVO 1813. Cp. LEMBRAR, MEMENTO.
mênade *sf.* 'sacerdotisa de Baco' 1899. Do fr. *ménade*, deriv. do lat. *maenas -ădis* e, este, do gr. *mainás -ádos*.
menagem *sf.* 'juramento de fidelidade' XIII. De *homenagem*, com deglutinação da sílaba inicial, confundida com o artigo o.
menção *sf.* 'referência, registro' | *mençon* XIV, *-çom* XV | Do lat. *mentĭō -ōnis* || **mencion**AR 1813.
menchevique *adj. sm.* '(Pol.) membro da facção minoritária do partido social-democrático russo, por oposição aos bolcheviques' | 1921, *-ki* 1919 | Do fr. *menchevik*, deriv. do rus. *men'ševik* (pl. *'men'ševiki*), de *men'še* 'menor', comparativo de *malii* 'pequeno' || **menche**VISTA 1929. Cp. BOLCHEVIQUE.
mendace, mendaz *adj. 2g.* 'mentiroso, falso' | *mendassíssimo* superl. XVII, *mendaz* 1813, *mendace* 1899 | Do lat. *mendāx -ācis*, de *mendum* 'erro de cópia, erro, incorreção' || **mendac**IDADE 1873. Do lat. *mendācĭtās -ātis* || **mendácio** 'mentira, falsidade' XVI. Do lat. *mendacĭum*.
mendeliano *adj.* 'relativo a, de conformidade com as leis de Mendel' XX. Do antr. Gregor Johann Mendel (1822-1884) || **mendel**ISMO XX.
mendigar *vb.* 'pedir esmola' XIII. Do lat. *mendĭcāre* || **mendic**ÂNCIA XVIII || **mendic**ANTE | XVI, *-gante* XIV | Do lat. *mendĭcans -antis*, part. pres. de *mendĭcāre* || **mendic**IDADE XVI. Do lat. *mendicĭtas -ātis* || **men**dig**AÇÃO** 1844 || **mendigo** XIII. Do lat. *mendīcus*.
men·ear, -eio → MÃO.
⇨ **meneio** → MÃO.
menestrel *sm.* '*orig.* servidor, operário, artífice' 'poeta, músico' | XVI, *manistrees* pl. XV, *ministrel* XVI | Do fr. *ménestrel*, deriv. do baixo lat. *ministeriālis*, de *ministerium*.
menfita *adj. s2g.* 'de Mênfis (Egito)' 'habitante ou natural de Mênfis' | *memphites* XVIII | Do lat. *memphītes -is*, deriv. do gr. *menphítēs -ou*.
menina → MENINO.
meninges *sf. pl.* '(Anat.) as três membranas que envolvem o aparelho cerebrospinal' XVII. Do fr. *méninge*, deriv. do lat. med. *meninga* e, este, do gr. *menigga*, acus. sing. de *mênigx -ggos* || **mening**ITE 1873. Do fr. *méningite*.
menino *sm.* 'criança do sexo masculino' | XIII, *menỹo* XIII, *minino* XIII etc. | Voc. de criação expressiva || **menina** *sf.* 'criança do sexo feminino' | XIII, *meñã* XIII, *menynna* XIII etc. || **menin**ICE | XIV, *mininice* XIV, *menỹez* XIII, *menynnez* XIII.
menir *sm.* 'monumento celta que consiste num bloco de pedra levantado verticalmente' | *menhir* 1899 | Do fr. *menhir*, deriv. do baixo bretão *menhir*, de *men-* 'pedra' + *-hir* 'longa'.
menisco *sm.* 'vidro lenticular' 'superfície curva de líquido contido em tubo capilar' 'figura geométrica côncava de um lado e convexa de outro' 'septo fibrocartilaginoso de algumas articulações' 1873. Do fr. *ménisque*, deriv. do gr. *mēnískos* 'luneta', de *mḗnē* 'lua', relacionado com *mēn mēnós* 'mês, lunação' || **menisc**OIDE 1873. Cp. MENO-.
meno- *elem. comp.*, do gr. *mēn mēnós* 'mês, lunação', que se documenta em vocábulos eruditos, introduzidos, a partir do séc. XIX; na linguagem científica internacional ♦ **meno**LÓG·IO *sm.* 'calendário, especialmente o da igreja grega em que se relata a vida dos santos' 1844. Do lat. mod. *menologium*, deriv. do gr. ecles. *mēnológion* || **meno**PAUSA 1873 || **menor**·RAG·IA | *-rrhagia* 1858 || **menor**·REIA | *-rrhea* 1881 || **meno**STAS·IA 1873.
menor, -idade → MENOS.
meno·rragia, -rreia → MENO-.
menos *adv.* 'em quantidade ou intensidade menor' | XIV, *mēos* XIII, *meos* XIII etc, | Do lat. *minus* || **mascav**ADO XVI || **mascavar** *vb.* 'separar e juntar o açúcar de pior qualidade' '*fig.* falsificar, adulterar' | XVI, *mazcabado* part. XIV | De *menoscabar* || **mascavo** | 1899, *mascabo* XIII || **menor** | XIV, *mēor* XIII, *meor* XIII etc. | Do lat. *mĭnor -ōris* || **menor**IDADE XVI || **menoscabar** *vb.* 'tornar imperfeito, depreciar' | XVI, *mēoscabar* XIV, *mescabar* XVI | Do lat. *mĭnuscapāre, de *minus* + *capare (< *cap(ut)* + *are*). Havia em latim *minus caput* 'privado de seus direitos civis'; dessa expressão latina é que, provavelmente, se formou *mĭnuscapāre || **menoscabo** *sm.* 'desprezo, descrédito' XIV. Dev. de *menoscabar* || **menos**PREZAR | XV, *mēospreçar* XIII etc. | Do lat. *minuspretiāre* || **menos**PREZO | *menospreço* XV || **minor**AÇÃO 1844 || **minor**AR XVII. Do lat. *minorāre* || **minor**ATIVO XVII || **minor**IA XV || **minoritário** XX. Do fr. *minoritaire*.
⇨ **menos** → **mascavar** 'falsificar, enganar prejudicar' | *mascabado* p. adj. XIII FLOR 1094 |.
menostasia → MENO-.
mensagem *sf.* 'comunicação' 'aquilo que se envia' | *message* XIII, *mesage* XIII, *messaiẽ* XIV etc. | Do fr. *message* (= a. prov. *messatge*), deriv. do b. lat. *mĭssātĭcum, de *mĭssus*, part. pass. de *mĭttĕre* 'enviar' || **mensag**EIRO | XVI, *messegeyro* XIV, *mesegeyro* XIV, *mesejeiro* XIV etc. | Cp. MISSA, REMESSA.
mens·al, -alidade, -ário[1] → MÊS.
mensário[2] → MESA.
mênstruo *sm.* 'fluxo sanguíneo, em regra mensal, através das vias genitais da mulher' | XV, *mestrũũ* XIV | Do lat. *mēnstruus* 'mensal', de *mēnsis* || **menstru**AÇÃO 1873 || **menstru**ADA XVII || **menstru**AL XVI || **menstru**AR 1813. Cp. MÊS.
mensurar *vb.* 'determinar a medida de, medir' XVII. Do lat. *mēnsūrāre* || CO**mensur**ABIL·IDADE | *-mmens-* 1873 || CO**mensur**AR XVII. Do lat. *commensurāre* || CO**mensur**ÁVEL | *-mmens-* 1813 | Do lat. tard. *commensurabĭlis* || I**mens**IDADE XVIII. Do lat. *immensĭtas -ātis* || I**mens**IDÃO | *immens-* 1881 || I**menso** | 1572, *immenso* 1572 | Do lat. *immensus* || I**mensur**ÁVEL | *immens-* 1813 | Do lat. tard. *immensurabilis* || **mensur**AÇÃO 1873 || **mensur**ABIL·IDADE 1873 || **mensur**ADOR XX || **mensur**ÁVEL 1873. Cp. MEDIR.
menta *sf.* 'designação científica de diversas espécies de hortelã XV. Do lat. *ment(h)a* || **mentastro** *sm.* 'planta medicinal da família das labiadas' |

XVIII, *mentrasto* XVI | Do lat. *mentastrum*, de *menta* + *astrum* (de -*aster* -*tri*, sufixo latino que traz a ideia de semelhança) || **ment**OL || *menthol* 1899 | Do fr. *menthol*, deriv. do al. *Menthol*, voc. introduzido na linguagem internacional da química, em 1861, por Oppenheim || **ment**OL·ADO | *mentholado* 1899 | Adapt. do fr. *mentholé*.
mentado → MENTE.
mentagra *sf.* '(Med.) impigem na barba' 1813. Do lat. *mentagra*, voc. de formação híbrida, do lat. *mentum* 'queixo, mento, barba' e do gr. *ágra* 'presa, botim, caça, pesca'. Cp. MENTO.
ment·al, -alidade → MENTE.
mentastro → MENTA.
mente *sf.* 'intelecto, alma, espírito' XIII. Do lat. *mens mĕntis*. No port. med. o vocábulo ocorria principalmente em expressões verbais, com a acepção de 'reparar, observar': *meter mentes, parar mentes, ter mentes* etc. || AMent**AR**² XVIII || **Amente** XVI. Do lat. *amens -entis* 'que perdeu a mente, louco, demente' || DE**mênc**IA XVI. Do lat. *dementĭa* || DE**ment**AR XVII. Do lat. *dementāre* || DE**mente** 1813. Do lat. *demens -entis* || E**menta** *sf.* 'rol, apontamento, sumário' XV. De *ementar* || E**ment**ADO XIII || E**ment**AR *vb.* 'recordar' XIII || E**ment**ÁRIO 1813 || **ment**ADO XVI || **ment**AL XV. Do lat. med. *mentālis* || **ment**AL·IDADE 1899. Do fr. *mentalité* e, este, provavelmente, calcado no ing. *mentality* || **ment**AR XVI || **mente**CAPTO XVI. Do lat. *mente captus* 'privado de inteligência'.
⇨ **mente** — A**ment**AR² | *amētar* XIV GRAL 105*b*8 |.
mentir *vb.* 'faltar com a verdade, iludir' XIII. Do b. lat. *mentīre* (cláss. *mentīri*) 'mentir' 'imaginar, inventar', de *mens -tis* || DES**ment**IDO *adj. sm.* XVII || DES**mentir** XVI || **mentira** XIII. Relacionado com *mentir*, mas de formação estranha || **mentir**AL *adj.* 'mentiroso' XIII || **mentir**EIRO *adj.* 'mentiroso' XIII || **mentir**OSO XIII. É interessante observar que no port. med., com a acepção de 'mentiroso', concorriam numerosos adjetivos de formação paralela: *mentideiro* (-*eyro* XV), *mentidor* XIV, *mentiral* XIII e *mentireiro* XIII. Cp. MENTE.
mento *sm.* 'vértice do ângulo da maxila inferior' 'barba, queixo' 1890. Do lat. *mentum -i*.
-mento *suf. nom.*, do lat. *-mentum*, que se documenta em numerosos substantivos port. oriundos de verbos, muitos deles já formados no próprio latim, com as acepções de: (i) 'ação ou resultado da ação expressa pelo verbo' (*acolhimento, fragmento*); (ii) 'instrumento da ação' (*alimento, ornamento*); (iii) 'coleção' (*armamento, fardamento*). No port. med. o suf. *-mento* foi bastante produtivo: *abalamento* XV, a par de *abalo* 1562, *avisamento* XIV/*aviso* 1572, *fallamento* XV/*fala* XIII etc.
ment·ol, -olado → MENTA.
mentor *sm.* 'pessoa que guia, ensina ou aconselha outra' 1873. Do fr. *mentor*, deriv. do lat. *mentor -is* e, este, do antr. gr. *Méntor*, amigo de Ulisses, cujo aspecto físico Minerva tomou para instruir Telêmaco. O voc. foi divulgado pelo romance *Les Aventures de Télémaque* (1699), de Fénelon (1651-1715), no qual *Mentor* ocupa uma posição de relevo como conselheiro de Telêmaco.
menu *sm.* 'cardápio' 1899. Do fr. *menu*, deriv. do lat. *minutus*, part. pass. de *minuĕre* 'diminuir'.

mequetrefe *sm.* 'indivíduo que se mete onde não é chamado' 'biltre' XVII. De origem controversa.
-mer- → -MERI-.
mera *sf.* 'líquido medicamentoso, proveniente da destilação do zimbro' XVIII. De origem desconhecida.
mercar *vb.* 'comprar para vender, adquirir comprando' XIII. Do lat. *mercare, por *mercāri* || **merca** *sf.* XIII || **merc**AD·ANTE XVI || **merc**AD·EIRO | -*deyro* XIII || **merc**AD·EJAR XVI || **merc**ADO *sm.* XIII. Do lat. *mercatus -us*, de *mercāri* || **merc**AD·O·LOG·IA XX || **merc**AD·O·LÓG·ICO XX || **merc**ADOR XIII. Do lat. *mercātor -ōris* || **merc**ADORIA | XIV, -*adaria* XIV || **merc**ADURA XIII || **mercancia** XVI. Do it. *mercanzía*, deriv. do lat. *mercantĭa*, nom. neutro pl. de *mercans -āntis*, part. pres. de *mercāri* || **mercanci**AR XVI || **merc**ANTE XVI. Do it. *mercante*, deriv. do lat. *mercans -āntis*, part. pres. de *mercāri* || **merc**ANTIL XVI. Do it. *mercantile* || **merc**ANT·IL·AGEM 1899 || **merc**ANT·IL·ISMO 1890. Do fr. *mercantilisme* || **merc**ANT·IL·ISTA. Do fr. *mercantiliste* || **merc**ANT·IL·IZ·AÇÃO XX || **merc**ANT·IL·IZAR XX || **merc**ATÓRIO 1890 || **merc**ÁVEL 1844. Do lat. *mercabĭlis* || **mercearia** *sf.* 'comércio de pouco valor' 'espécie de armazém' | 1813, *merçaria* 1813 | Do it. *merciarìa*, de *merce* 'mercadoria', deriv. do lat. *merx -cis* 'mercadoria' || **merce**O·LOGIA 1899 || SUPER**mercado** XX.
mercê *sf.* 'graça, benefício, proteção' | XIII, *mercee* XIII etc. | Do lat. *mercēs -ēdis* 'salário, prêmio', deriv. de *merx mercis* || A**merce**AR XIII || **merce**EIRO¹ *sm.* 'indivíduo a quem se dava pensão ou casa, com certos encargos espirituais' XVI || **merce**OSO XIII. Cp. MERCAR.
⇨ **mercê** — A**merce**ADOR | XV SOLI 43.*23* || A**merce**AMENTO | XIV ORTO 89.*27* || **merce**EIRO | XIV GREG 2.3.*39* || RE**merce**ADO | XV LEAL 369.*1* || RE**mercear** | XV VERT 51.*35* |.
mercearia → MERCAR.
merceeiro¹ → MERCÊ.
mercenário *adj. sm.* 'diz-se de, ou o que trabalha por soldada ou remuneração' XVI. Do lat. *mercēnārius*, de *merx -cis* || **merceeiro**² *sm.* 'tendeiro' | XIII, *marceiro* XIII | Do lat. *mercenarius*. Cp. MERCAR.
merceoso → MERCÊ.
mercerizar *vb.* 'submeter (fios, especialmente de algodão) a uma operação que os torna brilhantes e algo semelhantes à seda' XX. Do fr. *merceriser*, deriv. do ing. *mercerize* e, este, do antr. John *Mercer*, que teria sido o inventor desse processo em 1844 || **merceriz**AÇÃO XX || **merceriz**ADO XX.
mercurio *sm.* 'elemento químico, metal líquido, de número atômico 80' 'azougue' 1813. Do lat. dos alquimistas *mercurĭus*, que substituiu o *hydrargȳrum* (< gr. *hydrárgyros*), donde o símbolo químico Hg, e o *argentum vivum* dos latinos; os alquimistas representavam o metal com o mesmo símbolo com que indicavam o planeta. Em português, como nome do planeta, *Mercúrio* ocorre no séc. XV || **mercuri**AL¹ *sm.* 'planta da fam. das euforbiáceas, urtiga-morta' 1873 || **mercuri**AL² *adj. 2g.* 'que tem mercúrio' 1873.
merda *sf.* 'matérias fecais, excremento' XVI. Do lat. *merda -ae* || **merdí**·COLA 1873 || **merdí**·VORO 1899.
merecer *vb.* 'ser digno de, ter direito a' XIII. Do lat. *merēscĕre, de *merēre* || DES**merec**EDOR XVI || DES-

merecer XVI || **1merec**IDO 1890 || **merec**EDOR XIII || **merec**IMENTO XIII. Cp. MÉRITO.
merenda *sf.* 'refeição ligeira intermediária' XIII. Do lat. *merenda*, de *merēre* 'merecer' || **merend**AR XIII || **merend**EIRA 1873. Cp. MERECER.
merengue *sm.* 'espécie de bolo, feito com claras de ovos e açúcar' 1881. Do fr. *meringue*, de origem desconhecida.
meretriz *sf.* 'prostituta' 'mulher que pratica o ato sexual por dinheiro' | XIV, *meretrice* XVI | Do lat. *merĕtrīx, -cis*, de *merēre* 'ganhar dinheiro' || **meretrício** XVI. Do lat. *meretricĭum*.
mergulhar *vb.* 'introduzir na água, submergir, afundar' | *mergullar* XIII, *mirgulhar* XV | Do lat. vulg. *merguliāre, deriv. de *mergŭlus*, dimin. de *mergus*, de *mergĕre* 'mergulhar, submergir' || **mergulh**ADOR XIII || **megulh**ÃO XVI || **mergulh**IA *sf.* 'tipo de reprodução vegetal' 1813 || **mergulho** XVI. Do lat. vulg. *mergulĭo -ōnis.
-meri- *elem. comp.*, do gr. *merís -ídos* 'parte, porção', que se documenta em vocábulos eruditos, alguns formados no próprio grego, como *merisma*, e outros introduzidos, a partir do séc. XIX, na linguagem científica internacional ▶ **meri**CARPO 1873 || **merisma** | *merismo* 1858 | Do lat. *merisma*, deriv. do gr. *mérisma -atos* || **merismát**ICO 1873 || **meristema** 1899. Do lat. cient. *meristēma -atis*, do gr. *meristós* 'que se pode dividir' || **meri**TALO 1873. Cp. -MERO-.
mericismo *sm.* 'ruminação, regurgitação anormal dos alimentos no homem' | *merycismo* 1858 | Do lat. cient. *mērycismus*, deriv. do gr. *mērykismós* || **merico**·LOG·IA XX.
meridiano *sm.* 'círculo máximo que passa pelos pólos' | XIV, *meridien* XV, *meridiam* XVI | Do lat. *meridiānus*, de *merīdies* (< *mediei diē, por dissimilação consonântica, sendo *mediei uma forma de *mĕdĭus* 'meio') || **merídio** XVIII. Do lat. *meridĭus, de *merīdies*. Diretamente do lat. *merīdies* procedem as vars. do port. med. *meridie* XIV, *meridies* XIV e *meridia* XIV || **meridional** XIV. Do lat. tard. *merīdiōnālis*, de *merīdies*, formado segundo o modelo de *septentrionālis*.
merinaque *sm.* 'saia enfunada por arcos ou varas flexíveis' 1881. Do cast. *miriñaque*, de origem desconhecida.
merino *adj. sm.* 'diz-se de uma raça de carneiros de lã muito fina' 'o tecido dessa lã' 1844. Do cast. *merino* e, este, provavelmente, do nome de uma tribo berbere que criava esta raça de carneiro; o nome dessa tribo passou à dinastia dos (*Benī*) *-Merīn*.
mer·isma, -ismático, -istema, -italo → -MERI-.
mérito *sm.* 'merecimento, aptidão, superioridade' XV. Do lat. *merĭtum*, de *merĭtus*, part. pass. de *merēre* || **demérito** XVI. Do fr. *démérite*, deverb. de *démériter*, de *dé-* + *mériter* || **emérito** XVI. Do lat. *emerĭtus*, part. pass. de *emerēre*, de *merēre* || **1mérito** XVIII. Do lat. *immerĭtus*, de *merĭtus* || **meritório** XV. Do lat. *meritōrĭus*. Cp. MERECER.
merlão *sm.* 'intervalo dentado nas ameias de uma fortaleza' | *merloens* pl. XVIII | Do fr. *merlon*, deriv. do it. *merlone*, aumentativo de *merlo*.
⇨ **merlão** — **merlo** 'merlão' | 1571 FOLF 151.*21* | Do. it. *merlo*, já documentado no séc. XIII.
merlim[1] *sm.* '(Náut.) corda alcatroada' 'tecido ralo e engomado para forros' XVI. Do fr. *merlin*, deriv. do neerl. med. *meerlijn*.
merlim[2] *sm.* 'espécie de machado' 1899. Do fr. *merlin*, var. de *marlin*, deriv. do lat. vulg. *martellus, de *martulus*, por *marcŭlus* 'martelo'.
mero[1] *sm.* 'peixe percoide' 1881. Talvez do cast. *mero*, de origem desconhecida.
mero[2] *adj.* 'simples, sem mistura' XIV. Do lat. *merus*.
-mero- *elem. comp.*, do gr. *méros* 'parte, porção', que se documenta em alguns vocs. da linguagem científica internacional, particularmente no domínio da biologia: *andromerogonia, artrômero* etc. Cp. -MERI-.
merovíngio *adj.* 'relativo à família que reinou sobre a Gália Franca, de Clóvis I (465-511) até a ascensão de Pepino Breve (715-768)' XX. Adapt. do fr. *mérovingien*, do a. fr. *merovynge* e, este, do lat. med. *merowingi*, de *Merowig* 'Meroveu', rei franco (448-457), fundador da dinastia merovíngia.
meru *sm.* 'nome tupi da mosca' 1587. Do tupi *m̨e'ru* || **meruanha** *sf.* 'mosca-dos-estábulos' | *muruanja* 1587 | Do tupi *m̨eru'ãia* < *m̨e'ru* + *ãia 'dente'.
mês *sm.* 'um duodécimo do ano' 'período de trinta dias' XIII. Do lat. *mensis*, da raiz *mēn, a mesma que ocorre no gr. *mēnē* 'lua' e *mēn* 'mês' || **mens**AL 1813. Do b. lat. *mensuālis* || **mens**AL·IBADE 1890 || **mens**ÁRIO[1] *sm.* 'publicação periódica mensal' 1899 || **mes**ADA 1813.
mes- → MES(O)-.
mesa *sf.* 'móvel sobre o qual se come, se escreve etc.' XIII. Do lat. *mensa* || **amesendar** *vb.* 'sentar-se à mesa, repotrear-se, refestelar-se' 1813. A base é *mesa*, mas a formação é atípica || **mens**ÁRIO[2] 1873. Do lat. *mensarĭus* || **mes**ÁRIO 1864 || **mes**ETA XX. Do cast. *meseta*, de *mesa*.
mesada → MÊS.
mes·araico, -artéria, -aticéfalo → MES(O)-.
mesclar *vb.* 'ant. intrigar' 'misturar' | *miscrar* XIII, *mizcrar* XIII, *mezcrar* XIII, *mezclar* XIV etc. | Do lat. tard. *miscŭlāre*, iterativo de *miscĕre* 'misturar' || **1misc**IBIL·IDADE | *immiscibilidade* 1873 || **1misc**ÍVEL | *immiscívei* 1873 | Do lat. *immiscĭbĭlis || **1misc**UIR XX. Do lat. *immiscuĕre, a partir de *immiscui*, pret. perf. do ind. de *immiscĕre*, de *miscĕre* || **mescla** | *mezcra* XIII, *mezcla* XIV, *miscla* XIV || **mescl**ADO | *mez-* XIV || **mescl**ADOR | *mezcrador* XIII || **mescl**ADURA | *mez-* XIV || **mescl**AMENTO | *mezclamento* XIV | Cp. MISTO.
mes·encéfalo, -entério → MES(O)-.
meseta → MESA.
mesmerismo *sm.* 'hipnotismo, especialmente o praticado por Mesmer em conexão com sua teoria do magnetismo animal' 1858. Do fr. *mésmerisme*, do antr. Franz Anton *Mesmer* (1734-1815), médico austríaco || **mesmer**IANO 1899 || **mesmer**IZ·ANTE *adj. 2g.* 'que mesmeriza' 'fascinante, atraente' XX || **mesmer**IZAR *vb.* 'hipnotizar' 'atrair, fascinar, seduzir' XX. Provavelmente do ing. *to mesmerize*.
mesmo *adj. pron.* 'que é como outra coisa, idêntico, semelhante' | XIII; *meesmo* XIII etc. | Do lat. vulg. *metĭpsĭmus || **mesm**ICE 1899.
mesnada *sf.* 'ant. conjunto de homens a soldo, que viviam na casa do senhor' | XIII, *mas-* XIII | Do lat.

*mansiōnāta, de mansio 'albergue, estalagem, casa', de manēre 'ficar, permanecer, morar'.
mes(o)- elem. comp., do gr. *mésos* 'meio, centro, intermédio (cp. lat. *mědĭus*)', que se documenta em vocábulos eruditos, alguns formados no próprio grego, como *mesentério*, e muitos outros introduzidos, a partir do séc. XIX, na linguagem científica internacional ♦ **mesaraico** 1881. Do lat. med. *mesaraicus*, deriv. do gr. *mesaraïkós*, de *més(os)* + *araiá* 'parte inferior do ventre' || **mes**ARTÉRIA XX || **mesat**ı·CÉFALO | -pha- 1899 | Do gr. *mésatos*, por *mesáitatos*, superl. de *mésos*, + *kephalḗ* 'cabeça' || **mes**ENCÉFALO XX || **mes**ENTÉRIO 1844. Do fr. *mésentère*, deriv. do lat. med. *mesenterĭum* e, este, do gr. *mesentérion* || **meso**CARPO 1890 || **meso**CÉFALO | -ph- 1881 || **mesó**CLISE XX || **meso**CLÍT·ICO XX || **meso**CRACIA 1899 || **meso**CRÂNIO 1899 || **meso**CRÁT·ICO 1899 || **meso**CUNEIFORME 1899 || **meso**DISCAL 1899 || **meso**FALANGE | -pha- 1899 || **mesó**FILO | -phyllo 1899 || **meso**GÁSTRIO | -gastro 1899 || **mesolábio** *sm.* 'antigo instrumento geométrico para achar mecanicamente duas médias proporcionais que não podem ser achadas geometricamente' 1858. Do lat. *mesolabium*, deriv. do gr. *mesolábion*, de *mésos* + *lábion*, dimin. de *labḗ* || **meso**LITA XX || **meso**LÍT·ICO XX || **meso**LÓBULO | 1881, -lobo 1873 || **meso**LOG·IA 1899 || **méson** *sm.* '(Fís.) partícula subatômica entre o próton e o elétron' XX. Do fr. *méson*, deriv. do gr. *méson*, neutro de *mésos* || **meso**POTÂM·IA 1899 || **meso**PROSÓP·IO XX || **meso**R·RINO | -rrhino 1899 || **meso**TÓRAX 1899 || **meso**ZEUGMA 1813 || **meso**ZO·ICO 1899 || **meso**ZONA XX.
mesquinho *adj.* 'privado do necessário' 'insignificante, pobre, infeliz' 'estéril, não generoso' XIII. Do ár. *miskin* || A**mesquinh**AMENTO XX || A**mesquinh**AR XVII || **mesquin**DADE XIII || **mesquinh**AR | *mizquinhar* XV.
mesquita *sf.* 'templo dos maometanos' XIII. Do ár. *masǧid*.
messalina *sf.* 'mulher extremamente lasciva e dissoluta' XIX. Do antr. *Messalina*, imperatriz Romana (15-48).
messe *sf.* 'seara em estado de se ceifar' XIII. Do lat. *messis*, de *messum*, supino de *metēre* 'fazer a ceifa, a colheita'.
messias *sm. 2n.* 'o redentor prometido no Antigo Testamento' '*fig.* reformador social' | XIII, *mexias* XV | Do lat. *messīās*, deriv. do gr. *messías* e, este, do aramaico *mešīhā* 'ungido, consagrado' || **messi**ÂN·ICO XX. Do fr. *messianique* || **messi**AN·ISMO XX. Do fr. *messianisme*.
mestiço *adj. sm.* 'nascido de pais de raças diferentes' XIV. Do lat. tard. *mixticĭus*, de *mixtus*, part. pass. de *miscēre* 'misturar' || **mestiç**AGEM 1899 || **mestiç**AMENTO 1899. Cp. MESCLAR, MISTO.
mesto *adj.* 'triste, que causa tristeza' 1572. Do lat. *maestus*.
mestre *sm.* 'homem que ensina, professor, homem muito sabedor' | XIII, *meestre* XIII, *maestre* XIII | Do lat. *magister -tri* || A**mestr**ADO XVI || A**mestr**ADOR XVII || A**mestr**AR XVII || CONTRA**mestre** 1813 || **maestr**INA 1881 || **maestro** 1881. Do it. *maestro*, deriv. do lat. *magister -tri* || **mestra** *sf.* | *mee-* XIV || **mestr**ADO | *meestrado* XIV || **mestr**ANDO XX || **mestri**A | *maestria* XIII, *meestria* XIV.

⇨ **mestre**—A**mestr**ADO | *amaestrado* XV ESOP 55.*19* || A**mestr**AMENTO | *amaestramento* XV ESOP 41.*25* | A**mestr**AR | *amaestrar* XV ESOP 32.*20* || CONTRA**mestre** | *c* 1538 JCASG 140.*3* |.
mesurar *vb.* 'dirigir cumprimentos a, cortejar' XIII. Do lat. *mensurāre* || DES**mesura** XIII || DES**mesur**ADO XIII || **mesura** *sf.* 'cortesia, discrição, comedimento' XIII. Do lat. *mensura* || **mesur**ADO XIII || **mesur**EIRO 1844. Cp. MEDIR, MENSURAR.
meta *sf.* 'baliza, limite, barreira' 'alvo, objetivo' 1572. Do lat. *mēta -ae*.
meta- *pref.*, do gr. *meta-*, que expressa as ideias de comunidade ou participação, mistura ou intermediação e sucessão, e que já se documenta em alguns compostos formados no próprio grego, como *metáfrase*, e em muitos outros introduzidos, a partir do séc. XIX, principalmente na linguagem científica. Registram-se, a seguir, os principais derivados e compostos eruditos formados nas línguas modernas de cultura. Os demais, já formados em latim ou em grego, vão consignados em verbetes independentes, na sua respectiva ordem alfabética ♦ **meta**CARPO 1844 || **meta**CENTRO 1873 || **meta**CRÍTICA XX || **meta**CROMAT·ISMO | *-chro-* 1890 || **meta**CRON·ISMO | *-chro-* 1858 || **meta**FON·IA XX || **meta**LINGU·AGEM XX. Do fr. *métalangage* || **meta**LINGU·ÍST·ICA XX || **meta**MER·IA XX || **metas**·SOMAT·ISMO XX || **meta**TARSO XVIII || **meta**TIP·IA | *-typia* XVIII || **meta**ZO·ÁRIO 1899.
metábole *sf.* '(Ret.) figura que consiste em repetir uma ideia em termos diferentes' 1881. Do lat. *metabolē*, deriv. do gr. *metabolḗ* || **metabol**ISMO 1899 || **meta**bo**LOG**·IA XX.
meta·carpo, -centro, -crítica, -cromatismo, -cronismo → META-.
metade *sf.* 'cada uma das duas partes iguais em que se divide um todo' | XIII, *mee-* XIII, *mea-* XIII etc. | Do lat. *mediĕtās -ātis*, de *medĭus*.
metafísica *sf.* 'doutrina da essência das coisas, conhecimento das causas primeiras e dos primeiros princípios' XIV. Do lat. med. *metaphysica*, deriv. do gr. med. *metaphysiká*, a expressão *tà metà physiká* 'além da física', título atribuído no séc. I aos treze livros de Aristóteles, que tratam de questões que transcendem o domínio da física || **metafísico** *adj.* XVI.
metafonia → META-.
metáfora *sf.* 'tropo em que a significação natural de uma palavra é substituída por outra, em virtude de relação de semelhança subentendida' | *-phora* XIV | Do lat. *metaphŏra*, deriv. do gr. *metaphérō* 'eu transporto' || **metafór**ICO | *-phórico* XVII | Do lat. *metaphorĭcus*, deriv. do gr. *metaphorikós* || **metafor**IZAR | *-phor-* 1844.
metáfrase *sf.* 'interpretação literal de uma frase figurada ou de um escritor original' | *-phrase* 1858 | Do lat. *metaphrăsis*, deriv. do gr. *metáphrasis*, de *metaphrázō* 'eu interpreto' || **metafrasta** *s2g.* 'pessoa que faz metáfrase' | *-phrasta* 1899 | Cp. *metaphrástēs*.
metagoge *sf.* '(Ret.) figura com que se atribuem sentimentos a coisas inanimadas' 1844. Do gr. *metagōgḗ* 'transporte, mudança', por via erudita.
metal *sm.* 'substância simples, dotada de brilho próprio, boa condutora do calor e da eletricida-

de' XIII. Do cat. *metall*, deriv. do lat. *metallum* e, este, do gr. *métallon* || **metál**ICO | *-llico* 1793 || **metalí**·FERO 1860 || **metal**I·FIC·AÇÃO | *metta-* 1873 || **metal**O·GRAF·IA | *-phia* 1873 || **metal**OIDE | *-llóide* 1844 || **metal**O·SFERA XX || **metal**O·TERAP·IA | *-llotherapia* 1899 || **metal**URG·IA | *metallurgia* 1813 | Do fr. *métallurgie* || **metal**ÚRG·ICO | *-llúrgico* 1813 || **metal**URG·ISTA 1844.
metalepse *sf.* '(Ret.) figura em que se toma o antecedente pelo consequente e vice-versa' 1813. Do lat. *metalēpsis*, deriv. do gr. *metálēpsis* || **metalepsIA** 1899 || **metaléptICO** 1899. Do lat. cient. *metalēpticus*, deriv. do gr. *metalēptikós*.
metameria → META-.
metamorfose *sf.* 'transformação de um ser em outro' | *-phose* 1525 | Do lat. *metamorphōsis*, deriv. do gr. *metamórphōsis* 'transformação', de *metamōrphō* 'eu transformo', de *meta* + *morphé* 'forma' || **metamórf**ICO | *-phico* 1881 || **metamorf**ISMO | *-phismo* 1881 || **metamorfos**EAR | *-pho-* 1844.
metano → METILENO.
metaplasmo *sm.* '(Gram.) qualquer alteração fonética ocorrida num vocábulo' 1844. Do lat. *metaplasmus*, deriv. do gr. *metaplasmós*, de *metaplássō* 'eu modelo de outra maneira' (gr. ático *metapláttō*) || **metaplást**ICO 1881.
metara *sf.* 'pedra que os índios do Brasil usavam nos lábios como adorno' c 1584. Do tupi *mẹ'tara*.
metassomatismo → META-.
metástase *sf.* '(Med.) aparecimento de um foco secundário no curso da evolução de um tumor maligno ou de um processo inflamatório' XVII. Do fr. *métastase*, deriv. do lat. tard. *metastasis* e, este, do gr. *metástasis* || **metastát**ICO XVII. Cp. gr. *metastatikós* || **metast**ÁVEL XX.
metatarso → META-.
metátese *sf.* '(Gram.) metaplasmo que consiste na transposição de um fonema no interior de uma sílaba' | *-tesis* XVI | Do lat. cient. *metathĕsis*, deriv. do gr. *metáthesis* || **metatét**ICO XX.
meta·tipia, -zoário → META-.
meteco *sm.* 'na antiga Grécia, estrangeiro domiciliado em Atenas' '*ext.* estrangeiro domiciliado num país' 1899. Do lat. tard. *metoecus*, deriv. do gr. *métoikos*, de *metoikō* 'emigro', de *meta* + *oikos* 'casa'.
metediço → METER.
metempsicose *sf.* 'transmigração das almas de um para outro corpo' 'teoria dessa transmigração' | *metempsycóse* 1813 | Do fr. *métempsycose*, deriv. do lat. tard. *metempsychosis* e, este, do gr. *metempsýchosis*.
meteoro *sm.* 'qualquer fenômeno atmosférico' 'aparição brilhante e efêmera' 'estrela cadente' XVIII. Do fr. *météore*, deriv. do lat. med. *meteora* e, este, do gr. *metéōros* 'elevado no ar' || **meteór**ICO 1813 || **meteor**ISMO 1844. Do fr. *météorisme* || **meteor**IZAR 1844. Do fr. *météoriser*, deriv. do gr. *meteōrízein* 'elevar' || **meteor**O·GRAF·IA | *-phia* 1858 || **meteor**Ó·LITO | *-te* 1858 || **meteor**O·LOG·IA 1813. Do fr. *météorologie*, deriv. do gr. *meteōrología* || **meteor**O·LÓG·ICO 1813 || **meteor**O·MANIA XX || **meteor**O·SCOP·IA 1844.
meter *vb.* 'introduzir, infundir, incluir' XIII. Do lat. *mĭttĕre* || ENTRE**meter** | XV, *antremeter* XIV || **met**ED·IÇO 1813. De *metidiço, deriv. de *metido* || **met**IDO | *mettido* 1844.
meticuloso *adj.* 'escrupuloso, esmiuçador, cauteloso' XVII. Do lat. *meticulōsus*, de *metus* 'medo', com infl. de *periculōsus*, de *perĭcŭlum* 'perigo' || **meticulos**·IDADE 1899. Cp. MEDO.
metileno *sm.* '(Quím.) o radical bivalente CH_2' | *methylena* f. 1873 | Do fr. *méthylène*, termo criado a partir do gr. *methy* 'vinho, bebida fermentada' e do gr. *hylḗ* 'madeira'; trata-se de um álcool extraído da madeira || **metil** | *methylo* 1881 | Do fr. *méthyle*, de *méthylène* || **met**ANO XX. Do fr. *méthane*, de *méth(ylène)* + *-ane* (v. -ANO).
método *sm.* 'ordem que se segue na investigação da verdade, no estudo de uma ciência ou para alcançar um fim determinado' XVI. Do lat. tard. *methŏdus* e, este, do gr. *méthodos*, de *meta-* e *hodós* 'via, caminho', já no sentido de 'investigação científica' || **metód**ICO 1813. Do lat. *methodĭcus*, deriv. do gr. *methodikós* || **metod**ISMO | *metho-* 1873 | Do ing. *methodism* || **metod**ISTA | *metho-* 1844 || **metod**O·LOG·IA | *metho-* 1858 | Do fr. *méthodologie*, deriv. do lat. cient. *methodologia* || **metod**O·LÓG·ICO | *metho-* 1858.
metomania *sf.* '(Med.) desejo irresistível de bebidas espirituosas ou fermentadas' | *methomania* 1858 | Do gr. *méthy* 'vinho, bebida fermentada' + *mania*, por via erudita. Cp. METILENO.
metonímia *sf.* 'figura de linguagem segundo a qual se exprime um conceito por meio de um termo que primariamente designa um outro conceito que está relacionado com aquele por meio de uma relação necessária e de contiguidade (como: causa e efeito, a parte e o todo, o conteúdo e o continente etc.)' XVI. Do lat. tard. *metōnymia*, deriv. do gr. *metōnymia* || **metoním**ICO | *-ny-* 1813.
metonomásia *sf.* 'substituição de um nome próprio pela sua tradução em outra língua' 1858. Do lat. cient. *metonomasia*, deriv. do gr. *metonomasía*.
métopa *sf.* 'intervalo quadrado entre os tríglifos de um friso dórico' | *metope* XVI | Do lat. tard. *metŏpa*, deriv. do gr. *metópē*.
metópio(n) *sm.* '(Anat.) ponto situado na linha média da fronte' 1873. Do lat. *metōpion* ou *metopíum*, deriv. do gr. *metópion*.
metopópago *adj. sm.* 'diz-se de, ou monstro formado de dois indivíduos de umbigos distintos e cabeças reunidas' 1858. Do gr. *métōpon* 'frente, rosto' + *págos* 'região', por via erudita.
-**metr**- → -METR(O)-.
metr(a)- *elem. comp.*, do gr. *mḗtra -as* 'útero, ventre' 'mãe' (cp. lat. *māter -tris*), que se documenta em vocábulos eruditos, alguns formados no próprio grego, como *metrópole*, e muitos outros introduzidos, a partir do séc. XIX, na linguagem científica internacional, particularmente no domínio da medicina ♦ A**metr**IA[1] *sf.* '(Med.) falta congênita de útero' 1871 || **metr**ALGIA 1881 || **metr**ANEMIA XX || **metr**ATON·IA XX || **metr**ECTASIA *sf.* 'dilatação do útero' XX || **metr**ECTOPIA *sf.* '(Med.) posicionamento anormal do útero' XX || **metr**ITE 1873 || **metrô** XX. Do fr. *métro*, abrev. de *metropolitain* 'sistema ferroviário eletrificado de uma região metropolitana, total ou parcialmente subter-

râneo' e, este, do ing. *metropolitan* ‖ **metro·**CELE 1873 ‖ **metr**O·DIN·IA | *-dynia* 1873 ‖ **metr**O·MANIA[1] *sf.* 'ninfomania' 1873 ‖ **metr**O·PAT·IA XX ‖ **metr**Ó·POLE | *metropoly* XVI | Do lat. *metropŏlis,* deriv. do gr. *mētrópolis,* de *metr-* (< *mētra* 'útero, mãe') + *pólis* 'cidade' ‖ **metr**O·POLITA 1813 ‖ **metr**O·POLIT·ANO | *metropollitana* f. XV | Do lat. tard. *metropolītānus* ‖ **metr**O·PTOSE 1899 ‖ **metr**O·R·RAG·IA | *-rrhagia* 1873 ‖ **metr**O·RREIA | *-rrhêa* 1873 ‖ **metr**O·TOM·IA 1873.
metralha *sf.* 'balas de ferro, pedaços de ferro, cacos etc., com que se carregam projetis ocos' 1873. Do fr. *mitraille* (< a. fr. *mitaille* < a. fr. *mite* 'moeda de cobre de Flandres') ‖ **metralh**ADORA 1881 ‖ **metralh**AR XIX. Do fr. *mitrailler,* de *mitraille.*
metr·anemia, -atomia, -ectasia, -ectopia → METR(A)-.
métr·ica, -ico, -ificação, -ificar → METRO.
metrite → METR(A)-.
metro *sm.* 'conjunto dos pés ou sílabas que constituem um verso' 'ritmo' XVI; 'medida' 'unidade fundamental das medidas de extensão no sistema métrico decimal' 1873. Na primeira acepção, do lat. *mĕtrum* e, este, do gr. *métron* 'medida, regra, lei'; na segunda acepção, do fr. *mètre* e, este, do gr. *métron* ‖ AMETRIA[2] *sf.* 'falta de medida' 1899 ‖ AMÉTROPE *adj.* 2g. 'relativo a ametropia' | *amétropo* 1899 | Do fr. *amétrope* ‖ AMETROP·IA *sf.* '(Med.) nome genérico das perturbações oculares' 1899. Do fr. *amétropie* ‖ **métr**ICA *sf.* 1899 ‖ **métr**ICO *adj.* 'relativo à medida dos versos' XVII; 'relativo ao sistema de medida que tem por base o metro' 1873. Na primeira acepção, do lat. *metrĭcus* e, este, do gr. *metrikós*; na segunda acepção, do fr. *métrique* ‖ **metri**FIC·AÇÃO 1784 ‖ **metri**FICAR XVII ‖ **metr**O·GRAF·IA | *-graphia* 1899 ‖ **metr**O·LOG·IA 1873. Do fr. *métrologie* ‖ **metr**O·MANIA[2] *sf.* 'mania de fazer versos' 1858 ‖ **metrô**·NOMO 1858. Do fr. *métronome.* Cp. -METR(O)-.
-metr(o)- *elem. comp.,* do gr. *métron* 'medida' 'regra, norma, lei', que se documenta em numerosíssimos vocs. eruditos e de larga difusão na linguagem científica internacional: *astrômetra* (e *astrometria, astrométrico, astrômetro*), *geômetra* (e *geometria, geométrico*) etc. Quando da criação do 'sistema métrico decimal', nos últimos anos do séc. XVIII, os franceses adotaram o *métre* 'metro' para unidade fundamental de extensão, e criaram, paralelamente, os seus submúltiplos (mil*í*metro, cent*í*metro e dec*í*metro) e os seus múltiplos (dec*â*metro, hect*ô*metro e quil*ô*metro), fato que contribuiu, sem dúvida, para a maior difusão do suf. *-metro* (-*métr·ico*). Cp. METRO.
metrô, metro·cele, -dinia → METR(A)-.
metro·grafia, -logia → METRO.
metromania[1] → METR(A)-.
metro·mania[2]**, -nomo** → METRO.
metro·patia, -pole, -polita, -politano, -ptose, -rragia, -rreia, -tomia → METR(A)-.
meu *pron.* XIII. Do lat. *meum* ‖ **mim** *pron.* | *min* XIII, *mĩĩ* XIII, *mi* XIII, *my* XIII | Do lat. vulg. *mī* (cláss. *mĭhī,* dativo de *ego*) ‖ **minha** | *mia* XIII, *mha* XIII, *mĩa* XIV, *ma* XIII | Do lat. vulgar *mia* (cláss. *mĕa*).
mexer *vb.* 'dar movimento a, agitar, misturar' 'tocar, bulir' 'caçoar de' | XIV, *mecer* XIII | Do lat. *miscēre* 'reunir, acumular, agitar, perturbar' ‖ **mexed**IÇO 1881. De *mexidiço e, este, de *mexido* ‖ **mexerica** *sf.* 'tangerina' XX. Deverbal de *mexericar,* devido ao fato de o odor forte e penetrante desta fruta denunciar quem a comeu ‖ **mexer**IC·ADA *sf.* XVI ‖ **mexer**ICAR *vb.* 'fazer intrigas' XVI. Cumpre atentar para a formação aparentemente normal deste vocábulo, visto que nele o sufixo derivacional *-icar* não se ligou diretamente ao radical *mex-,* de *mexer,* como *mordicar,* de *morder,* mas sim ao vocábulo *mexer,* fato que ocorre em, pelo menos, mais um vocábulo do português: *bebericar,* de *beber* ‖ **mexerico** XVI ‖ **mexeriqu**EIRO XVI ‖ **mex**IDA *sf.* XVI ‖ **mex**IDO XV ‖ **mex**ILH·ÃO[1] *adj.* 'traquinas, travesso' 1813 ‖ **miscelânea** *sf.* 'coleção, reunião' 'compilação de várias peças literárias' '*fig.* mistura, confusão' XVI. Do lat. *miscellanĕa -orum* 'alimentação grosseira'. O significado 'coleção, reunião' do voc. port. deriva do título da obra de Garcia de Resende, publicada em 1536 ‖ **misc**IBIL·IDADE 1899. Adapt. do fr. *miscibilité,* de *miscible* ‖ **mis·cigen**AÇÃO XX. Do ing. *miscegenation,* termo composto a partir do radical de *miscēre* + *genus* 'raça' + *-ation* ‖ **misc**ÍVEL 1858. Do fr. *miscible,* deriv. do lat. **miscibĭlis,* de *miscēre* ‖ **misti**·FÓR·IO *sm.* 'confusão, salada' 1844. Da expressão lat. med. *mixtifori* 'de foro misto', isto é, da jurisdição secular e da eclesiástica, genit de *mixtus* 'misto' e *forum -i* 'foro' ‖ **misti**·LÍNEO ‖ *mixti-* 1873 ‖ **misti**·NÉRV·EO ‖ *mixti-* 1873 ‖ **misto** *adj. sm.* XIV. Do lat. *mixtus,* part. pass. de *miscēre* ‖ **mistura** | *mistura* XIII | Do lat. *mixtura,* de *mixtus* ‖ **mistur**ADO | *mes-* XIII ‖ **mistur**AMENTO | *mes-* XV ‖ **mistur**AR | XIV, *mes-* XIII ‖ **mixagem** *sf.* 'em cinematografia, reagrupamento em uma mesma faixa de todos os elementos sonoros de um filme, originariamente registrados em faixas separadas' XX. Do ing. *mixage,* de *to mix* 'misturar, reunir' ‖ RE**mexer** 1813.
⇨ **mexer** — REMEXERICAR | *rre-* XV VERT 143.26 |.
mexicano *adj. sm.* 'relativo ao México' 'diz-se de, ou natural ou habitante desse pais' XVII. Do top. *Méxic(o)* + -ANO.
mex·ida, ·ido, -ilhão[1] → MEXER.
mexilhão[2] *sm.* 'designação dos moluscos lamelibrânquios da fam. dos mitilídeos' | *mexilham* XVI | De *moxelhão e, este, do lat. **muscellio -onis,* deriv. de *muscellus,* dimin. de *muscŭlus* 'mexilhão'.
mezanelo *sm.* 'tijolo requeimado ou vidrado próprio para pavimentação, degraus, escadas' etc.' XX. Do it. *mezzanèllo.* Cp. MEZANINO.
mezanino *sm.* 'andar pouco elevado entre dois andares altos' 1881. Do it. *mezzanino,* de *mezzano* 'mediano' e, este, do lat. *mediānus.* Cp. MEZANELO.
mezena *sf.* '(Náut.) vela que se enverga na caranguejа do mastro de ré' XVI. Do it. *mezzana.*
mezereão *sm.* 'planta da fam. das timeliáceas' 1881. Do a. it. *mezzereon* (atual *mezzeréo*), deriv. do ár. *māzariūn,* provavelmente.
mezinha → MÉDICO[1].
mi → DO[2].
mi- → MI(O)-.
miado → MIAU.
miapeatã *sm.* 'biscoito' | *-tà* 1663 | Do tupi *miapea'tã* < *mi'ape* 'pão' + *a'tã* 'duro'.
miar → MIAU.

miasma *sm.* 'emanação mefítica' 'emanação procedente de animais ou plantas em decomposição' 1813. Do fr. *miasme*, deriv. do gr. *míasma -atos*, de *miaínō* 'eu tinjo, mancho de sangue, pó etc.' ‖ **mias**MÁT**ico** 1873. Do fr. *miasmatique*.
miau *sm.* 'a voz do gato' | *miao* 1813 | Termo onomatopaico ‖ **mi**ADO *sm.* 1844 ‖ **mi**AR 1813 ‖ *mio sm.* 'miado' 1881.
-mic- → MICET(O)-, MIC(O)-.
mica *sf.* 'grupo de minerais constituídos de silicato de alumínio e de metais alcalinos' 1858. Do lat. *mīca* ‖ **mica**XISTO | *micaschisto* 1873 | Do fr. *micaschiste*.
micado *sm.* 'título do soberano do Japão' | *mikado* 1873 | Do japonês *mikado*, de *mi-* 'sublime' + *kado* 'porta', provavelmente através do fr. *mikado*.
miçanga *sf.* 'contas variegadas e miúdas de vidro' XX. Do cafre *mi'saṇa*, de *mi-* 'prefixo de primeira classe' + *'saṇa* 'continhas de vidro'.
micante *adj.* 2g. 'brilhante, resplandecente' XVII. Do lat. *micans -antis*, part. pres. de *micāre* 'cintilar, brilhar'.
micaxisto → MICA.
micção *sf.* 'ato de urinar' 1887. Do lat. *mictĭo -ōnis* ou *minctĭo -ōnis*, de *mingĕre* 'urinar' ‖ **mictório** *sm.* 'lugar próprio para nele se urinar' 1899. Voc. criado no Brasil e documentado pela primeira vez em decreto imperial sancionado pela princesa Isabel. O termo se prende ao lat. *mict(um)*, supino de *mingĕre*, ao qual se acrescentou *-ório*, pelo modelo de *lavatório, parlatório* etc. ‖ **mictur**IÇÃO *sf.* 'necessidade de urinar frequentemente' 1873. Do lat. **micturitio -ōnis*, de *micturire* 'urinar frequentemente', iterativo de *mingĕre*.
micélio *sm.* 'conjunto de filamentos que compõem o corpo de um fungo ou líquen' | *mycelio* 1899 | Do lat. cient. *mycelium*, formado a partir do gr. *mýkēs -etos* 'fungo' + *-elium*, de | *epithelium*. Cp. MICET(O)-.
micet(o)-, mic(o)- *elem. comp.*, do gr. *mýkēs -etos* 'fungo' 'cogumelo', que se documenta em vocábulos eruditos introduzidos, a partir do séc. XIX, na linguagem científica internacional, particularmente no domínio das ciências biológicas ▶ **micet**EM·IA XX ‖ **miceto**·GRAF·IA | *mycetographia* 1873 ‖ **miceto**·LOG·IA | *my-* 1873 ‖ **mico**·LOG·IA | *my-* 1873 ‖ **mic**OSE | *my-* 1881 ‖ **micó**T·ICO | *my-* 1899.
micha *sf.* 'pedaço de pão feito de diversas farinhas misturadas' XIV. Do fr. *miche*, deriv. do lat. vulg. **micca*, do *mīca* 'parcela' 'migalha'. Cp. MIGA.
mico *sm.* 'designação genérica de várias espécies de macacos do gênero *Cebus*' 1813. Do caribe *miko*, através do cast. *mico*, provavelmente.
mico·logia, -se, -tico → MICET(O)-.
micr(o)- *elem. comp.*, do gr. *mikro-*, de *mikrós* 'pequeno' (em medidas, equivale à milésima parte da unidade fundamental de um sistema), que se documenta em vocábulos eruditos introduzidos, a partir do séc. XIX, na linguagem científica internacional ▶ **micr**ACÚSTICO 1858 ‖ **micr**ANTO XX ‖ **microbi**·CIDA 1899 ‖ **micró**BIO 1885 ‖ **microbio**·LOG·IA 1899 ‖ **microcefal**·IA | *-pha-* 1881 ‖ **micro**CÉFALO | *-phalo* 1873 ‖ **micr**ÓCERO 1873 ‖ **microclín**·IO XX ‖ **micro**COSMO | *-cosmus* XVI | Do lat. tard. *microcosmus*, deriv. do gr. *mikrokósmos* ‖ **micro**COSMO·GRAF·IA XVI ‖ **micro**COSMO·LOG·IA 1858 ‖ **micro**DÁCTILO | *-ctylo* 1873 ‖ **micr**ODONTE 1873 ‖ **microfilme** XX ‖ **micró**FILO | *-phyllo* 1873 ‖ **micró**FITO | *-phyto* 1873 ‖ **micro**FLORA XX ‖ **micro**FONE *sm.* 'instrumento que torna perceptíveis os sons, inclusive os mais fracos' | *-phonio* 1873 | Do fr. *microphone* ‖ **micro**FON·IA *sf.* '(Med.) fraqueza da voz' | *-phonia* 1858 ‖ **micró**FONO *adj. sm.* 'que tem a voz fraca' 'instrumento para apreciar os sons fracos' | *-phono* 1873 ‖ **micro**FOTO XX ‖ **micro**FOTO·GRAF·IA XX ‖ **micr**OFTALMO | *-ophtalmo* 1899 ‖ **micro**GAMETA XX ‖ **micro**GLOSSO 1899 ‖ **micro**GNATO | *-gnatho* 1899 ‖ **micro**GRAFIA | *-phia* 1858 ‖ **microlepidó**·PTERO 1899 ‖ **micro**LÍT·ICO XX ‖ **micro**LITRO XX ‖ **micro**LOG·IA 1844 ‖ **micró**LOGO 1858 ‖ **micro**MELIA 1881 ‖ **micrô**MERO 1899 ‖ **micro**MICETE | *-to* 1899 ‖ **micro**MILÍ·METRO XX ‖ **micron** XX ‖ **micro**NEMO 1873 ‖ **micro**PÉTALO 1899 ‖ **micró**PILA | *-pilo* m. 1899 ‖ **micró**PORO 1881 ‖ **micr**OPS·IA 1873 ‖ **micro**PSIQU·IA | *-psychia* 1899 ‖ **micro**PTERÍGIO | *-rýgio* 1899 ‖ **micró**PTERO 1899 ‖ **microorgan**·ISMO XX ‖ **microscop**·IA 1873 ‖ **micros**CÓP·IO 1782 ‖ **micro**SPERMO 1899 ‖ **micros**·SOMAT·IA | *microsomatia* 1858 ‖ **micró**TONO XX ‖ **microzo**·ÁRIO 1873 ‖ **micr**URO 1899.
mict·ório, -urição → MICÇÃO.
micuim *sm.* 'espécie de carrapato' | *mucuím* 1833 | Do tupi *mukui'ḭi*.
midríase *sf.* '(Med.) aumento do diâmetro da pupila' 1890. Do lat. cient. *mydriāsis*, deriv. do gr. *mydríāsis*.
miel(o)- *elem. comp.*, do gr. *myelós* 'medula' 'cérebro' 'toda substância nutritiva', que se documenta em vocábulos eruditos, a partir do sec. XIX, na linguagem científica internacional ▶ **miel**ALG·IA XX ‖ **miel**ASTENIA | *myelasthenia* 1899 ‖ **miel**ENCÉFALO | *myelencephalo* 1873 ‖ **miel**INA | *my-* 1873 ‖ **mieli**TE | *myelita* 1873 ‖ **miel**OIDE | *my-* 1899 ‖ **miel**OMA | *my-* 1873 ‖ **miel**OMANCIA XX ‖ **mielos**·SARC·OMA | *myelosarcoma* 1873.
miga *sf.* 'migalha' XVI. Do lat. *mica* ‖ ES**migalh**ADO XVII ‖ ES**migalh**AR XVII ‖ **migalha** XIV. Do lat. hisp. **micalĕa* ‖ **mig**AR XVI. Cp. MICHA.
migrar *vb.* 'mudar, passar de um lugar para outro, ir-se embora, sair' XX. Do lat. *migrāre* ‖ EMIGRAÇÃO 1813 ‖ EMIGRADO 1844 ‖ EMIGRANTE 1844 ‖ EMIGRAR 1813. Do lat. *emigrāre*, de *migrāre* ‖ IMIGRAÇÃO | *immi-* 1873 ‖ IMIGRADO | *immi-* 1881 ‖ IMIGRANTE | *immi-* 1873 ‖ IMIGRAR | *immi-* 1873 ‖ Do lat. *immigrāre*, de *migrāre* ‖ IMIGRATÓRIO XX ‖ **migr**AÇÃO XIX. Do lat. *migratĭo -ōnis* ‖ **migr**ANTE 1818. Do lat. *migrans -antis*; part. pres. de *migrāre* ‖ **migr**ATÓRIO 1873.
miguelismo *sm.* '(Hist.) partido político de D. Miguel de Bragança, rei de Portugal' XIX. Do antrop. *Miguel*, de Dom Miguel (1802-1866), rei de Portugal, de 1828 a 1834 ‖ **miguel**ISTA XX.
miio- *elem. comp.*, do gr. *myio-*, de *myĩa* 'mosca', que se documenta em alguns vocábulos eruditos introduzidos, a partir do séc. XIX, na linguagem científica internacional ▶ **miio**CÉFALO | *myiocephala* f. 1873, *myocephalo* 1873 ‖ **miio**LOG·IA | *myio-* 1858.
mijar *vb.* 'urinar' | *meiar* XIII | Do lat. tard. *meiāre* (cláss. *meiĕre*) ‖ **mijacão** *sm.* 'cogumelo, em forma

de guarda-chuva, que brota onde há excrementos ou urina de animais' xx || mijADA 1844 || mijo 1844.
mil *num.* '1000, M' XIII. Do lat. *mīlle* || **mile**FÓLIO | *mille-* 1844 | Do lat. *mīllifolium* || **mile**NAR | *millenar* 1881 | De *milenário* || **milenário** | *mille-* 1813 | Do lat. *millenarĭus*, do numeral distributivo *milleni* 'milhar' || **mil**ÊNIO | *millenio* 1858 | Do lat. mod. *millennĭum*, calcado em *biennĭum* || **milésimo** | *millesimo* 1813 | Do lat. *millesĭmus* || **mil**FUR·ADA *sf.* 'planta da fam. das gutiferáceas' XIV || **milha** | *milla* XIII | Do lat. *millĭa -ĭum* || **milhão** | *mylhooēs* pl. XV | Adapt. do it. *millione* || **milhar** | *millar* XIII | Do lat. med. *milliaris*, por *milliarĭus* || **mil**HEIRO² *sm.* 'milhar' | *myleiro* XIII | Do lat. *milliarĭus* || **milh**ENTO XVI || **mili**AMPER·Ô·METRO XX || **mili**ARE | *milliare* 1873 || **miliário** | *milliario* 1881 || **mili**GRAMA | *milligramma* 1873 || **mili**LITRO | *millilitro* 1873 || **mili**METRO | *millimetro* 1858 || **mili**MODO | *milli-* 1899 || **milionário** | *millionário* 1873 | Adapt. do fr. *millionaire* || **milion**ÉSIMO | *millionesimo* 1858 || **mili**PEDE XVII || **mili**STÉREO | *millistereo* 1873.
⇨ **mil** — **miliário** | 1571 FOLF 111.*23* |.
milagr·e, -eiro, -oso → MIRAR.
⇨ **milagroso** → MIRAR.
⇨ **milanês** *adj. sm.* 'relativo à ou natural da cidade de Milão, na Itália' | XV LOPF p.93 | Do it. *milanese*, de *Milan* 'Milão' + *-ese*: -ês.
míldio *sm.* 'doença das videiras, produzida por fungos, que atacam os órgãos verdes, mormente as folhas' | *mildiu* 1892 | Do ing. *mildew*.
mil·efólio, -enar, -enário, -ênio, -ésimo → MIL.
milésio *adj. sm.* 'de Mileto, antiga cidade da Ásia Menor, natural ou habitante daquela cidade' XVI. Do lat. *milesĭus*, deriv. do gr. *milēsios*.
mil·furada, -ha → MIL.
milhã → MILHO.
milhafre *sm.* 'ave de rapina europeia, da fam. dos falconídeos' | *bulhafre* XIII, *bilhafre* XVI | Do lat. **milius*, por *miluius*, com um sufixo arbitrário e de difícil explicação.
milh·ão, -ar → MIL.
milh·aral, -eira, -eiro¹ → MILHO.
milh·eiro², **-ento** → MIL.
milho *sm.* 'planta da fam. das gramíneas, o grão desta planta' | XIII, *millo* XIII etc. | Do lat. **mīlĭum*, por *mīlium* || **milhã** | *milhan* 1881 || **milh**AR·AL XVI. De **milhalal*, onde, como se vê, ocorre curiosamente a reduplicação do sufixo -AL, com a dissimilação, contudo, do -*l*- intervocálico || **milh**EIRA *sf.* 'erva daninha que se cria nos milharais' 1813 || **milh**EIRO¹ *sm.* 'planta de milho' 1881 || **milh**ETE 1873 || **mili**AR *adj.* *2g.* 'semelhante ao milho' '(Med.) diz-se de uma erupção cutânea que se caracteriza por pequenas vesículas, comparadas com o milho quanto ao tamanho' 1881. Do lat. *miliarius*, de *mīlĭum*.
⇨ **milho** — **milh**AR·ADA 'milharal' | XV ZURD 83.*25* |.
miliamperômetro → MIL.
miliar → MILHO.
mil·iare, -iário → MIL.
mil·ícia, -iciano, -ico → MILITAR¹.
mili·grama, -litro, -metro, -modo, -onário, -onésimo, -pede, -stéreo → MIL.
militar¹ *vb.* 'seguir a carreira das armas, ser membro de um partido' 'fazer guerra, combater, pugnar' XVI.

Do lat. *milītāre*, de *miles -ĭtis* 'soldado' || **milícia** | *militias* pl. XIV | Do lat. *milītĭa*, de *miles -ĭtis* || **mili**CIANO XVII || **mili**CO XX || **milit**ANÇA 1881 || **milit**ANTE | *millitante* XV, *melitante* XV | Do lat. *milītans -antis*, part. pres. de *milītāre* || **militar**² *adj. s2g.* XV. Do lat. *milītāris*, de *miles -ĭtis* || **milit**AR·ISMO 1873. Do fr. *militarisme* || **milit**AR·IZAR 1873. Do fr. *militariser* || **mílite** *sm.* 'soldado' 1873. Do lat. *miles -ĭtis* || **milit**O·FOBIA | *-phobia* 1899.
⇨ **militar** — **milit**ANTE | XIV ORTO 17.*32* |.
milonga *sf.* 'trapalhada, enredo, embrulhada, palavrório' 1829; 'espécie de música crioula platina cantada ao som da guitarra' XX. Na 1.ª acepção o termo vem do quimbundo *mi'loɲa* 'palavra', plural de *mu'loɲa*. Na 2.ª acepção vem do espanhol platino *milonga* e, este, possivelmente, também do quimbundo *mi'loɲa* || **milong**UEIRO XX. Do esp. plat. *milonguero*.
milorde *sm.* 'nome que se dá aos lordes ou pares da Inglaterra' | *millord* 1813, *mylord* 1813 | Do fr. *milord*, deriv. do ing. *mylord* 'meu lorde'.
mim → MEU.
mimese *sf.* '(Ret.) figura que consiste no uso do discurso direto e, sobretudo, na imitação do gesto, voz e palavra de outrem' | *mimesa* 1873 | Do lat. tard. *mimēsis*, deriv. do gr. *mímēsis* 'imitação', de *miméomai* 'eu imito' || **mimeo**GRAF·AR XX. Adapt. do ing. *to mimeograph*, de *mimeograph* || **mimeógrafo** XX. Do ing. *mimeograph*, deriv. do gr. *miméo(mai)* 'eu imito' e *graph* 'registro escrito' || **mimet**ICO XX. Do fr. *mimétique*, de *mimétisme* || **mimet**ISMO XX. Do fr. *mimétisme*, formado a partir do gr. *mimesthai* 'imitar' || **mímica** *sf.* 1858. Do fr. *mimique*, deriv. do lat. *mimĭca*, fem. substantivado de *mimĭcus* || **mímico** *adj.* 1813. Do lat. *mimĭcus*, deriv. do gr. *mimikós* || **mimo**¹ *sm.* 'peça teatral burlesca' 'ator que representa qualquer dessas peças' XVII. Do lat. *mimus*, deriv. do gr. *mîmos -ou* 'imitador, burlesco' || **mimo**DRAMA 1873 || **mimó**GRAFO 1858. Do lat. *mimogrăphus*, do gr. *mimográphos* 'autor de mimo' || **mimó**LOGO 1873. Do lat. *mimolŏgus*, deriv. do gr. *mimológos* 'diz-se de quem compõe ou recita mimos'. Cp. PANTOMIMA.
mimo² *sm.* 'coisa delicada que se oferece ou dá' 'oferenda, presente, meiguice, carinho, primor, delicadeza' XVI. De criação expressiva || **a**MIMAR XVI || **mim**AR 1813 || **mim**OSA *sf.* 'planta da fam. das leguminosas' 'certa espécie de acácia' 1844 || **mim**OS·EAR 1858 || **mim**OSO | *mimosa* f. 1572.
⇨ **mimo**² | XV VERT 141.*15*, *mymo* XV LEAL 271.*29* | **mim**OSO || XV VERT 57.*13* |.
mimo·drama, -grafo, -logo → MIMESE.
mimos·a, -ear, -oso → MIMO².
mina¹ *sf.* 'cavidade feita na terra ou na rocha para se extraírem metais, carvão etc.' *fig.* manancial de riquezas, preciosidade' | XVI, *minna* XIII, *mjna* XV | Do fr. *mine*, provavelmente do galo-romano **mina* e, este, de origem céltica || **mina**² *adj. s2g.* 'diz-se de, ou escravo procedente da costa do Ouro (atual Gana, na África)' 'a língua dessa região' XVIII. Do top. *(Costa da) Mina*, nome dado à Costa do Ouro, atual Gana, onde existiam muitas minas de ouro e onde existia igualmente o principal empório de escravos || **min**AR XVI || **min**EIRA *sf.* '*ant.* mina' XIII

|| min**EIRO**¹ *adj. sm.* 'relativo a mina' 'pertencente, natural ou habitante do Estado de Minas Gerais' XVII || min**EIRO**² *sm.* 'minério' XVI || min**ERAÇÃO** XVI || **miner**AL *adj. 2g. sm.* | *mjneral* XV | Do fr. *minéral*, deriv. do lat. med. *minerālis*, de *minĕra*, da mesma raiz de *mine* || **mineralogia** 1813. Do fr. *minéralogie*, de *minéral* || **mineralógico** 1844. Do fr. *minéralogique* || **mineral**URG·IA 1873 || **miner**AR 1813. Provavelmente deduzido de *mineral* || **minério** 1873. Deduzido de *mineral*.
⇨ **mina**¹ — CONTRA**min**AR | *cōtraminar* 1568 *Dial. Espir.* Aiii.v.10 |.
mina³ *sf.* 'moeda' XVI. Do lat. *mina*, deriv. do gr. *minâ -âs* 'peso ou moeda de cem dracmas'.
minar → MINA¹.
minarete *sm.* 'pequena torre de três ou quatro andares e balcões salientes, junto a uma mesquita' XIX. Do fr. *minaret*, do turco *mināre* e, este, do ár. *manāra* 'propriamente, farol'. Cp. ALMENARA.
minaz *adj. 2g.* 'ameaçador' XVII. Do lat. *mināx -ācis*, de *mināri* 'ameaçar'.
mindinho *adj. sm.* 'diz-se do, ou dedo mínimo' | *mendinha* f. XIV | De origem controversa.
mindocuruera *sf.* 'crueira' | *minocuruera c* 1607 | Do tupi *minokuru'era*; V. CRUEIRA.
min·eira, -eiro, -eração, -eral, -eralogia, -eralógico, -eralurgia, -erar, -ério → MINA¹.
mingau *sm.* 'alimento de consistência pastosa, espécie de papa preparada com farinha de mandioca ou de trigo (ou fubá, maisena, aveia etc.), diluída e cozida em água ou em leite e a que se adicionam açúcar, ovos, canela etc.' | 1587, *-gao c* 1584 etc. | Do tupi *mina'u*.
minguar *vb.* 'tornar-se menor, diminuir, faltar' XIII. Do lat. vulg. *minŭāre*, de *minŭēre* 'diminuir, rebaixar' | **mingua** XIII || **mingu**ADO XIII || **mingu**AD·OSO *adj. sm.* 'ant. necessitado, pobre' | *men*- XIII || **mingu**AMENTO | *mingamēto* XIII, *mīga*- XV || **mingu**ANTE | *myngoâte* XV, *mjnguante* XV.
minha → MEU.
minhoca *sf.* 'nome comum aos anelídeos, oligoquetos' XVI. De origem controversa.
miniatura *sf.* 'pintura ou fotografia muito delicada e em ponto pequeno' 'qualquer objeto em ponto pequeno' 1813. Do it. *miniatura*, de *miniare* e, este, do lat. *miniāre* 'pintar de vermelhão' || **miniatur**AR XVIII.
mínimo *adj.* 'superlativo de' pequeno' XVI. Do lat. *minĭmus*, superlativo de *parvus* || **mínima** *sf.* 'nota musical que vale metade da semibreve' 1813 || **minimalista** *adj. s2g.* 'menchevique' XX. Do ing. *minimalist*, de *minimal*, deriv. de *minim*, do lat. *minĭmus*.
mínio *sm.* 'tinta vermelha mineral ou artificial' XVI. Do lat. *minium* 'vermelhão'. Cp. MINIATURA.
ministro *sm.* 'aquele a quem incumbe um cargo ou uma função' 'auxiliar, executor' 'categoria diplomática abaixo de embaixador, sacerdote' 'juiz de um tribunal superior' 'secretário de Estado' | XIV, *mynistro* XIV | Do lat. *minĭstrum*, acus. de *minĭster -tri*, de *minor* 'menor', com influência de *magíster* || **ministeri**AL XVI || **ministério** XV. Do lat. *minĭstērĭum* || **ministr**ADOR | XVI, *mijstrador* XIII | Do lat. *ministrātor -ōris* || **ministr**ANTE 1881 || **ministr**AR XIV. Do lat. *ministrāre* || **mister** *sm.* 'profissão, ofício' | XIV, *mester* XIII | Forma divergente popular de *ministério*, do lat. *minĭstērĭum* || SUB**ministr**AÇÃO XVII || SUB**ministr**ADOR 1813 || SUB**ministr**AR XVII.
minor·ação, -ar, -ativo, -ia, -itário → MENOS.
minotauro *sm.* 'monstro com corpo humano, mas com cabeça e pescoço de touro' XVI. Do lat. *minōtaurus*, deriv. do gr. *minótauros*.
minuano *sm.* 'vento local que sopra da Argentina' 1881. Do esp. plat. *minuano*.
minúcia *sf.* 'coisa muito miúda, insignificância, pormenor' 1813. Do lat. *minūtĭa*, relacionado com *minus* 'menor' || ES**miuç**AR | *esmeuçar* XVI || **minuci**OSO 1813 || **minud**ÊNCIA XVII. Do cast. *menudencia*, de *menudo* e, este, do lat. *minūtus* || **minud**ENTE 1899 || **minu**ENDO XX. Do lat. *minuendus*, gerundivo de *minuĕre* 'diminuir' || **minu**IÇÃO | *mjnucam* XV || **minu**IR | *minuyr* XV | Do lat. *minuĕre*, com mudança de conjugação || **minúsculo** XVII. Do lat. *minuscŭlus*, de *minus* || **minuta**¹ *sf.* 'rascunho' | *minutta* 1517 | Do lat. *minuta* (*scriptura*), fem. de *minūtus*, part. pass. de *minuĕre* || **minuta**² *sf.* 'prato preparado no momento' XX || **minut**AR 1796 || **minuto** XVI. Do lat. *minūtus*, part. pass. de *minuĕre* || **miúça** *sf.* 'fragmento' XVII. Do lat. *minūtĭa* || **miuç**ALHA 1813 || **miud**EZA XVI || **miúdo** | XIII, *mẽudo* XIII | Do lat. *minūtus*, part. pass. de *minuĕre*. Cp. DIMINUIR, MENOS.
minueto *sm.* 'dança e música de origem francesa, natural do Poitou' | *minuete* XVIII | Do fr. *menuet*, de *menu*, deriv. do lat. *minūtus*, part. pass. de *minuĕre*. Cp. MINÚCIA.
minu·ição, -ir, -sculo, -ta, -tar, -to → MINÚCIA.
mio → MIAU.
mi(o)- *elem. comp.*, do gr. *myo-*, de *mys myós* 'rato, músculo', que se documenta em vocábulos eruditos introduzidos, a partir do séc. XIX, na linguagem científica internacional ▶ **mi**ALG·IA | *my*- 1873 || **mi**ITE | *myitis* 1873 || **mio**CÁRDIO XX || **mio**CARD·ITE | *my*- 1873 || **mio**CELE | *myocela* 1873 || **mio**CLONIA XX || **mio**DIN·IA | *myodynia* 1873 || **mio**GRAF·IA | *myographia* 1858 || **mio**IDE | *myoideo* 1873 || **mio**LOG·IA | *my*- 1844 || **mio**MA XX || **mio**MALAC·IA | *my*- 1873 || **mio**MÉTR·IO XX || **mio**MORFO XX || **mio**PLEG·IA XX || **mio**S·INA XX || **mio**TOM·IA | *my*- 1858.
mioceno *adj. sm.* '(Geol.) diz-se de, ou um dos cinco períodos em que é dividida a era terciária, e que sucede ao oligoceno e antecede ao plioceno' 1873. Do ing. *miocene*, vocábulo criado em 1833 pelo geólogo Lyell, com base no gr. *meiōn* 'menor, inferior' e *kainós* 'recente, novo'; cp. EOCENO.
mio·clonia, -dinia, -grafia, -ide → MI(O)-.
miolo *sm.* 'parte do pão que fica dentro da côdea' 'polpa, medula, a parte interior de qualquer coisa' | *meolo* XIV | Do lat. vulg. **medŭllus*, calcado em *medŭlla* || DES**miol**ADO 1813. Cp. MEDULA.
mio·logia, -ma, -malacia, -métrio, -morfo → MI(O)-.
míope *adj. 2g.* 'curto de vista' | *myope* 1813 | Do fr. *myope*, deriv. do lat. *myōps -ōpis* e, este, do gr. *mýops -ōpos*, de *mýō* 'fechado, comprimido' + *ōps* 'olho' || **miop**IA | *myopia* 1813.
mioplegia → MI(O)-.
miose *sf.* '(Med.) diminuição dos diâmetros pupilares' | *myose* 1873 | Do lat. cient. *myōsis*, deriv.

do gr. *mýo* 'eu fecho' || **miót**ICO | *myotico* 1899. Cp. MÍOPE.
miosina → MI(O)-.
miosótis *s2g. 2n.* 'planta da fam. das borragináceas' | *myosota* 1858 | Do lat. cient. *myosōtis*, deriv. do gr. *myosōtis -ĭdos*, de *mys -ós* 'rato' e *oûs ōtós* 'orelha', devid. à semelhança da folha desta planta com a orelha do rato. Cp. MI(O)-.
miótico → MIOSE.
miotomia → MI(O)-.
miquelete *sm.* 'soldado da guarda dos governadores das províncias espanholas' *'ant.* bandeirolas' *'fig.* indícios' XVIII. Do cast. *miquelete*, do antr. *Miquelot* de Prats, antigo chefe de milícia.
mira → MIRAR.
mirabela *sf.* 'planta da fam. das quenopodiáceas' | *mirabella* 1881 | Do fr. *mirabelle*.
mirabolante *adj. 2g.* 'espalhafatoso, ridiculamente vistoso' 1899. Do fr. *mirobolant* 'incrivelmente magnífico'.
mira·culoso, -gem → MIRAR.
miramolim *sm.* 'califa ou chefe dos crentes entre os muçulmanos' | *miramolȷ̃* XIV, *miramalĩ* XIV, *muramolim* XIV etc. | Do ár. *mīr al-mūminīn* 'o príncipe dos crentes'.
mirante → MIRAR.
mirão¹ *sm.* 'bálsamo' XVI. Provavelmente do lat. *myron*, deriv. do gr. *mýron -ou* 'perfume, essência, unguento'.
mirão² → MIRAR.
mirar *vb.* 'fitar, encarar, cravar a vista em' 'apontar para, tomar como alvo' 'observar cuidadosamente' XIII. Do lat. *mirāre*, por *mirāri* 'admirar-se, contemplar, olhar', de *mirus* 'digno de admiração, estranho, maravilhoso' || **milagre** *sm.* 'feito extraordinário que vai contra as leis da natureza, maravilha' | XIV, *miragre* XIII, *myragre* XIV etc. | Do lat. *miracŭlum* 'coisa admirável', de *mirāri* | **milagr**EIRO | *milagrero* XVII || **milagr**OSO XVI || **mira** XVII || **miraculoso** XVI. Adapt. do fr. *miraculeux*, de *miracle* e, este, do lat. *miracŭlum* || **miragem** XIX. Do fr. *mirage* || **mir**ANTE *sm.* 'posto de observação colocado em local elevado' 1813 || **mirão**² *sm.* 'observador de jogo' XVII || **mir**OLHO | *mira-olho* XVII || RE**mirar** XVII. Cp. MARAVILHA, MIRIFICAR.
⇨ **mirar** — **milagr**OSO | XV INFA 6.*12* || **mira**D·OURO | *miradoiro* XV LOPF 77.*9* |.
miri(a)- *elem. comp.*, do gr. *myríos, myría* 'inumerável, dez mil', que se documenta em vocábulos eruditos, alguns formados no próprio grego, como *miríade*, e outros introduzidos, a partir do séc. XIX, na linguagem científica internacional ▶ **miríade** | *miríada* XVII | Do fr. *myriade*, deriv. do lat. med. *myrias -ădis* e, este, do gr. *myriás -ádos* '10.000' || **miria**GRAMA | *myriagrammo* 1858 || **miria**LITRO | *myria-* 1881 || **miriâ**METRO | *myriametro* 1858 || **miriá**PODE | *myriápodo* 1858 || **miri**ARE 1873 || **miri**OFTALMO | *myriophtalmo* 1873.
mirificar *vb.* 'causar admiração, exaltar' XVIII. Do lat. *mirificāre*, de *mirus* 'digno de admiração, admirável' || **mirífico** *adj.* 'maravilhoso, excelente, admirável' XV. Do lat. *mirifĭcus*. Cp. MARAVILHA, MIRAR.
mirim *adj. 2g.* 'pequeno' *a* 1696. Do tupi *mi'rĩ*. O voc. tupi ocorre também como elemento de composição na formação de alguns compostos: *guamirim, ibamirim* etc:
mirindiba *sf.* 'planta da fam. das litráceas' *merendiba* 1817 | Do tupi **miri'nĩa*.
mirioftalmo → MIRI(A)-.
mirmeco- *elem. comp.*, do gr. *mýrmēx -ēkos* 'formiga', que se documenta em alguns vocábulos eruditos introduzidos na linguagem científica internacional, a partir do séc. XIX ▶ **mirmecó**BIO XX || **mirmecó**FAGO | *myrmecophago* 1873 || **mirmecó**FILO XX.
mirmidão *sm.* 'antigo povo da Tessália' *'fig.* rapaz de pequena estatura' | *myrmidon* 1873 | Do fr. *myrmidon*, deriv. do lat. *myrmidones* nom. pl. e, este, do gr. *myrmidónes*.
mirolho → MIRAR.
mirra *sf.* 'planta medicinal da fam. das burseráceas' 'a resina extraída dessa planta' XIII. Do lat. *myrrha*, deriv. do gr. *mýrrha*, de origem semítica || **mirr**AR *vb.* 'propriamente, preparar com mirra (o cadáver)' donde, por extensão, 'secar, ressequir, diminuir, reduzir-se, minguar-se' XIV || **mírr**EO 1881. Do lat. *mirrheus*.
mirto *sm.* 'arbusto da fam. das mirtáceas, murta' XIV. Do lat. *myrtum*, deriv. do gr. *mýrton -ou* || **mirtedo** *sm.* 'lugar onde crescem mirtos' | *mirteto* 1813 | Do lat. *myrtētum* || **mírt**EO | *myrteo* 1899. Do lat. *myrteus* || **mirti**·FORME | *myrtiforme* 1873 || **mirt**OIDE | *myrtoide* 1873 || **murta** 1813. Do lat. vulgar *murta*, deriv. do gr. *mýrton*.
⇨ **mirto** — **murta** | XV INFA 94.*12* || **murt**EIRA | *murteyra* XV SEGR 44 |.
mis·antrop·ia, -o → MIS(O)-.
misc·elânea, -ibilidade, -igenação, -ível → MEXER.
miséria *sf.* 'estado lastimoso, indigência, penúria, avareza' XV. Do lat. *miserĭa*, de *miser -ĕra -ĕrum* || CO**miser**AÇÃO XVII. Do lat. *commiseratio -ōnis* || CO**miser**ANTE | *commiserante* 1844 || Do lat. *comiserans -antis*, part. pres. de *commiserāri* || CO**miser**AR | *commiserar* 1873 | Do lat. **commiserāre*, por *commiserāri* 'lamentar, deplorar' || CO**misera**TIVO XX || I**misericórdia** | *immiser-* 1873 | Do lat. *immisericordĭa*, de *misericordĭa* || **miser**ABIL·IDADE XX || **miser**AÇÃO XVI. Do lat. *miseratio -ōnis* || **miser**ANDO *adj.* 'lastimável' XVI. Do lat. *miserandus*, gerundivo de *miserāri* || **miser**AR *sm.* XV | Do lat. *miserāre*, por *miserāri* || **miser**ÁVEL | *mjserauens* pl. XV | Do lat. *miserābĭlis* || **miserê** *sm.* 'pop. situação de penúria' XX. Palavra expressiva, calcada em *miséria* || **miserere** 1813. Do lat. *miserēre*, 2ª pessoa do plural do imperativo presente de *miserēri* 'compadecer-se' || **misericórdia** XIV. Do lat. *misericordĭa*, de *misericors -dis*, de *miser + cor -dis* 'coração' || **misericordi**OSO XIII || **mísero** XVI. Do lat. *misĕrum*, acus. de *miser -ĕra -ĕrum* 'infeliz, desgraçado'.
mis(o)- *elem. comp.*, do gr. *mîsos* 'ódio, aversão', que se documenta em vocábulos eruditos, alguns formados no próprio grego, como *misantropo*, e outros introduzidos na linguagem científica internacional, a partir do séc. XIX ▶ **mis**ANTROP·IA 1873. Do fr. *misanthropie*, deriv. do gr. *misanthrōpía* || **mis**ANTROPO XVIII. Do fr. *misanthrope*, deriv. do gr. *misánthrōpos* || **misó**FOBO | *-phobo* 1899 || **misó**GAMO 1858 || **miso**GIN·IA | *misogynia* 1858 | Do fr. *mi-*

sogynie, deriv. do gr. *misogynía* || **misó**GINO | *-gyno* 1873 | Do fr. *misogyne*, deriv. do gr. *misogýnes -ou* || **mis**OLOG·IA 1858|| **misó**LOGO 1873 || **miso**NE·ÍSMO XX. Do fr. *misonéisme* 'aversão a tudo que é novo' || **miso**NE·ÍSTA XX. Do fr. *misonéiste*.

mispíquel *sm.* 'sulfo-arseniato de ferro' | *mispickel* 1873 | Do fr. *mispickel*, deriv. do al. *Mispickel*.

miss, misse *sf.* 'tratamento dispensado a mulher solteira, o mesmo que senhorita' (neste uso, tal termo deve vir seguido do sobrenome ou, às vezes, do prenome da mulher) 1873; 'moça classificada em primeiro lugar em concurso de beleza' *ext.* mulher muito bonita' XX. Do ing. *miss*, forma abreviada de *mistress* e, esta, do a. fr. *maistresse* (atual *maîtresse*), fem. de *maistre* (atual *maître*), do lat. *magĭster*. Cp. MESTRE.

missa *sf.* 'ato solene, com que a Igreja comemora o sacrifício de Cristo pela humanidade' XIII. Do lat. tard. *missa*, substantivação do fem. de *missus*, part. pass. de *mittĕre* 'enviar'. O termo foi retirado da expressão *ite, missa est* 'ide, (as preces) foram enviadas' com a qual o celebrante termina a *missa* || **miss**AL *sm.* | *mjssal* XIV || **missão** XIII. Do lat. *missio -ōnis* || **míssil** 1881. Do lat. *missĭlis*, de *missus*, part. pass. de *mittĕre* || **miss**ionÁRIO XVII. Adapt. do fr. *missionnaire*, de *mission* 'missão', do lat. *missio -ōnis* || **mission**EIRO *adj. sm.* 'relativo às antigas missões jesuíticas do Uruguai e do Paraná' 'natural ou habitante desses lugares' 1899. Do cast. *misionero*, de *misión* e, este, do lat. *missio -ōnis* || **miss**IVA *sf.* | *messiva* XVI | Do fr. *missive*, antes *lettre missive* || **miss**IVO *adj.* XVI.

mistagogia *sf.* 'iniciação nos mistérios de uma religião' | *mys-* 1873 | Do fr. *mystagogie*, deriv. do gr. *mystagōgía* || **mistagogo** *sm.* 'sacerdote encarregado, na Antiguidade, da iniciação nos mistérios de uma religião' | *mys-* 1844 | Do fr. *mystagogue*, deriv. do lat. *mystagōgus* e, este, do gr. *mystagōgós -ou*, de *mýstes -ou* 'iniciado nos mistérios' + *agogós* 'guia'. Cp. MÍSTICO.

mister → MINISTRO.

mistério *sm.* 'culto secreto no politeísmo' 'objeto de fé religiosa e que é impenetrável à razão humana' 'segredo, enigma, reserva' 'composição teatral da Idade Média, cujo assunto era tirado quase sempre da Sagrada Escritura ou das vidas dos Santos' XV. Do lat. *mystērium*, deriv. do gr. *mystérion*, de *mýein* 'fechar, estar fechado' || **misteri**OSO XVII. Cp. MISTAGOGIA, MÍSTICO.

⇨ **mistério** — **misteri**OSO | *mistirioso* 1614 SGonç I.105.*10* |.

místico *adj. sm.* 'relativo ao mistério, ou a uma crença oculta, superior à razão, no domínio religioso' 'diz-se de, ou pessoa que tem uma fé intensa e intuitiva' 'diz-se de, ou pessoa que se dedica à prática do misticismo' | *mistjco* XIV, *mýstico* XIV, *mjstjco* XIV | Do lat. *mystĭcus*, deriv. do gr. *mystikós*, de *mýstēs* e; este, de *mýein* 'fechar, estar fechado' || **mística** *sf.* 'estudo das coisas espirituais ou divinas' 'crença ou sentimento arraigado de devotamento a uma ideia' 'essência doutrinária' | 1844, *mystica* 1844 | De *místico* || **mistic**ISMO | 1844, *mys-* 1844 | Do fr. *mysticisme* || **mist**IFIC·AÇÃO | 1844, *mys-* 1844 || **mist**IFIC·ADOR | *mys-* 1873 || **mist**IFICAR | 1844, *mys-* 1844 | Do fr. *mystifier*. Cp. MISTAGOGIA, MISTÉRIO.

misti·fório, -líneo, -nérveo, misto → MEXER.

mistral *sm.* 'vento que sopra do norte na região sueste da França' | *mestral* XVI | Do prov. *mistral* (a. prov. *mestrau*), deriv. de *mestre*, do lat. *magĭster*. Cp. MESTRE.

mistur·a, -ado, -amento, -ar → MEXER.

mísula *sf.* 'ornato saliente em parede vertical e que sustenta um vaso, um busto, um arco etc.' 1813. Provavelmente do it. *mensola*, dimin. de *mensa* 'mesa'.

mitene *sf.* 'luva de senhoras que, cobrindo a mão, deixa descobertos parcialmente os dedos' 1890. Do fr. *mitaine*.

mít·ico, -ificar → MITO.

mitigar *vb.* 'abrandar, amansar, aliviar, suavizar' XVI. Do lat. *mītĭgāre*, deriv. de *mītis* 'doce, suave, brando' || **mitig**AÇÃO 1813. Do lat. *mītĭgātĭo -ōnis* || **mitig**ATIVO 1813.

mito *sm.* 'narrativa, geralmente de origem popular, sobre seres que encarnam simbolicamente as forças da natureza, aspectos da condição humana' 'fábula' 'representação idealizada de um estado da humanidade em um passado remoto ou num futuro fictício' 'fig. coisa inacreditável, sem realidade' | *mytho* 1858 | Do baixo lat. *mythus*, deriv. do gr. *mýthos* 'palavra expressa, discurso, fábula' || **mít**ICO | *mythico* 1873 || **mit**IFICAR | *mythificar* 1873 || **mito**GRAF·IA | *mythographia* 1873 || **mitó**GRAFO | *mythographo* 1873 || **mito**LOG·IA | *mytho-* 1813 || **mit**OLÓG·ICO | *mytho-* 1813 || **mitó**LOGO | *mytho-* 1858 || **mito**MANIA XX || **mit**ÔNIMO XX.

mitra *sf.* 'insígnia que os bispos, arcebispos e cardeais põem na cabeça em solenidades pontificais' XIV. Do lat. *mitra* 'espécie de turbante ou barrete frígio', deriv. do gr. *mítra* || **mitr**ADO *adj.* | XIV, *miterado* XIV, *mitirado* XV || **mitr**I·FORME 1873.

mitridato *sm.* 'composição em forma de eletuário, que, na antiga farmacologia, era tida como um antídoto universal contra venenos e infecções' 1813. Do lat. med. *mithridātum*, alter. do lat. tard. *mithridātĭum*, de *mithridātĭus* e, este, do gr. *mithridáteios*, 'contraveneno', deriv. de *Mithridátēs*, o sexto rei do Ponto, inimigo implacável dos romanos, morto em 63 a. C. || **mitridát**ICO | *mithr-* XVII || **mitridat**ISMO XX. Do fr. *mithridatisme*.

mitriforme → MITRA.

miú·ça, -calha, -deza, -do → MINÚCIA.

miúlo *sm.* 'pau entre as cambas das rodas dos carros de bois' | *miullo* 1813 | De origem desconhecida.

miúva *sf.* 'planta da fam. das melastomatáceas' | *miùba* 1663 | Do tupi *mi'ɨua.

miva *sf.* 'preparado farmacêutico, em forma de geleia, em que entram sumo de frutas e suco de carne' | *myva* 1844 | De origem desconhecida.

mixagem → MEXER.

mixedema *sm.* '(Med.) doença causada pela insuficiência da tireoide' 1899. Da raiz grega *myx-*, de *mýxa* 'mucosa' + EDEMA || **mix**OMA *sm.* 'tumor do tecido mucoso' 1899.

mixira *sf.* 'conserva preparada com a carne do peixe-boi' 1817. Do tupi *mi'šira.

mixoma → MIXEDEMA.

mixórdia *sf.* 'mistura, mistifório, confusão' | *michordia* XVII | De origem controversa; há possibilidade de haver alguma relação com MEXER.
mizocéfalo *adj.* 'que tem cabeça em forma de ventosa' | *myzocephalos* pl. 1873 | Do gr. *mýzo* 'chupo, sugo' + *kephalo-* (v. -CEFAL(O)-), por via erudita.
mnemônica *sf.* 'arte de cultivar, de ajudar a memória' 'coisa fácil de fixar e por meio da qual se recordam outras mais difíceis de reter' 1858. Do lat. cient. *mnemonĭca*, deriv. do gr. *mnēmoniká -ōn* 'arte de recordar', pl. de *mnemonikón*, de *mnemónē* 'a recordação' deriv. de *mnḗmē* 'memória' || **mnêmico** XX. Forma sincopada de *mnemânico* || **mnemônico** *adj.* 1873. Do lat. med. *mnemonĭcus*, deriv. do gr. *mnēmonikós* || **mnemo**TECN·IA | *-technia* 1858.
mó¹ → MOER.
moabita *adj. s2g.* 'relativo ou pertencente à antiga região de Moab' 'povo de pastores que habitava essa região' 'língua semítica do grupo cananeu' XIV. Do lat. *mōabīta* (≤ gr. *mōabítēs*), deriv. do hebr. *mōābī*, de *Moab*.
moag·eiro, -em → MOER.
mobica *s2g.* 'escravo liberto' 1899. Do quimb. *mu'bika*, de *mu* (prefixo de primeira classe) + *'bika* 'escravo'; a mudança de sentido parece dever-se ao fato de, socialmente, o escravo liberto ter sido considerado praticamente como escravo.
móbil, mobi·lhar, -lia, -liar, -liário, -lidade, -lização, -lizar → MOVER.
moca¹ *sm.* 'variedade de café superior, originário da Arábia' | *moka* 1873 | Do top. *Moca*, porto da Arábia na costa sudeste do Mar Vermelho, importante centro exportador de café.
moca² *sf.* 'zombaria, tolice, censura' XVIII. De origem obscura || REMOCAR XVI || RE**moque** XVI.
⇨ **moca**² — REMoque | *rre-* XV VERT 146.*21* |.
moçacara *sm.* 'homem honrado, nobre e generoso, entre os índios do Brasil' *c* 1584. Do tupi *mosa'kara*.
mocambo *sm.* 'esconderijo, refúgio dos negros (escravos) fugidos' | 1535, *mocano* 1541 | Do quimb. *mu'kamu* 'esconderijo'. Embora se documente em vários textos quinhentistas relativos aos antigos domínios portugueses na África, foi no Brasil que o voc. se difundiu intensamente, desde o período colonial, em decorrência do intenso convívio dos brancos com os negros escravos africanos.
moção → MOVER.
moçárabe *adj. s2g.* 'diz-se de, ou cristão que se arabizou, durante a ocupação muçulmana da Península Ibérica' | *moçaraves* pl. XV | Do cast. *mozarabe*, deriv. do ár. *musta'rib* 'oriundo de outra etnia, que se tornou árabe'.
mocassim *sm.* 'espécie de sapato esporte' XX. Do ing. *moccassin*, deriv. do algonquino *móckassin* 'espécie de calçado de camurça ou outra espécie de couro leve, usado pelos indígenas norte-americanos'.
mocetão → MOÇO.
mocheta *sf.* 'filete de coluna, listel' 1813. Do cast. *mocheta*, de *mocho*. Cp. MOCHO.
mochila *sf.* 'espécie de saco que se leva às costas' 1813. Do cast. *mochila*.

mocho¹ *sm.* 'coruja' XVI. De origem incerta || AMOCH**AR** *vb.* 'retrair-se, embiocar-se' | *amochado* part. adj. 1899.
mocho² *adj.* 'sem cornos' 'que tem falta de algum membro' 1813. Do cast. *mocho*, provavelmente de origem expressiva.
mocitaíba *sf.* 'planta da fam. das leguminosas' | *mucetaíba* 1587, *mocetayba* 1663, *messetaúba* 1711 etc. | Do tupi *mosita'ĩɥa*.
mocó *sm.* 'mamífero roedor da fam. dos cavídeos' | 1789, *moquô* 1618, *moquo* 1618 | Do tupi *mo'ko*.
moço *adj. sm.* 'jovem, novo em idade, mancebo' XIII. De origem incerta || **moça** *sf.* XIII || MOC**EL**·INHO *sm.* 'mocinho' | *moçellinno* XIII || MOCET·ÃO 1813 || MOC**IDADE** XIV || MOC**INHO** XVIII || REMOÇ**AR** XVII.
mocoa *sf.* 'resina americana de que os indígenas fazem um verniz semelhante ao charão' 1881. Do top. *Mocoa*, nome de uma província do Equador.
mod·a, -al, -alidade, -elagem, -elar, -elo → MODO.
moderar *vb.* 'conter nos limites convenientes, refrear, regular' 1572. Do lat. *mŏdĕrāre*, de *mŏdus*, através do tema *mŏdĕs* | IMODERAÇÃO 1813. Do lat. *immŏdĕrātĭo -ōnis* || IMODER**ADO** XVI. Do lat. *immŏdĕrātus* || MODERAÇÃO | XVI, *modoraçom* XV | Do lat. *mŏdĕrātĭo -ōnis* || MODER**ADOR** 1813. Do lat. *mŏdĕrātor -ōris* || MODERÂNCIA XV || MODER**ANTE** 1899 || MODER**ATIVO** XVIII || MODER**ATO** 1873. Do it. *moderato* || MODER**ÁVEL** 1813. Do lat. *mŏdĕrābĭlis*.
⇨ **moderar** | XV INFA 2.*4* || MODER**ADO** 1582 *Liv. Fort.* 103.*9* |.
moderno *adj.* 'dos nossos dias, recente, atual, hodierno' 1572. Do lat. tard. *modernus*, de *mŏdus*, calcado em *hodiernus*, de *hodiē* 'hoje' || MODERNI**DADE** XVII || MODERN**ISMO** 1858. Do fr. *modernisme* || MODERN**ISTA** XVIII. Do fr. *moderniste* || MODERN**IZ**·AÇÃO 1899 || MODERN**IZAR** | *-isar* 1858 | Provavelmente do fr. *moderniser*.
⇨ **moderno** | XV ZURD 144.*15*, 1571 FOLF 89.*8* |.
modesto *adj.* 'moderado nos desejos ou aspirações, despretensioso, sem vaidades, comedido' 1572. Do lat. *modestus*, deriv. de *mŏdus* || IMODÉSTI**A** XVII. Do lat. *immodestĭa* || I**MODESTO** | *immo-* 1813 | Do lat. *immodestus* || MODÉSTI**A** XV. Do lat. *modestĭa*.
mod·icidade, -ico, -ificação, -ificador, -ificar, -ificativo → MODO.
modilhão *sm.* 'ornato arquitetônico em forma de S invertido e pendente da cornija' 1813. Do it. *modiglione*, do lat. *mutilĭo -ōnis*, dimin. de *mutŭlus* 'saliência de pedra ou madeira que sai do alinhamento de uma parede'.
modilho → MODO.
modinatura *sf.* 'conjunto das molduras de uma construção, segundo o caráter das ordens arquitetônicas' 1881. Do it. *modinatura*, deriv. de *mòdine*, de *mòdano* e, este, do lat. *modŭlus*, dimin. de *mŏdus*.
modo *sm.* 'maneira, forma, método, disposição' XV; '(Mús.) ordem de sucessão dos tons e semitons na escala diatônica' XVIII. Do lat. *mŏdus* || I**MÓDICO** XVIII. Do lat. *immodĭcus* || **moda** XVIII. Do fr. *mode* 'costume, hábito, maneiras, uso' || MOD**AL** 1858. Do fr. *modal*, deriv. do lat. med. *modālis* || MOD**AL**·IDADE 1858 || MODEL**AGEM** 1873 || MODEL**AR**¹ *vb.* 'representar por meio de modelos' 1813 || **mo-**

delAR² *adj. 2g.* 'exemplar, perfeito' 1899 || **modelo** XVI. Do it. *modèllo*, deriv. do lat. **modellus*, de *modŭlus*, dimin. de *módus* || mod**IC·IDADE** 1813. Do fr. *modicité*, deriv. do lat. tard. *modicĭtas -ātis* || **mód**ICO XVII. Do lat. *modĭcus* || mod**IFIC·AÇÃO** XVI. Do lat. *modificatĭo -ōnis* || mod**IFIC·ADOR** 1873 || mod**IFICAR** 1813. Do lat. *modificare* || mod**IFIC·ATIVO** 1844 || mod**ILHO**¹ *adj.* 'que observa a moda com exagero' 1858 || mod**ILHO**² *sm.* 'música ligeira, ária' 1858 || mod**INHA** XVIII || **modíolo** 1881. Do lat. *modiŏlus*, de *modĭus* || mod**ISTA** *s2g.* 1858. Do fr. *modiste* || **modul**AÇÃO XVI. Do lat. *modulatĭo -ōnis*, de *modulāri* || **modul**ADO XVI. Do lat. *modulatus*, part. pass. de *modulāri* || **modul**ADOR 1858. Do lat. *modulātor -ōris* || **modul**AR 1572. Do lat. **modulāre*, por *modulāri*, de *modŭlus* || **módulo** 1813. Do lat. *modŭlus*, dimin. de *mŏdus*.
⇨ **modo** — mod**IFICAR** | XV FRAD II.84.7 |.
modorra *sf.* 'prostração mórbida, sonolência' '*fig.* apatia, indolência' XVI. De origem incerta; parece ter alguma relação com o basco *mutur* 'enojado, incomodado' || **modorr**ENTO 1813.
⇨ **modorra** | XV LOPJ II.327.6 |.
modul·ação, -ado, -ador, -ar, -o → MODO.
moeda *sf.* 'peça, geralmente de metal, cunhada por autoridade soberana e representativa do valor dos objetos que por ela se trocam' XIII. Do lat. *monēta* || **A**moed**ADO** | XIV, *moedado* XIV || **A**moed**AR** XIV || **DE**monet**IZ·AÇÃO** | *-isação* 1873 | Do fr. *démonétisation* || **DE**monet**IZAR** | *-isar* 1858 | Do fr. *démonétiser* 'retirar uma moeda da circulação' || **moed**EIRO XIII. Do lat. *monetārĭus* 'cunhador de moeda' || **monet**ÁRIO 1873. Do fr. *monétaire*, deriv. do lat. *monetārĭus* 'relativo a moeda', por *monetālis* || **monet**AR·**ISTA** XX || **monet**IZAR 1890. Do fr. *monétiser*.
moer *vb.* 'triturar, esmagar, reduzir a pó, mastigar' XIV. Do lat. *molĕre* || **mó** *sf.* 'pedra de moinho' | *moo* XIV | Do lat. *mŏla* || **mo**AG·EIRO XX || **mo**AGEM 1813 || **mo**ELA *sf.* 'porção fortemente musculosa do estômago das aves' | *muela* XV || **mo**ENDA XIV. Do lat. *molenda*, neutro pl. de *molendus*, gerundivo de *molĕre* || **moente** XVIII. Do lat. *molens -entis*, part. pres. de *molĕre* || **mo**ÍDO | *mujdo* XV || **mo**INHA *sf.* 'fragmentos de palha muito moída' 1813. De *moer*, provavelmente por influência de *farinha*' || **mo**INHO | XIII, *moyo* XIII, *moyno* XIII etc. | Do lat. tard. *mŏlīnum* || **mola** *sf.* 'tumor da placenta, que dá a esta, por sua transformação em vesícula, o aspecto de cacho de uva' 1813. Do lat. *mŏla*, de *molĕre*, relacionado com o gr. *mýlē* 'molar' || **mol**ADA 1813. Do cast. *molada*, de *moler* e, este, do lat. *molĕre* || **molar**¹ *adj. 2g. sm.* 'próprio para moer ou triturar' 'o dente molar' 1813. Do lat. *molāris* || **mol**AR·IFORME | *mollar-* 1813 || **mol**EIRO | *molneiro* XIII, *moyñeiro* XV | Do lat. tard. *molinārĭus*, de *molīnus* || **mol**ETA *sf.* 'pedra de mármore com que se moem tintas' 1813. Do fr. *molette*, deriv. do lat. *mŏla* || **mol**INH·AR *vb.* 'moer aos poucos' XVI || **redemoinh**AR *vb.* 'remoinhar' XVI. De *redemoinho* || **redemoinho** *sm.* 'remoinho' | XVI, *redemunho* XV, *redomoinho* XVI | De *remoinho*, com influência de *roda*. Cumpre notar que Morais (1813) registra também a variante *rodomoinho* || **RE**mo**ALHO** XX || **RE**mo**er** XVI || **RE**mo**inh**AR XVI. De *remoinho* || **RE**mo**inho** | *rremuno* XIV, *rremuño* XIV.
⇨ **moer** — **mo**ELA | *muela* XIV TEST 326.*17* || **moenda** | *moēda* XIII CSM 164.*12* || **mo**ÍDO | *muudo* XIV ORTO 10.*8* |.
mofar¹ 'troçar, zombar, motejar' XVI. De origem expressiva, provavelmente || **mofa** *sf.* 'zombaria' XVII.
mofar² → MOFO.
mofino *adj.* 'infeliz, acanhado, turbulento, inoportuno' XVI. Do cast. *mohino* e, este, talvez do ár. *mûhim* 'malsã, que se deitou a perder' || **A**mofin**AÇÃO** 1813 || **A**mofin**AR** XVI.
mofo *sm.* 'bolor' XVI. De provável origem expressiva || **mof**AR² *vb.* 'criar bolor' 1813.
moganga¹ *adj. sf.* 'diz-se de, ou certa variedade de abóbora' 1873. De origem incerta; talvez se trate de termo de origem africana.
moganga² *sf.* 'caretas, trejeitos, momices' 1813. De origem obscura || **mogangu**EIRO 1813 || **mogangu**ICE XX.
mogiganga *sf.* 'dança de mascarados em figuras de animais' XVII. Do cast. *mojiganga*.
mogigrafia *sf.* '(Med.) dificuldade ou impossibilidade que têm certos músculos dos dedos polegar e indicador de segurar e dirigir a pena de escrever' 1873. Do gr. *mógis* 'com dificuldade', de *mógos* 'trabalho, esforço, dor, sofrimento', e GRAF·IA, por via erudita.
mogno *sm.* 'planta da fam. das meliáceas' 1858. De uma língua indígena norte-americana, mas de étimo indeterminado.
moído → MOER.
moina *sm.* 'trapaceiro' 1899. De origem obscura || **moin**ANTE 1858.
mo·inha, -inho → MOER.
moio *sm.* 'antiga medida de capacidade, igual a 60 alqueires' | XIII, *moyo* XIII etc. | Do lat. *mŏdius*.
moita *sf.* 'grupo espesso de plantas' | *mouta* XIII | De origem obscura || **A**moit**AR** | *amoutar* 1844 || **moitão, moutão**¹ *sm.* 'peça metálica, em forma de elipse, destinada a levantar pesos e a outros usos, cadernal' | *moutão* 1813, *moitão* 1873.
mola¹ *sf.* 'lâmina metálica com que se dá impulso ou resistência a qualquer peça' 1813. Do it. *molla* || **mol**EJO XX.
mol·a², -ada → MOER.
molagem *sf.* 'vantagem gratuita' 'mofo' 1858. De origem desconhecida.
molambo *sm.* 'farrapo, pedaço de pano velho, roto e sujo' '*fig.* indivíduo fraco, sem firmeza de caráter' 1848. Do quimb. *mu'lamo* || **ES**molamb**ADO** 1899 || **ES**molamb**ADOR** XX || **ES**molamb**AR** XX.
mol·ancas, -anqueira, -anqueiro → MOLE².
mol·ar¹, -ariforme → MOER.
molar² → MOLE².
molarinha *sf.* 'planta medicinal da fam. das papaveráceas' 1813. De origem desconhecida.
molasso *sm.* 'rocha composta de calcário misturado com areia e argila' XX. Do fr. *molasse*.
molde *sm.* 'modelo oco para nele se vazar o metal derretido que há de formar um objeto' 'modelo de qualquer coisa pelo qual ela se talha ou forma' XV. Do cast. *molde*, provavelmente do a. cat. *motle* e, este, do lat. *modŭlus*, dimin. de *mŏdus* || **A**mold**AR**

XVII ||| EmoldUR·ADO 1899 ||| EmoldUR·AR | *emmoldurar* 1844 ||| moldAR XVI ||| moldURA XVII. Do cast. *moldura*. Cp. MODO.
mole[1] *sm*. 'volume enorme, massa informe, construção de grandes proporções' XVII. Do lat. *mōlēs -is*.
mole[2] *adj*. *2g*. 'que cede à compressão, brando, preguiçoso, sem energia' XIII. Do lat. *mŏllis* ||| AmolECER XVI ||| AmolEC·IMENTO | *amollecimento* 1871 ||| molANCAS *s*. *2g*. *2n*. 'assaz indolente, preguiçoso, moleirão' XX ||| molANQU·EIR·ÃO 1813 ||| molANQU·EIRO 1813 ||| molAR[2] *adj*. *2g*. 'mole' 1873 ||| molEDO *sm*. 'rocha em decomposição, que se apresenta em calhaus ou saibro grosso' XX ||| molEIRA XIII ||| molEIR·ÃO XX ||| molENGA *adj*. *s2g*. 'mole, indolente' | *-llenga* 1881 ||| molENGO XX ||| molEZA XV. Do lat. *mollitĭa* ||| **molícia, molície** *sf*. 'moleza' XVI. Formas divergentes cultas de *moleza* ||| molIFIC·ANTE | *molli-* 1844 ||| molIFICAR *vb*. 'tornar mole' XV. Do lat. tard. *mollificāre* ||| molIFIC·ATIVO | *molli-* 1844 ||| molÍPEDE | *mollipede* 1899 | Do lat. *mollĭpes -dis* ||| molOIDE XX ||| molURA *sf*. 'moleza' XV ||| molÚR·IA *sf*. 'moleza' 'orvalho copioso que amolece o solo' | *molluria* 1873 ||| **molusco** | *mollusco* 1873 | Do fr. *mollusque*, deriv. do lat. cient. *molluscus*, de *mŏllis* 'mole'.
⇨ **mole**[2] — AmolENTAR | XIV GRAL 20*b*3, ORTO 140.*9* etc. |.
molec·a, -ada, -agem → MOLEQUE.
molécula *sf*. 'a menor porção de uma substância' 1813. Do fr. *molécule*, do lat. cient. *mōlecŭla*, dimin. de *mōlēs -is* 'massa' ||| moleculAR 1844. Do fr. *moléculaire*. Cp. MOLE[1].
mol·edo, -eira, -eirão → MOLE[2].
moleiro → MOER.
moleja *sf*. 'excremento das aves' 1813. De origem duvidosa; talvez do cast. *molleja* 'moela', com alteração de sentido difícil de explicar.
molejo → MOLA[1].
moleng·a, -o → MOLE[2].
moleque *adj*. *sm*. 'indivíduo sem palavra ou sem seriedade' 'canalha, velhaco, patife' 'engraçado, pilhérico, trocista' 1731. Do quimb. *mu'leke* 'menino, rapazote' ||| AmolecADO XX ||| **moleca** *sf*. 1899 ||| molecADA 1899 ||| molecAGEM 1899.
molestar *vb*. 'afetar, maltratar, magoar' | XVI, *moestar* XV | Do lat. *mŏlēstāre* ||| **molesto** | *mollesto* XVI | Do lat. *mŏlēstĭa* ||| **moléstia** XVI. Do lat. *molēstus*.
moleta → MOER.
moleza → MOLE[2].
molhar *vb*. 'embeber em líquido, banhar, umedecer' | XIV, *mollar* XIII | Do lat. *molliāre 'amolecer', de *mŏllis* 'mole' ||| molhADO XV ||| molhAMENTO XV ||| molhEIRA 1899 ||| **molho**[2] *sm*. 'espécie de caldo em que se refogam iguarias ou que se comem estas' XVI.
⇨ **molhar** — molhADO | XIV ORTO 66.*34* ||| **molho**[2] | *moolho* XIV ORTO 245.*33* |.
molhe *sm*. 'paredão construído no mar para servir de cais acostável ou para quebrar a impetuosidade das vagas' | XVI, *mole* XVI | Provavelmente do cat. *molh* e, este, talvez, do lat. *mōlēs* 'massa'. Cp. MOLE[1].
molho[1] → MÃO.

molho[2] → MOLHAR.
molibdênio *sm*. '(Quím.) elemento de número atômico 42, metálico, duro e de cor branca' | *molybdeno* 1858 | Do fr. *molybdène*, deriv. do lat. cient. *molybdenum*, alt. de *molybdaena* e, este, do gr. *molýbdaina* 'pedaço de chumbo', de *mólybdos* 'chumbo, metal' ||| **molibd**ATO | *molybdato* 1858 ||| **molíbd**ICO | *molybdico* 1873.
mol·ícia, -ície, -ificante, -ificar, -ificativo → MOLE[2].
molímen, molime *sm*. 'força impulsiva de um corpo em movimento' 'o que impulsiona' 1873. Do lat. *mōlīmen -inis*, de *mōlīrī*, de *mōlēs* 'massa'. Cp. MOLE[1].
molinete *sm*. 'espécie de cabrestante que sustenta a âncora em navios pequenos' 'movimento giratório rápido que se faz com a espada, com um pau etc.' XVI. Do fr. *moulinet* 'moinho pequeno', de *moulin* e, este, do lat. tard. *mŏlīnum*, de *mŏlĕre* 'moer, triturar'. Cp. MOER.
molinhar → MOER.
molinilho *sm*. 'pequeno moinho a que se imprime movimento com a mão' XVII. Do cast. *molinillo*, de *molino* 'moinho'. Cp. MOER.
molinismo *sm*. '(Rel.) doutrina que busca conciliar o princípio do livre-arbítrio com a graça e a presciência divina' 1844. Do antr. Luis *Molina* (1535-1600), sacerdote e teólogo jesuíta espanhol, autor de uma obra sobre o livre-arbítrio.
molinosismo *sm*. '(Rel.) doutrina teológica sobre o quietismo' 1873. Do antr. Miguel de *Molinos* (1628-1696), teólogo espanhol.
mol·ípede, -oide → MOLE[2].
molosso *sm*. 'espécie de cão de fila' '*fig*. indivíduo turbulento, valentão' 1572. Do lat. *(canis) molossus*, expressão que ocorre em Virgílio, nas *Geórgicas*, a qual se referia ao cão originário da Molossia, no Epiro.
molugem *sf*. 'planta da fam. das rubiáceas' *mollugem* 1881 | Do lat. *mollūgo -ĭnis*.
mol·ura, -uria, -usco → MOLE[2].
momento *sm*. 'instante, ocasião azada, circunstância' XV. Do lat. *momentum -i* 'movimento, mudança, pequena porção, curto espaço de tempo, instante', de *movimēntum*, de *movēre* ||| **momentâneo** XVII. Do lat. *momentānĕus* ||| **moment**OSO 1899. Do lat. *momentōsus*.
momo *sm*. 'antiga peça do vestuário (masculino)' XV; 'farsa satírica' 'trejeito, esgar' XVI. Do lat. *Mōmus*, deriv. do gr. *Mómos* 'deus, filho da noite, personificação da maledicência' ||| mom|CE 1844.
monacal *adj*. *2g*. 'relativo à vida de convento' XVII. Do lat. *monachālis*, de *monăchus* 'monge' e, este, do gr. *monachós* 'solitário', de *mónos* 'só' ||| **monac**ATO XVI ||| **monástico** XVII. Do lat. tard. *monastĭcus*, deriv. de gr. *monastikós*, de *monástes* 'monge' | **monge** | XIII, *munge* XIII etc. | Do a. prov. *monge*, deriv. do lat. vulg. *monĭcus*, do lat. tard. *monăchus* e, este, do gr. *monachós* 'solitário' ||| **monja** | XIII, *mōja* XIII, *munga* XIII etc. | Do a. prov. *monja* | **mosteiro** | XIII, *moesteiro* XIII, *monesteyro* XIII etc. | Do lat. vulg. *monistērĭum*, deriv. do lat. cláss. *mŏnastērĭum* e, este, do gr. *monastērion*, deriv. do *monástēs*. Cp. MON(O)-.
⇨ **monacal** | *monachal* XV SBER 49.*8* | **monást**ICO | XV SBER 53.*35*, 1525 ABEJP 16*v*20 |.

mônada *sf.* '(Fil.) segundo Leibnitz, substância simples que constitui as coisas de que a natureza se compõe' '(Biol.) organismo muito simples' 1873. Do lat. tard. *monas -adis*, deriv. do gr. *monás -ados* 'unidade, singularidade', de *mónos* 'só, um' || **monad**o·LOG·IA 1873. Do fr. *monadologie*. Cp. MON(O)-.
mon·adelfo, -andro, -antero, -anto, -antropia → MON(O)-.
monarca *sm.* 'soberano vitalício e, comumente, hereditário de um Estado' | *monarco* XIV, *monarcha* XV | Do lat. tard. *monarcha*, deriv. do gr. *monárchēs*, de *monos* + *archós* 'guia' || **monarqu**IA | *-archia* XVI | Do lat. tard. *monarchia*, deriv. do gr. *monarchía* || **monárqu**ICO | *-archico* 1813 || **monarqu**ISMO | *-archismo* 1873 || **monarqu**ISTA | *-archista* 1873. Cp. MON(O)-.
monástico → MONACAL.
mon·atômico, -axífero → MON(O)-.
monazita *sf.* 'mineral monoclínico amarelado, constituído de fosfato de cério, lantânio, prasiodímio e neodímio, com óxido de tório' XX. Do fr. *monazite*, deriv. do al. *Monazit* e, este, do gr. *monazein* 'ser só, ser raro' || **monazít**ICO XX. Cp. MON(O)-.
monção *sf.* 'época ou vento favorável à navegação' | XVI, *moução* XVI | Do ár. *máusim* 'festa religiosa muçulmana, a estação da peregrinação a Meca, tempo de ceifa'.
monco *sm.* 'humor espesso segregado pela mucosa do nariz' XVII. Do lat. **muccus*, por *mūcus* || **mon·**quILHO *sm.* 'doença no gado lanígero' 1899. Do cast. *moquillo*.
mondar *vb.* 'arrancar (ervas daninhas), desramar' '*ext.* expurgar o supérfluo' XVI. Do lat. *mundāre* 'purificar, limpar' || REmond**ar** 1899. Cp. MUNDÍCIA.
⇨ **mondar** | XV VERT 110.*39* |.
mondongo *sm.* 'miúdos de boi ou de porco' 1813. De origem desconhecida || **mondonga** *sf.* 'a mulher que limpa os mondongos' XVIII || **mondon·**guEIRO *sm.* 'tripeiro' XVIII.
mondrongo *sm.* 'alcunha dos portugueses' XX. De origem desconhecida; há, talvez, alguma relação com MONDONGO.
mon·écia, -ema, -era, -ere → MON(O)-.
moneta *sf.* '(Náut.) pequena vela que se coloca por baixo dos papa-figos, para aproveitar o bom tempo' XV. Provavelmente do fr. *bonnette*, de *bonnet*. Cp. BONÉ.
monetár·io, -ista → MOEDA.
monete → MONHO.
monetizar → MOEDA.
monge → MONACAL.
mongol *adj. s2g.* 'relativo à Mongólia (Ásia)' 'natural ou habitante da Mongólia' 'grupo de línguas (a que pertencem, entre outras, o mongol propriamente dito, o calmuco e o buriato) da família altaica' | *mogor* XVI, *mogol* XVII | Do persa *mugal*, deriv. do mongol *mongol, mongul* (= calmuco *mongol*, osmânico *mogol*), de *mong* 'bravo'. Nos textos portugueses dos sécs. XVI-XVIII predomina a forma *mogor*; a var. *mogol* ocorre esporadicamente em texto do séc. XVII, mas *mongol*, segundo parece, só se documenta a partir do séc. XIX || **mongól**ICO 1873 || **mongol**ISMO *sf.* '(Med.) tipo de idiotia caracterizada somaticamente por encurtamento dos dedos das mãos, achatamento do crânio e olhos com epicantos, como os orientais de raça amarela' XX. Do fr. *mongolisme*, de *mongol* || **mongol**OIDE XX.
monho *sm.* 'topete de cabelo postiço em senhora' 'rolo de cabelo natural' 'laço de fita para enfeitar ou prender o cabelo' XVII. Do cast. *moño* e, este, provavelmente, de uma raiz pré-romana *munn-* ou *monn-* 'vulto, protuberância' || **mon**ETE *sm.* 'farripa' XVIII || **monha** *sf.* 'laço com que se enfeita o pescoço dos touros para as corridas' 'roseta usada pelos toureiros na parte posterior da cabeça' 1881. Do cast. *moña*, de *moño*.
moniliforme *adj. 2g.* 'que tem forma de rosário ou colar' 1873. Do fr. *moniliforme* (< lat. *monīle-is* 'colar' + *-formis* 'forma').
monismo → MON(O)-.
monitor *sm.* 'aquele que dá conselhos, que admoesta' XVII. Do lat. *monĭtor -ōris*, de *monĭtum*, supino de *monēre* 'fazer pensar, fazer lembrar, advertir' || **monitór**IO *adj.* 1858. Do lat. *monitōrĭus*. Cp. ADMOESTAR, ADMONIR.
monja → MONACAL.
monjolo *sm.* 'engenho tosco movido a água, empregado para pilar milho e, a princípio, no descascamento' do café' XX. De provável origem africana || **monjol**EIRO XX.
mono *sm.* 'macaco' 'grande macaco da região serrana do sul do Brasil' XVI. De origem desconhecida.
⇨ **mono** — **mon**ARIA 'macaquice' | 1656 FMMelv 67*v*19 |.
mon(o)- *elem. comp.*, do gr. *mono-*, de *mónos* 'só, único, isolado', que se documenta em vocábulos eruditos, alguns formados no próprio grego, como *monólito*, e muitos outros introduzidos, a partir do séc. XIX, na linguagem científica internacional ▶ **manicórdio** *sm.* 'instrumento musical de cordas, espécie de cítara com clave' | XVI, *manicorde* XVII | Do fr. *manichordion*, deriv. do gr. *monóchordon*. Na formação do vocábulo francês houve a influência do lat. *mănus* 'mão' || **monadelfo** | *-adelpho* 1873 || **mon**ANDRO 1873 || **mon**ANTERO | *-anthera* f. 1873 || **mon**ANTO | *-antho* 1873 || **mon**ANTROP·IA | *-anthro-* 1873 || **mon**ATÔMICO | *mono-atômico* 1873 || **mon**AXÍ·FERO XX || **monécia** *sf.* '(Bot.) no sistema de classificação de Lineu, a vigésima-primeira classe sexual de plantas, que compreende as que têm os estames (órgão masculino) e os pistilos (órgão feminino) em flores separadas da mesma planta' 1899. Do lat. cient. *monoecīa* e, este, formado a partir dos vocábulos gregos *mono-* e *oikía* 'casa', isto é: 'uma só casa' (cp. DIÉCIA) || **mon**EMA *sm.* '(Ling.) qualquer signo linguístico livre ou preso que seja simples' XX, Do fr. *monème*; o termo foi proposto e difundido pelo linguista francês André Martinet || **monera, monere** *sf.* 'o tipo de organismo vivo teoricamente tido como o mais primitivo' 1899, Do fr. *monère*, termo usado por Haeckel, do gr. *monērēs* 'solitário, isolado, só, único' || **mon**ISMO 1899 || **mono**ÁCIDO XX || **mono**BAF·IA | *-phia* 1873 || **mono**BÁSICO 1873 || **mono**BLEPSIA 1873 || **mono**CARPELAR | *-ellar* 1873 || **mono**CARP·IANO 1899 || **mono**CERO 1873 || **mono**CICLO | *-cyclo* 1899 || **mono**CLAMÍD·EO | *-chlamydo* 1873 || **mono**CLIN·AL

xx || **monoCLÍN·ICO** 1873 || **monoCLINO** 1873 || **monoCÓRDIO** | *monochordio* 1844 || **monoCOTIL·AR** | *-tylar* 1873 || **monoCOTILEDÔN·EO** | *-tyledo-* 1873 || **monoCROMÁT·ICO** | *-chromático* 1873 || **monoCROMO** | *-chromo* 1873 || **monÓCULO** 1858 || **monoCULTOR** xx || **monoCULTURA** xx || **monoDÁCTILO** | *-ctylos* 1873 || **monodelfo** | *-delpho* 1873 || **monoDIN·IA** xx || **monoDONTE** 1873 || **monoDRAMA** xx || **monoFÁS·ICO** xx || **monoFILO** | *-phyllo* 1858 || **monoFIS·ISMO** | *-physismo* 1873 || **monoFIS·ISTA** | *-physista* 1873 || **monÓFITO** | *-phyto* 1873 || **monÓFOBO** | *-phobo* 1899 || **monoFOTO** xx || **monOFTALMO** | *-ophtalmo* 1873 || **monoGAM·IA** 1813 || **monoGÂM·ICO** 1873 || **monóGAMO** 1813 || **monoGÁSTR·ICO** 1873 || **monoGEN·IA** 1873 || **monoGEN·ISMO** 1873 || **monóGINO** | 1782, *-gyno* 1858 || **monoGRAF·IA** | *-phia* 1854 || **monóGRAFO** | *-grapho* 1873 || **monoGRAMA** | *-gramma* 1844 || **monoIDE·ÍSMO** xx || **monoILO** | *-hylo* 1873 || **monoLÉPIDE** | *-lépido* 1899 || **monÓLITO** | *-litho* 1858 || **monoLOG·AR** xx || **monóLOGO** 1858 || **monoMANIA** 1841 || **monÔMERO** *adj.* '(Zool.) diz-se dos insetos cujos tarsos têm uma só articulação' 1873 || **monoMETAL·ISMO** xx || **monÔMETRO** 1899 || **monÔMIO** 1873, De **mononômio* || **mononEURO** | *-nervo* 1873 || **monoNUCLE·AR** xx || **monoNUCLE·OSE** xx || **monoPERI·ANT·ADO** | *-anthado* 1899 || **monoPÉTALO** 1858 || **monoPLANO** xx || **monoPLÁSTICO** xx || **monoPLEGIA** xx || **monóPODE** 1899 || **monoPÓD·IO** 1873. Cp. gr. *monopódion* || **monopólio** xvi. Do lat. *monopōlĭum*, deriv. do gr. *monopṓlion*, de *mono-* e *pōléo* 'eu vendo, eu comercio' || **monoPOL·IZAR** | *-isar* 1844 | Do fr. *monopoliser*, de *monopole* || **monOPSE** 1873 || **monÓPTERO** 1858 || **monÓRQUIDO** | *-orchido* 1873 || **monoSPERMO** 1858 || **monÓSPORO** 1873 || **monos·SÉPALO** | *monosepalo* 1873 || **monos·SERI·ADO** | *monoseriado* 1899 || **monos·SOMO** | *monosomio* 1873 || **monóSTICO** *adj.* 'que se compõe de um só verso' 1873. Do lat. tard. *monostich(i)um*, deriv. do gr. *monóstichon*, de *stíchos* 'verso' || **monoSTIGMAT·IA** | *-tymacia* 1873 || **monÓSTILO** | *-stylo* 1873 || **monÓSTROFO** | *-pho* 1843 || **monoTÁLAMO** | *-thalamo* 1873 || **monoTÉ·ICO** | *-ca* f. 1873 | Do fr. *monothéique*, de *monothéisme* || **monoTE·ÍSMO** | *-theismo* 1858 | Do fr. *monothéisme* || **monoTE·ÍSTA** | *-theista* 1873 | Do fr. *monothéiste* || **monoTIPO** *sm.* 'espécie de máquina de composição tipográfica' xx. Do ing. *monotype* || **monóTIPO** *adj.* 'diz-se do gênero de plantas que tem uma só espécie' | *monotypo* 1873 || **monotongo** xx. Calcado em DITONGO || **monoTON** 1833 || **monótono** 1833. Do lat. *monotŏnus*, deriv. do gr. *monotónos*, de *tónos* || **monotrêmato** 1899. Do gr. *mono + trêma -atos* 'orifício', por via erudita || **monoVALENTE** xx || **monÓXILO** | *-oxylo* 1881 | Do lat. *monoxylus*, deriv. do gr. *monóxylon*, de *xýlon* 'madeira' || **monoZOICO** 1873.

mono·ssil·ábico, -o → SÍLABA.
mono·ssomo, -stico... -xilo, -zoico → MON(O)-.
monquilho → MONCO.
monroísmo *sm.* 'doutrina de Monroe, isto é, os princípios políticos assentados na mensagem que o presidente norte-americano J. Monroe (1758-1831) enviou ao Congresso a 2/12/1823, segundo os quais deve ser considerado ato inamistoso pelo governo norte-americano toda tentativa da parte de qualquer estado soberano europeu de interferir com propósitos de controlar ou de estabelecer novas colônias em qualquer parte do continente americano' xx. Do ing. *monroeism*, de J. Monroe, presidente norte-americano de 1817 a 1825.
monsenhor *sm.* 'título honorífico, concedido pelo papa a alguns eclesiásticos, especialmente a seus camareiros' 1813. Adapt. do it. *monsignore*, deriv. do fr. *monseigneur*, tradução do lat. *domĭnus meus* 'meu senhor'. Foi introduzida a expressão na hierarquia eclesiástica durante a permanência dos papas em Avinhão (França) entre 1309 e 1378.
monstro *sm.* 'corpo organizado, que apresenta conformação anômala em todas ou em algumas das suas partes' 'animal de grandeza desmedida' 'ser de conformação extravagante, imaginado pela mitologia' *fig.* pessoa cruel, desnaturada ou horrenda' | *mõstro* 1525 | Do lat. *monstrum -i* || **monstrENGO** xx || **monstruOS·IDADE** xvi || **monstruOSO** xvi. Do lat. *monstruōsus*.
⇨ **monstro** | *monstruu* xv LOPF 133.*71* |.
monte *sm.* 'elevação considerável de terreno acima do solo que a rodeia' 'porção, acervo, ajuntamento' xiii. Do lat. *mons mŏntis* || **AmontO·ADO** xvii || **AmontO·AMENTO** xiv || **AmontO·AR** xiv. De *montão* || **DESmontAR** xvii || **DESmonte** 1803 || **monta** *sf.* 'soma, importância, custo' xiv. Deverb. de *montar* || **montADA** *sf.* 'elevação nas cambas do freio das cavalgaduras' 1844; 'ato de montar' 1881 || **montADOR** xiii || **montAGEM** 1881. Do fr. *montage* || **montanha** | xiii, *-anna* xiii etc. Do lat. vulg. *mŏntānĕa*, de *mŏntānĕus*, por *mŏntānus* || **montanhês** xvi || **montanhoso** | *montannoso* xiii || **montaníST·ICA** *sf.* 'parte da metalurgia que se ocupa da extração e fusão dos metais' 1881 || **montANO** *adj.* xvi. Do lat. *montānus* || **montANTE** xvi || **montÃO** | *mõtões* xv-xiv || **montAR** *vb.* 'colocar-se sobre uma cavalgadura' 'fornecer, prover de todo o necessário' 'armar, aprontar para funcionar' xiii. Do lat. vulg. *montāre* || **montARIA**[1] *sf.* 'remonta, cavalgadura' 1881 || **montARIA**[2] *sf.* 'lugar onde se corre caça grossa' | xiv, *monteria* xvi || **montEAR** xvi || **monteia** xviii. Do fr. *montée* || **montEIR·IA** *sf.* 'ofício de monteiro' xv || **montEIRO** *adj. sm.* 'caçador de monte' xiii || **montES** | xiii, *-ez* xv || **montES·INHO** *adj.* 'montês, silvestre' | *montesino* xiii || **montí·COLA** xviii. Do lat. *monticŏla* 'habitante dos montes' || **montí·CULO** xviii. Do lat. *monticŭlum* || **montí·VAGO** 1881. Do lat. *montivăgus* || **monto·EIRA** *sf.* 'aglomeração de pedras soltas' 'grande quantidade' xx. De *montão* || **montuoso** xvi || **monturo** *sm.* 'lugar onde se lançam e depositam dejeções e imundícies' *fig.* 'montão de coisas vis ou repugnantes' xiv. De *monte*, com a terminação *-uro*, a qual, provavelmente, se relaciona com o sufixo -URA || **REmonta** *sf.* 'provisão de novos cavalos para o exército' 1813. Provavelmente do cast. *remonta*, de *remontar* e, este, relacionado com *monte* || **REmontAR** xvi. Do fr. *remonter*, de *monter* || **REmonte** *sm.* 1844. Deverb. de *remontar*.
⇨ **monte** — **monstuOSO** | xv PAUL 41*v*11 |.
montra *sf.* 'vitrina de casa comercial' 1899. Do fr. *montre*, de *montrer* e, este, do lat. *monstrāre*. Cp. MOSTRAR.

montu·oso, -ro → MONTE.
monumento sm. 'edifício majestoso, mausoléu, obra notável' | XIII, *moimento* XIII etc. | Do lat. *monumentum* e *monimentum* || **monument**AL 1873.
moque·ação, -ado, -ar → MOQUÉM.
moqueca sf. 'espécie de guisado de peixe ou mariscos' 1844. Do quimb. *mu'keka* 'caldeirada de peixe'.
moquém sm. 'carne preparada segundo uma técnica indígena primitiva, que foi transmitida aos primeiros colonizadores europeus e que ainda é hoje adotada no Brasil, particularmente no sertão' 'grelha, feita de varas, usada para assar ligeiramente a carne' 1585. Do tupi *moka'ē* || **moque**AÇÃO XIX || **moque**ADO 1763 || **moque**AR XIX.
moquenco adj. sm. 'diz-se de, ou pessoa preguiçosa' 'diz-se de, ou indivíduo que faz momice' 1813. De origem obscura.
moqueta sf. 'tecido tapado muito fino e de excelente qualidade, originário da França' | *moquetta* 1881 | Do fr. *moquette*.
mora sf. 'delonga, demora, retardamento' XVI. Do lat. *mora* || **mor**AT·ÓRIA sf. 'dilatação de prazo concedida pelo credor ao devedor para pagamento de uma dívida' XV. Fem. substantivado de *moratório* || **mor**AT·ÓRIO adj. 'que envolve demora ou dilação' 1881. Do lat. tard. *morātōrius* || **mórula**[1] sf. 'pequena mora ou demora' 1844. Do lat. *morŭla*.
morábito sm. 'marabuto' XVI. Do ár. *murābit* 'ermitão', part. de *rābat* 'dedicar-se com zelo' || **morabit**INO sm. 'maravedi' XIII. Do ár. *murābiṭī*, relativo aos almorávidas, propriamente 'ermitões zelosos da religião', que cunharam esta moeda. Cp. MARABUTO, MARAVEDI.
mor·ada, -adeira, -adia → MORAR.
morado[1] adj. 'da cor da amora' XIV. De um lat. *moratus, de *mōrum -i* 'amora'. Cp. AMORA.
mor·ado[2]**, -ador** → MORAR.
moral adj. 'relativo aos costumes' 1525; sf. 'conjunto de regras de conduta' 1813; 'conclusão moral que se tira de uma obra, de um fato' 'moralidade' XVIII. Do lat. *mōrālis -le*. Na primeira acep. como subst., o voc. procede do fr. *morale*. || A**moral** XX. Do fr. *amoral* || DES**moral**IZ·AÇÃO | -*sação* 1844 | Adapt. do fr. *démoralisation* || DES**moral**IZ·ADO | -*sado* 1844 || DES**moral**IZAR | -*sar* 1844 | Adapt. do fr. *démoraliser* || I**moral** 1873. Do fr. *immoral* || I**moral**IDADE 1873. Adapt. do fr. *immoralité* || **moral**IDADE XVI. Do lat. *mōrālĭtās -ātis* || **moral**ISMO 1858. Do fr. *moralisme* || **moral**ISTA 1813. Do fr. *moraliste* || **moral**IZ·AÇÃO 1873. Adapt. do fr. *moralisation* || **moral**IZ·ADO 1813. Adapt. do fr. *moralisateur* || **moral**IZ·ANTE XX. Do fr. *moralisant* || **moral**IZAR XVI. Do fr. *moraliser*.
⇨ **moral** adj. 'relativo aos costumes' | XIV ORTO 64.*35* || **moral**IDADE | XV BENF 23.*34* |.
mor·amento, -ança → MORAR.
morango sm. 'infrutescência carnosa do morangueiro, planta da fam. das rosáceas' 1813. Provavelmente de um lat. *morănicum, de *mōrum -i* 'amora' | **moranga** adj. f. sf. 'diz-se de, ou uma variedade de uva e de outra de cereja' 1890 || **morangu**EIRO 1858.
morar vb. 'habitar, residir' 'viver' XIII. Do lat. *mŏrāre*, por *mŏrārī* || **mor**ADA XIII || **mor**AD·EIRA | XIV, -*edeira* XIV, -*adeyra* XV || **mor**AD·IA | XIV, -*dea* XIII || **mor**ADO[2] XV || **mor**A·DOR XIII || **mor**AMENTO sm. 'ant. moradia' XV || **mor**ANÇA sf. 'ant. moradia' XIII.
mora·tória, -tório → MORA.
morbo sm. 'estado patológico' 'doença' XV. Do lat. *morbus -i* || **morbid**EZ, **morbid**EZA | *morbidez* 1873, *morbideza* 1881 | Do it. *morbidezza* || **mórbido** adj. 'enfermo, doente' 'doentio' XVI. Do lat. *morbĭdus* || **morbí**FICO XVII. Do fr. *morbifique*, deriv. do lat. tard. *morbificus* || **morbí**GENO XX. Do ing. *morbigenous* || **morbí**GERO 1899 || **morbí**PARO 1899. Do fr. *morbipare* || **morb**OSO XX. Do lat. *morbōsus* || **mormo** sm. 'moléstia dos equídeos' XVII. Forma divergente de *morbo*.
morcego sm. 'designação geral dos mamíferos quirópteros, cujos membros anteriores são transformados em asas pela presença do patágio' | *mur-* XV | Do a. port. *mur* (séc. XIII) 'rato', deriv. do lat. *mūs mūris*, e *cego* (V. CEGAR).
morcela sf. 'espécie de chouriço' | -*çela* XIV, *morcilha* 1899 | De origem incerta; a var. brasileira *morcilha* deriva imediatamente do esp. plat. *morcilla*.
morder vb. 'apertar com os dentes' '*fig.* atormentar, afligir' '*fig.* corroer, gastar' XIII. Do lat. *mŏrdēre* || A**mord**AÇ·AR 1881 || **mord**AÇA sf. 'objeto com que se tapa a boca de alguém a fim de que não fale nem grite' XVI. Do lat. vulg. *mordacia*, substantivação do pl. n. do adj. *mordacius* || **mord**AÇ·AGEM sf. 'ação corrosiva sobre as placas, cilindros etc., que devem constituir a forma em vários sistemas de impressão' XX. Adapt. do fr. *mordançage* || **mordac**IDADE sf. 'qualidade de mordaz' XVII. Do lat. *mordācĭtās -ātis* || **mordaz** adj. 2g. 'que morde' XIV. Do lat. *mordāx -ācis* || **mord**EDOR 1844 || **mord**ED·URA | XV, -*didura* XIV || **mord**ENTE XIX || **mord**IC·AÇÃO XVII. Do lat. tard. *mordicātio -ōnis* || **mord**IC·ANTE 1813. Do fr. *mordicant* || **mord**IC·AR vb. 'morder de leve repetidas vezes' XVI. Do lat. tard. *mordicāre* || **mord**IC·ATIVO 1881. Adapt. do fr. *mordicatif*, deriv. do lat. tard. *mordicātivus* || **mord**IMENTO sm. 'ant. mordedura' | XIV, *mur-* XV || **morsegar** vb. 'arrancar ou partir com os dentes' 1881. Do lat. *morsĭcāre*, frequentativo de *mŏrdēre* || **morso** sm. 'mordedura' XVI. Do lat. *morsus -ūs* || **mossa** sf. 'vestígio de pancada ou de pressão' XVI. Do lat. *morsa*, por *morsus* || RE**morso** XVII. Do lat. re-*mŏrdēre* || RE**morso** sm. 'remordimento' 'inquietação da consciência por culpa ou crime cometido' XVIII. Do lat. *remorsus*, part. pass. de *re-mŏrdēr*.
⇨ **morder** — **mord**ENTE | 1615 FNun 57*v*21 | RE**mord**ER | XV COND 21*d*29 || RE**mord**IMENTO | XV OFIC 189.*17*, *rre-* XV BENF 325.*13*, *remordamento* XV LEAL 343.*25* || RE**morso** | XV LEAL 197.7 |.
mordexim sm. 'cólera, em sua segunda acepção' | XVI, *moryxy* XVI etc. | Do concani (e marata) *moḍśī.* 'quebrantamento', de *moḍonk* ou *moḍṇem* 'quebrar(-se)'.
mordic·ação, -ante, -ar, -ativo, mordimento → MORDER.
mordomo sm. 'ecônomo' 'serviçal encarregado da administração duma casa' | XIII, *moordomo* XIII etc. | Do lat. *majordomus* || **mordom**ADO | *moor-* XIV, *mayor-* XIV etc. || **mordom**IA XVI.

moreia[1] *sf.* 'peixe teleósteo, ápode, da fam. dos murenídeos' | *morea* XVI | Do lat. *mūraena* ou *mūrēna*, deriv. do gr. *mýraina*.
moreia[2] *sf.* 'grupo de feixes de cereal colocados verticalmente na terra com as espigas para cima' | *morea* 1813 | De origem incerta.
moreno *adj. sm.* 'que, ou aquele que tem cor trigueira' XVI. Do cast. *moreno*, de *moro* 'mouro' || **amoren**ADO 1899 || **moren**ADO XVIII. Cp. MOURO.
-morf- → -MORF(O)-.
morfina *sf.* '(Quím.) alcaloide do ópio' | *-phi-* 1899 | Do fr. *morphine*, deriv. do al. *Morphin* e, este, do mit. lat. *Morpheus* (≤ gr. *Morpheús*) 'Morfeu', deus do sono, em alusão à propriedade soporífera desse medicamento. O voc. al. *Morphin*, criado por F.W. Sertürner, em 1816, deriva de *Morphium* (que o mesmo Sertürner propusera anteriormente, em 1806, pelo modelo de *opium*) com o suf. *-in*; v. *-ina* || **morfino**MANIA | *-phi-* 1899 | Do fr. *morphinomanie*.
-morf(o)- *elem. comp.*, do gr. *morpho-*, de *morphḗ* 'forma', que se documenta em alguns compostos formados no próprio grego (como *morfose*) e em alguns outros introduzidos, a partir do séc. XIX, na linguagem científica internacional ♦ **morfeia** *sf.* 'lepra' XVII. Do a. fr. *morfee* ou do it. *morfea*, deriv. do lat. med. *morphaea*, provavelmente calcado no gr. *amorphía* 'deformidade, fealdade' || **morf**EMA *sm.* '(Ling.) elemento que confere o aspecto gramatical ao semantema, relacionando-o na oração e delimitando a função e o significado' XX. Do fr. *morphème*, segundo o modelo de *phonème* 'fonema' || **morfo**GEN·IA | *-pho-* 1899 | Do fr. *morphogénie* || **morfo**LOG·IA | *-pho-* 1858 | Do al. *Morphologie*, voc. criado por Göthe, em 1822, através do francês || **morf**OSE | *-pho-* 1890 | Do ing. *morphosis*, deriv. do gr. *mórphōsis* || **morfo**ZO·ÁRIO | *-pho-* 1890.
morgado *sm.* 'filho primogênito ou herdeiro de possuidor de bens vinculados' 'filho mais velho ou filho único' | *moor-* XV | Do lat. **maioricātus*.
morganático *adj.* 'diz-se do casamento contraído por príncipe com mulher de condição inferior' 'diz-se da esposa nessa espécie de casamento' 1873. Do fr. *morganatique*, deriv. do lat. med. *morganaticus* (*matrimonium ad morganaticam*).
moribundo → MORRER.
morigerar *vb.* 'moderar os costumes de' 'ensinar bons costumes a' 'educar' 1844. Do a. fr. *morigerer* (hoje *morigérer*), deriv. do lat. *mōrigerāre* || **moriger**AÇÃO 1801 || **moriger**ADO XVII. Do lat. *mōrigerātus*, part. pass. de *mōrigerāre* || **morígero** *adj.* '(Poét.) morigerado' XVIII. Do lat. *mōrigĕrus*.
morina → AMORA.
moringa *sf.* 'garrafão ou bilha de barro para conter e refrescar a água' | *-gue* 1844 | Do cafre *mu'riŋa*.
morioplastia *sf.* '(Cir.) substituição cirúrgica de qualquer parte dos órgãos humanos' 1899. Do gr. *mórion* 'parte (do corpo)' + -PLASTIA, por via erudita.
mormaço *sm.* 'tempo quente e úmido' 1813. De origem duvidosa.
mormo → MORBO.
mórmon *adj. sm.* 'diz-se de, ou sectário do mormonismo' | *mormons* pl. 1899 | Do ing. *mormon*, deriv. do antrop. *Mormon*, suposto profeta cristão do séc. IV || **mormon**ISMO *sm.* 'seita social e religiosa norte-americana, que se intitula *Igreja de Jesus Cristo dos santos dos últimos dias*' 1899. Do ing. *mormonism*.
morno *adj.* 'pouco quente, tépido' *fig.* sem energia, frouxo' XIV. De origem controvertida || **amorn**AR XVI || **morn**ANÇA XX.
moroso *adj.* 'lento, demorado' XVI. Do lat. *mōrōsus* || **moros**IDADE 1813. Adapt. do fr. *morosité*, deriv. do lat. *mōrōsĭtās -ātis*.
morraca *sf.* 'espécie de isca para acender lume, formada de farrapos atados em rolo' 1881. De origem obscura; talvez se relacione com *morrão*.
morraça *sf.* 'erva que, no Algarve, é dada aos cavalos' 'o estrume vegetal dos pântanos e dos terrenos lamacentos' 1813. De origem obscura.
⇨ **morraça** | *c* 1541 JCASR 288.*14* |.
morrão *sm.* 'extremidade carbonizada de torcida ou de mecha' | *mu-* XVI | De origem obscura.
⇨ **morrão** | *murram* XV VERT 79.*26* |.
morrer *vb.* 'falecer' XIII. Do lat. vulg. *mŏrĕre* (cláss. *mŏri*) || **imorr**ED·OURO | *imorredoiro* 1881 || **moribundo** *adj. sm.* 'que ou aquele que está morrendo' 'agonizante' XVII. Do lat. *moribundus*. Cp. MORTE.
morrião → MORRO.
morrinha *sf.* '*orig.* sarna epidêmica do gado' '*ext.* mau cheiro, fedor' 1813. De origem controversa || **morrinh**ENTO 1844.
morro *sm.* 'monte pouco elevado' 'colina, outeiro' XVI. De origem incerta || **morrião** *sm.* 'antigo capacete sem viseira e com tope enfeitado' XVII; 'planta exótica da fam. das primuláceas' 1813. Do cast. *morrión*, de *morro*; na segunda acepção, o voc. procede do fr. *morion*, deriv. do cast. *morrión*.
morsa *sf.* 'mamífero marinho da ordem dos pinípedes, fam. dos odobenídeos, que vive nos mares árticos, variedade de foca' | *mors* 1651 | Do a. fr. *mors* (de 1540), atualmente *morse*, deriv. do rus. *moržá* (genitivo de *morž*) e, este, do lapão *morša, morššâ*.
mors·egar, -o → MORDER.
mortadela *sf.* 'grande chouriço, espécie de salame' 1873. Do it. *mortadèlla*, deriv. do lat. *myrtatum* 'recheio em que entram bagas de mirto', de *myrta*.
mortagem *sf.* 'concavidade existente ou feita em uma coisa para encaixar outra' 1881. Do cast. *mortaja*, deriv. do fr. a. *mortaige* (atual *mortaise*) e, este, talvez do ár. *murtazza*, part. pass. de *razza* 'introduzir uma coisa na outra'.
morte *sf.* 'fim da vida, falecimento, termo, destruição' XIII. Do lat. *mŏrs mŏrtis* || **amortalh**AR XVII || **amortec·edor** *adj. sm.* XX || **amortecer** XIV || **amortec·ido** XIV || **amortec·imento** 1881 || **amortific·ação** XVI || **amortific·ado** | XIV, -*vigado* XIV etc. || **amortific·amento** XV || **amortificar** | XIV, -*vigar* XIV etc. || **imort**AL | *immortal* XVI | Do lat. *immortālis*, || **imort**AL·IDADE | *immor-* 1572 | Do lat. *immortālĭtās -ātis* || **imort**AL·IZAR | *immor-* XVII || **mort**AL XIII. Do lat. *mortālis* || **mortalha** XIV, -*alla* XIII || Do lat. *mortŭālia* || **mort**AL·IDADE | XIV, -*taldad* XIV, -*taidade* XIV, -*taydade* XIV etc. | Do lat. *mŏrtālĭtās -ātis* || **mortandade** | XIV, *mortiindade* XIV | Do cast. *mortandad* || **morticínio** 1813. Do lat. *morticĭnum*, com influência de *latrocínio*

‖ mortí·FERO XIV. Do lat. *mortiférum*, acus. de *mortifer* ‖ mortIFIC·AÇÃO | XVI, -çom XV etc. | Do lat. *mortificātio -ōnis* ‖ mortIFIC·AMENTO *sm*. 'ant. mortificação' | XV, -te- XIV ‖ mortIFIC·ANTE 1844 ‖ mortIFICAR XIV. Do lat. *mortificāre* ‖ mortIFIC·ATIVO 1844 ‖ morto XIII. Do lat. *mŏrtŭus* ‖ mortório *sm*. 'exéquias, préstito fúnebre' | XIV, *mortuorios* pl. XVI | Do lat. *mortuorum* 'dos mortos', genitivo plur. de *mŏrtŭus*, com provável influência do sufixo -ÓRIO ‖ mortuALHA XV.
morteiro[1] *sm*. 'orig. aquilo que se pisa no almofariz' *ext*. almofariz' XVI. Adapt. do it. *mortaro*, deriv. do lat. *mortārium -iī* ‖ morteiro[2] *sm*. 'canhão curto de boca larga' 1748. Provavelmente adaptação do fr. *mortier*.
mort·icínio, -ífero, -ificação, -ificamento, -ificante, -ificar, -ificativo, -o, -ório, -ualha → MORTE.
morubixaba *sm*. 'chefe entre os índios do Brasil' | 1608, *murubixaba c* 1584 etc. | Do tupi *morumi̯šaṷa*.
mórula[1] → MORA.
mórula[2] → AMORA.
mosaico[1] *sm*. 'pavimento de ladrilhos variegados' XVI. Do it. *mosàico*, deriv. do lat. med. *mūsaicus*, de *Mūsa* 'musa', que indicava as grutas dedicadas às musas que adornavam os jardins romanos. Cp. MUSA.
⇨ mosaico[1] | XV FRAD I.293.*16* |.
mosaico[2] *adj*. 'relativo ou pertencente a Moisés' XVI. Do fr. *mosaïque*, deriv. do gr. *mōsaikós*.
mosca *sf*. 'designação comum a todos os insetos dípteros, ciclorrafos, esquizóforos' XIII. Do lat. *musca* ‖ moscAR *vb*. 'fugir das moscas' *fig*. desaparecer, safar-se' XVII ‖ mosquEAR *vb*. 'afugentar com a cauda as moscas' XX. Do cast. *mosquear* ‖ mosquETA *sf*. 'bogari' XVI ‖ mosquET·ÃO *sm*. 'tipo de fuzil' XVII. Do fr. *mousqueton*, deriv. do it. *moschettóne* ‖ mosquET·ARIA 1813. Do fr. *mousqueterie* ‖ mosquETE *sm*. 'arma de fogo antiga, com o feitio da espingarda' XVI. Do fr. *mousquet*, deriv. do it. *moschétto* ‖ mosquET·EIRO XVI ‖ mosquIT·EIRO *sm*. 'cortinado para proteger contra os mosquitos' 1844. Do cast. *mosquitero* ‖ mosquITO *sm*. 'inseto díptero, da fam. dos culicídeos' XV ‖ muscívoro 1873. Do lat. cient. *muscivorus*.
moscad·eira, -o → ALMÍSCAR.
moscar → MOSCA.
moscat·el, -elina → ALMÍSCAR.
moscovita *adj. s2g.* 'relativo à, ou natural de Moscóvia, denominação hoje desusada, ou muito pouco usada, de Rússia' 'russo' | *moscouita* 1514, *-quouita* 1514 |; *sf*. 'mineral monoclínico do grupo das micas' | *moscovite* 1899 | Do lat. med. *moscovīta*, de *Moscovia*, nome do principado de *Moscou* (rus. *Moskva*), aplicado, por extensão, a toda a Rússia. Em texto de 1538 (e, depois, em 1572, em *Os Lusíadas*) ocorre a forma *mosco*, redução de *moscovita*. Na 2ª acepção o voc. provém diretamente do fr. *moscovite* ‖ moscóvia *sf*. 'couro da Rússia' 1706.
mosleme *adj. 2g. sm*. 'muçulmano, maometano' | *muslim* XIX | Do ár. *muslim* ‖ moslêmICO 1899 ‖ moslemita *s2g*. 'pessoa que, deixando o cristianismo, abraçou o maometismo' 1844. Cp. MAOMETANO, MUÇULMANO.

mosqu·ear, -eta, -etão, -etaria, -ete, -eteiro, mosqui·teiro, -to → MOSCA.
mossa → MORDER.
mostard·a, -eira → MOSTO.
mosteiro → MONACAL.
mosto *sm*. 'sumo de uvas, antes de terminada a fermentação' 1813. Do lat. *mustum -i* ‖ mostarda *sf*. 'semente de mostardeira' 'farinha, pó ou pasta usada como condimento ou medicamento' XIV. Do a. fr. *moustarde* (hoje *moutarde*) ‖ mostardEIRA *sf*. 'planta da fam. das crucíferas' 1813. Adapt. do a. fr. *moustardier* (hoje *moutardier*) ‖ mostÍFERO 1844.
mostrar *vb*. 'expor à vista' 'indicar' | XIII, *monstrar* XIII | Do lat. *monstrāre* ‖ Amostra *sf*. 'ato ou efeito de amostrar' 1500. Dev. de *amostrar* ‖ Amostragem 1899 ‖ Amostrar XIII ‖ ENTREmostrar | *entre-mostrar* 1881 ‖ mostra *sf*. 'ato ou efeito de mostrar' | XIII, *monstra* XIII | Dev. de *mostrar* ‖ mostrADOR XIV. Do lat. *mōnstrātor -ōris* ‖ mostrAMENTO XIV ‖ mostrANÇA XV ‖ mostrANTE XIV ‖ mostruÁRIO *sm*. 'vitrina' 1899. Adapt. do cast. *muestrario*.
⇨ mostrar — Amostra | XV LOPI I.187.*35* ‖ AmostrAMENTO XV ESOP 42.*17* | AmostrANÇA | XV CESA III.1§15.*3*. *amostramça* XV ZURC 164.*4* ‖ mostrAÇÃO | *mostraçã* 1525 ABEJP 18v32 |.
mota *sf*. 'aterro à beira de rio' 'terra ajuntada ao redor do tronco das árvores, para resguardar-lhes as raízes' XIII. De origem incerta, provavelmente pré-romana.
mote *sm*. 'orig. divisa, lema' *ext*. glosa' *ext*. tema, assunto' | XVI, *moto* XV | Do prov. ou do fr. *mot* 'palavra', deriv. do lat. pop. *mŏttum*, alter. do lat. vulg. *muttum*, onomatopeia empregada em frases como *non muttum facere* 'não abrir a boca, não falar' ‖ motEJ·ADOR XVI ‖ motEJAR XIV. Do cast. *motejar* ‖ motejo *sm*. 'zombaria' XVIII. Do cast. *motejo* ‖ motETE[1] *sm*. 'dito engraçado ou satírico' XVII. Do fr. *motet*.
motel *sm*. 'orig. hotel à beira das autoestradas' 'mod. hotel para encontro de casais' XX. Do ing. *motel*, contração de *mot(or)* 'veículo automóvel' + *hot(el)* 'hotel'.
motete[1] → MOTE.
motete[2] *sm*. 'ant. migalha, pedaço de pão' XV. De origem desconhecida.
motilidade → MOVER.
motim *sm*. 'revolta, rebelião, sublevação popular' XVI. Do a. fr. *mutin*, substantivação do adj. *mutin* 'revoltoso' (antes *meutin*), deriv. do ant. *muete* 're- belião' e, este, do lat. *movĭta* 'movimento' ‖ AmotinAR XVI. Adapt. do fr. *mutiner*. Cp. MOVER.
motivo *adj. sm*. 'que pode fazer mover' 'que causa ou determina alguma coisa' 'causa, razão' 'fim, intuito' XVII. Do lat. tard. *mōtīvus* ‖ motivAÇÃO 1899 ‖ motivADOR 1844 ‖ motivAR XVII. Do fr. *motiver*. Cp. MOVER.
⇨ motivo | *a* 1542 JCASE 29.*24* |.
moto- *elem. comp.*, do lat. *mōtus -us* 'movimento', que se documenta em alguns compostos introduzidos, a partir do séc. XX, na linguagem internacional da mecânica e dos esportes ▶ moto[1] *sm*. 'movimento' XVI. Do lat. *mōtus -us* ‖ moto[2] *sm*. XX. Abrev. de *motocicleta* ‖ motOCA *sf*. 'pop.

motocicleta' XX. De *mot(o)* e a terminação *-oca*, que se documenta em outros vocs. de cunho irônico e prazenteiro, como *boboca, fofoca* etc. ‖ **moto**CICL·ETA *sf.* 'motociclo' XX. Do fr. *motocyclette* ‖ **moto**CICL·ISTA XX. Do fr. *motocycliste* ‖ **moto**CICLO *sm.* 'bicicleta com motor a gasolina' XX. Do fr. *motocycle* ‖ **motogodile** *sf.* 'canoa com pequeno motor a gasolina' XX. Do fr. *moto-godille* ‖ **moto**MECANIZAR XX ‖ **moto**NÁUTICA XX. Do fr. *motonautique* ‖ **moto**NAVE XX ‖ **moto**N·ETA *sf.* 'veículo motorizado, semelhante à motocicleta' XX ‖ **motoqu**EIRO *sm.* '*pop.* motociclista' XX. De *moto(ca)* + *-qu·eiro*. Cp. MOVER.
motor¹ *adj.* 'que faz mover' 'determinante, causante' XVII. Adapt. do fr. *moteur*, deriv. do lat. *mōtor -ōris* 'que move' ‖ BI**motor** XX ‖ **motor**² *sm.* 'tudo o que dá movimento a um maquinismo' XIX. Adapt. do fr. *moteur* ‖ **motor**ISTA XX ‖ **motor**N·EIRO *sm.* 'o encarregado do motor de um bonde' XX. De um falso ing. **motorneer*, formado por analogia com *engineer* 'engenheiro' ‖ **motric**IDADE *sf.* 'propriedade que têm certas células nervosas de determinar a contração muscular' 1899. Adapt. do fr. *motricité* ‖ **motriz** *adj. f. s2g.* 'que, ou coisa ou força que dá movimento' 1813. Adapt. do fr. *motrice*, abrev. de *automotrice* 'automotor', ou de *locomotrice* 'locomotor'. Cp. MOVER.
mouchão *sm.* 'pequena porção de terreno arborizado nas lezírias' 1791. De origem duvidosa; talvez se relacione com o cast. *mojón*, deriv. do lat. vulg. **mŭtŭlo -ōnis* (cláss. *mŭtŭlus* 'modilhão, cabeça sobressalente de uma viga' 'madeira fincada num muro').
mouco *adj. sm.* 'surdo' XVI. De origem obscura.
mourama → MOURO.
mourão *sm.* 'estaca na qual se sustenta a videira' 'esteio grosso ao qual se amarram reses' 1813. De origem incerta.
mouro *sm.* 'indivíduo dos mouros, povos que habitavam a Mauritânia' XIII. Do lat. *maurus* ‖ **mauro** *adj.* 'mouro' 1572. Forma divergente culta de *mouro* ‖ **mour**AMA XV ‖ **mour**ARIA XIV ‖ **mour**EJAR *vb.* 'trabalhar muito, sem descanso (como um mouro)' 1813 ‖ **mour**ISCO XIII ‖ **mour**ISMA XIV ‖ **murzelo** *adj. sm.* 'diz-se de, ou cavalo morado' XIII. Do lat. *mauricĕllus*, deriv. de *maurus* 'mouro', pela cor morena dos mouros; admite-se, ainda, que a voc. derive do gr. *mâuros* ou *amaurós* 'moreno'.
⇨ **mouro** — AMOURISC·ADO | 1593 *in* ZT |.
moutão¹ → MOITA.
moutão² *sm.* '*ant.* moeda portuguesa de valor correspondente a três libras e dezenove soldos' XV. Do fr. *mouton* 'carneiro', que designava também uma moeda de ouro francesa, cunhada nos sécs. XIV e XV, com a figura do '*Cordeiro de Deus*'.
mover *vb.* 'dar ou comunicar movimento a' 'pôr em movimento' 'deslocar' 'induzir, persuadir' 'causar, inspirar' XIII. Do lat. *mŏvēre* ‖ A**mover** *vb.* 'afastar, apartar, desviar' XV. Do lat. *a-mŏvēre* ‖ A**mov**ÍVEL XVI ‖ DES**mobil**IAR XX ‖ DES**mobil**IZAR 1899 ‖ I**mobili**ÁRIA *sf.* 'empresa que se dedica à construção civil e/ou ao comércio de lotes e casas' XX. Fem. substantivado de *imobiliário* ‖ I**mobili**ÁRIO *adj.* 'relativo a imóveis ou edificações' 1890 ‖ I**mobilidade** *sf.* 'qualidade ou estado do que é imóvel' | *imm-* 1813 | Do lat. *immōbilítas -ātis* ‖ I**mobil**ISMO | *imm-* 1873 | Do fr. *immobilisme* ‖ I**mobil**ISTA | *imm-* 1873 | Do fr. *immobiliste* ‖ I**mobil**IZ·AÇÃO 1881. Do fr. *immobilisation* ‖ I**mobil**IZAR 1881. Do fr. *immobiliser* ‖ I**moto** *adj.* 'imóvel' | *imm-* 1572 | Do lat. *im-mōtus* ‖ I**móvel** *adj. 2g. sm.* '*orig.* sem movimento, parado' '*ext.* bem que não é móvel' | *imm-* XVIII | Do lat. *im-mōbĭlis -e* ‖ IN·A**mov**ÍVEL 1858. Adapt. do fr. *inamovible* ‖ I·RRE**mov**ÍVEL 1844 ‖ **móbil** *adj. 2g. sm.* 'móvel' 'causa, motor' XVI. Do lat. *mōbĭlis* ‖ **mobília** *sf.* 'os móveis de uma casa' 1803. Do lat. *mobilia* 'as coisas móveis', nom. neutro plur. de *mobĭlis* ‖ **mobilh**AR, **mobili**AR 1873 ‖ **mobili**ÁRIO¹ *adj.* 'que é da natureza do móvel' 1873 ‖ **mobili**ÁRIO² *sm.* 'conjunto de móveis de uma casa' 1899. Provavelmente adapt. do fr. *mobilier* ‖ **mobil**IDADE XVI. Do lat. *mobilĭtas -ātis* ‖ **mobil**IZ·AÇÃO 1858. Do fr. *mobilisation* ‖ **mobil**IZAR 1858. Do fr. *mobiliser* ‖ **moção** *sf.* 'ato ou efeito de mover-se' 'movimento' XVIII.' Do ing. *motion*, deriv. do lat. *mōtĭō -ōnis* ‖ **motil**IDADE 1890. Adapt. do fr. *motilité*, deriv. do lat. *mōtus*, part. pass. de *mŏvēre* ‖ **mov**ED·IÇO XIII ‖ **móvel** *adj. 2g.* 'que se pode mover' | *mouil* XIII |; *sm.* 'peça de mobília' XV. Forma divergente popular de *móbil* ‖ **mo**VENTE XIII. Do lat. *movēns -ēntis*, part. pres. de *mŏvēre* ‖ **mov**IDA *sf.* 'partida' XIV. Fem. substantivado de *movido* ‖ **mov**IMENT·AÇÃO 1899 ‖ **mov**IMENT·AR 1899. Adapt. do fr. *mouvementer* ‖ **mov**IMENTO *sm.* 'ato ou processo de mover(-se)' | *move-* XIV ‖ **móvito** *sm.* 'parto prematuro' 'aborto' XVI. Talvez de um lat. **movĭtus*, part. pass. de *mŏvēre* ‖ RE**moção** *sf.* 'ato ou efeito de remover' 1813. Do lat. *remōtĭō -ōnis* ‖ RE**movedor** XX ‖ RE**mover** XIV. Do lat. *re-mŏvēre* ‖ RE**movibil**·IDADE XX ‖ RE**mov**IDO 1813 ‖ RE**mov**ÍVEL 1813. Cp. MOTIVO, MOTO-, MOVER.
⇨ **mover** — I**móvel** | *ỹmouel* 1537 PNun 15.*25*, *imouel a* 1542 JCASE 60.*1* ‖ RE**mov**IDO | *a* 1595 Jorn. 36.*15* ‖ RE**mov**IMENTO | XV SBER 119.*11*, VIRG v.441 |.
moxa *sf.* 'mecha de cotão ou de algodão que se aplica acesa sobre a pele para cauterizá-la' 1873. Do fr. *moxa*, deriv. do jap. *moekusa*, de *moe-kusa* 'erva para queimar'.
moxama *sf.* 'peixe seco e salgado para se conservar por muito tempo' XVI. Do ár. *mušámmᶜ* 'seco', part. do ár. vulg. *šámma* 'secar' ‖ **mox**AR *vb.* 'secar (peixe) ao fumo' XX.
moxinifada *sf.* 'confusão, embrulhada, miscelânea' 1813. De étimo desconhecido.
mozeta *sf.* 'murça eclesiástica ou prelatícia' 1813. Do it. *mozzétta*.
mu → MULA.
muamba *sf.* '*orig.* espécie de canastra para transporte' '*ext.* contrabando' 1890. Provavelmente do quimb. *mu'aṃa* ‖ **muamb**EIRO 1899.
muar → MULA.
mucaiúba *sf.* 'mucajá' | *-juba c* 1777 | Do tupi **muka'ĩya* ‖ **mucajá** *sm.* 'palmeira da subfam. das cocosoídeas (*Acrocomia sclerocarpa*)' XX. Do tupi **muka'ĩa* ‖ **mucajaz**·EIRO | *-seiro* XIX.
mucama *sf.* 'a escrava negra moça e de estimação que, por vezes, era a ama de leite' 1813. De origem africana, mas de étimo indeterminado.

muçambé *sm.* 'planta da fam. das caparidáceas' | *mussambê* 1876 | Do tupi **musa'mẽ*.
muchacho *sm.* 'rapaz' XVII. Do cast. *muchacho* || **muchach**ADA XX. Do cast. *muchachada*.
muci·lagem, -laginoso, -na, -paro → MUCO.
muciqui *sm.* 'água-viva, alforreca' 1587. Do tupi *mosï'kï*.
muco *sm.* 'humor mucoso, viscoso, segregado pelas fossas nasais' 1813. Do lat. *mūcus -i* || **mucilagem** *sf.* 'designação comum a compostos viscosos produzidos por plantas' 1813. Do fr. *mucilage*, deriv. do lat. *mūcilāgo -ĭnis* || **mucilagin**OSO | *-ozo* 1782 | Adapt. do fr. *mucilagineux* || **muc**INA 1873 || **mucí**PARO 1881 || **mucí**VORO 1881 || **muc**OL *sm.* 'mucilagem usada em farmácia como excipiente' 1890 || **muc**OS·IDADE 1844. Adapt. do fr. *mucosité* || **muc**OSO 1813. Adapt. do fr. *muqueux*, deriv. do lat. *mucōsus*.
mucro, múcron *sm.* '(Anat.) apêndice xifoide do esterno' | *mucro* XX, *múcron* 1813 | Do lat. *mucrō -ōnis* 'ponta, extremidade (pontiaguda)' || **mucron**ADO 1844. Do lat. *mucrōnātus*.
muçuã *sm.* 'espécie de cágado da fam. dos cinosternídeos (*Kinosternon scorpioides*)' | *mussuan* 1833 | Do tupi **musu'ã*.
mucujê *sm.* 'planta da fam. das apocináceas' | *mucugé c* 1584, *macugé* 1587 etc. | Do tupi *muku'ie*.
muçulmano *adj. sm.* 'maometano' | *moçalmam* XVI, *massoleymões* pl. XVI | Do fr. *musulman*, deriv. do persa *musalmân* (*muslinān*) e, este, do ár. *múslin*, part. ativo de *'áslam'* 'obedecer à vontade de Deus'.
muçum *sm.* 'peixe da ordem dos simbrânquios, espécie de enguia' | *mocim* 1587, *musu* 1618, *mocu c* 1631 etc. | Do tupi *mu'su*.
mucunã *sf.* 'planta da fam. das leguminosas' | *mucuná* 1587, *maquna* 1618 etc. | Do tupi *muku'nã*.
mucungo *sm.* 'mutamba' 1899. Do cafre *mu'kuŋo*.
mucunzá → MUNGUZÁ.
mucura *sf.* 'mamífero marsupial da fam. dos didelfídeos, gambá, sariguê' *c* 1777. Do tupi **mu'kura* || **mucuracaá** *sm.* 'planta da fam. das gramíneas' | *mocura caa c* 1767, *mucuracahá c* 1777 etc. | Do tupi **mukuraka' a < *mu'kura + ka'a* 'folha'.
muçurana *sf.* 'corda com que os índios do Brasil amarravam os prisioneiros' | 1587, *masurana c* 1596 etc. | Do tupi *musu'rana*.
mucuri *sm.* 'planta do gênero *Platonia*, da fam. das gutiferas, bacuri' | *mocuri* 1587, *mucory* 1817 | Do tupi *muku'ri*.
mudar *vb.* 'remover, deslocar, trocar' XIII. Do lat. *mūtāre* || **imud**ÁVEL | *immu-* 1813 | Forma divergente popular de *imutável* | **imut**ABIL·IDADE XVI. Do lat. *immūtābilĭtās -ātis* || **imut**AÇÃO XVII. Do lat. *immūtātiō -ōnis* || **imut**AR XVII. Do lat. *immūtāre* || **imut**ÁVEL | *immu-* XVI | Do lat. *immūtābĭlis -e* || **muda** *sf.* XV. Dev. de *mudar* || **mud**AÇÃO | *-çom* XIV, *-çam* XV | Forma divergente popular de *mutação* || **mud**AD·IÇO XIV || **mud**ADO XIV || **mud**A·MENTO XIII || **mud**ANÇA XIV || **mud**ÁVEL | *-uel* XIV, *-uil* XV | Forma divergente popular de *mutável* || **mut**ABIL·IDADE XVI. Do lat. *mūtābilĭtās -ātis* || **mut**AÇÃO XIX. Do lat. *mūtātiō -ōnis* || **mutac**ISMO *sm.* 'vício de pronúncia que consiste em trocar certas letras por *m*, *b* e *p*' 1873 || **mut**ANTE XX || **mut**AT·ÓRIO 1881. Do lat. *mūtātōrĭus* || **mut**ÁVEL 1890. Do lat. *mūtābĭlis -e*.
mudéjar *adj. s2g.* 'diz-se de, ou designação arábica dos mouros que ficaram habitando a Península Ibérica depois da reconquista dos cristãos' 1899. Do cast. *mudéjar*, deriv. do ár. *mudéǧǧen*, part. passivo da segunda forma de *dáǧan* 'permanecer'.
mudo *adj.* 'impossibilitado de falar' XIII. Do lat. *mūtus* || **emud**ECER | *emmu-* 1813 | Do lat. *in-mūtēscĕre* || **emudec**IDO | *emmu-* XVII || **mud**EZ 1813 || **mut**ISMO 1881. Do fr. *mutisme*.
↪ **mudo** — AMUDECER | XIV BENT 27.*31*, *amudeçer* XIV TROY I.127.*12* |.
muezim *sm.* 'almuadem' | *meyzim* XVII | Do a. fr. *maizin* (documentado em 1568), atualmente *muezzin*, deriv. do turco *muēzzin* e, este, do ár. *mu'addin*. Cp. ALMUADEM.
mufla *sf.* '*orig.* ornato em forma de focinho de animal' '*ext.* caixa, nas instalações elétricas, onde se acham os interruptores gerais' 1899. Do fr. *moufle*.
mufti *sm.* 'chefe religioso muçulmano' | *mofti* XVII | Do ár. *muftī*.
mugem *sm.* 'gênero de peixes mugiloides' XIII. Do lat. *mūgil* ou *mūgĭlis -e*.
mugir *vb.* 'dar mugidos' 'berrar, bramir' | XIII, *mo-* XIII | Do lat. *mūgīre* || **mug**IDO *sm.* 'a voz dos bovídeos' 'bramido, estrondo' XIV. Do lat. *mūgītus -us* || RE**mugir** 1899.
mui → MUITO.
muieperuru *sm.* 'pássaro da fam. dos troglodítídeos (*Troglodytes musculus*), também chamado carriça, cambaxirra e corruíra' 1587. Do tupi **mịrepuru'ru*.
muirapuama *sf.* 'planta da fam. das olacáceas' | *muira puána* 1833 | Do tupi **mịra'puama*.
muiraquitã *sm.* 'espécie de amuleto dos índios do Brasil' | *baraquitã a* 1667, *buraquita a* 1667, *uuraquitan* 1763 etc. | Do tupi **mịraki'tã*.
muito *pron. adv.* 'que é em grande número ou em abundância ou em grande intensidade' 'com excesso, abundantemente' | XIII, *muyto* XIII | Do lat. *multus -a-um* || **mui** *adv.* | XIII, *muy* XIII | Forma apocopada de *muito*.
mujique *sm.* 'camponês russo' | *mougicks* pl. 1838, *-jick* XIX, *-jik* XIX, *mujik* XIX etc. | Do fr. *moujik*, deriv. do rus. *mužik*.
mula *sf.* 'a fêmea do mulo, animal mamífero resultante do cruzamento de jumento com égua, ou de cavalo com jumenta' | XIV, *mua* XIII etc. | Do lat. *mūla* || **mu** *sm.* | XIV, *mui* XIII | Forma apocopada de *mulo* || **mu**AR *adj. 2g. sm.* 1813. Do lat. *mulāris -e* || **mulat**EIRO *sm.* '*orig.* condutor de mulos, almocreve' XVI; 'jumento de cobrição de éguas para a produção de mus' 1899. Do cast. *mulatero* || **mulat**INHO *sm.* 'variedade de feijão' 1881 || **mulato** *sm.* '*ant.* mulo' 'filho de pai branco e mãe preta, ou vice-versa' 1524. Do cast. *mulato* || **muleta**[1] *sf.* 'pequena mula' 'bastão, apoio' XIII. Do cast. *muleto* || **muleta**[2] *sf.* 'pequeno barco de pesca' 1571. Provavelmente relacionado com *muleta*[1] || **mulo** *sm.* XV. Do lat. *mulus -i*.
↪ **mula** — MUAR | XV LOPF 129.*48* || **mul**AT·EIRO | XV FRAD I.358.*10* |.
muladar → MURO.

mula·teiro, -tinho, -to → MULA.
mulembá *sm.* 'a figueira branca ou mata-pau, enquanto se apresenta em epifitismo' 1899. Do quimb. *mu'leɲa*.
muleta → MULA.
mulher *sf.* 'pessoa do sexo feminino' 'esposa' | *moller* XIII, *muller* XIII etc. | Do lat. *mŭlier mŭliĕris* || **mulher**ENGO 1813 || **mulher**IL XVI || **mulher**IO XVI.
mulo → MULA.
mulso *sm.* 'mistura de água e mel' 'hidromel' | XVII, *-sa* f. XVII | Do lat. *mulsum -i* 'vinho misturado com mel'.
multa *sf.* 'pena, castigo, punição' XVI. Do lat. *mulcta* ou *multa* || **mult**AR XVI. Do lat. *mulctāre* ou *multāre*.
multi- *elem. comp.*, do lat. *multi-*, de *multus* 'muito, numeroso, abundante', que se documenta em alguns compostos formados no próprio latim (como *multicolor*) e em muitos outros, introduzidos, a partir do séc. XIX, na linguagem científica internacional. Registram-se, a seguir, os derivados e compostos eruditos formados nas línguas modernas de cultura. Os demais, já formados em latim, vão consignados em verbetes independentes, na sua respectiva ordem alfabética ▶ **multi**ANGUL·AR 1858 || **multi**AXÍ·FERO 1858 || **multi**CAPSUL·AR 1858 || **multi**CAUDO 1899 || **multi**CELUL·AR | *-llu-* 1873 || **multi**EDRO XX || **multi**FLORO 1858. Do fr. *multiflore*, deriv. do lat. tard. *multiflorus* || **multi**FOLI·ADO 1899 || **multi**FURO XVIII || **multi**LATER·AL *adj. 2g.* 'que se faz ou realiza entre várias nações, instituições ou pessoas' XX. Do ing. *multilateral* || **multi**LÁTERO *adj.* '(Geom.) diz-se de figura plana que tem mais de quatro lados' 1844. Do lat. tard. *multilaterus* || **multi**LOB·ADO 1858. Do lat. cient. *multilobātus* || **multi**LUSTR·OSO 1881 || **multi**MILEN·ÁRIO XX || **multi**MILION·ÁRIO XX || **multi**NACION·AL XX || **multi**NÉRV·EO 1899 || **multí**PARO 1873. Do ing. *multiparous*, deriv. do lat. cient. *multiparus* || **multi**PÉ·TALO 1873 || **multi**PONTU·ADO 1873 || **multi**SCIENTE *adj. 2g.* 'que sabe muito' 1899 || **multí**SCIO *adj.* 'multisciente' 1899 || *multis*·SECUL·AR | *multise-* 1873 || **multi**UNGULADO 1881 || **multi**VALVE 1858. Do lat. cient. *multivalvis* || **multi**VALVUL·AR 1899.
multicaule *adj. 2g.* '(Bot.) diz-se do vegetal de cuja raiz saem muitos caules' 1858. Do lat. *multicaulis*.
multicelular → MULTI-.
multicolor *adj. 2g.* 'que tem muitas cores' 1858. Do fr. *multicolore*, deriv. do lat. *multicolōris -e* || **multi**COR XVIII. Forma popular de *multicolor*.
multidão *sf.* 'grande aglomeração de pessoas' 'o povo' | XVI, *-dom* XIV, *-dõe* XIV, *muytedũe* XIV etc. | Do lat. *mŭltĭtūdo mŭltĭtūdĭnis* || **multitudin**ÁRIO XX.
multiedro → MULTI-.
multifário *adj.* 'que tem muitos aspectos' 'variado' 1881. Do lat. *multifarĭus*.
multífido *adj.* '(Bot.) fendido em muitas partes' 1873. Do lat. *multifidus*.
multi·floro, -foliado → MULTI-.
multiforme *adj. 2g.* 'que tem muitas formas' XVI. Do lat. *multiformis -e*.
multifuro → MULTI-.
multígeno *adj.* 'que abrange muitos gêneros ou espécies' 1890. Do lat. *multigĕnus*.

multi·lateral, -látero, -lobado → MULTI-.
multíloquo *adj.* 'que fala muito, loquaz' 1881. Do lat. *multilŏquus*.
multilustroso → MULTI-
multimâmio *adj.* '(Zool.) que tem mais de duas mamas ou tetas' | *-mmio* 1899 | Do lat. *multimammĭus*, fem. de *Multimammía*, epíteto de Diana de Éfeso.
multi·milenário, -milionário → MULTI-.
multímodo *adj.* 'multifário' 'multiforme' XVIII. Do lat. *multimŏdus*.
multi·nacional, -nérveo, -paro → MULTI-.
multipartido *adj.* '(Bot.) diz-se de órgão vegetal dividido em grande número de partes' 1858. Do lat. *multipartītus*.
multípede *adj. 2g.* '(Zool) que tem muitos pés' 1873. Do lat. *multĭpēs -pĕdis*.
multipétalo → MULTI-.
multiplicar *vb.* 'aumentar em número ou importância' 'repetir, amiudar' '(Arit.) realizar uma multiplicação' | XIV, *-pricar* XIV | Do lat. *multiplĭcāre* || **multiplic**AÇÃO *sf.* 'ato ou efeito de multiplicar(-se)' '(Arit.) operação elementar em que se calcula a soma de *n* parcelas iguais a um número *m*' | *-çam* XV, *-pricaçom* XV | Do lat. *multiplicātĭō -ōnis* || **multiplic**ADOR *sm.* 'que multiplica' '(Arit.) numa multiplicação, o fator que indica quantas vezes se há de tomar o outro para efetuá-la' 1813. Adapt. do fr. *multiplicateur*, deriv. do b. lat. *multiplicatōr -ōris* || **multiplic**AMENTO XV || **multiplic**ANDO *sm.* '(Arit.) numa multiplicação, o número que se há de tomar tantas *vezes* quantas são as unidades do multiplicador' 1813. Do fr. *multiplicande*, der. do part. fut. passivo lat. *multiplicandus* || **multiplic**ATIVO 1890. Adapt. do fr. *multiplicatif* || **multiplic**ÁVEL XVII. Do lat. *multiplicābĭlis -e* || **multíplice** *adj. 2g.* 'complexo, copioso, variado' XVIII. Do lat. *multĭplex -ĭcis* || **multiplic**IDADE 1844. Adapt. do fr. *multiplicité*, deriv. do lat. *multiplicĭtās -ātis* || **múltiplo** *adj.* 'que não é simples nem único' 1858. Do fr. *multiple*, deriv. do lat. tard. *multĭplus* || SUB**múltiplo** 1881. Adapt. do fr. *sous-multiple*.
multi·pontuado, -sciente, -scio, -ssecular → MULTI-.
multíssono *adj.* 'que produz muitos ou variados sons' | *-tiso-* 1881 | Do lat. *multisŏnus*.
multitudinário → MULTIDÃO.
multiungulado → MULTI-.
multívago *adj.* 'errante, vagabundo' 1881. Do lat. *multivăgus*.
multi·valve, -valvular → MULTI-.
multívolo *adj.* 'que quer muitas coisas simultaneamente' 1881. Do lat. *multivŏlus*.
mulundu *sm.* 'certa dança de negros' XX. Provavelmente de origem africana.
mulungu *sm.* 'certa planta leguminosa' 'certo instrumento musical africano' 1890. De origem africana, mas de étimo indeterminado.
mumbaca *sf.* 'nome comum a duas palmeiras do gênero *Astrocaryum* (*A. humile* e *A. mumbaca*)' | *mombaca* 1763 | Do tupi **mu'ɲaka*.
mumbanda *sf.* 'mucama' 1813. Talvez do quimb. *mi'ɲaɲa* 'mulher'.
mumbuca *sf.* 'abelha da fam. dos meliponídeos' 1817. Do tupi **mu'ɲuka*.
múmia *sf.* 'cadáver embalsamado' | 1890, *momja* XVI | Do lat. med. *mūmīa*, deriv. do ár. *mūmĭyya* e,

este, do persa *mūm* 'cera'. No port. med. documentam-se, também, *maminha, mominha* e *muminha*, as duas primeiras no séc. XIV e a última no séc. XV || **mumi**FICAR 1881. Adapt. do fr. *momifier*.
mund·ana, -anal, -ano → MUNDO².
mundéu *sm.* 'armadilha de caça' | 1587, *monde c* 1587, *mondè* 1663 | Do tupi *mu'ṇe*.
mundial → MUNDO².
mundícia *sf.* 'asseio, limpeza' XVII. Do lat. *munditia* || I**mundícia** | *immu-* XVI | Do lat. tard. *immundĭtĭa* || I**mundície** | *immu-* 1873 | Do lat. tard. *immundĭtĭe* || I**mundo** *adj.* 'muito sujo' | *jmm-* XVI | Do lat. tard. *immundus* || **mundície** *sf.* 'mundícia' 1873. Do lat. *munditĭēs -ēī* || **mund**IFIC·ANTE 1858 || **mund**IFIC·AR | *mũ-* XVI | Do lat. tard. *mundificāre* || **mund**IFIC·ATIVO | *mon-* XVI | **mundo**¹ *adj.* 'limpo, asseado' | *muudo* XIV, *mondo* XVI | Do lat. *mundus*. Cp. MONDAR.
mundo² *sm.* 'o universo' XIII. Do lat. *mŭndus -i* | INTER**múndio** 1873. Do lat. *intermundĭum -ĭī* || **mundana** *sf.* 'meretriz' 1844. Fem. substantivado de *mundano* || **mund**AN·AL *adj. 2g.* 'mundano' XIV || **mund**ANO *adj.* 'referente ao mundo' XIV. Do lat. *mundānus* || **mundi**AL *adj. 2g.* 'mundano, relativo ao mundo, universal' | *mundiaaes* pl. XV | Do lat. *mundiālis*.
mundururu *sm.* 'planta da fam. das melastomatáceas (Miconia macrophylla)' 1587. Do tupi *muṇuru'ru*.
mungir *vb.* 'ordenhar' | XVI, *moger* XIII | Do lat. **mulgire* (cláss. *mulgēre*), através de **muigir*.
munguba *sf.* 'planta da fam. das bombacáceas (Bombax munguba)' | 1618, *mon-* 1762, *ibomguiua c* 1631 etc. | Do tupi **ĩmu'ṇĩua* < *'ĩma* 'fuso' + *'un* 'negro' + *'ĩṷa* 'árvore' || **mungub**EIRA | *mon-* 1833.
munguzá *sm.* 'iguaria feita de grãos de milho cozido em caldo açucarado' 1861. De origem africana, mas de étimo indeterminado || **mucunzá** *sm.* 'munguzá' 1899.
munheca *sf.* 'a parte da mão em que ela se liga ao braço' 'a mão' 1813. Do cast. *muñeca*, de origem pré-romana | **munhão** *sm.* 'eixo quase a meio do comprimento duma peça de artilharia' XVIII. Do cast. *muñón* | **munhoneira** *sf.* 'encaixe onde se assenta o munhão' 1813. Do cast. *muñonera*.
muni·ção, -cio, -cionar → MUNIR.
município *sm.* 'divisão administrativa autônoma do Estado' XVI. Do lat. *municipĭum -ĭī* || **munic**ipAL | *monjçipal* XV | Do lat. *mūnicipālis -e* || **munic**IPAL·IDADE 1844. Adapt. do fr. *municipalité* || **munícipe** *adj. s2g.* 'diz-se de, ou cidadão ou cidadã do município' XVI. Do lat. *mūnĭceps -cĭpis*.
munífico *adj.* 'generoso, magnânimo, liberal' XVIII. Do lat. *mūnĭfĭcus* || **munific**ÊNCIA XVII. Do lat. *mūnĭfĭcentĭa* || **munific**ENTE XIX. Do lat. *mūnĭfĭcēns -ēntis*.
munir *vb.* 'prover ou abastecer de munições' 'defender, fortificar, abastecer' XVII. Do lat. *mūnīre* || **munição** *sf.* 'fortificação, defesa' 'designação comum a artefatos explosivos com que se carregam armas de fogo' | *mo-* XVI | Do lat. *mūnītĭō -ōnis* || **munício** *sm.* XIX. Dev. de *municionar* || **munic**ionAR XVII. Do a. fr. *munitionner*.
múnus *sm. 2n.* 'encargo, função, emprego' 1784. Do lat. *mūnus -eris*.

munzuá *sm.* 'covo feito de fasquias de taquara ou de bambu' 1899. De origem africana, mas de étimo indeterminado.
muque → MÚSCULO.
muquirana *s2g.* 'piolho (Pediculus vestimenti)' *'ext.* avaro; XX. Do tupi *mokï'rana*.
mu·r, -rador → MURAR².
murajuba *sm.* 'variedade de papagaio' 1833; *sf.* 'planta da fam. das leguminosas' XX. Do tupi **mĩra'ĩṷa*.
mur·al, -alha, -ar¹ → MURO.
murar² *vb.* 'caçar ratos' XVII. Do a. port. *mur* (< lat. *mūs mūris*) + -AR¹ || **mur** *sm.* 'ant. rato' XIII. Do lat. *mūs mūris* || **mur**ADOR XVI || **murganho** *sm.* 'camundongo' XVI. De um lat. **muricanĕus*, de *mūs mūris* || **mur**INO *adj.* 'pertencente ou relativo ao rato' XX. Do lat. *mūrīnus*.
murça¹ *sf.* 'espécie de cabeção de cor usado pelos cônegos por cima da sobrepeliz' XVI. De origem incerta; talvez resulte de um cruzamento dos sinônimos latinos *amictus* e *capucium*.
murça² *sf.* 'espécie de lima com serrilha ou picado fino' 1899. De origem desconhecida.
murcho *adj.* 'que perdeu a frescura, o viço, a cor ou a beleza' *'fig.* triste' | XVI, *mucho* XIV, *muscho* XIV | De origem controversa || **murch**AR XVI.
murciano *adj. sm.* 'relativo a ou natural de Múrcia' 'diz-se de, ou certa espécie de couve' | *-ana* f. XVI | Do topo *Múrci(a)* + -ANO.
mureira → MURO.
muremuré *sm.* 'instrumento de música indígena' 1663. Do tupi *muremu're*.
murganho → MURAR².
múria *sf.* 'salmoura, água salgada' 1899. Do lat. *murĭa* || **muri**ÁT·ICO *adj.* 'ant. ácido clorídrico' 1844. Do fr. *muriatique* || **muri**ATO *sm.* 'ant. clareto' 1844. Do fr. *muriate*.
múrice *sm.* 'molusco gastrópode, purpurífero' | XVI, *morece* XIV | Do lat. *mūrex -ĭcis*.
murici *sm.* 'planta do gênero Byrsonima, da fam. das malpiguiáceas' | 1587, *morosi* 1618, *morecim c* 1631 etc. | Do tupi *mori'si*.
muriçoca *sf.* 'variedade de mosquito' | *muruçóca* 1833, *morissoca* 1888 | Do tupi **muri'soka*.
murino → MURAR².
murmurar *vb.* 'emitir som leve, frouxo' 'dizer em voz baixa' 'segredar' XIII. Do lat. *murmŭrāre* || **murmur**AÇÃO XIV. Do lat. *murmurātĭō -ōnis* || **murmur**ADOR XIV. Do lat. *murmurātor -ōris* || **murmur**AMENTO XIV || **murmur**ANTE XIV || **murmur**ATIVO XVI || **murmúr**IO XIV. De *murmurar* | XVII, *murmurio* XIV, *murmuro* XV | Do lat. tard. *murmurium* (cláss. *murmur -ŭris*) || **múrmuro** *adj.* '(Poét.) murmurante' XVI || RE**murmurar** 1873. Do lat. *re-murmŭrāre*.
muro *sm.* 'parede forte que circunda um recinto ou separa um lugar do outro' *'fig.* defesa, proteção' XIII. Do lat. *mūrus -i* || A**mura** *sf.* 'tipo de cabo náutico' XVI. Der. regress. de *amurada* | A**mur**ADA *sf.* 'face interna do costado de uma embarcação' XVI. Fem. substantivado de *amurado* | A**mur**ADO *adj.* 'cercado de muros ou muralhas' XVI || INTER**mur**AL 1873. Do lat. *inter-mūrālis -e* || **muladar** *sm.* 'monturo' 'esterqueira' | XVII, *muradal* XIII | Do cast. *muladar* || **mur**AL *adj. 2g. sm.* 'relativo a muro ou parede'

'pintura mural' XVI. Do lat. *mūrālis -e* || **mur**ALHA XVII. Provavelmente do it. *muràglia*, deriv. do lat. *mūrālia*, pl. do adj. *mūrālis* || **mur**AR¹ XIV. Do lat. tard. *mūrāre* || **mur**EIRA *sf.* 'montão de estrume, em geral, junto de um muro' 1881.
murra *sf.* 'nódoa que a aproximação do fogo produz na pele' XVII. De origem controversa.
murro *sm.* 'pancada com a mão fechada' XVIII. De origem obscura || ESmurrAR XVIII.
⇨ **murt·a, -eira** → MIRTO.
murta → MIRTO.
murucaia *sf.* 'peixe da fam. dos cienídeos' | *mirocaia* 1587 | Do tupi *miro'kaįa*.
murucututu *sm.* 'espécie de coruja' *c* 1777. Do tupi *murukutu'tu*.
murumuru *sm.* 'palmeira muito comum na bacia amazônica' 1881. De origem americana, provavelmente do caribe.
murungu *sm.* 'planta da fam. das leguminosas' | *molungú* 1875 | Do tupi **muru'ņu*.
mururê *sm.* 'planta da fam. das ninfeáceas' | *mururiz c* 1698, *moruruz c* 1698 etc. | Do tupi **muru'ri*.
murzelo → MOURO.
musa *sf.* '(Mit.) cada uma das nove deusas que presidiam às artes liberais' '(Mit.) divindade inspiradora da poesia' '*ext.* tudo quanto pode inspirar um poeta' 1572. Do lat. *mūsa*, deriv. do gr. *moûsa*.
⇨ **musa** | XV ZURD 48.*16, c* 1538 JCasG 122.*18* |.
musaranho *sm.* 'pequeno mamífero insetívoro' 1813. Forma masculina de *musaranha* || **musaranha** *sf.* 'tipo de pescado grande' | XIII, *bu-* XIV | Do cast. *musaraña*, deriv. do lat. *mūsaranĕus*, assim chamado pela crença vulgar de que sua mordida é venenosa como a da aranha.
muscadínea → ALMÍSCAR.
muscardina *sf.* '*ant.* doença contagiosa que ataca o bicho-da-seda' 1873. Do fr. *muscardine*, deriv. do it. *moscardino*.
muscari → ALMÍSCAR.
musc·ícola, -íneo → MUSGO¹.
muscívoro → MOSCA.
muscoso → MUSGO¹.
músculo *sm.* '(Anat.) órgão carnudo, constituído pela reunião de muitas fibras, cujas contrações determinam os movimentos das várias partes do corpo dos animais' | *muscolo* XV, *muslo* XIV | Do lat. *mūscŭlus -i*, dim. de *mūs* 'rato', pela semelhança que apresentam certos músculos quando se contraem e se distendem com os movimentos rápidos do rato || INTRAmusculAR 1881 || **muque** *sm.* 'força muscular' 'músculo' XX. Alter. de *músculo* || musculAR 1813. Adapt. do fr. *musculaire* || musculAT·URA 1873. Do fr. *musculature* || musculINA *sf.* 'substância que só se encontra no tecido muscular' 1813 || musculOSO 1813. Adapt. do fr. *musculeux*.
museu *sm.* '*orig.* templo das musas' XVI; '*ext.* lugar destinado à reunião e exposição de obras de arte, de peças e coleções científicas, ou de objetos antigos etc.' 1813. Do lat. *mūsēum -i*, deriv. do gr. *mouseîon* (de *moûsa* 'musa') || museoLOGIA XX. Do fr. *muséologie*. Cp. MUSA.
musgo¹ *sm.* 'vegetal desprovido de caule e folhas, pertencente ao grupo dos briófitos' XVI. Do lat. *mūscus -i* || **musc**ÍCOLA 1873 || **musc**ÍNEO *adj.* 'relativo ou semelhante aos musgos' 1899 || **musc**OSO 1873. Do lat. *mūscōsus* || **musg**OSO XVII. Forma divergente popular de *muscoso*.
musgo² *sm.* '*ant.* almíscar' | XIV, *musco* XV | Do ár. *misk*, deriv. do persa *mūšk*. V. ALMÍSCAR.
música *sf.* 'arte e ciência de combinar os sons de modo agradável ao ouvido' 'qualquer composição musical' XIV. Do lat. *mūsĭca*, deriv. do gr. *mousiké* (sc. *téchnē*) 'arte das musas' || musicAL 1873. Do fr. *musical* || musicAL·IDADE XX || musicAR 1813. Do fr. *musiquer* || musicISTA XX. Do it. *musicista* || **músico** *sm.* 'aquele que professa a arte da música, compondo peças, tocando e/ou cantando' XV. Do lat. *musĭcus -i*, deriv. do gr. *mousikós* || musicoGRAF·IA | *-phia* 1899 | Do fr. *musicographie* || musicoLOG·IA XX. 'Do fr. *musicologie* || musicoMANIA 1873. Do fr. *musicomanie* || **musiquim** *sm.* 'músico pouco hábil' XVI. Do it. *musichino*. Cp. MUSA.
musmê *sf.* 'mulher japonesa ainda jovem' | *-mé* 1873 | Do jap. *musume*.
musse *sf.* 'iguaria, doce ou salgada, de consistência cremosa e leve' XX. Do fr. *mousse*.
musselina *sf.* 'tecido leve e transparente' XVII. Do fr. *mousseline*, deriv. do it. *mussolina* e, este, do ar. *mauṣilī* do top. ár. *Máuṣil* 'Mossul', cidade da Mesopotâmia onde se fabricava e de onde se importava esse tecido.
mussitação *sf.* 'movimento automático dos lábios, que produz murmúrio ou som confuso' | *musitaçom* 1813 | Do lat. *massitātiō -ōnis* || mussitAR *vb.* 'murmurar, cochichar' 1899. Do lat. *mussĭtāre*.
mutá *sm.* 'espécie de jirau, palanque' 1876. Do tupi *mi'ta*.
mut·abilidade, -ação, -acismo → MUDAR.
mutamba *sf.* 'planta da fam. das tiliáceas' 1881. Do quimb. *mu'tama*, de *mu* pref. + '*tama* 'tamarindeiro'.
mut·ante, -atório, -ável → MUDAR.
mutiar *sm.* 'dignidade de Ceilão' | 1612, *mutear* 1614, *motiar* 1687 | Do cingalês *mohoṭṭiyār*.
mutilar *vb.* 'privar de algum membro ou de alguma parte' XVII. Do fr. *mutiler*, deriv. do lat. *mutĭlāre* || mutilAÇÃO 1813. Do fr. *mutilation*, deriv. do lat. tard. *mutilātiō -ōnis* || mutilADOR 1813. Adapt. do fr. *mutilateur* || mutilANTE XX. Do fr. *mutilant*.
mutirão *sm.* 'ajuda mútua, gratuita, que se prestam os trabalhadores rurais, reunindo-se para a execução de uma tarefa' | *moquirão* 1872, *motirão* 1872 etc. | De origem tupi, mas de étimo indeterminado.
mutismo → MUDO.
mutra *sf.* 'selo, sinete, firma, na Índia' XVI. Do neoárico *mudrā* (≤ sânsc. *mudrā*) || **mutr**ADO XVI.
mutuação *sf.* 'empréstimo (de dinheiro)' 'troca, permuta, reciprocidade' XVI. Do lat. *mūtuātiō -ōnis* || mutuAL·IDADE 1873. Adapt. do fr. *mutualité* || mutuANTE 1873 || mutuAR XVII. Do lat. *mūtŭāre* || mutuÁRIO XVII. Do lat. *mutuārĭus* || **mútuo** *adj.* 'recíproco' 1813. Do lat. *mūtŭus*.
⇨ **mútuo** | XV FRAD II.227.*14* |.
mutuca *sf.* 'nome comum às moscas da fam. dos tabanídeos' 1587. Do tupi *mu'tuka*.
mútulo *sm.* '(Arquit.) modilhão quadrado, em cornija de ordem dórica' 1881. Do fr. *mutule*, deriv. do lat. *mutŭlus -i*.

mutum *sm.* 'ave galiforme da fam. dos cracídeos' | *mutũ c* 1584, *motum* 1587, *motu c* 1594 etc. | Do tupi *mï'tũ*.
mútuo → MUTUAÇÃO.
mututi *sm.* 'planta da fam. das leguminosas' 1895. Do tupi **mutu'ti*.
muxarabi, muxarabiê *sm.* 'espécie de treliça' 'balcão mourisco protegido, donde se pode ver sem ser visto' XX. Do fr. *moucharaby*, deriv. do ár. *mašrabīyā*.
muxiba *sf.* 'carne magra' 'pelanca' 1899. Do quimb. *mu'šiba*, de *mu* pref. + '*šiba* 'veia, artéria'.
muxinga *sf.* '*orig.* açoite' '*ext.* surra, tunda XVII. Do quimb. *mu'šiṇa*, de *mu* pref. + '*šiṇa* 'açoite'.
muxoxo *sm.* 'sinal de agastamento' 'enfado' 1899. De formação expressiva; talvez de origem africana.

N

na *contr.* da prep. EM com o art. pron. f. A². XIII. Cp. NO.

nababo *sm.* 'título honorífico na Índia' 1600; 'indivíduo que se enriqueceu na Índia' 'rico, opulento' XIX. Do hindustâni *nauuab*, pl. do ár. *nā'ib* 'governador, príncipe'; na acepção moderna, o voc. sofreu a influência do fr. *nabab* e do ing. *nabob* || **nabab**ESCO XX.

nabateu *adj. sm.* 'pertencente ou relativo aos antigos membros das tribos árabes do deserto da Síria' | *-theo* 1572 | Do lat. *nabathaeus -a -um*.

nabo *sm.* 'planta herbácea da fam. das crucíferas' XIII. Do lat. *nāpus -i* || **nab**IÇA 1813. Do cast. *nabiza*, provavelmente || **nap**ÁCEO 1858 || **nap**ELO | *-ello* XVII || **nap**I·FORME 1858.

nacada → NACO.

nação *sf.* 'agrupamento de seres, geralmente fixos num território, ligados por origem, tradições, costumes comuns e, em geral, por uma língua' | XVI, *naço* XIV, *nasçiões* pl. XIV etc. | Do lat. *nātĭō -ōnis* || DES**nacion**AL·IZ·AÇÃO 1899||DES**nacion**AL·IZAR 1899 || INTER**nacion**AL 1858 || INTER**nacion**AL·IZ·AÇÃO 1899 || INTER**nacion**AL·IZAR 1899 || **nacion**AL | *nascional* 1782 | Do fr. *national* || **nacion**AL·IDADE XIX. Do fr. *nationalité* || **nacion**AL·ISMO XIX. Do fr. *nationalisme* || **nacion**AL·ISTA 1899 || **nacion**AL·IZ·AÇÃO XX || **nacion**AL·IZAR | *-isar* 1844 | Do fr. *nationaliser*.

⇨ **nação** — **nacion**AL·IZAR | *-sar* 1836 SC |.

nácar *sm.* 'substância branca, brilhante, com reflexos irisados, existente no interior das conchas' XVII. Do cast. *nácar*, aparentado com o it. *nacchera*, deriv. do ár. vulg. *náqar* || **nacar**ADO XVII.

nacela *sf.* 'espécie de cesta ou barca, na parte inferior de um aeróstato ou de um balão, destinada a tripulantes e passageiros' XX. Do fr. *nacelle*.

nacional, -idade, -ismo, -ista, -ização, -izar → NAÇÃO.

naco *sm.* 'pedaço, porção, fatia' 1813. De origem obscura || **nac**ADA XX.

nacrita *sf.* '(Min.) variedade de caulim' | *nacrite* 1899 | Do fr. *nacrite*.

nada *pron.* 'nenhuma coisa'; *adv.* 'de modo nenhum', *sm.* 'a não existência' 'ninharia' XIII. Do lat. (*res*) *nata* 'coisa nenhuma'.

nadar *vb.* 'mover-se sobre a água por impulso próprio' XIII. Do lat. *natāre* || **nad**AD·EIRA XX || **nad**ADOR XVI. Do lat. *natātor -ōris* || **nad**ANTE 1572 || **nado**¹ XVI || **nat**AÇÃO 1858. Do lat. *natātĭo -ōnis*

|| **nat**ATÓRIA XVI. Do lat. *natātōrĭus -a* || **nat**ATÓRIO 1858. Do lat. *natātōrĭus -a*.

⇨ **nadar** — **nad**ADOR | XV ZURG 333.*9* || **nado**¹ | XIV TROY II.239.*15* || **nat**ATÓRIO | XV TEOL 38.*32* |.

nádega *sf.* 'parte posterior, carnosa, situada acima da coxa' | XIV, *nadiga* XIV, *nalga* XVI | Do lat. vulg. *natīca* (cláss. *natēs -ĭum*).

nadir *sm.* 'o ponto diametralmente oposto ao zênite' XVII. Do ár. *naḏir* 'oposto'.

nado¹ → NADAR.

nado² → NASCER.

nafé *sm.* 'planta medicinal da fam. das malváceas, originária da Arábia' 1881. Do ár. *nafahâ*.

nafta *sf.* 'resíduo da destilação do petróleo' | XVI, *napta* XVI | Do lat. *naphta -ae*. deriv. do gr. *náphta*, de procedência oriental || **naft**A·L·INA | *naphtalina* 1858 | Do fr. *naphtaline* || **naft**OL | *naphtol* 1899 || **nafto**QUIN·ONA XX.

nagô *adj. sm.* 'nome dado, no Brasil, a escravos sudaneses e à sua língua' XX. Do ioruba *na'go*; cp. ewe *ana'go*.

náiade *sf.* 'divindade mitológica, ninfa das fontes e dos rios' 'gênero de plantas e vermes aquáticos' 1572. Do lat. *nāĭas -ădis*, deriv. do gr. *nāiàs -ádos*.

náilon *sm.* 'nome comercial de uma fibra têxtil sintética' XX. Do ing. *nylon*.

naipe *sm.* 'sinal que distingue cada um dos quatro grupos de cartas de jogar' | *naype* XVI | De origem obscura.

naire *sm.* 'militar de origem nobre, entre os hindus do Malabar' XVI. Do malaiala *nāyar*', derivado do sânscr. *nāyaka* 'chefe, diretor'.

naja *sf.* 'serpente, cobra' | XX, *nago* 1713 | Do lat. cient. *naja*, deriv. do hindustâni *nāg*.

nalga → NÁDEGA.

nambiju *adj.* 'diz-se do bovino que tem orelhas amarelas' XX. Do tupi **namĩ'ĩu* (< *na'mĩ* 'orelha' + *'ĩuua* 'amarelo').

namorar *vb.* 'cortejar, cativar, atrair' XIII. Forma aferética de *enamorar* || **enamor**ADO XIII || **enamorar** XIII. De EN- + AMOR + -AR¹ || **namor**ADA 1813 || **namor**AD·EIRA 1813 || **namor**AD·IÇO XVI || **namor**ADO XV || **namor**ADOR XVI || **namoro** 1881. V. AMOR.

⇨ **namorar** — **namor**ADA | XV BENF 231.*26* | **namor**AD·IÇO | XV VERT 125.*12* || **namor**ADO | XIV ORTO 202.*20* || **namor**AMENTO 'namoro' | XV VERT 125.*11* |.

nanauí *sm.* 'bebida fermentada que os índios do Brasil preparavam com ananás' | *nanauy* 1663, *nanavy* 1757 | Do tupi *nana'ï*.

nan(o)- *elem. comp.*, do gr. *nanno-*, de *nánnos* 'anão', que se documenta em voc. eruditos, a partir do séc. XIX ▶ **nan**ICO 1881 ‖ **nan**ISMO 1899 ‖ **nano**CEFAL·IA | *nanocephalio* 1873 ‖ **nano**CÉFALO | *nanocéphalo* 1899 ‖ **nano**COR·M·IA 1873 ‖ **nano**MEL·IA 1899.
⇨ **nan(o)-** — **nan**ICO | 1836 SC |.
nanquim *sm.* 'tecido de algodão ou ganga amarela, que vinha antigamente da China' 'tinta preta' | *nankim* 1840 | Do top. *Nanquim.*
não *adv.* 'exprime negação' | XV. *non* XIII, *nõ* XIII etc. | Do lat. *non.*
napa *sf.* 'espécie de pelica muito fina e macia' XX. Do ing. *napa*, do top. *Napa* (Califórnia, EUA).
napáceo → NABO.
napalm *sm.* 'explosivo empregado em bombas incendiárias e lança-chamas' XX. Do ingl. *napalm*, formado das sílabas iniciais de *na(phtenate)* 'naftenato' e *palm(itate)* 'palmitato'.
napeiro *adj.* 'indolente, preguiçoso, dorminhoco' XVI. De origem obscura.
nap·elo, -iforme → NABO.
napoleão *sm.* 'moeda francesa com a efígie de Napoleão' 1844. Do fr. *napoléon*, deriv. do antrop. fr. *Napoléon* ‖ **napoleôn**ICO 1899.
napolitano *adj.* 'natural de Nápoles' XVI. Do it. *napoletano*, derivado do lat. *neāpolĭtānus -a.*
naquele *contr.* da prep. EM com o pron. AQUELE | XIV, *naquel* XIV ‖ **naquilo** *contr.* da prep. EM com o pron. AQUILO | *n'aquillo* 1871, *naquillo* 1858.
narceína → NARC(O)-.
narceja *sf.* 'ave palustre, branca e parda, com bico longo' | *narseja* 1813 | De étimo obscuro.
narciso *sm.* 'homem muito vaidoso' 'erva de flores perfumadas' XVII. Do lat. *narcissus -i*, deriv. do gr. *nárkissos* ‖ **narcis**ISMO XX ‖ **narcis**OIDE 1873.
narc(o)- *elem. comp.*, do gr. *nark-*, de *nárkē*, torpor, adormecimento', que se documenta em vocs. eruditos, alguns formados no próprio grego, como *narcótico*, e outros introduzidos na linguagem científica internacional a partir do séc. XIX ▶ **narc**eÍNA 'alcaloide extraído do ópio' 1858 ‖ **narc**OSE XIX ‖ **narc**ÓT·ICO XVI. Do lat. méd. *narcoticus*, deriv. do gr. *narkotikós* ‖ **narc**OT· IZAR XVII.
nardo *sm.* 'planta de rizoma aromático' 1813. Do lat. *nardus -i* ‖ ESPIQUE**nardo** XVI. Do lat. med. *spica nardi* ‖ **nard**INO XVIII.
⇨ **nardo** | XIV ORTO 28.*1* |.
narguilé *sm.* 'cachimbo usado por turcos, hindus e persas, composto de um fornilho, um tubo e um vaso cheio de água perfumada, que o fumo atravessa antes de chegar à boca' 1899. Do fr. *narguillé*, deriv. do persa *nārgīleh*, de *nārgīl* 'noz-de-coco'.
narinari *sm.* 'espécie de arraia' *c* 1590. Do tupi *nari'nari.*
nariz *sm.* 'órgão do olfato, narina' XIII. Do lat. vulg. *narīcae* 'ventas' (cláss. *nāris -is*) ‖ **narí**CULA 1899. Do lat. **nariçŭla*, dim. de *nāris -is* ‖ **nar**IGADA XVIII ‖ **nar**IGÃO 1813 ‖ **nar**IGUDO 1813 ‖ **nar**INA 1873. Do fr. *narine* ‖ **nas**AL[1] *sm.* XIV. Do lat. **nasale* (cláss. *nāsus -i*) ‖ **nas**AL[2] *adj.* 1813. Do fr. *nasal* ‖ **nasal**AÇÃO 1899 ‖ **nasal**ADO 1899 ‖ **nasal**IDADE XX ‖ **nasal**IZ·AÇÃO | *nasalisação* 1873 | Do fr. *nasalisation* ‖ **nasal**IZAR | *nasalisar* 1873 | Do fr. *nasaliser* ‖ **nasi**·CÓRN·EO 1899.

narrar *vb.* 'relatar, contar, expor' 1813. Do lat. *narrāre* ‖ I**narr**ÁVEL XX ‖ IN·E**narr**ÁVEL 1844 ‖ **narr**AÇÃO XVII. Do lat. *narrātĭō -ōnis* ‖ **narr**ADOR XIX. Do lat. *narrātor -ōris* ‖ **narr**ATIVA XVII ‖ **narr**A·TIVO XVII.
⇨ **narrar** — IN·E**narr**ÁVEL | 1836 SC ‖ **narr**AÇÃO | 1582 *Liv. Fort.* 59.*10* |.
nasal, -ação, -ado, -idade, -ização, -izar → NARIZ.
nascer *vb.* 'surgir, vir ao mundo, originar-se' | XIII, *nacer* XIII | Do lat. vulg. *nascĕre*, por *nasci* ‖ I**nascí**VEL XX ‖ **inato** | *innato* XVIII | Do lat. *innātus -a* ‖ **nado**[2] *adj.* 'nascido' XIII. Do lat. *nātus -a*, part. de *nasci* ‖ **nasce**DOURO XIX ‖ **nasc**ENÇA | XIV, *nacença* XIII, *nacençia* XIII | Do lat. *nascentĭa* ‖ **nasc**ENTE XVII, *nacente* XVI ‖ **nasc**IDA 1844 ‖ **nasc**IDO | *nacido* XIV ‖ **nasc**IMENTO | *nasçemento* XIV, *nascemento* XIV ‖ **nasc**ITURO XIX. Do lat. *nāscĭtūrus -a* ‖ **nascí**VEL XIX. Do lat. *nāscĭbĭlis -e* ‖ **natal** *adj.* 'onde ocorre o nascimento' XIII; *sm.* 'dia do nascimento de Jesus' XIII. Do lat. *nātālis -e* ‖ **natal**ÍCIO 1813. Do lat. *nātālīcĭus -a* ‖ **natal**IDADE XX ‖ **natal**INO XX ‖ **natividade** *sf.* 'nascimento' | XV, *navidade* XIII | Do lat. *nātīvĭtās -ātis* ‖ **nativ**ISMO XX ‖ **nativ**ISTA 1899 ‖ **nat**IVO | XVI, *nadiuo* XIII | Do lat. *nātīvus -a* ‖ **nato** 'nascido' XIX. Do lat. *nātus -a*.
⇨ **nascer** — **nasc**ENTE | XV SEGR 17*v* ‖ **nasc**IDA | 1836 SC ‖ **nascí**VEL | *naciuees* pl. XV SEGR 66 |.
nasicórneo → NARIZ.
nasóculos *sm. pl.* 'óculos sem haste, preso ao nariz por meio de uma mola' XIX. Neologismo proposto para traduzir o fr. *pince-nez* pelo filólogo brasileiro Antônio de Castro Lopes (1827-1901), que assim se refere, em 1889, à sua criação: "[...] em vez de *Pincenez* [...] diga-se *Nasoculos* (do ablativo latino *naso*, nariz, precedendo ao vocabulo portuguez *oculos*)".
nassa *sf.* 'cesto de pescar' XV. Do lat. *nassa -ae.*
nastro *sm.* 'fita estreita de tecido' 1813. Do it. *nastro* ‖ E**nastr**AR | *ennastrar* XVI.
⇨ **nastro** | XV FRAD I.236.*21* |.
nata *sf.* 'parte gordurosa do leite, creme' XIII. Do lat. tard. *matta*, através da variante *natta* ‖ DES**nat**AD·EIRA XX ‖ DES**nat**AR 1844 ‖ **nat**AD·EIRA 1899 ‖ **nat**EIRO XVI.
⇨ **nata** — DES**nat**AR | 1836 SC |.
natação → NADAR.
natadeira → NATA.
natal, -ício, -idade, -ino → NASCER.
natatór·ia, -io → NADAR.
nateiro → NATA.
nativ·idade, -ismo, -ista, -o, nato → NASCER.
natrum *sm.* '(Quím.) carbonato hidratado de sódio natural' | 1873, *natro* 1858, *natrão* 1873 | Do lat. cient. *natrum*, deriv. do ár. *naṭrŭm, niṭrum* e, estes, do gr. *nítron* ‖ **natro**L·ITA | *natrolitha* 1899 ‖ **na**trôMETRO 1873.
natura *sf.* 'natureza' XIII. Do lat. *natūra* ‖ DES**natur**ADO XV ‖ DES**natur**AL XVI ‖ DES**natur**AL·IZ·AÇÃO XVI ‖ DES**natur**AL·IZ·ADO XVI ‖ DES**natur**AL·IZ·A·MENTO XVIII ‖ DES**natur**AL·IZAR XVI ‖ DES**natur**A·MENTO XVI ‖ EX**tra**·**natur**AL XX ‖ **natur**AL XIII. Do lat. *nātūrālis* ‖ **natur**AL·IDADE 1813 ‖ **natur**AL·ISMO 1858 ‖ **natur**AL·ISTA 1813 ‖ **natur**AL·IZAR 1813 ‖ **natur**EZA | XIV, *naturaleza* XIV.

nau- *elem. comp.*, do gr. *nau-*, de *naûs* 'navio', que se documenta em vocs. eruditos, alguns formados no próprio grego, como *naumaquia*, e outros introduzidos na linguagem científica internacional a partir do séc. XVII ▶ **naumaquia** *sf.* 'simulacro de combate naval' | *naumachia* XVI | Do lat. *naumachía -ae*, derivado do gr. *naumachía* || **naus**CÓPIO 1873 || **náus**EA XVII. Do lat. *nausĕa -ae*, derivado do gr. *nausía* || **nauseabundo** XVII. Do lat. *nauseābundus -a* || **naus**E·ANTE XVII. Do lat. *nauseāns -āntis*, part. de *nauseāre* || **naus**EAR 1813. Do lat. *nauseāre*.
nau *sf.* 'navio de casco e velame redondos' | *náao* XIII | Do cat. *nau*, deriv. do lat. *nāvis -is*. V. NAVEGAR.
naufragar *vb.* 'soçobrar, ir a pique' XVII. Do lat. *naufragāre* || **naufrag**ANTE XVII || **naufrág**IO 1572. Do lat. *naufragĭum -ĭi* || **náufrag**O XVII. Do lat. *naufrăgus -a*.
⇨ **naufragar** — **naufrag**ANTE | 1614 SGONÇ II.199.*3* || **naufrág**IO | XV ZURD *43.22* |.
nau·maquia, -scópio, - sea, -seabundo, -seante, -sear → NAU-.
nauta *sm.* 'marinheiro, navegador' 1572. Do lat. *nauta -ae*, derivado do gr. *naútes* || **náut**ICA XVII || **náut**ICO XVII. Do lat. *nautĭcus -a* || **náut**ILO XVIII. Do lat. *nautilus*, derivado do gr. *nautilós* || **nautIL·OIDE** XIX || **nautóGRAFO** | *nautógrapho* 1899.
nava *sf.* 'planície cercada de montanhas' 1813. Do cast. *nava*, deriv. de um voc. pré-romano.
naval → NAVEGAR.
navalha *sf.* 'instrumento cortante usado para fazer a barba' | *-lla* XIII | Do lat. *novācŭla -ae* || **Anava-lh**AR 1899 || **navalh**ADA 1813 || **navalh**AR XVIII.
navarco *sm.* 'comandante de navio, de esquadra, almirante' | *navarcha* 1881 | Do lat. *nauarchus -ī*, deriv. do gr. *nauárches* || **navarqu**IA | *navarchia* 1899.
⇨ **navarro** — **navarr**ÊS | XV LOPF 110.*51* |.
navarro *adj.* 'natural de Navarra' XIII. Do cast. *navarro*, do top. *Navarra* || **navarr**A 1899.
navegar *vb.* 'percorrer em navio, embarcação, aeronave etc.' XV. Do lat. *nāvigāre* || **inavegÁVEL** | *innavegável* 1881 || **nav**AL | *navaes* pl. XVI | Do lat. *nāvālis -e* || **nave** *sf.* 'navio' XIII. Do lat. *nāvis* || **naveg**ABIL.IDADE 1873 || **naveg**AÇÃO | *nauegaçam* XIV | Do lat. *navigātĭō -ōnis* || **naveg**ADOR XVII. Do lat. *nāvigātor -ōris* || **naveg**ANTE XV. Do lat. *nāvĭgāns -āntis* || **naveg**ÁVEL || *naujgauijs* pl. XV || **nav**ETA XIV || **nav**ÍCULA 1873. Do lat. *nāvicŭla -ae* || **navicul·AR** 1813|| **navi·FORME** 1873 || **naví·FRAGO** 1844. Do lat. *nāvifrăgus -a* || **naví·GERO** 1844. Do lat. *nāvĭger -ĕri* || **navio** *sm.* 'embarcação grande' XIII. Do lat. *navigĭum*.
⇨ **navegar** | *nauigar* XIV ORTO *307.41* | **inavegÁVEL** | *c* 1541 JCASR *184.24* || **nav**ÍCULA | *naviculla* XV SBER *84.22* | **naví·FRAGO** | 1836 SC || **naví·GERO** | 1836 SC |.
nazareno *adj.* 'natural de Nazaré' 1813. Do lat. *nazarēnus -a* || **nazareu** XIV. Do lat. *nazaraeus -a*.
⇨ **nazareno** | XV TEOL *39.9* |.
nazi *adj. s2g.* 'nazista' XX. Do al. *Nazi*, forma abreviada de *national sozialist*, do nome do partido político alemão fundado por Hitler || **naz**ISMO XX || **naz**ISTA XX.
neblina *sf.* 'névoa densa e rasteira, nevoeiro' | *-bri-* XVI | Do cast. *neblina*, deriv. do lat. *nēbŭla -ae* || **nebul**ENTO XX || **nebul**IZ·AÇÃO XX || **nebul**IZAR XX || **nebul**OSA XIX || **nebulos·IDADE** XIX || **nebul**OSO XVI, *neuohoso* XV | Do lat. *nebulōsus*. Cp. NÉVOA, NUB(I)-, NUVEM.
nebri *adj. sm.* 'diz-se de ou falcão adestrado para a caça' XV. Provavelmente do castelhano *neblí*.
necessário *adj.* 'imperioso, urgente, indispensável' XIII. Do lat. *necessarĭus -a* || **DES**necessário XVI || **necess**IDADE | XIV, *necessydade* XIV | Do lat. *necessĭtās -ātis* || **necessit**ADO 1813 || **necessitar** XVI. Do lat. med. *necessitāre*.
necr(o)- *elem. comp.*, do gr. *nekrós* 'morto' 'cadáver', que se documenta em vocs. eruditas, alguns formados no próprio grego, como *necrose*, e outros introduzidos na linguagem científica internacional, a partir do séc. XIX ▶ **necro**BIOSE XIX || **necro**BIÓT·ICO 1899 || **necro**DULIA 1899 || **necro·FAG·IA** XX || **necró**FAGO | *necrophago* 1881 | Cp. gr. *nekrophágos* || **necró**FILO XX || **necró**FOBO | *necrophobo* 1899 || **necro**LATR·IA 1899 || **necro**LOG·IA 1844 || **necro**LÓG·ICO 1844 || **necro**MANC·IA XVIII || **necro**MANTE 1844 || **necró**POLE 1873 || **necr**OPS·IA 1858 || **necros**ADO XX || **necros**AR XX || **necro**SCOP·IA 1858 || **necrose** 1899. Cp. gr. *nékrōsis* 'mortificação, morte' || **necro**TÉR·IO 1890.
⇨ **necr(o)-** — **necro**LOGIA | 1836 SC || **necro**LÓG·ICO | 1836 SC || **necro**MANTE | 1836 SC ||.
néctar *sm.* 'bebida dos deuses' 'diz-se de tudo o que é doce e agradável' XVI. Do lat. *nectar -ăris*, derivado do gr. *néktar* || **nectár**EO 1813. Do lat. *nectarĕus -a* || **nectarí·FERO** 1881.
néctico *adj.* 'apto ou hábil a nadar' 1899. Cp. gr. *nektikós* || **nect**ON XX. Cp. gr. *nektós* || **nectó**PODE | *nectópodo* 1899.
nédio *adj.* 'luzidio, brilhante, resplandecente' | *nedeas* pl. XIV | Do lat. *nitĭdus-a*.
nefando *adj.* 'indigno de se nomear, abominável' 1572. Do lat. *nefandus -a* || **nef**ÁRIO XVI. Do lat. *nefārĭus -a*.
nefas, -to → FASTO².
nefel(e)- *elem. comp.*, do gr. *nephel-*, de *nephélē* 'nuvem', que se documenta em vocs. eruditos, alguns formados no próprio grego, como *nefélio*, e outros introduzidos na linguagem científica internacional, a partir do séc. XIX ▶ **nefeli**BATA | *nephelibata* 1899 || **nefél**IO | *nephelião* 1858, *nephelio* 1881 | Cp. gr. *nephélion* || **nefel**ITA | *nephelita* 1899 || **nefel**OIDE | *nepheloide* 1899 | Cp. gr. *nepheloeidés* || **nefel**ÔMETRO XX || **nefelo**SCÓPIO XX.
nefr(o)- *elem. comp.*, do gr. *nephr-*, de *nephrós* 'rim', que se documenta em vocs. eruditos, alguns formados no próprio grego, como *nefrítico*, e outros introduzidos na linguagem científica internacional a partir do séc. XIX ▶ **nefr**ALG·IA | *nephralgia* 1858 || **nefr**ECTAS·IA XX || **nefr**ECTOM·IA XX || **nefr**EL·ITA | *nephrelita* 1899 || **nefr**ITE | *nephritis* 1844 || **nefr**ÍTICO | *nephritico* 1844 | Do lat. med. *nephriticus*, deriv. do gr. *nephritikós* || **nefro**CELE | *nephrocele* 1899 || **nefro**FLEGMAS·IA | *nephroflegmasia* 1899 || **nefr**OIDE | *nephroide* 1899 || **nefro**LITÍ·ASE | *nephrolithiase* 1899 || **nefr**OLITO | *nephrolitho* 1899 || **nefro**LITO·TOM·IA | *nephrolithotomia* 1899 || **nefro**LOG·IA | *nephrologia* 1858 || **nefro**PAT·IA XX || **nefro**PI·OSE | *nephropyose* 1899 || **nefro**PLEG·IA | *nephroplegia* 1899 || **nefro**R·RAG·IA |

nephrorrhagia 1899 || **nefr**OSE XX || **nefr**OTOM·IA | *nephrotomia* 1858.
⇨ **nefr(o)-** — **nefr**ITE | *nephritis* 1836 SC || **nefr**ÍTICO | *nephri-* 1836 SC |.
negar *vb.* 'dizer que não é verdadeiro, recusar' XIII. Do lat. *negāre* || A·R·R**E**negar XIV || D**E**negar XIII || IN**E**gÁVEL XX || **neg**a XVI || **neg**AÇÃO | XVI, -*çom* XV | Do lat. *negātiō -ōnis* || **neg**ADOR 1844. Do lat. *negātor -ŏris* || **neg**AMENTO XVI || **neg**ATIVA XV || **neg**ATIVO 1813 || **neg**ATÓR·IO 1858 || **neg**ATRON XX. Cp. *ciclotron* || **neg**ÁVEL XVI || R**E**n**eg**ADO XIII || R**E**n**eg**AMENTO XIV || R**E**n**eg**ar XIII || SO**n**e**g**AÇÃO 1858 || SO**n**e**g**ADOR 1813 || SO**n**e**g**AMENTO XVII || SO**n**e**g**ar XIV.
⇨ **negar** — **neg**AÇA *sf.* 'engodo' | *a* 1595 *Jorn.* 91.*25* | **neg**ADOR | XV BENF 167.*8* || **neg**AMENTO || XV IMIT 23.*16* || **neg**ATIVO | XV SBER 119.*32* |.
negligência *sf.* 'desleixo, incúria, indolência' | *negligēça* XIII | Do lat. *negligentĭa -ae* || **neglig**ENCIAR 1813 || **neglig**ENTE | *negrigēte* XIII | Do lat. *negligēns -entis*.
negócio *sm.* 'comércio, transação, ajuste' | XIII, *anegócio* XII | Do lat. *negōtĭum -ĭi* || **negoci**AÇÃO XVI. Do lat. *negōtĭātĭō -ōnis* || **negoci**ADOR XVI. Do lat. *negōtĭātor -ōris* || **negoci**ANTE XVIII. Do lat. *negōtĭāns -āntis* || **negoci**AR XVI. Do lat. *negotĭāri* || **negoci**ATA 1881 || **negoci**ÁVEL XVIII || **negoci**OSO XVII. Do lat. *negōtĭōsus -a* || **negoci**STA XX.
negro *adj.* 'preto, sujo, lúgubre' XIII. Do lat. *niger, nigra, nigrum* || D**E**n**egr**ECER XIII || D**E**n**egr**IDOR 1872 || D**E**n**egr**IR | XVIII, *-nigrir* XVII || **E**n**egr**ECER XX || **E**n**egr**EC·IDO XX || **E**n**egr**EC·IMENTO XX || **negr**ADA 1899 || **negr**ALHÃO 1858 || **negr**ARIA 1881 || **negr**EIRO XIX || **negr**EJAR XVII || **negr**IDÃO | *negridam* XVI || **negr**ITA XX || **negr**ITO XX || **negr**ÓFILO XIX || **negr**OIDE XIX || **negr**OR 1881. Do lat. *nigror -ōris* || **negr**UME XVI || **negr**URA XIV.
⇨ **negro** — **negr**ED·URA | XV FRAD I.313.*21*, *negregura* XV PAUL 67*v*28 || **negr**IDÃO | *negridão* XV SEGR 92*v*, *njgridoo* Id. 92 |.
negus *sm.* 'título do soberano da Etiópia' | XVI, *neguz* XVI | Do amárico *n'gus* 'rei'.
nele *contr.* da prep. EM com o pron. ELE | *nelle* XVI.
nem *conj.* 'e não, não alternativamente' | *nen* XIII, *nẽ* XIII etc. | Do lat. *něc*.
nem(a)-, nemat(o)- *elem. comp.*, do gr. *nēma -atos* 'fio, estame', que se documenta em vocábulos introduzidos na linguagem científica internacional, a partir do séc. XIX ▶ **nemat**ELMINTO | *nematelmintho* 1899 || **nemat**ÓCERO 1899 || **nemato**CISTE | *nematocysto* 1899 || **nemat**OIDE 1899 || **nemo**PLASTO 1899.
nembo *sm.* 'maciço entre vãos, em obra de pedreiro' 1813. De étimo obscuro.
nemeu *adj.* 'do, pertencente ou relativo ao vale da Neméia' *sm.* 'habitante da Neméia' | *nemeo* 1813 | Do lat. *nem(e)aeus*, deriv. do gr. *némeaîos* (*némeos*).
nemo- *elem. comp.*, do lat. *nemus -ŏris* 'bosque (sagrado)', correlato do gr. *némos*, que se documenta em alguns vocs. eruditos ▶ **nemó**LITO 'rocha arborizada' | *nemolitho* 1899 || **nemor**AL 1899 || **nemor**OSO XIX. Do lat. *nemorōsus -a*.
nemoblasto → NEM(A)-.
nemó·lito, -ral, -roso → NEMO-.
nenê *sm.* 'criança de colo' | 1844, *nenen* XX, *neném* XX | Palavra de origem expressiva.

nenhum *pron.* 'nem um (só), qualquer' | XVI, *neugũm* XIII, *nium* XIII, *nĩgũ* XIV | Do lat. *nec ūnu* || **nenhures** | *nenllur* XIII | Oriundo do cruzamento' de *nenhum* com *alhur(es)*.
nênia *sf.* 'canto fúnebre, melancólico' XVIII. Do lat. *nēnĭa -ae*.
nenúfar *sm.* 'designação comum a diversas plantas da fam. das ninfeáceas' | *nenuphar* XIX | Do fr. *nénuphar*, deriv. do lat. med. *nenuphar*, e, este, do ár. *nīnūfar*, que, por sua vez, deriva do persa *nīlūfar* (≤ sânscr. *nīlōtpala*).
neo- *elem. comp.*, do gr. *neo-*, de *néos* 'novo', que se documenta em vocs. eruditos, alguns formados no próprio grego, como *neófito*, e outros introduzidos na linguagem científica internacional, a partir do séc. XIX ▶ **neo**CALEDÔNIO XX || **neo**CATOLIC·ISMO 1881 || **neo**CÉLT·ICO | *neo-celtico* 1899 || **neo**CLASSIC·ISMO XX || **neo**CRITIC·ISMO XX || **neodímio** 'elemento químico de número atômico 60' XX. Do lat. cient. *neodymium* || **neo**ESCOLÁST·ICA XX || **neó**FITO | *neophito* XVII | Do lat. *neophỹtus -ī*, deriv. do gr. *neóphytos* || **neo**FOB·IA XX || **neo**FORM·AÇÃO XX || **neo**GRAF·IA | *neographia* 1899 || **neó**GRAFO | *neographo* 1899 || **neo**GREGO XX || **neo**KANT·ISMO XX || **neo**LATINO 1873 || **neo**LÍT·ICO | *neolithico* 1899 || **neo**LOG·IA 1858 || **neo**LOG·ISMO XIX || **neo**LOG·ISTA 1881 || **neó**LOGO 1858 || **neo**MIC·INA XX || **néon** *sm.* 'elemento químico não metálico, de número atômico 10'. Do fr. *néon*, deriv. do gr. *néos* 'novo' XX || **neô**N·IO XX || **neo**PLAS·IA 1899 || **neo**PLASMA 1881 || **neo**PLATON·ISMO | *neo-platonismo* 1858 || **neo**RAMA 1858 || **neo**TÉR·ICO XX. Cp. gr. *neōterikós* || **neo**TÍNEA XX || **neo**TOM·ISMO XX || **neo**TRÓP·ICO XX || **neo**ZO·ICO 1899 || **neo**ZELAN·DÊS XX.
⇨ **neo-** — **neo**TÉR·ICO | 1836 SC |.
neperiano *adj. sm.* 'diz-se dos logaritmos naturais' 1899. Do fr. *népérien*, deriv. do antrop. *Neper*, do matemático escocês John Neper (1550-1617), inventor dos logaritmos.
nepote *sm.* 'sobrinho, conselheiro ou favorito do Papa' XVII. Do lat. *nepōs -ōtis* || **nepot**ISMO XVIII.
nequícia *sf.* 'maldade, perversidade, malícia' | *niquicia* 1572 | Do lat. *nēquitĭa -ae*.
nereida *sf.* '(Mitol.) cada uma das ninfas que presidiam ao mar' XVI. Do lat. *nērēĭdes -um*, deriv. do gr. *nereís nereídos*.
nerita *sf.* 'gênero de moluscos gasterópodos' 1873. Cp. gr. *nerítes* || **nerít**ICO XX.
nervo *sm.* 'tendão, ligamento, energia' | XIII, *nervio* XII. Do lat. *nervus -ī* || **nerv**AÇÃO 1844. Do lat. *ēnervātĭō -ōnis* || **enerv**ANTE 1881. Do lat. *ēnervāns -āntis* || **enerv**AR XIV. Do lat. *enervāre* || **enerv**E 1899. Do lat. *ēnervis -e* || **nerv**INO 1813. Do lat. *nervīnus* || **nervos**·IDADE 1844 || **nervos**·ISMO XIX || **nervos**O | *nervioso* XIII || **nérv**ULO XIX. Do lat. *nervŭlus -i* || **nerv**URA 1844.
⇨ **nervo** — **enerv**AÇÃO | 1836 SC || **nervos**·IDADE | 1836 SC |.
néscio *adj.* 'tolo, ignorante' | XV, *neicio* XIII, *neyçio* XIV etc. | Do lat. *nēscĭus* (f. *nēscĭa*) || **nesc**IDADE | XVII *neycidade* XIII, *necidade* XIII.
nesga *sf.* 'pequena porção de qualquer espaço' 'pedaço de pano costurado a outros' XVI. De origem controvertida.

nêspera *sf.* 'fruto da nespereira, da fam. das rosáceas' | *nespora* XVI | Do lat. vulgar **nĕspīra*, fem. de **nĕspĭlum* (cláss. *mēspĭlum*) || **nesper**EIRA 1813.
⇨ **nêspera** | XV PAUL 7*v*29 |.
nesse *contr.* da prep. EM com o pron. ESSE. XVI ||
nessoutro *contr.* da prep. EM com os pron. ESSE e OUTRO XX || **neste** *contr.* da prep. EM com o pron. ESTE XVI || **nestoutro** *contr.* da prep. EM com os pron. ESTE e OUTRO XX.
nestor *sm.* 'velho prudente e experiente' XIX. Do mit. *Nestor*, herói mitológico grego.
nestoriano *adj.* 'adepto do nestorianismo, doutrina religiosa que afirmava que as duas naturezas do Cristo, a divina e a humana, tinham sua própria individualidade' XVI. Do lat. *nestorianus*, deriv. do antrop. *Nestorius*, do patriarca de Constantinopla no séc. V || **nestorian**ISMO 1873.
neto[1] *sm.* 'descendente, filho do filho ou da filha em relação aos pais destes' XIII. Forma masculina de *neta* || **net**A *sf.* XIII. Do lat. vulg. *nĕpta*, de *neptis* (relacionado com *nepōs nepōtis* 'neto').
neto[2] *adj.* 'claro, límpido, nítido' XVI. Do fr. *net*, deriv. do lat. *nitĭdus -a -um*.
netuno *sm.* '(Mitol.) divindade que preside o mar' 'planeta' | *neptuno* XVI | Do lat. *Neptūnus* || **netún**IA | *neptunia* 1873 || **netun**I·ANO | *neptuniano* 1873 || **netun**INO | *neptunino* 1572 || **netún**IO XVII || **netun**ISMO | *neptunismo* 1873.
⇨ **netuno** — **netún**IA | *neptu-* 1836 SC |.
neuma *sm.* 'ant. sinal de notação musical que indicava onde a voz deveria elevar-se ou abaixar-se' 'sopro, alento' XVII. Do lat. med. *neuma*, deriv. do gr. *pneûma -atos*.
neur(o)-, nevr(o)- *elem. comp.*, do gr. *neur(o)-*, de *neûron* 'nervo' (≥ lat. *nervus*), que se documenta em vocs. eruditos introduzidos na linguagem científica internacional, a partir do séc. XIX, particularmente no domínio da medicina. Não há, ao que parece, nenhuma razão de ordem científica que justifique a oscilação *neu-/nev-* (*neurastenia/nevralgia*) na formação dos compostos portugueses. Nos vocs. adiante relacionados essa oscilação fica patenteada, mas o motivo da preferência por uma das formas, *neu-* ou *nev-*, é, sem dúvida, aleatório
▸ **neur**AL 1899 || **neur**ALG·IA 1899. Cp. *nevralgia* || **neur**ASTEN·IA | *neurasthênia* 1899 || **neur**ASTÉN·ICO | *neurasthênico* 1899 || **neuri**LEMA 1899. Cp. *nevrilema* || **neuro**GEN·IA XX || **neuró**GRAFO XX || **neuro**LINFA XX || **neuro**LOG·IA 1899. Cp. *nevrologia* || **neuro**LÓG·ICO | *nevrológico* 1873 || **neuro**LOG·ISTA XX || **neur**OMA | *nevroma* 1873 || **neur**ÔNICO 1899 || **neuro**PARALISIA | *nevroparalysia* 1873 || **neuro**PARALÍTICO | *nevroparalytico* 1873 || **neuro**PATA XX. Cp. *nevropata* || **neuro**PATOLOGIA | *nevropathologia* 1873 || **neuro**PIRO | *nevropiro* 1899 || **neuró**PTERO 1899. Cp. *nevróptero* || **neur**OSE | *neurose* 1899. Cp. *nevrose* || **nevr**ALG·IA 1858. Cp. *neuralgia* || **nevri**LEMA 1873. Cp. *neurilema* || **nevr**ITE 1873 || **nevro**LOG·IA 1858. Cp. *neurologia* || **nevro**PATA | *neuropatha* 1899 | Cp. *neuropata* || **nevró**PTERO 1899. Cp. *neuróptero* || **nevr**OSE 1858. Cp. *neurose* || **nevr**ÓTICO 1873 || **nevro**TOM·IA 1858.
neutro *adj.* 'que não toma partido' XVI. Do lat. *neuter neutra neutrum* || **neutr**AL XVII || **neutr**AL·IDADE XVIII || **neutr**AL·IZAR 1873 || **neutr**INO XX || **neu-**

tróFILO XX || **nêutr**ON '(Fís.) núcleon que forma um dubleto com o próton' XX || **neutrôn**IO XX || **neutro**PEN·IA XX.
⇨ **neutro** — **neutr**AL·IDADE | 1660 FMMeIE 390.*19* |.
neve *sf.* 'queda de cristais de gelo formados pelo congelamento do vapor d'água que está em suspensão no ar' XIII. Do lat. vulg. **nĕvem* (cláss. *nĭx nĭvis*) || **nev**ADA 1858 || **nev**ADO XVI || **nev**AR XIII. Do lat. vulg. *nivāre* || **nev**ASCA 1858 || **nev**OSO XVII. Do lat. *nivōsus -a* || **niv**E·AL 1858 || **nív**EO | *niueo* 1572 | Do lat. *nĭvĕus -a* || **niv**OSO 1899. Do lat. *nivōsus -a*.
⇨ **neve** — **nev**OSO | *nevooso* XIV TEST 111.*31* |.
nevo *sm.* '(Patol.) mancha na pele, marca, sinal' XVII. Do lat. *naevus -ī*.
névoa *sf*, 'cerração pouco expressa, bruma' | *neuoa* XIV, *nebla* XIV | Do lat. *nēbŭla -ae* || **enevo**ADO XVI || **enevo**AR | *ennevoar* XVI || **nevo**EIRO | *neuoeyro* XIV || **nevo**ENTO 1844. Cp. NEBLINA. NUB(I)-, NUVEM.
⇨ **névoa** — **a**NEVO·ADO | *aneuoado* XIV TROY I.300.*25* |.
nevoso → NEVE.
nevr(o)- → NEUR(O)-.
newton *sm.* '(Fís.) unidade de força, no Sistema Internacional de Pesos e Medidas' XX. Do antrop. *Isaac Newton*, físico e matemático inglês (1642-1727) || **newton**IAN·ISMO 1858 || **newton**IANO 1858.
nexo *sm.* 'ligação, vínculo, coerência' XVII Do lat. *nexus -ūs*.
nhaçaruamembeca *sf.* 'palmito da juçara, palmeira da subfam. das ceroxilíneas' | 1792, *nhasa-* 1792 | Do tupi **ï̵saruame'me̱ka* (<*ïu̵sara'ã* palmito da juçara' [<*ï̵"sara* 'juçara'] + *me'me̱ka* 'mole').
nhambi *sm.* 'nome comum a duas plantas, a *Spilanthes acmella* e a *Eryngium foetidum*, a primeira da fam. das compostas e a segunda da fam. das umbelíferas' | 1587, *jambig c* 1584, *jnhãbu* 1618 etc. | Do tupi *i̱a'mï̵ (ña'mï̵).*
nhandu *sm.* 'ave da fam. dos reídeos, espécie de ema' | *c* 1584, *yamdu c* 1631 etc. | Do tupi *i̱a'n̲u (ña'n̲u).*
nhanduabiju *sm.* 'aracnídeo da ordem dos pedipálpidos, também conhecido como escorpião-vinagre' 1587. Do tupi *i̱a̱nuami'ï̵u* (< *i̱a̱nu'ï* 'aranha' + *ami'i̱u* 'pelo (de pano), aspereza' || **nhanduaçu** *sm.* 'aranha caranguejeira' 1587. Do tupi *i̱a̱nuu̯a̱* *su* (< *i̱a̱nu'ï* + *u̯a̱'su* 'grande') || **nhanduí** *sm.* 'aranha' 1587. Do tupi *u̱a̱nu'ï*.
nhoque *sm.* 'massa alimentícia típica da cozinha italiana' XX. Do it. *gnocchi*, pl. de *gnoccho*.
nica *sf.* 'impertinência, ninharia, rabugice' XIX. De étimo obscuro: cp. NICLES.
nicho *sm.* 'cavidade em parede ou muro para colocar estátua, imagem etc.' XVII. Do fr. *niche*.
nicles *adv.* 'nada' XIX. Do lat. **nichil* (cláss. *nihil*). No séc. XVI documenta-se a forma *njchel*, na expressão 'hou sezar, hou njchel' = 'tudo ou nada'.
nicol *sm.* '(Ópt.) aparelho baseado nos fenômenos de dupla refração dos cristais birrefringentes, utilizado como polarizador e analisador' XX. Do ing. *nicol*, do sobrenome do físico inglês *William Nicol* (1768-1851).

nicotina sf. '(Quím.) alcaloide existente nas folhas do tabaco' XIX. Do fr. *nicotine*, transformação, com troca de sufixo, de *nicotiane* (já documentado em francês em 1570), deriv. do lat. mod. (*herba*) *nicotiana* 'herva de Nicot' 'tabaco', do nome do embaixador francês em Lisboa, Jean *Nicot* (c 1530-1606), que enviou sementes de tabaco para a rainha Catarina de Médicis, em 1560 || **nicociana** 1813. Do fr. *nicotiane* || **nicót**ICO 1873 || **nicot**INO 1881.
nict(o)- *elem. comp.* do gr. *nykt-*, de *nyx nyktós* 'noite', que se documenta em vocs. eruditos, alguns formados no próprio grego, como *nictalopia*, e outros introduzidos na linguagem científica internacional, a partir do séc. XIX ♦ **nict**ALOPE | *nyctalope* 1858 | Do lat. tard. **nyctalope*, deriv. do gr. *nyktálōps* (< *nykt-* + *alaós* 'cego' + *ŏps* 'olho') || **nict**ALOP·IA | *nyctalopia* 1813 | Do lat. tard. *nyctalopia*, deriv. do gr. **nyktalōpía* || **nic**TÊMERO | *nyc-* 1873, *nych-* 1881 | Cp. gr. *nychtḗmeron* || **nicto**BA·TA | XX, *nyctobato* 1873 || **nicto**FOB·IA XX || **nictó**GRAFO | *nyctographo* 1873.
nid·ícola, -ificação, -ificar, -ífugo → NINHO.
nidor sm. 'cheiro que sai do estômago, quando há indigestão' 1899. Do lat. *nīdor -ōris* | **nidor**OSO XVI. Do lat. *nīdorōsus -a*.
nigela sf. 'gênero de plantas ranunculáceas' 'ornato de esmalte preto usado na ourivesaria' | *nigella* 1844 | Do lat. *nigellus -a* || **nigel**AR XIX.
▷ **nigela** | *-lla* 1836 SC |.
nigr(i)- *elem. comp.*, do lat. *nigri-*, de *niger nigra nigrum* 'negro', que se documenta em vocs. eruditos, alguns formados no próprio latim, como *nigrícia*, e outros introduzidos na linguagem científica internacional, a partir do séc. XIX ♦ **nigr**ÍCIA 1813. Do lat. *nigritía -ae* || **nigric**ÓRNEO 1899 || **nigrí**PEDE | *nigripedo* 1873 || **nigri**PENE | *nigripenne* 1899 || **nigri**R·ROSTRO | *nigrirostro* 1899 || **nigro**MANC·IA | *negromançia* XIV | Tal como o it. *nigromanzia* e o fr. *nigromancie*, documentados também desde os sécs. XIII-XIV, o port. *nigromancia* é alteração do b. lat. *necromantia*, deriv. do gr. *nekromanteía* 'arte de adivinhar o futuro, através da invocação dos mortos' [v. NECR(O)-], por influência do lat. *niger*; a nigromancia era pois considerada uma outra forma de 'magia negra' || **nigro**MANTE XV | **nigro**MÂNTICO |*-teco* XIV.
nígua sf. 'bicho-de-pé' | *nigu* XVI | Do taíno, provavelmente através do cast. *nigua*.
niilismo sm. 'redução a nada, aniquilamento' XIX. Do fr. *nihilisme*, do lat. *nihil* 'nada' e o suf. *-isme* (V.-ISMO) || **niil**ISTA XIX. Do fr. *nihiliste*.
nilótico adj. 'do ou relativo ao rio Nilo' 1572. Do lat. *nīlōtĭcus -a*, deriv. do gr. *neilōtikós*, de *Neilos* '(rio) Nilo'.
nimbo sm. 'nuvem cinzenta e densa' XIX. Do lat. *nimbus -ī* || **nimb**ÍFERO XIX. Do lat. *nimbifĕrum* || **nimb**OSO | *nimbroso* XVI | Do lat. *nimbōsus -a*.
nímio adj. 'excessivo, demasiado, sobejo' XVI. Do lat. *nimĭus -a* || **nimi**EDADE XVII.
nina sf. 'menina, garota' | XIII, *ninna* XIII | Do it. *ninna* || **nin**AR 1813.
ninfa sf. 'divindade que habita os bosques, o mar, as fontes' | 1572, *nimpha* 1572 | Do lat. *nimpha*, deriv. do gr. *nymphē* || **ninf**OIDE | *nymphoide* 1813 ||

ninfoMAN·IA | *nymphomania* 1873 || **ninf**OSE | *nymphose* 1899 || **ninfo**TOM·IA | *nymphotomia* 1873.
ninguém pron. 'nenhuma pessoa' | XV, *nenguem* XII, *nĭguē* XIV | Do lat. *ne(c) quem*.
ninharia sf. 'coisa sem importância, insignificante' 'ação própria de criança' XVII. Do cast. *ninẽría*.
ninho sm. 'habitação das aves' | XIV, *nīho* XIV | Do lat. *nīdus ī*, com queda do *-d-*, nasalação do *-i-* e posterior palatalização: lat. *nidu-* > **nio* > *nĩo* > *ninho* || **A**ninh**AR 1813 || **nid**ÍCOLA XX || **nid**IFIC·AÇÃO 1873 || **nid**IFICAR XVIII || **nid**ÍFUGO XX || **ninh**ADA XVI.
nióbio sm. '(Quím.) elemento de número atômico 41, metálico, branco-acinzentado, usado em ligas' XIX. Do lat. cient. *niobium*, assim denominado pelo químico alemão Heinrich Rose, em 1844, do mit. *Níobe* (< lat. *Nĭŏbe* < gr. *Nĭóbē*) 'filha de Tântalo', em alusão aos esforços tantalizantes para separar o nióbio do tântalo (V. TÂNTALO); o nome anterior do metal era COLÔMBIO, do lat. cient. *columbium*, dado pelo seu descobridor, o químico inglês Charles Hatchett, em 1801.
nipônico adj. sm. 'relativo ao Japão' XX. Do jap. *Nipon* [< *ni(chi* 'o Sol + *pon* 'fonte, origem'] 'o (país) do sol nascente', e suf. -ICO.
níquel sm. '(Quím.) elemento de número atômico 28, metálico, branco, de numerosas aplicações na indústria' | *nickel* 1858 | Do al. *Nickel*, nome que lhe foi dado pelo químico sueco A.F. Cronstedt, em 1754, do al. *Kupfernickel*, minério semelhante a um minério de cobre, de onde foi extraído o níquel || **niquel**ADO | *nickelado* 1873 || **niquel**AGEM | *nickelagem* 1899 || **niquel**AR | *nickelar* 1899 || **niquel**ÍFERO | *nickelifero* 1873.
▷ **níquel** | *nickel* 1836 SC |.
nirvana sm. '(Rel.) no budismo, estado de perpétua quietude' 'extinção da existência material do indivíduo e sua absorção pelo espírito supremo' XIX. Do sânscr. *nirvāna*.
nissei adj. s2g. 'diz-se de, ou filho de pais japoneses, nascido na América' XX. Do jap. *nisei* (< *ni* 'segunda' + *sei* 'geração'), provavelmente pelo ing. *nissei*.
nisso contr. da prep. EM com o pron. ISSO | *niisso* XV || **nisto** contr. da prep. EM com o pron. ISTO XVI.
▷ **nisso — nisto** | XV VESP 17.*10* |.
nistagmo sm. 'cochilo, ato de dormitar' | *nystagmo* 1899 | Do lat. mod. *nystagmus*, deriv. do gr. *nystagmós*.
nisto → NISSO.
nitente[1] adj. 2g. 'resplandecente, brilhante, nítido' XVII. Do lat. *nĭtēns -entis*, part. pres. de *nitēre* || **nit**ESCÊNC·IA 1899.
nitente[2] adj. 2g. 'resistente, que se esforça' XVI. Do lat. *nĭtēns -entis*, part. de *nītor*,
nitescência → NITENTE[1].
nítido adj. 'brilhante, claro, translúcido' XVI. Do lat. *nitidus -a* || **nitid**EZ 1844 || **nitidi·**FLORO 1899, Cp. NÉDIO.
▷ **nítido — nitid**EZ | 1836 SC |.
nitrir vb. 'rinchar, relinchar' XVI. Do it. *nitrire*.
nitr(o)- *elem. comp.*, do gr. *nítron* (≥ lat. *nitrum*) 'nitro', que se documenta em vocs. eruditos, alguns formados no próprio grego, como *nitro*, e outros introduzidos na linguagem científica internacional, a partir do séc. XIX ♦ **nitr**ADO 1858

|| nitrATO 1844 || nitrEIRA 1813. Do lat. *nitrāria -ae* || **nítr**ICO 1844 || nitrIFIC·AR 1844 || **nitro** *sm.* '(Quím.) nitrato de potássio cristalino' 1813. Do lat. *nitrum -ī*, deriv. do gr. *nítron* || **nitro**GÊN·IO | *nitrogeneo* 1844 || **nitro**GLICER·INA | *nitroglycerina* 1899 || **nitrô**METRO 1873 || **nitr**OSO 1844.
⇨ **nitr(o)-** — **nitr**ATO | *nitrate* 1836 SC || **nítr**ICO | 1836 SC || **nitro**GÊN·IO | 1836 SC || **nitr**OSO | 1836 SC |.
niveal → NEVE.
nível *sm.* 'situação, altura numa escala de valores' 'instrumento para determinar a horizontalidade de um plano' | XVI, *oliuel* XVI, *liuel* XVI | Do lat. vulg. **lībellus* (cláss. *lībella*), de *lībra* 'balança', com provável influência do a. fr. *nivel* || DESnível 1899 || DESnivelADO 1873 || DESnivelAR 1899|| nivelAMENTO 1813 || nivelAR XVII.
nív·eo, -oso → NEVE.
no *contr.* da prep. EM com o art. O. XIII.
nó *sm.* 'laço' 'parte mais rija da madeira' 'articulação dos dedos | XV, *noo* XIV | Do lat. *nōdus -ī* || nodAL 1873 || nodI·CÓRNEO 1873 || nodI·FLORO 1858 || nodo 1858. Do lat. *nōdus -ī* || nodOS·IDADE 1873 || nodOSO XVI. Do lat. *nōdōsus -a* || **nód**ULO 1858. Do lat. *nōdŭlus -ī*.
⇨ **nó** — **nodo** | 1836 SC |.
noa *sf.* 'hora canônica do ofício divino que se canta ou recita' | XIV, *nõa* XIII | Do lat. *nōna (hōra)*.
nobre *adj. sm.* 'que tem título nobiliárquico' 'sublime' 'indivíduo da nobreza' | XIII, *noble* XIII | Do lat. *nōbĭlis -e* || ENobrECER | *ennobreçer* XIV || nobiliÁRIO 1813 || nobiliARQU·IA XVII || nobiliÁRQU·ICO | *nobiliarchico* 1899 || nobilIT·AÇÃO 1899 || nobilI·TANTE 1881 || nobilIT·AR XVIII. Do lat. *nōbilitāre* || nobilIT·AR·ISTA XVI || nobrEZA | XIII, *nobleza* XIII.
noção *sf.* 'conhecimento, ideia, concepção' XVII. Do lat. *nŏtiō -ōnis*.
nocaute *sm.* '(na luta de boxe) fora de combate' XX. Do ing. *knock-out*.
nocente *adj.* 2g. 'prejudicial. pernicioso, nocivo' XVIII. Do lat. *nocēns -entis*.
nochatro *sm.* 'sal amoníaco' 1813. Do ár. vulg. *nošatr* (cláss. *nušādir*).
nocivo *adj.* 'prejudicial, perigoso, danoso' XVI. Do lat. *nocīvus -a* || nocivIDADE 1844.
⇨ **nocivo** — **nociv**IDADE | 1836 SC |.
noct(i)- *elem. comp.*, do lat. *nŏx nŏctĭs* 'noite', que se documenta em vocs. eruditos, alguns formados no próprio latim, como *noctívago*, e outros introduzidos na linguagem científica internacional, a partir do séc. XIX ▸ **noctâmbulo** XVIII. Formado pelo modelo de *funâmbulo* || noctiCOLOR XIX || noctíFERO 1899. Do lat. *noctifer -fĕrī* || noctiFLORO 1858 || noctíGENO 1899 || noctiluca 1858. Do lat. *noctilūca -ae* || noctíVAGO XVII. Do lat. *noctivăgus* || noctíVOLO 1899. Cp. NOITE.
nod·al, -icórneo, -ifloro, -o → NÓ.
nod·osidade, -oso, -ulo → NÓ.
nódoa *sf.* 'pequena marca, mancha' | XVI, *noda* XV | Do lat. *notŭla*, dimin. de *nota -ae* || ENodoAR | *ennodar* 1813.
noete *sm.* 'rodízio onde se reúnem as varetas do guarda-chuva' XVI. Do fr. *nouet*, proveniente de *nouer*, do lat. *nodāre*.

nog·ada, -ado, -al, -ueira → NOZ.
noite *sf.* 'espaço de tempo em que o sol está abaixo do horizonte' 'escuridão, trevas' | XIII, *noyte* XIII, *noute* XIV | Do lat. *nŏx nŏctĭs* || AnoitECER XIII || noitADA 1881|| noitECER XVI || noitibó | *noytiuóó* XIV | De *noctívolo*, com deslocamento da tônica || noturnAL | *nocturnal* 1873 || noturno | *nocturno* XIV, *nouturno* XIV | Do lat. *nocturnus -a*. Cp. NOCT(I)-.
noiva *sf.* 'prometida, aquela que se vai casar' | *novia* XIII, *noya* XVI | Do lat. *nupta* 'esposa', com provável influência do adjetivo *nova*, de que resultaria um lat. **novia* || ANTEnupciAL 1858 || InuptA | *innupto* XVII || noivADO XVII || noivAR XIX || noivo | *novio* XIII || nubENTE XIX || **núbil** 1858. Do lat. *nūbĭlis -e* || nupciAL XVII. Do lat. *nuptiālis -e* || núpcias XVII. Do lat. *nuptĭae -ārum*.
⇨ **noiva** — **núpcias** | *nuptias* 1614 SGonç I.407.6 |.
nojo → ENOJAR.
⇨ **nojoso** → ENOJAR.
nolição *sf.* 'ausência de vontade' 1858. De um lat. **nollitione*, deriv. de *nolle* 'não querer'.
-nom- → -NOMIA, -NOMO-.
noma *sm.* '(Patol.) estomatile gangrenosa' 1873. Do lat. *noma*, deriv. do gr. *nomḗ*.
nômade *adj.* 2g. 'indivíduo que pertence a uma tribo que se desloca constantemente à procura de novas pastagens para o gado' 'povo errante' 1813. Do lat. *nomādes -um*, deriv. do gr. *nomás -ádos* (de *némein* 'pastar').
nomarca *sm.* 'governador de um nomo[2]' 'chefe de tribo' XIX. Cp. gr. *nomárchēs* || nomarco | *nomarcho* 1873 || nomarquIA | *nomarchia* 1873. v. NOMO[2].
nome *sm.* 'denominação' 'palavra que designa pessoa, animal ou coisa' 'alcunha' | XIII, *nume* XIII | Do lat. **nōmĭnem*, de *nōmen -ĭnis* || COGnome XVI. Do lat. *cognōmen -ĭnis* || COGnominAR XVI. Do lat. *cognōmĭnāre* || InominADO | *innominado* XVI | Do lat. *innominatus* || InominÁVEL | *innominavel* 1881 | Do lat. *in-nōminābĭlis -e* || nomeADA XIII || nomeaDO XIV || nomeADOR XVII || nomeANTE XV || nomeAR XIII || nomenclador 1813. Do lat. *nōmenclātor -ōris* || **nomenclatura** 1813. Do lat. *nōmenclātūra -ae* || nômina XIV. Do lat. *nōmĭna* || nominação | *nominação* XV | Do lat. *nominātiōnem* || nominAL XVII. Do lat. *nōmĭnālis -e* || nominATA XVII. Do lat. *nōmĭnātus -a* || nominATIVO XVI. Do lat. *nōmĭnātīvus -a*.
-nomia *elem. comp.*, do gr. *-nomía* (de *nómos* 'lei'), que se documenta em vocs. eruditos, alguns formados no próprio grego, como *astronomia*, e outros formados nas línguas modernas, como *geonomia*. Cp. -NOMO-.
-nomo- *elem. comp.*, do gr. *-nomo-*, de *nómos* 'lei', que se documenta em alguns vocs. eruditos ▸ **nomo**GRAF·IA | *-ph-* 1858 || nomoGRAMA XX || nomoLOG·IA 1858. Cp. -NOMIA.
nomo[1] *sm.* 'na Grécia antiga, canto destinado a louvar os deuses ou a celebrar certos acontecimentos' XIX. Cp. gr. *nómos*.
nomo[2] *sm.* 'divisão territorial do antigo Egito' XIX. Cp. gr. *nomós*.
nono *num.* 'numeral ordinal e fracionário correspondente a nove' XIII. Do lat. *nōnus -a* || **nonage-**

nário 1813. Do lat. *nōnāgēnārĭus -a* ‖ **nonagésimo** XIV. Do lat. *nōnāgēsĭmus -a* ‖ **non**I·PÉTALO 1899 ‖ **nôn**UPLO 1899.
noologia *sf.* 'designação geral das ciências que se dedicam ao estudo do espírito, em oposição às que cuidam da matéria' 1873. Do fr. *noologie*, composto do gr. *nóos* 'espírito' + *-logía* 'conhecimento'.
nopal *sm.* 'planta da família das cactáceas' XVIII. Do náuatle *nopalli*, através do cast. *nopal*, provavelmente.
nora[1] *sf.* 'a mulher do filho em relação aos pais dele' XIII. Do lat. vulg. **nŏra* (cláss. *nŭrus*).
nora[2] *sf.* 'aparelho hidráulico para tirar água do poço, da cisterna' XVI. Do ár. *nā'ūra*.
norça *sf.* 'planta, espécie de briônia' XVII. Do lat. *nōdĭa*, deriv. de *nōdus -ī* 'enlaçamento'.
nordeste *sm.* 'ponto situado entre o norte e o leste, a igual distância destes' 'vento que sopra do lado desse ponto' XV. Do fr. *nordest* ‖ **nordest**INO XX.
nórdico *adj. sm.* 'de, ou pertencente aos países do norte da Europa, particularmente os escandinavos' 1899. Do al. *nordisch*.
nórico *adj.* 'da ou pertencente à Nórdica, antiga província romana' 1899. Do lat. *nōrĭcus -a*.
norm·ativo, -ócito, -ógrafo → NORMAL.
normal *adj. 2g.* 'habitual, natural, que segue a norma' XIX, Do lat. *normālis -e* ‖ A**normal** 1881 ‖ A**normal**IDADE 1881‖ **norma** 1813. Do lat. *norma -ae* ‖ **normal**IDADE 1873 ‖ **normal**ISTA XIX ‖ **normal**IZ·AÇÃO XX ‖ **normal**IZAR XX ‖ **norm**ATIVO 1873. Do fr. *normatif* ‖ **normó**CITO XX ‖ **normó**GRAFO XX.
⇨ **normal** — A**norm**AL ‖ 1836 SC ‖.
normando *adj.* 'relativo à, ou habitante da Normandia' ‖ XIV, *normão* XIV ‖ Do fr. *normand*, deriv. do lat. med. *nort-mannus*, de origem germânica.
noroeste *sm.* 'ponto situado entre o norte e o oeste, a igual distância destes' 'vento que sopra do lado desse ponto' XIV. Do fr. *nord-ouest*.
norreno *adj.* 'diz-se das línguas e das literaturas dos povos escandinavos' XX. Do fr. *norrain*, de origem escandinava.
norte *sm.* 'ponto cardeal que se opõe ao sul' 'vento frio que vem desse ponto' XV. Do fr. *nord*, de origem germânica ‖ DES**norte**ADO 1881 ‖ DES**norte**AMENTO 1899 ‖ DES**norte**ANTE XX ‖ DES**norte**AR 1844 ‖ **nort**ADA 1899 ‖ **norte**AR XX ‖ **nort**ISTA 1899.
⇨ **norte** — DES**norte**ADO ‖ 1836 SC ‖ DES**norte**AR ‖ 1836 SC ‖.
norueguês *adj. sm.* 'da, ou pertencente ou relativo à Noruega' 1899. Do top. *Noruega(a)* + -ês.
nos *pron.* 'forma oblíqua do pron. pess. nós' XIII. Do lat. *nōs* (átono) ‖ **nós** *pron.* 'indica a 1.ª pessoa do plural nas flexões verbais' XIII. Do lat. *nōs* (tónico).
noso- *elem. comp.*, do gr. *noso-*, de *nósos* 'doença', que se documenta em vocs. eruditos, alguns formados no próprio grego, como *nosocômio*, e outros introduzidos na linguagem científica internacional a partir do séc. XIX ♦ **nosocômio** XX. Do lat. *nosocomīum -ii*, deriv. do gr. *nosokomeîon* ‖ **noso**CRÁT·ICO 1873 ‖ **noso**FOB·IA XIX ‖ **noso**GEN·IA 1873 ‖ **nosó**GRAFO 1844 ‖ **noso**LOG·IA 1844 ‖ **noso**MAN·IA XIX.

⇨ **noso-** — **noso**LOG·IA ‖ 1836 SC ‖.
nosso *pron.* 'pertencente a, ou próprio de nós' ‖ XIII, *nostro* XIII ‖ Do lat. *nŏster, nŏstra, nŏstrum*.
nostalgia *sf.* 'melancolia, saudade' 1858. Do fr. *nostalgie*, deriv. do lat. cient. *nostalgia*, voc. criado pelo médico suíço Hofer, em 1678, composto do gr. *nóstos* 'regresso' + *álgos* 'dor' + -IA ‖ **nostálgi**CO 1873.
⇨ **nostalgia** ‖ 1836 SC ‖.
nota *sf.* 'marca, apontamento, anotação' XIII. Do lat. *nota -ae* ‖ A**not**AÇÃO ‖ *anotaçom* XVI ‖ Do lat. *annotātĭō -ōnis* ‖ A**not**ADOR ‖ -nn- 1858 ‖ Do lat. *annotātor -ōris* ‖ A**not**AR XVI. Do lat. *annotāre* ‖ **not**ABIL·IDADE 1813 ‖ **not**ABIL·IZAR XX ‖ **not**AÇÃO XVII. Do lat. *notātĭō -ōnis* ‖ **not**AR XIII. Do lat. *notāre* ‖ **not**ÁRIO XIII. Do lat. *notārĭus -a* ‖ **not**ÁVEL ‖ *notauel* XIV, *-uil* XIV, *-vell* XV ‖ **not**ÍCIA XIV. Do lat. *nōtĭtĭa -ae* ‖ **notici**ADOR XIX ‖ **notici**AR XVIII ‖ **notici**ÁRIO XIX ‖ **notici**OSO 1813 ‖ **notific**AÇÃO ‖ *notifficaçom* XV ‖ **notific**AR ‖ *notifficar* XIV ‖ Do lat. *nōtĭfĭcāre* ‖ **notific**AT·IVO 1873 ‖ **notific**AT·ÓRIO XVI ‖ **noto**[3] 'conhecido' XVI. Do lat. *nōtus -a* ‖ **noto**RI·EDADE 1858 ‖ **not**ÓRIO‖ *notorjo* XIII.
⇨ **nota** — A**not**ADOR ‖ *annotador* 1836 SC ‖ **not**ABIL·IDADE ‖ 1660 FMMElE 489.*2* ‖ **not**AÇÃO ‖ *c* 1539 JCASD 80.*24* ‖ **notici**OSO ‖ 1660 FMMElE 313.*19* ‖ **notor**·IEDADE ‖ 1836 SC, *notorioridade* 1657 FMMelV 55.*19* ‖.
noto- *elem. comp.*, do gr. *nō'tos* 'costas', que se documenta em vocs. eruditos, alguns formados no próprio grego, como *noto*[4], e outros introduzidos na linguagem científica internacional a partir do séc. XIX ♦ **noto**[4] 'face dorsal do corpo dos artrópodes' XX, Do gr. *nō'tos* ‖ **noto**BRÂNQU·IO ‖ *notobranchio* 1873 ‖ **noto**CORDA 1873 ‖ **noto**CÓRD·IO 1899.
noto[1] *sm.* 'vento sul" 1572. Do lat. *notus -ī*, deriv. do gr. *nótos* 'vento sul'.
noto[2] *adj.* 'bastardo, ilegítimo, espúrio' XVII. Do lat. *nothus -a*, deriv. do gr. *nóthos*.
noto[3] → NOTA.
notori·edade, -o → NOTA.
noturn·al, -o → NOITE.
nov·a, -ação, -ador, -ar, -ato → NOVO.
nov·edio, -el → NOVO.
nove *num.* '9, *IX*' XIII. Do lat. *nŏvem* ‖ **nove**CENTOS ‖ *nouecêtos* XIV ‖ **novena** XIV. Do lat. *nŏvēnus -a* ‖ **noven**AL 1844 ‖ **noven**ÁRIO 1844 ‖ **noven**FOLI·ADO XIX ‖ **novên**IO XX ‖ **noven**LOB·ADO ‖ *novemlobado* 1899 ‖ **noveno** *num.* 'nono' XIV. Do lat. *nŏvēnus -a* ‖ **noventa** ‖ *nouéénta* XIII, *nouaenta* XIII ‖ Do lat. *nōnāgĭnta*, com influência de *nove*.
⇨ **nove** — **noven**AL ‖ 1836 SC ‖ **noven**ÁRIO ‖ 1836 SC ‖.
novela *sf.* 'conto, romance curto sobre fatos geralmente verossímeis' ‖ *nouela* XIV, *nouella* XIV ‖ Do fr. *nouvelle*, deriv. do it. *novella* ‖ **novel**ESCO XX ‖ **novel**ETA XX ‖ **novel**ISTA ‖ *novellista* 1881.
novelo *sm.* 'bola feita de fio enrolado' ‖ *nouello* XV ‖ Do lat. tard. **lubellus* ou **lobellus*, forma hispânica de *globellus*, dim. de *globus* 'bola' ‖ DES·E**novel**AR ‖ *desennovellar* 1813 ‖ E**novel**AR ‖ *ennovelar* 1813.
⇨ **novelo** — A**novel**ADO ‖ 1614 SGonç II.119.*13* ‖ A**novel**AR ‖ *anouelhar* XIV DICT 575 ‖ **novel**EIRO ‖ 1680 AOcad I.513.*9* ‖.

novembro *sm.* 'décimo primeiro mês do ano civil' XIII. Do lat. *nŏvĕmber -bris*, através de uma forma **novĕmbrius*. Cp. SETEMBRO.
noven·al, -ário, -foliado, -io, -lobado, -o, -ta → NOVE.
novo *adj.* 'moço, jovem' 'original' 'de pouco uso' XIII. Do lat. *nŏvus -a* || inovAÇÃO | *ennouaçõ* XV, *emnouaçam* XV, *innouação* XVI | Do lat. *innovātĭō -ōnis* || inovADOR | *innovador* 1813 | Do lat. *innovator -oris* || inovAR | *jnouar* XIV, *ennouar* XIV, *emnouar* XIV, *innovar* XVI | Do lat. *innovāre* || **nova** *sf.* 'novidade' | *noua* XIII || novAÇÃO | *novaçam* XV | Do lat. *novātĭō -ōnis* || novADOR XIX. Do lat. *novātor -ōris* || novAR XX. Do lat. *novāre* || **novato** XVII. Do lat. *novātus -a* || novED·IO 1813 || **novel** XIII. Do a. fr. *novel*, deriv. do lat. *nŏvĕllus* || novicIADO XVII || **noviço** XIII. Do lat. *novīcĭus -a* || novIDADE | *nouidade* XIII.
⇨ **novo** — novAR | XIV TEST 33.*24* || noviciADO | 1573 NDias 364.*11* |.
nóxio *adj.* 'nocivo, que prejudica' XVII. Do lat. *noxĭus -a*.
noz *sf.* 'o fruto da nogueira' XIII. Do lat. **nŏce* (cláss. *nux nŭcis*) || nogada XVII. De um lat. **nucāta* || **nogado** 1858. De um lat. **nucātus -a* || nogal 1813. De um lat. **nŭcālis* || **nogueira** 1813. De um lat. **nŭcaria* || **nucela** | *nucella* 1873 | De um lat. **nucella*, dim. do lat. *nuce* || nuciFORME 1873 || nucíFRAGO 1873 || nucívoro 1873 || **núcula** 1899. Do lat. *nucŭla -ae*.
⇨ **noz** — nogueira | XIV TEST 408.*21* |.
nozilhão *sm.* 'tumor, inchação' XVII. De origem obscura.
nu *adj.* 'despido, descoberto, exposto' | *nuu* XIII, *nua* f. XIII | Do lat. *nūdus -a* || DESnudAMENTO 1899 || DESnudAR | XV, *desnuar* XIII || DESnudEZ XVII || DESnudo | XV, *desnuo* XIV, *desnuu* XIV || **nudação** 1858. Do lat. *nūdātĭō -ōnis* || nudEZ 1813 || nudEZA XVII. No port. med. ocorrem as formas *nuydade* e *nuidade* (ambas no séc. XV), derivadas do lat. *nūdĭtās -ātis* || nudiBRÂNQUIO | *nudibranchio* 1873 || nudiCAULE 1873 || nudíPEDE 1881. Do lat. *nūdĭpēs -pĕdis* || nudISMO XX || nudiTARSO 1873 || nudiÚSC·ULO 1881.
nuança *sf.* 'matiz, tonalidade' 1833. Do fr. *nuance*.
nub·ente, -il → NOIVA.
nub(i)- *elem. comp.*, do lat. *nūbēs -is* 'nuvem', que se documenta em vocs. eruditos, alguns formados no próprio latim, como *nubívago*, e outros introduzidos na linguagem científica internacional a partir do séc. XIX ♦ **nubi**cogo XVIII. O segundo elemento do composto provém do radical *cog-*, do lat. *cōgō* 'reúno', de *cōgere* 'reunir' || nubíFERO XVII. Do lat. *nūbifer, nūbifĕra, nūbifĕrum* || **nubi**GENO XVII. Do lat. *nūbigĕna -ae* || **nubívago** XVII. Do lat. *nūbĭvăgus -a* || nublADO XIV || **nublar** XIII. Do lat. *nūbĭlāre* || nubloso XVII. Do lat. *nūbĭlōsus -a*. Cp. NEBLINA, NÉVOA, NUVEM.
nubilar *sm.* 'lugar onde se recolhe o trigo quando há receio de chuva' 1858. Do lat. *nūbĭlārĭum -ĭī*.
nubl·ado, -ar, -oso → NUB(I)-.
nuca *sf.* 'parte posterior do pescoço' 1813. Do b. lat. *nucha* 'medula espinhal', deriv. do ár. *nuḫā'* || nuqueAR XX.
nução *sf.* 'assentimento, anuência, arbítrio' XIV. De origem controversa.

nuc·ela, -iforme, -ífrago, -ívoro → NOZ.
núcleo *sm.* 'o ponto central ou essencial' 1858. Do lat. *nuclĕus -ī* || enucleAR XVIII || nucleAR 1881 || nucléOLO 1873.
núcula → NOZ.
nud·ação, -ez, -eza, -ibrânquio, -icaule, -ípede, -ismo, -ista, -itarso, -iúsculo → NU.
nuga *sf.* 'ninharia, bagatela' XVI. Do lat. *nūgās* (de *nūgāx -ācis*) || nugAÇÃO 1813 || nugAC·IDADE XVIII. Do lat. *nūgācĭtās -ātis* || nugAT·IVO XIX || **nugatório** XV. Do lat. *nūgātŏrĭus -a*.
nugá *sm.* 'doce de nozes ou amêndoas misturadas com mel' XX. Do fr. *nóugat* (correlato do port. *nogado*; v. NOZ).
nulo *adj.* 'inútil, inepto, incapaz' | *nullo* XIII | Do lat. *nūllus -a* || AnulABIL·IDADE XX || AnulAÇÃO | *annullação* XVI | Do lat. *annūllātĭō -ōnis* || AnulADOR | *annullador* 1813 || AnulANTE | *annullante* 1813 || AnulAR¹ XV. Do lat. *annūllāre* || AnulATÓRIO | *annullatorio* XVI || nulIDADE XVI || nulIFIC·ANTE XX || nulIFICAR | *nullificar* 1899 | Do lat. *nūllĭficāre* || nulIFIC·AT·IVO XX || nuliNERVE | *nullinerve* 1899 || **nulípara** XX.
num *contr.* da prep. EM com o art. num. UM. XVI.
numário *adj.* 'relativo à numulária, numismático' 1844. Do lat. *nummārĭus -a*.
⇨ **numário** | 1836 SC |.
nume *sm.* 'deidade, divindade mitológica' XVII. Do lat. *nūmen -ĭnis*.
número *sm.* (Mat.) palavra ou símbolo que expressa a quantidade' XV. Do lat. *numĕrus -ī* || enumerAÇÃO 1813. Do lat. *ēnumerātĭō -ōnis* || enumerADO 1830 || enumerAR 1858. Do lat. *ēnŭmĕrāre* || EXTRAnumerÁRIO XX || InumerABIL·IDADE | *innumerabilĭtas -ātis* || inumerÁVEL | *innumeravel* XV | Do lat. *in-numĕrābĭlis -e* || **inúmero** | *innumero* XVI | Do lat. *in-numĕrus -a* || numerAÇÃO 1844. Do lat. *numerātĭō -ōnis* || numerADOR 1813. Do lat. *numerātor -ōris* || numerAL 1813. Do b. lat. *numeralis* || numerAR XVIII. Do lat. *numerāre* || numerÁRIO XIX. Do fr. *numéraire* || numerÁVEL 1813 || numérICO XVIII || numeroLOG·IA XX || numerOS·IDADE XVII. Do lat. *numerŏsĭtās -ātis* || numeroso XVI. Do lat. *numerŏsus -a* || SUPERnumerAL XX.
⇨ **número** — enumerAR | 1836 SC |.
númida *adj.* 2g. 'da, ou pertencente à Numídia' XVI. Do lat. *numĭda -ae* || **numídico** 1899. Do lat. *numidĭcus -a*.
⇨ **númida** — numidiANO | *numydyano* XV ZURD 86.*29* || numídICO | *a* 1595 *Jorn.* 8.*8* |.
num(o)- *elem. comp.*, do lat. *num-*, de *nummus -ī* 'moeda', relacionado com o gr. *nom-*, de *nómos* 'lei' (de que proveio o gr. *nómisma* 'moeda de uso' 'moeda legal'), que se documenta em compostos eruditos, a maioria dos quais introduzidos nas línguas modernas, a partir do séc. XIX ♦ numiFORME | -mm- 1873 || **numular** | -mm- 1858 || **numulária** | -mm- 1844 | Do lat. *nummulārĭus -a* || **numulário** 1873. Do lat. *nummulārĭus -ĭī* || **numisma** 1858. Do lat. *numisma -ătis*, deriv. do gr. *nómisma* || numismATA 1881 || numismÁT·ICA 1844. Do fr. *numismatique* || numismÁT·ICO 1844 || numismATÓ·GRAFO | -mm- 1873.

⇨ **num(o)-** — **numism**ÁT·ICA | 1836 SC || **numis**mÁT·ICO | 1836 SC || **numulária** | 1836 SC |.
nunca *adv.* 'em tempo algum, jamais' XIII. Do lat. *nŭmquam*.
núncia *sf.* 'anunciadora, mensageira, precursora' XVI. Forma fem. de *núncio* || **nunci**AÇÃO XVIII. Do lat. *nūntiātiō -ōnis* || **nunci**AT·IVO 1858 || **nunci**AT·URA XVII || **núncio** XVI. Do lat. *nūntius -īi*.
nuncupação *sf.* 'designação ou instituição de herdeiro feita de viva voz' 1873. Do lat. *nuncupātiō -ōnis* || **nuncup**ATIVO 1844 || **nuncup**ATÓRIO XVI.
⇨ **nuncupação** — **nuncup**ATIVO | 1836 SC |.
nupcial → NOIVA.
⇨ **núpcias** → NOIVA.
nuquear → NUCA.
nutação *sf.* 'vacilação, oscilação' 1844. Do lat. *nūtātiō -ōnis* || **nutante** XVI. Do lat. '*nūtantem*, part. pres. de *nūtāre* || **nutar** XVII. Do lat. *nūtāre* || **nuto** XIX. Do lat. *nūtus -ūs*.

nutrir *vb.* 'alimentar, sustentar, alentar' | *nodrir* XIII | Do lat. *nutrire* || **des**nutrição XX || **des**nutrido XX || **des**nutrir XX || **nutr**IÇÃO XVII. Do lat. med. *nutritio* || **nutr**ÍCIO XVII. Do lat. *nūtrīcĭus -ĭī* || **nutr**ICION·AL XX || **nutr**ICION·ISTA XX || **nutr**IDOR 1881. Do lat. *nūtrītor -ōris* || **nutriente** 1881 || **nutrim**ENTAL 1844. Do lat. **nūtrīmentalis -ē* || **nutrimento** XVI. Do lat. *nūtrīmentum -ī* || **nutr**ITÍC·IO XVII || **nutr**ÍT·ICO XX || **nutr**ITIVO 1813. Do lat. med. *nutritīvus -ī* || **nutriz** XVII. Do lat. *nūtrīx -īcis* || **re**nutrir 1858 || **sub**nutrido XX || **sub**nutrir XX.
⇨ **nutrir** — **nutri**ENTE | 1836 SC | **nutri**MENTAL | 1836 SC || **nutr**ITIVO | XV SEGR 67 |.
nuvem *sf.* 'conjunto visível de partículas de água ou de gelo em suspensão na atmosfera' | *nuven* XIII | Do lat. *nūbēs -is* || **a**nuvIAR XVII || DES·**a**nuvIAR | *-nn-* 1881 || **nuve**ADO XIII. Cp. NEBLINA, NÉVOA, NUB(I)-.

O

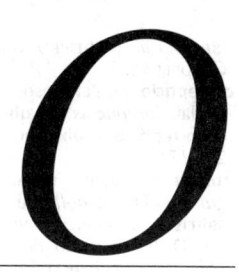

o¹ *art. pron. m.* XIII. Do lat. *ĭllu*; V.A².
o², oh *interj.* | *óó* XIV | Do lat. *ō, ōh*; V.A⁵.
oásis *sm.* 'região com vegetação e água em meio a um grande deserto' 1873. Do fr. *oasis*, deriv. do lat. tard. *oăsis* e, este. do gr. *óasis*, de provável origem egípcia; cf. copta *uahe*. A ant. var. port. *abases*, que se documenta no séc. XVI, provém diretamente do gr. *auasis*, que ocorre em Estrabão (séc. I a.C.) e que, provavelmente, precedeu a forma gr. *óasis*.
ob- *elem. comp.*, da prep. lat. *ob* 'diante de', que se documenta em vocábulos de origem erudita, como *obducto*, e em outros introduzidos na linguagem científica internacional a partir do séc. XIX ▶ ob<small>CLÁV·EO</small> 1899 || ob·<small>CORD·ADO</small> 1899 || ob<small>CORDI·FORME</small> 1899 || ob<small>DENT·ADO</small> 1899|| ob<small>DIPLOSTÊMONE</small> XX || ob·<small>DUCTO</small> XVII. Do lat. *obductus -a* || ob<small>DUR·AÇÃO</small> XVIII. Do lat. *obdūrātĭō -ōnis* || ob<small>DUR·AR</small> XVIII. Do lat. *obdurāre* || ob<small>FIRM·AR</small> 1844 || ob<small>OV·OIDE</small> XIX.
⇨ **ob-** — ob<small>FIRM·AR</small> | 1836 SC |.
obcecar *vb.* 'cegar, desvairar, deslumbrar' 1844. Do lat. *ob-caecāre (occaecāre)* obcec<small>AÇÃO</small> 1813.
⇨ **obcecar** | 1836 SC |.
obedecer *vb.* 'sujeitar-se à vontade de outrem' XIII. Do lat.*ŏbēdīscĕre*. incoativo de *ŏbēdīre* || <small>DES</small>**obedecer** 1813 || <small>DES</small>**obediência** | *desobedeença* XIII, *-adjença* XV, *desobidiença* XV || <small>DES</small>**obediente** | XIV, *-bi-* XIV | <small>IN</small>**obediência** 1813 || Do lat. *inoboediēntĭa -ae* || <small>IN</small>**obediente** XVI || **obediência** | XIV, *-deença* XIII | Do lat. *ŏbēdĭentĭa* || **obediente** XIII. Do lat. *ŏbēdĭente*.
⇨ **obedecer** — <small>IN</small>**obedi**<small>ÊNCIA</small> | *inobediêcia* 1660 <small>FMMeIE</small> 121.*11* || <small>IN</small>**obedi**<small>ENTE</small> | *inhobediente* 1538 <small>DCast</small> 3.27 |.
obelisco *sm.* 'monumento de pedra quadrangular e alongado' XVII. Do lat. *obeliscus -ī*, deriv. Do gr. *obeliskos*.
⇨ **obelisco** | *c* 1539 <small>JCASD</small> 88.*10 obelisquo* Id.88.*12, obilisco* Id.88.*27, obilisquo* Id.89.*3* |.
óbelo *sm.* '(Paleogr.) sinal em forma de travessão para indicar erros num manuscrito' 'obelisco 1813. Do lat. *obĕlus -ī*. deriv. do gr. *obelós*.
oberado *adj.* 'endividado, empenhado, onerado' 1844. Do *lat. obaerātus -a* || ober<small>AR</small> 1873.
⇨ **oberado** | 1836 SC || **ober**<small>AR</small> | 1836 SC |.
obeso *adj.* 'gordo, farto' 1813. Do lat. *obēsus -a* || obes<small>IDADE</small> 1813. Do lat. *obēsĭtās -ātis*.
obfirmar → OB-.
obi *sm.*'fruto de uma palmeira da subfam. das esterculiáceas' XX. Do ioruba *o'bi* 'noz de cola'.

óbice *sm.* 'impedimento, empecilho, embaraço' XVII. Do lat. *obex -ĭcis*.
óbito *sm.* 'morte, falecimento, destruição' 1813. Do lat. *obĭtus -ūs* || obitu<small>ÁRIO</small> XIX.
objeto *sm.* 'coisa, matéria, objetivo' | *-cto* XVI, *objeito* XVI | Do lat. escolástico *objectum -i* || **objeção** | *objeição* XVII | Do lat. *objectĭō -ōnis* || **objet**<small>AR</small> | *-ctar* XVIII | Do lat. *objectāre* || **objet**<small>IVA</small> | *-ctiva* XIX || **objet**<small>IV·AÇÃO</small> | *-ctivação* 1873 || **objet**<small>IV·AR</small> | *-ctivar* 1873 || **objet**<small>IV·IDADE</small> | *-ctvidade* XVIII || **objet**<small>IVO</small> | *ctivo* 1813.
⇨ **objeto** | *obiecto* XV <small>BENF</small> 35.*9, ogeito* XV <small>LOPF</small> 63.*45 objecto* XV <small>ZURG</small> 358.*21* || **objeção** | *obiecçom* XV <small>BENF</small> 110.*25* |.
objurgar *vb.* 'repreender, censurar castigar' XIX. Do lat. *ob-jurgāre* || **objurgação** 1873. Do lat. *objurgātĭō -ōnis* || **objurgatório** 1858. Do lat. *objurgātōrĭus -a*.
oblação *sf.* 'oferenda feita a Deus ou aos santos' | *oblaçon* XIII | Do lat. *oblātĭō -ōnis* || **oblato** 1813. Do lat. *oblātus -a*.
oblíquo *adj.* 'inclinado, não perpendicular' XVI. Do lat. *oblīquus* || **obliquar** 1813. Do lat. *obliquāre* || **obliqu**<small>IDADE</small> 1813. Do lat. *oblīquĭtās -ātis*.
obliteração *sf.* 'desaparecimento, destruição, esquecimento' 1858. Do lat. *oblitterātĭō -ōnis* || <small>IN</small>**obliter**<small>ÁVEL</small> 1899 || **obliter**<small>AR</small> 1813. Do lat. *oblittĕrāre*.
oblívio *sm.* 'olvido, esquecimento' XIX. Do lat. *oblīvĭum -ĭī*.
oblongo *adj.* 'alongado, que tem mais comprimento do que largura' 1782. Do lat. *oblongus* || **oblongi**<small>·FÓLIO</small> 1873.
obnóxio *adj.* 'servil, escravo' XVI. Do lat. *obnoxĭus*.
obnubilar *vb.* 'cobrir com uma nuvem' 'encobrir' XX. Do lat. *ob-nūbĭlāre* || **obnubil**<small>AÇÃO</small> 1873. Do lat. *obnūbĭlātĭō -ōnis*.
oboé *sm.* 'instrumento musical de sopro feito de madeira' | 1813, *hoboá* 1813 | Do it. *òboe* ou *oboè*, deriv. do fr. *hautbois*. A var. *hoboá* deve ser de imediata procedência francesa || obo<small>ÍSTA</small> 1873.
óbolo *sm.* 'pequena moeda grega', 'esmola' XVII. Do lat. *obŏlus -ī*, deriv. do gr. *obolós*.
obovoide → OB-.
obra *sf.* 'construção, trabalho, produção' XIII. Do lat. *opĕra -ae* || obr<small>AD·EIRA</small> XIV || obr<small>ADO</small> XIII. Do lat. *operātus -a* || obr<small>ADOR</small> XIV. Do lat. *operātŏr -ōris* || obr<small>AGEM</small> 1813 || obr<small>AMENTO</small> XV || obr<small>AR</small> XIII. Do

lat. *ŏpĕrāre* || **obr**EIRO XIII. Do lat. *operārĭus -a*. Cp. OPERAR.
ob-reptício *adj.* 'ardiloso, astucioso, doloso' 1813. Do lat. *ōbrēptīcĭus -a* || **ob-rep**ÇÃO 1813.
⇨ **ob-reptício** — **ob-rep**ÇÃO | *obreyçã* 1573 NDias 280.*17* |.
obrigar *vb.* 'sujeitar, responsabilizar, dever' | *obligar* XIII | Do lat. *oblĭgāre* || DES**obrig**ADO XV || DE-S**obrig**AR | *desobligar* XVI || **obrig**AÇÃO | *obrigaçõ* XIV | Do lat. *obligātĭō -ōnis* || **obrig**ADO XVII. Do lat. *obligātus -a* || **obrig**AT·ÁRIO 1899. Do fr. *obligataire* || **obrig**ATORI·EDADE XX || **obrig**AT·ÓRIO XVI.
⇨ **obrigar** — **obrig**AT·ÓRIO | XV LOPJ II.460.*12* || **obrig**ÁVEL | *obligaueẽs* pl. XV BENF 327.*14* |.
ob-rogar *vb.* 'contrapor-se, invalidar uma lei em relação a outra' XX. Do lat. *obrŏgāre* || **ob-rog**AÇÃO XX.
obsceno *adj.* 'que fere o pudor, impuro, desonesto' XVI. Do lat. *obscēnus* || **obscen**IDADE XVII. Do lat. *obscēnĭtās -ātis*.
obscuro *adj.* 'escuro, sombrio, confuso' XVI. Do lat. *obscūrus* || **obscur**ANTE 1873 || **obscur**ANT·ISMO 1858 || **obscur**ANT·ISTA XIX || **obscur**ECER XVIII || **obs-cur**IDADE XVI. Do lat. *obscūrĭtās -ātis*. Cp. ESCURO.
⇨ **obscuro** | XV PAUL 77.*26* || **obscur**ENTAR | XV SEGR 43 || **obscur**EZA | XV OFIC 120.*12* || **obscur**IDADE | XV SEGR 38 || **obscur**IDÃO | *obscuridom* XV PAUL 77.*20* |.
obsecração 'súplica fervorosa e humilde' XV. Do lat. *obsecrātĭō -ōnis* || **obsecrar** 1813. Do lat. *obsĕcrāre*.
obsedar *vb.* 'molestar, obcecar' XX. Do fr. *obséder* || **obsedante** XX. Do fr. *obsédant*.
obsequente *adj. 2g.* 'dócil, obediente, que se sujeita' 1572. Do lat. *obsĕquēns -entis*.
obséquio *sm.* 'favor, serviço, benefício' XVII. Do lat. *obsequĭum -iī* || **obsequi**AR 1813 || **obsequi**OS·IDADE 1881 || **obsequi**OSO 1813. Do lat. *obsequiōsus*.
⇨ **obséquio** | XV FRAD i.7.*18* |.
observação *sf.* 'advertência, cumprimento, prática' XVI. Do lat. *observātĭō -ōnis*||IN**observ**ADO 1813. Do lat. *in-observātus -a* || IN**observ**ANCIA 1813. Do lat. *in-observantĭa -ae* || IN**observ**ANTE 1813 || IN**o-bserv**ÁVEL 1881. Do lat. *in-observābĭlis -e* || **observ**ADOR XIX. Do lat. *observātor -ōris* || **o-bservân**CIA | *observamça* XV | Do lat. *observantĭa -ae* || **observ**ANTE XVI. Do lat. *observāns -antis* || **observ**AR 1572. Do lat. *ob-servāre* || **observ**ATÓRIO 1813. Do fr. *observatoire* || **observ**ÁVEL XVII. Do lat. *observābĭlis -e*.
⇨ **observação** — **observ**ANTE | 1538 DCAST 82.*19* || **observ**AR | 1572 *Lus.* II.87, *ouservar c* 1541 JCASR 211.*28* |.
obsesso *adj. sm.* 'importunado, atormentado' XVIII. Do lat. *obsessus -a* || **obsessão** 1813. Do lat. *obsessĭō -ōnis* || **obsess**IVO XX || **obsess**OR XIX. Do lat. *obsessŏr -ōris* || **obsidente** XIX. Do lat. *obsidens -entis* || **obsidiar** *vb.* 'cercar' XIX. Do lat. **obsidĭāre*, por *obsidĭāri* || **obsidi**ON·AL XVI. Do lat. *obsidiōnālis -e*.
obsidiana *sf.* 'designação comum a vários tipos de lavas' XVI. Do lat. *obsidiana (petra)*, forma errônea numa das edições de Plínio, em lugar de *obsiana*, de *Obsius*, que teria descoberto esse mineral na Etiópia.

obsidiar, -ional → OBSESSO.
obsoleto *adj.* 'antigo, arcaico, estragado' XVIII. Do lat. *obsolētus* || **obsolet**AR XX.
obstar *vb.* 'causar embaraço, impedir' XVIII. Do lat. *obstāre* || **obstác**ULO XIX. Do lat. *obstācŭlum -ī* || **obst**ÂNCIA 1844 || **obst**ANTE XVI. Do lat. *obstāns -āntis* || **obst**AT·IVO XX.
⇨ **obstar** | *obstado* [sic] p. adj. XV VERT 45.*33* || **obst**ÁC·ULO | *a* 1595 *Jorn.* 31.*18* || **obst**ÂNCIA | 1836 SC |.
obstetriz *sf.* 'parteira' XVII. Do lat. *obstĕtrīx -īcis* || **obstetra** XX || **obstetrícia** 1844 || **obstetrício** 1844. Do lat. *obstetrĭcĭus -ī* || **obstétri**CO 1858. Do lat. mod. *obstetricus -ī*.
obstinação *sf.* 'persistência, tenacidade, perseverança' | *abstinaçom* XV, *obstynaçom* XV, *austinaçom* XV | Do lat. *obstinātĭō -ōnis* || **obstin**ADO | *abstinado* XV, *austinado* XV | Do lat. *obstinātus* || **obstin**AR XVII. Do lat. *obstĭnāre*.
obstipar *vb* '(Patol.) sofrer habitualmente de prisão de ventre' XX. Do lat. *obstīpāre* || **obstip**AÇÃO 1899.
obstringir *vb.* 'apertar, ligar, imprensar' XVII. Do lat. *obstrĭngĕre*.
obstrução *sf.* '(Patol.) entupimento de vaso ou canal 'obstáculo' | *obstrucção* XVIII | Do lat. *obstructĭō -ōnis* || DES**obstrução** 1813 || DES**obs-tru**IR 1813 || **obstrito** -*cto* XIX | Do lat. *obstrictus* || **obstruir** 1813. Do lat. *obstrŭĕre* || **obstrut**IVO | -*ctivo* XX || **obstrut**OR | -*ctor* 1899.
obstupefato *adj.* 'pasmado, estupefato' -*cto* XIX | Do lat. *obstupefactus* || **obstupef**AÇÃO |-*cção* XIX.
obstúpido *adj.* 'pasmado, atônito, surpreendido' XIX. Do lat. *ob-stupĭdus*.
obtemperar *vb.* 'ponderar, aquiescer, sujeitar-se' 1873. Do lat. *ob-tempĕrāre* || **obtemper**AÇÃO 1873. Do lat. *obtemperātĭō -ōnis*.
obter *vb.* 'alcançar, conseguir, ganhar' 1813. Do lat. *obtinēre* || **obten**ÇÃO 1844 || **obten**ÍVE·L XX || **obtentor** XIX.
⇨ **obter** — **obten**ÇÃO | -*são* 1836 SC |.
obtestar *vb.* 'tomar por testemunha' XVIII. Do lat. **obtestāre*, por *obtestāri*.
obtundir *vb.* 'contundir, bater, sovar' 1813. Do lat. *ob-tundĕre* || **obtund**ENTE 1858.
obturar *vb.* 'tapar, fechar, entupir' XIX. Do lat. *obtūrāre* || **obtur**AÇÃO 1858. Do lat. *obtūrātĭō -ōnis* || **obtur**ADOR 1873.
obtuso *adj.* 'que não é agudo, arredondado' XVI. Do lat. *obtūsus* || **obtus**ÃO 1844. Do lat. *obtūsĭō -ōnis* || **obtusí**·FIDO 1881 || **obtusí**·FOLI·ADO 1899 || **obtusí**·LOBUL·ADO 1899 || **obtusí**·R·ROSTRO XIX.
obumbrar *vb.* 'toldar, nublar, escurecer' 1572. Do lat. *obumbrāre* || **obumbr**AÇÃO 1881. Do lat. *obumbrātĭō -ōnis*.
obus *sm.* 'peça de artilharia semelhante a um pequeno canhão' | 1760, *obitz* 1717, *obus* 1748, *howitzer* 1762 | Do fr. *obus*, deriv. do al. *Haubitze (hauffenicz* no séc. XV) e, este, do a. cheq. *haufnice* (mod. *houfnice*); as vars. *obitz*, de imediata procedência alemã, e *howitzer*, de imediata procedência inglesa, são raras e esporádicas || **obus**EIRO | *obuzeiro* 1899.
⇨ **obus** — **obus**EIRO | -*zei*- 1836 SC |.
obvenção *sf.* 'lucro eventual, provento, receita' 1873. Do lat. tard. *obventio -ōnis*.

obviar *vb.* 'remediar, obstar, desviar' XVI. Do lat. *obviāre* || **óbvio** 1844. Do lat. *obvĭus*.
⇨ **obviar** — **óbvio** | 1836 SC |.
obvir *vb.* 'tocar ao Estado por sucessão' 'vir a pertencer' 1873. Do lat. *ob-venīre*.
oca¹ *sf.* 'cabana dos índios do Brasil' *c* 1584. Do tupi *'oka.*
oca² *sf.* 'planta herbácea da fam. das oxalidáceas' XIX. Do hisp.-americ. *oca*, deriv. do quíchua *okka.*
ocapi *sm.* 'mamífero de tipo intermediário entre as girafas e os antílopes' XX. De um idioma do Congo.
ocara *sf.* 'terreiro no interior das aldeias dos índios do Brasil' 1865. Do tupi *o'kara.*
ocarina *sf.* 'instrumento de sopro que lembra o perfil de uma cabeça de ganso feito, geralmente, de barro' 1881. Do it. *ocarina* || **ocarin**ISTA 1881.
ocasião *sf.* 'conjuntura, motivo, causa' | *ocajon* XIII, *oqueijon* XIII, *ocasyon* XIV etc. | Do lat. *occāsiōne*. No port. med. documentam-se, ainda, várias outras formas com aférese do *o-*, que foi tomado pelo artigo (*cajon* XIII, *caion* XIII etc.), e outras com *en-* em lugar de *o-* (*enqueijom* XIV, *enqueyiõ* XIV etc.) || **ocasion**AL | *ocasional* 1813 || **ocasion**AR XVI.
ocaso *sm.* 'desaparecimento dos astros no horizonte, poente' XVII. Do lat. *occāsus -ūs.*
⇨ **ocaso** | *a* 1542 | JCASE 52.*15* |.
occipício *sm.* (Anat.) parte inferoposterior da cabeça' 1813. Do lat. *occipitĭum -ĭī* || **occipit**AL 1813 || **ócciput** XIX. Do lat. *occĭput -ĭtis.*
oceano *sm.* 'vasta extensão dos mares' | *ocçeano* XIV, *ocião* XIV etc. | Do lat. *ōcĕănŭs -ī*, deriv. do gr. *ō'keanós* || INTER**oceân**ICO 1881 || **oceân**ICO 1873 || **oceân**IDE 1873. Do lat. *oceanidis -e*, deriv. do gr. *ō'keanís -ides* || **oceano**GRAF·IA | *oceanographia* 1899 || **oceano**GRÁF·ICO | *oceanográphico* 1899.
⇨ **oceano** — **oceân**ICO | 1836 SC |.
ocelo *sm.* '(Biol.) cada um dos pontos arredondados existentes nas penas, pelos, asas ou folhas' | *ocelo* 1899 | Do lat. *ocellus -ĭ* || **oceli**·FERO | *occellifero* 1899.
ocelote *sm.* 'mamífero carnívoro, espécie de leopardo, da América Central e das regiões setentrionais da América do Sul' 1838. Do nauatle *ocelotl*, através do cast. *ocelote.*
ocidente *sm.* 'o lado onde se vê o desaparecimento do sol, poente' | *oucijente* XIII, *ouciente* XIII. *oucidente* XIII etc. | Do lat. *occĭdens -entis* || **ocident**AL | *ouucidentaaes* pl. XIV | Do lat. *occidentālis -e.*
ocioso *adj.* 'que não trabalha, inativo' XIV. Do lat. *ōtiōsus -a* || **ócio** | XV, *occio* XV | Do lat. *ōtĭum -ĭī* || **ocios**IDADE | *ouçiousidade* XV | Do lat. *ōtiōsĭtās -ātis.*
⇨ **ocioso** — **ocios**·IDADE | XIV ORTO 344.*2* |.
ocisão *sf.* 'assassinato, assassínio' | *occisão* XVIII | Do lat. *occīsiō -ōnis* || **ocis**IVO | *occisivo* 1813.
oclocracia *sf.* 'governo em que prepondera a plebe, a multidão' | *ochlocracia* XVIII | Do gr. *ochlokratía* (de *óchlos* 'populaça' + *krateō* 'governo' + *-ía*), por via erudita || **oclo**FOB·IA XX.
ocluso *adj.* 'fechado, cerrado, vedado' | *occluso* 1881 | Do lat. *occlūsus -i* || **oclus**ÃO | *occlusão* 1881 | Do lat. **occlusĭo -ōnis* || **oclus**IVO XX.
oco *adj.* 'vazio, vão, fútil' XVI. Parece ligar-se ao cast. *hueco* 'vazio', deriv. do lat. **ŏccus*, *ŏccāre.*

ocorrer *vb.* 'acontecer, suceder, aparecer' XV. Do lat. *occurĕre* || **ocorr**ÊNCIA | *occorrencia* 1881 || **ocorr**ENTE | *occorrente* 1858.
⇨ **ocorrer** — **ocorr**ÊNCIA | *occu-* 1836 SC || **ocorr**ENTE | *occu-* 1836 SC |.
ocre *sm.* 'variedade de argila colorida pelo óxido de ferro' 'a cor amarelo-pardacenta dessa argila' 1545. Do fr. *ocre*, deriv. do lat. *ochra* e, este, do gr. *ōchrā* (< *ōchrós* 'amarelo') || **ocr**ÁCEO | *ochraceo* 1778 || **ocre**OSO 1899. Com base no gr. *ōchrós*, a linguagem científica internacional criou alguns compostos de uso bastante restrito, como *ocricórneo, ocrocéfalo, ocrodermia* etc.
ócrea *sf.* '(Bot.) conjunto de estípulos que envolve parte do ramo, acima dos nós, e é peculiar à fam. das poligonáceas' 1873. Do lat. *ocrĕa -ae* 'perneira'.
oct(a)-, oct(o)- *elem. comp.*, ambos de cunho erudito, mas de étimos distintos: (i) *oct(a)-*, do gr. *okta-*, de *oktṓ* 'oito', ocorre em vários compostos formados no próprio grego, como *octaedro*, por exemplo, e em alguns outros introduzidos na linguagem científica internacional a partir do séc. XIX; (ii) *oct(o)-*, do lat. *octo-* (e *octi-*), de *octō* 'oito', tal como o anterior, já se documenta em alguns vocs. formados no próprio latim, como *octogenário*, por exemplo, e em alguns outros introduzidos na linguagem científica internacional a partir do séc. XIX. Apesar de intimamente correlacionados, distinguiram-se, no registro dos compostos adiante inscritos, por (i) os que contêm o elem. grego e por (ii) os de formação latina ♦ **octã** (ii) | *octan* 1881 || **oct**AEDRO (i) 1813. Cp. gr. *oktaedros* || **octa**ETÉRIDE (i) 1873. Cp. gr. *oktaetēris* || **oct**ANDRO (i) 1873 || **oct**ANGULAR (ii) 1899 || **oct**ANO (i) XX || **oct**ANTERO (i) | *-thero* 1881 || **octa**TEUCO (i) 1899 || **oct**IL (ii) 1899 || **oct**ILHÃO (i) | *-llião* 1899 | Formado pelo modelo de MILHÃO || **octingentésimo** (ii) 1899. Do lat. *octingentēsĭmus -a -um* || **octo**CÓRNEO (i) 1899 || **octo**DÁCTILO (i) | *-tylo* 1873 | Cp. gr. *oktōdáktylos* || **octogenário** (i) | 1813, *octagenario* 1813 | Do lat. *octōgēnārĭus -a -um* || **octogésimo** (ii) | *outogésimo* XIV | Do lat. *octōgēsĭmus -a -um* || **octó**GINO (i) | *-gyno* 1881 || **octo**GON·AL (i) 1873 || **octó**GONO (i) 1813 || **octo**LOBUL·ADO (ii) 1899 || **octonário** (ii) 1881. Do lat. *octōnārĭus -a -um* || **octó**PODE (i) *-do* 1873 || **octo**SSÍLABO (ii) | *-ssy-* 1873 || **octo**STÊMONE (i) 1899 || **octuplicar** (ii) 1899. Do lat. *octuplĭcāre* || **óctuplo** (ii) 1873. Do lat. *octŭplus -a -um.* Cp. OITO, OUTUBRO.
⇨ **oct(a)-, oct(o)-** — **octon**ÁRIO | 1836 SC || **octo**SSÍLABO | *-sylla-* 1836 SC |.
óculos *sm. pl.* 'lentes usadas diante dos olhos, para correção visual' 1555. Do lat. *ocŭlus -ī* 'olho' || **ocul**AÇÃO 1899 || **ocul**ADO 1899 || **ocul**AR XVII || **oculí**·FERO 1873 || **ocul**I·FORME 1873 || **ocul**ISTA 1813 || **ocul**ÍST·ICA 1813 || **óculo** 1813. Do lat. *ocŭlus -ī* || **ocul**OSO XVIII || SUB**ocul**AR XX.
oculto *adj.* 'escondido, encoberto, desconhecido' | XV, *occulto* 1572 | Do lat. *occultus* || **ocult**AÇÃO | *occultação* XVIII | Do lat. *occultātĭō -ōnis* || **ocult**AR XVI. Do lat. *occultāre* || **ocult**ISMO XX || **ocult**ISTA XX.
ocupar *vb.* 'estar na posse de' 'conquistar' | XIV, *acupar* XV | Do lat. *occŭpāre* || DES**ocup**AÇÃO | *desoccupação* 1844 || DES**ocup**ADO | *desoccupado*

1813 || DESocupar | *desoccupar* 1813 || ocupAÇÃO XV. Do lat. *occupātiō -ōnis* || ocupANTE XX.
⇨ ocupar — ocupADOR | *occupador a* 1595 *Jorn.* 123.*5* |.
odalisca *sf.* 'mulher de harém' 'camareira escrava das mulheres de um sultão' 1839. Do fr. *odalisque*, deriv. do turco *ōdaliq*.
ode *sf.* 'tipo de composição poética que, entre os antigos gregos, se destinava a ser cantada' | XVI, *oda* XVI | Do lat. tard. *oda*, *ode*, deriv. do gr. *ṓdḗ* || odeon *sm.* '*ant.* teatro grego' | *odeo* XVII | Do lat. *ōdēum -ī*, deriv. do gr. *ōdeîon*.
ódio *sm.* 'execração, rancor, raiva' XIV. Do lat. *odĭum -ĭī* || odiAR XVI || odiENTO 1813 || odiOS·IDADE XVIII || odiOSO XIV. Do lat. *odiōsus -a*.
odisseia *sf.* 'viagem cheia de peripécias' XIX. Do lat. *Odyssēa*, deriv. do gr. *Odýsseia*, nome do poema grego atribuído a Homero, em que se descrevem as viagens aventurosas de Ulisses.
odont(o)- *elem. comp.*, do gr. *odoús odóntos* 'dente', que se documenta em vocs. formados no próprio grego, como *odontoide*, e em muitos outros introduzidos na linguagem científica internacional, a partir do séc. XIX ♦ odonato *sm.* 'ordem de animais artrópodes, da classe dos insetos' XX || odontagra 1858. Cp. gr. *odontágra* || odontALG·IA 1813 || odontA·TROF·IA XX || odontíase 1873. Cp. gr. *odontíasis* || odontITE 1881 || odontoCETO XX || odontoGEN·IA 1873 || odontoGRAFIA | *odontographia* 1873 || odontoide 1858. Cp. gr. *odontoeidḗs* || odontoLANDO XX || odontoLITE | *odontolitho* 1873 || odontoLÍASE XX || odontoLOG·IA 1858 || odontoLOG·ISTA 1873 || odontOMA | *odontomo* 1873 || odontÔMETRO XX || odonto·PLER·OSE XX || odontoR·RAG·IA | *odontorrhagia* 1881 || odontOSE 1881 || odontÓSTOMO 1899.
odor *sm.* 'cheiro, aroma, perfume' XIII. Do lat. *odor -ōris* || DESodorANTE XX || DESodorAR XX || DESodorIZ·ADOR XX. Do fr. *désodoriseur* || DESodorIZ·ANTE XX. Do fr. *désodorisant* || DESodorIZAR XX. Do fr. *désodoriser* || INodoro 1899. Do lat. *in-odōrus -a* || odorANTE 1881 || odorAR XVI. Do lat. *odōrāre* || odorÍFERO XV. Do lat. *odōrĭfer, odōrĭfĕra odōrĭfĕrum* || odorÍF·ICO 1873.
odre *sm.* 'saco feito de pele para transportar líquido' XIV. Do lat. *utĕrus -ī* || odrEIRO XVI.
oeste *sm.* '(Astr.) ponto da esfera celeste situado do lado do ocaso dos astros' '(Geog.) ponto cardeal situado à esquerda do observador voltado para o norte'. O voc. ocorre em port., pelo menos a partir do séc. XV, nos compostos nor*oeste* e sud*ueste*. Do fr. *ouest*, deriv. do ing. *west*.
ofegar *vb.* 'arquejar, respirar com dificuldade' | *offegar* 1813 | Do lat. *offōcāre* || ofegANTE | *ofegante* 1881 || ofego XV || ofegOSO | *offegoso* XVI.
⇨ ofegar | *offegar* XIV ORTO 116.*10* |.
ofender *vb.* 'injuriar, ferir, chocar' | *offender* XVI | Do lat. *offendĕre* || INofensIVO 1844 || ofendÍCULO | *offendiculo* 1844 | Do lat. *offendĭcŭlum -i* || ofensa XV. Do lat. *offensa -ae*, com provável interferência do fr. *offense* || ofensão | *-fem-* XV | Do lat. *offensiōnem* || ofensIVA | *ofensiva* 1858 | Do fr. *offensive* || ofensIVO | *offensiuo* XVI | Do fr. *offensif* || ofenso | *offenso* XVI | Do lat. *offēnsus* || ofensOR | *offensor* XVII.

⇨ ofender | XV FRAD I.116.*22, ofemder* XV ESOP 38.*21, offemder* Id.2.*25, offender* XV IMIT 19.*14* || INofensIVO | *-ffen-* 1836 SC || ofendÍ·CULO | *-ffen-* 1836 SC || ofensIVO | *ofensyuo* XV ZURD 329.*5* |.
oferecer *vb.* 'dar, presentear, propor' XIII. Do lat. **offerescĕre*, incoativo de *offerre* || oferecIMENTO | *offerecimento* XV || oferENDA | *offerenda* XIII | Do lat. *offerĕnda* || oferENTE | *offerente* XVII | Do lat. *offerta* XIII | Do lat. **offerta* || ofertAR XIII || ofertÓRIO | *offertório* 1813 | Do lat. tard. *offertorium*.
⇨ oferecer — oferEND·AR | XIV GREG 2.23.*15* |.
oficial[1] *sm.* 'aquele que tem um ofício' 'militar de posto acima de aspirante ou guarda-marinha' | *officiaaes* pl. XIII | Substantivação do adj. *oficial* || oficial[2] *adj.* 1813. Do lat. *offĭciālis* || DESoficialIZAR XX || INoficIOSO | *inofficioso* XVII | Do lat. *in-officiōsus -a* || oficialATO | *officialato* 1881 || oficialIDADE | *officialidade* 1813 || oficialIZ·AÇÃO XX || oficialIZAR XX || oficiANTE | *oficiante* 1813 || oficiAR | *oficiar* XIV, *offiziar* XIV || oficina XIV. Do lat. *officīna -ae* || oficinAL | *officinal* 1844 || ofício | XIV, *officio* XIII | Do lat. *officĭum -i* || oficiOS·IDADE | *officiosidade* 1813 || oficioso | *officioso* XVII | Do lat. *officiōsus*.
⇨ oficial[1] — oficinAL | *-cci-* 1836 SC |.
ofi(o)- *elem. comp.*, do gr. *ophi(o)-*, de *óphis* 'serpente', que se documenta em vocs. formados no próprio grego, como *ofiase*, e em vários outros introduzidos na linguagem científica internacional, a partir do séc. XIX ♦ ofíase | *ophiasis* 1813 | Cp. gr. *ophíasis* || ofiCALC·ITO XX || ofiCLIDE | *ophicleide* 1873 | Do fr. *ophicléide* || ofiD·ICO | *ophidico* 1899 || ofídio | *ophidio* 1881 | Cp. gr. *ophídion* || ofioCÉFALO | *ophiocephalo* 1899 || ofióFAGO | *ophiophago* XVII. Cp. gr. *ophiophágos* || ofioGRAF·IA | *ophiographia* 1873 || ofioIDE | *ophioideo* 1899 | Cp. gr. *ophioeidḗs* || ofioLATR·IA | *ophiolatria* 1873 || ofioLITO | *ophiolitho* 1873 || ofioLOG·IA | *ophiologia* 1858 || ofioMANC·IA | *ophiomancia* 1873 || ofioMANTE XX || ofioMORFO | *ophiomorpho* 1899 || ofITO | *ophito* 1899 || ofiOSO | *ophiuros* 1873.
⇨ ofi(o)- — ofióFAGO | *ofiofagis* pl. *c* 1541 JCASR 309.*2* |.
ófrio *sm.* '(Anat.) ponto craniométrico entre os sobrolhos, e que serve de referência nas mensurações cranianas' | *ophryon* 1899 | Do gr. *ophrýs* 'sobrancelha', por via erudita.
-oftalm(o)- *elem. comp.*, do gr. *ophthalmós* 'olho', que se documenta em vocs. já formados no próprio grego, como *oftalmia*, e em muitos outros introduzidos na linguagem científica internacional a partir do séc. XIX ♦ oftalmALG·IA | *ophthalmalgia* 1899 || oftalmIA | *ophtalmia* 1813 | Cp. gr. *ophthalmía* || oftálmICO | *ophtalmico* 1813 | Cp. gr. *ophthalmikós* || oftalmoLOG·IA | *ophthalmologia* 1858 || oftalmoLOG·ISTA | *ophthalmologista* 1899 || oftalmoMALAC·IA | *ophthalmomalácia* 1899 || oftalmÔMETRO | *ophthalmometro* 1873 || oftalmoPLEG·IA | *ophthalmoplegia* 1899 || oftalmoR·RAG·IA | *ophthalmorrhagia* 1873 || oftalmoSCOP·IA | *ophthalmoscopia* 1873 || oftalmoSCÓP·IO | *ophthalmoscopio* 1873 || oftalmóSTATO | *ophthalmóstato* 1899 || oftalmoTECA | *ophthalmotheca* 1873 || oftalmoTON·IA | *ophtalmotonia* 1873 || oftalmoXISTRO | *ophthalmoxystro* 1873 (gr. *xýstron -ou* 'escova' 'raspadeira').

⇨ **ofuscado** → FOSCO.
ofusc·ação, -ado, -amento, -ante, -ar → FOSCO.
ogã *sm.* 'título dado a homens de prestígio que ajudam a proteger o terreiro, nos cultos afro-brasileiros' XX. Do ioruba *o'gã*.
ogame *sm.* 'antigo alfabeto irlandês' XX. Do ing. *ogham, ogam,* deriv. do a. irl. *ogam, ogum*.
ogano *adv.* 'neste ano' XIII. Do lat. *hoc anno*.
ogiva *sf* '(Arquit.) figura formada pelo cruzamento de dois arcos iguais que se cortam superiormente' 1858. Do fr. *ogive,* deriv. do cast. *aljibe*; cp. ALGIBE || ogivAL 1873.
ogó *sm.* 'objeto mágico com o qual Exu se transporta para lugares longínquos, em segundos, nas crenças afro-brasileiras' XX. Do ioruba *o'go*.
ogro *sm.* 'ente fantástico em quem se fala para intimidar as crianças' 1899. Do fr. *ogre*.
oh → O².
ohm *sm.* '(Eletr.) unidade de medida de resistência elétrica' XIX. Do ing. *ohm,* voc. adotado internacionalmente, por proposta da British Association, em 1861, e criado em homenagem ao físico alemão G.S. *Ohm* (1787-1854).
-oide (-eid-, -id-) *elem. comp.,* do gr. *-oeidē's,* de *eîdos* 'forma, aparência, imagem', que se documenta em compostos formados no próprio grego, como *asteroide,* e em muitos outros formados nas línguas modernas, como *acantoide, geoide* etc. Ocorre, também, em compostos híbridos, como *mongoloide, tabloide* etc., e, com certa frequência, em formações irônico-jocosas, como *animaloide, cretinoide, moloide* etc. Reduz-se a *-eid-* em *caleidoscópio,* e a *-id-* na var. *calidoscópio*.
oídio *sm.* 'espermácio formado numa ramificação de uma hifa' 'moléstia das plantas, produzida por fungos da fam. das erisifáceas' XIX. Do lat. cient. *oidium,* deriv. do gr. *ōón* 'ovo'.
-oiro → -(D)OURO.
oitão → OUTEIRO.
oit·ava, -av·ado, -av·ário, -avo → OITO.
oitenta → OITO.
oiti *sm.* 'planta da fam. das rosáceas, oitizeiro' | *gutí* 1587, *goti* 1618, *gyiti* 1627 etc. | Do tupi *üi'ti* || **oiticica** *sf.* 'planta da fam. das rosáceas' | *otsiqua c* 1574, *otisica c* 1574, *oiticiqua a* 1687 etc. | Do tupi *üïti'sïka* (< *ui'ti* 'oiti' + *i'sïka* 'resina') || **oiticoró** *sm.* 'planta da fam. 'das rosáceas' | *vticroy* 1618, *gyiti coroe* 1627 etc. | Do tupi *üitiko'roia* (< *üi'ti* 'oiti' + *ko'roia* 'áspero') || oitiz·EIRO 1757.
oito *num.* '8, VIII' | XIII, *oyto* XIII | Do lat. *ŏctō* || **oitante** *sm.* 'instrumento para medir ângulos' XIX. Do lat. *octāns -antis* || **oitava** *sf.* 'espaço de oito dias nos quais a Igreja celebra uma festa solene' XIII. Do lat. *ŏctāvus -a* || oitavADO | *oitauado* XVI, *outavado* XVI || oitavÁRIO | *oytavario* XV || **oitavo** | *octauo* XIII, *oytauo* XIII etc. | Do lat. *ŏctāvus -a* || **oitenta** '80' | *otaenta* XIII, *oyteenta* XIV | Do lat. vulg. *ŏctagĭnta* (cláss. *ŏctōgĭnta*) || oitoCENTOS '800' XIII. Cp. OCT(A)-, OCT(O)-.
ojá *sm.* 'faixa ornada de contas e conchas usada no candomblé' XX. Do ioruba *o'ža*.
ojeriza '*f* 'aversão, antipatia, repugnância' | XVII, *ogeriza* 1813 | Do cast. *ojeriza,* deriv. de *ojo* 'olho'.
-ol *suf. nom.,* deduzido da terminação de álcoo*l* e usado, modernamente, na nomenclatura internacional da química, para denominar os compostos que contêm hidroxila, especialmente os álcoois (*metanol*) e os fenóis (*cresol*).
-ola (= cast. *-ola,* it. *-ola,* fr. *-ole*) *suf. nom.,* deriv. do lat. *-ola,* que se documenta em inúmeros vocs. com a noção de 'pequeno, diminuto', como em *rapazola,* por exemplo: em alguns vocs. o suf. tem conteúdo francamente pejorativo, como em *mariola*.
ola¹ *sf.* 'panela de barro' XIII. Do lat. *ōlla -ae* || olA-RIA 1813 || olEIRO XIII. De um lat. **ollārïum*.
ola² *sf.* 'remoinho' | XVI, *folla* XV, *olla* XVI | Do cast. *ola,* provavelmente do ár. *háyla* 'remoinho', de *háyl* 'agitação do mar, tormenta'.
ola³ *sf.* 'folha de palmeira' | *olla* 1511 | Do malaiala *ola*.
olá *interj.* 'indica espanto' 'serve para fazer uma saudação' | *oula* XVI | Vocábulo de origem expressiva.
olaia *sf.* 'árvore da fam. das leguminosas' XVII. De origem obscura.
olaria → OLA¹.
olé *interj.* 'orig. exclamação com que a assistência saúda o toureiro a cada lance espetacular' 'exclamação que indica aplausos para uma série de jogadas, em que um jogador exibe o seu domínio da bola' XVIII. Do cast. *ole,* de origem expressiva. Cp. OLÁ.
ole·ado, -agíneo, -aginoso, -ar → ÓLEO.
olécrano *sm.* '(Anat.) saliência arredondada da extremidade do cúbito, no cotovelo' | *olecran* 1858, *olecraneo* 1873 | Cp. gr. *ōlékranon*.
oleí·cola, -cultor, -cultura, -deo, -fero, -ficante, -foliado, -geno → ÓLEO.
oleiro → OLA¹.
olente *adj.* 2g. 'odorante, odorífero' XIX. Do lat. *olēns -entis*.
óleo *sm.* 'nome comum a substâncias gordurosas, inflamáveis, de origem animal, vegetal ou mineral' | *oyo* 'XIII, *olio* XIV | Do lat. *olĕum -ī* || oleADO 1813 || oleagíneo 1813. Do lat. *oleāgĭnĕus -a* || oleaginOSO XVI || oleAR 1813 || oleí·COLA 1899 || oleICULTOR 1899 || oleí·CULTURA 1899 || oleíDEO 1899 || oleí·FERO 1873 || oleí·FIC·ANTE 1873 || oleí·FOLI·ADO 1873 || oleí·GENO 1873 || oleoDUTO | *oleoducto* XX || oleoGRAF·IA | *oleographia* 1899 || oleôMETRO 1881 || oleOS·IDADE 1858 || oleOSO 1844. Do lat. *oleōsus -a*.
⇨ **óleo** — oleOSO | 1836 SC |.
oleráceo *adj.* 'relativo a legumes, aos vegetais empregados como alimento' XX. Do lat. *olerācĕus* || olerICULTOR XX || olerICULTURA XX.
olfato *sm.* 'sentido com que se percebe os odores' 'faro' | *olfacto* XVIII | Do lat. *olfactus -ūs* || olfatIVO | *olfactivo* 1858.
⇨ **olfato** | *olfatu* XV LEAL 277.*10* |.
olga *sf* 'tabuleiro de terra' 1813, De etimologia obscura.
⇨ **olga** | XV LOPF 12.*72* |.
olho *sm.* '(Anat.) órgão da visão' | XIII, *ollo* XIII | Do lat. *ŏcŭlus -ī* || ANTolhos | XVI, *-ollos* XIII || olhADA XVIII || olhAD·ELA 1881 || olhADO XVI || olhADOR | *oolhador* XV || olhAL XVII || olhAR | *aolhar* XIII, *oolhar* XIV | Do lat. *adoculāre* || olhEIRAS XIII || olhEIRO XVI || olhUDO 1813 || **zarolho** | *zarolho* 1813 | De etimologia obscura. Cp. ÓCULOS.

olíbano *sm* 'ant. goma-resina para aplicação em ferimentos' 'espécie de incenso' XVI. Do lat. med. *olibanus*, deriv. do gr. *líbanos* 'árvore do incenso'.
oligarquia *sf.* 'governo de poucas pessoas' | *oligarchia* XVII | Do lat. med. *oligarchia*, deriv. do gr. *oligarchía* || **oligarca** 1873. Cp. gr. *oligárches* || **oligárqu**ICO | *oligarchico* 1881. V. OLIG(O)-.
olig(o)- *elem. comp.* do gr. *olígos* 'pequeno, pouco', que se documenta em alguns vocs. formados no próprio grego, como *oligisto*, e em vários outros introduzidos na linguagem científica internacional, a partir do séc. XIX ▶ **oligisto** 1899. Cp. gr. *olígistos* || **oligo**BLEN·IA | *oligoblênnia* 1899 || **oligo**CENO 1899 || **oligo**·CLÁS·IO | *oligoclaso* 1899 || **oligo**COL·IA | *oligochylia* 1899 || **oligo**CRAC·IA 1899 || **oligó**·CROMO XX || **oligo**CRONÔ·METRO 1899 || *oligochronómetro* 1899 || **oligo**DACR·IA 1899 || **oligo**EM·IA | *oligohemia* 1899 || **oligó**FILO | *oligophyllo* 1899 || **oligo**FREN·IA XX || **oligo**IDR·IA | *oligohydria* 1899 || **oligo**PION·IA | *oligopionia* 1899 || **oligo**POS·IA 1899. Do gr. *oligoposía* || **oligo**PSIQU·IA | *oligopsychia* 1899 || **oligo**QUETA XX || **oligo**QUILO | *oligochilo* 1899 || **oligo**SPERM·IA 1899 || **oligo**SPER·MO 1899. Cp. gr. *oligóspermos* || **oligos**·SIAL·IA | *oligosialia* 1899 || **oligo**STÊMONE XX || **oligo**TRIQU·IA XX || **oligo**TROF·IA | *oligotrophia* 1899 | Cp. gr. *oligotrofia* || **olig**URES·IA 1899 || **olig**UR·IA 1899.
olimpíada *sf.* 'espaço de quatro anos decorridos entre duas celebrações dos jogos realizados, originariamente, na cidade de Olímpia, na Grécia' XVI. Do lat. *olympias -ădis*, deriv. do gr. *olympiás* (< *olýmpios* < *Ólympos* 'morada dos deuses ') || **olimpí**ACO | *olympiaco* XVI | Do lat. *olympiăcus* || **olimpi**ANO XX || **olímp**ICO *adj.* 'relativo ao Olimpo, morada dos deuses' 1572. Do lat. *olympĭcus* || **olímp**IO 1881. Do lat. *olympĭus*.
⇨ **olimpíada** — **olímp**IO | 1615 FNun 40.*12*, *oly-* 1836 SC |.
oliva *sf.* 'azeitona, oliveira' XIII. Do lat. *ŏlīva -ae* || **oliv**AL XIII || **oliv**AR 1858 || **olive**·DO 1813. Do lat. *olīvētum -i* || **oliv**EIRA | XIV, *ouliueyra* XV || **olivi**·CULTOR XX || **olivi**·CULTURA XX || **oliv**INA XX.
olmo *sm.* 'planta da fam. das ulmáceas' | 1813, *ulmo* XVII || Do lat. *ŭlmus -ī* || **olm**EIRO | XVIII, *ulmeiro* 1572 || **olm**EDO XIX || **ulm**ÁCEA 1873 || **ulm**ÁRIA XVIII || **ulm**ÁR·ICO 1873 || **úlm**ICO 1873 || **ulm**INA 1873.
⇨ **olmo** | *ollmo* XV FRAD I.41.*20*, *vlmo* Id.II.224.*27* |.
olor *sm.* 'odor, perfume, cheiro agradável' XIV. Do lat. *ŏlor -ŏris* | **olor**OSO XVII.
⇨ **olor** — **olor**OSO | *c* 1539 JCASD 18.*8* |.
olvidar *vb.* 'esquecer, perder a memória' | XIV, *obridar* XIII | Do lat. **ŏblītāre* de *oblītus*, part. de *oblīvīsci* || **I**N**olvid**ÁVEL XX || **olvid**AD·EIRO | *olvydadeyro* XIV || **olvid**AMENTO XIV || **olvid**ANÇA XIV || **olvido** XIV.
-oma *suf. nom.*, deriv. do gr. *-ōma*, que se documenta em vocs. formados no próprio grego, como *rizoma*, por exemplo, e em vários outros formados nas línguas modernas, com as noções de tumor de natureza específica (*adenoma*), ou que se localiza em uma só célula ou em um só tecido (*fibroma*) ou, ainda, que ocorre em um determinado órgão (*nefroma*).

om·acéfalo, -agra, -algia, -artrócace → OM(O)-.
ombro *sm.* 'espádua' 'força, vigor' | XIII, *onbro* XIII etc. | Do lat. *ŭměrus* || **ombr**EAR XVIII **ombr**EIRA | *hombreira* XVI || **umer**AL | *humeral* XVII || **umer**ÁRIO | *humerário* 1873 || **úmero** | *humero* 1844.
⇨ **ombro** — **umer**ÁRIO | *humerario* | 1836 SC |.
omega *sm.* 'nome da última letra do alfabeto grego' XVII. Cp. gr. *ōmega*.
omelete *sf.* 'fritada de ovos batidos' | *omeleta* 1881 | Do fr. *omelette*.
ômicron *sm.* 'nome da décima quinta letra do alfabeto grego' XVI. Cp. gr. *omikrón*.
ominar *vb.* 'agourar, pressagiar, vaticinar' 1858. Do lat. *ōmĭnāre* || **omin**OSO 1844.
⇨ **ominar** — **omin**OSO | 1836 SC |.
omni- → ONI-.
omissão *sf.* 'falta, lacuna, inércia' | *omissom* XV | Do lat. tard. *omissĭo* || **omiss**IVO XX || **omisso** 1858. Do lat. *omissus* || **omiss**OR XX || **omiss**ÓRIO XX || **omitir** | *omittir* XVII | Do lat. *omittere*.
om(o)- *elem. comp.*, do gr. *ômos* 'espádua', que se documenta em alguns vocs. formados no próprio grego, como *omoplata*, e em outros introduzidos na linguagem científica internacional, a partir do séc. XIX ▶ **om**ACÉFALO XX || **om**AGRA 1813 || **om**ALG·IA 1873 || **omartrócace** XX || **omocótila** | *omocotyla* 1858 || **omoplata** XVII. Cp. gr. *ōmoplátĕ*.
omófago *adj. sm.* 'que, ou aquele que se alimenta de carne crua' | *omophago* 1858 | Cp. gr. *omophágos* || **omo**FAG·IA | *homophagia* 1858, *omophagia* 1858.
omoplata → OM(O)-.
-on *suf. nom.*, deduzido da terminação de *ânion*, e adotado, modernamente, na linguagem internacional da física e da química nucleares na formação de novos vocs. (como *núcleon*, por exemplo) que denominam partículas elementares.
-ona *suf nom.*, deduzido da terminação de *ozona*, deriv. do al. *Ozon*, termo criado pelo químico alemão C.F. Schönbein, em 1840, que se documenta em vocs. da linguagem científica internacional, particularmente do domínio da química, como *acetona*, *quinona* etc.: o suf. *-ona* ocorre, também, para designar os hidrocarbonetos de fórmula C_nH_{2n-4}.
onagro *sm.* 'burro, jumento' 'máquina de guerra' XIV. Do lat. *onăgrus -ī*, deriv. do gr. *ónagros*.
onanismo *sm.* 'masturbação' 1813. Do fr. *onanisme*, de *Onan* 'Onã', personagem bíblico citado no Gênese, 38, a que se atribui esse vício || **onan**ISTA 1899 || **onan**IZAR XX.
-onc- → -ONC(O)-.
onça¹ *sf.* 'medida' | XIV, *honça* XIV etc. | Do lat. *uncĭa*. Cp. ÚNCIA.
onça² *sf.* '(Zool.) mamífero carnívoro da fam. dos felídeos (*Felis onca* L.)' XVI. Do fr. *once*, deduzido do a. fr. *lonce* (com deglutinação do artigo), deriv. do lat. pop. *lyncea* (cláss. *lynx -cis*).
⇨ **onça**² | XV PAUL 35.*14* |.
-onc(o)- *elem. comp.*, do gr. *ógkos* 'massa' 'inchação' 'tumor', que ocorre em vocábulos eruditos, a partir do séc. XIX ▶ **oncô**METRO XX || **onc**OSE XX || **onco**TOM·IA 1858.
onda *sf.* 'porção de água do mar, lago ou rio, que se eleva' XIII. Do lat. *ŭnda -ae* || **ond**EADO 1572 || **on-**

dEAR XVI || ondEJAR XVI || **ondina** XX. Do fr. *ondine* || ondô-METRO XX || ondulAÇÃO 1813 || ondulADO 1881. Do lat. *undulātus -a* || ondulANTE 1881 || ondulAR 1881. Provavelmente do lat. **ondulāre* || ondulAT·ÓRIO XX || ondulOSO 1899. Cp. UND(A)-.
onde *adv.* 'em que lugar' XIII. Do lat. *unde* || **Aonde** XIII.
onerar *vb.* 'sujeitar a ônus' 1844. Do lat. *onĕrāre* || onerOS·IDADE 1871. Do lat. *onerōsĭtās -ătis* || onerOSO XVII. Do lat. *onerōsus -a*.
⇨ **onerar** | 1836 SC |.
-onfal(o)- *elem. comp.*, do gr. *omphalós* 'umbigo', que se documenta em vocábulos eruditos, a partir do séc. XIX ▸ onfalITE XX || onfaloMANC·IA | *omphalomancia* 1899 || onfaloMESENTÉR·ICO XX || onfalÓPSICO XX || onfalÓPTICO XX || onfaloR·RAG·IA | *omphalorrhagia* 1899 || onfaloSITO | *omphalosito* 1899 || onfaloTOMIA 1899.
-onho *suf. nom.*, deriv. do lat. *-ōneus*, que se documenta em adjetivos oriundos de substantivos para designar qualidade, a qual é quase sempre indicativa dos estados expressos pelos substantivos de que se derivam: *medonho* ← *medo*, *risonho* ← *riso* etc.
oni- (omni-) *elem. comp.*, do lat. *omnis* 'tudo, todo', que se documenta em vocs. formados no próprio latim, como *onicolor*, e em vários outros introduzidos na linguagem científica internacional, a partir do séc. XIX ▸ oniCOLOR | *omnicolor* 1873 | Do lat. *omnicŏlor -ōris* || oniFORME | *omniforme* 1873 || oniLÍNGUE | *omnilingue* XVIII || oníMODO | *omnimodo* || oniPARENTE | *omniparente* 1844 | Do lat. *omnipărēns -entis* | oniPESSOAL XX || oniPOTÊNC·IA | *omnipotencia* XVI | Do lat. *omnipotentĭa -ae* || oniPOTENTE | *omnipotente* XIII | Do lat. *omnipŏtēns -entis* || oniPRESENÇA | *omnipresença* 1873 || oni-PRESENTE | *omnipresente* 1873 || oniSCIÊNC·IA | *omnisciencia* 1858 || oniSCIENTE | *omnisciente* 1858 || oníVORO | *omnivoro* 1844.
⇨ **oni- (omni-)** — oniPARENTE | *omni-* 1836 SC || oniPOTÊN·CIA | *oĩpotencia* XV SBER 100.*32* |.
ônibus *sm.* 'veículo automóvel para transporte público de passageiros' | *omnibus* 1838 | Do fr. *omnibus* (originariamente na expressão *voiture omnibus*), deriv. do dativo latino pl. *omnibus* (de *omnis -e*) 'para todos'.
onic(o)- *elem. comp.*, do gr. *ónycho-*, de *ónyx* 'unha', que se documenta em vocábulos de origem erudita ▸ onicATROF·IA XX || onicoFAG·IA XX || onicoFIM·IA XX || onicÓFORO XX || onicÓLISE XX || onicoMANC·IA XX || onicoMANTE XX || **ônix** | *onichel* XIV, *enichel* XIV etc. | Do lat. *onyx -ỹchis*, deriv. do gr. *ónyx*.
onicolor- → ONI-.
onico·mancia, -mante → ONIC(O)-.
oni·forme, -língue, -modo → ONI-.
-onim(o)- *elem. comp.*, do gr. *onymo-*, de *ónyma -atos* 'nome' (forma dos dialetos dórico e eólico, a que corresponde, no dialeto ático, *ónoma -atos*), que se documenta em alguns compostos formados no próprio grego, como *sinônimo* (e *sinonímia, sinonímico*), por exemplo, e em vários outros formados nas línguas modernas, como *antropônimo* (e *antroponímia, antroponímico*), *astrônimo* (e *astronímia, astronímico*) etc. V. -ONOM(A)-.

oni·parente, -pessoal, -potência, -potente, -presença, -presente → ONI-.
onir(o)- *elem. comp.*, do gr. *óneiros* 'sonho', que se documenta em vocábulos eruditos a partir do séc. XIX ▸ onírICO XX || onirISMO XX || oniroMANC·IA XX || oniroMANTE XX.
oni·sciência, -sciente, -voro → ONIC(O)-.
ônix → ONIC(O)-.
-onom(a)- *elem. comp.*, do gr. *ónoma -atos* 'nome', que se documenta em vocs. formados no próprio grego, como *onomatopeia*, por exemplo, e em vários outros introduzidos na linguagem científica internacional a partir do séc. XIX ▸ onomasiOLOG·IA XX. Do fr. *onomasiologie*, formado pelo modelo de *sémasiologie* || onomástICA XIX || **onomástico** 1813. Do fr. *onomastique*, deriv. do gr. *onomastikós* || onomatoLOG·IA 1873 || onomatoMANC·IA 1899 || onomatoMAN·IA 1899 || onomatôMANO 1899 || onomatoMANTE XX || **onomatopeia** 1813. Do b. lat. *onomatopoeia*, deriv. do gr. *onomatopoiía*. Cp. -ONIM(O)-.
ontem *adv.* 'no dia anterior ao em que se está' | *oonte* XIII | Do lat. *ad noctem*.
ont(o)- *elem. comp.*, do gr. *ón óntos* 'ser, ente, indivíduo', que se documenta em vocábulos formados na linguagem científica internacional a partir do séc. XIX ▸ ontoGÊNESE 1899 || ontoGENÉT·ICO 1899 || ontoGEN·IA 1873 || ontoGON·IA 1858 || ontoLOG·IA 1858 || ontoLÓG·ICO 1873 || ontoLOG·ISMO XX || ontoLOG·ISTA 1899.
ônus *sm.* 'encargo, obrigação, carga' 1844. Do lat. *onus -ĕris*.
onusto *adj.* 'sobrecarregado, cheio, repleto' 1844. Do lat. *onustus -a*.
⇨ **onusto** | 1836 SC |.
onze *num.* '11, XI' XIII. Do lat. *undĕcim* || **onzena** XV. Do lat. *undecīma* || onzenAR XV || onzeneIRO | *onza-* XV || **onzeno** XIV. Do lat. *undecīmus* || **undécimo** | *undezimo* XIII, *vndecimo* XIII | Do lat. *undecĭmus*, por via erudita.
⇨ **onze** — onzEN·EIRO | *onzeneyro* XIV ORTO 106.*28* |.
oo- *elem. comp.*, do gr. *õón* 'ovo, grão', que se documenta em vocábulos formados na linguagem científica internacional a partir do séc. XIX ▸ ooGÔN·IO 1899 || ooLÍT·ICO | *oolithico* 1881 || oóLITO | *oolitho* 1881 || ooLOG·IA 1899 || ooSFERA | *oosphera* 1899.
-op- → -OPS(E)-.
opa *sf.* 'espécie de capa sem mangas usada pelas confrarias religiosas' XIV. De etimologia obscura || **opalanda** | XVII, *operlanda* XVI | Do cast. *hopalanda*.
opaco *adj.* 'que não é transparente' XVI. Do lat. *opācus -a* || opacIDADE 1844.
⇨ **opaco** — opacIDADE | 1836 SC |.
opado → OPA.
opala *sf.* 'mineral de coloração leitosa e azulada' 'certo tecido de algodão' XVII. Do fr. *opale*, deriv. do lat. *opalus* || opalINA 1899 || opalINO 1873.
opalanda → OPA.
opar *vb.* 'tornar-se volumoso, inchar' XX. De etimologia obscura, talvez do galego || opÀDO 1881.
⇨ **opar** — opADO | 1836 SC |.
opção → OPTAR.
-ope- → -OPS(E)-.

ópera *sf.* 'drama inteiramente cantado com acompanhamento de orquestra, ou intercalado com diálogos falados' XVII. Do it. *òpera* || **oper**ETA XVIII. Do it. *operétta*. Cp. OBRA, OPERAR.
operar *vb.* 'executar, produzir, acionar' XVI. Do lat. *operāre* (por *operāri*) || IN**oper**ANTE XX || **oper**AÇÃO XVI. Do lat. *operātĭō -ōnis* || **oper**ADOR 1813 || **oper**ANTE XVI. Do lat. *opĕrāns -antis* || **oper**ARI·ADO XX || **oper**ÁRIO XVII. Do lat. *operārĭus -ĭī* || **oper**ATIVO XVI || **oper**ATÓRIO 1858 || **oper**OS·IDADE XX || **oper**OSO XVII. Do lat. *operōsus -a.* Cp. OBRA, ÓPERA.
⇨ **operar** — **oper**AÇÃO | *operaçom* XV FRAD I.186.*24* |.
opérculo *sm.* 'espécie de tampa existente nos órgãos de alguns vegetais, aves, peixes etc.' 1858. Do lat. *opercŭlum -ī* || **opercul**ADO 1858 || **opercul**ÍFERO 1873 || **opercul**I·FORME 1899.
opereta → ÓPERA.
operos·idade, -o → OPERAR.
-opia-, -ópico → -OPS(E)-.
opífero *adj.* '(Poét.) que dá auxílio, que socorre' 1899. Do lat. *opĭfer opifĕra opifĕrum*.
opífice *sm.* 'artífice, 'trabalhador' XVI. Do lat. *opĭfex -fĭcis* || **opifício** XVII. Do lat. *opifĭcĭum -ĭī*.
opilar *vb.* 'obstruir, fechar, tapar' XVI. Do lat. *oppilāre* || DES**opil**AÇÃO 1844 || DES**opil**ANTE 1881 || DES**opil**AR XVII || DES**opil**ATIVO 1844 || **opil**AÇÃO XVI || **opil**ADO | *oppilado* XVI.
⇨ **opilar** | XV PEST 237 | DES**opil**AÇÃO | *-ppi-* 1836 SC || DES**opil**ATIVO | *-ppi-* 1836 SC || **opil**AÇÃO | *opilacões* pl. XV SEGR 52*v* || **opil**ADO | XV PEST 117 |.
opimo *adj.* 'excelente, fértil, rico' XVII. Do lat. *opīmus -a.*
opinar *vb.* 'dar seu parecer, seu julgamento' XVII. Do lat. *opināre* || **opin**ANTE XVIII || **opin**ATIVO 1813. Do lat. *opinativus* – **opin**ÁVEL 1844. Do lat. *opīnābĭlis -e* || **opini**ÃO | *openyões* pl. XIV | Do lat. *opĭnĭō -ōnis* || **opini**AT·ICO XX || **opini**OSO XVI.
⇨ **opinar** — **opin**ATIVO | 1593 PAvei 106.*4* || **opin**ÁVEL | 1836 SC || **opini**ÁTICO | 1836 SC |.
ópio *sm.* 'substância extraída dos frutos imaturos da papoula, e usada como narcótico' | XVI, *anfião* XVI, *afyam* XVI | Do lat. *opĭum -ĭī*, deriv. do gr. *ópion.* Nas vars. *anfião, afyam*, houve interferência do ár. *'anfiūn*, também de origem grega || **opió**FAGO | *opiophago* XVIII || **opio**MAN·IA XX || **opiô**MANO XX.
opíparo *adj.* 'explêndido, pomposo, lauto' XVI. Do lat. *opipārus -a*.
opist(o)- *elem. comp.*, do gr. *opist-*, de *ópisthen* 'atrás, detrás', que se documenta em vocs. formados no próprio grego, como *opistio*, e em outros introduzidos na linguagem científica internacional a partir do séc. XIX ▶ **opístio** | *opisthion* 1899 | Cp. gr. *opístios* || **opisto**BRÂNQU·IO | *opistobranchios* 1899 || **opisto**CIF·OSE | *opisthocyphose* 1873 || **opistó**DOMO | *opisthódomo* 1873 || **opisto**GÁSTR·ICO | *opisthogástrico* 1873 || **opisto**GLIFA XX || **opistó**GRAFO | *opisthographo* 1873 | Cp. gr. *opisthógraphos* || **opistó**TONO | *opisthotono* 1844 | Cp. gr. *opisthótonos*.
⇨ **opist(o)-** — **opistó**TONO | *-thoto-* 1836 SC |.
óplon *sm.* 'escudo oval, dos soldados da antiga infantaria grega' 1899. Do gr. *óplon*, por via erudita.

-opo- → -OPS(E)-.
opocéfalo *sm.* 'monstro sem boca, de maxilas atrofiadas e orelhas reunidas sobre a cabeça' | *opocephalo* 1873 | De *opo-* [v. -OPS(E)-] + *-céfalo* [v. -CÉFAL(O)-], por via erudita.
opodeldoque *sm.* 'solução farmacêutica, balsâmica, empregada contra o reumatismo' | *opodeldoch* 1858 | Do ing. *opodeldoc.*
opo·ente, -nente → OPOR.
opopônax *sm.* 'gênero de plantas da fam. das umbelíferas' | *opoponaco* 1813 | Cp. gr. *opopánax.*
opor *vb.* 'apresentar objeção, contrastar' | *opoer* XV | Do lat. *oppōnĕre* || **opo**ENTE | *oppoente* XV || **opon**ENTE | *opponente* 1881 || **opo**SIÇÃO XVI. Do lat. *oppositĭō -ōnis* || **oposit**I·FLORO | *oppositiflor* 1873 || **oposit**I·FÓL·IO | *oppositifolio* 1873 || **oposit**IVO | *oppositivo* 1873 || **opositor** | *oppositor* XVII || **oposto** | *opposto* XV | Do lat. *oppostus.*
⇨ **opor** — **opo**SIÇÃO | *oposicoees* pl. XV SEGR 59*v*, *oposyçom* XV ZURD 148.*3* || **oposit**OR | *oppositor a* 1595 Jorn. 1836.*10* |.
oportuno *adj.* 'a propósito, apropriado, conveniente' | *opportuna* XVI | Do lat. *opportūnus -a* || IN**oportun**IDADE XVI || IN**oportuno** | *inopportuno* 1873 || **oportun**IDADE XVI. Do lat. *opportūnĭtās -ātis* || **oportun**ISMO XIX || **oportun**ISTA XIX.
⇨ **oportuno** — IN**oportuno** | *-ppor-* 1836 SC || **oportun**IDADE | XV FRAD I.347.*13* |.
opos·ição, -itifloro, -itifólio, -itivo, -itor, -to → OPOR.
oprimir *vb.* 'tiranizar, afligir, apertar' | *oppremir* XVI | Do lat. *opprimĕre* || DES**opressão** 1844 || DES**oprimir** 1844 || **opressão** | 1572, *apresam* 1500 | Do lat. *oppressĭō -ōnis* || **opress**IVO XVIII || **opresso** | *oppreso* XVI | Do lat. *oppresus -a* || **opress**OR | *oppressor* 1844 | Do lat. *oppressor -ōris* || **oprim**ENTE XX.
⇨ **oprimir** | *opremer* XV IMIT 24.20 || DES**opressão** | *desoppresão* 1836 SC || DES**oprimir** | 1660 FMMeIE 127.*21* | **opressão** | *opresoees* pl. XV SEGR 84, *opresam c* 1539JCASD 99.*6* etc. || **opress**OR | *opressores* pl. 1660 FMMeIE 498.*5* |.
opróbrio *sm.* 'ignomínia, desonra, injúria' | *ouprobio* XV | Do lat. *opprobrĭum -ĭī* || **oprobri**OSO | *opprobrioso* XVII.
-ops(e)- *elem. comp.*, do gr. *ōps opós* 'vista, olho' 'rosto, semblante', que se documenta em vocs. formados no próprio grego (cf. *mýōps*) e que assume em português, como nas demais línguas de cultura, as formas: (i) *-opse* em *biopse*; (ii) *-ope* em *míope*; (iii) *-opia* [< *-op(se)* + *-ia*] em *ambliopia*; (iv) *-ópico* [< *-op(ia)* + *-ico*] em *anisometrópico*; (v) *opo-* [< gr. *ōpós*] em *opocéfalo.*
optar *vb.* 'escolher, preferir, decidir' XIX. Do lat. *optāre* || COOPT**AÇÃO** 1844. Do lat. *cooptātĭō -ōnis* || COOPT**AR** 1881. Do lat. *cooptāre* || **opção** XVII. Do lat. *optātĭō -ōnis* || **optat**IVO XVII. Do lat. *optativus.* Cp. OUTAR.
⇨ **optar** — COOPT**AÇÃO** | 1836 SC || **optat**IVO | 1576 DNLeO 28v7 |.
óptico *adj. sm.* 'respeitante à óptica' 'especialista em óptica' | XVI, *ótico* XX | Do lat. med. *opticus*, deriv. do gr. *optikós.* Emprega-se, modernamente, com certa frequência, a var. *ótico*[1], que apresenta a inconveniência de se confundir com *ótico*[2] 'relativo ou pertencente ao ouvido' || **óptica** 'parte da

física que investiga os fenômenos da visão e da luz' | 1813, *ótica* XX | Do lat. *optĭcē -ēs*, deriv. do gr. *optiké* || opTŌ·METRO 1873.
optim·ates → ÓTIMO.
optômetro → ÓPTICO.
opugnação *sf* 'ataque, assalto, acometimento' | *oppugnação* XVII | Do lat. *oppugnātĭō -ōnis* || opugnADOR | *oppugnador* 1813 | Do lat. *oppugnātor -ōris* || opugnAR | *oppugnar* 1813 | Do lat. *oppugnāre*.
opulência *sf.* 'abundância de riquezas, luxo, fausto' XVII. Do lat. *opulentĭa -ae* || opulENTAR XVIII. Do lat. *opulentāre* || opulENTO 1572. Do lat. *opulentus -a*.
⇨ opulência | 1573 GLeão 118.*23* |.
opúsculo *sm.* 'pequena obra, folheto' 1813. Do lat. *ŏpūsculum -ĭ*.
⇨ opúsculo | 1519 GNic II.8 |.
-or¹ *suf. nom.*, deriv. do lat. *-ore*, que se documenta em substantivos oriundos de adjetivos (*amargor ← amargo*), com as noções de 'qualidade', 'propriedade' ou 'maneira de ser'; alguns desses substantivos já vieram formados do latim, como *alvor ← alvo* (< lat. *albŏr ← albus*).
-or² → -(D)OR, -(S)OR, -(T)OR.
ora *adv.* 'agora' XIII. Do lat. *ha hōra*, por *hac hora*, ou de *ad horam*.
oração *sf.* 'súplica, reza, discurso' | *-çon* XIII, *-çõ* XIV etc. | Do lat. *ōrātĭō -ōnis* || oracionAL 1881 || oracuLAR 1881 || oráculo XVI. Do lat. *ōrācŭlum -ĭ* || oradOR XIII. Do lat. *ōrātor -ōris* || orago | *oragoo* XIV | Do lat. *ōrācŭlum -ĭ* || oral XVII. Do fr. *oral*, deriv. do lat. *ōs ōris* 'boca' || orANTE XX || orAR XIII. Do lat. *ōrāre* || oratÓRIA XVI. Do lat. *ōrātōrĭa -ae* || oratoriANO 1881 || oratórIO XIV. Do lat. *ōrātorĭum -ĭī*.
⇨ oração — oracULAR | 1836 SC || oraTÓRIA | *-rya* XV ZURD 42.*20* |.
-orama *suf. nom.*, do gr. *órama -atos* 'vista' 'aquilo que se vê, espetáculo', que se documenta em alguns vocs. eruditos e semieruditos, como *diorama*, *panorama* etc., e que se reduz, por vezes, a *-rama*, como em *cinerama*, por exemplo.
orangotango *sm.* 'grande macaco antropomorfo' | *orang-outango* XVIII | Do malaio *ōrang ūtan*.
or·ante, -ar → ORAÇÃO.
orário *sm.* 'espécie de lenço usado pelos antigos romanos' 1899. Do lat. *ōrārĭum -ĭī*.
orate *sm.* 'louco, idiota, maluco' XVII. Do cat. *orate*, deriv. do cast. *orat* e, este, ligado ao lat. *aura* 'o ar em movimento, viração'.
orat·ória, -oriano, -ório → ORAÇÃO.
orbe *sm.* 'esfera, redondeza, mundo' XVI. Do lat. *orbis -is* || orbÍCOLA XIX || orbiculAR XVII. Do lat. tard. *orbiculāris* || órbita XIX. Do lat. *orbĭta -ae* || orbitELA 1899.
orca *sf.* 'pequeno vaso com a forma de ânfora' 'espécie de baleia' XIV. Do lat. *orca -ae*.
orça → ORÇAR.
orcaneta *sf.* 'erva da fam. das borragináceas' 1873. Do fr. *orcanette*.
orçar *vb.* 'calcular, estimar, computar' XVI. Do it. *orzare* || orça XVI. Do a. it. *orcia* (hoje *orza*) || orçAMENTO XVI.
orchata *sf.* 'refresco feito de melancia' 1844. Do cast. *horchata*.

⇨ orchata | 1836 SC |.
orco *sm.* '(Poét.) região dos mortos' XVI. Do lat. *orcus -ī*.
ordálio *sm.* 'prova judiciária sem combate, usada na Idade Média' 1899. Do fr. *ordalie*.
ordem *sf.* 'disposição, regra, disciplina' | XIV, *orden* XIII etc. | Do lat. *ōrdo ōrdĭnis* || DESordEIRO XIX || DESordem XVI || DESordenADO | XV, *-dÿado* XIII || DESordenANÇA XV || DESordenAR | *-diar* XIII || ordEIRO 1881 || ordenAÇÃO | *-çõ* XIV, *-çom* XIV, *hordenaçom* XIV etc. | Do lat. *ōrdĭnātĭō -ōnis* || ordenADO | XIV, *ordĭado* XIII etc. || ordenADOR XIV, ordenAMENTO | XIV, *ordĭamento* XIII etc. || ordenANÇA | *-nãça* XIV | Do lat. med. *ordinantia* || ordenAR | XIV, *ordÿar* XIII etc. | Do lat. *ōrdĭnāre* || ordenha XX || ordenhAR XIII. Do lat. *ōrdĭnāri* || ordinAL 1813. Do lat. tard. *ordinalis* || ordinANDO 1858. Do lat. *ordinandus* || ordinÁRIO XIV. Do lat. *ōrdĭnārĭus -a* || ordinAT·ÓRIO XX.
oréade *sf.* '(Mit.) cada uma das ninfas dos bosques e das montanhas' XVI. Do lat. *orĕādes -um*, deriv. do gr. *oreiás -ádos* (de *óros* 'montanha').
orégão *sm.* 'erva da fam. das labiadas' | *ouregão* 1813 | Do lat. *orīgănum -ī*, deriv. do gr. *oríganon*.
⇨ orégão | *ouregãos* pl. 1680 AOCad II.150.*22* |.
orelha *sf.* '(Anat.) cada uma das duas conchas auditivas que constituem o órgão do ouvido' | XIII, *orella* XII etc. | Do lat. *aurĭcŭla -ae* || orelhADA | *-llada* XIII || orelhANO 1881. Do esp. plat. *orejano* || orelhÃO¹ 'telefone público' XX || orelhÃO² 'pequena fortificação' 1813 || orelhUDO 1844.
⇨ orelha — orelhUDO | XV FRAD II.82.*23* |.
órfão *adj. sm.* 'que perdeu os pais' 'desamparado, abandonado' | *-phão* XIII, *-fano* XIII, *-fos* pl. XIV | Do lat. tard. *ŏrphănus -a*, deriv. do gr. *orphanós* || orfanATO 1881 || orfan·DADE | *-fyn-* XVI || orfanoLOG·IA 1858.
⇨ órfão — orfanDADE | *horphaindade* XV LOPF 173.*27*, *orfimdade* XV LOPJ II.197.*33* |.
orfeão *sm.* 'sociedade cujos membros se consagram ao canto coral' XIX. Do fr. *orphéon* || orfeICO | *orpheico* 1881 | Do lat. *orphēĭcus -a* || orfeÔnICO XX || órfICAS XX || órfICO XIX. Do lat. *orphĭcus -a*, deriv. do gr. *orphikós*, de *Orpheús* 'Orfeu' |.
organdi *sm.* 'tecido armado, muito leve e transparente' XX. Do fr. *organdi*.
organizar *vb.* 'estabelecer as bases' XVI. Do fr. *organiser* || DESorganizAÇÃO | *desorganisação* 1844 || DESorganizADO | *desorganisado* 1844 || DESorganizAR | *desorganisar* 1873 || INorgânICO 1844 || orgânICO 1813. Do lat. *organĭcus -a*, deriv. do gr. *organikós* || orga·nISMO XIX. Do fr. *organisme* || organizAÇÃO XVII || organizADO 1844 || organoGENES·IA 1873 || organoGENIA 1899 || organoGRAF·IA | *organographia* 1873 || organoGRAMA XIX || organoLÉPT·ICO 1873 || organoPAT·IA | *organopathia* 1873 || organoPLAST·IA || organoSCOP·IA 1873 || órgão² 1813. Do lat. *orgănum -ĭ*, deriv. do gr. *órganon*.
⇨ organizar — DESorganizAÇÃO | *-sa-* 1836 SC || DESorganizADO | *-sa-* 1836 SC || DESorganizAR | *-sar* 1836 SC || INorgânICO | 1836 SC || organizADO | *-sa-* 1836 SC |.
organsim *sm.* 'o primeiro fio de seda que se deita no tear para formar urdidura' | *organzim* 1813 | Do fr. *organsin*.

órgão¹ *sm.* 'instrumento musical constituído de tubos afinados cromaticamente e acionado por teclados manuais' | *horgõos* pl. XIV, *ergoos* pl. XIV | Do lat. *orgănum -ī*, deriv. do gr. *órganon* || orgaNISTA 1813.
⇨ **órgão**¹ — orgaNISTA | XV CART 90.*14* |.
órgão² → ORGANIZAR.
orgasmo *sm.* 'clímax do prazer sexual' 1813. Do fr. *orgasme*, deriv. do gr. *orgasmós* || orgÁSTICO XX.
orgia *sf.* 'bacanal, desordem' 'profusão' XVI. Do lat. *orgĭa -iōrum*, deriv. do gr. *órgia* || orgÍACO 1873 || **orgiástico** 1873. Cp. gr. *orgiastikós*.
orgulho *sm.* 'brio, altivez, soberba' | XV, *-llo* XIII, *urgulho* XIV etc. | Do cat. *orgull*, de origem germânica || orgulhAR 1844. No port. med. documenta-se, também, a forma *argulhecer* (séc. XIV) || orgulhoSO | XIV, *-lloso* XIII etc.
⇨ **orgulho** — orgulhAR | 1836 SC |.
oricalco *sm.* 'designação que os antigos gregos davam umas vezes ao cobre puro, outras ao latão, outras ao bronze' | *auricalco* XVIII | Do lat. *orĭchalcum -ī*, deriv. do gr. *oreíchalkon*.
oriente *sm.* 'a parte onde nasce o sol' 'nascente, leste, levante' | XIII, *ou-* XIII etc. | Do lat. *ŏrĭens -entis* || DESorientAÇÃO 1881. Do fr. *désorientation* || DESorientADO 1813 || DESorientAR XVIII. Do fr. *désorienter* || orientAÇÃO 1871 || orientADOR 1871 || orientAL XIV. Do lat. *orientālis -e* || orientAR 1813.
orifício *sm.* 'entrada ou abertura estreita, pequena' XVIII. Do lat. tard. *orificium*, deriv. do lat. *ōs ōris* 'boca'.
oriforme *adj. 2g.* 'que tem a forma de boca' 1873. Do lat. *ōs ōris* 'boca + -FORME, por via erudita.
origem *sf.* 'princípio, precedência, naturalidade' XVI. Do lat. *orīgō -ĭnis* || originAL XV. Do lat. *orīginālis -e* || originAL·IDADE 1844 || originAR 1813 || originÁRIO 1813. Do lat. med. *originārĭus* || **oriundo** 1813. Do lat. *oriundus -a*.
⇨ **origem** — orignAL | XIV ORTO 3.*5*, *orygenal* XIII FLOR 834 || orignAL·IDADE | 1836 SC || **oriundo** | 1714 *in* GFer 216.*4* |.
origma *sm.* 'abismo onde eram precipitados os criminosos, na antiga Atenas' 1899. Do gr. *órygma* 'buraco, fossa', por via erudita.
origone *sm.* 'fatia seca de pêssego' 1899. Do esp. plat. *orejór*.
orilha *sf.* 'borda, orla, margem' | *orilla* XIV | Do cast. *orilla*.
-ório → -(T)ÓRIO.
oriundo → ORIGEM.
orixá *sm.* 'divindade das religiões afro-brasileiras' XX. Do ioruba *ori'ša*.
oriz(i)- *elem. comp.*, do gr. *óryza* 'arroz'. que se documenta em vocs. introduzidos na linguagem científica internacional a partir do séc. XIX.
♦ oriziCULTOR XX || oriziCULTURA XX || orizÍVORO | *oryzivoro* 1873 || orizÓFAGO | *orysophago* 1873 || orizOID·EO | *oryzoídeo* 1873.
orjo *sm.* 'cevada' XIII. Do fr. *orge*, deriv. do lat. *hŏrdeum*.
orlar *vb.* 'ornar em redor, envolver, guarnecer' XVI. Do lal. vulg. **orŭlare*, de *orŭlus*, dimin. de *ōra -ae* 'borda' || **orla** XVI. Do lat. vulg. **ōrŭla*.
orleã *sf* 'tecido leve de lã, algodão ou seda' 1899.

Do top. fr. *Orléans* || orleanISTA 1899. Do fr. *orléaniste*.
ornar *vb.* 'enfeitar, adornar, embelezar' XV. Do lat. *ornāre* || ornADOR 1881 || ornAMENT·AÇÃO 1873 || ornAMENT·AL 1873 || ornAMENT·AR XIV || ornAMENTO XIV. Do lat. *ōrnāmentum -i* || ornATO XVI. Do lat. *ōrnātus -a*.
⇨ **ornar** — ornADOR | 1836 SC || ornAMENTO | *ornamēto* XIII FUER I.329 |.
ornejar *vb.* 'zurrar' XVI. De origem onomatopaica || ornEAR 1813 || ornEJO 1881.
-ornit(o)- *elem. comp.*, do gr. *órnis ornithos* 'ave', que se documenta em vocs. introduzidos na linguagem científica internacional a partir do séc. XIX
♦ ornitÓBIO | *ornithobio* 1899 || ornitoDELFO | *ornithodelpho* 1899 || ornitÓFILO | *ornithophilo* 1873 || ornitoFON·IA | *ornithophonia* 1899 || ornitOIDE | *ornithoide* 1873 || ornitoLOG·IA | *ornithologia* 1844 || ornitÓLOGO | *ornithologo* 1873 || ornitoMANC·IA | *ornithomancia* 1844 | Cp. gr. *ornithomanteía* || ornitoMANTE XX || ornitoMIZO | *ornithomyzo* 1899 || ornitoR·RINCO | *ornithorinco* 1873 || ornitoSCOP·IA | *ornithoscopia* 1873 || ornitoTOM·IA | *ornithotomia* 1873 || ornitoTROF·IA | *ornithotrophia* 1873.
⇨ **-ornit(o)-** — ornitoLOG·IA | *-tho-* 1836 SC || ornitoMANC·IA | 1836 SC |.
oro- *elem comp.*, do gr. *óros* 'montanha', que se documenta em vocs. introduzidos na linguagem científica internacional, a partir do séc. XIX ♦ oroBATI·MÉTR·ICO XX || oroGEN·IA 1873 | oroGNOS·IA 1873 || oroGNÓST·ICO 1873 || oroGRAF·IA | *orographia* 1873 || oroLOG·IA 1873.
⇨ **-or(o)-** — otÁLG·ICO | 1836 SC |.
órobo *sm.* 'planta da fam. das esterculiáceas' 1813. Do lat. *orobus*, deriv. do gr. *órobos* 'alfarroba '.
oro·genia, -gnosia, -gnóstico, -grafia, -logia → ORO-.
oroneta *sf.* 'rede com que os levantinos pescam o peixe-voador' 1899. De etimologia obscura.
orquestra *sf.* 'conjunto de músicos que executam peças para concertos' | *orchestra* XVIII | Do lat. *orchēstra*, deriv. do gr. *orchḗstra* || orquestrAÇÃO | *orchestração* 1873 || orquestrAL XX || orquestrAR | *orchestrar* 1873.
orqui- *elem. comp.*, do gr. *órchis* 'testículo', que se documenta em vocs. introduzidos na linguagem científica internacional a partir do séc. XIX
♦ orquiALG·IA | *orchialgia* 1873 || orquID·ÁRIO XX || orquÍD·EA | *orchidea* 1858 | Do lat. cient. *orchidea* || orquID·Ó·FILO XX || orquiECTOM·IA XX || orquio·CELE | *orchiocele* 1873 || orquio·TOM·IA | *orchiotomia* 1873 || orquITE | *orchita* 1873.
ortiga¹·² → URTIGA¹·².
ortita → ORT(O)-.
ortivo *sf* 'nascente, oriental' XVII. Do lat. *ortīvus -a* || **orto** 1813. Do lat. *ortus -ūs*.
ort(o)- *elem, comp.*, do gr. *orthós* 'reto, direito', que se documenta em vocs. formados no próprio grego, como *ortoépia*, e em vários outros introduzidos na línguagem científica internacional a partir do séc. XIX ♦ ortITA XX || ortoBI·OSE XX || ortoCIT·OSE XX || ortoCLÁS·IO | *orthoclase* 1899 || ortoCÓLON | *orthocólon* 1899 || ortoCROMÁT·ICO XX || ortoCRÔM·ICO XX || ortoDÁCTILO | *orthodactylo* 1873 || ortoDONT·IA XX || ortoDOX·IA 1813 ||

ortoDOXO XVII. Do lat. *orthodoxus -a*, deriv. do gr. *orthodoxos* || ortoDROM·IA | *orthodromia* 1844 || ortoÉP·IA | *orthoepia* XVII | Cp. gr. *orthoépeia* || ortoFON·IA | *orthophonia* 1881 || ortoFREN·IA | *orthophrenia* 1899 || ortoGNAISSE XX || ortoGNATO | *orthognato* 1873 || ortoGON·AL | *orthogonal* 1844 || ortoGRAF·IA | *orthografia* XVI | Do lat. *orthographĭa -ae*, deriv. do gr. *orthographía* || ortoGRÁF·ICO | *orthographico* 1844 || ortóGRAFO | *orthographo* 1844 || ortoLEX·IA | *ortholexia* 1873 || ortoMETA·MÓRF·ICO XX || ortoMETR·IA | *orthometria* XVII || ortÔNIMO XX || ortoPED·IA | *orthopedia* 1858 || ortoPÉD·ICO | *orthopedico* 1873 || ortoPNEIA | *orthopnêa* 1844 | Cp. gr. *orthópnoia* || ortoPRAX·IA XX || ortóPTERO | *orthoptero* 1858 || ortÓPT·ICO XX || ortoR·RÔMB·ICO | *orthorhômbico* 1873 || ortoSCÓP·ICO XX || ortósio | *orthose* 1873.
⇨ **ort(o)-** — ortoDOXO | 1571 FOLF 164.*20* || ortoDROM·IA | *-tho-* 1836 SC || ortoGON·AL | *-tho-* 1836 SC || ortoGRÁF·ICO | *orthographico* 1836 SC || ortóGRAFO | *orthographo* 1836 SC || ortoPNEIA | *orthopnéa* 1836 SC |.
orvalho *sm.* 'gotículas que se depositam, durante a noite, sobre qualquer superfície fria' XIV. De etimologia obscura. || **orvalhAR** XVI.
oscilar *vb.* 'balançar, mover, vacilar' | *oscillar* 1813 | Do lat. *ōscillāre* || osciLAÇÃO | *oscillação* 1813 | Do lat. *ōscillātĭō -ōnis* || osciLANTE | *oscillante* 1881 || osciLATÓR·IO | *oscillatório* 1813 || oscilÓ·GRAFO XX.
óscine *sm.* 'entre os antigos, ave cujo canto servia de presságio' | *oscina* 1873 | Do lat. *oscen -ĭnis*.
oscitar *vb.* 'abrir a boca, bocejar' 1873. Do lat. *ōscitāre* || oscitAÇÃO 1873. Do lat. *ōscitātĭō -ōnis*.
osco *adj, sm*, 'pertencente ou relativo aos oscos' 'indivíduo de antiquíssimo povo que habitava na Campânia italiana' 1813. Do lat. *oscus -ī*.
ósculo *sm.* 'beijo' XVII. Do lat. *ōscŭlum -ī*, diminutivo de *ōs -ōris* 'boca' || osculAÇÃO 1873. Do lat. *ōsculātio -ōnis* || osculAR XVII. Do lat. *osculāre* || osculATÓR·IO XVIII.
⇨ **ósculo** | XV ANTI 67.*37* |.
ose *sm.* '(Bioq.) denominação genérica dos glicídeos não hidrolizáveis (monossacarídeos), de fórmula $C_nH_{2n}O_n$' XX. De -OSE², substantivado.
-ose¹ *elem. comp.*, deriv. do gr. *-ōsis*, que se documenta em vocs. eruditos, particularmente nos domínios da química e da medicina, com as noções de: (i) 'processo' 'ação' 'condição': *hipnose*; (ii) 'formação': *leucocitose*; (iii) 'arranjo' 'ordenação': *pterilose*; (iv) 'doença de caráter não inflamatório': *necrose*.
-ose² *elem, comp,*. deduzido da terminação de *glicose*, que se documenta em vocs. erúditos, particularmente no domínio da química, para denominar os carboidratos (*celulose, dextrose, maltose* etc.) e os produtos primários da hidrólise (*proteose*).
osfresia *sf.* 'sensibilidade olfativa intensa' | *osphresia* 1873 | Do gr. *ósphrēsis* 'olfato', por via erudita.
osga *sf.* 'réptil lacertílio, da fam, dos geconídeos' '*ext*, aversão, má vontade, repulsa' 1813. De origem obscura.
osmanli *sm.* 'membro de uma dinastia turca fundada por Osmã' 'turco' 1839. Do fr. *osmanli*, de origem turca. Cp. OTOMANO.

ósmio *sm.* '(Quím,) elemento de número atômico 76, metálico, duro, quebradiço, branco-azulado, muito denso' 1858. Do fr. *osmium*, deriv. do lat. cient. *osmium*, voc. criado pelo químico inglês S. Tennant, em 1804, com base no gr. *osmḗ*,' 'cheiro, odor': cp. -OSM(O)¹-.
-osm(o)¹- *elem. comp.*, do gr. *osmḗ* 'cheiro, odor', que se documenta em alguns vocs. eruditos a partir do séc. XIX ▶ osmIDR·OSE XX || osmoLOG· IA 1873 || osmoLÓG· ICO XX.
-osm(o)²- *elem comp.*, do gr. *osmós* 'impulso', que se documenta em alguns vocs, eruditos a partir do séc. XIX ▶ osmôMETRO XX || osmOSE 1881.
-oso *suf. nom.*, deriv. do lat. *-osus*, que se documenta em adjetivos oriundos de substantivos (*brioso* ← *brio*), com a noção básica de 'provido de'; alguns adjetivos já vieram formados do latim, como *formoso* ← *forma* (< lat. *formōsus* ← *forma*). Na nomenclatura química, emprega-se o suf. -oso para denominar os compostos químicos de menor valência (ácido *cloroso*: $HClO_2$), em oposição aos de maior valência, para os quais se adota o suf. -ICO' (ácido *clórico*: $HClO_3$).
-osque(o)- *elem. comp.*, do gr. *oschéon* 'escroto', que se documenta em vocs, introduzidos na linguagem científica internacional a partir do séc. XIX ▶ osqueÍTE | *oscheite* 1873 || osqueoCALAS·IA | *oscheochalasia* 1873 || osqueoCELE | *oscheocéle* 1873 || osqueÓLITO XX || osqueoOMA XX || osqueoPLAST·IA | *oscheoplastia* 1899.
oss·ada, -ário, -atura, -eo → OSSO.
ossiânico *adj.* 'pertencente ou relativo a Ossian' 1873. Do fr. *ossianique*, do nome de um personagem lendário gaélico, *Ossian (Oisin)*, misto de guerreiro e poeta, que teria vivido no séc. III || ossianISMO 1873 || ossianISTA 1873.
osso *sm.* 'parte predominante da matéria que forma o esqueleto da maioria dos vertebrados' XIII. Do lat. *ŏssum -ī* || DESossAR 1844 || ossADA XV || OSSÁRIO 1844 || ossAT·URA 1873 || ÓSSEO 1813. Do lat. *ossĕus -a* || ossÍC·ULO 1858. Do lat. *ossicŭlum -ī* || ossIFIC·AÇÃO 1813 || ossIFIC-AR 1844 || ossI·FLUENTE 1881 || ossÍ·FRAGO 1873. Do lat. *ossifrăgus -a* || ossÍ·VORO 1873 || ossUÁRIO 1881. Do baixo lat. *ossuarium* || ossUDO 1813.
⇨ **osso** — ossÁRIO | 1836 SC || ossIFIC·AR | 1836 SC || ossUÁRIO | 1836 SC |.
ostaga *sf.* 'cabo com que se arria horizontalmente, pelo terço, ao longo do mastro, uma verga de gávea' XV, Do cast. *ostaga*, de origem germânica.
ostentar *vb.* 'mostrar, exibir, alardear' XVII. Do lat. *ostentāre* || ostensÍVEL 1899. Do fr. *ostensible* || ostensIVO 1813 || ostensOR XVIII. Do lat. *ostēnsor -ōris* || ostensÓRIO XX || ostentAÇÃO 1813. Do lat. *ostentātĭō -ōnis* || ostentADOR 1813. Do lat. *ostentātor -ōris* || ostentATIVO XVII || ostentOSO XVII.
⇨ **ostentar** | *a* 1542 JCASE 29.*18* | ostensÍVEL | 1836 SC || ostentAÇÃO | *a* 1595 *Jorn.* 3.7, 1634 MNor 243.*2* |.
-oste(o)- *elem. comp.*, do gr. *ostéon* 'osso', que se documenta em vocs. formados no próprio grego, como *osteócopo*, e em vários outros introduzidos na linguagem científica internacional, a partir do séc. XIX ▶ osteALG·IA 1858 || osteoBLASTO XX || oste-

oCELE 1873 || **osteóCOPO** | *osteocopa* 1813 | Cp. gr. *osteokópos* || **osteoDERMO** | *osteodermes* 1873 || **osteoGÊNESE** 1899 || **osteoGENÉT·ICO** 1899 || **osteoGEN·IA** 1899 || **osteoGRAF·IA** | *osteographia* 1844 || **osteÍNA** 1899 || **osteÍTE** 1899 || **osteóLISE** | *osteolyse* 1873 || **osteóLITO** | *osteolithe* 1858 || **osteoLOG·IA** 1813 || **osteOMA** | *ostéoma* 1899 || **osteoMALAC·IA** 1873 || **osteôMERO** 1899 || **osteoMETR·IA** 1899 || **osteoMIEL·ITE** | *osteomyelite* 1899 || **osteoNECR·OSE** 1873 || **osteoPAT·IA** XX || **osteoPLAST·IA** XX || **osteoPOR·OSE** XX || **osteOSE** 1873 || **osteos·SARCOMA** | *osteosarcoma* 1873 || **osteoTOM·IA** 1844 || **osteoZO·ÁRIO** 1873.
⇨ -**oste(o)-** — **osteoGRAF·IA** | *-phia* 1836 SC || **osteoTOM·IA** 1836 SC |.
ostiário *sm.* 'aquele que abria e fechava as portas do templo e guardava as alfaias do culto' 1813. Do lat. *ōstiārĭum -ĭī* || **ostÍOLO** 1813. Do lat. *ōstĭŏlum -ī*.
ostra *sf.* 'molusco comestível, de concha bivalente' XIII. Do lat. *ostrĕa -ae*, deriv. do gr. *óstreon* || **ostracite** 1813. Do lat. *ostracites*, deriv. do gr. *ostrakítes* || **ostracódeo** | *ostracode* 1873 | Cp. gr. *ostrakṓdēs* 'semelhante a concha' || **ostreÁRIO** 1873. Do lat. *ostreārĭum -ĭī* || **ostrEI·CULTOR** 1899 || **ostrEI·CULTURA** 1881 || **ostrEIRA** 1844 || **ostrEIRO** | *-eyro* XIII || **ostrÍFERO** 1858. Do lat. *ostrĭfer ostrĭfera* || **ostrINO** 1899. Do lat. *ostrīnus -a*.
⇨ **ostra** — **ostrEIRA** | 1836 SC |.
ostracismo *sm.* 'desterro, banimento, exclusão' XVI. Do lat. *ostracismus -ī*, deriv. do gr. *ostrakismós* 'exílio a que eram condenados os cidadãos atenienses por crimes políticos', de *óstrakon* 'concha'; os atenienses escreviam em conchas ou em pequenos pedaços de louça os nomes dos que deveriam ser exilados.
ostro *sm.* 'púrpura, tinta extraída de uma concha' XVII. Do lat. *ostrum -ī*.
ostrogodo *adj. sm.* 'pertencente ou relativo aos ostrogodos' 'indivíduo dos ostrogodos ou godos do leste' | *estrogodo* XIV | Do lat. tard. *ostrogothus* (*ostrogothī* pl.); na variante *estrogodo* houve, sem dúvida, influência de *este*, pois, de fato, esse povo habitava a Germânia oriental.
-**ot**- → -OT(O)-.
-**ota**¹ *suf. nom.* (= fr. *-ot. -ote* = it. *-òta, -oto* = ing. *-ot, -ote*), deriv. do lat. *-ōta* e, este, do gr. *-ṓtēs*, que se documenta em vocs. formados no próprio grego, nas acepções de: (i) 'pertencente, relativo a': *idiota, patriota* etc.: (ii) 'habitante, natural de': *candiota, epirota* etc.
-**ota**² → -OTE.
ot·alg·ia, -ico → -OT(O)-.
otária *sf.* '(Zool.) gênero de mamíferos marinhos da ordem dos pinípedes, foca' XX. Do lat. cient. *otaria*, deriv. do gr. *ōtarion* 'orelha pequena', com provável influência do fr. *otarie* | **otário** *adj. sm.* 'tolo, ingênuo, simplório' XX. Da linguagem popular de Buenos Aires, pelo cast. *otario*.
-**ote** *suf. nom.* (≤ fr. *-ot* > ing. *-ot*), de origem desconhecida, que se documenta em vocs. populares, com a noção de 'pequeno, inferior' (*barrilote, papelote*), frequentemente com conotações jocosas e/ou pejorativas (*fidalgote, molecote*): altera-se, às vezes, em *-ota*² (*janota*) e em *-oto* (*perdigoto*).
ótica, ótico¹ → ÓPTICO.
ótico² → -OT(O)-.

ótimo *adj. sm.* 'excelente' 'o que há de melhor' | *optimo* XVII | Do lat. *optĭmus -a* || **optimates** *sm. pl.* 'membros da alta nobreza da antiga Roma republicana' XVII. Do lat. *optĭmās -ātis* || **otimISMO** | *optimismo* 1858 || **otimISTA** | *optimista* 1858.
oto → -OTE.
-**ot(o)-** *elem. comp.*, do gr. *oús ōtós* 'orelha, ouvido' que se documenta em vocábulos formados no próprio grego, como *otalgia*, e em vários outros introduzidos na linguagem científica internacional a partir do séc. XIX ▶ **otALGIA** 1813. Cp. gr. *otalgía* || **otÁLG·ICO** 1873 || **ótICO**² 1813 || **otITE** 1873 || **otoLOG·IA** 1858 || **otoPAT·IA** XX || **otoR·REIA** | *otorrhea* 1873 || **otoR·RINO** XX || **otoR·RINO·LARINGO·LOG·IA** XX || **otoSCLER·OSE** XX || **otOSE** XX || **otoTOM·IA** 1858.
⇨ -**ot(o)-** — **otÁLG·ICO** | 1836 SC |.
otologia → -OT(O).
otomano *adj. sm.* 'turco' | *octomano* XVI | Do lat. med. *ottomānus*, deriv. do gr. bizantino *othōmānoí* e, este, do ár. *otmānī*, adj. formado do nome próprio *Otmān* (*Osman*), fundador do império turco || **otomana** *sf.* 'espécie de sofá largo e sem costas' 'espécie de tecido para vestuário de senhoras' | *othomana* 1858 | Do fr. *ottomane*.
⇨ **otomano** | *othomanno* 1538 DCast 15.*12*, *othomano* Id. 15*v* 24 || **otomânICO** | *othomanico* Id.55*v*21, *ottomanico* Id. 58.*24* |.
oto·patia, -reia, -rino, -rrinolaringologista, -sclerose, -se, -tomia → -OT(O)-.
ou *conj.* 'designa alternativa ou exclusão, incerteza, hesitação' XIII. Do lat. *aut*.
oução *sm.* 'pequenino ácaro encontrado nos queijos, na farinha etc.' 1813. De étimo controverso.
ourela *sf.* 'orla de uma peça de fazenda' | XIV, *-lla* XIII | Do lat. *ōrĕlla, dimin. de *ōra* || **ourelADO** XIV.
ouriço *sm.* 'o invólucro da castanha' XVI. De ERÍCIO, do lat. *ērĭcĭus -ĭī* || **ouriçADO** XVI.
⇨ **ouriço** | XV PAUL 10.*10* |.
ourinque *sm.* 'espécie de espinhel' | XVI, *ourinquis* pl. XV | O voc. port. talvez se relacione com o cast. *orinque*, o a. cat. *orri* e o fr. *orin*, todos derivados do neerl. *ooring*. 'anel que sustenta o cabo das embarcações'.
ouro *sm.* 'metal precioso, amarelo, denso, muito apreciado pelas suas propriedades específicas e por sua raridade' 'riqueza- XIII | Do lat. *aurum -ī* || **ourives** | *-vez* XIII, *oryuez* XIII etc. | Do lat. *aurĭfex -ficis* || **ourivesARIA** | *ouriuezaria* XIV || **ouropel** | *orpel* XIII | Do fr. *oripel*.
-**ouro** → -(D)OURO.
ousar *vb.* 'atrever-se, ser corajoso, destemer' XIII. Do lat. vulg. *ausare, de *ausus*, part. de *audēre* || **ousAD·IA** XII || **ousADO** XIII || **ousANÇA** XIII.
outão → OUTEIRO.
outar *vb.* 'joeirar, escolher' 1844. Do lat. *optāre* || **outo** 1844. V. OPTAR.
⇨ **outar** | 1836 SC || **outo** | 1836 SC |.
outeiro *sm.* 'pequeno monte' 'festa que se realiza no pátio dos conventos' | XIII, *oiteiro* XVI | De um lat. *altārĭus, de *altus* || **outão** | 1813, *oitão* 1881 | do lat. *altānus -ī*.
outo → OUTAR.
outono *sm.* 'estação do ano que sucede ao verão e antecede o inverno' XIII. Do lat. *autumnum -ī* || **ou-**

tonAL 1813. Do lat. *autumnālis -e* || outonAR 1813. Do lat. *autumnāre* || outonIÇO 1813.
⇨ outono — outonAL | *autunal* a 1542 JCASE 77.*24* |.
outorgar *vb.* 'consentir, aprovar, conceder' XIII. Do lat. **auctōrĭcāre* || outorga 1813 || outorgAMENTO XIII || outorgANTE | XIII, *hout* XIII, *ottorguante* XIII.
outro *adj. pron.* 'diverso do primeiro, o próximo' XIII. Do lat. *alter altĕra altĕrum* || outrora 'antigamente' XVI. Contração de *outra hora* || outrem | XIII, *-ren* XIII, *outri* XIII | Do lat. *alterī* || outrossim | *-ssi* XIII, *-ssy* XIV etc. | De OUTRO+ SIM.
outubro *sm.* 'décimo mês do ano civil' | XIV, *oy-* XIII etc. | Do lat. *octōber octōbris*. Cp. SETEMBRO.
ouvir *vb.* 'perceber, entender sons através do aparelho auditivo, escutar' | *ouir* XIII, *oyr* XIII etc. | Do lat. *audīre* || ouviDA *sf.* 'audiência' XV || ouviDO | XIV, *oydo* XIV || ouviDOR | *oydor* XIII, *ouvidor* XIII etc. || ouviNTE | *ouuīte* XIV.
⇨ ouvir — ouviDOR·IA | 1582 *Liv. Fort.* 24.*7* |.
ova → OVO.
ovação *sf.* 'aclamação pública' XVII. Do lat. *ovatĭo -ōnis* || ovacionAR XX.
ovado¹,² → OVO.
oval → OVO.
óvalo *sm.* '(Arquit.) ornato oval, e em particular a moldura arredondada e oval que guarnece uma cornija ou um capitel' 1899. Do cast. *óvalo*.
ov·ante, -ar → OVO.
ovário *sm.* '(Anat.) cada um dos dois corpos situados de cada lado do útero da mulher e dos mamíferos ou vivíparos, e que contém os óvulos destinados à fecundação' 1813. Do lat. cient. *ovārĭum* || ovariANO XX || ovarioCELE | *ovariócele* 1899 || ovarioTOM·IA 1881 || oveiro | *ouveiro* XIV | Do lat. *ovārĭum*. Cp. OVO.
ovelha *sf.* 'fêmea do carneiro' | *-lla* XIII | Do lat. *ŏvĭcŭla -ae* || ovelhEIRO | *-lleiro* XIII || ovelhUM XVI || oviário 1881. Do lat. *oviārĭus -a* || ovil 1858. Do lat. *ovīle -is* || ovino XVIII || ovino·CULTOR XX || ovino·CULTURA XX.
ovém *sm.* '(Marinh.) cordas grossas de navio' 1813. Do a. fr. *hobent* (ou *hobenc*), deriv. do escandinavo ant. *höfuđbendur* (pl. de *höfuđbenda*), de *benda* 'corda' e *höfuđ* 'cabeça'.
oviário → OVELHA.
ovidiano *adj.* 'pertencente ou relativo ao poeta latino Ovídio' 1899. Do lat. *ovidiānus -a*.
ovi·duto, -forme → OVO.
ovi·l, -no, -nocultor, -nocultura → OVELHA.
ovo *sm.* 'corpo formado no ovário, resultante da fecundação do óvulo' | *ouo* XIII | Do lat. *ōvum -ī* || DESova 1858 || DESovar XVI || ova XVI. Do lat. *ōva*, pl. de *ōvum -ī* || ovado¹ *adj. sm.* 'oval' '(Arquit.) moldura principal do capitel dórico' 1873 || ovado² *adj.* 'diz-se do peixe que contém ovas' 1881 || oval 1813 || ovante | *ouante* XVI || ovar 1844 || ovi·duto | *oviducto* 1858 || ovi·FORME 1881 || oví·PARO 1844. Do lat. *ōvĭpărus -a* || ovi·POSIT·OR XX || ovis·SACO | *ovisacco* 1881|| oví·voro 1881 || ovoide 1881 || ovoLOG·IA 1873 || ovoSCOP·IA XX || ovoVIVÍPARO 1881 || óvulo 1858. Do lat. *ovŭlum*, dim. de *ōvum*.
⇨ ovo — ovado¹ 'oval' | 1836 SC || oval | *oual a* 1542 JCASE 45.*7* || ovar | 1836 SC || oveiro *sm.* 'recipiente (para ovos)' | 1704 *Inv.* 21.*37* || oví·PARO | 1836 SC |.
-ox- → -OX(I)-.
oxácido → -OX(I)-.
oxalá¹ *interj.* 'queira Deus, tomara' XVI. Do ár. *u̯a šā llâh* 'queira Deus', provavelmente.
oxalá² *sm.* 'orixá ioruba da criação da humanidade, com poderes para governar o mundo, nos cultos afro-brasileiros' XX. Do ioruba *oośa'la*.
-ox(i)- *elem. comp.*, do gr. *oxýs* 'agudo, penetrante' 'ácido', que se documenta em vocs. eruditos, particularmente na linguagem da química, onde designa os compostos que contêm oxigênio ▸ oxÁCIDO XX; v. *oxiácido* || oxalato 1858. Do fr. *oxalate*, voc. criado por G. de Morveau em 1787 || oxÁLICO 1858. Do fr. *oxalique*, criado também em 1787 por G. de Morveau || oxalURIA 1899 || oxiÁCIDO XX || oxiBRÁCT·EO || oxibracteo 1899 || oxibuTÍR·ICO | *oxybutírico* 1899 || oxiCEDRO *sm.* 'arbusto da fam. das pináceas' | *oxycedro* 1858 || oxiCRATO *sm.* 'bebida preparada com vinagre e água e que serve para acalmar e amenizar a transpiração' XVII. Cp. gr. *oxýkraton* || oxidação | *oxydação* 1844 || oxidAR | *oxydar* 1844 || oxidASE | oxidÁVEL | *oxydavel* 1858 || óxido *sm.* '(Quím.) composto binário de oxigênio e outro elemento' | *oxydo* 1844 | Do fr. *oxyde*, voc. criado por G. de Morveau em 1787 || oxiDR·ILA XX || oxíDULO | *oxydulo* 1899 || oxiGEN·AÇÃO | *oxygenação* 1844 || oxiGEN·AR 1844 || oxiGÊN·IO *sm.* '(Quím.) elemento de número atômico 8, gasoso, incolor, inodoro e insípido, indispensável à vida animal e vegetal' XIX. Do fr. *oxygène*, já documentado em 1783: sua acepção etimológica 'gerador de ácidos' decorre do fato de que era esse o entendimento dos químicos do séc. XVIII || oxíGONO *adj.* 'acutângulo' | *oxygono* 1844 || oxiOP·IA *sf.* 'faculdade de ver a grande distância' | *oxy-* 1899 || oxiMEL *sm.* 'bebida preparada com água, vinagre e mel' | *oxy-* XVII | Do lat. *oxymel oxymeli*, deriv. do gr. *oxýmeli* || oxiMETR·IA | *oxy-* 1873 || oxíTONO | *oxy-* 1899 || oxiÚRO | *oxy-* 1899.
⇨ ox(i)- — oxidação | *oxy-* 1836 SC || oxidAR | *oxy-* 1836 SC || óxido | *oxy-* 1836 SC || oxiGEN·AÇÃO | *oxy-* 1836 SC || oxiGEN·AR | *oxy-* 1836 SC || oxíGONO | *oxy-* 1836 SC |.
oz(e)- *elem. comp.*, do gr. *ozē* 'mau cheiro' que se documenta em vocs. formados no próprio grego, como *ozena*, e em vários outros introduzidos na linguagem científica internacional a partir do séc. XIX ▸ ozena *sf.* 'ulceração do nariz, que produz mau cheiro' XVII. Do lat. *ozaena -ae*, deriv. do gr. *ózaina* || ozÊN·ICO 1881 || ozoCER·ITA | *ozocerite* 1899 || ozoCRAC·IA XX || ozoNA | *ozone* 1858 || ozonoMETR·IA 1899 || ozoSCÓP·ICO XX || ozoSTOM·IA XX.

P

pá *sf.* 'instrumento largo e chato, de madeira, ferro etc., com rebordos laterais e provido de um cabo, usado para cavar o solo' | *paa* XIV | Do lat. *pāla -ae* || pa**D**·**EJAR**[1] *vb.* 'revolver com a pá' XVI || pa**L**·**ETA** 1844. Do it. *palétta* 'pequena pá'. Cp. PALA[1].
⇨ **pá** — pa**L**·**ETA** | 1615 FNun 55v8 |.
pábulo[1] *sm.* 'pasto, sustento' 1813. Do lat. *pābulum -ī* || **pábulo**[2] *adj.* 'bras. fanfarrão' 1813. De origem controversa.
paca[1] *sf.* 'mamífero roedor da fam. dos dasiproctídeos (*Cuniculus paca*)' | *a* 1576, *paqa* 1595, *paqua* 1648 etc. | Do tupi *'paka* || **paqu**EIRO *adj.* '(cão) adestrado na caça de pacas' XX || **paqu**INHA *sf.* 'espécie de grilo-toupeira' XX.
paca[2] *sf.* 'fardo, pacote' 1755. Do a. fr. *pacque*, derivado, provavelmente, do neerl. médio *packe* || DES·E**M**pacotAR 1899 || EMpacotAR XVIII || **paco** *sm.* 'bras. pacote de papéis velhos que simulam papel-moeda, geralmente cobertos por uma nota verdadeira, e usado pelos vigaristas ao passarem o conto do vigário' XX. Deriv. regressivo de *pacote* || pa**C**OTE XVIII.
pacamão *sm.* 'nome comum a dois peixes, o *Marcgravichtys cryptocentrus*, da fam. dos batracoidídeos, e o *Pseudopimelodus alexandris*, da fam. dos pimelodídeos' | *pacamo c* 1631 | Do tupi *paka'mo*.
pacapeua *sf.* 'planta da fam. das leguminosas, subfam. das cesalpináceas' | *pacapeuva* 1783 | De origem tupi, mas de étimo ainda mal determinado.
pacato → PAZ.
pacavira *sf.* 'bananeira silvestre, *Heliconia pendula*, cujas folhas os índios do Brasil utilizavam para embrulhar a farinha de mandioca' | *pacabira* 1618, *paquevira* 1627 | Do tupi *paka'mĩra (< pa'koɣa 'pacova'* + *'mĩra* [forma paralela de *ĩ'mĩira* 'fibra, filamento']).
pachecada *adj. 2g.* 'semelhante a, ou próprio de Pacheco, tipo de figurão ridículo, que aparece em uma das cartas de *A Correspondência de Fradique Mendes*, de Eça de Queirós' XIX. Do antrop. *Pacheco* || **pachec**AL XX || **pacheq**UICE XX || **pachequ**ISMO XX.
pachola *sm.* 'madraço, farsante' XVIII. De formação expressiva.
pachorra *sf.* 'falta de pressa, lentidão' 1813. Do cast. *pachorra* || **pachorr**ENTO 1813.
pachouchada *sf.* 'dito disparatado, tolice, asneira' | *pachuchada* 1844 | De formação expressiva.
⇨ **pachouchada** | *-chucha-* 1836 SC |.

paciência *sf.* 'virtude que consiste em suportar os sofrimentos sem queixa' XIV. Do lat. *pătĭentĭa -ae* || I**M**paciência XVI. Do lat. *impatientĭa -ae* || I**M**pa**cient**AR XVII || I**M**paciente XVI. Do lat. *impatĭēns -entis* || paciente XIV. Do lat. *patĭēns -entis*.
pac·ific·ação, -ado, -ador, -ar, -o, pacif·ismo, -ista → PAZ.
paco → PACA[2].
paço → PALÁCIO.
paçoca *sf.* 'iguaria preparada com carne desfiada e farinha de mandioca socadas no pilão' 'amendoim ou castanha-do-pará torrados e socados no pilão, com açúcar e farinha' | *passoca* 1873 |; '*ext.* mistura, confusão' XX. Do tupi *pa'soka*.
pacote → PACA[2].
pacotilha *sf.* 'a quantidade de gêneros que o passageiro de um navio podia levar consigo sem pagar o transporte deles' 'artigo mal acabado' XIX; '*bras.* quadrilha de bandidos' XX. Do fr. *pacotille*, deriv. do cast. *pacotilla*. Cp. PACA[2].
pacova *sf.* 'banana' | *pacôua a* 1576, *pacoba c* 1584 etc. |; '*ext.* homem mole, indolente, fraco' XIX. Do tupi *pa'koɣa* || **pacov**AL 1556 || **pacov**EIRA | *-beira* 1587, *-ueira* 1618.
pacto *sm.* 'ajuste, convenção, contrato' | XVI, *pauto* XV | Do lat. *pactum -ī* || **pact**U·**ANTE** 1899 || **pact**U·**AR** 1813.
pacu *sm.* 'nome comum a varios peixes da fam. dos caracídeos' | *pacú c* 1777 | Do tupi **'pa'ku* || **pacuí** | *pacuy* 1783 | Do tupi **'paku'i (< 'pa' ku* + *-i* 'pequeno') || **pacu**PEBA | *-va* 1783 | Do tupi **'paku'peɣa (< 'pa'ku* + *'peɣa* 'chato').
pad·a, -aria → PÃO.
padecer *vb.* 'sofrer, suportar, aguentar' XIII. Do lat. **'patēscĕre*, incoativo de *păti* || **padec**ENTE 1813 || **padec**IMENTO XIV.
⇨ **padecer** — **padec**ENTE | 1614 SGonç I. 129.26 |.
padeiro → PÃO.
padejar[1] → PÁ.
padejar[2] → PÃO.
padieira *sf.* 'verga de porta ou janela, especialmente a de madeira' 1813. De etimologia obscura.
⇨ **padieira** | *padyeira* 1611 in ZT |.
padiola *sf.* 'espécie de tabuleiro retangular, com quatro varais, usado para transporte' 1530. De etimologia obscura || **padiol**EIRO XX.
⇨ **padiola** | 1513 in ZT |.
padrão[1] *sm.* '*orig.* padroeiro, patrono, defensor, protetor' '*ext.* modelo, exemplo' | *padron* XIII ;

'modelo oficial de pesos e medidas' 1813. Do lat. *patrōnus -ī* || **padron**IZ·AÇÃO XX || **padron**IZAR XX. Cp. PATRÃO.
padrão² → PEDRA.
padrasto¹ → PAI.
padrasto² → PEDRA.
padr·e, -ear, -eco, -inho, -oado, -oeiro, -ófobo → PAI.
padroniz·ação, -ar → PADRÃO¹.
pafo *sm.* 'peça de franzido, frouxa, em veste geralmente feminina' 1844. De etimologia obscura.
⇨ **pafo** | 1836 SC |.
pag·a, -ador, -adoria, -amento → PAGAR.
pagão *adj. sm.* 'relativo ou pertencente ao, ou próprio do indivíduo que não foi batizado' XIII. Do lat. *pāgānus -a -um* || **pagã** | *pagãa* XIV || **paganálias** *sf. pl.* 'festas de aldeia em honra de Ceres' 1899. Do lat. *pāgānālia -īum* || **pagan**ISMO | *-gaismo* XIV, *-gayximo* XIV | Do lat. *pāgānismus -ī* || **pagan**IZAR XVII.
pagar *vb.* 'remunerar, gratificar, recompensar' XIII. Do lat. *pacāre* || IM**pag**ÁVEL 1844 || **paga** XIII || **pa**GADOR XIV || **pag**ADOR·IA 1858 || **pag**AMENTO XIII || **pag**ÁVEL 1844 || **pago**² *sm.* 'paga, pagamento' XIII.
⇨ **pagar** — IM**pag**ÁVEL | 1836 SC || **pag**ÁVEL | 1836 SC |.
página *sf.* 'cada um dos lados das folhas dos livros e de outras publicações' XVII. Do lat. *pāgĭna -ae* || COM**pagin**AÇÃO XVII || COM**pagin**AR XVII. Do lat. *compāgĭnāre* || **pagin**AÇÃO 1858 || **pagin**ADOR XX || **pagin**AR 1858.
pago¹ *sm.* 'pequena povoação, aldeia' XVI. Do lat. *pāgus -ī.*
pago² → PAGAR.
pagode *sm.* 'ídolo indiano' 1525; 'templo hindu' *ext.* mesquita dos mouros, varela dos budistas 1516; 'antiga moeda de ouro que corria na Índia' 1595; 'festa ruidosa, folia' *c* 1560. Do sânscr. *bhagavatī*, através de um idioma dravídico (malaiala *pagôdi*, tamul *pagôdi* etc.). Através do português o voc. passou às demais línguas da Europa || **pagod**EIRA *sf.* 'folia' 1899 || **pagod**ENTO *adj. sm.* 'amigo dos pagodes, pagão' XVII || **pagod**ICE *sf.* 'feitiço' XVIII || **pagod**ISMO *sm.* 'religião de pagodes, idolatria' XVII.
pai *sm.* 'genitor, progenitor' | *pay* XIII | Do lat. *pater patris* (lat. *patre-* > port. *padre* → *pade → *pae* → *pai*) || A**padr**INH·AR 1813 || **padrasto**¹ XIII. Do lat. *patraster -rī* || **padre** XIII. Do lat. *pater patris* || **padr**EAR 1899 || **padr**ECO 1858 || **padr**INHO | XIV, *padryo* XIII | Do lat. *patrīnus || **pa**droADO | *padrõado* XIII | Do lat. ecles. *patrōnātus* || **padro**EIRO XIII. Do ant. *padrom* 'protetor'; v. PADRÃO¹ || **padró·**FOBO XX || **papá** XIII. De origem onomatopaica || **papai** XX. De *papá*, com infl. de *pai* || **pater**INO XX || **patern**AL | *paternall* XV | Do lat. med. *paternālis* || **patern**IDADE XVI. Do lat. *paternĭtās -ātis* || **patern**O 1572. Do lat. *paternus -a -um* || **patri**LINE·AR XX || **patri**LOCAL XX || **patrimoni**AL | *patrimonjaaes* pl. XV | Do lat. tard. *patrimoniālis* || **patrimônio** | *patrimonyo* XIII | Do lat. *patrimōnĭum -ĭī* || **patrística** *sf.* '(Teol.) termo da teologia que indica a coleção dos documentos dos Padres da Igreja' 1873. Do lat. ecles. tard. *patristica* || **patro**LOG·IA 1899.

Do lat. ecles. tard. *patrologia*, termo criado por I. Gerhard, em 1637. Cp. PATRÃO, PÁTRIA, PATRIARCA, PATRÍCIO.
⇨ **pai** — **patern**AL | *padernal* XIV BENT 39.*11* |.
paica *sf.* '(Tip.) unidade tipométrica do sistema anglo-norte-americano, equivalente a 12 pontos (4,218mm) e correspondente a 11,22 pontos do sistema Didot' XIX. Do ing. *pica.*
paina *sf.* 'conjunto de fibras sedosas, parecidas às do algodão, que envolvem as sementes de várias plantas' | XVIII. *panha* XVI | Do malaiala *pañni* || **pain**EIRA 1899.
painço *sm.* 'capim anual da fam. das gramíneas, próprio da Europa' | XIV, *payazo* XIII, *peiço* XIV, *peynço* XIV | Do lat. tard. *pānīcĭum* (cláss. *pānĭcum*).
painel *sm.* 'pintura a óleo' 'quadro' XVI. Do cast. *painel.* Cp. PANO.
⇨ **painel** — A**painel**ADO | 1671 *in* RB |.
paio *sm.* 'carne de porco ensacada em tripa de intestino grosso' 1813. Provavelmente do antrop. galego *Payo* (*Pelayo*), tomado como nome típico de 'homem rústico'; daí, por analogia com as características físicas do homem do campo, passou a denominar o salsichão curto e grosso.
paiol *sm.* 'depósito de pólvora e de outros petrechos de guerra' | *payoll* XV | Do cat. *pallol* || **paiol**EIRO 1858.
pairar *vb.* 'adejar, voar vagarosamente' XV. Do ant. prov. *pairar* e, este, provavelmente, do lat. *pariāre* || ESPAIRAR XX || ESPAIRECER XVI, Provavelmente frequentativo de *espairar* || **pair**O XVI. Dev. de *pairar.*
país *sm.* 'região, território, nação' XVII. Do fr. *pays*, deriv. do b. lat. *page(n)sis*, do lat. *pāgus* (v. PAGO¹) || **pais**AGEM | XVI, *paugagê* XVI, *paizagem* 1656 etc. | Do fr. *paysage* || **pais**AG·ISMO XX || **pais**AG·ISTA 1844. Do fr. *paysagiste* || **pais**ANO | *payzano* XVII | Do fr. *paysan* || **pais**EIRO XX.
⇨ **país** — **pais**AG·ISTA | 1836 SC |.
paixão *sf.* 'sentimento ou emoção levados a um alto grau de intensidade, sobrepondo-se à lucidez e à razão' | *-xon* XIII, *-xom* XV, *-xam* XV | Do lat. *passĭo -ōnis* || A**paixon**ADO XVII || A**paixon**AR | *apaxonar* XVI | DES·A**paixon**ADO XVI || DES·A**paixon**AR | 1873, *desapaxonár* 1813 || **passion**AL XVI. Do lat. tard. *passĭōnālis* || **passion**ÁRIO XVIII. Do lat. med. *passĭōnārĭus* || **passion**EIRO XVIII || **passion**ISTA XVIII. Do it. *passionista.*
⇨ **paixão** — A**paixon**ADO | *apassionado* XV IMIT VI. 4, ZURC 75.*1* | DES·A**paixon**AR | 1836 SC |.
pajamarioba *sf.* 'planta da fam. das leguminosas, fedegoso' | *pajemarioba* 1618, *pagé marioba c* 1763 etc. | Do tupi *pajemari'oṇa.*
pajé *sm.* 'chefe espiritual, feiticeiro, entre os índios do Brasil' | 1587, *pagé* 1551 etc. | Do tupi *pa'ję.*
pajem *sm.* 'moço nobre que, na Idade Média, acompanhava um príncipe, um senhor, uma dama, para se aperfeiçoar na carreira das armas e nas boas maneiras' antes de ser armado cavaleiro' | *pagem* XV, *page* XIV | Do fr. ant. *page*, de origem obscura. | **paj**EAR | *pagear* 1881.
pala¹ *sf.* 'orig.' pano de altar' 'engaste de pedra preciosa' 'peça que guarnece a parte ínfero anterior da barretina ou boné de militares etc.' XIV. Do lat. *pāla -ae.* Cp. PÁ.

pala² *sm.* 'bras. poncho leve, de brim, vicunha, merinó, ou até de seda, com as pontas franjadas' 1844. De etimologia obscura.
pala³ *sf.* '*ant.* embarcação de guerra no Oriente' 1708. Do marata (e concani) *pāl*.
palácio *sm.* 'casa grande e suntuosa' 'residência de um rei, de um chefe de Estado, de um alto dignitário eclesiástico etc.' | *paaço* XIII, *paazo* XIII, *palaçio* XIV, *paço* XVI | Do lat. *pălātĭum -ī*. A forma *paço*, já documentada no port. med., é de uso comum no port. mod., embora com pequena restrição semântica, visto que só se emprega para designar o 'palácio real' ‖ **a**palac**et**·**ado** XX ‖ **palac**ete XX ‖ **palac**iano XVII. No port. med. ocorre a forma *paação* (séc. XIV), que é evolução normal do lat. **palatiānus* ‖ **palatino**¹ *adj.* 'relativo a palácio, palaciano' XVII. Do lat. med. *palātīnus -ī*.
⇨ **palácio** — **palac**ETE | 1875 *in* ZT, *palaceto* 1823 *in* ZT |.
paladar *sm.* 'palato' 'gosto' | XVI, *pádar* XVII | Do lat. vulg. **palatāre*, deriv. do lat. *palātum*.
⇨ **paladar** | *paadar* XIV ORTO 40.*19* |.
paladino *sm.* '*orig.* cavaleiro medieval, de atitudes nobres e cavalheirescas e de grande bravura' 'defensor e protetor dos fracos e desamparados' | 1813, -*dim* 1813 | Do. fr. *paladin*, deriv. do lat. med. *palātīnus*. Cp. *palatino*¹ (v. PALÁCIO).
⇨ **paládino** | 1836 sc, -*lla*- 1836 sc |.
paládio *sm.* '(Quím.) elemento de número atômico 46, metálico, branco-prateado, denso, usado em ligas e em laboratório' | *palladio* 1838 | Do lat. *palladĭum -ī*, deriv. do gr. *Pallādion -ou* 'estátua de Palas, ou Minerva, deusa da guerra'. O metal foi assim designado por Wollaston, seu descobridor, em 1803, em alusão ao asteroide *Palas*, pouco antes descoberto por Olbers.
palafita *sf.* 'estacaria que sustenta as habitações lacustres' 1899. Do it. *palafitta*, deriv. do lat. *pālus* 'pau' e *fictus* (de *figere* 'fixar, cravar').
⇨ **palafita** | *palafilta* [*sic*] 1837 MS |.
palafrém *sm.* 'cavalo de parada dos reis e dos nobres, na Idade Média' | -*ffren* XIII, -*fren* XIII, -*fré* XIII | Do cast. *palafrén*, do cast. *palafré* e, este, do fr. ant. *palefrei* ‖ **palafren**EIRO XVII.
palagonita *sf.* '(Min.) vidro vulcânico basáltico alterado, de cor amarela ou alaranjada, encontrável nos terrenos vulcânicos da Palagônia, na Sicília' 1873. Do it. *palagonite*, deriv. do top. *Palagonía* 'Palagônia'.
palamalho *sm.* 'espécie de jogo de bola ou de bilhar' 1844. Do it. *pallamàglio* ‖ **palamalh**AR 1813.
⇨ **palamalho** | 1836 sc |.
palamenta *sf.* 'conjunto de objetos acessórios, indispensáveis, nas condições normais, à utilização de uma embarcação miúda, ao serviço de rancho' XVIII. Do cast. *palamenta*.
palanca *sf.* 'estacaria, coberta de terra, construída para defesa e usada em manobras militares' 1813. Do cast. *palanca*, deriv. do lat. *palangae -arum*, vulgarmente **palanca* e, este, do gr. *phálagx -aggos*.
palanco *sm.* '(Náut.) corda que passa por um moitão que está na ponta da vela e serve para içá-la' XVI. De etimologia obscura.

palangana *sf.* 'tabuleiro de barro ou de metal onde se serviam os assados' XVII. Do cast. *palangana*.
palanque *sm.* 'estrado com degraus, para espectadores de festas ao ar livre' XV. De origem incerta, talvez relacionado com PALANCO.
palanquim *sm.* 'espécie de liteira antigamente usada na Índia e na China' | *palanquis* pl. XVI | Do neoárico *palānkī*, deriv. do hindustâni *pālakī* e, este, do sânscrito *paryaṅka* 'cama'.
palatal → PALATO.
palatino¹ → PALÁCIO.
palato *sm.* 'céu da boca, paladar' XVIII. Do lat. *palātum -ī* ‖ **palat**AL 1873. Do lat. **palatalis* ‖ **palat**INO² 1873 ‖ **palato**GRAMA XX ‖ **palato**PLAST·IA 1899 ‖ **palato**PLEG·IA XX.
pálavi *sm.* 'idioma dos persas, na Idade Média' | 1878, *pélvi* 1880 | Do persa *pahlavī*.
palavra *sf.* 'vocábulo, termo' | XIII, *paravla* XIII, *paraura* XIII etc. | Do lat. *părăbŏla -ae*, deriv. do gr. *parabolē* ‖ **a**palavr**ar** 1813 ‖ **palavr**ADA XVII ‖ **palavr**ão 1881 ‖ **palavr**E·ADO 1813 ‖ **palavr**EAR XV ‖ **palavr**ÓRIO 1813 ‖ **palavr**OSO XVI. Cp. PAROLA.
⇨ **palavra** — **palavr**OSO | XV BENF 254.*11* |.
palco *sm.* '(Teat.) tablado destinado às representações' 1844. Do it. *palco*, deriv. do longobardo *palko*.
⇨ **palco** | 1836 sc |.
paleáceo → PALHA.
palear *vb.* 'manifestar, patentear' 1873. Do esp. plat. *palear*.
pale·ártico, -etnologia → PALE(O)-.
paleiforme → PALHA.
palente *adj.* *2g.* '(Poét.) que paleja, pálido' | *-ll-* 1899 | Do lat. *pallēns -entis*.
pale(o)- *elem. comp.*, do lat. cient. *palaeo-*, deriv. do gr. *palaio-*, de *palaiós* 'antigo, pré-histórico', que se documenta em vocábulos introduzidos na linguagem científica internacional, a partir do séc. XIX ▶
paleÁRT·ICO *adj.* 'pertencente ou relativo a Paleártica, região que se estende pela Europa e Ásia até o Himalaia, e na África setentrional até o Saara' XX. Do fr. *paléarctique* ‖ **pale**ETNOLOG·IA, *sf.* 'a ciência das raças humanas pré-históricas' | *paleoethnologia* 1881 ‖ **paleo**BOTÂN·ICO XX ‖ **paleo**CENO XX. Do fr. *paléocène* ‖ **paleo**FITOLOG·IA *sf.* 'tratado das plantas fósseis' | *paleophytologia* 1899 ‖ **paleo**GÊN·EO *adj.* '(Geol.) relativo às três primeiras épocas do período terciário' | *paleógeneo* 1899 ‖ **paleo**GEOGRAF·IA | *paleogeographia* 1899 ‖ **paleo**GRAF·IA | *-phia* 1842 | Do fr. *paléographie* ‖ **paleo**GRÁF·ICO 1873. Do fr. *paléographique* ‖ **paleó**GRAFO 1844. Do fr. *paléographe* | **paleo**LÍT·ICO | *-thi-* 1881 | **paleo**LOG·IA | *paléologia* 1899 | **paleó**LOGO | *paléologo* 1858 | **pale**ONTOLOG·IA 1858. Do fr. *paléontologie* ‖ **paleo**ONTOLÓG·ICO 1873. Do fr. *paléontologique* ‖ **pale**ONTOGRAF·IA | *-phia* 1858 ‖ **paleo**ONTÓLOGO 1873 ‖ **paleotério** | *-th-* 1873 | Do lat. cient. *palaeothērium* ‖ **paleo**ZO·ICO 1873. Do fr. *paléozóique* ‖ **paleo**ZOO·LOG·IA 1873. Do fr. *paléozoologie*.
⇨ **pale(o)-** — **paleo**GRAF·IA | *-phia* 1836 sc |.
palerma *adj.* *s2g.* 'tolo, bobo, simplório' 1881. De etimologia obscura ‖ **a**palerm**ado** XX.
palescência → PÁLIDO.
palestesia *sf.* '(Med.) sensibilidade às vibrações' XX. Do gr. *pallōs* 'vibrar' e *estesia* (v. ESTETA), por via erudita.

palestino *adj. sm.* 'de, ou pertencente ou natural da Palestina' XIV. Do lat. *palaestīnus -a -um* || palestinA 1858. Do lat. *palaestīna -ae*.
palestra *sf.* 'conversa, conferência' XVII. Do lat. *palaestra -ae*, deriv. do gr. *palaístra* || **palestr**AR | *-ll-* 1842 || **palestr**ISTA XX || **palestr**ITA 1858.
paleta → PÁ.
paletó *sm.* 'casaco reto, com bolsos externos, cujo comprimento vai até a altura dos quadris' XIX. Do fr. *paletot*, deriv. do ing. med. *paltok*.
palha *sf.* 'haste seca das gramíneas, despojada dos grãos e utilizada na indústria ou para forragem de animais domésticos' | XIII, *palla* XIII | Do lat. *palĕa -ae* || EM**palh**AÇÃO 1858 || EM**palh**ADOR XX || EM**palh**AR XV || ES**palh**AR XVI || **pale**ÁCEO 1858 || **palei**FORME 1873 || **palh**ADA XVI || **palh**EIRO | *palieiro* XIII || **palh**ETA XIV || **palh**ET·ÃO 1844 || **palh**ETE[1] *adj.* XVI || **palh**ETE[2] *sm.* XVII || **palh**INHA 1842 || **palh**OÇA XVII, *palhaça* XVI | o voc. *palhoça* é alteração de *palhaça* (*palh·a* + *-aça*), por infl. de CHOÇA.
⇨ **palha** — EM**palh**AÇÃO | 1836 SC || **palh**ET·ÃO | 1836 SC || **palh**INHA | 1836 SC |.
palhabote *sm.* 'embarcação fundamentalmente igual ao iate' XIX. Do anglo-amer. *pilot-boat*.
palhaço *sm.* 'artista que se veste de maneira grotesca e faz pilhérias e momices para divertir o público' 1813. Do it. *pagliàccio* || **palhaç**ADA 1881.
palh·ada, -eiro, -eta, -etão, -ete, -inha, -oça → PALHA.
páli *sm.* 'língua sagrada do Ceilão e do sul da Índia' 1881. Do hindustâni *pāli*.
paliar *vb.* 'disfarçar, dissimular' XVI. Do lat. tard. *palliāre* || **pali**ADOR XX || **pali**AT·IVO 1813.
⇨ **paliar** — **pali**ADOR | *-lli-* 1836 SC |.
paliçada *sf.* 'tapume feito com estacas fincadas na terra' XV. Do cast. *palizada*.
pálido *adj.* 'diz-se da pele descorada, amarelada' | *-lli-* XVI | Do lat. *pallĭdus -a -um* || EM**palid**ECER XVII || EM**palid**EC·IDO | *-lli-* 1899 || **palesc**ÊNCIA XX || **palid**EZ | *-lli-* 1813.
pal·ificar, -ilho → PAU.
palília *sf.* 'festa dos pastores, que se realizava em Roma a 21 de abril, aniversário da fundação da cidade' 1899. Do lat. *palīlĭa -ĭum*, de *Palēs -is*.
palilo *sf.* 'árvore frutífera do Brasil' | XX, *palillo* 1899, *palilho* 1842 | De etimologia discutida.
palimpsesto *sm.* 'antigo material de escrita, principalmente o pergaminho' 'manuscrito sob cujo texto se descobre escritas anteriores' | 1885, *palinpsestos* pl. 1842 | Do lat. *palimpsēstus*, deriv. do gr. *pálimpsēstos*.
palindromia *sf.* '(Med.) recidiva ou recaída de uma doença' 1858. Do lat. cient. *palindromia*, deriv. do gr. *palindromía* || **palíndromo** 1873.
palinódia *sf.* 'poema que desdiz aquilo que se disse em outro' 'retratação' 1813. Do lat. *palinōdĭa -ae*, deriv. do gr. *palinō(i)día* || **palin**FRAS·IA *sf.* '(Med.) repetição mórbida de palavras' XX || **palin**GENES·IA *sf.* '(Fil.) eterno repouso' 1858. Do lat. tard. *palingenesia*, deriv. do gr. *palingenesía*.
palinuro *sm.* '(Poét.) piloto, guia' XVII. Do lat. *Palinūrus -ī*, deriv. do gr. *Palínūros* 'piloto de Enéias'.
pálio *sm.* 'ant. manto, capa' 'sobrecéu portátil, com varas, que se conduz em cortejos, caminhando debaixo dele a pessoa festejada' XIV. Do lat. *pallĭum -ī* || **palio**BRÂNQUIO | *palliobranchio* 1899.
palissandra *sf.* '*bras.* árvore da fam. das bignoniáceas muito cultivada como ornamento' | Do fr. *palissandre*, deriv. do neerl. *palissander*.
palit·ar, -eira, -eiro, -o → PAU.
paliúro *sm.* 'arvoreta espinhosa, da fam. das ramnáceas' 1858. Do lat. *paliūrus -ī*, deriv. do gr. *paliouros*.
palma *sf.* 'parte interior da mão' XVI; 'folha de palmeira' 'triunfo, vitória' XVI. Do lat. *palma -ae* || EM**palm**AÇÃO 1881 || EM**palm**AR 1844 || ES**palm**ADO XVI || ES**palm**AR XVIII || **palm**ADA *sf.* 'pancada com a palma da mão' XVIII || **palm**ADO *adj.* '(Bot.) de forma semelhante à mão com os dedos abertos' 1899. Do lat. *palmatus -a -um*. Do lat. *palmat(i)-*, radical de *palmatus*, procedem alguns dos vocábulos adiante estudados || **palmar** 1842. Do lat. *palmāris -e* || **palmatí**FIDO *adj.* '(Bot.) diz-se de qualquer órgão foliáceo subdividido até parte do eixo, estando os segmentos no ápice' 1873 || **palmati**FLORO | 1899, *palmatiflor* 1873 || **palmati**FOLI·ADO 1899 || **palmati**FORME 1873 || **palmati**LOBADO *adj.* '(Bot.) lobado com os lobos reunidos no ápice' 1873 || **palmati**NÉRVEO | *palmatinervo* 1873 || **palmati**PARTIDO 1899 || **palmatória** XVI. Do lat. *pălmātŏrĭa* || **palm**EAR *vb.* 'aplaudir' 'impelir com a mão' '*bras.* palmilhar' 1844 || **palm**EIRA | *palmeyra* XIII || **palm**EIR·AL 1844 || **palm**EIRO | *palmeyro* XIV || **palm**ÍFERO 1858. Do lat. *palmifer -fĕra -fĕrum* || **palm**I·FORME 1858 || **palm**ILHA | XVII, *-lla* XV | Do cast. *palmilla* || **palm**ILH·AR 1858 || **palm**I·NERV·ADO XX || **palm**Í·PEDE 1844 || **palm**IT·AL XV || **palm**ITO 1500 || **palmo** XIII. Do lat. *palmus -ī*.
⇨ **palma** 'parte interior da mão' | XIV ORTO 199.*17* |; 'folha da palmeira' | XIV GREG 2.11.*10* |; 'triunfo, vitória' | XIV ORTO 23.*22* || EM**palm**AR | 1836 SC || **palm**AR 'palmeiral' | *c* 1539 JCASD 39.*28* || **palm**EAR | 1836 SC || **palm**EIR·AL | 1836 SC || **palm**ILH·AR | 1836 SC || **palm**ÍPEDE | 1836 SC |.
paloma *sf.* '(Náut.) cabo, corda' 1813. Do it. meridional *paloma*, que corresponde a *parôma* em outras regiões || **palom**AR | *palonbar* XV || **palom**EIRA XV.
palor *sm.* 'palidez, palescência' XVI. Do lat. *pallor -ōris*.
palotes → PAU.
palpar *vb.* 'apalpar, tatear, tocar com as mãos' XIV. Do lat. *palpāre* || A**palp**AÇÃO 1881 || A**palp**·A·DELA XVII || A**palp**ADOR XVIII || A**palp**AR XIII || IM**palp**ABIL·IDADE 1873 || IM**palp**ÁVEL 1813. Do lat. *impalpābilis* || **palp**AÇÃO 1858. Do lat. tard. *palpātĭō -ōnis* || **palp**AD·ELA XVI || **palp**ÁVEL XVII. Do lat. tard. *palpābilis*.
⇨ **palpar** — A**palp**AD·IÇO | XV MONT 34.*33* || A**palp**AMENTO | XV BENF 305.*21* || **palp**ÁVEL | *palpauees* pl. XV BENF 298.*16* |.
pálpebra *sf.* 'membrana móvel que cobre o globo ocular' 1813. Do lat. *palpĕbra -ae* || **palpebr**AL 1858. Do lat. tard. *palpebrālis*.
palpitar *vb.* 'bater, pulsar, agitar-se' XVI. Do lat. *palpitāre* || **palpit**AÇÃO 1813. Do lat. *palpitātĭō -ōnis* || **palpit**ANTE XVI || **palpite** 1881.
palpo *sm.* '(Zool.) apêndice do maxilar e do lábio dos insetos' 1858. Do lat. cient. *palpus*, deriv. do lat. *palpum -ī* 'afago'.

palr·a, -ador, -ar, -eirice, -eiro → PAROLA.
palude sm. 'região inundada por águas estagnadas' | -ll- XVII | Do lat. *palūs -ūdis* || ApaulADO 1500 || ImpaludAR 1899 | ImpaludISMO 1899 || paludAMENTO XVII. Do lat. med. *paludamentum* || paludíCOLA 1873 || paludISMO XIX || paludOSO XVI. Do lat. *palūdōsus -a -um* || palustrAL XVII || palustre XVII. Do lat. *palūster -tris -tre* || paul XIII. Forma divergente popular de *palude*, do lat. *palūs -ūdis*.
palúrdio adj. sm. 'palerma, estúpido' 1881. Do cast. *palurdo*, provavelmente deriv. do fr. *balourd*.
palustr·al, -e → PALUDE.
pampa s2g. 'grande planície, coberta de vegetação rasteira, na região meridional da América do Sul' XIX. Do cast. *pampa*, deriv. do quíchua *pámpa* | pampEIRO 1858.
pâmpano sm. 'ramo tenro da videira' XVI. Do cast. *pámpano*, deriv. do lat. *pampĭnus -ī* || **pampíneo** XVII. Do lat. *pampĭnĕus -a -um* || pampinOSO XVI. Do lat. *pampinōsus*.
pampeiro → PAMPA.
pampilho sm. 'pau com ferro farpado terminado em aguilhão' XVI. De etimologia obscura.
pamp·íneo, -inoso → PÂMPANO.
pan-, pant(o)- elem. comp., do gr. *pânpant(o)-* (cp. *pâs, pâsa, pân* — genit. *pantós, pasēs, pantós*) 'tudo, todos', que já se documenta em alguns vocábulos formados no próprio grego, como *panaceia*, e em muitos outros introduzidos na linguagem científica internacional, a partir do séc XIX ▶ pamPLEG·IA sf. '(Patol.) paralisia de todo o corpo' XX || pamPRO·DÁCTILO XX || pamPSIQU·ISMO | *pampsychismo* 1899 || panA·BÁS·IO XX || panaceia sf. 'remédio para todos os males' 1813. Do lat. *panacēa -ae*, deriv. do gr. *panákeia* || pan-AMERICANO XX || **panateneias** sf. pl. 'festas em honra de Palas Atená, na Grécia antiga' | *panatheneias* 1842 | Cp. gr. *panathénaia* || panCÁRP·IA sf. 'coroa de flores' 1813 || panCLAST·ITE XX || panDEM·IA 1899. Do lat. cient. *pandēmia*, deriv. do gr. *pandēmía* || panDEMÔNIO 1899. Do ing. *pandemonium*, voc. criado pelo poeta inglês Milton, no *Paraíso Perdido*, para designar o palácio de Satã || panDINAM·ISMO XX || panENTE·ÍSMO sm. '(Fil.) sistema filosófico e teológico que vê todos os seres em Deus' XX || pan-ESLAV·ISMO 1899 || panGERMAN·ISMO 1899 || pan-HELEN·ISMO | *panhellenismo* 1873 || panICONOGRAF·IA sf. 'gravura em relevo sobre zinco' XX || panLÉXICO XX || panLOG·ISMO XX || panOFTALMITE | *panophtalmite* 1899 || panORAMA 1844. Do fr. *panorama*, deriv. do ing. *panorama*, voc. criado pelo pintor escocês Robert Barker em 1789 || panORÂM·ICO 1899 || panORÓ·GRAFO | *-pho* 1873 || panOSTEÍTE sf. '(Patol.) inflamação do osso inteiro, do periósteo à medula' 1899 || panSOF·IA sf. 'ciência universal' | *-phia* 1873 || panSPERMIA sf. 'mistura obtida com todas as espécies de sementes' 1873. Cp. gr. *panspermía* || pantE·ÃO | *pantheón* 1842 | Do lat. *panthĕŏn*, deriv. do gr. *pántheion* || pantE·ÍSMO | *pantheismo* 1844 | Do fr. *panthéisme* || pantE·ÍSTA | *pantheista* 1844 | Do fr. *panthéiste* || pantoFAG·IA | *pantophagia* 1873 || pantóFAGO adj. 'que come tudo' | *panthophago* 1873 | Cp. gr. *panthophágos* || pantóFOBO | *pantophobo* 1899 || Do lat. *pantophobus*, deriv. do gr. *pantophóbos* ||

pantoGAM·IA sf. 'modalidade de procriação na qual os machos e as fêmeas, enquanto sentem a necessidade de reprodução, coabitam com quaisquer animais do sexo oposto ao seu' 1873 || **pantó**GRAFO | *pantographo* 1844 || **pantó**LOGO 1899. Cp. gr. *pantológos* || **pantó**METRO 1858 || **panto**PELÁG·ICO 1873 || **panto**POL·ISTA 1899 || **pantó**PTERO 1873.
⇨ **pan-, pant(o)-**—**panateneias** | *panathenios* 1836 SC || pantE·ÃO | 1600 in RB || pantE·ÍSMO | *-the-* 1836 SC || pantE·ÍSTA | *-the-* 1836 SC || **pantó**GRAFO | 1786 in ZT || **pantô**METRO | 1836 SC |.
panaço → PANO.
panacu sm. 'cesto grande, canastra' | 1557, *panicum* 1557, *panecu* c 1574 etc. | Do tupi *pana'ku*.
panada → PANO.
panado → PÃO.
panadura sf. 'eixo da moenda de cana-de-açúcar' 1844. Palavra expressiva.
⇨ **panadura** | 1836 SC |.
panal → PANO.
panamá sm. 'chapéu de palha masculino, de copa e abas flexíveis' 1888. Do fr. *panama*, deriv. do top. *Panamá* || **panam**ENHO XX.
pan-americano → PAN-.
panapaná[1] sf. 'bando de borboletas que migram de uma região para outra em certas épocas do ano, formando verdadeiras nuvens' | XX, *panamá* 1587 | Do tupi *pa'nama* 'borboleta', com deslocamento da tônica; a forma atual será reduplicação de *pa'nã* (forma reduzida de *pa'nama*).
panapaná[2] sm. 'espécie de cação do gênero *Sphyrna* (S. *tiburo*)' 1587. Do tupi *panãpa'nã*.
panar → PÃO.
panarício sm. 'inflamação aguda, de ordinário purulenta, das partes moles que cercam as falanges' 1813. Do lat. *panārīcium -ĭī*.
panasco sm. 'erva de pasto, da fam. das umbelíferas' XVI. De etimologia obscura.
panateneias → PAN-.
panca sf. 'alavanca de madeira' XVII. De etimologia obscura, talvez de um lat. vulg. *palanca* || EMpanque 1899 || pancAMENTO 1899 || EspancAR XVI || pancADA | *paan-* XIII || pancAD·ARIA 1858.
pança sf. 'o estômago maior dos ruminantes' 'barriga grande' 1813. Do cast. *panza*, deriv. do lat. *pantex -ĭcis* || EMpanzIN·ADO 1844 || EMpanzIN·AMENTO 1899 || EMpanzIN·AR 1844 || pançUDO 1844.
⇨ **pança**—EMpanzIN·ADO | 1836 SC || EMpanzIN·AR | 1836 SC |.
pancad·a, -aria → PANCA.
pancaio adj. sm. 'de, ou natural de Pancaia, cidade do sul da Península da Arábia' XVII. Do lat. *panchaeus -a -um*.
pan·cárpia, -clastite → PAN-.
pancrácio sm. 'exercício de luta e pugilato entre os antigos gregos e romanos' 1842. Do lat. *pancratium -ĭī*, deriv. do gr. *pankrátion*.
⇨ **pancrácio** | 1836 SC |.
pâncreas sm. 2n. '(Anat.) glândula abdominal que tem uma secreção externa, de função digestiva, que é lançada no duodeno, e uma secreção interna com um hormônio muito conhecido, a insulina' | *panchreas* 1813 | Do lat. cient. *pancreas -aticus*, deriv. do gr. *pánkreas -atos* || **pancreat**ALGIA 1873 || **pancreat**ECTOMIA XX || **pancre**ÁTICO | *panchreati-*

co 1813 ‖ **pancreat**INA 1873 ‖ **pancreat**ITE | *pancreatitis* 1858 | Do lat. cient. *pancreatitis*.
pancresto *sm.* 'panaceia' | *panchresto* 1899 | Do lat. *panchrēstus*, deriv. do gr. *pánchrēstos*.
pançudo → PANÇA.
panda[1] *sf.* 'boia de cortiça na tralha superior dos aparelhos de arrasto' 1899. De etimologia obscura.
panda[2] *sf.* 'planta de origem africana, da fam. das leguminosas' 1899. De um idioma africano, mas de étimo indeterminado.
pândano *sm.* 'grande planta arboriforme, da fam. das pandanáceas' 1899. Do lat. cient. *pandanus*, deriv. do malaio *pândan*.
pandarecos *sm. pl.* 'estilhas, destroços' XX. De etimologia obscura.
pândega *sf.* 'folguedo ruidoso e alegre' 1881. De etimologia obscura ‖ **pândego** 1881.
pandeiro *sm.* 'instrumento musical de percussão, feito de pele, que se tange com a mão' XVI. Do cast. *pandero*, provavelmente do lat. tard. *pandorius*, variante de *pandūra*, deriv. do gr. *pandourion, pandoûra* ‖ **pandeir**ETA | *pādereta* XVI | Do cast. *panderete*.
pandem·ia, -ônio → PAN-.
pandicular *vb.* 'bocejar, espreguiçar-se' XX, Do lat. *pandĭcŭlāre*, por *pandĭcŭlārī* ‖ **pandicul**AÇÃO 1858.
pandilha *sf.* 'conluio entre diversas pessoas para ludibriar alguém' 1813. Do cast. *pandilla*.
pandinamismo → PAN-.
pando *adj.* 'cheio, largo, amplo' | *panda* XVI | Do lat. *pandus -a -um*.
pandora *sf.* '(Mús.) instrumento da família do alaúde, usado nos sécs. XVI e XVII' 1813. Do lat. *pandūra*, deriv. do gr. *pandoûra* ‖ **panduri**FÓLIO 1873 ‖ **panduri**FORME 1858.
pandorga *sf.* 'música desafinada e sem compasso' 1656. Do cast. *pandorga*, deriv. de um verbo *pandorgar* e, este, do lat. vulg. *pandoricare*.
pandur *sm.* '(Hist.) soldado húngaro que servia em tropas irregulares nos exércitos de vários países europeus nos sécs. XVII-XVIII' | *panduro* 1760 | Do fr. *pandour*, deriv. do húng. *pandur* e, este, do sérvio *pàndūr*; pouco provável é a hipótese, ainda hoje muito difundida, de que o húng. *pandur* procedesse do top. *Pandur*, cidade da Hungria ao sul de Kalocsa.
panduri·fólio, -forme → PANDORA.
pane *sf.* 'parada, por defeito do motor de avião, automóvel etc.' XX. Do fr. *panne*.
panegírico *sm.* 'discurso em louvor de alguém' 'elogio' XVI. Do lat. *panēgўrĭcus*, deriv. do gr. *panēgyrikós* ‖ **panegir**ISTA XVII. Do b. lat. *panegyrista*, deriv. do gr. *panēgyristḗs*.
paneiro[1] *sm.* 'cesto de vime com asas' XVIII. Do cast. *panero*.
paneiro[2] → PANO.
panela *sf.* 'vasilha de barro ou metal destinada à cocção de alimentos' XIII. Do lat. vulg. *pannēlla*, de *panna*.
panema *adj. sm.* 'tolo, imbecil' 'indivíduo infeliz' 1895. Do tupi *pa'nema* ‖ **panem**ICE XX.
panenteísmo, pan-eslavismo → PAN-.
panete → PANO.
panfleto *sm.* 'pequeno escrito polêmico ou satírico,

em estilo veemente' | *-phle-* XVIII | Do fr. *pamphlet*, deriv. do ing. *pamphlet* ‖ **panflet**ÁRIO | *-phle-* 1881 ‖ **panflet**ISTA | *-phle* 1881.
pangaio[1] *sm.* 'pequena embarcação asiática' 1572. De origem africana, mas de étimo indeterminado.
pangaio[2] *sm.* 'remo curto e de pá' | *pangayo* XVI | Do malaio *pinggang*.
pangaré *adj. 2g. sm.* 'diz-se do, ou equídeo cujo pelo é de tom amarelado em algumas partes do corpo' XIX. De etimologia obscura.
pangermanismo → PAN-.
panglossiano *adj. sm.* 'relativo ao doutor Pangloss, personagem de *Candide*, romance satírico de Voltaire' 'otimista' XIX. Do fr. *panglossien*, do antrop. *Pangloss*.
pango *sm.* '*bras.* espécie de maconha' XVIII. De origem africana, mas de étimo indeterminado.
pangolim *sm.* '(Zool.) gênero de mamíferos sedentários, cavadores e roedores, da África central e da Ásia meridional' XIX. Do fr. *pangolin*, deriv. do malaio *pĕng-gōling*.
pan-helenismo → PAN-.
pânico *adj.* 'relativo ao deus Pã' 'terror' 1572. Do lat. *pānicus*, deriv. do gr. *pānikós*.
paniconografia → PAN-.
panícula *sf.* '(Bot.) tipo de inflorescência que é um cacho composto que assume forma aproximada de uma pirâmide' 1844. Do lat. *pānĭcŭla -ae*.
panículo *sm.* '(Anat.) camada delgada de um tecido' 1813. Do lat. *pannicŭlus -ī*.
paníf·ero, -icação, -icar, -ício → PÃO.
pan·léxico, -logismo → PAN-.
pano *sm.* 'qualquer tecido, fazenda' XIII. Do lat. *pānnus -ī* ‖ DES·EMPAN·AR 1844 ‖ EMPAN·ADA[2] 1844 ‖ EMPAN·AMENTO 1844 ‖ EMPAN·AR XVI ‖ ESPAN·ADOR 1844 ‖ ESPAN·AR 1844 ‖ PAN·AÇO XX ‖ PAN·ADA 1858 | PAN·AL XIV ‖ PAN·EIRO[2] XVIII ‖ PAN·ETE XVI.
⇨ **pano** — DES·EMPAN·AR | 1836 SC ‖ EMPAN·ADA[2] | 1836 SC, -nna- 1836 SC ‖ EMPAN·AMENTO | 1836 SC, -nna- 1836 SC ‖ ESPAN·ADOR | 1836 SC ‖ ESPAN·AR | 1836 SC ‖.
panoftalmite → PAN-.
panóplia *sf.* 'armadura de cavaleiro na Idade Média' XIX. Do fr. *panoplie*, deriv. do gr. *panoplía*.
panoram·a, -ico → PAN-.
pan·orógrafo, -osteíte → PAN-.
panqueca *sf.* 'massa leve de farinha, leite e ovos que, depois de frita, adquire forma aproximadamente circular, e que, em geral, se enrola com recheio doce ou salgado' XX. Do ing. *pancake*.
pânria *sf.* 'mândria, preguiça, indolência' 1881. De etimologia obscura.
pan·sofia, -spermia → PAN-.
pantagruelismo *sm.* 'espécie de filosofia epicurista' 1873. Do fr. *pantagruelisme*, deriv. do antrop. *Pantagruel* ‖ **pantagruél**ICO 1899. Do fr. *pantagruélique* ‖ **pantagruel**ISTA 1873.
pantalonas *sf. pl.* 'calças compridas, de boca larga, que caem sobre os pés' 1813. Do it. *pantalóni* ‖ **pantal**ÃO XVIII. Do fr. *pantalon*.
pantana *sf.* 'dissipação de haveres' XVIII. De etimologia obscura.
pântano *sm.* 'região inundada por águas estagnadas' 1813. Do it. *pantano* ‖ **pantan**AL 1813 ‖ **pantan**OSO 1813.

pante·ão, -ísmo, -ísta → PAN-, PANT(O)-.
pantera *sf.* 'designação comum aos felídeos do gênero *Panthera*' XVI. Do lat. *panthēra -ae*, deriv. do gr. *pánthēra*.
⇨ **pantera** | XIV ORTO 117.*28* |.
pantim *sm.* 'lamparina de barro ou de bronze' 1792. Do concani *pan' tī*.
panto·fagia, -fago, -fobo, -gamia, -grafo -logo, -metro → PAN-.
⇨ **pantó·grafo, -metro** → PAN-, PANT(O)-.
pantomima *sf.* 'arte ou ato de expressão por meio de gestos, mímica' XVIII. Do fr. *pantomime*, deriv. do lat. *pantomīma -ae* e, este, do gr. *pantómimos* || **pantomím**ICO 1873. Do lat. *pantomīmĭcus -a -um* || **pantomimo** XVII.
⇨ **pantomima** → **pantomím**ICO | 1836 SC |.
panto·pelágico, -polista, -ptero → PAN-.
pantufa *sf.* 'chinelo de estofo encorpado, para agasalho' 1881. Do fr. *pantoufle* || **pantufo** XV.
panturrilha *sf.* '(barriga da) perna' | *pantorilha* XVII | Do cast. *pantorilla*, deriv., provavelmente, do lat. *pantex -ĭcis* 'barriga' || EM**panturr**ADO XVI || EM**panturr**AR XVI || **panturra** 1813.
pão *sm.* 'alimento feito de massa de farinha de trigo e outros cereais, com água e fermento, que é assado ao forno' | *pam* XIII, *pan* XIII, *pã* XIII | Do lat. *pānis -e* || **pada** XVI. Do lat. **pānāta* || **pad**ARIA 1813 || **pad**EIRO | XIV, *paadeiro* XIII Do lat. vulg. **panatarium* (> **panadeiro* > *paadeiro* > *padeiro*) || **pad**E-JAR[2] XVI || **pan**ADO 1899. Do 1at. vulg. **panātum* || **pan**AR 1899 || **pan**ÍFERO XX || **pan**IFIC·AÇÃO 1873. Do fr. *panification* || **pan**IFIC·AR 1873. Do fr. *panifier* || **pan**IFÍC·IO XVII. Do lat. *pānificĭum -ĭī*.
papa[1] *sm.* 'o sucessor de São Pedro na chefia da Igreja católica' XIII. Do lat. *pāpās*, deriv. do gr. *páppas* || **pap**ADO XIV. Do lat. *papātus* || **pap**AL XV. Do lat. med. *papalis* || **pap**ÁVEL[2] 1813 || **pap**ISA | *papesa* 1813.
papa[2] → PAPAR.
papá → PAI.
papada → PAPAR.
papado → PAPA[1].
papagaio *sm.* 'ave da fam. dos psitaciformes, que imita a voz humana' | *papagay* XIII | De etimologia obscura; parece derivar do ar. *babbagâ*' || **papa**gaiADA XX || **papagai**AR 1813 || **papagai**EIRA XX || **papagu**EAR 1881.
papai → PAI.
papaia *sf.* 'fruto do mamoeiro' 'mamoeiro' XVI. Do cast. *papaya*, deriv. de um idioma da família caribe || **papa**ÍNA *sf.* '(Quím.) protease encontrada no mamão' 1899. Do fr. *papaïne*.
papal → PAPA[1].
papar — EM**papuç**·ADO | 1836 SC || EM**papuç**·AR | 1836 SC |.
papar *vb.* 'comer' 'extorquir' XIII. Do lat. *papāre* || EM**pap**ADO XVII || EM**pap**AR XVII || EM**papuç**·ADO 1844 || EM**papuç**·AR 1873 || **papa**[2] XIV || **pap**ADA 1813 || **pap**ALVO XVIII || **pap**ÃO 1813 || **pap**ARIC·AR 1881 || **pap**AR·ICO 1881 || **pap**ÁVEL[1] XX || **pap**EAR XVI || **pap**EIRA XVI || **pap**EIRO XVIII || **pap**I·AMENTO XX || **papi**·ÃO 1899 || **papo** XIV || **pap**UDO XVIII || **papuj**·AR 1899.
papável[2] → PAPAI.
papaverina *sf.* '(Quím.) alcaloide cristalino, incolor, encontrado no ópio' 1873. Do lat. cient. *papaverina*, deriv. do lat. *papaver -eris* + -INA [v. -INO (iv)].
pap·ear, -eira, -eiro → PAPAR.
papel *sm.* 'matéria extraída da celulose e utilizada para impressões' | XIV, *papell* XV | Do cat. *paper*, deriv. do lat. *papȳrus -ī* e, este, do gr. *pápyros* || EM**papel**ADO 1844 || EM**papel**AR 1844 || **papel**ADA XVII || **papel**ÃO 1813 || **papel**ARIA 1881 || **papel**ETA 1858 || **papel**O·CRAC·IA XX || **papel**OTE 1813. Do fr. *papillote* || **papel**UCHO 1881. Cp. PAPIRO.
⇨ **papel** — EM**papel**ADO | 1836 SC || EM**papel**AR | 1836 SC || **papel**ÃO | 1720 RB |.
pap·i·amento, -ão → PAPAR.
papila *sf.* '(Anat.) elevação conica do derma da pele e das mucosas de epitélio pavimentoso' | *papilla* 1873 | Do lat. *papila -ae* || **papil**AR | *papillar* 1858 || **papil**I·FORME | *papilliforme* 1873 || **papil**OMA | *papilloma* 1873 || **papil**OMAT·OSE XX || **papil**O·R·RETIN·ITE *sf.* '(Patol.) inflamação das papilas ópticas e da retina' XX.
papiro *sm.* 'grande erva da fam. das ciperáceas, das margens do rio Nilo, de cujas folhas se preparava o material próprio para escrever' XVII. Do lat. *papȳrus -ī*, deriv. do gr. *pápyros* || **papir**ÁCEO 1858. Do lat. *papȳrāceus* || **papirí**·FERO | *papyrífero* 1873 | Do lat. *papȳrifer -fěra -fěrum*. Cp. PAPEL.
⇨ **papiro** | XIV GREG 1.10.6 |.
papironga *sf.* '*bras.* logro, engano' 1813. Palavra expressiva.
papisa → PAPA[1].
papo → PAPAR.
papoula *sf.* 'planta herbácea da fam. das papaveráceas' XVI. Provavelmente do moçárabe *habapáura*, deriv. do lat. *papāver -ěris*.
páprica *sf.* 'tempero em pó, feito com pimentão vermelho' XX. Do fr. *paprika*, deriv. do húng. *paprika* e, este, do sérvio *paprika*.
papua *adj. s2g.* 'indivíduo dos papuas, negros naturais da Oceânia e espalhados na Nova Guiné, Novas Hébridas etc.' 'pertencente ou relativo a esses negros' XVI. Do malaio *pūah-pūah* 'crespo'.
pap·udo, -ujar → PAPAR.
pápula *sf.* 'elevação eruptiva circunscrita da pele, comumente de pequena dimensão, e sem líquido no interior' 1858. Do lat. *papŭla -ae*.
paquê *sm.* '(Tip.) conjunto de linhas de composição manual ou mecânica ainda não paginada, e que se ata com um fio para tirar prova' XX. Do fr. *paquet* || **paqu**ETE *sm.* 'embarcação pequena para transmissão de ordens e correspondência' 1707; na acepção chula de 'mênstruo', o voc. é de uso no Brasil; a translação de sentido decorre, sem dúvida, do fato de, tal como a embarcação, também ele acorrer em períodos regulares || **paque**BOTE XVIII. Do fr. *paquebot*, deriv. do ing. *packetboat*.
paqu·eiro, -inha → PACA.
paquete → PAQUÊ.
paqui- *elem. comp.*, do gr. *pachys* 'espesso, grosso', que já se documenta em vocs. formados no próprio grego, como *paquiderme*, e em muitos outros introduzidos na linguagem científica internacional, a partir do séc. XIX ▶ **paqui**BLEFAR·OSE *sf.* '(Patol.) espessidão do tecido das pálpebras' | *pachyblepharose* 1873 || **paqui**CÉFALO | *pachycéphalo* 1899 | Do

lat. cient. *pachycephalus* ‖ **paqui**DERME | *pachyderme* 1858 | Do lat. *pachydermus*, deriv. do gr. *pachýdermos* ‖ **paqui**FILO *adj.* '(Bot.) que tem folhas espessas' | *pachyphyllo* 1899 ‖ **paqui**GÁSTR·ICO *adj.* '(Zool) que tem o ventre muito grosso' | *pachygástrico* 1899 | Do lat. cient. *pachygastēr* ‖ **paqui**MENINGITE *sf.* '(Patol.) inflamação da dura-máter' | *pachymeningite* 1873 ‖ **paquí**METRO *sm.* 'instrumento de precisão para medida de espessuras, diâmetros e pequenas distâncias' XX ‖ **paqui**PLEURIS XX ‖ **paqui**R·RINO *adj. sm.* 'diz-se de, ou indivíduo de nariz grosso' XX. Do lat. cient. *pachyrrhīnus*, deriv. do gr. *pachȳrrhīin -īnos* ‖ **paquí**TRICO | *pachytrico* 1873 | Cp. gr. *pachythrix -trichos*.
paquife *sm.* '(Heráld.) ornatos que, nascendo do elmo, guarnecem o escudo de um lado e do outro' XVI. De etimologia obscura.
paqui·filo, -gástrico, -meningite, -metro, -pleuris, -rrino, -trico → PAQUI-.
par *adj. sm.* 'igual, semelhante' 'conjunto de dois seres' XIII. Do lat. *pār pāris*. O voc. ocorre com frequência, desde, o port. med., nas locuções *a par*, *a par de*, *de par com* etc. ‖ **ím**par 1813. Do lat. *impār -ăris* ‖ **pár**EO XV ‖ **par**IDADE XVII. Do lat. *parītas -ātis* ‖ **pari**FORME 1858 ‖ **par**IL·IDADE XVI. Do lat. *parilitās -ātis* ‖ **pari**PEN·ADA XX ‖ **par**IS·SÍLABO | *parisýllabo* 1899 ‖ **par**ITÁRIO XX.
⇨ **par** — **pari**FORME | 1836 SC |.
para *prep.* | XVI, *pera* XIII | Do lat. *per ad*, através da var. ant. *pera*, muito frequente em textos portugueses medievais; só a partir de meados do séc. XVII é que a forma atual *para* começa a suplantar a antiga *pera*.
par(a)- *elem. comp.*, deriv. do gr. *para-*, de *pará* 'ao lado de' 'da parte de', que se documenta em numerosos compostos portugueses eruditos, 'alguns já formados no próprio grego (*parábase*, *paracêntese* etc.) e outros introduzidos na linguagem científica internacional, a partir do séc. XIX (*parabiose*, *paracarpo* etc.).
-para (-paro) *elem. comp.*, deriv. do lat. *-părus -a -um*, de *parĕre* 'parir, gerar, produzir', que se documenta em alguns vocs. port. eruditos, como *nulípara, ovíparo, vivíparo* etc.
parábase *sf.* '(Teat.) na antiga tragédia grega, o momento dramático em que os membros do coro recobravam suas verdadeiras personalidades e se dirigiam aos espectadores' 1899. Do lat. tard. *parabasis*, deriv. do gr. *parábasis*.
parabém, parabéns *sm. (pl.)* 'felicitações, congratulações' 1813. Aglutinação da preposição PARA com o substantivo BEM.
parabiose *sf.* 'união de indivíduos vivos, quer natural, quer provocada por ato cirúrgico' XX. Do lat. cient. *parabiosis*, de PAR(A)- e do gr. *bíosis* 'vida'.
parablasto *sm.* '(Embr.) a camada média dos folhetos embrionários' 1899. De PAR(A)- e o gr. *-blastós* 'gérmen', por via erudita.
parábola¹ *sf.* 'narração alegórica na qual o conjunto de elementos evoca, por comparação, outras de ordem superior' 1813. Do lat. *parăbŏla*, deriv. do gr. *parabolḗ* ‖ **parábola**² *sf.* '(Geom.) curva plana do segundo grau, lugar geométrico dos pontos equidistantes de um ponto fixo e de uma reta fixa' 1813 ‖ **parabólico** 1813 ‖ **paraboloide** 1873.

paracarpo *sm.* '(Bot.) ovário abortado' 1873. Voc. criado por Link, do lat. cient. *paracarpium*, de PAR(A)- e o gr. *karpós* 'fruto'.
paracêntese *sf.* '(Cir.) qualquer operação com que se faz evacuar um líquido acumulado em uma cavidade natural do organismo' | *paracentesis* 1813 | Do lat. cient. *paracentēsis*, deriv. do gr. *parakéntēsis*.
paraciesia *sf.* '(Med.) gravidez extrauterina' | *paracyesia* 1873 | Do lat. cient. *paracyēsis*, de PAR(A)- e o gr. *kyēsis* 'gravidez'.
paracinesia *sf.* '(Patol.) afecção da qual resulta realização deformada de atos motores voluntários' XX. Do fr. *parakinésie*, de PAR(A)- e o gr. *kīnēsis* 'movimento'.
paráclase *sf.* '(Geol.) falha, plano de separação que se forma entre blocos de uma rocha em consequência do deslocamento desta, por ocasião dos movimentos tectônicos' XX. De PAR(A)- e o gr. *-klásis* 'fratura', por via erudita.
paracleto *sm.* 'designativo aplicado a Cristo e especialmente ao Espírito Santo' | XVII, *paraclito* XVI | Do lat. *paraclētus -ī*, deriv. do gr. *paráklētos*.
paracmástico *adj.* '(Med.) que principia a diminuir (falando-se de doenças)' 1813. Cp. gr. *parakmastikós*.
paracusia *sf.* '(Patol.) audição alterada' 1899. Cp. gr. *parákousis*.
parada → PARAR.
paradáctilo *sm.* '(Zool.) a parte lateral dos dedos das aves' | *paradactylo* 1873 | De PAR(A)- e o gr. *-daktylos* 'dedo', por via erudita.
paradeiro → PARAR.
paradigma *sm.* 'modelo, padrão, estalão' XVIII. Do lat. tard. *paradīgma -atis*, deriv. do gr. *parádeigma -atos*.
paradisíaco → PARAÍSO.
parado → PARAR.
paradoxo *adj. sm.* 'conceito que é ou parece contrário ao comum' | *paradoxa* f. XVI | Do lat. *paradoxon -ī*, deriv. do gr. *parádoxos* ‖ **paradox**AL 1873.
⇨ **paradoxo** — **paradox**AL | 1836 SC |.
paraense *adj. sm.* 'do, ou relativo, ou o habitante do Pará' XX. Do top. *Pará* + -ENSE.
paraestatal → ESTADO.
parafernal (-ais) *adj. sf. (pl.)* 'bens que, no regime dotal do casamento, constituem propriedade da mulher, que sobre eles exerce administração, gozo e livre disponibilidade' | *paraphernal* XVII | Do lat. med. *paraphernālis*, deriv. do gr. *parápherna*.
parafimose *sf.* '(Patol.) estrangulamento da base da glande do pênis pelo prepúcio, quando o orifício prepucial é muito estreito' | *paraphimosi* 1813 | Do lat. cient. *paraphīmōsis*, deriv. do gr. *paraphīmōsis*.
parafina *sf.* '(Quím.) designação genérica dos hidrocarbonetos saturados' XX. Do fr. *paraffine*, deriv. do al. *Paraffin*, voc. introduzido na linguagem científica internacional por Reichenbach, em 1830, com base no lat. *parum affīnis* 'de muito pouca afinidade', em alusão à pequena afinidade que as parafinas têm com as outras substâncias.
paráfise *sf.* '(Bot.) hifa estéril que se encontra, entre os ascos e basídios, no himênio de fungos e líquens' | *paraphyse* 1873 | Cp. gr. *paráphysis*.

parafonia *sf.* 'defeito da voz, que consiste em um timbre desagradável' | *paraphonia* 1873 | Do lat. cient. *paraphōnia*, deriv. do gr. *paraphōné*.
paráfrase *sf.* 'desenvolvimento do texto de um livro ou de um documento, conservando-se as ideias originais' 'metáfrase' | 1813, *paraphrase* 1780 | Do fr. *paraphrase*, deriv. do gr. *paráphrasis* || **parafrase**AR 1813.
parafrasta *s2g.* 'autor de paráfrases' | *parafraste* XVII | Do lat. *paraphrastēs -ae*, deriv. do gr. *paraphrastḗs* || **parafrást**ICO 1813. Cp. gr. *paraphrastikós*.
parafrenia *sf.* '(Patol.) demência precoce' XX. De PAR(A)- e o gr. *phrén* 'mente', por via erudita.
parafuso *sm.* 'peça de madeira, marfim, metal etc., lavrada por um ângulo sólido espiral, pelo qual se prende a porca' | *perafuso* XIII | De etimologia obscura. || A**parafus**AR XX || DES·A**parafus**AR 1881 || **parafus**ADOR 1858 || **parafus**AR XVI.
⇨ **parafuso** — **parafus**ADOR | 1836 SC |.
paragão *sm.* 'semelhança, comparação, confronto' XVII. Do it. *paragóne*.
paragem → PARAR.
paragoge *sf.* '(Gram.) adição de fonema(s) no fim de uma palavra' XVI. Do fr. *paragoge*, deriv. do gr. *paragōgḗ*.
parágrafo *sm.* 'seção de discurso ou de capítulo que forma sentido completo, e que usualmente se inicia com a mudança de linha e entrada' 'sinal que separa tais seções' | *paragrapho* XVII | Do lat. med. *paragraphus*, deriv. do gr. *parágraphos* || **paragraf**AR | *parragrafar* XV.
⇨ **parágrafo** | 1614 SGONÇ II. 212.*14*, *parrafo* 1573 GLeão 134.*19* |.
paraguaio *adj. sm.* 'do, ou pertencente, ou o habitante do Paraguai' XX. Do top. *Paraguai*. A forma *paraguayano* ocorre em 1899.
paraibano *adj. sm.* 'de, ou pertencente ou habitante da Paraíba' | *parahybano* 1899 | Do top. *Paraíba* + -ANO.
paraíso *sm.* 'lugar de delícias, céu, éden' | -*yso* XIII, -*eiso* XIII | Do lat. *părădīsus -ī*, deriv. do gr. *parádeisos* e, este, do persa *pairidaēza* || **paradisí**ACO 1881. Do lat. *paradisiăcus*.
paralaxe *sf.* 'ângulo sob o qual seria visto de um astro um comprimento igual ao raio da Terra' 1813. Do fr. *parallaxe*, deriv. do lat. cient. *parallaxis* e, este, do gr. *parállaxis* || **paralát**ICO | *parallactico* 1899 | Do fr. *parallactique*, deriv. do gr. *parallaktikós*.
paralelo *adj.* 'diz-se de linhas ou superfícies equidistantes em toda a extensão'; *sm.* '(Geogr.) cada um dos círculos menores da esfera perpendiculares ao meridiano' | *parállelo* XVI | Do lat. *parallēlus*, deriv. do gr. *parállēlos*, formado de *pará* e *allḗlōn*, reduplicação de *állos* 'outros' || **paralela** *sf.* | *parallela* 1873 || **paralelepípedo** | *parallelepipedo* 1813 | Do lat. tard. *parallēlepipedum*, deriv. do gr. *parallēlepípedon* || **paralelí**·GERO *sm.* '(Zool.) casta de aranhas que têm os olhos em duas linhas paralelas' | *paralleligero* 1899 || **paraleli**·NÉRVEO | *parallelinerveo* 1899 | Do lat. cient. *parallēlinervius* || **paraleli**SMO | *parallelismo* 1813 || **paralelo**GRAMA *sm.*, '(Geom.) quadrilátero cujos lados opostos são iguais e paralelos' | *parallelo-*

grammo 1813 | Do lat. tard. *parallēlogrammum*, deriv. do gr. *parallēlógrammon*.
⇨ **paralelo** — **paralelepípedo** | 1680 *in* RB |.
paralheiro *sm.* 'recipiente em que, nos engenhos de açúcar, se baldeia o melaço' 1813. De etimologia obscura.
parálio *adj.* 'próximo do mar' XX. Do lat. *paralĭus -a -um*, deriv. do gr. *parálios*.
paralipse *sf.* '(Ret.) preterição' 1873. Do lat. tard. *paralipsis*, deriv. do gr. *paráleipsis*.
paralisar *vb.* 'entorpecer, tornar inerte' | *paralysar* 1844 | Adaptação do fr. *paralyser* || **paralis**AÇÃO XX || **paralis**IA | *parelisia* XIV, *parlisia* XIV etc. | Do fr. *paralysie*, deriv. do lat. *paralĭsis -is* e, este, do gr. *parálysis* || **paralít**ICO XIII. Do lat. *paralytĭcus -ī*, deriv. do gr. *paralytikós*.
⇨ **paralisar** | 1836 SC, -*ly*- 1836 SC |.
paralogismo *sm.* '(Fil.) raciocínio falso' 1813. Do lat. tard. *paralogismus*, deriv. do gr. *paralogismós*.
paramento *sm.* 'adorno, enfeite' XIII. Do lat. tard. *parāmentum* || **parament**AR XVI.
⇨ **paramento** — A**parament**ADO | *apparamentado* 1614 SGONÇ II. 328.*21* |.
paramétrio *sm.* '(Anat.) tecido frouxo que circunda o útero' XX. De PAR(A)- e o gr. *métra* 'útero', por via erudita.
parâmetro *sm.* '(Mat.) modelo' XVIII. De PAR(A)- e METRO, por via erudita || **paramétr**ICO 1873.
paramnésia *sf.* 'perturbação da memória em que as palavras são relembradas fora do seu significado exato' 1873. De PAR(A)- e o gr. *mnêsis* 'memória', por via erudita.
páramo *sm.* 'planície deserta' 'abóboda celeste' XVI. Do lat. hisp. *parămus*, deriv. de uma língua pré-romana, provavelmente.
paramorfismo *sm.* 'transformação de um mineral em outro sem mudança de composição química, alternando-se apenas a estrutura cristalina' XX. De -PAR(A)- e o gr. *morphé* 'forma', por via erudita.
paranaense *adj. s2g.* 'de, ou relativo ou o habitante do Paraná' 1899. Do top. *Paraná* + -ENSE.
parangona *sf.* '(Tip.) alinhamento de tipos de corpo diverso' 1813. Do cast. *parangón*, deriv. do it. *paragone*. Cp. PARAGÃO.
paraninfo *sm.* 'padrinho' | *paranympho* 1813 | Do lat. tard. *paranymphus*, deriv. do gr. *paránymphos* || **paraninf**AR | *paranymphar* 1813.
paranoia *sf.* '(Patol.) doença mental que desenvolve a ideia de perseguição, grandeza e reivindicação' 1898. Do lat. cient. *paranoea*, deriv. do gr. *paránoia* || **parano**ICO 1899.
parapeito *sm.* 'muro, parede' 181.3. Do fr. *parapet*, deriv. do it. *parapetto*.
⇨ **parapeito** | 1647 *in* ZT, 1660 FMMelE 384.*4*, *parapeto* 1649 *in* GFer 157.*35* |.
paraplegia *sf.* '(Patol.) paralisia dos membros inferiores, que compromete parcialmente também o tronco' 1873. Do lat. cient. *paraplēgia*, deriv. do gr. *paraplēgía*.
paraplexia *sf.* '(Patol.) defeito de que resulta o paciente tresler, substituindo por vocábulos sem sentido as palavras escritas' 1873. Do lat. tard. *paraplēxia*, deriv. do gr. *paraplēxía*.
parapsicolog·ia, -ico → PSIC(O)-, PSIQU(E)-.

parar *vb*, 'cessar, deter-se' XIII. Do lat. *părāre* ‖ ANTE**parar** XV ‖ ANTE**paro** XVI ‖ DE**parar** XVI ‖ par**ADA** XVI ‖ par**AD·EIRO** XVI ‖ par**ADO** XIII ‖ par**AGEM** XVI ‖ para**QUEDAS** 1881 ‖ **para-RAIOS** 1881 ‖ par**ÁVEL** 1844.
⇨ **parar** — **para-RAIOS** | *para-raio* 1859 *in* ZT ‖ par**ÁVEL** | 1836 SC |.
parari *sf.* 'pomba da fam. dos peristerídeos' | 1781, *pairari* 1587 etc. | Do tupi *paira'ri*.
parartrema *sm.* '(Med.) luxação incompleta' | *parartremó* 1873 | Do lat. cient. *pararthrēma -atis*, deriv. do gr. *parárthrēma -atos*.
parasanga *sf.* 'medida itinerária da Pérsia, equivalente a cerca de 5.250 metros' | *farçanga* XVI | Do lat. tard. *părăsanga*, deriv. do gr. *parasággēs* e, este, do persa *farsang*. A var. ant. *farçanga* deriva imediatamente do persa.
parasceve *sf.* 'entre os judeus, a sexta-feira, dia em que se preparavam para celebrar o sábado' XVII. Do lat. ecles. *parascēuē -es*, deriv. do gr. *paraskeuḗ*.
parasita *s2g.* 'animal ou vegetal que se nutre das energias do outro'; *adj. 2g.* 'que nasce ou cresce em outros corpos organizados' 1881. Do fr. *parasite*, deriv. do lat. *parasītus -ī* e, este, do gr. *parásitos* ‖ **parasit**AÇÃO XX ‖ **parasit**AR XX. Do lat. *parasitarī* ‖ **parasit**ÁRIO 1873 ‖ **parasiti·CIDA** 1873 ‖ **parasit**ICO 1813, Do lat. *parasitĭcus -a -um* ‖ **parasití·FERO** 1899 ‖ **parasit**ISMO 1858 ‖ **parasito** 1813 ‖ **parasito·GEN·IA** 1813 ‖ **parasito·LOG·IA** XX.
parasselene *sm.* 'meteoro luminoso que se mostra juntamente com halo e parece multiplicar a imagem da lua' | *paraselene* 1813 | De PAR(A)- e o gr. *selēnē* 'lua', por via erudita.
parastilo *sm.* '(Bot.) pistilo abortado, ou órgão que parece pistilo mas não exerce as funções deste' | *parástylo* 1899 | Do fr. *parastyles*, de PAR(A)- e o gr. *stylos* 'coluna (pistilo)'.
parataxe *sf.* 'colocação de proposições ou cláusulas lado a lado, sem conectivo' XX. Do fr. *para taxe*, deriv. do gr. *parátaxis*.
parati[1] *sm.* 'peixe da fam. dos mugilídeos, espécie de tainha' 1587. Do tupi *para'ti* ‖ **parati**[2] *sm.* 'variedade de mandioca' 1587 ‖ **parati**[3] *sm.* 'aguardente' 1890. Do top. *Parati* 'cidade do Estado do Rio de Janeiro' (< *parati*[1]).
paratifo *sm.* '(Patol.) doença infecciosa próxima à febre tifoide e originada pelos bacilos paratíficos' XX. Do lat. cient. *paratȳphum*.
parau *sm*, 'antiga embarcação oriental' | *paró* XVI, *paraao* XVI | Do malaio *p(e)rāhu*, deriv. do dravídico *padavu*.
parauquene *sm.* '(Zool.) a parte lateral do pescoço dos mamíferos e das aves' | *parauchene* 1899 | De PAR(A)- e o gr. *auchḗn* 'pescoço'.
parável → PARAR.
parazônio *sm.* 'espada curta, com boldrié, usada pelos antigos gregos e romanos' 1899. Do lat. *parazōnĭum -ī*, deriv. do gr. *parazônion*.
parca *sf.* 'cada uma das três deusas que, segundo a mitologia, fiavam, dobavam e cortavam o fio da vida' XVI. Do lat. *parca -ae*.
parceiro *adj.* 'igual, semelhante'; *sm*, 'aquele que está de parceria' XIII. Do lat. *partiārĭus -a -um* ‖ EM**parceir**AR 1881 ‖ **parceria** | XIII, *parçaria* XIV ‖ **parciário** 1873. Do lat. *partiārĭus -a -um*. Cp. PARTIR.

parcel *sm.* '*orig.* planalto submarino' 'escolho, recife' XVI. Do cast. ant. *placel* (hoje *placer*).
parcela *sf.* 'pequena parte' | *parcella* 1813 | Do fr. *parcelle*, deriv. do lat. **particella*, de *particŭla*, dim. de *pars partis* ‖ IM**parci**AL XVIII ‖ IM**parciAL·IDADE** XVIII ‖ **parcel**AR | *parcellar* 1881 ‖ **parci**AL XVII. Do lat. tard. *partialis* ‖ **parciAL·IDADE** XVI.
⇨ **parcela** — **parci**AL | XV BENF 177.*8* |.
parceria → PARCEIRO.
parcha *sf.* 'casulo onde morreu de doença o bicho-da-seda' 1881. De etimologia obscura,
parche *sm.* 'pano barrado de unguento, ou embebido nalgum líquido, que se aplica sobre uma parte doente do corpo para combater a dor ou a inflamação' XVII. Do fr. ant. *parche*, deriv. do lat. *parthĭca (pellis)* '(couro) do país dos Partos'.
parcial, -idade → PARCELA.
parciário → PARCEIRO.
parcimônia *sf.* 'ato ou costume de economizar' XVI. Do lat. *parcimōnĭa -ae* ‖ **parcimoni**OSO 1881.
parco *adj.* 'que poupa' 'simples, frugal' XVI. Do lat. *parcus -ī*.
pardacento → PARDO.
pardal *sm.* 'ave passeriforme da fam. dos ploceídeos' XV. De etimologia obscura ‖ **pardoca** 1813. Cp. PARDO.
⇨ **pardal** | XIV ORTO 295.*20*, *pardaes* pl. XIV AVES XXVI. 17 |.
pardau *sm*, 'moeda antiga da Índia portuguesa' | *pardao* XVI | De origem oriental, provavelmente do neoárico *partāp*, *pardāp*, alteração do sânscr. *pratāpa*.
pardieiro *sm.* 'edifício em ruínas' | XIV, *paredeeyro* XIII, *pardiñeyro* XVI | Do lat. **paretinārĭus*, por *parietinārĭus*, de *parietinus* 'de parede'.
pardo *adj. sm.* 'de cor entre o branco e o preto' 'mulato' XVII. Do lat. *pardus* ‖ **pard**AC·ENTO 1881.
⇨ **pardo** | XIV ORTO 324.*20* |.
pardoca → PARDAL.
páreas *sf. pl.* 'tributo que, em reconhecimento de vassalagem, um soberano ou um Estado pagava a outro' | XVI, *parias* XVI, *paryas* XIV | Dev. de **pariar*, do lat. tard. *pariāre* 'igualar'.
parecer *vb.* '*ant.* aparecer' XIII; 'semelhar' XIII. Do lat. **parēscĕre* ‖ **parec**ENÇA | *pareceença* XV ‖ **pa**rec**ENTE** | *parescēte* XIV, *pareçente* XV.
paréctase *sf.* '(Gram.) adjunção de elementos fônicos, intermediários, para tornar eufônica uma palavra' 1899. Cp. gr. *paréktasis*.
parede *sf.* 'obra de alvenaria ou de outro material, que forma os vedos externos e as divisões internas dos edifícios' XIII. Do lat. vulg. **părĕtem*, de *paries -ĕtis* ‖ EM**pared**AR XVII ‖ **pared**ÃO XVII ‖ **parietal** XVII. Do lat. tard. *parietalis*.
paredro *sm.* 'mentor, conselheiro, guia' XVIII. Do lat. *parĕdros -ī*. deriv. do gr. *páredros*.
paregórico *adj.* 'calmante, anódino' 1873. Do lat. tard. *parēgoricus*, deriv. do gr. *parēgorikós* ‖ **paregor**IA 1899.
parelha *sf.* '*ant.* mulher legítima' 'par' | XII, *-ella* XIII | Do lat. vulg. **pariculus -a*, dim. de *par* ‖ EM**parelh**AMENTO 1813 ‖ EM**parelh**AR XV ‖ **parelh**AR XIV ‖ **parelh**EIRA XX. Cp. APARELHAR.
parélio *sm.* '(Astron.) meteoro luminoso que se mostra juntamente com o halo e parece multipli-

car a imagem do Sol' 1813. Do lat. *par(h)ēlion -ī*, deriv. do gr. *parélion*.
parêmbole *sf.* (Gram.) espécie de parêntese em que o sentido da frase incidente apresenta relação direta com o assunto da frase principal' 1899: Cp. gr. *parembolé*.
parêmia *sf.* 'breve alegoria, provérbio' XVII. Do lat. tard. *paroemia*, deriv. do gr. *paroimía* ‖ **pare**-**mí**ACO 1899. Do lat. tard. *paroemiacus*, deriv. do gr. *paroimiakós* ‖ **paremió**·GRAFO | *-pho* 1881 ‖ **paremio**LOG·IA 1873.
parencéfalo *sm.* '(Anat.) cerebelo' | *-pha-* 1873 | Do lat. cient. *parencephalus*, deriv. do gr. *paregkephalís -idos* ‖ **parencefalo**CELE | *-pha-* 1873.
parênese *sf.* 'discurso moral, exortação' XVII. Do lat. tard. *paraenesis*, deriv. do gr. *paráinesis* ‖ **pa**-**renét**ICO XVII. Cp. gr. *parainetikós*.
parênquima *sm.* '(Anat.) tecido constituído de células diferenciadas e dotado de uma função específica' | *parenquyma* 1813 | Do lat. científico *parenchyma*, deriv. do gr. *parégchyma -atos*.
parente *s2g.* 'pessoa que, em relação a outra(s), pertence à mesma família, quer pelo sangue, quer pelo casamento' XIII. Do lat. *parēns -ēntis* | A**parent**ADO XVI ‖ A**parent**AR XVI ‖ CONTRA**parente** 1813 ‖ EM**parent**ADO | *en-* XIII ‖ **parenta** XIII ‖ **pa**-**rent**ADO XIV ‖ **parent**AL 1899. Do lat. *parentālis -e* ‖ **parent**ELA XVI. Do lat. *parentēla* ‖ **parent**ES-CO XIII.
parêntese *sm.* 'frase que se intercala num período, ou período(s) que se intercala(m) num texto, e que forma(m) sentido(s) à parte' | *parenthesis* 1813 | Do lat. tard. *parenthesis*, deriv. do gr. *parénthesis* ‖ **parent**ÉT·ICO | *parenthético* 1899.
páreo → PAR.
paresia *sf.* '(Patot.) paralisia de nervo ou músculo que não perdeu toda a sensibilidade e o movimento' 1858. Do fr. *parésie*, deriv. do gr. *páresis*.
parestatal → ESTADO.
parestesia *sf.* '(Patol.) desordem nervosa caracterizada por sensações anormais e alucinações sensoriais' XX. De PAR(A)- e o gr. *aísthēsis* 'sensação', por via erudita.
pargasita *sf.* '(Min.) mineral monoclínico do grupo dos anfibólios, variedade de hornblenda' 1899. Do al. *Pargasit*, deriv. do top. *Pargas* (Finlândia).
pargo *sm.* 'peixe teleósteo, percomorfo, da fam. dos esparídeos' XIII. Do lat. *pagur -ūris*, deriv. do gr. *phágros*.
pari *sm.* 'barragem de madeira, espécie de armadilha para apanhar peixe' 1895. Do tupi *pa'ri*.
pária *sm.* 'orig. uma das castas da Índia, perfeitamente definida, e que não é a última nem das últimas' '*modernamente*, designa o voc. a mais baixa casta, constituída pelos indivíduos privados de todos os direitos' | *parcens* (sic) pl. XVI, *pareás* pl. XVII | Do tamul *paraiyar*.
pariambo *sm,* 'pé de verso grego ou latino constituído de duas sílabas breves' 1899. Cp. gr. *paríambos*.
paricá *sm.* 'planta da fam. das leguminosas, espécie de tabaco' *c* 1698. Do tupi **pari'ka*.
parição → PARIR.
paridade → PAR.
parietal → PAREDE.

parietária *sf.* 'erva da fam. das urticáceas, cultivada em jarros como ornamental' | *parjtarja* XIV | Do lat. tard. *parietāria*.
par·iforme, -ilidade → PAR.
pariparoba *sf.* 'planta da fam. das piperáceas' 1813. Do tupi **paripa'roua*.
paripenada → PAR.
parir *vb.* 'dar à luz, expelir do útero, gerar XIII. Do lat. *parĕre*, com mudança de conjugação ‖ **par**ICÃO | *-çõ* XIII.
par·issílabo, -itário → PAR.
parlament·ar, -arismo, -arista, -ear, -o, parl·ar, -atório, -enda → PAROLA.
parmesão *adj. sm.* 'de, ou pertencente, ou indivíduo natural de Parma'. 'diz-se de um tipo de queijo originariamente fabricado em Parma' | (*queijo*) *parmesano* 1556 | Do it. *parmigiano*.
parnaíba *sf.* 'faca estreita e comprida' | *-hiba* 1875, *-hyba* 1876 | Do top. *Parnaíba* 'cidade do Estado do Piauí' (< tupi **parana'ĩua*).
parnaso *sm.* 'montanha da Grécia antiga, consagrada a Apolo e às musas' 'a poesia' 1844. Do lat. *Parnas(s)us*, deriv. do gr. *Parnāsós* | **parnas**IAN·ISMO 1899 ‖ **parnas**IAN·ISTA XX ‖ **par**-**nas**IANO 1899. Do fr. *parnassien*.
⇨ **parnaso** | 1836 SC, *-sso* 1836 SC |.
-paro → -PARA.
pároco *sm.* 'sacerdote encarregado de uma paróquia, vigário' XVII. Do lat. *parŏchus -ī*, deriv. do gr. *párochos* ‖ **paróqu**IA | *parrochia* XIV | Do lat. tard. *parochia (paroecia)*, deriv. do gr. *paroikía* ‖ **paroqui**AL | *parrochiaaes* pl. XIV, *-ales* pl. XV | Do lat. ecles. *parochiālis* ‖ **paroqui**ANO | *parrochiano* XV.
paródia *sf.* 'imitação (cômica) de uma composição literária' 1833. Do lat. tard. *parōdia*, deriv. do gr. *parō(i)día* ‖ **parodi**AR 1873.
parodinia *sf.* '(Med.) parto difícil' XX. De PAR(A)- e o gr. *odis -ínos* 'dores de parto', por via erudita.
parodonte *sm.* '(Patol.) tubérculo doloroso nas gengivas' XX. De PAR(A)- e o gr. *odoús -óntos* 'dente', por via erudita.
parol *sm.* 'manjedoura, cocho' 'recipiente onde se ajunta o caldo de cana' 1813. Do cast. *perol*.
parola *sf.* 'conversa sem consequência ou compromisso' XVI. Do it. *parola*, deriv. do gr. *părắbŏla* e, este, do gr. *parabolé* ‖ **palra** | *-rra* XV ‖ **palr**A-DOR XVIII ‖ **palr**AR XV ‖ **palr**EIR·ICE | *palrerice* XV ‖ **palr**EIRO | *parleira* f. XIII ‖ **parlamentar** 1844. Do fr. *parlamentaire* ‖ **parlamentar**ISMO 1881. Do fr. *parlamentarisme* ‖ **parlamentar**ISTA 1899 ‖ **parla**-**ment**EAR 1813 ‖ **parlament**O XV. Do fr. *parlement* ‖ **parl**AR | *parllar* XIII ‖ Do lat. tard. *parabolāre* ‖ **parl**AT·ÓRIO 1813. No port. med., na mesma acepção de *parlatório*, ocorre a forma *parlador* (séc. XIII) ‖ **parl**ENDA *sf.* 'palavreado' 'discussão importuna' | XVIII, *parlanda* 1687, *perlenga* 1890 ‖ **parol**AGEM XVI ‖ **parol**AR XVII ‖ **parol**EIRO 1813 ‖ **parol**IM 1813. Do cast. *păroli*. Cp. PALAVRA.
⇨ **parola** — **parl**AT·ÓRIO | *palrrotoryo* XIV ORTO 331.3 |.
parônimo *adj. sm.* 'diz-se dos, ou vocábulos que têm som semelhante ao de outros' | *paronymo* 1873 | Do lat. tard. *paronymum*, deriv. do gr. *parṓnymon* ‖ **paroním**IA | *paronymia* 1873.

paroníquia *sf.* 'gênero de plantas da fam. das cariofiláceas que tinham, a crer nos antigos, a virtude de curar o panarício' 1873. Do lat. cient. *paronychia*, deriv. do gr. *parōnychis*.
paronomásia *sf.* 'semelhança entre palavras de línguas diferentes' '(Ret.) emprego de palavras semelhantes no som e diversas na significação' 1873. Do lat. tard. *paronomasia*, deriv. do gr. *paronomasía*.
paropsia *sf.* '(Patol.) designação genérica dos defeitos da vista' 1873. De PAR(A)- e o gr. *ópsis* 'vista', por via erudita.
paróqu·ia, -ial → PÁROCO.
parótida, parótide *sf.* '(Anat.) cada uma das glândulas salivares localizadas abaixo e por diante das orelhas' 1813. Do lat. *parōtis -ĭdis*, deriv. do gr. *parōtis -idos*.
paroxismo *sm.* '(Med.) estágio duma doença, ou dum estado mórbido, em que os sintomas se manifestam com maior intensidade' '*fig.* auge, apogeu' XVI. Do lat. cient. *paroxysmus*, deriv. do gr. *paroxysmós*.
paroxítono *adj. sm.* '(Gram.) diz-se do vocábulo que tem o acento tônico na penúltima sílaba' | *paroxytono* 1899 | Do fr. *paroxyton*, deriv. do gr. *paroxýtonos*.
parque *sm.* '*orig.* bosque cercado onde há caça' 'terreno arborizado que circunda uma propriedade' 'jardim público' XVI. Do fr. *parc*, deriv. do b. lat. *parricum* || **parqueA·MENTO** *sm.* 'estacionamento para veículos (automóveis)' XX. Neologismo criado modernamente para traduzir o ing. *parking* || **parqueAR** XX || **parquíMETRO** XX.
parquete *sm.* 'soalho cujos tacos formam desenhos' 1899. Do fr. *parquet*.
parquímetro → PARQUE.
parra *sf.* 'folha de videira' XVI. De etimologia obscura || **parrEIRA** XVI || **parrILHA** *adj. 2g. sf.* 1813.
parrésia *sf.* '(Ret.) afirmação ousada, atrevimento oratório' | *parrhesia* 1881 | Do lat. med. *parrhesia*, deriv. do gr. *parrhēsía*.
parricida *s2g.* 'pessoa que matou o pai, a mãe ou qualquer dos ascendentes' XVI. Do lat. *pār(r)icīda -ae* || **parricídIO** 1813. Do lat. *parricīdĭum -ĭī*.
parrilha → PARRA.
parse *adj. s2g.* 'pertencente ou relativo aos parses, antigos persas zoroastristas que emigraram para a Índia' | *parseos* pl. XVI | Do persa *pārsī*, deriv. de *pārs* 'Pérsia'.
partasana *sf.* '*ant.* alabarda de infantaria, aguda e larga' | *partesana* XVI | Do it. *partigiana*.
parte → PARTIR.
part·eira, -eiro, -ejar → PARTO¹.
parteno- *elem. comp.*, do gr. *parthénos* 'virgem, não fecundado', que se documenta em alguns vocábulos introduzidos na linguagem científica internacional, a partir do séc. XIX ♦ **partenoGÊNESE** *sf.* '(Bot.) desenvolvimento do óvulo não fecundado, de que resulta um indivíduo como os outros' | *parthenogenesia* 1873 || **partenoGENÉT·ICO** | *parthenogenético* 1899 || **partenoLOG·IA** | *-th-* 1899 || **partenoMANC·IA** XX || **partenoMANTE** XX || **partenopeu** | *parthenopeu* 1899 | Do lat. *parthenopaeus*, deriv. do gr. *parthenopéios*.
partição → PARTIR.

participar *vb.* 'fazer parte de, tomar parte em' 'fazer saber, informar, anunciar' XIV. Do lat. *participāre* || **participAÇÃO** XVI. Do lat. *participātĭō -ōnis* || **participANTE** 1525 || **partícipe** XVII. Do lat. *particeps -cĭpis* || **participI·AL** 1881. Do lat. *participiālis -e* || **particípIO** XVI. Do lat. *participĭum -ĭī*. Cp. PARTIR.
⇨ **participar** — **participAÇÃO** | *partiçipaçom* XV BENF 71.*12* || **participADOR** | *-çi-* XV BENF 108.*26* |.
pártico *adj.* 'pertencente ou relativo aos partos, povo asiático' 1873. Do lat. *parthĭcus -a -um*.
partícula → PARTIR.
particular *adj. 2g. sm.* 'peculiar, próprio' 'singularidade, caso ou circunstância especial' XV. Do lat. *particulāris -e* || **particularIDADE** XVI. Do lat. tard. *particularitas* || **particularIZ·AÇÃO** XX || **particularIZAR** XVI. Cp. PARTIR.
partir *vb.* 'dividir em partes' 'proceder' 'ir embora' XIII. Do lat. *partīre* || **ApartADO·IÇO** XIV || **ApartADO** XIII || **ApartADOR** 1813 || **ApartAMENTO** XV || **ApartAR** XIII || **Aparte** XIV || **ApartEAR** XX || **COMpartILH·AR** 1881 || **COMpartIMENTO** XVI || **COMpartIR** | *cō-* XIII || **parte** XIII. Do lat. *pars pārtĭs* || **partIÇÃO** | *-çon* XIII, *-çom* XII etc. | Do lat. *partītĭo -ōnis* || **partícula** XVI. Do lat. *particŭla -ae* || **partIDA** *sf.* 'divisão' XIII; 'despedida' XIV || **partID·ÁRIO** XVIII || **partID·AR·ISMO** 1899 || **partID·AR·ISTA** 1899 || **partIDO** XVI. Do part. *partitus*, deriv. do lat. *partīre* || **partILHA** XVI. Forma divergente de *partícula*, deriv. do lat. *particŭla -ae* || **partILH·AR** 1881 || **partIMENTO** XIII || **partITA** XX. Do it. *partita* || **partIT·IVO** 1858. Do fr. *partitif* || **partIT·URA** 1813. Do it. *partitura* || **partÍVEL** | *partibell* XV | Do lat. *partibĭlis -e* || **REpartIÇÃO** | *rrepartiçom* XV || **REpartIDOR** XX || **REpartIMENTO** XIV || **REpartIR** | *rrepartir* XV | Do fr. *répartir*.
⇨ **partir** — **partIDOR** 'repartidor' | XV BENF 144.*7* |.
parto¹ *sm.* 'ação de parir' XIII. Do lat. *partus* || **partEIRA** XVI || **partEIRO** 1813 || **partEJAR** 1813 || **parturIÇÃO** 1858. Do lat. *parturītĭō -ōnis* || **parturiente** 1813. Do lat. *parturiēns -entis*.
parto² *adj. sm.* 'da, ou pertencente, ou natural da Pártia, antiga região correspondente, mais ou menos, ao atual Coraçá (Irã)' | *partho* 1525 | Do lat. *parthus -a -um*.
⇨ **parto²** | *partho* XIV TEST 418.*8* |.
partur·ição, -iente → PARTO¹.
paru *sm.* 'peixe da fam. dos estromateídeos' *c* 1631. Do tupi *pa'ru*.
parúlide *sf.* '(Patol.) tumor ou abscesso nas gengivas' | *parúlida* 1813 | Cp. gr. *paroulís -idos*.
parvo *adj. sm.* '*orig.* pequeno, limitado' '*ext.* ignorante, tolo' | *paruoo* XIV | Do lat. *parvus -a -um* || **AparvALH·AO** 1871 || **parvA** 1844 || **parvIDADE** 1813 || **párvoA** XVI || **parvoEJAR** XVI || **parvoÍCE** || **paruayçe** XV || **párvULO** XVII. Do lat. *parvŭlus -a -um*.
⇨ **parvo** — **parvA** | 1836 SC |.
pascácio *sm.* 'tolo, ingênuo, simplório' XVI. Do cast. *pascasio*.
pascer *vb.* 'pastar, deliciar, recrear' | XVI, *pacer* XIII | Do lat. *pāscĕre* || **pascENT·AR** XVI. Do lat. **pascentāre*, do *pascēns -ēntis*, particípio de *pāscere*. Cp. APASCENTAR.
⇨ **pascer** | XIV GREG 3.22.*14* |.
páscoa *sf.* '(Bíbl.) festa anual dos hebreus, mais tarde adotada pelos cristãos para comemorar a res-

surreição de Cristo' | *pasca* XIII, *-cua* XIII, *-qua* XIII | Do lat. pop. **pascua*, alter. do lat. ecles. *pascha* (= gr. *pascha*), do aram. *pasḥā'* (= hebr. *pesach*) || pascAL XV. Do lat. *paschālis* || pascoAL | XVII, *pasqual* XIII.
⇨ páscoa — pascoELA | *pascoelha* 1614 sGonç I. 121.*23* |.
pasigrafia *sf.* 'escrita universal' | *-phia* 1858 | Do fr. *pasigraphie*, voc. criado em 1797, por Joseph de Maimieux (1753-1820).
pasmo *sm.* 'assombro, espanto, admiração' XVI. Do lat. tard. *pasmus*, forma dissimilada de *spasmus* || pasmAC·EIRA 1858 || pasmADO XVI || pasmAR 1572 || pasmOSO XVI. Cp. ESPASMO.
paspalhão *adj. sm.* 'tolo, paspalho' 1858. De origem onomatopaica.
pasquim *sm.* 'sátira afixada em lugar público' 'jornal ou panfleto crítico e mordaz' XVI. Do it. *pasquino* || pasquinADA 1739.
passar *vb.* 'atravessar, transpor, exceder' XIII. Do lat. **passāre*, de *pāssus* || ANTEpassADO XVI || ANTEpassAR XVI || passa *sf.* 'fruta seca, especialmente uva' | *pasa* XV | Do lat. *passam -ī* (pl. neutro) || passADA XIII || passAD·EIRA 1813 || passAD·IÇO *adj.* | *pasadiza* f. XIV |; *sm.* 1813 || passAD·IO 1844 || passAD·ISMO XX || passAD·ISTA XX || passADO XVI || passADOR 1572 || passAG·EIRO | *pasajeiro* XV | Do fr. *passager* || passAGEM | *pasagem* XIII | Do fr. *passage* || passAMENTO XIII || passaporte 1542. Do fr. *passeport* || passAR·ELA XX. Do fr. *passerelle* || passaTEMPO | *passatenpo* XV || passÁVEL XX || passe XVI. Do fr. *passe* || passeADOR 1844 || passeAR XV || passeATA 1881 || passeIO XVI. Do cast. *paseo* || passI·LARGO 1899 || passISTA XX || passo¹ *sm.* 'o ato de andar' 'passagem' XIII || passo² *adv.* 'lentamente' XIII. Do lat. *păssus -us* || REpassADO XVI || REpassAR XVI || REpasse 1899.
⇨ passar — passAD·EIRA | 1720 RB || passeADOR | 1836 SC |.
passarada → PÁSSARO.
passarela → PASSAR.
pássaro *sm.* '(Zool.) designação comum às aves da ordem dos passeriformes' 'ave pequena' XIII. Do lat. *passer -ĕris* || passarADA 1899 || passarINH·AR XVI || passarINH·EIRO 1813 || passarINHO | *passarya* f. XIII, *passaryna* f. XIII || passaroco XX || passerI·FORME XX.
pass·atempo, -ável, -e, -eador, -ear, -eata, -eio → PASSAR.
passeriforme → PÁSSARO.
passibilidade → PASSÍVEL.
passilargo → PASSAR.
passi·onal, -onário, -oneiro, -onista → PAIXÃO.
passista → PASSAR.
passível *adj. 2g.* 'sujeito a experimentar sensações e emoções' XV. Do lat. *passibĭlis -e* || IMpassibilIDADE XVI. Do lat. *impassibilĭtās -ātis* || IMpassíVEL XVIII. Do lat. *impassibĭlis -e* || passibilIDADE 1858 || passivIDADE 1881. Do lat. *passīvĭtās -ātis* || passivo 1813. Do lat. *passīvus -a -um*.
⇨ passível — IMpassíVEL | 1573 NDias 165.*14* || passivo | XV BENF 223.*28*, *passyuo* Id.224.*12* |.
passo → PASSAR.
pasta *sf.* 'porção de matéria sólida pulverulenta, ligada ou amassada com líquido ou gordura, e que se caracteriza por sua plasticidade' XV. Do lat. *pasta*, deriv. do gr. *pástē* || EMpastADO 1813 || EMpastAMENTO 1844 || EMpastAR 1813 || pastIFÍC·IO XX. Do it. *pastificio* || pastOSO 1858.
⇨ pasta — EMpastAMENTO | 1836 SC |.
past·agem, -ar → PASTO.
pastel¹ *sm.* 'iguaria feita com massa de farinha de trigo, recheada com doce ou salgado e frita' XVI. Do fr. ant. *pastel* (hoje *pâte*), deriv. do lat. tard. *pastellus* e, este, do lat. *pastillum* || EMpastelAMENTO XX || EMpastelAR 1899 || pastelARIA 1813 || pastelEIRO | *-lleiro* XVI.
pastel² *sm.* '(Pint.) bastão feito com giz a que se adicionam pigmentos de várias cores' XVI. Do it. *pastèllo*, deriv. do lat. tard. *pastellus*.
pasteurizar *vb.* 'esterilizar (o leite etc.) pelo calor aquecendo-o e depois esfriando-o rapidamente' XIX. Do fr. *pasteariser*, deriv. do antr. L. *Pasteur* (1822-1895), inventor deste processo || pasteurizAÇÃO XX || pasteurizADO 1899.
pastiche, pasticho *sm.* 'obra literária ou artística imitada servilmente de outra' '(Mús.) obra musical criada por diversos compositores que trabalham independentemente' 1899. Do fr. *pastiche*, deriv. do it. *pasticcio* e, este, do lat. **pastīcium*.
pastifício → PASTA.
pastilha *sf.* 'pasta, em geral açucarada e de forma circular, que contém um medicamento, uma essência etc.' 'bala, rebuçado' XVI. Do cast. *pastilla*.
pasto *sm.* 'erva para alimento do gado' 'terreno próprio para o gado pastar' XIII. Do lat. *pastus -ūs* || pastAGEM XVII || pastAR XVI. Do lat. **pastāre* || pastOR XIII. Do lat. *pastŏr -ōris* || pastOR·AL XIV. Do lat. *păstōrālis* || pastOR·EAR XVIII || pastOR·EIO 1899 || pastOR·ELA XIII. Do fr. *pastourelle* || pastORÍC·IA 1873. Do lat. *păstōrīcĭus -a -um* || pastOR·IL XIV || REpastORIL 1874.
⇨ pasto — pastOR·EAR | 1614 sGonç I. 74.*28*, *pastorar* 1680 AOCad I. 274.*30* || REpastAR | 1614 sGonç II. 191.*15* || REpasto || 1836 SC |.
pastoso → PASTA.
pastrano *adj. sm.* 'que, ou aquele que é rústico, grosseiro' XVI. De origem controversa, talvez de um lat. **pastorānus*.
pata¹ *sf.* 'pé de animal' XVI. De origem onomatopaica || pata² *sf.* 'fêmea do pato' XIV. Tal como *pata*¹, também de formação anomatopaica || ApatetADO 1858 || patADA XVII || patau 1813 || patE·ADA 1812 || patEAR XVII || patego XIX || patESCA 1813 || pateta XVIII. Do cast. *pateta* || patINH·AR 1813 || pato *sm.* 'ave anseriforme da fam. dos anatídeos' XIII. De origem onomatopaica || patOLA 1813 || patuleia 1858.
-pata → -PATIA.
pataca *sf.* 'moeda antiga de prata, do valor de 320 réis' XVI. Provavelmente do prov. *patac* || patacÃO XVI || pataco XIX || pataco·ADA XVII.
patacho *sm.* 'antigo navio à vela' | *patax* XVI, *petaxo* XVI | Do cast. *patache*, deriv. do cast. ant. *pataxe*.
patac·o, -oada → PATACA.
patacu *sm.* 'armadilha para apanhar aves 1663. Do tupi *pata'ku*.
patada → PATA¹.
patagão *adj. sm.* 'relativo a, ou natural da Patagônia' 1899. Do cast. *patagón*.

⇨ **patagão** | 1836 SC |.
patágio *sm.* '(Zool.) membrana alar, de que são dotados os morcegos' 1899. Do lat. cient. *patagium*.
patamar *sm.* 'espaço mais ou menos largo no alto de uma escada ou entre dois lanços de escadas' 1813. De origem incerta.
⇨ **patamar** | 1720 RB |.
patarata *sf.* 'ostentação ridícula' 'mentira jactanciosa '; *s2g.* 'pessoa que diz pataratas' XVII. Do cast. *patarata*.
patarrás *sm.* '(Náut.) aparelho de calabre grosso, que fixa os mastros ao costado, debaixo dos vãos do mastro' | *patarraes* pl. 1813 | Do it. *paterazzo*.
patativa *sf.* 'pássaro da fam. dos fringilídeos' | *-ba* 1730 | Provavelmente de origem tupi, mas de étimo incerto.
patau → PATA¹.
patavina *pron.* 'coisa nenhuma, nada' 1858. Do lat. *patavīnus -a -um* 'de Pádua'.
patchuli *sm.* 'vetiver' 'perfume extraído dessa planta' | *patchouli* 1858 | Do ing. *patchouli*, deriv. do hindustani *pacholī* e, este, provavelmente, do tamul *pach, pachai* 'verde' e *ilai* 'folha'.
pate *sm.* 'príncipe, duque, na Malásia' XVI. Do malaio (e javanês) *pátih* (< sânscr. *patí* 'senhor').
patê *sm.* 'pasta de carne, de fígado etc.' XX. Do fr. *pâté*, de *pâte* 'pasta'.
pat·eada, -ear, -ego → PATA¹.
patela *sf.* '(Anat.) a rótula do joelho' '(Zool.) segmento da pata dos aracnídeos, compreendido entre o fêmur e a tíbia' 1813. Do lat. *patella -ae*.
patena, pátena *sf.* 'disco circular, de ouro ou de metal dourado, que serve para cobrir o cálice e receber a hóstia' XIV. Do lat. *patĕna*.
patente *adj. 2g.* 'franqueado, acessível, evidente' | *patemte* XV | Do lat. *patēns -entis* || **patente**AR 1813.
patera *sf.* 'espécie de escápula, mais ou menos ornamental, da qual pendem as braçadeiras das cortinas' 1873. Do fr. *patère*, deriv. do lat. *patĕra -ae*.
pátera *sf.* 'espécie de taça usada nos sacrifícios antigos' 1873. Do lat. *patĕra -ae*.
pater·ino, -nal, -nidade, -no → PAI.
pat·esca, -eta → PATA¹.
patético *adj.* 'que comove a alma, despertando um sentimento de piedade ou tristeza' 1813. Do lat. tard. *pathēticus*, deriv. do gr. *pathētikós*.
pati *sm.* 'espécie de palmeira' 1587. Do tupi *pa 'ti* || **patioba** 1587. Do tupi *pati' oṷa < pa'ti + 'oṷa* 'folha' || **paxiúba** 1833. Do tupi **pati'ĩṷa <pa'ti + 'ĩṷa* 'planta'.
-patia *elem. comp.*, do lat. cient. *-pathīa*, deriv. do gr. *-pátheia*, de *páthos* 'sofrimento, dor', que, na linguagem internacional da medicina, teve seu sentido alterado e/ou ampliado para 'tratamento' 'cura' 'recuperação da saúde', e que se documenta em inúmeros compostos eruditos: *alopatia* (e *alopático, alopata*), *homeapatia* (e *homeopático, homeapata*) etc. Cp. -PATO-.
patíbulo *sm.* 'estrado ou lugar onde os condenados sofrem a pena capital' 1813. Do lat. *patībŭlum -ī* || **patibul**AR 1844.
⇨ **patíbulo** — **patibul**AR | 1836 SC |.
-pático → -PATIA.

patife *adj. sm.* 'desavergonhado, insolente, velhaco' XVII. De etimologia obscura || **patif**ARIA 1858.
⇨ **patife** — **patif**ARIA | 1836 SC |.
patiguá *sm.* 'cesto de palha' 1663. Do tupi *patu'ṷa*.
patilha *sf.* 'fio de prata ou de ouro, achatado' 1813. Do cast. *patilla*.
patim *sm.* 'calçado cuja sola é dotada de uma lâmina vertical, para deslizar no gelo, ou de rodinhas, para rolar sobre pavimento liso' 1844. Do fr. *patin* || **patin**AÇÃO XX || **patin**AR 1813 || **patin**ETE XX.
⇨ **patim** | 1836 SC |.
pátina *sf.* 'nas pinturas, oxidação das tintas ou do verniz pela ação do tempo e sua gradual transformação pela ação da luz' 1899. Do fr. *patine*, deriv. do it. *pàtina*.
⇨ **pátina** | 1836 SC |.
patin·ação, -ar, -ete → PATIM.
patinhar → PATA².
pátio *sm.* 'recinto para o qual dá entrada a porta principal de algumas casas' 'espaço coberto, fechado por muro, anexo a um edifício' | *pateo* XVI | De origem incerta.
patioba → PATI.
patível *adj. 2g.* 'que se pode sofrer, tolerável' XVI. Do lat. *patibĭlis -e*.
-pato- *elem. comp.*, do gr. *páthos* 'doença' 'paixão, sentimento', que se documenta em vocs. introduzidos na linguagem científica internacional, a partir do séc. XIX ▸ **pato**FOBIA XX || **pato**GÊNESE | *patogênese* 1899 || **pato**GEN·IA 1858 || **pato**GNOMÔN·ICO | *pathognomónico* 1813 | Cp. gr. *pathognomikós* || **pato**LOG·IA | *pathologia* 1813 / Do fr. *pathologie* || **pato**LÓG·ICO | *pathológico* 1813 / Do fr. *pathologique*, deriv. do gr. *patologikós* || **pato**LOG·ISTA | *pathologista* 1881 | Do fr. *pathologiste* || **pato**NOM·IA, *sf.* '(Med.) conjunto de leis respeitantes às doenças' XX || **patos** *sm. 2n.* 'o patético expresso na fala, em escritos, acontecimentos etc.' | *pathos* 1899. Cp. -PATIA.
pato, patola → PATA¹.
pato·logia, -lógico, -logista, -nomia, -s → -PATO-.
patota *sf.* '*bras.* negócio duvidoso' 'grupo, bando' XX. De etimologia obscura.
patranha *sf.* 'grande mentira' XV. Do cast. *patraña*.
patrão *sm,* 'chefe ou proprietário de estabelecimento, fábrica etc., em relação aos empregados' XIV. Do lat. *patrōnus -ī* || **patr**OA, **patrona**¹ | *padrõa* XIII, *patrona* XVI, *patroa* 1813 | Do lat. *pătrōna -ae* || **patron**ADO 1844. Do lat. *patronātus* || **patron**AL 1899. Do lat. *patronālis* || **patron**ATO 1873. Do lat. *patronātus* || **patron**O | XV, *padron* XIII | Do lat. *patrōnus -ī*. Cp. PADRÃO¹, PAI.
⇨ **patrão** — **patron**ADO | 1836 SC |.
patrasana, patrazana *s2g.* 'uma pessoa qualquer' 'indivíduo gordo e bonacheirão' 1899. Adaptação do it. *partigiano*.
pátria *sf.* 'o pais onde nascemos' XV. Do lat. *patrĭa -ae* || COM**patri**OTA XVII || EX**patri**AÇÃO 1844. Do fr. *expatriation* || EX**patri**AR 1844. Do fr. *expatrier* || **pátri**O 1572. Do lat. *patrĭus -a -um* || **patri**OTA XIX. Do lat. tard. *patriōta*, deriv. do gr. *patriṓtēs* || **patri**OT·ADA XX || **patri**ÓT·ICO 1813. Do fr. *patriotique* || **patri**OT·ISMO 1802. Do fr. *patriotisme*

|| pat**r**ONÍM·ICO | *patronymico* XVI | Do fr. *patronymique*, deriv. do lat. tard. *patrŏnymicus* e, este, do gr. *patrŏnymikós* || RE**patri**AÇÃO 1844 || RE**patri**ADO 1899 || RE**patri**AMENTO 1899 || RE**patri**AR 1844. Cp. PAI.
➪ **pátria** — EX**patri**AÇÃO | 1836 SC || EX**patri**AR | 1836 SC |.
patriarca *sm.* 'chefe, líder' 'chefe de família' | *patriarcha* XIII | Do lat. *patriarcha -ae*, deriv. do gr. *patriárchēs* || **patriarc**ADO XIII | Do lat. *patriarchātus* || **patriarc**AL XVIII. Do lat. tard. *patriarchālis*. Cp. PAI.
patrício *adj. sm.* 'principal' 'nobre, ilustre' 'compatriota' | -*içia* XIV, *patriçe* XV | Do lat. *pătrĭcĭus -ĭī* || **patrici**ADO 1813. Do lat. *patriciātus -ūs* || **patrici**ATO 1844. Divergente erudito de *patriciado*, do lat. *patriciātus -ūs*. Cp. PAI, PÁTRIA.
➪ **patrício** — **patrici**ATO | 1836 SC |.
patr·ilinear, -ilocal, -imonial, -imônio → PAI.
pátr·io, -iota, -iotada, -iótico, -iotismo → PÁTRIA.
patrística → PAI.
patroa → PATRÃO.
patrocínio *sm.* 'proteção, amparo' 'custeio de um programa para fins culturais, de propaganda etc.' XVIII. Do lat. *patrŏcinĭum -ĭī* || **patrocin**ADOR XVIII || **patrocin**AR 1813. Do lat. *patrŏcināri*.
patrologia → PAI.
patrona¹ → PATRÃO.
patrona² *sf.* 'cartucheira' 1813. Do al. *Patron* (*tasche*), de *Patron* 'cartucho' (do fr. *patron*) e *Tasche* 'bolso'.
patron·ado, -al, -ato → PATRÃO.
patronímico → PÁTRIA.
patrono → PATRÃO.
patrulha *sf.* 'ronda de soldado' 'grupamento de navios ou aeronaves incumbidos de patrulhar' XVI. Do fr. *patrouille* || **patrulh**AR 1844. Do fr. *patrouiller* || **patrulh**EIRO XX.
➪ **patrulha** — **patrulh**AR | 1836 SC |.
patuleia → PATA¹.
pátulo *adj.* '(Poét.) patente' XVIII. Do lat. *patŭlus -a -um*.
paturi *sm.* 'ave da fam. dos anatídeos, espécie de marreco' | *potori* 1618, *poteri* c 1631, *patorî* 1730 etc. | Do tupi *poti'rĭ*.
patusco *adj.* 'brincalhão, divertido' 1858. De etimologia obscura || **patusc**ADA 1844 || **patusc**AR XX.
➪ **patusco** — **patusc**ADA | 1836 SC |.
pau *sm.* 'qualquer pedaço de madeira' XIII. Do lat. *pālus -ī* || **pal**IFIC·AR *vb.* 'segurar com estacas' 1899 || **pal**ILHO 1844. Do cast. *palillo* || **pal**IT·AR 1813 || **pal**IT·EIRA 1899 || **pal**IT·EIRO 1813 || **pal**ITO XVIII || **pal**OTES *sm. pl.* 'paus usados num tipo de dança popular portuguesa' 1899. Do cast. *palote* || **paul**·ADA 1873 || **paul**·AMA XX || **paul**·IFIC·ANTE XX || **paul**·IFIC·AR XX || **paul**·ITO 1881 || **pauz**·AMA XX.
➪ **pau** — **pal**ILHO | 1836 SC |.
pauci- *elem. comp.*, do lat. *paucus -i* 'pouco', que se documenta em vocs. introduzidos na linguagem científica internacional, a partir do séc. XIX ♦ **pauci**FLORO *adj.* '(Bot.) que tem poucas flores' 1899 || **pauci**R·RADI·ADO | *pauciradiado* 1899 || **paucis**·SERI·ADO *adj*, '(Bot.) dividido em poucas séries' | *pauciseriado* 1899.
paul → PALUDE.

paul·ada, -ama → PAU.
paulatino *adj.* 'feito aos poucos, lento' XVII. Do adv. lat. *paulātim* ou *paullātim*.
paulific·ante, -ar → PAU.
paulina *sf.* 'breve de excomunhão cominatória' 1712. Do antrop. *Paulo*, do papa *Paulo* III (1468-1549).
paulista¹ *adj. s2g.* 'de. ou pertencente ou relativo ao Estado de São Paulo' 'aquele que é natural de São Paulo' 1844. Do top. (*São*) *Paulo* || **paulista**² *sm.* 'religioso da Ordem de São Paulo' 1813. Do hier. (*São*) *Paulo* || **paulist**ANO *adj. sm.* 'de, ou pertencente ou relativo à cidade de São Paulo' 'aquele que é natural da cidade de São Paulo' 1899.
➪ **paulista**¹ | 1836 SC |.
paulito → PAU.
pauperismo → POBRE.
pausa *sf.* 'interrupção temporária de ação, movimento ou som' XVII. Do lat. *pausa -ae* || **paus**AR XIV. Do lat. *pausāre*.
➪ **pausa** | XV BENF 22.*22* |.
pauta *sf.* 'lista, relação, rol' 'conjunto de linhas horizontais e paralelas produzidas no papel pela pautadora ou pelo fio de pauta' XVI. Do cast. *pauta*, deriv. do lat. *pacta*, plural de *pactum* 'convênio' || **paut**ADO 1844 || **paut**AR 1813.
➪ **pauta** — **paut**ADO | 1836 SC |.
pauzama → PAU.
pavana *sf.* 'no começo do séc. XVI, dança de corte, provavelmente de origem espanhola, em compasso binário ou quaternário, andamento lento e majestoso' XVII. Do cast. *pavana*, deriv. do it. *pavana*.
pavão *sm.* 'grande ave galinácea, de plumagem belíssima, da fam. dos fasianídeos' | XVI, *paaos* pl. XIII, *pauõ* XIV | Do lat. *păvō -ōnis* || **pavon**EAR XVII.
paveia *sf.* 'feixe de espigas' 1813. De etimologia obscura.
pavês *sm.* 'escudo grande' XV; 'bandeira, galhardete' | *pades* XV | Do it. *pavese* || **paves**ADA XV || **paves**AR XV.
➪ **pavês** — A**paves**ADO | XV LOPF 133.*12*, ZURD 284.*13* || A**paves**AR | XV ZURD 141.*25* |.
pávido → PAVOR.
pavilhão *sm.* 'bandeira' | *pauilhom* XV; 'construção leve, de madeira ou de outro material' | *pauilhom* XV | Do fr. *pavillon*, deriv. do lat. *pāpiliō -ōnis*.
pavimento *sm.* 'chão, piso, revestimento do solo' XVI. Do lat. *pavīmentum -ī* || **paviment**AÇÃO XX || **paviment**AR XVIII.
pavio *sm.* 'torcida' 'rolo de cera que envolve uma torcida' | *pauyo* XIII | Do lat. vulg. *papilum (cláss. *papȳrum -ī*).
pavonear → PAVÃO.
pavor *sm.* 'terror, grande susto ou medo' XIII. Do lat. *pavor -oris* || A**pavor**ADO XVII || A**pavor**AMENTO XX || A**pavor**AR XVII || ES**pavor**IDO 1813 || ES**pavor**IR 1813. No port. med. ocorre *espavorecer* (séc. XIII), na mesma acepção de *apavorar* e *espavorir* || **pávi**DO XVI. Do lat. *pavĭdus -a -um* || **pavor**OSO XIII.
paxá *sm.* 'título dos governadores de província na Turquia' '*ext.* indivíduo poderoso' '*fig.* indivíduo que leva vida faustosa' | α. *patxiah* 1570, *padixá* XVI, *patxa* 1613, *padxá* 1793; β. *paixa* 1563, *paxá* 1565, *pachá* 1848; γ. *baxá* c 1530, *bassa* 1563,

baxia 1563, *bachá* 1612 | Do persa *pādšāh* 'monarca' (no médio persa *pātaχšā*), de *pād* 'trono' e *šāh* 'possuidor', procedem as vars. do grupo α; as vars. β dimanam da forma persa abreviada *pāšā*, que passou ao turco *pāšā*, *bāšā* e, deste, ao árabe *bāšā*; as vars. γ derivam do turco *bāšā*. Tanto em português como em várias outras línguas da Europa as vars. de imediata procedência turca (vars. γ) precederam as demais.
paxiúba → PATI.
paz *sf.* 'ausência de lutas, violências ou perturbações sociais' XIII. Do lat. *pax pācis* || APACI·FICAR XIV || APAZIGU·ADO 1813 || APAZIGU·ADOR XVII || APAZIGU·AMENTO 1813 || APAZIGU·AR XVI || PACATO XVIII. Do lat. *pācātus -a -um* || PACIFIC·AÇÃO XVI. Do lat. *pācificātiō -ōnis* || PACIFIC·ADO | -CE- XIII || PACIFIC·ADOR XVIII. Do lat. *pācificātor -oris* || PACIFICAR | XIV, *paceficar* XIII | Do lat. *pācificāre* || PACÍFICO XIV. Do lat. *pācificus -a -um* || PACIF·ISMO XIX. Do fr. *pacifisme* || PACIF·ISTA XIX. Do fr. *pacifiste*.
pé *sm.* 'parte inferior da perna, que se articula com esta, assentando por completo no chão, e que permite a postura vertical e o andar' | XIII, *pee* XIII | Do lat. *pes pĕdis* || APEAR XVI || APEON·ADO *adj.* 'a pé, desmontado' | *apeoado* XIV || APEZ·INH·AR 1881 || DESPEAR² 1813 || ESPEZ·INH·AR XVI || **peanha** *sf.* 'pequeno pedestal sobre o qual assenta imagem, cruz, busto etc.' XVI. Do lat. tard. *pedānea* || **peanho** XVI. Do lat. tard. *pedānĕus* || **peão** *sm.* 'homem que anda a pé, infante' 'uma das peças do jogo de xadrez' 'amansador de cavalos' 'trabalhador rural' 'operário' | *peon* XIII, *peõ* XIV, *pions* pl. XV etc. | Do lat. *pedo -ōnis* || **pecíolo** 1844. Do lat. *petiŏlus -ī* || PEDAL 1881. Do lat. *pedālis -e* || PED·AL·AR XX || PEDALI·NÉRVEO 1899 || PEDÂNEO XVI. Divergente erudito de *peanho*, do lat. tard. *pedānĕus* || **pedestal** XVII. Do fr. *piédestal*, deriv. do it. *piedestallo* || PEDESTRE XVI. Do lat. *pedester -tris -tre* || PEDI·CELO *sm.* '(Bot.) haste que sustenta a flor' | *pedicello* 1873 | Do lat. *pedicellus* || PEDÍ·CULO 1873. Do lat. *pedĭculus -ī* || **pedicuro** 1890. Do fr. *pèdicure* || PEDIFORME 1873 || PEDI·LÚVIO XVII. Do lat. *pediluvium* || PEDÍ·MANO 1873 || PEDI·OSO XX || PEDI·PALPO 1873. Do lat. cient. *pedipalpī* || PEDÔ·METRO 1873. Do fr. *pédomètre* || **peduncul**ADO 1844. Do lat. cient. *pedunculātus* || **pedúnculo** 1813. Do lat. cient. *pedunculus* || **pegada**² | *peegada* XV | Do lat. *pĕdĭcāta* || PEON·AGEM *sf.* 'os peões' 'soldados de infantaria' XVII. Do cast. *peonaje* || **peúga** *sf.* 'meia curta para homem, coturno' XVI. Do lat. *'pĕdūca* || *peug*ADA XVI || **pião** XIX || **pió** *sf.* 'armadilha' | *piós* pl. XIV, *piozes* pl. XVI | Do lat. *pediŏla* || **piorra** *sf.* 'pião pequeno' 1858.
⇨ **pé** — pedÔMETRO | 1802 *in* ZT || **pegada**² | *peegada* XIV BARL 36.*11* || **piorra** | 1836 SC ||
peã *sm.* 'hino em honra de Apolo' | *pean* XVII | Do. lat. *paeān -ānis*, deriv. do gr. *piān -ános*.
peaça → PELA.
peaçaba *sf.* 'porto, desembarcadouro' 1576. Do tupi *pea'saṷa*.
pe·anha, -anho, -ão → PÉ.
pear → PEIA.
peba *adj.* 'chato, plano' 1817. Do tupi *'peṷa*. voc. tupi ocorre como elemento de composição em inúmeras palavras portuguesas: *acarapeba*, *jabutipeba*, *tatupeba* etc.
pebrina *sf.* 'certa doença epidêmica do bicho-da-seda' 1899. Do fr. *pébrine*.
peça *sf.* 'pedaço, fragmento, porção' XIII. Do célt. **pĕttía*.
pecado *sm.* 'transgressão de preceito religioso' 'falta, erro, culpa' XIII. Do lat. *peccātum -ī* || IMPECABIL·IDADE XVII || IMPECÁVEL XVII. Do lat. *impeccābilis* || PECAD·ILHO | *pecadilla* f. XIII | Do cast. *pecadillo* || PECADOR XIII. Do lat. *peccātor -ōris* || PECAMINOSO XVI. Do lat. *pecāmen -inis* e *-oso* || PECANTE | *pecāte* XIV | Do lat. *peccāns -antis* || PECAR XIII. Do lat. *peccāre*.
pecha *sf.* 'defeito, falha, imperfeição' XV. Do cast. *pecha*, de *pechar*, deriv. do lat. vulg. **pactāre*.
pechincha *sf.* 'grande conveniência ou vantagem' 'qualquer coisa muito barata' XVIII. De etimologia incerta || pechinchAR 1881 || pechinchEIRO 1873.
pechisbeque *sm.* 'liga metálica de cobre amarelo, ou latão e zinco, que imita o ouro' XVII. Do ing. ou do fr. *pinchbeck*, do antrop. Christopher *Pinchbeck* (c 1670-1732), relojoeiro inglês que inventou essa liga.
pecilocromático *adj.* 'pintado de várias cores' | *pecilochromatico* 1899 || Do lat. cient. *poecilo-*, deriv. do gr. *poikílos* 'variado, diverso', e do gr. *chrōma -atos* 'cor', por via erudita.
pecíolo → PÉ.
peco *sm.* 'mal que faz definhar os vegetais' XV. De etimologia incerta.
peçonha *sf.* 'secreção venenosa dalguns animais' 'veneno' | XIV, *poçõya* XIII, *poçõn* XIII, *poçoya* XIV, *peçoya* XIV etc. | Do lat. **pōtiōnea*, de *potio -ōnis* || EMPEÇONHADO | *empoçoado* XIII, *poçoado* XIV, *ēpoçoado* XIV || EMPEÇONHAR | *empoçoar* XIV || peçonHENTO | *peçoento* XIV.
⇨ **peçonha** — APEÇONHAR | 1344 CRON II. 122.*34* || APEÇONHENT·ADO | *apoçoentado* 1344 CRON II. 166.*9* etc. || APEÇONHENT·AR | *apeçoentar c* 1437 DESC 378.*7*, *apeçonhētar* XV PEST 210 || CONTRApeçonha | 1614 SGONÇ I. 227.*28* ||
pécora *sf.* 'orig. ovelha' XV: '*fig.* mulher desprezível, meretriz' 1899. Do it. *pecora*, deriv. do lat. vulg. *pecōra*, de *pecus -ŏris* 'rebanho, gado' || PECOR·EAR XVII.
pectina *sf.* '(Bot.) substância componente das lamelas médias das membranas vegetais' '(Quím.) substância extraída de frutos e raízes vegetais, e que é um pó branco, mistura de hidratos de carbono, facilmente gelificável' 1858. Do fr. *pectine*, deriv. do gr. *pēktós* 'coagulado' || PÉCTICO 1858. Do fr. *pectique*, deriv. do gr. *pēktikós* || **pectó**LITA *sf.* '(Min.) mineral monoclínico, constituído de silicato ácido de sódio e cálcio' XX.
pectíneo *adj.* 'que tem forma de pente' 1899. Do lat. mod. *pectineus*, de *pecten -ĭnis* || pectiniBRÂNQUIO | *pectinibranchio* 1883 || pectiniCÓRNEO 1899 || pectiniFORME XX. Cp. PENTE.
pectólita → PECTINA.
pectoriloquia *sf.* '(Med.) percepção distinta, mediante a ausculta do tórax, das palavras normalmente articuladas' 1813. Do fr. *pectoriloquie*, deriv. do lat. *pectus -ŏris* || **pectorí**LOQUO 1873. Cp. PEITO¹.

pecuário *adj.* 'relativo a gados' 1881. Do lat. *pecuārĭus -a -um* || **pecuár**IA 1873. Do lat. *pecuārĭa -ae.*
peculato *sm.* 'delito praticado por funcionário público ao se apropriar de qualquer bem, público ou particular, que tenha sou a sua guarda' 1844. Do lat. *pecūlātus -ūs* || **pecul**ADOR 1873. Do lat. *pecūlātor -ōris* || **peculat**ÓRIO XX.
➪ **peculato** | 1836 SC |.
peculiar *adj, 2g.* 'relativo a pecúlio 'que é atributo particular de uma pessoa' XVI. Do lat. *pecūlĭāris -e* || **peculiar**IDADE 1873.
pecúlio *sm.* 'dinheiro acumulado por trabalho ou economia' XVI. Do lat. *pecūlĭum -ĭī.*
pecúnia *sf.* 'dinheiro' XV. Do lat. *pecūnĭa -ae* || **pecuni**ÁRIO XIV, Do lat. *pecūnĭārĭus -a -um* || **pecuni**OSO 1813. Do lat. *pecūnĭōsus -a -um.*
ped- → PED(O)-.
pedaço *sm.* 'porção, fragmento, bocado' XIII. Do lat. vulg. *pĭtāccĭum*, de *pĭttācĭum*, deriv. do gr. *pittákion* || DES**pedaç**AR XIV || ES**pedaç**AR XIII.
pedágio *sm.* 'tributo cobrado pelo direito de passagem por uma via de transporte terrestre' 1813. Do lat. med. *pedātĭcum*, através do it. *pedàggio*, ou do prov. *pedatge.*
➪ **pedágio** | 1284 DESC S. 380 |.
pedagog·ia, -ico, -o → PED(O).
pedal, -ar, -inérveo, pedâneo → PÉ.
ped·ante, -antesco, -antismo, -, -arquia, -atrofia → PED(O)-.
pedauca *sf.* 'figura de mulher, com pés de pata, que se encontra nalguns monumentos medievais' 1899. Do fr. *pédauque.*
pederastia *sf.* 'contato sexual entre um homem e rapaz bem jovem' 'homossexualismo masculino' 1858. Do fr. *pédérastie*, deriv. do gr. *paiderastéia* || **pederasta** 1858. Do fr. *pédéraste*, deriv. do gr. *paiderastês.* Cp. PED(O)-.
pedern·al, -eira → PEDRA.
ped·estal, -estre → PÉ.
ped·iatra, -iatria, -iátrico → PED(O)-.
pedi·celo, -culo, -curo, -forme, -lúvio, -mano → PÉ.
pedimento, pedinch·ão, -ar, pedinte → PEDIR.
pedio- *elem. comp.*, do gr. *pedíon* 'planície, terra lavrada', que se documenta em vocs. introduzidos na linguagem científica internacional, a partir do séc. XIX ♦ **pediô**NOMO *adj.* '(Zool.) que vive nos campos' XIX || **pedio**PATIA *sf.* '(Med.) perturbação resultante de ação da terra, do solo, do lugar onde o paciente permaneceu, atuando ou repousando' XX.
ped·ioso, -ipalpo → PÉ.
pedir *vb.* 'solicitar, rogar, reclamar' XIII. Do lat. *pĕtĕre*, com mudança de conjugação || **ped**IDO XIII. Do lat. *petitus -a -um* || **ped**IDOR XIII. Do lat. *petītor -ōris* || **ped**IMENTO XIV || **ped**INCH·ÃO 1813 || **ped**INCH·AR 1813 || **ped**INTE XV || **pet**IÇÃO | *pitiçon* XIII, *petiçon* XIII etc. | Do lat. *pĕtītĭo -ōnis* || **petic**ION·AR XX || **petic**ION·ÁRIO XX || **pet**IT·ÓRIO XV. Do lat. *petitōrĭus.*
ped(o)- *elem. comp.*, do lat. cient. *paedo-*, deriv. do gr. *paido-*, de *pâis paidós* 'criança', que já se documenta em vocábulos formados no próprio grego, como *pedagogo*, e em muitos outros introduzidos na linguagem científica internacional, a partir do séc. XIX ♦ **ped**AGOG·IA 1813. Do fr. *pédagogie*, deriv. do

gr. *paidagōgía* || **ped**AGÓG·ICO 1844. Do fr. *pédagogique*, deriv. do gr. *paidagogikós* || **ped**AGOGO XVI. Do lat. *paedagōgus -ī*, deriv. do gr. *paidagōgós* || **ped**ANTE XVIII. Do it. *pedante* || **pedant**ESCO XVI. Do it. *pedantesco* || **pedant**ISMO 1813 || **pedant**o·CRAC·IA 1899 || **ped**ARQUIA | *pedarchia* 1899 || **ped**ATROFIA *sf.* '(Patol.) desordem nutritiva da infância' | *pedatrophia* 1858 | Do lat. cient. *paedatrophia* || **ped**IATRA XX. Do fr. *pédiatre*, deriv. do lat. cient. *paediātrus* || **ped**IATR·IA 1899 || **pediátr**·ICO XX || **pedó**FILO *adj. sm.* 'que, ou aquele que gosta de crianças' | *pedophilo* 1899 || **pedó**FOBO XX || **pedo**LOG·IA¹ XX || **pedo**TROFIA | *pedotrophia* 1858 | Do fr. *pédotrophie*, deriv. do gr. *paidotrophia.*
➪ **ped(o)-** — **ped**AGÓG·ICO | 1836 SC |.
pedologia² *sf.* 'ciência que estuda os solos' XX. Do fr. *pédologie*, do gr. *pedon* 'solo' e *-logie* (v. -LOGIA).
pedômetro → PÉ.
pedotrofia → PED(O)-.
pedra *sf.* 'matéria mineral, dura e sólida, da natureza das rochas' XIII. Do lat. *petra -ae*, deriv. do gr. *pétra* || **apedr**AR XIII || **apedr**EAR XIV || **apedr**EJ·ADOR XVII || **apedr**EJ·AMENTO 1844 || **apedr**EJ·AR XIII || EM**pedr**NIDO XVII || EM**pedr**NIR 1813. De um lat. **impetrinire*, do lat. tard. *petrinu* 'de pedra' || EM**pedr**ADO 1813 || EM**pedr**AMENTO 1858 || EM**pedr**AR XVI || **padrão²** *sm.* 'monumento de pedra que os portugueses erguiam em terras por eles descobertas' XIII, *-drom* XIV |; '*ext.* documento que autoriza a aplicação de uma ordem emanada do poder (real)' XVI. De *pedrão* (< *pedra*) || **padr**ASTO² *sm.* 'monte, colina ou construção que domina um terreno' XVI || **pedern**AL *sm.* 'pedra muito dura' 'isqueiro'; *adj.* 'relativo à pedra' XIV || **pedern**EIRA XIV. Do lat. vulg. **petrinariu* || **pedr**ADA 1813 || **pedr**ÃO | *pedram* XV || **pedr**ARIA XV || **pedr**EG·AL XVI || **pedr**EG·OSO XVI || **pedr**EG·ULHO XVI || **pedr**EG·ULH·OSO XV || **pedr**EIRA XIII. De um lat. **petrārĭa* || **pedr**EIRO XVIII. Do lat. **petrārĭus* || **pedr**ENTO XX || **pedr**ÊS XVI || **pedr**OSO 1813. Do lat. *petrōsus -a -um.* Cp. PÉTREO.
➪ **pedra** — **pedr**ADA | XII CSM 385.*21* || **pedr**ARIA | XIV ORTO 229.*2* || **pedr**EG·AL | XIII CSM 179.*38* || **pedr**EG·OSO | *pedragoso* XIII CSM 158.*3* || **pedr**EIRO | XIII CSM 231.*21* |.
peduncul·ado, -o → PÉ.
peg·a¹,² **-ada**¹ → PEGAR.
pegada² → PÉ.
pegar *vb.* 'fazer aderir, prender, segurar' | *peguar* XV | Do lat. *pĭcāre* || **apeg**AMENTO XV || **apeg**AR *vb.* 'unir, juntar' XIV. Do lat. vulg. **appĭcāre*, de *pix -ĭcis* 'pez' || **apego** XVII || DES·**apeg**ADO XV || DES·**apeg**AR 1813 || DES·**apego** XV || DES**peg**AR XIV || **pega**¹ *sf.* 'ave europeia' 1500. Do lat. vulg. *pĕca* (cláss. *pīca -ae*) || **pega**² XVI || **peg**ADA¹ | *pegada* XV || **peg**ADO XIV || **peg**ADOR XVII || **peg**AJ·OSO XVI || **pegu**ILHO | *pegilho* XVI || **pegu**INH·AR 1873.
➪ **pegar** — **apeg**AD·IÇO | *apeguadiço* XV VITA 130*c*8 || **apeg**AMENTO | XV LEAL 234.*4* |.
pegmatito *sm.* 'granito gráfico' 1890. Do lat. cient. *pegmatĭtis*, deriv. do gr. *pēgma -atos* 'condensação',
pego *sm.* 'a parte mais funda de um rio, lago etc.' | *peego* XIII | Do lat. *pelăgus -ī*, deriv. do gr. *pé-*

lagos || **pego**MANCIA *sf.* 'adivinhação que se fazia olhando o movimento das águas das fontes' 1858 || **pego**MANTE XX. Cp. PÉLAGO.
⇨ **pego** — **pego**MANCIA | 1836 SC |.
pegueiro *sm.* 'fabricante de pez' 1813. Do lat. vulg. **picariu*, deriv. do lat. *pĭx pĭcis* 'pez'.
pegu·ilho, -inhar → PEGAR.
pegureiro *sm.* 'guardador de gado, pastor' XIII. Do lat. tard. *pecorārius* || **pegur**AL | *pegulhal* XIV, *pigulhal* XV.
peia *sf.* 'grilhão' 'prisão de corda ou de ferro que segura os pés das bestas' XIII. Do lat. *pedĭca -ae* || DESpEAR¹ 1844 || **peaça** *sf.* 'correia que prende, pelos chifres, o boi à canga' 1844 || peAR XIII. Cp. PEJAR.
⇨ **peia** — DESpEAR¹ | 1836 SC |.
peido *sm.* 'ventosidade emitida pelo ânus' XIV. Do lat. *pēdĭtum -ī* || **peid**AR 1813 || **peid**EIRO | *peydeyro* XIII.
peitar *vb.* 'pagar um tributo, satisfazer uma obrigação' 'subornar' XIII. Do lat. **pactāre*, de *pactum -ī* || ESpeitAR *vb.* '*orig.* despojar, agravar com tributos' XIII || **peit**A *sf.* 'tributo' XIII || **peito**² *sm.* 'tributo' | XIII, *peyto* XIV | Do lat. *pactum -ī* || **peit**EIRO | *peyteiro* XIV, *peiteyro* XIV.
peitica *sf.* 'pássaro da fam. dos tiranídeos' 1618. Do tupi *pei'tïka*.
peito¹ *sm.* 'tórax' XIII. Do lat. *pĕctus -ŏris* || EXpectoR·AÇÃO 1813. Do fr. *expectoration* || EXpectoR·ANTE 1813. Do fr. *expectorant* || EXpectoR·AR 1813. Do fr. *expectorer*, deriv. do lat. *expectŏrāre* || **peit**ILHO 1813 || **peito**R·AL | XIV, *pey-* XIII etc. | Do lat. *pectōrāle -is* || **peito**R·IL XVI. Do lat. **pĕctorile* || **petrina** *sf.* '*ant.* peito, seio, cinta' XVI. Do lat. **pectorina*.
⇨ **peito** — ANTE**peito** | XIV ORTO 326.*16* |.
peito² → PEITAR.
peixe *sm.* '(Zool.) animal cordado, gnastomado, aquático, com nadadeiras, com pele geralmente coberta de escamas, que respira por brânquias' XIII. Do lat. *piscis -is* || **peix**ADA XX || **peix**ARIA XX || **peix**EIRO | *peyxero* XIII | Cp. PESCAR, PISCATÓRIO.
pejar *vb.* 'encher, impedir, embaraçar' XV. De etimologia obscura || **pej**ADO XVI || DES**pej**ADO XVI || DES**pejar** 1500 || DES**pejo** XVI || **pejo** XV. Cp. PEIA.
peji *sm.* 'nos cultos afro-brasileiros, altar dos orixás' XX. Do ioruba *pe'ži*,
pejo → PEJAR.
pejorativo *adj.* 'vocábulo que adquiriu significação torpe, desagradável' 1899. Do fr. *péjoratif*, deriv. do lat. tard. *pejorāre*.
péla¹ *sf.* 'bola, especialmente a de borracha, usada para jogar ou brincar' | *peella* XV | Do lat. vulg. **pilella*, dim. de *pĭla -ae* || **pel**ADA² XX || **pel**OTA XIII. Do cast. *pelota* || **pel**OT·ADA XVI || **pelouro** | *pellouro* XV.
⇨ **péla**¹ | XIV GREG 4.5.*6*, *peella* XIV ORTO 347.*33* |.
pél·a², **-ada**¹ → PELO.
pelada² → PÉLA¹.
pel·ado, -ador¹ → PELO.
pelador² → PELORARE.
pelagianismo *sm.* 'doutrina que nega o pecado original e a corrupção da natureza humana' XVII. Do lat. tard. *pelagiānismus*, deriv. do antrop. *Pelagius*, nome de um monge inglês que viveu no séc. V.

pélago *sm.* 'mar profundo, abismo marítimo' XIV. Do lat. *pelāgus -ī*, deriv. do gr. *pélagos* || **pelág**ICO 1890. Do lat. *pelagicus*, deriv. do gr. *pelagikós* || **pelág**IO 1899. Do lat. cient. *pelagius*, deriv. do gr. *pelágios* || **pelago**GRAFIA XX || **pelago**SCOPIA 1873. Cp. PEGO.
pelagra *sf.* '(Patol.) avitaminose caracterizada por eritema das partes descobertas e por perturbações digestivas, nervosas e mentais' 1890. Do fr. *pellagre*.
pel·anca, -angana → PELE.
pelar¹ → PELO.
pelar² → PELE.
pelargônio *sm.* 'erva da fam. das geraniáceas, cultivada como ornamental' 1890. Do lat. cient. *pelargonium*, deriv. do gr. *pelargós* 'cegonha'.
pele *sf.* 'membrana mais ou menos espessa que reveste exteriormente o corpo humano, bem como o dos animais vertebrados e o de muitos outros' XIII. Do lat. *pĕllis -is* || EMpelIC·ADO | *empellicado* 1813 || **pel**ADOR² 1813 || **pel**ANCA | -ga 1890 || **pelangana** 1890 || **pel**AR² | *pellar* XV || **pel**EGO 1890 || **pel**ELHO | -*llo* XIV || **pel**ET·ERIA XX. Do fr. *pelleteria* || **pel**ICA XIV || **pel**IÇA 1813. Do lat. tard. *pellīcia* (de *pellīcius*) || **pel**ICO XVI || **pel**Í·CULA XVII. Do lat. *pellicŭla -ae* || **pel**OTE *sm.* '*ant.* casaco sem mangas que se trazia por baixo da capa' XIII || **perigalho** *sm.* 'pele da barba, do do pescoço, descaída por magreza ou velhice' XVI. Provável alteração de **pelegalho*, em alusão à aparência de pele esgalhada do rosto das pessoas idosas.
pelej·a, -ador, -ar → PELO.
pelerine *sf.* 'capa longa, em geral godê e com fendas para os braços' XX. Do fr. *pèlerine*.
pel·eteria, -ica, -iça → PELE.
pelicano *sm.* 'designação comum às aves pelicaniformes, da fam. dos pelicanídeos, do gênero *Pelecanus* L.' | *pellicano* XVI | Do lat. *pelecănus* (*pelicănus*), deriv. do gr. *pelekán -ânos*.
pelic·o, -ula → PELE.
pelintra *adj. s2g.* 'que ou quem é mal trajado, mas tem pretensões a fazer boa figura' 1858. De etimologia obscura || **pelintr**ICE 1890.
pelo *contr.* da prep. PER com o pron. *lo* (v. O¹). XIII.
pelo *sm.* 'prolongamento filiforme que cresce na pele dos homens e de certos animais' XVI. Do lat. *pĭlus, -ī*, deriv. do gr. *pilos* | A·R·Re**pel**AR |-*ll*- XVI || ENTRE**pel**ADO 1899 || **péla**² *sf.* 'cada camada de cortiça, nos sobreiros' 'ato de pelar' XX || **pel**ADA¹ 1873 || **pel**ADO XVIII || **pel**ADOR¹ 1813 || **pel**AR¹ XVI || **pel**EJA XIII || **pel**EJ·ADOR XIII || **pel**EJ·AR XIII. Talvez deriv. de *pelo* + -ejar, na acepção de 'agarrar pelos cabelos' || **pel**ÚC·IA 1797. Adapt. do it. *peluzzo*, deriv. do lat. med. *pellutium* || **pel**UDO XVIII || RE**pel**ÃO XV. 'empurrão mais ou menos violento' | *repellão* XVII | De *repelar* || RE**pel**AR 1813 || RE**pel**o *reg*. 'repulsa' 1844. Cp. PIL(O)-.
⇨ **pelo** — RE**pel**ÃO | *repellões* pl. XV ZURD 223.*8* | RE**pelo**| *repello* 1836 SC |.
pel·ota, -otada → PÉLA¹.
pelotão *sm.* 'cada uma das (três) partes em que se divide uma companhia de soldados' XVI. Do fr. *peloton*.
pelote → PELE.
pelourinho *sm.* 'coluna de pedra ou madeira em praça ou lugar público, e junto da qual se expu-

nham e castigavam criminosos' | *pelovrinho* XVI | Do fr. *pilori*, deriv., provavelmente, do lat. med. *pilorium*.
pelouro → PÉLA¹.
pelta *sf.* 'pequeno escudo em forma de crescente, que era usado pelos trácios e por outros povos antigos' 1873. Do lat. *pelta*, deriv. do gr. *péltē* || **pelt**ADA XX || **pelti**·FORME 1890 || **pelti**·NÉRVEO 1890.
pel·úcia, -udo → PELO.
pelve *sf.* '(Anat.) bacia' 'cavidade óssea que termina inferiormente o esqueleto do tronco e lhe serve de base' 1844. Do lat. *pēlvis -is* || **pelvi**FORME 1899 || **pelví**METRO 1858.
pena¹ *sf.* 'castigo, punição, sofrimento' | XIII, *pēa* XIII, *pea* XIII etc. | Do lat. *poena -ae*, deriv. do gr. *póinē* || **pen**ADO¹ *adj.* 'com dificuldade' | XIII, *peado* XIII || **pen**AL 1813. Do lat. *poenālis -e* || **pen**AL·IDADE XVI. Do lat. med. *poenalitās -ātis* || **pen**AL·IZAR XVII || **pena**LOGIA XX || **pênalti** XX. Do ing. *penalty* | **pen**AR XIII. No port. med. documenta-se, também, *apenar* (séc. XV) || **pên**ICO 1890 || **pen**OSO XVI || **pen**ÚRIA 1813. Do lat. *pēnūria -ae*.
⇨ **pena**¹ — **pen**ÚRIA | 1660 FMMele 376.*25* |.
pena² *sf.* 'rochedo' XIII. Do lat. *pinna -ae* | **despenh**AD·EIRO 1813 || **despenh**AR | XVI, *despenar* XIV || **pen**ED·IA XVII || **pen**EDO XIII || **penha** *sf.* 'pena², rochedo' | XVI, *pēna* XIV | Do cast. *peña*, deriv. do lat. *pinna* || **penh**ASCO XVII. Do cast. *peñasco*, de *peña*.
⇨ **pena**² — **despenh**AD·EIRO | *a* 1595 *Jorn*. 11.*25* |.
pena³ *sf.* 'pluma' XIII. Do lat. *penna -ae* (*pinna -ae*) || **de**pen**ADO** 1873 || **de**pen**AR** 1813 || **de**pen**ICAR** 1813 || **em**pen**ADO**¹ | *en-* XIII || **em**pen**AR**¹ XV || **espen**AR XIII || **espen**ICAR XVI || **impene** XX. Do lat. cient. *impennes* || **penach**EIRO | *pennnacheiro* 1881 || **penacho** XVI. Do it. *pennàcchio*, deriv. do lat. tard. *pinnāculum* || **pen**ADA | *pennada* 1873 || **pen**ADO² XVI || **pena**GRIS | *pennagris* 1899 || **penatífido** | *pennatifido* 1899 || **penati**LOBADO | *pennatilobado* 1899 || **peni**CAR XX || **pení**FERO | *pennifero* 1873 | Do lat. cient. *pennifer -erī* || **peni**FORME | *penniforme* 1873 || **pení**GERO | *penígero* 1881 | Do lat. *penniger -erī* || **peni**NÉRVEO | *penninérveo* 1899 || **pín**ULA XVII. Do lat. *pinnūla* (*pennula*) -*ae*, dimin. de *pinna -ae*.
⇨ **pena**³ — **despen**ADO | *c* 1608 NOReb 184.*20* || **pení**FERO | *-nni-* 1836 SC |.
penado¹ → PENA¹.
pen·ado², **-agris** → PENA³.
pen·al, -alidade, -alizar, -alogia, -alti → PENA¹.
penamar *adj.* 'diz-se da pérola de pouco brilho' 1844. De etimologia obscura.
⇨ **penamar** | 1836 SC |.
penar → PENA¹.
penates *sm. pl.* 'deuses domésticos dos pagãos' 1572. Do lat. *penātēs -ium*.
penat·ífido, -ilobado → PENA³.
penca *sf.* ' conjunto ou esgalho de flores ou frutos' XVI. De etimologia obscura || **despenc**AR 1899.
pendão *sm.* 'bandeira, galhardete' | *-don* XIII | Do cast. *pendón*, deriv. do a. fr. *penon*, com influência de *pender* || **apendo**AR XVI.
⇨ **pendão** — **apendo**AR | XV ZURC 51.*21* |.
pendênda *sf.* 'qualidade do que está pendente' 'contenda, briga, litígio' XIX. Adapt. do it. *pendenza* || **apend**ER | *appender* 1881 | Do lat. *appendĕre*

|| **apenso** | *appenso* XVII | Do lat. *appensum -ī* || **pend**ENGA 1899 || **pend**ENTE XIII || **pend**ER XIV. Do lat. *pendēre* || **pend**ER·IC·ALHO | *penduricalho* 1813 || **pend**ER·ICO 1899 || **pend**OR XV || **pênd**ULA 1813 || **pend**UL·AR 1881 || **pend**ULI·FLORO 1899 || **pend**ULI·FOLIADO 1899 || **pênd**ULO *adj.* XVIII; *sm.* 1813. Do lat. *pendŭlus -a -um* || **pênsil** XVI. Do lat. *pēnsilis -e* || **penso**² 1899. Cp. PENITÊNCIA.
⇨ **pendência** | 1680 AOCad I. 1996.*6* || **pend**ER | XIII CSM 273.*42* |.
pendurar *vb.* 'suspender, fitar, fixar' | *pendorar* XIII | Do lat. *pendŭlāre* (cláss. *pendĕre*), de *pendŭlus* || **de**pendurar | *-do-* XIII, *depondo-* XIV, *depundurar* XIV || **despendurar** XVI.
pen(e)- *elem. comp.*, do lat. *paene* ou *pēne* 'quase, aproximadamente', que se documenta em vocs. introduzidos na linguagem científica internacional, a partir do séc. XIX. ▶ **pene**PLANÍCIE XX || **pene**PLANO XX || **península** XVII. Do lat. *pēnīnsŭla -ae* || **pen**INSUL·AR 1813 || **pen**ÚLTIMO 1813. Do lat. *paenultĭmus -a -um* || **pen**UMBRA 1813.
⇨ **pen(e)**— **pen**ÍNSULA | *c* 1539 JCasD 114.*27*, *peninsola* ld. 130.*17* || **pen**ÚLTIMO | 1615 FNun 70.*12* |.
pened·ia, -o → PENA².
peneira *sf.* 'objeto, geralmente circular, com caixilho de madeira ou de metal, com o fundo formado de fios entrelaçados' | *peneyra* XIII | Do lat. *panāria* (cláss. *pānārĭum -ī* 'cesta de pão') || **peneir**AR XIV.
penepl·anície, -ano → PEN(E)-.
penetrar *vb.* 'passar para dentro, invadir, atravessar' XV. Do lat. *penetrāre* || **compenetr**ADO 1833 || **compenetrar** 1881 || **impenetrabil·idade** 1813 || **impenetrável** XVII. Do lat. *impenetrābĭlis -e* | **interpenetrar** XX || **penetra** 1881 || **penetração** XVIII. Do lat. *penetrātĭō -ōnis* || **penetr**ADOR 1813. Do lat. *penetrātŏr -ōris* || **penetra**IS *sm. pl.* 'a parte mais interior' | *penetral* sing. XVII | Do lat. *penetrālis -e* || **penetr**ANTE 1438 || **penetr**AT·IVO | *penetratyvo* XV | Do lat. med. *penetrātīvus* || **penetr**ÁVEL 1844. Do lat. *penetrābĭlis -e* || **penetrô·metro** XX.
⇨ **penetrar** | XIV ORTO 159.*33* || **impen**TRÁVEL | *impenetraues* pl. *a* 1542 JCasE 99.*15* || **penetr**ADOR | 1614 SGonç II. 81.*8* | **penetr**ÁVEL | 1696 *in* GFer 197.*31* |.
pênfigo *sm.* '(Patol.) designação comum a várias dermatoses bulbosas' | *pemphigo* 1881 | Do lat. cient. *pemphīgus*, deriv. do gr. *pémphīx -igos*.
penh·a, -asco → PENA².
penhorar *vb.* 'dar em garantia' 'efetuar a penhora' | *pinorar* XIII, *pennorar* XIII | Do lat. *pignŏrāre* || **empenhor**AMENTO | *en-* XIII || **empenhorar** XIII || **penhor** | XIII, *pinor* XIII etc. | Do lat. *pignus -ŏris* || **penhora** 1813. Do lat. **pignŏra* || **penhor**ADO XVI. Do lat. *pignorātus -a -um* || **penhor**AMENTO XIII || **pignoratício** 1899. Do lat. *pignorātīcius*, por via erudita.
⇨ **penhorar** — **penhora** | XIII FUER III. 15 |.
pêni *sm.* 'moeda divisionária inglesa que até 1971 representou a duodécima parte do xelim e, atualmente, corresponde à centésima parte da libra' 1709. Do ing. *penny*.
penicar → PENA³.
penicilina *sf.* '(Quím.) substância formada no crescimento de certos fungos, com acentuada ação

antibiótica, descoberta pelo inglês A. Fleming, em 1928, e obtida em 1941, pelo australiano Howard Florey e pelo alemão Ernst Chain' xx. Do lat. cient. *pēnicillīna*, do nome científico do fungo *Pēnicillium notatum*.
penico *sm.* 'urinol' 1881. De etimologia obscura.
pênico → PENA¹.
pen·ífero, -iforme, -ígero, -inérveo → PENA³.
penínsul·a, -ar → PEN(E)-.
pênis *sm. 2n.* '(Anat.) o órgão copulador do macho' 1858. Do lat. *pēnis -is*.
penisco → PINHO.
penitência *sf.* 'arrependimento, contrição' | *-tēcia* XIV, *-nytença* XIV, *pēedença* XIII etc. | Do lat. *poenĭtĕntĭa -ae* || IMpenitência 1813 || IMpenitENTE XVII || penitenciAL *sm.* | pedençaes pl. XIV, penitenciaas pl. XIV | Do lat. tard. *poenitentiālis* || **penitenci**A*R* XVI || **penitenci**ÁRIA *sf.* 'orig. tribunal romano onde se dava a absolvição' 1813; 'cadeia' 1873 || **penitenci**ÁRIO XIX || **penit**ENTE XV. Do lat. *poĕnĭtens -entis*. Cp. PENDÊNCIA.
⇨ **penitência** — **penitenci**ÁRIA *sf.* 'orig. tribunal romano onde se dava a absolviçâo' | *penitencearia* 1614 SGONÇ II. 169.2 |; 'cadeia' | 1855 *in* ZT. || **penitenci**ÁRIO *sm.* 'sacerdote investido do poder de dar absolvição em certos casos especiais' | 1614 SGONÇ II. 169.8 |.
penoso → PENA¹.
pensão *sf.* 'renda anual ou mensal paga a alguém' 'foro' 'tributo' | *pensõões* pl. XIV | Do lat. *pēnsĭō -ōnis* || **pension**AR *vb.* 1813 || **pension**ÁRIO¹ *adj.* 1800 || **pension**ÁRIO² *sm.* XVII || **pension**ATO XX || **pension**EIRO *adj. sm.* XVII || **pension**ISTA 1858.
pensar *vb.* 'refletir, meditar, raciocinar' 'cuidar, tratar, curar' XIII. Do lat. *pĕnsāre* || **pens**ADOR XVI || **pens**AMENTO | *-ssa-* XIII || **pens**ANTE 1881 || **pens**AT·IVO XVI || **penso**¹ *sm.* 'pensamento' 'cuidado' | *pensso* XV || REpensar 1858.
⇨ **pensar** — REpensar | 1836 SC |.
penseroso *sm.* 'meditativo' 1899. Do it. *pensieroso*.
pênsil → PENDÊNCIA.
pension·ar, -ário, -ato, -eiro, -ista → PENSÃO.
penso¹ → PENSAR.
penso² → PENDÊNCIA.
pent(a)- *elem. comp.*, do gr. *penta-*, de *pénte* 'cinco', que já se documenta em vocs. formados no próprio grego, como *pentadáctilo*, e em muitos outros introduzidos na linguagem científica internacional, a partir do séc. XIX ▸ **penta**CAPSUL·AR XX || **penta**CARPEL·AR XX || **penta**CÓRDIO 1899. Do lat. tard. *pentachordos*, deriv. do gr. *pentáchordos* || **penta**CÓ·TOMO 1899||**penta**DÁCTILO|-*dactyle*1789 | Do lat. *pentadactylus*, deriv. do gr. *pentadáktylos* ||**penta**DECA·EDROXX||**penta**DECÁ·GONO1899.Cp. gr. *pentakaidekágonon* || **penta**DELFO | **pentadel***pho* 1899 || **penta**EDRO 1858 || **pentágono** 1813. Do lat. tard. *pentāgonum*, deriv. do gr. *pentágōnon* || **penta**GRAMA 1858. Do fr. *pentagramme*, deriv. do gr. *pentágrammon* || **penta**ÍDR·ICO || **penta**HÝDRIco 1873 || **pent**ÂMERO 1858. Do lat. tard. *pentameris*, deriv. do gr. *pentamerēs* || **pent**ÂMETRO 1813. Do lat. *pentameter -etrī*, deriv. do gr. *pentámetron* || **pent**ANDRO 1899 || **pent**ANO XX. Do fr. *pentane* || **pent**ANTO | *pentantho* 1899 || **penta**PÉ-

TALO 1890. Do lat. cient. *pentapetālus*, deriv. do gr. *pentapétēlon* || **pent**ÁPODE | *pentápodo* 1899 | Do lat. cient. *pentapūs -odis*, deriv. do gr. *pentápous -odos* || **pent**ARQUIA | *pentarchia* 1858 | Do fr. *pentarchie*, deriv. do gr. *pentarchía* || **pentas**PERMO 1890 || **pentas**·SÍLABO 1890. Do lat. tard. *pentasyllabus*, deriv. do gr. *pentasýllabos* || **penta**STILO | *pentastylo* 1858 || **pentatlo** 1813. Do lat. *pentāthlum -ī*, deriv. do gr. *péntāthlon* || **penta**VA·LENTE XX || **pênt**ODO XX || **pent**OSE XX.
⇨ **pent(a)-** — **pentá**GONO | 1660 FMMelE 524.*22* || **penta**GRAMA | *pentagramma* 1836 SC |.
pente *sm.* 'instrumento com dentes, presos a uma barra, que serve para ajeitar os cabelos' | XIV, *pentem* XV | Do lat. *pecten -ĭnis* || **pente**AD·EIRA XX || **pente**ADO XVII || **pente**AMENTO 1438 || **pent**EAR | *peitear* XIII || **pent**ELH·EIRA XIX || **pent**ELHO 1844.
⇨ **pente** — **pent**ELHO | 1836 SC |.
pentecoste(s) *sm. (pl).* 'festa católica, celebrada cinquenta dias depois da Páscoa, em comemoração da descida do Espírito Santo sobre os apóstolos' | XIII, *pintecoste* XIII | Do lat. *pentēcostē -ēs*, deriv. do gr. *pentēkostḗ -ḗs*.
pentelh·eira, -o → PENTE.
pentélico *adj. sm.* 'diz-se do, ou o mármore do monte Pentélico, em Atenas' 1890. Do lat. *pentelicus*, deriv. do gr. *pentelikós*.
pentlandita *sf.* '(Min.) mineral monométrico bronzeado, de brilho metálico, constituído de sulfeto de ferro e níquel' xx. Do fr. *pentlandite*, deriv. do top. *Pentland* (na Escócia).
pênt·odo, -ose → PENT(A)-.
pen·último, -umbra → PEN(E)-.
penúria → PENA¹.
peonagem → PÉ.
peônia *sf.* 'erva alta, da fam. das ranunculáceas' XVII. Do lat. cient. *paeōnia*, deriv. do gr. *paiōnía*, de *paiṓn -ônos*.
pepino *sm.* 'fruto do pepineiro, que se come em salada e conserva' XVIII. De um antigo **pepón* 'melão' (tomado por aumentativo de **pepo*, de que *pepino* seria o diminutivo), deriv. do lat. *pepo -ōnis* e, este, do gr. *pépōn -onos* || **pepin**EIRA 1873. Do fr. *pépinière* || **pepin**EIRO 1858 || **pepon**ÍDEO *adj. sm.* 'diz-se do, ou fruto carnoso como a baga' 1899.
pepita *sf.* 'grão ou palheta de metal nativo, particularmente de ouro' 1899. Do cast. *pepita*.
peplo *sm.* 'túnica sem mangas que os antigos traziam presa ao ombro por fivela' 1899. Do lat. *peplum -ī*, deriv. do gr. *péplon*.
peponídeo → PEPINO.
-peps(i)-, -pept(i)- *elem. comp.*, do gr. *pépsis* 'cozedura de alimentos, fermentação de vinho, digestão' e *peptikós* digestivo, e que se documentam em vários vocábulos introduzidos na linguagem científica internacional, a partir do séc. XIX ▸ Apepsia 1858. Do fr. *apepsie*, deriv. do gr. *apepsía* || Apéptico XX || DIspepsia | 1848, *dispesia* 1813 | Do fr. *dyspepsie*, deriv. do gr. *dyspepsía* || DISpéptico | *dyspeptico* 1873 || pepsIA 1858. Do fr. *pepsie*, deriv. do lat. cient. *pepsina* || pepsINA 1858. Do fr. *pepsine* || pépticO 1899. Do fr. *peptique*, deriv. do lat. cient. *pepticus* e, este, do gr. *peptikós* || peptIZAR XX || peptONA 1899. Do fr. *peptone* || pepton·URIA 1899. Do fr. *peptonurie*.

⇨ **-peps(i)-, -pept(i)-** — DISPEPSIA | 1836 SC, *dys-* 1836 SC |.
pequeno *adj.* 'pouco extenso, de tamanho diminuto' XIII. De criação expressiva || Apequen AR XX || pequen EZ | *pequenhèz* 1813 || pequen IN·IDADE | *pequi-* XV || pequen INO 1813.
⇨ **pequeno** — pequen EZ | 1836 SC |.
pequi *sm.* 'planta da fam. das cariocaráceas' | *c* 1594, *piquii* 1587 etc. | Do tupi *pe'ki* || pequi RANA | *pi- a* 1667 || perquiz·EIRO XX.
pequiá *sm.* 'planta da fam. das cariocaráceas' | *pequeâ c* 1584, *piquiá* 1587 etc. | Do tupi *peki'a*.
pequi·rana, -zeiro → PEQUI.
per- *pref.*, do lat. *per-* (da prep. *pĕr*), que nos vocs. latinos (e em seus descendentes românicos) serve para reforçar o conteúdo semântico dos adjetivos e dos verbos (e de seus derivados) e que, modernamente, na linguagem internacional da química, é usado para indicar que um dado elemento químico participa na sua proporção máxima em determinado composto: *permanganato* (de potássio), *percloreto* (de sódio) etc.
pera *sf.* 'fruto da pereira, planta da fam. das rosáceas' | XIV, *pero* XVI | Forma feminina de *pero*, deriv. do lat. *pirum -ī* | CATApEREIRO 1813 || perEIRA XIII || perI·FORME | *pyriforme* 1873.
⇨ **pera** | XII CSM 276.42 || perADA | *c* 1608 NOReb 96.20 || peI·FORME | *pyriforme* 1836 SC |.
peragração *sf.* '(Astr.) revolução de um astro em torno de um ponto do zodíaco' 1858. Do lat. *peragrātiō -ōnis* || peragr AT·ÓRIO 1813.
peralta *adj. s2g.* 'pessoa afetada nas maneiras ou no vestir' | 1881, *par-* 1881 |; '*bras.* indivíduo vadio, travesso' XX. De origem incerta || peraltICE | 1899, *par-* 1881.
peralvilho *sm.* 'peralta, janota' XVIII. De origem incerta.
perambular *vb.* '*bras.* passear a pé, vagar' 1899. Do lat. *perambulāre* || perambul AT·ÓRIO XX.
perante *prep.* 'na presença de, diante de, ante' XIII. De *per* (< lat. *pĕr*) + *ante* (< lat. *ante*).
perau *sm.* 'a parte mais funda do mar ou de um rio, pego' XIX. Do tupi **pe'rau*.
perca[1] → PERDER.
perca[2] *sf.* 'peixe acantopterígeo de água doce, de carne muito saborosa' XVII. Do lat. *perca -ae*, deriv. do gr. *pérkē* || percOIDE 1873.
percal *sm.* 'tecido fino de algodão, muito tapado e macio' | *percaes* pl. XVIII | Do fr. *percale*, deriv. do turco-persa *pärgälä* || percalINA 1890. Do fr. *percaline*.
percalçar *vb.* 'lucrar, ganhar' XIII. Do lat. **percalceāre* || **percalço** *sm.* 'lucro' 'transtorno' XIV.
percalina → PERCAL.
perceber *vb.* 'adquirir conhecimento de, por meio dos sentidos' 'entender, compreender' XIII. Do lat. *pĕrcípĕre* | Aperceber XIII | Aperceb IMENTO | *aperçebemento* XIV || DES·Apercebido *adj.* 'desprovido' XV; 'descuidado' XVIII || DESperceber XVI || DESpercebIDO XIV || IMperceptIVO XVI. Do lat. *imperceptibilis* || percebIMENTO | *perçebymento* XV || **percepção** 1813. Do lat. *perceptio -ōnis* || perceptIBIL·IDADE 1858 || perceptÍVEL XVIII. Do lat. med. *perceptibilis* || perceptIVO 1873.

⇨ **perceber** — IMperceptIVO | *impercetiou a* 1542 JCASE 56.28 || percebIMENTO | *percebimēto* XIV ORTO 176.6, *precibimēto* Id. 152.20 |.
percentagem *sf.* 'parte proporcional calculada sobre uma quantidade de cem unidades' | 1873, *porcentagem* XX | Adapt. do ing. *percentage*, de *per cent*, deriv. do lat. *percentum* || percentU·AL XX.
percep·ção, -tibilidade, -tível, -tivo → PERCEBER.
percevejo *sm.* 'designação comum aos insetos da ordem dos hemípteros, cujas asas anteriores são metade córneas e metade membranosas e cujo aparelho bucal é sugador' | perçobejo XVI | De etimologia obscura.
percha *sf.* 'vara comprida, de madeira, para exercício de ginastas' XVI. Do fr. *perche*, deriv. do lat. *pertĭca -ae*.
percherão *adj. sm.* 'de, ou pertencente ou relativo a Perche (França)' 'diz-se de certa raça de cavalos dessa região' 'o natural ou habitante de Perche' 1899. Do fr. *percheron*.
percluso *adj.* 'impossibilitado de exercer as funções da locomoção' 1899. Do fr. *perclus*.
percoide → PERCA[2].
percolação *sf.* 'operação de passar um líquido através de um meio para filtrá-lo ou para extrair substâncias deste meio' XX. Do lat. *percolātiō -ōnis*.
percorrer *vb.* 'correr ou andar por' 1844. Do lat. *percurrere* || **percurso** 1881. Do lat. *percursus*.
⇨ **percorrer** | 1836 SC |.
percutir *vb.* 'bater ou tocar fortemente em' | *percodir* XIII | Do lat. *percŭtĕre* || **percuciente** XVI. Do lat. *percutiēns -entis* || **percussão** XVI. Do lat. *percussiō -ōnis* || **percussor** XVIII. Do lat. *percussōr -ōris*.
perda → PERDER.
perdão → PERDOAR.
perder *vb.* 'ser privado de' 'cessar de ter' XIII. Do lat. *pĕrdĕre*||DESperdIÇ·ADO 1844||DESperdIÇ·AMENTO XX || DESperdIÇ·AR XVI. Do cast. *desperdiciar* || DESperdÍCIO 1813. Do cast. *desperdicio*, deriv. do lat. tard. *disperditio -ōnis* || **perca**[1] 1844 || **perda** XIII || perdIÇÃO | *-çon* XIII | Do lat. *perditio -ōnis* || perdUL·ÁRIO XVIII.
⇨ **perder** — DESperdIÇ·ADO | 1836 SC || DESperdÍCIO | 1680 AOCad I. 484.29 || **perca**[1] | 1836 SC |.
perdiz *sf.* 'ave tinamiforme, da fam. dos tinamídeos' XIII. Do lat. *perdix -īcis* || perdÍCEO 1899 || perdIG·ÃO XVI. Do cast. *perdigon* || perdIG·OTO XVI || perdIGU·EIRO | *perdigoeiro* XIV.
perdoar *vb.* 'desculpar, absolver' 'evitar' XIII. Do lat. med. *pĕrdōnāre* || IMperdoÁVEL 1858 || **perdão** | *-don* XIII || perdoAÇÃO | *-çõ* XV || perdoADOR XIV || perdoAMENTO XV || perdoANÇA XIII.
perdulário → PERDER.
perdur·ar, -ável → DURO.
pereba *sf.* 'ferida, chaga' | *pa-* 1749 | Do tupi *pe'reua*.
perecer *vb.* 'acabar, deixar de existir, findar' XIII. Do lat. **perecere*, incoativo de *perīre* || DEperecer 1881. Do lat. **deperecere*, incoativo de *dēperīre* || DEperecIMENTO 1881 || IMperecÍVEL 1873 || perecEDOURO | XVIII, *-doiro* 1881 || perecENTE XV || perecIDO XIV || parecÍVEL 1899.
⇨ **perecer** — IMperecÍVEL | 1836 SC |.
peregrinar *vb.* 'viajar ou andar por terras distantes' XVI. Do lat. *peregrināre* || peregrinAÇÃO XVI. Do

lat. *peregrinātĭō -ōnis* ‖ **peregrin**ADOR 1813. Do lat. *peregrinātor -ōris* ‖ **peregrin**AGEM | *peligrinajee* XV ‖ **peregrin**ANTE XVIII ‖ **peregrino** | *pellegrino* XIV | Do lat. *peregrīnus -a -um*.
⇨ **peregrinar** — **peregrin**AÇÃO | *peregrinaçõ* XIV ORTO 119.5, *peregrinaçom* Id.195.7 |.
pereira → PERA.
perempção *sf.* '(Jur.) modo por que se extingue uma relação processual civil ou penal por causas taxativas em lei, e que se findam, por via de regra, na inércia do autor' 1899. Do lat. *perēmptĭō -ōnis* ‖ **perempto** XVIII. Do lat. *perēmptus -a -um* ‖ **peremp**TÓRIO XIV. Do lat. *perēmptōrĭus -a -um*.
perene *adj. 2g.* 'que dura muitos anos' 'perpétuo, imperecível' XVI. Do lat. *perennis -e* ‖ **peren**AL | *peranal* XIII ‖ **peren**IDADE XVI. Do lat. *perennĭtās -ātis*.
perereca *sf.* 'anfíbio da ordem dos anuros, espécie de rã' XX. Do tupi *pere'reka* ‖ **pererec**AR XX.
perfazer *vb.* 'completar, atingir' XIV. Do lat. *perficĕre*.
perfeito *adj.* 'que reúne todas as qualidades concebíveis' | *perffeito* XIV | Do lat. *perfectus -a -um* ‖ IM**perfect**IBIL·IDADE 1873 ‖ IM**perfeição** | *-çom* XV ‖ IM**perfeito** XVII ‖ **perfect**IBIL·IDADE 1833 ‖ **perfectí**VEL 1873 ‖ **perfect**IVO XVII. Do lat. tard. *perfectīvus* ‖ **perfeição** | *perffeyçõ* XIV | Do lat. *perfectĭō -ōnis* ‖ **perficiente** 1858.
⇨ **perfeito** — **perfect**ÍVEL | 1836 SC |.
perfídia *sf.* 'traição, deslealdade, infidelidade' XVI. Do lat. *perfĭdĭa -ae* ‖ **pérfido** XVI. Do lat. *perfĭdus -a -um*. Cp. PORFIA.
perfil *sm.* 'contorno do rosto de uma pessoa vista de lado' XVI. Do cast. *perfil*, deriv. do a. prov. *perfil* ‖ **perfil**AR 1813.
per·filh·ação, -amento, -ar → FILHO.
perfolhada → FOLHA.
perfolhear *vb.* 'folhear (um livro) com atenção' XX. Voc. criado pelo escritor brasileiro Nelson Vaz.
perfoli·ação, -ado → FOLHA.
perfulgente → FULGIR.
perfumar *vb.*, 'impregnar de aroma' 'tornar aromático' | *pre-* XVI | Talvez do it. *perfumare* (hoje *profumare*), relacionado, provavelmente, com o lat. *fūmĭgāre* (> port. *fumigar*; cp. FUMO) ‖ **perfum**ADO XVI ‖ **perfum**ARIA XIX ‖ **perfum**E XVI. Deverbal de *perfumar* ‖ **perfum**ISTA 1873.
perfunctório *adj.* 'que se faz como simples rotina, e não por necessidade ou visando a um fim útil' XVIII; o adv. *perfunctoriamente* se documenta no séc. XVII. Do lat. *perfunctōrĭus -a -um*.
perfur·ação, -ador, -atriz, -ar → FURAR.
perfusão → FUNDIR.
pergaminho *sm.* 'pele de cabra, de ovelha etc., macerada em cal, raspada e polida, para servir de material de escrita e de encadernação' | *pergamjnho* XIV, *pullgamÿho* XIV etc. | Do lat. tard. *pĕrgămīnum* (cláss. *pĕrgămēna*) ‖ A**pergaminh**ADO 1899 ‖ **pergamin**ÁCEO 1899.
pérgula *sf.* 'passeio ou abrigo, em jardins, feito de duas séries de colunas paralelas, e que serve de suporte a trepadeiras' XX. Do it. *pèrgola*.
perguntar *vb.* 'interrogar, inquirir, indagar' | XIII, *pre-* XIII | Do lat. **praecūnctāre*, de *percōntāri* ‖ **pergunta** | XIV, *pre-* XIII.

peri- *elem. comp.*, do gr. *perí* 'movimento em torno' 'acerca de, ao redor de', que já se documenta em vocs. formados no próprio grego, como *perikárdio*, e em muitos outros introduzidos na linguagem científica internacional, a partir do séc. XIX ◆ **peri**ÁNDR·ICO 1899 ‖ **peri**ANTO | *perianthio* 1858 | Do fr. *périanthe*, deriv. do lat. cient. *perianthium* ‖ **peri**CARDIA XVI ‖ **peri**CÁRDIO 1813. Do lat. cient. *pericardium*, deriv. do gr. *perikárdion* ‖ **peri**CARD·ITE 1873 ‖ **peri**CARPO 1813. Do lat. cient. *pericarpium*, deriv. do gr. *perikárpion* ‖ **peri**CICLO | *pericyclo* 1899 | Do fr. *péricycle*, deriv. do lat. cient. *pericyclum* e, este, do gr. *períkyklos* ‖ **peri**CLÁSIO XX. Do fr. *périclase*, deriv. do lat. cient. *periclasia* ‖ **peri**CLIN·IFORME 1899 ‖ **peri**CLÍN·IO 1899. Do lat. cient. *periclīnium* ‖ **peri**CLIN·ITA XX ‖ **peri**CLINO 1899. Do fr. *péricline*, deriv. do gr. *periklinḗs* ‖ **peri**CÔNDRIO | *perichondrio* 1858 | Do fr. *périchondre*, deriv. do lat. cient. *perichondrium* ‖ **peri**CRÂNIO | *pericraneo* 1813 | Do fr. *péricrâne*, deriv. do lat. cient. *pericrānium* e, este, do gr. tard. *perikrânion* ‖ **peri**DESMO XX ‖ **peri**DÍDIMO | *perididymo* 1899 ‖ **peri**DISC·AL 1899 ‖ **perí**DROMO 1858. Cp. gr. *perídromos* ‖ **periecos** 1813. Do fr. *périoeciens*, deriv. do lat. cient. *perioecī* e, este, do gr. *períoikoi* ‖ **peri**ÉLIO | *perihelio* 1813 | Do fr. *périhélie*, deriv. do lat. cient. *perihēlium* ‖ **peri**ERGIA 1890 ‖ **periferia** | *peripheria* 1813 | Do fr. *périphérie*, deriv. do lat. tard. *peripherĭa* e, este, do gr. *periphéreia* ‖ **peri**FÉR·ICO | *peripherico* 1858 | Do fr. *péripherique* ‖ **peri**FRASE | *periphrase* 1813 | Do fr. *périphrase*, deriv. do lat. *periphrăsis -is* e, este, do gr. *períphrasis* ‖ **peri**FRÁS·T·ICO 1899. Do fr. *périphrastique*, deriv. do gr. *periphrastikós* ‖ **peri**GINO | *perigyno* 1873 | Do fr. *périgyne*, deriv. do lat. cient. *perigynus* ‖ **peri**GÔNIO | *perígono* 1858 | Do fr. *périgone*, deriv. do lat. cient. *perigonium* ‖ **peri**GRAFO | *perigrapho* 1899 ‖ **peri**METR·AL XX. Do fr. *périmétral* ‖ **perí**METRO 1813. Do fr. *périmètre*, deriv. do lat. tard. *perimetros* e, este, do gr. *perímetros -on* ‖ **peri**MÍSSIO | *perimisio* 1899, *-ysio* 1899 | **peri**ÓSTEO | *periostio* 1813. | Do fr. *périoste*, deriv. do lat. cient. *periosteum* (lat. tard. *periosteon*) e, este, do gr. *periósteos* ‖ **peri**OSTEÓ·FITO | *periosteóphyto* 1899 ‖ **peri**OSTEO·TOMIA XX ‖ **peri**ÓSTRACO 1899 ‖ **peri**PATÉTICO a 1438. Do fr. *péripatétique*, deriv. do lat. cient. *peripateticus -i* e, este, do gr. *peripatetikós* ‖ **perí**PATO 1873. Do fr. *peripate*, deriv. do gr. *perípatos* ‖ **peri**PIEMA *sm.* '(Patol.) supuração em redor de um órgão' 1873 ‖ **périplo** 1859. Do fr. *périple*, deriv. do lat. *perĭplŭs -i*, e, este, do gr. *períplous* ‖ **peri**PNEUMONIA 1813. Do fr. *péripneumonie*, deriv. do lat. tard. *peripneumonia* e, este, do gr. *peripneumonía* ‖ **peri**PNEUMÔN·ICO 1858. Do fr. *peripneumonique*, deriv. do lat. *peripneumonicus -a -um* ‖ **peri**PNEUMONIKÓS ‖ **períscios** 1813. Do fr. *périscien*, deriv. do lat. med. *periscĭī* e, este, do gr. *perískios* ‖ **peri**SCÓPIO 1899. Do fr. *périscope*, deriv. do gr. *periskopéō* ‖ **peris**PERMA 1858. Do fr. *périsperme* ‖ **peri**SSOLOGIA *sf.* 'vício de linguagem que consiste em repetir várias vezes, por palavras diferentes, um pensamento já enunciado' XVI. Do lat. tard. *perissologia*, deriv. do gr. *perissología* ‖ **peri**STALSE XX. Do lat. cient. *peristalsis* ‖ **peri**STÁLT·ICO 1782. Do fr. *péristalti-*

que, deriv. do gr. *peristaltikós* ‖ **perí**STASE 1881 ‖ **peri**STILO | *peristylo* 1873, *peristilio* 1813 | Do fr. *péristyle*, deriv. do lat. *peristȳl(i)um* e, este, do gr. *perístȳlon* -*stȳ́lion* ‖ **perí**STOLE 1899. Do fr. *péristole*, deriv. do gr. *peristolḗ* ‖ **peri**STÔMIO XX. Do fr. *péristome*, deriv. do lat. cient. *peristoma* -*omium* e, este, do gr. *peristómion* ‖ **peri**TÉCIO 1890. Do lat. cient. *perithēcium*, deriv. do gr. tard. *perithḗkē* ‖ **peritônio** | *peritoneo* 1782 | Do fr. *péritoine*, deriv. do lat. tard. *peritonaeum* e, este, do gr. *peritónaion*.
⇨ **peri-** — **periferia** | 1680 *in* RB | **peri**STILO | *peristylo* 1720 RB |.
periambo *sm.* 'pé de verso grego ou latino, constituído de duas sílabas breves' 1873. Do lat. *periambus* -*ī*.
periân·drico, -to → PERI-.
periblema *sm.* '(Bot.) conjunto de células meristemáticas do ponto vegetativo do caule ou da raiz, as quais dão origem aos tecidos da casca' 1899. Do lat. cient. *periblēma* -*atis*, deriv. do gr. *períblēma* -*atos*.
perÍbolo *sm.* 'terreno, geralmente arborizado, que, na Antiguidade, rodeava um templo' 1858. Do lat. tard. *peribolus*, deriv. do gr. *períbolos*.
peri·cardia, -cárdio, -cardite, -carpo → PERI-.
perícia *sf.* 'habilidade, destreza' 'vistoria ou exame de caráter técnico e especializado' XVI. Do lat. *perītĭa* -*ae* ‖ IM**perícia** XVI. Do lat. *imperītĭa* -*ae* ‖ IM**perito** 1813. Do lat. *imperītus* -*a* -*um* ‖ **perici**AL XX ‖ **perito** 1813; o superlativo *peritissimo* já se documenta no séc. XV. Do lat. *perītus* -*a* -*um*.
⇨ **perícia** — IM**perito** | *c* 1539 JCASD 11.*9* |.
peri·ciclo, -clásio, -cliniforme, -clínio, -clinita, -clino → PERI-.
periclitar *vb.* 'correr perigo' XIX. Do lat. *perīclitārī* ‖ **periclit**ANTE 1881.
peri·côndrio, -crânio → PERI-.
periculosidade → PERIGO.
peri·desmo, -dídimo → PERI-.
perídio *sm.* '(Bot.) envoltório do aparelho esporífero (corpo de frutificação) de fungos' 1899. Do lat. cient. *pēridium*, deriv. do gr. *pēridion*.
peri·discal, -dromo, -ecos, -élio, -ergia, -feria, -férico, -frase, -frástico → PERI-.
periforme → PERA.
perigalho → PELE.
perigar → PERIGO.
perigeu *sm.* '(Astr.) ponto da órbita de um astro em torno da Terra, no qual esse astro se encontra mais próximo do centro do nosso planeta' | *perigeo* 1813 | Do fr. *périgée*, deriv. do gr. *perígeion*.
perígino → PERI-.
perigo *sm.* 'circunstância que prenuncia um mal para alguém ou para alguma coisa' | XIII, -*goo* XIII, -*ligro* XIII, -*rigro* XIII etc. | Do lat. *pĕrīculum* -*ī* ‖ **pericul**OS·IDADE XX ‖ **perig**AR XVI. Do lat. *periculāre* ‖ **perig**OSO XIII. Do lat. *perīculōsus* -*a* -*um*.
⇨ **perigo** — **perig**AR | *perigoar* XIII CSM 236.*1*, *periguar* Id. 267.*4*, *peryguar* XIV ORTO 162.*9* |.
peri·gônio, -grafo → PERI-.
perilo *sm.* 'remate piramidal, muito agudo' XVII. Provavelmente do malaio *pĕrlang*.
perimetr·al, -o → PERI-.

perimir *vb.* 'pôr termo a, extinguir ação ou instância judicial' 1830. Do lat. *perimēre*.
perimíssio → PERI-.
períneo *sm.* '(Anat.) espaço entre o ânus e os órgãos sexuais' XVI. Do lat. tard. *perineos*, deriv. do gr. *períneos* ‖ **perineo**CELE 1873 ‖ **perineo**R·RAFIA XX ‖ **perineo**TOMIA XX.
período *sm.* 'o tempo transcorrido entre duas datas ou dois fatos mais ou menos marcantes' XVII. Do lat. *periŏdus* -*ī*, deriv. do gr. *períodos* ‖ **period**IC·IDADE 1873 ‖ **periód**ICO *adj.* 1813; *sm.* 1820. Do lat. *periodĭcus* -*a* -*um*, do gr. *periodikós* ‖ **period**ISMO 1844 ‖ **period**ISTA 1844.
⇨ **período** — **period**ISMO | 1836 SC ‖ **period**ISTA | 1836 SC |.
peri·ósteo, -osteófito, -osteotomia, -óstraco, -patético, -pato → PERI-.
peripécia *sf.* 'lance em poema, drama etc., que muda a face das coisas' 'aventura' XVII. Cp. gr. *peripéteia*.
peri·piema, -plo, -pneumonia, -pneumônico → PERI-.
períptero *sm.* '(Arquit.) edifício que em todo o derredor tem colunas isoladas' | *periptério* 1858 | Do lat. tard. *perípteros*, deriv. do gr. *perípteron*.
periquito *sm.* 'ave psitaciforme, da família dos psitacídeos' XVII. Do cast. *periquito* ‖ EM**periquit**AR XX ‖ **periquit**AR XX.
perí·scios, -scópio, -sperma → PERI-.
perissodáctilo *sm.* '(Zool.) animal mamífero, da ordem *Perissodactyla*, geralmente de grande porte' | *perissodáctylo* 1899 | Do fr. *perissodactyle*.
peri·ssologia, -stalse, -stáltico, -stase, -stilo, -stole, -stômio, -técio → PERI-.
perito → PERÍCIA.
peritônio → PERI-.
perjur·ar, -io, -o → JUÍZO.
perl·ar, -asso → PÉROLA.
perlavar → LAVAR.
perlífero → PÉROLA.
perlustrar → LUSTRAR[2].
permanência *sf.* 'demora, estada' XVI. Do lat. med. *permanentia* ‖ **permanec**ENTE XVI ‖ **permanec**ER | -*escer* XIII | Do lat. *permanescere, incoativo de *permanēre* ‖ **perman**ENTE XVI. Do lat. *permanēns* -*entis*,
permeável *adj.* 2*g.* 'que pode ser repassado ou transpassado' 'que deixa passar' 1858. Do lat. *permeābilis* -*e* ‖ IM**permeābil**IDADE XVII ‖ IM**perme**ABIL·IZ·AÇÃO | *impermeabilisação* 1873 ‖ IM**perme**ABIL·IZ·ANTE XX ‖ IM**perme**ABIL·IZAR | *impermeabilisar* 1873 ‖ IM**perme**ÁVEL 1858 ‖ **perme**ABIL·IDADE 1873 ‖ **perme**Â·METRO XX ‖ **perm**EAR 1813. Do lat. *permeāre*.
permeio *adv.* 'no meio' 1873. De *per* (< lat. *pĕr*) + *meio* (v. MÉDIO).
⇨ **permeio** | 1836 SC |.
permiano *adj. sm.* 'de, ou pertencente ou relativo a Perm (cidade da Fed. Russa)' 'língua uralo-altaica, do grupo ugro-finlandês' '(Geol.) período permiano' 1890. Do ing. *permian*, deriv. do top. *Perm*.
permiss·ão, -ível, -ivo, -or, -ório → PERMITIR.
permistão *sf.* 'mistura, confusão' XVI. Do lat. *permixtĭō* -*ōnis* ‖ **permisto** 1858. Do lat. *permixtus* -*a* -*um*.

permitir *vb.* 'dar liberdade, poder ou licença para' 'consentir em' | *permeter* XV | Do lat. *permittĕre* || **permissão** XVI. Do lat. *permissĭō -ōnis* || **permissível** XVIII. Do lat. med. *permissibilis* || **permissivo** 1858 (o adv. *permissivamente* já ocorre no séc. XV). Do lat. *permissīvus* || **permissor** XX || **permissório** XX.
⇨ **permitir** — **permissivo** | 1836 SC |.
permutar *vb.* 'dar mutuamente, trocar' XV. Do lat. *permūtare*||I**m**permut**abil·idade**XVII||I**m**permut**ável** 1813 || **permuta** XVII || **permutabil·idade** 1899 || **permut**ação | *permutaçam* XVI, *permudaçom* XIV | Do lat. *permūtātiō -ōnis* || **permut**ável 1890. Do lat. tard. *permutabilis*.
perna *sf.* 'a parte de cada um dos membros inferiores do corpo compreendida entre o joelho e o tornozelo' XIII. Do lat. *perna -ae* || **empern**ar XX || **entreperna** 1873. Do cast. *entrepiernas* || **espernear** 1844 || **esperneg·ar** 1813. Do lat. vulg. **expernicare* || **pern**alta XVII || **pern**eira(s) 1813 || **pern**eta XX || **pern**il XVII || **perni·longo** 1890.
⇨ **perna** — **espernear** | 1836 SC |.
pernambucano *adj. sm.* 'de, ou pertencente a, ou indivíduo natural ou habitante de Pernambuco' XVII. Do top. *Pernambuc(o)* + -ano.
pern·eiras, -eta → PERNA.
pernície *sf.* 'estrago, destruição, ruína' 1858. Do lat. *perniciēs -ēī* || **pernic**ioso XVI. Do lat. *perniciōsus -a -um*.
pern·il, -ilongo → PERNA.
perno *sm.* 'pequeno eixo cilíndrico de vários maquinismos' XVI. Do cat. *pern*, derivado, provavelmente, do gr. *perónē*.
pernoitar *vb.* 'passar a noite' 1813. Do lat. *pernoctāre* || **pernoite** XX. Dev. de *pernoitar*.
pernóstico *adj.* 'presumido, afetado, pedante' 1858. Talvez deriv. de *prognóstico*, através da variante *pronóstico* (do séc. XV), numa acepção translata de 'aquele que se vangloria de conhecer o futuro' 'indivíduo afetado' || **pernosticismo** XX.
⇨ **pernóstico** | 1836 SC |.
peroba *sf.* 'nome de diversas plantas das famílias das apocináceas e das bignoniáceas, que fornecem madeira de boa qualidade' | *peroua* 1624, *peróba* 1663, *paróba* 1711, *eperoba* 1789 etc. | Do tupi *ipe'roưa* < *i'pe* 'casca' + *'roưa* 'amargo'.
pérola *sf.* 'glóbulo duro, brilhante e nacarado, que se forma nas conchas de alguns moluscos bivalves' | *perlla* XV, *perla* XVI | Do lat. vulgar **pĕrnŭla* dim. do lat. *perna* 'espécie de ostra' || **emperlar** 1813 || **perl**ar 1899 || **perlasso** 1899. Do fr. *perlasse* || **perlí·fero** XX || **peroleira** 1813 || **perolí·fero** 1899.
perônio *sm.* '(Anat.) osso da perna, situado na parte externa ao lado da tíbia' | *peronèo* 1858 | Do lat. cient. *peronē*, deriv. do gr. *perónē*.
peroração *sf.* 'a parte final de um discurso, epílogo' XVII. Do lat. *perorātiō -ōnis* || **peror**ar XVI. Do lat. *perōrāre*.
perpassar *vb.* 'passar junto ou ao longo' | XVI, *pre-passar* XVI | De *per* (< lat. *per*) + *passar*.
perpendicular *adj. 2g. sf.* '(Geom.) diz-se de qualquer configuração geométrica cuja interseção com outra forma um ângulo reto' 'linha perpendicular' 1813. Do b. lat. *perpendiculāris* || **perpendículo** XVII. Do lat. *perpendicŭlum -i*.
⇨ **perpendicular** | 1647 *in* ZT |.
perpetrar *vb.* 'fazer inteiramente, levar a cabo' 1813. Do lat. *perpetrāre* || **perpetr**ação 1844. Do lat. *perpetrātiō -ōnis* || **perpetr**ador 1813. Do lat. *perpetrātor -ōris*.
⇨ **perpetrar** — **perpetr**ação | 1836 SC |.
perpetuar *vb.* 'eternizar, fazer durar sempre, ou por muito tempo' *a* 1438. Do lat. *perpetŭāre* || **perpétua** 1813. Fem. substantivado de *perpétuo* || **perpetu**ação XVII || **perpetu**idade | -*ujd- a* 1438 | Do lat. *perpetualitās -ātis* || **perpétuo** XIV. Do lat. *perpetŭus-a um*.
perpianho *sm.* 'cantaria que tem toda a largura duma parede e quatro faces aparelhadas' 1890. Do cast. *perpiaño*.
⇨ **perpianho** | *perpyamno* 1514 *in* ZT |.
perplexo *adj.* 'indeciso, duvidoso, irresoluto' XVII. Do lat. *perplexus -a -um* || **perplexão** XVIII. Do lat. *perplexiō -ōnis* || **perplex**idade XV. Do lat. *perplexitās -ātis*.
perponto *sm.* 'gibão acolchoado para proteger o corpo dos armas brancas' XIII. Do cat. *perpunt*, deriv. do lat. tard. *pĕrpŭnctus*, part. de *perpungĕre*.
perquirir *vb.* 'investigar com escrúpulos, pesquisar' 1899. Do lat. *perquīrere* || **perquis**ição 1890. Do b. lat. *perquisītiō -ōnis* || **perquis**it·ivo XX.
perr·a, -aria, -eiro → PERRO.
perrengue *adj. 2g.* 'covarde, medroso, fraco' 1844. Do cast. *perrengue*.
⇨ **perrengue** | 1836 SC |.
perrexil *sm.* 'aquilo que estimula o apetite' | *perexil* XIV | Do cast. *perejil*, deriv. do prov. *pe(i)ressil* e, este, do gr. *petrosélīnon*.
perro *adj. sm.* 'resistente, empenado' 'cão, homem vil' XIV. Do cast. *perro* || **des·emperr**ar 1813 || **emperr**ado XVII || **emperr**amento 1873 || **emperr**ar XVII || **perr**a XVI || **perr**aria XVI || **perr**eiro 1813 || **perr**ice XVI.
⇨ **perro** — **emperr**amento | 1836 SC |.
persa *adj. s2g.* 'de, ou pertencente ou relativo, ou natural, ou habitante da Pérsia' 1572. Do lat. *persa -ae* || **pers**iano | *perssião* XIV, *perseao* XV | **persic·ária** 1873. Do lat. cient. *persicāria* || **pérsico** XVI. Do lat. *persĭcus -a -um* || **pérsio** XVI. Do lat. *persius -ĭī*.
⇨ **persa** | 1525 ABejP 3.24 | **pers**iano | XV BENF 122.38, *perssião* XIII CSM 15.24, *persyano* XV BENF 122.35 |.
perscrutar *vb.* 'investigar minuciosamente, indagar, perquirir' 1813. Do lat. *perscrūtāre* || **imperscrut**ável 1873 || **perscrut**ação 1858. Do lat.*perscrūtātiō -ōnis*||**perscrut**ador XVIII. Do lat. *perscrūtātōr -ōris*||**perscrut**ável 1813. Do lat.*perscrūtābĭlis -e*.
perseguir *vb.* 'ir ao encalço de, acossar' | *persiguir* XIV. Do lat. *persĕquere*, por *persequī* || **persecução** *sf.*'perseguição' | XVI, *perseguçon* XIII | Do lat. *persecūtiō -ōnis* || **persecut·ório** XVII. Do lat. *persecūtor -ōris* || **persegu**ição | -*siguyçon* XIV || **persegu**idor XIV || **persegu**imento | -*si-* XV.
⇨ **perseguir** — **persegu**ição | *perseguçon* XIII CSM 227.43 |.
perseidade *sf.* 'na filosofia escolástica, a qualidade daquilo que existe de per si' 1899. Do lat. med. *persēitās -ātis*.

persentir *vb.* 'sentir intimamente' xx. Do lat. *persentīre*.
persevão *sm.* 'tábua interior do coche, onde o passageiro apoia os pé,' 1813. De origem incerta.
perseverar *vb.* 'conservar-se firme e constante' | xiv, *pesse-* xiii | Do lat. *persĕvĕrāre* || **persever**ança | *perseuerāça* xiv | Do lat. *persevērantĭa -ae* || **persever**ante xiv. Do lat. *persevērāns -antis*.
persiana *sf.* 'caixilho de tabuinhas móveis, que se coloca por fora das janelas ou das sacadas para resguardar do sol' 1873. Do fr. *persienne*, fem. de *persien* 'persa'.
pers·iano, -icária, -ico → persa.
persignar → signo.
pérsio → persa.
persistir *vb.* 'ser constante, perseverar, insistir' xvi. Do lat. *persistĕre* || **persist**ência xvii || **persist**ente xvii.
persolver *vb.* 'pagar ou solver inteiramente' 1813. Do lat. *persolvĕre*.
personagem *s2g.* 'pessoa notável, importante' 'cada um dos papéis que figuram numa peça teatral e que devem ser encarnados por um ator ou por uma atriz' xvi. Do fr. *personnage* || **person**ada 1873. Do lat. *persōnātus -a -um* || **person**al·idade 1813. Do fr. *personnalité* || **person**al·ismo 1899. Do fr. *personnalisme* || **person**al·izar 1858. Do fr. *personnaliser* || **person**ific·ação 1873. Do fr. *personnification* || **person**ificar 1858. Adapt. do fr. *personnifier*. Cp. pessoa.
perspectiva *sf.* 'arte de representar os objetos sobre um plano tais como se apresentam à vista' xvi. Do lat. tard. *perspectīva* || **perspéct**ico 1899 || **perspect**ivo xvi. Do lat. tard. *perspectīvus*.
perspicácia *sf.* 'qualidade de perspicaz, sagacidade' 1813. Do lat. *perspicācĭa* || **perspicaz** xvi. Do lat. *perspicāx -ācis*.
perspícuo *adj.* 'claro, nítido, evidente' 1858. Do lat. *perspicŭus -a -um* || **perspicu**idade xvii. Do lat. *perspicuĭtās -ātis*.
perspirar *vb.* 'transpirar insensivelmente em toda a superficie' 1899. Do lat. *perspirāre*.
perstrição *sf.* (Med.) aplicação de ligaduras muito apertadas' xx. Do lat. **perstrictĭo -ōnis*, de *perstringĕre* 'apertar'.
persuadir *vb.* 'levar a crer ou a aceitar' 'induzir, convencer' xvi. Do lat. *persuadēre* || des**persuadir** 1844 || **persuasão** xvii. Do lat. *persuāsĭo -ōnis* || **persuas**ível 1844. Do lat. *persuāsibĭlis -e* || **persuas**ivo 1813. Do lat. med. *persuāsīvus* || **persuas**or 1844. Do lat. med. *persuāsor -ōris* || **persuas**ório xvii. Do lat. *persuasōrĭus*.
⇨ **persuadir** — des**persuadir** | *a* 1595 *Jorn.* 41.*1* || **persuad**ição | *perssuadições* pl. 1634 MNor 283.*30* || **persuasão** | 1537 GLeão 8.*22* || **persuas**ível | 1836 sc || **persuas**or | 1836 sc || **suadir** 'persuadir, aconselhar' | 1614 sGonç ii. 384.*34* |.
pertencer *vb.* 'ser propriedade ou parte de' | *-çer* xiii, *pertēecer* xiii, *-teesçer* xiv etc. | Do lat. **pertencere*, incoativo de *pertĭnēre* || **pertença** *sf.* 'propriedade' 'declaração que se faz em certos títulos, designando a pessoa a quem se transmite a propriedade deles' | xiii, *-teença* xiii, *-tinenza* xiii, *-tinença* xiii etc. | Do lat. *pertinentia* || **pertence** 1844 || **pertenc**ente | *perteencente* xv.

⇨ **pertencer** — **pertenc**ente | *pertēēcente* xiv orto 15.*35* |.
pértiga *sf.* 'vara varapau' | xiv, *-ega* xiv | Do lat. *pertĭca -ae* | em**pertig**ado 1813 || em**pertig**ar 1813 || **pertigu**eiro | *-eyro* xiii.
pertinaz *adj.* 2g. 'muito tenaz' 1813. do lat. *pertināx -ācis* || **pertinác**ia xvii. Do lat. *pertinācĭa -ea*.
⇨ **pertinaz** | xv benf 130.*3*, *pertinás* 1614 sGonç ii. 253.*3* || **pertin**ácia | *a* 1595 *Jorn.* 15.*24* |.
pertinência *sf.* 'qualidade ou condição de pertinente, pertença' xvii. Do lat. *pertinentia* || im**pertinên**cia xvi. Do lat. *impertinentia* || im**pertin**ente xvi. Do lat. *impertinēns -entis* || **pertin**ente xvi. Do lat. *pertinēns -entis*.
perto *adv.* 'a pequena distância' 'brevemente' | 1572, *preto* xiii | De origem controversa. A hipótese mais provável é que se tenha originado do lat. **prettus*, ao lado de *pressus*, part. de *prĕmĕre*.
perturbar *vb.* 'alterar, modificar' 'causar embaraço' | *pertorvar* xiv, *portorbar* xv | Do lat. *perturbāre* || im**perturb**abil·idade xvii || im**perturb**ável 1813. Do lat. tard. *imperturbābilis* || **perturb**ação 1813. Do lat. *perturbātĭo -ōnis* || **perturb**ador 1813. Do lat. *perturbātor -ōris* || **perturb**at·ivo 1769.
⇨ **perturbar** — **perturb**ador | 1573 GLeão 5.*5* |.
pertuso *adj.* (Bot.) diz-se da folha que tem algumas perfurações' 1899. Do lat. *pertūsus*.
peru *sm.* 'grande ave galinácea doméstica' xvii. Do top. *Peru*, provavelmente || **peru**a 1844 || **peru**ana 1899 || **peru**ano xvii || **peru**ar *vb.* 'dar palpite, interferir' xx.
⇨ **peru** — **peru**a | 1836 sc |.
peruca *sf.* 'cabeleira postiça' 1813. Do fr. *perruque*, deriv. do it. *parrucca, perucca*.
pérula *sf.* (Bot.) o conjunto das escamas que protegem as gemas dormentes de certas árvores' 1899. Do lat. *pērŭla*, dim. de *pēra -ae*.
pervagar *vb.* 'percorrer em diversas direções, atravessar' 1899. Do lat. *pervagāre* || **pervag**ante xx.
pervencer *vb.* 'destruir, esmagar, aniquilar' 1899. Do lat. *pervincĕre*.
perversão *sf.* 'ato ou efeito de perverter' 'corrupção' xvi. Do lat. ecles. *perversĭo -ōnis* || **pervers**idade xviii. Do lat. *perversĭtās -ātis* || **pervers**o xv. Do lat. *perversus* || **perverter** xvi. Do lat. *pervertĕre* || **pervert**ido 1813.
⇨ **perversão** — **perveso** | xiv orto 98.*21* || **perverter** | *peruertudo* p. adj. xiv orto 68.*20* |.
pervicaz *adj.* 2g. 'obstinado, persistente, teimoso' xvii. Do lat. *pervĭcāx -ācis* || **pervicácia** 1844. Do lat. *pervicācĭa -ae*.
pervígil *adj.* *s2g.* 'acordado' 'aquele que não dorme' xv. Do lat. *pervĭgil -ĭlis* || **pervigília** *sf.* | *-lio* m. 1858.
pervinca *sf.* 'designação de duas plantas da fam. das apocináceas' 1844. Do lat. *pervinca*.
⇨ **pervinca** | 1836 sc |.
pérvio *adj.* 'que dá passagem, transitável' xvi. Do lat. *pervĭus -a -um*.
perxina *sf.* (Arquit.) porção de abóbada, de forma triangular, que ajuda a sustentar a abóbada de uma meia laranja' 1881. De etimologia obscura.
⇨ **perxina** | 1757 *in* zt |.
pes·ada, -adelo, -ado, -adume, -agem, -ame, -ante, -ar, -aroso → peso.

pescar vb. 'apanhar na água um peixe' 'conseguir ardilosamente' XIII. Do lat. *piscāre* || **pesca** 1813 || **pesc**ADA sf. 'espécie de peixe' XV || **pesc**ADO 1813. Do lat. *piscātus -a -um* || **pesc**ADOR XIII. Do lat. *piscātor -ōris* || **pesc**ANÇO 1881 || **pesc**ARIA XIII. Do lat. *piscāria* || **pesqu**EIRO | *pesqueira* f. XVI | Cp. PEIXE, PISCATÓRIO.
⇨ **pescar** — **pesc**ADO | XIII CSM 95.*35* |.
pescaz sm. 'cunha que liga o arado à rabiça' 1813. De etimologia obscura.
pescoço sm. 'parte do corpo que liga a cabeça ao tronco' XIV. De um *poscoço (< lat. *post* + *cŏccius), provavelmente.
⇨ **pescoço** | XIII CSM 293.*1* |.
pesebre sm. 'lugar destinado, na manjedoura, a cada cavalgadura' XVIII. Do cast. *pesebre*, deriv. do lat. *praesēpe -is*. Cp. PRESEPE.
peseta sf.'unidade monetária, e moeda da Espanha, Andorra etc.' 1795. Do cast. *peseta*.
pesg·a, -ar → PEZ.
peso sm. 'resultado da ação que a gravidade exerce num corpo' XIII. Do lat. *pēnsum -i* || A**pes**AR XX || A**pes**ENT·AR XVI || CONTRA**pes**AR XV || CONTRA**peso** | *-zo* XIV || **pes**ADA 1751 || **pes**AD·ELO XVI || **pes**ADO XIII || **pes**AD·UME | XVI, *-adoem* XV || **pes**AGEM 1881 || **pês**AME XVI. De *pesa-me* || **pes**ANTE adj. 2g. 'pesaroso' XIV || **pes**AR¹ vb. 'causar dor' 'avaliar o peso' XIII. Do lat. *pēnsāre* || **pes**AR² sm. 'pena, dor' XIII || **pes**AR·OSO XVI || **pess**·ÁRIO 1873. Do lat. tard. *pessārium* || RE**pes**AR 1813 || RE**peso**¹ adj. XVII || RE**peso**² sm. 1873 || SO**pes**AR XVI.
⇨ **peso** — RE**peso** | 1836 SC |.
pespegar vb. 'assentar com violência' XVII. De origem incerta, talvez de *pospegar 'pegar após'.
pespont·ar, -o → PONTA.
pesqueiro → PESCAR.
pesquisa sf. 'busca com investigação' XVI. Do cast. *pesquisa* || **pesquis**ADOR 1813 || **pesquis**AR 1813.
pessário → PESO.
pêssego sm. 'o fruto do pessegueiro' XV. Do lat. *persĭcus -i* || **pesseg**ADA XX || **pessegu**EIRO | 1813, *pecegueiro* 1813.
péssimo adj. 'superlativo de mau, malíssimo XVIII. Do lat. *pessĭmus -a -um* || **pessim**ISMO 1881 || **pessim**ISTA 1881.
pessoa sf. 'homem ou mulher' 'personagem' | XIV, *persoa* XIII, *pessõa* XIII, *persõa* XIV | Do lat. *pērsŏna -ae* || DES**person**AL·IZAR XX || IM**pesso**AL·IDADE XX || IM**pesso**AL 1844. Do lat. *impersōnālis* || **pesso**AL | *pessoããs* pl. XV | Do lat. tard. *personalis*. Cp. PERSONAGEM.
⇨ **pessoa** — A**pesso**ADO | 1635 MNOr 266.*33* || IM**pesso**AL | 1836 SC || **pesso**AL | *persoal* XIII FLOR 439 |.
pestana sf. 'cada um dos pelos da orla das pálpebras' XIV. De uma base latina *pĭstanna || **pestan**EJAR XIV || **pestan**UDO XVI.
peste sf. 'doença contagiosa grave' XVI. Do lat. *pestis -is* || EM**pest**ADO 1813 || EM**pest**AR 1813 || EM**pesti**·ADO XX || **pest**ÍFERO XVI. Do lat. *pestifer -erī* || **pesti**L·ÊNCIA XIV. Do lat. *pestĭlentia -ae* || **pesti**L·ENTE 1813. Do lat. *pestĭlēns -entis* || **pesti**L·ENTO XVII.
⇨ **peste** — A**pest**ADO 'empestado' | 1614 SGonç I. 98.*23* || **pesti**L·ENC·IAL | *pestelencial* XV BENF 116.*11*, 1614 SGonç II. 63.*33* |.

pestilo sm. 'aldraba, tranqueta de fechar e abrir a porta' 1881. Do cast. *pestillo*, deriv. do lat. vulg. *pestĕllus*, dim. de *pestulus*, que é alteração do lat. *pessŭlus* 'ferrolho'.
peta¹ sf. 'mancha no olho do cavalo' 'cunha cortante nas costas do podão' 1813. Do lat. *pitta, deriv. do gr. *pítta*.
peta² sf. 'mentira, impostura, fraude' XVIII. De etimologia obscura || **peto**² adj. 'maçante' 1899.
pétala sf. '(Bot.) cada uma das peças que constitui a carola das flores' 1844. Do lat. cient. *petālum*, deriv. do gr. *pétalon* || A**petali**·FORME XX || A**pétalo** 1844 || DES**petal**AR XX || DES**petale**AR 1873 || **petali**·FORME 1873. Do lat. cient. *petalifōrmis* || **petáli**O 1899 || **petali**SMO 1873. Do fr. *pétalisme*, deriv. do gr. *petalismós* || **petali**TA 1899. Do fr. *pétalite* || **petal**OIDE 1899. Do fr. *pétaloide* || **petalo**·MANIA 1899.
⇨ **pétala** | 1836 SC || A**pétalo** | 1836 SC |.
petardo sm. 'engenho explosivo, portátil, para destruir obstáculos' 'bomba' XVII. Do fr. *pétard*.
petauro sm. 'na antiga Roma, tablado de acrobatas' 1899. Do lat. cient. *petaurus*, deriv. do gr. *petauron* || **petaur**ISTA 1858. Do lat. cient. *petauristēs* (cláss. *petauristēs*), deriv. do gr. *petauristēs*.
peteca sf. 'disco de palha de milho, de pano ou de couro, recheado de algodão ou de pedaços de cortiça, guarnecido em uma das faces de um molho de penas, que se lança ao ar com uma pancada com a palma da mão' 'jogo em que os participantes arremessam a peteca para o alto, passando-a de um para o outro sem deixá-la cair ao chão' 'ext. joquete de escárnio' XIX. Do tupi *pe'teka* 'bater com a palma da mão'.
peteleco sm. '*bras.* pancada com a ponta do dedo médio' 1899. Voc. de criação expressiva.
petéquias sf. pl. '(Patol.) hemorragias cutâneas semelhantes a picadas de pulga' | *petechias* 1858 | Do it. *petécchie*.
petiç·ão, -ionar, -ionário → PEDIR.
petigris sm. 2n. 'variedade de esquilo, cinzento, de cuja pele se fazem agasalhos' | *petigriz* 1858 | Do fr. *petit-gris*.
petimbabo sm. 'espécie de cachimbo dos índios do Brasil' 1618. Do tupi *petĩ*'*mauo*. Cp. PETUME.
petimetre adj. sm. 'diz-se de, ou indivíduo vestido com apuro exagerado' 'janota, ridículo' 1813. Do fr. *petit-maître*.
petipuá sm. 'grão de ervilha em conserva' XX. Do fr. *petit-pois*.
petisco sm. 'isca, mecha de ferir o lume' 1813; 'iguaria saborosa, pitéu' 1873. De etimologia obscura || **petisc**AR vb. '*ant.* picar, ferir de leve' XVI; 'provar, saborear' 1873 || **petisqu**EIRA 1899.
⇨ **petisco** | 1836 SC || **petisc**AR | 1836 |.
petitório → PEDIR.
petiz sm. 'menino, garoto' 1899. Do fr. *petit*.
peto¹ sm. '(Zool.) ave da ordem dos piciformes, também chamado pica-pau' XV. De etimologia obscura.
peto² → PETA².
peto³ adj. 'estrábico, vesgo' XVI. De etimologia obscura.
petrarquiano adj. sm. 'relativo ou pertencente a Francesco Petrarca, poeta e humanista italiano

(1304-1374), ou próprio dele' 'grande admirador e/ ou profundo conhecedor da obra de Petrarca' xx. Do antr. *Petrarca* || **petrarque**sco 1899. Do it. *petrarchesco* || **petrarqu**ista 1899. Do it. *petrarchista*.
pétreo *adj.* 'de, ou relativo a pedra' 'insensível' 1572. Do lat. *petraeus (petrĕus) -a -um*, deriv. do gr. *petraîos -a -on* || **petreu** *adj.* 'pedregoso' xx. Forma divergente de *pétreo* || **petri**·fico 1813 || **petrí**·fico 1873. Do lat. med. *petrificus* || **petro**·graf·ia | *petrographia* 1873 | Do lat. cient. *petrographia* || **petro**·gráf·ico | *petrographico* 1873 || **petr**ol·eiro 1899. Do fr. *petrolier* || **petr**óleo 1844. Provavelmente do fr. *pétrole*, deriv. do lat. med. *petroleum* (de *petrae* + *oleum*) || **petr**ol·í·fero 1899. Do fr. *pétrolifère* || **petr**o·log·ia 1899 || **petr**o·química xx || **petr**oso 1813. Do lat. *petrōsus -a -um*. Cp. PEDRA.
⇨ **pétreo** — **petreu** | 1836 sc || **petr**ífico | 1836 sc || **petr**óleo | 1836 sc |.
petrina → PEITO[1].
petr·ografia, -ográfico, -oleiro, -óleo, -olífero, -ologia, -oquímica, -oso → PÉTREO.
petulante *adj. 2g.* 'atrevido, insolente' xvii. Do lat. *petŭlāns -antis*, part. de **petulāre* (de *petere*) || **pe**tulância xviii. Do lat. *petulantīa -ae*.
petume *sm.* 'designação tupi do tabaco' 'fumo' | 1587, *betum* 1566, *petigma c* 1584 etc. | Do tupi *pe'ïma*.
peúg·a, -ada → PÉ.
peúva *sf.* 'ipê' xix. Do tupi *ïpe'ïua* (< *ï'pe* 'casca' + *'ïua* 'planta').
pevide *sf.* 'semente de vários frutos carnosos' 'película mórbida na língua de algumas aves, que lhes impede beber' | *peuida* xv, *puiide* xvi | Do lat. **pīpīta*, de *pītuīta* || **es**pevit·ado | xvii, *espivitado* xvii || **es**pevit·ar | *espivitar* xvi || **pevit**·ada xx.
-pexia *elem. comp.*, deriv. do gr. *-pēxia*, de *pēxis* 'solidez' (< *pēgnynai* 'fixar, prender'), que se documenta em alguns compostos eruditos, particularmente na linguagem da medicina: *proctopexia, retopexia* etc.
pexote *sm.* 'aquele que joga mal' 'sujeito inexperiente' | 1858, *pechote* xviii | De origem controversa || **pexot**·ada xx.
pez *sm.* 'nome comum a substâncias betuminosas, resíduos da destilação de líquidos densos, alcatrões etc.' 'piche' xiii. Do lat. *pĭx pĭcis* || **pesga** xx || **pesgar** *vb.* 'barrar interiormente com pez' 1881. Do lat. **picicare*, de *pĭx pĭcis* || **píceo** xvii. Do lat. *pĭcĕus -a -um* || **pic**iforme xx.
pi *sm.* '16ª letra do alfabeto grego, π, correspondente fonético do p' '(Geom.) relação constante entre a circunferência e o seu diâmetro' 1899. Do lat. *pī*, deriv. do gr. *pî*.
pi- → PI(O)-.
pia *sf.* 'vaso de pedra para líquidos' 'lavatório' xiii. Do lat. *pīla -ae* || **pio**[3] 'pia grande na qual se pisam as uvas' 1899.
piaba *sf.* 'nome comum a vários peixes caraciformes da fam. dos caracídeos' | 1587, *vpiaua c* 1631 etc. | Do tupi *pi'aua* || **piabanha** *sf.* 'peixe da fam. dos caracídeos' 1806. Do tupi **pia'uãïa <pi'aua* 'piaba' + *'ãïa* 'dente'.
piaçaba *sf.* 'nome' comum a várias palmeiras da subfam. das cocosoídeas' 'trançado de fibras de folhas de palmeira' 'vassoura confeccionada com essas fibras' | *a* 1696, *priasaua* 1630, *priasaba* 1644 etc. | Do tupi *pïa'saua*.
piaçoca *sf.* 'ave caradriforme da fam. dos parrídeos' 'jaçanã' 1833. Do tupi **pia'soka*.
piaga *sm.* 'pajé' 1846. De um idioma da família caribe, através do esp. sul-americano *piagé (piache, piaye)*.
piano[1] *sm.* 'instrumento de cordas percutíveis por martelo de madeira revestida de feltro, munido de teclado de 88 teclas' 1858. Forma reduzida do it. *pianoforte* || **piano**[2] *adv.* '(Mús.) suavemente' 1873. Do it. *piano*, redução de *pianofòrte* || **pian**ino 1873. Do it. *pianino* || **pian**íssimo 1873. Do it. *pianissimo* || **pian**ista 1858. Do it. *pianista* || **pian**ola xx. Do fr. *pianota*, deriv. do anglo-americano *pianola*.
⇨ **piano**[1] | 1836 sc |.
pião → PÉ.
piar *vb.* 'dar pios' xvi. Voc. de origem onomatopaica || **pi**ada 1858 || **pi**eira 1844 || **pio**[2] xix || **pipi**a xx || **pipi**ar xvi. Do lat. *pīpīăre* || **pipi**lante 1899 || **pipi**lar xvii. Do lat. *pīpīlāre* || **pipi**lo xx. Do lat. *pīpīlum -ī*.
⇨ **piar** — **pi**eira | 1836 sc || **pipi**a | 1836 sc |.
piara *sf.* 'bando de animais' 'grupo de animais do mesmo tamanho, da mesma idade, ou da mesma parição' 1813. De origem obscura.
piartrose → PI(o)-.
piastra *sf.* 'moeda de prata, de valor variável, corrente em vários países' | 1838, *piastre* 1606 | Do it. *piastra*.
piau *sm.* 'piaba' | *pião* 1806 | Do tupi **pi'au < pi'aua*. V. PIABA.
piauiense *adj. 2g.* 'de, ou pertencente ou relativo ao Piauí' *s. 2g.* 'natural ou habitante do Piauí' | *piauhyense* 1899 | Do top. *Piauí + -*ENSE.
pica[1] → PICAR.
pica[2] *sf.* 'perversão do apetite observada no decurso de certos estados patológicos' 1844. Do lat. *pīca -ae* 'pega', com provável interferência do fr. *pica*.
⇨ **pica**[2] | 1836 sc |.
picaçu *sm.* 'nome tupi da pomba' | 1587, *puquasu c* 1631 | Do tupi *pĭka'su* || **picaçurova** 1783. Do tupi *pĭkasu'roụa < pĭka'su* + *'roụa* 'amargo' || **picuí** | *poquohi c* 1631 | Do tupi *pĭku'i < *pĭ'ku (< pĭka'su)* + -*'i* 'pequeno' || **picuiguaçu** *c* 1594. Do tupi *pĭkuĩïa'* su *< pĭku'i + ũa'su* 'grande' || **picuipeba** | *piquebeba* 1587, *picaipeba c* 1594 | Do tupi *pĭkui'peụa < pĭku'i + 'peụa* 'chato' || **picuipitanga** *c* 1594. Do tupi *pĭkuipi'taŋa < pĭku'i + pĭ'taŋa* 'avermelhado, pardo'.
picar *vb.* 'ferir ou furar com objeto pontiagudo ou perfurante, espicaçar' 'ferir ou morder com o ferrão' xiv. Voc. de origem expressiva, que deve remontar, provavelmente, ao lat. vulg. **piccare*, de **piccus*, forma expressiva de' *pīcus* || **des**pic·ado 1813 || **des**picar 1813 || **des**picat·ivo xviii || **des**pique 1813 || **es**piçaç·ar 1813 || **pica**[1] *sf.* 'lança' xvi || **pic**ada xiv || **pic**ad·eiro xvi || **pic**ado xviii || **pic**ador xviii || **pic**anha xx || **pic**ante 1813 || **pic**ão | *-com* xiv || **pic**areta 1813 || **pic**aria xvi || **pic**aroto *sm.* 'cume' xvi || **pico**[1] *sm.* 'lança' xiii || **pico**[2] *sm.* 'picareta' xiv || **pico**[3] *sm.* 'cume' xvi || **pic**ola 1813 || **pic**ota xvi || **pic**ot·agem xx || **pic**ot·ar xx ||

picote[1] *sm.* 'pano' XVIII. Do cast. *picote* || **picote**[2] *sm.* 'ponto de renda' 1899. Do fr. *picot* || **picote**[3] *sm.* 'recorte de selo postal' XX || **picoto** *sm.* 'pico' 1844 || **picu·inha** *sf.* 'o primeiro pio das aves' 1881 || **pique** *sm.* 'lança fina' XVI. Do fr. *pic* || **piqueiro** *sm.* '*ant.* homem armado de pique ou lança' XVI || **repenicado** 1844 || **repenicar** XVI. De etimologia obscura, mas provavelmente relacionado com *picar* || **repicar** | *rrepicar* XIV || **repique** XVI || **repiquete** XVII.
⇨ **picar** — **apicaç·ado** 'espicaçado' | *apicassado c* 1608 noreb 214.*12* || **picareta** | *picarete* 1508 *in* ZT, 1635 in GFer 126.*12*, *picarette* 1635 id. 131.*22* || **picoto** | 1836 SC || **repenicado** | 1836 SC || **repique** | XV ZURD 53.*6* |.
picardia *sf.* 'malícia, astúcia, sagacidade' XVII. Do cast. *picardía* || **picaresco** XVII. Do cast. *picaresco* || **pícaro** XVII. Do cast. *pícaro*.
picar·eta, -ia → PICAR.
pícaro → PICARDIA.
picaroto → PICAR.
piçarra *sf.*, **piçarro** *sm.* '(Geol.) qualquer rocha sedimentar argilosa estratificada, endurecida' XVI, *pissarro* XVII | Do cast. *pizarra*, deriv. provavelmente do basco *lapitzarri* 'pedra de pizarra', composto de *arri* 'pedra' e *lapitz* 'piçarra' (do lat. *lapĭdeus -a -um* 'de pedra') || **piçarral** 1844. Do cast. *pizarral* || **piçarroso** 1844. Do cast. *pizarroso*.
⇨ **piçarra** *sf.* **piçarro** *sm.* — **piçarral** | 1836 SC || **piçarroso** | 1836 SC |.
picatoste *sm.* 'iguaria de carne de carneiros, ovos e pão ralado' XVII. Do cast. *picatoste*.
píceo → PEZ.
piche *sm.* 'substância negra, resinosa, muito pegajosa, obtida da destilação do alcatrão ou da terebintina' 'pez' 1797. Do ing. *pitch* || **pichar** XX.
pichel *sm.* 'antiga vasilha empregada para tirar vinho das pipas ou dos tonéis' XIII. Do a. fr. *pechier* ou *pichier* (hoje *pichet*) || **picho** 1844 || **pichorra** 1813.
⇨ **pichel** — **picho** | 1836 SC |.
piciforme → PEZ.
picles *sm. pl.* 'legumes conservados em vinagre, usados como acepipe ou condimento' XX. Do ing. *pickles*.
picn(o)- *elem comp.*, do gr. *pyknós* 'espesso, condensado, grosso', que já se documenta em vocs. formados no próprio grego, como *picnose*, e em vários outros introduzidos na língua científica internacional, a partir do séc. XIX ▶ **pícnico** XX || **picnídio** XX || **picnômetro** XX || **picnose** XX. Do fr. *pycnose*, deriv. do lat. cient. *pycnōsis* e, este, do gr. *pýknōsis* || **picnósporo** XX || **picnostilo** | *pycnostilo* 1873 | Do lat. tard. *pycnostÿlos*, deriv. do gr. *pyknóstylos*.
pic·o, -ola → PICAR.
picolé *sm.* '*bras.* sorvete soliditicado em uma das extremidades dum pauzinho, e que se toma segurando-o pela outra extremidade' XX. Voc. de criação expressiva.
pic·ota, -otagem, -otar, -ote, -oto → PICAR.
pícrico *adj.* 'ácido, acre' 1899. Do ing. *picric*, do gr. *pikrós* 'amargo' + *-ic* (v. -ICO[1]).
pictorial *adj.* 2g. 'referente à, ou próprio da pintura' | *picturial* 1899 | Do lat. *pictōrĭus* 'de pintor' + -AL || **pictografia** XX || **pictórico** 1881 || **pictural** XX. Cp. PINTURA.
picuá *sm.* 'cesto, balaio' '(no pl.) trastes, objetos de uso pessoal' XX. Do tupi **piku'a*.
picuí, -guaçu, -peba, -pitanga → PICAÇU.
picuinha → PICAR.
picumã *sm.* 'fuligem, negro de fumo' | *-an* XIX | Do tupi *apeku'mã*.
piedade *sf.* 'amor e respeito às coisas religiosas' 'pena dos males alheios' XIII. Do lat. *pĭĕtās -ātis* || **apiedado** 1813 || **apiedar** | *apiadar* XVI || **des·apiedado** | 1813, *desapiadado* 1813 || **impiedade** XVII || **impiedoso** XVI || **ímpio** XVI. Do lat. *impĭus -a -um* || **piedamento** *sm.* '*ant.* piedade' XIV || **piedoso** *adj.* XIII || **pio**[1] XVI. Do lat. *pius -ĭi*.
⇨ **piedade** — **despiedoso** | *despiadozamente* adv. *c* 1608 noreb 60.*21* |.
piegas *adj.* 2g. 2n. 'diz-se de quem se embaraça com bagatelas' 'que é sentimental' XIX. De etimologia obscura || **pieguice** XIX.
pieira → PIAR.
piel(o)- *elem. comp.*, do gr. *pýelos* 'cavidade', que se documenta em alguns vocs. introduzidos na linguagem científica internacional, a partir do séc. XIX ▶ **pielite** || *pyelite* 1873 | Do fr. *pyélite*, deriv. do lat. cient. *pyelītis* || **pielonefr·ite** XX || **pielonefr·ose** XX.
pi·êmese, -emia → PI(O)-.
piério *adj.* '(Poét.) relativo ou pertencente à poesia' XVIII. Do lat. *pĭerĭus*, do gr. *pĭérios*, de *Píeros* 'monte da Tessália consagrado às musas'.
pierrô *sm.* 'personagem da comédia italiana, ingênuo e sentimental, transportado para o teatro francês e depois para o da pantomima' 1899. Do fr. *pierrot* || **pierrete** 1899. Do fr. *pierrete*.
pietismo *sm.* 'movimento de intensificação da fé, nascido na Igreja Luterana alemã no séc. XVII' 1873. Do fr. *piétisme* || **pietista** 1873. Do fr. *piétiste*. Cp. PIEDADE.
piez(o)- *elem. comp.*, do gr. *piezō* 'comprimo, aperto, pressiono', que se documenta em vocs. introduzidos na linguagem científica internacional, a partir do séc. XIX ▶ **piezoeletricidade** XX. Do fr. *piézo-électricité* || **piezométr·ico** | *pyezométrico* 1873 || **piezômetro** | *pyezometro* 1873 | Do fr. *piézomètre*.
pífaro *sm.* '*ant.* espécie de flautim militar, com seis orifícios, que os soldados tocavam, juntamente com o tambor, e que produzia sons agudos e estridentes' XVI. Do it. *piffero*, deriv. do médio alto alemão *pfīfer* (al. *pfeiffer*).
pífio *adj.* 'reles, grosseiro, ordinário' 1813. Do cast. *pifia*.
pigarro *sm.* 'embaraço na garganta produzido pela aderência de mucosidades ou por outro fator' 1813. De etimologia obscura || **pigarrear** 1899.
pigídio *sm.* '(Zool.) placa do último segmento abdominal de alguns insetos' | *pygidio* 1899 | Do lat. cient. *pӯgidium*, deriv. do gr. *pӯgídion*, dim. de *pӯgē* 'parte traseira, nádega'.
pigmeia → PIGMEU.
pigmento *sm.* 'designação comum a várias substâncias, de natureza diversa, que dão coloração aos líquidos ou aos tecidos vegetais ou animais que as

contêm' 1881. Do lat. *pigmentum -ī* || **pigment**Ação xx || **pigment**ário 1899. Do lat. *pigmentārĭus -ĭī.*
pigmeu *adj.* 'que é de estatura muito baixa, anão' xvi. Do lat. *pygmaeus -ī.* deriv. do gr. *pygmâios* || **pigm**eia xx.
pignoratício → penhorar.
piina → pi(o)-.
pijama *sm.* 'calças largas e leves, usadas pelas mulheres em certas regiões da Índia' 'vestuário caseiro ou para dormir, amplo e leve, constituído de casaco e calças' xx. Do ing. *pyjamas.* deriv. do hindustani *pāējāmah* (de *pāē, pay* 'pé' e *jāmah* 'vestimenta').
pilafe, pilau, pulau *sm.* 'iguaria oriental à base de arroz' | *pilaff* 1837 | Do ing. *pilaff, pilau, pilaw,* deriv. do turco *pilāf, pilāu̯, pilāv* e, este, do persa *pilāu̯.*
pilantra *adj. 2g.* '*bras.* que gosta de apresentar-se bem, mas não tem recursos para isso' 'diz-se de pessoa de mau caráter' xx. De origem controversa || **pilantr**agem xx.
pilão → pilar².
pilar¹ *sm.* 'coluna' | xiv, *piar* xiii, *pia* xiv, *pyar* xiv | Do lat. vulg. **pīlāre,* de *pīla* 'coluna'.
pilar² *vb.* 'pisar ou moer no pilão; pisar' 1813. Do lat. tard. *pīlāre* || **pil**ado 1813 || **pil**ão | *pilões* pl. xvi | Do fr. *pilon* || **pil**ota 1881.
⇨ **pilar**² | *pillar* 1616 gftTran 88.*20* || **pilo**ada | 1614 sgonç i. 210.*7* |.
pilastra *sf.* 'coluna, geralmente de seção quadrada, que fica adaptada à fachada de um prédio ou embutida numa parede' 1813. Do it. *pilastro,* adapt. do lat. tard. *parastata.*
⇨ **pilastra** | 1720 rb |.
pilau → pilafe.
pilé *adj. sm.* 'diz-se do, ou o açúcar cristalizado em fragmentos ou pedras' 1881. Do fr. *pilé* 'pilado (açúcar-)'. Cp. pilar².
píleo *sm.* 'barrete de feltro, perfeitamente ajustado à cabeça, que era usado pelos antigos romanos nas saturnais e noutras solenidades' xvii. Do lat. *pīlĕus -ī* (= gr. *pîlos*).
pileque *sm.* '*bras.* bebedeira' xx. De etimologia obscura.
pilhar *vb.* 'conseguir, alcançar' 'subtrair fraudulentamente' x/i. Do it. *pigliare,* deriv. do lat. **pīliāre* (lat. tard. *pīlāre*) || des-em**pilhar** 1899 || em**pilh**ado xvi || em**pilh**amento 1844 || em**pilhar** xvii || em**pilh**ável xx || **pilha**¹ *sf.* 'coluna de coisas arrumadas umas sobre as outras' | *pilla* xiii |; 'aparelho que transforma em energia elétrica a energia desenvolvida numa reação química' 1864 || **pilh**agem | *pilhaiem* xiv || **pilh**eta 1881.
pilhar → em**pilh**amento | 1836 sc || **pilh**ante | 1680 aocad i.278.*2* |.
pilhéria *sf.* 'piada' xvii. De etimologia obscura || **pilheri**ar xx || **pilhér**ico xx.
pilheta → pilhar.
pil(o)- *elem. comp.,* do lat. *pilus -ī* 'pelo', que se documenta em vocs. introduzidos na linguagem científica internacional, a partir do séc. xix ♦ || **pi**lífero 1899. Do fr. *pilifère,* deriv. do lat. cient. *pilifer -erī* || **pili**forme 1899. Do fr. *piliforme,* deriv. do lat. cient. *piliformis* || **pilí**pede 1899 || **pilo** xx.

Do lat. *pilus -ī* || **pil**os·idade 1899 || **pil**oso 1899. Do lat. *pilōsus -a -um.* Cp. pelo.
⇨ **pil(o)-** — **pil**oso | 1836 sc |.
pilo- *elem. comp.,* do gr. *pylo-,* de *pýlē* 'batente de porta', que se documenta em vocs. introduzidos na linguagem científica internacional, a partir do séc. xix ♦ || **pilô**metro *sm.* '(Med.) instrumento com que se mede o grau de obstrução do óstio da bexiga urinária' xx || **pilone, pilono** *sm.* '(Arquit.) pórtico de templo egípcio' xx. Cp. gr. *pylōn* 'vestíbulo' || **piloro** *sm.* '(Anat.) orifício de comunicação do estômago com o intestino delgado' | *pyloro* 1844 | Do fr. *pylore,* deriv. do lat. cient. *pylōrus* (lat. tard. *pylōrus*) e, este, do gr. *pylōrós* || **pilor**·riza *sf.* '(Bot.) coifa, na extremidade da raiz' | *pilorhiza* 1899.
⇨ **pilo-** — **piloro** | *py-* 1836 sc |.
pilota → pilar².
piloti *sm.* '(Arquit.) cada um dos pilares ou colunas que sustentam edifícios modernos, deixando aberto o rés do chão' xx. Do fr. *pilotis.*
piloto *sm.* 'aquele que dirige embarcações, aeronaves etc.' xv. Do it. *piloto* (mais comumente *pilòta*), deriv. do lat. **pēdōta* e, este, do gr. bizantino **pēdōtēs,* de *pēdón* 'leme' || **pilot**agem xvi || **pilot**ar 1881.
pilriteiro *sm.* 'arvoreta ornamental, da fam. das rosáceas, procedente da Europa e da África' 1813. Do cast. *pirlitero* || **pilr**ete xvii || **pilr**ito xvii.
pílula *sf.* 'medicamento preparado em forma de bolinha ou comprimido, destinado a ser engolido' | xvi, *pirola* xv, *pillora* xiv | Do lat. *pilŭla -ae.*
pimelose *sf.* '(Med.) obesidade' 1873. Do lat. cient. *pīmelōsis,* deriv. do gr. *pīmelē.*
pimenta *sf.* 'designação comum a diversas plantas piperáceas e solanáceas' 'o fruto de qualquer dessas plantas' xiii. Do lat. *pigmenta,* pl. de *pĭgmentum -ī* || apiment**ado** 1813 || apiment**ar** 1871 || **piment**ão xvii. Do cast. *pimentón* || **piment**eira 1813 || **piment**eiro 1813.
⇨ **pimenta** — **piment**eiro | 1634 mNor 60.*17* |.
pimpar *vb.* 'luxar, pompear, fazer figura' xix. Voc. de criação expressiva || **pimp**ão *adj. sm.* 'fanfarrão, vaidoso' 1826 || re**pimp**ado xvi || re**pimp**ar xvi.
pimpinela *sf.* 'erva da fam. das umbelíferas' | 1813, *piponela* xiv, *pinponela* xv | Do lat. tard. *pimpinella,* provável alteração de **pepīnella,* deriv. do lat. *pepō -ŏnis* e, este, do gr. *pépōn -onos.*
pimpolho *sm.* 'rebento da videira' '*figo* meninote bem desenvolvido' xvii. Do cast. *pimpollo.*
pina *sf.* 'cada uma das peças que constituem a circunferência da roda de um veículo' '(Bot.) segmento de uma folha bipenada' xviii. Do lat. *pinna.*
pinaça *sf.* 'antiga embarcação de boca aberta, a remo ou a vela, usada no transporte de carga e na pesca' xviii. De origem controversa.
⇨ **pinaça** | xiii csm 371.*2* |.
pinacoide *sm.* '(Min.) conjunto de duas faces paralelas, e equivalentes, que constitui uma forma aberta, por se tratar de duas faces apenas' 1899. Do lat. cient. *pinacoīdēs,* deriv. do gr. *pinakoeidēs.*
pinacoteca *sf.* 'museu de pintura' 'coleção de quadros' | 1758, *pinacotheco* m. 1858 | Do lat. *pinacothēca -ae,* deriv. do gr. *pinakothḗkē.*
pináculo *sm.* 'o ponto mais alto (de um edifício)' xv. Do lat. *pinnācŭlum -ī.*

pinázio *sm.* 'cada uma das fasquias que nos caixilhos das portas e janelas segura e separa os vidros' 1813. De origem controversa.
⇨ **pinázio** | *pinasio* 1720 RB |.
pinça *sf.* 'instrumento constituído de duas hastes rígidas que funcionam como alavancas articuladas, e usado para segurar, apertar ou arrancar sob pressão' XVI. Do cast. *pinzas*, deriv. do fr. *pinces* || **pinç**AR XX.
píncaro *sm.* 'cume' XVI. De etimologia obscura.
pincel *sm.* 'objeto constituído de um tubo de pelos ou de fibras fixado na extremidade dum cabo, e que se usa para espalhar tintas, verniz, cola etc.' | XVI, *pinzel* XIII | Do cat. *pinzell*, deriv. do lat. *pēnicĭllus -ī* || **pincel**ADA 1813 || **pincel**AR 1844.
⇨ **pincel** — A**pincel**ADO | *apimzellado* 1499 MMA I. 162-3 |.
pincenê *sm.* 'óculos sem haste, que uma mola prende ao nariz' XX.' Do fr. *pince-nez*.
pinchar *vb.* 'impelir, empurrar, arremessar' XVI. De origem incerta, talvez do cast. *pinchar* || **pinch**O XVI.
pindá *sm.* 'ouriço-do-mar' 1587, Do tupi *pi'ṉa*.
pindaíba *sf.* 'planta da fam. das anonáceas' | *penaíba* 1587 | Do tupi *piṉa'ïưa < pi'ṉa* 'anzol' + *'ïưa* 'haste' || **pindaib**AL XX.
pindárico *adj.* 'pertencente ou relativo a Píndaro, poeta lírico grego (sécs. VI-V a.C.)' XVIII. Do lat. *pindarĭcus -a -um*, deriv. do gr. *pindarikós* || **pindar**IZAR 1899.
pindoba *sf.* 'palmeira da subfam. das cocosoídeas' 1585. Do tupi *pi'ṉoưa* || **pindob**UÇU 1587.
pin·eal, -eo → PINHO.
pinel *adj. 2g.* 'louco, maluco' XX. Do nome do *Hospital Pinel* do Rio de Janeiro, instituição psiquiátrica (anteriormente denominada Hospital Neuro-Sífilis) inaugurada em 10 de novembro de 1966 e assim chamada em homenagem ao médico francês Philippe Pinel (1745-1826).
pinga → PINGAR.
pingaço → PINGO².
pingar *vb.* '*ant.* supliciar' XV; 'borrifar, respingar' 1813. Do lat. vulg. **pendicare*, do lat. *pendēre* || **ping**A *sf.* 'pingo¹' XVI || **ping**ENTE XVIII || **pingo**¹ XVI || **pingu**ELA XVI || RES**pingar**² XVI. Do cast. *respingar* || RES**pingo** XVI.
pingo² *sm.* '*bras.* cavalo bom, bonito e corredor' 1881. Do esp. plat. *pingo* || **ping**AÇO 1899.
pingue *adj. 2g.* 'gordo, fértil, rendoso' XVIII. Do lat. *pinguis -e*.
⇨ **pingue** | 1660 FMMeIe 400.*4* |.
pinguela → PINGAR.
pingue-pongue *sm.* 'tênis de mesa' 'jogo que consiste em arremessar, sobre uma rede, com uma pequena raqueta, uma bola de celuloide, de um lado para outro' XX. Do ing. *ping-pong*.
pinguim *sm.* 'ave esfenisciforme, da fam. dos esfeniscídeos, marinha, das costas pacíficas e atlânticas da América meridional' | *pingouins* pl. 1841 | Do fr. *pingouin*.
pinho *sm.* 'madeira de pinheiro' 'pinheiro' XIII. Do lat. *pīnus -ī* || A**pinh**ADO 1813 || A**pinh**AR 1813 || **penisco** *sm.* 'semente de pinheiro bravo' 1844 || **pin**E·AL *adj. 2g. sf.* 'que tem a forma de pinha' 'píneo' '(Anat.) glândula situada no cérebro por cima e atrás das camadas ópticas' XX. Do fr. *pinéal*, deriv. do lat. cient. *pīneālis* || **pín**EO XVII. Do lat. *pīněus -a -um* || **pinha** *sf.* 'fruto do pinheiro' XVI. Do lat. *pīněa* || **pinh**AL | XIV, *pĭal* XIII, *pinal* XIV etc. || **pinh**ÃO | *pinhooens* pl. XVI | Do cast. *piñón* || **pinh**EIR·AL 1813 || **pinh**EIRO XIII || **pinh**I·FORME 1899 || **pinh**OTA 1873 || **piní**FERO XVII. Do lat. *pīnĭfer -fěra -fěrum* || **piní**GERO 1899. Do lat. *pīnĭger -gěra -gěrum*. Cp. PINO.
⇨ **pinho** — A**pinho**ADO | *c* 1541 JCASR 313.*1* |.
pinima *adj. sm.* 'madeira rajada' | *penima* 1752, *-nyma* 1752, *piníma* 1833 | Do tupi *pi'nima* 'manchado, malhado'. Cp. IBIRAPINIMA.
pino *sm.* 'prego de pinho ou de cana usado por sapateiros' 'posição vertical do corpo com a cabeça para baixo sobre as palmas da mão' 'o ponto mais alto a que chega o sol' XVI. Forma divergente de PINHO, do lat. *pīnus -ī* || DES·EM**pen**ADO 1813 || DES·EM**pen**AR 1813 || DES·EM**peno** 1813 || EM**pen**A XVIII || EM**pen**ADO² | *enpenada* f. XV || EM**pen**AR² XV || EM**pin**ADO 1873 || EM**pin**AR | *impinar* XV || EM**piná**VEL XX || ES**pin**OT·EAR 1881 || **pinoia** 1899 || **pin**OTE 1873. Cp. PINHO.
⇨ **pino** — DES·EM**pin**AR | *a* 1542 JCASE 90.*21* || EM**pin**ADO | *impinado* 1736 *in* GFer 222.*34* || **pin**OTE | 1836 SC |.
pinque *sm.* '*ant.* embarcação pesqueira' 1667. Do fr. *pinque*, deriv. do neerl. *pink* (< m. neerl. *pin(c)ke*).
pinta¹ → PINTAR.
pinta² *sf.* 'antiga medida portuguesa' XVI. Do fr. *pinte*.
pintar *vb.* 'representar por traços ou cores' 'figurar' XIII. Do lat. *pĭnctāre*, de **pinctus*, part. de *pingěre* || **pint**A¹ XVI || **pint**ADA XVII || **pint**ADO XVI || **pintalgar** *vb.* 'matizar' XIX. A terminação -*algar* é de difícil explicação || **pint**OR XIII. Do lat. vulg. *pinctor -ōris* (cláss. *pictor -ōris*) || **pint**URA XIII. Do lat. **pĭnctūra* por *pĭctūra* || **pitoresco** *adj. sm.* 'próprio para ser pintado' 'divertido' 'aquilo que é próprio para ser pintado' | 1833, *pinturesco* 1818 | Do it. *pittoresco*; a var. *pinturesco* foi influenciada pelo vb. *pintar* || **sarapintar** 'fazer pintas, matizar' 1873. De formação obscura. Cp. PICTORIAL.
pintarroxo *sm.* 'pássaro da fam. dos fringilídeos, que vive na Europa, de canto muito suave' 1890. Do cast. *pintarrojo*.
pintarroxo | 1836 SC |.
pintassilgo *sm.* 'ave passeriforme, da fam. dos fringilídeos, de coloração geral amarelo-esverdeada' | *pintisirgo* XVI | De etimologia controversa.
pinto *sm.* 'filhote da galinha ainda novo' 1813. De origem onomatopaica, provavelmente.
pínula → PENA³.
pio¹ → PIEDADE.
pio² → PIAR.
pio³ → PIA.
pió → PÉ.
pi(o)- *elem. comp.*, do gr. *pýon* 'pus', que se documenta na linguagem científica internacional, a partir do séc. XIX ▶ **pi**ARTR·OSE XX || **piêmese** XX (gr. *émesis* 'vômito') || **piEMIA** XX || **piINA** *sm.* '(Quím.) substância albuminoide achada no pus' | *pyina* 1873 | **pio**DERMITE XX || **pio**EMIA | *pyohemia* 1873 | Forma divergente de *piemia* ||

pioGENIA | *pyogenia* 1873 || **pio**R·REIA XX || **pi**ÚRIA *sf.* '(Patot.) emissão de urina purulenta' | *pyuria* 1873.
pio·dermite, -emia -genia, → PI(O)-.
piolho *sm.* 'designação comum aos insetos malófagos mastigadores e anopluros sugadores, ectoparasitos de vertebrados, desprovidos de asas' XV. Do lat. vulg. *pedŭcŭlus* (cláss. *pedicŭlus*, dim. de *pēdis*) || ES**piolh**AR 1813 || **piolh**ENTO 1858.
⇨ **piolho** | *peolho* XIV ORTO 96.*20* |.
pioneiro *sm.* 'explorador (de sertões)' 'precursor' 1899. Do fr. *pionnier*.
pior *adj.* 2g. 'comparativo de superioridade de mau'; *sm.* 'aquilo que é inferior a tudo o mais' | XIV, *peyor* XIII, *peor* XIII etc. | Do lat. *pējor -ōris* || **pior**AR | *peiorar* XIII || **pior**IA XIII.
piorno *sm.* 'giesta brava e picosa' XVI. De etimologia obscura.
piorra → PÉ.
piorreia → PI(O)-.
pipa *sf.* 'vasilha bojuda, de madeira, para vinho e outros líquidos' XVIII. De um lat. vulg. *pīpa (deriv. de *pipāre* 'piar') 'flautinha' || **pipar**OTE¹ *sm.* 'pipa pequena' | XV, *py-* XV | Voc. de formação obscura, mas sem dúvida relacionado com *pipa* || **pipo** XIX.
⇨ **pipa** 'flauta' | XIV ORTO 178.*11*, TROY I. 264.*12* |.
piparote² *sm.* 'pancada que se dá com a cabeça do dedo médio ou do índice apoiado sobre o polegar e soltando-se com força' | *paparote* XVI | Do cast. *papirote* (*paperote*), deriv. de *papo*.
piperazina *sf.* '(Quím.) substância orgânica, dietilenodiamina, usada em medicina, e que é uma base forte, com a propriedade de formar com o ácido úrico sais facilmente solúveis na água' 1899. Do fr. *piperazine*, composto do lat. *piper* 'pimenta' + *az(ote)* + *-ine* || **piperidina** 1899. Do fr. *pipéridine* || **piperina** *sf.* '(Quím.) alcaloide cristalino encontrado na pimenta' 1873. Do fr. *pipérine* || **piperonal** *sm.* '(Quím.) aldeído fenólico de cheiro agradável, usado como perfume' XX. Do fr. *pipéranal*.
pipeta *sf.* '(Quím.) tubo de vidro com as extremidades afiladas, em que se recolhe, por aspiração, um líquido' 1899. Do fr. *pipette*, de *pipe* 'pipa'. Cp. PIPA.
pip·ia, -iar, -ilante, -ilar, -ilo → PIAR.
pipo → PIPA.
pipoca *sf.* 'grão de milho que, estalado ao calor do fogo, forma um floco branco, que se come borrifado com sal ou banhado com mel' 1871. Do tupi *pi'poka* | EM**pipoc**ADO XX || EM**pipoc**AR XX || ES**pipoc**AR 1888 || **pipoc**AR 1878.
piqu·e, -eiro → PICAR.
piquenique *sm.* 'excursão festiva no campo, em geral entre pessoas de várias famílias e com refeição, para a qual, ordinariamente, cada um leva a sua parte' | *pique-nique* 1858 | Do ing. *picnic*, deriv. do fr. *piquenique*, ou diretamente deste.
piquete *sm.* 'grupo de soldados que forma guarda avançada' XVIII. Do fr. *piquet*.
piquira *adj. sm.* 'peixe miúdo' *c* 1607; 'cavalo pequeno, pônei' 1842; 'pequeno, miúdo' XX. Do tupi *pi"kira*.
pira → PIR(O)-.
pirá *sm.* 'designação genérica de peixe, em tupi' 1813. Do tupi *pi'ra* 'peixe' || **pirá**ANDIRÁ *sm.* 'peixe da fam. dos caracídeos' *c* 1777 || **pirá**-BANDEIRA *sm.* 'peixe da fam. dos taquissurídeos' XIX || **pirabebe** *sm.* 'peixe-voador (*Cypsilurus speculiger*)' *c* l631. Do tupi *pirame'me* < *pi'ra* + *me'me* 'voar' || **piracambucu** *sm.* 'espécie de bagre' | *piraacambucú* 1792 | Do tupi *piraakamu'ku* < *pi'ra* + *a'kana* 'cabeça' + *pu'ku* 'comprido' || **piracanjuva** *sf.* 'espécie de dourado' 1792. Do tupi *pirakan'iuua* || **piracatinga** *sm.* 'peixe da fam. dos pimelodídeos' *c* 1777. Do tupi **piraka'tiŋa* < *pi'ra* + *ka'tiŋa* 'mau cheiro, catinga' || **piracava** *sf.* 'peixe da fam. dos plinemídeos' *c* 1631. Do tupi *pira' kaua* || **piracema** *sf.* 'saída dos peixes para a desova' XIX. Do tupi *pira'sema* < *pi'ra* + *'sema* 'sair' || **piracuara** *sm.* e *f.* 'alcunha que se dá aos moradores das margens do rio Paraíba do Sul' XX. Do tupi **pira'kuara* < *pi'ra* + *'kuara* 'buraco, toca' || **piracuaxiara** *sm.* -*guaxiara* 1783, -*coaxiara* 1792, -*quaxiára* 1817 | Do tupi **pirakua'tiara* < *pi'ra* + *kua'tiara* 'pintar' || **piracuca** *sf.* 'garoupa' 1587. Do tupi *pira'kuka* || **piracuera** *sf.* 'certa técnica de pescar' XIX. Do tupi **pira'kuera* < *pi'ra* + *'kuera* 'dormir' || **piracuí** *sm.* 'farinha de peixe' XIX. Do tupi **piraku'i* < *pi'ra* + *ku'i* 'farelo, pó' || **piracururu** *sm.* 'peixe-sapo' 1783. Do tupi **pirakuru'ru* < *pi'ra* + *kuru'ru* 'sapo' || **piraém** *sm.* 'peixe salgado e seco ao sol' -*cem* 1865, -*hém* 1895 | Do tupi **pirae'ẽ* < *pi'ra* + *e'ẽ* 'sápido, que tem muito sabor' || **piraí** *sm.* 'chicote' XIX. Do tupi **pira'i* || **piraiapeva** *sf.* 'peixe da fam. dos pimelodídeos' | *pirágepeauá* *c* 1777, *piráiapeéua* 1833 etc. | Do tupi, mas de étimo indeterminado || **piraíba** *sf.* 'peixe da fam. dos pimelodídeos' | *piràguiva* 1624, *piraiui c* 1631 etc. | Do tupi *pira'iua* <*pi'ra* + *a'iua* 'ruim' || **piraiquê** *sm.* 'técnica indígena de pescar' 1557. Do tupi *pirai'ke* < *pi'ra* + *ai'ke* 'entrar' || **pirajaguara** *sm.* 'mamífero cetáceo da fam. dos delfinídeos, espécie de boto' | *pyraiaguara c* 1631, *para jaguára c* 1667 etc. | Do tupi *piraja'ÿara* < *pi'ra* + *ja'ÿara* 'jaguar, onça' || **pirajuba** *sf.* 'peixe da fam. dos caracídeos, dourado' *c* 1594. Do tupi *pira'iuua* < *pi'ra* + *iuua* 'amarelo' || **pirambeba** *sf.* 'peixe da fam. dos caracídeos' | *pirumbeba* 1749 | Do tupi **pira' meua* || **piramboia** *sf.* 'peixe da fam. dos lepidossirenídeos' XX. Do tupi **pira' moia* < *pi'ra* + *'moia* 'cobra' || **pirambu** *sm.* 'peixe da fam. dos pomadasídeos' *c* 1584. Do tupi *pira'mu* < *pi'ra* + *a'mu* 'roncar' || **piramutaba** *sf.* 'peixe da fam. dos pimelodídeos' | *piramota c* 1631 | Do tupi *piramu'taua* || **piranambu** *sm.* 'peixe da fam. dos pimelodídeos' | *pirá-enambú c* 1777 | Do tupi **piraina'mu* <*pi'ra* + *ina'mu* 'inambu' || **piranema** *sm.* 'peixe da fam. dos priacantídeos' 1721. Do tupi *pira'nema* < *pi'ra* + *'nema* 'fedor' || **piranha** *sf.* 'nome comum a vários peixes da fam. dos caracídeos, extremamente vorazes' 1587. Do tupi *pi'rãia* < *pi'ra* + *'ãia* 'dente' || **piranha**-TINGA *sf.* 'piranha branca (*Serrasalmus brandtii*), *c* 1631. Do tupi *pirãia 'tiŋa* < *pi'rãia* 'piranha' + *'tiŋa* 'branco' || **pirapema** *sf.* 'peixe da fam. dos megalopídeos' *c* 1631. Do tupi *pira'pema* < *pi'ra* + *'pema* 'anguloso, esquinado' || **pirapetimbabo** *sm.* 'peixe-cachimbo' *c* 1631. Do tupi *pirapetĩ'mauo* < *pi'ra* + *petĩ"mauo* 'cachimbo' || **pirapitinga** *sf.* 'peixe da fam. dos caracídeos' XIX.

Do tupi *pirape' tiŋa < pi' ra + pe'tiŋa 'de casca branca' (< a'pe 'casca' + 'tiŋa 'branca') || **pirapuã** sf. 'baleia' 1587. Do tupi pirapu'ã < pi'ra + apu'ã 'redondo' || **pirapucu** sm. 'peixe da fam. dos caracídeos' | -picu 1587, -pecú e 1777, -pucú 1833 | Do tupi pirapu'ku < pi'ra + pu'ku 'comprido' || **piraputanga** sf. 'peixe da fam. dos caracídeos' | paraputanga 1817, pirapitanga 1874 | Do tupi *pirapï'taŋa < pi'ra + pĭ'taŋa 'avermelhado' || **piraquiba** sf. 'peixe-piolho' | piraciua c 1631 | Do tupi pira'kĩɥa < pi'ra + 'kĩɥa 'piolho' || **pirarara** sf. 'peixe da fam. dos pimelodídeos' 1787. Do tupi *pira'rara < pi'ra + a'rara 'arara' || **pirarucu** sm. 'peixe da fam. dos osteoglossídeos (Arapaima giga)' | piraurucu c 1631, pirorucú 1763 etc. | Do tupi pirauru'ku < pi'ra + uru'ku 'urucu' || **pirá**TAPIOCA sm. 'peixe da fam. dos caracídeos' XIX || **piraúna** sf. 'peixe da fam. dos serranídeos, espécie de mero' c 1631 | Do tupi pira'una <pi'ra + 'una 'preto'.
pirágua → PIROGA.
pira-í, -iapeva, -íba, -iquê, -jaguara, -juba, -mbeba → PIRÁ.
pirambeira sf. 'bras. precipício, abismo' XX. De etimologia obscura.
pira·mboia, -mbu → PIRÁ.
pirâmide sf. 'sólido cuja base é um polígono qualquer, e cujas faces laterais são triângulos que têm um vértice comum' XVI. Do lat. pȳramis -idis, deriv. do gr. pyramís -ídos || **piramid**AL | 1572, pyramidal 1572 | Do lat. pyramidālis || **piramid**O·GRAFIA | pyramidographia 1844.
⇨ **pirâmide** — piramidAL | piramidaes pl. a 1542 JCASE 55.26 |.
pira·mutaba, -nambu, -nema, -nha, -nhatinga, -pema, -petimbabo, -pitinga, -puã, -pucu, -putanga, -quiba → PIRÁ.
pirar vb. 'escapar, escapulir, esgueirar-se' 'bras. perder o contato com a realidade (em consequência de uso excessivo de drogas etc.)' XX. De origem incerta.
pirarara → PIRÁ.
pirargirita → PIR(O)-.
pirarucu → PIRÁ.
pirata s2g. 'bandido que cruza os mares com o objetivo de roubar' 'ladrão, gatuno' | pyrata 1525 | Do it. pirata, deriv. do lat. pīrāta -ae e, este, do gr. peirātḗs || **pirat**ARIA XVII || **pirat**EAR XVII || **pirát**ICO XVI. Do lat. pīrātĭcus -a -um, deriv. do gr. peirātikós.
pirá-tapioca → PIRÁ.
pirat·aria, -ear, -ico → PIRATA.
piraúna → PIRÁ.
pirazol sm. '(Quím.) base fraca que, com o ácido sulfúrico, forma o ácido sulfônico' XX. Do fr. pyrazol.
pireliômetro → PIR(O)-.
pireneu adj. 'relativo aos Pireneus, cordilheira entre a França e a Espanha' | pyreneu XVIII | Do lat. pȳrēnaeus -ī || **piren**AICO | pyrenaico 1899 | Do lat. tard. pȳrēnāicus, deriv. do gr. pyrēnaîos.
pireno → PIR(O)-.
pirenoide adj. 2g. sm. 'semelhante a um caroço' '(Bot.) corpúsculo incolor, proteico, que em geral está circundado por um depósito de grãos de amilo' | pyrenoide 1873 | Do lat. cient. pȳrēnoīdes, deriv. do gr. pȳrēnoeidḗs.
pires sm. 2n. 'pratinho sobre o qual se põe a xícara' 1617. Do malaio piring, através de uma forma *pirins (plural de *pirim), provavelmente.
piret(o)- elem. comp., do lat. cient. pyreto-, deriv. do gr. pyretós 'calor, ardor, febre', que se documenta em vocs. introduzidos na linguagem científica internacional, a partir do séc. XIX ▶ **pirét**ICO adj. '(Med.) febril' XX. Do fr. pyrétique || **pireto**GÊNESE sf. '(Med.) condição e mecanismo da produção da febre' XX || **pireto**LOGIA | pyretologia 1844 || **pireto**TERAPIA XX. Do fr. pyréthothérapie. Cp. PIR(O)-.
⇨ **piret(o)-** — **pirét**ICO | 1836 SC || **pireto**LOGIA | py- 1836 SC |.
píretro sm. 'erva da fam. das compostas, cultivada no Rio Grande do Sul, e de propriedades inseticidas' | pyrethro 18581 Do fr. pyrètre, deriv. do lat. pyrĕthrum -ī e, este, do gr. pýrethron.
⇨ **píretro** | pirethro 1836 SC, pyrethro 1836 SC |.
pirex sm. 'nome comercial de uma espécie de vidro pouco dilatável e que pode ser exposto diretamente ao fogo' XX. Do fr. pyrex, voc. cunhado com base no gr. pyr 'fogo' e com a terminação -ex de vitrex.
pirexia → PIR(O)-.
piri sm. 'espécie de junco, piripiri' c 1777. Forma reduzida de piripiri || **piriantã** sm. 'trecho de barranco coberto de vegetação rasteira que, despegado da margem de um rio, se desloca com a correnteza' | periantans pl. 1886 | Do tupi *piriã'tã < pi'ri + a'tã 'duro || **pirimembeca** sf. 'planta da fam. das ciperáceas' | pe- XIX | Do tupi *pirime'm̥eka <pi'ri + me'm̥eka 'mole' || **piripiri** sm. 'espécie de junco da fam. das ciperáceas, piri' | periperi 1587 | Do tupi piripi'ri || **piripirioca** sf. 'planta da fam. das ciperáceas' 1833. Do tupi *piripiri' oka <piripi' ri + 'oka 'casa'.
píri·co, -dina, -fora → PIR(O)-.
⇨ **pirilampo** | 1836 SC, py-1836 SC |.
pirilampo sm. 'inseto da ordem dos coleópteros, que apresenta órgãos fosforecentes' | pyrilampo 1844 | Cp. gr. pyrilampís.
pirimembeca → PIRI.
pirinola sf. 'rapa, espécie de jogo' 1844. Do cast. perinola.
⇨ **pirinola** | 1836 SC |.
piri·piri, -pirioca → PIRI.
pir(o)- elem. comp., do gr. pyro-, de pyr pyrós 'fogo', que se documenta em vocs. formados no próprio grego, como pirita, e em muitos outros introduzidos na linguagem científica internacional, a partir do séc. XIX ▶ **ápiro** adj. 'que não se altera ao fogo' | apyro 1873 | Cp. gr. ápyros || **pira** sf. 'fogueira onde se queimavam cadáveres' 'ext. qualquer fogueira' XVI. Do lat. pyra -ae, deriv. do gr. pyrá || **pir**ARGIR·ITA sf. '(Min.) mineral trigonal, constituído de sulfeto de antimônio e prata' | pyrargilitha 1873 || **pir**ELIÔ·METRO sm. 'instrumento com que se mede a radiação solar' XX || **pir**ENO | pureno 1899 | Do fr. pyrène || **pir**EX·IA sf. 'estado febril' pyrexia 1844 | Do lat. cient. pyrexia, deriv. do gr. pýrexis || **pír**ICO | pyrico 1873 || **pir**ID·INA sf. '(Quím.) composto heterocíclico, líquido, odoroso, muito básico' | pyridina 1873 | Do fr. pyridine

|| pirífora *sf.* 'bras. pirilampo' | *pyriphora* 1899 || pirita *sf.* '(Min.) mineral monométrico, constituído de sulfeto de ferro, usado na fabricação de ácido sulfúrico' | *pirites* 1813 | Do fr. *pyrite*, deriv. do lat. *pyrītēs* e, este, do gr. *pyrítēs* || pirit·ífero | *pyritifero* 1873 || pirit·iforme | *pyritiforme* 1873 || pirobalística *sf.* 'arte de calcular o alcance das armas de fogo' | *pyrobalistico adj.* 1873 | Do fr. *pyrobalistique* || piroclást·ico *adj.* '(Geol.) diz-se dos sedimentos originários das atividades vulcânicas explosivas' XX || pirocloro *sm.* '(Min.) mineral monométrico, constituído de fluorniobato e titanato de cálcio e sódio, que pode ser uma fonte de tório' | *pyrochloro* 1873 | Do fr. *pyrochlore* || piroeletricidade | *piroelectricidade* 1873 || pirofobia XX || piróforo *adj. sm.* 'inflamável' 'substância que se inflama espontaneamente ao ar' | *pyrophoro* 1858 | Do fr. *pyrophore*, deriv. do lat. cient. *pyrophorus* e, este, do gr. *pyrophóros* || pirogálico | *pyrogallico* 1873 || pirogen·ação XX. Do fr. *pyrogénation* || pirogênese | *pyrogenese* 1899 | Do fr. *pyrogénèse*, deriv. do lat. cient. *pyrogenesis* || pirogên·ico | *pyrogênico* 1899 || pirogênio | *pyrogeneo* 1858 || pirognóst·ico XVIII || pirogravura XX. Do fr. *pyrogravure* || pirolatria | *pyrolatria* 1844 | Do fr. *pyrolatrie* || pirolisita *sf.* '(Min.) mineral ortorrômbico, preto, opaco, constituído de óxido de manganês; minério de manganês, empregado como oxidante nas indústrias de vidros' | *pyro-luzite* 1858 | Do fr. *pyrolusite* || pirologia | *pyrologia* 1858 | Do fr. *pyrologie* || piromancia | *py-* XVI | Do lat. *pyromantia*, do gr. *pyromantéia* || piromante XX . Do lat. *pyromantis*, deriv. do gr. *pyrómantis* | pirômetro | *pyrometro* 1843 | Do fr. *pyromètre* || piromorf·ita *sf.* '(Min.) mineral hexagonal, constituído de clorofosfato de chumbo' | *pyromorphita* 1899 | Do fr. *pyromorphite* || pironomia | *pyronomia* 1844 || piropo *sm.* '(Min.) mineral monométrico vermelho-escuro, do grupo das granadas, constituído essencialmente de silicato de alumínio e magnésio' | *pyropo* XVII | Do lat. *pyrōpus -ī*, deriv. do gr. *pyrōpós* || piroscafo *sm.* 'nave mercantil a vapor' XX. Do fr. *pyroscaphe* || piroscópio | *pyroscopio* 1858 | Do fr. *pyroscope* || pirose | *pyrosis* 1844 | Do lat. cient. *pyrōsis*, deriv. do gr. *pýrosis* || pirosfera | *pyrosphera* 1890 || pirotecn·ia | *pyrotechnia* 1844 | Do fr. *pyrotechnie*, deriv. do lat. cient. *pyrotechnia* || pirotécn·ico | *pyrotechnico* 1844 | Do fr. *pyrotechnique* || piróт·ico | *pyrótico* 1844 | Do fr. *pyrotique*, deriv. do lat. cient. *pyrōticus* e, este, do gr. *pyrōtikōs* || pироxên·io | *pyroxeno* 1873 | Do fr. *pyroxène* || piroxila | *pyroxylo* 1873 | Do fr. *pyroxyle*.

⇨ pir(o)- — ápiro | *-py-* 1836 SC || pirex·ia | *py-* 1836 SC | piróforo | *pyropho-* 1836 SC || pirolatria | *py-* 1836 SC || pirômetro | *py-* 1836 SC || pirose | *pyrosis* 1836 SC || pirotecn·ia | *pyrotechnia* 1836 SC || pirotécn·ico | *pyrotechnico* 1836 SC || piróт·ico | *py-* 1836 SC |.

piroga *sf.* 'antiga embarcação indígena, esguia e aberta, feita de um tronco de árvore escavado a fogo' 1844. Do fr. *pirogue*, deriv. do caribe *piragua* || **pirágua** *sf.* 'piroga' 1557. Do cast. *piragua*, deriv. do caribe *piragua*.

piro·gálico, -genação... -xênio, -xila → pir(o)-.

pirraça *sf.* 'coisa feita de propósito com intuito de contrariar, agastar, aborrecer, amolar' 1813. De origem obscura; talvez esteja por *perraça*, de *perro* || **pirraçar** XX || **pirracento** XX.

pirralho *sm.* 'menino pequeno, criança' 1899. De etimologia obscura.

pirrica *sf.* 'dança guerreira muito comum em Atenas e Esparta' | *pyrricha* 1844 | Do lat. *pyrrĭcha -ae*, deriv. do gr. *pyrrhíchē -ēs* || **pirríquio** 1813. Do lat. *pyrrhichĭus -a -um*, deriv. do gr. *pyrríchios*.

⇨ **pirrica** | *pyrrhica* 1836 SC |.

pirronismo *sm.* '(Filos.) doutrina de Pírron de Elis, filósofo grego (*c*365-*c*270 a.C.), caracterizada pelo cepticismo radical' '*ext.* hábito de duvidar de tudo' | *pyrrhonismo* 1844 | Do fr. *pyrrhonisme*, do antr. *Pírron* (gr. *Pýrrhōn*) || **pirronice** 1899 || **pirrônico** | *pyrrhonico* 1844, *pirrhonico* 1844 || **pirrônio** | *pyrrhonio* 1813.

⇨ **pirronismo** | *pyrrho-* 1836 SC || **pirrônico** | *pyrrhonico* 1836 SC |.

pirulito *sm.* 'bras. cone de mel escuro e solidificado preso na extremidade de um palito, por onde se pega para consumi-lo' 1899. De *pirolito*, forma epentética de *pirlito*, por *pilrito*; cp. PILRITEIRO.

pisão¹ → PISAR.

pisão² *adj. sm.* 'de, ou pertencente ou relativo a Pisa' 'natural ou habitante de Pisa' XIII. Do top. *Pisa*.

pisar *vb.* 'pôr os pés sobre' 'calcar, espezinhar' XIII. Do lat. *pisāre* (< *pīnsāre*) || **pisa** 1844 || **pisada** 1844 || **pisad·ela** 1890 || **pisadura** XVI || **pisão**¹ XVI || **piso** 1813 || **pisotear** XX. Do cast. *pisotear* || **pisoteio** XX. Do cast. *pisoteo* || **repisar** | 1858, *repizar* 1858.

⇨ **pisar** — **pisa** | 1836 SC || **pisada** | 1836 SC || **repisar** | 1836 SC |.

piscar *vb.* 'fechar e abrir rapidamente os olhos' XVII. Voc. de criação expressiva || **pisca** *sf.* 'coisa extremamente pequena' XVI || **piscad·ela** 1881 || **pisco**² 1844.

⇨ **piscar** — **pisco**² | 1836 SC |.

pisci(i)- *elem. comp.*, do lat. *piscis -is* 'peixe', que se documenta em vocs. introduzidos na linguagem científica internacional, a partir do séc. XIX ▶ **piscat·ório** 1813. Do lat. tard. *piscātōrius* || **písceo** XX || **piscicultor** 1899 || **piscicultura** 1858. Do fr. *pisciculture* || **pisciforme** 1899. Do lat. cient. *pisciformis* || **piscina** XVI. Do lat. *piscīna -ae* || **piscinal** 1899. Do lat. tard. *piscīnālis* || **piscívoro** 1899. Do fr. *piscivore*, deriv. do lat. cient. *piscivorus* || **piscoso** 1572. Do lat. *piscōsus -a -um*. Cp. PEIXE, PESCAR.

pisco¹ *sm.* 'ave do tamanho do taralhão, de garganta vermelha' 1813. Voc. de origem onomatopaica, talvez relacionado com *piscar*.

pisco² → PISCAR.

piscoso → PISC(I)-.

pisiforme *adj. 2g.* 'do tamanho e da forma da ervilha' 1899. Do fr. *pisiforme*, deriv. do lat. cient. *pisiformis*, do lat. *pisum* 'ervilha' || **pisolít·ico** *adj.* 'pertencente ou relativo ao, ou da natureza do pisólito' | *pisolithico* 1874 | Do fr. *pisolithique* || **pisólito** *sm.* '(Geol.) concreção pisiforme, maior que a dum oólito' | *-tha* f. 1874 | Do fr. *pisolithe*.

piso → PISAR.

piso·lítico, -lito → PISIFORME.
pisot·ear, -eio → PISAR.
pissandó *sm.* 'pequena palmeira do gênero *Diplothemium*' | *piçandó* 1587 | Do tupi *pĭsa'no*.
pissasfalto *sm.* 'mistura de pez e betume, à qual se adicionava suco de cedro, e que os romanos e outros povos usavam para embalsamar os cadáveres' | *pissaphalto* 1813, *pissasphalto* 1813 | Do lat. *pissasphaltos*, deriv. do gr. *pissásphaltos*.
pissitar *vb.* 'soltar a voz (o estorninho)' XIX. Do lat. *pisitāre*.
pista *sf.* 'vestígio' '*ext.* encalço, procura' 'a parte do hipódromo onde correm os cavalos' XVII. Do fr. *piste*, deriv. do it. *pista* (ant. *pesta*, dev. de *pestare* e, este, do lat. tard. *pistāre*, iterativo de *pinsĕre*) || DESpistAR XIX. Do fr. *dépister*. Cp. PISAR.
pistache *sf.* 'pistácia' XVI. Do fr. *pistache*, deriv. do lat. med. *pistachius*, e, este, do gr. *pistakíon* || **pistácia** *sf.* 'designação comum a duas árvores pequenas da fam. das anacardiáceas, características da região mediterrânea' 1844. Do lat. tard. *pistacia* || **pistaCITA** XX. Do fr. *pistazite*.
⇨ **pistache** — **pistácia** | 1836 SC, *-chia* 1836 SC |.
pistão *sm.* 'êmbolo | dispositivo permanente, em certos instrumentos de metal, que assegura a justeza da afinação e permite ao instrumento produzir todos os graus da escala cromática' | *pistom* 1844 | Do fr. *piston*, deriv. do it. *pistóne*.
pistilo *sm.* '(Bot.) unidade do gineceu formada de ovário, estilete e estigma' | *pistilio* 1782, *pistillo* 1813 | Do lat. *pistillum -ī*.
pistola *sf.* 'pequena arma de fogo' *c* 1596; 'antiga moeda estrangeira' 1645; '*ext.* fogo de artifício' 1837. Do fr. *pistole*, que remonta ao tcheco *pišt'ala*, através de uma das ant. vars. alemãs *pisschullen* (1421), *pischaln* (1429) ou *pisdeallen* (1483), modernamente *Pistole* (já documentado em 1579) || **pistolAÇO** 1783 || **pisotolADA** 1783 || **pistolEIRO** XX. Do cast. *pistolero* || **pistolETE** *c* 1561. Do fr. *pistolet* || **pistolET·AÇO** | *c* 1708, *-lotaço c* 1650, *-lotaso a* 1693 || **pistolET·ADA** 1642.
pistolão *sm.* 'pessoa influente, aue se empenha por conseguir alguma coisa para alguém' 'partido, empenho, carta de apresentação' XX. Do lat. *ĕpistŏlam* 'carta, epístola', lido oxitonamente; cp. o port. ant. *pístola*, por EPÍSTOLA.
pita *sf.* 'fio ou fios da folha da piteira' 'piteira' | *pitta* XVII | Do cast. *pita*, deriv. do quíchua *pita* || **pitEIRA** 1858.
⇨ **pita** — **pit**EIRA | 1836 SC |.
pitada *sf.* 'porção de pós, particularmente de rapé' '*ext.* pequena porção de uma coisa' XVIII. De etimologia obscura.
pitagórico *adj.* '(Filos.) pertencente ou relativo a Pitágoras ou ao pitagorismo' | *pythagorico* 1525 | Do lat. *pȳthagorĭcus -a -um*, deriv. do gr. *pythagorikós*.
⇨ **pitagórico** XV BENF 274.*11* |.
pitança *sf.* 'ração diária' 'prato extraordinário, servido só em dias de festa' 'esmola da missa' XIII. Do lat. med. *pitantia*, de **pietantia*, do lat. cláss. *piĕtās -ātis*. Cp. PIEDADE.
pitanga *sf.* 'planta da fam. das mirtáceas, cujo fruto é uma baga avermelhada, de sabor agridoce' 1681. Do tupi *pĭ'tana* 'avermelhado' || **pitangUEIRA** 1663.

pitauá *sm.* 'pássaro da fam. dos tiranídeos, também chamado bem-te-vi-de-coroa' | *pitaoão* 1587, *pitahuaã* 1728, *pitauan c* 1777 | Do tupi *pita'nya*.
pitecantropo *sm.* '(Paleont.) designação genérica dos antropoides, cujos fósseis indicariam um gênero intermediário entre o macaco e o homem' 1899. Do fr. *pithécanthrope*, deriv. do lat. cient. *pithēcanthropus* (*erectus*), voc. criado por Haeckel, com base no gr. *pithēkos* 'macaco' e *anthrōpos* 'homem' || **pitec**OIDE | *pithecoide* 1899 | Do fr. *pithécoïde*.
piteira → PITA.
pitéu *sm.* '*pop.* petisco' 1890. De origem obscura.
pitiatismo *sm.* '(Med.) designação dada à histeria pelo médico francês Babinski (1857-1932)' XX. Do fr. *pithiatisme*, do gr. *peithós* 'persuasão' + gr. *iatós* 'curável' + *-isme* (-ISMO) || **pitiáti**CO XX. Do fr. *pithiatique*.
pítico *adj.* 'relativo a Pítia, sacerdotisa de Apolo, a qual pronunciava oráculos em Delfos' | *pythico* 1873 | Do, lat. *pythĭcus -a -um*, deriv. do gr. *pythikós -ḗ -ón*.
pitinga *adj.* 2g. 'branco, claro, sem pintura' XIX. Do tupi *pe'tiŋa* < *a'pe* 'casca' + '*tina* 'branco'.
pititinga *sf.* 'peixe da fam. dos engraulídeos, espécie de enchova' | *pequitim* 1587, *petitimgua c* 1631 etc. | Do tupi *piti'tiŋa*.
pitiú *sm.* 'cheiro desagradável, característico de peixe cru' | *putiú a* 1696 |; 'espécie de tartaruga do Amazonas' XIX. Do tupi *pĭti'u*.
pitomba *sf.* 'planta da fam. das sapindáceas, cujo fruto tem as sementes envolvidas por um arilo adocicado e abundante' 1618. Do tupi *pi'toŋa* || **pitomb**EIRA 1568.
píton *sm.* '(Mit.) serpente monstruosa morta por Apolo' 'mago' | *python* 1844 | Do lat. *pȳthōn -ōnis*. deriv. do gr. *pȳthōn -ōnos* || **pitôn**ICO | *pythonico* 1844 | Do lat. *pythōnicus -a -um* || **piton**ISA XVII. Do lat. *pȳthōnissa -ae*.
⇨ **píton** | *pithon* 1836 SC, *python* 1836 SC, *pythão* 1836 SC || **pitôn**ICO | *pytho-* 1836 SC |.
pitora *sf.* 'fatias de lombo fritas com toucinho e condimentadas com pimenta' 1813. De origem obscura.
pitoresco → PINTAR.
pitorra *sf.* 'pião pequeno' 'pessoa baixa e gorda' XVII. De etimologia obscura.
pitu *sm.* 'espécie de camarão' 1817. Do tupi *pi'tu*.
pituá *sm.* 'pincelzinho feito de sedas finas, usado por douradores' 1899. Do fr. *putois*, deriv. do lat. *pūtĭdus -a -um*, de *pūtēre*.
pituíta *sf.* '(Anat.) membrana pituitária' 1813. Do lat. *pituīta -aer* || **pituit**ÁRIO 1858 || **pituit**OSO XVII. Do lat. *pītuītōsus -a -um*.
pium *sm.* 'espécie de mosquito, borrachudo' 1587. Do tupi *pi'ũ*.
piúria → PI(O)-.
piverada *sf.* 'refogado em que entram sal, azeite, vinagre, alho e pimenta' XVI. Do it. *peverata*, do lat. med. *piperāta*.
pivete *sm.* 'substância aromática que se queima para perfumar' XVI; 'criança esperta' 'menino ladrão e/ ou que trabalha para ladrões' XX. Do cast. *pebete*, deriv. do cat. *pevet*.
pivô *sm.* 'haste metálica, cilíndrica ou quadrangular, que suporta coroas nas raízes, ou incrustações

de dentes' xx. Do fr. *pivot* || **pivotante** *adj. 2g.* '(Bot.) axonomorfo' xx. Do fr. *pivotant.*
pixaim *sm.* 'cabelo muito crespo, carapinha' xx. Do tupi *apiša'ĩ.*
pixé *sm.* 'mau cheiro, catinga' xix. Do tupi *pi'še.*
pixídio *sm.* '(Bot.) fruto capsular que se abre por uma fenda transversal, desprendendo-se a porção superior, dita opérculo' 1899. Do lat. cient. *pyxidium*, deriv. do gr. *pyxídion*, dim. de *pyxís -idos* || **píxide** *sf.* '(Liturg.) vaso onde se guardam as hóstias ou partículas consagradas' | *pyxide* 1858 | Do fr. *pyxide*, deriv. do lat. ecles. *pyxis -idis* e, este, do gr. *pyxis -idos.*
⇨ **pixídio** — **pixide** | *py-* 1836 sc |.
pixirica *sf.* 'planta da fam. das melastomáceas' xx. Do tupi *piši'rika.*
pixuna *sf.* 'pequeno mamífero roedor' *c* 1594. Do tupi *pi'šuna.*
pixurim *sm.* 'planta da fam. das lauráceas, cujo fruto é também chamado noz-do-pará' | *pocherim* 1763, *pechurim* 1817, *pucheris* pl. 1817 etc. | Do tupi **pišu'rĩ.*
pizicato *adj. sm.* '(Mús.) diz-se do modo de fazer vibrar as cordas dos instrumentos de arco com o polegar' | *pizzicato* 1881 | Do it. *pizzicato.*
placa *sf.* 'chapa ou lâmina de material resistente' 1706; 'antiga moeda flamenga' 1741. Do fr. *plaque*, deriv. do neerl. *placke* || EMPLACADO XX || EMPLACAMENTO XX || EMPLACAR XX || EMPLACÁVEL XX || PLACOIDE XX.
placar[1] *vb.* 'aplacar, tranquilizar, serenar' xix. Do lat. *placāre* || **placABIL·IDADE** XVII. Do lat. *plācābĭlĭtās -ātis* || **placÁVEL** XVII. Do lat. *plācābĭlis -e.* Cp. APLACAR.
placar[2] *sm.* 'orig. edital que se afixava a uma parede, um muro etc., contendo avisos, ordens, recomendações etc.' | *placárd* 1813 |; 'ext. venera, condecoração' | *placarte* xix, *placar* 1881 |; 'ext. quadro em que se marcam os pontos ganhos num jogo (futebol, bilhar etc.)' 'resultado de uma partida esportiva expresso em números, escore' xx. Do fr. *placard.*
placenta *sf.* '(Anat.) órgão localizado no útero, durante a gestação, e que, através do cordão umbilical, estabelece comunicação biológica entre a mãe e o filho' 1813. Do lat. *placenta -ae* 'bolo', deriv. do gr. *plakounta*, acusativo de *plakoûs -oûntos.*
plácido *adj.* 'sereno, tranquilo' xvi. Do lat. *placĭdus -a -um* || **placidEZ** 1881.
plácito *sm.* 'beneplácito, aprovação' 1813. Do lat. *placĭtum -ī.* Cp. PLEITO, PREITO.
placoide → PLACA.
plaga *sf.* '(Poét.) região, país' xiv. Do lat. *plāga -ae.*
plágio *sm.* 'ato ou efeito de imitar, de apresentar, como sua, obra de outra pessoa' 1813. Do lat. *plagĭum -ĩi.* deriv. do gr. *plágion* || **plagiADOR** XX || **plagiAR** XIX. Do fr. *plagier* || **plagiÁRIO** XVIII. Do lat. *plagiārĭus -ĩi* || **plagioCÉFALO** | *plagiocéphalo* 1899 || **plagioCLÁS·IO** | *plagioclase* 1899 | Do fr. *plagioclase* | **plagioSTOMO** 1899.
plain·a, -ete, -o, plan·a, -ado, -ador, -alto, -ária → PLANO.
plâncton *sm.* '(Bot.) comunidade de pequenos animais e vegetais que vivem em suspensão nas águas doces, salobras e marinhas' 1899. Do fr. *plancton*, deriv. do gr. *planktón.*
planej·amento, -ar → PLANO.
planeta *sm.* '(Astr.) astro sem luz própria, e que gravita em torno de uma estrela' xiii. Do lat. *planēta -ae*, deriv. do gr. *planḗtes* || INTERPLANETÁRIO XX || **planetÁRIO** XVII. Do lat. tard. *planētārĭus* || **planetOIDE** XX. Do fr. *planétoïde.*
planger *vb.* 'derramar lágrimas, lamentando-se' 1899. Do lat. *plangĕre* || **plangENTE** 1899.
plano *adj. sm.* 'liso' 'sem dificuldades' xiv. Do lat. *plānus -a -um* || **AplainAR** xv. Do lat. **applāneāre*, por *applānāre* | **AplanAR** | XVI, *aplanado* part. XIV | Do lat. *applānāre* || COPLANAR XX || **plaina** *sf.* 'instrumento usado pelos carpinteiros para alisar madeiras' 1813 || **plainETE** *sm.* 'instrumento para cinzelar metais' XX || **plainO** XVII || **planA** XVII. Do lat. *plānus -a -um* || **planADO** XX || **planADOR** XX. Adaptação do fr. *planeur* || **planALTO** 1881 || **planÁRIA** *sf.* 'lesma' 1858. Do lat. cient. *plānāria*, deriv. do lat. tard. *plānārĭus* || **planEJ·AMENTO** XX || **planEJAR** 1881 || **planÍCIE** XVI. Do lat. *plānĭties -ēī* || **planiCÓRNEO** 1899 || **planiFÓLIO** 1899. Do lat. cient. *plānifolius* || **planiFORME** 1899 || **planiGLOBO** 1899 || **planILHA** XX. Do esp. plat. *planilla* || **planÍMETRO** 1813. Do fr. *planimètre* || **planiPENE** | *planipenne* 1899 || Do fr. *planipennes*, deriv. do lat. cient. *plānipennia* || **planiSFÉRIO** | *planispherio* XVI | Do lat. med. *plānisphaerium* || **planURA** XVI. Do lat. med. *plānūra.*
⇨ **plano** — APLANAR | *apranar* XIV ORTO 328.*12* || **plaina** | *praina* 1570 *in* ZT || **planIMETR·IA** | 1720 RB |.
planqueta *sf.* 'ant. peça empregada em combates navais para desmastrear navios' 1858. De etimologia obscura.
planta *sf.* 'ser vivo do reino vegetal' '(Anat.) parte do pé que assenta no chão' xiv. Do lat. *planta -ae* || DESPLANTE *sm.* 'posição de esgrima' 'audácia' 1813 || IMPLANTAÇÃO 1873 || IMPLANTAR 1844 || IMPLANTE 1881 || **plantAÇÃO** 1813. Do lat. *plantātĭō -ōnis* || **plantAD·IO** XIV || **plantADOR** XVI. Do lat. *plantātor -ōris* || **plantAR** | XIV, *prantar* XV | Do lat. *plantāre* || **plantIA** *sf.* 'plantação' XIV || **plantí·GRADO** 1858. Do fr. *plantigrade*, deriv. do lat. cient. *plantigradus* || **plantIO** 1776 || **plântULA** *sf.* 'plantinha recém-nascida' 1858. Do fr. *planetule*, deriv. do lat. cient. *plantula* e, este, do lat. tard. *plantula* || **plantUR·OSO** *adj.* 'volumoso, crescido' xx. Do fr. *plantureux.*
⇨ **planta** — IMPLANTAR | 1836 SC || **plantAÇÃO** | *plantaçom* XIV ORTO17.*32*, *plantaçõ* XV SBER 128.*25*, *pllantação* Id.53.*35* || **plantADOR** | *prantador* XV BENF 190.*35* || **plantAMENTO** 'ação de plantar' | XV SEGR 60 || **plantATIVO** | XV SEGR 68 |.
plantão *sm.* 'horário de serviço escalado para determinado profissional exercer suas atividades em delegacia, hospital etc.' 1881. Do fr. *planton* || **plantonISTA** XX.
plantar → PLANTA.
plantel *sm.* '(Zootec.) grupo de animais de boa raça que o criador conserva para a reprodução' xx. Do cast. *plantel.*
plant·ia, -ígrado, -io → PLANTA.
plantonista → PLANTÃO.

plânt·ula, -uroso → PLANTA.
planura → PLANO.
plaquê *sm.* 'folha de metal, mais ou menos delgada e em geral amarela, tom a qual se revestem certos objetos de metal ordinário' 1873. Do fr. *plaqué* || **plaqu**ETA | XX, *plaquete* XX | Do fr. *plaquette*.
plasma *sm.* '(Anat.) a parte líquida, coagulável, do sangue e da linfa' 1899. Do fr. *plasma*, deriv. do al. *Plasma*, voc. introduzido na linguagem científica internacional por Schultz, em 1836, do gr. *plasma* || EM**plasm**ADO 1899 || EM**plasm**AR *vb.* 'modelar, envolver' XIX. Por *en(cata)plasmar*, de *cataplasmo* || **plasm**AR¹ *vb.* 'modelar, dar forma' 1873 || **plasm**ASE *sf.* '(Fisiol.) diástase que coagula as substâncias albuminoides dos plasmas' XX || **plasm**ÁT·ICO 1899. Do fr. *plasmatique*. Cp. gr. *plasmatikós* || **plásm**ICO XX || **plasm**O·DESMA *sm.* '(Citol.) filamento plasmático muito delgado que passa de uma célula para outra através de canalículos na membrana ou parede celular' XX || **plasmódio** XX. Do ing. *plasmodium*, deriv. do lat. cient. *plasmōdium* || **plasmó**·LISE *sf.* '(Histol.) contração do protoplasma de uma célula viva por ter perdido parte de sua água interna' XX.
plasmar² *vb.* 'ant. repreender' | *plasmado* part. XIV, *prasmado* part. XV | Do a. fr. *blasmer* (fr. *blâmer*), deriv. do lat. pop. *blastemāre* e, este, do lat. ecles. *blasphemāre*. Cp. *blasfemar*; V. BLASFÊMIA || **plasmo** *sm.* 'ant. repreensão' | *prasmo* XV | Dev. de *plasmar*².
plasm·ase, -ático, -ico, -odesma, -ódio, -ólise → PLASMA.
plástico *adj.* 'que tem propriedade de adquirir determinadas formas sensíveis, por efeito de uma ação exterior' 1844. Do lat. *plastĭcus -a -um*, deriv. do gr. *plastikós* || **plástica** 1858. Do fr. *plastique*, deriv. do lat. tard. *plastica* e, este, do gr. *plastikḗ* || **plastic**IDADE 1858. Do fr. *plasticité* || **plast**ÍDIO *sm.* '(Biol.) designação de qualquer estrutura especializada de célula, exceto o núcleo e o centrossomo' 1899. Do fr. *plastide*, deriv. do lat. cient. *plastidium* || **plastídulo** 1899. Do fr. *plastidule*, deriv. do al. *Plastidul* || **plasto** *sm.* '(Bot.) plastídio' XX. Do lat. cient. *plastus*, deriv. do gr. *plastós*.
⇨ **plástico** | 1786 *in* ZT || **plástica** 1786 *in* ZT || **plastic**IDADE | 1841 *in* MS |.
plastrão *sm.* 'gravata larga, cujas pontas se cruzam obliquamente' | 1899, *plastron* 1881 | Do fr. *plastron*, deriv. do it. *piastrone*.
plataforma *sf.* 'área plana horizontal, mais ou menos alteada' 1626. Do fr. *plate-forme*; na acepção mais moderna (séc. XX) de 'programa de candidato a cargo político' o voc. provém do ing. *platform* || **plati**BANDA 1881. Do fr. *plate-bande*.
plátano *sm.* 'árvore da fam. das platanáceas' XIV. Do lat. *platănus -ĭ*, deriv. do gr. *plátanos*.
plateia *sf.* 'pavimento de teatro, entre a orquestra ou o palco e os camarotes' 1813. Do fr. *platée*, deriv. do lat. *platēa -ae* e, este, do gr. *plateīa*.
platelminto → PLAT(I)-.
platense *adj.* *s2g.* 'platina' XX. Do cast. *platense*.
plateresco *adj. sm.* 'diz-se do, ou o estilo artístico ornamental, empregado especialmente em arquitetura, que surgiu na Espanha durante o Renascimento' XX. Do cast. *plateresco*.

plat(i)- *elem. comp.*, do gr. *platýs* 'largo', que se documenta em vocs. introduzidos na linguagem científica internacional, a partir do séc. XIX ▶ **plat**ELMINTO '(Zool.) animal acelomado, de simetria bilateral, do ramo *Platyhelminthes*' | *plathelmintho* 1899 || **plati**CARPO *sm.* '(Bot.) fruto achatado' | *platycarpo* 1899 || **plati**CÉFALO *adj. sm.* 'que tem cabeça achatada' | *platycephalo* 1899 | Do fr. *platycéphale*, deriv. do lat. cient. *platycephalus* e, este, do gr. *platyképhalos* || **plati**CÚRT·ICO *adj.* 'diz-se da curva de frequência mais achatada que a curva de Gauss' XX || **plati**DÁCTILO | *platydactylo* 1899 | Do lat. cient. *platydactylus* || **plati**GLOSSO *adj.* '(Zool.) que tem língua larga' | *platyglosso* 1899 || **plati**LOBUL·ADO | *platylobulado* 1899 || **plati**NEURO | *platyneuro* 1899 || **plati**PODE XX. Do fr. *platype*, deriv. do lat. cient. *platypūs*, *platypodidae* e, este, do gr. *platýpous -podos* || **platir**·RINO | *platyrrhino* 1899 | Do ing. *platyrrhine*, deriv. do lat. cient. *platyrrhīnus*, deriv. do gr. *platýrrhīnos* || **platir**·ROSTRO | *platyrostro* 1899 || **platis**PERMO | *platyspermo* 1899 || **plati**ÚRO | *platýuro* 1899.
platibanda → PLATAFORMA.
plati·carpo, -céfalo, -dáctilo, -glosso, -lobulado → PLAT(I)-.
platina¹ *sf.* '(Quím.) elemento de número atômico 78, metálico, branco-prateado, denso, dútil e maleável, usado em ligas preciosas e com aplicações científicas' 1838. Do cast. *platina*, de *plata* 'prata' || **platin**ADO 1899 || **platin**AR 1899 || **platino**·TIP·IA | *platinotypia* 1899 | Do fr. *platinotypie*. Cp. PRATA.
platina² *sf.* 'presilha ou pestana em que os soldados de infantaria seguram as correias' 'peça metálica, achatada e em geral recoberta de platina, empregada em diversos aparelhos submetidos a corrente elétrica' 1873. Do fr. *platine*. Cp. PLATINA¹.
platin·ado, -ar → PLATINA¹.
platineuro → PLAT(I)-.
platino *adj. sm.* 'da, ou pertencente ou relativo à região do rio da Prata' XX. Do cast. *platino*. Cp. PLATINA¹, PRATA.
platinotipia → PLATINA¹.
plat·ípode, -irrostro, -ispermo, -iúro → PLAT(I)-.
platô *sm.* 'planalto' '(Mec.) na embreagem de discos de fricção, o disco dotado de molas compressoras sob cuja ação ele transmite a força do motor às rodas de tração' XX. Do fr. *plateau*.
platônico *adj. sm.* 'relativo ou pertencente a Platão' XVIII. Do lat. *platōnĭcus -a -um* || **platon**ISMO 1858. Do fr. *platonisme*.
⇨ **platônico** | *a* 1542 JCASE 29.*1* |.
plausível *adj.* 2g. 'que merece aplauso' 'razoável, aceitável' XVII. Do lat. *plausibĭlis -e* || **plaus**IBIL·IDADE 1813.
plaustro *sm.* '(Poét.) carro descoberto' XVI. Do lat. *plaustrum -ĭ*.
plebe *sf.* 'o povo, por oposição aos nobres' XVI. Do lat. *plēbs plēbis* || **plebe**ÍSMO 1844 || **plebeu** | *plebeio* XVI | Do lat. *plēbēĭus -a -um* || **plebiscito** 1813. Do lat. *plēbiscītum -ī*.
⇨ **plebe** — **plebe**ÍSMO | 1836 SC |.
plectógnato *sm.* '(Zool.) animal da classe dos peixes, neopterígio, da ordem *Plectognathi*, de corpo revestido de escamas irregulares' | *plectognatho*

1881 | Do fr. *plectognathes*, do gr. *pléktos* 'enlaçado' + *gnathos* 'maxilar'.
plectro *sm.* '*ant.* varinha de madeira, ouro ou marfim, para fazer vibrar as cordas da lira' XVI. Do lat. *plēctrum -ī*, deriv. do gr. *plēktron*.
plêiade *sf.* '(Astr.) cada uma das estrelas do aglomerado das Plêiades' 'reunião de pessoas ilustres' XVI. Do lat. *Plēiades*, deriv. do gr. *Plēiádes*.
pleiocásio *sm.* '(Bot.) inflorescência cimosa em que, abaixo do eixo principal, terminado por uma flor, surgem três ou mais ramos laterais, cada um dos quais se ramifica, em geral, do mesmo modo' XX. Do lat. cient. *pleiocasium*, do gr. *pléion* 'mais' e *kásioi* 'irmãos' || **pleiofilia** *sf.* '(Bot.) aumento anormal do número de folíolos numa folha composta' XX. Do lat. cient. *pleiophyllia*.
pleistoceno, plistoceno *adj. sm.* '(Geol.) diz-se de, ou um dos períodos da era neozoica' XX. Do fr. *pléistocène*, deriv. do ing. *pleistocene*, voc. cunhado pelo geólogo Lyell, em 1839, com base no gr. *plēistos* 'muito mais, muitíssimo', superlativo de *pléion* 'mais', pelo modelo de EOCENO.
pleito *sm.* 'demanda, litígio' 'debate' 'eleição' | XIII, *pleyto* XIII | Forma divergente popular de *plácito*, do lat. *placĭtum -ī* || pleitE·ADOR | *preyteiador* XIV || pleitE·AMENTO | *preiteiamento* XIV || pleitE·ANTE XVII || pleitEAR vb. 'ajustar, concertar' | *preitejar* XIII, *pleyteiar* XIV etc. Cp. PLÁCITO, PREITO.
plen(i)- *elem. comp.*, do lat. *plēnus* 'cheio', que já se documenta em vocs. formados no próprio latim, como *plenilúnio*, e em alguns outros introduzidos na linguagem científica internacional, a partir do séc. XIX ▶ || plenÁRIO | XV, *prenario* XV | Do lat. ecles. *plēnārius* || pleniCÓRNEO 1899 || pleniFIC·AR *vb.* 'preencher' 1899 || pleniLÚNIO 1813. Do lat. *plēnilūnĭum -iī* || pleniPOTÊNCIA 1631 || pleniPOTENCI·ÁRIO 1813. Do fr. *plénipotentiaire*, deriv. do lat. med. *plēnipotentiārius* || pleniR·ROSTRO | *plenirostro* 1899 || **plenitude** 1813. Do lat. *plēnitūdŏ -ĭnis* || **pleno** XVII. Do lat. *plēnus -a -um*.
pleocroísmo *sm.* '(Min.) propriedade que têm os cristais birrefringentes coloridos de absorver seletivamente os raios luminosos conforme a direção em que estes atravessam o cristal' | *pleochroismo* 1899 | Do fr. *pléochroïsme*.
pleonasmo *sm.* '(Gram.) redundância de termos' XVI. Do lat. tard. *pleonasmus*, deriv. do gr. *pleonasmós* || pleonástICO | 813. Do fr. *pléonastique*, deriv. do gr. *pleonastikós*.
pleroma *sm.* '(Bot.) zona central da região do crescimento longitudinal do canal ou da raiz, que dará origem aos tecidos do cilindro central' 1873. Do fr. *plérome*, deriv. do lat. cient. *plērōma* e, este, do al. *Plerom* || plerOSE *sf.* '(Med.) restabelecimento da nutrição, após uma doença' | *plerosis* 1873 | Cp. gr. *plḗrosis* || plerótICO | 873. Do fr. *plérotique*, deriv. do gr. *plērōtikós*.
plesiossauro *sm.* 'réptil de enormes proporções, da fauna mesozoica' | *plesiosáurio* 1899 | Do fr. *plésiosaure*, deriv. do lat. cient. *plēsiosaurus*.
plessômetro *sm.* '(Med.) instrumento com que se pratica a percussão mediata' XX. Adapt. do fr. *pleximètre* (gr. *pléxis* 'percussão').
pletora *sf.* '(Patol.) congestão generalizada' 'indisposição de quem tem excesso de atividade' 'ext.

superabundância' | *plethora* 1813 | Do fr. *pléthore*, deriv. do gr. *plēthṓrē* || pletórICO | *plethórico* 1813 | Do fr. *pléthorique*.
pleur(o)- *elem. comp.*, do gr. *pleurá* 'lado, flanco', que se documenta em vocs. formados no próprio grego, como *pleurite*, e em muitos outros introduzidos na linguagem científica internacional, a partir do séc. XIX ▶ || **pleurA** *sf.* '(Anat.) dupla membrana serosa que envolve cada um dos pulmões' 1813. Do fr. *plèvre*, deriv. do gr. biz. *plevra*, alt. do gr. *pleurá* || **pleuris** | *pleuriz* 1813 || pleurisIA 1873. Do fr. ant. *pleurisie*, hoje *pleurèsie*, deriv. do lat. med. *pleurīsia* || pleurITE 1858. Do lat. med. *pleurītis -idis*, deriv. do gr. *pleurîtis -idos* || pleurÍT·ICO 1844. Do lat. med. *pleurīticus*, deriv. do gr. *pleuritikós* || pleuroCELE 1873 || pleuroDINIA | *pleurodynia* 1858 | Do lat. cient. *pleurodynia*, deriv. do gr. *pleurŏdynía* || pleuroDISC·AL 1899 || pleuroDONTE *adj.* 2g. 'diz-se dos dentes não implantados em alvéolos, porém soldados ao lado do maxilar' 1873 || **pleuronecto** *sm.* 'espécie dos pleuronectos, peixes chatos assimétricos' 1881. Do lat. cient. *pleuronectēs* || pleuroPNEUMONIA 1844.
⇨ pleur(o)- — pleurÍT·ICO | 1836 SC || pleuroPNEUMONIA | 1836 SC |.
plexo *sm.* '(Anat.) entrelaçamento de muitas ramificações de nervos ou de filetes musculares, vasculares' 'encadeamento' 1858. Substantivação do adjetivo latino *plexus -a -um*.
plic·a, -ar, -atura → PREGAR[1].
plinto *sm.* '(Arquit.) peça quadrangular que serve de base a um pedestal ou uma coluna' | *plintho* 1813 | Do lat. tard. *plinthus*, deriv. do gr. *plínthos*.
⇨ **plinto** | 1783 *in* ZT |.
plioceno *adj. sm.* '(Geol.) diz-se do, ou primeiro período da era cenozoica ou terciária' 1881. Do fr. *pliocène*, do ing. *pliocene*, voc. cunhado pelo geólogo Lyell, em 1833, com base no gr. *pléion* 'mais' e *kainós* 'novo, recente'; cp. EOCENO.
plissar *vb.* 'fazer pregas num tecido' XX. Do fr. *plisser* || plissADO XX.
plistoceno → PLEISTOCENO.
pluma *sf.* 'pena de ave, pena de escrever' 'penacho' | XIV, *pruma* XIV | Do lat. *plūma -ae* || DESplumAR 1813 || EMplumADO XVI || EMplumAR 1813 || EMplumÁVEL XX || IMplume XVI. Do lat. *implūmis -e* || plumAÇO 1899. Do lat. *plūmācĭum -iī* 'leito de penas' || plumAGEM | XVI, *pru-* XIV | Do fr. *plumage* || plumAR XX. Do lat. *plūmāre* || plumÁRIO 1899. Do lat. *plūmārīus -a -um* || plumEIRO 1899 || plúmEO 1899. Do lat. *plūmĕus -a -um* || **plumetis** 1899. Do fr. *plumetis* || plumÍCOLO | *plumicollo* 1899 || plumIT·IVO 1899. Do fr. *plumitif* || plumOSO XVI. Do lat. *plūmōsus -a -um* || plumUL·I·FORME 1873.
plumbagina *sf.* 'substância mineral escura da qual se fazem lápis' 1873. Do lat. *plumbāgo -ĭnis* || **plumbATO** *sm.* 'sal do ácido plúmbico com uma base' 1899. Do lat. *plumbātus -a -um* || plúmbEO 1572. Do lat. *plumbĕus -a -um* || plúmbICO 1899 || plumbÍ·FERO 1899 || plumbOSO 1899. Do lat. *plumbōsus -a -um*. Cp. CHUMBO.
plum·eiro, -eo, -etis, -ícolo, -itivo, -oso, -uliforme → PLUMA.

plur(i)- *elem. comp.*, do lat. *plūri* 'muitos', que se documenta em vocs. formados no próprio latim, como *plural*, e em muitos outros introduzidos na linguagem científica internacional a partir do séc. XIX ▶ **plur**AL XV. Do lat. *plūrālis -e* ‖ **plur**AL·IDADE 1813. Do lat. *plūrālĭtās -ātis* ‖ **pluri**ARTICULADO 1873 ‖ **pluri**CELULAR | *pluricellular* 1899 ‖ **plu**-**ri**DENTADO 1873 ‖ **pluri**FLORO | *pluriflor* 1873 ‖ **pluri**LATERAL XX‖**pluri**LÍNGUE XX‖**pluri**LOBULADO 1873 ‖ **pluri**LOCULAR 1881. Do fr. *pluriloculaire*, deriv. do lat. cient. *plūriloculāris* ‖ **pluri**NOMINAL XX ‖ **pluri**OVULADO 1899 ‖ **pluri**PARTIDO | *pluripartito* 1873 ‖ **pluri**PÉTALO 1873 ‖ **pluris**·SECULAR XX ‖ **pluris**·SERIADO 1873 ‖ **pluri**VALVE 1899.
plutão *sm.* '(Poét.) 'o fogo' '(Astr.) o planeta mais distante do sistema solar, cuja descoberta foi anunciada em 1930 por Clyde W. Tombaugh (1908-1997) após série de pesquisas iniciadas pelo astronomo norte-americano Percival Lowell (1855-1916)' XX. Em 2006 passou à classificação de planeta anão ou plutoide. O mit. *Plutão* já ocorre em português pelo menos a partir do séc. XVI. Do lat. *Plūtō -ōnis*, deriv. do gr. *Ploútōn -ōnos* ‖ **plutôn**ICO 1873. Do ing. *plutonic* ‖ **plutôn**IO¹ *sm.* '(Quím.) elemento de número atômico 94, artificial, radioativo, fissionável, metálico' XX. Do. fr. *plutonium*, deriv. do lat. cient. *plūtōnium* ‖ **plutôn**IO² *adj.* 'relativo a Plutão, deus dos infernos' XX. Do lat. *plūtōnius -a -um* ‖ **pluton**ISMO 1873. Do fr. *plutonisme* ‖ **pluton**ISTA 1881. Do fr. *plutoniste*.
plúteo *sm.* '(Arquit.) parede que fecha o espaço entre duas colunas' XX. Do lat. *plutĕus -ī*.
pluto- *elem. comp.*, do gr. *ploútos* 'riqueza' que já se documenta em vocs. formados no próprio grego, como *plutocracia*, e em alguns outros introduzidos na linguagem científica internacional, a partir do séc. XIX ▶ ‖ **pluto**CRACIA *sf.* 'influência do dinheiro' 'preponderancia dos homens ricos' 1873. Do fr. *ploutocratie*, deriv. do gr. *ploutokratía* ‖ **pluto**CRATA XX. Do fr. *ploutocrate* ‖ **pluto**NO-MIA *sf.* 'economia política' 1899.
plúvio *sm.* '(Poét.) nuvem carregada de chuva' XX. Substantivação do adj. latino *pluvius -a -um* ‖ **pluvi**AL XVIII. Do lat. *pluviālis -e* ‖ **pluviátil** 1873. Do fr. *pluviatile* ‖ **pluviô**METRO 1858. Do fr. *pluviomètre* ‖ **pluvi**OSO 1844. Do lat. *pluviōsus -a -um*. Cp. CHUVA.
⇨ **plúvio** — **pluvi**OSO | 1836 SC |.
pneu-, pneumat(o)- *elem. comp.*, do gr. *pneu-* (de *pnéō* 'soprar, respirar') e *pneumat-*, (de *pneûma -atos* 'sopro, vento'), que já se documentam em vocs. formados no próprio grego, como *pneumático*, e em vários outros introduzidos na linguagem científica internacional, a partir do séc. XIX ▶ **A**-**pneia** *sf.* '(Med.) suspensão da respiração' | *apnea* 1844 | Do fr. *apnée*, deriv. do gr. *ápnoia* ‖ **pneu** XIX. Do fr. *pneu*, forma reduzida de *pneumatique* ‖ **pneuma** *sm.* 'sopro ou espírito aéreo, que alguns médicos antigos consideravam a causa da vida e das doenças' XVII. Do lat. tard. *pneuma -atis*, deriv. do gr. *pneûma -atos* ‖ **pneumát**ICO *adj. sm.* 'relativo ao ar' 1813; 'aro de borracha com que se revestem rodas de veículos' XX. Do fr. *pneumatique*, deriv. do lat. *pneumaticus -a -um* e, este, do gr. *pneumatikós* ‖ **pneumató**LISE *sf.* '(Geol.) ação

de emanações gasosas provenientes do magma sobre outra rocha ou sobre o próprio magma já consolidado em suas partes periféricas' XX. Do lat. cient. *pneumatolysis* ‖ **pneumato**LOG·IA 1813 ‖ **pneumat**OSE 1858. Do fr. *pneumatose*, deriv. do gr. *pneumátōsis*. Cp. PNEUM(O)-.
⇨ **pneu-, pneumat(o)-** — A**pneia** | *-nea* 1836 SC ‖ **pneumát**ICO | 1720 RB |.
pneum(o)- *elem. comp.*, do gr. *pneúmōn -onos* 'pulmão', que já se documenta em vocs. formados no próprio grego, como *pneumonia*, e em alguns outros introduzidos na linguagem científica internacional, a partir do séc. XIX ▶ **pneum**EC·TOMIA *sf.* '(Med.) extirpação de um pulmão em sua totalidade' 1899 ‖ **pneumo**BRÂNQUIO *adj.* '(Zool.) diz-se dos peixes que respiram por brânquias e pulmões' | *pneumobranchio* 1899 | Do fr. cient. *pneumobranchia* ‖ **pneumo**CELE *sf.* '(Patol.) hérnia originada pela saída de uma parte do pulmão através dos espaços intercostais' 1858 ‖ **pneumo**-**coc**IA *sf.* '(Patol.) doença infecciosa causada pelo pneumococo' 1899 ‖ **pneumococo** *sm.* 'micróbio que produz a pneumonia aguda' | *pneumococco* 1899 | Do fr. *pneumocoque*, deriv. do lat. cient. *pneumococcus* ‖ **pneumo**CONIOSE *sf.* '(Patol.) estado mórbido resultante da infiltração do pulmão pelas poeiras inaladas' XX. Do fr. *pneumoconiose* ‖ **pneumo**GÁSTR·ICO *adj.* '(Anat.) comum ao pulmão e ao estômago' 1899. Do ing. *pneumogastric* ‖ **pneumó**LISE XX ‖ **pneumo**LITÍASE *sf.* '(Patol.) doença caracterizada pela formação de concreções nos pulmões' | *pneumolithiase* 1899 ‖ **pneumo**-LOGIA 1858 ‖ **pneumo**ALGIA *sf.* '(Patol.) dor no pulmão' 1899 ‖ **pneumon**IA 1844. Do fr. *pneumonie*, deriv. do gr. *pneumonía* ‖ **pneumôn**ICO 1813. Do fr. *pneumonique*, deriv. do gr. *pneumonikós* ‖ **pneumo**PERICÁRDIO *sm.* '(Patol.) presença de ar na cavidade pericárdica' XX ‖ **pneumo**PERITÔNIO *sm.* '(Patol.) presença de ar na cavidade peritonial' XX ‖ **pneumo**PLÉCT·ICO XX ‖ **pneumo**PLEGIA *sf.* '(Patol.) paralisia do pulmão' 1899 ‖ **pneumo**PLEURI-SIA *sf.* '(Patol.) inflamação da pleura e do pulmão' 1899‖**pneumo**PLEURÍT·ICO 1899‖**pneumo**R·RAGIA *sf.* '(Patol.) hemorragia pulmonar' | 1844, *pneumorrhagia* 1858 ‖ **pneumo**TÓRAX XX. Do lat. cient. *pneumothōrax*. Cp. PNEU-.
pó *sm.* 'partículas de terra seca, ou de qualquer outra substância, que cobrem o solo, se depositam nos aposentos ou se elevam na atmosfera' | XV, *poo* XIII | Do lat. *pŭlus, de *pulvus (cláss. *pŭlvis -vĕris*) ‖ DES·EMPO**AR** 1873 ‖ EMPO**ADO** XVIII ‖ EMPO-AR 1813 ‖ EMPOEIR·ADO XVIII ‖ EMPOEIR·AR 1844 ‖ POEIRA XVI ‖ POEIR·ADA 1858 ‖ POEIR·ENTO 1881 ‖ POENTO 1813. Cp. POLVILHO, PÓLVORA, PULVERIZAR.
⇨ **pó** — DES·EMPOAR 1836 SC ‖ EMPOEIR·AR | 1836 SC | POENTO | *poemto c* 1539 JCASD 141.2 |.
poaia *sf.* 'ipecacuanha' 1801. Do tupi **pu'aia*.
pobre *adj. s2g.* 'que não tem o necessário à vida' | XIII, *probe* XIII etc. | Do lat. *pauper -ĕris* ‖ DEpau-per**AÇÃO** 1813 ‖ DE**pauper**ADO 1899 ‖ DE**pauper**A-DOR XX ‖ DE**pauper**AMENTO 1899 ‖ DE**pauper**ANTE XX ‖ DE**pauper**AR 1899. Do lat. med. *depauperāre* ‖ EMPOBR**ECER** XVI. No port. med. ocorre *ēprouecer*, no séc. XIII‖EM**pobr**EC·IDO 1873‖EM**pobr**EC·IMENTO 1858 ‖ **pauper**ISMO 1873. Do fr. *pauperisme* ‖

pobrET·ÃO 1844 || **pobrEZA** | XIII, -*eça* XIII, *proueza* XIII etc. | No port. med. também se documenta *pobridade* (séc. XIII) na mesma acepção.
⇨ **pobre** — EMpobrEC·IDO | 1836 SC || **pobrET·ÃO** | 1836 SC |.
poção *sf.* 'medicamento líquido, para se beber' 'qualquer bebida' | *poçam* XVI | Do lat. *pōtĭō -ōnis*. Cp. PEÇONHA.
pocema *sf.* 'grito de guerra dos indígenas do Brasil' 1659. Do tupi *po'sema*.
pochade *sf.* 'pintura executada sumariamente, em algumas pinceladas' '*ext.* obra ligeira, feita com rapidez' 1899. Do fr. *pochade*.
pocilga → PORCO.
poço *sm.* 'cavidade funda, aberta na terra, a fim de atingir o lençol aquífero mais próximo da superfície' XVI. Do lat. *putĕus -ī* || DES·EMpoçAR 1844 || EMpoçADO XVI | EMpoçAR XVII | poçA 1813.
⇨ **poço** | XIII CSM 119.*37* || DES·EMpoçAR | 1836 SC |.
pococim, pocosi *sm.* 'mamífero cetáceo da fam. dos delfinídeos (*Phocaena phocoena* L.), espécie de toninha' *c* 1631. Do tupi *puku'sī*.
poculiforme *adj. 2g.* '(Bot.) em forma de copo' 1899. Do lat. cient. *pōculifŏrmis*.
pod·a, -ador → PODAR.
podagra *sf.* 'gota nos pés' | XVII, *podraga* XIV, *pedraga* XIV, *apodraga* XIV etc. | Do lat. *podagra*, deriv. do gr. *podāgra* || **podagrADO** | *podragado* XIV.
⇨ **podagra** | XIV GREG 1.12.*4* || **podagrOSO** | *podragoso* 1538 DCast 55*v*14 |.
podar *vb.* 'cortar ramos de plantas' 1813. Do lat. *putāre* || **poda** XV || **podADOR** 1813. Do lat. *putātor -ōris* || **podÃO** XVIII.
-pode, -pódio, -podo *elem. comp.*, do lat. cient. *podēs (-poda)*, deriv. do gr. *poús podós* 'pé', que se documentam em inúmeros compostos eruditos, particularmente na linguagem da biologia: *antípode, artrópode*; *licopódio*; *acrópodo* etc. Cp. POD(O)-.
podengo *sm.* 'cão para a caça de coelhos' XIII. De origem incerta.
poder[1] *vb.* 'ter a faculdade de' 'ter possibilidade de' XIII. Do lat. vulg. *pŏtēre*, por *posse* || ApoderADO XIII || ApoderAR XIII | DES·ApoderAR XIII || IMpotÊNCIA XVI. Do lat. *impotentĭa -ae* || IMpotENTE 1813. Do lat. *impŏtēns -entis* || podENTE XIV. Forma divergente popular de *potente* || **poder**[2] *sm.* 'direito de deliberar' 'faculdade' XIII. De *poder*[1] | **poderIO** XIII || **poderOSO** XIII || **podestade** XIII. Forma divergente popular de *potestade* || **potÊNCIA** *sf.* 'poder, autoridade, vigor' | *potencia* XV || Do lat. *potentĭa -ae* || **potenciAÇÃO** 1881 || **potenciADO** 1899 || **potENT·ADO** XVI. Do lat. *potentātus -ūs* || **potENTE** 1572. Do lat. *potēns -entis*. O superlativo *potentíssimo* já se documenta no séc. XV || **potestade** *sf.* 'poder, potência' XIV. Do lat. *potestās -ātis* || **potestatIVO** XX.
podere *sf.* 'longa túnica sacerdotal, que descia até os pés, entre os antigos' 1899. Do lat. ecles. *podērēs*, deriv. do gr. *podērēs*.
poder·io, -oso, podestade → PODER[1].
pódice *sm.* '(Med.) o ânus' 'as nádegas' 1813. Do lat. *pōdex -icis* || **podicípEDE** *adj. 2g.* '(Zool.) diz-se de algumas aves que têm os pés junto ao ânus' 1899. Do lat. cient. *pōdicipedae*.
-pódio, -podo → -PODE.

pod(o)- *elem. comp.*, do gr. *podo-*, de *poús podós* 'pé', que se documenta em inúmeros vocs. introduzidos na linguagem científica internacional, a partir do séc. XIX ▶ **podAL** *adj. 2g.* '(Anat.) relativo ao pé' 1899 || **podÁL·ICO** *adj.* 'que se efetua por meio do pé' XX || **podÁRIA** XX || **podoBRÂNQUIA** *sf.* '(Zool.) brânquia cuja inserção aparente é, no primeiro segmento das patas' | -*branchio* adj. 1873 || **podoCARPO** 1873. Do lat. cient. *podocarpus* || **podoDÁCTILO** XX || **podoDIGITAL** 1899 || **podoFALANGE** *sf.* '(Anat.) falange dos dedos dos pés' | *podophalange* 1899 || **podoFALANG·ETA** | *podophalangeta* 1899 || **podoFALANG·INHA** | *podophalanginha* 1899 || **podóFILO** | *podophyllo* 1899 | Do lat. cient. *podophyllum* || **podôMETRO** *sm.* 'instrumento de bolso para medir a distância percorrida a pé' 1873. Do fr. *podomètre* || **podoSPERMO** | *podosperma* 1873 || **podURO** *adj.* '(Zool.) que anda sobre a cauda' | *podura* 1899 | Do lat. cient. *podūra*.
podre *adj. 2g.* 'em decomposição, deteriorado' XIV. Do lat. *putris -e* || ApodrECER XIV, -*çer* XIV, *podreçer* XIII etc. | Do ant. *podreçer*, deriv. do lat. *pŭtrēscĕre* || ApodrEC·IDO 1813 || ApodrEC·IMENTO 1813 || **podrID·ÃO** | *podridõe* XIV, *pudreduum* XV || **podrIDO** *adj.* 'apodrecido' XIII || **podrIMENTO** | *-ēto* XV. Cp. PUTREFAZER.
⇨ **podre** — ApodrEC·IMENTO | *apodriçimēto* XV VITA 118*b*45 || **podrIMENTO** | *pudrimēto* XIV ORTO 92.*10* |.
poduro → POD(O)-.
poed·eira, -ouro → PÔR.
poeir·a, -ada, -ento → PÓ.
poejo *sm.* 'erva da fam. das labiadas, cultivada no Brasil como planta aromática' XVII. Do lat. *pūlēĭum*.
poema *sm.* 'obra em verso' XVIII. Do lat. *poēma -ătis*, deriv. do gr. *póiēma -atos* || **poemETO** XIX.
poente → PÔR.
poento → PÓ.
poesia *sf.* 'arte de escrever em verso' 'aquilo que desperta o sentimento do belo' XVI. Do lat. *poēsis -is*, deriv. do gr. *póiēsis* || **poeta** XV. Do lat. *poēta -ae*, deriv. do gr. *poiētés* || **poetAR** XVI. Do lat. *poetārī* || **poétICA** XVII. Do lat. *poētĭca -ae*, deriv. do gr. *poiētiké* || **poétICO** XVI. Do lat. *poētĭcus -a -um*, deriv. do gr. *poiētikós* || **poetIFIC·AR** XX || **poetISA** 1813 || **poetISMO** 1833 || **poetIZAR** XVII. Do lat. med. *poētizāre*.
-pógão *elem. comp.*, do gr. *pṓgōn* 'barba', que se documenta em alguns compostos eruditos, particularmente na linguagem da biologia, como *andropógão*, por exemplo.
pogrom *sm.* 'movimento popular de violência contra os judeus' XX. Do rus. *pogróm* 'destruição', através do fr. (ou do ing.) *pogrom*.
poio *sm.* 'poial 'lugar onde se põe ou se assenta alguma coisa' | *poyo* 1813 | Do lat. *pŏdĭum -ĭī* ||
poia *sf.* 'pão alto, ou bolo grande, de trigo' | *poya* XIV || **poiAL** | *poyaes* pl. XIV | Cp. POJAR.
pois *conj.* 'portanto, nesse caso' 'mas' XIII. Do lat. **pŏsti* (de **pŏstius*, simplificação de *pŏstea*), ou talvez do lat. *pŏst*, embora este não explique o *-i-*. Cp. APÓS, DEPOIS.
poise *sm.* '(Fís.) unidade CGS de medida de viscosidade' XX. Do ing. *poise*.

poja *sf.* 'ponta, corda de virar a vela' XVI. Do it. *poggia*.
pojar *vb.* '*ant*. subir, crescer, sobrepujar' | *poiar* XIII | ; 'aportar, desembarcar' XVI. Do lat. vulg. *pŏdiāre || **pojo** *sm.* '*ant*. eminência no terreno' | *poyo* XIV |; 'banco de pedra' | *poyo* XV | Do lat. *pŏdium -ĭi*. Cp. POIO.
pola *sf.* 'ramo novo de árvore, rebento' 1844. Forma fem. de POLO, deriv. do lat. *pullus -i*.
⇨ **pola** | 1836 SC |.
polaca[1] *sf.* '*ant*. navio à vela, de três mastros, frequente no Mediterrâneo, particularmente nos sécs. XVII-XVIII' | 1627, *polâca* 1720, *polhacra* 1720, *polharca* 1734 | De origem desconhecida. Numa *Descrição de Argel*, cidade-porto do Mediterrâneo, datada de 1627, lê-se: "É este Molhe [*sc*. porto] feito como uma meia lua, dentro da qual estão oitenta navios recolhidos, seis galés, quatro bergantins, muitas setias, tartanas e polacas; [...]".
polaco *adj. sm.* 'de, ou pertencente ou relativo à Polônia' 'o natural ou habitante da Polônia, polonês' 'língua eslávica do grupo ocidental' | 1562, *polako* 1718 | Do pol. *polak*, provavelmente através do it. *polac(c)o*; em carta de 1562, datada de Roma, lê-se: "O embaixador delrey de Polonia fesse sua entrada neste sacro concilio a 16 de outubro [...] com os ditos polacos [...]" || **polaca**[2] *sf.* 'espécie de dança' 1877. A expressão *à polaca* já se documenta em 1716 || **polonês** *adj. sm.* 'polaco' | 1656, *-nez* 1656 | De *Polon(ia)* + *-ês*; é pouco provável uma influência do fr. *polonais*, que só ocorre no séc. XVIII (a var. fr. *pollonois*, porém, data de 1653) || **polonese** *sf.* 'espécie de saia' 'dança e música originárias da Polônia | *pollonaise* 1881 | Do fr. *polonaise*. Modernamente o voc. designa, de maneira quase exclusiva, as famosas composições musicais de Chopin, entre as quais se destaca a *Polonaise militaire op. 40* || **polônio**[1] *adj. sm.* 'polaco' 1552. De *Polôn(ia)* + *-io* || **polônio**[2] *sm.* '(Quím.) elemento de número atômico 84, radioativo, metálico, descoberto pelo casal Pierre e Marie Curie em 1898' XX. Do lat. cient. *polonium*, deriv. do lat. med. *Polonia* 'Polônia', pátria de Marie Curie (Marya Sklodowska: 1867-1934) || **polono** *adj. sm.* 'polaco' 1566. Cumpre assinalar que, das quatro formas do etnônimo — *polaco*, *polonês*, *polônio* e *polono*, a que predominou nos sécs. XVII, XVIII e XIX, e que se documenta em inúmeros textos portugueses desse período, foi *polaco*; hoje, particularmente no Brasil, a forma usual é *polonês* (e, no feminino, *polonesa*).
⇨ **polaco** — **polono** | 1538 DCast 79*v*9 |.
polainas *sf. pl.* 'peças de vestuário que protegem a parte inferior da perna e a superior do pé, e se usam por cima do calçado' XVII. Do a. fr. *polaine*, inicialmente feminino do a. fr. *polain* 'polaco'.
pol·ar, -arímetro → POLO[1].
polatucha, polatuco *sm.* 'mamífero roedor da fam. dos ciurídeos, espécie de esquilo voador' | *polatucha* 1815 | Do fr. *polatouche*, deriv. do pol. *polatucha*.
polca *sf.* 'dança da Boêmia, em compasso binário e andamento alegre, muito em voga nos meados do séc. XIX' | 1844, *polka* 1858 | Do fr. *polka* (de 1842), deriv. do tcheco *pulka* 'meio, metade', com visível influência do pol. *polka*, fem. de *polak* 'polaco'. A *polca* foi primeiramente dançada em Praga, em 1835, e, depois, em Viena, em 1839, em Paris, em 1840 e, em Londres, em 1842 || **polc**AR *vb.* | 1845, *polkar* 1856. Cp. POLACO.
pôlder *sm.* 'nos Países Baixos, planície conquistada sobre o mar do Norte' 1899. Do fr. *polder*, deriv. do neerl. *polder*.
poldro *sm.* 'potro' XIII. Do lat. vulg. *pullĭter -tri.
-pole *elem. comp.*, deriv. do gr. *pólis* 'cidade', que se documenta em vocs. eruditos, quase todos formados no próprio grego, como *acrópole*, *metrópole*, *necrópole* etc,
polé *sf.* 'antigo instrumento de tortura' XV, Do cast. *polé*, deriv. do lat. vulg, *polĭdía, plural de *polĭdium, e, este, do gr. *polídion*, diminutivo de *polos* 'eixo'.
poleá *sm.* 'pária' XVI. Do malaiala *pulayan* (pl. *pulayar*), deriv. de *pula* 'poluição',
polegada *sf.* 'medida aproximadamente igual à do comprimento da segunda falange do polegar' 'medida inglesa de comprimento' XIII. Do lat. *pŏllĭcātā, deriv. de *pŏllĭcāre* || **polegar** *adj. 2g. sm.* | XVI, *pulgar* XIII | Do lat. *pollĭcāris -e* || REpole**gar** *vb.* 'dobrar ou ornar com filete torcido' 1813 || REpolga XX || REpolgAR 1813. Forma sincopada de *repolegar*, deriv. de um lat. *repullĭcāre 'tornar a brotar'. Cp. PÓLEX.
poleiro → POLO[3].
polemarco *sm.* 'o chefe supremo do exército, entre os gregos antigos' XVIII. Cp. gr. *polémarchos*.
polêmico *adj.* 'relativo ao próprio da polêmica, do debate oral' 1813. Do fr. *polémique*, deriv. do gr. *polemikós* 'relativo à guerra' e, este, de *pólemos* 'guerra' || **polêmic**A XIX || **polem**ISTA 1881. Do fr. *polemiste* || **polem**IZAR XX.
pólen *sm.* '(Bot.) espécie de fina poeira que esvoaça das antenas das plantas floríferas, e cuja função é fecundar os óvulos vegetais' | *pollen* 1844 | Do lat. *pollen -ĭnis* || **polin**Í·FAGO XX || **polin**ÍFERO || *pollinífero* 1873.
polenta *sf.* 'massa ou pasta de farinha de milho com água e sal, escaldada ao fogo, à qual se pode adicionar manteiga e queijo' 1813. Do it. *polenta*, deriv. do lat. *polenta -ae*.
⇨ **polenta** 'farinha (de cevada, lentilhas etc.) torrada (ou cozida em água) que era servida aos pobres' | *poenta* XIV TEST 47.9, 367.10 | Do lat. *pŏlēntă -ae* 'farinha de cevada, torrada ao fogo'.
pólex *sm.* 'dedo pelogar' | *pollex* XVIII | Do lat. *pollex -ĭcis* || **pólice** XVII. Cp. POLEGADA.
polha *sf.* '*ant*. moça, rapariga' XVI; '*ant*. em certos jogos, sinal que marca o número de tentos' XVII. Do cast. *polla* || **polh**ASTRO *sm.* 'espertalhão, safado' XVI. Do cast. *pollastro* || **polho** *sm.* 'frango' XVI. Do cast. *pollo*, deriv. do lat. *pŭllus -i* 'frango' 'cria de qualquer animal'.
poli- *elem. comp.*, do gr. *polýs* 'muito' 'diverso', que já se documenta em vocs. formados no próprio grego, como *poliarquia*, e em muitos outros introduzidos na linguagem científica internacional, a partir do séc. XIX. Registram-se, a seguir, os derivados e compostos eruditos formados nas línguas modernas de cultura. Os demais, já formados no grego, vão consignados em verbetes indepen-

dentes, na sua respectiva ordem alfabética ▶ poliACANTO *adj.* 'que tem muitos espinhos' | *polyacantho* 1899 || poliÁLCOOL XX. Do fr. *polyalcool* || poliARTICULAR | *polyarticular* 1873 || poliARTRITE XX. Do lat. cient. *polyarthrītis* || poliCÊNTR·ICO | *polycentrico* 1873 || poliCIT·EM·IA *sf.* '(Patol.) aumento patológico do número de glóbulos vermelhos no sangue' XX. Do lat. cient. *polycytaemia* || poliCLAD·IA *sf.* '(Bot.) produção de um número anormal de ramos em uma planta' | *polycladia* 1873 || poliCÔN·ICO *adj.* 'que tem muitos cones' | *polyconico* 1873 || poliCÓRDIO *sm.* 'policordo, antigo instrumento musical' | *polycordio* 1899 || poliCULTOR XX || poliCULT·URA XX || poliFI·ODONTE *sm.* '(Zool.) animal que tem mais de duas dentições' | *polyphydontes* 1899 || poliGÁSTR·ICO | *polygastrico* 1873 || poliGENO *adj.* 'que produz muito' | *polygeno* 1899 || poliNEVRITE | *polynevrite* 1899 || poliNÔMIO | 1873, *polinomo* 1813 | Do fr. *polynôme* || poliOPE *s2g.* 'pessoa que sofre de percepção de mais de uma imagem de um único objeto' | *polyope* 1899 || poliORAMA *sm.* 'espécie de panorama em que os quadros móveis, interpenetrando-se, mudam de contornos e se transfiguram aos olhos do observador' | *polyorama* 1858 || poliORQUIA *sf.* '(Anat.) a existência de mais de dois testículos em um homem' XX || poliPÉTALO | *polipetala* 1782, *polypetalo* 1858 | Do lat. cient. *polypetālus* || poliPI·FORME | *polypiforme* 1899 || poliPRISMA XX || poliQUETA XX || poliR·RITMO XX || polis·SACARÍD·EO XX || polis·SIAL·IA *sf.* '(Med.) secreção abundante de saliva' | *polysialia* 1873 || poliTE·ICO | *polytheico* 1899 || poliTE·ÍSMO | *polytheismo* 1795 | Do fr. *polythéisme*, deriv. do gr. *polýtheos* || poliTE·ÍSTA | *polytheista* 1844 | Do fr. *polythéiste* || poliTÔM·ICO *adj.* 'diz-se duma classificação homógrada em relação a mais de um atributo' XX || poliÚRIA *sf.* '(Med.) secreção superabundante de urina' | *polyuria* 1873 | Do lat. cient. *polūria* || poliVALENTE XX || polizo·ICO *adj.* '(Zool.) diz-se dos animais que vivem em colônias' 1873.
⇨ poli- — poliTE·ÍSTA | *polythe-* 1836 SC |.
polia *sf.* 'roda presa a um eixo, e cuja circunferência, cavada ou não de um canal, recebe uma correia da qual uma das extremidades é aplicada à força e outra à resistência' XX. Do fr. *poulie*.
⇨ **polia** | 1880 *in* ZT |.
poliacanto → POLI-.
poliadelfo *adj.* '(Bot.) que apresenta soldadura dos estames, pelos filetes, em vários feixes' | *polyadelpho* 1873 | Do lat. cient. *polyadelphus*, deriv. do gr. *polyádelphos*.
poli·álcool → POLI-.
poliandria *sf.* 'matrimônio da mulher com diversos homens' | *polyandria* 1844 | Do fr. *polyandrie*, deriv. do lat. cient. *polyandria* e, este, do gr. *polyandría* | **poliandro** | *polyandro* 1873 | Do lat. cient. *polyander* e, este, do gr. *polyandros*.
⇨ **poliandria** | *-ly-* 1836 SC |.
polianteia *sf.* 'miscelânea de escritos literários', 'volume que se compõe de coleção de estudos afins, escritos por vários autores para homenagear uma pessoa ou instituição em data significativa' | *polyanthea* XVII | Do lat. cient. *polyanthea*, deriv. do gr. *polyanthéa* || **polianto** *adj.* '(Bot.) provido

de muitas flores' | *polyantho* 1899 | Do fr. *polyanthe*, deriv. do gr. *polyanthḗs*.
poliarquia *sf.* 'governo exercido por muitos' | *polyarchia* 1813 | Do lat. tard. *polyarchia*. deriv. do gr. *polyarchía*.
poli·articular, -artrite → POLI-.
policarpo *adj.* '(Bot.) que tem ou produz muitos frutos' | *polycarpo* 1873 | Do lat. cient. *polycarpus*, deriv. do lat. tard. *polycarpos* e, este, do gr. *polýcarpos*.
pólice → PÓLEX.
policêntrico → POLI-.
polichinelo *sm.* '(Teat.) antiquíssimo personagem da comédia italiana' XIX. Do fr. *polichinelle*, deriv. do napolitano *pulecenella* (it. *pulcinèlla*).
polícia *sf. sm.* '*orig.* (boa) educação' 'conjunto de leis ou regras impostas ao cidadão para assegurar a moral, a ordem e a segurança públicas' 'a corporação, encarregada de fazer respeitar as leis' 'indivíduo pertencente à corporação policial' | XV, *pulyçia* XVI | Do lat. *polītīa -ae*. deriv. do gr. *politeía* || **policiAL** 1813 || **policiAMENTO** XX || **policiAR** XVIII.
policitação *sf.* 'promessa ou oferecimento' | *pollicitação* 1858 | Do lat. *pollicitātiō -ōnis* || **policitADO** XX || **policitANTE** XX.
poli·citemia, -cladia → POLI-.
policlínica *sf.* 'clínica exercida em casas privadas, e não em hospitais' 'departamento de hospital onde se trata de doentes externos' | *polyclinica* 1899 | Do fr. *polyclinique*, deriv. do gr. *polýklinos*.
polícomo *adj.* 'que tem muitos cabelos' | *polycomo* 1899 | Cp. gr. *polýkomos*.
poli·cônico, -córdio → POLI-.
policresto *adj.* 'que tem numerosas aplicações' | *polychresto* 1813 | Do lat. cient. *polychrēstus*, deriv. do gr. *polýchrēstos*.
policromo *adj.* 'que tem muitas cores' | *polychromo* 1873 | Do fr. *polychrome*, deriv. do gr. *polýchrōmos* || **policromIA** | *polychromia* 1873 | Do fr. *polychromie*.
poli·cultor, -cultura → POLI-.
polidáctilo *adj.* 'que tem muitos dedos' | *polydactylos* 1873 | Cp. gr. *polydáktylos*.
polidez → POLIR.
polidipsia *sf.* '(Med.) sede excessiva' | *polydipsia* 1858 | Do lat. cient. *polydipsia*, deriv. do gr. *polydípsios*.
polid·o, -or → POLIR.
poliedro *sm.* '(Geom.) sólido limitado por polígonos planos' | 1813, *polyedro* 1813 | Do fr. *polyèdre*, deriv. do gr. *polýedros*.
⇨ **poliedro** | *polyedro* 1720 RB |.
polifagia *sf.* 'qualidade de quem come muito' | *polyphagia* 1873 | Cp. gr. *polyphagía* || **polífago** *adj.* 'onívoro' 'que tem fome canina' | *polyphago* 1873 | Do lat. *polyphăgus -ī*, deriv. do gr. *polyphágos*.
polifilo *adj.* '(Bot.) relativo a, ou próprio das plantas que possuem muitas folhas' | *polyphyllo* 1858 | Cp. gr. *polýphyllos*.
polifiodonte → POLI-.
polífito *adj.* '(Bot.) relativo a, ou próprio de muitas plantas' | *polyphyto* 1899 | Do fr. *polyphyte*, deriv. do gr. *polýphytos*.

polifonia sf. '(Mús.) entre os gregos antigos, reunião de vozes ou de instrumentos' 'canto com muitas vozes' | *polyphonya* 1873 | Do fr. *polyphonie*, deriv. do gr. *polyphōnía* || **polifôn**ICO XX. Do fr. *polyphonique*.
polígala sf. 'erva norte-americana, da fam. das poligaláceas' | *polygala* 1844 | Do lat. cient. *polygala*, deriv. do gr. *polýgalos*.
⇨ **polígala** | -*ly*- 1836 SC |.
poligamia sf. 'matrimônio de um com muitos' | 1813, *polygamia* 1813 | Do fr. *polygamie* || **polígamo** 1813. Do fr. *polygame*, deriv. do gr. *polýgamos*.
poli·gástrico, -geno → POLI-.
polígino adj. 'que tem muitas mulheres' '(Bot.) que tem muitos pistilos em cada flor' | *polygyno* 1858 | Do lat. cient. *polygynus*; cp. gr. *polygýnaios* 'que tem muitas mulheres'.
poliglota adj. 2g. 'que sabe ou fala muitas línguas' | *polyglota* 1813 | Do fr. *polyglotte*, deriv. do lat. cient. *polyglōttus* e, este, do gr. *polýglōttos*.
polígono[1] sm. 'figura geométrica' | 1813, *polygono* 1813 | Do lat. tard. *polygōnum*, deriv. do gr. *polýgōnos* || **poligon**AL | *polygonal* 1873 || **polígono**[2] sm. '(Bot.) gênero das poligonáceas' | *polygono* 1858 | Do lat. cient. *polygonum* (cláss. *polygonus*), deriv. do gr. *polýgōnos*.
⇨ **polígono** | *polygono* 1680 *in* RB |.
poligrafia sf. 'coleção de obras diversas, literárias ou científicas' | *polygraphia* 1813 | Do fr. *polygraphie*, deriv. do gr. *polygraphía* || **polígrafo** | *polygrapho* 1873 | Do fr. *polygraphe*, deriv. do gr. *polygráphos*.
polilha sf. 'pó finíssimo' 'espécie de traça' XVII. Do cast. *polilla*.
polimata s2g. 'pessoa que estudou ou sabe muitas ciências' | *polymatho* 1873 | Do fr. *polymathe*, deriv. do gr. *polymathḗs* || **polimat**IA | *polymathia* 1813 | Do fr. *polymathie*, deriv. do gr. *polymathía*.
polimento → POLIR.
polímero sm. '(Quím.) composto formado por sucessivas aglomerações de grande número de moléculas fundamentais' | *polymero* 1873 | Do fr. *polymère*, deriv. do gr. *polymerḗs*.
polimorfo adj. 'que se apresenta sob numerosas formas' | *polymorpho* 1858 | Do fr. *polymorphe*, deriv. do gr. *polýmorphos*.
polinevrite → POLI-.
polin·ífago, -ífero → PÓLEN.
polinômio → POLI-.
pólio[1] sm. 'erva medicinal da fam. das labiadas' 1813. Do lat. *polium*, deriv. do gr. *pólion*.
poliomielite sf. '(Patol.) inflamação da substância cinzenta da medula espinhal' XX. Do lat. cient. *poliomyelītis -idis*, composto do gr. *pólios* 'cinzento' + gr. *myelós* 'medula' + gr. *-îtis* (cp. *-ite*[1]; v. -ITA) || **pólio**[2] XX. Forma reduzida de *poliomielite*.
poli·ope, -orama, -orquia → POLI-.
poliose sf. '(Patol.) descoramento de pelos' 1873. Do fr. *poliose*, deriv. do gr. *políōsis*.
polipedia sf. '(Med.) gravidez com vários fetos' | *polypedia* 1873 | Do lat. cient. *polypaedia*, deriv. do gr. *polypaidía*.
poli·pétalo, -piforme → POLI-.
pólipo sm. '(Patol.) tumor pediculado' '(Zool.) indivíduo de uma colônia de celenterados' | *polypo* 1813 | Do fr. *polype*, deriv. do lat. cient. *pōlypus* (cláss. *pōlĭpus -ī*) e, este, do gr. *polýpous -podos* || **polip**OSO | *polyposo* 1899 | Do lat. *polypōsus*.
⇨ **pólipo** — **polip**OSO | -*ly*- 1836 SC |
polipódio adj. sm. 'multípede' 'planta criptogâmica' | *polypodio* 1844 | Do lat. cient. *polypodium* (cláss. *polypodion*), deriv. do gr. *polypódion*.
⇨ **polipódio** | 1836 SC, -*ly*- 1836 SC |.
poliposo → PÓLIPO.
poliprisma → POLI-.
políptico adj. sm. 'dizia-se, em Roma, das placas chamadas tábulas' 'pequena placa de madeira, marfim ou metal, escavada para conter camada de cera, na qual os romanos escreviam com um estilo' XX. Do lat. tard. *polyptycha* (pl.), deriv. do gr. *polýptychos*.
poliptoto sm. '(Gram.) emprego, em um período, de uma palavra sob várias formas gramaticais' | *polyptoton* 1873 | Do lat. tard. *polyptōton*, deriv. do gr. *polýptōton*.
poliqueta → POLI-.
polir vb. 'tornar lustroso' 'educar' 1813. Do lat. *polīre* || **i**MPOL**id**·EZ XX || **i**MPOL**ido** XVI. Do lat. *impolītus -a -um* | **polid**EZ 1813 || **pol**IDO XVI || **pol**IDOR 1813 || **poli**MENTO XVII.
⇨ **polir** | 1570 *in* ZT || **polid**EZ | *pulideza c* 1539 JCasD 136.9 || **poli**MENTO | 1615 FNun 57*v*21, *polimēto* 1660 FMMeIe 432.*25* |.
polirritmo → POLI-.
polirrizo adj. '(Bot.) que tem muitas raízes *polyrrhizo* 1873 | Cp. gr. *polýrrhizos*.
polispermo adj. '(Bot.) que tem muitas sementes' | *polysperma* 1782, *polyspermo* 1858 | Do lat. cient. *polyspermus*, deriv. do gr. *polýspermos*.
polísporo sm. '(Bot.) esporo que é produzido em grande número nos esporângios de certas rodofíceas' | *polysporo* 1873 | Cp. gr. *polýsporos*.
polissacarídeo → POLI-.
polissemia sf. 'o ter uma palavra muitas significações' XX. Do fr. *polyssémie*, deriv. do lat. tard. *polysēmos* e, este, do 'gr. *polýsēmos*.
polissialia → POLI-.
polissiláb·ico, -o → SÍLABA.
polissíndeto sm. 'espécime de pleonasmo que consiste em repetir uma conjunção maior número de vezes do que o exige a ordem gramatical' | *polysyndeton* 1844 | Do lat. cient. *polysyndeton*, deriv. do gr. *polysýndetos*.
⇨ **polissíndeto** | *polysyndeton* 1836 SC |.
polistilo adj. sm. 'que tem muitas colunas' 'edifício com numerosas colunas' | *polystylo* 1858 | Do fr. *polystyle*, deriv. do gr. *polýstylos*.
politécnico adj. 'que abrange numerosas artes ou ciências' | *polytechnico* 1844 | Do fr. *polytechnique*, deriv. do gr. *polýtechnos*.
⇨ **politécnico** | *polytechnico* 1836 SC |.
poli·teico, -teísmo, -teísta → POLI-.
político adj. sm. 'relativo à, ou próprio da política' XV. Do lat. *polītĭcus -a -um*, deriv. do gr. *polītikós* || **a**POL**ítico** XX || **política** XVII. Do lat. tard. *polītikḗ* || **politic**AGEM XX || **politic**OIDE XX || **politiqu**EIRO 1899 || **polit**IZAR XX. Do lat. med. *polītizāre*.
politômico → POLI-.

polítrico *adj.* 'que tem muitos pelos' XX. Do lat. cient. *polytrichum* (cláss. *polytrichon*), deriv. do gr. *polýtrichon*.
⇨ **polítrico** | *-ly-* 1836 SC |.
politrofia *sf.* '(Med.) nutrição excessiva' | *polytrophia* 1858 | Cp. gr. *polytrophía*.
poli·úria, -valente → POLI-.
polixeno *sm.* '(Min.) mineral monométrico, liga de platina, ferro, irídio, ósmio e outros metais, modernamente chamado platina nativa' | *polyxeno* 1873 | Do lat. cient. *polyxenus*, deriv. do gr. *polýxenos*.
polizoico → POLI-.
polme *sm.* 'massa um pouco líquida' XVI. Do lat. vulg. *pulmen, deduzido de *pulmentum -ī*.
polo¹ *sm.* 'cada uma das extremidades do eixo imaginário sobre o qual a Terra executa o seu movimento de rotação' 1537. Do lat. *polus -ī*, deriv. do gr. *pólos -ou* || **pol**AR 1813. Do fr. *polaire*, deriv. do lat. med. *polaris* || **pol**AR·ÍMETRO 1873. Do fr. *polarimètre* || **polo**GRAFIA | *polographia* 1873.
polo² *sm.* 'espécie de hóquei que se joga a cavalo' XX. Do ing. *polo*, deriv. do balti (dialeto tibetano) *polo* (= tibetano *pulu*).
polo³ *sm.* 'ave com menos de um ano de idade' | *poõ* XIV, *pollo* XVI | Do lat. *pullus -i* || EM**pol**EIR·ADO 1844 || EM**pol**EIR·AR 1844 || **pol**EIRO | *poleyr* XIII | Do lat. *pullārius -īī*.
⇨ **polo**³ — EM**pol**EIR·ADO | 1836 SC || EM**pol**EIR·AR | 1836 SC |.
polografia → POLO¹.
polon·ês, -ese, -io, -o → POLACO.
polpa *sf.* 'carne musculosa, sem ossos, sem gordura' 'a parte carnosa dos frutos, raízes, etc.' XVI. Do lat. *pulpa -ae* || DES**polp**AR 1899 || **polp**UDO 1813 || **pulp**ITE *sf.* 'inflamação da polpa do dente' XX. Do fr. *pulpite*, deriv. do lat. cient. *pulpītis -idis*.
poltrão *adj. sm.* 'que não tem coragem, covarde' XVII. Do cast. *poltrón*, deriv. do it. *poltróne* || **pol**tron**ARIA** | *-eria* XVIII | Do cast. *poltronería*.
poltrona *sf.* 'grande cadeira de braços, ordinariamente estofada' 1813. Do it. *poltróna* || **poltro**nEAR 1899 || Re**poltr**EAR 1899. Forma derivada e simplificada de *repoltronear* || RE**poltron**EAR XX.
⇨ **poltrona** — **poltron**EAR | 1836 SC |.
poltronaria → POLTRÃO.
poltronear → POLTRONA.
poluir *vb.* 'sujar, corromper, perverter-se' | *polluir* XVI | Do lat. *pollŭĕre* || IM**pol**UTO | *impolluto* 1844 | Do lat. *impōllūtus -a -um* || **polu**IÇÃO, **polu**IÇÃO | *polluição* XVI | Do lat. *pollūtiō -ōnis* || **pol**UTO | *polluto* XVI | Do lat. *pollūtus -a -um*.
⇨ **poluir** — IM**pol**UTO | *-llu-* 1836 SC |.
polvilho *sm.* 'pó fino' 'farinha amilácea finíssima, que se obtém da mandioca' XVI. Do cast. *polvillo*, dim. de *polvo* 'pó' || **polvilh**AR 1813. Cp. PÓ.
polvo *sm.* 'designação comum aos moluscos cefalópodes, octópodes' XVI. Do lat. *pōlўpus -ī*, deriv. do gr. *polýpous -odos*.
pólvora *sf.* 'mistura ou composto explosivo utilizado como carga de propulsão ou de arrebatamento em projetis, bombas, minas etc.' | *poluora* XV | Do cast. *pólvora*, deriv. do cat. *pólvora* e, este, do lat. *pulvĕra*, pl. de *pulvis* || **polvor**INHO | XVII, *polvarinho* 1813 || **polvor**OSA XVI || **polvor**OSO XVII. Cp. PÓ.

poma → POMO.
pomada *sf.* 'preparado de farmácia ou de perfumaria, obtido pela mistura duma gordura com uma ou mais substâncias aromáticas ou medicinais' XVIII. Do fr. *pommade*, deriv. do it. *pomata*.
pomar → POMO.
pomba *sf.*, **pombo**¹ *sm.* 'designação comum a todas as aves columbiformes, da fam. dos columbídeos' | *poomba* XIII, *paonba* XIII | Do lat. *palŭmba -ae* || EM**pomb**AR XX || **pomb**AL | *poombares* pl. XIII, *ponbal* XIV || **pomb**EIRO¹ 1873.
pombalino *adj.* 'relativo ao, ou próprio do primeiro Marquês de Pombal, Sebastião José de Carvalho e Melo (1699-1782), estadista português, ou à sua época' XIX. Do antr. (*Marquês de*) *Pombal* + -INO.
pombeiro¹ → POMBA.
pombeiro² → POMBO².
pombo¹ → POMBA.
pombo² *sm.* 'ant. feira livre, mercado (originariamente em Angola)' | *pŭbo* 1540 | Do quimb. '*pumo* || **pomb**EIRO² *sm.* 'mascate (originariamente em Angola e, depois, no Brasil) que atravessava os sertões comerciando com os indígenas' XVII.
pomo *sm.* '(Bot.) fruto complexo, carnoso e indeiscente, com a parte central subdividida em lojas coriáceas' XVI. Do lat. *pōmum -ī* || **pom**A XIV || **pom**AR | XIV, *pumar* XIV | Do lat. *pōmārĭum -ĭī* || **pom**ICULTOR XX || **pom**ICULTURA 1899 || **pom**ÍFERO XVI. Do lat. *pōmĭfer -fĕra -fĕrum* || **pomo**LOG·IA 1858 || **pôm**ULO *sm.* 'maçã do rosto' 1858. Do lat. tard. *pōmulum*, dim. de *pōmum*.
⇨ **pomo** — **pom**AR·EIRO | 1614 SGONÇ I. 138.*21* |.
pompa *sf.* 'aparato suntuoso e magnífico, ostentação' 1572. Do lat. *pompa -ae*, deriv. do gr. *pompḗ -ēs* || **pomp**EAR XVI || **pomp**OSO XIV. Do lat. tard. *pompōsus*.
⇨ **pompa** | XIV ORTO 48.*11* |.
pompeano *adj. sm.* 'de, ou pertencente ou relativo a Pompeu' 1873. Do lat. *pompēiānus -a -um*.
pompear → POMPA.
pompom *sm.* 'borla de fios curtos de seda, algodão, lã etc., cortados em forma esférica, usada como enfeite' 1899. Do fr. *pompon*.
pomposo → POMPA.
pômulo → POMO.
ponche *sm.* 'orig. bebida preparada com aguardente, sumo de limão, açúcar, especiaria e água' 'ext. bebida alcoólica preparada, em geral, com vinho, água mineral e frutas picadas' | *ponche* XVIII, *ponzhe* XVIII | Do ing. *punch*, deriv. do hindustani *pānch* (≤ sânsc. *pañchan*) 'cinco', em alusão ao número de ingredientes de que se compunha a bebida.
poncho *sm.* 'capa quadrangular, de lã grossa, com uma abertura no meio, pela qual se passa a cabeça' | *ponche* XVIII || Do cast. *poncho*.
ponderar *vb.* 'examinar com atenção e minúcia' 'considerar, pesar' 1572. Do lat. *ponderāre* || IM**ponder**ADO 1858 || IM**ponder**ÁVEL 1844 || **ponder**AÇÃO XVII. Do lat. *ponderātĭō -ōnis* || **ponder**ADOR XVII. Do lat. *ponderātōr -ōris* || **ponder**ÁVEL 1813. Do lat. *ponderābĭlis* || **ponder**AT·IVO 1813 || **ponder**OSO XVI. Do lat. *ponderōsus -a -um*.
⇨ **ponderar** | *a* 1542 JCASE 54.*6* || IM**ponder**ÁVEL | 1836 SC |.

pônei sm. 'cavalo da Bretanha, pequeno, porém ágil e fino' | *poney* 1881 | Do fr. *poney*, deriv. do ing. *pony*.
ponente → PÔR.
ponfólige sf. '(Patol.) pênfigo' XX. Do it. *ponfòlige*, deriv. do gr. *pompholyx -ygos*.
pongo sm. 'chimpanzé' 1881. De origem controversa.
ponjê sm. 'tecido leve, do tipo do tussor, feito de lã e seda' XX. Do fr. *pongée*, deriv. do ing. *pongee* e, este, do chinês *punchī* (= *pun-kī* do dialeto mandarino).
ponta sf. 'a parte ou o ponto em que alguma coisa termina, extremidade' XIII. Do lat. *puncta -ae* 'estocada' || APontAMENTO XVI || APontAR XVI || DES·APontAR² XVI || DESpontAR XVI || ESpontAR 1858 || IMpontuAL 1874 || IMpontuAL·IDADE XX || PESpontAR, POSpontAR XVII || PESponto, POSponto | 1844, *posponto* 1844 || pontAÇO 1899 || pontADA XVI || pontAL¹ sm. '(Náut.) altura da embarcação entre a quilha e o convés principal' XVI || pontAL² sm. 'ponta de terra' XVII || pontAL·ETE sm. 'barrote ou peça de metal com que se escoram edifícios, pavimentos etc.' XVII || pontÃO² sm. 'escora' | *pontôões* pl. XV || pontaPÉ 1813 || pontARIA XIV || pontEAR 1813 || pontEIRA XVI || pontEIRO¹ sm. 'vento que vem pela proa do navio' XVI || pontEIRO² adj. sm. 'ant. de boa pontaria' XV; 'pequena haste' XVIII || pontEL sm. 'haste com que se segura o vidro quando se caldeia' 1899. Do cast. *puntel*, deriv. do cat. *puntill*. No port. med. ocorre a forma *pontil* (séc. XIV) de imediata procedência catalã || ponti·AGUDO | 1782, *pontagudo* XVI || pontILH·AR 1899 || ponto XIII. Do lat. *pŭnctum -ī* || pontuAÇÃO XVII. Do fr. *ponctuation* || pontuAL XVI. Do lat. med. *punctualis* || pontuAL·IDADE XVI || pontuAR | *punctuar* 1844 | Do fr. *ponctuer*, deriv. do lat. med. *punctuare* || pontUDO 1873. Cp. PUNÇÃO, PUNGIR.
⇨ **ponta** — APontADOR | XV ZURD 92.*21* || APontAR | XV LEAL 373.*16* etc. || PESponto, POSponto | 1836 SC, *posponto* 1836 SC || pontEIRO² 'pequena haste' | 1570 *in* ZT || pontUDO | 1836 SC |.
pontão¹ sm. 'barcaça' XVII. Do lat. *pontō -ōnis*.
pont·ão², **-apé**, **-aria** → PONTA.
ponte sf. 'construção destinada a estabelecer ligação entre as margens opostas de um curso de água ou de outra superfície líquida qualquer' XIII. Do lat. *pōns pontis* || pontÍCULA 1813. Fem. de **ponticulo*, do lat. *ponticŭlus -ī* || pontILH·ÃO 1844 *in* ZT |.
⇨ **ponte** — pontILH·ÃO 1844 *in* ZT |.
pont·ear, **-eira**, **-eiro**, **-el**, **-iagudo** → PONTA.
pôntico adj. 'de ou pertencente ou relativo ao Ponto; região ao sul do Mar Negro, na Ásia Menor' XVIII. Do lat. *ponticus*, deriv. do gr. *pontikós*.
pontícula → PONTE.
pontífice sm. 'dignitário eclesiástico' 'o Papa' | XVI, *pontifex* XV | Do lat. *pontifex -ficis* || pontificADO | *ponteficado* XV | Do lat. *pontificātus -ūs* || pontificAL | *pontificaaes* pl. XIV | Do lat. *pontificālis -e* || pontificAR XX. Do fr. *pontifier* || pontificIO XVII. Do lat. *pontificius -a -um*.
pontilhão → PONTE.
pontilhar → PONTA.
pontino adj. 'relativo ou pertencente à região pantanosa da província romana, hoje saneada' XIX. Do lat. *pomptīnus -ī*.
pont·o, -uação, -ual, -ualidade, -uar, -udo → PONTA.
popa¹ sf. 'parte posterior da embarcação' XV. Do lat. *pŭppa (cláss. *puppis -is*).
popa² sm. 'sacerdote de categoria inferior, que nos templos romanos cuidava do fogo, dos vasos etc., e levava a vítima até o altar para sacrificá-la' 1899. Do lat. *popa -ae*.
pope sm. 'padre da Igreja ortodoxa entre os russos, sérvios e búlgaros' | XIX, *papa* 1739 | Do fr. *pope*, deriv. do rus. *pop* e, este, do a. a. al. *pfaffo* (< gr. *papás, páppas*). Cp. PAPA¹.
popelina sf. 'tecido lustroso, de algodão' | *pa-* XVIII | Do fr. *popeline*, deriv. do ing. *poplin*, o qual, por sua vez, provém do a. fr. *papeline*.
poplíteo adj. '(Anat.) relativo ou pertencente à região posterior do joelho' 1858. Do fr. *poplité*, deriv. do lat. *poples -itis*.
popul·aça, -ação, -acho, -ar, -aridade, -ário, -arizar → POVO.
populeão sm. 'unguento em que entram beladona, folhas de papoula etc.' 1813. Do fr. *populéum*, do lat. med. *pōpulĕum* (*unguentum*) 'unguento de choupo', substantivação do adj. *pōpulĕus*. Cp. POPÚLEO.
populeo adj. '(Poét.) relativo ao álamo ou ao choupo' XVI. Do lat. *pōpulĕus -a -um*. Cp. POPULEÃO.
popul·ismo, -ista, -oso → POVO.
pôquer sm. 'modalidade de jogo de cartas de origem norte-americana' XX. Do ing. *poker*.
por prep. XIII. Do lat. tard. *por*, forma metatética do cláss. *prō*, que, originariamente, significa 'diante' e, por extensão, 'em lugar de, segundo etc.'; no lat. cláss. já se documentam também formações do tipo *porricere* 'lançar', *portendere* 'anunciar' etc. No a. port. a prep. *per* (< lat. *pĕr*) concorria com *por*, pelo menos até meados do séc. XVII. A ant. prep. *per* vive ainda em algumas expressões do tipo *de per si*, *de per meio* e, bem assim, nas combinações com o art. e pron. *o, a, os, as*: *pelo* (< *pello* < *pel-* [com assimilação do *-r* de *per*] + *lo* [forma ant. do art. e pron. O¹]). Frequente também no port. med. era a prep. *par*, deriv. do fr. *par* (< lat. *pĕr*).
pôr vb. 'colocar, depor, impelir' | *poer* XIII | Do lat. *pōnĕre* || CONTRApor XVI. Do lat. *contrāpōnĕre* || CONTRAposIÇAO XVII. Do lat. tard. *contrāpositiō -ōnis* || CONTRAposto 1844. Do lat. *contrāposĭtum -ī* || poED·EIRA 1813 || poEDOR | XIV, *-eedor* XIII || poED·OURO 1813 || poENTE, ponENTE | XIV, *ponente* XV | Do lat. med. *pōnēns -entis* || porFI·AR² vb. 'guarnecer' 1899. De *pôr* + *fi(o)* + -AR¹ || REponENTE XX || REpor XVI. Do lat. *repōnĕre* || REposIÇÃO 1844 || REposiT·ÓRIO XVII. Do lat. *repositōrium -īī* || SOTOpor vb. 'omitir, preterir' 1813 || SOTOposto XVI. Cp. ANTEPOR, APOR, COMPOR etc.
⇨ **pôr** — CONTRAposto | 1836 SC || REposIÇÃO | 1836 SC |.
poracê sm. e f. 'dança indígena' | *paracê* 1693, *po-racé c* 1698 etc. | Do tupi *pora'se*.
poranduba sf. 'história, narrativa, entre os índios do Brasil' XIX. Do tupi *pora'ŋuŋa*.
porão sm. '(Náut.) qualquer espaço compreendido entre o convés mais baixo e o teto do duplo-fundo,

ou entre o convés mais baixo e o fundo' 'parte inferior de uma casa, entre o chão e o primeiro pavimento' | *prão* XVI | Do ant. *prão*, deriv. do lat. *plānus -a -um*.
poraquê *sm.* 'peixe-elétrico (*Electrophorus electricus* L.)' | *purã c* 1584, *poraque c* 1631 etc. | Do tupi *pura'ke*.
porc·a, -ada, -alhão → PORCO.
porção *sf.* 'parte de alguma coisa, dose' | *porssom* XIV | Do lat. *portĭō -ōnis* || **porcion**ÁRIO 1873 || **porcion**ISTA 1813.
porcaria → PORCO.
porcelana *sf.* 'variedade de cerâmica dura, branca e translúcida' | *proçelana* XV | Do it. *porcellana*.
porcentagem → PERCENTAGEM.
porcino → PORCO.
porcion·ário, -ista → PORÇÃO.
porco *sm.* 'mamífero da ordem dos artiodáctilos, não ruminante, originário do javali, porém existente quase em toda parte como animal doméstico' XIII. Do lat. *pŏrcus -ī* || **alporca** *sf.* 'escrófula' XV. De *porca*[1] provavelmente porque este animal é muito sujeito a essa doença || **alporc**AR *vb.* 'enxertar' 1813. Talvez relacionado com o lat. *porca -ae* 'rego por onde correm as águas' || EM**porc**ALH·ADO 1873 || EM**porc**ALH·AR 1873 || **pocilga** *sf.* 'curral de porcos' | XVI, *posilga* XVII | Talvez esteja por **porcilga*, voc. de formação incerta, provavelmente deriv. do lat. **porcīcŭla*, resultante de um cruzamento dos sinônimos *porcīle* e *cortīcŭla* || **porc**A[1] *sf.* 'a fêmea do porco' XIII || **porc**A[2] *sf.* 'peça em que se introduz o parafuso' 1813. Segundo parece, a relação entre *porca*[2] e *porca*[1] decorre da semelhança que o órgão genital do porco apresenta com o parafuso || **porc**ADA 1813 || **porc**ALH·ÃO 1873. Provavelmente do cast. *porcallon* || **porc**ARIA XVIII || **porc**INO 1873. Do lat. *porcīnus -a -um* || **porqu**EIRA XIII || **porqu**EIRO 1813.
⇨ **porco** — **porca**[2] | 1784 *in* ZT |.
porejar → PORO.
porém *conj.* 'contudo, todavia' | XIV, *porende* XIII, *poren* XIV etc. | De *por* + *ende* (< lat. *ĭnde*), frequente no port. med., desde o séc. XIII.
porfia *sf.* 'discussão ou contenda de palavras, polêmica' 'insistência, pertinácia' | XIV, *perfia* XIII | Do lat. *pĕrfĭdĭa -ae* || **porfi**AR[1] | XVI, *perfiar* XIII, *aperfiar* XIV, *aprefiar* XIV || **porfi**OSO | XIV, *perfioso* XIII. Cp. PERFÍDIA.
porfiar[2] → PÔR.
pórfiro *sm.* '(Geol.) designação comum às rochas extrusivas e aos diques que se apresentam com textura porfirítica' | *porphyro* 1873, *pórfido* 1873 | Do fr. *porphyre*, deriv. do lat. med. *porphyrium* (< gr. *pórphyros*), no lat. cláss. *porphyrites* (< gr. *porphyrĩtēs*); a var. *pórfido* provém do it. *porfido* || **porfiro**BLÁST·ICO XX || **porfiro**CLÁST·ICA XX || **porfir**OIDE | *porphiroide* 1899.
⇨ **pórfiro** | *-phy-* 1836 SC |.
por·icida, -ífero → PORO.
pormenor *sm.* 'circunstância particular, particularmente' XVII. Da loc. *por menor* || **pormenor**IZAR 1899.
porneia *sf.* 'devassidão, libertinagem' | *porneio* 1899 | Cp. gr. *porneía* || **pornô** XX. Do fr. *porno*, forma abreviada de *pornographie* || **porno**CHANCHADA XX || **porno**CRACIA *sf.* 'influência das cortesãs no governo' 1899. Do fr. *pornocratie* || **porno**GRAF·IA | *pornographia* 1899 | Do fr. *pornographie* | **pornó**GRAFO | *pornographo* 1890 | Do fr. *pornographe*, deriv. do gr. *pornográphos*.
poro *sm.* 'cada um dos pequeninos orifícios do derma' XVII. Do lat. tard. *porus*, deriv. do gr. *póros* || **por**EJAR *vb.* 'suar' 1873 || **pori**·CIDA *adj.* 2g. '(Bot.) que se abre por meio de poros' XX || **pori**·FERO XX || **poró**CITO XX || **por**OS·IDADE 1813. Do lat. med. *porōsitās -ātis* || **por**OSO XVI. Do lat. med. **porōsus*.
⇨ **poro** | XIV *in* ZT || **por**EJAR | 1836 SC || **por**OS·IDADE | 1661 *in* RB |.
porocele *sf.* '(Patol.) espécie de hérnia, com endurecimento do saco herniário' 1899. Do gr. *pōros* 'calo' e *kéle* 'hérnia', por via erudita.
porócito → PORO.
pororoca *sf.* 'fenômeno que ocorre próximo à foz de rios volumosos, como o Amazonas, e que consiste na formação de ondas de vários metros de altura, que se deslocam com grande estrondo e destroem tudo que encontram em seu caminho' | 1636, *pa-* 1636 etc. |; 'pipoca' | *pororuca* 1771, *perurúca* 1817 | Do tupi *poro'roka*.
poros·idade, -oso → PORO.
porquanto *conj.* XIV. De POR + QUANTO.
porque *conj.* XIII. De POR + QUE[1].
porqu·eira, -eiro → PORCO.
porra *sf.* '*ant.* clava com saliência arredondada num dos extremos' XIII. De etimologia obscura || A**porr**EAR *vb.* 'bater em, espancar' XVII. Do lat. **apporrināre* || A**porr**INH·AÇÃO XX || A**porr**INH·ADO 1899 || A**porr**INH·AR *vb.* 'apoquentar' 1899 || **porr**ADA XVI || **porr**ETE 1813.
porráceo → PORRO.
porrão *sm.* 'pote ou vasilha de barro, comumente bojuda e de boca e fundo estreitos' XVI. Do cast. *porrón* | **porre** *sm.* 'bras. bebedeira' XX || **pórr**IO *sm.* 'bras. bebida, servida por um copo' 'copázio' 1899.
porrete → PORRA.
porrigem *sf.* '(Patol.) tinha, micose dos pelos, principalmente dos cabelos' XX. Do lat. *porrīgō -ĭnis* || **porrigin**OSO 1858.
pórrio → PORRÃO.
porro *sm.* 'erva da fam. das liliáceas, cujos bolbos e folhas servem de condimento na cozinha' XIV. Do lat. *porrum -ī* || **porr**ÁCEO XVII. Do lat. *porrācĕus -a -um*.
porta *sf.* 'abertura em parede, ao nível do solo ou de um pavimento, para dar entrada ou saída' XIII. Do lat. *pŏrta -ae* || **port**ADA 1813 || **port**AL XIII. Adaptação do fr. *portail* || **port**ALÓ XVI. Do cat. *portaló* | **port**ÃO 1813 || **port**ARIA XIV || **port**EIRA XIII || **port**EIRO XIII. Do lat. *portārĭus -ī* || **port**ELA *sf.* 'portal' 'pequena porta' | *-ella* 1813 | Do lat. tard. *portella* || **pórt**ICO XVI. Do lat. *portĭcus -ūs* || **port**INH·OLA XVI.
⇨ **porta** — **port**ADA | 1622 *in* RB | **port**ÃO | 1783 *in* ZT |.
portador → PORTAR[1].
portagem *sf.* '*ant.* pedágio' 'lugar onde se cobra este tributo' XIII. Do fr. *portage*, deriv. do lat. **portātĭcum*.

port·al, -aló → PORTA.
portamento *sm.* '(Mús.) modo de execução que consiste em ligar dois sons separados por um intervalo grande, passando rapidamente por todas as notas intermediárias' 1873. Do it. *portamento*.
portante → PORTAR¹.
portanto *conj.* 'logo, por conseguinte' XIV. De POR + TANTO.
portão → PORTA.
portar¹ *vb.* 'carregar, levar, conduzir' XIV. Do lat. *portāre* || **port**ADOR XIII. Do lat. *portātōr -ōris* || **port**ANTE XVI || **portátil** 1572. Do lat. med. *portātilis* || **port**ÁVEL XX. Do lat. *portābĭlis -e* || **porte** XVI.
portar² → PORTO.
portaria → PORTA.
port·átil, -ável, -e → PORTAR¹.
port·eira, -eiro, -ela → PORTA.
portenho *adj. sm.* 'de, ou pertencente ou relativo a Buenos Aires' 'o natural de Buenos Aires' XX. Do esp. -plat. *porteño*.
portento *sm.* 'coisa ou sucesso maravilhoso, prodígio' XVIII. Do lat. *portentum -ī* || **portent**OSO XVII. Do lat. *portentōsus -a -um*.
⇨ **portento** | *portemto c* 1539 JCasD 89.*4* |.
pórt·ico, -inhola → PORTA.
porto *sm.* 'lugar da costa ou em um rio, lagoa etc., que, por oferecer às embarcações certo abrigo, lhes permite fundear e estabelecer contatos com a terra' XIII. Do lat. *pŏrtus -ūs* || **port**AR² 'aportar' XIII. Do lat. *portāre* || **portu**ÁRIO XX || **portulano** 1899. Do it. *portolano*, deriv. do lat. med. *portulānus* || **portu**OSO *adj.* 'que tem muitos portos' 1813. Do lat. *portuōsus -a -um.* Cp. APORTAR.
porto-riquenho *adj. sm.* 'de, ou pertencente ou relativo a Porto Rico' 'o'natural ou habitante de Porto Rico' XX. Do cast. *portorriqueño*.
portuário → PORTO.
portuense *adj. s2g.* 'relativo a, ou próprio da cidade do Porto' 'habitante ou natural do Porto' XIV. Do lat. tard. *portuensis*, de *portus -ūs* 'porto'.
português *adj. sm.* 'de, ou pertencente ou relativo a Portugal' 'o natural ou habitante de Portugal' 'a língua românica oficial de Portugal, Brasil, Guiné-Bissau, São Tomé e Príncipe, Cabo Verde, Angola, Moçambique e Timor Leste' | *portugaese* XIII, *portugeeses* pl. XIII, *-gueeses* pl. XIII | Do lat. med. *portucalēnsis* || A**portugues**AR | *aportuguezar* 1813 || **portuga** 1899. Der. regr. de *português*.
port·ulano, -uoso → PORTO.
porventura *adv.* 'acaso, por acaso' | XVII, *perventura* XIII, *per ventoyra* XIII | De POR + VENTURA.
porvir → VIR.
pos- *elem. comp.*, do lat. *post* 'após, depois', que já se documenta em vocs. formados no próprio latim, como *pospor*, e em muitos outros introduzidos na linguagem científica internacional, a partir do séc. XIX ♦ **pos**CÉFALO *sm.* '(Anat.) a parte posterior da cabeça' | *poscephalo* 1899 || **poscênio** *sm.* 'a parte do teatro que fica atrás da cena ou do palco' | *postscênio* 1899 | Do lat. *po(st)scaenium* || **pos**ESCRITO | 1844, *postescripto* 1844 | Do lat. *postscriptum* || **pos**FÁCIO *sm.* 'advertência posta no fim de um livro' | *post-facio* 1899 || **pos**LIMÍNIO *sm.* '*ant.* restituição de direitos civis a quem os tinha por ausência ou cativeiro' | *postlimínio* 1813 | Do lat. *postlīminĭum -ī* || **pós-**MERIDIANO *adj.* 'posterior ao meio dia' XV. Do lat. *postmerīdiānus* || **pos**POR | XVI, *pospoer* XIV | Do lat. *postpōnĕre* || **pos**POSTO XVI. Do lat. *postposĭtum*.
⇨ **pos-** — **pós-**ESCRITO | *postescrito, postscripto* 1836 SC |.
pose *sf.* 'postura do corpo, maneira, posição' XIV. Do fr. *pose* || **pos**AR XX.
pós-escrito → POS-.
posfaçar *vb.* '*ant.* injuriar, caluniar' XIII. Do lat. **postfaciare* (< *post faciem* 'atrás da face') || **pos**façADOR XIV || **posfaço** | XIII, *posfaz* XIII, *pusfaço* XIV | Dev. de *posfaçar*.
posfácio → POS-.
posfaço → POSFAÇAR.
posição *sf.* 'lugar onde uma pessoa ou coisa está colocada' 'postura do corpo' | *posiço* XIII, *posiçom* XIV, *posiçam* XV | Do lat. *positiō -ōnis* || **posicion**AR XX.
positivo *adj. sm.* 'real, evidente' 'aquilo que é certo' | *positiuo* XVI | Do lat. tard. *positīvus* || **positiv**AR XX || **positiv**ISMO XIX. Do fr. *positivisme* || **positiv**ISTA 1890. Do fr. *positiviste* || **pósi**TRON *sm.* '(Fís. Nucl.) antipartícula do elétron, a qual tem massa e spin iguais aos do elétron, mas carga elétrica igual de sinal contrário' XX. Do ing. *positron*, de *posi(tive)* 'positivo' + *-tron*, sílaba final de *electron*.
pos·limínio, -meridiano → POS-.
posologia *sf.* '(Terap.) indicação das doses em que devem ser aplicados os medicamentos' 1873. Do fr. *posologie*, de *poso-* (< gr. *póson* 'quantidade') + *-logie*; v. -LOGIA.
pospolita *sf.* '(Hist.) antiga milícia da Polônia, constituída essencialmente de homens da nobreza, que eram recrutados para defender o reino, por tempo limitado, em época de guerra' 1720. Do fr. *pospolite*, deriv. do adj. pol. *pospolite* 'geral, universal', redução da expressão *pospolite ruszenie* 'tropa geral'.
pos·por, -posto → POS-.
posse *sf.* 'detenção de uma coisa com o objetivo de tirar dela qualquer proveito ou utilidade econômica' '*ext.* investidura em cargo público, ou função gratificada, ou posto honorífico' XIII. Substantivação do lat. *posse* 'ser capaz, poder' || A**poss**AR XVI || EM**poss**ADO XVIII || EM**poss**AR XVI || **poss**ANÇA *sf.* 'poder, força' XV || **poss**ANTE XV || **poss**EIRO 1844 || **possess**ÃO *sf.* 'posse' | *possissoens* pl. XIII, *posisson* XIII etc. | Do lat. *possessiō -ōnis* || **possess**IVO | *possessiuo* XVI | Do lat. *possessīvus -a -um* || **possesso** 1813. Do lat. *possessus -a -um* || **possess**OR XVII. Do lat. *possessor -ōris* || **possess**ÓRIO | *posesorio* XV | Do lat. *possessŏrius.* Cp. PODER, POSSUIR.
⇨ **posse** — DES·A**poss**AR | *desaposar* 1614 SGonç I. 166.*8*, *dezapossar* 1634 MNor 19.*14* || **poss**EIRO | 1836 SC |.
possível *adj. 2g. sm.* 'que pode ser, acontecer ou praticar-se' 'aquilo que é possível' | XVI, *possoivis* pl. XIV | Do lat. *possibĭlis -e* || IM**possibil·idade** XVII. Do lat. *impossibĭlĭtās -ātis* || IM**possibil·it·ar** XVI || IM**possível** | *jmposiuel* XV | Do lat. *impossibĭlis -e* || **possibil·idade** XVI. Do lat. *possibĭlĭtās -ātis* || **possibil·it·ar** XVIII.
possuir *vb.* 'ter ou reter em seu poder' | *pesoir* XIII, *pussuyr* XIII, *pusuir* XIII, *possoir* XIV, *pessoyr* XIV |

Do lat. *possĭdere* ‖ **possu**ID·OR | XIV, *possuydor* XIV. Cp. PODER, POSSE.
posta[1] *sf.* 'correio' 'cocheira, numa estrada, na qual se efetuava a muda dos cavalos' XVI. Do it. *posta* ‖ **post**AL 1858. Do fr. *postal*.
posta[2] *sf.* 'pedaço (de carne, de peixe)' 'pedaço, talhada' XIII. Tal como o cast. *puesta*, será o particípio adjetivo feminino de *pôr* ‖ ES**post**EJAR XVI. Cp. PÔR.
poste *sm.* 'haste de pau, ferro, cimento etc., cravada verticalmente no chão' XVIII. Do lat. *postis -is*.
⇨ **poste** | 1679 *in* RB |.
postem·a, -ão → APOSTEMA.
postergar *vb.* 'deixar atrás ou em atraso, preterir' 1784. Do b. lat. *postergare*, deriv. da locução lat. *post tergum*.
posteridade *sf.* 'série de indivíduos procedentes da mesma origem' 'as gerações futuras' XVI. Do lat. *posterĭtās -ātis* ‖ **posterior** XVI. Do lat. *posterĭor -ĭus* ‖ **póstero** XVI. Do lat. *postĕrus -a -um*.
postetomia → POSTITE.
postiço → POSTO.
postigo *sm.* 'pequena porta, pequena abertura em porta ou janela, que permite observar sem abrir' | XV, *postigoo* XIV, *pustigo* XIV etc. | Do lat. *postīcum*.
postilhão *sm.* 'homem que transportava a cavalo notícias e correspondência' 'mensageiro' XVI. Do it. *postiglióne*.
postite *sf.* '(Patol.) inflamação do prepúcio' 1890. Do fr. *posthite*, deriv. do gr. *pósthē* 'prepúcio' ‖ **poste**TOMIA | *postectomia* XX.
posto *sm.* 'lugar onde se acha colocada uma pessoa ou uma coisa' XIII. Do lat. *postus*, forma abreviada de *positus*, parto de *pōnĕre* ‖ ENTRE**posto** 1873. Do fr. *entrepôt* ‖ **post**IÇO | *postyça* f. XV | Do cast. *postizo*, deriv. do lat. vulg. *appositicius* e, este, de *appōnĕre* 'acrescentar'. Cp. PÔR.
⇨ **posto** — ENTRE**posto** | 1836 SC |.
postre *sm.* 'sobremesa' XVII. Do cast. *postre*.
postrídio *sm.* 'o dia seguinte' XX. Do adv. lat. *postrīdĭē*.
postular *vb.* 'rogar, pedir, implorar' 1813. Do lat. *postŭlāre* ‖ EX**postul**AÇÃO 1881. Do lat. *expostulātĭō -ōnis* ‖ **postul**ANTE 1844. Do lat. *postŭlāns -āntis*.
póstumo *adj.* 'posterior à morte de alguém' | XVII, *posthumo* 1813 | Do lat. *postŭmus -ī* ‖ **postum**ÁRIA *sf.* 'os tempos que sobrevêm à morte de alguém' | XV, *postremaria* XIV, *postromaria* XIV etc. ‖ **postum**EIRO *adj.* 'postremo, último, derradeiro' | XIV, *prestumeiro* XIII, *postremeiro* XIII, *postrimeiro* XIV etc.
postura *sf.* 'acordo, convênio' '*ext.* posição do corpo, aspecto físico' | XIII, *pustura* XIII etc. | Do lat. *pŏsĭtūra*.
potaba *sf.* 'entre os índios do Brasil, tributo' '*ext.* presente oferecido aos visitantes, a título de boas-vindas' | *potaua* 1648, *putaba c* 1698 etc. | Do tupi *po'taya*.
-potam(o)- *elem. comp.*, do gr. *potamós* 'rio', que se documenta em alguns vocs. introduzidos na linguagem científica internacional, a partir do séc. XIX ♦ **potâm**IDE *sf.* '(Mitol.) ninfa dos rios' XVII. Cp. gr. *potamídes* ‖ **potamo**FOBIA | *potamophobia*

1899 ‖ **potamo**GRAFIA 1873 ‖ **potamo**LOG·IA 1899. Do fr. *potamologie*.
potassa *sf.* 'hidróxido de potássio' XVIII. Do fr. *potasse*, deriv. do neerl. *potasch* ‖ **potáss**IO *sm.* 'elemento químico de número atômico 19, metálico, branco-prateado, muito mole, do grupo dos metais alcalinos' | *potassium* 1843 | Do fr. *potassium*, deriv. do ing. *potassium*, voc. introduzido por Davy, em 1807, na linguagem internacional da química.
⇨ **potassa** — **potáss**IO | 1836 SC |.
potável *adj.* 2g. 'que se pode beber' XVI. Do lat. tard. *pōtābĭlis* ‖ IM**potáb**IL·IDADE 1899 ‖ IM**potável** 1873. Do lat. tard. *impōtābĭlis*.
pote *sm.* 'grande vaso de barro para líquido, cântaro' 'panela' XV. Do fr. *pot*, deriv. do lat. vulg. *pŏttus* (reduzido a *potus*), provavelmente de um radical pré-céltico *pott-*.
poteia *sf.* 'óxido de estanho reduzido a pó, usado para polir espelhos e outros objetos' | *potea* 1813 | Do fr. *potée*.
⇨ **poteia** | *potea* 1720 RB |.
potênci·a, -ação, -ado, potent·ado, -e → PODER[1].
potenteia *sf.* 'cruz vazada cujas hastes são rematadas por figura quadrilonga' 1813. Voc. formado com base no fr. *potencée*.
potentíssimo → PODER[1].
potest·ade, -ativo → PODER[1].
poti *sm.* 'nome tupi do camarão' | *c* 1631, *potim* 1587 | Do tupi *po'tĩ* ‖ **potiguaçu** *sm.* 'variedade de camarão' | *potiúaçu* 1587, *potiassú* 1730 | Do tupi *potĩɨa'su < po'tĩ + ɨa'su* 'grande' ‖ **potipema** *sm.* 'variedade de camarão' 1587. Do tupi *potĩ'peᶆa < po'tĩ + 'peᶆa* 'anguloso, esquinado' ‖ **potiquequiá** *sm.* 'nome tupi do lagostim' 1587. Do tupi *potĩkĩkĩ'ia*.
potiche *sm.* 'vaso de porcelana decorada, e especialmente vaso da China ou do Japão' XX. Do fr. *potiche*.
poto *sm.* '(Poét.) bebida' XVI. Do lat. *pōtus -ūs*.
potosi *sm.* 'grande fonte de riqueza' XVIII. De *Potosi*, cidade da Bolívia.
potr·a, -anco → POTRO.
potreia *sf.* 'bebida desagradável ou estragada' 1881. De etimologia obscura.
potro *sm.* 'cavalo novo, até aos quatro anos' XIII. Do lat. vulg. **pŭllĭter -tris*, de *pullus* 'animal jovem' ‖ **potr**A *sf.* 'égua nova' 'hérnia intestinal' XVI ‖ **potr**ANCO 1899 ‖ **potr**ILHA 1899.
pouca, pouco *pron.* 'em pequena quantidade' XIII. Do lat. *paucus -a -um* ‖ A**poqu**ENT·AR | *apouquentar* XIV ‖ A**pouc**AR XVI ‖ **pouqu**IDADE XIV.
poupa *sf.* 'pássaro semelhante à pega' XVI. Do lat. *upŭpa -ae*.
poupar *vb.* 'gastar com moderação, economizar' XIII. Provavelmente do lat. *palpāre* 'acariciar, apalpar'; a evolução semântica do vocábulo deve-se, talvez, aos cuidados de quem apalpa ‖ **poup**ANÇA 1899.
pouquidade → POUCA.
pousar *vb.* 'pôr, depor, assentar' XIII. Do lat. *pausāre* ‖ A**posent**ADO 1813 ‖ A**posent**ADOR | *pous*-XIV ‖ A**posent**ADOR·IA | 1813, *apousemtadoria* XV ‖ A**posent**AMENTO | *apou-* XV ‖ A**posent**AR | *apousentar* XIII ‖ A**posent**O | *apossento* XVI ‖ **pous**ADA

XIII || pousAD·EIRO XIII || pousAD·OURO | -*oiro* XIII || pouso XVI.
⇨ pousar — AposENT·ADO | XV LOPJ II. 9§7.3, *apousemtado* XV LOPJ II. 52.5 etc. |.
pouta *sf.* 'corpo pesado que se usa nas pequenas embarcações, em vez de âncora, para fundear' 1813. De etimologia controversa.
povo *sm.* 'conjunto de indivíduos que falam a mesma língua, têm costumes e hábitos idênticos, afinidade de interesses, uma história e tradições comuns' | *poboo* XIII, *poblo* XIII, *pobro* XIII, *pouoo* XIV etc. | Do lat. *pŏpŭlus -ī* || DESpovoAÇÃO | -*çom* XV || DESpovoADO | -*brado* XIV, -*blado* XIV, -*boado* XIV etc. || DESpovoAMENTO 1881 || DESpovoAR XVI || IMpopular 1858 || IMpopularIDADE 1873 || IMpopularIZAR XX || populAÇA XVII || populAÇÃO 1785. Do lat. *populātiō -ōnis* || populACHO XIX || popular *adj. 2g. sm.* 'de, ou próprio do povo' 'homem do povo' | -*llares* pl. XIV | Do lat. *populāris -e* || popularIDADE 1813. Do lat. *populārĭtās -ātis* || populÁRIO XX || popularIZAR XIX. Do fr. *populariser* || populISMO XX. Do fr. *populisme* || populISTA 1899. Do fr. *populiste* || populOSO XVI. Do lat. *populōsus -a -um* || povaréu *sm.* 'grande multidão' 1899 || poviléu *sm.* 'ralé' 1899 || póvoA *sf.* 'povoação' | XIV, *pobla*' XIII, *pobra* XIII etc. || povoAÇÃO | *pouoaçam* XIII, -*çom* XIII etc. || povoADO | *poblado* XIII, -*brado* XIV, -*boado* XIV || povoADOR | XV, *poblador* XIII, -*brador* XIII etc. || povoAMENTO | *pouoramento* XV || povoAR | -*blar* XIII, *obrar* XIII etc. | Do lat. vulg. *pŏpŭlāre*, de *pŏpŭlus*.
praça *sf.* 'lugar público cercado de edifícios' 'largo' 'mercado, feira' | XIII, *praza* XIV | Do lat. vulg. *plăttĕa*, de *plătĕa*. No port. med. já se documentam a locução adverbial *em praça* 'em público' (séc. XIV) e o adv. *praceiramente* (séc. xv) 'idem'.
prácrito *sm.* '(Ling.) nome genérico dos idiomas e/ou dialetos indianos derivados do sânscrito' 1833. Do sânscr. *prākṛta* 'vulgar, comum', em oposição a *saṃsṛkta* 'puro, aperfeiçoado, polido'. Cp. SÂNSCRITO.
prado *sm.* 'campo coberto de plantas herbáceas que servem para pastagem' XIII. Do lat. *prātum -ī* | pratíCOLA 1899 || pratiCULTOR 1873 || pratiCULTURA 1858. Do fr. *praticulture*.
praga *sf.* 'imprecação de males contra alguém' '*ext.* grande desgraça' XIII. Do lat. *plāga -ae* | pragAL 1899 || pragueJ·ADOR 1813 || pragueJ·AR XVI.
pragana *sf.* 'barba de espiga de cereais' XVII. De etimologia obscura.
pragmática *sf.* 'conjunto de regras ou fórmulas para as cerimônias da corte ou da igreja' '*ext.* etiqueta' | XVII, *prematica* XVI | Do lat. med. *prāgmatica* || pragmático 1873. Do lat. *pragmaticus*, deriv. do gr. *prāgmatikós* || pragmatISMO XX. Do ing. *pragmatism*.
praguej·ador, -ar → PRAGA.
praia *sf.* 'orla da terra, ordinariamente coberta de areia, confinando com o mar' | XV, *praya* XIV | Do lat. tard. *plagia*, derivado, provavelmente, do gr. *plágia* | EspraiAMENTO 1844 || EspraiAR | XVI, *esprayar* XV || praiEIRO XX.
⇨ praia — EspraiAMENTO | 1836 SC |.
pralina *sf.* 'amêndoa confeitada' XIX. Do fr. *praline*, do nome do marechal (*du Plessis-*) *Praslin* (1598-1675), cujo cozinheiro inventou este doce.

prama *sf.* 'antiga embarcação de guerra usada, especialmente, no mar Báltico' | *pramo* m. 1722, *prame* m. 1760 | Do fr. *prame*, deriv. do m. neerl. *prame* (neerl. *praam*) e, este, do tcheco *prám* (< a. esl. *pramᶜ*).
prancha *sf.* 'grande tábua, grossa e larga' 'espécie de ponte' | XV, *plancha* XVII | Do fr. *planche*, deriv. do lat. tard. *planca* || pranchADA 1844 || pranchETA 1844. Do fr. *planchette*.
⇨ prancha — pranchADA | 1836 SC || pranchETA 1836, *plan-* 1836 SC |.
prândio *sm.* '(Poét.) jantar, banquete' 1899. Do lat. *prandĭum -ĭī*.
pranto *sm.* 'choro, lágrimas' | XIV, *planto* XIV | Do lat. *planctus -ūs* || prantE·ADO XVI || prantEAR XVI.
praseodímio *sm.* '(Quím.) elemento de número atômico 59, metálico, maleável e dúctil, do grupo dos lantanídeos' XX. Do lat. cient. *praseodymium*, do gr. *prásios* 'alho-porró' e *dídymos* 'duplo, gêmeo', em alusão à sua ligação com o *neodímio*.
prásino *adj. sm.* 'verde' 'a esmeralda' XVI. Do lat. *prasĭnus -a -um*, deriv. do gr. *prásinos* || prásio 1813. Do lat. *prasius*, deriv. do gr. *prásios*.
prata *sf.* '(Quím.) elemento de número atômico 47, metálico, branco, brilhante, denso, maleável e dúctil, utilizado em numerosas ligas preciosas' 'moeda' | XIII, *plata* XIV | Do lat. vulg. **platta*, fem. de **plattus* 'plano' || pratARIA 1899 || pratE·ADO | XV, *pratado* XIV || pratEAR XVII || pratEIRO 1813. Cp. PRATO.
prateleira → PRATO.
prática *sf.* 'uso, experiência, exercício' XV. Do lat. med. *practica*, deriv. do gr. *praktikḗ* || IMpraticABIL·IDADE | *impracticabilidade* 1813 || IMpraticÁVEL | *impracticável* 1813 || praticABIL·IDADE 1858 || praticANTE 1873 || praticAR XV. Do lat. med. *practicāre* || praticÁVEL XVII || praticAR XV. Do lat. tard. *practicus*, deriv. do gr. *praktikós*.
⇨ prática — IMpraticÁVEL | 1660 FMMelE 181.*18* || praticANTE | 1836 SC |.
pratí·cola, -cultor, -cultura → PRADO.
prato *sm.* 'vaso de louça ou de metal, comumente circular, em que se serve a comida' XV. Do fr. *plat*, deriv. do lat. vulg. **plattus* e, este, do gr. *platýs* 'plano, chato' || pratEL·EIRA | *prataleiro* XVI | De um ant. **pratel* (dim. de *prato*) + -EIRA. Cp. PRATA.
pravidade *sf.* 'ruindade, maldade, perversidade' XVI. Do lat. *prāvĭtās -ātis* || pravo XVII. Do lat. *prāvus -a -um*.
praxe *sf.* 'aquilo que se pratica habitualmente' 'rotina' XVII. Do lat. *praxis -is*, deriv. do gr. *prâxis*.
prazer *vb.* 'agradar, satisfazer' XIII; *sm.* 'gosto, satisfação' XIII. Do lat. *placēre* || AprazER XVI || AprazIBIL·IDADE XVII || AprazÍVEL | XVI, *apraziuele* XIV || prazENTE XV || prazENT·EIRO | XIII, *plazenteyro* XIV || prazIMENTO | XIV, *plazimẽto* XIII || prazÍVEL XIV.
⇨ prazer — DES·AprazER | 1614 SGonç II. 16.*31* |.
prazo *sm.* 'tempo assinalado' XIII. Do lat. *placĭtus* (de *placĭtus dies* 'dia aprazado') || AprazAMENTO XIII || AprazAR *vb.* XIII || EMprazAMENTO | *emprasamento* XIII, *emplazamento* XIII etc. || EMprazAR | XIV, *en-* XIV, *enplazar* XIV.
pré *sm.* '*ant.* o vencimento diário de um soldado' 1813. Do fr. *prêt*.

pre- *pref.* do lat. *pre-(prae-)*, que se documenta em numerosíssimos vocs. eruditos ou semieruditos, quase todos formados no próprio latim, nas acepções de 'precedente, anterior (no tempo e no espaço)', como *preâmbulo, preceptor* etc. Em português, quando não se acha aglutinado, o pref. *pre-* leva acento agudo e é seguido de hífen: *pré--cambriano, pré-clássico* etc.

preá *sm.* e *f.* 'nome comum a várias espécies de mamíferos roedores da fam. dos cavídeos, dos gêneros *Cavia* e *Galea*' | α. *aperiá* 1587, *aparia* 1618 ete.; β. *perîa* 1730, *periá* 1730; γ. *preá a* 1696, *prehá* 1817 | Do tupi *apere'a*; a cadeia evolutiva é a seguinte: tupi *apere'a* > port. *apereá* → a *pereá* → *preá*.

preamar *sf.* 'maré alta' XVI. Do lat. *plena (plenum) mare*.

preâmbulo *sm.* 'preliminar' 'palavras ou atos que precedem as coisas definitivas' XVI. Do lat. tard. *praeambulus* ‖ **preambul**AR XVII. Do lat. *praeambŭlāre*.

prear *vb.* 'tornar prisioneiro ou cativo' XIV. Do lat. **praedāre*, por *praedāri*. Cp. PREDADOR, PREIA.

prebenda *sf.* 'rendimento de um canonicato' 'o canonicato' | XIII, *preuenda* XIV | Do lat. med. *praebenda -ae*.

⇨ **prebenda** — **prebend**ADO | 1614 SGONÇ II. 299.*31* |.

preboste *sm.* 'antigo magistrado da justiça militar' 'designação comum a diversos antigos funcionários reais e senhoriais' XVIII. Do cat. *prebost*. Cp. PRIOSTE.

precação *sf.* 'rogação, súplica' XVI. Do lat. *precātĭō -ōnis*. Cp. PRECÁRIO, PRECATAR.

precantar *vb.* 'vaticinar em versos' 1899. Do lat. *praecantāre*.

precário *adj.* 'difícil' 'escasso, insuficiente' XVIII. Do lat. *precārĭus -a -um* ‖ **precari**E·DADE XX. Cp. PRECAÇÃO, PRECATAR.

precatar *vb.* 'prevenir, acautelar' XVI. De etimologia obscura; talvez se relacione com PRECAVER ‖ DES**precatar** 1881 ‖ **precat**ÓRIA | *percatoria* XV ‖ **precat**ÓRIO 1813. Do lat. tard. *precātōrĭus*. Cp. PRECAÇÃO, PRECÁRIO.

⇨ **precatar** — **prec**ATÓRIO | 1634 MNor 115.*7* |.

precaução *sf.* 'cautela antecipada' 1813. Do lat. tard. *praecautĭō -ōnis*.

precaver *vb.* 'prevenir, acautelar-se com antecipação' XVIII. Do lat. *praecavēre*.

prece *sf.* 'oração, reza' | *preçes* pl. XIV, *prezes* pl. XIII | Do lat. *prĕces -um*.

precedência *sf.* 'primazia, preferência' XVI. Do lat. tard. *praecēdentia* ‖ **preced**ENTE 1813. Do lat. *praecēdēns -entis* ‖ **preced**ER 1572. Do lat. *praecēdĕre*.

⇨ **precedência** — **preced**ENTE | 1582 *Liv. Fort.* 82*v*1, *preçedente* XV BENF 40.*6* ‖ **preced**ER | *preçeder* XV BENF 252.*25* |.

preceito *sm.* 'regra de proceder, norma, doutrina' | XVI, *preçepto* XIV | Do lat. *praeceptum -ī* ‖ **preceitu**AR XVIII.

precentor *sm.* 'chefe de orquestra, entre os antigos' 'cantor de salmos diante da arca, entre os hebreus' 1899. Do lat. *praecentor -ōris*.

preceptor *sm.* 'aquele que ministra preceitos ou instruções' XVI. Do lat. *praeceptor -ōris* ‖ **precept**IVO XVI. Do lat. *praeceptīvus -a -um*.

precingir *vb.* 'ligar com cinta, faixa' 'cingir' 1858. Do lat. *praecingĕre* ‖ **precinto** XVI. Do lat. *praecinctus -a -um*.

⇨ **precingir** — **precinta** | *pressinta* 1634 MNor 246.*35* ‖ **precint**ADO | 1614 SGONÇ I. 195.*12* |.

precioso *adj.* 'de grande preço' 'suntuoso' XIII. Do lat. *pretiōsus -a -um* ‖ **precios**IDADE XVII. Do lat. *pretiōsitās -ātis*.

precipitar *vb.* 'lançar, arrojar' XVI. Do lat. *praecipitāre* ‖ **precipício** XVII. Do lat. *praecipitĭum -iī* ‖ **precipit**AÇÃO 1813. Do lat. tard. *praecipitātĭō -ōnis* ‖ **precipit**ADO 1813 ‖ **precipit**ANTE 1813 ‖ **precípite** XV. Do lat. *praeceps -cipitis*.

precípuo *adj.* 'principal, essencial' XVI. Do lat. *praecipŭus -a -um*.

preciso *adj.* 'necessário' 'exato' XVI. Do lat. *praecīsus -a -um* ‖ IM**precis**ÃO XX. ‖ IM**preciso** XX ‖ **precis**ADO 1813 ‖ **precis**ÃO XVI. Do lat. *praecīsĭō -ōnis* ‖ **precis**AR 1813. Do fr. *préciser*.

precito *adj. sm.* 'réprobo, condenado, maldito' XVII. Do lat. *praecītum -ī*.

preclaro *adj.* 'ilustre, notável, famoso' 1572. Do lat. *praeclārus -a -um*.

⇨ **preclaro** | 1579 SNor 87.*9* |.

precluir *vb.* '(Jur.) ser atingido por preclusão' XX. Do lat. *praeclūdĕre* ‖ **preclus**ÃO *sf.* '(Ling.) contato prévio de dois órgãos para a produção de um fonema explosivo' '(Jur.) perda de uma determinada faculdade processual civil' 1899. Do lat. *praeclūsĭō -ōnis* ‖ **preclus**IVO XX.

preço *sm.* 'custo unitário dalguma coisa posta à venda' XIII. Do lat. *prĕtĭum*. No port. med. ocorre, também, *prez* (< a. prov. *pretz*) no séc. XIII, na mesma acepção ‖ A**preç**AMENTO XIII ‖ A**preç**AR XIII. Do lat. *apprĕtĭāre* ‖ A**preci**·AÇÃO 1813 ‖ A**preci**·ADOR 1873 ‖ A**preci**·AR 1844 ‖ A**preci**·ÁVEL 1813 ‖ A**preço** XIII ‖ DES·**apreço** 1881 ‖ IN·**apreç**·ÁVEL 1858 ‖ **preci**·OSO XIII. Do lat. *prĕtĭōsus*. Cp. PREZAR.

⇨ **preço** — A**preci**·AR | 1836 SC |.

precoce *adj. 2g.* 'prematuro, antecipado, temporão' XVIII. Do lat. *praecōx -cōcis*.

precogitar *vb.* 'premeditar' 1899. Do lat. *praecōgitāre*.

precógnito *adj.* 'conhecido antes, previsto' XVI. Do lat. *praecognitus*.

preconceito *sm.* 'conceito ou opinião formados antecipadamente, sem maior ponderação ou conhecimento dos fatos' XVIII. Calcado no francês *préconçu*.

preconício *sm.* 'reclame, anúncio de propaganda' XIX. Neologismo proposto para traduzir o fr. *réclame* pelo filólogo brasileiro Antônio de Castro Lopes (1827-1901), que assim se refere, em 1889, à sua criação: "Mas si o portuguez não possue palavra que traduza exactamente o termo francez *reclame*, [...] Forme-se [...] uma palavra nova: tome-se o radical *-Precon*, de *praeconium* (em latim voz do pregoeiro); e se lhe agglutine o suffixo *-nicio-* (do ablativo latino *-nuncio*, noticia, annuncio) mudando o *-u-* em *-i-*, e fazendo cahir o *-n-* que precede o *-c-* para adoçamento da pronuncia; e terse-ha a euphonica palavra -Preconnicio-, de formação erudita e ascendencia legitima".

preconizar *vb.* 'louvar, lisonjear' 'aconselhar' 'divulgar' 1813. Do fr. *préconiser*, deriv. do lat. tard. *praecōnīzāre*.
precordial *adj. 2g.* '(Anat.) relativo ou pertencente à região que fica adiante do coração, ou nela situada' 1873. Do fr. *précordial*, deriv. do lat. *praecordĭa -iōrum* || **precórd**IO 1858.
precursor *adj.* 'que vai adiante, que precede' | *precussor* XV | Do lat. *praecursor -ōris*.
predador *sm.* 'o ser que destrói outro com violência' 1890. Do lat. *praedātor -ōris* || **predat**ÓRIO 1858. Do lat. *praedātōrĭus -a -um*. Cp. PREAR, PREIA.
predecessor *sm.* 'antecessor' | *predeçessor* XV, *proçeçor* XV | Do lat. tard. *praedecessōr -ōris*.
predestinação *sf.* 'predefinição' '(Teol.) determinação formada por Deus de conduzir os justos à vida eterna' | *predestinaçom* XV | Do lat. *praedēstinātĭō -ōnis* || **predestin**ADO XIV || **predestin**AR XV. Do lat. *praedestināre*.
predicação *sf.* 'sermão, pregação' | *predicaçõ* XIV | Do lat. *praedicātĭō -ōnis* || **prédica** XVII || **predic**ADO XVII. Do lat. tard. *praedicātum* || **predic**ADOR XIV. Do lat. *praedicātor -ōris* || **predic**AMENTO XIV. Do lat. *praedicāmentum -ī* || **predic**ANTE 1813. Do lat. *praedicans -antis* || **predic**AR XIV. Do lat. *praedĭcāre* || **predic**ATIVO XVII. Do lat. *praedicātīvus -a -um* || **predicat**ÓRIO 1899. Cp. PREGAR².
predição → PREDIZER.
predic·ar, -ativo, -atório → PREDICAÇÃO.
predileção *sf.* 'preferência' | *predilecção* XIX | Do fr. *prédilection* || **predileto** | *predilecto* XVIII | Do lat. med. *praedīlectus*.
prédio *sm.* 'propriedade imóvel, rústica ou urbana' 'casa, edifício' XVIII. Do lat. *praedĭum -ĭī* || **predi**AL 1813.
predisposto *adj. sm.* 'disposto com antecedência' 1899. Do lat. *prae-disposĭtus -a -um* || **predispon**ENTE 1858. Do fr. *predisponent* || **predispor** XIX. Adapt. do fr. *prédisposer* || **predisposi**ÇÃO 1858 Do fr. *prédisposition*. Cp. DISPOR.
predizer *vb.* 'profetizar, prognosticar' XVII. Do lat. *praedīcere* || **pred**IÇÃO 1813. Do lat. *praedictĭō -ōnis* || **predito** XIII. Do lat. *praedictum -ī*.
predominar *vb.* 'ser o primeiro em domínio ou influência' 'prevalecer' XVI. Do fr. *prédominer*, deriv. do lat. med. **praedomināre* || **predomin**ÂNCIA 1858. Do fr. *prédominance* || **predomin**ANTE 1813 || **predomin**IO 1813. Do lat. med. *praedominium*.
preeminência *sf.* 'primazia, superioridade' | *preminencia* 1572 | Do lat. tard. *praeēminēntĭa*, part. de *praeēminēre* || **preemin**ENTE | 1572, *preminente* 1572 | Do lat. tard. *praeēminens -ēntis*. Cp. PROEMINENTE.
preempção *sf.* 'compra antecipada' 'precedência na compra' 1813. Do fr. *préemption*, deriv. do lat. cient. *praeemptĭō -ōnis*.
preencher *vb.* 'encher completamente, ocupar, atestar' 1813. De PRE- + ENCHER || **PRE**ench**IMENTO** 1813.
preensão *sf.* 'ato de segurar, agarrar ou apanhar' XX. Do lat. *prehēnsĭo -ōnis* || **preêns**IL XX || **preens**OR XX. Cp. PRENSAR.
preestabelecer *vb.* 'estabelecer ou fixar com antecipação' 'predispor' 1881. De PRE- + ESTABELECER.

preexistir *vb.* 'anteceder, preceder' 1813. Do fr. *préexister*, deriv. do lat. ecles. *praeexistere* || **preexist**ÊNCIA 1813. Do fr. *préexistence*, deriv. do lat. ecles. *praeexistentia* || **preexist**ENTE 1813. Do fr. *préexistant*.
prefácio *sm.* 'discurso ou advertência, geralmente breve, que antecede uma obra escrita' | *prefaço* XV, *perfacio* 1568 | Do lat. *praefātĭō -ōnis* || **prefa**ÇÃO *sf.* 'prefácio' 1549. Do acusativo latino de *praefātĭō -ōnis* || **prefaci**AR 1899.
prefeito *sm.* 'chefe de prefeitura, no Império Romano' 'aquele que está investido do poder executivo nas municipalidades' | *prefecto* XIV, *perfecto* XIV, *perfeyto* XIV | Do lat. *praefectus -ī* || **prefeit**URA | *-fey-* XIV | Do lat. *praefectūra -ae*.
preferir *vb.* 'dar a primazia, escolher' XVII. Do lat. **praeferēre*, de *praeferre* || **prefer**ÊNCIA 1813. Do lat. med. *praeferentia* || **prefer**ENCI·AL XX || **prefer**ENTE 1813.
prefigurar *vb.* 'conjeturar, pressupor' 'figurar ou representar de antemão' XVI. Do lat. tard. *praefigūrāre* || **prefigur**AÇÃO XIX. Do lat. tard. *praefigurātĭō -ōnis*.
prefixo *adj. sm.* 'fixado ou determinado antes' '(Gram.) sílaba(s) que antecede(m) a raiz de uma palavra, modificando o significado desta e formando palavra nova' XVII. Do lat. *praefīxus* || **prefix**AR 1844.
⇨ **prefixo** — **prefix**AR | 1836 SC |.
prefulgir *vb.* 'resplandecer, rebrilhar' Do lat. *praefulgēre* || **prefulg**ENTE 1844. Do lat. *praefulgēns -ēntis*.
⇨ **prefulgir** | 1836 SC || **prefulg**ENTE | 1836 SC |.
prega → PREGAR¹.
pregação → PREGAR².
pregado → PREGAR¹.
pregador → PREGAR².
preg·adura, -alho → PREGAR¹.
pregão → PREGAR².
pregar¹ *vb.* 'cravar, fincar' XIII. Do lat. *plĭcāre* || **des**pregar XIII || **plica** *sf.* '(Med.) prega, dobra' '(Gram.) acento agudo' '(Mat.) sinal gráfico que se coloca ao alto e à direita de uma letra' 1813. Forma divergente culta de *prega*, do lat. cient. *plica*, deriv. do lat. *plica* || **plic**AR 1844. Forma divergente culta de *pregar*, do lat. *plĭcāre* || **plic**ATURA 1899. Forma divergente culta de *pregadura* || **prega** 1813. Do lat. *plica* || **preg**ADO XIII || **preg**ADURA XIV || **preg**ALHO | *pregalhas* f. pl. 1873 || **prego** XIV || **pregue**AR 1881.
⇨ **pregar¹** — **plic**AR | 1836 SC || **preg**ARIA | 1647 *in* ZT |.
pregar² *vb.* 'pronunciar sermões; apregoar, apostolar' | XIII, *pregar* XIII etc. | Forma divergente e popular de *predicar*, do lat. *praedĭcāre* || **a**prego·ar XIII || **preg**AÇÃO *sf.* 'sermão, repreensão' | *preegaçõ* XIV, *-çom* XIV, *-çon* XIV etc. | Forma divergente e popular de *predicação*, do lat. *praedicātĭō -ōnis* || **preg**ADOR | *preegador* XIII | Forma divergente e popular de *predicador*, do lat. *praedicātor -ōris* || **preg**ÃO | *-gon* XIII | Do lat. *praecō -ōnis* || **prego**·AR XIII. Do lat. *praecōnāri* || **prego**·EIRO | XIV, *-eyro* XIV, *pregueyro* XIV. Cp. PREDICAÇÃO.
prego → PREGAR¹.
prego·ar, -eiro → PREGAR².

pregresso *adj.* 'decorrido anteriormente' xx. Do lat. *praegressus -a -um*, part. pass. de *praegredī*.
preguari *sm.* 'variedade de búzio' | *piriguaý c* 1584, *priguarí* 1730 etc. | Do tupi *piriųa'i*.
preguear → PREGAR¹.
preguiça *sf.* 'aversão ao trabalho' 'negligência, indolência' | xiv, *preguyça* xiii, *priguiça* xiv etc. | Do lat. *pigritĭa -ae* || ESpreguiçAD·EIRA 1873 || ESpreguiçADOR 1813 || ESpreguiçAMENTO | *spri-* xv || ESpreguiçAR 1813 || **preguiç**OSO | xiii, *priguiçoso* xiii etc.
⇨ preguiça — ApreguiçAR | xv CAVA 50.*28*, *apriguyçar* xv LEAL 213.*15* |.
pregustar *vb.* 'provar comida ou bebida' 1890. Do lat. *praegustāre*.
pré-histór·ia, -ico → HISTÓRIA.
preia *sf.* 'presa, caça' | xvi, *prea* xiv | Do lat. *praeda -ae*. Cp. PREAR, PREDADOR, PRENDER.
preito *sm.* 'sujeição, dependência' 'homenagem' xiii. Do a. fr. *plaid*, deriv. do lat. *placĭtum -ī* || EMpreitA xv || EMpreitADA xv || EMpreitAR xx || EMpreitEIRO xviii. Cp. PLÁCITO, PLEITO.
prejudicar *vb.* 'lesar, molestar, perturbar' | *perjudicar* xv | Do lat. *praejūdĭcāre* || **prejudici**·AL | *perjudicial* xvi || **prejuízo** | *perjuizo* xiii | Do lat. *praejūdicĭum -ī*.
prelação *sm.* 'direito de preferência que os filhos tinham de ser providos nos cargos dos pais' xvii. Do lat. *praelātĭō -ōnis*.
prelado *sm.* 'título honorífico do dignitário eclesiástico' xiii. Do lat. *praelātus*, part. de *praeferre* || **prelad**A *sf.* 'superiora de convento' xvi || **prelatíc**·IO xviii | **prelaz**·IA *sf.* 'cargo, dignidade ou jurisdição de prelado' | xiv, *prelacia* xiv, *prelezia* xv, *preladia* xv.
preleção *sf.* 'lição' 'discurso ou conferência didática' | *prelecção* 1873 | Do lat. *praelectĭō -ōnis* | **prelec**ION·AR | *preleccionar* 1881 || **preletor** *sm.* 'aquele que preleciona, professor' | *prelector* 1899 | Do lat. *praelectŏr -ōris*.
prelegado *sm.* 'legado que deve ser entregue antes da partilha' 1858. Do lat. *praelēgātus*, part. de *praelēgāre*.
preletor → PRELEÇÃO.
prelibação *sf.* 'ato ou efeito de libar ou gozar com antecipação' xvi. Do lat. *praelībātĭō -ōnis* || **prelib**AR 1813. Do lat. *praelībāre*.
preliminar → LIMINAR.
prélio *sm.* 'luta, batalha, combate' xvii. Do lat. *proelĭum -ī*.
prelo *sm.* 'prensa' 1813. Do lat. *prēlum -ī*.
prelúcido *adj.* 'muito lúcido' 1899. Do lat. *praelūcĭdus -a -um*. Cp. PRELUZIR.
prelúdio *sm.* 'iniciação, prenúncio' 'introdução instrumental ou orquestral de uma obra musical' xvi. Do fr. *prélude*, deriv. do lat. *praelūdĭum* || **preludi**AR xviii.
preluzir *vb.* 'brilhar muito, resplandecer' 1844. Do lat. *praelūcēre*. Cp. PRELÚCIDO.
⇨ preluzir | 1836 sc |.
prem·a, -ar → PREMER.
prematuro *adj.* 'que amadureceu antes do tempo' xvi. Do lat. *praemātūrus*.
premeditação *sf.* 'ato ou efeito de planejar' xviii. Do lat. *praemeditātĭo -ōnis* || **premedit**AR 1813. Do lat. *praemeditārī*.

premer *vb.* 'oprimir' | xiii, *premir* xiii | Do lat. *prĕmĕre* || ApremADO *adj.* 'oprimido' xiv || AprenAMENTO xiv || AprenAR xiv || **prema** *sf.* 'violência, coação, opressão' xiii || **prem**AR *vb.* 'oprimir' xv || **prem**ENTE 1881.
prêmio *sm.* 'recompensa' 'lucro, juro' 'ágio' xvi. Do lat. *praemĭum -ī* || **prêmi**A *sf.* 'prêmio' | *premja* xiv | Do lat. *praemĭa*, pl. de *praemĭum* || **premi**ADO 1813 || **premi**AR xvii. Do lat. tard. *premiāre*.
premissa *sf.* '(Filos.) cada uma das duas proposições de um silogismo' | *promissa* xv | Do lat. *praemissa*.
pre·monição, -monitório → PREMUNIR.
premorso *adj.* '(Bot.) diz-se de folhas quando obtusas e terminadas em chanfraduras desiguais, como se tivessem sido mordidas' 1899. Do lat. *praemorsus*, part. pass. de *praemordēre*.
premunir *vb.* 'precaver, prevenir, acautelar' 1844. Do lat. *praemūnīre* || **premon**IÇÃO xx. Do lat. *praemonitĭō -ōnis* || **premon**IT·ÓRIO 1881. Do lat. *praemonitōrĭus -a -um*.
⇨ premunir | 1836 sc |.
prenda *sf.* 'penhor' xiii; 'donativo' 1813. Do cast. *prenda* (artigo *peñdra*, primitivamente *péñora*), deriv. do lat. *pĭgnŏra*, pl. de *pĭgnus -ŏris* || **prend**ADO 1813 || **prend**AR xiii.
prender *vb.* 'ligar, atar, unir' xiii. Do lat. vulg. *prĕndĕre*, de *prĕhĕndĕre* || DESprender xviii || DESprendIDO xvi || DESprendIMENTO 1881 || **presa** *sf.* 'coisa apresada' xiii. Do lat. *prensa* (part. de *prĕndĕre*), por *prĕhēnsa* || **pres**ILHA 1813. Do cast. *presilla* || **preso** *adj. sm.* 'prisioneiro' xiii. Do lat. *prensus*, por *prĕhēnsus*. Cp. PREIA, PRENSAR.
prenhe *adj.* 2g. 'diz-se da fêmea grávida' '*fig.* pleno, repleto, cheio' | xiii, *prenne* xiii. Do lat. vulg. **praegnis*, de *praegnas -ātis* || EMprenhAR | xiii, *-nnar* xiii etc. | Do lat. *ĭmpraegnāre* || **prenh**ADA | xiii, *-nna-* xiii etc. | Do lat. vulg. **praegnāta*, de *praegnas -ātis* || **prenh**AR | *prennar* xiii || **prenh**EZ | *prennece* xiii. Cp. IMPREGNAR.
prenoção *sf.* 'noção antecipada' 'preconceito' 1813. Do lat. *praenōtĭō -ōnis*.
prenome *sm.* 'nome que antecede o de família' Do lat. *praenōmen -ĭnis*, calcado no gr. tard. *proōnýmion* || **prenom**IN·AR 1758. Do lat. *praenōmināre*.
⇨ prenome | 1836 sc |.
prenotar *vb.* 'notar antecipadamente' 1844. Do lat. *praenotāre* || **prenot**AÇÃO xx. Do lat. *praenōtātĭō -ōnis*.
prensar *vb.* 'comprimir na prensa' 1881. Do lat. *pressāre*, frequentativo de *prĕmĕre* 'apertar', com influência de *prehensa*, part. pass. f. de *prehendĕre* 'prender' xvii. Dev. de *prensar* || **prens**ADO *sm.* 'lustre que se dá aos panos por meio de prensa' 1873. Cp. PRENDER.
prenunciar *vb.* 'predizer, profetizar' xvi. Do lat. *praenuntiāre* || **prenunci**AÇÃO xvi. Do lat. *praenuntiātĭō -ōnis* || **prenunci**ADOR xvi. Do lat. *praenuntiātŏr -ōris* || **prenunci**AT·IVO 1899. Do lat. *praenūntiātīvus -a -um* || **prenúnci**O xvi. Do lat. *praenŭntius -ī*.
preocupar *vb.* 'aborrecer, inquietar' xvii. Do lat. *praeoccupāre* || DESpreocupAÇÃO | *despreoccupação* 1844 || DES**preocup**ADO | *despreoccupa-*

do 1844 ‖ despreocup**AR** | *despreoccupar* 1844 ‖ preocup**AÇÃO** | *preoccupação* 1813 | Do lat. *praeoccupātiō -ōnis*.
⇨ **preocupar** — despreocup**AÇÃO** | *-ccu-* 1836 sc ‖ despreocup**ADO** | *-ccu-* 1836 sc ‖ despreocup**AR** | *-ccu-* 1836 sc |.
preordenar *vb.* 'determinar ou ordenar de antemão' xvi. Do lat. *praeōrdĭnāre*.
preparar *vb.* 'aprontar, arranjar, planejar' xvi. Do lat. *praepărāre* ‖ despreparado xx ‖ despreparo 1899 ‖ prepar**AÇÃO** xvi. Do lat. *praeparātiō -ōnis* ‖ prepar**ADOR** xvi. Do lat. *praeparātor -ōris* ‖ preparat·**IVO** xvii ‖ preparat·**ÓRIO** 1813. Do lat. tard. *praeparātōrius* ‖ **preparo** xix.
⇨ **preparar** — prepar**ATÓRIO** | 1573 gleão 255.*26* |.
prepau *sm.* 'peça de madeira junto ao mastro de um navio, na qual se amarram as escoteiras da gávea' | *prepao* xvi | Do cat. *perpal*.
preponderar *vb.* "ser mais pesado' 'predominar' xviii. Do lat. *praeponderāre* ‖ preponder**ÂNCIA** xix ‖ preponder**ANTE** 1813. Do lat. *praeponděrans -antis*.
prepor *vb.* 'pôr adiante ou antes' 'anunciar ou dar previamente' xv. Do lat. *praepōnĕre* ‖ prepon**ENTE** 1873 ‖ prepos**IÇÃO** | *preposiçã* xvi | Do lat. *praepositiō -ōnis* ‖ preposit**IVO** 1873. Do lat. tard. *praepositīvus* ‖ **prepósito** xvi. Do lat. *praeposĭtus -a -um* ‖ preposit**URA** 1813. Do lat. *praepositūra* ‖ **preposto** *sm.* 'aquele que dirige um serviço' xvi; *adj.* 'posto adiante' xiv. Forma divergente popular de *preposto*.
⇨ **prepor** | xiv bent 23.*41*, 43.*14* ‖ **preposto** *sm.* 'aquele que dirige um serviço' | xiv greg 1.5.*26*, test 86.*32* |.
preposterar *vb.* 'inverter a ordem de' 1844. Do lat. *praepostěrāre* ‖ preposter**IDADE** 1813 ‖ **prepóstero** xvii. Do lat. *praepostěrus -a -um*.
⇨ **preposterar** | 1836 sc |.
preposto → prepor.
prepotência *sf.* 'grande poder ou influência' 'despotismo' 1813. Do lat. *praepotentĭa -ae* ‖ prepot**ENTE** xvii. Do lat. *praepŏtēns -entis*.
prepúcio *sm.* '(Anat.) pele que cobre a glande do pênis' xiv. Do lat. *praepūtĭum -īi*.
prerrogativa *sf.* 'concessão ou vantagem com que se distingue uma pessoa ou uma corporação' | xv, *perrogativa* xv | Do lat. *praerogativa*, fem. de *praerogātīvus*.
pres·a -o → prender.
presb(i)- *elem. comp.*, do gr. *présbys* 'velho, ancião', que já se documenta em vocs. formados no próprio grego, como *presbítero*, e em muitos outros introduzidos na linguagem erudita internacional, a partir do séc. xix ▸ **presbio·frenia** *sf.* '(Patot.) fraqueza senil com amnésia e desorientação' xx ‖ presbi**OPIA** *sf.* '(Med.) presbitismo' | *presbiópia* 1858 | Do fr. *presbyopie*, deriv. do lat. cient. *presbyōpĭa* ‖ presb**ITA** *adj. s2g.* 'diz-se do olho ou da pessoa que só vê bem ao longe' 1813. Do fr. *presbyte*, deriv. do lat. cient. *presbyta* e, 'este, do gr. *presbýtēs* ‖ presb**ITER·ATO** | *presbyterato* 1858 | Do lat. ecles. *presbyterātus -ūs* ‖ presb**ITER·IAN·ISMO** | *presbyteranismo* 1881 | Do fr. *presbyterianisme* ‖ presb**ITER·IANO** 1813. Do fr. *presbytérien* ‖ presb**ITÉR·IO** *sm.* 'residência paroquial' 'na igreja protestante, a corporação dos presbíteros' xvi. Do lat. ecles. *presbyterīum*, deriv. do gr. *presbytereîon* ‖ presb**ÍTER·O** xvii. Do lat. *presbýter-ĕri*, deriv. do gr. *presbýteros* ‖ presb**IT·ISMO** | *presbytismo* 1873.
⇨ **presb(i)-** — presb**ITER·ATO** | *by-* 1836 sc, *presbyterado* 1836 sc |.
presciência *sf.* 'previdência, previsão' xv. Do lat. *praescientĭa -ae* ‖ impresciência 1873. Do lat. *impraescientĭa -ae* ‖ presci**ENTE** 1844. Do lat. *praesciēns -entis*.
⇨ **presciência** — presci**ENTE** | 1836 sc |.
prescindir *vb.* 'separar mentalmente' 'não levar em conta' 'renunciar' xvii. Do lat. tard. *praescinděre* ‖ imprescind**ÍVEL** xx ‖ prescind**ÍVEL** xx.
prescrever *vb.* 'preceituar' 'fixar' xvii; '(Jur.) incidir em prescrição' xvii. Do lat. *praescrīběre* ‖ imprescrit·ibil·**IDADE** 1844 ‖ prescrib**ENTE** *adj. s2g.* '(Júr.) que prescreve 'pessoa que invoca prescrição em seu benefício' 1899 ‖ prescr**IÇÃO** | *perescpcriçom* xv | Do lat. *praescrīptĭō -ōnis* ‖ prescr**ITO** | *prescripto* 1813 | Do lat. *praescrīptum -ī*.
presente[1] *adj. 2g.* 'que assiste pessoalmente' xiii. Do lat. *praesens -ēntis*. ‖ apresent**AÇÃO** xiii ‖ apresent**ADOR** 1844 ‖ apresent**AR** xiii ‖ apresentá·**VEL** 1844 ‖ **presença** xiii. Do lat. *praesentĭa -ae* ‖ presenci**AR** xvii ‖ present**AR** *vb.* 'apresentar' xiii. Do lat. *praeseěntāre* ‖ **presente**[2] *sm.* 'dom, regalo' xiii ‖ present**EAR** | *presentar* xiv.
⇨ **presente**[1] — apresent**ADOR** | xv lopj ii. 455.*9* ‖ presenci**AL** | *presencialmente* adv. 1654 fbfrer 11.*43* ‖ presenci**AR** | *prezenssear* 1634 mnor 245.*7* |.
presepe, presépio *sm.* 'lugar onde se recolhe gado, estábulo' | xiv, *preseve* xiii | Do lat. *praesaepe -is* e *praesaepĭum -ĭī* ‖ presep**ADA** xx.
preservar *vb.* 'conservar, defender, resguardar' xvi. Do lat. tard. *praeservāre* ‖ preserv**AÇÃO** xvii. Do lat. med. *praeservātio -ōnis* ‖ preservat·**IVO** xviii. Do lat. med. *praeservātīvus*.
⇨ **preservar** — preserv**ATIVO** | 1614 sgonç i. 328.*3* |.
presidente *adj. s2g.* 'pessoa que preside' xv. Do lat. *praesidēns -entis* ‖ presid**ÊNCIA** xvii ‖ presid**ENC·IAL** 1881 ‖ presid**ENC·IAL·ISMO** xx ‖ presid**IR** xviii. Do lat. *praesidēre*.
⇨ **presidente** — presid**IR** | 1549 snor 83.*8*, 1573 gleão 5.*30* |.
presídio *sm.* 'ato de defender uma praça militar ou forte' 'tropa encarregada dessa defesa' 'cárcere' xvi. Do lat. *praesidĭum -ĭī* ‖ presidi**AR** xvii ‖ presidi**ÁRIO** xix. Do lat. tard. *praesidiārius*.
⇨ **presídio** — expresidi**AR** | *exprizidiar* 1634 mnor 24.*36* |.
presidir → presidente.
presiganga *sf.* 'ant. navio que servia de prisão ou que recolhia presos' xix. Do ing. *pressgang* 'destacamento militar incumbido de recrutar à força homens para servir na marinha de guerra inglesa', com influência de *preso*.
presigo *sm.* 'aquilo que se come com o pão' 1813. De etimologia obscura.
pres·ilha, -o → prender.

pressa sf. 'afobação, apuro' XIII. Do lat. *pressa*, part. de *prĕmĕre* ‖ Apressado adj. 'orig. oprimido' XIV; 'com pressa' XIV ‖ ApressAMENTO | -sa- XV ‖ ApressAR vb. 'ter pressa' XIV ‖ Apressur·ADO adj. 'apressado, afobado' | XIV, *apresurado* 1572 ‖ ArressUR·AMENTO XIV ‖ ApressUR·AR | XIV, *apresurar* XVII | Do cast. *apresurar*, deriv. do lat. *pressūra* 'pressão, tribulação' ‖ DEpressa XV ‖ pressURA sf. 'aflição' XIII. Do lat. *pressūra* ‖ pressUR·OSO | *presuroso* XVI. Cp. PRESSÃO.
presságio sm. 'fato ou sinal que prenuncia o futuro' | *presagio* XVI | Do lat. *praesāgĭum -ĭī* ‖ pressagiAR | *presagiar* XVII | Do lat. *praesāgĭāre* ‖ pressago | *presaga* f. 1572 | Do lat. *praesāgus -a -um*.
pressão sf. 'ato ou efeito de comprimir ou apertar' 1813. Do lat. *pressĭō -ōnis* ‖ pressiR·ROSTRO adj. '(Zool.) que tem bico comprido' | *pressirostros* pl. 1881 ‖ pressUR·IZAR XX. Do ing. *to pressurize*. Cp. PRESSA.
pressentir vb. 'sentir antecipadamente' | *presentir* XVI | Do lat. *praesentīre* ‖ pressentIMENTO | *presentimento* XVIII.
pressirrostro → PRESSÃO.
pressupor vb. 'presumir, conjeturar' XVI. Do lat. med. *praesuppōnĕre* ‖ **pressuposição** | *presupposição* 1844 | Do lat. med. *praesuppositio -ōnis* ‖ **pressuposto** XVI.
⇨ **pressupor** | *pressopoer* XV BENF 44.*22*, *persopoer* Id.55.*23* |.
pressura → PRESSA.
pressurizar → PRESSÃO.
pressuroso → PRESSA.
prestar vb. 'ser útil, servir' 'dar com presteza e cuidado' 'dispensar' XIII. Do lat. *praestāre* ‖ AprestAMENTO XIII ‖ Aprestar XVII ‖ Aprestos sm. pl. 'aprestamentos' XVII ‖ EMprestADO XVI ‖ EMprestar | XIII, *en-* XIII ‖ EMpréstimo | XVII, *-ido* XIII, *-amo* XV ‖ IMprestÁVEL 1899 ‖ prestAÇÃO 1813. Do lat. tard. *praestatĭō -ōnis* ‖ prestADOR XV ‖ prestAM·ISTA 1873 ‖ préstAMO 'ant. empréstimo' XIII ‖ prestÂNCIA XVI. Do lat. *praestāntĭa -ae* ‖ prestA-NOME XX. Do fr. *prête-nom* ‖ prestANTE 1572. Do lat. *praestāns -āntis*, part. pres. de *praestāre* ‖ prestAT·ÁRIO XX ‖ prestAT·IVO 1813 ‖ prestÁVEL 1899. Do lat. *praestabĭlis -e* ‖ prestES adj. 2n. adv. 'disposto, pronto' 'com presteza' XIII. Do lat. tard. *praestus -a -um*, através de *praestis, ou, talvez, do prov. *prest* ‖ prestEZA 1572 ‖ prestI-DÃO sf. ant. 'presteza' | *-dõoe* XV ‖ **préstimo** 1813 ‖ prestimoso 1881 ‖ presto XVI. Do it. *prèsto*, deriv. do lat. *praestō*.
⇨ **prestar** — **presto** | XIV TROY I. 206.*11*, XV BENF 165.*29* |.
preste sm. 'ant. padre, sacerdote' 'presbítero' XIII. Do a. fr. *prestre* (hoje *prêtre*), deriv. do b. lat. *presbyter* e, este, do gr. *presbýteros* de *présbys* 'ancião'. Cp. PRESB(I)-.
prest·es, -idão → PRESTAR.
prestidigitação sf. 'arte e técnica de prestidigitador' 'ilusionismo' 1881. Do fr. *prestidigitation*, deriv. do adj. *preste* e do lat. *digitus* 'dedo' ‖ **prestidigi-**tADOR 1881. Do fr. *prestidigitateur* ‖ prestíMANO sm. 'prestidigitador' XIX.
prestígio sm. 'magia' 'fig. encanto' 'influência exercida por pessoa, coisa, instituição que provocam admiração ou respeito' XVII. Do lat. tard. *praestīgĭum* ‖ DESprestigiAR 1881 ‖ DESprestígio 1881 ‖ prestigiADOR 1873. Do lat. *praestigiātor -ōris* ‖ prestigiAR 1873. Do lat. *praestigiāre*. ‖ prestigioso XIX. Do lat. tard. *praestigiōsus*.
⇨ **prestígio** — **prestigi**ADOR | 1836 SC |.
prestímano → PRESTIDIGITAÇÃO.
préstimo → PRESTAR.
prestimônio sm. 'pensão ou bens destinados ao sustento de um padre e separados das rendas de um benefício' XVI. Do lat. ecles. *praestimōnium*, do lat. *praestāre*; cp. PRESTAR.
prestimoso → PRESTAR.
préstite sm. 'entre os antigos romanos, aquele que presidia a certas solenidades' 1899. Do lat. *praestes -ĭtis* ‖ **préstito** sm. 'agrupamento de numerosas pessoas em marcha' 1813. Do lat. *praestitus*, part. de *praestāre*; cp. PRESTAR.
presto → PRESTAR.
presumir vb. 'imaginar, supor, suspeitar' XIV. Do lat. *praesūmĕre* ‖ presumIDO 1813 ‖ presumÍVEL 1858 ‖ presunÇÃO | *presumpçom* XIV | Do lat. *praesumptĭō -ōnis* ‖ presunçOSO | XVI, *presuntuoso* XIV | Do lat. *praesumptuōsus* ‖ presuntIVO XIX. Do lat. tard. *praesumptīvus*.
⇨ **presumir** — **presun**ÇÃO | *presunções* pl. XIII FLOR 399, *presonções* pl. Id. 650 |.
presunto sm. 'perna ou espáduа de porco, salgada e curada ao fumeiro' 1813. De um lat. *persunctus, provavelmente.
presúria sf. 'reivindicação ou reconquista pelas armas' 1813. De origem incerta; talvez se relacione com o ant. *pressura* (*presura* no séc. XIII); cp. PRESSA.
pretensão sf. 'direito suposto (ou real) e reivindicado' XVI. Do fr. *pretention*, deriv. do lat. med. *praetentio* (ou *praetensio*) *-ōnis* ‖ DESpretensão 1881 ‖ DESpretensioso 1881 ‖ pretendENTE XVII ‖ pretender XV. Do lat. *praetendĕre* ‖ pretensioso 1881. Do fr. *prétentieux* ‖ pretenso XVIII. Do lat. *praetensus*.
⇨ **pretensão** — **pretens**OR | *a* 1595 *Jorn*. 174.*12* |.
preterir vb. 'desprezar, rejeitar' 1813. Do lat. *praeterīre* ‖ IMpreterir 1899 ‖ IMpreterÍVEL XVIII ‖ preterIÇÃO 1813. Do lat. *praeteritĭō -ōnis* ‖ preterÍVEL 1881.
pretérito adj. 'que passou, passado' XVII. Do lat. *praeterĭtus -a -um*.
⇨ **pretérito** | XV BENF 304.*33*, 1573 GLeão 106.*23* |.
pretermitir vb. 'preterir' | *pretermittir* XVII | Do lat. *praetermittĕre* ‖ pretermissÃO 1813. Do lat. *praetermissĭō -ōnis*.
pretexta sf. 'toga branca, franjada de púrpura, que usavam, em Roma, os mancebos das famílias patrícias, senadores e altos magistrados' XVI. Do lat. *praetexta -ae*.
pretexto sm. 'razão aparente ou imaginária que se alega para dissimular o motivo real de uma ação ou omissão' 'desculpa' XVI. Do lat. *praetextum -ī* ‖ pretextAR XVIII.
preto adj. 'ant. perto, próximo' XIII; 'negro' XIII. Do lat. *prettus, por *pressus*.
⇨ **preto** — **pretalhão** 'indivíduo preto muito grande' | *c* 1608 NOReb 140.*31* |.

pretolim *sm.* 'verniz dos espadeiros' 1813. De origem incerta.
pretor *sm.* 'magistrado que, na Roma antiga, distribuía a justiça' XV. Do lat. *praetor -ōris* || **pretor**IA *sf.* 'jurisdição de pretor' XVI || **pretór**IA *sf.* 'sala anexa aos conventos, na qual se julgavam os pleitos' XVII. Do lat. *praetŏrĭa* || **pretor**IANO XVII. Do lat. *praetōriānus -a -um* || **pretório**[1] *sm.* 'na Roma antiga, tenda do general em campanha' 'modernamente, qualquer tribunal' 1844. Do lat. *praetōrĭum* || **pretório**[2] *adj.* 'estabelecido pelo pretor romano' XVII. Do lat. *praetōrĭus -a -um* || **pretur**A XVII. Do lat. *praetūra -ae*.
⇨ **pretor** — **pretório**[1] 'na Roma antiga, tenda do general em campanha' | 1836 sc |.
prevalecer *vb.* 'ter mais valor, predominar' XVII. Do lat. *praevalescĕre* || **prevalec**ENTE 1813. Do lat. *praevalescens -entis* || **preval**ÊNCIA 1899. Do lat. *praevalentĭa -ae* || **preval**ENTE 1844. Do lat. *praevalēns -entis* || **prevaler** XX. Do lat. *praevalēre*.
⇨ **prevalecer** | *preaulescer* 1525 ABEJP 7v18 |.
prevaricar *vb.* 'faltar ao dever' 'errar' XVII. Do lat. *praevāricārī* || **prevaric**AÇÃO 1813. Do lat. *praevaricātĭō -ōnis* || **prevaric**ADOR XVI. Do lat. *praevaricātor -ōris*.
prevenir *vb.* 'dispor com antecipação' 'acautelar' XIV. Do lat. *praevenīre* || DES**preven**IDO 1813 || DES**prevenir** 1881 || **prevenç**ÃO XVII. Do lat. *praeventĭō -ōnis* || **preveni**ENTE 1813. Do lat. *praeveniēns -entis* || **preven**TIVO 1833. Do fr. *préventif*, deriv. do lat. **praeventivus* || **prevento** 1813. Do lat. *praeventus* || **prevent**ÓRIO XX. Do fr. *préventorium*.
prever *vb.* 'supor, conjeturar, calcular' XVI. Do lat. *praevidēre* || IM**previd**ÊNCIA 1881 || IM**previd**ENTE 1881 || IM**previs**ÃO 1873 || IM**previs**ÍVEL XX || **previd**ÊNCIA 1813. Do lat. *praevidentĭa* || **previd**ENTE 1813. Do lat. *praevidēns -entis* || **prévio** XVII. Do lat. *praevius* || **previs**ÃO 1813. Do lat. tard. *praevīsĭō -ōnis* || **previs**ÍVEL XX. Do fr. *prévisible* || **previsto** XIV.
provérbio *sm.* '(Gram.) prefixo que se junta a um verbo' XX. Do fr. *préverbe*.
prezar *vb.* 'ter em alta consideração' | XIV, *-çar* XIII, | Do lat. *pretiāre* || **preziad**E | *preziador* XV, *-zidor* XIV || DES**prez**AMENTO | XIII, *-ça-* XIV || DES**prezar** | XIII, *-çar* XIII || DES**prez**ÍVEL 1813 || **prez**ADO | XIII, *-çado* XIII || **prez**ADOR XV. Cp. PREÇO.
⇨ **prezar** — DES**prez**ÍVEL | *despresivel* 1614 SGONÇ I. 68.*12* |.
priapismo *sm.* '(Patol.) ereção dolorosa e persistente, não acompanhada de desejo sexual' 1844. Do lat. tard. *priāpismus*, deriv. do gr. *priapismós*, de *Príāpos* (≥ lat. *Priāpus*) 'Priapo', deus da procriação, entre os gregos e romanos.
⇨ **priapismo** | 1836 sc |.
primeiro *adj. num. sm.* 'ordinal correspondente a um' 'que antecede outros quanto ao tempo, lugar, série ou classe' XIII. Do lat. *prīmārĭus -a -um* || A**primor·**AR 1844||DES**primor**XVI||DES**primor·**OSO XVI || **prim**A *sf.* 'a primeira das sete horas canônicas' XIII. Do lat. *prima (hora)* || **primacial** XVI. De um lat. **primatialis*, de *prīmātĭa* || **prim**ADO XIII. Do lat. *prīmātus -ūs* || **prim**AGEM *sf.* 'ant. remuneração que alguém combinava dar ao capitão de um navio mercante no caso de o levar a porto e salvamento' 1881. Do fr. *primage* || **prim**AR *vb.* 'ser o primeiro' 'ter a primazia' 1881. Do fr. *primer* || **prim**ÁRIO *adj.* 'primeiro' XVIII. Forma divergente culta de *primeiro*, deriv. do lat. *prīmārĭus -a -um* || **primata** XIX. Do lat. cient. *prīmātēs* || **primavera** XVI. Do lat. tard. *prīma vērā*, deriv. do lat. *prīmo vere* || **primaver**IL 1899 || **primaz** *sm.* 'prelado que tinha jurisdição sobre certo número de arcebispos e bispos' | *primas* XIV || **primazia** XVII. Do lat. med. *prīmātĭa* || **primevo** *adj.* 'relativo aos tempos primitivos' XVI. Do lat. *prīmaevus -a -um* || **primícias** *sf. pl.* 'primeiros frutos' XIII. Do lat. *prīmītĭae -arum* || **primi**GÊNIO *adj.* 'o primeiro da sua espécie' XVII. Do lat. *prīmigenĭus -a -um* || **primí**GENO 1881. Forma divergente culta de *primigênio*, deriv. do lat. *prīmigenĭus -a -um* || **primi**NA *sf.* 'o primeiro invólucro do óvulo, contando-se de fora para dentro' 1873 || **primípara** *adj.* 'diz-se da fêmea que tem o primeiro parto' 1873. Do lat. *prīmĭpăra -ae* || **primitivo** XVII. Do lat. tard. *prīmitīvus* || **primo** *num.* 'primeiro' XIII; *sm.* 'parente' XIII. Forma abreviada de *(consobrīnus) prīmus* || **primogênito** | *primogenyto* XV | Do lat. tard. *prīmogenitus* || **primogenitura** | *primogenytura* XIV | Do lat. tard. *prīmogenitūra* || **primor** *sm.* 'qualidade superior' 'delicadeza' 1525. Do lat. *prīmōr -ōris* || **primordial** XVII. Do lat. *prīmōrdĭālis -e* || **primórdio** XVI. Do lat. *prīmōrdĭum -ī* || **primor**OSO XVII || **primulina** *sf.* 'substância corante extraída da prímula' 1873. Do fr. *primuline*.
⇨ **primeiro** — A**primor·**AR | 1836 sc || **primo**GÊNITO | *primoginito* XIV TEST 98.*13* |.
príncipe *sm.* 'filho ou membro da família reinante' | XIV, *princepe* XIII | Do lat. *princeps -cĭpis* || **princ**ESA | *pryncesa* XV | Do cast. *princesa*, deriv. do fr. *princesse* || **princip**ADO | *prinçipado* XIV || **principal** XIV. Do lat. *prīncĭpālis -e* || **princip**ESCO XIX. Do it. *principesco*.
⇨ **príncipe** — **princip**AL | XIII FLOR 628 |.
principiar *vb.* 'iniciar, começar, abrir' XV. Do lat. tard. *prīncĭpiāre* || **principi**ANTE XVI || **princípio** XIV. Do lat. *prīncĭpĭum -ī*.
⇨ **principiar** — **principi**ADOR | 1573 NDias 5.*19* |.
prior *sm.* 'superior de convento nalgumas ordens monásticas' XIII, *priol* XIII | Do lat. *prĭor -ōris* || **prior**A | XIII, *-la* XIII || **prior**ADO XIII. Do lat. *priorātus -ūs* || **prior**ESA | XIII, *-essa* XIII, *priuresa* XIII.
prioridade *sf.* 'qualidade do que está em primeiro lugar, ou do que aparece primeiro' XVII. Do lat. med. *priōrĭtās -ātis* || **priorIT·**ÁRIO XX.
prioste *sm.* 'antigo cobrador de rendas eclesiásticas' XIV. Do fr. ant. *pre(v)ost* (atual *prévôt*). Cp. PREBOSTE.
prisão *sf.* 'ato ou efeito de prender, captura' 'presídio, cárcere' | *-son* XIII, *-jon* XIII etc. | Do lat. *prĕhēnsio -ōnis* || A**prision**AR 1813 || **prison**EIRO | XV, *prisoneiro* XIV | Do fr. *prisonnier*.
⇨ **prisão** — A**prision**ADO | *aprisoado* XV BENF 321.*16*, *aprisoado* XV INFA 48.*18*, *aprisuado* XV CESA I. 10§7.7 etc. || A**prision**AMENTO | *apriosamento (sic)* XV CESA III, 15§26.7 || A**prision**AR | *aprisoar* XIV DICT 408 etc. |.
priscilianismo *sm.* 'teoria de Prisciliano, herege hispânico do séc. IV, pela qual a alma do homem

vem do céu e o princípio do mal se reúne ao corpo' | *priscillianismo* 1873 | Do fr. *priscillianisme* || **priscilian**ISTA | *priscillianista* XVII | Do lat. med. *priscilliãnista*.
prisco *adj.* '(Poét.) antigo' 'relativo ao passado' 1572. Do lat. *prīscus -ī*.
prise *sf.* 'posição das engrenagens da caixa de mudanças de um veículo automóvel, na qual o motor transmite maior velocidade às rodas' XX. Do fr. *prise*.
prisioneiro → PRISÃO.
prisma *sf.* '(Geom.) poliedro em que duas faces são polígonos paralelos e côngruos, e as outras são paralelogramos' XVIII. Do lat. tard. *prisma -atis*, deriv. do gr. *prísma -atos* || **prismát**ICO 1813. Do fr. *prismatique* || **prismat**IZAR XX || **prismat**OIDE 1873.
⇨ **prisma** | 1680 *in* RB |.
prístino *adj.* '(Poét.) prisco' XVI. Do lat. *prīstĭnus -a -um*.
prítane *sm.* 'na Grécia antiga, cada um dos 50 delegados das tribos ao Conselho dos Quinhentos' | *prytano* 1873 | Do lat. *prytanis*, deriv. do gr. *prýtanis* || **pritaneu** | *prytaneo* 1873 | Do lat. *prytanēum*, deriv. do gr. *prytaneîon*.
⇨ **prítane** — **pritaneu** | *prytaneo* 1836 SC |.
privar *vb.* 'despojar, destituir, tolher' XIV. Do lat. *prīvāre* || **priv**AÇÃO | *priuaçon* XIV | Do lat. *prīvātĭō -ōnis* || **priv**AC·IDADE XX || **priv**ADA *sf.* 'latrina' 'vaso sanitário' XIV || **priv**ADO *sm.* 'favorito' XIII. Do lat. *prīvātus -ī* || **priv**AMENTO XIV || **priv**ANÇA XIII || **priv**AT·IVO XVI. Do lat. tard. *prīvātīvus*.
privilégio *sm.* 'vantagem que se concede a alguém com exclusão de outros e contra o direito comum' | *priuilegio* XIII | Do lat. *prīvĭlēgĭum -īī* || **privile**giADO | *priuylegiado* XIII || **privilegi**AR | *priujligiar* XV, *preujlegiar* XV etc.
pró *adv. sm.* 'a favor' 'vantagem' XVI. Do lat. *prō*. O voc. port. ocorre na formação de inúmeros compostos, com a acepção de 'favorável a' 'adepto de', como *pró-anistia*, *pró-lexicografia* etc.
pro- *pref.*, do lat. *pro-* e/ou do gr. *pro-* 'antes, em frente, para diante', que já se documenta em numerosos vocs. formados em latim (*proclamar*, *progredir* etc.) e em grego (*programa*, *pródromo* etc.), e que ocorre, também, na formação de alguns compostos introduzidos na linguagem científica internacional (*progéria*, *progesterona* etc.).
proa *sf.* 'a parte anterior da embarcação' XIV.' Do lat. *prōra -ae* (< gr. *prōra -as*), com provável interferência do it. dial. *proa* (it. *prua*) ou do prov. *proa* || A**pro**AR *vb.* 'pôr a proa de (embarcação) em uma dada direção' XVII || EM**pro**ADO XVII || EM**pro**AR XV.
probabilidade *sf.* 'qualidade ou caráter de provável' 'motivo ou indício que deixa presumir a verdade ou a possibilidade dum fato' 1813. Do lat. *probābĭlĭtās -ātis* || **probabil**ISMO 1795. Do fr. *probabilisme*.
⇨ **probalidade** | 1614 SGONÇ I. 103.*17* | Cp. PROVAR.
prob·ante, -atória → PROVAR.
probático *adj.* 'diz-se de uma piscina, em que se reservava água, junto do templo de Jerusalém, e em que se lavavam os animais destinados ao sacrifício' 1813. Do lat. *probatĭcus -a -um*, deriv. do gr. *probatikós*.

probatório → PROVAR.
probidade → PROBO.
problema *sm.* 'questão (matemática) proposta para que se lhe dê a solução' XVII. Do lat. tard. *problēma -ātis*, deriv. do gr. *próblēma -atos* || **problemát**ICO XVII. Do lat. *problēmaticus*, deriv. do gr. *problēmatikós* || **problemat**IZAR 1844.
⇨ **problema** — **problemat**IZAR | 1836 SC |.
probo *adj.* 'de caráter íntegro' 1813. Do lat. *probus -a -um* || IM**prob**IDADE XVII. Do lat. *improbĭtās -ātis* || ÍM**probo** XVII. Do lat. *imprŏbus -a -um* || **probi**DADE 1813. Do lat. *probĭtās -ātis*.
probóscida *sf.* 'a tromba do elefante' | *proboscidas* pl. 1858 | Do fr. *proboscide*, deriv. do lat. tard. *proboscis -idis* e, este, do gr. *proboskís -ídos*.
procaz *adj.*, 2g. 'insolente, petulante, impudente' 1899. Do lat. *procāx -ācis* || **procac**IDADE 1844. Do fr. *procacité*, deriv. do lat. *procācĭtās -ātis*.
proceder *vb.* 'ter origem' 'agir, obrar' XIV. Do lat. *prōcēdĕre* || IM**proced**ENTE 1844 || **proced**ÊNCIA XIX || **proced**ENTE XVI || **proced**IMENTO XIV || **processão** *sf.* 'procedência' XVII. Do lat. *prōcessĭō -ōnis*. Cp. PROCESSO.
procela *sf.* 'tempestade marítima' | *procella* 1572 | Do lat. *procella -ae* || **procel**ÁRIAS *sf. pl.* '(Zool.) gênero de aves palmípedes que, aparecendo em bandos sobre as ondas, anunciam tempestade' 1844. Do it. *procellària*, deriv. do lat. *procellāria* || **procel**OSO | 1572, *procellosa* f. 1572 | Do lat. *procellōsus -a -um*.
⇨ **procela** | *c* 1538 JCASG 192.*21* [margem] |.
prócer *sm.* 'homem importante em uma nação, classe, partido' XVI. Do lat. *procēr -ĕris* || **procer**IDADE XVII. Do lat. *prōcērĭtās -ātis* || **prócero** *adj.* XVII. Do lat. *prōcerus -a -um*.
processão → PROCEDER.
processo *sm.* 'curso, marcha, técnica' | *proçesso* XIV | Do lat. *prōcessus -ūs* || **process**AR | XVII, *proçesado* part. XV || **processo**LOG·IA 1899 || **process**UAL XX || **process**ION·AL *adj.* 2g. 'relativo a procissão' 1899 || **procissão** *sf.* 'cerimônia religiosa em que sacerdote e sectários de um culto seguem geralmente em filas entoando preces' | *-sson* XIII, *precisson* XIII, *preçiçõ* XIV etc. | Do lat. *prōcessĭō -ōnis*. Cp. PROCEDER.
procidência *sf.* '(Med.) prolapso' XVII. Do lat. *prōcidentia* || **procid**ENTE XX.
proclamar *vb.* 'anunciar em público e em voz alta' 'afirmar com ênfase' XVI. Do lat. *prōclāmāre* || **proclama** 1844 || **proclam**AÇÃO XVII. Do lat. *prōclamātĭō -ōnis* || **proclam**ADOR 1813. Do lat. *prōclamātor -ōris*.
⇨ **proclamar** — **proclama** | 1836 SC |.
próclise *sf.* '(Gram.) anteposição de palavra átona a outra que o não é' 1899. Do lat. cient. *proclisis*, voc. introduzido na linguagem científica internacional pelo alemão Hermann, em 1801 || **proclítico** 1899. Do lat. cient. *proclīticus*, também criado por Hermann, em 1801, com base no gr. *proklítnein*.
proclive *adj.* 2g. 'inclinado para diante' 1899. Do lat. *prōclīvis -e* || **procliv**IDADE 1899. Do lat. *prōclīvĭtās -ātis*.
procônsul *sm.* 'ant. magistrado romano, governador de uma província' 1813. Do lat. *prōcōnsŭl*

-*ŭlis* || **proconsul**ADO 1813. Do lat. *prōcōnsulātus -us* || **proconsul**AR 1844. Do lat. *proconsulāris -e.*
⇨ **procônsul** | 1614 sGonç I. 90.7 || **proconsul**AR | 1836 sc |.
procrastinar *vb.* 'adiar' XVII. Do lat. *prōcrāstināre* || **procrastin**AÇÃO 1844. Do lat. *prōcrāstinātĭō -ōnis.*
⇨ **procrastinar** — **procrastin**AÇÃO | 1836 sc |.
procriar *vb.* 'dar nascimento' 'gerar' XVII. Do lat. *prōcreāre* || **procri**AÇÃO | *procreação* 1813 | Do lat. *prōcreātĭō -ōnis* || **procri**ADOR | *procreador* 1813 | Do lat. *prōcreātor -ōris.*
proct(o)- *elem. comp.*, do gr. *prōktós* 'ânus', que se documenta em alguns vocs. introduzidos na linguagem científica internacional, a partir do séc. XIX
▶ **proct**ECTAS·IA *sf.* '(Patol.) dilatação do ânus' XX || **proct**ITE *sf.* '(Patol.) inflamação do ânus' | 1899, *proctita* 1873 | Do lat. cient. *prōctītis* || **procto**CELE *sf.* '(Patol.) queda do reto' 1890. Do fr. *proctocèle*, deriv. do lat. cient. *prōctocēlē* || **proctó**CLISE *sf.* '(Med.) injeção de quantidade vultosa de líquido no reto' XX || **procto**LOGIA XX || **procto**PEXIA *sf.* '(Cir.) fixação do reto' XX || **proct**OR·RAGIA *sf.* '(Patol.) hemorragia anal' | *proctorrhagia* 1873.
procumbir *vb.* 'cair para diante' 'estirar-se morto ou ferido' 1899. Do lat. *prōcumbĕre.*
procurar *vb.* 'esforçar-se por achar ou conseguir' 'pedir com instância' XIV. Do lat. *prōcūrāre* || **procura** XVII || **procur**AÇÃO | *procurazon* XIII, *procuraçom* XIV etc. | Do lat. *prōcūrātĭō -ōnis* || **procur**ADOR XIII. Do lat. *procurātor -ōris* || **procur**ADOR·IA 1813 || **procur**AMENTO | *per-* XV || **procur**ANTE XV || **procur**ATÓR·IO XIV. Do lat. *procurātōrĭus* || SUB-**procur**ADOR XX.
prodição → PRÓDITO.
prodigalidade *sf.* 'qualidade ou ação de liberal, esbanjador' XVI. Do lat. tard. *prōdigālĭtās -ātis* || **prodigal**IZAR 1833 || **pródigo** XV. Do lat. *prōdĭgus -a -um.*
prodígio *sm.* 'portento' 'maravilha' XVI. Do lat. *prōdĭgĭum·ĭī*|| **prodigi**OSO XVII. Do lat. *prōdigĭōsus -a -um.*
pródigo → PRODIGALIDADE.
pródito *adj.* 'atraiçoado, traído, divulgado' XX. Do lat. *prōdĭtŭs -a -um* || **prodição** 1813. Do lat. *prōdĭtĭō -ōnis* || **proditor** XVII. Do lat. *prōdĭtŏr -ōris.*
pródromo *sm.* 'preâmbulo, preliminar' XVII. Do lat. *prŏdrŏmus*, deriv. do gr. *pródromos.*
produto *sm.* 'aquilo que é produzido pela natureza' 'resultado de qualquer atividade humana (física ou mental)' | *producto* 1813 | Do lat. *prŏductum* || CONTRA**produc**ENTE 1873 || IM**produt**IVO | *improductivo* 1873 | Do fr. *improductif* || **produção** XVIII. Do lat. *prŏductĭō -ōnis* || **produc**ENTE XVIII. Do lat. *producens -entis* || **product**IBIL·IDADE 1873 || **produt**ÍVEL | *productível* 1881 || **produt**IV·IDADE | *productividade* 1899 || **produt**IVO | *productivo* 1813 | Do lat. *productivus* || **produt**OR XVII || **produzir** XVI. Do lat. *prōdūcĕre* || RE**produção** XVI || RE**produt**OR | *reproductor* 1899 || RE**produzir** 1813 || SUPER**produção** XX.
⇨ **produto** — **product**IBIL·IDADE | 1836 sc |.
proem·ial, -iar → PROÊMIO.
proeminente *adj.* 2g. 'que se alteia acima do que o circunda' 'saliente' XVII. Do lat. *prōmĭnēns -ēntis*, part. de *prōmĭnēre* || **proeminência** | *priiminência* XVI | Do lat. *prōminentĭa -ae.* Cp. PREEMINÊNCIA.
proêmio *sm.* 'prefácio' | *prohemjo* XV, *prohemyo* XV | Do lat. *prooemium*, deriv. do gr. *prooímion* || **proemi**AL *adj.* 2g. 'preambular' XVII || **proemi**AR *vb.* 'prefaciar' 1844.
⇨ **proêmio** — **proemi**AR *vb.* | 1836 sc |.
proeza *sf.* 'façanha' XIII. Do a. fr. *proece* (hoje *prouesse*).
profano *adj.* 'estranho à religião' 'secular, leigo' XV. Do lat. *profānus -a -um* || **profan**AÇÃO 1813. Do lat. *profānātĭō -ōnis* || **profan**ADOR 1813. Do lat. *profanātor -ōris* || **profan**AR XVI. Do lat. *profānāre* || **profan**IDADE 1813. Do lat. *profānĭtās -ātis.*
prófase *sf.* '(Biol.) a primeira fase da divisão celular indireta' XX. Do fr. *prophase*, de PRO- + *phase* 'fase'.
profecia → PROFETA.
profectício, profetício *adj.* 'bens que fazem parte do dote constituído pelo pai, mãe ou qualquer ascendente' 1813. Do lat. tard. *profectīcĭus.*
proferir *vb.* 'pronunciar em voz alta e clara' XVIII. De um lat. **profĕrĕre*, deduzido de *prōferre* || IM-**proferÍVEL** 1899.
⇨ **proferir** | 1572 *Lus.* VIII. 76 |.
professar *vb.* 'reconhecer publicamente' 'adotar' XVI. Do lat. med. **professāre*, iterativo de *profĭtērī* || **professo** | *professa* f. XIII | Do lat. *professus -a -um* || **professor** XV. Do lat. *professor -ōris* || **professor**ADO 1858 || **profissão** | *profissom* XIII | Do lat. *professĭō -ōnis* || **profission**AL 1803 || **profission**AL·IZ·ANTE XX || **profitente** 1813. Do lat. *profĭtēns -entis*, part. de *profĭtērī.*
profesto *adj.* 'entre os antigos romanos, dia que não era feriado nem solene, dia em que se trabalhava, dia útil' XVII. Do lat. *profēstus -a -um.*
profeta *sm.* 'indivíduo que prediz o futuro' XIII. Do lat. *prŏphēta -ae*, deriv. do gr. *prophḗtēs* || **profecia** XIII. Do lat. ecles. *prophētīa*, deriv. do gr. *prophētéia* || **profet**AR XIII || **profét**ICO | *profétego* XVI, *prophetico* XVI | Do lat. *prophētĭcus -a -um* || **profet**ISA | *prophetissa* XV | Do lat. *prophētissa -ae* || **profet**IZ·ADOR | *-phe-* XIII || **profet**IZAR | XIV, *-phe-* XIII | Do lat. *prophētizāre.*
profetício → PROFECTÍCIO.
profét·ico, -isa, -izador, -izar → PROFETA.
profícuo *adj.* 'vantajoso, útil' XVII. Do lat. tard. *prŏfĭcuus*, de *prōfĭcĕre* || IM**profícuo** 1881 || **proficiente** XVI. Do lat. *profĭcĭēns -ēntis.*
profilaxia *sf.* 'emprego de meios para evitar doenças' | *prophylaxia* 1873 | Do fr. *prophylaxie*, deriv. do lat. cient. *prophylaxis* e, este, do gr. *prophýlaxis* 'precaução' || **profil**ÁT·ICO | *prophylactico* 1858 | Do fr. *prophylactique*, deriv. do gr. *prophylaktikós.*
profiss·ão, -ional, -ionalizante, profitente → PROFESSAR.
profligar *vb.* 'lançar por terra, abater, destruir' 1813. Do lat. *prōflīgāre* || **proflig**AÇÃO 1858. Do lat. tard. *prōflīgātĭō -ōnis* || **proflig**ADOR 1813. Do lat. *prōflīgātor -ōris.*
⇨ **profligar** — **proflig**ADO | 1572 *Lus.* X. 20 |.
prófugo → FUGA¹.
pro-fund·ar, -eza, -idade, -o → FUNDO.

profuso *adj.* 'que se espalha em abundância' XVI. Do lat. *profūsus,* part. de *profundĕre* ‖ **profus**ÃO 1813. Do lat. *profūsiō -ōnis.*
progênie *sf.* 'origem, ascendência' 'geração' | XVI, *progenia* XIII | Do lat. *prōgeniēs -ēī* ‖ **progênito** *adj. sm.* ('Poét.) que, ou aquele que é procriado, descendente' XVIII. Do lat. tard. *prōgenitus* ‖ **progenitor** XV. Do lat. *prōgenitor -ōris* ‖ **progenit**URA 1844.
⇨ **progênie** — **progenit**URA | 1836 SC |.
progéria *sf.* '(Patol.) anomalia caracterizada por uma mistura de infantilismo com senilidade prematura' XX. Do fr. *progérie,* de PRO- + gr. *geraios* 'velho, venerável'.
progesterona *sf.* '(Quím.) substância cristalina, incolor, hormônio que governa o crescimento do útero feminino' XX. Do fr. *progestérone,* deriv. do lat. tard. *prog(estare)* 'lançar, levar avante' + *ester* 'éster' + *(horm)one* 'hormônio'.
proglótide *sf.* '(Zool.) anel ou segmento completo da tênia' XX. Do lat. cient. *proglottis -idis,* deriv. do gr. *proglōttís -idos.*
prognata *adj. s2g.* 'prógnato' XX. Do fr. *prognathe,* de PRO- + -*gnathe* (< gr. *gnathos* 'maxila') ‖ **prognat**ISMO | -*thismo* 1899 ‖ **prógnato** *adj. sm.* 'que, ou aquele que tem as maxilas alongadas e proeminentes' | -*tho* 1873.
progne *sf.* '(Poét.) a andorinha' *'fig.* a primavera' XVI. Do lat. *prognē,* var. de *procnē,* deriv. do gr. *próknē.*
prognóstico *sm.* 'conjetura sobre o desenvolvimento de um negócio, de um assunto etc.' 'sintoma' | 1758, *pronostico* XV | Do lat. *prognōsticum,* deriv. do gr. *prognōstikón* ‖ **prognose** 1873. Do lat. tard. *prognōsis,* deriv. do gr. *prógnōsis* ‖ **prognostic**AR 1873.
⇨ **prognóstico** — **prognostic**AÇÃO | *pronosticação* 1660 FMMeIE 233.*20* ‖ **prognostic**ADOR | *pronosticador c* 1644 Aned. 15 | **prognostic**AR | *pronosticar a* 1595 Jorn. 69.*9* |.
programa *sm.* 'escrito ou publicação em que se anunciam e/ou descrevem os pormenores de um espetáculo, festa ou cerimônia, das condições dum concurso etc.' 1813. Do lat. tard. *programma -atis,* deriv. do gr. *prógramma -atos* ‖ **program**AÇÃO XX ‖ **program**AR XX ‖ **program**ÁTICO XX.
progresso *sm.* 'ato ou efeito de progredir, avançar' XVII. Do lat. *prōgressus -ūs* ‖ **progredir** 1844. Do lat. **prōgredīre* (cláss. *progredī*) ‖ **progress**ÃO 1813. Do lat. *prōgressiō -ōnis* ‖ **progress**ISTA 1876. Do fr. *progressiste* ‖ **progress**IVO 1813. Do fr. *progressif.*
⇨ **progresso** — **progredir** 1836 SC |.
proibir *vb.* 'impedir que se faça' 'ordenar que não se faça' 'vedar' XVI. Do lat. *prohibēre* ‖ **proib**IÇÃO | *prohibição* XVII | Do lat. *prohibitiō -ōnis* ‖ **proib**IDOR | *prohibidor* 1858 | Do lat. *prohibĭtōr -ōris* ‖ **proib**IT·IVO 1813. Do fr. *prohibitif* ‖ **proib**IT·ÓRIO XVII. Do lat. *prohibitōrius.*
⇨ **proibir** — **proib**IÇÃO | *prohibição* 1573 GLeão 77.*21* |.
proiz *sm.* '(Náut.) *ant.* cabo com que se amarravam embarcações à terra' XVI. Do cast. *proís,* deriv. do cat. *prois.*
projeção *sf.* 'ato ou efeito de lançar' 1813. Do lat. *prōjectiō -ōnis* ‖ ANTE**projeto** | -*jecto* 1881 ‖ **pro**-**jet**AR | *projectar* 1844 | Do lat. tard. *prōjectāre* ‖ **projeto** | *projecto* 1844 | Do lat. *prōjectus -us* ‖ **pro**-**jet**URA | *projectura* 1858 | Do lat. tard. *prōjectūra.*
⇨ **projeção** | *projecção* 1720 RB ‖ **projet**AR | 1786 *in* ZT, *projectar* 1783 Id. ‖ **projeto** | -*jec-* 1836 SC |.
projetil, projétil *sm.* 'qualquer sólido pesado que se move no espaço, abandonado a si mesmo após haver recebido impulso' | *projectil* 1813 | Do fr. *projectile.* Cp. PROJEÇÃO.
prol *sm.* 'lucro, proveito' | XIII, *proe* XIII | Do lat. vulg. *prŏde* (cláss. *prodest*).
prolação *sf.* 'ato ou efeito de proferir' XVI. Do lat. *prōlātiō -ōnis.*
prolapso *sm.* '(Patol.) saída de um órgão ou de parte dele para fora do seu lugar' 'procidência' XIX. Do lat. tard. *prōlāpsus.*
prole *sf.* 'geração, descendência' 'filhos' XVII. Do lat. *prōlēs -is* ‖ **proli**FER·AÇÃO 1873. Do fr. *prolifération* ‖ **proli**FER·AR XX. Do fr. *proliférer* ‖ **pro**-**lí**FERO 1858. Do lat. med. *prōlifer -erī* ‖ **proli**FICO 1813. Do lat. med. *prōlificus* ‖ **prolí**GERO *adj.* 'que contém germes' 1873.
prolegômenos *sm. pl.* 'exposição preliminar dos princípios gerais de uma ciência ou arte' 1813. Do fr. *prolégomènes,* deriv. do gr. *prolegómena.*
prolepse *sf.* '(Ret.) figura pela qual se refutam ou destroem antecipadamente as objeções do adversário' XVI. Do lat. tard. *prolēpsis,* deriv. do gr. *prólēpsis* ‖ **proléptico** 1873. Do fr. *proleptique,* do gr. *prolēptikós.*
proletário *sm.* 'homem que trabalha em troco de seu salário, que vive dele' 1844. Do lat. *prōlētārĭus* ‖ **proletari**ADO XIX. Cp. PROLE.
⇨ **proletário** | 1836 SC |.
proli·feração, -ferar, -fero, -fico, -gero → PROLE.
prolixo *adj.* 'muito largo ou difuso' | XVI, *proluxo* XVI | Do lat. *prōlixus -a -um* ‖ **prolix**IDADE XVI. Do lat. *prōlixĭtās -ātis.*
prólogo *sm.* 'prefácio' XIII. Do lat. *prolŏgus -ī,* deriv. do gr. *prólogos -ou.*
prolongar *vb.* 'alongar, dilatar' | *per-* XIV, *por-* XIV | Do lat. tard. *prōlongāre* ‖ **prolonga** *sf.* 'delonga, demora' | XIV. *perlonga* XIII | Dev. de *prolongar* ‖ **prolong**AÇÃO 1813. Do lat. med. *prōlongātiō -ōnis* ‖ **prolong**ADO | *per-* XIII ‖ **prolong**AMENTO | 1813, *perlongamento* XV ‖ **prolong**ANÇA XIV. Cp. LONGO.
prolóquio *sm.* 'provérbio, máxima' 1813. Do lat. tard. *prōloquium,* de *prōloquī* 'manifestar com palavras'.
prolusão *sf.* 'prefácio, prólogo, proêmio' XX. Do lat. *prōlūsiō -ōnis.*
promécio *sm.* '(Quím.) elemento de número atômico 61, radioativo, muito raro, pertencente ao grupo dos lantanídeos' XX. Do lat. cient. *promēthium,* deriv. do mit. *Prometheus* (≥ gr. *Promētheús*), em alusão ao fato de que esse elemento é obtido dos fogos das fornalhas atômicas.
promédio *sm.* '(Estat.) um valor do argumento compreendido no intervalo da observação' XX. Do cast. *promedio,* deriv. do lat. *pro medio.*
prometer *vb.* 'obrigar-se, comprometer-se' XIII. Do lat. *prōmīttĕre* ‖ EX**promiss**OR *sm.* '(Jur.) o pagador principal' XX. Do lat. tard. *exprōmissor -ōris* ‖ **promessa** | XIII, -*missa* XIV | Do lat. med. *prōmissa* ‖ **promet**EDOR XV ‖ **promet**IDA 1881 ‖ **promet**IDO

XVI || prometIMENTO | XIV, -*mity*- XIV etc. || **promissão** *sf.* 'promessa' XIII. Do lat. *prōmissĭo -ōnis* || **promissivo** 1830. Do lat. tard. *prōmissīvus* || **promissor** *adj.* 'cheio de promessa' 1899. Do lat. *prōmissor -ōris* || **promiss**ÓRIO *adj.* 'promissivo' XVII || **promit**ENTE 1813.
promíscuo *adj.* 'agregado ,sem ordem nem distinção' 'misturado' XVII. Do lat. *prōmiscŭus -a -um* || promiscuIDADE 1813.
prom·issão, -issivo, -issor, -issório, -itente → PROMETER.
promoção → PROMOVER.
promontório *sm.* 'cabo formado de rochas elevadas ou alcantis' XVI. Do lat. *prōmontōrĭum -ĭī*.
promover *vb.* 'dar impulso a' 'causar; originar' XIV. Do lat. *prōmovēre* || promoÇÃO 1813. Do fr. *promotion*, deriv. do lat. *promōtĭō -ōnis* || promotOR 1813. Do fr. *promoteur* || promotOR·IA 1844 || promoVENTE XX || promoVIMENTO XV. Cp. MOTO, MOTOR, MOVER.
⇨ promover — promotORIA | 1836 SC || promoveDOR | XV BENF 338.*15* |.
promulgar *vb.* 'ordenar a publicação de (lei)' 'tornar oficialmente público' XVI. Do lat. *prōmulgāre* || promulgAÇÃO XVII. Do lat. tard. *prōmulgātĭō -ōnis* || promulgADOR 1813. Do lat. tard. *prōmulgātor -ōris*.
⇨ promulgar — promulgAÇÃO | *promulgacam a* 1595 *Jorn.* 176.*6* |.
pronação *sf.* 'movimento em que a mão roda de fora para dentro, ficando o polegar junto ao corpo e a palma para baixo' 1858. Do fr. *pronation*, deriv. do lat. med. *prōnātĭō -ōnis*, do lat. tard. *prōnāre* || pronADOR 1858. Do fr. *pronateur*, deriv. do lat. med. *prōnātor -ōris*. Cp. PRONO.
prono *adj.* '(Poét.) dobrado para diante, inclinado' 'propenso' XVI. Do lat. *prōnus -a -um*.
pronome *sm.* '(Gram.) palavra que substitui o substantivo, ou que o acompanha para tornar-lhe claro o significado' XVI. Do lat. *prōnōmen -ĭnis* || pronominADO XX || pronominAL 1813. Do lat. *prōnōmĭnālis*.
pronto *adj.* 'que não tarda' 'ligeiro' 'imediato' 1572. Do lat. *prōmptus -a -um*, part. de *prōmere* || APRONTAR 1813 || prontEZA XV || prontIDÃO XVI || prontIFICAR XX.
⇨ pronto | *pronpta* XV BENF 74.*20* |.
prontuário *sm.* 'manual de indicações úteis' XVI. Do lat. *prōmptuārĭum -ĭī*. Cp. PRONTO.
prônubo *adj.* '(Poét.) de, ou respeitante a noivo ou a noiva' 'que promove casamento' XVI. Do lat. *prōnŭbus -a -um*.
pronunciar *vb.* 'proferir, articular' XIV, *pronunçiar* XIV | Do lat. *prōnuntiāre* || **pronúnc**IA XVIII || pronunciAÇÃO | XVI, *-açon* XIV | Do lat. *prōnūntiātĭō -ōnis* || pronunciAMENTO 1858. Do cast. *pronunciamiento* || pronunciÁVEL 1899. Do lat. *pronuntiābĭlis*.
propagar *vb.* 'multiplicar, ou reproduzindo ou por geração' 'dilatar, estender' 1844. Do lat. *propāgāre* || propagAÇÃO 1844. Do lat. *propāgātĭō -ōnis* || propagADOR 1844. Do lat. *propāgātor -ōris* || propagANDA 1873. Do fr. *propagande*. Do fr. *propagandiste* || propagAND·ISTA 1890. Do fr. *propagandiste* || propagAT·IVO 1844 || **propág**ULO *sm.* '(Bot.) or-

gânulo destinado a multiplicar vegetativamente as plantas' XX. Do fr. *propagule* deriv. do lat. cient. *propagulum*.
⇨ propagar | 1582 *Liv. Fort.* 7.*14* || propagAÇÃO | 1614 SGONÇ 59.*12* || propagADOR | 1836 SC || propagAT·IVO | 1836 SC |.
propagem *sf.* '(Bot.) braço ou vara de videira para enxerto' XVIII. Do lat. *prōpāgō -ĭnis*.
propágulo → PROPAGAÇÃO.
propalar *vb.* 'tornar público' 'divulgar' XVIII. Do lat. tard. *prōpalāre*.
propano *sm.* '(Quím.) hidrocarboneto saturado, gasoso, incolor, com cheiro característico, encontrado no gás de petróleo' XX. Do fr. (ou ing.) *propane*, de *prop(ionique)* + *-ane*; v. -ANO. O VOC. foi introduzido na linguagem internacional da química em 1866, por Hofmann.
proparoxítono *adj. sm.* 'diz-se de, ou vocábulo que tem o acento tônico na antepenúltima sílaba' | *proparoxýtono* 1899 | Cp. gr. *proparoxýtonos*.
propatia *sf.* '(Med.) pródromos de uma doença' 1890. Cp. gr. *propátheia*.
propedêutica *sf.* 'introdução, prolegômenos de uma ciência' 1881. Do fr. *propédeutique*, deriv. do al. *Propädeutik* e, este, do gr. *propaideutikē* || **propedêut**ICO *adj.* 'preliminar' XX.
propelir *vb.* 'impelir para diante' 'arremessar' 1890. Do lat. *prōpellĕre*.
propender *vb.* 'estar inclinado, tender, pender' XVII. Do lat. *prōpendēre* || propendENTE 1899 || **propensão** | *propensam* XVII || Do lat. *prōpensĭō -ōnis* || **propenso** XVII. Do lat. *prōpēnsus -a -um*. Cp. PENDÊNCIA.
propiciar *vb.* 'tornar favorável' 1813. Do lat. *propitiāre* || propiciAÇÃO XVII. Do lat. ecles. *propitiātĭō -ōnis* || propiciADOR 1813. Do lat. *propitiātor -ōris* || **propiciatório** XIV. Do lat. tard. *propitiātōrium* || **propíc**IO XVII. Do lat. *propitĭus -a -um*.
⇨ **propileu** *sm.* 'vestíbulo' | *propylio* 1783 *in* ZT | Do lat. *propylaeon*, deriv. do gr. *propýlaion*, de *pró* 'diante de, em frente' [v. PRO-] e *pýlē* 'porta'.
propinar *vb.* 'dar a beber, ministrar' XVI. Do lat. *propīnāre* || **propina** XVIII. Do lat. tard. *propīna* || propinAÇÃO 1813. Do lat. *propinātĭō -ōnis*.
propínquo *adj.* 'próximo, vizinho' | XIII, *prouinco* XIII etc. | Do lat. *prŏpinquus -a -um* || **propinqui**DADE XVI. Do lat. *propinquĭtās -ātis*.
proplasma *sm.* 'modelo de barro ou cera para trabalhos de escultura' 'esboço' XX. Do lat. *proplasma -ătis*, deriv. do gr. *próplasma*.
própole *sf.* 'substância resinosa que as abelhas segregam e com que tapam as fendas do próprio cortiço' | *propolis* 1858 | Do lat. *prŏpŏlis*, deriv. do gr. *própolis*.
propor *vb.* 'submeter à apreciação' 'requerer em juízo' XIII. Do lat. *prōpōnĕre* || proponENTE 1881 || **proposição** 1813. Do lat. *prōpositĭō -ōnis* || **proposta** *sf.* XVII || **proposto** XVI. Do lat. *prōpŏsĭtus -a -um*. Cp. PROPÓSITO.
⇨ propor — proposição | *proposiçon* XIV TEST 185.*21*, *preposições* pl. 1519 GNIC II.5, *proposições* pl. 1573 GLEÃO 18.*24* |.
proporção *sf.* 'relação entre coisas' 'disposição regular' XVI. Do lat. *prōportĭo -ōnis* || DESproporção 1813 || DESproporcionADO 1813 || DESpro-

porcionAL XX || **proporcion**ADO XVI. Do lat. tard. *prōportiōnātus* || **proporcion**AL XVII. Do lat. *proportionalis* || **proporcion**AL·IDADE 1813. Do lat. *proportiōnālĭtās -ātis* || **proporcion**AR XVI.
⇨ **proporção** | *proporçom* XV BENF 98.*13* || DES**proporção** | 1536 FOlG 107.*2, a* 1542 JCASE 49.*16* || DES**proporcion**ADO | 1576 DNLeO 42*v*17, 1660 FMMelE 24.*11* || **proporcion**ADO | XV BENF 329.*6* || **proporcion**AL | *a* 1542 JCASE 68.*6* |.
proposição → PROPOR.
propósito *sm.* 'intenção, deliberação, intento' | XV, *preposito* XV | Do lat. *prōposĭtum -ī* || DES**proposit**ADO 1813 || DES**proposit**AR 1813 || DES**propósito** XVII || **proposit**ADO 1899 || **proposit**AL XX. Cp. PROPOR.
⇨ **propósito** | XIV ORTO 213.*14, propossito* XIV BARL 34*v*26 |.
propost·a, -o → PROPOR.
propretor *sm.* 'antigo magistrado com autoridade de pretor' XVI. Do lat. *prōpraetor -ōris*.
próprio *adj.* 'pertencente' 'adequado' | XIII, *propio* XIII | Do lat. *proprĭus -a -um* || A**propri**AÇÃO 1813. Do lat. *appropriātĭō -ōnis* || A**propri**ADO 1813 || A**propri**AR XIV. Do lat. *appropriāre* || DES·A**propri**AR 1813 || IM**propri**EDADE XVII || IM**próprio** XVI. Do lat. *improprĭus -a -um* || **propri**EDADE XIII. Do lat. *propriĕtās -ātis* || **proprietário** XIV. Do lat. tard. *proprietārĭus*.
⇨ **próprio** — A**propri**ADO | XIV ORTO 15.*31* etc. || A**propri**AMENTO | XV LEAL 340.*11* |.
proptose *sf.* '(Med.) crescimento de qualquer parte do corpo' 1890. Do lat. tard. *proptōsis*, deriv. do gr. *próptōsis*.
propugnar *vb.* 'defender, combatendo' XVIII. Do lat. *prōpugnāre* || **propugn**ÁCULO *sm.* 'lugar de defesa' XVII. Do lat. *prōpugnācŭlum -ī* || **propugn**ADOR XVIII. Do lat. *prōpugnātor -ōris*.
propulsar *vb.* 'impelir para diante ou para longe' XVIII. Do lat. *prōpulsāre* || **propuls**ÃO 1858. Do fr. *propulsion*, deriv. do lat. *propulsus*, part. de *prōpellĕre* || **propuls**IVO 1881 || **propuls**OR 1873. Do fr. *propulseur*, deriv. do lat. tard. *prōpulsor -ōris*. Cp. PROPELIR.
proquestor *sm.* 'aquele que era enviado para uma província romana a fim de aí exercer as funções de questor' 'substituto do questor' 1873. Do lat. tard. *prōquaestor -ōris*. Cp. QUESTÃO.
prorrogar *vb.* 'dilatar um prazo estabelecido' 1813. Do lat. *prōrogāre* || IM**prorrog**ÁVEL 1775 || **prorrog**ABIL·IDADE XX || **prorrog**AÇÃO XV. Do lat. *prōrogātĭō -ōnis* || **prorrog**AT·IVO 1813 || **prorrog**ÁVEL 1844.
⇨ **prorrogar** | *prorogar a* 1595 *Jorn.* 184.*23* || **prorrog**ÁVEL | *prorogavel* 1836 SC |.
prorromper *vb.* 'sair ou irromper com ímpeto' XVI. Do lat. *prōrumpĕre*. Cp. ROMPER.
prosa *sf.* 'o modo natural de falar ou escrever, por oposição ao verso' XIII. Do lat. *prōsādor* || **pros**ADOR XVII || **prosaico** 1813. Do lat. tard. *prōsaicus* || **pros**AR 1881 || **prosa**ÍSMO 1833.
prosápia *sf.* 'linhagem' 'prosa' 'altivez, orgulho' XVI. Do lat. *prōsāpia -ae*.
prosar → PROSA.
proscênio *sm.* 'a frente do palco' 'o palco, a cena' XVI. Do lat. *prōscaenium*, deriv. do gr. *proskénion*.

proscrever *vb.* 'condenar a degredo por voto escrito ou por sentença' 1813. Do lat. *prōscrībĕre* || **pros**CRIÇÃO | *proscripção* 1813 | Do lat. *prōscrīptĭō -ōnis* || **proscrito** | *proscripto* 1813 | Do lat. *proscrīptus* || **proscrit**OR XVI. Do lat. *proscrīptōr -ōris*.
prosélito *sm.* 'indivíduo convertido a uma doutrina, ideia ou sistema' XVI. Do lat. ecles. *prosēlytus*, deriv. do gr. *prosēlytos* || **proselit**ISMO | *proselytismo* 1844 | Do fr. *prosélytisme*.
⇨ **prosélito** — **proselit**ISMO | *-ly-* 1836 SC |.
prosênquima *sm.* '(Bot.) tecido vegetal constituído de células alongadas, com extremidades agudas' | *prosenchyma* 1873 | Do ing. *prosenchyma*, deriv. do lat. cient. *prosenchyma* || **prosenquimat**OSO XX.
prosódia *sf.* 'pronúncia regular das palavras, com a devida acentuação' 1844. Do lat. *prosōdia*, deriv. do gr. *prosō(i)día* || **prosód**ICO 1844.
⇨ **prosódia** | 1836 SC || **prosód**ICO | 1836 SC |.
prosop(o)- *elem. comp.*, do gr. *prósopon* 'rosto, face', que se documenta em vocábulos eruditos, introduzidos na linguagem científica internacional, a partir do séc. XIX ♦ **prosop**ALGIA *sf.* '(Patol.) neuralgia facial' 1873 || **proso**PLEG·IA *sf.* '(Patol.) paralisia facial' XX || **prosopo**GRAF·IA *sf.* 'descrição das feições do rosto' 'esboço de uma figura' | *prosoposgraphia* 1858 | Do fr. *prosopographie*, deriv. do lat. cient. *prosōpographia* || **prosopopeia** *sf.* '(Ret.) figura pela qual se dá a vida e, pois, ação, movimento e voz, a coisas inanimadas' 'personificação' | *prosopopea* XVII | Do lat. *prosōpopoeĭa*, deriv. do gr. *prosōpopoiía*.
prospecção *sf.* 'método ou técnica de localizar e calcular o valor econômico das jazidas minerais' XX. Do ing. *prospection*, deriv. do lat. tard. *prōspectĭō -ōnis* || **prospect**AR XX. Do lat. *prōspectāre* (iterativo de *prōspicĕre*) || **prospectivo** 1844. Do lat. *prospectīvus* || **prospecto** 1844. Do lat. *prōspectus -ūs* || **prospect**OR XX. Do ing. *prospector*, deriv. do lat. *prospector -ōris*.
⇨ **prospecção** — **prospecto** | 1836 SC |.
próspero *adj.* 'propício, favorável' 'ditoso' XVI. Do lat. *prōsper(us) -a -um* || IM**próspero** 1858. Do lat. *improsper -ĕra -ĕrum* || **prosper**AR XV. Do lat. *prosperāre* || **prosper**IDADE XV. Do lat. *prosperĭtās -ātis*.
prosseguir *vb.* 'dar seguimento a' 'seguir avante' | XV, *proseguir* XIV | Do lat. **prosequere*, por *prōsequī* || **prossecução** | *prosecução* XVII | Do lat. *prōsecūtĭō -ōnis* || **prossegu**IMENTO | *prosegujmento* XV.
prostaférese *sf.* '(Astr.) diferença entre o movimento real e o movimento médio dum planeta' | *prostaphereses* pl. 1844 | Do fr. *prosthaphérèse*, deriv. do lat. cient. *prostaphaeresis* e, este, do gr. *prostaphaíresis*.
⇨ **prostaférese** | *-phe-* 1836 SC |.
próstase *sf.* 'predomínio de um humor sobre outro' XX. Do fr. *prostase*, deriv. do lat. cient. *prostasis* e, este, do gr. *próstasis*.
próstata *sf.* '(Anat.) glândula própria do sexo masculino, situada na parte inferior do colo da bexiga' 1844. Do fr. *prostate*, deriv. do lat. cient. *prostata* e, este, do gr. *prostátēs* || **prostat**ALG·IA *sf.* '(Patol.) dor na próstata' 1899 || **prostat**ECTOM·IA *sf.* '(Cir.) ablação da próstata' XX || **prostático**

1858. Do fr. *prostatique*, deriv. do gr. *prostatikós* || **prostato**·TOM·IA *sf.* '(Cir.) incisão da próstata' 1899. Do fr. *prostatotomie*, deriv. do lat. cient. *prostatotomia.*
⇨ **próstata** | 1836 sc |.
prosternar *vb.* 'prostrar' 'curvar-se até o chão, em humilde respeito' 1813. Do fr. *prosterner*, deriv. do lat. *prōstĕrnere.*
prostibul·ar, -o → PROSTITUIR.
prostilo *sm.* 'fachada de um templo, com ornamentação de colunas' | *prostylo* 1873 | Do fr. (ou ing.) *prostyle*, deriv. do lat. tard. *prostȳlos* e, este, do gr. **próstȳlos.*
prostituir *vb.* 'tornar-se prostituta, meretriz' XVI. Do lat. *prōstituĕre* || **prostibul**AR 1899 || **prostíbulo** XVII. Do lat. *prostibŭlum -ī* || **prostitu**IÇÃO 1813. Do lat. *prōstitūtiō -ōnis* || **prostituta** XIX. Do lat. *prōstitūta.*
prostrar *vb.* 'lançar por terra, abater' XVII. Do lat. tard. *prostrāre*, do part. do lat. *prōsternĕre* || **prostr**AÇÃO XVII. Do lat. *prōstrātiō -ōnis.*
⇨ **prostrar** | 1573 GLeão 308.9 |.
protagonista *s2g.* 'personagem principal' | 1873, *protagonista* XVII | Do fr. *protagoniste*, deriv. do gr. *prōtagōnistḗs*; cumpre assinalar que a var. ant. *protagonista* deve ter sido formada em português com os vocs. gregos *prōtos* 'primeiro, principal' e *agōnistḗs* 'lutador, competidor', uma vez que em francês o voc. só se documenta no séc. XIX, em italiano no séc. XVIII e em inglês na segunda metade do séc. XVII.
prótase *sf.* '(Teat.) no antigo teatro grego, a primeira parte da ação dramática, na qual o argumento é anunciado e inicia o seu desenvolvimento' 1844. Do lat. tard. *protasis*, deriv. do gr. *prótasis* || **protático** 1844. Do lat. *protāticus*, deriv. do gr. *protatikós.*
⇨ **prótase** | 1836 sc || **protático** | 1836 sc |.
proteção *sf.* 'abrigo, resguardo, amparo' | *protecçiom* XV | Do lat. *prōtēctiō -ōnis* || **protecion**ISMO | *proteccionismo* 1881 | Do fr. *protectionnisme* || **protecion**ISTA | *proteccionista* 1881 | Do fr. *protectionniste* || **proteger** 1813. Do lat. *prōtegĕre* || **proteg**IDO 1844 || **protetor** | XV, *proteitor* XV | Do lat. *prōtēctōr -ōris* || **protetor**ADO | *protectorado* 1858 | Do fr. *protectorat* || **protetor**AL | *protectoral* 1873 || **protetór**IO | *protectório* 1881.
⇨ **proteção** — **proteg**IDO | 1836 sc |.
protéico → PROTEÍNA.
proteiforme → PROTEU.
proteína *sf.* 'nome comum a compostos orgânicos de carbono, nitrogênio, oxigênio e hidrogênio, que constituem o principal componente dos seres vivos' 1873. Do fr. *protéine*, voc. criado pelo químico holandês J. G. Mulder (1802-1880), em 1838, com base no gr. *prōteîos* 'primário' || **proteico** 1899. Do fr. *protéique* || **protein**O·TERAPIA *sf.* '(Med.) método de tratamento das doenças por meio de injeção de proteína' XX || **protein**ÚRIA *sf.* presença de proteínas na urina' XX. Cp. PROTÍDIO, PROT(O)-.
protelar *vb.* 'retardar, adiar' XVIII. Do lat. *prōtēlāre* || **protel**AÇÃO 1881 || **protel**ADOR XX.
proter(o)- *elem. comp.*, do gr. *próteros* 'primeiro de dois' 'que vai à frente', que se documenta em vocs. introduzidos na linguagem científica internacional, a partir do séc. XIX ⁕ **proter**ÂNTEO *adj.* '(Bot.) diz-se das plantas cujas flores se desenvolvem antes das folhas' | *proterantho* 1873, *proterantheo* 1899 || **proteró**GLIFA *sf.* 'serpente cujos dentes superiores dianteiros são grandes e sulcados para deixar que escorra a peçonha' XX || **protero**ZOICO *adj. sm.* '(Geol.) nome de um período geológico' XX.
protervo *adj.* 'impudente, petulante, insolente' XVI. Do lat. *protervus -a -um* || **protérv**IA *sf.* 'qualidade ou ação de protervo' XVI. Do lat. *prōtervĭa -ae.*
prótese *sf.* 'orig. substituto, sucedâneo' 'substituição de um órgão, ou membro, ou parte deles, por um sucedâneo artificial' '(Gram.) acréscimo de uma letra ou de uma sílaba no início de uma palavra' | *prothesis* XVI | Do lat. tard. *prothesis*, deriv. do gr. *próthesis* || **protét**ICO | *prothetico* 1873.
protestar *vb.* 'comprometer-se solenemente' 'reclamar' XIII. Do lat. *prōtestārī* || **protest**AÇÃO | *-çom* XIV, *-çon* XIV | Do lat. *protestātiō -ōnis* || **protest**ANTE 1813. Do fr. *protestant*, deriv. do lat. *prōtestāns -antis* || **protest**ANT·ISMO XIX. Do fr. *protestantisme* || **protest**AT·IVO XVI || **protest**AT·ÓRIO 1873 || **protesto** XVI. Derivado regressivo de *protestar.*
protético → PRÓTESE.
protet·or, -orado, -oral, -ório → PROTEÇÃO.
proteu *sm.* '(Mil.) entidade famosa pelas suas metamorfoses' 'aquele que muda facilmente de opinião ou de sistema' XVI. Do lat. *Protĕus*, deriv. do gr. *Prōtéus* || **prote**I·FORME *adj. 2g.* 'que muda de forma com frequência' | 1873, *proteiforma* 1858 | Do fr. *protéiforme.*
prot(o)- *elem. comp.*, do gr. *prōto-*, de *prōtos* 'primeiro, principal, primitivo', que já se documenta em vocs. formados no próprio grego, como *protótipo*, e em muitos outros introduzidos na linguagem científica internacional, a partir do séc. XIX ⁕ **prot**ISTA *sm.* '(Biol.) organismo unicelular, tanto animal quanto vegetal' 1899. Do lat. cient. *protista*, deriv. do gr. *prṓtista* || **proto**ACTÍNIO *sm.* 'elemento de número atômico 91, metálico, duro, denso, venenoso, com vários isótopos radioativos' XX. Do lat. cient. *prōtactīnium* || **proto**COL·AR XX. Do fr. *protocolaire* || **proto**COLO XVI. Do fr. *protocole*, do lat. med. *prōtocollum* e, este, do gr. *prōtókollon* || **protó**FITO *sm.* 'designação comum a vegetais primitivos, de organização extremamente simples' | *prolophyto* 1873 | Do lat. cient. *prōtophytum* || **proto**FON·IA XX || **proto**GÍN·ICO *adj.* 'diz-se da flor dicógama em que os órgãos sexuais femininos amadurecem antes dos masculinos' | *protogynica* f. 1899 || **proto**MÁRTIR | *protomartyr* XVI | Do lat. ecles. *prōtomartyr*, deriv. do gr. mod. *prōtómartyr -yros* || **proto**MÉDICO XVII || **proto**MI·NÉRIO XX || **próton** *sm.* '(Fís. Nucl.) partícula de carga positiva que constitui o núcleo do átomo de hidrogênio e que entra como um dos principais constituintes de todos os outros núcleos' XX. Do ing. *proton*, deriv. do gr. *prôton* || **proto**NAUTA 1813 || **proto**NEMA 1873.' Do lat. cient. *prōtonēma* || **proto**NOTÁRIO *sm.* 'cargo eclesiástico' 1813. Do lat. med. *prōtonotārius*, deriv. do gr. bizantino *prōtonotários* || **proto**PAT·IA 1813 || **proto**PATRIARCA | *protopatriarcha* 1813 || **proto**PLASMA *sm.* '(Biol.) o conteúdo celular vivo, formado principalmente

do citoplasma e do núcleo' 1881. Do lat. cient. *protoplasma*, voc. introduzido na linguagem científica internacional pelo biólogo alemão H. von Mohl, em 1846 ‖ **protó**TIPO | *protótypo* 1813 | Do lat. tard. *prototypos*, deriv. do gr. *prōtótypos* ‖ **protó**XIDO *sm.* '(Quím.) óxido menos rico em oxigênio' | *protóxydo* 1858 ‖ **proto**ZO·ÁRIO 1873 ‖ **proto**ZOO·LOG·IA *sf.* 'parte da zoologia que trata dos protozoários' XX. Do ing. *protozoology*.
protrair *vb.* 'tirar para fora, retirar' 'fazer ir à frente, salientar' | *protrahir* 1858 | Do lat. *prōtrahĕre* ‖ **protrusão** *sf.* 'estado de um órgão que, por efeito do crescimento, normal ou anormal, se acha colocado na frente de outros órgãos que ele normalmente não ultrapassa' XX. Do fr. *protrusion*, deriv. do lat. **protrūsiŏ* *-ōnis*, de *prōtrūdĕre* 'impelir diante de si' ‖ **protru**SO XX. Do lat. *prōtrūsus, part. de prōtrūdĕre*.
protuberar *vb.* 'apresentar saliência' XVIII. Do lat. tard. *prōtūberāre* ‖ **protuber**ÂNCIA *sf.* 'saliência' XIX. Do fr. *protubérance* ‖ **protuber**ANTE *adj. 2g.* 'saliente' XVIII. Do lat. *prōtūberāns -āntis*.
protutela *sf.* 'cargo ou funções de protutor' 'o tempo de exercício das funções do protutor' 1881. Do lat. tard. *prōtūtēla* ‖ **protutor** 1873. Do lat. tard. *prōtūtor -ōris*.
provar *vb.* 'estabelecer a verdade' 'patentear, testemunhar' XIII. Do lat. *prŏbāre* ‖ **A**PROVAÇÃO | -*çom* XV | Do lat. *approbātiō -ōnis* ‖ **A**PROVA·DOR XVII. Do lat. *approbātor -ōris* ‖ **A**PROVAMENTO XV ‖ **A**PROVAR XV. Do lat. *approbāre* ‖ **A**PROVATIVO XVI. Do lat. *approbātīvus* ‖ **A**PROVÁVEL XVI. Do lat. tard. *approbābilis* ‖ COM**prob**ATIVO 1844 ‖ COM**probat**·ÓRIO 1881 ‖ COM**prov**AÇÃO | XVIII, *conprouacion* XV | Do lat. *comprobātiō -ōnis* ‖ COM**prov**ADOR 1844. Do lat. *comprobātor -ōris* ‖ COM**prov**ANTE 1844 ‖ COM**prov**AR XVII. Do lat. *comprobāre* ‖ CONTRA**prova** 1873 ‖ CONTRA**provar** 1844 ‖ DES·**A**PROVAÇÃO | *desapprovação* 1813 ‖ DES·**A**provar | *desapprovar* 1813 | Do fr. *désapprouver* ‖ IM**provar** XVII. Do lat. *improbāre* ‖ IM**prov**ÁVEL XVIII. Do lat. *improbābĭlis* ‖ **pro**BANTE 1873 ‖ **prob**AT·ÓRIO 1873. Do lat. med. *probātōrius* ‖ **prov**AÇÃO | *prouaçom* XV, -*çõ* XV | Do lat. *probātiō -ōnis* ‖ **prov**ADO XIII ‖ **prov**ADOR 1802. Do lat. *probātor -ōris* ‖ **pro**VAMENTO XIV ‖ **provará** *sm.* '(Jur.) cada um dos artigos dum libelo ou dum requerimento judicial' XIX ‖ **prov**ÁVEL XV. Do lat. *probābĭlis -e* ‖ **pro**VETE XVII.
▷ **provar** — COM**prov**ADOR | 1836 SC ‖ COM**prov**ANTE | 1836 SC ‖ CONTRA**prova** | 1836 SC ‖ CONTRA**provar** | 1836 SC ‖ IM**prov**ÁVEL | 1614 SGonç I. 158.*29* ‖ **prob**ANTE | 1836 SC ‖ **prob**AT·ÓRIO | 1836 SC ‖ **prova** | XIII CSM 27.*48* |.
provecto *adj.* 'que tem progredido, experiente' XVI. Do lat. *prŏvectus -a -um*, part. de *prŏvehĕre*.
provedor → PROVER.
proveito *sm.* 'ganho, lucro, interesse' XIII. Do lat. *prŏfĕctus -ūs* | **A**PROVEITADOR XVI ‖ **A**PROVEITAMENTO | -*uey-* XIV, *profeytamento* XIV etc. ‖ **A**PROVEITAR | -*vey-* XIII, -*fei-* XIII, -*fey-* XIV, *profeitar* XIV, *proveitar* XIV ‖ DES·**A**PROVEITAR 1844 ‖ DES·**A**PROVEITO 1881 ‖ DES**proveito** 1881 ‖ IN·**A**PROVEITÁVEL XX ‖ **proveit**OSO XIII.

▷ **proveito** — DES·**A**PROVEITAR | 1836 SC |.
provençal *adj. s2g.* 'de, ou pertencente ou relativo à Provença (sul da França)' 'habitante ou natural da Provença' 'língua românica dessa região, famosa pela sua influência na linguagem trovadoresca da Europa, a partir do séc. XI' | *prouĕcialles* pl. XIV, *prouĕciaes* pl. XIV, *prouinciaes* pl. XIV | Do a. fr. *provencial* (hoje *provençal*), deriv. de *Provence*. Cp. PROVÍNCIA.
proveni·ência, -ente → PROVIR.
prover *vb.* 'tomar providências acerca de' regular, ordenar' 'fornecer' XIII. Do lat. *prŏvĭdēre* ‖ **A**PROVISIONAR 1813 ‖ IM**provid**ÊNCIA XVII. Do lat. *imprŏvĭdentĭa -ae* ‖ IM**prov**IDO XVI. Do lat. *imprŏvĭdus -a -um* ‖ **prov**EDOR | *proueedor* XIV ‖ **prov**ENTO *sm.* 'proveito, rendimento, lucro' XVII. Do lat. *prōventus -ūs* ‖ **providência** | XIV, *providençia* XV | Do lat. *prōvidentĭa -ae* ‖ **providenci**AL 1813 ‖ **providenci**AR 1813 ‖ **provid**ENTE. Do lat. *prŏvĭdēns -entis* ‖ **próv**IDO *adj.* 'previdente, prudente' XVI. Do lat. *prŏvĭdus -a -um*. O adv. *providamente* já ocorre no séc. XIV ‖ **prov**IMENTO | *proviimento* XIV, *proveemento* XIV ‖ **provisão** | *provison* XIV | Do lat. *prŏvĭsĭŏ -ōnis* ‖ **provision**A·DO 1899 ‖ **provision**AL 1813 ‖ **provis**OR XV. Do lat. *prŏvĭsor -ōris* ‖ **provis**ÓRIO XIX. Do lat. méd. *prōvīsōrius*.

▷ **prover** — IM**provid**ÊNCIA | 1660 FMMeIE 187.*7* ‖ **prov**EDORIA | 1582 *Liv. Fort.* 16.*12* |.
provérbio *sm.* 'máxima ou sentença de caráter prático e popular, comum a todo um grupo social, expressa em forma sucinta e geralmente rica em imagens' XIV. Do lat. *prōverbĭum -ĭī* ‖ **proverbi**AL XVIII. Do lat. *prōverbĭālis*.
proveta *sf.* 'tubo de vidro onde se fazem ensaios de pequenas quantidades de substâncias' 1858. Do fr. *éprouvette*, com aférese do *e-*.
provete → PROVAR.
provid·ência, -encial, -enciar, -ente, -o, provimento → PROVER.
província *sf.* 'divisão regional e/ou administrativa de muitos países, em geral sob a autoridade de um delegado do poder central' XIV. Do lat. *prŏvĭncĭa -ae* ‖ COM**provinci**AL XVII. Do lat. *comprōvinciālis -is* ‖ **provinci**AL | *provinçial* XIV ‖ **provinci**AN·ISMO 1873 ‖ **provinci**ANO XIX.

▷ **província** — **provinci**AL·ADO | 1614 SGonç I. 384.*1* ‖ VICE-**provinci**AL·ADO | 1614 SGonç II. 221.*6* |.
provir *vb.* 'ter origem, derivar, proceder' 1813. Do lat. *provĕnīre* ‖ **proveni**ÊNCIA | *prouiniença* XV | Do fr. *provenance* ‖ **proveni**ENTE XVIII ‖ **prov**INDO 1803.
provis·ão, -ionado, -isional, -or, -ório → PROVER.
provocar *vb.* 'chamar ao desafio' 'injuriar, insultar' XV. Do lat. *prŏvocāre* ‖ **provoc**AÇÃO 1813. Do lat. *prŏvocātĭŏ -ōnis* ‖ **provoc**ADOR XVI. Do lat. *prŏvocātor -ōris* ‖ **provoc**ANTE XVI ‖ **provoc**ATIVO XVI. Do lat. *prŏvocātīvus -a -um* ‖ **provoc**AT·ÓRIO 1813.

▷ **provocar** — **provoc**AÇÃO | 1573 GLeão 140.*11* |.
proxeneta *s2g.* 'pessoa que ganha dinheiro servindo de intermediário em casos amorosos' 'alcoviteira' 1858. Do lat. *proxenēta*, deriv. do gr. *proxenētés* ‖ **proxenét**ICO 1634. Do lat. *proxeneticum*, deriv. do gr. *proxenētikón*.

⇨ **proxeneta** | 1836 sc |.
próximo *adj.* 'que está perto, a pouca distância no espaço ou no tempo' 'vizinho' | *prouximo* XIV | Do lat. *proxĭmus -ī* || Aproximação XVII. Do lat. tard. *approximātiō -ōnis* || Aproximado XVII || Aproximar 1813. Do lat. tard. *approximāre* || Aproximativo 1858 || proximidade XVI. Do lat. *proxĭmĭtās -ātis*.
prudência *sf.* 'qualidade de quem age com moderação, comedimento, buscando evitar tudo o que acredita ser fonte de erro ou de dano' XIV. Do lat. *prūdentĭa -ae* || Imprudência 1813. Do lat. *imprūdentĭa -ae* || Imprudente 1572. Do lat. *imprūdēns -entis* || prudente XIV. Do lat. *prūdēns -entis*.
⇨ **prudência** — Imprudência | *imprudemcia* 1568 in *Studia* nº 8, 171 |.
pruína *sf.* '(Bot.) revestimento tenuíssimo de cera em órgãos e partes vegetais, que lhes confere um aspecto particular, e que, esfregando-se, sai facilmente' XX. Do lat. *pruīna -ae* || pruinoso XX. Do lat. *pruīnōsus -a -um*.
prumo *sm.* 'instrumento constituído de uma peça de metal ou de pedra, suspensa por um fio, e utilizado para determinar a direção vertical' 'prudência, tino' | XVI, *plumo* XVI | Do lat. *plumbum -ī* 'chumbo' || Aprumar XVIII || Aprumo XVIII || des Aprumar 1873.
⇨ **prumo** — prumada | 1742 *in* ZT |.
prurido *sm.* 'comichão, coceira' | XIX, *pruido* XIV, *proydo* XIV | Do lat. *prūrītus -ūs* || pruri·ente 1858 || prurigem XVII. Do lat. *prūrīgō -ĭnis* || pruriginoso 1858. Do lat. *pruriginōsus* || prurir | *pruir* XVI | Do lat. *prūrīre*.
⇨ **prurido** — pruri·ente | 1836 sc |.
prussiano *adj. sm.* 'da, ou pertencente ou relativo à Prússia' 'o natural ou habitante da Prússia' XVII. De *Prúss(ia)* + -IANO || prussi·ato *sm.* '(Quím.) designação comum aos sais do ácido prússico' | *prussiates* pl. 1844 | Do fr. *prussiate* || prússico *adj.* '(Quím.) relativo ao (antigo) ácido cianídrico' 1844. Do fr. *prussique*.
⇨ **prussiano** — prússico | 1836 sc |.
psamito *sm.* '(Geol.) designação comum aos arenitos ou rochas sedimentares clásticas formados de elementos que, embora finos, são visíveis a olho desarmado' | *psammito* 1899 | Do fr. *psammite*, deriv. do gr. *psámmos* 'areia'; cp. gr. *psammítēs* || **psamófilo** *adj.* '(Bot.) que apresenta preferência por solos arenosos' XX. Do lat. cient. *psammophilus*.
psécade *sf.* 'entre os antigos romanos, escrava que penteava e perfumava os cabelos da sua ama' XX. Do lat. *psecas -ădis*, deriv. do gr. *psekás -ádos*.
psefito *sm.* '(Geol.) designação comum aos conglomerados e brechas, por serem formados de seixos ou cascalhos' | *psephita* f. 1873 | Do fr. *pséphite*, deriv. do gr. *pséphos* 'seixo rolado' e *-ite*; v. -ITA.
pselismo *sm.* 'designação genérica dos defeitos da fala, especialmente da gaguez' | *psellismo* 1873 | Cp. gr. *psellismós*.
pseud(o)- *elem. comp.*, do gr. *pseud-, pseudo-*, de *pseudés* 'mentiroso, enganador, falso, suposto', que se documenta em vocs. formados no próprio grego, como *pseudônimo*, e em muitos outros introduzidos na linguagem científica internacional, a partir do séc. XIX ▶ pseudartrose *sf.* '(Med.) articulação acidental produzida entre dois fragmentos de um osso fraturado e não consolidado' | *pseudarthrose* 1873 | Do fr. *pseudarthrose* || pseudestesia *sf.* 'sensação imaginária' | *pseudesthesia* 1873 || pseudocognitivo XX || pseudodiamante *sm.* 'pedra ordinária ou artificial que imita o diamante' | *pseudo-diamante* 1873 || pseudofob·ia *sf.* 'medo mórbido de algo que não causa dor nem molesta, mas apenas desgosta' | *pseudophobia* 1899 || pseudófobo | *pseudóphobo* 1899 || pseudológico *adj.* 'lógico apenas na aparência' 1873 || pseudomorfose *sf.* '(Fisiol.) aumento anômalo de parte normal' '(Min.) tipo de cristalização adquirido por um mineral, e diferente do que lhe é próprio' | *pseudomorphose* 1858 | Do lat. cient. *pseudomorphōsis* || pseudoneuróptero *adj. sm.* 'espécime dos odonatos' 'pertencente ou relativo aos odonatos' XX. Do lat. cient. *pseudoneuroptera* || pseudônimo *sm.* 'nome falso ou suposto, em geral adotado por um escritor, por um artista etc.' | *pseudonymo* 1873 | Do fr. *pseudonyme*, deriv. do lat. med. *pseudōnymus* e, este, do gr. *pseudōnymos* || pseudópode *sm.* 'saliência protoplásmica que se forma na periferia dos leucócitos e das amebas e outros protozoários, servindo-lhes para a locomoção' 1873. Do lat. cient. *pseudopode*, deriv. do lat. cient. *pseudopodium* || pseudosofia *sf.* 'falsa ciência' XX || pseudospermo *adj.* '(Bot.) diz-se do fruto que pode ser confundido com a semente' | *pseudosperme* 1873 || pseudozo·ário *adj.* '(Bot.) diz-se dalguns vegetais que têm aparência de animais' 1873.
psic(o)-, psiqu(e)- *elem. comp.*, do gr. *psych-*, de *psychē* 'alento, sopro de vida' 'alma', que já se documenta em vocs. formados no próprio grego, como *psicagogo*, e em muitos outros introduzidos na linguagem científica internacional, a partir do séc. XIX ▶ parapsicolog·ia *sf.* 'ciência que estuda, experimentalmente, os fenômenos ditos ocultos' XX || parapsicológ·ico XX || psicagog·ia *sf.* 'entre os antigos gregos, cerimônia religiosa de invocação das almas dos mortos' | *psychagogia* 1873 | Cp. gr. *psȳchagōgía* || psicagogo | *psychagogo* 1873 | Do ing. (ou do fr.) *psychagogue*, deriv. do gr. *psȳchagōgós* || psicalg·ia *sf.* 'dor moral' XX || psicanálise *sf.* 'método de tratamento, criado por Sigmund Freud, das desordens mentais e emocionais que constituem a estrutura das neuroses e psicoses' | *psychoanalyse* 1920, *psychanalyse* 1932 | Do al. *Psychoanalyse* || psicanal·ista XX || psicastenia *sf.* 'fraqueza intelectual' '(Patol.) neurose caracterizada por temores patológicos, ansiedade, insegurança, indecisão e fadiga psíquica' XX. Do lat. cient. *psȳchasthenīa* || psicodinâm·ico | *psycho-dinâmico* 1899 || psicodinam·ismo *sm.* 'doutrina filosófica daqueles que reduzem todas as energias do Universo a uma força única' | *psychòdynamisme* 1899 || psicofísica *sf.* 'estudo das relações funcionais entre a mente e os fenômenos físicos' XX. Do ing. *psychophysics* || psicofon·ia *sf.* 'comunicação dos espíritos pela voz do médium' | *psychophonia* 1899 || psicogen·ia *sf.* 'estudo da

origem e da evolução das funções psíquicas' | *psycogenia* 1899 || **psico**GNOSIA *sf.* 'conhecimento profundo das faculdades psíquicas' | *psycognosia* 1873 || **psico**GNÓST·ICO | *psycognostico* 1873 || **psico**GON·IA *sf.* 'origem da alma' | *psycogonia* 1873 | Do lat. *psychogonia*, deriv. do gr. *psychogonía* || **psicó**GRAFO | *psycographo* 1873 | Do ing. *psychograph* || **psico**LEPSIA *sf.* 'estado de diminuição da tensão mental' '(Patol.) depressão mental associada a ideias mórbidas' XX. Do fr. *psycholepsie* || **psico**LOG·IA *sf.* 'ciência da natureza, funções e fenômenos da alma ou da mente humanas' | *psychologia* 1844 | Do lat. cient. *psỹchologia*, voc. criado pelo reformador alemão Melanchthon (1497-1560), vulgarizado, depois, no fim do séc. XVI, por Goclenius de Marburg || **psicó**LOGO | *psychólogo* 1899 || **psico**MANC·IA *sf.* 'arte de adivinhar pela evocação das almas do outro mundo' | *psycomancia* 1873 | Do fr. *psychomancie* || **psi**coMANTE XX. Cp. gr. *psỹchómantis* || **psico**METR·IA *sf.* 'registro e medida dos fenômenos psíquicos por meio de métodos experimentais padronizados' | *psychometria* 1873 | Do fr. *psychométrie* || **psico**PAT·IA *sf.* '(Psiq.) designação comum às doenças mentais' | *psychopathia* 1899 | Do ing. *psychopathy* || **psico**PATOLOGIA *sf.* 'patologia das doenças mentais' XX. Do ing. *psychopathology* || **psico**PEDAGOG·IA XX || **psico**pompo *sm.* 'na mitologia antiga, condutor das almas do outro mundo' | *psychopompo* 1873 | Do fr. *psychopompe*, deriv. do gr. *psỹchopompós* || **psic**OSE *sf.* '(Med.) designação comum às doenças mentais' | *psychose* 1899 | Do lat. cient. *psỹchōsis*, deriv. do gr. *psỹchōsis* || **psico**STASIA *sf.* 'na mitologia egípcia, julgamento simbólico da alma após a morte' XX. Do ing. *psychostasy*, deriv. do gr. *psychostasía* || **psico**TÉCNICO XX || **psico**TERAP·IA XX. Do fr. *psychothérapie* || **psico**TRÓP·ICO *adj. sm.* 'diz-se de, ou substância medicamentosa que age sobre o psiquismo, como calmante ou como estimulante' XX || **psique** *sf.* 'alma, espírito, mente' 1899. Do fr. *psychē*, deriv. do gr. *psỹchē* || **psiqu**IATRA *s2g.* 'especialista em psiquiatria' | *psychiatro* 1873 | Do fr. *psychiatre* || **psiqu**IATR·IA *sf.* 'parte da medicina que trata do estudo e tratamento das doenças mentais' | *psychiatria* 1873 | Do fr. *psychiatrie*, deriv. do lat. cient. *psỹchiātria* || **psiqu**IÁTR·ICO | *psychiátrico* 1899 | Do fr. *psychiatrique* || **psíqu**ICO XIX. Do fr. *psychique* || **psiqu**ISMO | *psychismo* 1873 | Do fr. *psychisme*.

⇨ **psic(o)-, psiqu(e)-** — **psico**LOG·IA | *psycho*- 1836 SC |.

psicro- *elem. comp.*, do gr. *psỹchrós* 'frio', que se documenta em alguns vocs. introduzidos na linguagem científica internacional, a partir do séc. XIX ▶ **psicro**ALGIA *sf.* 'sensação de frio dolorosa' XX || **psicro**ESTESIA *sf.* 'sensação de frio' XX || **psicro**FOB·IA *sf.* 'medo mórbido ao frio' XX || **psi**crômetro *sm.* '(Fís.) higrômetro com que se mede a umidade relativa mediante a diferença de temperatura de dois termômetros, dos quais um tem o bulbo seco e o outro o tem molhado' | *psychrómetro* 1899 | Do fr. *psychromètre* || **psicro**TERAPIA *sf.* 'método terapêutico por meio do frio' XX.

psilo *adj. sm.* 'de, ou pertencente ou relativo aos psilos, antigo povo da Líbia, que, segundo a tradição, sabia domesticar as serpentes e conhecia antídotos poderosos contra a picada delas' 'indivíduo desse povo' 1873. Do lat. *psyllus*, deriv. do gr. *psýlloi*.

psilomelane *sm.* '(Min.) mineral terroso ou concrecionado, constituído de óxido hidratado de manganês e que encerra quantidades variáveis de ferro, bário e potássio' 1858. Do fr. *psilomelane* || **psilomelan**ITA *sf.* 'psilomelane' XX.

psique, psiqu·iatra, -iatria, -iátrico, -ico, -ismo → PSIC(O)-.

psitacismo *sm.* 'distúrbio da linguagem, que consiste na repetição mecânica de palavras ou de frases vazias de sentido para quem as repete' | *psittacismo* 1873 | Do fr. *psittacisme* || **psitac**OSE *sf.* 'doença infecciosa dos papagaios, transmissível ao homem' XX. Do lat. cient. *psittacōsis*, do lat. *psittacus* (gr. *psittakós* 'papagaio') e *-ōsis*; v. -OSE[1].

psoas *sm. 2n.* '(Anat.) designação de dois músculos abdominais que se estendem pela parte anterior das vértebras lombares' 1858. Do lat. cient. *psoas*, deriv. do gr. *psóas*, acus. pl. de *psóa*.

psora *sf.* '(Patol.) afecção cutânea crônica caracterizada por placas formadas de escamas secas e brancas, assentadas numa base eritematosa, que se desprendem pelo atrito' 1858. Do lat. *psōra -ae*, deriv. do gr. *psōra* || **psorí**·ACO 1881 || **psorí**·ASE | *psoriasis* 1873 | Do lat. cient. *psōriăsis*, deriv. do gr. *psōríăsis* || **psór**ICO 1873. Do lat. *psōricum*, deriv. do gr. *psōrikós* || **psori**·FORME 1873.

ptármico *adj.* 'esternutatório' | *ptarmica* f. 1844 | Do fr. *ptarmique*, deriv. do lat. tard. *ptarmicus* e, este, do gr. *ptarmikós*.

⇨ **ptármico** | *ptármica* f. 1836 SC |.

pteridófito *sm.* 'espécime dos peridófitos, grupo de plantas que não possuem flores' | *pteridophita* f. 1899 | Do fr. *ptéridophytes*, deriv. do lat. cient. *pteridophyta* e, este, do gr. *pterís -ídos* 'feto' + *phytón* 'planta' || **ptérido**GRAFIA *sf.* '(Bot.) descrição ou tratado dos cogumelos' XX. Do ing. *pteridography*.

pterig(o)-, pter(o)- *elem. comp.*, do gr. *pteryg-* (de *ptéryx -ygos*) e *ptero-* (de *pterón -oû*), ambos com a acepção de 'asa, pena, pluma', que se documentam em vocs. formados no próprio grego, como *pterigóide* e *pteroma*, e em muitos outros introduzidos na linguagem científica internacional, a partir do séc. XIX ▶ DIpterÍGIO *sm.* '(Zool.) peixe com duas barbatanas' | *-rygeo* 1858 || DÍptero 1858 || DIpteroLOG·IA 1873 || **pterí**GIO *sm.* '(Patol.) espessamento parcial e membranoso da conjuntiva, de forma triangular, cujo vértice se dirige para a córnea, chegando até a cobri-la' | *pterygio* 1813 | Do fr. *ptérygion*, deriv. do lat. *pterygium* e, este, do gr. *pterýgion* || **pterig**OIDE *adj. 2g.* '(Anat.) que tem a forma de uma asa' | *pterygoide* 1858 | Do lat. cient. *pterygoīdēus* e, este, do gr. *pterygoeidḗs* || **ptério** *sm.* '(Anat.) região da abóboda craniana, geralmente com a forma de H, na qual os ossos frontal, parietal e temporal se articulam com a asa correspondente do esfenoide' 1899 || **ptero**CARPO *sm.* '(Bot.) fruto que tem excrescências membranosas em forma de asa' 1873. Do fr. *ptérocarpe*,

deriv. do lat. cient. *pterocarpus* ‖ **ptero**DÁCTILO *adj. sm.* 'que tem os dedos unidos por membrana' 'certo reptil fóssil' | *pterodactilo* 1873 | Do fr. *pterodactyle*, deriv. do lat. cient. *pterodactylus* ‖ **pteró**FORO *adj.* 'que tem asas' | *pterophoro* 1873 | Cp. gr. *pterophóros* ‖ **ptero**OIDE *adj. 2g.* '(Bot.) que tem forma ou aparência de asa' 1873. Do lat. cient. *pteroīdēs* ‖ **pteroma** *sm.* '(Arquit.) na Grécia antiga, ala de um edifício' | *pterome* 1899 | Do lat. *pterōma*, deriv. do gr. *ptérōma* ‖ **pteró**PODE *adj. 2g. sm.* '(Zool.) de pés em forma de barbatana' 'espécime dos pterópodes' | *pteropodo* 1873 | Cp. gr. *pterópous -podos* ‖ **pteros**·SAURO *sm.* reptil fóssil, voador e marinho, que vivou do período cretáceo ao triássico' | *pterosaurio* 1899 | Do lat. cient. *pterosaurus*.
⇨ **pterig(o)-, pter(o)-** — DÍPTERO | 1836 SC ‖ **pterig**OIDE | *pterygoideo* 1836 SC |.
ptialina *sf.* '(Quím.) enzima existente na saliva, capaz de transformar, por hidrólise, o amido em açúcar' | *ptyalina* 1858 | Do fr. *ptyaline*, deriv. do gr. *ptýalon* 'saliva' ‖ **ptial**AGOGO | *ptyalagógo* 1858 ‖ **ptial**ISMO | *ptyalismo* XVII | Do fr. *ptyalisme*.
ptilose *sf.* '(Patol.) queda dos cílios, resultante de inflamação crônica do bordo livre das pálpebras' 1873. Do lat. cient. *ptilōsis*, deriv. do gr. *ptílōsis*.
ptolomaico *adj.* 'pertencente ou relativo a Ptolomeu, ou próprio dele' 1899. Do lat. *ptolemaicus*, de *Ptolemaeus* (< gr. *Ptolemaîos*) 'Ptolomeu'.
ptomaína *sf.* 'qualquer das substâncias tóxicas aminadas provenientes da putrefação das matérias orgânicas de origem animal' 1899. Do fr. (ou ing.) *ptomaïne*, deriv. do it. *ptomaìna*, voc. criado pelo professor Selmi, em 1878, com base no gr. *ptôma* 'cadáver'.
ptose *sf.* 'queda de um órgão pelo relaxamento dos ligamentos viscerais ou das paredes abdominais' 1899. Do lat. cient. *ptōsis*, deriv. do gr. *ptōsis* 'queda' ‖ **ptót**ICO XX.
pua *sf.* 'ponta aguda' 'haste da espora, na ponta da qual está a roseta' XV. De origem incerta; talvez do lat. *pūga, aparentado com o lat. *pŭngĕre* 'picar, atormentar', ou do lat. *pūgĭo -ōnis* 'punhal'.
púbere *adj. 2g.* 'que chegou à puberdade' 1813. Do lat. *pūber -eris* ‖ EM**pub**ESCER 1881 ‖ IM**púbere** 1813. Do lat. *impūbéris* ‖ **puber**DADE *sf.* 'conjunto das transformações psicofisiológicas ligadas à maturação sexual que traduzem a passagem progressiva da infância à adolescência' XVI. Do lat. *pūbertās -ātis* ‖ **pub**ESC·ÊNCIA 1858 ‖ **pub**ESC·ENTE 1873. Do lat. *pūbēscens -entis*.
púbis *sm. 2n.* '(Anat.) a parte inferior e mediana da região hipogástrica, que forma uma eminência triangular e se cobre de pelos na puberdade' XVII. Do lat. tard. *pūbis* (cláss. *pubes -is*) ‖ **pub**ICÓRNEO XX.
público *adj.* 'relativo, pertencente ou destinado ao povo, à coletividade' | XIII, *pubrico* XIII etc. | Do lat. *pūblĭcus -a -um* ‖ **public**AÇÃO | *publicaçom* XIV | Do lat. *pūblĭcātĭō -ōnis* ‖ **public**ADOR XVI. Do lat. *publicātor -ōris* ‖ **public**AMENTO | *poblicamento* XIV ‖ **public**ANO XIV. Do lat. *pūblĭcānus -ī* ‖ **pub**licAR | *pubrycar* XIV, *poblicar* XIV etc. | Do lat. *pūblĭcāre* ‖ **public**IDADE XVII ‖ **public**ISMO XX ‖ **pub**licISTA 1813. Do fr. *publiciste* ‖ **public**IT·ÁRIO XX. Do fr. *publicitaire* ‖ **publí**COLA 1823.

pubo, puba *adj.* 'mole, cansado' 'podre, imprestável' XX. Do tupi *'puųa*. O voc. ocorre, também, como elemento de composição, na formação de alguns compostos de origem tupi: *tapiopuba, vipuba* etc.
puçá *sm.* 'pequena rede de pescar' | *a* 1696, *pusâ a* 1667 | Do tupi *pī'sa*.
puçanga *sf.* 'mezinha, remédio caseiro' | *pocanga* 1763, *pussanga* 1883 | Do tupi *po'saŋa* ‖ **puçanguara** *sm.* 'curandeiro' XX. Do tupi *posa'ŋiara* < *po'saŋa* + *'iara* 'senhor, senhora.
púcaro *sm.* 'pequeno vaso com asa, ordinariamente destinado a extrair líquidos de outros recipientes maiores' XIV. De etimologia obscura.
pucela *sf.* 'virgem, donzela' | *pucella* XVI | Do fr. *pucelle*, deriv. do b. lat. *pul(l)icella*, dim. do lat. *pulla*, fem. de *pullus* 'pequenino' 'cria de qualquer animal' Cp. POLO³.
pude *adj.* 'unidade de massa russa, igual, aproximadamente, a 16,3 kg' | *pondo* 1740, *puds* pl. 1788, *pouds* pl. 1827 | Do fr. *poud*, deriv. do rus. *púd* e, este, do a. escandinavo *pund*.
pud·endo, -ente, -ibundo, -icícia, -ico → PUDOR.
pudim *sm.* 'iguaria de consistência cremosa e composição variada, assada em banho-maria, e em geral servida com uma calda, ou com um molho' XVIII. Do ing. *pudding*.
pudor *sm.* 'sentimento de vergonha, de malestar, gerado pelo que pode ferir a decência, a honestidade ou a modéstia' XVI. Do lat. *pudor -ōris* ‖ DES**pudor** XX ‖ DES**pudor**ADO XX ‖ IM**pud**ÊNCIA XVII. Do lat. *impudentĭa -ae* ‖ IM**pud**ENTE XVII. Do lat. *impŭdēns -entis* ‖ IM**pud**ICÍCIA 1844. Do lat. *impudīcitĭa -ae* ‖ IM**pud**ICO 1572. Do lat. *impudīcus -a -um* ‖ IM**pudor** 1881 ‖ **pud**ENDO 1813. Do lat. *pudendus -a -um* ‖ **pud**ENTE 1899. Do lat. *pudēns -entis* ‖ **pudibundo** 1572. Do lat. *pudibundus -a -um* ‖ **pudicícia** 1572. Do lat. *pudicitĭa -ae* ‖ **pudico** 1572. Do lat. *pudīcus -a -um* ‖ **pudor**OSO XX.
⇨ **pudor** — IM**pudicícia** | 1836 SC ‖ **pudico** | 1525 ABEJP 27v1 |.
pudvém *sm.* 'pano branco de algodão que os hindus enrolam em volta da cintura' | *provens* pl. 1736, *peruem* 1842, *peduvens* pl. 1862 etc. | Do concani *puḍvem*.
puelar *adj. 2g.* 'relativo a, ou pertencente ou próprio de menina ou mocinha' | *puellar* XVIII | Do lat. *puellāris*. Cp. PUERÍCIA.
puelche *s. 2g.* 'indivíduo dos puelches, tribo araucana que habitava a vertente oriental dos Andes'; *sm.* 'o idioma dessa tribo'; *adj. 2g.* 'de, ou pertencente ou relativo aos puelches' 1839. Do mapuche *puel-che* 'gente do leste'.
-puera (-guera, -uera) *elem. comp.*, do tupi *'pųera* (*'üera*, *'ųera*), forma do sufixo do pretérito, que se documenta em alguns vocs. port. de origem tupi, como *anhanguera*, por exemplo. Por influência do sufixo *-eira*, frequentíssimo na formação de derivados portugueses, o suf. tupi *'pųera* foi adaptado em *-pueira: capoeira, ipueira* etc.
puerícia *sf.* 'infância' XVI. Do lat. *pueritĭa -ae* ‖ **pueri**·CULTURA 1899 ‖ **pueri**L XVI. Do lat. *puerīlis -e* ‖ **pueri**L·IDADE XVI. Do lat. *puerīlitās -ātis*.
puérpera *adj. sf.* 'parturiente' XVIII. Do lat. *puerpĕra -ae* ‖ **puerpé**RIO XVI. Do lat. *puerperĭum -ĭī*.

pufe sm. 'almofada com que se entufavam saias ou vestidos' 1881; 'banqueta estofada' XX. Do fr. *pouf*.
púgil adj.2g. 'dado a brigas' XVI. Do lat. *pugil -ĭlis* || **pugil**ATO sm. 'luta com os punhos' XVIII. Do lat. *pugilātus -ūs* | **pugil**ISTA 1881. Do ing. *pugilist* || **pugilo** sm. 'porção de alguma coisa que se pode abranger com o polegar, o indicador e o dedo médio' | 1858, *pugillo* 1844 | Do lat. *pugillus -ī* || pugilÔ·METRO 1881.
⇨ **púgil** — **pugil**ISTA | -*lli*- 1836 SC || **pugilo** | -*llo*- 1836 SC |.
pugnar vb. 'punir, lutar, brigar' | *punnar* XIII, *punhar* XIII | Do lat. *pugnāre* || EX**pugn**AÇÃO XVII. Do lat. *expugnātĭō -ōnis* || EX**pugn**ADOR XVII. Do lat. *expugnātor -ōris* || EX**pugn**AR XVI. Do lat. *expugnāre* || EX**pugn**ÁVEL XVII. Do lat. *expugnābĭlis -e* || IM**pugn**AÇÃO XVI. Do lat. *impugnātĭō -ōnis* || IM**pugn**ADOR 1844. Do lat. *impugnātōr -ōris* || IM**pugn**ANTE XX || **impugnar** XVII. Do lat. *impugnāre* || IN·EX**pugn**ABIL·IDADE 1881. Do fr. *inexpugnabilité* || IN·EX**pugn**ÁVEL XVI. Do lat. *inexpugnābĭlis -e* || **pugna** | *punna* XIII, *puña* XIV | Do lat. *pugna -ae* || **pugn**AC·IDADE 1844. Do lat. *pugnācĭtās -ātis* || **pugn**ADOR XX. Do lat. *pugnātor -ōris* || **pugn**AZ 1813. Do lat. *pugnāx -ācis*. Cp. PUNHO.
⇨ **pugnar** — IM**pugn**ADOR | 1614 SGONÇ II. 178.*13* || IM**pugn**AR | *impunhado* p. adj. 1573 NDias 280.*15* **pugn**AC·IDADE | 1836 SC |.
puir vb. 'desgastar, desfazer pouco a pouco, roçando ou friccionando' 1813. Forma divergente de *polir*, do lat. *polīre* || **pu**ÍDO | *poido* XVI. Cp. POLIR.
puíta sf. 'cuíca' 1899. Do quimb. *pu'ita*.
pujar vb. 'superar, suplantar, sobrepujar' XVII. Do cast. *pujar* || **puj**ANÇA XVI. Do cast. *pujanza* || **puj**ANTE XVI. Do cast. *pujante*, deriv. do fr. *puissant* e, este, do lat. vulg. *possiens -tis*.
pular vb. 'elevar-se do chão imprimindo ao corpo um impulso mais ou menos rápido' XVI. Do lat. *pullāre* | **pulo** XVI. Deverbal de *pular*.
pulcro adj. '(Poét.) gentil, belo, formoso' XVIII. Do lat. *pulcher -chra -chrum* || **pulcrí**·COMO adj. 'cujos cabelos são belos' 1844 (v. COMA¹) || **pulcr**ITUDE 1844. Do lat. *pulchritūdo -ĭnis*.
⇨ **pulcro** — **pulcrí**·COMO | -*chri*- 1836 SC || **pulcr**ITUDE | -*chri*- 1836 SC |.
pule sf. '(Turfe) bilhete de aposta' | *pula* 1881 | Do fr. *poule*.
pulga sf. 'designação comum aos insetos sifonápteros ou suctórios, ápteros, de corpo comprimido, com pernas muito desenvolvidas, apropriadas para o salto, e que se alimentam de sangue dos vertebrados de sangue quente' | XV, *pulgua* XV | Do lat. **pulica*, por *pūlicem*, acus. de *pūlex -ĭcis* || ES**pulg**AR XVI || **pulg**ÃO | *pulgon* XIV | **pulg**UEDO 1858.
pulha sf.'gracejo, escarninho' 'peta, mentira' XVI. Do cast. *pulla* || EM**pulh**AR 1813 || **pulh**ADOR XVI.
pulmão sm. '(Anat.) cada um dos dois principais órgãos respiratórios da maioria dos vertebrados, situados no interior da caixa toráxica' | *polmõ* XIV | Do lat. *pulmō -ōnis* || **pulmon**AR 1813. Do lat. tard. *pulmōnāris*.
pulmonária sf. '(Bot.) gênero de líquens' XVII. Do fr. *pulmonaire*, deriv. do lat. cient. *pulmōnāria*. Cp. PULMÃO.

pulo → PULAR.
pulôver sm. 'agasalho de malha de lã' XX. Do ing. *pull-over*.
pulpite → POLPA.
púlpito sm. 'tribuna para pregadores, nos templos religiosos' | *pulpeto* XV | Do lat. *pulpĭtum -ī*.
pulsar vb. 'movimentar por meio de impulso' 'impelir' 'tocar, sentir' XVI. Do lat. *pulsāre* || **puls**AÇÃO XIX. Do lat. *pulsātĭō -ōnis* || **puls**AT·IVO 1844.
⇨ **pulsar** — **puls**AT·IVO | 1836 SC |.
pulsatila sf. 'erva da fam. das ranunculáceas, originária da Europa' 1844. Do fr. *pulsatille*, deriv. do lat. cient. *pulsātilla*.
⇨ **pulsatila** | -*lla* 1836 SC |.
pulso sm. '(Med.) batimento das artérias que se faz sentir em várias partes do corpo, especialmente na região do pulso' 'ext. parte do antebraço que se articula com a mão, onde se sente o pulso da artéria radial' XV. Do lat. *pulsus -ūs* || **puls**EAR 1881. Do esp. plat. *pulsear* || **puls**EIRA 1813 || **pulsí**·METRO 1873. Do fr. *pulsimètre* || **pulsó**GRAFO XX.
pulular vb. 'lançar rebentos (a planta)' 'brotar, irromper' | *pullular* XVII | Do lat. *pullulāre* || **pulul**ANTE XX || RE**pulular** | *repullular* 1873 | Do lat. *repullŭlāre*.
⇨ **pulular** — RE**pulular** | -*llu*- 1836 SC |.
pulverizar vb. 'reduzir a pó' 1813. Do lat. tard. *pulverizāre* || **pulver**ÁCEO 1873 || **pulvér**EO XVII. Do lat. *pulverĕus -a -um* || **pulver**ESC·ÊNCIA 1873 || **pulver**IZ·AÇÃO | 1873, *pulverisação* 1873 | Do fr. *pulvérisation* || **pulver**IZ·ADOR | *pulverisador* 1873 | Do fr. *pulvérisateur* || **pulver**OSO 1873 || **pulverulento** XVII. Do lat. *pulverulentus -a -um*. Cp. PÓ.
puma sm. 'suçuarana (*Felis concolor*)' 1837. Do cast. *puma*, deriv. do quíchua *púma*.
púmice sm. '(Pet.) pedra-pomes' XX. Do lat. *pūmex -ĭcis*.
puna¹ sf. 'árvore da fam. das gutíferas' XVI. Do malaiala *punna*.
puna² sf. 'planalto frio da cordilheira dos Andes' 'mal-estar produzido pela rarefação do ar nessas alturas da cordilheira' 1899. Do cast. *puna*, deriv. do quíchua *púna*.
punaré sm. 'mamífero roedor da fam. dos equimídeos' | *punary* 1618 | Do tupi *puna're*.
punção sf. 'ato ou efeito de ferir ou furar'; sm. 'instrumento pontiagudo para furar ou gravar' 1813. Do lat. *punctĭō -ōnis* || EX**punção** | *expuncção* 1899 | Do lat. *expunctĭō -ōnis* || **punç**AR XVI. Do lat. *punctiāre* || **punc**ETA sf. 'instrumento para cortar pequenas lâminas de ferro' 1890. De *punçar* por analogia com *lanceta* || **punc**ION·AR | *punccionar* 1881 || **punct**URA 1813. Cp. PONTA, PUNGIR.
⇨ **punção** | 1615 FNUN 69.*23* |.
pundonor sm. 'sentimento de dignidade, brio, honra' 1740. Do cast. *pundonor*, contração de *punto de honor* 'ponto de honra' || **pundonor**OSO 1813. Do cast. *pundonoroso*.
⇨ **pundonor** | 1680 AOCAD I. 461.*21* |.
punga sm. '*pop.* a vítima do furto praticado pelo punguista' 'o produto desse furto' 'punguista' XX. Do esp. plat. *punga* || **pungu**ISTA sm. 'batedor de carteiras, ladrão' XX. Do esp. plat. *punguista*.
pungir vb. 'ferir ou furar com objeto pontiagudo' 'picar, espicaçar' | XIV, *punger* XIV | Do lat.

pungĕre ‖ ExpungIR XVII. Do lat. *expungĕre* ‖ punGENTE XIII ‖ pungIMENTO | XIV, *pongimento* XV. Cp. PONTA, PUNÇÃO.
punguista → PUNGA.
punho *sm.* 'mão fechada' 'a região do pulso' | XIII, *puno* XIII, *pugno* XIII | Do lat. *pŭgnus -ī* ‖ ApunhAL·AR XVIII ‖ EMpunhAD·URA XIV ‖ EMpunhAR XVII ‖ punhADA | *punnada* XIII ‖ punhADO XIII ‖ punhAL | *punhaaes* pl. XIV, *punhall* XV | Do lat. **pugnāle* ‖ punhAL·ADA 1813. Cp. PUGNAR.
⇨ **punho** — punhalADA | 1573 NDias 354.*13* |.
pun·ibilidade, -ição → PUNIR.
puníceo *adj.* 'da cor da romã, vermelho, purpúreo' XVII. Do lat. *pūnicĕus -a -um*.
púnico *adj. sm.* 'de, ou pertencente ou relativo a Cartago ou aos cartagineses' 'o natural ou habitante de Cartago' 1833. Do lat. *pūnicus -a -um*.
⇨ **púnico** | 1614 SGonç 233.*6* |.
punir *vb.* 'castigar, reprimir' XIV. Do lat. *pūnīre* ‖ IMpune 1813. Do lat. *impūnis* ‖ IMpunIDADE XVII. Do lat. *impūnĭtās -ātis* ‖ IMpunIMENTO | *jmpunymento* XV ‖ punIBIL·IDADE 1899 ‖ punIÇÃO XVI. Do lat. *punītiō -ōnis* ‖ punIDOR XVI. Do lat. *punītōr -ōris* ‖ punIT·IVO XVII ‖ punÍVEL XVII.
⇨ **punir** — punIT·IVO | 1569 in *Studia* nº 8, 187 |.
pupa *sf.* 'estado intermediário entre a larva e a imago, nos insetos holometabólicos' XX. Do fr. *pupe*, deriv. do lat. cient. *pūpa -ae* ‖ pupí·PARO *adj.* 'diz-se dos insetos, cujos filhos nascem em estado de ninfa' 1890.
pupila → PUPILO.
pupilar[1] *vb.* 'gritar (o pavão)' 1899. De origem onomatopaica.
pupilo *sm.* 'órfão menor a cargo de tutor' | *popillo* XV | Do lat. *pūpillus -ī* ‖ **pupila** *sf.* 'menina' '(Anat.) orifício situado na parte média da membrana íris, e pelo qual passam os raios luminosos' XVII. Do lat. *pupilla -ae* ‖ pupilAR[2] *adj.* 2g. 'respeitante a pupilo ou pupila' 1813. Do lat. *pūpillāris -e*.
pupíparo → PUPA.
pupunha *sf.* 'palmeira (*Guilielma speciosa*)' 1833. Talvez do tupi, mas de étimo indeterminado ‖ **pupunh**EIRA XX.
purê *sm.* 'alimento de consistência pastosa, feito de legumes, de batatas ou de frutas, espremidos ou passados com peneira ou em liquidificador' 1890. Do fr. *purée*.
pureza → PURO.
purgar *vb.* 'purificar, limpar, remir' | *porgar* XIV | Do lat. *pūrgāre* ‖ **purga** XIV ‖ purgAÇÃO | *purgaçam* XVI | Do lat. *purgātiō -ōnis* ‖ purgADO XIII ‖ purgANTE XVIII ‖ purgAT·IVO XVII. Do lat. *purgātīvus* ‖ purgAT·ÓRIO XIV. Do lat. med. *pūrgātōrium* ‖ purgUEIRA XIX ‖ RepurgAÇÃO XVI ‖ Repurgar 1813.
⇨ **purgar** — purgAT·IVO | 1573 GLeão 286.*21* |.
pur·idade, -ificação, -ificador, -ificante, -ificar, -ificativo, -ificatório → PURO.
puri·forme → PUS.
puro *adj.* 'sem mistura nem alteração' XIII. Do lat. *pūrus -a -um* ‖ ApurAÇÃO | -*çom* XV ‖ ApurADOR XIV ‖ ApurAR XIV. Do lat. med. *appūrāre* ‖ Apuro 1844 ‖ ImpurEZA ‖ ImpurIFIC·AR 1858 ‖ Impuro XVII. Do lat. *impūrus -a -um* ‖ purEZA XIV ‖ purIDADE *sf.* 'segredo' | XIV, *po-* XIII | Do lat. *pūrĭtas -ātis* 'pureza' ‖ purIFIC·AÇÃO | *porificaçom* XV | Do lat. *purificātiō -ōnis* ‖ purIFIC·ADOR XVI ‖ purIFIC·ANTE XVIII ‖ purIFIC·AR XVI. Do lat. *pūrificāre* ‖ purIFIC·AT·IVO 1858 ‖ purIFIC·AT·ÓRIO XVI. Do lat. tard. *purificātōrius* ‖ purINA *sf.* 'líquido que escorre das esterqueiras, formado pela urina de animais e pela água da chuva, e que constitui um bom fertilizante' '(Quím.) base orgânica $C_5H_4N_4$, que constitui o núcleo de que derivam o ácido úrico, a xantina, a cafeína etc.' XX. Do fr. *purine*, deriv. do al. *Purin*, voc. criado pelo químico alemão Emil Fischer (1852-1919), com base nos vocs. latinos *pūrum* 'puro' e *ūricum* '(ácido) úrico' e o suf. *-in*; V. -INA ‖ puritanISMO 1813. Do fr. *puritanisme* ‖ **puritano** XVII. Do ing. *puritano*.
⇨ **puro** — ApurO | 1836 SC ‖ purIFICAÇÃO | -*çom* XIV TEST 125.*21* |.
púrpura *sf.* 'matéria corante vermelho-escura tirante a violeta, que se extrai da púrpura' 'molusco gastrópode, da fam. dos muricídeos' XIII. Do lat. *purpŭra -ae*, do gr. *porphýra* ‖ **purpur**AR XIX. Do lat. *purpŭrāre* ‖ **purpúr**EO 1572. Do lat. *purpurĕus -a -um* ‖ purpurÍFERO 1873 ‖ purpurINO XVIII.
purul·ência, -ento → PUS.
purupuru *sm.* 'dermatose contagiosa que se caracteriza pelo embranquecimento gradativo da pele' XX. Do tupi **purupu'ru*.
pus *sm.* 'exsudato patológico líquido, de aspecto opaco, formado de leucócitos e células, misturados a líquidos orgânicos, e que se produz como consequência de uma inflamação' 1813. Do lat. *pūs pūris* (= gr. *pýos*) ‖ ApioIDE *adj.* 2g. 'não corrompido, puro' '(Med.) não purulento' XX. De A- (iv) + gr. *pyoeidés* 'purulento', por via erudita ‖ puriFORME 1873. Do lat. cient. *pūrifōrmis* ‖ **purulência** 1844. Do lat. *pūrulentia -ae* ‖ **purulento** XVII. Do lat. *pūrulentus -a -um* ‖ **pústula** XVII. Do lat. *pustŭla -ae* ‖ pustulADO 1873. Do lat. *pustulātus -a -um* ‖ pustulOSO 1844. Do lat. *pustulōsus*.
⇨ **pus** — **pustuloso** | 1836 SC |.
pusilânime *adj.* 2g. 'fraco de ânimo' 'sem firmeza, sem decisão' XVII. Do lat. *pusillanĭmis -e* ‖ **pusilanim**IDADE | *pusalamidade* XV | Do lat. tard. *pusillanimitās -ātis*.
⇨ **pusilânime** | *pusillanime* 1573 GLeão 333.*18* |.
pústul·a, -ado, -oso → PUS.
puta *sf.* 'meretriz' 'mulher devassa' XIII. Fem. de *puto*, do lat. vulg. **pūttus* (cláss. *pūtus -ī* 'rapazinho, menino') ‖ putARIA XIII ‖ putEAR 1813 ‖ puto XIII. Do lat. vulg. **pūttus* (cláss. *pūtus -ī*).
putativo *adj.* 'que aparenta ser verdadeiro, legal e certo, sem o ser' 'suposto, reputado' XVII. Do lat. *putātīvus -a -um*, de *putāre* 'julgar, pensar'.
puteal *sm.* 'bocal de poço' 'entre os antigos romanos, muro baixo que circundava o lugar considerado sagrado por haver nele caído um raio' 1899. Do lat. *putĕal -ālis*.
putear → PUTA.
pútega *sf.* 'planta da fam. das raflesiáceas' 1813. De etimologia obscura.
puto → PUTA.
putrefazer *vb.* 'tornar podre, deteriorar' 1873. Do lat. *putrefacĕre* ‖ **putredin**OSO XVII. Do fr. *putrédineux*, deriv. do lat. tard. *putrēdo* 'podridão' ‖ putrefAÇÃO XVI. Do lat. *putrefactiō -ōnis*

|| putrefAC·I·ENTE 1813 || putrefACTIVO XVII || putrefacto 1844. Do lat. *putrefactus* || putrefAT·ÓRIO 1813 || putrescente 1881. Do lat. *putrēscēns -ēntis* || putrescIBIL·IDADE 1873 || putrescÍVEL 1873. Do lat. *putrēscibĭlis -e* || pútrido 1858. Do lat. *putrĭdus -a -um* || putrificar 1858. Do lat. **putrificāre*. Cp. PODRE.
⇨ putrefazer — pútrido | 1836 SC |.

putumuju *sm.* 'planta da fam. das leguminosas' | 1587, *potumugu* 1624, *putumugu* 1633 etc. | Do tupi *putumu'ĩu*.

puxar *vb.* 'atrair ou deslocar para si' 'tirar, arrancar' XIII. Do lat. *pulsāre* 'sacudir, impelir' || EMpuxar | en- XIII || EMpuxo 1858 || puxAÇÃO XX || puxADA *sf.* 'a primeira carta que um parceiro joga de mão' 1873 || puxADO *sm.* 'respiração difícil do doente de asma' 'estilo forçado' 1844 || puxÃO 1844 || puxAT·IVO XVIII || puxavante XVIII. De *pux(ar)* + *avante* || REpuxar XX || REpuxo XVI. Derivado regressivo de *repuxar*.
⇨ puxar — puxADO | 1836 SC || REpuxar | 1836 SC |.

puxi *adj.* 'torpe, indecente' 1693. Do tupi *po'ši*.

Q

quacre *sm.* 'membro de uma seita protestante fundada na Inglaterra, no século XVII, e difundida principalmente nos EUA' | 1844, *quaker* 1874 | Do ing. *quaker*.
⇨ **quacre** | 1836 SC |.
quaderna, quadr·a, -ado ... -igúmeo, -ijugado, -íjugo → QUATRO.
quadril *sm.* 'região lateral do corpo humano, entre a cintura e a articulação superior da coxa' 'anca' XIII. De origem incerta. Talvez se trate de uma alteração de um hipotético *cadril (cp. *calidade/qualidade, cando/quando*), o qual, por sua vez, proviria de *cadeiril e, este, de *cadeira*, designação que também se dá a essa região do corpo || ESquadrILH·AR² *vb.* 'partir os quadris, desancar' 1858.
quadri·lateral, -látero ... quadru·plicar, -plo → QUATRO.
qual *pron.* XIII. Do lat. *quālis*.
qualidade *sf.* 'propriedade, atributo ou condição das coisas ou das pessoas capaz de distingui-las das outras e de lhes determinar a natureza' | XIV, *calidade* XIV | Do lat *quālǐtās -ātis* || **qualitativo** XVIII. Do lat. tard. *quālǐtātīvus*.
qualificar *vb.* 'classificar, avaliar, considerar apto' XVII. Do lat. med. *quālǐfǐcāre* || DES**qualific**AÇÃO 1858 || DES**qualificar** 1844 || IN**qualific**ÁVEL 1881 || **qualific**AÇÃO 1813. Do lat. med. *quālǐfǐcātio* || **qualific**AT·IVO 1813.
⇨ **qualificar** — DES**qualificar** | 1836 SC |.
qualitativo → QUALIDADE.
qualquer *pron.* XIII. De QUAL + QUER.
quando *adv. conj.* 'em que época ou ocasião' 'no tempo em que, ainda que' | XIII, *cando* XIV | Do lat. *quando*.
quanto *pron. m.*, **quanta** *pron. f.* XIII. Do lat. *quantus, quanta* || CON**quanto** 1899 || **quant**IA *sf.* 'soma, porção ou quantidade (de dinheiro)' XIII || **quânt**ICO *adj.* '(Fís.) diz-se de qualquer sistema ou fenômeno quantificado' XX || **quant**IDADE | XIII, *cantidade* XIV | Do lat. *quantǐtās -ātis* || **quant**IFIC·AÇÃO XX || **quant**IFIC·AR XX || **quant**IFIC·AT·IVO XX || **quanti·**TAT·IVO XVII || **quão** | *quan* XIII, *cam* XIV | Do lat. *quam*.
quarar *vb.* 'corar, tingir' 'branquear' XX. De *quorar, deriv. de *corar*, por ultracorreção, em alusão aos numerosos vocábulos em que *qua- quo-* alternam com *ca- co-* (*quatorze/catorze, quociente/cociente* etc.) || **quar**ADOR XX.
quar·enta, -entena, -enteno, -esma, -esmal, -esmeira, -ta, -tã → QUATRO.

quarta-feira → FEIRA.
quart·anário, -ano → QUATRO.
quartau *sm.* 'cavalo pequeno, porém robusto, próprio para carga' 1881. Do *fr. courtaud*.
quart·eirão, -eiro, -el, -ela → QUATRO.
quarterão *adj. sm.* 'filho de uma mestiça com um branco' XIX. Do cast. *cuarterón*.
quart·elo, -ica, -ilho, -inho, -o, -ola → QUATRO.
quartzo *sm.* '(Min.) mineral trigonal, constituído de óxido de silício, que se apresenta em numerosas variedades, e é duro e transparente' 1788. Do fr. *quartz*, deriv. do m. a. al. *quartz*. O voc. foi introduzido na terminologia científica pelo mineralogista alemão Georg Bauer, dito Agrícola (1494-1555) || **quartzí**·FERO 1874. Do fr. *quartzifère*.
quasar(s) *sm. (pl.)* 'cada um dos corpos celestes recentemente descobertos e que constituem as mais gigantescas fontes de energia conhecidas' XX. Do ing. *quasar(s)*, voc. cunhado em 1963, abrev. de *quas*i-*stellar* (sources).
quase *adv.* 'perto, aproximadamente' 'pouco menos' | *quassy* XV, *cazy* XV etc. | Do lat. *quasi*.
quasímodo *sm.* 'domingo de pascoela' 1858. Do lat. *quasi modo*, primeiras palavras que introduzem a missa, no primeiro domingo depois da Páscoa.
quassação *sf.* 'redução das raízes e cascas a fragmentos, para se extraírem melhor os princípios ativos' 1858. Do lat. *quassātiō -ōnis*.
quássia *sf.* 'arvoreta da fam. das simarubáceas, que se estende da América Central à região amazônica' 1874. Do lat. cient. *quassia*, derivado por Lineu do nome de um negro *Quassi*, que em 1730 descobriu as propriedades desta planta, de quem o naturalista sueco teve conhecimento por intermédio de Dahlberg, em 1761.
⇨ **quássia** | 1836 SC |.
quatro *num.* '4, IV' XIII. Do lat. *quattǔor*, através da forma *quattor*, documentada em inscrições || A**quart**EL·AMENTO 1873 || A**quart**EL·AR XVII || **caderna** *sf.* '(Her.) reunião de quatro peças semelhantes, num escudo' 1813. Do lat. *quaterna* 'em número de quatro'. Cp. CADERNO || **cadern**AL *sm.* '(Mar.) poleame de laborar, constituído de uma caixa achatada, de madeira ou de metal, com duas ou mais fendas no sentido do comprimento, em cada uma das quais há uma roldana, móvel em torno de um eixo comum' 1813 || DES·EN**quadr**AR 1899 || EN**quadr**ADO 1899 || EN**quadr**AR 1899 || ES**quadra** *sf.* 'a totalidade dos navios de guerra de

um país' 1572. Do it. *squadra* || ᴇsquadʀÃo *sm.* | xvɪ', *-dram* xvɪ | Do it. *squadrone* || ᴇsquadʀɪᴀ xvɪ || ᴇsquadʀɪʟʜᴀ *sf.* 'grupamento de aeronaves' xɪx. Do cast. *escuadrilla* || ᴇsquadʀɪʟʜ·ᴀʀ' *vb.* 'pôr fora da quadrilha' | *esquadrilhado* part. pass. xvɪɪ || ᴇsquadro *sm.* 'instrumento para desenhar, formar ou medir ângulos e tirar linhas perpendiculares' xvɪɪɪ. Do it. *squadro* || ᴇsquartᴇᴊ·ᴀᴍᴇɴᴛo 1881 || ᴇsquartᴇᴊᴀʀ xvɪ || ᴇsquartᴇʟ·ᴀʀ *vb.* '(Her.) dividir (o escudo) em quatro partes ou quartéis' 1873 || quaderna *sf.* 'caderna' 1813. Forma divergente de *caderna* || quadra *sf.* 'grupo de quatro' '(compartimento) com a forma aproximada de um quadrilátero' 'estrofe de quatro versos' xɪɪɪ. Do lat. *quadra -ae* || quadrᴀᴅo *adj. sm.* xɪɪɪ. Do lat. *quadrātus -a -um* || quadrᴀᴅoʀ 1881 || quadraɢᴇɴ·Áʀɪo 1813. Do lat. *quadrāgēnārĭus -a -um* || quadragésimo xɪᴠ | Do lat. *quadrāgēsĭmus-a-um*||quadrᴀɴɢᴜʟ·ᴀᴅo 1874. Do lat. *quadrangulātus -a -um* || quadrᴀɴɢᴜʟ·ᴀʀ *adj. 2g.* 1813. Do lat. tard. *quadrangulāris* || quadrÂɴɢᴜʟo *adj. sm.* xᴠɪ. Do lat. *quadr(i)angŭlus -a -um* || quadrᴀɴᴛ·ᴀʟ xvɪɪ. Do lat. *quadrantālis -e* || quadrᴀɴᴛᴇ xvɪ. Do lat. *quadrāns -antis* | quadrᴀʀ *vb.* xɪɪɪ. Do lat. *quadrāre* || quadrÁᴛɪᴄo 1874 || quadrᴀᴛ·í·ғᴇʀo xx || quadrᴀᴛ·ɪᴍ *sm.* 1813. Do it. *quadratino* || quadrᴀᴛʀɪᴢ *adj. sf.* 1899 || quadrᴀᴛᴜʀᴀ *sf.* xvɪɪ. Do lat. *quadrātūra* || quadrᴇʟᴀ *sf.* 'ant. espécie de seta de forma quadrangular' 'ant. quadrilha' | *quadrella* xɪᴠ || quadrɪᴀʟᴀᴅo 1881 || quadrɪʙÁs·ɪᴄo 1874 || quádrɪᴄᴀ xx || quadrɪᴄᴀᴘsᴜʟ·ᴀʀ xvɪɪɪ || quadríceps, quadricípite | xx, *-cípite* 1899 | Do lat. *quadrĭceps -cipĭtis* || quadrɪᴄoʟoʀ 1874 || quadrɪᴄÓʀɴᴇo 1874 || quadrÍᴄᴜʟᴀ xvɪɪɪ || quadrɪᴄᴜʟ·ᴀᴅo 1881 || quadrɪᴄᴜʟ·ᴀʀ 1881 || quadrɪᴄÚsᴘɪᴅᴇ 1858 || quadrɪᴅᴇɴᴛ·ᴀᴅo 1874|| quadrɪᴅɪɢɪᴛ·ᴀᴅo 1874||quadrɪᴇɴ·ᴀʟ |*-nnal* 1844 | Do lat. tard. *quadriennālis* || quadrɪÊɴɪo xvɪ. Do lat. *quadriennĭum -ĭī* || quadrɪғᴇɴᴅɪᴅo 1844 || quadrífido *adj.* 1881. Do fr. *quadrifide*, der. do lat. *quadrifĭdus*, || quadrɪғʟÓʀ·ᴇo 1881. Do fr. *quadriflore*, der. do lat. cient. *quadriflōrus* || quadrɪғoʟɪ·ᴀᴅo 1881. Adapt. do fr. *quadrifolié* || quadrɪғÓʟɪo 1858. Do lat. cient. *quadrifolium* || quadrɪғoʀᴍᴇ 1858. Do lat. tard. *quadriformis* || quadrɪғʀoɴᴛᴇ 1899. Do lat. *quadrifrōns -ontis* || quadrɪғᴜʀᴛ·ᴀᴅo xx || quadriga *sf.* 'conjunto de quatro cavalos que puxam um carro' xvɪ. Do lat. *quadrīgae -ārum* || quadrɪɢÁʀɪo *sm.* 'condutor de quadriga' 1899. Do lat. *quadrīgārĭus* || quadrɪɢÊᴍᴇo 1858. Do lat. *quadrigemĭnus* || quadrɪɢᴇᴍɪɴ·ᴀᴅo 1881||quadrɪɢÊᴍɪɴo 1858. Forma divergente erudita de *quadrigêmeo* || quadrɪɢÚᴍᴇo *adj.* xvɪɪɪ || quadrɪᴊᴜɢ·ᴀᴅo 1858 || quadrɪÚɢo *adj.* '(Poét.) puxado por quatro cavalos' 1844. Do lat. *quadrijŭgus -a -um* || quadrɪʟᴀᴛᴇʀ·ᴀʟ 1858 || quadrɪʟÁᴛᴇʀo xvɪ. Do lat. tard. *quadrilaterus* || quadrɪʟʜᴀ *sf.* 'orig. grupo de quatro (cavaleiros)' 'ext. bando, caterva' xᴠ. Do cast. *cuadrilla.* Cp. *quadrela* || quadrɪʟʜ·ᴇɪʀo xɪᴠ. Do cast. *cuadrillero* ||quadrɪʟoʙ·ᴀᴅo 1874. Do lat. cient. *quadrilobātus* || quadrɪʟÓʙᴜʟo xx || quadrɪʟoᴄᴜʟ·ᴀᴅo 1881 || quadrɪʟoᴄᴜʟ·ᴀʀ 1858. Do fr. *quadriloculaire*, deriv. do lat. cient. *quadrilocularis* || quadrɪʟoɴ·ɢo 1858 || quadrɪʟᴜɴᴜʟᴀᴅo 1881 || quadrÍᴍᴀɴo 1881. Do lat. *quadrimanus* || quadrɪᴍᴇɴsɪoɴᴀʟ xx.

De *quadri- + (di)mensional* || quadrimestre 1881. Do lat. *quadrimēstris -e* || quadrɪᴍosǫᴜᴇᴀᴅo 1881 || quadrɪᴍoᴛoʀ xx || quadrɪɴɢᴇɴᴛ·Áʀɪo xx || quadringentésimo 1874. Do lat. *quadringentēsĭmus -a -um*||quadrɪɴÔᴍɪo 1890||quadrɪoᴄᴛo·ɢoɴ·ᴀʟ xx|| quadrɪᴘᴀʀᴛ·ɪÇÃo 1899. Do lat. *quadripartītĭō -ōnis* || quadrɪᴘᴀʀᴛ·ɪᴅo 1890. Do lat. *quadripartītus -a -um* || quadrɪᴘÉᴛᴀʟo 1899 || quadris·sÍʟᴀʙo 1890. Do lat. cient. *quadrisyllabus*||quadris·sᴜʟᴄo 1874 || quadrɪᴠᴀʟᴇɴᴛᴇ xx || quadrɪᴠᴀʟᴠᴇ 1858. Do lat. cient. *quadrivalvis* || quadrɪᴠᴀʟᴠᴜʟ·ᴀᴅo 1874 || quadrɪᴠᴀʟᴠᴜʀ·ᴀʀ 1899 || quadrívio *sm.* 'lugar onde terminam quatro caminhos, vias, ruas' xɪᴠ, *quadrunyo* (sic) xɪᴠ | Do lat. *quadrivĭum -ĭī* || quadro xvɪɪ. Do lat. *quadrum -ī* || quadrÚᴍᴀɴo 1858. Do cast. *cuadrúmano* || quadruᴘᴇᴅ·ᴀɴᴛᴇ *pradrupedante* (sic) 1572 | Do lat. *quadrupĕdāns -āntis* || quadruᴘᴇᴅ·ᴀʀ 1858 || quadrúpede 1813, *quadrupe* xvɪ | Do lat. *quadrŭpēs -pĕdis* || quadruᴘʟɪᴄ·ᴀÇÃo 1858. Do lat. *quadruplicātĭō -ōnis* || quadruᴘʟɪᴄ·ᴀʀ 1813. Do lat. *quadruplĭcāre* || quádruplo *-ple* xvɪɪɪ | Do lat. *quadrŭplus -a -um* || quarenta *num.* '40, xʟ' | xɪɪɪ, *quaraenta* xɪɪɪ, *quareenta* xɪɪɪ etc. | Do lat. *quădrāgĭnta*, através de **quaraĭnta* || quarentᴇɴᴀ *sf.* 'período de quarenta dias' | xᴠ, *quareentena* xɪᴠ | Do it. *quarentena*, deriv. do fr. *quarantaine*, ou diretamente deste || quarentᴇɴo *adj. num.* 'quadragésimo' | *-reent-* xɪᴠ || quaresma 1813, *quaraesma* xɪɪɪ, *quaraesma* xɪᴠ, *coresma* xᴠ etc. | Do lat. tard. *quădrāgēsĭma*, através de **quaraēsĭma* || quaresᴍᴀʟ | *-reesm-* xɪᴠ || quaresᴍᴇɪʀᴀ xɪx || quarta *sf.* 'um quarto, 1/4' xɪɪɪ. Do lat. *quārta* || quartã *adj. sf.* '*ant.* medida correspondente à quarta parte (do alqueire etc.)' | *-tãa* xɪɪɪ |; 'febre que dá de quatro em quatro dias' xɪɪɪ. Do lat. *quārtāna -ae* || quartᴀɴ·Áʀɪo 1874. Do lat. *quārtānārĭus* || quartᴀɴo 1874. Do lat. *quārtānus* || quartᴇɪʀ·Ão *sm.* '*ant.* cada uma das quatro partes em que se divide (o escudo)' | *-eyrões* pl. xɪᴠ | De *quarteiro* || quartᴇɪʀo *sm.* 'a quarta parte de um moio' | xɪɪɪ, *-eyro* xɪɪɪ, *carteiro* xɪᴠ | Do lat. *quārtārĭus -ĭī* || quarᴛᴇʟ[1] *sm.* 'a quarta parte' | *-tees* pl. xᴠ | Do cast. *cuartel*, deriv. do cat. *quarter* || quartᴇʟ[2] *sm.* 'edifício onde se alojam tropas, caserna' 1813. Adapt. do fr. *quartier* || quartᴇʟᴀ *sf.* 'a parte que medeia entre o boleto e a cova do casco do cavalo' xɪᴠ || quartᴇᴛo xvɪɪ. Do it. *quartétto* || quártɪᴄᴀ xx || quartɪʟʜo xvɪɪ. *-lloes* xɪᴠ | Do cast. *cuartillo* || quartɪɴʜo 1813 || quarto[1] *adj. num.* 'ordinal e fracionário correspondente a quatro' xɪɪɪ. Do lat. *quārtus -a -um* || quarto[2] *sm.* 'aposento' 1874 || quartoʟᴀ 1844 || quartᴇʀɴ·ᴀᴅo 1874 || quatᴇʀɴ·Áʀɪo xvɪɪ. Do lat. *quaternārĭus* || quatᴇʀɴɪo *sm.* '(Farm.) bálsamo formado de quatro ingredientes' xvɪɪɪ; '(Mat.) número hipercomplexo formado pela reunião de quatro números ordinários, *s, a, b, c*, sob a forma $q = s + ai + bj + ck$' xx. Do lat. tard. *quaterniō -ōnis*; na segunda acepção o voc. é adaptação do ing. *quaternion*, voc. introduzido na linguagem internacional da matemática pelo matemático irlandês Hamilton, no século xɪx || quaterno xvɪɪ. Do lat. *quaternus -a -um* || quatorze *num.* '14, xɪᴠ' | xɪᴠ, *-ce* xɪᴠ | Do lat. *quatt(u)ordecim* || quatrᴀʟᴠo 1813 || quatríduo 1813. Do

lat. *quatrĭdŭum -ī* || **quatriênio** *sm.* 'quadriênio' xx || **quatr**ILHÃO 1890. Do fr. *quatrillon* || **quatr**IM *sm.* 'pequena moeda antiga' xvi. Do it. *quattrino* || **quatrinca** | *-qua* xvi || **quatro**CENTOS *num.* '400, CD' xiii. De QUATRO + CENTO(s) || **quatr**OLHO *sm.* 'peixe do Brasil' | *quatroolhos* xvii.
⇨ **quatro** — AquadrILHA·DO | 1499 *in* MMA I.172.*24* || AquartEL·AMENTO | 1836 SC | ESquadranISTA *s2g*, 'comandante de um esquadrão' | 1680 AOcad II. *4.2* || ESquartEL·AR | 1836 SC | **quadr(em)** *loc.* | XIV TEST 112.*11* || **quadrageno** xv BENF 194.*32* || **quadragesim**AL | *quadragessimal* 1614 SGonç II.173.*8* || **quadr**ATURA | xv | SEGR 89v 1519 GNic 51.*18*, *quadradura* xv SEGR 89v || **quadri**EN·AL | *-nnal* 1836 SC || **quadri**FENDIDO | 1836 SC || **quar**ÍFIDO | 1836 SC || **quadri**FRONTE | 1836 SC || **quadri**GÊMINO | 1836 SC || **quadri**LATER·AL | 1836 SC || **quadri**LONGO | 1836 SC || **quadrí**MANO | 1836 SC || **quadri**PARTIDO | 1836 SC || **quadro (em)** *loc.* | 1571 FOLF 15.*23* || **quadru**PEDANTE | 1680 AOcad I.553.*4, pradrupedante (sic)* 1572 *Lus.* x.72 || **quadru**PED·AR | 1836 SC || **quádru**PLO | 1519 GNic 37.*19, a* 1542 JCASE 50.*34* || **quart**AN·ÁRIO | 1836 SC || **quart**ANO 1836 SC || **quart**EADO | *c* 1608 NOreb 60.*11* || **quarto**² | 1836 SC || **quart**OLA | 1836 SC || **quatern**ÁRIO | xv BENF 162.*2* || **quatorz**ENO | xv BENF 196.*30, c* 1608 NOreb 64.*17*, 1614 SGonç II.179.*11* |.
que¹ *pron. rel.* xiii. Do lat. *quem*; — *pron. interrog. neutro* xiii. Do lat. *quid*.
que² *conj. integrante* xiii. Do lat. *quia* (> a. port. *qua* e *ca*); — *conj. comparativa* xiii. Do lat. *quam* (> a. port. *qua* e *ca*); — *conj. causal* xiii. Do lat. *quia* (> a. port. *qua* e *ca*).
quebrar *vb.* 'reduzir a pedaços, fragmentar, despedaçar' xiii. Do lat. *crepāre* || ALquebrADO 1844. Talvez do cast. *aliquebrado* || ALquebrar *vb.* 'enfraquecer' xvi ||| INquebrÁVEL xx || **quebra** *sf.* 'ato ou efeito de quebrar' 'desfalque' xv || **quebr**ADA *sf.* xvi || **quebr**AD·EIRA xvii || **quebr**AD·IÇO xvi || **quebr**ADO xiv || **quebr**ANÇ·OSO *adj.* '*ant.* quebradiço' xiv || **quebr**ANT·ADO xiv || **quebr**ANT·AD·URA xiv || **quebr**ANT·AMENTO xiii || **quebrantar** xiii. Do lat. vulg. *crĕpantāre* || **quebr**ANTO *sm.* 'tristeza, sofrimento' xiii. De *quebrantar* || **quebro** xvi || REquebrADO || **Requebrar** xvi || REquebro xvi. Adaptação do cast. *requiebro*.
⇨ **quebrar** — ALquebrADO | *c* 1539 JCASD 88.*3* || **quebr**ADA | xv OFIC 101.*17* || **quebr**AD·URA | xv FRAD I.288.*27* || **quebr**AMENTO | xv CAVA 91.*1* || **quebr**ANT·ADOR | xv BENF 117.*29* |.
queche *sf.* 'tipo de embarcação do mar do Norte' 1899. Do fr. *caiche*, deriv. do ing. *ketch*.
queda → CAIR.
quedar → QUIETO.
quediva *sm.* 'título do antigo vice-rei do Egito, quando este país era tributário da Turquia' xx. Do fr. *khédive*, deriv. do turco ḫidiv 'vice-rei' e, este, do persa ḫudāy 'Deus'.
quedo → QUIETO.
quefir *sm.* 'bebida ácida e efervescente que os caucasianos e tártaros fazem de leite fermentado com certas sementes' xx. Do fr. *kéfir*, de origem caucasiana.
queijadilho *sm.* 'erva da fam. das primuláceas, adventícia no Brasil, ornamental' | *quejadilho* 1858 | De origem duvidosa; talvez se trate de alteração de *cajadilho*, dim. de *cajado*.
queijo *sm.* 'alimento que se obtém pela coagulação e fermentação do leite de vaca, de cabra etc. e cuja massa, de consistência variável, é comprimida e moldada, adquirindo forma característica' | xiii, *queyio* xiv, *queigo* xiv etc. | Do lat. *cāseus -ī* || **queij**ADA 'pastel de nata' 1813 || REqueijÃO *sm.* 'certo tipo de queijo' xvi.
⇨ **queijo** — **queij**ADA | xv VERT 110.*38* |.
queimar *vb.* 'incendiar' xiii. Do lat. *cremāre*, através de uma forma **caimare*, influenciada pelo grego bizantino *káïma* 'queimadura, calor' || **queima** *sf.* 'incêndio' | xv, *queyma* xiii | Cp. gr. *káïma* || **queim**AÇÃO xvi || **queim**ADA 1813 || **queim**ADO xvi || **queim**ADOR | *queymador* xiii || **queim**AD·URA 1813. Do cast. *quemadura* || **queim**ANTE | *queymante* xv || **queimo** *sm.* 'sabor picante, acre' 1858 || **queim**OR *sm.* 'queimo' 1858 || **queim**OSO *adj.* 'queimante' 'quente' 1881 || REqueimar xvi.
⇨ **queimar** — **queim**ADO | *queymando* xiv BARL 16v27 || **queim**AD·URA | xv FRAD I.31.*2* || **queima**MENTO | xv PAUL 16.*5* |.
queixa → QUEIXAR.
queixada → QUEIXO.
queixar *vb.* 'manifestar dor ou pesar' 'censurar, lastimar' xiii. Do lat. vulg. **quassiāre*, deriv. de *quassāre* 'golpear, quebrantar' || AqueixADO xiv || AqueixAMENTO xiv || Aqueixar xiv || **queixa** | xiv, *queixia* xiv | Deriv. regressiva de *queixar* || **queixADURA** *sf.* 'queixa' xiii || **queix**OSO xiii || **queix**UME xiii.
queixo *sm.* 'qualquer das maxilas dos vertebrados' 'o maxilar inferior desses animais' xiii. Do lat. **capsĕum*, de *capsa* 'caixa' || **queix**ADA *sf.* 'queixo' xiii || **queix**UDO 1881.
queixoso → QUEIXAR.
queixudo → QUEIXO.
queixume → QUEIXAR.
quejando *pron.* 'que tem a mesma natureza ou qualidade' | *queianda* xiii, *queyando* xiv | Do lat. **quid genĭtu-*.
quelha *sf.* 'calha de telha para escoamento de águas' 'rua estreita' 1813. Do lat. *canālĭcŭla -ae*, através das formas **canalelha* > **caãlelha* > **cãelha* > **caelha* > *quelha*. Cp. CALHA.
quel(i)- *elem. comp.*, do gr. *chēlē* 'pinça, objeto em forma de pinça', que já se documenta em vocs. formados no próprio grego, como *quela*, e em alguns compostos introduzidos na linguagem científica internacional, a partir do séc. xix ▸ **quela** *sf.* '(Zool.) os dois últimos segmentos dos apêndices dos artrópodes, que formam uma pinça' xvi. Do lat. *chēla*, deriv. do gr. *chēlē* || **quelícera** *sf.* '(Zool.) os apêndices anteriores dos aracnídeos' | *chelicera* 1873 | Do fr. *chélicère*, deriv. do lat. cient. *chēlicera* || **quel**ÍFERO *adj.* '(Zool.) provido de quela' | *cheliphero* 1858 || **quelípode** *sm.* '(Zool.) pata terminada em pinça' xx || **quel**OIDE | *keloide* 1858 | Do fr. *chéloïde*.
quelidônia → CELIDÔNIA.
quel·ífero, -ípode, -oide → QUEL(I)-.
quelônio *adj. sm.* 'espécime dos quelônios, animais cordados, reptis, da ordem *Chelonia*, terrestres e aquáticos' 'pertencente ou relativo aos quelônios'

| *chelonio* 1858 | Do lat. cient. *chelonia*, deriv. do gr. *chelṓnē* 'tartaruga' || **quelono**GRAF·IA *sf.* 'descrição das tartarugas' | *chelonographia* 1899 || **quelonó**GRAFO | *chelonógrapho* 1873.
quem *pron.* XIII. Do lat. *qŭem.*
quemose *sf.* '(Patol.) oftalmia acompanhada de considerável edema da mucosa conjuntiva' | *chemosis* 1858 | Do lat. tard. *chēmōsis*, deriv. do gr. *chḗmōsis.*
⇨ **quemose** | *chemosis* 1836 SC |.
quenga *sf.* 'vasilha feita de metade do endocarpo de um coco' 'o conteúdo dela' 1844. Do quimb. *'keṇa.*
⇨ **quenga** | 1836 SC |.
quenopódio *sm.* 'gênero de plantas criptogâmicas, sem flores, e que se reproduzem por esporos, os quais surgem em esporângios localizados em densas espigas' | *chenopódio* 1858 | Do lat. med. *chenopodium*, deriv. do gr. *chēnópous -podos.*
quente *adj. 2g.* 'de temperatura elevada, cálido' | XIV, *queente* XIV, *caente* XIII etc. | Do lat. *calĕntem*, part. de *calēre* 'estar quente' || **aquent**AR | 1500, *caentar* XIII | Do lat. **calentāre*, de *calens -ntis* | ESQUENTADO XVIII || ESQUENTAMENTO XIV || ESQUENTAR | *escaentar* XIII | Do lat. **excalentāre*, de *calens -ntis* || **quent**ÃO *sm.* 'aguardente de cana-de-açúcar, temperada com gengibre e canela, e servida quente' XX || **quent**UAR | XV, *queentura* XIV, *caentura* XIII etc. || REQUENTAR 1813.
⇨ **quente** — ESQUENTADO | XIV TEST 373.*23* |.
quepe *sm.* 'boné usado por militares de vários países' | *kepi* 1881 | Do fr. *képi*, deriv. do al. da Suíça *Käppi*, dimin. de *Kappe* 'boné'.
queque *sm.* 'bolo semelhante ao pão de ló, porém mais compacto' 1899. Do ing. *cake* 'bolo'.
quer *conj.* XIII. Da 3.ª pess. do sing. do pres. do ind. do verbo QUERER.
quercina *sf.* '(Quím.) matéria cristalizada, solúvel na água e no álcool e muito solúvel no éter, e que se extrai do carvalho ordinário' 1881. Substantivação do adj. lat. *quercīnus-a -um*, de *quercus* 'carvalho'.
querejuá *sm.* 'pássaro da fam. dos cotingídeos' | *quereiuâ c* 1584, *quereibá c* 1594, *quirejuabe* 1618 etc. | Do tupi *kereju'a.*
querela *sf.* 'queixa' 'aborrecimento, desafeto' XIII. Do lat. imperial *quĕrēlla*, por *querēla -ae* || **querel**ANTE XVI || **querel**AR XIII, *querēlārī* || **querel**OSO XIII.
querência *sf.* 'lugar ou paradeiro onde o gado habitualmente pasta, ou onde foi criado' 'local de nascimento ou residência de uma pessoa' 'pago, fogão' 1881. Do esp. plat. *querencia*. Cp. *querença*; V. QUERER || AQUERENCIADO 1899 || AQUERENCIADOR XX || AQUERENCIAR *vb.* 'acostumar o animal a determinado lugar que não o do seu pouso habitual ou de seu nascimento, ou a determinada campanha' 1881.
querer[1] *vb.* 'desejar, ambicionar' XIII. Do lat. *quaerĕre* || **quer**EDOR XIV || **quer**ENÇA XIII || **quer**ENÇ·OSO XV || **quer**ENTE 1813 || **querer**[2] *sm.* 'desejo, vontade' XIII || **quer**IDO XVI || **quisto**[2] 1572. Part. de *querer.*
⇨ **querer**[1] — **quer**ENTE | XV LOPJ II.258.6 || **quer**IDO | XV INFA 91.*19* |.

querimônia *sf.* '*ant.* queixa, querela' 1813. Do lat. *querimōnia -ae.*
quermes *sm. 2n.* 'excrescência vermelha e redonda que a fêmea do pulgão forma sobre as folhas duma espécie de carvalho, e da qual se extrai um corante escarlate' 1844. Do cast. *quermes*, deriv. do ár. *qirmiz* e, este, do persa *kirmiz*, do sânscr. *kṛmiğā* || AL**quermes** *sm. 2n.* 'licor napolitano' 'preparação farmacêutica, hoje em desuso, e na qual entravam sementes de quermes' XVI. Do ár. *al-qirmiz*. Cp. CARMESIM.
⇨ **quermes** | *ker-* 1836 SC |.
quermesse *sf.* 'feira paroquial, anual, realizada nos Países Baixos' 'bazar ou feira beneficente' | *kermesse* 1881 | Do fr. *kermesse*, deriv. do flamengo *kerkmisse.*
querosene *sm.* '(Quím.) líquido resultante da destilação do petróleo' | *kerosene* 1873 | Do fr. *kérosène*, do gr. *kēros* 'cera'.
quérquera *sf.* 'acesso febril com calafrios' XVI. Do lat. *querquĕra.*
quersoneso *sm.* '*ant.* península' | *Chers-* XVI |; 'especificamente, a península do Quersoneso, atual Crimeia' | *Chersoneso* 1572 | Do lat. *chersonēsus -ī*, deriv. do gr. *chersónēsos.*
querubim *sm.* '(Bíbl.) anjo da primeira hierarquia' | *cherubin* XIII, *-bim* XIV, *cherobin* XV | Do lat. ecles. *chĕrŭbĭn* (pl. de *chĕrŭb*) = gr. *cheroubím -ín -ein* (pl. de *cheroúb*), do hebr. *kᵉrūbīm* (pl. de *kᵉrūb*); cp. acad. *karābu* 'abençoar'.
quérulo *adj.* '(Poét.) queixoso, lamentoso, plangente' 1881. Do lat. *querŭlus -a -um.*
questão *sf.* 'pergunta, interrogação' 'tese, assunto' | *questom* XIV, *-tam* XIV | Do lat. *quaestiō -ōnis* || IN**question**ÁVEL 1873 || **quesito** *sm.* 'ponto ou questão sobre que se pede resposta' XVIII. Do lat. *quaesītum -ī* || **ques**ÍVEL XX || **question**AR 1844 || **question**ÁRIO 1881 || **question**ÁVEL 1844 || **questiúncula** 1813. Do lat. *quaestiuncŭla -ae* || **questor** XIV. Do lat. *quaestor -ōris* || **quest**ÓRIO *adj.* 'de, ou relativo a questão' XX. Do lat. *quaestōrius -a -um* || **quest**URA *sf.* 'cargo de questor' 1813. Do lat. *quaestūra -ae.*
⇨ **questão** — **question**AR | 1836 SC || **question**ÁVEL | 1836 SC |.
questuário *adj.* 'que ou aquele que é interesseiro, ambicioso' XVI. Do lat. *quaestuārius -a -um* || **questu**OSO *adj.* 'que dá vantagens ou interesses' XVI. Do lat. *quaestuōsus -a -um.*
questura → QUESTÃO.
quetópode *adj. sm.* 'espécime dos quetópodes, designação antiga para grupar em subclasse os anelídeos providos de cerdas, poliquetas e oligoquetas' | *chetópodo* 1899 | Do lat. cient. *chaetopoda*, deriv. de *cheto-* (< gr. *chaítē* 'cabeleira') e do gr. *poús podos* 'pé'.
quetzal *sm.* 'ave da América tropical' 'unidade monetária e moeda (com a figura da ave gravada) da Guatemala' 1899. Do hisp. americ. *quetzal*, deriv. do náuatle *ketzal (tototl).*
quiabo *sm.* 'fruto capsular cônico, verde e peludo, produzido pelo quiabeiro comum' 1730. De etimologia incerta || **quiab**EIRO *sm.* 'erva lenhosa, da fam. das malváceas, de origem africana e muito cultivada como hortaliça' 1844.

⇨ **quiabo** — quiabEIRO | 1836 SC |.
quiáltera *sf.* '(Mús.) redução ou ampliação ocasional do valor das notas que formam uma unidade de tempo ou de compasso' 1899. Voc. deduzido da terminação de *sesquiáltera* (< lat. *sēsquialter* < *sēsqui* 'uma e meia' + *alter* 'outro'), por confusão da sílaba inicial de *sesquiáltera* com o numeral *seis*; de *quiáltera* formou-se *tresquiáltera*.
quiasma *sm.* '(Gram.) construção anômala, originada do cruzamento de construções normais' XX. Do fr. *chiasme*, deriv. do gr. *chíasma* || **quiasmo** *sm.* '(Ret.) figura de estilo pela qual se repetem palavras invertendo-se-lhes a ordem' XX. Do lat. tard. *chīasmus*, deriv. do gr. *chiasmós*. Cp. QUIASTO.
quiasto, quiastro *sm.* 'ligadura em forma de X, que se usava nas fraturas dos membros inferiores' XX. Do fr. *chiastre*, deriv. do gr. **chíastron* 'aplicação em cruz', de *chiázein* 'cruzar'. Cp. QUIASMA.'
quiba *adj. 2g.* 'forte, robusto' 1890. Do quimb. '*kiba*.
quibaca *sf.* 'tibaca, bráctea da inflorescência das palmeiras' 1899. Do quimb. *ki'baka*.
quibando *sm.* 'espécie de peneira grossa de palha para sessar o arroz, o café etc.' 1890. Do quimb. *ki'baṇu*.
quibe *sm.* 'iguaria da culinária árabe, geralmente feita de carne moída e trigo integral, e temperada com hortelã-pimenta e outros condimentos' XX. Do ár. *kubbah*, sem dúvida através do ing. *kibbe* (*kibbeh*).
quibebe *adj. 2g. sm.* 'de consistência mole' 'papa de abóbora' 1899. Do quimb. *kibe'me*, assimilado em *quibebe*, por influência de *beber*.
quibuquibura *sf.* 'variedade de formiga' 1587. Do tupi *kïṳukï'ṳura*.
quiçá *adv.* 'talvez, porventura, quem sabe' XIII. Do cast. *quizá*, redução do antigo *quiçab* (e *quiçabe*), que é alteração de *qui sabe* (lat. *quī sapit*).
quicé *sf.* 'espécie de faca' XIX. Do tupi *kï'se*.
quíchua *adj. s2g.* 'pertencente ou relativo aos quíchuas, povo indígena' que habita extensa região da América do Sul' 'língua dos quíchuas' 1899. Do quíchua *k'ešua*.
quício *sm.* 'gonzo, peça formada por dois anéis de ferro enganchados e terminados ambos com um espigão' XVI. Do cast. *quicio*.
quídam *sm.* 'pessoa pouco importante' 1899. Do lat. *quīdam*.
quididade *sf.* 'a essência de uma coisa' 'o conjunto das condições que determinam um ser particular' XVIII. Do lat. escolástico *quidditās*.
quiescente *adj. 2g.* 'que está em descanso' 'tranquilo' 1881. Do lat. *quiescens -entis*, part. pres. de *quiēscere*.
quieto *adj.* 'que não se mexe, imóvel' 1572. Do lat. *quiētus -a -um* || AquietAR XVI. A forma paralela *aquedar* (de *quedo*) já se documenta desde o séc. XIV e o part. *aquedado*, desde o séc. XIII || DES·INquietAÇÃO 1813 || DES·INquietARXVII || DES·INquieto 1813 || INquietAÇÃO XVI. Do lat. *inquiētātiō -ōnis* || INquietADOR 1813. Do lat. *inquiētātor -ōris* || INquietANTE XX || INquietAR XVI. Do lat. *inquiētāre* || INquieto XVI. Do lat. *inquiētus -a -um* || INquietUDE XX. Do lat. *inquiētūdō -īnis* || IR·REquieto 1881. Do lat. *irrequiētus -a -um* || quedar XIII. Forma divergente popular de *quietar* || **quedo** XIII || quietAÇÃO XVI || quietAR XVI. Do lat. *quiētāre* || quietISMO XVI. Do fr. *quiétisme* || quietISTA XVII. Do fr. *quiétiste* || quietUDE 1881. Do fr. *quiétude*, deriv. do b. lat. *quiētūdō -inis*.
⇨ **quieto** — DES·INquietAÇÃO | *dezenquietações* pl. 1634 MNor 130.*32, desinquietaçoens* pl. 1680 AOcad I.569.*21* || DES·INquietAR | *desimquietar* c 1541 JCasR 321.*27* || DES·INquieto | 1680 AOcad I.187.*29, dezenquieto* 1634 MNor 144.*20* |.
quilate *sm.* 'a maior pureza ou perfeição do ouro e das pedras preciosas' 'peso equivalente à vigésima parte de uma onça' XVI. Do ár. *qīrāṭ*, deriv. do gr. *kerátion* || AquilatAR 1813.
quilha *sf.* '(Náut.) peça estrutural básica do casco de uma embarcação' XVI. Do fr. *quille*, provavelmente derivado do escandinavo antigo *kilir*, plural de *kjólr*.
quilí·ade, -arquia → QUÍLI(O)-.
quilí·fero, -ficar, -ficativo → QUIL(O)²-.
quíli(o)- *elem. comp.*, do gr. *chili(a)-*, de *chílioi* 'mil', que se documenta em alguns vocs. formados no próprio grego, como *quiliarquia*, e em alguns outros introduzidos na linguagem científica | internacional, a partir do séc. XIX ▶ **quilíade** *sf.* 'um milhar' | *chi-* 1873 | Do lat. tard. *chīlias -adis*, deriv. do gr. *chīliás -ádos* || **quili**ARQU·IA | *chiliarchia* 1899 | Cp. gr. *chiliarchía* || **quilió**GONO | *chi-* 1873 | Do fr. *chiliogone*, deriv. do gr. *chiliágōnos*.
quilo¹ → QUILO-.
quilo² → QUIL(O)².
quilo- *pref.* do fr. *kilo-*, deduzido, arbitrária e irregularmente, do gr. *chílioi* 'mil' (a forma correta, em francês, seria *chilio-*), em 1795, pelos criadores do sistema métrico decimal, que o adotaram para indicar a multiplicação por mil de uma unidade de medida ▶ **quilo¹** | XX, *kilo* XIX | Do fr. *kilo*, redução de *kilogramme* || **quilo**CICLO XX. Do fr. *kilocycle* || **quilo**GRAMA | *kilogrammo* 1844 | Do fr. *kilogramme* || **quilo**GRÂ·METRO XX || **quilo**LITRO | *kilolitro* 1873 | Do fr. *kilolitre* || **quilo**METR·AGEM | *kilometragem* 1881 | Do fr. *kilométrage* || **quilo**METR·AR | *kilometrar* 1873 | Do fr. *kilométrer* || **quilo**MÉTR·ICO | *kilometrico* 1873 | Do fr. *kilométrique* || **quilô**METRO | *kilometro* 1858 | Do fr. *kilomètre* || **quilo**TON XX. De *quilo* + *ton* (redução de *tonelada*) || **quilo**WATT XX. Do fr. *kilowatt*.
quil(o)¹- *elem. comp.*, deriv. do lat. cient. | *chil(o)-*, do gr. *cheîlos* 'lábio', que se documenta em alguns vocs. eruditos introduzidos na linguagem científica internacional, a partir do séc. XIX ▶ AquilIA¹ | *sf.* 'falta congênita de um lábio, ou de ambos' | *achilia* 1871 || **quilo**FAGIA *sf.* 'vício de morder os lábios continuamente' XX || **quiló**GNATO *adj. sm.* 'diplópode' | *chilognatho* 1873 || **quilo**PLASTIA *sf.* '(Cir.) operação pela qual se restaura(m) um ou ambos os lábios' | *chiloplastia* 1873 || **quiló**PODE *adj. sm.* 'espécime dos quilópodes, animais miriápodes, opistogoniados, da subclasse *Chilopoda*' | *chilopode* 1873.
quil(o)²- *elem. comp.*, do gr. *chȳlós* 'suco, sumo', que já se documenta em vocs. formados no próprio grego, como *quilose*, e em alguns outros introduzidos na linguagem científica internacional, a partir do séc. XIX ▶ AquilIA² *sf.* '(Med.) ausên-

cia ou deficiência de formação de quilo² | *achilia* 1871 || **quilí**FERO *adj. sm.* '(Anat.) diz-se de, ou cada um dos vasos linfáticos do intestino que conduzem o quilo²' | *chylifero* 1858 | Do fr. *chylifère* || **quili**·FICAR *vb.* 'converter em suco' | *chilificar* 1813 || **quili**·FIC·ATIVO | *chy-* 1858 || **quilo**² *sm.* 'líquido esbranquiçado a que ficam reduzidos os alimentos na última fase da digestão nos intestinos' | *chylo* XVII | Do lat. tard. *chȳlos*, deriv. do gr. *chȳlós* || **quilo**LOGIA *sf.* '(Med.) tratado sobre o quilo²' | *chy-* 1873 || **quil**OSE | *chy-* 1873 | Cp. gr. *chȳlōsis* || **quil**ÚRIA *sf.* '(Med.) presença de gordura na urina' | *chy-* 1873 | Cp. QUIMO.
quilociclo → QUILO-.
quilo·fagia, -gnato → QUIL(O)¹-.
quilo·grama, -grâmetro, -litro → QUILO-.
quilologia → QUIL(O)²-.
quilombo *sm.* 'valhacouto de escravos fugidos' XVI. Do quimb. *ki'loṃo* 'povoação' || **quilombola** *sm.* 'designação comum aos escravos refugiados em quilombos' 1855. Parece tratar-se de cruzamento de *quilombo* com CANHEMBORA.
quilo·metragem, -metrar, -métrico, -metro → QUILO-.
quilo·plastia, -pode → QUIL(O)¹-.
quilose → QUIL(O)²-.
quilo·ton, -watt → QUILO-.
quilúria QUIL(O)²-.
quimanga *sf.* 'cabaça ou vasilha feita com quengos de coco, na qual os jangadeiros levam comida para o mar' 1890. Provavelmente do quimb. *ki'maṇa.*
quimbanda *sm.* 'em Benguela, adivinho ou médico indígena' 'no culto banto, simultaneamente médico, feiticeiro e adivinho' local de macumba' 'linha ritual de macumba' 1899. Do quimb. *ki'maṇa.*
quimbembe *sm.* 'cabana' 'rancho de palha' 1899. De origem africana, mas de étimo indeterminado.
quimbembé *sm.* 'espécie de aluá preparado com milho' 1899. Do quimb. *kimȩ'mȩ.*
quimbembeques *sm. pl.* 'berloques, penduricalhos que crianças usam ao pescoço' 1899. Do quimb., mas de étimo indeterminado.
quimbete *sm.* 'certa dança de negros' 1899. De origem africana, mas de étimo indeterminado.
quimbombô *sm.* 'quiabo' 1899. Provável alteração de QUINGOMBÔ.
quimbundo *adj. sm.* 'indivíduo dos quimbundos, indígenas bantos de Angola' 'a língua desses indígenas' 1899. Do quimb. *ki'muṇu.*
quimera *sf.* 'monstro fabuloso, com cabeça de leão, corpo de cabra e cauda de dragão' 'fantasia, utopia, sonho' | *chimera* XVI | Do lat. *chimaera -ae*, deriv. do gr. *chímaira* || **quimér**ICO 1813.
quimo *sm.* 'pasta a que se reduzem os alimentos pela digestão estomacal' | *chimo* 1813 | Do lat. *chȳmus -ī*, deriv. do gr. *chymós* 'suco, sumo' || **qui**mIATRIA *sf.* 'iatroquímica' | *chimiatria* 1899 | Do lat. cient. *chimiatria* || **química** *sf.* 'ciência em que se estuda a estrutura das substâncias, correlacionando-a com as propriedades macroscópicas, e se investigam as transformações destas substâncias' | *chimica* XVIII, *chymica* XVIII | Forma fem. de *químico* || **químico** | *chymico* 1844 | Do fr. *chimique*, de *chimie*, deriv. do lat. med. *chimia*, de *alchimia*. Cp. ALQUIMIA || **quimi**FIC·AR | *chymificar* 1873 ||

quimiLUMINESCÊNC·IA*sf.* 'luminescência originada de reações químicas' XX || **quimio**·TAX·IA *sf.* 'ação atrativa ou repulsiva exercida por certas substâncias sobre os seres vivos' XX || **quimio**·TERAPIA *sf.* '(Med.) tratamento por meio de agentes químicos' XX || **quim**ISMO *sm.* 'conjunto de combinações ou de composições de um organismo' | *chimismo* '1899 | Do fr. *chimisme* || **quimi**TIP·IA *sf.* 'processo químico que transforma a lâmina da gravura em baixo-relevo em outra de alto-relevo, acomodando-a à impressão' | *chimitypia* 1899 || **quimó**GRAFO *sm.* '(Med.) aparelho para medir a pressão e a oscilação da coluna sanguínea' XX || **quimos**·INA *sf.* 'diástase do suco gástrico que precipita a caseína do leite' XX.
⇨ **quimo** – **químico** | *chi-* 1836 SC |.
quimono *sm.* 'túnica longa, usada no Japão por indivíduos de ambos os sexos' '*ext.* espécie de roupão usado no Ocidente, principalmente pelas mulheres' | *quimão* XVI, *queymão* XVI, *kimono* XIX | Do jap. *kimono.*
quimosina → QUIMO.
quina¹ *sf.* 'grupo de cinco objetos, em geral iguais' XIV. Do lat. *quīnī -ae -a* || **quin**ÁRIO 1813. Do lat. *quīnārĭus -a -um* || **quin**O *sm.* 'loto' 1874.
quina² → ESQUINA.
quina³ *sf.* 'arvoreta da fam. das rubiáceas, originária do Peru e notável por suas propriedades antitérmicas' 1844. Do cast. *quina*, de *quina quina*, derivado, provavelmente, do quíchua *kinakina* || **quin**ADO 1813 || **quin**ALD·INA *sf.* '(Quím.) licor incolor que se obtém do alcatrão da hulha' XX. De *quin(a)*³ + *-ald-* (de *alde*ído) + *-ina* || **quinaquina** *sf.* 'quina'³ 1705 || **quin**INA *sm.* '(Quím.) alcaloide da quina, usado como antimalário e antipirético, separado no estado puro por Caventou e Pelletier em 1820' 1858. Do fr. *quinine* || **quin**INO XIX || **quin**OL·INA XX.
⇨ **quina**³ | 1836 SC |.
quinário → QUINA¹.
quinau *sm.* 'ato ou efeito de corrigir' 'sinal com que se marcam os erros de alunos na lição' XVII. Do cast. *quinao*, que parece ser redução do lat. *quin autem.*
quincálogo → QUIN(QUE)-
quincha *sf.* 'cobertura de palha para casas ou para carretas' 1881. Do cast. *quincha*, deriv. provavelmente do quíchua *kíncha* || **quinch**ADOR XX || **quinch**AR XX.
quincunc·e, -ial, quin·decágono, -dênio → QUIN(QUE)-.
quindim *sm.* 'graça petulante' 'doce feito de gema de ovo, coco e açúcar' XIX. De origem obscura.
quingentésimo → QUINHENTOS.
quingombô *sm.* 'quiabo' | *quingonbo* 1874 | Do quimb. *kiṇo'ṃo.*
quinhão *sm.* 'a parte de um todo que cabe a cada um dos indivíduos pelos quais se divide' 'porção, partilha, cota' | *quinhom* XV, *quinnon* XIII etc. | Do lat. *quīnĭō -ōnis* | **A**quinh**O**AR VII | **quinho**EIRO | XIV, *quinoheyro* XIII, *quinhueyro* XIII etc.
quinhentos *num.* '500, D' | XIII, *quinentos* XIII etc. | Do lat. *quingentos*, com uma evolução difícil de explicar || **quingentésimo** 1874. Do lat. *quīngentesĭmus*, deriv. de *quīngentī.*

quinhoeiro → QUINHÃO.
quin·ina, -ino, -olina → QUINA².
quino → QUINA¹.
quin(que)- *elem. comp.*, do lat. *quinque* 'cinco', que já se documenta em vocábulos formados no próprio latim, como *quinquênio*, e em muitos outros introduzidos na linguagem científica internacional, a partir do séc. XIX ▶ **quincáLOGO** *sm.* 'os cinco mandamentos da igreja' XVII || **quincunce** *sm.* 'plantação de árvores dispostas em xadrez, uma em cada canto e uma ao centro' 1844. Do lat. *quincunx -eis* || **quincunciAL** 1899. Do lat. *quincunciālis -e* || **quinDECÁGONO** *sm.* 'polígono de quinze lados' 1874. De *quin-*, redução do lat. *quinque*, e *decágono* || **quinDÊN·IO** *sm.* 'porção de quinze' | *quindennio* 1844 | Do lat. *quīndēnī -ae -a* || **quinquagenário** *adj. sm.* 'que, ou aquele que está na casa dos 50 anos de idade' 1874. Do lat. *quīnquāgēnārĭus -a -um* || **quinquagésima** XIV. Do lat. *quīnquāgēsĭma* || **quinquagésimo** | *quīquagesimo* XIV | Do lat. *quīnquāgēsĭmus -a -um*. Cp. *cinquenta* || **quinqueANGULAR** 1899 || **quinqueCAPSULAR** 1899 || **quinqueDENT·ADO** 1881 || **quinqueFOLI·ADO** 1881 || **quinqueFÓL·IO** 1874. Do lat. *quinquefolius* || **quinqueN·AL** | *quinquennal* 1813 | Do lat. *quinquennālis -e* || **quinquÊN·IO** | *quinquennio* 1813 | Do lat. *quīnquennĭum -ĭī* || **quinqueR·REME** *sf.* 'antigo navio com cinco ordens de remos ou com cinco remadores em cada remo' 1881. Do lat. *quinquěrēmis -is* || **quinqueVALVE** *adj. 2g.* '(Biol.) que tem cinco valvas' 1881 || **quinqueVALVUL·AR** 1899 || **quinqueVIR·ATO** *sm.* 'quinquevirado' XVI. Do lat. *quinquevīrātus -ūs* || **quinquéVIRO** | *quinquevir* 1813 | Do lat. *quīnquevĭrī -ōrum* || **quinquÍD·IO** *sm.* 'espaço de cinco dias' | *quinquiduo* XIX | Do lat. **quinquiduus*.
⇨ **quin(que)-** — **quinDÊN·IO** | 1836 SC | **quinquaGENA** | 1573 NDias 255.11 || **quinquaGEN·ÁRIO** | 1836 SC || **quinquaGENO** | XV BENF 196.*15* | Do lat. *quinquāgēnus -a -um* || **quinqueFÓL·IO** | 1836 SC |.
quinquilharias *sf. pl.* 'brinquedos de crianças' 'joias de fantasia, ou outras miudezas' XVIII. Do fr. *quincaillerie*.
quint·a, -ã → QUINTO.
quinta-feira → FEIRA.
quintal¹ *sm.* 'pequena quinta' 'pequeno terreno, muitas vezes com jardim ou com horta, atrás da casa' 1813. Provavelmente do lat. **quintanālem*.
quintal² *sm.* 'antigo peso de quatro arrobas' XIV. Do lat. med. *quintale*, deriv. do ár. *quinṭār*.
quint·ar, -essência, -eto, -il →QUINTO
quintílio *sm.* 'preparado farmacêutico de antimônio em pó' 1844. De origem desconhecida.
⇨ **quintílio** | 1836 SC |.
quinto *num. sm.* 'ordinal e fracionário correspondente a cinco' 'quinta parte' XIII. Do lat. *quīntus -a -um* || **quinta** *sf.* 'grande propriedade rústica, com casa de habitação' | XVI, *quintãa* XIII, *quyntaa* XIII etc. | Do lat. *quīntāna -ae* || **quintã** *adj. sf.* 'febre que aparece de cinco em cinco dias' | *quintã* XVI, *quintãa* XVI | Do lat. *quintanus -a -um* || **quintAR** *vb.* 'repartir por cinco' XVII || **quintESSÊNCIA** *sf.* 'extrato levado ao último apuramento' | *quinta-essencia* 1873 | Do lat. *quinta essentia* || **quintETO** 1858. Do it. *quintetto* || **quintIL** *adj. 2g.* '(Astr.) diz-se do

aspecto de dois planetas distantes entre si a quinta parte do zodíaco' '(Mat.) quíntico' '(Estat.) qualquer das separatrizes que dividem a área de uma distribuição de frequência em domínios de área igual aos múltiplos inteiros de um quinto da área inicial' 1858. Do fr. *quintil*, deriv. do lat. *quīntīlis* || **quintILHA** XVI. Do cast. *quintilla* || **quintILH·ÃO** | *quintilião* XX | Do ing. *quintillion* || **quintUPLIC·AR** 1881 || **quíntUPLO** 1813. Do lat. **quintuplus* || **REquinta** *sf.* 'pequeno clarinete' 1858. Dev. de *requintar* || **REquintAR** *vb.* 'elevar, sublimar' XVII || **REquintE** *sm.* 'apuro' XVIII.
⇨ **quinto** — **quintIL** 'diz-se do aspecto de dois planetas distantes entre si à quinta parte do zodíaco' | 1836 SC || **quintUPLIC·AR** | 1836 SC || **quíntUPLO** | *a* 1542 JCASE 50*34* |.
quinze *num.* '15, XV' | XIII, *quinçe* XIII etc. | Do lat. *quīndĕcim* || **quinZENA** 1844 || **quinZEN·AL** 1874 || **quinZENO** *num.* 'décimo quinto' | XIV, *quinzêo* XIII.
⇨ **quinze** — **quinZENA** | 1836 SC |.
quiosque *sm.* 'pequeno pavilhão de estilo oriental, para abrigo ou ornamentação de praças e jardins' | *kioske* 1839 | Do fr. *kiosque*, deriv. do turco *kjöšk* e, este, do persa *gōsä*.
quiproquó *sm.* 'confusão de uma coisa com outra' 'situação cômica ou faceta resultante de equívocos' XVII. Do lat. *quī prō quō*.
-quir- → QUIR(O)-.
quir- agra, -algia, -apsia -→ QUIR(O)-.
quiri *sm.* 'planta da fam. das borragináceas, que fornece madeira de boa qualidade para construção naval' | 1817, *query* 1618 | Do tupi *ki 'ri* || **quiriba** 1648. Do tupi *ki 'rïųa*; < *ki 'ri* 'quiri' + *'ïųa* 'planta'.
quiriatro → QUIR(O)-.
quirimbaba *sm.* 'homem valente, corajoso, entre os índios do Brasil' *ext.* capanga, guarda-costas' | *quigrẽ ĩbá* 1562, *quireimbaba* 1565, *querimbaba* 1608, *curimbaba* XX | Do tupi *kïreï 'maųa*.
quiriri *sm.* 'calada da noite, silêncio' | 1928, *kiriri* 1886 | Do tupi *kïri 'rĩ*.
quirites *sm. pl.* 'título acrescentado ao dos romanos após a fusão deles com os sabinos' 'título dos cidadãos civis romanos' XVI. Do lat. *quirītēs -ĭum*.
quir(o)- *elem. comp.*, do lat. cient. *chīro-* deriv. do gr. *cheiro-*, de *chéir cheirós* 'mão', que já se documenta em vocs. formados no próprio grego, como *quirógrafo*, e em muitos outros introduzidos na linguagem científica internacional, a partir do séc. XIX ▶ **quiragra** *sf.* '(Patol.) gota que ataca as mãos' | *chi* 1813 | Do lat. *chīragra*, deriv. do gr. *cheirágra* || **quirALGIA** *sf.* '(Patol.) dor na mão' XX || **quirapsia** *sf.* '(Med.) massagem, fricção' XX. Do lat. cient. *chirapsia*, deriv. do gr. *cheirapsía* || **quirIATRO** *sm.* 'médico operador' XX || **quirÓFANO** *sm.* '(Cir.) sala de operações cirúrgicas, com lugar para a assistência, separado por tabiques envidraçados' XX || **quiroGRAF·ÁRIO** *adj.* '(Jurid.) diz-se dos atos e contratos destituídos de qualquer privilégio ou preferência' | *chirographário* 1899 | Do lat. tard. *chirographarius* || **quirÓGRAFO** | *chirógrapho* 1844 | Do lat. *chīrographum*, deriv. do gr. *cheirógraphon* || **quiroLOG·IA** *sf.* 'arte de conversar por meio de sinais feitos com os dedos' | *chirologia* 1844 || **quiroMANC·IA** *sf.* 'advi-

nhação pelo exame das linhas da palma da mão' | *chiromancia* 1813 | Do lat. *chīromantīa*, deriv. do gr. *cheiromantéia* || **quiro**MAN·IA XX || **quiro**MANTE | *chiromante* 1813 | Cp. gr. *cheirómantis* || **quiro**NOM·IA *sf.* 'arte de regular e acomodar os gestos ao discurso, à declamação, à dança ou à interpretação dramática' | *chironomia* 1858 | Do lat. *chīronomia*, deriv. do gr. *cheironomía* || **quiro**NÔM·ICO | *chironomico* 1873 || **quirô**NOMO | *chironomo* 1873 | Do lat. cient. *chīronomus* (cláss. *chironomos*), deriv. do gr. *cheironómos* || **quiro**PLASTO *sm.* 'aparelho que, adaptado ao teclado do piano, guia o movimento dos dedos, facilitando, assim, o estudo desse instrumento' | *chiroplàsto* 1899 | Do fr. *chiroplaste* || **quiro**PODIA *sf.* '(Med.) tratamento de doenças dos pés' XX || **quir**ÓPTERO *sm.* espécime dos quirópteros, mamíferos da ordem *Chiroptera*' | *chiroptero* 1873 || **quiro**SCOPIA *sf.* 'quiromancia' | *chiroscopia* 1899 | Cp. gr. *cheiroskopía*.
⇨ quir(o)- — **quiro**GRAF·ÁRIO | *chirographario* | 1836 SC || **quir**óGRAFO | *chirographo* 1836 SC || **quiro**LOG·IA || *chi-* 1836 SC |.
quisto[1] *sm.* '(Patol.) tumor formado por um saco cujo conteúdo é líquido ou semilíquido' | *kysto* 1844 | Do fr. *kyste*, deriv. do gr. *kystis* || EN**quist**ADO | *enkistado* 1844 || EN**quist**AR | *enkistar* 1873.
⇨ **quisto**[1] | *kys-* 1836 SC || EN**quist**ADO | *-kys-* 1836 SC |.
quisto[2] → QUERER.
quitanda *sf.* 'loja ou local onde se faz comércio' 1681. Do quimb. *ki'taṇa* || **quitand**EIRO 1899.
quitandê *sm.* 'feijão miúdo e verde que, descascado à unha, se emprega em sopas e outras iguarias' 1899. Do quimb., mas de étimo indeterminado.
quitandeiro → QUITANDA.
quitar *vb.* 'saldar (uma dívida), desobrigar-se' XIII. Do lat. med. *quitare*, alteração de *quiētāre* || DES**quit**ADO 1813 || DES**quitar** *vb.* '*ant.* liberar' 'liberar dos laços conjugais' XIII || DES**quite** XVII || **quit**AÇÃO | *-çon* XIII, *-çõ* XIII etc. || **quit**AMENTO XIV || **quite(s)** *adj.* 'livre, isento' | XIII, *quites* XIII | Do lat. med. *quītus*, alteração de *quiētus* || **quito** *adj.* 'livre, isento' XIII. Do lat. med. *quītus*, alteração de *quiētus*.
-quito(n)- *elem. comp.*, deriv. do gr. *chitōn* 'túnica', que se documenta em alguns poucos compostos eruditos, como *adenossinquitonite*, por exemplo.
quitute *sm.* 'petisco, iguaria de apurado sabor' '*fig.* meiguice' 1890. Do quimb. *ki'tutu* 'indigestão' || **quitut**EIRO 1899.
quixotada *sf.* 'fanfarrice' 'ato ou dito de ingênuo ou sonhador' XVIII. Do antrop. *Quixote* || **quixot**ESCO 1899 || **quixot**ICE XX || **quixot**ISMO XX.
quizila *sf.* 'repugnância, antipatia' 'aborrecimento, impaciência' | 1681, *quigilla* 1681 | Do quimb. *ki'žila* | EN**quizil**AR XX.
quizomba *sm.* 'certa dança dos negros angolenses' XX. De idioma africano, mas de étimo indeterminado.
quociente, cociente *sm.* '(Mat.) quantidade resultante da divisão de uma quantidade por outra' | *quociente* 1813 | Do fr. *quotient*, deriv. do lat. *quotiens -entis*.
quorum *sm.* 'número mínimo de pessoas presentes exigido por lei ou estatuto para que um órgão coletivo funcione' XX. Do fr. *quorum*, deriv. do ing. *quorum* e, este, do lat. *quorum*, genitivo plural do pron. relativo *qui quae quod*.
quot·a, -idade → COTA[1].
quotidiano → COTIDIANO.
quotizar → COTA[1].

R

rã *sf.* 'anfíbio anuro, da fam. dos ranídeos, gênero *Rana*, de larga distribuição geográfica' | *rãa* XIII | Do lat. *rāna -ae* || **ran**ÁRIO *sm.* 'lugar onde se criam rãs, para fins culinários ou científicos' XX || **ran**I·CULTOR XX || **ran**I·CULTURA XX || **ran**INO *adj.* '(Anat.) diz-se de cada um dos vasos sanguíneos existentes na face inferior da língua' 1881. Do lat. cient. *rānīnus* || **rân**ULA *sf.* '(Patol.) tumor na parte inferior da língua, formado pela obstrução do canal excretor duma glândula salivar ou mucosa' 1813. Do lat. cient. *rānula* (cláss. *ranŭla -ae*).
rabaça *sf.* 'erva grande da fam. das umbelíferas, nativa da Europa' XVIII. Do lat. *rapācĭa* 'folhas de rábão, rábano'. Cp. RÁBANO.
rabada → RABO.
rabadão *sm.* 'indivíduo que guarda gado miúdo' | *rabadan* XIII, *arrabadã* XIII | Do ár. *rabbaḍ-ḍa'n* 'dono de carneiros'.
rab·adilha, -anada[1] → RABO.
rábano, rábão *sm.* 'designação comum a várias plantas da fam. das crucíferas' | *rabano* 1813, *rabão* 1813, *rabom* XV | Do lat. *raphănus*, deriv. do gr. *rháphanos* || **raban**ADA[2] *sf.* 'fatia de pão que se frita depois de embebida em água com açúcar e leite' 1813 || **raban**ETE *sm.* 'variedade de rábano de raiz curta e carnosa' XVI. Do cast. *rabanete* || **rapáceo** *adj.* 'que tem a forma de rábano' 1899. De um lat. *rapacĕus*, de *rāpum -ī* 'nabo'. Cp. RABO.
rabavento → RABO.
rabaz → RAPAZ.
rabd(o)- *elem. comp.*, do gr. *rhábdos* 'vara, ramo', que já se documenta em vocs. formados no próprio grego, como *rabdoide*, e em alguns outros introduzidos na linguagem científica internacional, a partir do séc. XIX ⇨ **rabd**OIDE *adj. 2g.* 'semelhante a uma varinha' 1890. Cp. gr. *rhabdoeidés* || **rabdo**LOG·IA *sf.* 'método de calcular com pauzinhos nos quais se acham gravados os números simples' 1874 || **rabdo**MANC·IA *sf.* 'adivinhação por meio de varinha mágica' 1874 || **rabdo**MANTE XX.
rabeca *sf.* 'designação antiquada do violino' 'utensílio de ferreiro, que serve para fazer girar a broca' XVI. Do fr. *rebec*, deriv. do ant. fr. *rebebe* e, este, do ár. *rabāb* || **rabec**ÃO *sm.* 'contrabaixo' 'bras. carro para transporte de cadáveres' 1813.
⇨ **rabeca** | XV MONJ 75.22 |.
rabelo → RABO.
rabi *sm.* 'rabino' | XVI, *arrabj* XIII | Do lat. *rabbī* (= gr. *rhabbī*) | **rabino**[1] *sm.* 'doutor da lei judaica' 'sacerdote do culto judaico' | *rabbino* XVII | Do it. *rabbino*.
⇨ **rabi** — **rabino**[1] | 1573 NDias 124.*16* |.
rábia *sf.* 'raiva' 1844. Do lat. vulg. *răbĭa* (cláss. *rabĭēs -ēī*) || **rabi**AR *vb.* 'perder a paciência' 1858. Talvez do cast. *rabiar* || **ráb**ICO 1881 || **ráb**IDO *adj.* 'raivoso' XVI. Do lat. *rabĭdus -a -um* || **rabi**OSO *adj.* 'raivoso' 1881. Do lat. *rabiōsus -a -um*. Cp. RAIVA.
⇨ **rábia** | 1836 SC |.
rab·iça, -icha, -icho → RABO.
rábico → RÁBIA.
rabicurto → RABO.
rábido → RÁBIA.
rabi·furcado, -longo → RABO.
rabino[1] → RABI.
rabino[2] *adj.* 'travesso, traquinas, irrequieto' 1858. De origem incerta.
rabioso → RÁBIA.
rabo *sm.* 'cauda' 'prolongamento da coluna vertebral de certos mamíferos' XIII. Do lat. *rāpum -ī* 'nabo' | ENrabICH·ADO 1899 || ENrabICH·AR 1899 || rabADA XVI || rabAD·ILHA XVI. Do cast. *rabadilha* || rabAN·A[1] *sf.* 'golpe com o rabo' 1813 || rabA·VENTO *adj.* 'que vai ao sabor da direção do vento' XVI || rabELO *sm.* 'rabiça' 'corda para segurar a rabiça' XV || rabIÇA *sf.* 'braço ou guidão do arado destinado ao manejo desse utensílio' XVI || rabICHA XX || rabICHO XX || rabI·CURTO 1813 || rabI·FURC·ADO *adj.* '(Zool.) que tem a cauda bifurcada' | *rabiforcado* XVI || rabI·LONGO 1858 || rabI·PRETO *adj.* '(Zool.) que tem cauda preta' | *rabi-preto* 1881 || rabIR·RUIVO | *rabiruiva* f. 1858 || rabISC·AR XVI || rabISCO XVII || rabI·S·SECO *adj.* 'que não dá fruto' 1844 || rabONA *adj. sf.* 'feminino de rabão' 'fraque de abas curtas' 1890. Provavelmente do cast. *rabona* || rabUDO XVIII. Cp. RÁBANO, RABÃO.
⇨ **rabo** — **rab**EAR | XV PAUL 45*v*15 || **rabi**·S·SECO | *rabisecco* 1836 SC |.
rabote *sm.* 'grande plaina de carpinteiro' 1844. Do fr. *rabot*.
⇨ **rabote** | 1836 SC |.
rabudo → RABO.
rabugem *sf.* 'doença de cães, semelhante à sarna' '*fig.* impertinência' XVI. Do lat. *rabūginen*, de *rōbīgō -ĭnis* 'ferrugem' || **rabug**ENTO XVI || **rabugi**CE 1881 || **rabuj**AR 1881.
rábula *sm.* 'advogado de limitada cultura e chicaneiro' XVII. Do lat. *rabŭla -ae*. Cp. RÁBIA.

rabunar *vb.* 'preparar (a cortiça) para fazer as rolhas' 1899. De etimologia obscura.
raça *sf.* 'conjunto de indivíduos cujos caracteres somáticos são semelhantes e se transmitem por hereditariedade' XV. Do it. *razza*, deriv. do lat. *ratĭō -ōnis* || **rac**IAL XX || **rac**ISMO XX || **rac**ISTA XX. Cp. RAÇÃO, RAZÃO.
ração *sf.* 'o alimento necessário para manter em boas condições de funcionamento o organismo humano ou animal, durante um certo período' | *raçon* XIII, *reção* XVI etc. | Do lat. *ratĭō -ōnis* || **raço**EIRO *adj.* 'que recebe ou dá uma ração' | *raçõeiro* XIII. Cp. RAÇA, RAZÃO.
racemo *sm.* 'cacho de uvas' '(Bot.) tipo de inflorescência correspondente a cacho, constituída de um eixo indefinido sobre o qual se inserem flores pediceladas' XVII. Do lat. *racēmus -ī* || **racem**ADO | *racimado* 1858 | Do lat. *racēmātus -a -um* || **racêm**ICO | *racimico* 1874 || **racem**ÍFERO | *racimifero* 1844 | Do lat. *racēmifer -fěra -fěrum* || **racem**IFLORO | *racimiflor* 1874 || **racem**IFORME 1874 || **racem**OSO | *racimoso* 1844 | Do lat. *racēmōsus -a -um* || **racimo** | *rrazimo* XIV | Do lat. *racēmus -ī* (vulgarmente *racīmus*).
⇨ racemo — **racem**ÍFERO | *raci-* 1836 || **racem**OSO | *raci-* 1836 SC ||.
rachar *vb.* 'dividir no sentido do comprimento' XV. De etimologia obscura || **racha** XVI || **rach**AD·URA 1813.
racial → RAÇA.
racimo → RACEMO.
raciocínio *sm.* 'ato ou efeito de raciocinar' 'reflexão' XVII. Do lat. *ratĭōcinĭum -ĭī* || **raciocin**AÇÃO XVII. Do lat. *ratĭōcinātĭō -ōnis* || **raciocin**ADOR XX. Do lat. *ratĭōcinātor -ōris* || *raciocinar* 1813. Do lat. **ratĭōcināre* (cláss. *ratiocināri*) || **raciocin**ATIVO 1881. Do lat. *ratĭōcinātivus -a -um*. Cp. RAZÃO.
racion·abilidade, -al, -alidade, -amento, -ar, -ável, -eiro → RAZÃO.
⇨ racioneiro → RAZÃO.
rac·ismo, -ista → RAÇA.
raçoeiro → RAÇÃO.
raconto *sm.* 'narração, narrativa, relato' XVII. Do it. *racconto*.
radar, radi·ação, -ado, -ador, -al, -ano, -ante, -ar, -ário → RÁDIO[1].
radic·ação, -al, -alismo, -alista, -ando, -ante, -ar, -ela, -ula → RAIZ.
rádio[1] *sm.* '(Anat.) osso longo que, juntamente com o cúbito, forma o antebraço, e se situa no lado externo deste, o lado do polegar' 1813. Do lat. *radĭus -ĭī* || IR·**radi**AÇÃO *sf.* 'ato ou efeito de irradiar' '(Fís.) bombardeio duma substância por um feixe de partículas' 1874. Do lat. tard. *irradiātĭō -ōnis* || IR·**radi**ANTE XX || IR·**radi**AR 1874. Do lat. tard. *irradiāre* || **radar** *sm.* 'técnica, ou equipamento, para localizar objetos móveis ou estacionários, medir-lhes a velocidade, determinar-lhes a forma e a natureza, e que utiliza a emissão de micro-ondas moduladas e a detecção e análise do pulso refletido pelos objetos' XX. Do ing. *radar*, voc. formado com as iniciais de *radio detecting and ranging* 'descoberta e localização por meio do rádio' || **radi**AÇÃO XIX. Do lat. *radiātĭō -ōnis* || **radi**ADO 1844. Do lat. *radiātus -a -um* || **radi**ADOR XX. Do fr. *radiateur* || **radi**AL XVIII. Do lat. cient. *radiālis* || **radi**ANO *sm.* 'unidade de medida de arco, ou de ângulo, igual a um arco de circunferência, ou ao ângulo central que ele subentende, cujo comprimento é igual ao raio da circunferência' XX || **radi**ANTE 1572. Do lat. *radĭāns -antis* || **radi**AR 1572. Do lat. *radiāre* || **radi**ÁRIO 1890 || **rádio**[3] *sm.* '(Quím.) elemento de número atômico 82, radioativo, metálico, branco-prateado, quimicamente aparentado com os metais alcalino-terrosos' XX || **rádio**[3] *sm.* 'aparelho ou conjunto de aparelhos para emitir e transmitir sinais radiofônicos' XX || **radio**ATIV·IDADE XX. Do fr. *radio-activité* || **radio**ATIV·O XX. Do fr. *radioactif* || **radio**DIFUS·ÃO XX. Do fr. *radiodiffusion* || **radio**DIFUS·ORA XX || **radio**EMISSOR XX || **radio**FONE XX || **radio**FON·IA XX. Do fr. *radiophonie* || **radio**FÔN·ICO XX. Do fr. *radiophonique* || **radio**GRAF·AR | *radiographar* 1899 || **radio**GRAF·IA | *radiographia* 1899 || **radio**GRÁF·ICO | *radiographico* 1899 || **radio**GRAMA XX || **radiola** *sf.* 'aparelho em que se conjugam o rádio e a vitrola' XX. De *radi(o)* + *(vitr)ola* || **radiol**ÁRIO *sm.* '(Zool.) animal protozoário, actinópode, da ordem *Radiolaria*, geralmente esférico, com o protoplasma dividido por uma cápsula quitinosa com vários poros, em duas porções' 1899. Do lat. cient. *radiolāria* (do lat. cláss. *radiolus*, dimin. de *radĭus*) || **radio**LOG·IA XX. Do fr. *radiologie* || **radio**LÓG·ICO XX || **radio**LOG·ISTA XX. Do fr. *radiologiste* || **radiô**METRO XX. 'antigo instrumento náutico próprio para medir a altura meridiana do sol' 1874. Do fr. *radiomètre* || **radio**SCOP·IA 1899. Do fr. *radioscopie* || **radio**SCÓP·ICO 1899 || **radioso** XIV. Do lat. *radĭōsus* || **radio**TELEGRAF·IA XX. Do fr. *radiotélégraphie* || **radio**TELEGRÁF·ICO XX || **radio**TELEGRAF·ISTA XX. Do fr. *radiotélégraphiste* || **radio**TERAPIA XX. Do fr. *radiothérapie* || **radônio** *sm.* '(Quím.) elemento de número atômico 86, gás nobre radioativo' XX. Do lat. cient. *radonium*.
⇨ **rádio**[1] — IR**radi**AÇÃO | 1836 SC || IR**radi**AR | 1836 SC || **radi**ADO | 1836 SC ||.
radobar *vb.* 'ant. consertar, reparar (navios)' XV. Do fr. *radouber*, de *r(e-)* + *adouber* 'arrumar'; cp. ADUBAR.
radônio → RÁDIO.
raer *vb.* 'raspar' 'vassourar (o forno) depois de aquecido' 'arrastar com rodo (o sal nas marinhas)' XIII. Do lat. *radĕre*.
rafar *vb.* 'gastar com o uso, surrar' 1890. De etimologia obscura || **rafa** *sf.* 'corte feito nos veios de carvão de pedra, com rafadeiras, para o desmonte da jazida' 1813.
rafe *sf.* '(Anat.) linha semelhante a costura, que se observa em alguns órgãos' '(Bot.) linha em relevo que ocorre em muitas sementes, procedente da soldadura do funículo com o tegumento seminal' XX. Cp. gr. *rhaphé* 'costura'.
rafeiro *adj. sm.* 'diz-se de, ou cão treinado para guardar gado' | *rafeyro* XVI | De etimologia controversa.
ráfia *sf.* 'gênero de palmeiras africanas e americanas, que dão ótima fibra' | *raphia* 1899 | Do lat. cient. *rhaphīa*, deriv. do malgaxe.
ráfide *sf.* '(Bot.) rafídeo, cristal acicular, constituído de oxalato de cálcio, pontiagudo nas duas extre-

midades, e que se dispõe em feixes no interior das células' | *raphide* 1874 | Do fr. *raphide*, deriv. do gr. *rhaphís -idos* 'agulha' || **rafí**GRAFO *sm.* '(Tip.) aparelho empregado para gravar os caracteres em relevo do alfabeto dos cegos' | *raphigrapho* 1899.
rágade *sf.* 'ulceração estreita e alongada' XVII. Do lat. cient. *rhagades*, deriv. do gr. *rhagádes*, pl. de *rhagás* 'fenda, corte'.
ragu *sm.* 'carne, em especial de vitela ou de carneiro, ensopada ou guisada com legumes, e molho abundante' XX. Do fr. *ragoût*.
raia¹ *sf.* 'designação comum aos peixes elasmobrânquios hipotremados, de corpo achatado, boca e fendas branquiais situadas na face ventral, nadadeiras peitorais muito desenvolvidas, em forma de asas' | XVI, *arraya* XV | Do lat. *raia -ae*.
raia², -r → RAIO.
raigota → RAIZ.
raineta *sf.* 'perereca' | *rainete* 1844 | Do fr. *rainette*, dim. do a. fr. *raine* 'rã'.
⇨ **raineta** | 1836 SC |.
rainha → REI.
raio *sm.* 'luz que emana de um foco luminoso e segue uma trajetória reta em determinada direção' '(Geom.) segmento de reta que vai de uma circunferência, ou de uma superfície esférica, até o seu centro' | XIV, *rrayo* XIV, *rayo* XIV etc. | Do lat. *radĭus -īī* || **raia²** *sf.* 'risco, traço'. Fem. de *raio*, do lat. *radĭus* || **raiAR** | *rayar* XIII | Cp. RÁDIO.
raiva *sf.* 'ódio, ira' 'doença infecciosa própria do cão e doutros mamíferos, e transmissível ao homem' | *ravia* XIII, *rrauea* XIV, *rrauya* XIV etc. | Do lat. vulg. *răbĭa* (cláss. *răbĭes*) || ENr**aiv**ECER 1813 || ENr**aiv**EC·IDO 1813 || **raiv**AR | *rauiar* XIII || **raiv**OSO | *rraiuoso* XIII, *rauioso* XIII, *rayuoso* XIV etc. | Do lat. *răbĭōsus -a -um*. Cp. RÁBIA.
raiz *sf.* '(Bot.) porção do eixo das plantas superiores que cresce para baixo, em geral dentro do solo, e cuja função fundamental é fixar o organismo vegetal e retirar do substrato os nutrientes e a água necessários à vida da planta' 'cerne, origem, princípio' | XIII, *rayz* XIII, *reyz* XIV etc. | Do lat. *radix -īcis* || DES·ENr**aiz**AR 1881 || ENr**aiz**AR 1844 || **radic**AÇÃO 1813. Do lat. cient. *rādīcātĭō* || **radic**AL¹ *adj.* 2g. 'relativo a raiz' XVI. Do lat. *rādīcālis (de *radīcālĭter*) || **radic**AL² *adj. s2g.* 'partidário do radicalismo' 1858; *sm.* '(Gram.) parte invariável de uma palavra' 1836 || **radic**AL·ISMO 1858 || **radic**AL·ISTA 1899 || **radic**ANDO XX || **radic**ANTE 1858 || **radic**AR XVI. Do lat. *rādīcārī* || **radic**ELA 1874 || **radíc**ULA 1844. Do lat. *rādīcŭla -ae* || **raig**OTA *sf.* 'radícula' 'espigão na base das unhas' 1813.
⇨ **raiz** — ENr**aiz**AR | 1836 SC || **radic**AL² | 1836 SC || **radíc**ULA | 1836 SC |.
raja *sf.* 'estria, listra, raia' 1858. Do cast. *raya* || **raj**ADO 1844 || **raj**AR 1881. Do cast. *rayar* || **rajo** *sm.* 'parte dos pinheiros que se corta para extrair-lhes a resina' 1881. Cp. RAIO.
⇨ **raja** — **raj**ADO | 1836 SC |.
rajá *sm.* 'príncipe ou soberano de um estado indiano' | XVI, *rajaa* XVI | Do hindustani *rājā*, deriv. do sânscr. *rājan* 'rei'.
rajada *sf.* 'vento forte e de curta duração' XVI. De etimologia incerta, talvez do cat. *ratxada*, deriv. do ár. *rággá* 'agitação'.

rajado → RAJA.
rajaputro, resbuto *adj. sm.* 'pertencente ou relativo aos rajaputros' 'indivíduo dos rajaputros, antiga raça nobre do noroeste da Índia, dedicada às armas' | *reesbuto* 1516, *resputo* 1516, *reysbuto* 1554, *ragibuto* 1635, *rajaputro* 1687 etc. | Do hindustani *rājpūt*, deriv. do sânscr. *rājan* 'rei' e *putrá* 'filho'.
rajar → RAJA.
rajeira *sf.* 'cabo, amarra' | *rajeyra* XVI | De origem incerta.
rajo → RAJA.
rala *sf.* 'a parte mais grossa da farinha de trigo' XVI. De RALO¹.
⇨ **rala** | *rrara* XV VERT 148.20 |.
ral·ação, -ado, -ador, -adura, -ar → RALO¹.
ralé *sf.* 'a camada mais baixa da sociedade' XVI. De origem incerta, talvez do fr. antigo *ralée* 'ida', no sentido de 'ato de capturar uma presa'.
⇨ **ralé** 'variedade de presa' | *relees* pl. XV LEAL 107.29 |.
ralo¹ *sm.* 'crivo da peneira' XVII; 'lâmina com orifícios para coar líquidos' XVI. Do lat. *rāllum -ī* 'raspador' || **ral**AÇÃO *sf.* '*fig.* importunação' 1881 || **ral**ADO | *relado* XVI || **ral**ADOR *sm.* 'instrumento para ralar, ralo¹' 1858; *adj.* '*fig.* que atormenta, maçante' 1881 || **ral**ADURA *sf.* 'fragmento a que se reduz qualquer substância no ralador' 1858; '*fig.* tormento, inquietação' 1881 || **ral**AR *vb.* 'passar no ralador' 1813; '*fig.* atormentar, maçar' 1844.
ralo² *sm.* 'inseto ortóptero semelhante aos grilos (*Gryllus gryllotalpa*)' 1813. De origem incerta.
ralo³ *sm.* 'ruído anormal nas vias respiratórias ou nos pulmões' 1899. Do fr. *râle*.
ralo⁴ *adj.* 'pouco espesso, pouco denso, raro' | XVI, *rralo* XV | Forma dissimilada de *raro*, do lat. *rārus -a -um*. Cp. RARO.
ram·a, ·agem, -al, -alhar, -alhete, -alho → RAMO.
-rama → -ORAMA.
rambotã *sm.* 'planta da fam. das sapindáceas, *Nephelium lappaceum*, comum no arquipélago malaio' | *rambotans* pl. 1613, *rambutões* pl. 1615 etc. | Do mal. *rambūtan*, de *rambut* 'cabelo' || **rambo**tEIRA | *rambusteira* 1552. Cp. RAMBOTIM.
rambotim *sm.* 'ant. tecido de lã, procedente do Oriente' | *rabotins* pl. 1542, *ribotins* pl. 1542, *rambotins* pl. 1552 | Do mal. *rambuti*, de *rambut* 'cabelo'. Cp. RAMBOTÃ.
rameira → RAMO.
ramento *sm.* '(Bot.) escama membranácea do rizoma e do pecíolo dos pteridófitos' 1844. Do lat. cient. *rāmentum*, de *rādĕre*.
⇨ **ramento** | *-tos* 1836 SC |.
râmeo → RAMO.
ramerrão *sm.* 'repetição monótona, enfadonha' '*ext.* uso continuado e costumeiro, rotina' | *ramerão* 1844 | De etimologia duvidosa.
rami *sm.* 'grande erva da fam. das urticáceas, cujo caule e grandes folhas pilosas são macios e aquíferos, e que tem flores verdes e inconspícuas' | 1899, *rame* 1862 | Do malaio *rāmī*.
ramo *sm.* 'subdivisão do caule das plantas, com a mesma constituição deste' 'galho' XIII. Do lat. *rāmus -ī* | **ram**A XVI. Do lat. vulg. *rama* || **ram**AGEM XVIII || **ram**AL XIV || **ram**ALH·AR XV || **ram**ALH·ETE XVII || **ram**ALHO 1813 || **ram**EIRA *sf.*

'*orig.* frequentadora de tabernas, que se assinalavam ao público pela existência de ramos nas suas portas' 'meretriz' XVI || **râm**EO *adj.* 'diz-se de raízes, flores etc., que nascem nos ramos das plantas' 1874. Do lat. *rāmeus -a -um* || **ram**IFIC·AÇÃO 1813. Do lat. med. *rāmificātiō* || **ram**IFICAR 1813. Do lat. med. *rāmificāre* || **ram**I·FLORO | *ramiflor* 1874 || **ram**I·FORME 1874 || **ram**Í·PARO 1874 || **ram**OSO XVI. Do lat. *rāmōsus -a -um*.
⇨ **ramo** — EN**ram**AR | *c* 1608 NOReb 82.*2*, *emramar* 1614 SGonç I. 236.*31* || **ram**ADA | XIV TEST 144.*34*, 1680 AOCad I. 423.*18* |.
ramonadeira *sf.* 'instrumento de ferro com que se desbastam peles' 1881. Adaptação do fr. *ramoneuse*, de *ramoner*.
ramoso → RAMO.
rampa *sf.* 'plano inclinado considerado no sentido da subida' 'aclive' XVIII. Do fr. *rampe* || **ramp**ANTE *adj.* 2g. '(Heráld.) diz-se do quadrúpede que se apresenta erguido sobre as patas traseiras e com a cabeça volvida para o lado direito do escudo' 1881. Do fr. *rampant*.
-rana *suf. nom.*, do tupi '*rana* 'parecido, semelhante', que se documenta em inúmeros vocs. port. de origem tupi: *abiurana*, *cajarana* etc.; o suf. *-rana* ocorre, também, em formações híbridas: *abacaterana*, *caferana* etc.
ranário → RÃ.
ranç·ar, -escer → RANÇO.
rancho *sm.* 'grupo de pessoas em passeio, marcha, jornada ou trabalho' 'refeição para soldados ou presos' XVI. Do cast. *rancho*, deriv. do verbo *rancharse* ou *ranchearse* e, este, do fr. *se ranger* || **ar·ranch**AR *vb.* 'reunir em ranchos' 'dar pousada' 1813 || **ranch**ARIA *sf.* 'povoado pobre' XX || **ranch**EIRA *sf.* 'dança popular' XX. Do cast. *ranchera* || **ranch**EIRO 1874. Do cast. *ranchero* || **ranch**ER·IO XX.
⇨ **rancho** — **ranch**EIRO | 1836 SC |.
ranço *sm.* 'alteração do ar produz nas substâncias gordas e que se caracteriza por cheiro forte e sabor acre' XIII. Substantivação do adj. lat. *rancĭdus -a -um* || **ranç**AR 1858 || **ranc**ESCER 1874 || **rânc**IDO XVII. Do lat. *rancĭdus* || **rânc**IO 1881 || **ranc**OR *sm.* 'ódio' XIV. Do lat. tard. *rancor -ōris* 'ranço' || **rancor**OSO 1813 || **ranç**OSO 1813 || **ranc**URA *sf.* '*ant.* tristeza' XIII.
ranger *vb.* 'produzir ruído áspero como o do atrito de um objeto duro sobre outro' | *renger* XIV | Do lat. *ringĕre* 'resmungar' || **rang**EDOR | *rengedor* XIV || **rang**IDO 1813. Cp. RINGIR.
rangífer *sm.* 'gênero de mamíferos ruminantes do hemisfério boreal, usados como animal de tiro' XVII. Do lat. cient. *rangifer -erī*.
ranh·eta, -o → RONHA.
ranhura *sf.* 'entalhe alongado na espessura da madeira' XVIII. Do fr. *rainure*.
rani *sf.* 'mulher de rajá' XX. Do ing. *ranee*, deriv. do hindust. *rānī* e, este, do sânscr. *rājnī*, fem. de *rājan*. Cp. RAJÁ.
ranicult·or, -ura → RÃ.
ranilha *sf.* 'saliência mole na planta do pé do cavalo' XVII. Do cast. *ranilla*.
ran·ino, -ula → RÃ.
ranúnculo *sm.* gênero de plantas da fam. das ranunculáceas, próprio das áreas temperadas, do qual algumas espécies são medicinais e outras ornamentais' XVII. Do lat. *rānuncŭlus -ī*.
ranzinza *adj.* 2g. 'birrento, teimoso, impertinente' XX. Voc. de criação expressiva || **ranzinz**AR XX.
rapa → RAPAR.
rapace → RAPAZ.
rapáceo → RÁBANO, RÁBÃO.
rapacidade → RAPAZ.
rapar *vb.* 'desgastar, cortando em fragmentos ou lascas' 'ralar' XIII. Do got. *hrapôn 'arrancar, arrebatar, puxar pelos cabelos' || **rapa** *sm.* 'jogo que consiste em lançar uma espécie de dado em cada face do qual há uma das letras: R (rapa), T (tira), D (deixa), P (põe)' 1813 || **rap**AD·URA *sf.* 'rapadela' 'açúcar mascavo, em forma de pequenos tijolos' 1844 || **rapa**PÉ *sm.* 'ato de arrastar o pé ao cumprimentar' 'adulação' 1813 || **rap**EIRA *sf.* 'conjunto de plantas marinhas, algas etc., onde se desenvolvem os pequeninos peixes e se efetua a germinação dos óvulos' 1874.
⇨ **rapar** — **rap**AD·URA | 1836 SC |.
rapariga *sf.* 'mulher moça' XIII. De etimologia controversa.
rapaz *sm.* '*orig.* criado' 'jovem' XIII. Do lat. *rapāx -ācis* 'ladrão', em alusão à proverbial rapacidade dos criados || **rabaz** *adj.* 2g. 'que arrebata ou tira com violência' XIV. Do lat. *rapāx -ācis* || **rapace** *adj.* 2g. 'que rouba' XVI. Do lat. *rapāx -ācis* || **rapac**IDADE XVII. Do lat. *rapācĭtās -ātis* || **rapaz**IADA | *rapasiada* 1813 || **rapaz**OLA 1858 || **rapaz**OTE 1881. Cp. RAPINA, RAPTO.
⇨ **rapaz** — **rapaz**OTE | 1836 SC |.
rapé *sm.* 'tabaco em pó para cheirar' XVIII. Do fr. *rápé*.
rápido *adj.* 'ligeiro, veloz, breve' XVI. Do lat. *rapĭdus -a -um* || **rapid**EZ 1813.
rapina *sf.* 'ato de tirar, subtrair com violência' 1572. Do lat. *rapīna -ae*, deriv. de *rapĕre* || **rapi**NADOR 1881 || **rapin**AGEM 1881 || **rapin**ANTE XVIII || **rapin**AR | *rapinhar* XVII || Do lat. *rapinare*. Cp. RAPAZ, RAPTO.
⇨ **rapina** | XV ESOP 32.*21*, 1525 ABEJP 13v10, *rapiina* XV FRAD I. 260.6 |.
rapistro *sm.* 'espécie de rábano silvestre' 1899. Do lat. *răpistrum -ī*.
rapôncio *sm.* 'denominação comum a duas plantas campanuláceas' 1858. Do it. *raponzo* (também *rap(er)ónzolo*), que parece ser diminutivo irregular de *rapa* 'nabo redondo'.
raposa *sf.* 'animal mamífero, da ordem dos carnívoros, da fam. dos canídeos, que habita a Europa e é de pequeno porte e grande predador das aves em geral' XIV. Do cast. *raposa*, variante do antigo e dialetal *rabosa* e, este, provavelmente, de *rabo* || **rapos**EAR XX || **rapos**EIRO 1813 || **rapos**IA XVI || **rapos**ICE 1899 || **rapos**INH·AR XVII || **rapos**INHO 1844 || **rapos**INO 1844.
⇨ **raposa** — **rapos**IA | *rra-* XV BENF 116.*24* || **rapos**INHO | 1836 SC || **rapos**INO | 1836 SC |.
rapsódia *sf.* 'trecho de uma composição poética' 'fantasia musical que utiliza melodias tradicionais ou populares' XVI. Do lat. *rhapsōdĭa -ae*, deriv. do gr. *rhapsōdía* || **rapsód**ICO | *rhapsodico* 1899 || **rapsodo** *sm.* 'na Grécia antiga, cantor ambulante de rapsódias' 1813. Do fr. *rapsode*, deriv. do gr.

rhapsōdós || **rapsodo**MANC·IA | *rhapsodomancia* 1899 || **rapsodo**MANTE XX.
rapto *sm.* 'ato ou efeito de arrebatar, de roubar uma pessoa por violência ou sedução' | XVI, *rauto* XV | Do lat. *raptus -us* || **rapt**AR 1813. Do lat., *raptāre* || **rato**³ *sm.* 'espaço de tempo' XIII. Do cast. *rato,* deriv., provavelmente, do lat. *raptus -us.* Cp. RAPAZ, RAPINA.
raqueta, raquete *sf.* 'forte anel ovalado provido de uma rede de cordas esticadas, e um cabo longo, que impele a bola, no tênis e noutros jogos' 1813. Do fr. *raquette,* deriv. do lat. med. *rasceta* 'palma da mão' e, este, do ár. vulg. *rāhet* (cláss. *rāhat*).
raqui(o)- *elem. comp.,* do gr. *rháchis* 'espinha dorsal, espinha vertebral', que se documenta em alguns compostos introduzidos na linguagem científica internacional, a partir do séc. XIX ▶ **raqui**ALG·IA *sf.* '(Patol.) dor em qualquer ponto da coluna vertebral' | 1858, *rachialgia* 1858 || **raqui**ANO *adj.* '(Patol.) relativo ou pertencente à espinha dorsal' XX || **raqui**DI·ANO | *rachidiano* 1899 || **raquio**CENTESE *sf.* '(Cir.) punção do canal raquiano' XX || **raquió**PAGO *sm.* '(Terat.) monstro duplo ligado pela raque' XX || **raquio**PLEG·IA *sf.* '(Patol.) paralisia da medula espinhal' XX || **raquio**TOM·IA *sf.* '(Cir.) abertura cirúrgica do canal raquiano' XX || **ráquis** *sf.* 'raque, espinha dorsal' 1874. Cp. gr. *ráchis* || **raquissagra** *sf.* '(Patol.) dor gotosa na raque' | *rachisagra* 1899 || **raquít**·ICO 1858 || **raquit**·ISMO 1858.
⇨ **raqui(o)-** — **raquít**·ICO | 1836 SC || **raquit**·ISMO | *chi-* 1836 SC |.
raro *adj.* 'de que há pouco, que não é abundante' XVI. Do lat. *rārus -a -um.* O adv. *raramente* já se documenta no séc. XV || **rare**FAÇÃO | *rarefacção* 1813 || **rare**FACI·ENTE XVII || **rare**FA(C)T·ÍVEL 1844 || **rare**FA(C)T·IVO 1813 || **rare**FA(C)TO 1813 || *rarefactus* || **rare**FA(C)TOR 1899 || **rare**FAZER XVII. Do lat. *rārĕfacĕre* || **rare**FEITO 1844 || **rar**IDADE 1813. Do lat. *rārĭtās -ātis* || **rari**·FLORO | *rariflor* 1874 | Do lat. cient. *rariflōrus* || **rarí**·PILO *adj.* 'que tem pelos raros' 1899. Cp. RALO⁴.
⇨ **raro** | XIV AVES XII.8 || **rare**FA(C)T·ÍVEL | 1836 SC || **rare**FEITO | 1836 SC |.
rás *sm.* 'chefe etíope' XVI. Do amárico *ras,* aparentado com o ár. *rā'is* 'chefe'. Cp. ARRAIS.
ras·a, -ar → RASO.
rascar *vb.* 'arranhar' raspar, rapar, lascar' XIII. Do lat. vulg. *rasicāre,* deriv. de *radĕre* 'raspar' || EN-**rasc**AR 1881 || **rasca** 1813 || **rasc**ANTE XIX || **rasc**ÃO | *rascam* XVI || **rasqu**ETA *sf.* '(Náut.) instrumento para raspar e limpar algumas partes do navio' XVI.
⇨ **rascar** — **rasc**AD·URA | XV LOPJ II.168.*32* |.
rascolnismo *sm.* 'seita separada da Igreja ortodoxa russa em 1667, e que considera contrária à verdadeira fé a revisão das versões da Bíblia e a reforma litúrgica levada a efeito em 1654 pelo patriarca Nikon' 1899. Do fr. *rascolnisme,* adapt., com troca de sufixo, do rus. *raskol'nik,* de *raskól* 'separação, cisma' || **rascolnique** *sm.* 'adepto do rascolnismo' | *roskolniki* 1781, *razholniki* 1789 etc. | Do rus. *raskol'nik,* através do fr. *raskolnique.*
rascunhar *vb.* 'fazer um esboço' XVI. Do cast. *rascuñar* || **rascunho** XVII. Do cast. *rascuño.*
rasgar *vb.* 'dividir em pedaços irregulares, destruindo' | *rascar* XIII, *rrasgar* XIV, *rrascar* XIV etc.

| Do lat. vulg. *rasĭcāre,* de *rāsus,* part. pass. de *rādĕre* || **rasg**ADO | *rrasgado* XIV || **rasg**ÃO XVIII || **rasg**O 1813.
raso *adj.* 'liso, plano, rasteiro' '*ext.* arrasado, destruído' XIII. Do lat. *rāsus -a -um* || AR·**ras**AMENTO 1871 || AR·**ras**AR XIV || **rasa** *sf.* '*ant.* medida de capacidade, equivalente, pouco mais ou menos, ao alqueire' XVI || **ras**AR XVI || **ras**OURA *sf.* 'pau roliço usado para rasar ou tirar o cogulo das medidas de secos' XVI.
raspar *vb.* 'tirar, com instrumento adequado, parte da superfície de' XIV. Do germ. **hraspôn* || **raspa** XIV || **rasp**AD·EIRA 1874 || **rasp**AGEM 1899 || **rasp**ANÇA XX || **rasp**ANÇ·AR 1899 || **rasp**ÃO 1881 || **rasp**ILHA *sf.* 'instrumento de tanoeiro, próprio para raspar aduelas' 1844.
rasqueta → RASCAR.
rastão → RASTO.
rastaquera *adj. s2g.* 'pessoa recentemente enriquecida que não perde oportunidade para chamar a atenção, pelo luxo que ostenta e pelos gestos que faz' XX. Do fr. *rastaquouère.*
rast·eira, -eiro, -ejar → RASTO.
rastelo *sm.* 'instrumento formado por uma fileira de dentes de ferro por onde se passa o linho a fim de se tirar a estopa' | *rastrelo* XVI | Do lat. *rāstellus -ī.*
rasto, rastro¹ 'vestígio, sinal' | *rasto* XIII, *rastro* XIV | Do lat. *rāstrum -ī* || AR·**rast**ADO 1813 || AR·**rast**AMENTO 1871 || AR·**rast**AR | XIV, *-trar* XIII, *arrestrar* XIV, *arastrar* XIV etc. || AR·**rast**O 1813 || **rast**ÃO *sm.* 'vara ou ramo de videira que, na poda, se deixa para ficar estendida pelo chão' 1890 || **rast**EIRA 1890 || **rast**EIRO *adj.* 'que se arrasta' XVI || **rast**EJAR XVI || **rast**ILHO 1858. Do cast. *rastillo,* deriv. do lat. *rāstellus -i* || **rast**REAR XVII.
⇨ **rasto, rastro**¹ — **rast**ILHO | 1836 SC |.
rastro² *sm.* 'rede grande de pescar' 'ancinho de ferro XVII. Do lat. *rāstrum -ī.*
rasura *sf.* 'palavra(s) riscada(s) ou raspada(s) de modo que sua leitura se torne impossível' XV. Do lat. *rāsūra -ae* || **rasur**AR XX. Cp. RASO.
rata → RATO¹.
ratafia *sf.* 'licor aromático, em cuja composição entram aguardente, açúcar etc.' 1858. Do fr. *ratafia.*
ratânia *sf.* 'erva ou subarbusto da fam. das leguminosas, cuja raiz, rica em tanino, é empregada contra diarreias' | *ratanha* 1873, *ratânhia* 1873 | De origem incerta, provavelmente do quíchua.
rat·ão, -aria, -azana → RATO¹.
rat·ear, -eio → RATO² .
rateiro → RATO¹.
ratific·ação, -ar → RATO².
rato¹ *sm.* 'nome comum a mamíferos roedores' XIV. Voc. comum às línguas românicas e germânicas, mas de origem incerta, talvez onomatopaica || **rata** XIV || **rat**ÃO 1813 || **rat**ARIA 1899 || **rat**AZ·ANA 1874 || **rat**EIRO 1899 || **rat**INH·AR *vb.* 'economizar exageradamente' 1813 || **rat**INHO XVI || **ratí**·VORO 1899 || **rato**EIRA XVIII || **rato**NEIRO XVIII.
⇨ **rato**¹ — **rat**AZ·ANA | 1836 SC |.
rato² *adj.* 'confirmado, reconhecido, ratificado, calculado' | *rrato* XIII | Do lat. *ratus -a -um* || RA-**tear** *vb.* 'dividir proporcionalmente' XVII. Do lat. *rateāre* || **rat**EIO 1813 || **rat**IFIC·AÇÃO 1813 || **ratifi**CAR | XVI, *retificar* XV | Do lat. med. *ratificāre.*

rato³ → RAPTO.
rato·eira, -neiro → RATO¹.
raucíssono → ROUCO.
ravensara *sf.* 'espécie de videira selvagem, em Madagascar' 1899. Do fr. *ravensara*, deriv. do malgaxe.
ravina *sf.* 'escavação ou barranco aberto por enxurrada' 1874. Do fr. *ravine*, deriv. do lat. *rāpīna -ae*.
ravióli *sm.* 'pequeno pastel cozido, com recheios variados' | *ravióis* pl. 1899 | Do it. *raviòli*.
razão *sf.* 'faculdade que tem o ser humano de avaliar, julgar, ponderar ideias universais' 'raciocínio, juízo' | *razõ* XIII, *razon* XIII etc. | Do lat. *rătĭo -ōnis* || AR·**razo**ADO *adj. sm.* 'conforme a razão' 'discurso oral ou escrito com que se defende uma causa' 1813 || AR·**razo**AMENTO XVI || AR·**razo**AR XVII || DES·AR·**razo**ADO XV || DES·AR·**razo**AR XVIII || IR**racio**nAL XVI. Do lat. *irratiōnālis -e* || IR**racio**nÁVEL XVII. Do lat. *irratiōnābĭlis -e* || **racion**ABIL·IDADE 1813 || **racion**AL XIV. Do lat. *ratiōnāle -is* || **racion**AL·IDADE 1813. Do lat. *ratiōnālĭtās -ātis* || **racion**AMENTO XX || **racion**AR *vb.* 'distribuir em rações, distribuir ou repartir regradamente' 1813 || **racion**ÁVEL 1813 || Do lat. *ratiōnābĭlis -e* || **racion**EIRO 1844. Do lat. *ratiōnārĭum* || **razo**AR *vb.* 'raciocinar' | XVI, *razõar* XIII, *raçoar* XIV, *rezoar* XIV etc. || **razo**ÁVEL | *razõavis* pl. XIV. Do lat. *ratiōnābĭlis -e*. Cp. RAÇA, RAÇÃO.
⇨ **razão** — AR**razo**ADO *sm.* 'argumentação' | 1340 BRIG 63 |; *p. adj.* 'argumentado' | *razoado* 1261 SALA 42.*18* (L²), *razõado* XIII CSM 67.*33* etc. || AR**razo**ADOR | *raõador* XIII CSM 80.*17*, *rezõador* Id. 279.*15* || **racion**ÁVEL | *rracionauyl* XV ESOP 20.*16*, *raçõnavil* XV VIRG v.1620 || **racion**EIRO | 1836 SC |.
razia *sf.* 'invasão predatória em território inimigo, saque' | *razzia* 1881 | Do fr. *razzia*, deriv. do ár. da Argélia *ġāzīya* (ár. cláss. *ġazŭa* 'ataque'). Cp. GÁZUA.
razo·ar, -ável → RAZÃO.
re- *pref.*, do lat. *re* (*red-* antes de vogais), que se documenta em numerosíssimos vocábulos portugueses, com as noções básicas de: (i) 'volta, retorno, regresso': *revogar* 'voltar atrás, recuar'; (ii) 'repetição, reiteração': *recortar* 'cortar repetidas vezes'; (iii) 'oposição': *reprovar* 'não aprovar, opor-se a'. Cumpre notar que, tanto em português como em latim e nas demais línguas românicas, o prefixo *re-* é de extraordinária vitalidade.
ré¹ → RÉU.
ré² *sf.* '*ant.* parte da embarcação que ficava entre o mastro e a grande popa' 'parte traseira' | *ree* XV | De origem obscura.
ré³ → DÓ².
re·abastec·er, -imento → ABASTECER.
re·aberto, -abertura → ABERTA.
re·abilit·ação, -ado, -ar → HÁBIL.
reabrir → ABRIR.
re·absor·ção, -ver → ABSORVER.
reação → AÇÃO.
reacender → ACENDER.
reacionário → AÇÃO.
re·adm·issão, -itir → ADMITIR.
readquirir → ADQUIRIR.
re·agente, -agir → AGIR.
re·a·grup·amento, -ar → GRUPO.
real¹, real² → REI.

real³ *adj. 2g.* 'que existe de fato, verdadeiro' | XV, *rrayal* XV | Do b. lat. *rēālis*, de *rēs rei* 'coisa' || IR**real** XX || IR**real**IDADE XX || **real**IDADE XVI. Do b. lat. *realitas -atis* || **real**ISMO 1874. Do fr. *réalisme* || **real**ISTA 1813. Do fr. *réaliste* || **real**IZ·AÇÃO 1844 || **real**IZ·ADOR XX || **real**IZAR 1813. Do fr. *réaliser* || **real**IZ·ÁVEL 1858 || SU·R**real**ISMO *sm.* 'conjunto de procedimentos de criação e de expressão, utilizando todas as formas psíquicas, liberadas do controle da razão' XX. Do fr. *surréalisme*, voc. criado por volta de 1920, por A. Breton || SU·R**real**ISTA XX. Do fr. *surréaliste*.
realçar *vb.* 'pôr em lugar elevado' 'dar mais brilho ou força' XVIII. De RE- + ALÇAR || **realce** XVIII. Deverbal de *realçar*.
realejo *sm.* 'órgão portátil' 1813. De etimologia controversa, talvez do cast. *realejo*, diminutivo de *real* 'moeda'.
realengo, regalengo, reguengo *adj.* 'real, régio' | *regaẽgo* XIII, *regaengo* XIII, *regeengo* XIII, *regengo* XIV | Do lat. vulg. **regalengus* || **reguengu**EIRO | *-guee-* XV.
realeza → REI.
real·idade, -ismo, -ista, -ização, -izador, -izar, -izável → REAL³.
re·anim·ação, -ar → ÂNIMO.
re·aparecer, -aparecimento, -aparição → APARECER.
reaquisição → ADQUIRIR.
re·arm·amento, -ar → ARMA.
reassumir → ASSUMIR.
reatamento → ATAR.
reatância *sf.* '(Eletr.) num circuito de corrente alternada, o módulo da parte imaginária da impedância do circuito' XX. Do ing. *reactance*.
reatar → ATAR.
reativo → ATIVO.
reato *sm.* 'estado ou condição do réu' '(Teol.) obrigação de cumprir penitência dada pelo confessor' XVI. Do lat. *reātus -ūs*.
reavivar → VIVER.
re·baix·amento, -ar, -o → BAIXO.
rebanho *sm.* 'porção de gado lanígero' '*ext.* o total de qualquer espécie que constitui gado para corte' '*fig.* conjunto de fiéis, em relação a seu pastor, papa, bispo ou pároco' | XVI, *rabanho* XV | De origem incerta.
re·barb·a, -ativo → BARBA.
rebate¹ *sm.* '*orig.* ataque repentino (de mouros)' 'alarme, aviso' | XV, *arrebato* XIV, *arrebate* XV etc. | Do ár. *ar-ribāṭ* || AR**rebat**ADOR 1813 || AR**rebat**AMENTO XVII || AR**rebat**AR | XIV, *arreuatar* XIII, *reuatar* XIV.
re·bate², -bater → BATER.
⇨ **rebate** — AR**rebat**ADOR | 1614 SGonç I.59.*16* |.
rebatinha *sf.* '*ant.* coisa muito disputada' | XVI, *arrebatinha* XV | Do cast. *rebatiña*.
rebatizar → BATISMO.
rebel·ar, -de, -dia, -ião → REVEL.
rebém *sm.* 'azorrague que se usava para castigar os condenados' XVII. Do fr. *raban*, deriv. do m. neerl. *rabant*.
rebenque *sm.* 'pequeno chicote' 1881. Do esp.-plat. *rebenque* || **rebenc**AÇO *sm.* 'rebencada' 1881. Do esp.-plat. *rebencazo*.

rebentar *vb.* 'estourar, explodir' XIII. De etimologia obscura, talvez do lat. vulg. **repentāre*, de *repente* 'repentinamente' || Ar·reb**ent**AÇÃO 1873 || Ar·reb**ent**ADO 1813 || Ar·reb**ent**ADO 1813 || Ar·reb**ent**AR XIII || reb**ento** 1858.
rebentina *sf.* 'acesso de fúria; raiva, ira' | *rebentinha* XVI | De etimologia incerta; talvez se prenda a REBENTAR.
rebento → REBENTAR.
rebimbar → BIMBA.
rebite *sm.* 'cilindro de metal com cabeça, destinado a unir permanentemente duas chapas ou peças de metal' | *revite* XVI | Do cast. *ribete*, deriv., provavelmente, do ár. *ribāṭ* 'laço, atadura' || Ar·reb**it**ADO 1813 || Ar·reb**it**AMENTO XX || Ar·reb**it**AR 1813.
rebo *sm.* 'pedra tosca, calhau' XVII. Do lat. **repŭlus* (cláss. *replus* 'caixilho').
reboar *vb.* 'fazer eco, repercutir, retumbar' XV. Do lat. *rebŏāre* || rebo**ANTE** 1844. Do lat., *reboans -antis*.
rebocar[1] *vb.* 'dar reboque a, reboquear' XVI. Do lat. **remulcāre* (> **remolcar* > **remorcar* > **reborcar* > *rebocar*), deriv. do gr. *rhymoulkéō* || reboc**ADOR** 1881 || reboc**AMENTO** XX || reboq**ue** XVII.
rebocar[2] *vb.* 'revestir de reboco' 1813. Do lat. *revocāre* || reb**oco** *sm.* '(Constr.) argamassa de cal, ou de cimento, e areia, que se aplica a uma parede para lhe proporcionar uma superfície lisa e uniforme' XVIII. Deverbal de REBOCAR[2].
reboço → EMBOÇAR.
rebolado → BOLA.
rebolão *adj. sm.* 'fanfarrão' 'indivíduo fanfarrão' | *rebolam* XVI | De etimologia incerta.
re·bol·ar, -eira, -eiro, -o → BOLA.
rebombar *vb.* 'estrondear, estrondar, ressoar' | XVII, *ribombar* 1874, *rimbombar* 1881 | Do prefixo RE- (de reforço) e *bombar* || reb**ombo** | XVII, *rimbombo* 1813, *rimbombo* 1844.
reboque → REBOCAR[1].
re·bord·agem, -ão, -o, -osa → BORDA.
re·bot·alho, -ar → BOTAR.
▷ **rebotar** → BOTAR.
rebote *sm.* 'segundo salto da pelota' 1844. Do cast. *rebote*.
re·brilh·ante, -ar → BRILHAR.
re·buç·ado, -ar, -o → BOCA.
re·bul·içar, -iço, -ir → BULIR.
rébus *sm.* 'o ideograma no estágio em que deixa de significar diretamente o objeto que representa para indicar o fonograma correspondente ao nome desse objeto' XX. Do fr. *rèbus*, deriv. do lat. *rebus* (ablativo pl. de *res*).
re·busc·a, -ado, -amento, -ar → BUSCAR.
rebusnar *vb.* 'zurrar' 1813. Do cast. *rebuznar*, deriv. do lat. *re-* e *būcĭnāre* 'tocar corneta'.
recacau *sm.* 'desordem, confusão, balbúrdia' 1899. Vocábulo de formação expressiva.
recachar[1] → CACHO.
recachar[2] → CACHAR.
recadar *vb.* 'arrecadar' | XIII, *recabedar* XIII, *rrecabdar* XIV etc. | Do lat. vulg. *recapitāre* (deriv. do lat. cláss. *receptāre*, mais tarde *recaptāre*), devido à influência de *capitalis* 'bens' || rec**ado** *sm.* 'contestação, resposta' 'ordem, aviso' XIII. Dev. de *recadar*. Cp. ARRECADAR.

re·caída, -cair → CAIR.
re·calc·amento, -ar → CALCAR.
recalcitrar *vb.* 'resistir, desobedecendo' 'teimar' XVII. Do lat. *recalcitrāre* || calcitr**AR** *vb.* 'recalcitrar' XX. Do lat. *calcitrāre*. Considerando que o prefixo RE- reforça as ideias expressas pelos termos primitivos a que se liga, tudo parece indicar que a forma simples *calcitrar*, apesar de sua origem latina, foi sentida como um derivado regressivo de *recalcitrar*; daí, sem dúvida, o fato de ocorrer tardiamente || recalcitr**ANTE** 1813. Do lat. *recalcitrans -antis*.
▷ **recalcitrar** — calcitr**AR** | 1836 SC |.
recalescência *sf.* 'a produção de calor que ocorre quando se esfria o ferro ou o aço e ao fazê-los passar pelo ponto crítico' XX. De um lat. **recalescentĭa*, formado a partir de *recalescens -entis* || recalesc**ENTE** XX. Do lat. *recalescens -entis*, part. pres. de *recalescĕre* 'reesquentar'.
recalmão → CALMA.
recalque → CALCAR.
recamar *vb.* 'fazer bordado ou ornato em relevo, sobre tecido' XVII. Do it. *ricamare* || rec**amo** XVII. Do it. *ricamo*.
recambiar → CAMBIAR.
▷ **recâmbio** → CAMBIAR.
recambó *sm.* 'tempo que dura um jogo de vaza, até se completar certo número de mãos ou partidas' 1858. De origem obscura.
recamo → RECAMAR.
recantar → CANTAR.
▷ **recanto** → CANTO[2].
re·capitul·ação, -ar → CAPÍTULO.
▷ **recapitul·ado** → CAPÍTULO.
recatar[1] *vb.* 'guardar com recato ou segredo' 1500. Do lat. **recaptāre* (de *captāre*) || rec**ato** XVI. Deriv. regress. de *recatar*[1].
recatar[2] → CATAR.
recauchutar *vb.* 'reconstituir a banda de rodagem do pneumático, aplicando-lhe uma nova camada de borracha' XX. Modelado no fr. *caoutchoutier*, com o prefixo RE-, realçando a ideia de reforma, reconstituição || recauchut**AGEM** XX. Cp. CAUCHO.
recavém *sm.* 'parte traseira do leito de carro ou de carroça' 1813. De etimologia obscura.
recear *vb.* 'temer' XIII. De RE- e do lat. *celāre* 'ocultar, esconder' || rece**ADOR** XIII | rece**AD**·OURO | *rreceadoyra* f. XIV || rece**AMENTO** XIV | rec**eio** | XVI, *rreceo* XIV, *receo* XIV | Dev. de *recear* || rece**OSO** XVI.
▷ **recear** — rece**OSO** | XV ZURD 179.25 |.
receber *vb.* 'tomar, aceitar' XIII. Do lat. *rĕcĭpĕre* || receb**ED**·OR XIII | receb**ED**·OR·IA 1813 | receb**ED**·OURO | *-oiro* XIV || receb**IMENTO** | XIV, *recebemento* XIII, *recybymento* XIV etc. || rec**epção** | *reçepciom* XV | Do lat. *receptĭō -ōnis* || recepcion**AR** XX || recepcion**ISTA** XX || rec**episse** *sm.* 'escrito no qual alguém reconhece haver recebido papéis, dinheiro etc.' XX. Do fr. *récépissé*, deriv. do lat. *recepisse*, infinitivo perf. de *rĕcĭpĕre* || recept**AÇÃO** XX || rec**eptáculo** XVI. Do lat. *receptācŭlum -ī* || recept**ADOR** 1813. Do lat. *receptator -ōris* || recept**AR** *vb.* 'abrigar, albergar' 'adquirir, receber ou ocultar coisa de procedência criminosa' 1881. Do lat. *receptāre* || recept**IBIL**·IDADE XVII || recept**IV**·IDADE 1881 || recept**ÍVEL** 1813. Do lat. *receptibĭlis -e* ||

receptIVO XVI. Do lat. med. *receptivus* || **receptor** XVII. Do lat. *receptor -ōris* || **recibo** XVII. Derivado regressivo de *receber* || **récipe** sm. 'receita' XVI. Do imperativo do lat. *rĕcĭpĕre* || **recipiend**ÁRIO *adj. sm.* 'que tem algo a receber' 'aquele que é solenemente recebido em uma agremiação' XIX. Adaptação do fr. *récipiendaire*, deriv. do lat. *recipiendus* || **recipiente** 1813. Do lat. *recipiens*, part. pres. de *rĕcĭpĕre*.
⇨ **receber** — **recept**IVO | XV ZURG 358.*20* |.
receita *sf.* 'quantia recebida, ou apurada, ou arrecadada' 'fórmula para a preparação de um remédio' | *recepta* XIV, *reçeita* XVI | Do lat. *recepta*, pl. neutro de *receptus* || **receit**AR XVI || **receit**U·ÁRIO 1813.
recém → RECENTE.
recenar *vb.* 'dourar ou pratear novamente' | *recennar* 1844 | Do it. *raccennare*.
⇨ **recenar** | -*nnar* 1836 SC |.
recend·ente, -er → ENCENDER.
re·cens·ão, -eador, -eamento, -ear → CENSO.
recente *adj.* 2g. 'que ocorreu há pouco' | *rezente* XIII | Do lat. *recens -entis* || **recém** 1813. Forma apocopada de *recente* || **recent**AL | *rezental* XVI.
receoso → RECEAR.
recepagem *sf.* 'operação consistente em cortar as árvores junto ao solo' XX. Do fr. *recépage*.
recep·ção, -cionar, -cionista, -isse, -tação -táculo, -tador, -tar, -tibilidade, -tível, -tividade, -tivo, -tor → RECEBER.
recesso sm. 'retiro, recanto, esconso' XVI. Do lat. *recessus -ūs*, de *recedĕre*.
⇨ **rechã** → CHÃO.
rechaçar *vb.* 'fazer retroceder, apondo resistência' 'repelir, rebater' XVI. Do ant. e médio fr. *rechácier* 'repelir', hoje *rechasser*.
re·ch·ear, -eio → CHEIO.
⇨ **recheado** → CHEIO.
rechinar *vb.* 'produzir som agudo ou áspero' XVI. De etimologia obscura, talvez onomatopaica.
rechonchudo → CHEIO.
reciário sm. 'gladiador romano, que lutava munido de tridente, punhal e uma rede na qual buscava envolver o adversário' XVIII. Do lat. *rētiārĭus -ī*.
recibo → RECEBER.
recidivo *adj.* 'que torna a aparecer ou manifestar-se, reincidente' 1881. Do lat. *recidīvus -a -um* || **recidiv**A *sf.* '(Med.) reaparecimento de uma doença algum tempo depois de se haver convalescido de um primeiro acometimento' XVIII.
recife sm. 'rochedo ou série de rochedos situados próximos à costa ou a ela diretamente ligados, submersos ou à pequena altura do nível do mar' XVI. Forma aferética de *arrecife* || AR**recife** sm. 'recife' 1500. Do ár. *arraṣīf*.
recinto sm. 'espaço cercado ou fechado' XVII. Do lat. *recinctus -a -um*, part. pass. de *recingĕre*.
récip·e, -iendário, -iente → RECEBER.
recíproco *adj.* 'que implica troca ou permuta, ou que se permuta entre duas pessoas ou dois grupos' 1572. Do lat. *reciprŏcus -a -um* || **reciproc**AÇÃO XVII. Do lat. *reciprocātĭō -ōnis* || **reciproc**AR 1572. Do lat. *reciprocāre* || **reciproc**IDADE XVII. Do lat. tard. *reciprocitas -atis*.
recitar *vb.* 'ler em voz alta e clara' XVI. Do lat. *recitāre* || **récita** *sf.* 'espetáculo de declamação' '*ext.* espetáculo teatral' 1844. Derivado regressivo de *recitar* || **recit**AÇÃO 1844. Do lat. *rēcĭtātĭō -ōnis* || **recit**ADOR XVII. Do lat. *recitātor -ōris* || **recit**AL XX. Do fr. *récital*, deriv. do ing. *recital* || **recit**ANTE 1858 || **recit**ATIVO 1813.
⇨ **recitar** — **recit**AÇÃO | 1836 SC |.
reclamar *vb.* 'fazer impugnação ou protesto, verbal ou por escrito' 'opor-se' | *recramar* XV | Do lat. *reclāmāre* || **reclam**AÇÃO | *reclamaçon* XV | Do lat. *reclāmātĭō -ōnis* || **reclam**ANTE 1813 || **reclam**E 1899. Do fr. *réclame* || **reclamo** XVI.
reclinar *vb.* 'fazer que se afaste da posição perpendicular' 'dobrar, recurvar' XVII. Do lat. *reclināre* || **reclin**AÇÃO 1813. Do lat. *reclīnātĭō -ōnis* || **reclin**ATÓRIO XVII. Do lat. *reclīnātŏrĭum -ī*.
⇨ **reclinar** | 1571 FOLF 94.*28* |.
reclusão *sf.* 'ato ou efeito de encerrar-se' 'prisão' XVI. Do lat. *reclūsĭō -ōnis* || **recluso** XVI. Do lat. *reclūsus -a -um*.
recobrar *vb.* 'adquirir de novo' 'recuperar' XIV. Do lat. *rĕcŭpĕrāre* || **cobr**ADOR 1813 || **cobr**ANÇA 1844 || **cobr**AR XIII. De *recobrar*, com aférese da sílaba inicial || **cobro** XIII || **recobr**AMENTO XIV.
⇨ **recobrar** — **cobr**ANÇA | 1836 SC |.
re·cogn·ição, -itivo → COGNIÇÃO.
re·coleto, -colher, -colhimento → COLHER[2].
recolocar → COLOCAR.
recomeçar → COMEÇAR.
recomend·ação, -ado, -ar → ENCOMENDAR.
⇨ **recomendamento** → ENCOMENDAR.
recompens·a, -ador, -ar → COMPENSAÇÃO.
recompens·ação, -amento → COMPENSAÇÃO.
re·comp·or, -osto → COMPOR.
⇨ **recomprar** → COMPRAR.
recôncavo sm. 'cavidade funda, gruta, antro' 'terra circunvizinha duma cidade ou porto' XVII. De RE- + CÔNCAVO.
⇨ **reconcentrado** → CENTRO.
re·concili·ação, -ador, -amento, -ar, -atório → CONCILIAR.
recôndito *adj. sm.* 'oculto, escondido' 'lugar oculto' XVII. Do lat. *recondĭtŭs -a -um* || **recondit**ÓRIO XVI. Do lat. med. *reconditorium*.
re·cond·ução, -uzir → CONDUZIR.
reconfortar → CONFORTAR.
reconhec·er, -ido, -imento, -ível → CONHECER.
re·conquist·a, -ar → CONQUISTAR.
re·consider·ação, -ar → CONSIDERAR.
re·constitu·ição, -inte, -ir → CONSTITUIÇÃO.
re·constr·ução, -uir → CONSTRUÇÃO.
re·cont·agem, -amento, -ar, -ável → CONTAR.
recontro → CONTRA.
reconvalescer → CONVALESCER.
recopilar → COMPILAR.
recordar *vb.* 'fazer vir à memória, lembrar-se' XIV. Do lat. *recordāre* || **record**AÇÃO XIII. Do lat. *recordātĭō -ōnis* || **record**AT·IVO XX || **record**AT·ÓRIO XX.
recorde sm. 'a melhor atuação desportiva que, no mesmo gênero e em condições idênticas, foi oficialmente registrada, superando as anteriores' XX. Do ing. *record* || **record**ISTA XX.
re·corr·ente, -er → CORRER.
re·cort·ar, -e → CORTAR.
re·cost·ado, -ar, -o → COSTA.

récova *sf.* 'caravana, grupo, bando' 'transporte de víveres para o exército' | XIII, *rrecoua* XIV, *arrácoua* XIV etc. | Do ár. *rekûba* 'caravana', da raiz *rákab* 'montar' || AR**récova** *sf.* 'récova' 1813 || re-cov*AR* XVIII || **récua** *sf.* 'grupo de bestas de carga presas umas às outras' | XVI, *requa* XIII | Provavelmente do ár. *rékba* 'caravana'.
⇨ **récova** — recov*EIRO* | *rrecoveiro* XV LOPF 35.*38* |.
recrear *vb.* 'divertir, brincar' XIV. Do lat. *recrĕāre* || recre*AÇÃO* | XVI, -criaço*m* XIV | Do lat. *recreātiō -ōnis* || recre*AT·IVO* XVII. Do fr. *récréatif* || **recreio** 1813. Deriv. regressivo de *recrear*.
recremento *sm.* 'secreção absorvida' 1813. Do lat. *recrēmentum -ī*.
re·cresc·ente, -er, -imento → CRESCER.
re·cri·ação, -ar → CRIAR.
re·crimin·ação, -ar → CRIME.
recrudescer *vb.* 'agravar-se, aumentar, exacerbar-se' 1813. Do lat. *recrūdēscĕre* || **recrudesc**ÊNCIA 1858 || **recrudesc**ENTE 1858.
⇨ **recrudescer** — recrudesc*ÊNCIA* | -decen- 1836 SC |.
recrutar *vb.* 'arrolar para o serviço militar' '*fig.* aliciar, angariar adeptos' XVII. Do fr. *recruter* || **recrut**A XVIII || **recrut**AMENTO 1844.
recti- *elem. comp.*, do lat. *recti-*, de *rectus* 'reto, direito', que se documenta em alguns vocs. introduzidos, a partir do séc. XIX, na linguagem científica internacional ▸ recti*CÓRNEO adj.* '(Zool.) que tem as antenas retas' 1881 || **recti**FLORO | *-flor* 1874 || **recti**FORME 1899 || **recti**GRADO 1899 || **recti**NÉRVEO 1874 || **recti**PEDE XX || **recti**r·ROSTRO 1874.
recuar *vb.* 'andar para trás, retrogradar, retroceder' XVI. De um lat. **reculāre* || **recuo** XVIII. Deriv. regressivo de *recuar*.
⇨ **recuar** | XV ZURD 265.*28* |.
recúbito → CÚBITO.
recudir *vb.* '*ant.* responder, acudir, vir em socorro' | XIII, *recodir* XIII, *arrecudir* XIV etc. | Do lat. *rĕcŭtĕre*. V. ACUDIR.
⇨ **recuidar** → CUIDAR.
recumbir *vb.* 'estar encostado, inclinado' XVII. Do lat. *recumbĕre*.
recuo → RECUAR.
recuperação *sf.* 'ato ou efeito de recobrar o perdido, de adquirir novamente' XVIII. Do lat. *recuperātiō -ōnis* || IR**recuper**ÁVEL XVIII. Do lat. *irrecuperābĭlis -e* || **recuper**ADOR 1813. Do lat. *recuperātor -ōris* || **recuper**AR 1813. Do lat. *recuperāre* || **recuper**AT·IVO 1858. Do lat. tard. *recuperativus* || **recuper**ATÓRIO 1813. Do lat. *recuperātōrĭus -a -um* || **recuper**ÁVEL 1858.
⇨ **recuperação** | 1582 *Liv. Fort.* 73*v*23 || **recuper**AR | 1573 NDias 71.*20*, 1573 GLeão 325.*23* |.
recurso *sm.* 'ato ou efeito de recorrer' 'auxílio' '(Jur.) meio de provocar, na mesma instância ou na superior, a reforma ou a modificação de uma sentença judicial desfavorável' XV. Do lat. *recursus -ūs*. Cp. CORRER.
re·curv·ado, -ar, -o → CURVO.
recusar *vb.* 'rejeitar, não aceitar, não admitir' XIV. Do lat. *recūsāre* || IR**recus**ÁVEL 1844. Do lat. *irrecūsābĭlis -e* || **recusa** 1858 || **recus**AÇÃO XV. Do lat. *recūsātiō -ōnis* || **recus**ANTE 1813 || **recus**ÁVEL 1844. Do lat. *recūsābĭlis -e*.

⇨ **recusar** — IR**recus**ÁVEL | 1836 SC || **recus**ÁVEL | 1836 SC |.
redação *sf.* 'ato ou efeito de redigir' '*ext.* trabalho ou exercício escolar que versa sobre um assunto dado ou de livre escolha, composição' | *redacção* 1874 | Do lat. *redactio -ōnis* || **red**ATOR | *redactor* 1803 | Do fr. *rédacteur* || **redigir** 1873. Do lat. *redĭgĕre*.
redarguir *vb.* 'replicar argumentando' XV. Do lat. *redarguĕre* || **redargu**IÇÃO 1864. Do lat. *redargūtiō -ōnis*. Cp. ARGUIR.
rede *sf.* 'entrelaçamento de fios, cordas, cordéis, arames etc., com aberturas regulares, fixadas por malhas, formando uma espécie de tecido' | XIII, *rrede* XIII | Do lat. *rēte -is* || DES·EN**red**AR XVI || EN**red**AD·EIRA XX || EN**red**ADO XVI || EN**red**AR 1572 || EN**red**O XVI || **red**ENHO *sm.* 'grande dobra do peritônio, que se assemelha a uma rede' XVII || **red**IL *sm.* 'curral, aprisco' XX || **reti**CUL·ADO *adj.* 'que tem forma de rede' 1874. Do lat. *rēticulātus -a -um* || **reti**CULO *sm.* 'pequena rede' 1874. Do lat. *rēticŭlum -ī* || **reti**FORME 1874. Do lat. cient. *retiformis* || **reti**NA 1813. Adaptação do fr. *rétine*, deriv. do lat. med. *retina* || **reti**NÉRVEO 1874.
⇨ **rede** — red*IL* | 1836 SC |.
rédea → RETER.
re·de·moinh·ar, -o → MOER.
redenção → REDIMIR.
redenho → REDE.
redent·or, -orista → REDIMIR.
redente → DENTE.
re·descont·ar, -o → CONTAR.
redigir → REDAÇÃO.
redil → REDE.
⇨ **redimir** — **redenção** | *redencom* XV CONT 98.*13*, *redençom* XV INFA 7.*3* || **redim**IDO | *redemido* 1538 DCast 24.*12* |.
redimir *vb.* 'remir' XVI. Do lat. *rĕdĭmĕre* || IR·**red**ENT·ISMO *sm.* 'movimento italiano de reivindicação, depois de 1870, dos territórios que tinham permanecido como possessões austríacas' XX. Do it. *irredentismo* || IR·**red**ENT·ISTA XX. Do it. *irredentista* || IR·**red**ENTO *adj.* 'não redimido' XX. Do it. *irredènto* || **redenção** *sf.* 'ato ou efeito de remir ou redimir' XVI. Do lat. *redēmptiō -ōnis* || **redentor** | *rredentor* XV | Do lat. *redēmptor -ōris* || **redentor**ISTA | *redemptorista* 1899 || **redim**IDO XX || **redim**IDOR | *-de-* XIV || **redim**ÍVEL XX. Cp. REMIR.
redingote *sm.* 'sobrecasaca' 'casaco feminino inteiriço, ajustado na cintura e que alarga para baixo' 1813. De *redingote*, deriv. do ing. *riding-coat*.
redintegrar → INTEGRAR.
redito → DIZER.
⇨ **rédito** | XV FRAD II.130.*12* |.
rédito *sm.* 'ato de voltar' 'lucro, ganho' XVII. Do lat. *redĭtus -ūs*.
redivivo → VIVER.
redizer → DIZER.
re·dobr·ar → DOBRAR.
redolente *adj. 2g.* '(Poét.) que tem cheiro agradável, aromático' 1844. Do lat. *redolens -entis*, part. pres. de *redŏlēre*.
⇨ **redolente** | 1836 SC |.
redoma *sf.* 'manga de vidro, em parte cilíndrica, terminando por calota esférica, para resguardar do

ar e da poeira objetos delicados' XIII. De origem controversa.

redomão *adj.sm.* 'diz-se de, ou cavalo que experimentou poucos repasses, não estando, pois, completamente amansado' 1881. Do esp.-plat. *redomón*.

redondel *sm.* 'arena redonda, particularmente aquela onde se efetuam touradas' 1899. Do cast. *redondel*, deriv. do fr. ant. *reondel*, de *reont* 'redondo'.

redondo *adj.* 'que tem forma circular' XIII. Do lat. vulg. *rĕtŭndus* (cláss. *rŏtŭndus*) || Ar·**redond**ADO XVIII || Ar·**redond**AR 1844 || **redond**EZA XIV || **redond**ILHA 1813. Do cast. *redondilla*.

⇨ **redondo** — ARredondAR | rredondar XIV AVES XXXI.26 |.

redor *sm.* 'posição ou situação de quem ou do que contorna alguma coisa' 'roda' XIII. De origem controvertida; talvez do lat. *retrō* 'detrás' || Ar·**redor** XIII. De A- + *redor* || DEr·**redor** XIII. De DE + *redor*. O voc. é usado, predominantemente, nas locuções *ao redor*, *ao redor de*, *de redor*, *de redor de*, *em redor*, *em redor de*, e, no port. med., ainda *aderredor de*.

redouça *sf.* 'retouça, corda, muitas vezes com um assento, suspensa pelas duas extremidades, e em que as pessoas se balançam' 1813. De origem desconhecida.

redova *sf.* 'dança tcheca em tempo de mazurca' 1890. Do fr. *rédowa*, deriv. do al. *Redowa* e, este, do tcheco *rejdovák*.

redrar *vb.* 'cavar de novo as vinhas, mas de leve, a fim de tirar as ervas' XIV. Do lat. *reiterāre* || **redra** 1881. Cp. REITERAR.

redução *sf.* 'diminuição, desconto' XVI. Do lat. *redŭctiō-ōnis*||Ir·**redut**IBIL·IDADEXX||Ir·**redut**íVEL 1881 || **redu**CENTE 1881 || **redut**IBIL·IDADE 1881 || **redut**íVEL 1813 || **redut**IVO 1858 || **redut**OR 1890. Do lat. *reductŏr -ōris* || **reduzir** | XV, -*zer* XIV | Do lat. *redŭcĕre*.

⇨ **redução** | *reduçom* XV LOPJ II.258.*23* |.

redundar *vb.* 'transbordar, resultar' XVI. Do lat. *redundāre* || **redund**ÂNCIA XVI. Do lat. *redundantĭa -ae* || **redund**ANTE XVII. Do lat. *redundāns -āntis*.

re·duplic·ar, -ativo → DOBRAR.

redut·ibilidade, -ível, -ivo → REDUÇÃO.

reduto *sm.* 'refúgio, abrigo, recinto' | *reducto* XVIII | Do lat. *reductus*.

re·dutor, -duzir → REDUÇÃO.

re·ed·ição, -itar → EDIÇÃO.

re·edific·ação, -ar → EDIFICAR.

re·educ·ação, -ar → EDUCAÇÃO.

re·eleger, -eleição, -eleito → ELEGER.

re·em·bols·ar, -o → BOLSA.

reencher → CHEIO.

re·en·carn·ação, -ar → CARNE.

re·encontr·ar, -o → ENCONTRAR.

re·entr·ância, -ante, -ar → ENTRAR.

reenvidar → ENVIDAR.

reerguer → ERGUER.

reescrever → ESCREVER.

re·export·ação, -ador, -ar → EXPORTAR.

refazer → FAZER.

⇨ **re·fazimento, -feição** → FAZER.

refece *adj.* 2g. '*ant.* barato, fácil' | XIII, *raface* XIII, *rafez* XIII etc. | Do ár. *raḥīs* || **refeç**AR *vb.* '*ant.* rebaixar, humilhar' | XIV, *arrefeçar* XIV, *arrafeçar* XIV etc.

refectivo *adj.* 'reconstituinte, fortificante, tonificante' 1890. Do fr. *refectif*, deriv. do lat. *refectus* || **refect**ÓRIO *adj.* 'refectivo' 1813. Do lat. *refector -ōris* || **refeito** | *reffeyta* XIV | Do lat. *refectus*, part. pass. de *refĭcĕre*.

refei·ção, -tório → FAZER.

refém *sm.* 'pessoa importante que o inimigo mantém em seu poder para garantir uma promessa, um tratado etc.' | *arrafaens* pl. XIII, *arrafeês* pl. XIV, *arafeens* pl. XIV, *reffaaês* pl. XVI etc. | Do ár. vulg. *ar-rahan* (cláss. *rahn* 'prenda').

referência *sf.* 'ato ou efeito de referir, de contar, de relatar' 1874. Do lat. *referentĭa*, de *refĕrre* || **refer**ENTE 1875 || **refer**IDO XVI || **refer**IMENTO XIV || **refer**IR XIII. Do lat. *refĕrēre (cláss. *refĕrre*).

referendar *vb.* 'assinar um documento como responsável' 1826. Do lat. *referendum*, gerúndio de *referre* 'referir' e -AR¹ || **referend**ÁRIO XVII. Do lat. tard. *referendārius*.

refertar *vb.* 'opor-se, resistir' XIII. Talvez do lat. *refĕrĭtāre, deriv. de *refĕrre* 'rechaçar, replicar' || **referta** *sf.* 'briga' XIII || **referto** 1813. Do lat. *refertus -a -um*.

re·ferv·ente, -er → FERVER.

⇨ **refin·ação** → FIM.

re·fin·ado, -amento, -ar → FIM.

refletir *vb.* 'fazer retroceder, desviando da direção inicial' 'espelhar' 'revelar' 'pensar' | *reflectir* XVII | Do lat. *reflectĕre* || Ir·**reflet**IDO | *irreflectido* 1881 || Ir·**reflex**ÃO 1881 || Ir·**reflex**IVO 1844 || **reflet**IDO | *reflectido* 1813 || **reflet**IVO | *reflectivo* XX || **reflet**OR | *reflector* XIX || **reflex**ÃO XVII. Do lat. tard. *reflexĭo -ōnis* || **reflex**IBIL·IDADE 1858 || **reflex**íVEL 1858 || **reflex**IVO 1813 || **reflexo** *adj. sm.* 'que se volta sobre si mesmo' 'luz refletida, ou o efeito dela' 1572. Do lat. *reflexus -a -um*.

⇨ **refletir** — IRreflexIVO | 1836 SC |.

re·flor·escer, -escimento → FLOR.

re·florest·amento, -ar → FLORESTA.

re·fluir, -fluo → FLUIR.

⇨ **refluxo** → FLUXO.

refocilar *vb.* 'restaurar, reforçar, revigorar' | *refucilar* XVI | Do lat. *refŏcĭllāre* || **refocil**ANTE | *refocillante* 1858.

re·fog·ado, -ar → FOGO.

re·forç·ado, -ar, -o → FORÇA.

re·form·a, -ação, -ador, -ar, -ativo, -atório, -ista → FORMA¹.

⇨ **reform·amento** → FORMA¹.

re·formul·ação, -ar → FÓRMULA.

refração *sf.* 'ato ou efeito de refratar(-se)' '(Fís.) modificação da forma ou da direção de uma onda que, passando através de uma interface que separa dois meios, tem, em cada um deles, diferente velocidade de propagação' | *refracção* 1813 | Do lat. med. *refrāctĭō* | **refrat**AR | *refractar* XIX || **refrat**ÁRIO | *refractário* 1813 | Do lat. *refrāctārĭus -a -um* || **refrat**IVO | *refractivo* 1844 || **refrato** | *refracto* 1813 | Do lat. *refrāctus -a -um* || **refrat**ÔMETRO XX || **refrat**OR XX.

⇨ **refração** — refratIVO | -*fract*- 1836 SC |.

refranger *vb.* 'refratar-se' 1813. Do lat. *refringĕre* || **refrang**IBIL·IDADE 1844. Do ing. *refrangibility* || **refrang**íVEL 1844. Do ing. *refrangible*.

⇨ **refranger** — **refrang**IBIL·IDADE | 1836 SC || **re-frang**ÍVEL | 1836 SC |.
refrão *sm.* 'fórmula vocal ou instrumental, que se repete regularmente numa composição' | *refran* XIV | Do cast. *refrán*, deriv. do prov. *refranh* 'estribilho' e, este, de *refránher* 'reprimir, modular' (de *fránher* 'romper', do lat. *frangĕre*) || **rifão** *sm.* 'provérbio' | *rifam* XVI | Forma dissimilada de *refrão*.
⇨ **refrão** — **rifão** | *rriffam* XV LOPF 36.*63*, *rifam* XV ZURD 96.*21* |.
refrat·ar, -ário, -ivo, -o, -ômetro, -or → REFRAÇÃO.
re·fre·amento, -ar → FREIO.
refregar *vb.* 'lutar, brigar, pelejar' 1899. Do lat. *refrĭcare* || **refrega** | XVII, *refega* XVI.
re·fresc·ar, -o → FRESCO.
re·fri·ger·ação, -ador, -ante, -ar, -ativo, -ério → FRIO.
⇨ **refriger·io** → FRIO.
refringente *adj.* 2g. 'refrangente, refrativo' 1881. Do lat. *refringens -entis* || **refring**ÊNCIA XX.
re·fug·ar, -iar, -io, -ir, -o → FUGA.
⇨ **refúgio** → FUGA[1].
refulgir *vb.* 'brilhar intensamente' XVII. Do lat. *refulgēre* || **refulg**ÊNCIA XVI. Do lat. *refulgentĭa* || **refulg**ENTE XVI. Do lat. *refulgens -entis*.
refundir *vb.* 'fundir ou derreter de novo' XVI. Do lat. *rĕfŭndĕre*.
refusar *vb.* 'recusar' XIV. Do lat. *rĕfūsāre, de *rĕfūsus*, part. de *rĕfŭndĕre*.
refutação *sf.* 'ato ou efeito de refutar' 'resposta, contestação' 1844. Do lat. *refūtātĭō -ōnis* || IR·**refut**ABIL·IDADE 1899 || IR·**refut**ÁVEL 1881 | Do lat. tard. *irrefūtābilis* || **refut**ADOR 1813 || **refut**AR XVII. Do lat. *refūtāre* || **refut**AT·ÓRIO XV || **refut**ÁVEL 1858.
⇨ **refutação** | 1614 SGONÇ I.529.*1* | **refut**AR | *a* 1542 JCASE 61.*15*, *a* 1595 *Jorn* 112.*18* |.
rega → REGAR.
regaço *sm.* 'cavidade formada por veste comprida entre a cintura e os joelhos de quem está sentado' XIII. Deverbal de *regaçar* || AR·**regaç**AR XVI || **regaç**AR XVI. Do lat. vulg. *recaptiāre, de *captāre* 'colher, captar'.
regador → REGAR.
regalar *vb.* 'causar regalo ou prazer' XVI | Do fr. *régaler* || AR·**regal**ADO 1813 || AR·**regal**AR 1813 || **regal**IA XV. Do cast. *regalía*, deriv. do lat. *rēgālis* || **regalo** XVI.
⇨ **regalar** | *rregollar* XV VERT 143.*7* || AR**regal**AR | XV CESAR III.16§6.*4* |.
regalengo → REALENGO.
regalo → REGALAR.
regar *vb.* 'umedecer por irrigação ou aspersão' XIII. Do lat. *rigāre* || IR·**rig**AÇÃO XVII. Do lat. *irrigātĭō -ōnis* || IR·**rig**ADOR 1881. Do lat. *irrigātor -ōris* || IR·**rig**AR 1881. Do lat. *irrĭgāre* || IR·**rig**AT·ÓRIO 1881 || **reg**A XVII. Deriv. regressivo de *regar* || **reg**AD·IO XIV || **reg**ADOR 1813 || **reg**AMENTO | *rre-* XIV.
regata *sf.* 'corrida em que duas ou mais embarcações competem para atingir certa meta, disputando o prêmio de velocidade' 1858. Do veneziano *regata*.
regatar *vb.* 'comprar e vender por miúdo' | *rrega-*

tar XIII | Do lat. vulg. *recăptāre || **regat**ÃO *adj. sm.* 'que regateia' 'aquele que regateia' 'aquele que compra em grosso para vender a retalho' XVI || **regat**E·ADOR 1813 || **regat**EAR | *recatonear* XIII || **regat**EIRA | *-gua-* XIII.
⇨ **regatar** — **regat**ÃO | *regatooes* pl. XV VERT 129.*7* |.
regato *sm.* 'curso de água, estreito, pouco volumoso e de pequena extensão' XIV. Do lat. *rigatus*, part. pass. de *rigāre*.
re·gel·ação, -ado, -ante, -ar, -o → GELO.
regên·cia, -cial, -te → REGER.
regenerar *vb.* 'reproduzir' 'revivificar' XVI. Do lat. *regenĕrāre* || IR·**regener**ÁVEL 1881 || **regener**AÇÃO XVI. Do lat. *regenerātĭō -ōnis* || **regener**ADOR 1813 || **regener**ANDO XVIII || **regener**ANTE XVIII || **regener**AT·IVO XVII.
reger *vb.* 'governar, administrar, dirigir' XIII. Do lat. *rĕgĕre* || **reg**ÊNCIA 1813 || **reg**ENCI·AL XX || **reg**ENTE XV. Do lat. *regens -entis* || **regime** | 1874, *regímen* XVI | Do lat. *regīmen -ĭnis* || **regiment**AL 1784 || **regimento** XIV. Do lat. tard. *regimentum*.
⇨ **reger** — **reg**EDOR | XIV ORTO 117.*2* | **regime** | 1836 SC |.
régia → REI.
região *sf.* 'grande extensão de terreno' 'território que se distingue dos demais por possuir características próprias' *a* 1438. Do lat. *regĭō -ōnis* || **regio**NAL XVI. Do lat. *regiōnālis -e* || **region**AL·ISMO 1899 || **region**AL·ISTA XX.
regicida → REI.
regim·e, -ental, -ento → REGER.
régio → REI.
region·al, -alismo, -alista → REGIÃO.
regirar → GIRO.
registro *sm.* 'ato ou efeito de escrever ou lançar em livro especial' 'instituição, repartição ou cartório, onde se faz a inscrição, ou a transcrição de atos, fatos etc., para dar-lhes autenticidade e força de prevalecer contra terceiros' | XIII, *registo* XIV | Do lat. med. *registrum*, deriv. do lat. tard. *regesta*, part. pass. pl. neutro substantivado de *regĕrĕre* || **registr**AR | XIV, *registar* XIV.
⇨ **registro** — **registr**ADOR | *registador* 1573 NDias 44.*2* |.
rego *sm.* 'sulco natural ou artificial que conduz água' XVI. De um pré-romano **rĕcu-*, cruzado provavelmente com o céltico *rīca* 'sulco'.
⇨ **rego** | XV COND 54*c* 14 || **regu**EIRA | XV COND 21 *c*27, *c* 1608 NOReb 172.*18* |.
re·golf·ar, -o → GOLFO.
regolito *sm.* '(Geol.) camada superficial desagregada, proveniente da ação das intempéries, que recobre a rocha fresca e cuja espessura varia entre alguns centímetros e dezenas de metros' XX. Do lat. cient. *r(h)egolithus*, do gr. *rhḗgos* 'cobertor' e *lithos* 'pedra'.
regougar *vb.* 'gritar (a raposa)' '*fig.* falar com voz áspera como a da raposa' 'resmungar' XVIII. De origem obscura, provavelmente onomatopaica.
regozijar *vb.* 'alegrar muito' XVI. Do cast. *regocijar* || **regozijo** XVI.
regra *sf.* 'aquilo que regula, dirige, rege ou governa' | XIV, *regla* XIII, *rregra* XIV, *regua* XIV etc. | Do lat. *rēgŭla -ae* || DES**regr**ADO XVI || DES**regr**AMENTO 1844 || DES**regr**AR XV || IR·**regul**AR *adj.* 2g. | *yrregu-*

lar XIV | Do lat. tard. *irrēgulāris* || IR·regulARIDADE 1813 || regrADO XVII || **regrar** *vb.* 'submeter à regra' | XIII, *reglar* XIV etc. | Do lat. *rēgŭlāre* || regulADOR XVIII || regulAMENT·AÇÃO XX || regulAMENT·AR 1844 || regulAMENTO 1844 || regulAR¹ *vb.* 'dirigir, regrar' XV. Do lat. *regulāre* || regulAR² *adj. 2g.* 'que é ou que age conforme as regras' | *rregular* XIV, *reglar* XIV, *regral* XIV etc. | Do lal. *rēgŭlāris* || regularIDADE 1813 || regularIZ·AÇÃO XX || regularIZAR XIX || regulETE *sm.* 'pequena moldura chata e estreita para separar portas, almofadas etc.' 1881. Cp. RÉGUA, RELHA.
⇨ **regra**—DESregrAMENTO | 1836 SC | regulAMENT·AR | 1836 SC || regulAMENTO | 1836 SC |.
regredir *vb.* retroceder, retrogradar' XX. Do lat. *regrĕdĕre (cláss. *regrĕdi*) || IR·regressÍVEL 1881. Do lat. *irregressibĭlis -e* || **regressão** XVI. Do lat. *regressĭō -ōnis* || regressAR XVIII || regressIVO 1881 || **regresso** XVI. Do lat. *regressus -a -um*.
régua *sf.* 'peça longa, de madeira, metal, plástico etc., de faces retangulares, superfície plana e arestas retilíneas, e que serve para traçar linhas retas' XIV. Do lat. *rēgŭla -ae*. Cp. REGRA, RELHA.
re·guard·a, -ar → GUARDAR.
reguengo → REALENGO.
reguingar *vb.* 'replicar, responder, objetar' XIX. De origem desconhecida.
regul·ador, -amentação, -amentar, -amento, -ar, -aridade, -arização, -arizar, -ete → REGRA.
régulo → REI.
regurgitar *vb.* 'expelir, vomitar, lançar' XVII. Do lat. *regurgitāre* || regurgitAÇÃO 1813.
rei *sm.* 'soberano que rege ou governa um estado monárquico' | XIV, *rey* XIII, *rrex* XIV | Do lat. *rex regis* || **rainha** *sf.* 'a esposa do rei' 'soberana que rege ou governa um reino | *raina* XII, *raynna* XII, *reinna* XIII, *reyna* XIII etc. | Do lat. *rēgīna -ae* || **real¹** *adj. 2g.* 'pertencente ou relativo ao rei ou à realeza, ou próprio dele ou dela' XIII. Do lal. *regālis -e* || **real²** *sm.* 'moeda portuguesa antiga' | *raial* XV, *reall* XV, *reales* pl. XV | De *real*¹ || realEZA XVI || regalISMO *sm.* 'doutrina que defende a ingerência do chefe do Estado em questões religiosas' XX || regalISTA | regaglista (sic) XVII || **régia** *sf.* 'palácio real' XVI. Do lat. *rēgĭa -ae* || regICIDA *s2g.* 'pessoa que assassina um rei ou rainha' 1813. Do lat. *regicīda* || regicíD·IO XVIII. Do lat. med. *regicidium || **régio** 1572. Do lat. *rēgĭum -iī* || **régulo** *sm.* 'reizinho' XVI. Do lat. *rēgŭlus -ī* || reinAÇÃO XIX || reinADO | *reynado* XIII, *rreinado* XIII || reinADOR XX || reinANTE XIII. Do lat. *regnans -antis* || **reinAR¹** *vb.* 'governar um reino' XIII. Do lat. *rēgnāre* || reinAR² *vb.* 'brincar, traquinar' 1899. De *reinar*¹, com extensão de sentido || reiní·COLA XVIII. Do lat. *regnicola* || **reino** | XIII, *reyno* XIII, *regno* XIII etc. | Do lat. *rēgnum -ī* || **réis** *sm. pl.* 'real²' XVIII || reisADO *sm.* 'dança dramática popular com que se festeja a véspera e o dia de Reis' XX.
⇨ **rei** — reinOL | 1614 SGONÇ I.526.17 |.
-reia *elem. comp.*, do lat. cient. *-rhoea*, deriv. do gr. *rhoía* 'fluxo' 'corrimento', que se documenta em alguns vocs. eruditos, particularmente na linguagem da medicina: *angiorreia, gonorreia, piorreia* etc. Cp. REO-.

reicua *sf.* 'espécie de lima usada por penteeiros para aguçar os bicos dos pentes' 1881. De origem obscura.
reide *sm.* 'rápida incursão de tropas em território inimigo' XX. Do ing. *raid*.
reiforme *sm.* 'ordem de aves neórnites, paleógnatas, ratitas' XX. Do lat. cient. *rheiformis*, de *Rhea*, nome latino do gênero típico dessas aves (do mit. *Rhea*, deriv. do gr. *Rhéa*) e *formis* 'forma'.
re·impr·essão, -imir → IMPRIMIR.
rei·n·ação, -ado, -ador, -ante, -ar → REI.
re·incid·ência, -ente, -ir → INCIDIR.
rein·ícola, -o → REI.
re·inscr·ever, -ição → INSCREVER.
re·integr·ação, -ado, -atório → INTEGRAR.
reira *sf.* 'dor nos rins' | *reyra* XVI | De origem controversa.
réis, reisado → REI.
reiterar *vb.* 'repetir, renovar' XVII. Do lat. *reiterāre* || reiterAÇÃO 1813. Do lat. med. *reiteratio*. Cp. REDRAR.
reitor *sm.* 'aquele que rege, dirige ou governa' 'dirigente de certos estabelecimentos de ensino, em especial de ensino superior' | XIV, *rector* XIII | Do lat. *rēctor -ōris* || reitorIA 1813.
reiúno *adj. sm.* 'fornecido pelo Estado e, particularmente, pelas forças armadas, para fardamento dos soldados' 'de baixa qualidade' 'o gado pertencente ao Estado, ou que não tem dono' 1881. Do esp.-plat. *reyuno*.
re·ivindic·ação, -ar → VINDICAR.
reixa¹ *sf.* 'tábua pequena' 'grade de janela' XVI. Do cast. *reja*.
reixa² *sf.* 'pop. briga, contenda, rixa' XVII. Do lat. *rixa -ae* || reixAR XX.
rejeitar *vb.* 'repelir, lançar fora, recusar' | *regeitar* XIV | Do lat. *rējectāre* || rejeiÇÃO 1813. Do lat. *rējectĭō -ōnis* || **rejeito** | *regeito* XIV.
rejubilar → JÚBILO.
re·juvenesc·er, -imento → JOVEM.
rela *sf.* 'perereca' 1813. Do lat. *ranella, diminutivo de *rana*, em vez de *rānula*, pelo arc. *raela.
relação *sf.* 'descrição, notícia' 'semelhança, analogia' | *rrelaçon* XIV, *rolação* XV | Do lat. *relātĭō -ōnis* || COR·relAÇÃO 1813. Do lat. *correlātĭō -ōnis* || COR·relacionAR XX || COR·relAT·IVO XVI. Do lat. *correlatīvus* || COR·relATO XX || relacionAMENTO XX || relacionAR 1844 || relAT·IV·IDADE 1899 || relAT·IVO 1813. Do lat. tard. *relatīvus*. Cp. RELATO.
re·lâmp·ago, -aguear, -ejar → LÂMPADA.
re·lanç·ar, -e → LANÇA.
relapso → LAPSO.
relativ·idade, -o → RELAÇÃO.
relato *sm.* 'relação, descrição, notícia' 1899. Do lat. *relātus* || relatAR XV || relatOR XVI. Do lat. *relātor -ōris* || relatÓRIO XVI. Cp. RELAÇÃO.
relaxar *vb.* 'diminuir a força ou a tensão, afrouxar' XV. Do lat. *relaxāre* || relaxAÇÃO XVI. Do lat. *relaxātĭō -ōnis* || relaxADO 1813. Do lat. *relaxātus -a -um* || relaxADOR XVI || relaxAMENTO 1813 || relaxANTE 1899. Do lat. *relaxans -antis* || relaxo *adj. sm.* 'relaxado' 'discurso em verso' XVI. Deverbal de *relaxar*.
⇨ **relaxar** — relaxAÇÃO | -çōoes pl. XV FRAD II.28.23 |.

relegar *vb.* 'expatriar, banir' 'desprezar' XV. Do lat. *relēgāre*.
releixo *sm.* 'atalho à beira de um muro ou de um fosso' XVI. Do cast. *relej*.
relembrar → LEMBRAR.
relento *sm.* 'umidade atmosférica da noite, sereno' | *rellento* XVII | Do lat. *lentus* 'viscoso, úmido' e pref. *re-*, indicando intensidade.
reles *adj.* 2g. 2n. 'muito ordinário' 'sem valor' 1858. De origem obscura.
relevar *vb.* 'fazer sobressair' 'atenuar' | *rreleuar* XIV | Do lat. *relĕvāre* || **relev**ÂNCIA 1813 || **relev**ANTE XVII. Do lat. med. *relevans -antis* || **relev**ÁVEL XX || **relevo** XVII.
⇨ **relevar** — **relev**AMENTO | XV BENF 179.*12* |.
relha *sf.* 'a parte do arado ou charrua que penetra na terra' XVII. Forma divergente de REGRA e RÉGUA, deriv. do lat. *rēgŭla -ae* || **relh**AR 1899 || **relh**EIRA *sf.* 'sulco deixado nas estradas pelas rodas do carro' 1899 || **relho** *sm.* 'chicote de couro torcido' XVI.
relicário → RELÍQUIA.
re·lig·amento, -ar → LIGAR.
religião *sf.* 'crença na existência de uma força ou forças sobrenaturais, considerada(s) como criadora(s) do Universo, e que como tal deve(m) ser adorada(s) e obedecida(s)' | *-gion* XIII, *-giom* XIV, *-giõ* XIV, *-jon* XIV etc. | Do lat. *relĭgĭo -ōnis* || cor·**religion**ÁRIO 1881 || ir·**religião** 1813. Do lat. tard. *irreligiō -ōnis* || ir·**religio**SIDADE 1813. Do lat. *irreligiōsĭtās -ātis* || ir·**religio**SO 1813. Do lat. *irreligiōsus -a -um* || **religio**SIDADE 1813. Do lat. *religiōsĭtās -ātis* || **religio**SO XIII. Do lat. *rĕlĭgiōsus -a -um*.
⇨ **religião** — **religi**OS·IDADE | *rre-* XV FRAD II. 15.*14* |.
relinchar *vb.* 'rinchar, ringir, ranger' XVII. Do lat. vulg. *rehĭnnĭtulāre (> **rehinint(u)lāre* > *rehininclare > *reninchar > *relinchar*), de *re-* + *hinnitulare, deriv. de *hĭnnīre* 'rinchar, relinchar' || **relincho** XVII. Deriv. regress. de *relinchar* || **rinchar** *vb.* 'relinchar' XIV. Divergente de *relinchar* || **rinchavelh**ADA *sf.* 'gargalhada estridente' XVII. De *rinchar*, com um sufixo de origem expressiva || **rincho** XV. Deverbal de *rinchar*.
⇨ **relinchar** — **rinch**ADOR | XV LOPJ II.21.*23* || **rinch**AMENTO | XV SEGR 69 |.
relinga *sf.* '(Náut.) corda que serve para atar velas' XVI. Do fr. *ralingue*, deriv. do a. escandinavo *rárlik.
relíquia *sf.* 'parte do corpo de um santo, ou de qualquer objeto que a ele pertenceu ou, mesmo, que tenha tocado em seu cadáver' '*ext.* coisa preciosa por ter valor material ou por ser objeto de estima e apreço' XIII. Do lat. *rĕlĭquĭa -ae* || **relic**ÁRIO | *reliquario* XIV | Do lat. *reliquiārium*.
relógio *sm.* 'designação comum a diversos tipos de instrumentos ou mecanismos para medir intervalos de tempo' | *relogeo* XV | Do lat. *hōrologĭum -īī*, deriv. do gr. *hōrológion* || **reloj**O·ARIA | *relogiaria* XVIII || **reloj**O·EIRO | *relogeiro* 1813.
re·lut·ância, -ante, -ar → LUTA.
re·luz·ente, -ir → LUZ.
relvar *vb.* 'cobrir de relva, de erva rala e rasteira' 1813. Do lat. *relevāre* 'levantar' || **relva** XIII. Deverbal de *relvar* || **relv**ADO 1899 || **relv**OSO XVII.
rem·ada, -ador → REMO.

remanchar[1] *vb.* 'fazer borda com o maço (em fundo de panela ou de outros utensílios) sobre a bigorna' 1899. Do cast. *remachar*.
remanchar[2] *vb.* 'tardar, demorar-se' 1813. De origem incerta; talvez se relacione com REMANCHAR[1].
remanente *adj.* 2g. 'remanescente' XIV. Do lat. *remanens -entis*.
remanescer *vb.* 'sobrar, restar, sobejar' | *remãecer* XIII, *remazer* XIII, *remaescer* XIII etc. | Do lat. *remanescere, incoativo de *remanēre* 'parar, ficar' || **remanesc**ENTE | *rremanesçente* XIV.
remangar → MANGA[1].
remanso *sm.* 'cessação de movimento' 'paz, tranquilidade' XVI. Do lat. *remansus*, part. pass. de *remanēre* || **remans**OSO 1881.
remanēre || **remans**OSO 1881.
remar → REMO.
rematar *vb.* 'dar remate, concluir, completar' XIII. Do pref. RE- + MATAR || AR·**remat**AÇÃO XVI || AR·**remat**ANTE 1881 || AR·**rematar** XVI || AR·**remat**E 1813 | **remat**AÇÃO | *-taçõoes* pl. XV || **remat**E XV. Deverbal de *rematar*.
⇨ **rematar** — ARREMA**t**ANTE | 1836 SC |.
remedar *vb.* 'arremedar' XIII. Do lat. vulg. *reĭmĭtāre, de *re-* + *ĭmĭtāre* || **remed**ADOR XIII || **remed**ILHO | *-illo* XIII. Cp. ARREMEDAR.
remediar *vb.* 'dar remédio' 'reparar' 'abastecer' XV. Do lat. *remedĭāre* || IR·**remedi**ÁVEL 1813. Do lat. *irremediābilis* || **remedi**ADO 1813 || **remedi**ADOR XVII. Do lat. *remediātor -ōris* || **remedi**ÁVEL XVII || **remédio** XIV. Do lat. *remedĭum -īī*.
remedilho → REMEDAR.
remédio → REMEDIAR.
remeiro → REMO.
⇨ **remela** *sf.* 'secreção que forma nos pontos lacrimais e no bordo das pálpebras' | *rremella* XV SEGR 43 | De origem duvidosa; talvez se relacione com MEL.
remelexo *sm.* 'rebolado, requebro, bamboleio' XX. Palavra de criação expressiva, provavelmente relacionada com MEXER.
re·memor·ação, -ar, -ativo → MEMÓRIA.
remend·ado, -ão, -ar, -o → EMENDAR.
remenicar *vb.* 'retorquir, pôr objeções, replicar' XIX. De origem incerta.
⇨ **remerce·ado, -ar** → MERCÊ.
remessa *sf.* 'ato ou efeito de enviar, de remeter, de investir, de atacar' XVII. Do lat. *remissa -ae* 'perdão' || AR·**remess**ÃO *sm.* 'impulso de arremessar' 'aquilo que se arremessa' 'arma de arremesso' XVI || AR·**remess**AR | XV, *-rre-* XIV || AR·**remess**O XVI. Substantivação do lat. *remissus -a -um* || AR·**remet**ER XIII || **remet**IDA | *arremettida* XVI || AR·**remet**IMENTO | *-mi-* XV || **remet**ENTE | *remettente* 1858 | Do lat. *remittens -entis* || **remet**ER *vb.* 'atacar, investir, procrastinar' XIII. Do lat. *remĭttĕre* || **remiss**IVO XIX. Do lat. *remissīvus -a -um* || **remiss**O *adj.* 'descuidado, indolente' XVI. Do lat. *remissus -a -um*. Cp. REDIMIR, REMIR.
⇨ **remessa** — ARREME**ss**O | *rremesso* XV ZURD 218.*20* | **remisso** | *rre-* XV IMIT 23.*14* |.
remexer → MEXER.
⇨ **remexericar** → MEXER.
rem·ição, -ido, -idor → REMIR.
rêmige *adj.* 2g. *sm.* 'que rema' 'cada uma das penas mais longas das asas das aves' 1813. Do lat.

rēmex -igis || **remíg**IO *sm.* 'rêmige' 1844. Do lat. *rēmigĭum -ĭi*.
▷ **rêmige** — **remíg**IO | 1836 SC |.
remigrar → MIGRAR.
reminhol → REMO.
reminiscência *sf.* 'aquilo que se conserva na memória' 'lembrança' XVI. Do lat. *reminiscentĭa -ae*.
remípede → REMO.
remir *vb.* 'adquirir de novo' 'tirar do cativeiro, do poder alheio' 'perdoar' | XIV, *remiir* XIII etc. | Do lat. *rĕdĭmĕre* (> *redimir* > **remidir* > *remiir* > *remir*) || IR·**remiss**IBIL·IDADE 1881 || IR·**remiss**ÍVEL *adj. 2g.* 'irremediável, imperdoável' XVI. Do lat. *irremissibilis -e* || **remi**ÇÃO *sf.* 'liberdade' 'resgate' 1844 || **rem**IDO | *rremijdo* XIV || **rem**IDOR | *-mii-* XIII || **remissão** *sf.* 'compensação, perdão' | *remisson* XIII, *rremison* XIV | Do lat. *remissĭō -ōnis* || **remiss**ÍVEL 1813. Do lat. *remissibĭlis -e* || **remit**ÊNCIA | *remittencia* 1874 || **remit**ENTE | *remittente* 1844 | Do lat. *remittens -entis* || **remit**IR *vb.* 'perdoar, indultar' XIV. Do lat. *remuttĕre*. Cp. REDIMIR, REMESSA.
▷ **remir** — **remiss**ÓRIA | 1614 SGONÇ I.460.*27* || **remit**ENTE | *-tten-* 1836 SC |.
remirar → MIRAR.
remiss·ão, -ível → REMIR.
remiss·ivo, -o → REMESSA.
remit·ência, -ente, -ir → REMIR.
remo *sm.* 'instrumento de madeira composto de um cabo roliço terminado por uma parte espalmada, e que funciona como alavanca interfixa para mover pequenas embarcações' XIV. Do lat. *rēmus -ī* || **rem**ADA 1844 || **rem**ADOR XIII || **rem**AR XIII || **rem**EIRO | *remeyro* XIV || **rem**INH·OL *sm.* 'colher grande de cobre, com que nos engenhos se mexe o açúcar' 1813 || **remí·**PEDE *adj. 2g* '(Zool.) que tem os pés em forma de remos' 1881. Do lat. *rēmipes -edis*.
▷ **remo** — **rem**ADA | 1836 SC |.
remoalho → MOER.
remoção → MOVER.
remocar → MOCA².
remoçar → MOÇO.
re·model·ação, -ar → MODO.
re·moer, -moinhar, -moinho → MOER.
remolar *sm. 'ant.* indivíduo que fabricava ou consertava remos' XIV. Do cast. *remolar*, deriv. do cat. *remolar*, de *remo*.
remondar → MONDAR.
re·mont·a, -ar, -e → MONTE.
remoque → MOCA².
rêmora *sf.* 'designação comum ao peixe teleósteo, discocéfalo, da família dos equeneídeos, e a outras espécies dessa família, que ocorrem no Atlântico' XVIII. Do lat. *remora -ae*.
remorado *adj.* 'retardado, demorado' 1844. Do lat. *remorātus* || **remor**A *sf.* 'adiamento' '*fig.* obstáculo' XVII.
▷ **remorado** | 1836 SC |.
remord·er, -imento → MORDER.
▷ **re·mor·so** → MORDER.
remoto *adj.* 'antigo, longínquo' XVI. Do lat. *remōtus -a -um*.
▷ **remoto** | XV SBER 75.*20* |.
re·mov·edor, -er, -ibilidade, -ido, -ível → MOVER.
▷ **remov·imento** → MOVER.
remugir → MUGIR.

remuneração *sf.* 'ato ou efeito de recompensar' | *remuneraçom* XV | Do lat. *remunerātĭō -ōnis* || IR·**remuner**ADO 1844. Do lat. tard. *irremūnerātus* || IR·**remuner**ÁVEL 1881. Do lat. tard. *irremūnerābilis* || **remuner**ADOR 1813. Do lat. *remūnerator -ōris* || **remuner**AR XIV. Do lat. *remūnerāre* || **remuner**AT·IVO XVIII || **remuner**AT·ÓRIO XVII.
▷ **remuneração** — **remuner**ADOR | 1525 ABEjP 18*v*34 |.
remurmurar → MURMURAR.
rena *sf.* 'rangífer' | *renna* XIX | Do fr. *renne*, deriv. do sueco (e norueguês) *ren*.
renal → RIM.
renascença *sf.* 'vida nova' 'movimento artístico e científico dos sécs. XV e XVI, que pretendia ser um retorno à Antiguidade Clássica' 1844. Do fr. *renaissance* || **renasc**ENTE XVI || **renasc**ER XVI. De RE- + NASCER || **renasc**IMENTO 1813.
▷ **renascença** | 1836 SC || **renasc**ER | XV SBER 131.*28* |.
renda¹ → RENDER.
renda² *sf.* 'tecido de malhas abertas e contextura em geral delicada, cujos fios, entrelaçados, formam desenhos' XIII. De etimologia obscura || AR·**rend**AR² *vb.* 'guarnecer com rendas' 1871 || **rend**ADO XVII || **rend**EIRA 1813 || **rend**ILHA 1858 || **rend**ILH·ADO 1874 || **rend**ILH·AR 1858.
rendengue¹ *sm.* 'parte do corpo situada entre a cintura e as virilhas' 1899. De etimologia obscura.
rendengue² *sm.* 'pequeno sino, sineta' XX. De etimologia obscura.
render *vb.* 'entregar-se' XIII; 'retribuir, dar em troca' 'produzir rendimento' XIV. Do lat. **rĕddĕre* (cláss. *rĕddĕre*), com influência de *prendĕre* || AR·**rend**AMENTO | *arrendamēto* XIV || AR·**rend**AR¹ 1813 || AR·**rend**AT·ÁRIO 1773 || **rend**A¹ *sf.* 'resultado financeiro de aplicação de capitais ou economias, ou de locação ou arrendamento de bens patrimoniais' XIII. Talvez do prov. *renda* (< lat. **rĕndĭta*) || **rend**EIRO *sm.* 'aquele que arrenda propriedades rústicas' 1813 || **rend**IÇÃO | *rendiçom* XIV || **rend**IDO XVI || **rend**IMENTO 1813 || **rend**OSO 1813 || **rent**ABIL·IDADE XX. Adaptação do ing. *rentability* || **rent**ÁVEL XX. Adaptação do ing. *rentable* || SUB·AR·**rend**AR XX.
▷ **render** — ARREND**A**ÇÃO | *arrendaçoes* pl. 1320 CDGH 360.*2* (L¹) || AR**rend**ADOR | XV VITA 58*c* 19 || AR**rend**AMENTO | 1282 SALA 87.*22* (L¹) || AR**red**AR¹ | XIII FUER III.1233 etc. || **rend**EIRO | XV COND 65*d*25 || **rend**IMENTO | 1573 GLeão 71.*23*, 1582 *Liv. Fort.* 68.*17* || **rend**OSO | XV BENF 311.*25*, *a* 1595 *Jorn.* 167.*25* |.
rend·ilha, -ilhado, -ilhar → RENDA².
rend·imento, -oso → RENDER.
re·neg·ado, -amento, -ar → NEGAR.
renembrança *sf. 'ant.* memória, recordação, lembrança' XIII. Formado, pelo modelo de *rememorar* (< lat. *remĕmŏrāre*), de RE- e *nembrança* (var. de *lembrança*) || **renembr**A *sf. 'ant.* renembrança' XVI || **renembr**ADO *adj. 'ant.* relembrado' | *rrenen-* XIV || **renembr**AMENTO *sm. 'ant.* renembrança' | *renen-* XIII || **renembr**AR *vb. 'ant.* relembrar' | *rre-* XIV.
renete *sm.* 'instrumento com que se apara o casco das bestas' XVII. Do fr. *rénette*.
rengo¹ *sm.* 'tecido transparente para bordados' 1620. De etimologia obscura || **reng**ALHO *sm.* 'es-

pécie de rede ainda não lavorada e que serve de base para execução de uma renda' 1813.
rengo² *adj. sm.* 'doença nos quartos traseiros dos cavalos, que, impedindo-os praticamente de andar, os inutiliza para qualquer trabalho' 'coxo' XVII. De etimologia obscura || reng**u**EAR 1881 || reng**u**EIRA XX.
renhir *vb.* 'disputar, pleitear, lutar' XVI. Do cast. *reñir*, deriv. do lat. *rĭngī* 'grunir' || renh**ID**·EIRO 1881. Do cast. *reñidero* || renh**IDO** XVII. Do cast. *reñido*.
reniforme → RIM.
rênio *sm.* '(Quím.) elemento de número atômico 75, metálico, muito denso, com elevado ponto de fusão, usado como catalisador' XX. Do lat. cient. *rhenium*, deriv. do top. lat. *Rhēnus* 'o rio Reno'.
renitência *sf.* 'teimosia, obstinação, contumácia' 1813. Do lat. med. *renitentia* || renit**ENTE** XVII. Do lat. *renĭtens -entis* || renit**IR** *vb.* teimar, insistir XVII. Do lat. **renitere*, por *renītī*.
renome *sm.* 'bom nome, boa reputação, crédito, fama' | *rrenome* XV | Adaptação do fr. *renom* || renom**ADO** XX.
renovar *vb.* 'tornar novo, remoçar' XIII. Do lat. *rĕnŏvāre* || renov**AÇÃO** 1813. Do lat. *renōvātĭō -ōnis* || renov**ADOR** 1813. Do lat. *renōvator -ōris* || renov**AT**·ÓRIO XX || renov**O** XIII. Cp. NOVO.
▷ renovar — renov**AÇÃO** | *-com* XV FRAD. I.59.*11* |.
renque *sm.* e *f.* 'ala, fileira, série, alinhamento' XVI. Do cat. *renc*, deriv. do frâncico **hring*.
▷ renque | *rrenque* XV VERT 107.*12* |.
rent·abilidade, -ável → RENDER.
rente *adj. 2g.* 'muito curto' 'muito próximo' XVI. De etimologia obscura, talvez do lat. *radente* 'que raspa' || rent**AR** 1881.
renuir *vb.* 'renunciar, rejeitar, recusar' 1813. Do lat. *renŭĕre* || renu**ENTE** XX.
renunciar *vb.* 'rejeitar, recusar, não querer' XIII. Do lat. *renūntiāre* || renúncia XVII || renunci**ABIL**·IDADE XX || renunci**AÇÃO** | *renunciaçom* XV | Do lat. *renūntiātĭō -ōnis* || renunci**ADOR** XVI. Do lat. *renūntiātor -ōris* || renunci**ANTE** 1813 || renunci**AT**·ÁRIO XX || renunci**AT**·ÓRIO 1881 || renunci**ÁVEL** 1813.
▷ renunciar — renunci**AMENTO** | XV FRAD II.131.*16* |.
renutrir → NUTRIR.
renzilha *sf.* 'rixa, quizila, rezinga' XVI. Do cast. *rencilla* (ant. *renzilla*).
reo- *elem. comp.*, do gr. *rhéos* 'corrente, fluente', que se documenta em vocs. eruditos introduzidos na linguagem científica internacional, a partir do séc. XIX, particularmente no campo da eletricidade ♦ reó**BASE** *sf.* '(Fisiol.) potencial da corrente elétrica mínima capaz de excitar um nervo' XX || reo**CORDA** XX || reó**FORO** *sm.* '(Eletr.) condutor elétrico filiforme' | *rheophoro* 1874 || reo**LOG**·IA *sf.* 'parte da física que investiga as propriedades e o comportamento mecânico dos corpos deformáveis que não são nem sólidos nem líquidos' XX. Do ing. *rheology* || reós**TATO** *sm.* '(Eletr.) resistor variável, utilizado, em geral, para limitar corrente em circuitos ou dissipar energia' | *rheostato* 1881 || reó**TOMO** *sm.* '(Eletr.) peça empregada para interromper a passagem de uma corrente elétrica' XX || reo**TROP**·ISMO *sm.* '(Bot.) tropismo induzido pela água corrente' XX.

reorganizar *vb.* 'tornar a organizar' | 1874, *reorganisar* 1844 | De RE- + ORGANIZAR || reorganiz**AÇÃO** | *reorganisação* 1844.
▷ reorganizar | *-sar* 1836 SC | reorganiz**AÇÃO** | *-sação* 1836 SC |.
reó·stato, -tomo, -tropismo → RE(O)-.
repa *sf.* 'cabelo esfiapado, ralo' XVI. De origem obscura; talvez se trate de um deverbal de *repar*, var. antiga (séc. XIV) de RAPAR.
repanhar → ARREPANHAR.
reparar *vb.* 'restaurar' XIV. Do lat. *rĕpărāre* || IR·repar**ABIL**·IDADE 1881 || IR·repar**ÁVEL** 1813. Do lat. *irreparābĭlis -e* || repar**ABIL**·IDADE XX || repar**AÇÃO** | XVI, *repayraçom* XV | Do lat. tard. *reparātĭo -ōnis* || repar**ADOR** | XVII, *repairador* XV | Do lat. *reparātor -ōris* || repar**AT**·ÓRIO 1881 || repar**O** XV. Derivado regressivo de *reparar*.
re·part·ição, -idor, -imento, -ir → PARTIR.
re·pass·ado, -ar, -e → PASSAR.
repasto → PASTO.
▷ repast·ar → PASTO.
re·patri·ação, -ado, -amento, -ar → PÁTRIA.
repecho *sm.* 'encosta, subida, ladeira' 1899. Do esp.-plat. *repecho*. || repech**AR** XX. Do esp.-plat. *repechar*.
repel·ão, -ar → PELO.
▷ repel·o → PELO.
repelir *vb.* 'fazer regressar, rebater, rechaçar' XVII. Do lat. *repellĕre* || repel**ÊNCIA** | *repellencia* 1899 || repel**ENTE** | *repellente* 1813 | Do lat. *repellens -entis*. Cp. REPULSA.
▷ repelir | XV SBER 56.*8* |.
repelo → PELO.
re·penic·ado, -ar → PICAR.
repensar → PENSAR.
repente *sm.* 'ímpeto, impulso' XVI. Do lat. *repens -entis* || repent**INO** XVI. Do lat. *repentinus* || repen**TISTA** 1858.
repercutir *vb.* 'reproduzir, refletir o som' 1813. Do lat. *repercutĕre* || repercuss**ÃO** 1813. Do lat. *repercussĭō -ōnis* || repercut**ENTE** XX.
▷ repercutir — repercuss**ÃO** | *repercusões* pl. XV SEGR 38 |.
repertório *sm.* 'matéria metodicamente disposta' 'coleção, conjunto' XIV. Do lat. tard. *repertōrium*, de *reperire*.
repes *sm. 2n.* 'tecido grosso, de seda, lã ou algodão, próprio para reposteiros, estofos de cadeiras etc.' 1890. Do fr. *reps*.
re·pes·ar, -o → PESO.
▷ repeso² → PESO.
repetir *vb.* 'tornar a dizer ou escrever' 'repisar' XIV. Do lat. *repetĕre* || repet**ÊNCIA** 1813 || repet**ENTE** 1813 || repet**IÇÃO** | *repeticioos* pl. XV | Do lat. *repetitĭō -ōnis* || repet**IDOR** 1813. Do lat. *repetītor -ōris*.
repicar → PICAR.
re·pimp·ado, -ar → PIMPAR.
re·pique, -piquete → PICAR.
repisar → PISAR.
repleção *sf.* 'estado de repleto, muito cheio' XVI. Do lat. tard. *replētio -ōnis* || replement**AR** *adj. 2g.* '(Mat.) ângulo conjugado' XX || replet**O** XVII. Do lat. *replētus -a -um*.
replicar *vb.* 'contestar, refutar, redarguir' | *replicado* part. XV | Do lat. *replicāre* || IR·replic**ÁVEL** XX ||

réplica XVI || **replic**AÇÃO | *repricaçom* XV | Do lat. *replicatĭo -ōnis*.
repol·egar, -ga, -gar → POLEGADA.
repolho *sm*. 'variedade de couve rasteira, de feitio globular, e com as folhas imbricadas' 1813. Do cast. *repollo* || **repolh**UDO 1813. Do cast. *repolludo*.
repoltrear → POLTRONA.
reponente → PÔR.
repontar *vb*. 'fazer refluir para certo ponto' XVI. Do cast. *repuntar* || **repont**E XX. Do esp.-plat. *repunte*.
repor → POR.
reportar *vb*. 'aludir, referir' 'retrair, transportar, volver' XV. Do lat. *reportāre* || **report**AÇÃO XVII || **report**AGEM XIX. Do fr. *reportage* || **report**E *sm*. '(Com.) operação da Bolsa pela qual o especulador, jogando na alta, readquire a termo os títulos que acaba de vender à vista' XX. Do fr. *report* || **repórt**ER 1890. Do fr. *reporter*, deriv. do ing. *reporter*.
⇨ **reportar — reporto** *sm*. 'alusão, referência, informação' | *rreporto* XV ESOP 23.*17* |.
re·pos·ição, -itório → PÔR.
reposteiro *sm*. '*ant*. oficial que cuidava do serviço de mesa' 'cortina pendente das portas interiores da casa' | XIV, *rrespo*steiro XIV etc. | Do lat. **rĕpŏsĭtărĭus* || **reposte** *sf*. '*ant*. despensa, guarda-roupa' XIII.
repousar *vb*. 'descansar' XV. Do lat. tard. *repausāre* || **repous**AMENTO *sm*. '*ant*. repouso' XV || **repous**ANTE XX || **repouso** XVI.
⇨ **repousar — repouso** | XV ESOP 23.*17* |.
repreender *vb*. 'advertir, censurar ou admoestar com energia' | *reprehender* XIII, *reprender* XIII etc. | Do lat. *rĕprĕhĕndĕre* || **ir·repreens**IBIL·IDADE | *irreprehensibilidade* 1813 | Do lat. tard. *irreprĕhēnsibilĭtās -ātis* || **ir·repreens**ÍVEL | *irreprehensivel* 1844 | Do lat. tard. *irreprĕhēnsibilis* || **repreend**IMENTO | XV, *-prehen-* XIV || **repreendí**VEL | *-prehêdivil* XIV || **repreens**ÃO | *repreensões* pl. XIV | Do lat. *reprĕhēnsĭŏ -ōnis* || **repreens**ÍVEL | *reprehensível* 1844 | Do lat. *reprehensibilis* || **re·preens**IVO | *reprehensivo* 1899 || **repreens**OR | *reprehensor* XVI | Do lat. *reprehensor*.
⇨ **repreender — ir·repreens**ÍVEL | *irreprehen-*1836 SC | **repreend**EDOR | XV VIRG IV.640 || **repre·end**ENTE | *reprēdente* XV SBER 60.*30* || **repreens**ÍVEL | *repreensiues* pl. XV BENF 52.*3* | **repreens**OR | XV BENF 310.*21* |.
represa → REPRESAR.
represália *sf*. 'desforra, vingança, desforço' | 1813, *represaria* XV | Do a. it. *ripresaglia* (hoje *reppresaglia*), de *ripresa* '*ant*. repreensão', deriv. de *riprèndere* e, este, do lat. *rĕprĕhĕndĕre*. Cp. REPREENDER.
represar *vb*. 'deter o curso das águas' 'reprimir, conter' XVI. Do lat. *reprehensāre* || **represa** XVI. Fem. substantivado de *represo* || **represo** *adj*. 'represado' XVI. Do lat. *reprehēnsus -a -um*.
⇨ **represar** | *represado* p. adj. XV FRAD I.273.*5* |.
representar *vb*. 'ser a imagem ou a reprodução de' 'patentear, significar' XIV. Do lat. *repraesentāre* || **represent**AÇÃO XVI. Do lat. *repraesentātĭo -ōnis* || **represent**ADOR XVI. Do lat. *repraesentātŏr -ōris* || **represent**ANTE 1813 || **represent**AT·IVO 1813. Do lat. med. *repraesentativus*.

⇨ **representar — represent**AÇÃO | *rrepreentaçom* XV BENF 255.*32* |.
represo → REPRESAR.
reprimir *vb*. 'sustar a ação ou movimento' 'conter, coibir' | *repremir* XIV, *reprimer* XV | Do lat. *reprimĕre* || **ir·reprim**ÍVEL 1881 || **repress**ADO *adj*. '*ant*. reprimido' XV || **repress**ÃO XIX. Do lat. tard. *repressio -ōnis* || **repress**IVO 1874 || **repress**OR XIX. Do lat. *repressor -ōris* || **repress**ÓRIO XX || **repri·m**ENDA 1899. Do fr. *réprimande*.
⇨ **reprimir — repress**IVO | 1836 SC |.
réprobo → REPROVAR.
reprochar *vb*. 'censurar, exprobrar' XV. Do fr. *reprocher* || **ir·reproch**ÁVEL XX || **reproche** XVI. Do fr. *reproche*.
⇨ **reprochar — reproche** | *reprocha* XV VERT 56.*1* |.
reprod·ução, -utor, -uzir → PRODUTO.
reprovar *vb*. 'não aprovar, recusar, rejeitar' | *reprouar* XIV | Do lat. *reprobāre* || **réprobo** *adj*. *sm*. 'condenado, reprovado' 'indivíduo réprobo' XVII. Do lat. *reprŏbus -a -um* || **reprov**AÇÃO 1813. Do lat. *reprobātĭo -ōnis* || **reprov**ADOR XVII. Do lat. *reprobātor -ōris* || **reprov**AT·IVO XX || **reprov**ÁVEL 1813.
rept·ador, -ar → REPUTAR.
reptil, réptil *adj*. 2g. *sm*. 'que se arrasta' 'espécime dos reptis' XVII. Do fr. *reptile*, deriv. do lat. *reptĭlis -e*. No séc. XVI ocorre a forma *reptilia* || **sub-repção** XVII. Do lat. *subreptĭo -ōnis* || **sub-reptício** *adj*. 'obtido por meio de sub-repção, ilicitamente' XVII. Do lat. *subreptīcĭus -a -um*. No port. med. já ocorre o advérbio *subrepticiamente*, no séc. XV.
⇨ **reptil — sub-repção** | *sorreyçam* 1573 NDias 280.*16*.
repto → REPUTAR.
república *sf*. 'organização política de um Estado com vista a servir à coisa pública, ao interesse comum' | *repruvica* XV, *rrepubrica* XV etc. | Do lat. *rēspūblĭca* || **republic**ANO 1813.
⇨ **república — repúblico** 'republicando' | 1657 FMMelv 70v*18* |.
repudiar *vb*. 'rejeitar (a esposa) legalmente' 'repelir, recusar' XVI. Do lat. *repudiāre* || **repudi**AÇÃO 1874. Do lat. *repudiātĭo -ōnis* || **repudi**ANTE 1813 || **repúd**IO XVI. Do lat. *repudĭum -ĭi*.
repugnar *vb*. 'não aceitar, recusar, refusar' | XV, *repunar* XIV | Do lat. *repugnāre* || **repugn**ÂNCIA XVI. Do lat. *repugnantĭa -ae* || **repugn**ANTE | XVI, *repunante* XIV | Do lat. *repugnans -antis*.
⇨ **repugnar — repugn**ÂNCIA | XV SEGR 56*v*, *repunancia* Id. 39*v* |.
repulsa *sf*. 'ato ou efeito de repelir' XVII Do lat. *repulsae -ae* || **repuls**ÃO 1844. Do lat. tard. *repulsĭŏ -ōnis* || **repuls**IVO 1858 || **repuls**O XVIII. Do lat. *repulsus -a -um*, part. de *repellĕre*. Cp. REPELIR.
⇨ **repulsa — repuls**ÃO | 1836 SC | **repuls**AR | 1660 FMMelE 61.*23* || **repuls**O | XV FRAD II.169.*21* |.
repulular → PULULAR.
repurg·ação, -ar → PURGAR.
reputar *vb*. 'considerar, julgar, achar' XV. Do lat. *rĕpŭtāre* || **rept**ADOR | *retador* XIV || **reptar** *vb*. 'desafiar, culpar' | XVI, *retar* XIII, *rretar* XIV etc. | Forma divergente de *reputar*, do lat. *rĕpŭtāre* || **rept**O | *reto* XIII || **reput**AÇÃO *sf*. 'fama, celebridade, renome' XVI. Do lat. *reputātĭo -ōnis* ||

⇨ **reputar** — **reput**AÇÃO | -*çom* XV IMIT 20.*17* |.
re·pux·ar, -o → PUXAR.
re·quebr·ado, -ar, -o → QUEBRAR.
requeijão → QUEIJO.
requeimar → QUEIMAR.
requentar → QUENTE.
requerer *vb.* 'pedir, solicitar, por meio de requerimento' XIV. Do lat. vulg. *rĕquaerĕre* (cláss. *requīrĕre*) || **requer**EDOR | *rre-* XIV || **requer**ENTE 1813 || **requer**IÇÃO | -*çam* XIV || **requer**IMENTO | *rrequirimento* XIV, *rrequeremento* XIV. Cp. REQUESTAR, REQUISIÇÃO.
⇨ **requerer** — **requer**ENTE | 1634 MNor 274.*21* |.
requestar *vb.* 'buscar, solicitar, insistir' | *rrequestar* XV | Do lat. *requaesitāre, frequentativo de *rĕquaerĕre* ou *requīrĕre*. Cp. REQUERER, REQUISIÇÃO.
⇨ **requestar** — **requesta** | XV COND 8*d*9, *rre-* Id. 8*d*2 etc. |.
réquiem *sm.* 'parte do ofício dos mortos que principia com a palavra latina *requiem*' XIII. Do lat. *requiem*, acus. de *requiēs -ētis* 'repouso, descanso'.
requieto *adj.* 'muito quieto' XX. Do lat. *requiĕtus -a -um*, part. de *requiēscĕre*.
requife *sm.* 'ornato ou guarnição estreita' 1858. De etimologia obscura || **requifife** *sm.* 'enfeite, adorno' XX.
⇨ **requife** | 1704 *Inv.* 55 |.
re·quint·a, -ar, -e → QUINTO.
requisição *sf.* 'ato ou efeito de requerer, exigir' | *requisições* pl. XV | Do lat. *requisitĭõ -ōnis* || **requisit**AR 1844. Forma erudita de *requestar*, do lat. *requaesītāre || **requisito** XVII. Substantivação do adj. lat. *requīsītus* || **requisit**ÓRIO 1813. Do lat. med. *requisitorius*. Cp. REQUERER, REQUESTAR.
rés *adj.* 2g. *adv.* 'raso, rente' 'pela raiz' XVII. Do fr. *rez*, deriv. do lat. *rāsus -a -um*.
rês *sf.* 'qualquer quadrúpede usado na alimentação humana' XVI. Do ár. *rá's* 'cabeça'.
resbuto → RAJAPUTRO.
rescaldar *vb.* 'escaldar novamente' XVII. De RE- + *escaldar* || **rescald**O XVI. Deriv. regressiva de *rescaldar*.
rescend·ente, -er → ENCENDER.
rescindir → CINDIR.
res·crição, -crito → ESCREVER.
resedá *sm.* 'erva anual, da fam. das resedáceas, originária da África do Norte, de folhas espatuladas e obtusas, flores amarelas, de perfume intenso' 1874. Do fr. *réséda*, deriv. do lat. *resēda*, imperativo de *resedāre*.
resenhar *vb.* 'relatar minuciosamente' 1813. Do lat. *resignāre* || **resenh**A | *ressenha* XVI.
reservar *vb.* 'guardar, poupar, conservar' XIV. Do lat. *reservāre* || **reserv**A XVII. Deriv. regressivo de *reservar* || **reserv**ADO XVI || **reserv**AT·ÁRIO *adj.* 'herdeiro' 1813 || **reserv**AT·IVO 1881 || **reserv**AT·ÓRIO 1813 || **reserv**ISTA 1881.
resfolegar → FOLGAR.
resfri·ado, -amento, -ar → FRIO.
resgatar *vb.* 'livrar de cativeiro, de sequestro, a troco de dinheiro ou de outro valor' 1500. De origem incerta; talvez do cruzamento do lat. *recaptāre 'recatar' com o lat. *reexcaptāre 'resgatar' || **res**gat**ÁVEL 1813 || **resgate** | *resguate* XV.

⇨ **resgatar** | XV INFA 99.*13*, ZURD 328.*66 resguatar* XV INFA 76.*27*, PAUL 63*v*27 |.
resguard·ado, -ar, -o → GUARDAR.
residir *vb.* 'fixar residência, morar' XV. Do lat. *residēre* || **resid**ÊNCIA | *residença* XVI | Do lat. med. *residentia* || **resid**ENTE XIV. Do lat. *residēns -ēntis*.
⇨ **residir** — **resid**ÊNCIA | -*çia* XV SBER 137.*26*, *rresedença* XV VERT 138.*8* |.
resíduo *sm.* 'aquilo que resta de qualquer substância' | *residoo* XV | Do lat. *residŭum -i* || **residu**AL 1881.
resignar *vb.* 'renunciar, conformar-se' XVI. Do lat. *resignāre* || **resign**AÇÃO XVI. Do lat. med. *resignatio -ōnis* || **resign**ADO 1813 || **resign**ANTE XVII || **resign**AT·ÁRIO *adj. sm.* 'que, ou aquele que resigna ou renuncia cargo, função ou dignidade' 1813.
resilir *vb.* '(Jur.) romper (um contrato) comumente sucessivo, por acordo e livre deliberação das partes' 1858. Do lat. *resilīre*.
resina *sf.* 'secreção viscosa que exsuda do caule e de outros órgãos de certas plantas' | *resĩa* XIII, *rezjnha* XIV, *rezina* XIV etc. | Do lat. *rēsīna* || **resin**ADO 1844. Do lat. *rēsīnātus -a -um* || **resin**Í·FERO 1874 || **resin**Í·FIC·AR 1858 || **resin**I·FORME 1858 || **resin**OSO 1844. Do lat. *rēsīnōsus -a -um*.
⇨ **resina** → **resin**OSO | 1836 SC |.
resipiscência *sf.* 'arrependimento de um pecado, com propósito de correção' XVI. Do lat. *resipīscentia*.
resistência *sf.* 'ato ou efeito de resistir, de não ceder' XVI. Do lat. *resistēntĭa -ae* || IR·**resist**IBIL·IDADE 1881 || IR·**resist**ÍVEL 1813. Do lat. tard. *irresistibilis* || **resist**ENTE XV. Do lat. *resistēns -ēntis* || **resist**IR | XIV, -*tyr* XIV, *rresistir* XV, *registir* XV | Do lat. *resistĕre*.
⇨ **resistência** | XV LEAL 198.*11*, *resisteença* XV BENF 109.*24* |.
reslumbrar *vb.* 'dar passagem à luz' 'transparecer' XVIII. Do cast. *relumbrar*, com influência de VISLUMBRAR.
resma *sf.* 'pacote, volume, embrulho' 'vinte mãos ou 500 folhas de papel' | 1813, *rêzama* XV | Do ár. *rízma*, deriv. de *rázam* 'embrulhar'.
resmonear, resmoninhar *vb.* 'resmungar' | XVII, *resmoninhar* XVII | Do lat. vulg. *remussīnāre. Cp. RESMUNGAR.
resmungar *vb.* 'pronunciar por entre dentes e com mau humor' | *resmugar* XVI, *remusgar* XIII | Do lat. *remussicāre 'rosnar' || **resmung**ÃO 1881 || **res**mung**O XX.
reso *sm.* 'espécie de macaco de cor parda, utilizado para pesquisas científicas' | *rheso* 1899 | Do lat. cient. *Rhesus*, voc. criado em 1797 pelo naturalista francês Audebert (1759-1800), arbitrariamente deduzido do lat. *Rhêsus*, nome lendário de um rei da Trácia (< gr. *Rhêsos*).
resolução *sf.* 'decisão, deliberação' | *resoluçam* XV | Do lat. *resolūtĭõ -ōnis* || IR**resolução** XVII || IR**resoluto** 1813. Do lat. *irresolūtus -a -um* || IR**resol**ÚVEL 1813. Do lat. tard. *irresolubilis* || **resolut**IVO 1813. Do lat. med. *resolutivus* || **resoluto** XVI. Do lat. *resolutus* || **resolut**ÓRIO 1813. Do lat. *resolutorius* || **resol**ÚVEL 1858 || **resol**VENTE 1813. Do lat. *resolvens -entis* || **resolver** XIV. Do lat. *resolvĕre* || **resolv**IDO 1813. Cp. SOLVER.

⇨ **resolução** — IRresoluto | 1660 FMMeIE 109.*21* |.
resorcina *sf.* '(Quím.) composto cristalino incolor, inicialmente produzido pela ação da potassa sobre o gálbano ou outras resinas, e hoje obtida sinteticamente' XX. Do ing. *resorcin*, de *res(in)* 'resina' + *orcin* 'substância cristalina de fórmula $C_7H_8O_2 + H^2O$'.
respaldar *vb.* 'espaldar' XVIII. De RE- + *espaldar* || **respald**O XVI.
respeito *sm.* 'reverência, veneração, obediência' | *respeyto* XIV, *rrespeito* XV | Do lat. *respectus -ūs* || DESrespeitAR 1899 || DESrespeito 1881 || DESrespeitOSO XX || respectIVO XVI || respeitABIL·IDADE 1874 || respeitADOR XVI || respeitANTE XX || respeitAR XVI. Do lat. *respectāre* || **respeit**ÁVEL XVI || **respeit**OSO | *respectuoso* 1813.
⇨ **respeito** — respectIVO | *respeytivo* XV BENF 227.*14* || **respeit**OSO | *respeytuoso* XV BENF 257.*12*, *respectuoso* Id.305.*30* |.
respigar → ESPIGA.
respingar[1] *vb.* 'responder com maus modos' 1813. Do cast. *respingar*.
res·ping·ar[2], **-o** → PINGAR.
respiração *sf.* 'ato ou efeito de absorver o oxigênio do ar nos pulmões, nas brânquias, nas traqueias, na pele, e expelir o gás carbônico resultante das queimas orgânicas' XVIII. Do lat. *respīrātĭō -ōnis* || IRrespirÁVEL 1881. Do lat. *irrespīrābĭlis -e* || respirABIL·IDADE 1858 || respirADOURO XVII || respirAMENTO *sm.* 'ant. respiração' | *rrespiramento* XIV | Do lat. *respīrāmentum -ī* || respirAR | *rrespirar* XIV | Do lat. *respīrāre* || respirAT·ÓRIO 1858. Do lat. cient. *respiratorius* || **respiro** XVI. Deriv. regressivo de *respirar*.
⇨ **respiração** | *resperaçam* XV SEGR 51 |.
resplandecer *vb.* 'brilhar, luzir muito, rutilar' | XIV, *resprandecer* XIII etc. | Do lat. *resplendēscĕre* || resplandecÊNCIA 1874 || resplandecENTE | XIV, -*çente* XIV || resplandecIMENTO | -*di-* XIV || resplandOR | XVI, -*prandor* XIII || resplendENTE XVI || resplendECER 1858. Do lat. *resplendēscĕre* || resplendER XVIII. Do lat. *resplendēre* || resplendOR | -*prendor* XIV.
⇨ **resplandecer** — resplendECER | 1836 SC |.
responder *vb.* 'dizer ou escrever em resposta' XIII. Do lat. *rĕspŏndēre* || CORrespondÊNCIA 1813. Do fr. *correspondance* || CORrespondENTE 1813. Do fr. *correspondant* || CORrespondER XV. Do lat. *correspondēre* || IRrespondÍVEL 1881 || respondÃO 1813 || respondENTE XV || respondIMENTO *sm.* 'ant. resposta' | -*pòdimēto* XIV || **respons**ÃO *sm.* 'ant. resposta' | -*som* XV | Do lat. *responsĭō -ōnis* || **responsivo** *adj.* 'que contém resposta' | *responsiva* f. 1874 || **responso** *sm.* '(Liturg.) versículos rezados ou cantados alternativamente pelos dois coros, ou pelo coro e por um solista, depois das lições ou dos capítulos' XIII. Do lat. *respōnsus -ī* || **resposta** | XIII, *reposta* XIV | Cruzamento do lat. *repŏsĭta*, part. pass. fem. de *repŏnĕre* 'repor', com *rĕspŏndēre*, que substituiu *responsum*; a var. antiga *reposta* procede diretamente de *repŏsĭta*.
⇨ **responder** — CORrespondÊNCIA | *a* 1542 JCASE 68.*3* || respondÊNCIA | *respondêçia* 1635 MNor 317.*15* |.

responsável *adj. 2g.* 'que responde pelos próprios atos ou de outrem' 1813. Adaptação do fr. *responsable*, deriv. do lat. *responsus*, part. pass. de *rĕspŏndēre* || IRresponsABIL·IDADE 1881 || IRresponsÁVEL 1873 || responsABIL·IDADE 1813 || responsABIL·IZAR 1844. Cp. RESPONDER.
⇨ **responsável** — responsABIL·IZAR | -*isar* 1836 SC |.
respo·nsivo, -nso, -sta → RESPONDER.
resquício *sm.* 'lasca ou pequeno fragmento de madeira ou de outro material' 'resíduo, vestígio' XVI. Do cast. *resquicio*.
ressábio, ressaibo *sm.* 'mau sabor' | XVI, *ressaibo* XVI | Do lat. vulg. *resapidus* || **ressabi**ADO XX || ressabiAR XVI.
ressaca *sf.* 'refluxo de uma vaga, depois de espraiar ou encontrar obstáculos que a impede de avançar livremente' XVII. Do cast. *resaca* || ressaCABIL·IDADE XX.
ressair → SAIR.
ressalt·ado, -ar → SALTAR.
ressalv·a, -ado, -ar → SALVAR.
⇨ **ressalvamento** — SALVAR.
ressarcir *vb.* 'indenizar, compensar, reparar' XVIII. Do lat. *resarcīre* || **ressarc**IMENTO XX.
ressecar → SECO.
ressecção → SE(C)ÇÃO.
ressegar → SE(C)ÇÃO.
resseguro → SEGURO.
ressemear → SEMEAR.
res·sent·ido, -imento, -ir → SENTIR.
res·sequido, -sequir, -sicação, -sicar → SECO.
res·so·ante, -ar → SOM.
ressoca → SOCA[2].
ressolhar *vb.* 'sofrer nos olhos as consequências do sol forte' 'respirar a custo produzindo um som característico' | *resolhar* XVI | Do lat. re- + *sŭfflāre* || **ressolho** | *resollo* XIV.
res·son·ância, -ante, -ar → SOM.
re·ssor·ção, -ver → SORVER.
ressuar → SUAR.
ressulcar → SULCO.
re·s·sum·ar, -brar → SUMO[1].
ressunção *sf.* 'ato ou efeito de reassumir' | *resumpção* 1813 | Do lat. *resumptĭō -ōnis*.
ressupinar *vb.* 'tornar ressupino' XX. Do lat. *resupīnāre* || **ressupino** *adj.* 'voltado para cima, deitado de costas' | *resupino* XVII | Do lat. *resupīnus -a -um*.
res·surg·imento, -ir, ressurreição → SURGIR.
ressuscitar *vb.* 'fazer voltar à vida' 'reviver, ressurgir' | XIII; *ressucitar* XIII etc. | Do lat. *resuscitāre* || ressuscitAÇÃO | *resuscitaçom* XV | Do lat. *resuscitātĭō -ōnis* || **ressuscit**ADOR 1813. Do lat. *resuscitātŏr -ōris* || ressuscitAMENTO | *rresuçitamēto* XIV, *resuçitamento* XV || ressuscitANTE | *resuscitante* XV.
re·stabel·ecer, -ecimento → ESTABELECER.
restagnação → ESTAGNAR.
restar *vb.* 'sobrar, sobejar' XVI. Do lat. *restāre* || restANTE XV || **resto** XVI.
restaurante[1] → RESTAURAR[1].
restaurante[2] *sm.* 'estabelecimento comercial onde se preparam e servem refeições' XIX. Do fr. *restaurant*.
restaurar *vb.* 'renovar, reconstruir' | XIV, *restoyrar* XIV, *restolar* XIV etc. | Do lat. *restaurāre* || restau-

rAÇÃO | *restauraçam* XVII | Do lat. med. *restaurātiō -ōnis* || **restaur**ADOR XVIII. Do lat. *restaurātor -ōris* || **restaur**AMENTO | *-toy-* XIV || **restaur**ANTE¹ 1844 || **restaur**AT·IVO 1813 || **restaur**ÁVEL 1873.
⇨ **restaurar** — **restaur**ÁVEL | 1836 SC |.
reste¹ *sm.* 'fancho, utensílio de bilhar' XX. Do ing. *rest*.
reste² → RÉSTIA.
resteva *sf.* 'restolhal, terreno em que há restolho' | *resteba* XIV, *resteua* XV | Do lat. vulg. *restipa, do lat. *re-* + *stipa*.
réstia *sf.* 'corda de palha ou de hastes entrelaçadas' | *reste* XIII, *restea* XVI | Do lat. *restis -is* || **reste**² *sm.* 'lança' | XV, *restre* XV || **resti**FORME 1873. Cp. RISTE.
restilar *vb.* 'estar correndo gota a gota' 'tornar a destilar' | *restillar* 1844 | Do lat. *restillāre* || **restilo** XX.
restinga *sf.* 'banco de areia ou de pedra em alto mar' | *restynga* XV | De etimologia obscura.
restinguir *vb.* 'extinguir novamente' 1813. Do lat. *restinguĕre*.
restituir *vb.* 'entregar'(o que se possuía por empréstimo, ou indevidamente)' 'devolver' XIV. Do lat. *restituĕre* || **restitu**IÇÃO | *restituçom* XIII | Do lat. *restitūtiō -ōnis* || **restitu**T·ÓRIO 1813. Do lat. *restitūtōrius*.
resto → RESTAR.
restolho *sm.* 'a parte inferior das gramíneas que fica enraizada após a ceifa' | XIV, *rescolheo* XV, *rastolho* XVI | De etimologia obscura.
restrição *sf.* 'ato ou efeito de restringir-se' | *restricção* XVI | Do lat. *restrictiō -ōnis* || IRrestringÍVEL 1844 || IRrestrITO | *irrestricto* 1844 || **restring**ENTE 1858. Do lat. *restringens -entis* || **restring**IR XIV. Do lat. *restrĭngĕre* || **restrit**IVO | *restrictivo* 1813 || **restrito** | *restricto* 1813 | Do lat. *restrictus -a -um*.
⇨ **restrição** — IRrestringÍVEL | 1836 SC || IRrestrITO | *-tricto* 1836 SC |.
resultar *vb.* 'ser consequência ou efeito' 'nascer' XVI. Do lat. *resultāre* || **result**ADO 1813 || **result**ANTE 1844. Do lat. *resultans -āntis*.
resumir *vb.* 'abreviar' 'representar, simbolizar, em ponto pequeno' | *rresumir* XV | Do lat. *resūmĕre* || **resum**O XVII.
resvalar *vb.* 'fazer escorregar ou cair' 'lançar' | XVI, *resvelar* XVI, *resbalar* XVI | Do cast. *resbalar* || **resval**AD·IÇO 1881.
resvés *adj.* 2g. *adv.* 'exato, correto, justo' 'rente' 'na medida exata' | *res-ves* 1899 | De etimologia obscura.
reta → RETO.
retábulo *sm.* 'construção de madeira, de mármore, ou de outro material, com lavores, que fica por trás e/ou acima do altar e que, normalmente, encerra um ou mais painéis pintados ou em baixo-relevo' | *rretauollo* XIV, *retablo* XV etc. | Do cast. *retablo*.
retaco *adj.* 'diz-se do indivíduo ou animal baixo e reforçado' 'atarracado' 1899. Do esp.-plat. *retaco*.
retaguarda *sf.* '(Mil.) o último elemento de tropa de unidade ou subunidade em campanha' 'a parte traseira, em relação à frente ou dianteira' | XVI, *retagoarda* XVI | Do it. *retroguàrdia*.
retalhar *vb.* 'cortar em pedaços' XIII. De RE- + TA-LHAR || **retalho** XIII.

retaliar *vb.* 'revidar com dano igual ao dano recebido' 'impor a pena de talião' 1874. Do lat. tard. *retāliāre* || **retali**AÇÃO 1881.
⇨ **retaliar** | 1836 SC |.
retama *sf.* 'giesta, planta ornamental, arbustiva, da fam. das leguminosas' XVII. Do ár. *rátam*, vulgarmente *ratáma*.
retame *adj. sm.* 'diz-se do, ou o mel ou melaço levado ao ponto de açúcar' 1813. De etimologia obscura.
retanchar → TANCHAR.
retângulo *adj. sm.* 'que tem ângulo(s) reto(s)' '(Geom.) quadrilátero equiângulo, quadrilátero cujos ângulos são retos' | *rectangulo* 1813 | Do lat. med. *rectangulum* || **retangul**AR | *rectangular* 1874 | Do fr. *rectangulaire*.
retardar *vb.* 'atrasar, protelar, procrastinar' XIV. Do lat. *retardāre* || **retard**AÇÃO 1844. Do lat. *retardātiō -ōnis* || **retard**ADO 1813 || **retard**AMENTO 1813 || **retard**AT·ÁRIO 1858 || **retard**AT·IVO 1881 || **retardo** 1874. Do fr. *retard*.
⇨ **retardar** — **retard**AÇÃO | 1836 SC || **retard**AMENTO | *-mēto* XV PEST 386 |.
retelhar → TELHA.
retém → RETER.
retemperar → TEMPERAR.
retenção → RETER.
retenida *sf.* '(Marinh.) cabo fino, com uma pinha num dós chicotes (para poder ser lançado mais facilmente à distância), utilizado para aguentar qualquer objeto transitoriamente ou para passar cabos mais grossos ou espias de um navio para outro, ou de um navio para o cais, quando das atracações' 1874. Do cast. *retenida*. Cp. RETER.
reter *vb.* 'ter ou manter firme' 'segurar com firmeza' | XIII, *retēer* XIV etc. | Do lat. *rĕtĭnēre* || ARrendAR³ *vb.* 'sujeitar o cavalo à rédea' XX || **rédea** *sf.* 'correia para guiar as cavalgaduras' | XIV, *redêa* XIII, *rredea* XIV etc. | Do lat. *rĕtĭna, de *rĕtĭnēre* || **retém** *sm.* 'ato ou efeito de reter' 'retenção' 1874 || **retença** | *retēença* XIV || **retenção** XVI. Do lat. *retentiō -ōnis* || **retent**IVA | *retentiua* XVI || **retent**IVO XVII. Do lat. med. *retentivus* || **retent**OR 1890.
⇨ **reter** — **ret**EDOR | *reteedor* XV LEAL 57.*3* || **retent**IVO | XV SEGR 67 || **ret**IMENTO 'retenção' | XV SEGR 26, *retiimento* XV LEAL 67.*8* |.
reteso *adj.* 'muito teso ou tenso' | *retêso* 1899 | Do lat. *retēnsus -a -um*, part. pass. de *retendĕre* || **retes**AR | *retezar* XVI.
reticência *sf.* 'omissão intencional de uma coisa que se devia ou podia dizer' XVII. Do lat. *reticentĭa -ae* || **retic**ENTE 1881. Do lat. *reticens -entis*, part. pres. de *reticēre*.
rético *adj. sm.* 'da, ou pertencente ou relativo à Récia' '(Ling.) diz-se do conjunto de dialetos românicos falados na região alpina central e oriental' 'o natural ou habitante da antiga Récia, ou da região rética' XX. Do lat. *Rhaetĭcus -a -um*.
reticul·ado, -o → REDE.
retific·a, -ação, -ar → RETO.
retiforme → REDE.
retilíneo *adj.* 'que tem a forma de linha reta, ou que segue a direção reta' | *rectilineo* 1813 | Do lat. tard. *rectilīneus*. Cp. RETO.
retina → REDE.

retináculo *sm.* '(Bot.) parte basal, viscosa, do caudículo da polínia das orquidáceas' 1858. Do lat. *retinăcŭlum -ī*. Cp. RETER.
retinérveo → REDE.
retingir → TINTO.
retinir *vb.* 'tinir muito ou demoradamente' 'produzir grande som' XIV. Do lat. *retinnīre* || **retin**INTE 1813 || **retintim** | *retimtim* XVII | Voc. de formação expressiva.
retinto → TINTO.
re·tir·ante, -ar, -o → TIRAR.
reto *adj. sm.* 'que não apresenta curvatura, sinuosidade ou inflexão' 'que segue sempre a mesma direção' 'parte final do intestino' | XVI, *reyto* XIII, *repto* XIV | Do lat. *rectus -a -um* || **reta** | *recta* XVI | Fem. substantivado de *reto* || **ret**IDÃO | *rectidão* XVI || **ret**ÍFICA XX. Do it. *rettifica* || **retific**AÇÃO | *rectificação* XVI | Do lat. *rēctificatiō -ōnis* || **retific**AR | *rectificar* XVI | Do lat. *rēctificāre* || **retitude** | *rectitude* XVII | Do lat. *rectītūdo -inis* || **reto**CELE *sf.* '(Patol.) proctocele' XX || **reto**PEXIA *sf.* 'fixação do reto a fim de corrigir o prolapso retal' XX || **reto**SCOP·IA *sf.* '(Med.) inspeção do reto por meio do retoscópio' XX || **reto**SCÓPIO *sm.* '(Med.) aparelho que se introduz no reto e permite ver a superfície interna' XX.
⇨ **reto** — **retific**AR | *retefycado* p. adj. XV LOPJ II.436.*17* |.
retocar *vb.* 'tocar novamente' 'acabar, corrigindo e/ou aperfeiçoando' XVII. Do it. *ritoccare* || **retoque** XVII. Deriv. regressivo de *retocar*.
retocele → RETO.
retomar → TOMAR.
retopexia → RETO.
retoque → RETOCAR.
retor *sm.* 'retórica' XX. Do lat. *rhētor -ŏris*, deriv. do gr. *rhḗtōr -ŏros* || **retórica** | *rreutorica* XIV, *reitorica* XIV etc. | Do lat. *rhētŏrica*, deriv. do gr. *rhētorikḗ* || **retórico** *adj. sm.* 'respeitante à retórica, à oratória' 'orador que discursa afetadamente' | *reitorico* XV | Do lat. *rhētŏricus*, deriv. do gr. *rhētorikós*.
retorcer → TORCER.
retór·ica, -ico → RETOR.
re·torn·amento, -ante, -o → TORNO.
⇨ **retornar** → TORNAR.
retorquir *vb.* 'replicar, objetar, contrapor' 1813. Do lat. *retorquēre* || IR**retorqu**ÍVEL XX.
retorta *sf.* 'vaso de vidro ou louça com o gargalo recurvo, voltado para baixo, e apropriado para operações químicas' XVII. Do fr. *retorte*, deriv. do b. lat. *retorta* || **retort**o XVI. Do lat. *retortus*. Cp. TORCER.
⇨ **retorta** — **retort**o | XV SBER 105.*31* |.
retoscop·ia, -io → RETO.
retouçar *vb.* 'correr, brincando' XVI. Do cast. *retozar*, deriv. do cast. ant. *tozo* 'burla'.
retovar *vb.* 'cobrir, revestir com retovo, forro de couro' 1899. Do esp.-plat. *retobar* || **retov**o XX. Do esp.-plat. *retobo*.
retrair *vb.* 'puxar a si' 'recolher, retirar, encolher' | *retrayr* XIII, *retraer* XIII etc. | Do lat. *rĕtrăhĕre* || **retr**AÇÃO XVII. Do lat. *retractĭō -ōnis* || **retráct**IL 1874. Do lat. cient. *retrāctilis* || **retra**ENTE XX || **retra**ÍDO | *retrahido* XVI || **retra**IMENTO | *retrahimento* XVI.

retranca → TRANCA.
retransir *vb.* 'penetrar até o íntimo de' 'trespassar' 'transir' 1899. Do lat. *retransīre*.
re·transmissível, -transmitir → TRANSMITIR.
retrasar → TRÁS.
retratar[1] *vb.* 'retirar o que disse' 'dar como não dito' 1813. Do lat. *retractāre* || IR·**retrat**ÁVEL 1881. Do lat. *irretractābĭlis -e* || **retrat**ABIL·IDADE XX || **retrat**AÇÃO | *retractação* XVII | Do lat. *retractātĭō -ōnis*.
retrato *sm.* 'representação da imagem de uma pessoa real, pelo desenho, pintura, gravura etc., ou pela fotografia' XV. Do it. *ritratto* || **retrat**AR[2] XVI || **retrat**ISTA 1813.
retre *sm.* 'nos sécs. XV-XVI, cavaleiro alemão a serviço da França' XX. Do fr. *reître*, deriv. do al. *Reiter* 'cavaleiro'.
retreta *sf.* 'formatura de soldados ao fim do dia para se verificar se todos estão presentes' '*bras.* concerto popular de uma banda em praça pública' XIX. Do fr. *retraite* 'retirada'. Cp. RETRETE.
retrete *sm.* 'gabinete privado, alcova' '*ext.* privada, latrina' XV. Do a. fr. *retrete* (hoje *retraite*), fem. do ant. *retret* (hoje *retrait*), part. pass. de *retraire*, deriv. do lat. *rĕtrăhĕre*. Cp. RETRAIR.
retribuir *vb.* 'recompensar, premiar, galardoar' XVI. Do lat. *retribuĕre* || **retribu**IÇÃO | *retribuiçam* XV, *retribuçom* XV | Do lat. *retribūtĭō -ōnis*.
retriz *sf.* '(Zool.) cada uma das penas da cauda, que orientam o voo das aves' XX. Do lat. *rēctrīx -īcis*, de *regĕre* 'reger, dirigir'. Cp. REGER.
retro *sm.* 'a primeira página de uma folha' XVI. Do lat. *retrō*.
retro- *elem. comp.*, do lat. *retrō* 'movimento para trás', que já se documenta no próprio latim, em vocs. como *retroceder*, e em muitos outros introduzidos, na linguagem científica internacional, a partir do séc. XIX ♦ **retro**AGIR 1899. Do lat. *retroăgĕre* || **retro**AT·IV·IDADE | *retroactividade* XIX | Do fr. *rétroactivité* || **retro**AT·IVO | *retroactivo* 1813 | Do fr. *rétroactif* || **retro**CED·ENTE 1858. Do lat. *retrōcēdens -entis* || **retro**CEDER XVI. Do lat. *retrōcēdĕre* || **retrocesso** XVII. Do lat. *retrōcessus* || **retro**FLEXO 1881 || **retro**GRAD·AÇÃO 1848. Do lat. *retrōgrădātĭō -ōnis* || **retro**GRADAR 1833. Do lat. *retrōgrădāre* || **retró**GRADO XVI. Do lat. *retrōgradus* || **retro**SPEC·ÇÃO 1899 || **retro**SPECT·IVO 1858. Do fr. *rétrospectif* || **retro**SPECTO XIX. Do lat. *retrōspectus* || **retrotrair** *vb.* 'retroceder, recuar' | *retrotrahir* 1769 | Do lat. *retrō + trahĕre* 'trazer'.
⇨ **retro-** — **retro**GRAD·AÇÃO | 1836 SC || **retró**GRADO | *retrogado* XV SEGR 89 |.
retrorso *adj.* '(Bot.) voltado para baixo ou para a base' XX. Do lat. *retrorsus*.
retrós *sm.* 'fio ou fios de seda torcidos, ou de algodão mercerizado, para costura' '*ext.* cilindro de plástico, papel etc. enrolado com retrós' | *rretros* XV | Do fr. *retors*.
retro·specção, -spectivo, -specto, -trair → RETRO-.
retrucar → TRUCAR.
retumbar *vb.* 'refletir com estrondo, ecoar' XVI. Do cast. *retumbar*, de origem onomatopaica || **retumb**ANTE XVII.
retundir *vb.* 'reprimir, moderar, conter' XVII. Do lat. *retundĕre*.

retuso *adj.* 'relativo à folha cujo ápice é levemente reentrante' XX. Do lat. *retūsus -a -um*.
réu *sm.* 'indivíduo contra quem se instaurou ação civil ou penal' XVI. Do lat. *rĕus -ī* || **ré**[1] | *ree* XIII | Do lat. *rea -ae*.
reuma *sf.* '(Patol.) fluxo de humor catarral ou aquoso' | XVII, *rreyma* XIV | Do lat. *rheuma*, deriv. do gr. *rheûma -atos* || **reumâ**METRO, **reumatô**METRO *sm.* 1874 || **reumat**ALG·IA *sf.* '(Patol.) dor de reumatismo' 1890 || **reumático** 1813. Do lat. tard. *rheumaticus*, deriv. do gr. *rheumatikós* || **reumat**ISMO 1813. Do lat. tard. *rheumatismus*, deriv. do gr. *rheumatismós*.
re·união, -unir → UNIÃO.
revalidar → VALER.
revel *adj. 2g. sm.* '*orig.* rebelde' '(Jur.) diz-se do réu que, citado para responder a uma ação civil ou penal, não apresenta defesa no prazo da lei, correndo, então, contra ele todos os demais prazos, independentemente de notificação ou intimação' | XIII, *rreuel* XIII etc. | Do lat. *rĕbĕllis -e* || **rebelar** *vb.* 'opor-se a, resistir' | XV, *reuelar* XIII | Do lat. *rebellāre* || **rebelde** *adj. s2g.* 'teimoso, obstinado' XIV. Do cast. *rebelde*, deriv. do lat. *rĕbĕllis -e* || **rebeld**IA 1813 || **rebelião** XVI. Do lat. *rebelliŏ -ōnis* || **revel**IA | *rreuelia* XIII. Cp. BEL(I)-.
⇨ **revel** — **rebel**IÃO | *rrebelhom* XV VERT 76.*23, rebelliom* Id.51.*23, reuelliam* XV PAUL 28.*v*5 |.
revelação *sf.* 'ato ou efeito de revelar-se, de descobrir, de divulgar' | *reuelaçom* XIV, *-çon* XIV | Do lat. *revēlātiŏ -ōnis* || **revel**ADOR 1881. Do lat. *revēlātor -ōris* || **revel**AR XIII. Do lat. *revellāre* || **revel**ÁVEL XX.
⇨ **revelação** — **revel**ADOR | 1836 SC |.
revelia → REVEL.
revelim *sm.* '(Mil.) construção angular, externa e saliente, para defesa de ponte, cortina etc.' XVII. Do ant. cast. *rebelin* (hoje *revellín*), de origem incerta.
⇨ **revelim** | *reuelins* pl. 1571 FOLF 151.*23* |.
revelir *vb.* '(Med.) fazer derivar duma para outra parte (humores do organismo)' 'transpirar, ressudar' 1813. Do lat. *revellĕre*.
revência → REVER[2].
re·vend·a, -edor, -er → VENDER.
rever[1] → VER.
rever[2] *vb.* 'transudar, verter, ressumar' XVIII. De etimologia obscura || **rev**ÊNCIA *sf.* 'vale que se situa abaixo da barragem dos açudes e que é refrescado pela infiltração das águas deles' XX.
reverberação *sf.* 'ato ou efeito de reverberar, refletir luz ou calor' XVI. Do lat. tard. *reverberātĭo -onis* || **reverber**ANTE XVI || **reverber**AR XVI. Do lat. *reverberāre* || **reverber**AT·ÓRIO 1858. Do lat. mod. *reverberatorius* || **revérbero** XVIII. Deriv. regressivo de *reverberar*.
reverdecer → VERDE.
reverência *sf.* 'respeito, marcado pelo temor, às coisas sagradas' '*ext.* respeito, acatamento, veneração' | XIII, *reuerença* XIII etc. | Do lat. *rĕvĕrĕntĭa* || IR**reverência** 1813. Do lat. *irreverentĭa -ae* || IR**reverente** 1813. Do lat. *irreverēns -entis* || **reverenc**IAR | *rreuerenciar* XV || **rever**ENDO XIV. Do lat. *reverendus* || **rever**ENTE | *rreverente* XV | Do lat. *reverens -entis*.

⇨ **reverência** — IR**reverência** | *irreuerēcia* 1573 NDias 307.*4* || **reverenci**AL | *reverençalmente* adv. XV SBER 136.*23* |.
reversão *sf.* 'ato ou efeito de reverter, de voltar à condição anterior' XVII. Do lat. *reversĭō -ōnis* || AR**reves**ADO XV || AR**reves**AR *vb.* 'pôr ao revés, às avessas' | *arrevezar* XVI || AR**reves**·SAR *vb.* 'vomitar' 'detestar, aborrecer' XIV. Do lat. **ad-reversāre*, de *reversus*, part. pass. de *revĕrtĕre* || IR**revers**ÍVEL XX || **revers**AR *vb.* 'arrevessar' | *revessar* XV | Do lat. *reversāre* || **revers**IBIL·IDADE 1874 || **revers**ÍVEL 1799. Do fr. *réversible* || **reverso** XV. Do lat. *reversus -a -um* || **reverter** *vb.* 'voltar à condição anterior' 'retornar' XIV. Do lat. *revĕrtĕre* || **revés** *arreueses* pl. XIV, *rreuezes* pl. XV | Do lat. *reversus* || **revess**AR *vb.* 'arrevessar' 1813. Do lat. *reversāre*. Cp. VERSO[2].
re·vest·imento, -ir → VESTIR.
re·vez·ar, -o → VEZ.
revidar *vb.* 'responder, replicar' XVI. De RE- + *(en)vidar* || **revid**E 1858. Deriv. regressivo de *revidar*.
revigorar → VIGOR.
revindi(c)ta → VINDICAR.
re·vir·a, -ado, -ar, -avolta, -ete → VIRAR.
re·visão, -visar, -visor, -vista, -vistar, -visto → VER.
re·viv·ente, -er, -escente, -escer → VIVER.
re·vo·ada, -ar → VOAR.
revocação, revogação *sf.* 'ato ou efeito de revocar, chamar para trás, mandar voltar' | *reuogação* XIV, *reuocaçon* XV | Do lat. *revocātĭō -ōnis* || IR**revoc**ABIL·IDADE 1813 || IR**revoc**ÁVEL, IR**revog**ÁVEL | *irreuogauel* XV, *jnrreuogauell* XV | Do lat. *irrevocābĭlis -e* || **revocar, revogar** | *reuogar* XIII, *reuocar* XIV | Do lat. *revocāre* || **revoc**AT·ÓRIO, **revog**AT·ÓRIO | *revocatorio* XVI, *reuogatorio* XV | Do lat. tard. *revocātōrius* || **revoc**ÁVEL, **revog**ÁVEL | *revocavel* 1858, *revogavel* 1874 || Do lat. *revocābĭlis -e* || **revog**ABIL·IDADE 1899 || **revog**ADOR 1813. Do lat. *revocātor -ōris* || **revog**ANTE XVII.
⇨ **revocação** — **revog**ÁVEL | *reuogauel* XV BENF 305.*17* |.
revolcar *vb.* 'fazer mover como uma bola' 'revolver, virando' 1881. Do lat. vulg. **revolvicare*, de *rĕvŏlvĕre* || **borcar** *vb.* 'vomitar, lançar' 1813. De *emborcar*, com aférese do *em-*, tomado pela preposição EM, provavelmente || **borco** 1813 || **emborc**ADO 1813 || **emborcar** *vb.* 'emborcar XIV, enbrocar XV | De **reborcar* (var. de *revolcar*), com troca de prefixo, provavelmente || **emborco** XX.
⇨ **revolcar** — EM**borc**ADO | *c* 1608 NOReb 604.*20* |.
revolução *sf.* 'ato ou efeito de revolver, de remexer, de reverter' XV. Do lat. *revolūtĭŏ -ōnis* || CONTRA**revolução** | *contrarevolução* 1844 || **revolta** *sf.* 'ato ou efeito de revoltar-se' 'rebelião' | *reuolta* XIII | Fem. substantivado de *revolto* || **revolt**ADO 1813 || **revolt**ANTE 1858 || **revolt**AR XVII. Do fr. *révolter*, deriv. do it. *rivoltare* || **revolto** XVI. Do lat. **revoltus*, part. pass. de *rĕvŏlvĕre* || **revolt**OSO XIII || **revolucion**AR 1813 || **revolucion**ÁRIO XIX. Do fr. *révolutionnaire* || **revoluto** XVII. Do lat. *revolūtus*, || **revolv**EDOR | *rreuoluedor* XIV || **revolver** XIII. Do lat. *rĕvŏlvĕre* || **revolv**IMENTO XV.
⇨ **revolução** — CONTRA**revolução** | *contrarevolução* 1836 SC || **revolt**o | *rrevollto* XV FRAD I.98.*23* |.

revólver sm. 'arma de fogo, de porte individual, de um só cano, com calibres variados, dotada de tambor ou cilindro giratório, com várias culatras, onde são colocados os cartuchos' 1881. Do ing. *revolver*.
revolvimento → REVOLUÇÃO.
revulsão sf. '(Med.) efeito dos medicamentos revulsivos' XVI. Do lat. *revulsĭō -ōnis* || **revuls**AR *vb.* '(Med.) exercer ação revulsiva em 1881' || **revuls**IVO *adj.* '(Med.) que faz derivar uma inflamação, ou humores, de um para outro ponto do organismo' 1858 || **revuls**OR 1881 || **revuls**ÓRIO 1813.
⇨ **revuls**ão — **revuls**IVO | 1836 SC |.
rezar *vb.* 'orar' XIII. Do lat. *rĕcītāre* || **reza** 1813 || **rez**ADOR XVII. Cp. RECITAR.
rezingar *vb.* 'dizer por entre dentes e de mau humor, resmungar' | *resingar* 1813 | Voc. de origem onomatopaica | **rezinga** | *resinga* 1813.
ri·a, -acho → RIO.
riba sf. 'ribeira' 'margem' XIII. Do lat. *rīpa -ae* || AR**riba** XIII || AR**rib**AÇÃO XVI || AR**rib**ADA XVI || AR**rib**AR *vb.* 'chegar ao porto' XIII. Do lat. *arrīpāre* || **rib**AMAR sm. 'beira mar' XV || **rib**ANC·EIRA XVI || **ri**b**EIRA** sf. 'o terreno banhado por um rio' | *-eyra* XIII, *rribeira* XIII || **ribeir**INHO 1813 || **ribeiro** XVI | Do lat. *rīpārĭus* || **ripário** *adj.* 'que habita a margem de um curso de água' XX. Forma divergente erudita de *ribeiro*, do lat. *rīpārĭus* || **ripí**·COLA *adj. 2g.* 'que habita a margem de um curso de água' 1874 || **rip**U·ÁRIO *adj. sm.* 'indivíduo dos ripuários, antigas tribos germânicas que habitavam as margens do Reno' 'pertencente ou relativo a essas tribos' XVI. Do lat. tard. *ripuarĭus* || SUR·**rib**AR *vb.* 'escavar (a terra), para afofar' 1813.
⇨ **riba** — **rib**ANCA 'ribanceira' | XV COND 45*b*33 || **ribeir**·INHO *c* 1541 JCASR 192.*23* || **rib**EIRO | *rribeiro* XV ESOP 2.*2*, *rribeyro* Id 2.*1* XV ZURD 194.*12*, *rybeyro* XV ZURD 124.*25* |.
ribaldo *adj. sm.* 'patife, tratante, velhaco' XIII. Do fr. ant. *ribalt*.
ribalta sf. 'luzes na parte dianteira do palco, em geral entre o pano de boca e o lugar da orquestra, que serviam para iluminar a cena e eram ocultadas do público por um anteparo horizontal' '*fig.* o teatro, a cena' 1881. Do it. *ribalta*.
rib·amar, -anceira, -eira, -eirinho → RIBA.
ribete sm. 'debrum, cairel' XVII. Do ar. *ribāṭ* 'laço, atadura'.
ricaço → RICO.
riçar → RIÇO.
ricercata sf. '(Mús.) no séc. XV, improvisação livre, inspirada no motete vocal, e que os alaudistas elaboravam sobre determinadas melodias' XX. Do it. *ricercata* || **ricercar** *sm.* 'ricercata' XX. Do it. *ricercare*.
richarte *adj. sm.* 'diz-se de, ou homem baixo, gordo e forte' 1844. Do fr. *richard*.
⇨ **richarte** | 1836 SC |.
rícino sm. 'o gênero da mamona ou carrapateira' 1858. Do lat. *ricīnus -ī*.
rico *adj.* 'que possui muitos bens ou coisas de valor' 'que tem riquezas' XIII. Do gótico *reiks* 'poderoso' || EN**ric**AR XVII || EN**riqu**ECER | *enrrequecer* XIII, *enrriquecer* XIV etc. | No port. med. documentam-se, também, *enrrequentar* XIII, *arrequentar* XIV e *rriquentar* XIV, na mesma acepção || EN**riqu**EC·IMENTO XX || **ric**AÇO XVI || **riqu**EZA | XIV, *requeza* XIII etc.
riço *adj. sm.* 'espécime de chumaço de lã que as mulheres usam como enchimento para alterar o penteado' 'encrespado, encarapinhado (cabelo)' XVI. Provavelmente do lat. *erīcius* 'ouriço', com aférese || DER·**riç**AR *vb.* 'puxar, com a mão ou com os dentes, para arrancar ou rasgar' 'destramar' XVII || DER·**riço** 1881 || **riç**AR XVI.
ricochete sm. 'salto ou reflexão de um corpo ou de um projétil qualquer depois do choque ou de tocar no chão' XVIII. Do fr. *ricochet* || **ricochet**EAR | 1899, *ricochetar* 1899.
ricota sf. 'queijo que se prepara vertendo-se o soro do leite fervido e coalhado' XX. Do it. *ricotta*.
ricto, rictus sm. 'abertura da boca' 1899. Do lat. *rictus -ūs*.
ridente → RIR.
ridículo *adj.* 'que provoca riso ou escárnio, grotesco' XVI. Do lat. *rīdicŭlus -a -um* || **ridicul**ARIA sf. 'ato ou dito de ridículo' XVII || **ridicul**AR·IZAR | *ridicularisar* 1813 || **ridicul**OSO 1568.
rifa sf. 'sorteio de um objeto, geralmente através de bilhetes numerados' 1813. Do cast. *rifa* || **rif**AR 1813.
rifão → REFRÃO.
rifle sm. 'espingarda de repetição' | *refle* 1837 | Do ing. *rifle*.
rígido *adj.* 'teso, hirto' '*fig.* austero, inflexível' XVI. Do lat. *rĭgĭdus -a -um* || EN**rij**AR 1813 || EN**rij**ECER XVI || **rigid**EZ XVII || **rij**EZA 1813 || **rijo** *adj.* 'forte, robusto, duro' | XIV, *rrijo* XIII, *ryjo* XIV, *rigeo* XIV etc. | Forma divergente popular de *rígido*, do lat. *rĭgĭdus*.
rigodão sm. '(Mús.) dança de origem provençal ou da região do Languedoc, popular no séc. XVIII' 1899. Do fr. *rigaudon, rigodon*.
rigor sm. 'resistência à tensão' 'rigidez, dureza' '*fig.* severidade' | XIV, *regor* XV | Do lat. *rigor -ōris* || **rigor**OSO XVI.
⇨ **rigor** — **rigor**OSO | *rrigoroso* XV LOPF 108.*25*, *rriguroso* XV IMIT 24.*1*.
rij·eza, -o → RÍGIDO.
ril sm. 'dança, popular ou de salão, de ritmo vivo, em voga no séc. XIX' 1858. Do ing. *reel*.
⇨ **ril** | 1836 SC |.
rilhar *vb.* 'roer (objeto duro)' 'roer ou comer ao mesmo tempo que murmura' 1813. Do lat. vulg. *ringulare, diminutivo de *ringĕre* (cláss. *ringī*).
rilheira sf. 'molde de ferro no qual os ourives vazam metal fundido e fazem chapas' 1813. De origem desconhecida.
rim sm. 'víscera dupla secretora da urina' | *rrem* XIII, *rril* XIV | Do lat. *-rēnēs -um* || DER·**reng**AR *vb.* 'desancar, descadeirar' XVIII. Do lat. *derenicāre, de *rēnēs* 'rins' || **ren**AL 1813. Do lat. med. *renalis -e* || **ren**I·FORME 1874. Do lat. *rēniformis* || SUPRAR·**ren**AL XX.
rima[1] sf. 'repetição de um som existente no final de dois ou mais versos' XIII. Do a. prov. *rima* (ou do a. fr. *rime*), deriv. do lat. med. *rithmus* (cláss. *rhythmus*) e, este, do gr. *rhythmós* || **rim**ADO XIII || **rim**AR | XIII, *rrimar* XIV || **rimo** sm. 'ant. rima' XIV. Cp. RITMO.
rima[2] sf. 'pequena abertura, fenda' XVII. Do lat. *rīma -ae* || **rim**OSO XVII. Do lat. *rīmōsus -a -um* || **rím**ULA sf. 'pequena fenda' 1813. Do lat. ecles. *rīmula*.

rima³ *sf.* 'ato ou efeito de arrimar-se' 'montão, pilha' | XVII, *ruma* XVI | De etimologia obscura || AR-**rim**AR *vb.* 'pôr em ordem' | *arrymar* XIV, *arremar* XV || AR**rim**O XVII.
rim·oso, -ula → RIMA².
rinalgia → RIN(O)-.
rincão *sm.* 'lugar retirado ou oculto, recanto' | XVI, *rancon* XIII | Do cast. *rincón*, anteriormente *rancón*, deriv. do ár. vulg. *rukún* (cláss. *rukn*) || AR**rinconAR** *vb.* 'meter em rincão' 1899 || **rinconADA** XX. Do cast. *rinconada*.
⇨ **rincão** — AR**rinconAR** | 1836 SC |.
rinch·ar, -avelhada, -o → RELINCHAR.
⇨ **rinch·ador, -amento** → RELINCHAR.
rincocéfalo *sm.* 'espécime dos rincocéfalos, animais cordados, reptis, da ordem *Rhyncocephalia*' | *rhyncocephalo* 1899 | Do lat. cient. *rhynchocephala* || **rincó**FORO | *rhyncophoro* 1881 | Do lat. cient. *rhynchophorus*.
rinconada → RINCÃO.
rinencéfalo → RIN(O)-.
ringir *vb.* 'ranger (os dentes), rinchar' | *renger* XIV, *rrēger* XIV etc. | Do lat. *rīngĕre*, de *ringī*. Cp. RANGER.
ringue *sm.* 'estrado quadrado, alto e cercado de cordas, apropriado para lutas de boxe' XX. Do ing. *ring*.
rinha *sf.* 'briga de galos' XVII. Do cast. *riña*.
rin(o)- *elem. comp.*, do gr. *rhino-*, de *rhís rhínos* 'nariz', que se documenta em alguns vocs. formados no próprio grego, como *rinoceronte*, e em muitos outros introduzidos na linguagem científica internacional, a partir do séc. XIX ⮕ **rin**ALG·IA *sf.* '(Patol.) dor no nariz' | *rhinalgia* 1874 | Do lat. científico *rhīnalgia* || **rin**ENCÉFALO *sm.* '(Anat.) lóbulo olfatório do cérebro' | *rhinencephalo* 1874 || **rin**ITE *sf.* '(Patol.) inflamação da mucosa do nariz' | *rhinite* 1874 | Do lat. cient. *rhīnītis* || **rinoceronte** *sm.* 'grande quadrúpede, selvagem, mamífero da ordem dos ungulados, com um chifre ou dois no focinho' | *reynoceronte* XVI, *rhinoceronte* XVI | Do lat. med. *rhīnoceron -ontis* (lat. cláss. *rhīnocerōs*), deriv. do gr. *rhīnókerōs* (de *rhís* 'nariz' e *kéras* 'chifre)' || **rino**FARING·ITE *sf.* XX || **rinofima** *sm.* '(Patol.) acne rosácea do nariz, associada a acentuada hipertrofia do tecido conjuntivo' XX. Do lat. cient. *rhīnophyma* || **rino**FON·IA *sf.* '(Med.) voz fanhosa ou nasal' | *rhinophonia* 1874 | Do lat. cient. *rhīnophōnia* || **rinolalia** XX. Do lat. cient. *rhīnolalia* || **rino**LOG·IA *sf.* 'estudo do nariz, das suas doenças e do tratamento delas' XX || **rino**PLAST·IA *sf.* 'cirurgia restauradora ou plástica do nariz' | *rhinoplastia* 1874 | Do lat. cient. *rhinoplastia* || **rin**OPT·IA *sf.* 'forma de estrabismo em que o olho se desvia do eixo visual e se aproxima do nariz' | *rhinoptia* 1881 || **rin**OR·RAF·IA *sf.* '(Cir.) sutura dos bordos de uma chaga do nariz' | *rhinorraphia* 1874 | Do lat. cient. *rhinorraphia* || **rino**R·RAG·IA *sf.* '(Patol.) hemorragia nasal' | *rhinorragia* 1874 | Do lat. cient. *rhīnorrhagia* || **rino**R·REIA *sf.* '(Med.) fluxo de mucosidades límpidas pelo nariz, sem inflamação' | *rhinorrhea* 1874 || **rino**SCLER·OMA *sm.* '(Patol.) doença rara, que produz espessamento granulomatoso dos tecidos do nariz, do lábio superior, da boca e das vias respiratórias superiores' XX. Do lat. cient. *rhīnosclērōma*, || **rino**SCOP·IA *sf.* 'exame das fossas nasais pela parte anterior ou pela rinofaringe' XX. Do lat. cient. *rhīnoscopia* || **rino**STEGNOSE *sf.* '(Patol.) obstrução das fossas nasais' | *rhinostognose* 1874.
rinque *sm.* 'pista de patinação' XX. Do ing. *rink*.
rio *sm.* 'curso de água natural' XIII. Do lat. *rīvus -ī* || **ria** *sf.* 'braço navegável do rio' XV || **riacho** XVI. Do cast. *riacho* || **riví**·COLA XX.
ripa¹ *sf.* 'pedaço de madeira, comprido e estreito, sarrafo' XVII. Provavelmente do gótico *ribjô | **ripa²** *sf.* 'ato de ripar' XVI || **rip**AR XVI || **rip**EIRO XX.
rip·ário, -ícola → RIBA.
ripídio *sm.* '(Bot.) inflorescência cimosa unípara cujos râmulos ficam todos no mesmo plano' | *ripidion* 1874 | Do lat. cient. *rhipidium*, deriv. do gr. *rhipís -ídos*.
rípio *sm.* 'cascalho ou pedra miúda com que se enchem os vãos deixados nas paredes pelas grandes pedras' 1813. De etimologia obscura.
ripostar *vb.* 'no jogo de esgrima, rebater a estocada' 1899. Do fr. *riposter*.
ripuário → RIBA.
riqueza → RICO.
rir *vb.* 'contrair os músculos da face em consequência de impressão alegre ou cômica' | XIV, *riir* XIII, *rrir* XIV etc. | Do lat. *rīdēre* || **rid**ENTE XVII | **ris**·DA XVIII || **ris**IBIL·IDADE XVII || **ris**ÍVEL XVII || **riso** | XIII, *rriso* XIII | Do lat. *rīsus -us* || **ris**ONHO | *risonno* XIII || **ris**ÓRIO 1881 || **sor**·**rid**ENTE 1844 || **sor**·**rir** | XIV, *surir* XIV, *subrijr* XIV | Do lat. *surridēre*, por *surridēre* (de *sub* e *rīdēre*) || **sor**·**riso** 1813. Do lat. *sorrīsum*.
⇨ **rir** — SOR**rid**ENTE | 1836 SC |.
riscar *vb.* 'fazer riscas ou traços' | XVI, *riscado* part. XIV | Provavelmente do lat. *resecāre* 'cortar separando, remover' || **risc**ADO *sm.* 1813 || **risco²** 1813.
⇨ **riscar** — **risco** | 1519 GNic 6v8, *risquo* Id. 6v13 |.
risco¹ *sm.* 'perigo ou possibilidade de perigo' '(Jur.) possibilidade de perda ou de responsabilidade pelo dano' | *risquo* XV | De etimologia obscura || AR·**risc**ADO | *ariscado* XV || AR·**risc**AR 1813.
⇨ **risco¹** — AR**riscAR** | 1549 SNor 110.*21* |.
risco² → RISCAR.
ris·ibilidade, -ível, -o, -onho, -ório → RIR.
risoto *sm.* 'prato de origem italiana, preparado com arroz colorido com açafrão, manteiga e queijo parmesão ralado' XX. Do it. *risotto*.
ríspido *adj.* 'rude no trato, severo, áspero' XVI. De etimologia obscura || **rispid**EZ 1813.
riste *sm.* 'peça metálica em que os cavaleiros firmavam o conto da lança quando a carregavam na horizontal, no momento da investida' | *ristre* XVII | Do cast. *ristre*, deriv. do cat. *rest*.
⇨ **riste** — EN**rist**AR | 1614 SGonç II.64.*23* |.
ritmo *sm.* 'movimento ou ruído que se repete, a intervalos regulares, com acentos fortes e fracos' | *rhitmo* 1813 | Do lat. *rhythmus -ī*, deriv. do gr. *rhythmós* || AR**ritm**IA XIX || AR**rítm**ICO 1871 || **ritm**AR XX || **rítm**ICO | *rhitmico* 1513 | Do lat. *rhythmicus*, deriv. do gr. *rhythmikós* || **ritmopeia** *sf.* 'parte da arte musical, poética ou oratória, referente às leis do ritmo' | *rhythmopea* 1874 | Do lat. *rhythmopoeīa*, deriv. do gr. *rhythmopoiía*. Cp. RIMA¹.

rito sm. 'conjunto de regras e cerimônias que se devem observar (na prática de uma religião)' XVI. Do lat. *rītus -us* || rituAL 1844. Do lat. *rītuālis -e* || rituAL·ISMO 1874.
⇨ **rito** — rituAL | 1614 sGonç II.441.*33* |.
ríton sm. 'vaso grego, corniforme ou com o feitio de uma cabeça de animal' | *rhyton* 1874 | Do fr. *rhyton*, deriv. do gr. *rhytón*.
ritornelo sm. 'estribilho' '(Mús.) nos madrigais dos secs. XIV-XVI, o estribilho que aparecia com a mesma letra e música, após cada estrofe' | *retornello* 1813 | Do it. *ritornèllo*, dim. de *ritorno* 'volta, retorno'.
ritu·al, -alismo → RITO.
rival adj. s2g. 'concorrente, opositor' 'pessoa concorrente' XVII. Do lat. *rĭvāl -īs*, de *rĭvus -ī* 'rio' || rivalIDADE 1813. Do lat. *rīvālĭtās -ātis* || rivalIZAR | *rivalisar* 1813. Cp. RIO.
rivícola → RIO.
rixa sf. 'contenda, briga' XVI. Do lat. *rixa -ae* || rixADOR 1858. Do lat. *rixātor -ōris* || rixAR 1874. Do lat. *rixāri* || rixENTO XX || rixOSO XVI.
⇨ **rixa** | XV VIRG II.210, *reixa* XV LEAL 139.*9* || rixADOR | 1836 SC |.
riz·agra, -anto → -RIZ(O)-.
rizes sm. pl. '(Marinh.) pedaços de cabo delgado que servem para amarrar a vela à verga, quando se deseja diminuir a superfície do pano' 1813. Do fr. *ris*, deriv. do a. fr. **rifs*, pl. de **rif* e, este, do a. escandinavo *rif*.
rizicultura sf. 'cultura do arroz' XX. Do fr. *riziculture* || riziCULTOR XX. Adapt. do fr. *riziculteur*.
-riz(o)- elem. comp., do gr. *rhiza*, 'raiz', que já se documenta em vocs. formados no próprio grego, como *rizófago*, e em muitos outros introduzidos na linguagem científica internacional, a partir do séc. XIX ▶ Ar·**rizo** adj. '(Bot.) sem raiz ou radícula' | *arrhiza* f. 1874 | Cp. gr. *árrhīzos* 'sem raiz' || rizAGRA sf. 'instrumento com que se extraem raízes de dentes' | *rhizagre* 1874 | Do lat. cient. *rhisagra* || rizANTO adj. '(Bot.) diz-se das plantas cujas flores ou pedúnculos parecem nascer da raiz' | *rhizantho* 1874 || rizINA sf. '(Bot.) feixe de rizoides conglutinados dos líquens, que serve para fixá-los ao substrato e deste absorver nutrimento' XX || rizoBLASTO sm. 'planta com embrião provido de radícula' | *rhizoblasto* 1874 || rizoCÁRP·ICO adj. 'diz-se do vegetal cujas partes subterrâneas emitem anualmente brotos aéreos' | *rhizocarpico* 1881 || rizóFAGO adj. 'que se alimenta de raízes' XVI. Cp. gr. *rhizophágos* || rizóFILO adj. 'que vive nas raízes' | *rhizophilo* 1874 || rizoGRAF·IA sf. 'descrição das raízes' | *rhizographia* 1874 || rizOIDE adj. 2g. sm. 'semelhante a uma raiz' '(Bot.) filamento piliforme, que, nas plantas não vasculares, exerce a função de raiz e tem aspecto semelhante ao desta, mas difere pela estrutura' XX || rizOMA sm. '(Bot.) caule radiciforme e armazenador das monocotiledôneas, que é geralmente subterrâneo, mas pode ser aéreo' | *rhizoma* 1874 | Do lat. cient. *rhĭzōma*, deriv. do gr. *rhĭzōma* || rizOMAT·OSO | *rhizomatoso* 1881 || rizoMORFO | *rhizomorpho* 1881 || rizóPODE | *rhizopodo* 1874 || rizóSTOMO adj. '(Zool.) diz-se do animal que tem diversas bocas ou ventosas na extremidade de filamentos semelhantes a raízes' | *rhizostomo* 1881 | Do lat. cient. *rhysostoma* || rizoTAX·IA sf. 'disposição das radicelas sobre a raiz principal' | *rhizotaxia* 1881 || rizoTOM·IA | *rhizotomia* 1874 || rizoTÔM·ICO XX || rizoTÔN·ICO XX.
roaz → ROER.
robalo sm. 'peixe teleósteo, percomorfo, da fam. dos centropomídeos' | *roballo* 1813 | Metátese de **lobarro* (cat. *llobarro*), deriv. de *lobo*, que, como o lat. *lupus*, se aplicam metaforicamente ao peixe || robalINHO 1881.
⇨ **robalo** | *roballo* 1624 SESIlR 41*v*28 |.
robe sm. 'roupão' 1899. Do fr. *robe*, de origem germânica.
roble sm. 'carvalho' | *robre* XIV, *rrobre* XIV etc. | Do lat. *rōbur rōbŏris* || roblEDO, roboredo sm. 'carvalhal' | *rebredo* XIV, *rebledo* XIV, *rouorredo* XIV etc. | Do lat. vulg. *rōbŏrētum*, de *rōbur rōbŏris*.
robô sm. 'mecanismo automático, em geral com aspecto semelhante ao de um homem e que realiza trabalhos e movimentos humanos' '*fig.* pessoa que se comporta como robô' XX. Do fr. *robot*, deriv. do tcheco *robota* 'trabalho', termo aplicado ao 'trabalhador mecanizado' pelo dramaturgo tcheco Karel Čapek (1890-1938) na peça *Rossum's Universal Robots*, de 1920.
roborar vb. 'confirmar' | XIII, *reuorar* XIII etc. | Do lat. *rōbŏrāre* 'consolidar, tornar firme' || robora | *reuora* XIII | Derivado regressivo de *reborar* || roborANTE XIII. Do lat. *roborans -antis* || roborAT·IVO 1858. Cp. CORROBORAR.
roboredo → ROBLE.
robusto adj. 'de constituição resistente, forte, vigoroso' XIV. Do lat. *robūstus*, deriv. de *robus*, forma arcaica de *rōbur* || robustECER 1881 || robustEZ 1813.
roca¹ sf. 'rocha' XIII. Do lat. pop. **rŏcca* || DEr·rocADA 1881 || DEr·rocAR XIII || ENrocAMENTO 1871 || ENrocAR¹ 1874 || roquEIRA XVI || roquEIRO XVI. Cp. ROCHA.
roca² sf. 'haste de madeira ou cana com bojo na extremidade, no qual se põe o copo ou se enrola a rama do linho, do algodão, da lã etc., para ser fiada' XVI. Do germ. **rŏkko* || ENrocAR² 1813 || roquETE sm. 'aparelho que imprime movimento de rotação a uma broca' 1899.
⇨ **roca**² | *rroca* XV VERT 122.*34* || roquETE | *ruquete* XV CAVA 100.*18* |.
roç·a, -ado, -adoura, -adura → ROÇAR.
roçagante adj. 2g. 'que roçaga, que se arrasta pelo chão' XV. Do cast. *rozagante*, deriv. do cat. *rossegant*, part. de *rossegar* || roçagAR XIX. Do cast. *rozagar*. Cp. ROÇAR.
rocambole sm. 'bolo, doce ou salgado, assado em tabuleiro e enrolado com recheio' XIX. Do fr. *rocambole*, der. do al. *Rockenbolle* || rocambolESCO XIX. Do fr. *rocambolesque*.
rocar → ROQUE.
roçar vb. 'pôr abaixo (vegetação), cortar, derrubar' 'atritar, esfregar' XIV. Do lat. **ruptiāre*, de *ruptus*, part. de *rumpĕre* 'romper' || roça XVI. Deriv. regressivo de *roçar* || roçADO 1813 || roçADOURA | *-oira* XIV || roçADURA 1813 || rocED·ÃO sm. 'fio com que o sapateiro ata o couro em redor das formas' 1813 || rocEGA sf. '(Marinh.) ato de rocegar' '(Marinh.) cabo que em certa extensão do seio é guar-

necido de pesos, a fim de ser arrastado pelo fundo do mar ou a meia água, rebocado pelos chicotes' | 1844, *rosega* 1796 || rocEG·AR XX || rocEIRO 1813 || roço *sm.* 'sulco' XVII. Cp. ROÇAGANTE.
⇨ roçar — roçADURA | 1573 GLeão 256.*23* || roçARIA | 1624 SESilR 37.*30* || rocEGA 1836 SC |.
rocha *sf.* 'massa compacta de pedra muito dura' 'rochedo, penedo, penhasco' XIV. Do fr. *roche*, deriv. do lat. pop. **rŏcca* || rochEDO XVI || rochOSO 1899. Cp. ROCA¹.
rociar *vb.* 'orvalhar, cobrir de umidade' XVI. Do lat. vulg. **roscĭdare*, deriv. de *rōscĭdus* 'úmido' || rocio | XVI, *rosio* XV | Deriv. regressivo de *rociar*.
⇨ rociar | *rociado* p. adj. XV SEGR 46 |.
rocim *sm.* 'cavalo pequeno e/ou fraco ou magro' | XIII, *roçin* XIII, *rrocĩ* XIV etc. | De origem controversa || rocinANTE XIX. De *Rocinante*, nome do cavalo de D. Quixote.
rocio → ROCIAR.
rocló *sm.* 'antigo capote com mangas e que se abotoava na frente' 1813. Adapt. do fr. *roquelaure*.
roço → ROÇAR.
rococó *adj. sm.* 'diz-se do estilo ornamental surgido na França durante o reinado de Luís XV (1710-1774), e caracterizado pelo excesso de curvas caprichosas e pela profusão de elementos decorativos' 'o estilo rococó' XX. Do fr. *rococo*.
roda *sf.* 'peça ou máquina simples, de formato circular, que se movimenta ao redor de um eixo ou de seu centro, e que serve para inúmeros fins mecânicos' 'qualquer objeto circular' XIV. Do lat. *rota -ae* || Ar·rodILH·ADO 1813 || Ar·rodILH·AR XX || ENrodILH·AR 1813 || rodADA *sf.* 'o movimento completo de uma roda' XX || rodADO *adj. sm.* 'que é dotado de rodas' 'roda' XIV || rodAGEM *sf.* 'conjunto de rodas de um maquinismo' XX || rodANTE XVI || rodapé | *rodapee* XVI || rodAR¹ XVI. Do lat. *rotāre* || rodEAR XV || rodEIO *sm.* 'subterfúgio' | *rodeo* XV || rodELA | *rodella* XV | Do lat. *rotella* || rodELHAS 1813 || rodETE¹ *sm.* 'carrinho de madeira usado para dobar fio de seda' 1881 || rodíc·io *sm.* 'roseta que remata as disciplinas para flagelação' XVII. Forma divergente de *rodízio* || rodILHA XVI. Do cast. *rodilla* || rodíz·io | *rrodizio* XV | Do lat. vulg. **rotĭcīnus* || rodopiar *vb.* 'girar muito' 1881. De *corrupio*, influenciado por *roda* || rodopio XVI || rodovIA XX || rodovI·ÁRIA XX || rodovI·ÁRIO XX || rotí·FERO 1874 || rotI·FORME 1874 || rotoGRAVURA *sf.* 'processo de heliogravura destinado a tiragem em prensa rotativa' XX || rótULA XVII. Do lat. *rotŭla -ae* || rotUL·AR 1844 || rótULO XVI. Do lat. *rotŭlus*. Cp. ROTAR.
⇨ roda — rodAGEM | XV CAVA 78.*7* || rodAR¹ | XV ZURD 102.*18* || rotUL·AR | 1836 SC || rótULO | *rrotullo* XV LOPF 109.*49*, *rotollo* XV LOPJ II.114.*29*, *rotolo* XV SEGR 50 |.
rodamontada *sf.* 'fanfarrice' XVII. Do fr. *rodomontade*, de *rodomont*, deriv. do it. *Rodomonte*, nome de um rei da Argélia, famoso por sua bravura e insolência, já mencionado no *Orlando innamorato* (séc. XV), do italiano Matteo Maria Boiardo e, mais tarde, no *Orlando furioso*, de Ariosto.
rod·ante, -apé, -ar¹ → RODA.
rodar² → RODO.
rod·ear, -eio, -ela, -elhas, -ete¹ → RODA.

rodete² → RODO.
rod·ício, -ilha → RODA.
ródio → ROD(O)-.
rodízio → RODA.
rodo *sm.* 'utensílio de madeira com que se juntam os cereais nas eiras e o sal nas marinhas' '*ext.* utensílio semelhante ao rodo, porém com uma guarnição de borracha na base, usado para puxar águas dos pavimentos molhados' 1813. Do lat. *rutrum -ī* || rodAR² XV || rodETE² *sm.* 'pequeno rodo' 1813 || rodURA 1874.
⇨ rodo | XV INFA 48.*17* |.
rod(o)- *elem. comp.*, do gr. *rhodon* 'rosa', que já se documenta em vocs. formados no próprio grego, como *rododendro*, e em muitos outros introduzidos na linguagem científica internacional, a partir do séc. XIX ♦ ródio¹ *sm.* '(Quím.) elemento de número atômico 45, metálico, branco, duro, denso' | *rhodio* 1874 | Do lat. cient. *rhodium* || ródIO² *adj. sm.* 'de ou pertencente ou relativo à ilha grega de Rodes' 'o natural ou habitante dessa ilha' | *rhodio* 1881 || rodoCROS·ITA *sf.* '(Min.) carbonato de manganês, mineral trigonal avermelhado, que é minério pobre deste metal' XX. Do lat. cient. *rhodochrositis*, do gr. *rhodóchrōs* || rododendro *sm.* 'arbusto da fam. das ericáceas, originário do Japão' | *rhododendro* 1890 | Do lat. cient. *rhododendron*, deriv. do gr. *rhodódendron* || rodoGRAF·IA *sf.* 'descrição das rosas' | *rhodographia* 1874 || rodoLITA *sf.* '(Min.) variedade da granada rósea, mistura de piropo e almandina, na proporção de duas partes daquele para uma desta' | *rhodolitha* 1874 || rodoLOG·IA *sf.* 'parte da botânica que se ocupa das rosas' | *rhodologia* 1874 || rodoMEL *sm.* '(Farm.) melrosado' | *rhodomel* 1874 | Do lat. *rhodomel* ou *rhodomelum*, deriv. do gr. *rhodómeli* || rodonITA *sf.* '(Min.) mineral triclínico, avermelhado ou róseo, constituído de silicato de manganês, que contém cálcio e é empregado na manufatura de ornamentos' | *rhodonita* 1874 || rodóPTERO | *rhodoptero* 1899 || rodoSPERMO *adj.* '(Bot.) que tem sementes rosadas' | *rhodospermo* 1899 || rodóSTOMO | *rhodostomo* 1899.
rodopelo *sm.* 'redemoinho de pelos nos animais, rodopio' 1813. De origem obscura.
rodop·iar, -io → RODA.
rodó·ptero, -spermo, -stomo → ROD(O)-.
rodovalho *sm.* 'linguado' XVI. Do cast. *rodaballo*, deriv., provavelmente, do céltico **rotoballos*.
rodovi·a, -ária, -ário → RODA.
rodura → RODO.
roed·eira, -or, -ura → ROER.
roel *sm.* '(Herald.) arruela' XVI. Do a. fr. *roele* (hoje *rouelle*), deriv. do lat. *rotella*, dim. de *rota*. Cp. RODA.
roentgen *sm.* '(Fís.) unidade de medida de exposição a uma radiação eletromagnética igual à quantidade de raios X ou raios gama, em que a emissão corpuscular que lhe é associada liberta, em 0,001293g de ar seco, uma unidade eletrostática de carga elétrica positiva' XX. Do nome do físico alemão Wilhelm Konrad *Roentgen* (1845-1923) || roentgeno·LOG·IA XX.
roer *vb.* 'cortar com os dentes' 'devorar ou destruir aos bocadinhos, de modo contínuo' XIII. Do

lat. *rōděre* || cor·**roer** 1813. Do lat. *conrōdere* || cor·ros·ão 1813. Do fr. *corrosion*, deriv. do lat. *cŏrrōsio*||cor·ros·ibil·idade 1844||cor·ros·ível 1844 || cor·ros·ivo 1813. Adaptação do fr. *corrosif*, deriv. do b. lat. *corrosivus* || ro**az** *adj. 2g.* 'que rói' xiii. Do lat. *rodacem, formado sobre o verbo *rōděre* || ro**ed**·eira xvii || ro**edor** 1525 || ro**ed**·ura xvii.
⇨ **roer**—corros·ibil·idade|1836sc||corros·ível | 1836 sc |.
rofo *adj. sm.* 'que tem rugas, que não é polido' 'prega, ruga' | *rufo* 1874 | Do lat. *rūfus -a -um* 'avermelhado, ruivo'.
⇨ **rofo** | 1836 sc |.
rogar *vb.* 'suplicar, instar' xiii. Do lat. *rŏgāre* || ir-rog**ação** 1844 || ir**rogar** 1813 || rog**ação** | *rogações* pl. 1844 | Do lat. *rogātiō -ōnis* || rog**ador** xiii. Do lat. *rogātor -ōris* || rog**ante** xx || rog**aria** *sf.* '*ant.* rogo' xv || rog**at**·iva 1813 || rog**at**·ivo 1858 || rog**at**·ória 1813 || **rogo** xiii. Deverbal de *rogar* || sub-rog**ação** xvii || sub-**rogar** xvii. Do lat. *subrŏgāre*.
⇨ **rogar** — rog**ação** | -*ções* pl. 1836 sc |.
rojão[1] *sm.* 'aguilhada para espicaçar touros' xvii. Do cast. *rejón*.
rojão[2] *sm.* 'torresmo' 'toicinho frito em pequenos pedaços' 1813. De etimologia controversa.
rojar *vb.* 'trazer ou levar de rastos, arrojar' 1813. De *arrojar*, com aférese || **rojão**[3] *sm.* 'foguete' 1813. Cp. arrojar.
⇨ **rojar** | *rroiar* xv benf 116.*15*, *rrojar* xv esop *42.4* || roj**adouro** | *rojadoyro* xv paul 76v*28*, *arojadoyro* Id. 76v*28* |.
rol *sm.* 'lista' | *rool* xiii | Do fr. *rôle*, deriv. do b. lat. *rotŭlus* || ar**rol**ado 1813 || ar**rol**amento xviii || ar**rol**ar[1] xvi.
rola *sf.* 'designação comum a várias espécies de aves columbiformes, da fam. dos columbídeos' | *rrola* xv | De origem onomatopaica || rol**ar**[2] *vb.* 'arrulhar' | *rrolar* xiv.
rol·amento, -ante, -ão, -ar[1] → rolo.
rolar[2] → rola.
roldana *sf.* 'maquinismo composto de um disco que gira em torno de um eixo central, e cuja borda é canelada, para se passar pela canelura, cabo, corda etc., cujas extremidades se ligam uma à força e outra à resistência' xviii. Do cast. *roldana*, deriv. do a. cat. *rotlana* (hoje *rotllana*).
roldão *sm.* 'confusão, baralhada' 'arremessão' xv. Do fr. *randon*, deriv. de *randir* 'galopar' e, este, do frâncico *rand 'corrida'.
roleta *sf.* 'jogo de azar em que o número sorteado é indicado pela parada de uma bolinha numa das 37 casas numeradas duma roda que gira' xix. Do fr. *roulette*.
rolete → rolo.
rolha *sf.* 'peça geralmente cilíndrica, de cortiça, borracha, plástico etc., usada para tapar gargalo de garrafas e outros frascos' xvi. Do lat. *rotŭla -ae* '(> *rocla > *rogla > *royla > *rolha*)|| ar**rolh**ado 1813 || ar**rolh**ar 1813.
rolo *sm.* 'qualquer coisa de forma cilíndrica um tanto alongada' xiv. Do lat. *rotŭlus* || ar**rol**ar[2] *vb.* 'dar forma de rolo' xvi || des·en**rol**amento 1899 || des·en**rol**ar xvi || en**rol**ado xvi || en**rol**ar xvi ||

rol**amento** 1899 || rol**ante** 1844 || rol**ão** *sm.* 'a parte mais grossa da farinha de trigo' 'rolo de madeira que se põe sob grandes pedras ou grandes fardos para rolá-los com mais facilidade' 1813 || rol**ar**[1] *vb.* 'fazer andar em roda' 'rodar' xvii || rol**ete** 1813 || rol**iço** xvi.
⇨ **rolo** — rol**ante** | 1836 sc |.
romã *sf.* 'fruto da romãzeira' '(Marinh.) a parte mais grossa do mastro ou do mastaréu, onde assentam os curvatões' xiv. Do lat. (*mala) *rōmāna* '(maçã) romana' || rom**agem** *sf.* 'romaria' xvi. Do prov. *romeatge* || rom**aico** *adj. sm.* 'relativo aos gregos modernos ou à sua língua' 'a língua grega moderna' 1874. Cp. gr. *rhōmaïkós* || **romana** *sf.* 'espécie de balança, formada por uma alavanca com um braço menor onde se põe o objeto por pesar, e com um braço maior, quadrado, onde se faz correr um peso até equilibrar os dois braços' xvi. De origem incerta, talvez do ár. *rummâna*.
romança *sf.* 'nos sécs. xii e xiii, poema em língua românica, em oposição ao poema em latim, e que narrava feitos heroicos ou aventuras galantes' 1881. Do it. *romanza* || **romance** *adj. 2g. sm.* '*orig.* a língua dos povos romanizados' | *rromãço* xiv, *rimanço* xiv,'*romançii* xv etc. |; '*ext.* narrativa de feitos heroicos' | *rromanço* xiv |; 'modernamente, obra de ficção, em prosa, contendo a narração das ações e dos sentimentos de personagens fictícios' xix. Do adv. lat. *rōmānĭce*; a var. *romanço* provém do lat. med. *romancium*. Na acepção moderna, o voc. sofreu a influência do ing. *romance* || **romancear** xvii || **romanceiro** 1841. Adaptação do cast. *romancero* || **romanche** *adj. sm.* 'diz-se do, ou dialeto reto-românico falado no cantão dos Grisões e que em 1938 passou a ser a quarta língua oficial da Suíça' 1899. Do fr. *romanche*, deriv. do lat. *romanice || **romancista** xvii || **romanesco** xix. Adaptação do fr. *romanesque* || **romani** *sm.* 'língua falada pelos ciganos da Europa Oriental' 1899. Do cigano *romani* || **românico** xix. Do lat. *rōmānicus* || **romano** | xiv, *romão* xiii, *rromano* xiv etc. | Do lat. *rōmānus* || **român**t·ico xix. Do fr. *romantique*, deriv. do ing. *romantic* || **romant**·ismo xix. Do fr. *romantisme* || **roman**t·izar xix || **romanz**·eira 1813 || **rom**aria *sf.* 'peregrinação' | xiii, *romeria* xiii || **rom**eira *sf.* 'romanzeira' | *romeeira* xiv, -*eeyra* xiv || **romeiro** *sm.* 'aquele que faz peregrinação' xiii || **rom**eno 1899 || **romeu** *sm.* 'romeiro' xiii. Do b. lat. *romaeus* || **rom**inha *sf.* '*ant.* mulher que faz peregrinação' | *romỹa* xiii.
⇨ **romã** — rom**aagem** | xv lopj ii.189.*3*, *rromagem* xv cond 6*b*12 |.
rombo[1] → romb(o)-.
rombo[2] *sm.* 'furo, abertura, buraco de grandes proporções' | xv, *romo* xiv | De origem incerta, talvez do lat. *rhombus*; a var. *romo* indica influência castelhana || ar**romb**ador 1813 || ar**romb**amento 1813 || ar**romb**ar xv.
romb(o)- *elem. comp.*, do gr. *rhómbos* 'rombo, romboide, losango', que se documenta em vocs. formados no próprio grego, como *rombo*[1], e em muitos outros introduzidos na linguagem científica internacional, a partir do séc. xix ▸ **rombi**fólio *sm.* '(Bot.) que tem folha rombiforme' | *rhombifolio* 1874 || **rombi**forme | *rhombiforme* 1874 || **rombo**[1]

adj. sm. 'que não é aguçado' 'losango' ‖ *rhombo* XVI ‖ Do lat. *rhombus,* deriv. do gr. *rhómbos* ‖ romboEDRO *sm.* '(Geom.) prisma cujas bases são paralelogramos' ‖ *rhomboedro* 1874 ‖ Do lat. cient. *rhombohedron* ‖ rombOIDE ‖ 1844, *rhomboide* 1844 ‖ Cp. gr. *rhomboeidḗs* ‖ romboSPERMO *adj.* '(Bot.) que tem sementes romboidais' XX ‖ rombUDO XX.
⇨ **romb(o)-** — rombOIDE ‖ 1836 SC ‖.
rom·eiro, -eno, -eu, -inha → ROMÃ.
romper *vb.* 'destroçar, rasgar' XIII. Do lat. *rŭmpĕre* ‖ IN·INTERrupto *adj.* 'não interrompido' 1881 ‖ INTERromper XVI. Do lat. *interrumpĕre* ‖ INTERrupção ‖ *interrupçom* XV ‖ Do lat. *interruptĭō -ōnis* ‖ INTERrupto XVII. Do lat. *interruptus -a -um* ‖ INTERruptor XIX. Do lat. tard. *interruptor -ōris* ‖ IRromper *vb.* 'entrar com ímpeto' 1881. Do lat. *irrumpĕre* ‖ IRrupção 1844. Do lat. *irruptĭō -ōnis* ‖ IRruptIVO 1858 ‖ rompANTE XVIII ‖ rompÃO ‖ *rompões* pl. 1813 ‖ rompEDURA XIV ‖ rompIMENTO XV.
⇨ **romper** — IRrupção ‖ 1836 SC ‖ rompENTE ‖ 1572 *Lus.* III.48 ‖.
rom-rom *sm.* 'rumor contínuo provocado pela traqueia do gato, comumente quando descansa' 1899. De origem onomatopaica ‖ ronronAR 1899.
roncar *vb.* 'respirar ruidosamente durante o sono' XIV. Do lat. *rhonchāre,* deriv. do gr. *rhogkiáō* ‖ roncA *sf.* 'arma de guerra' XVI. Deriv. regressivo de *roncar* ‖ roncADOR XVI ‖ roncAD·URA 1884 ‖ ronco ‖ *rronco* XIV ‖ Do lat. *rhonchus,* deriv. do gr. *rhógchos* ‖ ronquEIRA 1813.
roncear *vb.* 'andar com lentidão' 1844. De etimologia obscura ‖ roncEIRO XVI.
⇨ **roncear** ‖ 1836 SC ‖ roncEIRO ‖ *romçeiro* XV FRAD II.224.*18* ‖.
ronco → RONCAR.
roncolho *adj.* 'que só possui um testículo' 1813. De etimologia obscura.
ronda *sf.* 'patrulha' 'visita a algum posto, ou volta feita para inspecionar ou zelar pela tranquilidade pública' ‖ *rrolda* XIV ‖ Do cast. *ronda* ‖ rondANTE 1899 ‖ rondÃO *sm.* 'roldão' XV ‖ rondAR ‖ XVI, *roldar* XIV.
rondel *sm.* 'composição poética de duas quadras e uma quintilha, com apenas duas rimas, sendo os dois últimos versos da segunda quadra iguais aos dois primeiros da primeira, e o primeiro desta o último da quintilha' XX. Do a. fr. *rondel* (hoje *rondeau*). Cp. RONDÓ.
rondó *sm.* '(Liter.) composição poética com estribilho constante' 'denominação comum a dois poemas de forma fixa' 1858. Do fr. *rondeau.* Cp. RONDEL.
rondoniano *adj. sm.* 'do, ou pertencente ou relativo ao território de Rondônia' 'o natural ou habitante de Rondônia' XX. Do topo *Rondôni·a* + -ANO.
ronha *sf.* 'sarna que ataca ovelhas e cavalos' '*ext.* doença de plantas' XVII. Do lat. vulg. *rōnĕa ‖ ranhETA *adj. s2g.* 'diz-se de, ou pessoa impertinente, rabugenta, ranzinza' XX ‖ ranho *sm.* 'muco' 1813. Deriv. regressiva de *ranhoso* ‖ ranhOSO 1813. Deriv. de *ranhoso* e, este, de *ronha*. Cp. ARANHA.
ronquear *vb.* 'abrir, limpar e preparar em conserva o atum' 1844. De etimologia obscura.
⇨ **ronquear** ‖ 1836 SC ‖.
ronqueira → RONCAR.

ropálico *adj.* 'verso grego ou latino que começa por monossílabo, tendo cada uma das palavras seguintes uma sílaba mais que a palavra anterior' ‖ *rhopálico* 1874 ‖ Do lat. med. *rhopalicus,* deriv. do gr. *rhopalikós.*
ropalócero *sm.* '(Zool.) inseto da ordem dos lepidópteros, divisão *Rhopalocera*' 'borboleta' XX. Do lat. cient. *Rhopalocera,* do gr. *rhópalos* 'reunião' e *kéras* 'antena'.
roque *sm.* 'ant. a torre do jogo de xadrez' XVI. Do a. fr. *roc* (hoje *roquer*), deriv. do ár. (e persa) *ruḫḫ* ‖ rocAR 1899.
roqu·eira, -eiro → ROCA¹.
roquete¹ → ROCA².
roquete² *sm.* 'sobrepeliz estreita com mangas, bordadas de rendas e pregas miúdas' XVIII. Do cat. (ou prov.) *roquet,* aparentado com o fr. *rochet,* dimin. de **roc,* deriv. do b. lat. *roccus,* do frâncico **rŏkko.*
roquete³ *sm.* 'ferro de lança' ‖ *ruquete* XV ‖ Do cat. (ou prov.) *roquet,* aparentados com o fr. *rochet,* dimin. de **roc,* do frâncico **rŏkko.*
roquete⁴ *sm.* '(Heráld.) o triângulo heráldico' XVI. De etimologia obscura.
rorar *vb.* '(Poét.) rorejar' XVII. Do lat. *rorāre,* de *rōs rōris* ‖ rorANTE XVIII ‖ rorEJ·ANTE XVIII ‖ rorEJ·AR 1881 ‖ rórIDO XVIII. Do lat. *rōrĭdus -a -um* ‖ rorí·FERO 1844. Do lat. *rōrĭfer -fĕra -fĕrum* ‖ rorí·FLUO 1858.
⇨ **rorar** — rorí·FERO ‖ 1836 SC ‖.
rosa *sf.* 'a flor da roseira' XIII. Do lat. *rosa -ae* ‖ rosa·ça *sf.* 'rosácea' 1899 ‖ rosÁCEA 1858. Do adj. f. lat. *rosācĕa* ‖ rosADO *adj.* 'relativo à (cor) rosa' 'líquido perfumado com rosas e outras flores (na expressão *água rosada)*' XIII. Do lat. *rŏsātus.* A *água rosada* foi muito usada na Idade Média e a expressão é frequentemente citada nos textos medievais ‖ rosAL XIII ‖ rosÁRIO ‖ *rosairo* XVI ‖ Do lat. ecles. *rosārium* ‖ rosEIRA 1813 ‖ rosEIR·AL 1881 ‖ rósEO XIX. Do lat. *rŏsĕus -a -um* ‖ rosÉ·OLA *sf.* '(Patol.) erupção cutânea eritematosa que surge em diversos estados mórbidos e é formada por manchas numulares ou lenticulares' 1899. Do fr. *roséole* ‖ rosETA ‖ *rosetta* XIV ‖ Do fr. *rosette* ‖ rosETE ‖ XV, *-ssete* XIV ‖ rosICLER *adj. 2g. sm.* 'de uma tonalidade róseo-pálido que lembra a da aurora' 1813. Do cast. *rosicler,* deriv. do fr. *rose clair* ‖ rosI·GASTRO *adj.* '(Zool.) rosigástreo' 1899 ‖ rosILHO *adj.* 'diz-se de, ou equídeo de pelo avermelhado e branco, dando o aspecto de cor rosada' XVI. Do cast. *rosillo,* deriv. de um lat. vulg. *rosĕllus ‖ rosITA *sf.* '(Min.) silicato de alumínio, com aspecto cor-de-rosa' 1899.
⇨ **rosa** — rosEIRA ‖ XV LOPJ II.85.*16* ‖.
rosalgar *sm.* 'nome vulgar do realgar, mineral monoclínico, amarelado ou avermelhado, constituído de sulfeto de arsênio, empregado em pirotecnia para se obter chama branca e brilhante' XVI. Do ár. *rahj al-ǧār.*
rosário → ROSA.
rosbife *sm.* 'peça de carne bovina, de forma alongada, cortada, em geral, do filé ou da alcatra, frita ou salteada na panela ou assada ao forno, de modo que a parte externa fique bem tostada e o interior mais ou menos sangrento' ‖ *roast-beef* 1842, *rosbif* 1858 ‖ Do ing. *roast beef.*

rosca *sf.* 'espiral do parafuso ou de outro objeto qualquer' 'pão, bolo ou biscoito retorcido ou em forma de argola' XVII. De etimologia obscura || DES·ENroscAR 1813 || ENroscAR XVII || rosquINHA 1813.
róscido *adj.* 'orvalhado, rórido' XVII. Do lat. *rōscĭdus -a -um* || **ruço** *adj. sm.* 'tirante a pardo' | *rruço* XIV, *ruçio* XV.
roseir·a, -al → ROSA.
roselha *sf.* 'arbusto compacto (60 cm) e viloso, da fam. das cistáceas, nativo na Europa' 1858. De etimologia obscura.
roselita *sf.* '(Min.) mineral triclínico, constituído de arseniato hidratado de cálcio, cobalto e magnésio' XIX. Do fr. *roselite*, voc. criado por Lévy, em 1825, em homenagem ao mineralogista alemão G. *Rose* (1798-1873).
rós·eo, -éola, -eta, -ete, -icler, -igastro, -ilho, -ita → ROSA.
rosmaninho *sm.* 'erva da fam. das labiadas, nativa na região mediterrânea da Europa, cujas pequenas folhas e flores são aromáticas' | *rosmarinho* XVI | Do lat. *rōsmarīnum* (*rōs marīnus*).
rosnar *vb.* 'murmurar, resmungar' 'emitir (o cão, o lobo etc.) o som surdo, diferente do latido, geralmente em sinal de ameaça' XIV. De etimologia obscura.
rosquinha → ROSA.
rossio *sm.* 'praça larga' | XVI, *ressio* XIII | De etimologia controversa.
rostelo *sm.* '(Bot.) clinândrio' '(Zool.) proeminência arredondada, às vezes armada de ganchos, do escólex das tênias' XX. De etimologia obscura.
rosto *sm.* 'a parte anterior da cabeça, face' | XIII, *rastro* XIII etc. | Do lat. *rōstrum -ī* || **rostADA** *sf.* 'tapa, bofetão' | *rrostada* XIV, *rostrada* XIV || **rostOLHO** *sm.* 'uma das peças no rosto da fechadura' 1881 || **rostrADO** *adj.* 'que tem focinho' XIX. Do lat. *rōstrātus -a -um* || **rostrAL** *adj.* 2g. 'diz-se da antena que alguns animais possuem no rosto' XIX. Do lat. med. *rostralis* || **rostrI·CÓRN·EO** 1874 || **rostrI·FORME** 1858 || **rostro** *sm.* '(Bot.) esporão dos vegetais' 1874; 'tribuna adornada com proas de navios, onde os oradores romanos discursavam' 1874; '(Zool.) bico das aves' 1881. Forma divergente antiga e erudita de *rosto*, do lat. *rōstrum -ī*. Como elemento de composição, o voc. ocorre na linguagem científica internacional, particularmente no domínio da zoologia e da botânica, em compostos do tipo *conirrostro, dentirrostro, rostricórneo* etc.
⇨ **rosto** — **rostro** 'tribuna adornada com proas de navios, onde os oradores romanos discursavam' | 1836 sc |.
rota[1] *sf.* 'caminho, direção, rumo' XV. Do fr. ant. *rote* (hoje *route*), deriv. do lat. pop. *rupta* || **rotEAR**[1] *vb.* 'dirigir uma embarcação' XV || **rotEIRO** XVI || **rotINA** 1874. Do fr. *routine* || **rotIN·EIRO** 1844.
⇨ **rota**[1] — **rotINA** | 1836 sc || **rotIN·EIRO** | 1836 sc |.
rota[2] *sf.* 'junco empregado na fabricação de esteiras, velas de embarcação e assentos de cadeiras' XVI. Do malaio *rōtan* || **rotIM** *sm.* 'rota[2] empregada para entretecer assentos de cadeiras etc.' XIX. Do fr. *rotin*, deriv. do neerl. *rotting* e, este, do malaio *rōtan*.
rota[3] *sf.* 'tribunal pontifício' 1813. Do lat. *rota -ae*.
rot·ação, -áceo → ROTAR.

rotacismo *sm.* 'uso habitual, ou pronúncia viciosa do erre' 'pronúncia ou escrita do erre em lugar de outra letra' | *rhotacismo* 1874 | Do lat. cient. *rhōtacismus*, deriv. do gr. *rhōtakismós*, de *rhōtakízein*.
rotar *vb.* 'andar à roda, girar, rodar' XX. Do lat. *rotāre* || **rotAÇÃO** XVIII. Do lat. *rotātĭō -ōnis* || **rotÁCEO** XX || **rotADOR** 1874. Do lat. *rotātor -ōris* || **rotANTE** XVIII || **rotAT·IVA** *sf.* 'prensa rotativa' XX || **rotAT·IVO** 1874 || **rotAT·ÓRIO** 1874 || **rotOR** *sm.* 'parte giratória de uma máquina ou motor, especialmente elétrico' XX. Cp. RODA.
rotariano *adj. sm.* 'diz-se de, ou membro de um Rotary Club' XX. Do ing. *rotarian*.
rotat·iva, -ivo, -ório → ROTAR.
rotear[1] → ROTA[1].
rotear[2] → ROTO.
roteiro → ROTA[1].
rotenona *sf.* '(Quím.) substância cristalina, com ação inseticida, encontrada em alguns vegetais' XX. Do ing. *rotenone*, de *roten* (deriv. do jap. *roten*) + *-one*; v. -ONA.
rotí·fero, -forme → RODA.
rotim → ROTA[2].
rotin·a, -eiro → ROTA[1].
roto *adj.* 'que se rompeu' 'maltrapilho, esfarrapado' XIII. Do lat. *ruptus -a -um* || ARrotEADO 1813 || ARrotEAMENTO 1813 || ARrotEAR *vb.* 'cultivar (terreno inculto)' 'educar' XVI || ARrotEIA *sf.* 'terra dantes inculta que se principia a lavrar' | *arrotea* 1813 | Derivado regressivo de *arrotear* || **rotEAR**[2] 1813 || **rúptIL** 1873 || **ruptÓRIO** 1813 || **ruptURA** | *rotura* XV | Do lat. *ruptūra*.
rotogravura → RODA.
rotor → ROTAR.
rótul·a, -ar, -o → RODA.
rotundo *adj.* 'redondo' '*fig.* gordo, obeso, corpulento' XVI. Do lat. *rotundus -a -um* || **rotunda** 1881 || **rotundI·COLO** *adj.* '(Zool.) que tem o pescoço redondo' 1874 || **rotundIDADE** XVII. Do lat. *rotundĭtās -ātis* || **rotundI·FÓL·IO** 1874 || **rotundI·VENTRE** 1874.
roubar *vb.* '(Jur.) subtrair (coisa alheia móvel) para si ou para outrem, mediante grave ameaça ou violência à pessoa, ou depois de havê-la, por qualquer meio, reduzido à impossibilidade de resistir' XIII. Do germ. *raubōn* || **rouba** *sf.* 'ant. roubo' XIII || **roubAD·IA** *sf.* 'ant. roubo' XV || **roubADOR** XIII || **roubALH·EIRA** 1899 || **roubAMENTO** *sm.* 'ant. roubo' XIII || **roubo** XIII. Deverbal de *roubar*.
rouco *adj.* 'que tem a fala áspera e cava, difícil de entender' | *rr-* XIII | Do lat. *raucus -a -um* || ENrouquECER XIII || ENrouquEC·IDO XVI || raucí·S·SONO *adj.* 'que tem som rouco' | *raucisono* 1844 | Do lat. *raucĭsŏnus -a -um* || roucURA | *rroucura* XV || roufENHO *adj.* 'que tem som anasalado' 1813 || rouquENHO XVI || rouquIDÃO 1813.
⇨ **rouco** — **raucís·SONO** | *raucisono* 1836 sc |.
roupa *sf.* 'orig. despojos (de guerra), bens, posses' 'vestimenta' XIII. Do gót. *raupa; o voc. está relacionado com ROUBAR, também de origem germânica || ENroupADO XVII || roupAGEM XVII || roupÃO XVI || roupARIA XVI || roupEIRO XIII || roupETA XVI.
⇨ **roupa** — ENroupAR | 1614 SGONÇ II.62.2 |.
rouqu·enho, -idão → ROUCO.

rouxinol *sm.* 'ave passeriforme da fam. dos turdídeos' | XVI, *rousinol* XIV | Do a. prov. *roussinhol*, deriv. do lat. vulg. **lusciniolus*.
roxo *adj. sm.* 'da cor da violeta, da ametista' 'violeta' 'a cor rósea' XVI. Do lat. *russĕus -a -um* || ARroxe·ADO 1844.
⇨ **roxo** — ARroxe·ADO | 1836 SC |.
rua *sf.* 'via pública para circulação urbana, total ou parcialmente ladeada de casas' '*ext.* numa cidade, vila etc., qualquer logradouro público ou outro lugar, que não seja casa, residência, local de trabalho etc.' XIII. Do lat. *rūga*, com provável influência do fr. *rue* || ARruAÇA 1881 || ARruAC·EIRO 1899 || ARruAMENTO 1813 | ARruAR XVI || ru**Ã**o¹ *sm.* 'homem da cidade' 'homem da rua, popular' XIII || ruELA 1899. Cp. RUGA.
⇨ **rua** — ruELA | -*ella* 1836 SC |.
ruano, ruão³ *adj.* 'diz-se do cavalo de pelo branco e pardo, ou de pelo branco com malhas escuras e arredondadas' | *rroan* XIV, *ruam* XVI | De um lat. **ravĭdānum*, de *rāvĭdus* 'pardo amarelado'.
ruante *adj. 2g.* 'diz-se do pavão que está com a cauda levantada' 1874. Do fr. *rouant*.
ruão¹ → RUA.
ruão² *sm.* 'tecido de linho que se fabricava em Ruão (França)' XVI. Do top. fr. *Rouen*.
ruão³ → RUANO.
rube·fação, -faciente, -lita, -nte, -o, -scente, -scer → RUB(I)-.
rubi *sm.* 'variedade de coríndon, de cor vermelha muito viva' | XIII, *rrobijs* pl. XIV, *rubim* XVI | Do cat. *robi* (ou do a. fr. *rubi*), deriv. do lat. med. *rubinus* (< cláss. *rubĕus* 'avermelhado' < *rŭber* 'vermelho').
⇨ **rub(i)** — ENrubESC·IDO | -*rubeci*- 1836 SC |.
-rub(i)- *elem. comp.*, do lat. *rubi-*, de *rubĕus* 'avermelhado' (*rŭber* 'vermelho'), que se documenta em alguns vocs. formados no próprio latim, como *rubescer*, e em muitos outros introduzidos na linguagem científica internacional, a partir do séc. XIX ▸ ARrebOL *sm.* 'vermelhidão do nascer e do pôr do sol' | *arreboes* pl. XVII | Talvez se trate de um deverbal de **arrebolar*, corruptela de **arruborar* e, este, de A- + lat. *rubōr -ōris* + -AR¹ || ENrubESCER XVI || ENrubESC·IDO 1899 || ENrubESC·IMENTO XX || **rubef**AÇÃO *sf.* 'vermelhidão da pele, provocada por inflamação' '(Geol.) formação de tênue película ferruginosa por efeito da oxidação do ferro contido nos minerais das rochas' | -*acção* 1874 | Do lat. **rubefactĭōnem* || **rubefaci**ENTE 1874. Do lat. *rubefaciens -entis* || **rubeL**·ITA *sf.* '(Min.) variedade avermelhada de turmalina' 1874 || **ru**bENTE *adj. 2g.* 'que tem cor vermelha' XVIII. Do lal. *rubēns -entis* || **rúb**EO XVII. Do lat. *rubĕus -a -um* || **rubéo**LA XX. Do cast. *rubéola* || **rubesc**·ENTE XX. Do lat. *rubescens -entis* || **rub**ESCER XX. Do lat. *rubēscēre* || **rubi**ÁCEA 1858. Do lat. cient. *rubiaceae* || **rubicundo** XVI. Do lat. *rubicundus -a -um* || **rub**ÍD·IO *sm.* '(Quím.) elemento de número atômico 37, metálico, branco-prateado, muito leve, pertencente ao grupo dos metais alcalinos' 1890. Do lat. cient. *rubidium* || **rúb**IDO *adj.* '(Poét.) rubro' XVI. Do lat. *rūbĭdus -a -um* || **rubi**FIC·AR 1874. Do lat. med. *rubificare* (cláss. *rubefacĕre*) || **rubi**FLORO 1899 || **rubi**FORME 1874 || **rubi**GIN·OSO *adj.* 'ferrugento' 1844. Do lat. *rūbigĭnōsus -a -um* || **rubi**TO-

PÁZIO | *rubi-topázio* 1899 || **rubor** 1813. Do lat. *rubor -ōris* || **rubor**IZ·ADO 1899 || **rubor**IZAR 1899 || **ruvinh**OSO *adj.* 'que tem ferrugem' | *rovinhosos* pl. XVI | Do lat. *rubīgĭnōsus*.
rubicano *adj.* 'diz-se do cavalo cujo pelo é mesclado de branco e ruivo' | 1899, *rubicão* 1844 | Do cast. *rubicán*, de *rubio* 'ruivo'.
rubi·cundo, -dio, -do, -ficar, -floro, -forme, -ginoso, -topázio → RUB(I)-.
rublo *sm.* 'unidade monetária da Fed. Russa, Bielorrússia e Tajiquistão' | 1781, *ruble* 1717, *rubel* 1718, *roebel* 1719, *rouble* 1728, *roble* 1760 | Do fr. *rouble*, deriv. do rus. *rubl'*, de *rubít'* 'cortar', porque, primitivamente, o rublo era uma peça de prata cortada ou denteada.
rubo *sm.* 'silva, silvado, silveira, sarça' 1813. Do lat. *rubus -ī*.
rubor, -izado, -izar → RUB(I)-.
rubrica *sf.* 'título dos livros de direito civil ou canônico' 'letra ou linha inicial de capítulo, escrita a vermelho nos antigos manuscritos' 'firma ou assinatura abreviada' XIV. Do lat. *rubrīca -ae* || **rubric**AR XV. Do lat. *rubrīcāre*.
rubro *adj.* 'vermelho' XVI. Do lat. *rŭber -ra -rum* || **rubrí**·COLO | *rubricollo* 1899 || **rubri**·CÓRNEO 1899 || **rubri**·GÁSTREO 1899 || **rubrí**·PEDE 1899 || **rubri**·R·ROSTRO 1881. Cp. -RUB(I)-.
rucilho *adj.* 'diz-se do cavalo que tem o pelo mesclado de branco, vermelho e preto' 1899. De origem incerta; talvez se trate de deturpação de *rossilho*, por influência de *ruço*. Cp. ROSA, RÓSCIDO.
ruço → RÓSCIDO.
rude *adj. 2g.* 'que não foi cultivado' 'ignorante' | XIV, *rudo* XIII | Do lat. *rudis -e* || rudEZA XIV.
ruderal *adj. 2g.* '(Bot.) diz-se da planta que habita as cercanias das construções humanas (ruas, terrenos baldios, ruínas etc.)' XX. Do fr. *rudéral*, deriv. do lat. *rūdus -eris*.
rudeza → RUDE.
rudimento *sm.* 'elemento inicial, princípio, esboço' XVII. Do lat. *rudīmentum -ī* || **rudiment**AR 1874.
ruela → RUA.
rufar¹ → RUFO¹.
rufar² → RUFO².
rufião *sm.* 'indivíduo que se mete em brigas por causa de mulheres de má reputação' 'indivíduo que vive às expensas de prostitutas' | *refião* XV, *rafiam* XV | De origem incerta || **rúfia** XX. Deriv. regress. de *rufião* || **rufi**AR XVII || **rúfi**O XVI.
rufi·carpo, -córneo, -gástreo, -nérveo, -palpo, -tarso → RUF(O)-.
ruflar *vb.* 'agitar com rumor análogo ao da ave que esvoaça' 1881. De origem onomatopaica.
rufo¹ *sm.* 'toque de tambor com batidas rápidas e sucessivas' '*ext.* som análogo ao do toque do tambor' 1813. De origem onomatopaica || **ruf**AR¹ 1844.
⇨ **rufo**¹ — ruf**AR**¹ | 1836 SC |.
rufo² *sm.* 'tira de pano preguead a ou franzida que guarnece vestimentas ou alfaias' 1874. Do ing. *ruff* || **ruf**AR² *vb.* 'fazer pregas' 1874.
rufo³ *sm.* 'espécie de lima com os bordos dentados' 1874. De etimologia obscura.
rufo⁴ *adj.* 'ruivo, vermelho' XVIII. Do lat. *rūfus -a -um*.

ruf(o)- *elem. comp.*, do lat. *rūfus* 'ruivo, vermelho', que se documenta em alguns vocs. introduzidos na linguagem científica internacional, a partir do séc. XIX ▸ **ruf**iCARPO *adj.* '(Bot.) que tem frutos vermelhos' 1899 || **ruf**iCÓRNEO 1899 || **ruf**iGÁSTREO *adj.* '(Zool.) que tem ventre vermelho' 1899 || **ruf**iNÉRVEO 1899 || **ruf**iPALPO 1899 || **ruf**iTARSO 1899.
ruga *sf.* 'prega ou dobra na pele' XVII. Do lat. *rūga -ae* || DES·ENrugAR | *desarrugar* 1844 || ENrugADO XIII || ENrugAR XVI || rugAR 1858 || rugí·FERO 1858 || rugOS·IDADE XX. Do lat. *rūgōsĭtās -ātis* || rugOSO XVII. Do lat. *rūgōsus -a -um*. Cp. RUA.
⇨ **ruga** — DES·ENrugAR | 1836 SC |.
rugir *vb.* 'bramir, urrar, fremir' | XIV, *ro-* XIII | Do lat. *rūgīre* || rugIDO | *rogido* XIII || rugiENTE 1899 || rugIT·AR XX || **ruído** *sm.* 'barulho' | *rruido* XIII, *roydo* XIV, *rroydo* XIV, *arroydo* XIV, *arruydo* XIV etc. | Do lat. *rūgītus -us* || ruidOSO XVII.
rugos·idade, -o → RUGA.
ruibarbo *sm.* 'erva medicinal, da fam. das poligonáceas, originária da China' | XV, *ruybarbo* XV, *reubarbo* XVI | Do fr. ant. *reubarbe* (hoje *rhubarbe*), deriv. do lat. *rheubarbarum*.
ruíd·o, -oso → RUGIR.
ruína *sf.* 'ato ou efeito de ruir' 'destruição, extermínio' XVI. Do lat. *ruīna -ae* || ARruinADO XVII || ARruinAR XVII || **ruim** | *roim* XV || ruinDADE | *ruyndade* XV | Do cast. *ruindad* || ruinOSO XVII. Do lat. *ruīnōsus -a -um* || **ruir** XIX. Do lat. *ruĕre*.
⇨ **ruína** — ARruinAMENTO | *arrunhamento* XV OFIC 104.*19* || ARruinAR | *arruinhar* XIV DICT 2665, *aruinhar* XIV DICT 2233 |.
ruivo *adj. sm.* 'amarelo-avermelhado' 'indivíduo de cabelo ruivo' 'planta da fam. das gramíneas' | *ruyuo* XIV, *royuo* XIV, *rruujo* XIV, *ruvho* XIV | Do lat. *rubĕus -a -um* || ARruivADO 1844 || **ruiv**A XVI.
rum *sm.* 'espécie de aguardente obtida pela fermentação e destilação do melaço da cana-de-açúcar' XVII. Do ing. *rum*.
rumar → RUMO.
rumba *sf.* 'dança popular afro-cubana, em compasso binário, ritmo sincopado e muito variado, e cuja melodia se repete incansavelmente' XX. Do cast. *rumba* || rumbE·ADOR XX || rumbEAR XX. Do cast. *rumbear* || rumbEIRA XX.
rúmen *sm.* 'ruminante' 1890. Do lat. *rūmen -ĭnis* || ruminAÇÃO 1858. Do lat. *rūmĭnātĭō -ōnis* || ruminANTE 1844 || ruminAR XVII. Do lat. *rūmĭnăre*.
⇨ **rúmen** — ruminAÇÃO | 1836 SC || ruminANTE | 1836 SC || ruminAR | XV FRAD II.180.*7* |.
rumo *sm.* '(Náut.) cada uma das direções marcadas na rosa dos ventos' 'caminho, direção, vereda' | *rrumo* XV | Do cast. *rumbo*, deriv. do lat. *rhombus* e, este, do gr. *rhómbos* || rumAR 1844.
⇨ **rumo** — rumAR | 1836 SC |.
rumor *sm.* 'ruído de coisas que se deslocam' XIV. Do lat. *rūmor -ōris* || rumorEJAR 1858 || rumorOSO 1899.
runa *sf.* 'cada um dos caracteres, em forma de haste com esgalhos, que compunham a escrita alfabética usada pelos povos germânicos aproximadamente do séc. III até o séc. XIV' 1890. Do fr. *rune*, deriv. do norueguês *rune* (e sueco *runa*) e, este, do a. escandinavo *rúnar*, pl. de *rún*.
rupestre *adj.* 2*g.* 'litófilo' 'gravado ou traçado na rocha' XIX. Do fr. *rupestre*, deriv. do lat. *rūpes* 'rocha' || rupí·COLA *adj.* 2*g.* 'que vive nas rochas' 1874. Do lat. cient. *rūpicola*.
rupia[1] *sf.* 'unidade monetária, e moeda, da Índia, Paquistão, Nepal, Indonésia, Maldívia, Maurício, Seycheles e Srilanka' 1600. Do hindust. *rūpīyah*, deriv. do sânscr. *rūpya*, primitivamente 'prata'.
rupia[2] *sf.* '(Patol.) ulceração cuja crosta é mais espessa nas bordas do que no centro' 1874. Do lat. cient. *rupia*, deriv. do gr. *rhýpos* 'gordura'.
rupícola → RUPESTRE.
rúpt·il, -ório, -ura → ROTO.
rural *adj.* 2*g.* 'campestre' XVIII. Do lat. tard. *rūrālis -e*, de *rūs rūris* || rurÍCOLA 1874. Do lat. *ruricola* || rurÍGENE 1890 || ruro·GRAF·IA XX.
rusga *sf.* 'barulho, desordem, confusão' 1881. De origem obscura || rusgAR XX || rusguENTO XX.
rusma *sf.* 'preparação depilatória, composta sobretudo de cal viva, e usada em certas regiões do Oriente Médio' 1881. Do ing. *rusma*, deriv. do turco *ḥirisma* e, este, do gr. *chrisma*.
russo *adj. sm.* 'de, ou pertencente ou relativo à Federação Russa ou aos seus habitantes' 'o natural ou habitante da Federação Russa' 'idioma eslávico do grupo oriental' | 1720, *rosso* XV, *roxo* 1567 | Do lat. med. *russi* pl. 'russos', deriv. do rus. *rús'*, de origem escandinava (cp. a. nórdico *Róthsmenn*) || russIANO *adj. sm.* 'russo' | 1715, *rusciano* 1739 | Do lat. med. *russiānus* || russI·FIC·AÇÃO XIX || russI·FIC·AR XIX || **rússio** *adj. sm.* 'russo' | 1706, *rusio* 1570 | Do lat. med. *russĭus*.
rústico *adj.* 'rude, grosseiro, simples' XIV. Do lat. *rūsticus -a -um* || rusticAR 1844 || rusticIDADE XVII. Do lat. *rūsticĭtās -ātis*.
⇨ **rústico** — rusticAR | 1836 SC |.
rustir *vb.* '(Gíria) enganar, ocultar, encobrir' XX. Do fr. *roustir* || ENrustIDO XX.
rutabaga *sf.* 'planta híbrida que tem as qualidades da couve e do nabo' 1881. Do fr. *rutabaga*, deriv. do sueco dialetal *rotabaggar*.
ruteno *adj. sm.* 'de, ou pertencente ou relativo aos rutenos, povo eslavo que habita regiões da Galícia (Polônia), Hungria, Ucrânia e Lituânia' 'o natural ou habitante dessa região' | 1818, *rutheno* 1706 | Do lat. med. *rut(h)eni* pl., relacionado com o lat. med. *russi* pl. 'russos'. Cp. RUSSO || **rutênio** *sm.* '(Quím.) elemento de número atômico 44, do grupo da platina, metálico, duro, brilhante e muito denso' 1874. Do lat. cient *ruthenium*. O metal foi descoberto e nomeado pelo químico alemão G.W. Osann (1797-1866), em 1828, nos montes Urais, na região dos rutenos, mas só foi isolado em 1845 pelo químico alemão K.E. Claus (1796-1864).
rutilar *vb.* 'tornar rútilo ou muito brilhante' 1572. Do lat. *rutĭlāre* || rutilÂNCIA 1881. Do fr. *rutilance* || rutilANTE XVI. Do lat. *rutĭlāns -antis*, part. pres. de *rutĭlāre* || **rutilo** *sm.* '(Min.) mineral tetragonal, constituído de óxido de titânio' | *ruthile* 1874 | Do lat. *rutĭlus*, através do al. *Rutil*, voc. introduzido na linguagem da mineralogia, em 1803, por A.G. Werner (1750-1817) || **rútilo** XVII. Do lat. *rutĭllus -a -um*.
rutina *sf.* 'princípio antiespasmódico existente na arruda' XX. Do fr. *rutine*, deriv. do lat. *rūta* 'arruda' + *-ine*; v. *-ina*. Cp. ARRUDA.
ruvinhoso → -RUB(I)-.

S

sabacu *sm.* 'ave ciconiforme da fam. dos ardeídeos' | *sabucú* 1789, *sabacú* 1817 | Do tupi *saya'ku*.
sábado *sm.* 'o sétimo dia da semana, começada no domingo' XIII. Do lat. *sabbătum-ī* (≤ gr. *sábbaton*), deriv. do hebr. *šabbāṯ* 'dia de repouso' ‖ **sabát**ICO 1813. Do lat. tard. *sabbatĭcus*, deriv. do gr. *sabbatikós* ‖ **sabat**INA XVIII. Do it. *sab(b)atina* ‖ **sabat**ISMO XVII. Do lat. *sabbatismus*, deriv. do gr. *sabbatismós* ‖ **sabat**IZAR XVI. Do lat. tard. *sabbatizare*.
sabana, savana² *sf.* 'ant. toalha de altar' | *savãa* XIII, *sauáá* XIV etc. | Do lat. *sabăna*, pl. de *sabănum*.
sabão *sm.* '(Quím.) sal metálico de ácido graxo' 'produto detergente, constituído de sais de sódio, de potássio e de ácidos graxos, e que serve para limpeza em geral' '(Geol.) rocha mais ou menos decomposta, que constitui o subsolo de algumas paragens do nordeste do Brasil, sobretudo do Piauí' | XIV, *sabon* XIV, *xabão* XVI | Do lat. *sāpō -ōnis* | EN**sabo**ADO 1813 ‖ EN**sabo**AR 1813 ‖ **sabo**ARIA | *ssaboarya* XIV ‖ **sabo**EIRO 1813 ‖ **sabon**ETE XVI. Adaptação do fr. *savonnette* ‖ **sabon**ET·EIRA 1881 ‖ **sabon**ET·EIRO XX ‖ **sapon**ÁCEO 1878. Do fr. *saponacé*, deriv. do lat. mod. *sāpōnācĕus* ‖ **sapon**ÁRIA *sf.* '(Bot.) gênero das dicotiledôneas cariofiláceas, criado por Lineu em 1735' XVI. Do it. *saponaria*, de *sapòne* 'sabão' ‖ **sapon**ÁRIO *adj.* 'diz-se do medicamento que contém sabão' 1874. Do lat. *sāpōnārĭus* ‖ **sapon**IFIC·AR 1890. Do it. *saponificare*.
⇨ **sabão** — **sapon**ÁCEO | 1836 SC |.
sabát·ico, -ina, -ismo, -izar → SÁBADO.
sabeliano *adj. sm.* 'sectário do sabelianismo, doutrina de Sabélio, heresiarca do séc. III, que negava a Trindade das pessoas em Deus e professava haver uma única pessoa divina, apenas com nomes diversos, segundo os vários modos de se revelar' | *sabelliano* 1844 | Do lat. ecles. *sabelliānus*, do antr. *Sabellĭus*.
sabélico *adj. sm.* 'diz-se dos dialetos dos sabelos' 'diz-se do alfabeto dos sabelos, derivado do etrusco' 'o grupo dos dialetos sabélicos' 1899. Do lat. *sabellĭcus -a -um*.
saber¹ *vb.* 'ter conhecimento, ciência, informação ou notícia' 'ter sabor, agradar ao paladar' XIII. Do lat. *săpĕre* ‖ DE**sabr**IDO *adj.* 'sem sabor, dessaborido' XVI; 'rude, insolente, áspero, violento' XVII. Talvez se trate de formação paralela à de *dessaborido*, com influência de *abrir* ‖ DES**sabor**IDO *adj.* 'sem sabor' 'indiscreto' XVI ‖ DIS**sabor** | 1813, *dessabor* XIII ‖ IN**sipi**DEZ 1813 ‖ IN**sípi**DO XVII. Do lat. *insĭpĭdus* ‖ IN**sipi**ÊNCIA XVI. Do lat. *insipientĭa -ae* ‖ IN**sipi**ENTE XVI. Do lat. *insĭpĭēns -entis* ‖ **sab**ED·EIRO XIII ‖ **sab**EDOR XIII ‖ **sab**EDOR·IA XIII ‖ **sab**ENÇA XIII ‖ **saber**² *sm.* 'conhecimento' XIII. De *saber*¹ ‖ **sab**ICH·ÃO XVI ‖ **sab**IDO XVI ‖ **sábio** *adj. sm.* 'ajuizado, prudente' 'culto, erudito' | XIV, *sabeo* XIV, *sabbio* XIV etc. | Do b. lat. *sapĭdus* ‖ **sabor** *sm.* 'gosto' XIII. Do lat. *săpor -ōris* ‖ **sabor**EAR XVI ‖ **sabor**OSO XIII. Do lat. *săpōrōsus* ‖ **sápi**DO *adj.* 'que tem sabor, saboroso' 1874. Do lat. *săpĭdus* ‖ **sapi**ÊNCIA XV. Do lat. *săpientĭa -ae* ‖ **sapi**ENC·IAL XVII. Do lat. *sapientĭālis -e* ‖ **sapi**ENTE XVI. Do lat. *săpĭēns -entis* ‖ **sapor**Í·FERO 1844 ‖ **sapor**Í·FICO 1858.
⇨ **saber**¹ — **sapor**Í·FERO | 1836 SC |.
sabeu *adj. sm.* 'relativo aos sabeus' 'indivíduo dos sabeus, povo bíblico astrólatra, que habitava o país de Sabá (no sul da Arábia)' '(Ling.) língua semítica conhecida por inscrições encontradas no Iêmen (Ásia)' | *sabea* f. 1572 | Do lat. *sabaeus*. deriv. do gr. *sabaîos*.
sabiá *sm.* 'pássaro da fam. dos turdídeos, de canto mavioso' 1618. Do tupi *sayi'a* ‖ **sabiacica** *sm.* 'ave da fam. dos psitacídeos, espécie de papagaio' | *sabiacy* 1783, *sabiá sica* 1806 | Do tupi *sayia'sĩka* ‖ **sabiapitanga** *sm.* 'pássaro da fam. dos turdídeos (*Turdus rufiventris*)' 1587. Do tupi *sayiapĩ'taŋa* ‖ **sabiapoca** *sm.* 'pássaro da fam. dos mimídeos' | *sabiácoca* 1587 | Do tupi *sayia'poka* ‖ **sabiatinga** *sm.* 'pássaro da fam. dos traupídeos (*Cissopis major*)' 1587. Do tupi *sayia'tiŋa* ‖ **sabiaúna** *sm.* 'pássaro da fam. dos turdídeos (*Platycichla flavipes*)' 1587. Do tupi *sayia'una*.
sab·ichão, -ido → SABER.
sabijujuba *sm.* 'planta da fam. das leguminosas, vinhático' | *sabigejuba* 1587 | Do tupi *sayiĩu'ĩuŋa*.
sabino¹ *adj. sm.* 'pertencente ou relativo aos sabinos' 'indivíduo dos sabinos, antigo povo montanhês da Itália, o qual, absorvido pelas populações do Lácio, foi um dos povos que constituíram os latinos subsequentes' XVIII. Do lat. *sabīnus -ī* ‖ **sabin**A *sf.* 'arbusto difuso, prostrado, e muito espalhado pelo solo, da família das cupressáceas, que é nativo na Europa, Ásia e América' 1813. Do lat. cient. *sabīna*.
sabino² *adj.* 'diz-se de equídeo de pelo branco mesclado de vermelho e preto' XVII. Do cast. *sabino*.
sábio → SABER.
sable *sm.* '(Heráld.) a cor preta dos brasões' XVII. Do fr. *sable*.

sabo·aria, -eiro → SABÃO.
saboga *sf.* 'savelha' XIII. Do lat. tard. *samauca*.
sabonet·e, -eira, -eiro → SABÃO.
sabor, -ear, -oso → SABER.
saborra, saburra *sf.* 'matérias mucosas que se acreditava acumularem-se no estômago em consequência de más digestões' | 1753, *saburra* 1813 | Do lat. *saburra* || **saburr**AR 1858.
sabotar *vb.* 'abrir entalhe em (travessa de linha férrea), para o carril ficar um tanto inclinado' 'ext. danificar uma instalação clandestinamente, obstruir a execução de um serviço etc.' XX. Do fr. *saboter*, de *sabot* 'calçado' || **sabot**ADOR XX || **sabot**AGEM 1899. Do fr. *sabotage*.
sabre *sm.* 'arma branca, reta ou curva, que corta apenas de um lado' 'espada curta' 1818. Do fr. *sabre*, deriv. do al. *Sabel* (var. de *Säbel*) e, este, do húng. *száblya*, com provável interferência do pol. *szabla* || **sabr**ADA *sf.* 'golpe de sabre' XX.
sabugo *sm.* 'medula do sabugueiro' 'parte interna e pouco resistente dos chifres dos animais' 'parte do dedo a que está aderida a unha' XIV. Do lat. *sabūcus -ī (sambūcus -ī)* 'sabugueiro' || **sabug**ADO XX || **sabug**AR XX || **sabugu**EIRO 1813.
sabujo *adj. sm.* 'cão de caça grossa' *fig.* homem servil' 'diz-se de homem servil, bajulador' XIII. Do lat. *segūsĭus* || **sabuj**AR XX || **sabuj**ICE XX.
sabuloso *adj.* 'que tem areias' XVII. Do lat. *sabulōsus -a -um*.
saburr·a, -ar → SABORRA.
saca[1] → SACAR.
saca[2] → SACO.
sacabuxa *sf.* 'ant. trombeta reta que no séc. XV tomou a forma recurvada de um Z' XVI. Do fr. ant. *saqueboute* (hoje *saquebute*).
sacada[1] → SACAR.
sacada[2] → SACO.
sacad·aria, -ela, -or → SACAR.
sacaí *sm.* 'graveto, pedaço de lenha, cavaco' *c* 1777. Do tupi **ïsaka'i* || **sacaiboia** *sf.* 'cobra-cipó' 1833. Do tupi **ïsakai'moia < *ïsaka'i + 'moia* 'cobra'.
sacalão → SACAR.
sacana *adj. 2g.* 'pop. que não tem caráter' XX. De etimologia obscura || **sacan**AGEM XX || **sacan**EAR XX.
sacar *vb.* 'ant. obter judicialmente' 'retirar' 'tirar com violência' XVI. Do gót. *sakan* 'pleitear' || **saca**[1] XIV. Deriv. regress. de *sacar* || **sacad**ADA[1] XVI || **sacad·aria** XIV || **sacad·ela** XVII || **sacad**ADOR XIII || **sacal·ão** *sm.* 'puxão' 1813 || **sac**ÃO *sm.* 'salto ou corcovo que uma cavalgadura dá para sacudir o cavaleiro' XVIII || **saque** XVI. Do cast. *saque* || **saque·ador** 1813 || **saque**AR XVI. Do cast. *saquear*.
⇨ **sacar** | XIII CSM 4.*89* FUER III. 1542 || **sacad·ela** | *c* 1608 NOReb 178.*8* |
sacar(i)- *elem. comp.*, do gr. *sákchar -aros* 'açúcar', que se documenta em vocs. eruditos introduzidos na linguagem científica internacional, a partir do séc. XIX ▸ **sacar**ATO *sm.* 'alcoolato constituído pela combinação da sacarose com uma base' | *saccharato* 1874 | Do fr. *saccharate* || **sacá·rico** 1874. Do fr. *saccharique* || **sacar**ÍDEO | *saccharides* 1874 || **sacar**ÍFERO | *saccharifero* 1874 | Do fr. *saccharifère* || **sacar**IFIC·AR | *saccharificar* 1874 | Do fr. *saccharifier* || **sacar**ÍMETRO *sm.* '(Quim.) polarímetro em que um dispositivo especial permite determinar a concentração de sacarose numa solução' | *saccharimetro* 1874 | Do fr. *saccharimètre* || **sacar**INA XX. Do fr. *saccharine* || **sacar**INO 1874. Do fr. *saccharin* || **sacar**ÍVORO | *saccharívoro* 1899 || **sacar**OIDE | *saccharoide* 1899 | Do fr. *saccharoïde* || **sacaro**LOG·IA XX. Do fr. *saccharologie* || **sacar**OSE | *saccharose* 1881 | Do fr. *saccharose* || **sacar**OSO XX.
⇨ **sacar(i)-** — **sacar**INO | 1836 SC |.
sacelo *sm.* 'ant. pequeno santuário ou templo' 1858. Do lat. *sacellum -ī* || **sacel**I·FORME XX.
⇨ **sacelo** | *-llo* 1836 SC |.
sacerdote *sm.* 'entre os antigos, aquele que tratava dos assuntos religiosos e tinha o poder de oferecer vítimas à divindade' 'ministro do culto divino' XIII. Do lat. *sacerdōs -ōtis* || **sacerdó·cio** XIV. Do lat. *sacerdōtĭum -ĭī* || **sacerdot**AL XIV. Do lat. *sacerdōtālis -e* || **sacerdot**ISA XVI. Do lat. *sacerdōtĭssa -ae*.
sachar *vb.* 'mondar com o sacho' 'escavar com o sacho' 1813. Do lat. *sarcŭlāre* || ENTRES·**sach**AR *vb.* 'misturar, intercalar' | *entresachar* 1813 || **sacha** 1813. Deverbal de *sachar* || **sach**AD·URA 1813 || **sach**O *sm.* 'pequena enxada' XV. Do lat. *sarcŭlum -ī* || **sach**OLA *sf.* 'pequena enxada de boca larga' XIV.
⇨ **sachar** — ENTRES·**sach**ADO|*entresachado*1614SGonç I.113.*18*, *entrechaçado* 1680 AOCad I. 530.*16* |.
saci *sm.* 'entidade fantástica do folclore brasileiro, que assume a forma de um negrinho de uma perna só, que usa cachimbo e um pequeno barrete vermelho na cabeça, e que persegue os viajantes nos caminhos' | *sacy* 1863 | Do tupi **sa'si*.
saciar *vb.* 'extinguir, matar (a fome ou a sede), comendo ou bebendo' 'satisfazer' 1813. Do lat. *satiāre*, de *satis* || INS**aci**ABIL·IDADE XVII. Do lat. *īnsatiābilĭtās -ātis* || INS**aci**ADO XVI. Do lat. *īnsatĭātus -a -um* || INS**aci**ÁVEL XVI. Do lat. *īnsatiābĭlis -e* || **saci**ÁVEL 1844 || **saci**EDADE 1813. Do lat. *satiĕtās -ātis*.
⇨ **saciar** — **saci**ÁVEL | 1836 SC |.
saco *sm.* 'receptáculo de papel, pano, couro, ou material plástico, oblongo, aberto em cima e fechado no fundo e nos lados' | *sacco* XVI | Do lat. *saccus -ī*, deriv. do gr. *sákkos* || DES·ENS**ac**AR 1844 || ENS**ac**AD·INHA *sf.* 'trepadeira muito alta, ornamental, da fam. das sapindáceas' XX || ENS**ac**AMENTO XX || ENS**ac**AR XX || **sac**A[2] XV || **sac**ADA[2] XIII || **saci·**FORME 1874 || **sacó**FORO *adj. sm.* '(Hist. Nat.) que tem órgão saculiforme' 'penitente que se cobria de saco' 1890 || **sac**OLA XVI || **sacol·**EJAR 1858 || **sacol·**EJO 1899 || **sacul·**IFORME *adj. 2g.* 'que tem forma de sáculo' 1899 || **sácu**LO *sm.* '(Anat.) vesícula existente no vestíbulo membranoso do ouvido médio' '(Bot.) espécie de saco que envolve a radícula de certos embriões' 1899. Do lat. *saccŭlus -ī*.
⇨ **saco** | XIII CSM 287.*33*, XIV GREG 1.7.*23*, *ssaco* XIV TEST 279.*28* | DES·ENS**ac**AR | *-ccar* 1836 SC || ENS**ac**AR | 1836 SC |.
sacra *sf.* '(Rel.) cada um dos três quadros que contêm o texto da parte fixa da missa, e que eram colocados sobre o altar, para ajudar a memória do celebrante' XVI. Do lat. *săcer -cra -crum* || **sacr**AL·GIA *sf.* '(Patol.) dor no sacro'[2] XX || **sacrament**AL

XVI. Do lat. tard. *sacrāmentālis* || **sacrament**AR XVI || **sacramento** XIII. Do lat. *sacrāmēntum -ī* || **sacr**ÁRIO *sm.* 'lugar onde se guardam coisas sagradas' *'fig.* vida íntima' *'fig.* lugar reservado e respeitável' XVI. Do lat. *sacrārĭum -ĭī* || **sacrilégio** *sm.* 'profanação' | *sacrilegyo* XIII | Do lat. *sacrilegĭum -ĭ* || **sacrílego** XV | Do lat. *sacrilĕgus* || **sacr**ILÍACO *adj.* (Anat.) comum ao sacro² e ao osso ilíaco' XX || **sacr**ISTA *sm.* 'sacristão' 1858. Do lat. med. *sacrista* || **sacristão** | *sancristan* XIII, *sacristan* XV | Do lat. med. *sacristanus* || **sacristia** | *sanscristia* XVI | Do lat. med. *sacristia*, deriv. do lat. *sacrista* || **sacro**¹ *adj.* 'sagrado' XV. Do lat. *săcer, sacra, sacrum* || **sacro**² *adj. sm.* '(Anat.) relativo ao osso sacro' 'o osso sacro' 1813. Do lat. *(os) sacrum*, decalque do gr. *hierón osteón* 'osso que sustenta as vísceras (gr. *hierá* 'as vísceras da vítima') dos que eram imolados em sacrifício aos deuses' || **sacros**·SANTO *adj.* 'sagrado e santo' | *sacrosanto* XVII | Do lat. *sacrōsanctus.* Cp. SACRIFICAR, SAGRAR.
⇨ **sacra** — **sacra**MENT·AL | XV BENF 202.*31* |.
sacrificar *vb.* 'oferecer em holocausto por meio de cerimônias próprias' 'prejudicar, lesar' XIV. Do lat. *săcrĭfĭcāre* || **sacrific**ADOR 1813. Do lat. tard. *sacrĭfĭcātōr -ōris* || **sacrific**AL XVI. Do lat. *sacrĭfĭcālis -e* || **sacrific**ANTE XVII || **sacrific**AT·IVO XVII || **sacrificatório** 1899 || **sacrifício** | XIV, *sacrifiço* XIII | Do lat. *săcrĭfĭcĭum -ĭī* || **sacrific**ULO *sm.* 'acólito que auxiliava ao sacrifício das vítimas' XVIII. Do lat. *săcrĭfĭcŭlus.*
sacr·ilégio, -ílego, -ilíaco → SACRA.
sacripanta *adj.* 2*g.* 'diz-se de pessoa desprezível, capaz de quaisquer violências e indignidades' 'pessoa falsamente beata' | XIX, *sacripante* 1881 | Do it. *sacripante*, do antr. *Sacripante*, personagem dos poemas de cavalaria italianos dos sécs. XV-XVI.
sacr·ista, -istão, -istia, -o, -ossanto → SACRA.
sacudir *vb.* 'agitar fortemente e repetidas vezes' XIII. Do lat. *sŭccŭtĕre* || **sacud**ID·ELA 1844 || **sacud**IDO XIX || **sucussão** *sf.* 'ação de sacudir' 'abalo' XX. Do lat. *succusĭō-ōnis.*
⇨ **sacudir** — **sacud**ID·ELA | 1836 SC |.
sacul·iforme, -o → SACO.
sacuraúna *sm.* 'espécie de búzio' 1587. Do tupi *sakura'una.*
sadio → SANAR.
sadismo *sm.* 'perversão sexual em que a satisfação erótica advém da prática de atos de violência ou crueldade física ou moral infligidos ao parceiro sexual' *'ext.* prazer com o sofrimento alheio' XX. Do fr. *sadisme*, do nome do Marquês de *Sade* (1740-1814), por causa do erotismo cruel de seus romances || **sád**ICO XX. Do fr. *sadique* || **sad**ISTA XX || **sado**·MASOQU·ISMO XX. Do fr. *sadomasochisme* || **sado**·MASOQU·ISTA XX. Do fr. *sadomasochiste.*
safar *vb.* 'tirar, puxando' 'desembaraçar' | *çafar* XVI | De origem obscura, talvez do ár. *zāh* || **saf**AD·EZA XX || **saf**ADO 1813 || **safanão** 1873. Relacionado com *safar*, mas de formação obscura || **saf**ISMO¹ XX || **safo** 1813.
⇨ **safar** — **saf**ADO | 1647 *in* ZT |.
safári *sm.* 'expedição de caça, especialmente na selva africana' 'caravana' XX. Do ing. *safari*, deriv. do suaíli (língua africana do grupo banto) *safari* e, este, do ár. *safara* 'viajar'.

safaria *adj.* 'diz-se de uma variedade de romã, de bagos grandes e quadrados' 1813. Do ár. *safarî*, do antr. ár. *Sáfar*, que teria sido o introdutor dessa variedade de romã na Península Ibérica.
sáfaro *adj.* 'inculto, agreste, rude' 'estéril' *'fig.* alheio, distante' '(animal) selvagem, bravo' XV. De origem obscura, talvez do árabe.
safena *sf.* '(Anat.) a veia safena' | 1844, *saphena* 1844 | Do lat. cient. *(vena) saphēna*, deriv. do ár. *sāfīn* e, este, do gr. *saphēnḗs* 'visível', por ser esta veia bem visível.
⇨ **safena** | 1836 SC |.
sáfico *adj.* 'pertencente ou relativo a Safo, poetisa grega, ou próprio dela' 'diz-se da estrofe de três versos dactílicos e um adônio (em português, três decassílabos e um pentassílabo)' | *saphico* 1844 | Do lat. *sapphĭcus*, deriv. do gr. *sapphikós* || **sa**fISMO² XX.
⇨ **sáfico** | -*phi*- 1836 SC |.
sáfio *adj.* 'grosseiro, rude, sáfaro' | *çafeo* XVI, *safeo* XVI | Do cast. *zafio*, oriundo da fusão dos vocs. arábicos *safih* 'ignorante' e *şâfi* 'puro' || **safio** *sm.* 'nome de peixe' | *cafio* XVI | Do cast. *zafio* e, este, relacionado com *safio* 'sáfio'.
safira *sf.* 'pedra preciosa, variedade transparente de coríndon, cuja cor varia do azul-celeste ao azul-escuro' *'ext.* a cor azul' | *çafira* XIV | Provavelmente do ár. *şafīr*. O masculino *safiro*, que já se documenta no séc. XIII, deriva do lat. *sapphīrus* e, este, do gr. *sáppheiros*, o qual, por sua vez, procede do semítico *sappīr* (≤ sânscr. *çaniprija*). A mudança de gênero, em português, deve-se à influência de *pedra (safira).*
safismo¹ → SAFAR.
safismo² → SÁFICO.
safo → SAFAR.
safões *sm. pl.* 'meias-calças feitas de peles, usadas pelos pastores' | *çafões* XV | Do ár. *as-saifān.*
safra¹ *sf.* 'produção agrícola de um ano' 'colheita' | *çafra* XVI | De etimologia obscura.
safra² *sf.* 'bigorna de ferreiro, maior do que o normal e com uma só ponta' *'fig.* pessoa que se escraviza ao trabalho' XVI. De etimologia obscura.
safra³ *sf.* 'óxido de cobalto, usado na fabricação do vidro azul' 1858. De origem incerta, talvez relacionado com AÇAFRÃO.
safranina *sf.* 'matéria corante básica empregada para dessensibilizar emulsões, e que permite a revelação com luz apreciável' 1899. Do fr. *safranine.*
saga¹ *sf.* 'designação comum às narrativas em prosa, históricas ou lendárias, nórdicas, redigidas sobretudo na Islândia nos sécs. XIII e XIV' XX. Do ant. escandinavo *saga.*
saga² *sf.* 'entre os romanos, bruxa ou feiticeira' 1844. Do lat. *sāga -ae.*
⇨ **saga**² | 1836 SC |.
sagaz *adj.* 2*g.* 'que tem agudeza de espírito' 'astuto' | *saguas* XIV | Do lat. *sagāx -ācis* || **sag**AC·IDADE | *sagazidade* XV | Do lat. *sagācĭtās -ātis.*
saginar *vb.* 'tornar gordo' 1844. Do lat. *sagīnāre.*
⇨ **saginar** | 1836 SC |.
sagitado *adj.* 'que tem forma de seta' '(Bot.) diz-se do órgão vegetal foliáceo que tem o ápice agudo e a base escavada, formando apêndices divergen-

tes, de modo que o conjunto lembra uma ponta de lança' 1858. Do lat. *sagittātus -a -um* ‖ sagitAL 1813. Do lat. med. *sagittalis* ‖ sagitÁRIA 1844. Do lat. *sagittāria* ‖ sagitÁRIO *sm.* 'nas tropas do exército romano, arqueiro' XIV; *adj.* 'armado de arco e setas' XVII. Do lat. *sagittārĭus* ‖ sagití·FERO | *sagittifero* 1572 | Do lat. *sagittifer -fĕra -fĕrum* ‖ sagitI·FOLI·ADO | *sagittifoliado* 1881. Cp. SETA.
sago *sm.* 'agasalho de lã, grosseiro e pesado, usado pelos antigos militares romanos' 'veste monacal' XVI. Do lat. *sagum -ī*. Cp. SAIA.
sagrar *vb.* 'consagrar, dedicar a Deus, aos deuses, ou ao serviço divino' XIII. Do lat. *sacrāre* ‖ CONsagrAÇÃO | -çõ XIV, -çom XIV etc. | Do lat. tard. *consacrātĭō -ōnis* | CONsagrAMENTO XIV ‖ CONsagrar XIII. Do lat. tard. *consacrāre* (de *consecrāre*) ‖ CONsecrAT·ÓRIO *adj.* 'relativo à consagração' XVIII. Do lat. *cōnsecrā(tus)* + -TÓRIO ‖ sagrAÇÃO XIII ‖ sagrADO XIII. Do lat. *sacrātus*. Cp. SACRA.
sagu *sm.* 'substância amilácea que se extrai da parte central dos sagueiros' | *çagu* XVI | Do malaio *sāgŭ* ‖ sagueIRO XVI.
saguão *sm.* 'pátio estreito, acanhado e descoberto, no interior dum edifício' XVII. Provavelmente do cast. *zaguán*, deriv. do ár. *'osṭouān*.
saguaritá *sm.* 'espécie de caramujo' | *sapicaretá* (sic) 1587 | Do tupi *sakuari'ta*.
sagueiro → SAGU.
sagui *sm.* 'nome comum a várias especies de símios da fam. dos calitriquídeos' | *çagoym* 1511, *çagoys* pl. 1511, *çagujns* pl. 1511, *sagoîs* pl. 1576, *çagoîs* pl. 1576 etc. | Do tupi *sa'ŭĩ*.
saí¹ *sm.* 'nome comum a vários pássaros das famílias dos cerebídeos e dos traupídeos' 1587. Do tupi *sa'i* ‖ saixê *sm.* 'saí' | *sahyxé* 1817 | Do tupi *sai'še*.
saí² *sm.* 'espécie de macaco' 1587. Do tupi *sa'i*.
saia *sf.* 'parte do vestuário feminino que desce da cintura sobre as pernas até uma altura variável, constituindo ou não uma peça independente' | XIII, *saya* XIII, *ssaya* XIII | Do lat. vulg. *săgĭa*, de *sagum -ī* 'manto' ‖ saiETA 1813 ‖ saio *sm.* 'antiga veste larga, com abas e fraldão' 'antigo casacão de militares' XV ‖ saiOTE 1813. Cp. SAGO.
saibro *sm.* 'mistura de argila e areia grossa, usada no preparo de argamassa' 'produto da decomposição de rochas feldspáticas, principalmente granitos ou gnaisses, no qual ainda se pode ver a textura primitiva da rocha' XVI, *sabro* XV | Provavelmente do lat. *sabŭlum -ī* ‖ saibrAMENTO XX ‖ saibrAR XX ‖ saibrOSO 1858.
▷ **saibro** | *sabro* XIV TEST 86.*34* |.
saí·da, -do → SAIR.
saieta → SAIA.
saiga *sf.* 'antílope de chifres curtos da Europa oriental' | *saïga* 1815 | Do fr. *saïga*, deriv. do rus. *saĭgá*.
saimel *sm.* '(Arquit.) a primeira pedra dum arco, e que assenta sobre capitel, cimalha ou ombreira' 1813. De etimologia obscura.
▷ **saimel** | 1720 RB |.
saimento → SAIR.
sainete *sm.* 'isca que se dava aos falcões para os amansar' 'gosto especial' XVI. Do cast. *sainete*.
saí·o, -ote → SAIA.

saipé *sm.* 'peixe da fam. dos caracídeos' | *saupe* 1783, *saupê* 1792, *saupé* 1817 | Do tupi, mas de étimo indeterminado.
sair *vb.* 'passar (do interior para o exterior)' 'afastar-se, partir, largar' | XIII, *sayr* XIII etc. | Do lat. *sălīre* ‖ RES·sair | *resahir* 1881 ‖ saÍDA | XIII, *sayda* XIII, *sahida* XIII ‖ saÍDO | *saydo* XIV ‖ saIMENTO | XVI, *seymento* XIII, *saymento* XIV etc.
sairé *sm.* 'dança dos índios do Brasil' | *c* 1767, *sayré* 1763 | Do tupi **sai're*.
saixê → SAÍ¹.
sajene *sf.* 'antiga medida de comprimento usada na Federação Russa, equivalente a 1/500 da versta (≅ 2,13 metros)' | *sagena* 1827 | Do fr. *sagène*, deriv. do rus. *sážen'*.
sal *sm.* '(Quím.) substância que se forma na interação entre um ácido e uma base' 'cloreto de sódio, cristalino, branco, usado na alimentação' 'fig. malícia' XIII. Do lat. *sāl sălis* ‖ AS·salARI·ADO XV ‖ AS·salARI·ADOR 1899 ‖ AS·salARI·AR XX ‖ salADA XVI ‖ salAD·EIRA 1858 ‖ salARIA XIV ‖ salÁRIO | *salayro* XIII | Do lat. *salārĭum -ĭī* ‖ salEIRO *sm.* 'recipiente para sal' XV; *adj.* 'relativo a sal' XVIII ‖ salga XV. Deriv. regress. de *salgar* ‖ salgAD·EIRA XVI ‖ salgAD·INHO(S) XX ‖ salgADO XIII ‖ salgALH·ADA *sf.* 'mixórdia' 1873 ‖ salgAR XIII. Do lat. **salĭcāre* ‖ sal-GEMA XIV ‖ salí·COLA 1874 ‖ salí·CULTURA 1874 ‖ salí·FERO 1899. Do lat. med. *saliferum* ‖ salI·FICAR 1874 ‖ salI·MANC·IA XX ‖ salI·MANTE XX ‖ salINA | *salinha* XV Do lat. med. *salina* (cláss. *salīnae -ārum*) ‖ salIN·EIRO 1813 ‖ salIN·IDADE XX ‖ salINO 1813. Do lat. *salīnus* ‖ salIN·Ô·METRO 1899 ‖ salITRADO XVI ‖ salitre XV. Do cast. *salitre*, deriv. do cat. *salnitre* ‖ salmilhado *adj.* 'salpicado de branco e de amarelo' 1899 ‖ salMOURA | *salmoira* XVI | Do cast. *salmuera*, deriv. de sal + lat. *mŭrĭa* ‖ salobre | *salobro* XVI ‖ salPIC·ADO XVI ‖ salPIC·AR XVIII ‖ salPIC·O 1813 ‖ salPIMENTA 1858 ‖ salPINTAR XX ‖ salPRESO | *salprezo* 1813 Do b. lat. *salspersus* (< *sal* + *sparsus*, part. pass. de *spargĕre*) 'coberto de sal' ‖ salsa *sf.* 'erva da fam. das umbelíferas, muito cultivada como condimento' XVI. Do lat. *salsa* (*herba*) '(erva) salgada' ‖ salsADA XVI ‖ salSEIRA | *salseyra* XVI ‖ salsEIRO | *salseyro* XIV ‖ salso *adj.* 'salgado' 1572. Do lat. *salsus*, part. pass. de *sallĕre* 'salgar' ‖ salsugem *sf.* 'lodo que contém substâncias salinas' XVII. Do lat. *salsūgō -ĭnis* ‖ salsuginOSO 1813.
▷ **sal** — salEIRO | *salleyro* XIV ORTO 329.*15* ‖ salPIC·AR | 1614 SGONÇ I. 171.*17*, 1616 GFTran 35.*26* ‖ salsa | XIV ORTO 272.*1*, XV BENF 310.*28* |.
sala *sf.* 'o compartimento principal duma casa, dum apartamento etc' XVI. Do fr. *salle*, deriv. do francico *sal* ‖ salÃO¹ 1813. Do fr. *salon*, deriv. do it. *salone* ‖ salETA 1844.
▷ **sala** | XV CART 166.*1* ‖ salETA | 1783 *in* ZT, 1836 SC |.
salabórdia *sf.* 'conversa insípida, acerca de coisas fúteis e sensabores' 1813. Vocábulo expressivo.
saláci·a, -dade → SALAZ.
salad·a, -eira → SAL.
salafrário *sm.* 'homem ordinário, vil, patife' XX. De etimologia obscura.
salamaleque *sm.* 'saudação, entre os turcos' 'fig. cortesia, mesura ou cumprimento em que há exa-

gero, afetação' | 1869, *salà malech* XVII | Do ár. *(as)-salām* 'a paz' *'alaik* '(esteja) contigo'.
⇨ **salamaleque** | *salamalé, salamalek* 1836 SC |.
salamandra *sf.* 'animal anfíbio, da ordem dos urodelos, provido de cauda na fase adulta, com um ou dois pares de patas, e que, segundo o ambiente onde vive, pode apresentar brânquias ou não' XIV. Do lat. *salamandra*, deriv. do gr. *salamándra*.
salame *sm.* 'espécie de paio, que se come cru' 1874. Do it. *salame*, deriv. do lat. med. *salāmen* || **salam**INHO XX. Do it. *salamino*.
salangana *sf.* 'andorinha oriental, de cujos ninhos se faz sopa muito apreciada no oriente' XIX. Do fr. *salangane*.
salão¹ → SALA.
salão² → SOLO¹.
sal·aria, -ário → SAL.
salaz *adj. 2g.* 'impudico, devasso, libertino' 1813. Do lat. *salāx -ăcis* || **salácia** 1899. Do lat. *salācĭa -ae* || **salac**IDADE 1890. Do lat. *salācĭtās -ātis*.
salbanda *sf.* '(Geol.) região de contato, de espessura variável, entre um veeiro ou dique e a rocha encaixante' XX. Do al. *Salband*.
saldar *vb.* 'pagar o saldo' 'ajustar, verificar ou liquidar (contas)' 1813. Do it. *saldare* || **sald**O XVII. Deriv. regress. de *saldar*.
saleiro → SAL.
salema *sf.* 'peixe teleósteo, percomorfo, da fam. dos pomadasídeos, da costa atlântica' 1874. De etimologia obscura.
⇨ **salema** | 1836 SC |.
salepo *sm.* 'designação comum a várias orquídeas da Europa e Ásia, cujos tubérculos, translúcidos e de consistência semelhante à da carne, fornecem, se tratados pela água quente, um líquido turvo e acinzentado, rico em mucilagem, que é usado no tratamento da diarreia' 1858. Do fr. *salep*, deriv. do turco *sālep* e, este, do ár. *taʕlab*.
salesiano *adj.* 'pertencente ou relativo à congregação salesiana, também chamada Sociedade de S. Francisco de Sales, fundada por S. João Bosco em Turim, em 1859, e que se destina à educação de jovens' 1899. Do fr. *salésien*.
saleta → SALA.
salg·a, -adeira, -adinho(s), -ado, -alhada, -ar, sal-gema → SAL.
salgueiro *sm.* 'designação comum a várias espécies de plantas do gênero *Salyx*, da fam. das salicáceas' XIII. Do lat. **salicarius*. de *sălix-icis* || **salicí**COLA *adj. 2g.* 'que vive nos salgueiros' 1899 || **salici**FOLI·ADO 1890 || **salic**IL·ATO XX. '(Quím.) éster ou sal do ácido salicílico' | *salicylato* 1899 | Do fr. *salicylate*, de *salicyle*, de *salic-* (radical dos derivados da *salic*[*ine*] < lat. *sălix -icis*) + *yl·e* (<gr. *hylē* 'madeira') + *-ate* (v. -ATO) || **salic**IL·ICO | *salicylico* 1843 | Do fr. *salicylique*, de *salicyl·e* (v. *salicilato*) + -*ique* (v. -ICO) || **salic**IL·OSO | *salicyloso* 1881 || **salic**ÍNEO 1899 || **salic**ÍVORO 1899 || **sinceiro** *sm.* 'salgueiro' XVI. De **saliceiro* (lat. *salic·em* + -EIRO), através das formas **saíceiro*, **sēceiro*, provavelmente.
sálico *adj.* 'pertencente ou relativo aos sálios, tribo de francos que vivia primitivamente nas margens do Issel' XVI. Do lat. med. *salĭcus*.
salí·cola, -cultura → SAL.

saliente *adj. 2g.* 'que avança ou sai para fora do plano a que está unido' *fig.* claro, evidente' 1759. Do lat. *saliēns -entis* || **sali**ÊNCIA 1890 || **salient**AR 1890.
salí·fero, -ficar, -mancia, -mante, -na, -neiro, -nidade, -no, -nômetro → SAL.
sálio *adj.* 'relativo a cada um dos doze sacerdotes de Marte encarregados da guarda dos escudos sagrados que protegiam a Roma antiga' XVII. Do lat. *salĭus -a -um*.
salitr·ado, -e → SAL.
saliva *sf.* 'líquido transparente e insípido segregado pelas glândulas salivares, e que serve para fluidificar os alimentos e facilitar sua ingestão e digestão' | *sayua* XIII | Do lat. *salīva -ae* || AS·**sialia** *sf.* '(Med.) ausência de secreção salivar' XX. De A- + *sial·o* (gr. *siálōma -atos* 'saliva') + -IA, por via erudita || **saliv**AÇÃO 1813. Do lat. *salīvātĭo -ōnis* || **saliv**ANTE 1881 || **saliv**AR 1813. Do lat. *salīvāre* || **saliv**OSO 1813. Cp. SEIVA.
salmão *sm.* 'peixe da fam. dos salmonídeos peculiar aos mares europeus, e de carne saborosíssima' | *salmon* XIII | Do lat. *salmō -ōnis* || **salmon**ETE *sm.* 'peixe teleósteo, percomorfo, da família dos mulídeos, do Atlântico, de coloração rósea' XVI.
sálmico → SALMO.
salmilhado → SAL.
salmo *sm.* '(Mús.) entre os antigos hebreus, poema religioso para ser acompanhado por qualquer instrumento, de corda ou de sopro' '(Rel.) oração em gênero poético, caracterizada por duplo ritmo, o das palavras e o das ideias, para ser acompanhada pelo saltério' XIII. Do lat. ecles. *psalmus -ī*, deriv. do gr. *psalmós* || **sálm**ICO 1873 || **salm**ISTA | *psalmista* XVI | Do lat. ecles. *psalmista*, deriv. do gr. *psalmistēs* || **salmodia** *sf.* 'modo de cantar ou recitar salmos' XIV. Do lat. ecles. *psalmodĭa*, deriv. do gr. *psalmō(i)día* || **salmodi**AR 1813 || **saltério** *sm.* 'designação que os Setenta (tradutores do Antigo Testamento em grego) deram ao hinário de Israel, isto é, aos salmos' | *salteiro* XIII, *-eyro* XIII | Do lat. *psaltērĭum*, deriv. do gr. *psaltērion*.
⇨ **salmo** — **salm**ISTA | XIV ORTO 46.*19*, *psalmista* Id.66.*21* |.
salmonela *sf.* '(Patol.) gênero de bactérias entéricas do homem e dos animais, o qual conta mais de 300 espécies' XX. Do lat. cient. *salmonella*, do antrop. D.E. *Salmon* (1850-1914).
salmonete → SALMÃO.
sal·moura, -obre → SAL.
saloio *adj. sm.* 'indivíduo rústico, grosseiro' 'camponês das cercanias de Lisboa' 'aldeão' XVIII. Do ár. *ṣahrauī*, através do ár. vulg. *ṣahrōi* 'homem habitante do deserto'.
salomônico *adj.* 'pertencente ou relativo a Salomão, rei dos hebreus (1032-975 a.C.), considerado um governante sábio e criterioso' 1899. Do antr. *Salomon* (var. de *Salomão*) + -ICO.
⇨ **salomônico** | 1836 SC |.
salpa *sf.* 'animal pelágico, de corpo transparente, do grupo dos tunicados' 1874. Do lat. *salpa -ae*, deriv. do gr. *sálpē -ēs*.
salpicado → SAL.
salpicão *sm.* 'paio ou chouriço grosso, preparado com lombo de porco ou presunto e temperado

com sal, alho e, por vezes, vinho' 1813. Do cast. *salpicón*.
sal·picar, -pico, -pimenta → SAL.
salpinge *sm.* '(Anat.) trompa de Falópio' '(Anat.) trompa de Eustáquio' 'entre os antigos gregos, trombeta em forma de cone utilizada em cerimônias litúrgicas e nos exércitos' XX. Do lat. *salpinx -ingis*, deriv. do gr. *sálpigx -iggos* || **salpinga** *sf.* 'serpente do deserto' 1874. Forma divergente de *salpinge* || **salping**ECTOM·IA *sf.* '(Cir.) ablação da salpinge' XX || **salping**ICO XX || **salping**ITE XX || **salpingo**CIESE *sf.* '(Patol.) gravidez tubária ou na trompa de Falópio' XX. De *salpingo-* + *-ciese* (gr. *kyēsis* 'gravidez'), por via erudita || **salpingo**SCÓP·IO XX.
sal·pintar, -preso, -sa, -sada → SAL.
salsaparrilha *sf.* 'designação comum a cipós da fam. das liliáceas, de cuja raiz o povo extrai uma droga considerada como eficiente depurativo' XVI. Do cast. *zarzaparrilla*, com provável influência de *salsa*.
sals·eira, -eiro → SAL.
salsicha *sf.* 'chouriço, linguiça' | *salchicha* 1813 | Do it. *salsiccia*, deriv. do lat. tard. *salsīcia* || **salsich**ÃO | *salchichão* 1813 || **salsich**ARIA 1890 || **salsich**EIRO 1858.
sal·so, -sugem, -suginoso → SAL.
saltar *vb.* 'dar saltos' 'brotar' 'atravessar pulando' XIII. Do lat. *saltāre* || AS·**salt**ANTE XX || AS·**saltar** 1572. Do lat. vulg. **assaltare*, por *assultāre* || AS·**salto** 1572 || RES·**salt**ADO XVI || RES·**saltar** XX || **salt**ADOR 1858 || **salt**AD·OURO XVI || **salt**ANTE XVI. Do lat. *saltāns -āntis* || **salt**ÃO XVI || **salt**AR·ELO *adj. sm.* 'que gosta de saltar' '(Mús.) dança viva, de origem italiana' | *saltarello* XVII | Do it. *saltarello* || **salt**ATRIZ | *saltatrice* XVII | Do lat. *saltatrix -īcis* || **salt**EE·ADOR XVI || **salt**EAR XIV || **salt**Í·GRADO 1873 || **salt**IMBANCO XVI. Do it. *saltimbanco* || **saltimbarca** *sf.* 'tipo de vestimenta usada na Toscana' XVII. Do it. *saltimbarca* || **salt**IT·ANTE 1881 || **salt**IT·AR XIX || **salto** XV. Do lat. *saltus -ūs*.
⇨ **saltar** — AS·**salto** | 1572 *Lus*. IX.82, *asalto c* 1539 JCASD 90.*13* || RES·**salt**AR | *resal-* 1836 SC || **salt**ADOR | 1836 SC || **salto** | XIV GREG 3.17.*32*, ORTO 169.*17* |.
saltério → SALMO.
salt·ígrado, -imbanco, -imbarca, -itante, -itar, -o → SALTAR.
salubre *adj.* 'saudável' XVI. Do lat. *salūber -bris -bre*, ou *salūbris -bre* || IN**salubre** 1813. Do lat. *īnsalūber -bris -bre*, ou *īnsalūbris -bre* || IN**salubr**IDADE 1873 || **salubr**IDADE XVI. Do lat. *salūbrĭtās -ātis* || **salubr**IFICAR XX.
⇨ **salubre** — IN**salubr**IDADE | 1836 SC |.
saludar *vb.* 'curar por meio de rezas' 'benzer para curar' 1844. Do cast. *saludar*, deriv. do lat. *salūtāre* || **salud**ADOR *sm.* 'curandeiro' XVI. Do cast. *saludador*, deriv. do lat. *salūtātŏr -ōris*. Cp. SAÚDE.
⇨ **saludar** | 1836 SC |.
salut·ar, -ífero → SAÚDE.
salva¹ *sf.* 'erva da fam. das labiadas (*Salvia oficinalis*), nativa na região mediterrânea, usada como medicinal' XVI. Do lat. *salvĭa -ae* || **salv**ETA *sf.* 'salva¹¹ 1858 || **salv**INA *sf.* XVII.
⇨ **salva**¹ — **salv**ETA | 1836 SC |.
salvar *vb.* 'tirar ou livrar (de ruína ou perigo)' 'conservar' 'salvaguardar' XIII. Do lat. *salvāre* ||
RES·**salva** 1813 || RES·**salv**ADO XX || RES·**salvar** XIV || **salva**² *sf.* 'tipo de bandeja' XVII || **salva**³ *sf.* '(Artilh.) conjunto de tiros dados simultaneamente, ou em rápida sucessão, com diversos canhões, sobre um alvo' XVI || **salva**⁴ *sf.* 'juramento, prova solene' XIII || **salv**AÇÃO | *salvaçon* XIII | Do lat. *salvātĭō -ōnis* || **salv**ADOR XIII. Do lat. *salvātŏr -ōris* || **salv**A·DOS *sm. pl.* 'restos que escaparam duma catástrofe, em especial um incêndio ou um naufrágio' 1881 || **salvaguarda** 1844. Do fr. *sauvegarde* || **salvaguard**AR 1881. Do fr. *sauvegarder* || **salv**AMENTO XIII || **salv**ANTE XIV || **salv**AT·ELA *adj. sf.* '(Anat.) veia que vai das costas da mão à parte interna do antebraço' XVII || **salv**AT·ÉRIO *sm.* 'salvação providencial' 1890 || **salvo**¹ *adj.* 'livre' XIII || **salvo**² *prep.* 'exceto' XIII.
⇨ **salvar** — RES·**salv**ADO | *resal-* 1836 SC || RES·**salv**AMENTO | XV VIRG I.571 || **salvaguarda** | 1836 SC |.
salv·eta, -ina → SALVA¹.
salvo → SALVAR.
samambaia *sf.* 'nome comum a várias plantas ornamentais da fam. das gleiqueniáceas' | *sambambaya* 1730, *sambambaia a* 1809 etc. | Do tupi, mas de étimo indeterminado || EN**samambai**ADO XX || **samambai**AÇU XX || **samambai**AL XX.
sâmara *sf.* '(Bot.) fruto seco, indeiscente e provido de asa, pelo quê costuma voar a longas distâncias, conduzido pelo vento' 1899. Do lat. *samăra, saměra*.
samário → SAMARSQUITA.
samaritano *adj. sm.* 'de ou pertencente ou relativo a Samaria, antiga cidade da Palestina' 'o natural ou habitante daquela cidade' XVI. Do lat. *samaritānus*.
⇨ **samaritano** | XIV TEST 356.*3* |.
samarra *sf.* 'vestuário grosseiro e antigo de peles de ovelha' XVI. Do cast. *zamarra* || **samarr**ÃO | *çamarrão* XVI || **samarr**O | *çamarro* XVI.
samarsquita *sf.* '(Min.) mineral ortorrômbico, escuro, de brilho resinoso, constituído de niobato e tantalato de ferro, ou de cálcio, ou de uranilo, como radicais bivalentes, e de cério e de ítrio como trivalentes' XX. Do al. *Samarskit*, voc. introduzido na linguagem científica internacional, em 1847, pelo químico alemão H. Rose (1795-1864), em homenagem ao engenheiro de minas russo V.E.S. *Samarski* || **samár**IO *sf.* '(Quím.) elemento de número atômico 62, metálico, cinzento, duro, do grupo dos lantanídeos' XX. Do lat. cient. *samarium*, de *samar*(*skit*) + *-ium*.
samba *sm.* 'dança cantada, de origem africana, compasso binário e acompanhamento obrigatoriamente sincopado' 1890. De provável origem africana || **samb**AR XX || **samb**ISTA XX.
sambaíba *sf.* 'planta da fam. das dileniáceas' XIX. Do tupi **sama'ïųa*.
sambanga *adj. 2g.* 'tolo, atoleimado' XX. De provável origem africana.
sambango *sm.* 'indivíduo fraco, sem forças' XX. Parece palavra de origem expressiva. Cp. SAMBANGA.
sambaqui *sm.* 'designação de depósitos de conchas e restos de cozinha misturados com partes de esqueletos de homens e animais primitivos que habitaram o litoral americano em épocas remotas' 'ostreira' XIX. Do tupi, mas de étimo indeterminado.

sambar → SAMBA.
sambenito *sm.* 'hábito de baeta amarela e verde, que os penitentes vestiam pela cabeça à moda de saco e trajavam nos autos de fé' XVI. Do cast. *sambenito*.
sambista → SAMBA.
samblar → ENSAMBLAR.
sambuco *sm.* 'pequeno barco, oriental, que se usava antigamente na Índia' | 1505, *zambuco* 1500, *zambuquo* 1507 etc. | Do ár. *ṣanbuq*.
samburá *sm.* 'cesto' | 1587, *samurá* 1587 etc. | Do tupi *samu'ra*.
sâmio *adj. sm.* 'de, ou pertencente ou relativo à ilha de Samos (Grécia)' 'o natural ou habitante dessa ilha' 1899. Do lat. *samĭus -a -um*, deriv. do gr. *sámios -a -on*.
samnita *adj. s2g.* 'pertencente ou relativo aos samnitas, povo montanhês da Itália antiga' XVI. Do lat. *samnītis -ītis* || **samnít**ICO 1572.
samoiedo *sm.* 'indivíduo natural do extremo norte da Fed. Russa e Sibéria, na região que confina com o oceano Ártico' 'idioma do grupo uraliano da família uralo-altaica' | α. *zamoged* 1651, *samojedo* 1739; β. *samoida* 1719, *samoyeda* 1781, *samoyde* 1789, *samoïda* 1815 | Do rus. *samoed* (a. rus. *samojad'*, *samojei*), através do al. *Samojed* (vars. α) e do fr. *samoyede* (vars. β). O voc. russo provém do lapão, não se justificando, portanto, a interpretação 'canibal' que vem sendo atribuída ao vocábulo desde o séc. XVII, e que decorre de uma etimologia popular: rus. *samo* 'por si mesmo' 'a si mesmo' + *est'* 'comer'. Em 1651, Fr. Manuel dos Anjos assim se refere aos samoiedos, na sua *História Universal*: "Não longe daqui [dos montes Hiperbóreos] habitão outros [povos], a quem os Moscouitas chamão Zamogeds (que quer dizer, os que se comem huns aos outros) os quais nunca vem a Moscouia, sempre andão fugindo de todo o commercio humano" || **samoiéd**ICO 1899.
samorim *sm.* 'título do antigo rei ou rajá de Calecute (Índia)' | *çamolim* XV, *çamorym* XVI etc. | Do malaiala *tāmūdri*, vulgarmente *tāmūri*.
samovar *sm.* 'espécie de caldeira portátil, de uso na Rússia, especialmente para a feitura do chá' 1877. Do fr. *samovar*, deriv. do rus. *samovár*, de *samo* 'por si mesmo' + *varít* 'ferver'.
sampana *sf.* 'no Extremo Oriente, pequena embarcação de boca aberta, impelida a vela ou a remo, usada para transportar passageiros e carga em águas abrigadas, ou para pesca' 1899. Do fr. *sampan*, deriv. do chinês *san-pan* (de *san* 'três' + *pan* 'tábua' 'bordo'). Cumpre observar que, com as formas *champana* e *champane*, derivadas diretamente do mal. *sampan* (< chinês *san-pan*), o voc. já se documenta em textos portugueses do séc. XVI.
sampar *vb.* 'arremessar, atirar' 1899. Do esp. plat. *zampar*.
samurai *sm.* 'guerreiro japonês, membro da casta militar, a serviço de um daimio' 1874. Do jap. *samurai*.
sanar *vb.* 'curar, tratar' | XIII, *sãar* XIII, *saar* XIII etc. | Do lat. *sānāre* || INSANABIL·IDADE 1873 || INSANÁ·VEL XVIII. Do lat. *īnsānābĭlis -e* || INS**an**IA 1572. Do lat. *īnsānĭa -ae* || INS**an**IDADE XX. Do lat. *īnsānĭtās*

-ātis || INS**an**O 1572. Do lat. *īnsānus -a -um* || **sa·dio** XVI. Do lat. *sānātīvus* || **san**ADOR | *sãador* XIII || **san**AT·IVO XVII. Forma divergente culta de *sadio*, do lat. *sānātīvus* || **san**AT·ÓRIO XX. Adaptação do fr. *sanatorium*, deriv. do lat. *sānātōrĭus* || **san**ÁVEL 1874 || **san**E·ADOR XX || **san**E·AMENTO XV || **san**EAR | *saniar* XV || **san**IDADE | XVII, *saýdade* XIII etc. | Do lat. *sānĭtās -ātis* || **san**IFIC·AR *vb.* 'tornar são ou salubre' 1899 || **san**IT·ÁRIO 1844. Adaptação do fr. *sanitaire* || **san**ITAR·ISMO XX || **san**ITAR·ISTA XX || **são**¹ *adj. sm.* 'saudável, bom, sadio' | XIII, *sãao* XIII, *sã* f. XIII, *sãa* f. XIII | Do lat. *sānus -a -um* || **sar**ADO 1813 || **sarar** *vb.* 'sanar' XIV. Divergente culta de *sanar*, do lat. *sānāre*, através das variantes antigas *sãar*, *saar*, *sar*; do infinitivo antigo *sar* formou-se um futuro *sarei*, de que se deduziu outro infinitivo, o atual *sarar*.
⇨ **sanar** — **san**ÁVEL | 1836 SC |.
sanca *sf.* 'cimalha convexa que une as paredes de uma sala ao teto' XIII. Do lat. tard. *zanca, tzanca* 'nome de uma espécie de calçado', provavelmente tomado do persa ant. *zanga* 'perna' || **sanc**O *sm.* 'perna de ave, desde a garra até a junta da coxa' | *çanco* XIV.
sanção *sf.* 'aprovação dada a uma lei pelo chefe de Estado' 'medida repressiva infligida por uma autoridade' | *sancção* 1790 | Do lat. *sanctĭō-ōnis*, de *sancire* 'tornar sagrado, inviolável' 'estabelecer solenemente uma lei, ordenar' 'proscrever' || **sanc**ION·AR | *sancciona* 1844. Cp. SANTO.
sanco → SANCA.
sandália *sf.* 'calçado feito de uma sola presa ao pé por tiras ou cordões' XVII. Do lat. *sandalĭa*, pl. de *sandalĭum*, deriv. do gr. *sandálion*, dim. de *sándalon*.
sândalo *sm.* 'árvore da fam. das santaláceas, originária da Índia e adjacências, que fornece madeira resistente e aromática, da qual se extrai um óleo de uso clássico em perfumaria' XVI. Do lat. med. *sandalum*, deriv. do gr. *sántalon* e, este, do ár. *sandal*.
sandáraca *sf.* 'resina aromática de algumas árvores, especialmente da tuia' 'arsênico rubro' XVII. Do lat. *sandăracă*, deriv. do gr. *sandarákē*.
sandeu *adj. sm.* 'idiota, parvo, tolo' XIII. De etimologia obscura || EN**sand**ECER XVI || **sand**EJAR XVI || **sand**ICE XIII || **sand**IO XIV.
⇨ **sandeu** — EN**sand**ECER | XIV ORTO 4.9 |.
sandim *sm.* 'arvoreta caducifólia da fam. das ramnáceas, nativa na Europa' 1881. De etimologia obscura.
sandio → SANDEU.
sanduíche *sm.* 'duas ou mais fatias de pão intercaladas com queijo, presunto, carne, ovos etc.' | *sandwich* 1858 | Do ing. *sandwich*, do título de John Montagu, conde de Sandwich (1718-1792), cujo cozinheiro inventou este artifício a fim de que o conde pudesse comer à mesa de jogo.
sane·ador, -amento, -ar → SANAR.
sanedrim *sm.* 'entre os antigos judeus, tribunal, em Jerusalém, formado por sacerdotes, anciãos e escribas, o qual julgava as questões criminais ou administrativas referentes a uma tribo ou a uma cidade, os crimes políticos importantes etc.' 1813. Do hebraico tard. *sanhedrīn*, deriv. do gr. *synédrion*. Cp. SINEDRIM, SINÉDRIO.

sanefa *sf.* 'faixa de pano, larga, que se atravessa, como ornato, na parte superior dos cortinados, nas vergas das janelas etc.' XVIII. Do ár. *şanífa*.
sanfeno *sm.* 'esparzeta' 'erva da fam. das leguminosas, de origem europeia e cultivada como forrageira' 1881. Adapt. do fr. *sainfoin*.
sanfona *sf.* '(Mús.) *ant.* viela¹' 'acordeão' XVI. Der. regressivo de *sanfonina* || **sanfon**EIRO XX || **sanfonina** | XVI, *-inha* XVI, *cinfonja* XIV | Do lat. *symphōnĭa* 'concerto de vozes, de instrumentos', deriv. do gr. *symphōnía* || **sanfonin**EIRO 1813. Cp. SINFONIA.
sanga *sf.* 'algirão' 'pequeno regato, que seca facilmente' 1844. De origem controversa || **sangu**INH·AR *vb.* 'patinar na lama' XX. Cp. SANJA.
⇨ **sanga** | 1836 sc |.
sangalho *sm.* 'antiga medida de capacidade para sólidos e líquidos' 1813. Do top. *Sangalhos*, concelho de Portugal.
sangue *sm.* 'líquido normalmente vermelho que corre pelas veias e artérias, formado de plasma, glóbulos vermelhos e glóbulos brancos, e que serve à nutrição e purificação do organismo' XIII. Do lat. *sanguen*, de *sanguĭs -ĭnis* || CON**sangu**ÍN·EO | 1813, *consanguinho* XVI | Do lat. *cōn-sanguinĕus -a -um* || CON**sangu**IN·IDADE 1706. Do lat. *cōnsanguinĭtās -ātis* || EN**sangu**ENT·ADO | *-goe-* XIV, *em-* XIV || EN**sangu**ENT·AR | XV, *ēsangoentar* XIV etc. | EX**angue** XVII. Do lat. *ex-sanguis -e* || **sangra** *sf.* 'líquido arroxeado que escorre da azeitona comprimida ou empilhada' 1899 || **sangr**AD·EIRA 1899 || **sangr**ADOR XIII || **sangr**AD·OURO XVI || **sangr**AD·URA XIII || **san**·**gr**AR XIII. Do lat. *sanguĭnāre* || **sangr**ENTO | *samgremto* XIV || **sangr**IA XIII. Do cast. *sangría* || **san**·**gu**EIRA XVI || **sangu**ENTO | XIII, *-goento* XIV etc. | Do lat. *sanguĭnentus (sanguĭlentus)* || **sangues**·SUGA | *sanguesuga* XVI | Do lat. *sanguisūga -ae* || **sanguí**·FERO 1858 || **sangu**IFIC·AR 1813 || **sangu**INA 1874 || **sangu**IN·ÁRIA 1890 || **sangu**IN·ÁRIO XVI. Do lat. *sanguinārĭus -a -um* || **sangu**ÍN·EO XIV. Do lat. *sanguĭnĕus -a -um* || **sangu**INH·EIRO 1881 || **san**·**gu**INHO | *sanguÿa* XIII | Forma divergente popular de *sanguíneo* || **sangu**INO 1572. Forma divergente semierudita de *sanguíneo* || **sangu**INOL·ENTO 1572. Do lat. *sanguĭnŏlēntus* || **sangu**IN·OSO XVI. Do lat. *sanguinōsus*.
sanguinhar → SANGA.
sangu·inheiro, -inho, -ino, -inolento, -inoso → SANGUE.
sanha *sf.* 'cólera, ira' XIII. Do lat. *insānĭa*, com aférese da sílaba inicial || AS·**sanh**ADO XVI || AS·**sanh**AMENTO 1813 || AS·**sanh**AR | XIII, *assannar* XIII etc. | EN**sanh**ADO | *enssanhado* XIII || EN**sanh**AR XIV. Do lat. vulg. *insānĭāre* || **sanh**OSO | *sannoso* XIII || **sanh**UDO *adj.* 'irritado, colérico' | XIII, *sannudo* XIII, *sanudo* XIII etc.
⇨ **sanha** — AS·**sanh**ADO | XV OFIC 199.*23*, *asanado* XIV GALE 359.*2* || AS·**sanh**AMENTO | *asanhamento* XV SBER 102.*26*, *asanhamēto* XV VITA 64v30 |.
sanhaço *sm.* 'pássaro da fam. dos traupídeos' | 1817, *sanhaçú* 1728 | Do tupi *saîa'su < sa'i* 'saí' + *a'su* 'grande'.
sanh·oso, -udo → SANHA.
sanícula *sf.* 'planta medicinal da fam. das umbelíferas' 1844. Do lat. tard. *sānĭcŭla*.
⇨ **sanícula** | 1836 sc |.

sanidade → SANAR.
sânie *sf.* ' pus ou matéria purulenta gerada pelas úlceras e chagas não tratadas' XVII. Do lat. *saniēs -ēī* || **sani**OSO XVII. Do lat. *saniōsus -a -um*.
san·ificar, -itário, -itarismo, -itarista → SANAR.
sanioso → SÂNIE.
sanja *sf.* 'abertura ou dreno para escoar águas' 'valeta, rego' XVII. Do cast. *zanja*, provavelmente. Cp. SANGA.
sanjaco *sm.* 'governador de território, no Egito e em terras de turcos' | XVI, *saniáque* XVI, *sangiac* XVI | Do turco *sanjāq*.
⇨ **sanjaco** — **sanjac**ATO | *saniacato* 1538 DCast 546.*20*, *saniacado* Id. 66v4 |.
sânscrito *sm.* 'antiga língua clássica da Índia, da fam. indo-europeia' | XIX, *saunscredão c* 1615, *samsucrutá* XVII, *hanscrit* 1727 etc. | Do sânscr. *saṃskṛta* 'puro, aperfeiçoado, polido', em oposição a *prākṛta* ' vulgar, comum'. Cp. PRÁCRITO.
sansimonismo *sm.* 'sistema político e social de Claude Henri de Rouvroy, Conde de Saint-Simon (1760-1825), filósofo e economista francês, um dos precursores do socialismo' 1874. Adapt. do fr. *saint-simonisme*, de *Saint-Simon*.
santeiro → SANTO.
santelmo *sm.* 'chama azulada que, sobretudo por ocasião de tempestade, surge nos mastros dos navios, produzida pela eletricidade' 1813. De *Santo Elmo* (*Elmo* por *Ermo*, alteração de *Erasmo*, santo evocado pelos marinheiros do Mediterrâneo quando, por ocasião das tempestades, aparecia esta chama.)
santo *adj. sm.* 'sagrado' 'que vive segundo os preceitos religiosos, a lei divina' 'segundo a tradição judaico-cristã, atributo de Deus e um dos seus nomes, sublinhando a transcendência da natureza divina' XIII. Do lat. *sanctus -a -um* || **sant**EIRO XVII || **sant**IDADE XIII. Do lat. *sanctĭtās -ātis* || **sant**IFIC·AÇÃO XVII. Do lat. *sanctĭficātĭō -ōnis* || **sant**IFIC·ADOR XV. Do lat. *sanctĭficātor -ōris* || **sant**IFIC·AMENTO XV || **sant**IFIC·ANTE XVII || **sant**IFIC·AR | *santivigar* XIII, *santiguar* ' XIII etc. | Do lat. *sanctĭficāre* || **santi**·**mônia** *sf.* 'modo ou aparência de santo' XVI. Do lat. *sanctimōnĭa -ae* || **santimoni**AL 1844. Do lat. *sanctimoniālis -e* || **sant**ÍSSIMO XIV || **santor**·AL XVII || **sant**U·ÁRIO | XIV, *santuairo* XIII | Do lat. *sanctŭārĭum -ĭī* || **são²** *sm.* 'santo' XIII. Forma proclítica apocopada de *santo*.
⇨ **santo** — **santimoni**AL | 1836 sc |.
santola *sf.* 'aranha-do-mar' | *centola* XVI | De etimologia obscura.
santolina *sf.* 'subarbusto da fam. das compostas, muito ramoso, originário do Mediterrâneo' 1881. Do fr. *santoline*. Cp. SANTONINA.
santonina *sf.* 'erva da fam. das compostas, cujos botões florais contêm substância vermífuga' 1881. Do fr. *santonine*, alt. de *santonique* e, este, do lat. *(herba) santonica*, de *santonĭcus* 'relativo aos santões, povo da Aquitânia'. Cp. SANTOLINA.
sant·oral, -uário → SANTO.
são¹ → SANAR.
são² → SANTO.
-são, -ção *suf. nom.*, deriv. do lat. *-sĭō -ōnis* e *-tĭō -ōnis*, respectivamente, que formam substantivos abstratos deverbais, quase todos formados no

próprio latim, com a noção básica de 'ato, ação', deduzidos dos particípios em *-tus* e *-sus*, respectivamente: *agressão* (lat. *aggressiō -ōnis*), *fusão* (< lat. *fūsiō -ōnis*), *audição* (< lat. *audītiō -ōnis*), *obrigação* (< lat. *obligātiō -ōnis*) etc. Cp. -AÇÃO.
sapa *sf.* 'abertura de fossos, trincheiras e galerias subterrâneas' 'pá com que se levanta a terra escavada' XVIII. Do fr. *sape* (ou do it. *zappa*) ‖ sapADOR XVIII ‖ sapAR 1813.
⇨ **sapa** | 1683 *in* RB |.
sapato *sm.* 'calçado, em geral de sola dura, que cobre o pé' | XVI, *ça-* XIII | De origem duvidosa, talvez do turco *čabata* ‖ sapatA XVI ‖ sapatARIA | *çapataria* XIII ‖ sapatE‧ADO XVII ‖ sapatE‧ADOR XX ‖ sapatEAR XVII ‖ sapatEIRA 1813 ‖ sapatEIRO 1813 ‖ sapatILHA | *sapatilho* 1873 ‖ sapatINHO *sm.* 'erva da fam. das euforbiáceas' 1813.
⇨ **sapato** — sapatEIRO | *çapateiro* XV FRAD II.123.*20* ‖ sapatILHA | *-lho* 1836 SC |.
sapé *sm.* 'planta da fam, das gramíneas, cujas folhas são muito utilizadas para cobertura de habitações rústicas' | *sapee* 1575, *sape* 1575, *saper* 1579 etc. | Do tupi *ïasa'pe* | ENsapez‧ADO XX ‖ sapez‧AL | XIX, *sapezar* 1758 ‖ sapez‧EIRO XX.
sapeca¹ *sf.* 'moeda chinesa, de cobre, com um orifício no centro' | XVIII, *cepayca* XVI, *cipayqua* XVI | Do malaio *sa-păku*, de *sa* 'um' e *păku* ' enfiada de cem moedas'.
sapecar¹ *vb.* 'chamuscar, crestar' 1899. De origem tupi, mas de étimo indeterminado ‖ **sapeca**² *sf.* 'chamuscadura' 1899. Dev. de *sapecar*¹ ‖ **sapeca**³ *adj. s2g.* 'diz-se de, ou pessoa muito saliente, assanhada, irrequieta' XX. De *sapeca*² ‖ **sapecar**² *vb.* 'namorar muito, divertir-se, vadiar' XX.
sápia *sf.* 'variedade de madeira de pinho' 1813. De etimologia obscura.
sápi·do, -ência, -encial, -ente → SABER.
sapiranga *sf.* 'inflamação das pálpebras, blefarite' XIX. Do tupi **esapi'raŋa < e'sa* 'olho' + *pi'raŋa* 'vermelho'.
sapirão *sm.* 'cerimônia indígena que consistia em prantear os visitantes por ocasião de sua chegada à aldeia, em sinal de respeito e alta consideração' | *sapiron* 1656 | Do tupi *sapi'rõ*.
sapiroca *sf.* 'sapiranga' XX. Do tupi **esapi'roka < e'sa* 'olho' + *pi'roka* 'esfolado' ‖ sapirOQUENTO XX.
sapo *sm.* 'designação comum aos anfíbios anuros que, embora o início de sua evolução ocorra na água, têm na sua fase adulta hábitos terrestres e são peçonhentos' XVII. De etimologia obscura.
⇨ **sapo** | XIV ORTO 216.*23* |.
sapon·áceo, -ária, -ário, -ificar → SABÃO.
sapopema *sf.* 'raiz que, emergindo do solo, envolve a base do tronco e se eleva, às vezes, a dois metros de altura' XIX. Do tupi **sapo 'peŋa*.
saporí·fero, -fico → SABER.
sapota *sf.* 'árvore da fam. das sapotáceas, originária da América Central, cujo látex contém 15% de borracha e serve para fabricar o chicle, e cujo fruto (o sapoti) é muito apreciado' 1899. Do cast. *zapote*, deriv. do náuade *tzápotl* 'fruto da sapota' ‖ **sapoti** 1890 ‖ sapotIZ‧EIRO XX.
sapotaia *sf.* 'planta da fam. das caparidáceas' | *-taja* 1618 | Do tupi *sapo'taia*.
sapoti, -zeiro → SAPOTA.

sapr(o)- *elem. comp.*, do gr. *saprós* 'podre',' que se documenta em alguns vocs. introduzidos na linguagem científica internacional, a partir do séc. XIX ♦ saprEMIA *sf.* '(Patol.) intoxicação resultante da presença de produtos pútridos no sangue' XX ‖ sapróFAGO *adj. sm.* 'que, ou aquele que se nutre de restos orgânicos em putrefação' | *saprophago* 1858 ‖ sapróFILO XX ‖ sapróFITO *sm.* 'vegetal, inferior ou superior, desprovido de clorofila, que se nutre de animais e plantas em decomposição' XX ‖ saproGÊNESE XX.
sapucaia *sf.* 'planta da fam. das lecitidáceas' | *zabucaj* c 1574, *zabucáes* pl. 1576, *zabucaya* 1579, *jaçapucaya* c 1584 etc. | Do tupi *ïasapu'kaïa* ‖ sapucaiEIRA | *-caeira* 1856.
⇨ **sapucaia** — sapucaiEIRA | 1836 SC |.
saque → SACAR.
saquê *sm.* 'bebida japonesa usual, obtida pela fermentação artificial do arroz, e servida, em geral quente, durante as refeições' | 1899, *saqui* 1869 | Do jap. *sake*.
saque·ador, -ar → SACAR.
sarabanda *sf.* '(Mús.) dança popular que apareceu na Espanha no século XII' '*fig.* repreensão' 'grande agitação' | *çarabanda* XVIII | Do cast. *zarabanda*, de origem incerta.
sarabulho *sm.* 'aspereza na superfície da louça' '*fig.* bostela, pústula' 1813. De etimologia obscura. Cp. SARRABULHO.
saraça *s2g.* 'certo tecido fino de algodão' | XVII, *çaraça* XVI | Do malaio *sarásah*.
saracotear *vb.* 'menear (o corpo, os quadris etc.) com desenvoltura e graça, rebolar' XVIII. De etimologia obscura ‖ **saracote** 1813 ‖ saracoteIO | 1858, *saracoteo* 1858.
⇨ **saracotear** — saracoteIO | 1836 SC |.
saracura *sf.* 'ave gruiforme da fam. dos ralídeos' | 1587, *çaracura* c 1584 | Do tupi *sara'kura*.
sarado → SANAR.
saragoça *sf.* 'certo tecido de lã escura' XVII. Do top. *Saragoça* (cast. *Zaragoza*), cidade espanhola, capital do ant. reino de Aragão, donde outrora se importava este tecido de lã.
saraiva *sf.* 'chuva de pedra, granizo' | *sarauea* XIV | De etimologia obscura ‖ **saraiv**ADA 1881 ‖ saraiVAR 1813.
saramago *sm.* 'erva da fam. das crucíferas, cuja raiz axial é napiforme' XVII. Do ár. *sarmaq*, com provável interferência do cast. ant. *çaramago* (hoje *jaramago*).
saramátulo *sm.* 'cada um dos chifres do veado, quando ainda tenros' 1813. De etimologia obscura.
sarambeque *sm.* 'nos meados do séc. XVII, dança lasciva e desenvolta, considerada de origem negra, mas que no séc. XVIII foi dançada até nas casas nobres' | *çarambeque* XVII | Do cast. *zarambeque*.
sarambu *sm.* 'dança de negros, originária da África' XX. De etimologia obscura, talvez de origem africana.
sarampão *sm.* 'forma grave de sarampo' XVI. Do cast. *sarampión*, deriv. do lat. *sirïmpio -ōnis* ‖ sarampELO *sm.* '(Patol.) sarampo benigno' XVI ‖ sarampENTO XX ‖ **sarampo** *sm.* '(Patol.) doença infecciosa, contagiosa em excesso, mais comum

na infância, causada por um vírus, e caracterizada por erupção de manchas vermelhas sobre a pele' 1844. Der. regres. de *sarampão*.
⇨ **sarampão — sarampo** | 1836 sc |.
sarandalhas *sf. pl.* 'restos, aparas, limpaduras' 1844. Voc. de origem expressiva.
sarandi *sm.* 'planta da fam. das euforbiáceas' | *-dy* 1870 | Do tupi, mas de étimo indeterminado.
sarapanel *sm.* '(Arquit.) arco abatido' XVIII. De etimologia obscura.
⇨ **sarapanel** | 1534 *in* ZT |.
sarapantar *vb.* 'espantar(-se), pasmar(-se), assustar(-se)' 1858. De etimologia obscura **sarapantADO** 1844.
⇨ **sarapantar** | 1836 sc || **sarapantADO** | 1836 sc |.
sarapatel *sm.* 'iguaria preparada com sangue, fígado, rim, bofe, tripas e coração de certos animais, especialmente porco e carneiro' 1813. De etimologia obscura.
⇨ **sarapatel** | *sarapetèl* 1624 SESILR 41*v*16 |.
sarapilheira *sf.* 'tecido rústico, sem acabamento, usado para enfardamento, limpeza e confecção de roupas grosseiras' 'aniagem' | XV, *serapilheira* 1813 | Do lat. **s(c)irpicularĭa* (> lat. pop. **sirpicularĭa* > ant. fr. *sarpillière* [hoje *serpillière*] ≥ ant. prov. *serpeliera, sarpiliera*), deriv. do lat. cláss. *scirpicŭlus* (< *scirpus* 'junco').
sarapintar → PINTAR.
sarapó *sm.* 'peixe da fam. dos ginotídeos, variedade de enguia' 1618. Do tupi *sara'po*.
sarar → SANAR.
sarará *adj. 2g. sm.* 'nome comum aos insetos lepidópteros noturnos, de cor fulva, mariposa' 1587; *'ext.* indivíduo de cabelos muito crespos, característicos de certos mestiços, e de coloração fulva, 'arruivada' XX. Do tupi *sara'ra*.
sarau *sm.* 'festa noturna, em casa particular, clube ou teatro' XVI. Do galego *serao*.
sarça *sf.* 'silva, silvedo, silvado, matagal' | *sarçe* XIV, *sarzo* m. XIV, *saze* XIV etc. | De origem' controversa, provavelmente pré-romana.
sarcasmo *sm.* 'zombaria, caçoada, escárnio' XIX. Do lat. tard. *sarcasmus*, deriv. do gr. *sarkasmós* || sarcÁST·ICO 1881.
sarco- *elem. comp.*, do gr. *sárx sarkós* 'carne', que se documenta em vocs. formados no próprio grego, como *sarcocele*, e em muitos outros introduzidos na linguagem científica internacional, a partir do séc. XIX ♦ **sarcoCARPO** 1873 || **sarcoCELE** *sf.* '(Patol.) tumor carnudo, localizados nos testículos' 1813. Do lat. *sarcocēlē*, deriv. do gr. *sarkokēlē* || **sarcoCOLA** *sf.* 'resina da sarcocoleira' XVII. Do lat. tard. *sarcocolla*, deriv. do gr. *sarkókolla* || **sarcoDE** *sm.* 'protoplasma de célula animal' 1874. Cp. gr. *sarkṓdēs* || **sarcoDERMA** *sm.* 'tegumento externo da semente, quando carnoso ou suculento' 1858. Do lat. cient. *sarcoderma* || **sarcÓFAGO** XVII. Do lat. *sarcophăgus*, deriv. do gr. *sarkophágos* || **sarcoFILO** *sm.* '(Bot.) a folha suculenta' | *-phylla* 1874 | Do lat. cient. *sarcophyllum* || **sarcoIDE** | *sarcoides* 1881 | Do fr. *sarcoïde*, deriv. do gr. *sarkoeídēs* || **sarcoLÁCT·ICO** XX || **sarcoLEMA** *sm.* '(Anat.) membrana que envolve a fibra muscular' | *sarcolemma* 1899 || **sarcÓLITO** *sm.* 'pedra transparente, da cor da carne' | *sarcolitha* 1858 || **sarcoLOG·IA** 1844 || **sarcoMA** *sm.* '(Patol.) tumor maligno formado por substância semelhante ao tecido conjuntivo embrionário' XVII. Do lat. *sarcōma*, deriv. do gr. *sárkōma* || **sarcoMAT·OSO** 1858 || **sarcÔNFALO** *sm.* '(Patol.) tumor duro no umbigo' | *sarcomphalo* 1844 || **sarcoPI·OIDE** *adj. 2g.* 'que tem aspecto de carne e pus' | *sarcopyoide* 1881 || **sarcoSPERMO** *sm.* '(Bot.) a semente, quando carnuda' 1881 || **sarcoSTE·OSE** *sf.* '(Patol.) endurecimento ou ossificação de um músculo' XX || **sarcóSTOMO** *adj.* '(Zool.) cuja boca é carnuda' 1881 || **sarcÓT·ICO** *adj.* 'que acelera a regeneração das carnes' XVII. Cp. gr. *sarkōtikós*.
⇨ **sárcola** *sm.* '*ant.* tipo de barrete turco' | *sarcolo* 1538 DCast 59.*15*, *exarcola* Id. 28*v*16 | Do a. it. *sàrcola*, de origem controvertida; a var. port. *exarcola* deriva do a. it. *essàrcole*, com provável intercorrência de EXARCO.
sarda[1] *sf.* 'peixe teleósteo, percomorfo, da fam. dos tunídeos, do Atlântico' XVI. Do lat. *sarda -ae*.
sarda[2] *sf.* 'cada uma das pequenas manchas pigmentadas, castanho-escuras, que surgem no rosto e no corpo de certas pessoas, sobretudo as de pele muito clara, e devidas ao aumento da deposição de melanina' 1813. De etimologia obscura || **sardENTO** 1813 || **sardo**[2] XVI.
sardanapalesco *adj.* 'que vive na devassidão e no fausto, como Sardanapalo, personagem lendário que, segundo a tradição clássica, teria sido rei da Assíria' XIX. Do ant. *Sardanapal·o* (< lat. *Sardanapālus* < gr. *Sardanápālos*) + -ESCO.
sardão *sm.* 'espécie de lagarto escuro' XVI. De etimologia obscura || **sardanISCA** *sf.* 'lagartixa' 1881 || **sardanITA** XX.
sardento → SARDA[2].
sardinha *sf.* 'designação comum a várias espécies de peixes teleósteos, isospôndilos, da fam. dos clupeídeos' | XIV, *sardina* XIII | Do lat. *sardīna -ae* || **sardinhEIRA** | XIV, *ssardjinhejra* XV || **sardinhETA** 1899.
sárdio *sm.* 'variedade castanha de calcedônia' | *sardis* XIV | Do lat. *sardĭus*, deriv. do gr. *sárdios* || **sardÔN·ICA** *sf.* 'variedade de calcedônia, escuro-alaranjada ou vermelho-pardacenta' XVI. Do lat. *sardonyx -nychis*, deriv. do gr. *sardónyx -ónychos*.
sardo[1] *adj. sm.* 'de, ou pertencente ou relativo à Sardenha (Itália)' 'o natural ou habitante da Sardenha' 'cada um dos dialetos românicos da Sardenha' 1813. Do lat. *sardus*.
sardo[2] → SARDA[2].
sardônico *adj.* 'diz-se do riso forçado e sarcástico, que podia, a crer nos antigos, ser produzido pela sardônia' 1813. Do lat. **sardonicus*, deriv. do gr. *sardonikós* || **sardônia** *sf.* 'erva da fam. das ranunculáceas' XVI. Do lat. *(herba) sardōnĭa* || **sardônio** *adj.* 'sardônico' XVI. Do lat. *sardonius*, deriv. do gr. *sardónios*.
sargaço *sm.* 'qualquer alga feofícea, de grandes dimensões, do gênero *Sargassum* e outros afins' XVI. Do lat. pop. **salicaceus* (< cláss. *salix salicis*); através do port. o voc. passou ao cast. *sargazo*, fr. *sargasse*, it. *sargasso*, ing. *sargasso* etc. || **sargaçA** 1881.
sargento[1] *sm.* *'orig.* servidor, empregado' '(Mil.) graduação hierárquica acima de cabo e abaixo de suboficial ou subtenente' | XVI, *sergente* XIII | Do *fr.*

sergent, deriv. do lat. *serviens -entis*, part. pres. de *servīre* 'servir'.
sargento[2] *sm.* 'ferramenta de carpinteiro com a qual se prendem as tábuas ao banco' 1881. Parece tratar-se de adapt. de fr. *serre-joint*.
sargo *sm.* 'peixe teleósteo, isospôndilo, da fam. dos clupeídeos, das costas da América' XVI. Do lat. *sargus*, deriv. do gr. *sárgos*.
sariguê *sm.* 'mamífero marsupial da fam. dos didelfídeos, gambá' | *cerigoê* 1576, *çariguê c* 1584, *serigoé* 1587, *sarige c* 1590 etc. | Do tupi *sari'üe* ||
sariguebeiju *sm.* 'mamífero carnívoro da fam. dos mustelídeos, espécie de doninha' | *çarigueybejû c* 1584, *cariguemeiu c* 1594 | Do tupi *sariüeïme'iu*.
sarilho *sm.* 'espécie de dobadoura' 'cilindro disposto horizontalmente, e no qual se enrola corda, cabo ou corrente de um aparelho de levantar pesos' | XIII, *zarello* XIII | Do lat. **serĭcŭlus*, de *sēra* 'tranca' || EN**sarilh**AR 1813 || **saril**HAR 1813.
sarja[1] *sf.* 'tecido entrançado, de seda, lã ou algodão' XIII. Do fr. ant. *sarge* (hoje *serge*), deriv. do lat. vulg. **sarica* (cláss. *sērica*, fem. substantivado de *sēricus*) || **sarj**EL *sm.* 'tecido grosso de lã' | *sargel* 1844 || **sarj**ETA[1] *sf.* 'sarja estreita ou delgada' 1844.
⇨ **sarja**[1] — **sarj**EL | *-gel* 1836 SC || **sarj**ETA[1] | 1836 SC |.
sarja[2] *sf.* 'incisão superficial na pele para retirar sangue ou num tumor para drenar o pus' XVI. De etimologia obscura || **sarj**AD·URA 1813 || **sarj**AR 1813 || **sarj**ETA[2] *sf.* 'escoadouro de águas, vala' | 1874, *sargenta* XVII.
⇨ **sarja**[2] — **sarj**ETA[2] | 1836 SC |.
sarj·el, -eta[1] → SARJA[1].
sarjeta[2] → SARJA[2].
sármata *sm.* 'antigo povo que habitava a região situada entre o Vístula e o Dom' 1572. Do lat. *Sarmătae -ārum* (= gr. *Sarmátai*) || **sarmát**ICO 1572.
⇨ **sármata** | 1537 PNun 107.*17*, 1538 DCast 9.*28* |.
sarmento *sm.* '(Bot.) originariamente, ramo da videira' 'ext. qualquer ramo semelhante ao da videira, muito longo, delgado, lenhoso e flexível' XIII. Do lat. *sarmentum -ī* || **sarment**IC·IO XVII. Do lat. *sarmentīcius -a -um* || **sarmentí·**FERO 1881 || **sarment**OSO 1858. Do lat. *sarmentōsus -a -um*.
⇨ **sarmento** — **sarment**OSO | 1836 SC |.
sarna *sf.* 'afecção cutânea contagiosa, parasitária, provocada no homem pelo *Sarcoptes scabiei* e nos animais por ácaros que variam com a espécie' XIV. Do lat. tard. *sarna* || **sarn**ENTO 1813 || **sarn**OSO 1813.
sarongue *sm.* 'espécie de saia, curta, constituída de uma faixa de fazenda, geralmente de cor viva, enrolada em torno do corpo, usada por ambos os sexos no arquipélago malásico e nas ilhas do Pacífico' XX. Do mal. *sărung*, através do ing. *sarong*. O voc. difundiu-se nas línguas modernas graças aos filmes de atmosfera havaiana, exibidos entre 1936 e 1946, nos quais a atriz Dorothy Lamour aparecia sempre vestida de sarongue. Cumpre observar que, pelo menos a partir de 1843, já se documenta em português o pl. *sarões*, adaptação direta do mal. *sărung*.
sarópode *adj. 2g.* '(Zool.) que tem patas peludas' | *sarópodo* 1874 | Do gr. *sáros* 'vassoura' e gr. *poús podós* 'pé', por via erudita.

saros *sm.* 2*n.* '(Astr.) intervalo de tempo em que os eclipses se repetem aproximadamente na mesma sequência' XX. Do lat. cient. *saros*, deriv. do gr. *sáros* e, este, do assírio-babilônico *šār(u)*.
sarrabalho *sm.* 'modalidade de fandango' 1899. De etimologia obscura.
sarrabulho *sm.* 'o sangue coagulado do porco' 1813. De etimologia obscura || **sarrabulh**ADA 1813. Cp. SARABULHO.
sarracênia *sf.* 'gênero de plantas vivazes de grandes flores solitárias, procedente das regiões pantanosas da América do Norte' 1873. Do lat. cient. *sarracenia*, voc. criado por Tournefort, em 1700, em homenagem a D. *Sarrazin*, de Quebec, que lhe enviou a planta para estudo.
sarraceno *sm.* 'indivíduo dos sarracenos, povo nômade pré-islâmico, habitante dos desertos entre a Síria e a Arábia' 1572. Do lat. tard. *saracēnus*, deriv. do gr. bizantino *sarakēnós* e, este, provavelmente, do ár. *šarqīyīn*, pl. de *šarqī* 'oriental'. Cumpre notar que o voc. ocorre, com diferentes grafias, em numerosos textos do latim em Lusitânia, desde o séc. IX.
⇨ **sarraceno** | 1525 ABEjP 1*v*15 |.
sarrafaçar *vb.* 'cortar alguma coisa com instrumento mal afiado' XVI. De etimologia obscura || **sarrafa**AR XVI || **sarraf**O 1813.
⇨ **sarrafaçar** — **sarraf**O | 1720 RB |.
sarrafusca *sf.* 'motim, desordem, barulho' 1881. De etimologia obscura, talvez de formação expressiva.
sarrido → CERRAR.
sarro *sm.* 'borra, principalmente depois de seca, que o vinho e outros líquidos deixam aderente ao fundo das vasilhas' | *ssarro* XIV | De origem pré-romana.
sarta *sf.* 'enfiada, conjunto de objetos' XIV. Do lat. vulg. *sarta* || EN**sart**AR *vb.* 'enfiar (contas, pérolas etc.)' 1813 || **sart**AL XIII.
sassafrás *sm.* 'designação comum a várias espécies de plantas da fam. das lauráceas' XVII. Do cast. *sasafrás*.
satã *sm.* 'na tradição judaica mais primitiva, um dos anjos de Jeová, advogado ou representante dos homens junto a este, e que, posteriormente, sob a influência do problema do mal e das soluções de tipo dualista dadas a esse problema, passou a significar o mau, o demônio' | *satam* XVI | Do lat. *satān*, deriv. do gr. *satān* e, este, do hebr. *śāṭān* || **satanás** | XIII, *sathanas* XIII | Do lat. *satănās -ae*, deriv. do gr. *satanás* e, este, do hebr. *śāṭānā* || **satâ**NICO 1844. Adaptação do fr. *satanique* || **satan**ISMO 1899.
⇨ **satã** — **satân**ICO | 1836 SC |.
satélite *sm.* '(Astr.) corpo celeste que gravita em torno de outro, o qual é denominado principal' 'ext. país ou nação sem autonomia política e/ou econômica' 'fig. pessoa que vive sob a dependência e a proteção de outra' | *satellite* 1813 | Do lat. *satelles -ĭtis*.
satilha *sf.* 'planta da fam. das solanáceas' 1881. De etimologia obscura.
sátira *sf.* 'composição poética que visa a censurar ou ridicularizar defeitos ou vícios' XVII. Do lat. *satĭra -ae*, frequentemente confundido com, ou

associado ao lat. *satyrus* 'sátiro' || **satir**íASE *sf.* '(Med.) priapismo' 1874. Do lat. tard. *satyriasis*, deriv. do gr. *satyríasis* || **'satír**ICO XVII. Do lat. tard. *satiricus*, frequentemente confundido com, ou associado ao lat. *satyricus*, deriv. do gr. *satyrikós* || **satir**IZAR XVII || **sátir**O *adj. sm.* '(Mit.) semideus lúbrico habitante das florestas' *'ext.* libidinoso' | XIV, *satyro* XIV | Do lat. *satyrus*, deriv. do gr. *sátyros*.
⇨ **sátira** — **satír**ICO | *satyrico a* 1595 *Jorn.* 21.*18* |.
satirião *sm.* 'salepo, designação comum a várias orquídeas da Europa e da Ásia' XVII. Do lat. *satyrio -onis*, deriv. do gr. *satýrion*, de *sátyros*.
satir·íase, -ico, -izar, -o → SÁTIRA.
satisfazer *vb.* 'realizar, desempenhar, cumprir' 'agradar, saciar' XIV. Do lat. *satisfacĕre* || **IN**satis**f**AÇÃO XX || **IN**satis**feito** XX || **satisf**AÇÃO | *satisfaçom* XIV | Do lat. *satisfactĭo -ōnis* || **satisf**AT·ÓRIO XVI || **satisfaz**ENTE | *-ffazēte* XIV || **satisfeito** | XV, *satisfecto* XIV | Do lat. *satisfactus*.
sativo *adj.* 'que semeia ou cultiva' XVII. Do lat. *satīvus -a -um*.
sátrapa *sm.* 'governador de província, na Pérsia antiga' *'fig.* homem poderoso, dominador, déspota' XVI. Do lat. *satrăpes -ae*, deriv. do gr. *satrápēs* e, este, do persa *xšathrapāvan* 'protetor da região' || **satrap**IA XVI. Do lat. *satrapĭa*, deriv. do gr. *satrapeía*.
saturação *sf.* 'ato ou efeito de saturar(-se), fartar, encher' '(Fís.) estado de um material ferromagnético em que a indução magnética tem o valor máximo' 1844. Do lat. *saturatĭo -ōnis* || **IN**satur**Á**-VEL 1844. Do lat. *īnsaturābĭlis* -*e* || **satur**ABIL·IDADE 1874 || **satur**ADOR 1874 || **satur**ANTE 1874 || **satur**AR 1813. Do lat. *satŭrāre* || **satur**ÁVEL 1858.
⇨ **saturação** | 1836 SC | **IN**satur**ÁVEL** | 1836 SC |.
saturnal *adj. 2g.* 'relativo ao deus Saturno ou às festas em sua honra, ou próprio dele ou delas' 'orgíaco' XVI. Do lat. *sāturnālis -e* || **saturn**INO 1813. Do lat. med. *saturnīnus* || **saturn**ISMO 1899. Do lat. cient. *saturnismus*.
sauá *sm.* 'macaco da fam. dos cebídeos' | *saá* 1783 | Do tupi *sa'ŷa*.
saúco *sm.* 'a parte do casco das cavalgaduras situada entre a tapa e a palma' 1813. Do cast. *saúco* (ant. *sabuco*), deriv. do lat. *sabúcus*.
saudação → SAUDAR.
saudade *sf.* 'lembrança nostálgica e, ao mesmo tempo, suave, de pessoas ou coisas distantes ou extintas, acompanhada do desejo de tornar a vê-las ou possuí-las' 'nostalgia' | *saydade* XIII, *soidade* XIII, *suidade* XIII etc. | Do lat. *sōlĭtās -ātis* || **saud**OS·ISMO XX || **saud**OSO XV. Forma haplológica de *saudadoso (< *saudad·e* + -oso*). Cp. SOLEDADE.
saudar *vb.* 'cumprimentar, fazer saudação' XIII. Do lat. *salūtāre* || **saud**AÇÃO | *saudaçon* XIII | Do lat. *salūtātĭo -ōnis* || **saud**ADOR XVI. Do lat. *salūtātor -ōris* || **saud**ANTE 1813.
saúde *sf.* 'estado de são' 'salvação' XIII. Do lat. *salus -ūtis* || **salut**AR XVI. Do lat. *salūtāris -e* || **salutí·**FERO XVII || **saud**ÁVEL | XVI, *saudabelle* XV |. O adv. *saudavelmente* já se documenta no séc. XIV.
⇨ **saúde** — **salutí·**FERO | 1572 *Lus.* II.4, 1614 SGonç I.218.*22* |.
saudita *adj. s. 2g.* 'da, ou pertencente ou relativo à Arábia Saudita' 'natural ou habitante desse país'

XX. Do fr. *saoudite*, deriv. do ár. *sa'ūd*, nome de uma dinastia que governou a Arábia Saudita desde o séc. XVIII, a qual foi transformada em reino em 2 de novembro de 1964.
saud·osismo -oso → SAUDADE.
sauiá *sm.* 'mamífero roedor da fam. dos equimídeos' | *saviá* 1587, *caguija c* 1594, *saoiases* | pl. 1607, *sauja* 1618, *savía* 1817 | Do tupi' *sau'ịa* ||
sauiatinga | *saviá-tinga* 1587 | Do tupi *sauịa'tiŋa* < *sau'ịa* + *'tiŋa* 'branco'.)
sauna *sf.* 'banho a vapor, de origem finlandesa, à temperatura de 60 a 80°C' XX. Do fr. *sauna*, deriv. do finlandês *sauna*.
saúna *sf.* 'peixe da fam. dos mugilídeos, espécie de tainha' 1618. Do tupi *sa'una*.
sáurio *adj. sm.* 'pertencente ou relativo aos sáurios' 'espécime dos sáurios, animais metazoários, cordados, reptis, escamados, da subordem *Sauria*' 'lagartos em geral' 1873. Do lat. tard. *saurus*, deriv. do gr. *saūros* || **sauró**FAGO | *saurophago* 1899 || **sauro**GRAF·IA | *saurographia* 1899 || **sauro**LOG·IA 1899.
saúva *sf.* 'designação comum às formigas do gênero *Atta*, que se distribuem por todo o Brasil e constituem terrível flagelo para a lavoura' | *ussaúba* 1587, *sauga c* 1767, *sauba* 1786 etc. | Do tupi *ïsa'uụa*.
savana[1] *sf.* 'planície das regiões tropicais de longa estação seca, com vegetação característica' 1858. Do cast. *sabana* (ant. *zavana*), deriv. de uma língua aruaque do Haiti.
savana[2] → SABANA.
savarim *sm.* 'doce, espécie de pudim' 1899. Do fr. *savarin*, do nome do gastrônomo francês Jean Anthelme *Brillat-Savarin (1755-1826)*.
savart *sm.* '(Fís.) unidade de intervalo logarítmico de frequência' XX. Do fr. *savart*, do nome do físico francês Félix *Savart (1791-1841)*.
savate *sf.* 'certa luta francesa, a pontapés' XX. Do fr. *savate*.
sável *sm.* 'peixe marinho da fam. dos clupeídeos, maior do que o arenque, e que só se reproduz nas águas doces' | *saual* XIII | De origem céltica, provavelmente || **sav**EIRO *sm.* 'barco estreito e comprido, empregado na travessia de grandes rios' XVIII. De um ant. **saveleiro*, de *sável* || **savel**HA XVII.
savica *sf.* 'peça de carruagem, que se enfia nas extremidades dos eixos, para pegar na chaveta das rodas' 1813. De etimologia obscura.
savitu *sm.* 'macho da saúva' XX. Do tupi *seụi'tu*.
sax → SAXOFONE.
saxão *adj. sm.* 'pertencente ou relativo aos saxões ou a saxônio' 'indivíduo dos saxões, antigo povo germânico que habitava a Saxônia, região da Alemanha entre o rio Reno e o mar Báltico' *'ext.* anglo-saxão, inglês' | *sasone* XIV | Do lat. *saxō -ōnis* (= gr. *Sáxones*), de origem germânica.
saxátil *adj. 2g.* 'que habita entre pedras' 'aderente aos rochedos' XVI. Do lat. *saxātĭlis -e* || **sáx**EO *adj.* 'pétreo' XVII. Do lat. *saxĕus -a -um* || **saxí·**COLA 1874 || **saxí·**FRAGA *sf.* 'planta da fam. das euforbiáceas do gênero *Phyllanthus*, usada em farmácia como diurético e no tratamento de cálculos biliares renais' 'arrebenta-pedra'1858. Do lat. *saxifraga (herva)* || **saxí·**FRAGO *adj.* 'que quebra ou

dissolve pedras' 1844. Do lat. *saxifrăgus -a -um* ǁ
saxoso *adj.* 'pedregoso' 1813. Do lat. *saxōsus -a -um*. Cp. SEIXO.
saxofone *sm.* 'instrumento de sopro, de metal, com tubo cônico, provido de um sistema de chaves semelhante ao do oboé, e de embocadura de palheta simples como o clarinete' 1881. Do fr. *saxophone* ǁ **sax** XX. Do ing. *sax*, abrev. de *saxophone* 'saxofone' ǁ **saxofon**ISTA XX. Do fr. *saxophoniste* ǁ **saxo**TROMPA 1881.
saxoso → SAXÁTIL.
sazão *sf.* 'ocasião, momento, oportunidade' | *-zon* XIII, *-zom* XIII etc. | Do lat. *satio -ōnis* ǁ **sazon**ADO XVII ǁ **sazon**AR XVII.
-scaf(o)- *elem. comp.*, do gr. *skáphos* 'barco', que se documenta em alguns vocs. eruditos, como *aeróscafo;* cp. ESCAFANDRO.
-scênio *elem. comp.* deriv. do gr. *-skēnion*, de *skēnḗ -ēs* 'tenda, toldo' 'cenário de teatro', que se documenta em alguns compostos eruditos, como *hiposcênio*. Cp. PROSCÊNIO.
-scler- → -(E)SCLER(O)-.
-scop- *elem. comp.*, deriv. do gr. *skop-*, de *skopeúō* 'observar, olhar com atenção, mirar', que se documenta em numerosos vocs. de formação culta, como *geoscopia* (e *geoscópico, géoscopo*), *angioscopia* (e *angioscópio*) etc. Cp. ESCOPO.
se[1] *pron.* XIII. Do lat. *sē* ǁ **suicida** *adj. s2g.* 'diz-se de, ou pessoa que se suicidou' 1844. Dev. de *suicidar* ǁ **suicid**AR *vb.* 'dar a morte a si próprio' 1858. Do fr. *suicider* ǁ **suicíd**IO *sm.* 'ato ou efeito de suicidar-se' 1844. Do fr. *suicide*, deriv. do lat. *sui*, genitivo de *sē*, formado pelo modelo de *homicide* 'homicídio'.
⇨ **se**[1] — **suicida** | 1836 SC ǁ **suicídio** | 1836 SC |.
se[2] *conj.* XIII. Do lat. *sī'*, através da var. *sĭ* (que se documenta em algumas formas proclíticas, como *siquis, siquidem* etc.).
sé → SEDE[1].
seara *sf.* 'campo de cereais' 'extensão de terra semeada' *'fig.* agremiação, associação' | XIII, *sseara* XIII, *senara* XIII | Voc. de origem pré-romana.
sebáceo → SEBO.
sebastianismo *sm.* 'o partido, as crenças ou as convicções dos sebastianistas, que acreditavam na volta do rei de Portugal D. Sebastião (1554-1578), desaparecido na batalha de Alcácer-Quibir, na África' XVII. De *Sebastian* (var. de *Sebastião*) + -ISMO.
sebe *sf.* 'cerca de arbustos, ramos, estacas ou ripas entrelaçadas, para vedar terrenos' XIV. Do lat. *saepes* ǁ **sepí**·COLA *adj.* 2g. 'que vive nas sebes' 1874.
sebo *sm.* 'substância graxa e consistente, que se encontra nas vísceras abdominais dalguns quadrúpedes' | *sevo* XIII | Do lat. *sēbum -ī* ǁ **en**seb**AR** | *-var* XV ǁ **seb**ÁC·EO XIII. Do lat. *sēbācĕus -a -um* ǁ **seb**ENTA 1883 ǁ **seb**ITE *adj.* 2g. 'atrevido' 'irrequieto, assanhado' XX ǁ **sebor**REIA | *seborrheia* 1899 ǁ **seb**OSO 1813. Do lat. *sēbōsus -a -um*.
sebruno *adj. sm.* 'diz-se de, ou equídeo de pelo plúmbeo' 1881. Do cast. *cebruno*.
sec-a, -ação, -agem, -ante[1] →SECO.
secante[2], **seção** → SE(C)ÇÃO.
sec·ar, -arrão, -ativo → SECO.
se(c)ção *sf.* 'ato ou efeito de secionar' 'parte de um todo' 1813. Do lat. *sectĭō -ōnis* ǁ COS·**sec**ANTE | *cosecante* 1881 ǁ **in**sécт**il** XVII ǁ **inter**se**ção** | *intersecção* 1813 | Do lat. *intersectĭo -ōnis* ǁ **inter**se**cion**·AL | *interseccional* 1881 ǁ **inter**sect·AL XX ǁ RES·**se(c)ção** XX ǁ RES·**seg**AR XX ǁ **sec**ANTE[2] *sf.* '(Geom.) reta que intercepta uma curva' 1813 ǁ **sec(c)**ION·AL | 1813, *secional* 1881 ǁ **sec(c)**ION·AR XX ǁ **séct**·IL *adj.* 2g. 'que se pode cortar' 1890. Do lat. *sectīlis -e* ǁ **se(c)tor** 1813. Do lat. *sector -ōris* ǁ **se(c)tori**·AL XX ǁ **sect**·URA 1873. Do lat. *sectūra -ae* ǁ **sega** XVI ǁ **seg**ADOR XIV ǁ **seg**AR XIII. Do lat. *sĕcāre*.
⇨ **se(c)ção** — COS·**sec**ANTE | *co-secante* 1836 SC |.
secessão *sf.* 'separação' XX. Do lat. *secessĭō -ōnis* ǁ **secesso** *sm.* 'lugar afastado, retiro' XVI. Do lat. *sēcessus -ūs*.
sécia *sf.* 'mulher elegante, mas afetada, presumida' 1881. De etimologia obscura.
⇨ **sécia** | *sécio* 1836 SC |.
seco *adj.* 'desprovido de umidade ou de líquido, enxuto' XIII. Do lat. *sĭccus -a -um* ǁ **des**sec**AR** 1844 ǁ **ex**sic**ANTE** | *exsiccante* 1858 ǁ **ex**sic**AR** XVIII. Do lat. *exsiccāre* ǁ **ex**sic**ATA** *sf.* '(Bot.) exemplar dessecado de uma planta qualquer, conservado nos herbários' XX. Do lat. *exsiccātus -a -um* ǁ **ex**sic**AT**·IVO | *exsiccativo* XVII ǁ **in**sec**ÁVEL** 1813 ǁ RES·**sec**AR | *ressecar* 1844 | De *ressicar* ǁ RES·**sequ**IDO XVII ǁ RES·**sequ**IR XX ǁ RES·**sic**AÇÃO | *resicação* 1813 ǁ RES·**sic**AR 1813. Do lat. *ressiccāre* ǁ **sec**A[1] *sf.* 'falta de chuvas' XIII ǁ **sec**A[2] *sf.* 'aborrecimento' XX. Do it. *secca* ǁ **sec**AÇÃO | *seccação* 1858 ǁ **sec**AGEM XX ǁ **sec**ANTE[1] | *seccante* 1844 ǁ **sec**AR XIII. Do lat. *siccāre* ǁ **sec**ARR·ÃO 1858 ǁ **sec**AT·IVO | *seccativo* 1858 ǁ **sec**URA XIV ǁ **sequi**·AR XX ǁ **sequi**DADE XIV ǁ **sequi**LHO XVIII ǁ **sequi**·OSO XVI ǁ **sic**AT·IVO | *siccativo* 1858.
⇨ **seco** — **des**se**CAR** | *desseccar* 1836 SC ǁ **sec**A[2] | *secca* 1836 SC ǁ **sec**ANTE[1] | 1615 *in* RB ǁ **sec**ARR·ÃO | *secca-* 1836 SC |.
secreção *sf.* '(Fisiol.) substância proveniente dum trabalho de separação, elaboração e eliminação, por uma célula, particularmente uma célula glandular, e destinada a ter função no organismo ou ser lançada fora dele' 1813. Do lat. *sēcrētĭō -ōnis* ǁ **secret**AR 1881 ǁ **secret**OR 1839 ǁ **secret**ÓRIO 1813.
secreto *adj.* 'escondido, ignorado, oculto' XIV. Do lat. *sēcrētus -a -um* ǁ **secret**A *sf.* 'oração que o celebrante da missa dizia em voz baixa, antes do prefácio' 1844 ǁ **secret**ARIA XVIII ǁ **secret**ARI[1], XVI, *seclataria* XV ǁ **secret**ARI·ADO 1881 ǁ **secret**·IAR XVII ǁ **secret**ÁRIO XV ǁ **segreda** *sf.* 'secreta' XIII. Forma divergente popular de *secreta* ǁ **segred**·AR 1899 ǁ **segredo** XIV. Do lat. *sēcrētum -ī*.
secret·or, -ório → SECREÇÃO.
sectário *adj. sm.* 'relativo ou pertencente a seita' 'membro de uma seita' *fig.* intolerante, partidário ferrenho' XVI. Do lat. *sectārĭus -a -um* ǁ **con**sect·**ário** 1874. Do lat. *consectārĭus* ǁ **sectari**SMO XX. Cp. SEITA.
séct·il, -or, -ura → SE(C)ÇÃO.
século *sm.* 'orig. o mundo, a vida terrena' 'período de 100 anos' | *segre* XIII, *segle* XIV, *seglo* XIV | Do lat. *saecŭlum -ī* ǁ **secul**AR *adj.* 2g. *sm.* 'orig. leigo, profano' 'relativo a século' XV, *segral* XIII, *segrar* XIV, *sagral* XIV etc. | Do lat. *saecŭlāris* ǁ **secul**AR·IZ·AÇÃO | *secularisação* 1813 ǁ **secul**AR·IZAR | *secularisar* 1813.

secund·ar, -ário, -ina, -ípara, -ogênito → SEGUNDO.
secura → SECO.
secure, segure sf. 'machadinha que os lictores romanos traziam consigo para fazerem as execuções' | XVII, segur XIII, segura XIV | Do lat. *secūris -is* || securiFORME 1874 || securíGERO 1874 || securiPALPO 1874.
securitário → SEGURO.
seda sf. 'filamento que constitui o casulo da larva de um inseto vulgarmente denominado bicho-da-seda ou o fio feito com tal substância' 'tecido fabricado com esse fio' XIII. Do lat. *saeta (sēta) -ae* || sedAÇO XVII || sedALHA 1844 || sedAL·INA XX || sedAR² 1844 || sedENHO sm. 'mecha de fios que se introduzia debaixo da pele para provocar supuração com objetivo terapêutico' XV. Provavelmente do cast. *sedeño* || sedí·GERO 1874 || sedONHO 1813 || sedOSO 1858 || setÁCEO 1858 || setI·CÓRNEO 1899 || setí·FERO XVII || setI·FORME 1874 || setí·GERO XVII. Do lat. *sētíger -gĕra -gĕrum*.
⇨ seda — sedALHA | 1836 SC | sedAR² | 1836 SC |.
sedação → SEDAR¹.
sedaço → SEDA.
sedal → SEDE¹.
sed·alha, -alina → SEDA.
sedar¹ vb. 'acalmar, serenar' 1899. Do lat. *sēdāre* || sedAÇÃO 1899. Do lat. *sēdātiō -ōnis* || sedAT·IVO 1844.
⇨ sedar¹ — sedAT·IVO | 1836 SC |.
sedar² → SEDA.
sedativo → SEDAR¹.
sede¹ sf. 'orig. lugar onde alguém pode sentar-se' XV. Do lat. *sēdēs -īs* || sé sf. 'jurisdição episcopal' | *séé* XIII | Forma divergente popular de *sede¹*, do lat. *sēdēs -īs* || sedAL adj. 2g. 'anal' 1844 || sedENT·ÁRIO 1813. Do lat. *sedentārĭus -a -um* || sedESTRE adj. 2g. 'estátua que representa uma pessoa sentada' XX.
⇨ sede¹ 'orig. lugar onde alguém pode sentar-se' | *seeda* XIV BARL 23v3 || sedAL | 1836 SC |.
sede² sf. 'sensação produzida pela necessidade de beber' 'fig. desejo veemente, cobiça, avidez' XIII. Do lat. *sitis-is* || DESsedENT·AR XVIII || sedENTO 1572. No port. med. documenta-se, também, *sederento* (séc. XIV), na mesma acepção || sitibundo adj. '(Poét.) sedento, sequioso' 1572. Do lat. tard. *sitībundus*.
sedenho → SEDA.
sedentário → SEDE¹.
sedento → SEDE².
sedestre → SEDE¹.
sedição sf. 'perturbação da ordem pública' 'agitação' XVII. Do lat. *sēditĭō -ōnis* || sedicioso XVI. Do lat. *sēditĭōsus -a -um*.
sedígero → SEDA.
sedimento sm. 'substância sólida depositada na água pela ação da gravidade' 1813. Do lat. *sedimentum -ī* || sedimentAÇÃO 1881 || sedimentAR 1881 || sedimentOSO 1813.
sed·onho, -oso →SEDA.
sedução sf. 'atração, encanto, fascínio' | *seducção* 1813 | Do lat. *sēductĭō-ōnis* || sedutor | *seductor* XVII | Do lat. *sēductor -ōris* || seduzir XVI. Do lat. *sēdūcĕre*.
sédulo adj. 'ativo, cuidadoso, diligente' XVII. Do lat. *sedŭlus -a -um*.

sed·utor, -uzir → SEDUÇÃO.
sefardim adj. s2g. 'diz-se de, ou judeu descendente dos primeiros israelitas de Portugal e da Espanha, expulsos, respectivamente, em 1496 e 1492' XX. Do hebr. mod. $s^ephardī$, de $s^ephārād$, nome que os rabinos identificavam com Espanha.
seg·a, -ador, -ar → SE(C)ÇÃO.
sege sf. 'tipo de coche com duas rodas e um só assento, fechado com cortinas na parte dianteira' XVII. Do fr. *siège* 'assento', deriv. do lat. pop. *sēdĭcum*, do verbo *sēdĭcare* (cláss. *sedēre* 'estar sentado').
segetal adj. 2g. 'referente a searas' 'que cresce nas searas' 1858. Do lat. *segetalis -e*.
segmento sm. 'porção de um todo, seção' 1813. Do lat. *segmentum -ī* || segmentAR 1881.
segnícia sf. 'indolência, apatia, preguiça' 1881. Do lat. *sēgnitīa-ae* | segnície sf. 'segnícia' 1881. Do lat. *sēgnitĭēs -ēī* | segnÍCIO XVIII.
⇨ segnícia | 1836 SC |.
segred·a, -ar, -o → SECRETO.
segregar vb. 'pôr de lado, separar' 1813. Do lat. *sēgrĕgāre* || segregAÇÃO 1858. Do lat. *segregātiō -ōnis* || segregAT·ÍCIO 1881 || segregATIVO 1881.
seguidilha sf. 'dança popular espanhola, com música em compasso de 3 por 4 ou 3 por 8, geralmente em tom menor, e executada ao violão, com acompanhamento de castanholas' 1813. Do cast. *seguidilla*.
seguir vb. 'acompanhar, perseguir, continuar, prosseguir' XIII. Do lat. *sĕquĕre*, por *sĕquī* || seguIDOR XIV || seguIMENTO XIV || seguINTE XIV.
segunda-feira → FEIRA.
segundo adj. num. prep. adv. 'mediato, indireto' 'o ordinal correspondente a dois' 'consoante, de acordo com' 'em segundo lugar' XIII. Do lat. *sĕcŭndus* || secundAR 1858. Do lat. *secundāre* || secundÁRIO 1813. Do lat. *secundārĭus -a -um* || secundINA sf. '(Bot.) tegumento interno do óvulo' 1813. Do lat. tard. *secundīnae* pl. || secundí·PARA XX | secundo·GÊNITO 1813 || segunda 1813. Do lat. *sĕcŭnda* || segundAR XVI. Forma divergente popular de *secundar*, do lat. *secundāre*.
segur·ado, -ador, -ança, -ar → SEGURO.
segure → SECURE.
seguro adj. 'livre de perigo' 'firme' XIII. Do lat. *sēcūrus* || AS·segurAR | XVI, *ase-* XIV | Do lat. vulg. *assēcūrāre* || INsegurANÇA XX || INseguro XX || RES·seguro | *reseguro* 1899 || securIT·ÁRIO XX || segurADO XIII || segurADOR 1813 || segurANÇA XIV || segurAR XIII || segurELHA sf. 'peça de metal que penetra o ferro que segura a mó inferior das atafonas' XV || segurIDADE XV. Do lat. *sēcūrĭtās -ātis*.
seio sm. 'curvatura, sinuosidade, volta' 'parte do corpo humano onde se situam as glândulas mamárias' | *seio* XIII, *seo* XIV etc. | Do lat. *sinus -ūs* || COS·seno | *coseno* 1813 | Do lat. mod. *cosinus*, abreviatura de *complementi sinus* || ENseADA XV || seno sm. '(Mat.) função de um ângulo orientado definida pelo quociente entre a ordenada da extremidade do arco de circunferência subtendido pelo ângulo e o raio da circunferência' XVI. Do lat. med. *sinus* || senOID·AL XX || senOIDE sf. '(Geom.) lugar geométrico plano cuja equação cartesiana é y = a sen bx' XX || sinuADO 1858. Do lat. *sinuātus -a*

-*um* || **sinu**OS·IDADE 1858 || **sinu**OSO XVII. Do lat. *sinuōsus -a -um* || **sinu**SITE *sf.* 'inflamação em um dos seios nasais ou paranasais' XX. Do fr. *sinusite*, de *sinus*, deriv. do lat. *sinus -ūs* || **sinus**OIDE 1890.
seira *sf.* 'espécie de saco, cesto ou cabaz feito de esparto, vime ou junco' | *seyra* XIII | De origem incerta.
seis *num.* '6, VI' | XIII, *sex* XIII, *seys* XIV etc. | Do lat. *sĕx* || **seis**CENTOS *num.* '600, DC' | XIV, *seysçentos* XIV | Do lat. *sexcentī* || **sesm**ARIA *sf.* 'terra inculta ou abandonada que os reis de Portugal cediam a sesmeiros que se dispusessem a cultivá-la' XIV. De **sesmar* 'dividir (terras)', deriv. de *sesmo* || **sesm**EIRO 1813 || *sesmo sm.* 'a sexta parte de alguma coisa' XIII. Do lat. **sexĭmus*, voc. formado ainda no lat. vulg. por analogia com *septĭmus* || **sex**AGEN·ÁRIO 1813. Do lat. *sexāgēnārĭus -a -um* || **sexagésima** 1813. Do lat. *sexāgēsĭma* || **sexagésimo** 1813. Do lat. *sexāgēsĭmo* XIV | Do lat. *sēxāgēsĭmus* || **sex**ANGUL·ADO 1881 || **sex**ANGUL·AR 1874 || **sex**ÂNGULO 1874. Do lat. *sexangŭlus* || **sex**CELULAR | -*ll-* 1899 || **sexcentésimo** XVI. Do lat. *sexcentēsĭmus* || **sex**DIGIT·AL 1874 || **sex**DIGIT·ÁRIO 1874 || **sex**EN·AL 1874 || **sexênio** XVIII. Do lat. *sexennĭum -ĭī* 'período de seis anos', de *sexennis* (< *sex* 'seis' + *annus* 'ano') || **sexta** | *seista* XIV | Do lat. *sĕxta* || **sext**ANTE 1858. Do lat. *sextāns -antis* || **sextavar** 1881. Formado pelo modelo de *oitavar* || **sext**ETO XX. Do it. *sestétto* || **sext**IL 1813. Do lat. *sextīlis -is* || **sext**ILHA 1813. Do cast. *sextilla* || **sext**ILHÃO XX. Do fr. *sextillion* || **sext**INA 1813. Do cast. *sextina* || **sexto** | XIII, *seisto* XIV etc. | Do lat. *sĕxtus* || **sêxt**ULO 1881. Do lat. *sextŭla -ae*, adaptado em português ao gênero masculino || **sêxt**UOR 1881. De *sexto*, com a terminação do lat. *quattuor* 'quatro' || **sêxtuplo** 1858. Do lat. med. *sextuplus* || **séxviro** *sm.* 'na Roma antiga, membro de um colégio de seis pessoas' XX. Do lat. *sexvirus* || **sezeno** 1813. 'espécie de pano que tinha 1600 fios de urdidura' XVII. Do fr. *seizain*. Cp. SESSENTA, SESTA.
seita *sf.* 'doutrina ou sistema que diverge da opinião geral e é seguida por muitos' | XIII, *seyta* XIII | Do lat. *secta -ae*. Cp. SECTÁRIO.
seiva *sf.* 'solução nutritiva de todas as partes da planta' | *ext.* elementos vitais, sangue, vigor, alento' XIX. Do fr. *sève*, deriv. do lat. *sapa* 'vinho cozido', com provável influência do a. port. *sayua* (séc. XIII), deriv. do lat. *salīva*. Cp. SALIVA, SEVE.
seixo *sm.* 'fragmento de rocha ou de mineral com dimensão superior à da areia grossa e inferior à do cascalho' XIV. Do lat. *saxum -ī* || **seix**OSO XVIII. Do lat. *saxōsus -a -um*.
sela *sf.* 'arreio de cavalgadura, o qual constitui assento sobre que monta o cavaleiro' | XIII, *sella* XIV | Do lat. *sĕlla* | EN**sel**ADO XIII || **sel**ADA *sf.* 'depressão na lombada de uma elevação' | -*lla-* XV || **sel**ADO | -*lla-* XVI || **sel**AR¹ XIII || **sel**ARIA *sf.* 'arte ou ofício de seleiro' | -*lla-* XVI || **sel**EIRO | -*llei-* 1813 || **sel**IM *sm.* 'pequena sela rasa' XVIII.
selácios *sm. pl.* '(Zool.) família de peixes condropterídios ou cartilaginosos, que compreende as raias e os esqualos com todas as subdivisões destes gêneros' 1881. Do lat. cient. *selachē* (deriv. do gr. *seláchē*, pl. de *sélachos*) + -IO(S).
sel·ada, -ado, -ar¹ → SELA.

selar² *vb.* 'pôr selo' 'estampilhar' | *sseelar* XIII, *sséélar* XIII etc. | Do lat. *sĭgīllāre* || **sel**AGEM 1844 || **selo** | *sseello* XIII, *seelo* XIII etc. | Do lat. *sĭgīllum -ī*. Cp. SIGILO.
⇨ **selar²** — **sel**AGEM | -*lla-* 1836 SC |.
selaria → SELA.
seleção *sf.* 'escolha fundamentada' | *selecção* 1844 | Do lat. *sēlēctĭō -ōnis* || **selecio**NADO XX || **selecio**NAR XX || **seleta** | *selecta* 1844 | Forma substantivada do fem. do adj. *seleto*, deriv. do lat. *sēlēctus -a -um* || **selet**IVO | 1874, *selectivo* XVIII || **seleto** | 1874, *selecto* 1813 | Do lat. *sēlēctus -a -um* || **selet**OR XX.
⇨ **seleção** | -*lecção* 1836 SC || **seleta** | -*lec-* 1836 SC |.
seleiro → SELA.
selen(i)- *elem. comp.*, do gr. *selēn-*, de *selénē* 'lua', que já se documenta em vocs. formados no próprio grego, como *selenita*, e em muitos outros introduzidos na linguagem científica internacional, a partir do séc. XIX ▶ **seleni**FERO *adj.* 'que contém selênio' 1874 || **selên**IO *sm.* '(Quím.) elemento de número atômico 34, não metálico, com três formas alotrópicas, utilizado em células fotossensíveis, descoberto em 1818 por Berzelius' 1858. Do lat. cient. *selenium*, deriv. do gr. *selēnē* 'lua' || **selen**ITA *sm.* 'suposto habitante da lua'; *sf.* 'a gipsita hialina' | *selenites* pl. 1844 | Do lat. *selēnītis -idis*, deriv. do gr. *selēnítēs* || **seleno**CÊNTR·ICO 1874 || **seleno**GRAF·IA | *selenographia* 1858 | Do lat. cient. *selenographia* || **seleno**MANC·IA XX || **seleno**MANTE XX || **seleno**SE *sf.* '(Med.) leuconíquia, intoxicação causada pelo selênio ou seus sais' | *selenosis* 1874 || **selenó**STATO 1858 || **seleno**TOPOGRAF·IA | *selenotopographia* 1858.
⇨ **selen(i)** — **selen**ITA | -*nites* 1836 SC |.
selet·a, -ivo, -o, -or → SELEÇÃO.
selha *sf.* 'vaso redondo, feito de madeira e com bordas baixas' XIV. Do lat. *sĭtŭla -ae* || **sítula** *sf.* 'vaso de madeira, de forma arredondada' 1899. Forma divergente culta de *selha*.
selim → SELA.
selo → SELAR².
selva *sf.* 'lugar naturalmente arborizado, bosque' | *selua* 1572 | Forma divergente de *silva*, deriv. do lat. *silva -ae* || AS·**selv**AJ·AR | *assalvajar* 1844 || **selv**AGEM | XVI, *salvage* XIII, *saluagen* XIV | Do fr. *salvatge*, deriv. do lat. *silvatĭcus* || **selv**AG·ERIA 1858 || **selv**ÁT·ICO | *seluatico* 1572 | Forma divergente semiculta de *silvático*, deriv. do lat. *silvātĭcus* || **selv**OSO 1813. Forma divergente semiculta de *silvoso*, deriv. do lat. *silvōsus* || **silv**A 1813. Do lat. *silva -ae* || **silv**ANO XVI. Do lat. *silvānus -ī* || **silv**ÁT·ICO XVI. Do lat. *silvātĭcus -a -um* || **silv**EIRA¹ *sf.* 'designação comum a diversas plantas medicinais da família das rosáceas' XVI || **silvestre** XVI. Do lat. *silvester -ris -re* || **silv**Í·COLA XVII. Do lat. *silvicŏla -ae* || **silv**I·CULT·OR 1899 || **silv**I·CULT·URA 1858. Do fr. *sylviculture* || **silv**OSO 1813. Do lat. *silvōsus*.
⇨ **selva** — **silv**A | XIV GREG 2.6.4, ORTO 346.5 |.
sem *prep.* | XI, *sen* XIII | Do lat. *sĭne*.
sem(a)-, semato- *elem. comp.*, do gr. *sēma -atos* 'sinal, marca, significação', que se documenta em vocs. formados no próprio grego, como *semiótica*, e em muitos outros introduzidos na linguagem

científica internacional, a partir do séc. xix ▶ se-**máforo** *sm*. 'telégrafo aéreo instalado nas costas marítimas para assinalar os navios à vista e com eles se corresponder' 'poste de sinalização ferroviária ou rodoviária que orienta o tráfico por meio de mudança de cor das luzes' 1890. Adaptação do fr. *sémaphore* || sem**ant**·**ema** *sm*. '(Ling.) elemento que encerra o significado da palavra' xx. Do fr. *sémantème*, voc. introduzido por J. Vendryes na linguagem internacional da linguística || sem**ânt**·**ica** xx. Do fr. *sémantique*, voc. introduzido por Bréal, em 1883, na linguagem internacional da linguística || sem**asio**log·**ia** *sf*. 'o estudo das relações entre sinais e símbolos, e daquilo que eles representam' xx. Do fr. *sémasiologie*, deriv. do al. *Semasiologie*, formado com base no gr. *sēmasía* 'marca, significação' || sem**ato**log·**ia** *sf*. 'semasiologia' xx || sem**io**·**graf**·**ia** *sf*. 'representação por meio de sinais' | *semiographia* 1858 || sem**io**·log·**ia** *sf*. 'parte da medicina que ensina a indicação das moléstias' | *semeialogia* 1813 |; 'ciência que estuda os signos e sinais e/ou sistema de sinais, utilizados em comunicação' xx. Do fr. *sémiologie* ou *séméiologie* || sem**iót**·**ica** *sf*. 'parte da medicina que ensina a indicação das moléstias' | *semeiótica* 1813 |; 'semiologia, segunda acepção' xx. Do fr. *séméiotique* (*sémiotique*), deriv. do gr. *sēmeiōtikē* 'observação dos sintomas'.
semana *sf*. 'espaço de sete dias, contados do domingo ao sábado, inclusive' | xiv, *somana* xiv etc. | Do lat. *sēptĭmāna* || bis·seman**al** xx || seman**al** 1801 || seman**ário** xv.
sem·antema, -ântica, -asiologia, -atologia → sem(a)-.
semblante *sm*. 'rosto, face, cara' '*fig*. aparência' | *sembrante* xiii, *senbrante* xiv etc. | Do a. prov. *semblant*, relacionado com o verbo *semblar* (< lat. *sĭmĭlāre*). Cp. semelhar.
sêmea *sf*. 'a flor da farinha de trigo' 'farelo miúdo' xvii. Do lat. *sĭmĭla -ae*.
⇨ **sêmea** | xiv test 110.5 |.
semear *vb*. 'plantar' 'disseminar, propagar' xiii. Do lat. *sēmĭnāre* || dissemin**ação** 1844. Do lat. *dissēmĭnātĭō -ōnis* || dissemin**ar** 1844. Do lat. *dissēmĭnāre* || insemin**ação** 1874 || insemin**ado** xx || insemin**ar** xx. Do lat. *īnsēmĭnāre* || res·semear xx || semeação 1874 || semeador xvi || semel | *semmel* xiii | Adaptação culta do lat. *sēmēn*, com dissimilação do -*n* final || **sêmen** xiii. Do lat. *sēmens -ĭnis* || sement**ador** *adj. sm*. '*ant*. semeador' xiv || sementar *vb*. '*ant*. semear' xiv || semente xiii. Do lat. *sēmentis -is* || sementeira | xv, -*eyra* xiv || semin**ação** | *semynaçom* xv | Do lat. *sēmĭnātĭō -ōnis* || seminal xvii. Do lat. *sēmĭnālis -e* || sem**inário** xvi. Do lat. *sēmĭnārĭum -iī* || seminarista 1813 || semin**í·fero** *adj*. 'que tem ou produz sementes ou sêmen' 1874 || sem**ínula** *sf*. 'pequena semente' 1899 || seminul**í·fero** 1881 || sem**ínulo** 1881.
⇨ **semear** — dissemin**ação** | 1836 sc || dissemin**ar** | 1836 sc || seme**ador** | *ssemeador* | xiv barl 10.24 |.
semelhar *vb*. 'parecer com, ter a aparência de' xiii. Do lat. *sĭmĭlĭāre, de *sĭmĭlis* || as·semelhar xvi || dessemelh**ança** xvii || dessemelh**ante** xvii || dessemelhar | *desemelhar* xiv || dessemelh**ável** | *desemelhavell* xv || semelh**ança** | xiv, -*llança* xiii,

-*lhanza* xiii etc. || semelh**ante** | -*llante* xiii || semelh**ável** | xv. -*lhavil* xiii, -*llauil* xiv etc.
⇨ **semelhar** — as·semelh**ar** | xiv aves i.19, dict 299 etc. || dessemelh**ança** | -*ãça* 1536 folg 107.2 || insemelh**ável** | 1582 *Liv. Fort*. 99.17 |.
sêm·en, -entador, -entar, -ente, -enteira → semear.
semestre *sm*. 'espaço de seis meses seguidos' 1813. Do lat. *sēmēstris -e* || semestr**al** 1899.
semi- *elem. comp*., do lat. *sēmi* 'metade, meio', que se documenta em vocs. formados no próprio latim, como *semi-ânime*, e em muitos outros introduzidos na linguagem científica internacional, a partir do séc. xix. Tal como o elemento hemi-, de origem grega e de mesma significação, *semi-* foi e continua sendo de grande vitalidade na formação de compostos eruditos em português e nas demais línguas de cultura. Registram-se, a seguir, alguns dos compostos mais importantes ▶ semi**analfabeto** xx || sem**iânime** *adj*. *2g*. 'semimorto' xvii. Do lat. *sēmi-anĭmis -e* || semi**bárbaro** xix. Do lat. *sēmi-barbărus -a -um* || semi**breve** 1813 || semi**capro** *adj. sm*. 'diz-se de, ou ser mitológico cujo corpo é metade homem e metade bode' xvi. Do lat. *sēmi-căper -prī* || semi**circul·ar** 1844. Do lat. med. *sēmicirculāris* || semi**círculo** 1813. Do lat. *sēmicirculus* || semi**colcheia** 1813 || semi**cúpio** *sm*. 'banho de imersão da parte inferior do tronco' 1813. Do lat. tard. *sēmicupium* || semi**deia** | *semidea* xvi | Do lat. *sēmi-dĕa -ae* || semi**deus** | *semideoses* pl. 1572 | Do lat. *sēmi-dĕus -ī* || semi**diâmetro** 1813 || semi**diametrus** || semi**divino** 1881 || semi**douto** 1813. Do lat. *sēmi-doctus -a -um* || semi**fusa** 1813 || semi-**interno** xx || semi**lunát·ico** 1899. Do lat. *sēmilūnāticus* || semi**lún·io** 1813 || semi**morto** xvii. Do lat. *sēmi-mortŭus -a -um* || se**mínima** 1813. De *semimínima, com haplologia || semi**nu** 1844. Do lat. *sēmi-nūdus -a -um* || semi**pedal** 1874. Do lat. *sēmi-pedālis -e* || semi**pleno** 1813. Do lat. *sēmi-plēnus -a -um* || semi**precioso** xx || semi**rroto** xvii. Do lat. *sēmi-rŭtus -a -um* || semi**sselvagem** 1899 || semi**tom** xvii. Do lat. *sēmitonium*, adapt. do gr. *hēmitónion* || semi**ústo** *adj*. '(Poét.) um tanto queimado' 1874. Do lat. *sēmi-ustus -a -um* || semi**víviro** xvi. Do lat. *sēmi-vir -vĭrī* || semi**vivo** xvii. Do lat. *sēmi-vīvus -a -um* || semi**vogal** 1813. Do lat. *sēmi-vocālis -e*.
⇨ **semi-** — semi**circul·ar** | 1836 sc || semi**círculo** | 1537 pnum 23.2, *a* 1542 jcase 23.18 || semi**cúpio** | 1730 rb || semi**diâmetro** | 1537 pnum 57.23, *semmidiametro a* 1542 jcase 63.10, *cemidiametro* Id. 63.14 || semi**nu** | 1836 sc |.
semideiro → senda.
semi·deus, -diâmetro, -divino, -douto, -fusa, -interno, -lunático, -lúnio, -morto → semi-.
semin·ação, -al, -ário, -arista, -ífero → semear.
semí·nima, -nu → semi-.
semín·ula, -ulífero, -ulo → semear.
semi·ografia, -ologia, -ótica → sem(a)-.
semi·pedal, -pleno, -precioso, -rroto, -sselvagem → semi-.
semisse *sm*. 'metade de um asse ou cinco onças, entre os antigos romanos' 1899. Do lat. *sēmissis -is*. Cp. semi-.
semita *adj. s2g*. 'indivíduo dos semitas, família etnográfica e linguística, originária da Ásia ociden-

tal, e que compreende os hebreus, os assírios, os aramaicos, os fenícios e os árabes' 'pertencente ou relativo aos semitas' 1874. Adaptação do fr. *sémite*, de Sem (lat. Sēm, gr. Sḗm, hebr. Šēm), nome de um dos filhos de Noé, suposto ancestral dos povos semíticos || semítICO 1874. Do fr. *sémitique*.
⇨ semita | 1836 SC |.
semi·tom, -ústo, -viro, -vivo, -vogal → SEMI-.
sêmola sf. 'farinha granulada resultante da moagem do grão de trigo ou de outros cereais e utilizada no preparo de massa, sopas etc.' 1844. Do it. *sémola*, deriv. do lat. *simula, por *sĭmĭla* || semolINA XX. Do it. *semolino*.
semoto adj. 'afastado, distante, remoto' XVI. Do lat. *sēmōtus*, part. pass. de *sēmovēre* || **semovente** | *symobente* XVII Do lat. *semovens -entis*, part. pres. de *sēmovēre*. Cp. MOVER.
sempiterno adj. 'que não teve princípio nem há de ter fim, eterno' XVI. Do lat. *sempiternus* (*semper aeternus*).
sempre adv. 'em qualquer ocasião' 'em todo tempo' XIII. Do lat. *sĕmper*.
sena sf. 'carta de jogar, dado, ou peça de dominó com seis pintas ou pontos' | *senas* pl. 1813 | Do lat. *sena*, plural neutro de *sēnī-ae* || senÁRIO adj. 'que contém seis unidades' 1813. Do lat. *sēnārĭus -a -um*. Cp. SEIS.
⇨ sena — senÁRIO | *senaryo* XV BENF 332.7 |.
senador sm. 'membro do senado' | XIV, *sanador* XIV | Do lat. *sēnātor -ōris* || **senado** sm. 'na Roma antiga, assembleia de patrícios que, sob a república, constituía a magistratura suprema' 'câmara alta, nos países onde existem duas assembleias legislativas' XIV. Do lat. *senātus -ūs* || senatOR·IA sf. 'mandato de senador' 1874 || senatÓR·IA 1858. Fem. substantivado do adj. *senatório*, do lat. *senātōrĭus -a -um* || senatORI·AL 1881 || senatÓR·IO 1813 || senatriz sf. 'mulher de senador' 'senadora' 1899. Do lat. tard. *senātrix -īcis*.
⇨ senador — senatÓR·IA | 1836 SC |.
senal adj. 2g. 'diz-se do diamante bruto e pequeníssimo' 1813. De etimologia obscura.
senão conj. 'de outro modo, do contrário' | XVI, *senon* XIII, *-nõ* XIV etc. | De SE[2] + NÃO.
senário → SENA.
sena·tor·a, -tória, -torial, -tório, -triz → SENADOR.
senciente → SENTIR.
senda sf. 'caminho estreito, vereda' fig. praxe, usança' XIV. Do lat. *sēmĭta -ae* || semidEIRO sm. 'caminho estreito' | *symjdeyro* XV | Do lat. *semitārĭus -a -um* || sendEIRO XV.
⇨ senda — semidEIRO | *semedeiro* XIII CSM 78.66, XIV GREG 3.10.8, TEST 76.24, *semedeyro* XIV AVES XXV.21-22, ORTO 2.17 |.
sene sm. 'designação comum a várias espécies do gênero *Cassia*, da família das leguminosas, que têm origem africana' XIV. Do lat. med. *sene*, deriv. do ár. *sanā*.
senectude → SENHOR.
senembi sm. 'réptil lacertílio da fam. dos iguanídeos (*Iguana iguana* L.), lagarto' | *senembu* 1587, *senēbu* 1618 etc. | Do tupi *sene'mĩ*.
senescal sm. 'antigo mordomo-mor ou vedor, em certas casas reais' 'magistrado judicial ou governador-geral, em certos Estados' XV. Do frâncico *sĭnĭskalk (de *seni 'antigo, velho' e *skalko-z 'criado, servidor'), latinizado em *siniscalcus, senescalcus*.
sengar vb. 'separar por meio de peneira' 1899. Do quimb. *'seŋa* (de *ku'seŋa*) || **senga** 1899. Dev. de *sengar*.
⇨ sengar — senga | 1836 SC |.
senha → SIGNO.
senhor sm. 'orig. proprietário feudal' 'dono, patrão' 'homem idoso' | XIII, *sennor* XIII, *senor* XIII, *señor* XIII etc. | Do lat. *sĕnĭor -ōris*, comparativo de *senex senis* 'ancião, velho' || AS·senhorAR, AS·senhorEAR vb. 'senhorear' | *assenhorear* XIV, *assenorar* XIV, *asenhorar* XIV etc. || ENsenhorEAR vb. 'ant. senhorear' | *ensenorear* XV || **senectude** sf. 'senilidade' | 1844, *seneytude* XV | Do lat. *senectūs -ūtis* || **senhora** | XIII, *señora* XIV | No port. med. ocorria com muito maior frequência a forma *senhor*, tanto para o masculino como para o feminino || senhorAR, senhorEAR 'dominar' 'conquistar, tomar posse' | *senorar* XIV, *senoriar* XV, *senhorear* XVI || senhorIA | *sennoria* XIII || senhorI·AL | *señoral* XIV, *senoralles* pl. XIV || senhorIO | XIV, *sennorio* XIII, *senorio* XIII etc. || senhorITA 1844 || **senil** XVI. Do lat. *senīlis -e* || senilIDADE XVII || **sênio** | XVII, *senyum* XV | Do lat. *senĭum -ĭī* || **sênior** adj. 2g. sm. 'o mais velho' 'desportista que já conquistou um primeiro prêmio' 1844. Forma divergente erudita de *senhor*, do lat. *sĕnĭor -ōris* || **sire** sm. 'tratamento antigamente dado aos senhores feudais e, depois, a reis e imperadores' 1844. Do fr. *sire*.
⇨ senhor — AS·senhorADO | XV OFIC 82.4, *asenorado* XIV GALE 831.32 etc. || AS·senhorADOR|*asenhorador* XV SEGR 7v || AS·senhorAMENTO | *asenhoramēto* XV CONF 144b9 || AS·senhorANTE|*asenhorante* XV SEGR 7v || AS·senhorIZAR | *asenhorezar* XV OFIC 118.16 || senectude | 1836 SC || senhorITA | 1836 SC || sênior | 1836 SC || sire | 1836 SC |.
sen·o, -oidal, -oide → SEIO.
senso sm. 'faculdade de apreciar' 'entendimento' 'juízo' 1813. Do lat. *sēnsus -ūs* || CONTRAsenso 1881 || INsensatEZ 1813 || INsensato XVII. Do lat. *īnsēnsātus -a -um* || INSENSIBIL·IDADE 1813. Do lat. *īnsēnsĭbĭlĭtās -ātis* || INsensIBIL·IZAR XVI || INsensÍVEL | *insensibil* 1572 | Do lat. *īnsēnsĭbĭlis -e* || sensAÇÃO 1813. Provável adaptação do fr. *sensation*, deriv. do lat. tard. *sēnsātĭo -ōnis* || sensACION·AL 1899. Do fr. *sensationnel* || sensACION·AL·ISMO XX || sensatEZ XIX || **sensato** 1813. Do lat. *sēnsātus -a -um* || sensIBIL·IDADE XVI. Do lat. *sēnsĭbĭlĭtās -ātis* || sensIBIL·IZAR 1890 || sensI·FIC·AR 1813 || **sensitiva** 1813. Do fr. *sensitive* || **sensitivo** 1525. Do lat. med. *sensitīvus* || sensÍVEL | *-uil* XIV | Do lat. *sēnsĭbĭlis -e* || **sensor** sm. '(Fís.) designação comum aos dispositivos por meio dos quais se pressentem ou localizam alvos inimigos, acidentes geográficos etc.' XX. Do ing. *sensor*, deriv. do lat. *sensor* || sensORI·AL 1890. Do fr. *sensoriel* || sensÓRIO adj. sm. 'respeitante à sensibilidade' '(Anat.) centro nervoso sensorial ou sensitivo' 1844. Do lat. *sēnsōrium* || sensU·AL adj. s2g. 'respeitante aos sentidos' 'pessoa sensual' XV. Do lat. ecles. *sēnsŭālis -e* || sensUAL·IDADE | XIV, *senssualidade* XV | Do lat. *sēnsŭālĭtās -ātis* || SUPERsensÍVEL 1874.

⇨ **senso** — INSENSIBILIDADE | 1614 SGonç I. 34.9 ||
sensORI·AL | 1836 SC || **sens**ÓRIO | 1836 SC |.
sentar → ASSENTAR.
sentença *sf.* 'provérbio' 'veredicto' '*ext.* qualquer despacho ou decisão' XIII. Do lat. *sĕntĕntĭa -ae* || **sentenci**ADO 1813 || **sentenci**AL XX || **sentenci**AR | *ssentençiar* XIII || **sentenci**OSO XVI. Do lat. *sententiōsus -a -um.*
sent·ido, -imental, -imentalismo, -imento → SENTIR.
sentina *sf.* '*ant.* porão das galés' '*fig.* lugar muito sujo' XVI. Do lat. *sentīna -ae.*
sentinela *sf.* 'guarda' | *centinella* XVII | Do it. *sentinèlla.*
⇨ **sentinela** | *cintinella* 1571 FOlF 151.22 |.
sentir *vb.* 'experimentar, pressentir, conjeturar' XIII. Do lat. *sĕntīre* || RES·**sent**IDO XVI | RES·**sent**IMENTO 1813 || RES·**sentir** XVI || **senc**I·ENTE *adj. 2g.* 'que sente' 1899. Do lat. *sentiens -entis* || **sent**IDO XIII || **sentiment**AL XVIII. Do fr. *sentimental* || **sentiment**AL·ISMO 1874 || **sentimento** XV. Do lat. med. *sentīmentum.*
senzala *sf.* 'conjunto de casas ou alojamentos que se destinavam aos escravos de uma fazenda ou de uma casa senhorial' | *sanzala* XVII, *cenzala* XVIII | Do quimb. *sa'nala* 'povoação'.
sépala *sf.* '(Bot.) peça de cálice' 1858. Do fr. *sépale*, deriv. do radical de *sépa(rer)* e do final de *(péta)le* || **sepal**OIDE 1881. Do fr. *sépaloïde.*
separar *vb.* 'apartar, isolar, desunir' XV. Do lat. *sēparāre* || IN**separ**ABIL·IDADE 1813. Do lat. *īn-sēparābilĭtās -ātis* || IN**separ**ÁVEL XVI. Do lat. *īn-sēparābĭlis -e* | **separ**AÇÃO XVII. Do lat. *sēparātĭō -ōnis* | **separ**ADOR XVIII. Do lat. *sēparātŏr -ōris* || **separ**ATA XX || **separ**AT·ISMO XX || **separ**AT·ISTA 1874. Do fr. *séparatiste* || **separ**AT·IVO 1858 || **separ**AT·ÓRIO 1858 || **separ**ÁVEL XVII. Do lat. *sēparābĭlis -e.*
sepelir *vb.* '*ant.* sepultar' | XIII, *sobolir* XIII | Do lat. *sepelīre.*
sépia *sf.* 'siba' 'denominação comercial da tinta, de coloração escura, que se extrai do animal do mesmo nome' '*ext.* desenho feito com essa tinta' 1890. Do it. *séppia*, deriv. do lat. *sēpĭa* e, este, do gr. *sēpía* || **sepio**LITA *sf.* '(Min.) silicato ácido de magnésio, mineral semelhante à argila, branco ou cinzento macio, extraordinariamente leve e resistente ao calor' XX || **siba** *sf.* 'molusco (*Sepia officinalis* L.), provido de uma bolsa de tinta, a sépia, com que escurece a água para fugir dos inimigos' XIV. Do moçárabe *xibia*, deriv. do lat. *sēpĭa* e, este, do gr. *sēpía.*
⇨ **sépia** | 1881 CA |.
sepícola → SEBE.
sepsia, sepse *sf.* '(Med.) presença de organismos formadores de pus, ou de suas toxinas, no sangue ou nos tecidos' 1899. Cp. gr. *sēpsis* corrupção, putrefação' || AS·**sepsia** 1899 || AS·**sépt**ICO 1899 || **sepsi**QUIM·IA *sf.* '(Med.) tendência dos humores à putrefação' | *sepsichimia.* 1899 || **sept**ICEM·IA *sf.* '(Patol.) estado infeccioso em que há no organismo um ou diversos focos, que lançam, periódica ou continuamente, os germes no sangue' 1874 || **sépt**ICO XVI. Cp. gr. *septikós* || **septô·**METRO 1881.
sept(en)- *elem. comp.*, do lat. *sĕptem* 'sete', que se documenta em alguns vocs. eruditos introduzidos na linguagem científica internacional, a partir do séc. XIX ⇨ **septen**LOBADO XX || **sept**ETO *sm.* '(Mús.) trecho para ser executado a sete vozes ou sete instrumentos' XX || **septi**FOLIADO XX || **septí**MANO 1899. Do lat. *septimānus -a -um.* Cp. SETE.
septicemia → SEPSIA.
septicida → SEPTO.
séptico → SEPSIA.
septífero → SEPTO.
septifoliado → SEPT(EN)-.
sept·iforme, -ífrago, -il → SEPTO.
septímano → SEPT(EN)-.
septo *sm.* '(Anat.) cartilagem divisória de tecidos, cavidades ou órgãos' 1813. Do lat. *saeptum* ou *sēptum -ī* || **septi**CIDA *adj. 2g.* '(Bot.) diz-se da deiscência que se processa ao longo dos septos' 1899 || **septí·**FERO *adj.* '(Bot.) que tem septos' 1890 || **septi·**FORME *adj. 2g.* 'que apresenta a forma de septo' 1844. Do lat. cient. *septiformis -e* || **septí·**FRAGO 1890 || **sépt**IL *adj. 2g.* '(Bot.) diz-se dos grãos e da placenta, quando esta é unida ao septo' 1899. Cp. SEBE.
⇨ **septo** — **septi·**FORME | 1836 SC |.
septômetro → SEPSIA.
sepultar *vb.* 'enterrar, inumar' XIV. Do lat. tard. *sĕpŭltāre* (cláss. *sepelīre*) || IN**sepulto** XVII. Do lat. *īnsepultus -a -um* || **sepulcr**AL 1890. Do lat. *sepulcrālis -e* | **sepulcro** XIII. Do lat. *sepulcrum -ī* || **sepult**ANTE 1858 || **sepulto** XVI. Do lat. *sepultus -a -um* | **sepult**URA | XIII, *sepoltura* XIII, *sopoltura* XIII, *supultura* XIV, *subpultura* XIV, *sopultura* XIV etc. | Do lat. *sepultūra -ae.*
⇨ **sepultar** — **sepulcr**AL | 1836 SC |.
sequaz *adj. s2g.* 'que segue ou acompanha com assiduidade' 'partidário' | (*s*)*iguazes* pl. XIII | Do lat. *sequāx -ācis*, de *sequī* 'acompanhar' || **sequela** | *sequella* XVI | Do lat. *sequēla -ae* || **sequ**ÊNCIA 1813. Do lat. tard. *sequentia* || **sequ**ENTE 1844. Do lat. *sequens -entis*, part. pres. de *sequī* 'acompanhar' || **séqu**ITO XVII. Do lat. **sĕquĭtum*, por *secutum*, de *sĕquĕre*, por *sequī* || SUB**secu**T·IVO 1881. Do lat. *subsecut(us)*, part. pass. de *subsequī* + ICO || SUB**sequ**ÊNCIA 1881 || SUB**sequ**ENTE XVI. Do lat. *subsĕquens -entis.*
⇨ **sequaz** — **sequ**ENTE | 1836 SC |.
sequer *adv.* 'ao menos, pelo menos' XIII. De SE² + QUER.
sequestrar *vb.* 'isolar, insular' 'tomar com violência' | *socrestar* XIII | Do lat. *sequestrāre* || **sequestr**AÇÃO 1813 || **sequestr**ADOR 1881 || **sequestro** | XVII, *socresto* XV | Do lat. *sequestrum -ī.*
sequ·iar, -idade, -ilho, -ioso → SECO.
séquito → SEQUAZ.
sequoia *sf.* 'gênero de coníferas, da região da Califórnia (EUA), antiquíssimas e de grande porte' XX. Do ing. *sequoia*, do antr. *Sequoiah*, nome de um índio cheroqui que inventou um silabário para o seu idioma nativo.
ser *vb.* 'estar, ficar, existir, tornar-se' XIII. Do lat. *sĕdēre* 'estar sentado' 'assentar', fundido com formas do lat. *esse* 'ser'; o lat. *sĕdēre*, da ideia original de 'estar sentado', passou à de 'estar' e, daí, à de 'ser'.
serafim *sm.* 'anjo da primeira hierarquia' | *seraphin* XIII | Do lat. *serăphim*, deriv. do hebr. $s^e r\bar{a}ph\bar{\imath}m$ ||

seráfico | *seraphico* XVIII | Do fr. *séraphique*, deriv. do lat. ecles. *seraphĭcus*.
▷ **serafim** — **seráfico** | *a* 1595 *Jorn.* 170.*33* |.
serão *sm.* 'trabalho noturno, após o expediente normal' 'sarau' XIII. Do lat. **serānum*, deriv. do lat. *sērum -ī*.
sereia *sf.* 'ser mitológico, metade mulher, metade peixe, que, pela maviosidade do seu canto, atraía os navegantes para os baixios do mar' | *serea* XIV | Do lat. *sīrēna -ae*, deriv. do gr. *seirḗn -énos* || **sirene** *sf.* 'instrumento que produz sons mais ou menos estridentes, usado para dar alarma' XX. Do fr. *sirène*, deriv. do lat. *sīrēna* || **sirênio** XX.
sereíba *sf.* 'planta da fam. das verbenáceas, mangue-branco' 1587. Do tupi *sere'ïua*.
serelepe *sm. adj.* 2g. 'caxinguelê' *fig.* pessoa esperta' 'esperto, ardiloso' 1899. Voc. de formação expressiva, provavelmente.
serenar *vb.* 'acalmar, pacificar' XVI. Do lat. *serēnāre* || **serena** XX || **serenata** 1813. Do it. *serenata* || **serenidade** XVI. Do lat. *serēnĭtās -ātis* || **serenim** 1899 || **sereno**¹ *adj.* 'calmo' 1572. Do lat. *serēnus -a -um*. O superlativo *serenissimo* 'título dado, outrora, aos reis e às altas personalidades' já ocorre no séc. XV || **sereno**² *sm.* 'tênue vapor atmosférico' XVI.
seresma *sf.* 'mulher mole ou indolente' 1881. De etimologia obscura.
seresta *sf.* 'serenata' XX. De etimologia obscura || **seresteiro** XX.
sergipano *adj. sm.* 'do, ou pertencente ou relativo ao Estado de Sergipe' 'o natural ou habitante de Sergipe' 1899. Do top. *Sergip·e* + -ANO.
seri·ação, -ado, -ar → SÉRIE.
seríceo *adj.* '(Poét.) referente a seda' '(Bot.) diz-se de qualquer indumento cujos pelos mostrem brilho que lembre a seda' 1858. Do lat. *sericĕus* || **serici·cola** 1881 || **serici·cult·or** | 1881, *sericultor* 1899 || **serici·cult·ura** | 1881, *sericultura* 1899 || **serici·geno** 1899 || **sericita** XX || **sérico**¹ *adj.* 'seríceo' XVII. Do lat. *sērĭcus -a -um* || **sigueiro** *sm.* 'indivíduo que faz obra de seda' 1890. Do lat. *sericarĭum* || **sirgo** *sm.* 'ant.* seda' 'bicho-da-seda' | *siirgo* XV | Do lat. *sērĭcus*, com metafonia do *ē*, por influência do *ĭ* da sílaba seguinte.
▷ **seríceo** — **sigueiro** | *sirgueiro*, *sirigueiro* 1836 SC || **sirgo** | XIII CSM 18.*14*, 69.*57*, XIV ORTO 135.*15*, TEST 108.*30* |.
sérico² → SÉRUM.
sericoia *sf.* 'ave gruiforme da fam. dos ralídeos, saracura-do-brejo' XIX. De origem incerta, talvez tupi.
sericult·or, -ura → SERÍCEO.
seridó *sm.* 'a região nordestina entre o campo e a caatinga, que compreende terras do Rio Grande do Norte e da Paraíba' XX. Do top. *Seridó*.
série *sf.* 'ordem de fatos ou de coisas ligadas por uma relação, ou que apresentam analogia' XVIII. Do lat. *seriēs -ēī* || **seri·ação** 1899 || **seri·ado** XX || **seri·ar** XX.
seriedade → SÉRIO.
seriema *sf.* 'ave gruiforme da fam. dos cariamídeos (*Cariama cristata* L.)' | 1751, *siriema* 1618 etc. | Do tupi *sari'ama*.
serigueiro → SERÍCEO.

seriguilha *sf.* 'tecido grosso de lã, sem pelo' | 1881, *serguilha* 1890 | Do cast. *jerguilla*.
seringa *sf.* '(Mit.) *ant.* a flauta de Pã' 'bomba portátil, de vidro ou de plástico, para aplicação de injeções ou para retirar líquidos do organismo' XVI. Do lat. *syrĭnga*, deriv. do gr. *sŷrigx -iggos* 'cana oca, flauta' || **seringal** 1890 || **seringueira** 1881 || **seringueiro** 1890 || **siringe** *sf.* 'flauta de Pã' '(Zool.) laringe inferior das aves, muito complexa nos pássaros canoros' XX. Do lat. cient. *syrinx -ingis*, deriv. do gr. *sŷrigx -iggos* || **siringomiel·ia** *sf.* '(Patol.) doença nervosa causada por cavidades na medula espinhal, e que se caracteriza por distúrbios da sensibilidade ao calor e à dor, e atrofias musculares' | *syringòmyelia* 1899 || **siringotom·ia** *sf.* '(Cir.) incisão de uma fístula' | *syringotomia* 1874.
sério *adj.* 'que merece atenção, cuidado' 'importante' XVII. Do lat. *sērĭus -a -um* || **seriedade** 1844.
▷ **sério** — **seriedade** | 1836 SC |.
sermão *sm.* 'discurso religioso, pregação' | *-mon* XIII, *-mõ* XIV etc. | Do lat. *sermō -ōnis* || **sermonar** | XIV, *sermõar* XIII, *sermoar* XIII | Do lat. *sermōnāre*.
sernambi *sm.* 'espécie de molusco da classe dos bivalves' | 1587, *-bim* 1618 etc. | Do tupi *sarina'mi* || **sernambitinga** 1587. Do tupi *sarinami'tiŋa* < *sarina'mi* + *'tiŋa* 'branco'.
sero·colite, -diagnóstico → SÉRUM.
serôdio *adj.* 'tard.' | *serodeo* XIII, *sorodeo* XIV | Do lat. *serōtĭnus -a -um*.
sero·enterite, -logia, -sidade, -so, -ssanguíneo, -terapia → SÉRUM.
serpão → SERPOL.
serpe *sf.* 'serpente' XIV. Do nom. lat. **sĕrpes*, por *sĕrpens* || **serpear** XVIII || **serpentão** *sm.* '(Mús.) instrumento de sopro, recoberto de couro, e recurvado em forma de S, simples ou duplo, a fim de permitir ao executante atingir os seus nove orifícios' 1844 || **serpentária** *sf.* 'designação comum a ervas volúveis da fam. das aristoloquiáceas que, na América do Norte, são tidas como eficientes contra mordeduras de cobras' 1813. Do lat. *serpentārĭa -ae* || **serpentário** *sm.* 'ave de rapina, que se nutre sobretudo de serpentes' XVII || **serpente** XIV. Do lat. *sĕrpens -ēntis* || **serpentí·fero** XVII || **serpentina** *sf.* 'castiçal de três braços e três luzes que é costume acender no sábado de aleluia' XVIII; 'palanquim com cortinados, cujo leito é de rede' XVIII; 'certa trepadeira' 1813; 'fita de papel colorido para folguedos' XX. Do fr. *serpentine* || **serpentino** *adj.* 'relativo ou pertencente a, ou próprio de serpente' XVI. Do lat. *serpentĭnus -a -um* || **serpigin·oso** *adj.* 'semelhante a serpe, sinuoso' XX. Do fr. *serpigineux*, deriv. do baixo lat. *serpīgo -ĭnis*, de *serpĕre* 'serpear'.
▷ **serpe** — **serpentão** | 1836 SC |.
serpol *sm.* 'serpão, planta labiada, muito aromática' XVI. Do cast. *serpol*, deriv. do cat. *serpoll* e, este, do lat. *serpyllum* (ou *serpullum, serpillum*) -*ī*, do gr. *herpýllion -ou*, dim. de *hérpyllos -ou*, com influência do lat. *serpĕre* 'rastejar'; cp. SERPE || **serpão** XVI || **serpilho** 1813. Do lat. *serpyllum -ī*.
serr·a, -ação, -adela, -ador, -adura, -agem, -alha, -alharia, -alheiro → SERRAR.
serralho *sm.* 'palácio do sultão, dos príncipes ou dos dignitários turcos' XVII. Do it. *serràglio*, deriv. do turco *seraj* e, este, do persa *sărāj*.

serrar *vb.* 'cortar com serra' | XIII, *asserrar* XIII, *sarrar* XIV | Do lat. *serrāre* || **serra** *sf.* 'montanha' XIII; 'instrumento cortante' XV. Do lat. *sĕrra -ae* || serrAÇÃO | *cerração* XVI || serrAD·ELA 1890 || serrADOR 1813 || serrAD·URA 1813 || serrAGEM 1881 || serrALHA *sf.* 'erva humilde da fam. das compostas, de origem europeia, e subespontânea no Brasil, onde é planta ruderal' 1813 | Do lat. *sarralĭa* || serrALH·ARIA 1899 || serrALH·EIRO | *serralleyro* XV || serrAN·IA XVI || serrAN·ILHA *sf.* 'canção pastoril dos antigos trovadores portugueses, serrana' 1881. Do cast. *serranilla* || serrANO *adj. sm.* 'montanhês' | XIV, *sserana* f. XIV || serrARIA 1844 || serrIDÊNT·EO *adj.* '(Zool.) que tem dentes serráteis' 1874 || serrILHA *sf.* 'bordo denteado de qualquer objeto' XVII || serrILH·AR 1686 || serrí·PEDE 1899 || serrI·R·ROSTRO 1899 || serrOTE 1813.
⇨ **serrar** — serrADURA | 1720 RB || serrARIA | 1711 *in* ZT || serrOTE | 1720 RB |.
serrazina *adj. s2g.* 'maçante, enfadonho, cacete' 1813. Do cast. *sarracina*.
serr·idênteo, -ilha, -ilhar → SERRAR.
serrim *sm.* 'espécie de forragem' 1899. Do cast. *serrín*.
serr·ípede, -irrostro, -ote → SERRAR.
sertão *sm.* 'região agreste, distante das povoações ou das terras cultivadas' | *sertaõo* XV, *sartão* XV | De etimologia obscura || sertanEJO XVII || sertanISTA XX.
sérum *sm.* '(Med.) soro' XX. Do lat. *sērum -ī* || sérICO[2] *adj.* 'relativo ao soro' XX || seroCOLITE *sf.* '(Patol.) inflamação da superfície serosa do intestino grosso ou cólon' XX || seroDIAGNÓSTICO XX || seroENTERITE XX || seroLOG·IA XX || serOS·IDADE XVII. Do lat. med. *serosĭtas -ātis* || seroSO 1813 || seros·SANGUÍN·EO XX || seroTERAP·IA | *serotherapia* 1873. Cp. SORO[1].
serv·a, -ente, -entia, -içal, -içaria, -iço, -idão, -ido, -idor, -il, -ilha, -ilheta, -ilismo → SERVIR.
sérvio *adj. sm.* 'da, ou relativo ou pertencente à Sérvia' 'o natural ou habitante da Sérvia' 'idioma eslávico do grupo meridional' 1706. Do lat. mod. *servius (serbius)*, adapt. do servo-croata *srb* || servIANO *adj. sm.* 'sérvio' 1619.
⇨ **sérvio** — servIANO | 1538 DCAST 21v23 |.
serviola *sf.* '(Náut.) cada uma das peças que servem para içar a âncora e desviá-la do costado do navio' XVII. Do cast. *serviola*.
servir *vb.* 'viver ou trabalhar como servo' 'prestar serviço' 'auxiliar, ajudar' XIII. Do lat. *servīre* || DESserviço XIV || DESservir XIII || INservível 1899 || **serva** *sf.* 'criada' XIII || servENTE *adj. s2g.* XIII. Do lat. *serviens -ēntis*. No port. med. documentam-se, ainda: *serventa, sergenta* e *sergente*, todos no séc. XIII; os dois últimos são de imediata procedência francesa — fr. *sergent;* cp. SARGENTO[1] || servENT·IA | *seruemtia* XV, *serujntia* XV || serviÇ·AL XVI || serviÇ·ARIA XIII || serviÇO XIII. Do lat. *sĕrvītium* || servIDÃO | XVI, *-donhe* XIII, *-dõe* XIV, *-duem* XIV, *-doy* XIV etc. | Do lat. *servitūdo -ĭnis* || servIDO XIII || servIDOR XIII. Do lat. *sĕrvītor -ōris* || servIL XVI. Do lat. *servīlis -e*. O adv. *servilmente* já ocorre no séc. XIV *(seruylmete)* || servILHA *sf.* 'ant.* vasilha' | *seruiela* XIV |; 'barco para pesca de sardinhas' XV; 'sapato de couro' XVI. Do cast. *servilla* (ant. *serviella*), deriv. do lat. *servīlĭa*, pl. de *servīlis* || servILH·ETA *sf.* 'criada' 1874. Do cast. *servilleta* 'guardanapo', com extensão de sentido || servIL·ISMO 1844 || **servo** XIII. Do lat. *sĕrvus -ī* || subservi·ÊNCIA 1813 || subservi·ENTE XVII. Do lat. *subserviens -entis*.
⇨ **servir** — serviÇ·AL | *serujçal* XV BERN 738, *servyçal* XV CAVA 8.*15* || serviÇ·OSO | XV BENF 216.*23* || servIL | XV BENF 91.*36* || servILH·ETA 1836 SC || servIL·ISMO | 1836 SC |.
sésamo *sm.* 'gergelim' 1874. Do lat. *sēsămum -ī*, deriv. do gr. *sḗsamon* || sesamOIDE *adj. 2g.* 'parecido com a semente do sésamo' 1874. Do lat. *sēsamoīdēs*, deriv. do gr. *sēsamoeidḗs*.
seseli *sm.* 'arbusto da fam. das umbelíferas, parecido com o salgueiro ou amieiro' 1813. Do lat. *seselis -is*, deriv. do gr. *séseli(s) -eōs*.
sesgo *adj.* 'oblíquo, torcido' XIII. Do cast. *sesgo*.
sesm·aria, -eiro, -o → SEIS.
sesqui- *elem. comp.*, do lat. *sesqui* 'um e meio', que se documenta em compostos formados no próprio latim (como *sesquiáltera*) e em alguns outros, de formação erudita, nas línguas modernas ▶ sesquiÁLTERA *sf.* '(Mús.) grupo de seis figuras, que se executam no mesmo tempo que quatro da mesma espécie, e no mesmo andamento' 1813. Do lat. *sēsqui-alter -ĕra -ĕrum* || sesquiCENTENÁRIO XX || sesquiPEDAL 1874. Do lat. *sesquipedālis -e*.
⇨ **sesqui-** — sesquiPEDAL | 1836 SC |.
sessão *sf.* 'espaço de tempo que dura a reunião de um corpo deliberativo, consultivo etc.' 'horário de um espetáculo' 1813. Do lat. *sessĭō -ōnis*.
⇨ **sessão** | *cessoes* pl. *a* 1595 *Jorn.*159.*13* |.
sessenta *num.* '60, LX' | *sesaenta* XIII, *saseenta* XIV, *seseēta* XIV etc. | Do lat. *sĕxāgĭnta*. Cp. SEIS.
séssil *adj. 2g.* 'que não tem suporte' '(Biol.) diz-se do órgão fixado diretamente à parte principal de um ser vivo' 1844. Do lat. *sessīlis -e* || sessilI·FLORO *adj.* 'que tem flores sésseis' 1874 || sessilI·FOLIADO 1881.
sesso *sm.* 'nádegas' XVI. Do lat. *sessus -ūs*.
sesta *sf.* 'orig. meio-dia (a sexta hora do dia romano, iniciado às seis horas da manhã)' '*ext.* descanso, repouso (à hora da sesta)' XIII. Do lat. *sĕxta* (por *hora sĕxta*). Cp. SEIS.
sestércio *sm.* 'antiga moeda de cobre dos romanos' XVII. Do lat. *sēstertĭus -ĭī*.
sestro *adj. sm.* 'ant.* esquerdo' 'vício, manha, cacoete' | *seestro* XIII, *sēestro* XIII, *syestro* XIV etc. | Do lat. vulg. *sĭnĕxter*, alter. de *sinĭster -tris*, com influência de *dĕxter* 'direito' || sestrAR XX || sestrOSO 1844. Cp. SINISTRO.
⇨ **sestro** — sestrOSO | 1836 SC |.
seta *sf.* 'haste de madeira, guarnecida de uma ponta de ferro, e que se arremessa por meio de arco ou besta' | XV, *seeta* XIII, *saeta* XIII | Do lat. *sagitta -ae* || setADA | *saetada* XIII, *seetada* XIV || setEIRA | *saeteyra* XIV.
⇨ **seta** — AS·setAR | *asseetar* XV ZURD 225.*21*. ZURG 318.*17* |.
setáceo → SEDA.
setada → SETA.
sete *num.* '7, VII' XIII. Do lat. *sĕptem* || seteCENTOS *num.* '700, DCC' XIV || **setêmplice** *adj. 2g.* '(Poét.)

dobrado em sete' 'que tem sete lâminas' XVIII. Do lat. *septemplex -icis* || **seten**ADO | *-nn-* 1881 || **setenal** 1858 || **seten**ÁRIO | *septenario* XIV | Do lat. *septēnārius* || **seten**ATO | *septennato* 1881 || **setênfluo** *adj.* —'(Poét.) que deriva ou corre de sete fontes' XX. Do lat. *sēptēmflŭus*, de *sēptĕm* 'sete' + *-flŭus*, de *fluĕre* 'fluir' || **set**ÊN·IO | *septennio* 1844 | Do lat. *septennium* || **set**ENO *adj.* 'sétimo' XIII. Do lat. *septēnus -a -um* || **setenta** | *setaenta* XIII | Do lat. *septuagĭnta* || **setentrião** *sm.* 'o (pólo) norte' | *septentriõ* XIV | Do lat. *septentrĭõ -õnis* || **setentrion**AL | *septentrional* XVII | Do lat. *septentriõnālis -e* || **setenvirado** *sm.* 'cargo ou dignidade de setênviro' XX. Do lat. *septemvirātus -ūs* || **setenviral** 1890. Do lat. *septemvirālis* || **setenvirato** | *septemvirato* 1813 | Forma divergente culta de *setenvirado*, do lat. *septemvirātus -ūs* || **setênviro** | *septemviro* 1813 | Do lat. *septem-vĭrī -õrum* || **seti**CLÁVIO *m.* '(Mús.) o conjunto das sete claves musicais' XX || **seti**COLE *adj. 2g.* '(Poét.) que tem sete colinas ou montes' XVIII || **seti**COLOR 1899 || **seti**CORDE 1844 || **set**ILHA *sf.* 'estrofe de sete versos' XX || **set**ILH·ÃO XX || **sétima** | *septima* XIII || **sétimo** *num.* 'ordinal e fracionário correspondente a sete' | XIII, *setemo* XIV etc. | Do lat. *sĕptĭmus*; v. *seteno* || **setingentésimo** 1899. Do lat. *septingentēsĭmus -a -um* || **setis**·SÍLABO | *septisyllabo* 1899 || **setís**·SONO XVIII || **setívoco** XVI || **setuagenário** 1813. Do lat. *septuāgēnārius* || **setuagésima** | *septuagesima* XVI | Do adj. f. lat. *septuāgēsĭma* || **setuagésimo** | *septuagesimo* XIV | Do lat. *septuāgēsĭmus* || **setupli**CAR 1881 || **sétuplo** | XVIII, *septuplo* 1874 | Do lat. *septŭplus -a -um*.
⇨ **sete** — **setentrion**AL | *septentrionais* pl. *a* 1542 JCaSE 50.*14* || **seti**CORDE | *septicorde* | 1836 sc |.
seteira → SETA.
setembro *sm.* 'nono mês do ano civil' | XIII, *septēbro* XIII, *setenbro* XIII etc. | Do lat. *sĕptember -bris*, de *sĕptem* 'sete', sétimo mês do ano do calendário romano, iniciado em março; cp. OUTUBRO (lat. *octōber -bris* < *octō* 'oito'), NOVEMBRO (lat. *nŏvĕmber -bris* < *nŏvem* 'nove'), DEZEMBRO (lat. *december -bris* < *decem* 'dez').
set·êmplice, -enado, -enal, -enário, -enato, -ênfluo, -ênio, -eno, -enta, -entrião, -entrional, -envirado, -enviral, -envirato, -ênviro → SETE.
setia *sf.* 'ant. pequena embarcação asiática' 'cano de madeira, em geral com uma abertura na parte superior, e que conduz a água que faz mover os engenhos hidráulicos' XVII. De etimologia obscura.
setial *sm.* 'banco ou assento adornado, nas igrejas' XVII. Do cast. *sitial*, deriv. do cat. *setial* (ou *sitial*).
seti·clávio, -cole, -color, -corde → SETE.
set·icórneo, -ífero, -iforme, -ígero → SEDA.
set·ilha, -ilhão, -ima, -imo, -ingentésimo, -issílabo, -íssono, -ívoco → SETE.
setoira *sf.* 'foice para ceifar trigo ou feno' | *setoura* 1813 | De etimologia obscura.
setor, -ial → SE(C)ÇÃO.
setu·agenário, -agésima, -agésimo, -plicar, -plo → SETE.
seu *pron. m.* XIII; **sua** *pron. f.* XIII. Do lat. *sŭus, sŭa*. Na forma do masculino é visível a influência do pron. *meu*.
sevandija *sf.* 'designação comum aos parasitos e vermes imundos' XVII. Do cast. *sabandija*, de origem pré-romana, provavelmente.
sevar → SOVAR.
seve *sf.* 'seiva' 1873. Do fr. *sève*, deriv. do lat. *sapa*. Cp. SEIVA.
⇨ **seve** | 1836 sc |.
severo *adj.* 'rígido, rigoroso' 1572. Do lat. *sevērus -a -um* || **sever**IDADE XVI. Do lat. *sevērĭtās -ātis*.
sevícia *sf.* 'maus tratos, ofensas físicas' XVII. Do lat. *saevitĭa -ae* || **sevici**AR 1813.
sevilhano *adj. sm.* 'de, ou pertencente ou relativo a Sevilha (Espanha)' 'o natural ou habitante de Sevilha' | *sevilhana* f. XVI | Do top. *Sevilh(a)* + -ANO.
sevo *adj.* 'desumano, cruel, sanguinário' 1572. Do lat. *saevus -a -um*.
sex·agenário, -agésima, -agésimo, -angulado, -angular, -ângulo, -celular, -centésimo, -digital, -digitário, enal, -ênio → SEIS.
sexo *sm.* 'conformação particular que distingue o macho da fêmea, nos animais e nos vegetais' 1572. Do lat. *sexus -ūs* || **sexí**·FERO *adj.* 'que tem sexo' 1874 || **sexo**LOG·IA XX || **sexo**LOG·ISTA XX || **sex**U·AL 1813. Do lat. tard. *sexuālis* || **sex**UAL·IDADE 1874.
sexta → SEIS.
sexta-feira → FEIRA.
sext·ante, -avar, -eto, -il, -ilha, -ilhão, -ina, -o, -ulo, -uor, -uplo → SEIS.
sexu·al, -alidade → SEXO.
séxviro → SEIS.
sezão *sf.* 'febre intermitente ou periódica' | *sazon* XIII, *sezom* XIV | De etimologia controversa.
sezeno → SEIS.
-sfer- *elem. comp.*, deriv. do gr. *sphair-*, de *sphaîra* 'qualquer corpo redondo' 'bola, globo' 'esfera', que se documenta em alguns compostos eruditos, como *biosfera, geosfera* etc.; cp. ESFERA.
-sfing- *elem. comp.*, deriv. do gr. *sphigx -iggós* 'monstro fabuloso' 'esfinge', que se documenta em alguns compostos eruditos, como *androsfinge*; cp. ESFINGE.
si[1] *pron.* XIII. Do lat. *sī* (forma reduzida de **sihi*, por *sĭbi*), por analogia com *mī*, de *mihi*.
si[2] → DÓ[2].
siag(o)- *elem. comp.*, deriv. do gr. *siagón-*, de *siagốn -ónos* 'maxila, face', que se documenta em alguns compostos eruditos introduzidos, a partir do séc. XIX, na linguagem da medicina ♭ **siag**ANTR·ITE XX || **siagon**AGRA 1899.
sial(o)- *elem. comp.*, do gr. *síalon* 'saliva', que se documenta em alguns compostos eruditos introduzidos, a partir do séc. XIX, na linguagem da medicina ♭ **sial**ADEN·ITE 1899 || **sial**AGOGO 1858. Do fr. *sialagogue* || **sial**ISMO 1858. Do fr. *sialisme*, deriv. do lat. cient. *sialismus* || **sialo**FAG·IA XX || **sial**OR·REIA | *-llorrheia* 1899.
siar *vb.* 'fechar (as asas), para descer mais depressa' XVIII. De origem obscura.
siaum *sm.* 'peixe da fam. dos pimelodídeos' *c* 1631. De origem tupi, mas de étimo indeterminado.
siba → SÉPIA.
sibarita *adj. s2g.* 'relativo a, ou natural da antiga cidade grega de Síbaris, no sul da Itália' 'diz-se de quem é dado à indolência ou à vida de prazeres' | *sy-* 1874 | Do fr. *sybarite*, deriv. do lat. *Sybarīta* e, este, do gr. *Sybarĩtēs*, de *Sýbaris* 'Síbaris' || **siba-**

ritISMO *sm.* 'vida e/ou caráter de sibarita' 'desejo excessivo de luxos e prazeres' | *sy-* 1874 | Do fr. *sybaritisme*.
sibila *sf.* 'entre os antigos, profetisa' XVII. Do lat. *sibylla*, deriv. do gr. *síbylla* || **sibil**INO XVII. Do lat. *sibyllīnus*.
⇨ **sibila** | *sibilla* 1525 ABejP 20v32 |.
sibilar *vb.* 'assoviar, silvar' XVI. Do lat. *sībĭlāre* || **sibil**ANTE XVI. Do lat. *sībilans -antis*, part. pres. de *sībĭlāre* || **sibilo** *sm.* 'silvo, zumbido' XVII. Do lat. *sībĭlus -i* || **silv**AR *vb.* 'sibilar' XVII. Do lat. *sībĭlāre*, através de uma forma metatética **silbare* || **silvo** *sm.* 'qualquer som agudo e prolongado produzido pela passagem do ar comprimido entre membranas que vibram' XVII. Dev. de *silvar*.
sibilino → SIBILA.
sibilo → SIBILAR.
sica *sf.* 'punhal dos antigos romanos' 1899. Do lat. *sīca* || **sic**ÁRIO *sm.* 'assassino pago para cometer toda a sorte de crimes' XVIII. Do lat. *sīcārĭus -ĭī*.
sicativo → SECO.
siciliano *adj. s2g.* 'de, ou pertencente ou relativo à Sicília (Itália)' 'o natural ou habitante da Sicília' | *cezilãa* XIII, *ciziliã* XIII, *cizillãa* XIII | De *Sicíli(a)* + -ANO || **siciliana** *sf.* 'orig. pequena composição poética de caráter sentimental, destinada à música' 'ext. dança de origem italiana, de caráter pastoril' | *-nna* 1874 | Do it. *siciliana*.
sicite → SIC(O).
sido *sm.* 'unidade de peso utilizada no Oriente antigo' 'antiga moeda de prata dos hebreus' XIV. Do lat. vulg. *siclus*, deriv. do gr. *síklos* e, este, do hebr. *šeqel*.
sic(o)- *elem. comp.*, do gr. *sýkon -ōnos* 'figo' (que, por analogia, traduz também as ideias de 'pequena excrescência nas pálpebras' 'as partes pudendas da mulher'), que se documenta em alguns compostos introduzidos, a partir do séc. XIX, na linguagem erudita ▶ **sicite** *sf.* 'vinho de figos bebido pelos antigos' | *sy-* 1899 | Do lat. tard. *sycite*, deriv. do gr. *sykítēs* || **sic**ÓFAGO | *sycopha-* 1858 || **sicofanta** *s2g.* 'pessoa mentirosa, difamadora, velhaca' XVI. Do lat. *sȳcophanta*, deriv. do gr. *sykophántēs* || **sic**OMA *sm.* 'espécie de verruga ou condiloma' XX || **sico**MANC·IA | *sycomān* 1899 || **sico**MANTE XX || **sicômoro** *sm.* 'falso-plátano' XVI. Do lat. *sȳcomŏrus -i*, deriv. do gr. *sȳkómoros* || **sicôn**IO *sm.* 'fruto múltiplo, do qual o figo comum é exemplo típico' XX. Do ing. *syconium* || **sic**OSE *sf.* 'mentagra' | *sy-* 1844 | Do fr. *sycosis*, deriv. do gr. *sýkōsis* || **sic**ÓT·ICO *adj.* 'relativo à sicose' | *sy-* 1899.
sicrano *sm.* 'a segunda de duas ou três pessoas mencionadas indeterminadamente' XVI. De origem controvertida; talvez formação expressiva baseada em *fulano*.
sículo *adj. sm.* 'siciliano' 1572. Do lat. *Sicŭlus*.
sideração *sf.* 'suposta influência de um astro na vida e na saúde de alguém' XVIII. Do lat. *sīderātĭō -ōnis* || **sider**AL *adj.* 2g. 'relativo aos astros' XIX. Do lat. *sīderālis* || **sider**AR *vb.* 'fulminar, aniquilar' *fig.* 'atordoar, aturdir' XX. Do lat. **siderare*, por *siderāri* || **sidéreo** | *syderea* f. XVII | Do lat. *sīdĕrĕus* || **sidér**ICO[1] *adj.* 'sideral' 1881 || **sider**ISMO *sm.* 'adoração dos astros' 1899.
sider(o)- *elem. comp.*, do gr. *sídēros* 'ferro', que se documenta em alguns vocs. formados no próprio grego (como *siderurgia*) e em muitos outros introduzidos, a partir do séc. XIX, na linguagem científica internacional ▶ **sidér**ICO[2] 1899. Cp. gr. *siderikós* || **sider**ITA[1] *sf.* 'planta da fam. das marrubiáceas' | *-ite* XVII | Do lat. cient. *sideritis*, deriv. do gr. *sidērîtis* || **sider**ITA[2] *sf.* 'mineral trigonal, constituído de carbonato de ferro' | *-ite* 1858 | Do lat. *sidērītēs*, deriv. do gr. *sidērítēs* || **sider**ITO *sm.* 'aerólito que tem mais de 90% de minério de ferro' 1874 || **sidero**GÁSTER | *-gastro* 1899 || **sidero**GRAF·IA 1858. Do fr. *sidérographie* || **siderólito** XX || **sidero**MANC·IA 1858 || **sidero**MANTE XX || **sidero**SCÓP·IO 1881 || **sidero** 1858 || **sider**ÓSTATO 1874 || **sidero**TECN·IA | *-technia* 1858 || **sider**URG·IA *sf.* 'metalurgia do ferro e do aço' 1874. Do fr. *sidérurgie*, deriv. do gr. *sidērourgía* || **sider**ÚRG·ICO 1874. Do fr. *sidérurgique*.
sidônio *adj. sm.* 'relativo a, ou natural de Sidon, cidade da Fenícia' 1899. Do lat. *Sīdōnĭus*, deriv. do gr. *Sidōnios*, de *Sidōn* (hebr. *Tsîdōn*).
sidra *sf.* 'bebida que se prepara com o suco fermentado da maçã' 1899. Do cast. *sidra* (< **sizdra* < *sizra*), deriv. do lat. *sicĕra*, de origem hebraica.
sienito *sm.* 'rocha magmática granular, de profundidade, caracterizada pela presença de feldspato alcalino, mica, piroxênio e anfibólios ' | *syenita* 1899, *-ite* 1899 | Do lat. *syēnītēs -ae* (do top. *Syēnē -ēs* 'Siena', cidade do Alto Egito, célebre pelo granito encarnado) e, este, do gr. *syēnítēs*.
sifão *sm.* 'tubo recurvo em forma de S, para vários usos' | 1844, *syphão* 1844 | Do fr. *siphon*, deriv. do lat. *sīphō -ōnis* e, este, do gr. *síphōn -ōnos* 'tubo' || **sifon**ÁPTERO *sm.* 'animal artrópode da classe dos insetos, de corpo comprimido' | *siphonápteros* pl. 1899 || **sifon**ÓFORO *sm.* 'animal celenterado hidrozoário' | *siphonóphoros* pl. 1899 || **sifon**OIDE | *-pho*1881 || **sifon**ÓSTOMO | *-pho-* 1881.
⇨ **sifão** | *syphon* 1783 *in* ZT, *siphon* 1785 *in* ZT |.
sífilis *sf.* 2n. 'doença infecciosa e contagiosa, transmitida sobretudo por contato sexual' | *syphilis* 1844, *syphlis* XIX | Do lat. mod. *Syphĭlis*, que consta no título de um poema composto pelo italiano Girolamo Fracastoro, em 1530, cujo protagonista *Syphilus* contrai este mal; este nome deve ser imitação do de um personagem de Ovídio || **sifili**CÔMIO | *-phi-* 1899 | Voc. criado sob o modelo de *nosocômio* || **sifilí**T·ICO | *-phi-* 1844 | Do fr. *syphilitique* || **sifilo**GRAF·IA | *syphiligraphia* 1874, *siphiliographia* 1899 || **sifil**OMA XX.
sifon·áptero, -óforo, -oide, -óstomo→ SIFÃO.
sigilo *sm.* *ant.* selo, marca' XVI; 'segredo 1813. Forma divergente culta de *selo*, do lat. *sĭgillum -i* || **sigil**AR *vb.* 'selar' XVII. Forma divergente culta de *selar*, do lat. *sĭgíllāre* || **sigil**ÁRIA *sf.* 'família de pteridófitos fósseis' 1844. Do lat. cient. *sigillāria* || **sigil**OSO *adj.* 'secreto' XX. Cp. SELAR[2].
sigla *sf.* 'sinal convencional' 'rubrica' 'letra inicial, simples ou repetida, usada como abreviatura em monumentos, medalhas e manuscritos antigos' 'reunião das letras iniciais dos vocábulos fundamentais de uma denominação ou título' XIX. Do lat. tard. *sigla -ōrum* || **sigl**EMA XX.
sigma *sm.* 'nome da letra do alfabeto grego (Σ, σ, ς) correspondente ao esse (S, s)' 1899. Do lat. *sigma*

-*ătis*, deriv. do gr. *sîgma* || sigmÁT·ICO *adj.* 'em que existe a letra esse' 1899. Do fr. *sigmatique* || sigmatISMO 1899. Do fr. *sigmatisme* || sigmOIDE XX. Do fr. *sigmoïde*.
signo *sm.* 'sinal, símbolo, marca' 'cada uma das 12 constelações do Zodíaco' '(Ling.) aquilo que é constituído pelo símbolo e pelo sinal, integrando a significação das formas linguísticas e constituindo, assim, a essência da linguagem' | XIII, *ssino* XIV, *syno* XIV | Do lat. *signum -i* || A·ssinAÇÃO XVII. Do lat. *assignātiō -ōnis* || A·ssinADO | XIII, *assinaado* XIII, *asijnado* XIII, *asinaado* XIV etc. || A·ssinalADO | *asenalado* XIV, *assy-* XIV etc. || A·ssinalAR *vb.* 'marcar com sinal' 'assinar' 'dar a conhecer, distinguir' XVI || A·ssinANTE 1874 || A·ssinAR *vb.* 'firmar com seu nome ou sinal' 'assinalar' XIII. Do lat. *assignāre* || A·ssinAT·URA XVIII || INsigne *adj. 2g.* 'muito distinto, notável, assinalado' 1844. Do fr. *insigne*, deriv. do lat. *īnsignis -e* || INsígnIA *sf.* 'sinal distintivo de dignidade, de posto etc.' 'símbolo, emblema' | *jmsinea* XV, *jnsignea* XV | Do lat. *īnsignia*, pl. de *īnsigne -is* || INsignIFIC·ÂNCIA 1844 || INsignIFIC·ANTE *adj. s2g.* 'de pouco valor, sem importância' 1844. Adapt. do fr. *insignifiant* | INsignIFIC·ATIVO 1858 || PERsignAR *vb.* 'fazer em si o sinal da cruz' 1813 || **senha** *sf.* 'aceno, gesto, sinal' 'gesto ou sinal combinado entre pessoas, a fim de se entenderem' XVII. Do lat. *signa*, pl. de *signum -i* || **signa** *sf.* 'bandeira, estandarte, insígnia' | XVI, *sygna* XIV | Forma divergente erudita do popular *senha* e do semierudito *sina* || signAR *vb.* 'ant. fazer o sinal da cruz' 'ant. indicar, assinando, marcando' | XV, *sinar* XIII, *sinaar* XIV, *synar* XIV | Do lat. *signāre* || signAT·ÁRIO *adj. sm.* 'que, ou aquele que assina ou subscreve um documento' XIX. Adapt. do fr. *signataire* || signIFIC·AÇÃO *sf.* 'acepção' 'o sentido das palavras' | -çõ XIV, -çon XV etc. | Do lat. *significātiō -ōnis* || signIFIC·ADO *sm.* 'significação' '(Ling.) a representação, na linguagem, do significante' 1813. Do lat. *significātus*, part. pass. de *significāre* || signIFIC·AMENTO *sm.* 'ant. significação' | *synyficamēto* XIV || signIFIC·ÂNCIA *sf.* 'significado (rigoroso de um termo)' | *sinificança* XIII, *senjficamça* XV | Do lat. *significantīa* || signIFIC·ANTE *adj. 2g.* 'significativo'; *sm.* '(Ling.) a parte fônica, ou imagem acústica, de um fonema, ou sequência de fonemas, provido de significação' 1844. Do lat. *significāns -āntis*, part. pres. de *significāre* || signIFIC·AR *vb.* 'ter o sentido de' 'querer dizer, expressar, exprimir' 'ser sinal de, denotar' 'ser o símbolo ou a representação de' | XIV, *seni-* XIV, *ssig-* XIV | Do lat. *significāre* || signIFIC·ATIVO *adj.* 'que significa' 'que expressa com clareza' 'expressivo' | *-tiuas* f. pl. XVI || **sina** *sf.* 'insígnia, bandeira' 'sorte, destino' | XIII, *signa* XIV, *syna* XIV' Forma divergente semierudita do popular *senha* e do erudito *signa* || **sinal** *sm.* 'signo', do gr. *signālis* || sinalADO | XIII, *sinaado* XIII, *sy-* XIV etc. || sinalAR *vb.* 'assinalar' | *sy-* XIV || sinalEIRA *sf.* 'sinal luminoso regulador do trânsito' XX || sinalEIRO *sm.* 'indivíduo incumbido de dar sinais a bordo e/ou nas estações das estradas de ferro' | *signa-* 1881 || sinalIZ·AÇÃO XX || sinalIZAR *vb.* 'marcar com sinais' 'exercer as funções de sinaleiro' XX || sinAR *vb.* 'assinar, apontar' | *synar* XIV | ;

'persignar-se, benzer-se' XIII || sinEIRO *sm.* 'aquele que tem por função tocar e/ou fabricar sinos' | *syneyro* XIV || sinETA *sf.* 'sino pequeno' 1874 || sinETE *sm.* 'utensílio gravado em alto ou baixo-relevo, utilizado para imprimir assinatura, monograma, brasão etc.' | *ssy-* XV | Do fr. *signet* || **sino** *sm.* 'instrumento, em geral de bronze, obcônico, que tem uma sonoridade rica, mais ou menos aguda, e pode ser percutido na superfície interna por um badalo, ou na externa por um martelo' XV. Forma divergente semierudita de *signo*.
⇨ **signo** — CONTRASsenha | *contrasenha c* 1644 *Aned.* 49.*11* || INsigne | 1582 *Liv. Fort.* 91*v*3, *insinia* [sic] *c* 1539 JCASD 63.*28* || INsignIFIC·ÂNCIA | 1836 SC || INsignIFIC·ANTE | 1836 SC || signIFIC·ANTE 'significativo' | 1836 SC |.
sílaba *sf.* 'som produzido por uma única emissão de voz' | XV, *sylla-* XVI | Do lat. *syllăba*, deriv. do gr. *syllabē* || DI·ssilábICO XX || DI·ssílabo | *-ssy-* 1844 | Do fr. *dissylabe*, deriv. do lat. *disyllabus* e, este, do gr. *disýllabos* || MONO·ssilábICO | *-sylla-* 1873 | Do fr. *monosyllabique* || MONO·ssílabo | *-sylla-* XVII | Do fr. *monosyllabe*, deriv. do lat. tard. *monosyllabus* e, este, do gr. *monosýllabos* || POLI·ssilábICO | *-lysylla-* 1881 | Do fr. *polysyllabique* || POLI·ssílabo | *-lysylla-* 1813 | Do fr. *polysyllabe*, deriv. do lat. tard. *polysyllabus* e, este, do gr. *polysýllabos* || silabAÇÃO | *sylla-* 1881 | Do fr. *syllabation* || silabADA *sf.* 'erro de pronúncia, especialmente o que consiste em deslocar o acento tônico da palavra' 1813 || silabAR | *sylla-* 1844 | Do fr. *syllaber* || silábICO 1712. Do fr. *syllabique*, deriv. do lat. *syllabĭcus* e, este, do gr. *syllabikós* || TRI·ssilábICO | *-sylla-* 1881 | Do fr. *trisyllabique* || TRI·ssílabo | *-sylla-* 1881 | Do fr. *trisyllabe*, deriv. do lat. *trisyllabus* e, este, do gr. *trisýllabos*.
⇨ **sílaba** — DIS·**sílabo** | *dissyllabo* 1836 SC || MONOS·**silábICO** | *monosylla-* 1836 SC || MONOS·**sílabo** | *monosylla-* 1836 SC || silabAR | *sylla-* 1836 SC || TRIS·**silábICO** | *-sylla-* 1836 SC || TRIS·**sílabo** | *trissyla-*, *trisylla-* 1836 SC |.
silêncio *sm.* 'interrupção de ruído, calada' 'estado de quem se cala' | XIV, *-ção* XV | Do lat. *silentĭum -ĭī* || silenciAR 1844 || silenciOSO 1813. Adapt. do fr. *silencieux*, deriv. do lat. *silentiōsus* || **silente** *adj. 2g.* '(Poét.) silencioso' 1881. Do lat. *silēns -entis*.
⇨ **silêncio** — silenciAR | 1836 SC |.
silepse *sf.* '(Gram.) figura pela qual a concordância das palavras se faz de acordo com o sentido e não segundo as regras da sintaxe' | *-psis* XVI | Do lat. tard. *syllēpsis*, deriv. do gr. *syllēpsis* || **siléptico** | *syllep-* 1874 | Do fr. *sylleptique*, deriv. do gr. *sylleptikós*.
sílex *sm.* 'mistura irregular de calcedônia com certa proporção de sílica hidratada' 1844. Do fr. *silex*, deriv. do lat. *silex -ĭcis* || **sílica** *sf.* '(Quím.) dióxido de silício' 1844. Do lat. cient. *silica*, de *silex -ĭcis* || silicí·COLA 1874 || silicIFIC·AÇÃO XX || **silício** *sm.* '(Quím.) elemento de número atômico 14, muito abundante na crosta terrestre, utilizado em algumas ligas' 1844. Do lat. cient. *silicium* || **silicone** *sm.* 'derivado orgânico do silício' XX. Do ing. *silicon* || silicOSE XX.
⇨ **silex** | *scilice* 1571 FOLF 112.*6* || **sílica** | 1836 SC || **silício** | *-cium* 1836 SC |.

silfo *sm.* 'na mitologia céltica e germânica da Idade Média, o gênio do ar' | *sylpho* 1858 | Do fr. *sylphe*, de origem controvertida ‖ **silf**IDE *sf.* 'feminino de silfo' | *sylphi-* 1858 | Do fr. *sylphide*.
silha *sf.* 'pedra em que se assenta o cortiço das abelhas' 'série de cortiços de abelhas' XVI. Do cast. *silla*, deriv. do lat. *sĕlla*. Cp. SELA.
silhueta *sf.* 'desenho representativo do perfil de uma pessoa ou objeto, segundo os contornos que sua sombra projeta' 1881. Do fr. *silhouette*, deriv. da locução irônica *à la silhouette*, do nome do general francês Étienne de *Silhouette* (1709-1769), que foi inspetor-geral das finanças em 1759. Começaram a ridicularizá-lo e deram o nome dele aos desenhos que indicam por um simples traço o contorno dos objetos, quando ele quis exigir das terras dos nobres uma subvenção territorial e reduzir as pensões.
síl·ica, -icícola, -icificação, -ício, -icone, -icose → SÍLEX.
silimanita *sf.* 'mineral ortorrômbico, constituído de silicato de alumínio' XX. Do ing. *sillimanite*, do antrop. Benjamin *Silliman*, químico norte-americano (1779-1864).
síliqua *sf.* 'fruto capsular que se abre em duas valvas, deixando no centro uma lâmina' 1854. Do fr. *silique*, deriv. do lat. *silĭqua* ‖ **siliqui**FORME 1874.
⇨ **síliqua** | 1836 SC |.
silo *sm.* 'ant. tulha subterrânea' 'depósito para cereais' XIII. Do cast. *silo*, voc. pré-romano, de origem incerta. Provavelmente do célt. *sĭlon* 'semente'; como o silo era sempre subterrâneo, é possível que o voc. seja aparentado com o basco *zilo, zulo*, com o sentido de 'cova para guardar grãos' ‖ EN**sil**AGEM XX ‖ EN**sil**AR XX.
silogismo *sm.* 'dedução formal tal que, postas duas proposições, chamadas premissas, delas se tira uma terceira, nelas logicamente implicada, chamada conclusão' | *syllo-* XVII | Do lat. *syllogismus -i*, deriv. do gr. *syllogismós* ‖ **silogíst**ICO | *syllo-* 1813 | Do 1at. *syllogistĭcus*, deriv. do gr. *syllogistikós* ‖ **silog**IZAR | *syllogisar* XVII | Do lat. tard. *syllogizāre*, deriv. do gr. *syllogízomai*.
siluro *sm.* 'animal cordado, da classe dos peixes' | *syluros* pl. XIV | Do lat. *silūrus -i*, deriv. do gr. *sílouros*.
silv·a, -ano → SELVA.
silvar → SIBILAR.
silv·ático, -eira[1] →SELVA.
silveira[2] *sf.* 'prato feito com carne picada (ou camarão, peixe etc.), misturado com ovos mexidos' XX. De origem obscura.
silvestre → SELVA.
silviano *adj.* '(Anat.) diz-se dos vasos e outros órgãos que se encontram na depressão cerebral chamada cissura de Sílvio' XX. Adapt. do fr. *sylvien*, do antrop. *Sylvius*, latinização do nome do médico francês Jacques Dubois (1478-1555), ou, com maior probabilidade, do nome do anatomista flamengo François de la Boë *Sylvius* (1614-1672).
silví·cola, -cultor, -cultura → SELVA.
silvita *sf.* 'mineral monométrico, constituído de cloreto de potássio, empregado na extração do potássio para fins de adubação' XX. Do lat. cient. (*sal digestivus*) *sylvii* 'cloreto de potássio' + -ITA, por via erudita.

silvo → SIBILAR.
silvoso → SELVA.
sim *adv.* (exprime afirmação, acordo ou permissão) | *si* XIII, *sy* XIII etc. | Do lat. *sīc*.
sim → SIN-.
sima *sm.* '(Geol.) camada hipotética subjacente ao sial, rica em silício e magnésio' XX. Das sílabas iniciais de *si(lício)* e *ma(gnésio)*, por via erudita.
simaruba *sf.* 'gênero de plantas da fam. das simarubáceas, cujas raízes e cascas, amargas, têm uso medicinal' 1858. Do fr. *simarouba*, deriv. do caribe *simaruba*.
simbionte *adj. sm.* '(Biol.) diz-se de, ou o organismo que toma parte numa simbiose' | *sym-* 1899 | Cp. gr. *symbíōntes* ‖ **simbiose** *sf.* '(Biol.) associação de duas plantas ou de uma planta e um animal, na qual ambos os organismos recebem benefícios, ainda que em proporções diversas' | *sym-* 1899 | Do fr. *symbiose*, deriv. do gr. *symbíōsis* ‖ **simbiót**ICO XX. Do fr. *symbiotique*, deriv. do gr. *symbiōtikós*.
simbléfaro → SIN-.
símbolo *sm.* 'aquilo que, por um princípio de analogia, representa ou substitui outra coisa' 'signo, alegoria, comparação' | XIV, *sym-* XVII | Do lat. *symbŏlum*, deriv. do gr. *sýmbolon* ‖ **simból**ICO | *sym-* 1813 | Do fr. *symbolique*, deriv. do lat. tard. *symbolicus* e, este, do gr. *symbolikós* ‖ **simbol**ISMO *sm.* 'expressão ou interpretação por meio de símbolos' '*ext.* escola literária do séc. XIX, caracterizada por uma visão subjetiva, simbólica e espiritual do mundo' 1844. Do fr. *symbolisme* ‖ **simbol**ISTA XIX. Do fr. *symboliste* ‖ **simbol**IZAR | *symbolisar* XVI | Do fr. *symboliser*, deriv. do lat. med. *symbolizare* ‖ **simbo**LOG·IA | *sym-* 1858 | Forma haplológica de *simbolologia.
⇨ **símbolo** — **sibol**ISMO 'expressão ou interpretação por meio de símbolos' | *sym-* 1836 SC |.
simetria *sf.* 'harmonia resultante de certas combinações e proporções regulares' | *symme-* XVI | Do lat. *symmetrĭa*, deriv. do gr. *symmetría* ‖ **simétr**ICO | *sy-* 1813 | Do fr. *symétrique*.
simi·anismo, -ano, -esco → SÍMIO.
símile *sm.* 'qualidade do que é semelhante' 'comparação de coisas semelhantes' XIV. Do lat. *simĭle -is* ‖ **sím**IL *adj. 2g.* '(Poét.) semelhante' XVII. Do lat. *simĭlis -e* ‖ **simil**AR *adj. 2g.* 1844. Adapt. do fr. *similaire* ‖ **simili**·FLORO 1874 ‖ **similitude** *sf.* 'semelhança' XX. Do lat. *similitŭdō -ĭnis*. No port. med. documentam-se as formas *semeldue* (séc. XIII), *semeldũe* (séc. XIV) e *simildõoe* (séc. XV) ‖ **similitudin**ÁRIO 1813.
⇨ **símile** — **simil**AR | 1836 SC |.
símio *adj. sm.* 'macaco' | XVI, *sy-* XVII. Do lat. *sīmĭus -ĭī* de *sīmus* 'que tem o nariz chato', deriv. do gr. *simós*. O fem. *símia* já se documenta no séc. XIV ‖ **simian**ISMO *sm.* 'doutrina pela qual o homem é originário do macaco' XX ‖ **simi**ANO *adj.* 'simiesco' 1899. Adapt. do fr. *simien* ‖ **simi**ESCO *adj.* 'pertencente ou relativo ao símio' XX. Do fr. *simiesque*.
simonia *sf.* 'tráfico de coisas sagradas ou espirituais' | *symonya* XIV, *symonia* XX Do lat. ecles. *simonia* ‖ **simon**ÍACO | *sy-* XV | Do lat. ecles. *simoniacus*.
simonte *adj. sm.* 'diz-se de, ou fumo da primeira folha usado para cheirar' 1813. De origem obscura.

simpatia *sf.* 'tendência ou inclinação que reúne duas ou mais pessoas' XVI. Do lat. *sympathia*, deriv. do gr. *sympátheia* || **simpát**ICO | *sympathico* 1813 | Do fr. *sympatique* || **simpat**IZAR | *sympathisar* 1813 | Do fr. *sympathiser*.
simpétalo → SIN-.
simpléctico *adj.* '(Hist. Nat.) que está entrelaçado com outro corpo' | *sympletico* 1874 | Do fr. *symplectique*, deriv. do gr. *symplektikós*.
simples *adj.* 2g. 2n. 'singelo, ingênuo, não complexo, que não implica em muitos elementos formadores' | XIV, *simplez* XIII, *simprez* XIV etc. | Do lat. *sĭmplicem* || **simpl**EZA *sf.* 'simplicidade' XIV. Fem. de *simplez*, var. ant. de *simples* || **símplice** *adj.* 2g. 'simples' XVI. Forma divergente culta de *simples* || **simplic**IDADE | XIV, *simplezidade* XIV etc. | Do lat. *simplicĭtās -ātis* || **simpl**IFIC·AÇÃO 1858. Do fr. *simplification* || **simpl**IFIC·AR *vb.* 'tornar simples' 1813. Adapt. do fr. *simplifier* || **simpl**ISMO *sm.* 'vício de raciocínio que consiste em desprezar elementos necessários da solução' 'uso de meios ou processos demasiado simples' XX. Do fr. *simplisme* || **simpl**ISTA 1881. Do fr. *simpliste* || **simpl**ÓRIO *adj. sm.* 'ingênuo, tolo' 1858.
⇨ **simples** — **simplic**IDADE | *simplizidade* XIII FLOR 554 || **simpl**ÓRIO | 1836 SC |.
simploce *sf.* '(Ret.) figura que consiste em principiar e/ou terminar frases pelas mesmas palavras' | *symplose* 1874 | Do lat. tard. *symplocē*, deriv. do gr. *symplokē*.
simpósio *sm.* 'orig. banquete, festim' 'ext. reunião de cientistas, escritores etc., para discutir determinado(s) tema(s)' XX. Do lat. *symposĭum -ĭī*, deriv. do gr. *sympósion* || **simposi**ARCA *sm.* 'aquele que presidia um banquete, na Grécia antiga' | *sym-* 1899 | Cp. gr. *symposiarchos*.
simular *vb.* 'fingir, aparentar, disfarçar' XVI. Do lat. *simŭlāre* || IN·DIS**simul**ÁVEL 1899 || IN**simul**AÇÃO XX. Do lat. *insimulātĭō -ōnis* || IN**simul**AR *vb.* 'denunciar, acusar falsamente' XVIII. Do lat. *in-simŭlāre* || **simul**AÇÃO | *semulaçom* XV | Do lat. *simulātĭō -ōnis* || **simulacro** *ant.* 'ídolo, efígie' 'falsificação, imitação' | *sy-* XIV | Do lat. *simulācrum -i* || **simul**A·DOR 1813. Adapt. do fr. *simulateur* || **simul**AT·ÓRIO 1881.
simultâneo *adj.* 'que ocorre ou é feito ao mesmo tempo que outra coisa' XVII. Do lat. tard. *simultāneus*, deriv. do lat. *simultās -ātis* 'competência, rivalidade', com influência do lat. *simul* 'ao mesmo tempo, juntamente' || **simultane**IDADE 1844. Adapt. do fr. *simultanéité*.
⇨ **simultâneo** — **simultane**IDADE | 1836 SC |.
simum *sm.* 'vento abrasador que sopra do centro da África para o norte' XIX. Do fr. *simoun*, deriv. do ár. *semum*, da raiz *samm* 'envenenar' 'queimar'.
sin- (sim-, sis-) *pref.*, do gr. *syn- (sym-, sys-)* , que expressa a ideia de simultaneidade e se traduz por 'com, juntamente', que já se documenta em alguns compostos formados no próprio grego (como *sinagoga* e *simbiose*) e em muitos outros introduzidos, a partir do séc. XIX, principalmente na linguagem científica. Tal como no grego, o pref. *sin-* assume a forma *sim-*, quando precede vocs. iniciados por *b, m* e *p*, e a forma *sis-*, quando precede vocs. iniciados por *s*. Registram-se, a seguir, os derivados e compostos eruditos formados nas línguas modernas de cultura. Os demais, já formados em latim ou em grego, vão consignados em verbetes independentes, na sua respectiva ordem alfabética ⬧ **sim**BLÉFA·RO '(Anat.) aderência, mais ou menos completa, da pálpebra com o globo ocular' | *symblépharo* 1899 | Do gr. *sym-* + gr. *blépharon* 'pálpebra', por via erudita || **sim**PÉTALO *adj.* '(Bot.) cujas pétalas são unidas entre si' | *sym-* 1899 || **sin**ANTÉR·EO | *synanthé-* 1874 || **sin**ANT·IA | *synanthia* 1874 || **sin**ANTO·CARP·ADO | *synantho-* 1899 || **sin**CANTO *sm.* '(Anat.) aderência do globo ocular à órbita' XX || **sin**CARPO | *syn-* 1874 || **sincício** *sm.* 'massa de protoplasma com muitos núcleos e sem divisão de células' XX. Do gr. *syn-* + *-cício* (< CIT·O- + -IO) || **sin**CINES·IA XX || **sin**CLIN·AL | *syn-* 1874 | Do fr. *synclinal* || **sin**CONDR·OSE | *synchon-* 1874 || **sin**CONDRO·TOM·IA | *synchon-* 1874 || **sin**COTILEDÔN·EO | *syncoty* 1881 || **sin**CRANI·ANO | *syncraneano* 1874 || **sin**DÁ(C)TILO | *syndactilo* 1874 | Do fr. *syndactyle* || **sin**DECTOM·IA | *syn-* 1899 || **si**NEMA | *sy-* 1899 || **si**NEMÁT·ICO | *sy-* 1899 || **sin**ERG·IA 1858. Do fr. *synergie* || **sin**ERG·IDE *sf.* 'célula que acompanha a oosfera no saco embrionário das plantas frutíferas' XX || **sin**ERG·ISMO *sm.* 'doutrina protestante pela qual a salvação do homem se alcança mediante a colaboração da graça divina com a vontade humana' XX || **sin**GÊNESE | *syn-* 1890 || **sin**OSTEO·GRAF·IA | *synosteŏgraphia* 1899 || **sin**OSTEO·LOG·IA | *sy-* 1858 || **sin**OSTE·OSE | *synostose* 1874 || **sin**OSTEO·TOM·IA | *sy-* 1899 || **sinóvia** *sf.* 'humor viscoso das articulações, que lhes facilita os deslocamentos' 1858. Do fr. *synovie*, deriv. do lat. med. *synovia* || **sinovi**AL | *sy-* 1874 | Do fr. *synovial* || **sin**SÉPALO XX || **sis**SARC·OSE | *sy-* 1874 || **sis**SOM·IA | *sy-* 1899.
⇨ **sin- (sim-, sis-)** — **sinóvia** | *sy-* 1836 SC || **sinovi**AL | *sy-* 1836 SC |.
sina → SIGNO.
sinagelástico *adj.* '(Zool.) que vive em grupos ou bandos' | *sy-* 1881 | Cp. gr. *synagelastikós*.
sinagoga *sf.* 'templo israelita' XIII. Do lat. ecles. *synagōga*, deriv. do gr. *synagōgē*.
sin·al, -alado → SIGNO.
sinalagmático *adj.* 'diz-se de contrato bilateral' | *synallag-* 1813 | Do fr. *synallagmatique*, deriv. do gr. *synallagmatikós*.
sinalefa *sf.* '(Gram.) figura pela qual se reúnem duas sílabas em uma só' | *synalepha* XVIII | Do fr. *synalèphe*, deriv. do lat. *synaloepha* e, este, do gr. *synaloiphē*.
sinal·eira, -eiro, -ização, -izar → SIGNO.
sin·ant·éreo, -ia, -ocarpado → SIN-.
sinapismo *sm.* 'cataplasma de mostarda' 1844. Do fr. *sinapisme*, deriv. do lat. med. *sināpismus* e, este, do gr. *sinapismós*, de *sínapi* 'mostarda' || **sináp**ICO 1873 || **sinap**IZAR | *-sar* 1844 | Do fr. *sinapiser*, deriv. do lat. med. *sināpizāre* e, este, do gr. *sinapizein* 'aplicar um sinapismo em'.
⇨ **sinapismo** | 1836 SC || **sinap**IZAR | 1836 SC |.
sinapse *sf.* '(Anat.) relação de contato entre os dendritos das células nervosas' XX. Do fr. *synapse*, deriv. do gr. *sýnapsis*.
sinar → SIGNO.
sinartrose *sf.* '(Anat.) articulação imóvel, de que há três tipos: sutura, harmonia, gonfose' | *synar-*

throse 1813 | Do fr. *synarthrose*, deriv. do gr. *synárthrōsis*.
sin·canto, -carpo → SIN-.
sinceiro →SALGUEIRO.
sincelo *sm.* 'códão' 1874. Do lat. tard. *syncellus*, deriv. do gr. tard. *sýgkellos* 'funcionário que dormia na mesma cela do patriarca, para vigiar o procedimento daquela autoridade'.
⇨ sincelo | 1836 SC |.
sincero *adj.* 'franco, leal, verdadeiro, puro' XVI. Do lat. *sincērus* || INsincerIDADE 1844. Adapt. do fr. *insincérité*, deriv. do lat. tard. *īnsincĕrĭtās -ātis* || INsincero 1844. Do lat. tard. *īnsincērus* || sincerIDADE XVI. Do lat. *sincĕrĭtās -ātis*.
⇨ sincero — INsincerIDADE | 1836 SC || INsincero | 1836 SC |.
sin·cício, -cinesia → SIN-.
sincipúcio *sm.* '(Anat.) o alto da cabeça' 1899. Do lat. *sinciputium*, calcado em *sincĭput -ĭtis* 'meia cabeça, metade da cabeça' || sincipitAL 1881.
sinclinal → SIN-.
sínclise *sf.* 'uso do pronome sinclítico' | *syn-* 1899 | Cp. gr. *sygklisis* || sinclítICO *adj.* 'diz-se do pronome que se intercala em uma palavra' | *syn-* 1899 || sinclitISMO XX.
sin·condro·se, -tomia → SIN-.
síncope *sf.* 'desfalecimento, desmaio' '(Gram.) supressão de fonema(s), no interior da palavra' | *sincopen* XIV, *syncopa* XVI, *syn-* 1813 |; '(Mús.) parte fraca de um tempo, prolongada sobre um tempo forte' | *syn-* 1881 | Do fr. *syncope*, deriv. do lat. *syncŏpe -es* e, este, do gr. *sygkopḗ* | sincopAR | *syn-* 1874 | Do fr. *syncoper*.
⇨ síncope — sincopADO | 1657 FMMelv 90*v*10 || sincopAR | 1836 SC, *syn-* 1836 SC |.
sin·cotiledôneo, -craniano → SIN-.
sincretismo *sm.* 'amálgama de doutrinas ou concepções diferentes' '(Fil.) reunião artificial de ideias ou de teses de origens disparatadas' | *syn-* 1858 | Do fr. *syncrétisme*, deriv. do lat. cient. *syncrētismus* e, este, do gr. *sygkrētismós* || sincrétICO | *syn-* 1881 | Do fr. *syncrétique* || sincretISTA | *syn-* 1874.
⇨ sincretismo | *syn-*1836 SC |.
síncrise *sf.* '*ant.* passagem de um corpo líquido à coagulação' '*ext.* oposição, antítese, contradição' '*ext.* reunião de duas vogais em um ditongo' | *syn-* 1874 | Cp. gr. *sýgkrisis -eōs* || sincrítICO | *syn-* 1899.
síncrono *adj.* 'que ocorre ao mesmo tempo' 'relativo aos fatos concomitantes ou contemporâneos' | *synchrono* 1813 | Do lat. tard. *synchronus*, deriv. do gr. *sýgchronos* || sincronIA *sf.* 'estado de um fenômeno linguístico, social, cultural etc., quando tomado em um determinado momento, sem se considerar sua evolução no tempo' '(Ling.) caráter dos fenômenos linguísticos em um dado estágio, independentemente de sua evolução no tempo' XX. Do fr. *synchronie* 'arte de aproximar as datas'; no campo da Linguística, o voc. foi usado, pela primeira vez, pelo linguista francês F. de Saussure, em 1910 || sincronISMO *sm.* 'relação entre fatos sincrônicos' | *synchro-* 1858 | Do fr. *synchronisme*, deriv. do gr. *sygchronismós*.
sin·dá(c)tilo, -dectomia → SIN-.

sindérese *sf.* 'bom senso, discrição, ponderação' | *synderesis* 1813 | Do fr. *syndérèse*, deriv. do gr. *syntḗrēsis*, pronunciado à maneira bizantina, com *-nd-* em lugar de *-nt-*.
sindesm(o)- *elem. comp.*, do gr. *sýndesmos* 'ligamento', que se documenta em alguns vocs. introduzidos, a partir do séc. XIX, na linguagem internacional da medicina ♦ sindesmITE XX || sindesmoGRAF·IA | *syndesmographia* 1858 || sindesmoLOG·IA | *syn-* 1858 | Do lat. cient. *syndesmologia* || sindesmOSE | *syn-* 1874 || sindesmoTO-M·IA | *syn-* 1874 | Cp. SIN-.
síndico *sm.* 'antigo procurador de uma comunidade, de cortes etc.' 'advogado de corporação administrativa' '*ext.* nos condomínios, pessoa escolhida para tratar dos interesses e da administração do imóvel' XVI. Do lat. tard. *syndicus*, deriv. do gr. *sýndikos* || sindicAL *adj.* 2g. 'pertencente ou relativo a sindicato' XX. Do fr. *syndical* || sindicAL·IZAR XX || sindicÂNCIA XIX || sindicAR *vb.* 'inquirir, colher informações' 'organizar em sindicato' XVII. Do fr. *syndiquer* || sindicATO *sm.* 'associação de pessoas da mesma categoria profissional, que se destina a defender os interesses da classe' XIX. Do fr. *syndicat*.
síndrome *sf.* 'conjunto de sintomas ligados a uma entidade mórbida e que constitui o quadro geral de uma doença' | XIX, *-ma* XIX | Do fr. *syndrome*, deriv. do gr. *syndromḗ*.
sinecura *sf.* 'emprego ou função que não obriga ou quase não obriga a trabalho' XIX. Do ing. *sinecure* (provavelmente através do fr. *sinécure*), deriv. do lat. med. *sine cūra* 'sem cuidado'.
sinédoque *sf.* '(Ret.) tropo que se funda na relação de compreensão e consiste no uso do todo pela parte, do plural pelo singular etc.' | *sinodoche* XV, *synecdoche* XVI | Do lat. *synecdochḕ -ēs*, deriv. do gr. *synekdochḗ*.
sinedrim, sinédrio *sm.* 'entre os antigos judeus, tribunal, em Jerusalém, formado por sacerdotes, anciãos e escribas' | *synedrim* 1858, *synédrio* 1858 | Do lat. tard. *synedrium*, deriv. do gr. *synédrion*. Cp. SANEDRIM.
⇨ sinedrim, sinédrio | *synhedrim, synhedrio* 1836 SC |.
sineiro → SIGNO.
sin·ema, -emático → SIN-.
sinequia *sf.* 'aderência entre partes vizinhas, especialmente a da íris com a córnea ou com o cristalino' | *synechia* 1874 | Do lat. cient. *synechĭa*, deriv. do gr. *synécheia*.
sinérese *sf.* '(Gram.) contração de duas sílabas em uma só, mas sem alteração de letras nem de sons' | *syneresis* XVI | Do lat. med. *synaeresis*, deriv. do gr. *synáiresis*.
sin·erg·ia, -ide, -ismo → SIN-.
sínese *sf.* '(Gram.) construção sintática na qual se leva mais em conta o sentido que o rigor da forma' | *synesis* XVI | Do lat. *synĕsis -is* 'inteligência', deriv. do gr. *synesis* 'encontro, junção'.
sinestesia *sf.* 'relação subjetiva que se estabelece espontaneamente entre uma percepção e outra que pertença ao domínio de um sentido diferente' XX. Do fr. *synesthésie*, deriv. do gr. *syn-* (v. SIN-) + *áisthes(is)* 'sensação' + *-ie* (v. -IA).

sin·eta, -ete → SIGNO.
sínfise *sf.* 'articulação que tem pouca mobilidade, como a dos ossos do púbis entre si' 'aderência de dois folhetos duma serosa' | *symphisis* 1814 | Do lat. cient. *symphysis*, deriv. do gr. *sýmphysis* || **sinfisio**TOM·IA *sf.* 'incisão da substância fibrocartilaginosa que liga os ossos púbicos' | *symphysectomia* 1874 | Do lat. cient. *symphysiotomia*.
sinfonia *sf.*'(Mús.) entre os gregos, a consonância perfeita' '(Mús.) certa peça orquestral' | *symphomia* 1813 | Do fr. *symphonie*, deriv. do lat. *symphōnia* e, este, do gr. *symphōnía* || **sinfôn**ICO | *sympho-* 1890 | Do fr. *symphonique*. Cp. SANFONA.
singelo *adj.* 'simples' XVI. Do lat. tard. **singellus*, dim. do lat. *singŭlus* 'um só' || **singel**EIRA *sf.* 'certa rede para pesca de peixe miúdo' XVIII || **singel**EZA XVII.
singênese → SIN-.
síngrafo *sm.* 'documento de dívida assinado pelo credor e pelo devedor' | *syngrapho* 1844 | Do lat. *syngrăpha -ae*, deriv. do gr. *syggraphē*, *sýggraphos*, fem. *syggráphein*.
singrar *vb.* 'velejar, navegar' | XIII, *singlar* XIV | Do a. fr. *singler, sigler* (hoje *cingler*), deriv. do a. escandinavo *sigla* 'navegar' || **singr**AD·URA 1500.
singular *adj.* 2g. 'único, particular, individual' XIV; '(Gram.) diz-se do número que indica uma só coisa ou pessoa' XVI. Do lat. *singulāris -e* || **singular**IDADE XIV. Do lat. *singulārĭtās -ātis* || **singular**IZAR XVI.
singulto *sm.* '(Poét.) soluço' XVII. Do lat. *singultus -ūs*. Cp. SOLUÇO.
sínico → SIN(O)-.
sinistro *adj.* 'esquerdo' 'fúnebre, funesto, temível' | XVII, *senestro* XVI |; *sm.* 'ext. desastre, ruína' 1813. Do lat. *sinistrum* || **sinistra** *sf.* 'a mão esquerda' 1844. Do lat. *sinistra* || **sinistró**GIRO XX || **sinistrorso** *adj.* '(Bot.) diz-se de caule volúvel que gira para a esquerda' XX. Do lat. *sinistrōrsus -um*.
sino → SIGNO.
sin(o)- *elem. comp.*, do lat. *sin-*, de *Sīnae*, deriv. do gr. *Sínai* (provavelmente de remota origem árabe) 'a China', que se documenta em alguns compostos introduzidos, a partir do séc. XIX, na linguagem erudita ♦ **sín**ICO XX || **sino**LOG·IA 1874. Do fr. *sinologie* || **sinó**LOGO 1874. Do fr. *sinologue*.
sinoca *adj.* 'dizia-se de certas febres contínuas' | *synocho* 1813 | Do fr. *synoque*, deriv. do gr. *sýnochos*.
sínodo *sm.* 'assembleia regular de párocos e outros padres, convocada pelo bispo local' | *sy-* 1881 XVI | Do lat. tard. *synodus*, deriv. do gr. *sýnodos* || **sinod**AL | *segnodal* XIV, *signadal* XV | Do lat. tard. *synodālis* || **sinód**ICO | *sy-* 1844 | Do fr. *synodique*, deriv. do lat. tard. *synodĭcus* e, este, do gr. tard. *synodikós*.
⇨ **sínodo** | XV FRAD I.240.9 |.
sino·logia, -logo → SIN(O)-.
sinônimo *adj. sm.* 'diz-se de, ou palavra ou locução que tem quase a mesma significação de outra' | *sy-* 1813 | Do fr. *synonyme*, deriv. do lat. tard. *synōnymum* e, este, do gr. *synōnymon* || **sinoním**IA | *synony-* 1813 | Do fr. *synonymie*, deriv. do lat. tard. *synōnymia* e, este, do gr. tard. *synōnymía*.
⇨ **sinônimo** | *synonomo* 1657 FMMelv 13v23 |.
sinople *sf.* '(Her.) a cor verde dos escudos, representada em traços diagonais'·XVI. Do fr. *sinople*, deriv. do lat. *sinōpis -ĭdis* 'terra de Sinope, espécie de ocre empregado em pintura' e, este, do gr. *sinōpis*.
sinopse *sf.* 'narração breve, resumo, sumário' | *sy-* 1844 | Do fr. *synopsis*, deriv. do lat. tard. *synopsis* e, este, do gr. *sýnopsis* || **sinópt**ICO | *sy-* 1844 | Do fr. *synoptique*, deriv. do gr. *synoptikós*.
⇨ **sinopse** | *sy-*1836 SC, *synopsis* 1836 SC || **sinópt**ICO | *sy-* 1836 SC |.
sin·osteografia, -osteologia, -osteose, -osteotomia, -óvia, -ovial → SIN-.
sínquise *sf.* '(Gram.) inversão da ordem natural das palavras, de que resulta tornar-se obscura a frase' | *synchise* 1874 | Do fr. *synchyse*, deriv. do lat. tard. *synchysis* e, este, do gr. *sýgchysis*.
sinsépalo → SIN-.
sintaxe *sf.* 'construção gramatical' | *syn-* XVII | Do lat. *syntaxis*, deriv. do gr. *sýntaxis* || **sintagma** *sm.* 'tratado cujo assunto está metodicamente dividido em classes, números etc. | 1813, *syn-* 1813 |, '(Ling.) a fusão ou combinação de dois ou mais elementos, em que o determinante estabelece um elo de subordinação com o determinado, formando uma unidade ou locucional, ou de um termo de oração, ou oracional' XX. Do fr. *syntagme*, deriv. do gr. *syntágma* || **sintát**ICO | *syntax* XVIII | Do fr. *syntactique*, deriv. do gr. *syntaktikós*.
síntese *sf.* 'operação mental que procede do simples para o complexo' 'resumo' | *synthese* 1813 | Do fr. *synthèse*, deriv. do lat. tard. *synthesis* e, este, do gr. *sýnthesis* || **sintét**ICO | *synthe-* 1813 | Do fr. *synthétique*, deriv. do gr. *synthetikós* || **sintet**ISMO | *synthe-* 1899 || **sintet**IZAR | *synthe-* 1899 | Do fr. *synthetiser*.
sintoma *sm.* 'sinal, indício (de uma doença)' | *sympthoma* XVIII | Do fr. *symptôme*, deriv. do lat. cient. *symptoma* e, este, do gr. *sýmptōma -atos* || **sintomát**ICO | *sympthomathico* XVII | Do fr. *symptomatique*, deriv. do gr. *symptōmatikós* || **sintomat**ISMO | *symptho-* 1881 || **sintomat**ISTA | *symp-* 1881 || **sintomato**LOG·IA | *symp-* 1874 | Do fr. *symptomatologie*.
sintomia *sf.* '(Ret.) exposição abreviada, esboço, resumo' | *syn-* 1881 | Do lat. mod. *syntomia*, deriv. 'do gr. *syntomía*.
sintonia *sf.*'acordo mútuo, harmonia, reciprocidade' | *syn-* 1858 | Cp. gr. *syntonía* || **sinton**IZAR XX.
sintonina *sf.* 'substância orgânica, acidalbumina existente no tecido muscular' 1874. Do gr. *sýntonos* 'forte tensão' + -INA, por via erudita.
sintonizar → SINTONIA.
sinuado → SEIO.
sinuca *sf.* 'variedade de bilhar' XX. Adapt. do ing. *snooker*.
sinuelo *sm.* 'cincerro' 1899. Do esp. plat. *siñuelo*.
sin·uosidade, -uoso, -usite, -usoide → SEIO.
sionismo *sm.* 'estudo das coisas referentes a Jerusalém' 'movimento nacionalista judaico iniciado no séc. XIX, que visava ao restabelecimento, na Palestina, de um Estado judaico' XX. Do fr. *sionisme*, de *Sion*, nome de uma colina de Jerusalém || **sion**ISTA XX. Do fr. *sioniste*.
sipai, sipaio *sm.* 'cavaleiro persa' 'soldado indígena, disciplinado e fardado à europeia, nas antigas possessões inglesas da Índia' | *hispains* pl. 1609,

sipaes pl. 1728, *cipaes* pl. 1825, *sipais* pl. 1842, *sypaes* pl. 1849 | Do persa *sipāhī* 'soldado de cavalaria', de *äsp* (≤ sânscr. *açva*) 'cavalo'.
sipe *sf.* 'clã sem soberania política' xx. De origem obscura.
sipilho *sm.* '(Marinh.) extremidade dum cabo que, por ser mal torcida, não pode ser aproveitada' xx. De origem obscura.
⇨ **siracusano** *adj. sm.* 'relativo a ou natural de Siracusa' | 1525 ABejP 25v19 | Do lat. *Syrăcūsānus*, de *Syrăcūsae*, deriv. do gr. *Syrákousai*.
sirage *sm.* 'óleo de gergelim' 1844. Talvez do ár. *sīriž* (*širiž*).
⇨ **sirage** | 1836 sc |.
sire → SENHOR.
siren·e, -io → SEREIA.
sirga *sf.* 'corda com que se puxa uma embarcação ao longo da margem' xvi. De etimologia obscura; talvez se trate do fem. de *sirgo* (v. SERÍCEO).
sirgo → SERÍCEO.
siri *sm.* 'crustáceo decápode da fam. dos portunídeos' | *a* 1696, *serizes* pl. 1587, *serŷ* 1618, *ceri c* 1631 etc. | Do tupi *si'ri*.
siríaco *adj. sm.* 'relativo aos sírios' 'o idioma aramaico' | *sy-* 1874 | Do lat. *syriăcus*, deriv. do gr. *syriakós*.
siricaia *sf.* 'creme preparado com leite, açúcar e ovos, e aromatizado com canela' | *syricaya* 1609, *siricaya* 1720 | Do malaio *srikáya*.
sirigaita *sf.* 'mulher pretensiosa e muito saracoteadora' 1813. De origem controvertida.
siring·e, -omielia, -otomia → SERINGA.
sírio *adj. sm.* 'pertencente ou relativo à Síria' 'o dialeto árabe falado na Síria' | *sy-* 1899 | Do lat. *syrĭus*.
siroco *sm.* 'vento quente do sueste, sobre o Mediterrâneo' | *sy-* xvi | Do fr. *sirocco*, deriv. do it. *scirocco* e, este, do ár. *šarūq*, var. de *šarq* 'vento do leste', de *šaraqa* 'o amanhecer' || **xaroco** *sm.* 'siroco'. xvii. Forma divergente de *siroco*, do ár. *šarūq*.
sirtes *s2g. pl.* 'recifes ou bancos movediços de areia' | *syr-* xvii | Do lat. *syrtis -is*, deriv. do gr. *sýrtis*.
sirvente, sirventês *sf.* 'poesia crítica e satírica, em que se louvava e engrandecia um senhor feudal' | *siruentes* xiii | Do provo *sirventés*.
sis- → SIN-.
sisa *sf.* 'designação antiga do hoje chamado imposto de transmissão' xiv. Do a. fr. *assisse*, de *asseoir* 'assentar, colocar, pôr' || **sis**EIRO xiv.
sisal *sm.* 'agave' xx. Do ing. *sisal*, deriv. do top. *Sisal*, porto do México.
sism(o)- *elem. comp.*, do gr. *seismós* 'comoção, abalo, tremor de terra', que se documenta em alguns compostos introduzidos, a partir do séc. xix, na linguagem científica internacional ▸ sísm**ICO** 1881. Do fr. *sismique* || **sismo** *sm.* 'terremoto' 1890. Adapt. do fr. *séisme*, deriv. do gr. *seismós* || **sismo**GRAF·IA | -*phia* 1881 || **sismo**GRAMA xx || **sismo**LOG·IA xx || **sism**ÔMETRO 1899.
siso *sm.* 'juízo, prudência' xiii. Do lat. *sēnsus* | A·**s-sis**ADO *adj.* 'ajuizado' xvii | DES·AS·**sis**ADO | xiv, *de-sasi-* xvi || **sisud**EZ 1881. De *sisudo* || **sisudo** *adj.* 'ajuizado, prudente' | xiii, *se-* xiii | Cp. SENSO.

⇨ **siso** — **sisud**EZ | *sisudeza* 1836 sc |.
siss·arcose, -omia → SIN-.
sistáltico → SÍSTOLE.
sistema *sm.* 'conjunto de elementos, materiais ou ideais, entre os quais se possa encontrar ou definir alguma relação' 'método, processo' | *sys-* 1810 | Do fr. *système*, deriv. do lat. tard. *systēma* e, este, do gr. *sýstēma* || **sistemát**ICA *sf.* 'sistematização' 'taxionomia' xx. Fem. substantivado do adj. *sistemático* || **sistemát**ICO | *sys-* 1813 | Do fr. *systématique*, deriv. do lat. tard. *systēmaticus* e, este, do gr. *systēmatikós* || **sistemat**IZ·AÇÃO | *sys-* 1881 | Do fr. *systématisation* || **sistemat**IZAR xix. Do fr. *systématiser* || **sistemato**LOG·IA | *sys-* 1874.
sistilo *adj. sm.* '(Arquit.) diz-se da, ou construção na qual os intercolúnios têm dois diâmetros de coluna ou quatro módulos' | *systylo* 1881 | Do fr. *systyle*, deriv. do lat. *systȳlus* e, este, do gr. *sýstȳlos*.
sístole *sf.* '(Med.) estado de contração das fibras musculares do coração' '(Gram.) hiperbibasmo' | *sys-* 1813 | Do fr. *systole*, deriv. do gr. *systolē* || A·**ssistol**IA | *asystolia* 1899 || **sistáltico** *adj.* 'próprio da sístole' | *sys-* 1874 | Do ing. *systaltic*, deriv. do lat. tard. *systalticus* e, este, do gr. *systaltikós*.
sistro *sm.* '(Mús.) antigo instrumento egípcio de percussão' | *seestro* xiv | Do lat. *sīstrum -i*, deriv. do gr. *sêistron*.
sisud·ez, -o → SISO.
siti·ado, -al, -ante, -ar → SÍTIO.
sitibundo → SEDE².
sítio *sm.* 'lugar que um objeto ocupa' 'lugar, local, ponto' 'chácara' xvi. De origem incerta || **siti**ADO 1813 || **siti**AL xvii. Do cast. *sitial*, deriv. do cat. *setial* ou *sitial* || **siti**ANTE *s2g.* 'proprietário ou morador de sítio' 1844 || **siti**AR *vb.* 'cercar, assediar' xvi.
sitio-, sito- *elem. comp.*, do gr. *sītion, sîtos* 'alimento, trigo, cereal', que se documenta em alguns compostos introduzidos, a partir do séc. xix, na linguagem erudita ▸ **sitio**FOB·IA | -*pho-* 1899 || **sitio**LOG·IA 1899 || **sitio**MAN·IA xx || **sitó**FAGO *adj. sm.* 'que, ou aquele que se alimenta de trigo' | -*pha-* 1858 | Cp. gr. *sitophágon*.
situar *vb.* 'colocar, estabelecer, pôr' xvi. Do lat. tard. *situāre* || **sito** *adj.* 'situado' xviii. Do lat. *situs* | **situ**AÇÃO 1813. Do fr. *situation* || **situ**AMENTO xiv || **situ**ANTE xx.
⇨ **situar** | *situado* p.adj. xv BENF 51.*18* FRAD I.39.*27* |.
sítula → SELHA.
sizetese *sf.* '(Ret.) figura pela qual se principia ou se estabelece uma discussão' | *sy-* 1874 | Cp. gr. *syzétesis*.
sizígia *sf.* '(Astr.) conjunto ou oposição de um planeta, especialmente a Lua com o Sol' | *syzigio* m. 1844 | Do fr. *syzygie*, deriv. do lat. cient. *syzygium* e, este, do gr. *syzygía*.
⇨ **sizígia** | *syzigio* 1836 sc |.
smithsonita *sf.* 'mineral trigonal, constituído de carbonato de zinco' xx. Do ing. *smithsonite*, voc. criado por Beudant, em 1832, em homenagem a James *Smithson* (1765-1829), que a distinguira da calamina.
só¹ *adj. 2g.* 'desacompanhado, solitário' 'único' | *soo* xiii, *solo* xiv, *ssoo* xv | Do lat. *sōlus*. No ant. port. ocorria, com bastante frequência, o fem. *soa* (desde o séc. xiii), deriv. do lat. *sōla;* a partir do

séc. XVI a forma *só* passou a ser usada para os dois gêneros ‖ **só**[2] *adv.* 'apenas, somente' | *soo* XIII | Do lat. *sōlum* ‖ **sol**AR[4] *vb.* 'voar só' 'cantar só' XX ‖ **sol**EDADE XVII. Do lat. *sōlĭtās -ātis* ‖ **sol**IDÃO XVII. Do lat. *sōlitūdo -ĭnis*. No port. med. ocorre a forma *soledumbre* (séc. XV) ‖ **sol**ILÓQU·IO *sm.* 'monólogo' XV. Do lat. *sōliloquĭum -ī* ‖ **sol**í·PEDE *adj. s2g.* 'diz--se de, ou animal que só tem um casco em cada pé' 1858. Do lat. cient. *solipes -pedis*, alteração de *solidipēs -pedis* ‖ **sol**IPS·ISMO *sm.* '(Filos.) doutrina segundo a qual a única realidade no mundo é o eu' 1899. Do lat. *sōlus* 'só' + lat. *ipse* 'o próprio' + suf. -ISMO, por via erudita ‖ **sol**ISTA *s.2g.* 'pessoa que executa um solo vocal ou instrumental'; *adj. 2g.* 'que executa sozinho' 1881 ‖ **sol**IT·ÁRIA *sf.* 'animal trematódeo, cestoideo, especialmente os tenioides, cujo corpo em forma de fita é dividido em anéis ou proglotes, com cabeça ou escólex provido de ventosas ou ganchos' 1858; 'colar ou gargantilha' 1844 ‖ **sol**IT·ÁRIO *adj.* 'desacompanhado, isolado' XIV. Do lat. *sōlitārĭus -a -um* ‖ **sol**IT·UDE *sf.* '(Poét.) solidão' XVI. Forma divergente culta de *solidão*, do lat. *sōlitūdō -inis* ‖ **solo**[2] *sm.* 'trecho musical executado por uma só voz ou instrumento' 1813. Do it. *sólo* ‖ **sol**T·EIRO *adj. sm.* 'que ainda não se casou' | XVI, *solteyro* XIII | Forma divergente popular de *solitário*, do lat. *sōlitārĭus -a -um* ‖ **so**MENOS *adj. 2g. 2n.* 'inferior' 'de menor valor do que o outro' XV ‖ **somente** *adv.* 'unicamente, exclusivamente' | *solamente* XIII, *soamente* XIV, *soomente* XIV ‖ **soz**·INHO 1813.
⇨ **só**[1] — **sol**IDÃO | *solidã* 1525 ABejP 2*v*20 |.
so- → SUB-.
soalha → SOM.
soalh·al, -ar[1] → SOL[1].
soalhar[2] → SOM.
soalhar[3] → SOLO[1].
soalheira → SOL[1].
soalho[1] → SOLO[1].
soalho[2] → SOL[1].
soante → SOM.
são → SOL[1].
soar → SOM.
sob *prep.* 'embaixo, debaixo de' | XIV, *so* XIII, *su* XIII etc. | Do lat. *sŭb* ‖ **sob**POR *vb.* 'pôr debaixo ou por baixo' 1881.
sob- → SUB-.
soba *sm.* 'chefe ou régulo de tribo africana' | 1575, *soua* 1606, *sova* 1646 | Do quimb. *'soμa* 'régulo, potentado negro' ‖ **sov**ETA *sm.* 'pequeno régulo' 1646.
sobejo *adj.* 'demasiado, excessivo' XIII. De origem controversa, mas sem dúvida relacionado com o lat. *sŭper* ‖ **sobej**AR XIV ‖ **sobej**IDÃO | *sobigidoes* pl. XIII, *sobegidom* XIV, -*gidoen* XIV, -*gedüe* XIV.
soberano *adj. sm.* 'que, ou aquele que detém poder ou autoridade suprema' | XVI, *sove-* XV | Do lat. vulg. *superānus*, do lat. *sŭper*; cp. SOBR(E)- ‖ **soberan**IA 1813.
soberba *sf.* 'elevação ou altura de alguma coisa em relação a outra' 'altivez, arrogância' | *soberva* XIII, -*via* XIII, -*vha* XIV etc. | Do lat. *sŭpěrbĭa* ‖ AS·**soberb**AR[1] | XVI, *asoberuear* XIV, *asoberbar* XVI ‖ EN**soberb**ECER XVIII ‖ **soberb**ECER | -*vescer* XIV | A par de *assoberbar*[1], *ensoberbecer* e *soberbecer*, no port. med. ainda se documenta a forma *sobervhar* (séc. XIV) ‖ **soberbo** | XVI, -*vo* XIII, -*vio* XIII etc. | Do lat. *sŭpěrbus* ‖ **soberb**OSO | -*vioso* XIII, -*vhoso* XIV, -*uoso* XIV etc.
⇨ **soberba** — EN**soberb**ECER | 1549 SNor 19.*14* |.
sobernal *sm.* 'excesso de trabalho físico ou intelectual' 'esgotamento' XX. De um lat. **supernale*, calcado em *sŭper* 'por cima'.
sobestar *vb.* 'estar abaixo' 'ser inferior' 1899. Do lat. *sub-stāre*. Cp. SOB.
sóbole *sm.* '(Bot.) ramo que se origina de uma gema subterrânea, e que virá a formar uma nova planta' '*fig.* geração, prole' 1858. Do lat. *sobŏlēs -is*.
sobpor → SOB.
sobra → SOBRAR.
sobraçar → BRAÇO.
sobrado → SOBRAR.
sobranceiro *adj.* 'proeminente' 'soberbo' XV. De um arc. **sobranç·a* (deriv. do lat. tard. *superantia* e, este, do lat. *sŭperans*, part. pres. de *sŭperāre* 'passar por cima') + -EIRO ‖ **sobrança**RIA XV.
sobrancelha *sf.* 'o conjunto de pelos que se arqueiam em cima dos olhos' | XIII, *sobrencella* XIII, *sobreçella* XIV etc. | Do lat. *sŭpercĭlĭa*, pl. de *sŭpercĭlĭum*.
sobrar *vb.* ·*orig.* superar, sobrepujar, vencer' '*ext.* restar, ficar de sobra' XIV. Do lat. *sŭpĕrāre* ‖ A·S**sobr**AD·ADO XVI ‖ **sobra** *sf.* 'ato ou efeito de sobrar' XVII. Dev. de *sobrar* ‖ **sobr**ADO *sm.* 'andar de uma construção acima do térreo' XVII. Do lat. *superātus*, part. pass. de *sŭpĕrāre*.
⇨ **sobrar** — AS·**sobr**AD·AR XIII FUER III.1223 ‖ **sobr**ADO | XIII CSM 282.*2* XIV GREG 2.8.*25*, TEST 261.*9* |.
sobre *prep.* 'em cima, acima de' 'além, adiante de' XIII. Do lat. *sŭper*.
sobr(e)- *pref.*, do lat. *super-*, de *sŭper* 'por cima em cima de, sobre, a mais, além de', que se documenta em numerosos compostos portugueses de cunho popular ou semierudito. Corresponde--lhe o pref. *super-*, formador de vocs. eruditos. Convém assinalar que no port. med. eram bastante frequentes compostos com *sobre-*: *sobrebico* (séc. XIV), *sobrecéu* (*sobreçeeo* XIV), *sobrecopa* (séc. XIV) etc. Cumpre notar ainda que o pref. *sobr(e)-* participa da formação de algumas outras palavras, aqui consignadas em sua ordem alfabética, com SOBEJO, SOBERANO, SOBERBA, SOBERNAL, SOBRANCEIRO, SOBRANCELHA, SOBRAR. Assinale-se, por fim, que é algo frequente a alternância *sobre-/super-*: *sobreabundar/superabundar*, *sobrepor/superpor* etc. ♦ **sobre**AVISO XVI ‖ **sobre**CAPA XX ‖ **sobre**CARGA XVIII ‖ **sobre**CARREGAR XVII ‖ **sobre**CARTA 1844 ‖ **sobre**CASACA 1844 ‖ **sobre**CENHO XVI ‖ **sobre**CÉU *sm.* 'dossel' | -*çeeo* XIV ‖ **sobre**COMUM | -*mmum* 1899 ‖ **sobre**COSER XI ‖ **sobre**COSTURA XX ‖ **sobre**CU *sm.*, apêndice triangular sobre as últimas vértebras das aves, no qual se implantam as penas da cauda' 'uropígio' XV ‖ **sobre**DITO *adj.* 'supracitado' XIII ‖ **sobre-ESTAR** *vb.* 'parar, deter (-se)' | XVII, *sobrestar* XVI ‖ **sobre**GUARDA XVI ‖ **sobre-HUMANO** XVII ‖ **sobr**ELEVAR XV ‖ **sobre**LOJA -*je* 1844 ‖ **sobre**MANEIRA *adv.* 'muito, excessivamente, extraordinariamente' XVI ‖ **sobre**MESA *sf.* 'iguaria que se come ao fim de uma refeição' 1813 ‖ **sobre**NADAR 1858 ‖ so-

breNATURAL XIV || **sobreNOME** *sm.* 'nome que vem após o prenome' XIV || **sobrepeliz** *sf.* 'veste branca usada pelos clérigos sobre a batina' | *sobrepeliça* XIII, *-peliza* XIV | Do lat. tard. *superpellīcia* || sobrePOR *vb.* 'pôr em cima' XIII. Do lat. *super-pōněre* || sobrePOSTO XIV. Do lat. *superposĭtus*, part. pass. de *super-pōněre* || **sobrePUJAMENTO** | *-poyamento* XIV || **sobrepuj**ANTE 1813. De *sobrepujar* || **sobrepujar** *vb.* 'exceder, ultrapassar, sobrelevar' | *-pojar* XIV, *-poyar* XIV | Do lat. **superpŏdiāre* || sobrESCRIT·AR 1899 || **sobr**ESCRITO 1813. Dev. de *sobrescritar* || sobres·SINAL *sm.* 'orig. vestimenta com os sinais ou divisas do conselheiro' 'ext. sinal ou insígnia sobre as vestes' XIV || **sobres·SAIR** *vb.* 'realçar' | *sobresair* 1813 || **sobressalente** *s2g.* 'peça ou acessório de reserva' XVI. Talvez de um **sobressaliente*, de *sobre-* + *saliente* || **sobres·SALTAR** *vb.* 'surpreender' 'saltar, saltear' XVI || **sobres·SALTO** XVI. Dev. de *sobressaltar* || sobreTAXA 1899 || **sobreTUDO** *adv.* 'principalmente, especialmente' XVI; *sm.* 'peça de vestuário que se usa sobre outra' 1858 || sobreventa *sf.* **sobrevento** *sm.* 'sobressalto, surpresa' XIV. Do lat. *sŭpervĕntus* || **sobrevÉU** | *-veo* XIV || sobreVIDA XX || sobrevi·NDO *adj. sm.* 1813. De *sobrevir* || sobreVIR XIV. Do lat. *supervĕnīre* || sobreVIVÊNC·IA 1813 || sobreVIV·ENTE 1858 || sobreVIVER 1813. Do lat. *super-vīvěre* || sobrevo·AR XX || sobrOLHO *sm.* 'sobrancelha' XIX || **sobrOSSO** *sm.* 'temor, medo, receio' XVII.

⇨ **sobr(e)-** — sobreABUDANTE | *sobre auondante* XV BENF 26.8; cp. ABUNDAR || **sobre**ABUNDAR | *sobreauŏdar* XIV ORTO 176.36; cp. ABUNDAR || **sobre**ARCO | 1528 *in* ZT || **sobre**CAVALGAMENTO | *sobrrecaulgamento* XV BERN 1138 || **sobre**CELESTIAL | *sobrecelestriaeas* pl. XIV ORTO 31.*11* || **sobre**DISCÍPULO | *sobre discipullo* XV BENF 47.*33* || **sobre**DOURAR | 1660 FMMElE 210.*7* | **sobre-EXCELENTE** | XV BENF 202.*6* || **sobre**FACE | *sobre façe* XV FRAD II.103.*24* || **sobre**GUISA | XIV ORTO 127.*2* || **sobr**ELEITO | 1783 *in* ZT || **sobre**LIMIAR | *sobrelemear* XIV TEST 96.*18* || **sobre**LOJA | 1502 *in* ZT || **sobre**MÃO | XV CAVA 41.*1* || **sobre**NOMEADO | XIV BENT 32.*23* || **sobre**PORFIAR | *c* 1539 JCASR 89.*11* || **sobre**PORTA | 1823 *in* ZT || **sobre**SCRITO | 1657 FMMElV 83.*3*, *sobrescripto* XV BENF 38.*10* || **sobres·**SALTANTE | *sobreesaltāte* XIV BENT 39.*40* || **sobres·SALTAR** | *sobre-saltar* XV CAVA 125.*18* || **sobr**ESSENCIAL | *sobreessençial* XV BENF 337.*5* || sobres·SUBSTANCIAL | *sobresostācial* 1573 NDias 61.*8* || **sobre**VIR | XIV ORTO 154.*17* || **sobre**VISTO | XV BENF 119.*23* |.

sobreiro *sm.* 'árvore da fam. das fagáceas, natural da região mediterrânea e aí muito cultivada para a extração de cortiça' XIII. Do lat. **suberārĭum*,' de *suber* || **sobro, sovro** | *souro* XVI | Deriv. regressiva de *sobreiro* || **sover**AL *sm.* 'quantidade mais ou menos considerável de sobros ou sobreiros dispostos proximamente entre si' XIII.

sobriedade *sf.* 'qualidade de sóbrio' XVI. Do lat. *sōbriĕtās -ātis* || **sóbrio** *adj.* 'moderado (no comer e/ou beber)' 1813. Do lat. *sōbrĭus*.

sobrinho *sm.* 'filho de irmão ou irmã, ou de cunhado ou cunhada' | XIV, *sobrynno* XIII, *sobrīo* XIII etc. | Do lat. *sŏbrīnus* || **sobrinha** | *sobrinna* XIII | Do lat. *sŏbrīna*.

sóbrio → SOBRIEDADE.
sobro → SOBREIRO.
soca[1] *sf.* ' espécie de lagarta' 1587. Do tupi *'soka* || **socaúna** 1587. Do tupi *soka'uma* < *'soka* + *'una 'preta'*.
soca[2] *sf.* 'a segunda produção de cana-de-açúcar 1711. Do tupi *'soka* || RES·**soca** *sf.* 'a terceira produção de cana-de-açúcar' | *resóca* 1763.
soc·ado, -ador → SOCAR.
socairo[1] *sm.* '(Marinh.) parte de um cabo' XVI. Do cat. *socaire* 'o que estica uma corda', com influência de CAIRO.
socairo[2] *sm.* 'abrigo natural, gruta, lapa' XVIII. Talvez se ligue a *socairo*[1].
socancra *adj. s2g.* 'diz-se de, ou pessoa sonsa' 1881. De origem incerta.
socapa(a-) *loc.* 'com disfarce, sorrateiramente' XVI. De *so-*, por SOB, + CAPA[1].
socar *vb.* 'dar socos em, esmurrar' 'surrar' 'esmigalhar, moer' 1844. De origem incerta || **soc**ADO 1813 || **soc**ADOR XX || **soco**[2] *sm.* 'golpe com a mão fechada' 1874 || **soqu**ETE[1] *sm.* 'ferramenta ou utensílio para socar' 1813.
⇨ **socar** — 1836 SC || **soco**[2] | 1836 SC || **soqu**ETE[1] | 1789 MS |.

socarrão *adj. sm.* 'diz-se do, ou indivíduo velhaco, astuto' XVII. Do cast. *socarrón*, deriv. do antigo *socarrar* 'queimar, chamuscar' 'mofar' e, este, do basco ant. e dial. *sukarr(a)* 'chamas de fogo, incêndio'.
socaúna → SOCA[1].
socavar *vb.* 'escavar por baixo' XIV. De *so-*, por SOB, + *cavar* (v. CAVA) || **socava** *sf.* 'cova subterrânea' 1813 || socavÃO 1813.
sócio *sm.* 'associado, companheiro, aliado' XVII. Do lat. *socĭus -ĭī* || A·**ssoci**AÇÃO 1844. Do fr. *association* || A·**ssoci**AR *vb.* 'agregar, unir, reunir' XVI. Do lat. *associāre* || CONSOCIAÇÃO XX. Do lat. *cōnsociātĭō -ōnis* || CONSOCIAR *vb.* 'associar' XVIII. Do lat. *cōnsociāre* || CON**sóci**O XVI. Do lat. tard. *cōnsocīus* | DES·A·**ssoci**AR 1881 || DIS**soci**ABIL·IDADE 1881 || DISSOCIAÇÃO 1858. Do fr. *dissociation*, deriv. do lat., *dissociātĭō -ōnis* || DISSOCIADOR XX || DIS**soci**AL 1844 || DISSOCIAR *vb.* 'desagregar, desunir' 1844. Do fr. *dissocier*, deriv. do lat. *dis-sociāre* || DISSOCIÁVEL 1844. Do fr. *dissociable*, deriv. do lat. *dissociābĭlis -e* || IN**soci**ABIL·IDADE 1858. Adapt. do fr. *insociabilité* || IN**soci**AL 1844. Do lat. tard. *insociālis* || IN**soci**ÁVEL 1844. Do fr. *insociable*, deriv. do lat. *in-sociābĭlis -e* || **soci**ABIL·IDADE 1813. Adapt. do fr. *sociabilité* || **soci**ABIL·IZAR 1881 || **soci**AL XVI. Do lat. *sociālis -e* || **soci**AL·ISMO 1874. Do fr. *socialisme* || **soci**AL·ISTA 1874. Do fr. *socialiste* || **soci**AL·IZ·AÇÃO 1899. Do fr. *socialisation* || **soci**AL·IZAR 1881. Do fr. *socialiser* || **soci**ÁVEL XVII. Do lat. *sociābĭlis -e* || **soci**EDADE XVII. Do lat. *sociĕtās -ātis* || **soci**ET·ÁRIO 1881. Adapt. do fr. *sociétaire* || **socio**CRACIA XX || **socio**LOG·IA 1881. Do fr. *sociologie*, voc. criado por Augusto Comte, em 1830 || **soció**LOGO XX. Do fr. *sociologue* || **súcia** *sf.*'corja' XVIII. Der. regress., de caráter burlesco, de *sociedade* || **súci**O *sm.* 'integrante de uma súcia' XIX. De *súcia*.

⇨ **sócio** — AS·**soci**AÇÃO | 1836 SC || DIS**soci**AÇÃO | 1836 SC || DIS·**soci**AL | 1836 SC || DIS·**soci**AR | 1836

SC ‖ INSOCIABIL·IDADE | 1836 SC ‖ INSOCIAL | 1836 SC ‖ INSOCIÁVEL | 1836 SC |.
soco[1] *sm.* 'calçado ordinário de madeira' 'tamanco' | *zoco* XIII | Do lat. *soccus -i* ‖ **soquETE**[2] *sf.* 'meia muito curta, que chega apenas à altura do tornozelo' XX. Do fr. *socquette*, deriv. do ing. *sock* (< lat. *soccus*), pelo modelo do fr. *chaussette*.
soco[2] → SOCAR.
socó *sm.* 'ave da fam. dos ardeídeos' *c* 1777. Do tupi *so'ko* ‖ **socoí** | *socori* 1587 | Do tupi *soko'i* < *so'ko* + *'i* 'pequeno'.
soçobrar *vb.* 'subverter' 'fazer naufragar, afundar' | *çoçobrar* XVI | Do cast. *zozobrar*, deriv. do cat. *sotsobrar* ‖ **soçobro** *sm.* 'ato ou efeito de soçobrar' | 1813, *sossobro* 1813 | Dev. de *soçobrar*.
socorrer *vb.* 'defender, proteger, auxiliar' | XIII, *subcorrer* XV | Do lat. *succurrĕre* ‖ **socorrIMENTO** *sm.* 'socorro' | *socorremento* XV, *ssocorrimento* XV ‖ **socorrISTA** XX ‖ **socorro** *sm.* 'ato ou efeito de socorrer' XV. Dev. de *socorrer*.
⇨ **socorrer** — **socorrEDOR** | *socoredor* XV INFA 88.7 |.
socrático *adj.* 'relativo ou pertencente ao filósofo grego Sócrates (*c* 470-399 a.C.)' | XVII, *socla-* XV | Do lat. *sōcratĭcus*, deriv. do gr. *sōkratikós*.
soda *sf.* 'hidróxido de sódio' 'carbonato de sódio do comércio' 1813. Do it. *sòda*, de *sòda* 'planta (*Salsola kali*)', deriv. do lat. med. *soda* e, este, talvez do ár. *suuuād*, nome da planta ‖ **sodAL·ITA** *sf.* 'mineral monomético, constituído de alumínio e sódio' | *-the* 1899 | Do ing. *sodalite*, de *sod(a)* + *al(uminium)* + *-ite* ‖ **sódIO** *sm.* '(Quím.) elemento de número atômico 11, metálico, branco, muito mole, do grupo dos metais alcalinos' 1839. Do ing. *sodium*, voc. introduzido por Davy, em 1807, na linguagem internacional da química.
⇨ **soda** | 1805 *in* ZT |.
sodalício *sm.* 'sociedade de pessoas que vivem juntas ou em comum' XVII. Do lat. *sodālĭtĭum -ĭī*.
sod·alita, -io → SODA.
sodomita *s2g.* 'quem pratica a sodomia' XIII. Do lat. ecles. *sodomita* (cláss. *sodomītae -ārum*) 'sodomitas', do top. *Sodōma* 'Sodoma', cidade da Palestina onde reinava a luxúria ‖ **sodomIA** *sf.* 'prática sexual anômala' | *ssodomja* XV | Do fr. *sodomie* ‖ **sodomítICO** XIII. Do lat. *sodomītĭcus*.
sodra *sf.* 'sulco que alguns cavalos apresentam nas coxas' XVII. De origem obscura.
soer *vb.* 'ser comum, frequente, vulgar' XIII. Do lat. *sŏlēre* ‖ **insolência** *sf.* 'qualidade ou caráter de insolente' XVI. Do lat. *ĭnsolentĭa* ‖ **insolente** *adj. 2g.* 'grosseiro, desdenhoso, arrogante' 1702. Do lat. *ĭn-sŏlēns -entis* ‖ **insólito** *adj.* 'desusado, inabitual' XVII. Do lat. *ĭn-sŏlĭtus* ‖ **sólito** *adj.* 'habitual, usual' XVIII. Do lat. *solĭtus*, part. pass. de *sŏlēre*.
⇨ **soer** — **INsolente** | 1634 MNor 32.34, 1660 FMMeIE 53.22 |.
so·ergu·er, -imento → ERGUER.
soez *adj. 2g.* 'vil, torpe, reles' XIX. Do cast. *soez*.
sofá *sm.* 'móvel, estofado ou não, ordinariamente com braços e encosto, onde podem sentar-se duas ou mais pessoas' XVIII. Do fr. *sofa*, deriv. do ár. *şuffa*.
sofisma *sm.* '(Filos.) argumento aparentemente válido, mas, na realidade, não conclusivo, e que supõe má fé por parte de quem o apresenta' 'silogismo crítico' | XIV, *sefisma* XV | Do lat. *sophisma*, deriv. do gr. *sóphisma* ‖ **sofismAR** XV ‖ **sofISTA** XVI. Do lat. *sophista, sophistēs*, deriv. do gr. *sophistḗs* ‖ **sofíST·ICO** XIV. Do lat. *sophisticus*, deriv. do gr. *sophistikós* ‖ **sofisticAÇÃO** | *sophisticação* 1858 | Do fr. *sophistication* ‖ **sofisticADO** | *sophisticado* XVI | **sofisticAR** | *sophisticar* 1844 | Do fr. *sophistiquer*, deriv. do lat. med. *sophisticari*.
⇨ **sofisma** — **sofismADOR** | XV INFA 2.7 ‖ **sofíST·ARIA** | 1614 SGonç I.462.1, *sophistaria* XV ORTO 93.16 ‖ **sofíST·ICAR** | *sophis-* 1836 SC ‖ **sofíST·IC·ARIA** | *sufisticaria* 1616 GFTran 3.1 ‖ **sofíST·ICO** | XIV ORTO 65.21, *sophistico* XV BENF 123.30 |.
sofito *sm.* '(Arquit.) face com ornatos, por sob uma arquitrave' | *soffito* 1881 | Do it. *soffitto*, deriv. do lat. vulg. **süffictus* (cláss. *suffixus*), part. pass. de *süffĭgĕre*.
⇨ **sofito** | *soffito* 1872 *in* ZT |.
sofrear → FREIO.
sofredor → SOFRER.
sôfrego *adj.* 'ávido, sequioso' XVI. De origem duvidosa, provavelmente relacionado com SOFRER ‖ **sofreguIDÃO** XVI.
sofrer *vb.* 'suportar, aguentar, padecer' | XIII, *soffrer* XIII, *suffrer* XIII etc. | Do lat. **süffĕrĕre*, por *süffĕrre* ‖ **DES·INsofrIDO** *adj.* 'muito impaciente' XX ‖ **INsofrIDO** XVI ‖ **sofrEDOR** XIII ‖ **sofrENÇA** *sf.* 'ant. sofrimento' | *soffrença* XIV, *sofrença* XIV ‖ **sofrIDO** | *sofrudo* XIV ‖ **sofrIMENTO** XVI ‖ **sofrÍVEL** XVI.
⇨ **sofrer** — **INsofrÍVEL** | *c* 1538 JCasG 176.27, *insufrivel* 1614 SGonç I.178.4 ‖ **sofrENTE** | *soffrête* XIV BENT 29.33 ‖ **sofrIDO** | *sofrudo* XIII FLOR 76 ‖ **sofrIMENTO** | *sofrymēto* XIV BARL 17.11 ‖ **sofrIVEL** | *sofrivell* XV FRAD I.332.22 |.
soga *sf.* 'corda de esparto' 'corda grossa' XIII. Do lat. tard. *sōca*.
sogro *sm.* 'pai do marido, em relação à mulher, ou pai da mulher, em relação ao marido' XIII. Voc. criado a partir de *sogra* ‖ **ABsogro** *sm.* 'bisavô de um cônjuge, em relação ao outro' 1858. Formação influenciada pelo lat. tard. *absocer* 'avô do sogro' ‖ **CONsogro** XVI ‖ **sogra** XIII. Do lat. vulg. *sŏcra* (por *sŏcrus -us*).
soído → SOM.
soja *sf.* 'feijão-soja, planta da fam. das leguminosas, subfam. das papilionáceas, empregada na alimentação e sobretudo na indústria de óleos comestíveis' | *soya* 1852 | Do jap. *šo-ju*.
sol[1] *sm.* 'centro do sistema planetário em torno do qual giram a Terra e os demais planetas' 'estrela que é o centro de um sistema planetário' XIII. Do lat. *sōl sōlis* ‖ **AS·soalhAR**[2] *vb.* 'expor ao sol' | XVI, *asoelhar* XIV ‖ **ENsoAR** *vb.* 'recozer-se por efeito do calor (a fruta, antes de madura) 'murchar com o calor do sol' XVII ‖ **ENsolAR·ADO** XX ‖ **INsolAÇÃO** 1858. Do lat. *ĭnsŏlāre* ‖ **INsolAR** 1858. Do lat. *ĭnsŏlāre* ‖ **soalhAL** *sm.* 'o mesmo que soalheiro, lugar exposto ao sol' 1899 ‖ **soalhAR**[1] *vb.* 'pôr ao sol' 1813 ‖ **soalhEIRA** *sf.* 'a luz e o calor mais intensos do sol' 1881 ‖ **soalho**[2] *sm.* 'soalheiro' 1890. Do lat. **solacŭlum*, diminutivo de *sōl* ‖ **soÃO** *sm.* 'vento que sopra do oriente e do nordeste' | *soao* XIII, *soãao* XIV | Do lat. *sōlānus* ‖ **solAR**[1] *adj. 2g.* 'do sol, ou a ele relativo' 1572. Do lat. *sōlāris -e* ‖ **solÁRIO** XVII. Do lat. *sōlārĭum -ĭī* ‖ **solEIRA**[2] *sf.* 'soa-

lheira' XVII || **solí**·FUGO *adj*. '(Poét.) que foge da luz do sol' '(Poét.) amigo das trevas' 'noturno' 1874 || sol INA *sf*. 'sol abrasador' XX || **sol**STICIAL *adj*. 2g. 'respeitante ao solstício' 1813. Do lat. *solstitiālis -e* || **solstício** *sm*. '(Astr.) época em que o sol passa pela sua maior declinação boreal ou austral, e durante a qual cessa de afastar-se do equador' XVI. Do lat. *solstitĭum -ĭi*.
⇨ **sol**¹ — sol AR¹ | *a* 1542 JCASE 82.*14* || sol ÍFUGO | 1836 SC |.
sol² → DÓ².
sola *sf*. 'couro curtido de boi, para calçado, bolsas etc.' '*fig.* a planta do pé' XIV. Do lat. tard. *sola* (cláss. *sŏlĕa*) || ENTRES·**sola** | *entresola* XVII || so LADO XX || sol AR² *vb*. 'pôr solas em (calçado)' 1844 || sol AR³ *adj*. 2g. 'referente a sola' XVI || **solha** *sf*. '*orig.* espécie de cota guarnecida com lâminas de aço' 'espécie de alpercata' | XIII, *ssolha* XIV, *solla* XIV | Do lat. *sŏlĕa*.
⇨ **sola** — sol ADO | 1836 SC |.
solaçoso → SOLAZ.
solado → SOLA.
solancar → SOLAVANCO.
solandre *sm*. '(Veter.) fenda na dobra do curvilhão das cavalgaduras' 1881. Do fr. *solandre*.
solão → SOLO¹.
solap·a, -amento, -ar → LAPA.
solar¹ → SOL¹.
solar²,³ → SOLA.
solar⁴ → SÓ¹.
solar⁵, **solarengo** → SOLO¹.
solário → SOL¹.
solau *sm*. 'antigo romance em verso, geralmente acompanhado de música' | *solao* XVI | De etimologia obscura, talvez do cat. *solau*.
solavanco *sm*. 'balanço inesperado e/ou violento de um veículo, ou das pessoas que ele carrega' '*ext.* abalamento ou sacudidela brusca' XVII. De etimologia obscura || **solancar** XX. De **solanc(o)* (forma sincopada de *solavanco*) + -AR.
solaz *sm*. 'prazer, alegria' 'consolação, conforto' XIII. Do a. prov. *solatz*, deriv. do lat. *sōlācĭum* (*sōlātĭum*) *-ĭi* 'conforto' (*sōlārī* 'confortar') || so laç OSO *adj*. 'aprazível' | *sollaçoso* XIV.
sold·a, -ada, -adesca, -ado, -ador, adura, -o → SOLDAR.
soldanela *sf*. 'planta rastejante, da fam. das convolvuláceas, de folhas grossas, reniformes, com as aurículas arredondadas, e corola grande, rosada ou vermelha' 'couve-marinha' | *soldanella* 1813 | Do fr. *soldanelle*.
soldar *vb*. 'tornar sólido' 'unir, prender' XIII. Do lat. *sŏlĭdāre* || AS·**sold**AD·AR XVI || AS·**sold**ADO *adj*. 'assalariado' | XIV, *asoldado* XIV etc. || DES**sold**AR *vb*. 'tirar a solda' '*ext.* desunir' XIV || **sold**A *sf*. 'ação de soldar' 'substância metálica e fusível usada para ligar peças também metálicas' 1813. Do lat. *sŏlĭda* || **sold**ADA *sf*. 'salário (militar), soldo' XIII || **sold**A- D·ESCA XVI. Do it. *soldatésca* || **sold**ADO *adj. sm*. 'que foi unido' XIII; 'assalariado' '(Mil.) indivíduo alistado nas fileiras do exército, ou nas forças policiais estaduais' | XIV, *solldadado* XV | Cp. *assoldado*. Na acepção militar, o voc. procede do it. *soldato*, part. pass. do lat. *sŏlĭdāre* || **sold**ADOR 1873 || **sold**AD·URA XIV || **sold**O *sm*. '*ant.* moeda de ouro ou de prata' XIII; 'salário' XV. Do lat. *sŏldus* (do adj. *sŏlĭdus*, substantivado). Cp. SÓLIDO.
⇨ **soldar** — **sold**A | 1570 *in* ZT || **sold**ADOR | 1836 SC |.
soldra *sf*. 'nas cavalgaduras, saliência sobre a articulação da coxa com a perna' 1881. De etimologia obscura.
solecismo *sm*.'erro de sintaxe' '*ext.* erro, culpa, falha' | *soloecismo* XVI | Do lat. *soloecismus -ī*, deriv. do gr. *soloikismós*.
soledade → SÓ¹.
soleira¹ → SOLO¹.
soleira² → SOL¹.
solene *adj*. 2g. 'que se celebra com pompa e magnificência em cerimônias públicas' 'que se efetua com aparato e pompa' | *sollene* XIV, *solempne* XIV | Do lat. *sollemnis -e* || **solen**IDADE XIV, *solempnjdade* XIV, *sollenjdade* XV | Do lat. *sol(l)em(p)nĭtās -ātis* || **soleni**ZAR | *solempnizar* XV || Do lat. med. *solemnizare*.
solenoglifo *adj. sm*. '(Zool.) diz-se do, ou o animal cujos dentes apresentam um canal interno' XX. Do lat. cient. *solenoglyphus* || **solen**OIDE *sm*. '(Fís.) condutor constituído por um conjunto de espiras circulares paralelas e muito próximas, com o mesmo eixo retilíneo' XX. Do fr. *solénoïde*, deriv. do gr. *sōlḗn -ênos* 'tubo, conduto' e *eîdos* 'forma'.
solerte *adj*. 2g. 'diz-se de pessoa sagaz, manhosa ou velhaca' XVI. Do lat. *sōlers -ertis* || **solércia** XVI. Do lat. *sōlertĭa -ae*.
soles *sm*. 'cambão a que se prendem duas ou mais juntas de bois' 1844. De etimologia obscura.
⇨ **soles** | 1836 SC |.
soletr·ação, -ar → LETRA.
solfa *sf*. 'solfejo' 'música escrita' XVII. Do it. *sòlfa*, dos nomes das notas musicais *sol* e *fá*.
⇨ **solfa** — **solf**ISTA | 1657 FMMelv 42v13 |.
solfatara *sf*. 'cratera de vulcão em estágio senil, que expele gás sulfídrico ou vapores de enxofre' 1881. Do it. *solfatara*.
solfejar *vb*. 'ler ou entoar (um trecho musical) vocalizando-o, ou pronunciando o nome das notas, e dando a cada nota o seu valor e a sua acentuação, de acordo com as indicações do compasso e do ritmo' 1813. Do it. *solfeggiare* (lat. med. *solfizare*) || **solfej**O 1813. Do it. *solféggio*. Cp. SOLFA.
solferino *sm*. 'matéria corante de cor escarlate, ou entre o encarnado e o roxo, que é usada nas vestes episcopais' XX. Do it. *solferino*, do top. *Solferino*, em alusão ao fato de que a matéria corante foi aí descoberta pouco depois da batalha ganha por Napoleão II, em 24 de junho de 1859.
solha → SOLA.
solia *sf*. 'antigo tecido de lã' 'vestuário feito com esse tecido' XVI. De etimologia obscura.
solicitar *vb*. 'procurar, buscar, requestar' 'pedir, rogar' | *solecitar* XVI | Do lat. *sollĭcĭtāre* || **solicit**AÇÃO XVIII. Do lat. *sollicitātĭō -ōnis* || **solicit**ADOR 1873. Do lat. tard. *sollicitātŏr -ōris* || **solicit**ANTE 1844 || **solícito** | *soliçito* XV | Do lat. *sollĭcĭtus -a -um* || **solicit**UDE 1844. Do lat. *sollĭcĭtūdō -ĭnis*. No port. med. documentam-se as formas *soliçidõe* e *soliçidumbre*, ambas no séc. XV.
⇨ **solicitar** — **solicit**ADOR | 1836 SC || **solicit**ANTE | 1836 SC || **solic**ITUDE | 1836 SC |.

solidão → SÓ¹.
solid·ar, -ariedade, -ário, -arizar → SÓLIDO.
solidéu *sm.* 'pequeno barrete, em forma de calota, com que bispos e alguns padres cobrem o alto da cabeça' | *soli-deo* XVIII | Do lat. *soli Deo* 'só a Deus'.
sólido *adj. sm.* 'que tem consistência' 'qualquer corpo que tem consistência, que não é oco, que não se deixa destruir facilmente' XVI. Do lat. *sŏlĭdus -a -um* || **solid**AR *vb.* 'solidificar' 'confirmar' 1813. Forma divergente erudita de SOLDAR, do lat. *sŏlĭdāre* || **solid**ARI·EDADE | 1888, *solidaridade* 1844 || **solid**Á·RIO 1844. Do fr. *solidaire* || **solid**AR·IZAR 1881 || **solid**EZ XVII || **solid**IFIC·AR 1858. Cp. SOLDAR.
solidônia *sf.* 'erva humilde, da fam. das nictagináceas, de folhas arredondadas e suculentas, pequeninas flores rosadas, que se congregam em panícula frouxa, e frutos viscosos' 1899. De etimologia obscura.
solifluxão → SOLO¹.
solífugo → SOL¹.
solilóquio → SÓ¹.
solimão *sm.* 'sublimado corrosivo' 'qualquer poção venenosa' 1813. Do ár. *sulaimānīi*, do antrop. *Sulaimān* (< hebr. *šālōm* 'paz').
⇨ **solimão** | 1657 FMMelv 57*v*15 |.
solina → SOL¹.
sólio *sm.* 'assento real, trono' 1525. Do lat. *solĭum -ĭi*.
sol·ípede, -ipsismo, -ista, -itária, -itário → SÓ¹.
sólito → SOER.
solitude → SÓ¹.
solo¹ *sm.* 'chão, terreno, terra' | XIV, *sol* XIII, *soo* XIV | Do lat. *sŏlum* || AS·**soalh**AR¹ *vb.* 'unir ou pregar as tábuas do soalho de (pavimento, estrado etc.)' 1844 || AS·**soalho** 1899 || **salão**² *sm.* 'saibro, solão' XVII || **soalh**AR³ 1813 || **soalho**¹ *sm.* 'revestimento de madeira' 1813. Do lat. **solăcŭlum*, diminutivo de *sŏlum* || **sol**ÃO *sm.* 'terreno arenoso ou barrento' 1874 || **sol**AR⁵ *sm.* '*ant.* morada de família' | XIII, *soares* pl. XIII || **sol**AR·ENGO *adj. sm.* 'relativo ou pertencente a, ou próprio de solar⁵' 'dono de solar⁵' 1813 || **sol**EIRA¹ *sf.* 'peça de madeira ou pedra que forma a parte inferior do vão da porta e está ao nível do piso' 1813 || **soli**·FLUXÃO *sf.* '(Geol.) deslocamento de terra ou de blocos rochosos das montanhas provocado pelo encharcamento de água' XX || SUB**solo** 1881.
⇨ **solo**¹ — AS·**soalh**AR¹ | 1836 SC || **sol**EIRA¹ | 1720 RB || **solh**ADO 'assoalho' | XIV TEST 261.*20* |.
solo² → SÓ¹.
solstic·ial -io → SOL¹.
solt·a, -ador, -adura, -amento, -ar → SOLTO.
solteiro → SÓ¹.
solto *adj.* 'livre, desatado' '*fig.* sem peias' XIII. Do lat. **sŏltus*, por *sŏlutus*, part. pass. de *sŏlvĕre* || **solta** *sf.* 'liberdade' XIV. Dev. de *soltar* || **solt**ADOR XIII || **solt**AD·URA XIII || **solt**AMENTO XIV || **solt**AR XIII || **solt**URA XIII. Cp. SOLVER.
sol·ubilidade, -ubilizar, -ução, -ucionar → SOLVER.
soluço *sm.* '(Fisiol.) fenômeno reflexo que consiste na contração espasmódica do diafragma, seguida de movimentos de distensão que ocasionam um abalo do abdômen, do tórax, provocado pela passagem ruidosa do ar através da glote incompletamente fechada' | XVI, *saluço* XIV | Do lat. vulg. *suggluttĭum*, relacionado certamente com *subglūtīre* || **soluç**ADA *sf.* '*ant.* soluço' | *saluçada* XIII || **soluç**AR | XVI, *saluçar* XIV | Cp. SINGULTO.
solver *vb.* '*orig.* absolver' 'resolver, solucionar' 'dissolver' XIV. Do lat. *sŏlvĕre* || DIS**solu**ÇÃO | *dissoluçam* 1570 | Do lat. *dissolūtĭō -ōnis* | DIS**soluto** | *desoluto* XV | Do lat. *dissolūtus -a -um* | DISSO**lúvel** 1813. Do lat. *dissolūbĭlis -e* || DIS**solv**ÊNCIA XX || DIS**solv**ENTE 1844 || DIS**solver** | *desolver* XV | Do lat. *dissolvĕre* || EX**solver** *vb.* 'dissolver' '*ext.* desligar, desprender' 1899. Do lat. *ex-solvĕre* || IN·DIS**solu**·IDADE 1813 || IN·DIS**solú**VEL XVII. Do lat. *in-dissolūbĭlis -e* || IN**solu**BIL·IDADE 1813. Do lat. *insolūbĭlītās -ātis* || IN**solú**VEL 1813. Do lat. *īnsolūbĭlis -e* || IN**solva**BIL·IDADE 1858 || IN**solv**ÁVEL 1858 || IN**solv**ÊNCIA 1858 || IN**solv**ENTE 1858 || **solubilidade** 1858. Do lat. med. *solūbĭlĭtās -ātis* || **solubil**IZAR XX || **solu**ÇÃO | *-çom* XIV | Do lat. *solūtĭō -ōnis* || **solucion**AR XX || **soluto** XVI. Do lat. *solūtus -a -um* || **sol**ÚVEL XIX. Do lat. tard. *solūbĭlis -e* || **solva**BIL·IDADE 1874 || **solv**ÁVEL 1858 || **solv**ÊNCIA XIX || **solv**ENTE 1858. Do lat. *solvens -entis*. Cp. RESOLUÇÃO, SOLTO.
⇨ **solver** — DIS·**solv**ENTE | 1836 SC |.
som *sm.* '(Fís.) fenômeno acústico que consiste na propagação de ondas sonoras produzidas por um corpo que vibra em meio material elástico' 'ruído' | XIII, *son* XIII, *sõo* XIII etc. | Do lat. *sŏnus -ī* || AS·**so**ANTE 1813 || AS·**so**AR *vb.* 'limpar o nariz de mucosidade' XVI; 'soar, ressoar' XX. Do lat. *assonāre* || CONS**so**ANTE *adj. 2g.* 'que tem consonância' XVII; *sf.* 'fonema resultante dum fechamento momentâneo da boca, ou dum estreitamento do canal bucal que possa oferecer, em qualquer dos seus pontos, obstáculo ao escoamento da corrente de ar, sonorizada ou não pela vibração das cordas vocais' 1813 || CONS**on**ÂNCIA XVI. Do lat. *cōnsonantĭa -ae* || CONS**on**ANT·AL 1899 || CONS**on**ANTE XVII. Do lat. *cōnsŏnāns -āntis* || CONS**on**AR XVIII. Do lat. *cōnsonāre* || **cônsono** CÔNS**ono** XVI. Do lat. *cōnsonus -a -um* || DISS**on**ÂNCIA XVI. Do lat. *dissonantĭa -ae* || DISS**on**ANTE XVII || DISS**on**AR 1813. Do lat. *dissŏnāre* || DÍSS**ono** 1813. Do lat. *dissŏnus -a -um* || DISS**onoro** XVII || IN·CONS**on**ÂNCIA 1813 || IN·CONS**on**ANTE 1844 || INS**onoro** 1844 || RES·**so**ANTE XVI | RES·**so**AR | XVI, *rresoar* XIV | Do lat. *rĕsŏnāre* || RES·**so**ÂNCIA XVI. Do lat. *resonantĭa -ae* || RES·**so**ANTE XVI. Do lat. *resonans -antis* || RES·**so**NAR 1572. Do lat. *rĕsŏnāre* || **soalha** *sf.* 'cada uma das chapas metálicas do pandeiro' XV. Do lat. **sŏnācŭla* || **soalh**AR² 1813 || **so**ANTE XVI || **so**AR XIII. Do lat. *sŏnāre* || **soído** *sm.* 'rumor, ruído' XVI || **son**ÂNCIA 1813 || **son**ANTE XVI. Do lat. *sŏnāns -āntis* || **son**AR *adj. 2g. sm.* 'diz-se de, ou técnica e equipamento para detectar objetos imersos em água e determinar-lhes a posição e a velocidade, utilizando-se a emissão de pulsos de ultrassons e a recepção e identificação do eco' XX. Do ing. *sonar*, formado com as letras iniciais de *so(und) na(vigation) r(anging)* || **son**ATA 1874. Do it. *sonata* || **son**ET·ISTA 1813. Do it. *sonetista* || **son**ETO XVI. Do it. *sonètto* || **sôn**ICO 1881 || **son**IDO XVII. Do cast. *sonido* || **son**Ô·METRO 1874 || **sono**PLASTA XX || **sono**PLAST·IA XX || **sonor**IDADE 1844.

Do lat. *sonōritās -ātis* || **sonoro** 1572. Do lat. *sonorus -a -um* || **sonor**OSO 1813 || **sono**TÉCNICA XX || **super**SOM XX || **super**SÔNICO XX.
⇨ **som** — CONS*O*ANTE *sf.* 'fonema' | 1536 Folg 45.*10* || **sonor**IDADE | 1836 SC |.
soma[1] *sf.* '(Mat.) operação de adição' '(Mat.) o resultado de uma adição' XIV. Do lat. *sum-, ma* fem. substantivado do adj. *summus -a -um* || **som**AR XIV || **som**AT·ÓRIO | *sommatório* 1881 || **suma** *sf.* 'soma' 'resumo' 'súmula' XV. Divergente culto de *soma*, substantivação do adj. lat. *summus -a -um* || **sum**ARI·AR *vb.* 'resumir, sintetizar' | *summariar* 1813 || **sum**ÁRIO XVI. Do lat. *summārĭum -ĭī*. O adv. *sumariamente* já se documenta no séc. XIV || **súmula** *sf.* 'breve resumo' XVII. Do lat. *summŭla -ae*.
⇨ **soma**[1] — **sum**ÁRIO | *ssomariamente* adv. XV CAVA 9.*14* |.
soma[2] *sf.* 'antiga embarcação, na China e na Malásia' XVI. Do malaio *som*.
soma[3] *sm.* 'preparação alcoólica que os hindus védicos derramavam sobre o fogo dos sacrifícios' 1885. Do sânsc. *sōma*.
soma[4] *sm.* 'chefe de tribo no sul de Angola' 1899. De origem africana, mas de étimo indeterminado.
som(a)-, somat(o)- *elem. comp.*, do gr. *sôma -atos* 'relativo ao corpo' 'o corpo, em oposição à alma', que já se documenta em vcs. formados no próprio grego, como *somático*, e em muitos outros introduzidos na linguagem científica internacional, a partir do séc. XIX ▶ **somát**ICO *adj.* 'referente ao corpo' 1890. Do fr. *somatique*, deriv. do gr. *sōmatikós* || **somat**ISMO XX || **somat**IZ·AÇÃO XX || **somat**IZAR XX || **somato**LOG·IA *sf.* '(Med.) ciência que trata do corpo humano em seu aspecto somático' 1844. Do fr. *somatologie* || **somat**ÓPAGO *sm.* 'monstro duplo, com o tórax unido' XX || **somato**PLEURA *sf.* '(Anat.) lâmina do mesoderma, fibrosa e cutânea, que forra o octoderma' XX || **somato**SCOP·IA *sf.* '(Med.) exame das cavidades interiores do corpo, convenientemente iluminadas por meio de tubos e espelhos' XX || **somit**O *sm.* '(Biol.) segmento no embrião, resultante da divisão primitiva da corda-dorsal e dos tecidos envolventes' 'segmento do corpo do animal articulado' XX.
somar → SOMA[1].
somát·ico, -ismo, -ização, -izar, -ologia, -ópago, -opleura → SOM(A)-.
somatório → SOMA[1].
somatoscopia → SOM(A)-.
sombra *sf.* 'espaço sem luz, ou escurecido pela interposição de um corpo opaco' | XV. *soombra* XIV etc. | Voc. de origem controversa, mas ligado indubitavelmente ao lat. *ŭmbra* (talvez de *subĭlla ŭmbra*) || AS·**sombr**AÇÃO XX || AS·**sombr**AMENTO XVI || AS·**sombr**AR XVI || AS·**sombr**O XVII. Deriv. regr. de *assombrar* || AS·**sombr**OSO XVII || DES·AS·**sombr**ADO XIX || DES·AS·**sombr**O 1873 || **sombr**E·ADO XVIII || **sombr**EAR XVIII || **sombr**EIRO *sm.* 'aquilo que dá sombra' 'chapéu de aba larga' | XIII, *soombreiro* XIII, *soombreyro* XIII etc. | Na segunda acepção o voc. sofreu a influência do cast. *sombrero* || **sombr**ELA *sf.* 'campânula ou vaso para proteger das intempéries as plantações delicadas' | *sombréla* 1858 || **sombr**INHA 1881 || **sombr**IO XVI || **sorumbático** *adj.* 'sombrio, triste, macambúzio' 1813. Parece tratar-se de uma forma metatética de **soombratico*, do ant. *soombra*.
⇨ **sombra** — AS·**sombr**AMENTO | *asombramento* XV ZURC 179.*25*, *asoōbramēto* XV VITA 17*d*36 etc. || AS·**sombr**AR | *asoōbrar* XIV DICT 118, *assoombrar* XIV TEST 263.*14* etc. || DES·AS·**sombr**AR | *desasombrar* 1614 SGonç I.513.*22* || DES·AS·**sombr**O | 1836 SC |.
so·menos, -mente → SÓ[1].
somítico *adj. sm.* 'que é sórdido e excessivamente apegado ao dinheiro' 'indivíduo avaro' | *somitego* 1813 | De etimologia controversa || **somitic**ARIA *sf.* 'qualidade ou ação de somítico' | *somitegaria* 1858.
somito → SOM(A)-.
sonambúl·ico, -ismo, -o → SONO.
son·ância, -ante, -ar, -ata → SOM.
sondar *vb.* 'avaliar, calcular' 'determinar a profundidade de uma posição de mar, oceano, rio etc.' XV. Do fr. *sonder* || IN**sond**ABIL·IDADE 1881 || IN**sond**ÁVEL 1844. Do fr. *insondable* || **sonda** XV. Do fr. *sonde*, deriv. do anglo-saxão *sund-* 'mar', que se documenta em *sundgyrd* 'vara para sondar' e *sundrap* 'corda empregada para sondar' || **sond**A·GEM 1881. Do fr. *sondage* || **sond**ÁVEL 1899.
⇨ **sondar** — IN**sond**ÁVEL | 1836 SC |.
son·eca, -eira → SONO.
sonet·ista, -o → SOM.
songamonga *s2g.* '(Pop.) pessoa sonsa, dissimulada' | *songa-monga* 1881 | Do hisp. -amer. *songamonga*, de *songa* 'burla' e *monga*, voc. criado (arbitrariamente) em função da rima.
sonh·ador, -ar, -o, sonial → SONO.
sôn·ico, -ido → SOM.
sono *sm.* '(Fisiol.) estado de repouso normal e periódico, no homem e nos animais superiores se caracteriza especialmente pela suspensão da consciência, pelo relaxamento dos sentidos e dos músculos, pela diminuição do ritmo circulatório e respiratório, e pela atividade onírica' XIII. Do lat. *sŏmnus -ī* || IN**son**E | *insomne* 1844 | *Do lat. īnsomnis -e* || IN·**sôn**IA | *insomnia* XVIII | Do lat. *īnsomnĭa -ae* || **son**AMBÚL·ICO XX. Do fr. *somnambulique* || **son**AMBUL·ISMO 1839. Do fr. *somnambulisme* || **son**ÂMBULO | *somnanbulo* 1844 | Do fr. *somnambule*; v. AMBULAR || **son**ECA *sf.* 'sonolência' 'breve espaço de tempo que se passa dormindo' 1899 || **son**EIRA XX || **sonh**ADOR 1813 || **sonh**AR XIII, *sonnar* XIII etc. | Do lat. *sŏmnĭāre* || **sonho** *sm.* 'sequência de fenômenos psíquicos que involuntariamente ocorrem durante o sono' | XIII, *sonno* XIII etc. | Do lat. *sŏmnĭum -ĭī* || **soni**AL *adj. 2g.* 'referente aos, ou próprio dos sonhos' 1881 || **soni**·FERO XVII. Do lat. *somnĭfer -fĕra -fĕrum* || **soní**·LÓQUO 1890 || **soní**·PEDE XVIII || **sonol**·ÊNCIA XVII. Do lat. tard. *somnulentia* || **sonol**·ENTO XIII. Do lat. *somnulentus -a -um*.
⇨ **sono** — **son**ÂMBULO | 1836 SC || **sonh**ADOR | XIV TEST 61.*33* |.
son·ômetro, -oplasta, -oplastia, -oridade, -oro, -oroso, -otécnica → SOM.
sonso *adj.* 'dissimulado, manhoso, velhaco' 1813. Voc. de criação expressiva, aparentado com o cast. *zonzo*.
sonsonete *sm.* 'inflexão especial com que se profere uma ironia' XVI. Do cast. *sonsonete*.

sopa *sf.* 'caldo com carne, legumes, massas ou outra substância sólida, servido, normalmente, como o primeiro prato do jantar' XIII. Do fr. *soupe*, deriv. do frâncico **sŭppa*, da mesma família do gótico *supôn* ‖ ENsopADO XVI ‖ ENsopAR XVI ‖ sopEIRA XVIII.
sopapo *sm.* 'murro, soco' 'bofetão, tapa' 1813. De etimologia controversa, provavelmente do fr. *soupape* ‖ sopapEAR XX.
sopé *sm.* 'base (de montanha)' 'a parte inferior de encosta, muro etc. ' | *soppe* XIII | De *so-* (< SOB < lat. *sub*) + *pé*.
sopeira → SOPA.
sopesar → PESO.
sopitar *vb.* 'fazer dormir' 'tirar a energia' 1874. Do lat. **sopitāre*, deriv. de *sōpītus*, part. pass. de *sōpīre* ‖ INsopitÁVEL XX ‖ **sopito** 1813. Do lat. *sōpītus*.
⇨ **sopitar** | 1836 SC |.
sopor *sm.* 'prostração mórbida, modorra' 'sonolência' XVIII. Do lat. *sopor -ōris* ‖ soporAT·IVO 1858 ‖ soporÍ·FERO XVIII. Do lat. *sopōrifer -fĕra -fĕrum* ‖ soporÍ·FICO 1858. Do fr. *soporifique*.
soprano *adj.* *s2g.* '(Mús.) a voz mais aguda de mulher ou de menino' 'diz-se de, ou o instrumento agudo, dentro de um grupo de instrumentos da mesma família' 1858. Do it. *soprano*.
soprar *vb.* 'encher de ar, por meio de sopro' | XIV, *soplar* XIV etc. | *Do lat. sufflāre* ‖ AS·**soprar** XIV ‖ soprILHO XVII ‖ **sopro** XIV. Deverbal de *soprar*.
⇨ **soprar** — AS·soprAMENTO | *asopramento* XV VITA 54.20 |.
soquete[1]→ SOCAR.
soquete[2] → SOCO[1].
-(s)or *suf. nom.*, deriv. do lat. *-(s)or -(s)ōris*, que se documenta em substantivos portugueses eruditos, quase todos formados no próprio latim, com a noção de 'agente, instrumento de ação': *agrimensor, censor, cursor* etc. Cp. *-(D)OR, -OR, -(T)OR*.
⇨ **sorbônico** *adj.* 'relativo à Sorbona, na Universidade de Paris' | 1614 SGONÇ I. 125.*31* | De *Sorbon(a)* + -ICO[1].
sordes *s2g. 2n.* 'imundície, sujeira' 'a matéria grossa e pegajosa das chagas' XVI. Do lat. *sordēs -is* ‖ sordÍCIE XVIII. Do lat. *sorditiēs* ‖ sordID·EZ 1813 ‖ **sórd**IDO 1572. Do lat. *sordĭdus -a -um*.
sorgo *sm.* 'planta da fam. das gramíneas' 'milho-zaburro' | *sorgho* 1881 | Do it. *sorgo*, deriv. do lat. *syricum (granum)* 'grão da Síria'.
-(s)ório *suf. nom.*, deriv. do lat. *-(s)ōrium*, que se documenta em substantivos portugueses de cunho erudito e/ou semierudito, com as noções de: (i) lugar onde uma ação se pratica ou pode praticar: *sensório;* (ii) meio ou instrumento: *suspensório.* Cp. -(T)ÓRIO.
sorites *sm. 2n.* '(Lóg.) polissilogismo da forma A é B, B é C, C é D, então A é D, ou da forma C é D, B é C, A é B, então A é D' 1813. Do lat. *sōrītes*, deriv. do gr. *sōréitēs*.
sorna *sf.* 'indolência, moleza, preguiça' 1813. Do cast. *sorna*.
soro *sm.* '(Med.) fluido aquoso que se exsuda de serosas, inflamadas ou não' '(Med.) a porção fluida do sangue obtida após a coagulação dele' 1813. Provavelmente de um lat. **sŏrum*, aparentado com o lat. *sērum -ī* ‖ DESsorAR 1813 ‖ soroTERAP·IA | *sorotherapia* 1899 | Cp. SÉRUM.
sóror *sf.* 'tratamento dado às freiras' 1813. Do lat. *soror -ōris* ‖ sororAL *adj.* 2g. 'pertencente ou relativo a sóror' XX ‖ sororATO XX ‖ sororI·CIDA *s2g.* 'pessoa que assassinou uma irmã ou uma freira' XX. Do lat. *sorōricīda -ae* ‖ sororI·CÍD·IO XX ‖ sorórIO *adj.* 'sororal' XX. Do lat. *sorōrĭus -a -um.*
⇨ **sóror** | XIV GREG 4.11.*26* |.
sororoca *sf.* 'peixe da fam. dos tunídeos' 1587. Do tupi *soro'roka*.
sorose *sf.* '(Bot.) fruto carnoso constituído pela reunião de muitos em um só, como a amora e o ananás' 1899. Do lat. cient. *sorosis*, deriv. do gr. *sōrós* 'montão, pilha'.
soroterapia → SORO.
sorrateiro *adj.* 'que faz as coisas manhosamente, pela calada' XVI. De etimologia obscura.
sorrelfa *sf.* 'disfarce para enganar' 'fantasia' 1813. De etimologia obscura.
sorri·dente, -r, -so → RIR.
sorte *sf.* 'fado, destino' 'bom resultado' XIII. Do lat. *sors sŏrtis* ‖ sortE·ADO 1764 ‖ sortEAR XVII ‖ **sorteio** 1813. Deriv. regressivo de *sortear* ‖ sortEIRA *sf.* 'ant. adivinha, mulher que lê a sorte' XIII ‖ sortEIRO *sm.* 'ant. adivinho, homem que lê a sorte' | *-eyro* XIII ‖ sortIDO 1844 ‖ **sortilégio** XVII. Do lat. med. *sortilegium*, de *sortilĕgus -a -um* ‖ sortIMENTO 1813 ‖ **sort**IR *vb.* 'distribuir, prover' 1813; 'caber em sorte' XX. Voc. aparentado com o fr., o prov. e o cat. *sortir*, de origem incerta; na acepção de 'abastecer', deriva imediatamente do fr. *sortir*, cuja evolução semântica é obscura; na segunda acepção, o voc. deve provir do lat. *sortīri* 'sair por sorte de uma situação' ‖ **surtir** *vb.* 'produzir efeito ou resultado' XVIII. Provavelmente ligado a *sortir*.
⇨ **sorte** — sortIDO | 1836 SC |.
sortilha *sf.* 'ant. anel empregado principalmente em sortilégios e na magia' | *sortella* XIII, *sortelha* XIV etc. | Do lat. *sorticŭla -ae* 'cédula para escrutínio'. Cp. SORTE.
sort·imento, -ir → SORTE.
sorumbático → SOMBRA.
sorva *sf.*'fruto da sorveira, árvore da fam. das apocináceas, da floresta úmida, que se caracteriza pelos frutos bacáceos, comestíveis, de pequeno tamanho, e cujo látex é amargo, não servindo para beber' XVI. Do lat. *sorba*, pl. de *sorbum -ī* ‖ sorvAL 1813 ‖ sorvALH·ADA *sf.* 'grande porção de frutas esparramadas pelo chão' 1881 ‖ sorvAR *vb.* 'principiar a apodrecer (a fruta)' 1813 ‖ **sorvar** *sf.* 'sorva' 1813.
sorvedouro → SORVER.
sorveira → SORVA.
sorver *vb.* 'haurir ou beber, aspirando' XIII. Do lat. *sorbēre* ‖ RES·sorção XX. Do fr. *résorption* ‖ RES·**sorver** XX ‖ sorvEDOURO 1813 ‖ **sorvo** XVII. Deriv. regressiva de *sorver*.
sorvete *sm.* designação comum a várias iguarias doces, feitas de suco de frutas, leite etc., e congeladas até adquirirem consistência semelhante à da neve' XVIII. Do fr. *sorbet*, deriv. do it. *sorbétto* e, este, do turco *sĕrbet* (< ár. *šarāb* 'bebida'; cp. XAROPE) ‖ sorvetEIRA 1858 ‖ sorvetEIRO XX ‖ sorvetERIA XX.

sorvo → SORVER.
sósia s2g. 'indivíduo muito parecido com outro' 1890. Do fr. *sosie*, deriv. do antrop. *Sosia*, nome de um personagem da *Amphitryō*, do comediógrafo romano Plauto; o voc. foi difundido pela comédia *Amphitryon* (1668), de Molière.
soslaio sm. 'obliquidade, través, esguelha' XVI. Do cast. *soslayo*.
sossego sm. 'tranquilidade, calma, paz' | XVI, *sosego* XIV | Deriv. regressivo de *sossegar* || AS·**sosseg**AR | *assessegar* XIV, *asesegar* XIV etc. || AS·**sossego** | XVI, *assessego* XIV, *asesego* XIV || DES·AS·**sosseg**ADO | *desasseseguado* XV || DES·AS·**sosseg**AR | *desassessegar* XV || DES·AS·**sossego** | XVI, *desassessego* XV || **sosseg**ADO XX || **sosseg**AMENTO | *sosegamento* XIV || **sosseg**AR XIV. Do lat. vulg. *sessicāre, de *sessus* 'ação de sentar'.
⇨ **sossego** — **sosseg**ADO | *soce-* 1836 SC |.
sota sm. ef. 'ant. porão de navio' XIII; 'dama, nas cartas de baralho' 1813; 'cocheiro' 'chefe (de aguadeiros)' 'capataz' 1873. Do cast. *sota*, deriv. do cat. *sota* e, este, de uma var. lat. *sŭbta (cláss. *subtus* e *subter* 'debaixo'). O voc. ocorre como primeiro elemento de compostos, hoje desusados, com a acepção de 'indivíduo que substitui e/ou auxilia alguém'; *sota-almirante* (séc. XV), *sota--capitão* (séc. XVI) etc. Cp. SUB-.
⇨ **sota** 'cocheiro' | 1836 SC |.
sotádico adj. 'de Sótades (séc. III a.c.), poeta grego que escreveu obras licenciosas' 'obsceno, erótico' XX. Do lat. *sōtadicus*, deriv. do gr. *sōtadikós*, de *Sōtádēs*.
sotaina sf. e m. 'batina de padre' 'padre, sacerdote' | 1813, *sotana* XVII | Do it. *sottana*.
sótão sm. 'orig. porão' 'pavimento situado imediatamente abaixo da cobertura de um edifício e caracterizado pelo pé-direito reduzido ou pela disposição especial que permite adaptá-lo ao desvão do telhado' | *sotã* XIV, *sotom* XIV | Do lat. vulg. *sŭbtŭlum, deriv. do lat. *subtus* 'debaixo'.
sotaque sm. 'dito picante ou repreensivo' 'pronúncia característica de um indivíduo, de uma região' 1813. De etimologia obscura.
sotavento sm. '(Marinh.) o lado para onde o vento vai' XVI. Do cast. *sotavento*, deriv. do cat. *sotavent*.
soterrar → TERRA
sotor sm. '(Heráld.) peça honrosa de primeira ordem, formada pela combinação da banda com a barra' 'sautor' | 1844, *santor (sic)* 1813 | Do fr. *sautoir*.
⇨ **sotoar** | 1836 SC |.
soto·por, -posto → PÔR.
soturno adj. 'triste, sombrio, lúgubre' XVI. Alteração do nome do planeta *Saturno*, pela crença de que as pessoas nascidas sob o influxo desse planeta eram de caráter melancólico.
souto sm. 'bosque' XIII. Do lat. *sāltus*.
sovaco sm. 'axila' | *sobaco* XVI | Tal como o cast. *sobaco*, de etimologia obscura.
⇨ **sovaco** | *sobaco* XV FRAD I.91.*18* |.
sovar vb. 'amassar' 'moer' '*fig.* usar muito' | *souado* part. XVI | De etimologia obscura || **sevar** vb. 'meter as raízes da mandioca no caititu, para reduzi-las à massa de que se prepara a farinha' XVIII. Alteração de *sovar* || **sov**A sf. XV. Dev. de *sovar*.

sovela sf. 'utensílio para polir' XIV. Do lat. *subĕlla, por *subŭla -ae* 'sovela' || **subul**ADO adj. '(Bot.) que tem forma de, ou é semelhante a sovela' 1890.
soveral → SOBREIRO.
soveta → SOBA.
soviete sm. 'designação comum a conselhos integrados por delegados operários, camponeses e soldados, aparecidos na Rússia pela primeira vez na Revolução de 1905, e que, com a Revolução de outubro de 1917, passaram a ser um órgão deliberativo daquele país' XX. Do fr. (ou do ing.) *soviet*, deriv. do rus. *sovét* 'conselho' || **soviét**ICO XX. Do fr. *soviétique*.
sovina adj. s2g.' 'torno de madeira' '*fig.* avaro' 1813. De etimologia obscura || **sovin**ARIA sf. 'avareza' 1858 || **sovin**ICE sf. 'avareza' 1899.
sovro → SOBREIRO.
sozinho → SÓ¹.
-spad- *elem. comp.*, deriv. do gr. *spad-*, de *spádix -ikos* 'ramo arrancado', que se documenta em alguns compostos eruditos, como *hipospadia*, por exemplo. Cp. ESPÁDICE.
-spasia *elem. comp.*, do gr. *spásis -eōs* 'sucção, aspiração' 'ação de retirar', que se documenta em alguns compostos eruditos, como *hemospasia*, por exemplo.
-spasm- *elem. comp.*, deriv. do gr. *spasm-*, de *spasmós* 'espasmo, convulsão', que se documenta em alguns compostos eruditos, como *angiospasmo*, por exemplo. Cp. ESPASMO.
-spástico *elem. comp.*, do gr. *spastikós* 'que atrai', que se documenta em alguns compostos eruditos, como *angiospástico, hemospástico* etc.
-sperm- *elem. comp.*, do gr. *sperm-*, de *spérma -atos* 'semente, sêmen', que se documenta em alguns compostos eruditos, como *angiospermia*, (e *angiosperma, angiospérmico*), *anisospermo* etc. Cp. ESPERMA.
-spor- *elem. comp.*, do gr. *spor-*, de *sporá -âs* 'semente, sêmen, geração', que se documenta em alguns compostos eruditos, como *androspório, angiosporo* etc. Cp. ESPORO.
-stam- *elem. comp.*, deriv. do lat. *stam-*, de *stāmen -ĭnis* 'fio, corda, fita', que se documenta em alguns compostos eruditos, como *hipostaminia* (e *hipostaminado*), por exemplo. Cp. ESTAME.
-stas- *elem. comp.*, do gr. *stas-*, de *stásis -eōs* 'ação de pôr de pé, de erigir ou levantar' 'ação de pesar' 'estabilidade' 'suspensão de funções vitais', que se documenta em alguns compostos eruditos, como *hemóstase, hipostasia* etc. Cp. ESTASE.
-stat- *elem. comp.*, do gr. *stat-*, de *statiké* "a arte de pesar', que se documenta em alguns compostos eruditos, como *aerostática* (e *aeróstata, aerostato*), *hemostático* etc. Cp. ESTÁTICA.
-steg- *elem. comp.*, do gr. *steg-*, de *steganós, stegnós* 'coberto, encoberto', que se documenta em alguns compostos eruditos, como *amblistegito, angiastegnótico* etc. Cp. ESTEGANOGRAFIA.
-stel- *elem. comp.*, do gr. *stēlē* 'pilar, coluna', que se documenta em alguns compostos eruditos, como *actinostelia*, por exemplo. Cp. ESTELA.
-stem- *elem. comp.*, do gr. *stem-*, de *stémma -atos* "banda" "venda" "coroa, grinalda", que se documenta em alguns compostos eruditos, como *adenostêmone, anisostêmone* etc. Cp. ESTEMA.

-sten- *elem. comp.*, do gr. *sthen-*, de *sthénos* "força, vigor', que se documenta em alguns compostos eruditos, como *angiostenose, hipostenia* etc. Cp. ESTENIA.

-ster- *elem. comp.*, do gr. *ster-*, de *stereós* "sólido, rijo, duro', que se documenta em alguns compostos eruditos, como *androsterona*, por exemplo. Cp. ESTÉREO.

-stil- → ESTILO-.

-stom-, -stomat- *elem. comp.*, do gr. *stom-*, de *stóma -atos* "boca, orifício, entrada', que se documenta em alguns vocs. eruditos, como *actinostomatismo, ambistomídeo, angiostômida* etc. Cp. ESTOMA.

-strateg- *elem.' comp.*, do gr. *strateg-*, de *stratḗgēma -atos* "expedição, campanha' 'tropa ou exército em campanha', que se documenta em alguns compostos eruditos, como *geostrategia*, por exemplo. Cp. ESTRATAGEMA.

-strof- *elem. comp.*, do gr. *stroph-*, de *stróphos* 'corda', que se documenta em alguns compostos eruditos, como *angiostrofia*, por exemplo. Cp. ESTRÓFULO.

su- → SUB-.

sua → SEU.

suaçu *sm.* 'nome genérico do veado, em tupi' | 1587, *çugoaçu c* 1584 | Do tupi *sïua'su* ‖ **suaçuapara** *sm.* 'veado-galheiro' | *çuaçuapara c* 1584, *suaçupara* 1610 etc. | Do tupi *sïuasua 'para* ‖ **suaçuetê** *sm.* 'veado-mateiro' | *çuaçuete c* 1594, *suaçuetem* 1610 | Do tupi *sïuasue'te < sïua'su + e'te* 'verdadeiro ‖ **suaçupitanga** *sm.* 'veado-mateiro' | 1610, *çuaçu pitãga c* 1594 | Do tupi *sïuasupï'taṇa < sïua'su + pïtaṇa* 'avermelhado' ‖ **suaçupucu** *sm.* "veado-galheiro' xx. Do tupi *sïuasupu'ku < sïua'su + pu'ku* 'comprido' ‖ **suaçutinga** *sm.* 'veado-campeiro' 1610. Do tupi *sïuasu'tiṇa < sïua'su + 'tiṇa* 'branco'.

⇨ **suadir** → PERSUADIR.

suar *vb.* "deitar suor pelos poros, transpirar' XIV. Do lat. *sūdāre* ‖ RE·s**suar** XX. Do fr. *ressuer*, deriv. do lat. *re-sūdāre* ‖ **su**ADOURO | XIV, *-doiro* XIV ‖ **sua**RENTO | 1813, *suorento* XV ‖ **sud**AÇÃO 1874. Do fr. *sudation*, deriv. do lat. *sūdātĭō -ōnis* ‖ **sudâmina** *sf.* "brotoeja' 1899. Do lat. cient. *sūdāmen -ĭnis* ‖ **sud**ÁRIO *sm.* 'pano com que outrora se limpava o suor' XIV. Do lat. *sūdārĭum -ĭī* ‖ **sud**ATÓRIO 1858. Do lat. *sūdātōrĭus* ‖ **sudor**AL XX ‖ **sudorese** *sf.*" (Med.) suor abundante' XX. Do lat. cient. *sudoresis* ‖ **sudorí·**FERO 1844. Do fr. *sudorifère*, deriv. do lat. cient. *sudorĭférum* ‖ **sudorí·**FICO 1813. Do fr. *sudorifique* ‖ **sudorí·**PARO 1874. Do fr. *sudoripare* ‖ **su**EIRA *sf.* 'trabalheira, cansaço' XVI ‖ **suor** *sm.* "humor aquoso incolor, de odor particular, segregado pelas glândulas sudoríparas e eliminado através dos poros da pele' | XIV, *suur* XIV, *sudor* XIV etc. | Do lat. *sūdor -ōris* ‖ TRAN**sud**AR *vb.* 'transpirar' 1813. Do fr. *transuder* ‖ TRAN**sud**ATO XX. 'líquido que sai dos vasos sanguíneos sem ser por mecanismo inflamatório' XX. Do fr. *transsudat*.

⇨ **suar** — **suor**ENTO | XV INFA 56.*27* ‖ TRES**suar** | *tresuar*1614 SGONÇ I.11.*20* |.

suarabácti *sm.* '(Gram.) modalidade de epêntese' XX. Do sânscr. *svarabhakti* "separação por meio de vogal', provavelmente através do fr. *svarabhakti*.

suarda *sf.* "substância gordurosa existente na lã de ovelhas' XVII. De origem controversa.

suarento → SUAR.

suasório *adj.* "persuasivo' XVII. Do lat. *suāsōrĭus*.

suástica *sf.* "cruz gamada' XX. Do sânscr. *svastika* 'bom agouro, boa sorte', provavelmente através do fr. *svastika*.

suave *adj. 2g.* 'delicado, brando' XV. Do lat. *suāvis -e* | ‖ IN**suave** XVI. Do lat *īn-suāvis -e* ‖ IN**suav**IDADE 1813. Do lat. *īnsuāvĭtās -ātis* ‖ **suav**IDADE XV. Do lat. *suāvĭtās -ātis* ‖ **suaviloquência** *sf.* 'suavidade nas palavras, na linguagem' 1899. Do lat. *suāvĭloquentĭa* ‖ **suaviloqu**ENTE 1899. Do lat. *suāvĭlŏquēns -ēntis* ‖ **suavíloquo** *adj.* 'suaviloquente' XX. Do lat. *suāvĭlŏquus*.

sub- (so-, sob-, su-, sus-) *pref.*, "do lat. *sub-*, deriv. da prep. *sub* 'sob, no fundo de, debaixo de', que se documenta em vocs. eruditos e/ou semieruditos formados no próprio latim, como *subalternus* → *subalterno, submergĕre* → *submergir* etc., e em vários outros formados nas línguas modernas, como *subarrendar, subchefe* etc. O -*b*- do lat. *sub-* é invariavelmente assimilado diante de vocs. iniciados por *c, f, g* e *p: succēděre* → *suceder, suffīxus* → *sufixo, suggěrěre* → *sugerir, supplantāre* → *suplantar*. A forma lat. paralela *subs-* reduz-se normalmente a *sus-* diante de *c-, p-* e *t-: subscĭtāre* → *suscitāre* → *suscitar, subspendēre* → *suspendēre* → *suspender, substĭnēre* → *sustĭnēre* → *suster*. Em português, além dos vocs. iniciados por *sub-, su-* e *sus-*, pelo modelo do latim, documentam-se, ainda, formações em *sob-* (*sobestar*) e em *so* (*soerguer*). Esta forma é bastante frequente no port. med.: *soentrar* (séc. XIV), *solevantar* (séc. XIV), *somergulhar* (séc. XV) etc.

subalar *adj. 2g.* 'que fica ou existe sob asas' | *-res* pl. 1844 | Do lat. *sub-ālāris -e* ‖ **su**bAL·ADO *adj.* '(Hist. Nat.) que tem apêndices parecidos com asas' XVII.

⇨ **subalar** | *-res* pl. 1836 SC |.

subalterno *adj.* 'diz-se daquele que está sob as ordens de outro' 'inferior, subordinado' XVIII. Do lat. tard. *subalternus* ‖ **subaltern**IDADE 1881. Adapt. do fr. *subalternité*.

subarrendar → RENDER.

sub·chef·e, -ia → CHEFE.

subcinerício → CINERÁRIO.

subcomissário → COMISSÃO.

subconsciente → CONSCIÊNCIA.

subcontrário → CONTRARIAR.

subcutâneo → CÚTIS.

sub·deleg·acia, -ado, -ar → DELEGAR.

sub·desen·volv·er, -ido, -imento → VOLVER.

subdiácono → DIÁCONO.

subdiretor → DIREITO.

sub·divi·dir, -são → DIVIDIR.

sub·entend·er, -ido → ENTENDER.

súber *sm.* '(Bot.) tecido formado por células mortas, devidas à impregnação de suas membranas celulóticas com suberina' XX. Do lat. *sūber -ĕris* 'sobreiro' ‖ **suber**INA *sf.* 'substância impermeável que impregna a parede dalgumas células vegetais' 1899.

subir *vb.* 'ir para cima' 'elevar, crescer em altura' | XIII, *so-* XIII | Do lat. *sŭbīre* ‖ **sub**IDA *sf.* 'ato de subir' XIII ‖ **sub**IDO XVI ‖ **sub**IDOR XIV.

súbito *adj.* 'repentino, inesperado' | *supito* XV | Do lat. *subitus*, part. pass. de *subīre* 'pôr debaixo de'. O adv. *subitamente* ocorre no séc. XIV || **subitâneo** *adj.* 'súbito',| XIV, *sobetanno* XIII, *supitaneo* XIV, *supitanyo* XIV etc. | Do lat. *sŭbĭtănĕus* || **supetão (de-)** *loc. adv.* 'de súbito, de repente' 1844. Por *supitão*, de *súpito*, por *súbito*.
⇨ **súbito — supetão (de-)** | 1836 SC |.
subjacente → JAZER.
subjeção *sf.* '(Ret.) figura pela qual o orador interroga o adversário e, supondo a resposta, dá logo a réplica' | *-jecção* 1858 | Do fr. *subjection*, deriv. do lat. *subjectiō -ōnis* || **subjeti**AR | *-jec-* 1874 | Do fr. *subjectiver* || **subjeti**VIDADE | *-jec-* 1874 | Adapt. do fr. *subjectivité*, deriv. do al. *Subjektivität* || **subjeti**VISMO | *-jec-* 1890 | Do fr. *subjectivisme* || **subjetivo** *adj.* 'relativo a sujeito' 'individual, pessoal' | *-jec-* XIX | Do lat. *subjectīvus*. Cp. SUJEITO.
⇨ **subjeção** | *-jecção* 1836 SC |.
sub·jug·ação, -ador, -ante, -ar → JUGO.
subjuntivo *adj. sm.* 'subordinado, dependente' 1813. Adapt. do fr. *subjonctif*, deriv. do lat. *subjunctīvus*.
sublevar *vb.* 'levantar de baixo para cima' 'revoltar, amotinar' XVI. Do lat. *sublevāre* || **sublev**AÇÃO 1813. Do lat. *sublevātǐo -ōnis*.
sublime *adj. 2g.* 'que atingiu um grau muito elevado na escala dos valores morais, intelectuais ou estéticos' 'magnífico, encantador' 1572. Do lat. *sublīmis -e* || **sublim**AÇÃO 1813. Do fr. *sublimation* || **sublim**ADO 1572 || **sublim**AR 1549. Do lat. *sublīmāre* || **sublim**IDADE XVII. Do lat. *sublīmĭtās -ātis*.
⇨ **sublime** | 1549 SNor 8.*11* |.
sub·linh·a, -ar → LINHA.
sub·loc·ação, -ador, -ar, -atário → LOCAR.
sublunar → LUA.
submarino → MAR.
submergir *vb.* 'cobrir de água' 'inundar, afogar' | XVI, *somerger* XIII | Do lat. *submergĕre* || **submerg**ÍVEL 1881 || **submersão** *sf.* 'ato ou efeito de submergir(-se)' XVII. Do lat. *submersǐo -ōnis* || **submers**ÍVEL 1873. Adapt. do fr. *submersible*.
submeter *vb.* 'sujeitar, subjugar' | *someter* XIV | Do lat. *submittĕre* || IN**subm**IS·SÃO XX || IN**submisso** XX || **submet**EDOR | *some-* XIV, *sume-* XV || **subm**IS·SÃO XVII. Do lat. *submissǐo -ōnis* || **submisso** *adj.* 'que se submeteu ou se submete' XVI. Do lat. *submissus*, part. pass. de *submittěre*.
⇨ **submeter — subm**IS·SÃO | *submissam a* 1595 *Jorn.* 24.*8* |.
sub·ministr·ação, -ador, -ar → MINISTRO.
submúltiplo → MULTIPLICAR.
sub·nutr·ido, -ir → NUTRIR.
subocular *adj. 2g.* '(Anat.) situado abaixo dos olhos' 1899. Do fr. *suboculaire*, deriv. do lat. *subocularis*.
subordinar *vb.* 'fazer dependente, dominar, sujeitar' 1813. Adapt. do fr. *subordonner*, deriv. do lat. med. *subordināre* || IN**subordin**AÇÃO 1762 || IN**subordin**ADO XVIII || IN**subordin**AR 1844 || **subordin**AÇÃO XVI. Do lat. med. *subordinatio -ōnis* || **subordin**ADO XVII || **subordin**ADOR 1844 || **subordin**ANTE 1881 || **subordin**ATIVO XX.
⇨ **subordinar — subordin**ADOR | 1836 SC |.

subornar *vb.* 'dar dinheiro ou outros valores a, para conseguir coisa oposta à justiça, ao dever ou à moral' XVI. Do lat. *subōrnāre* || IN**suborn**ÁVEL 1844 || **suborn**AÇÃO XV || **suborn**ADOR 1813 || **suborn**ÁVEL 1899 || **suborno** *sm.* XVI. Dev. de *subornar*.
subprocurador → PROCURAR.
sub-repção, -reptício → REPTIL.
sub-rog·ação, -ar → ROGAR.
sub·scr·ever, -ição, -ito, -itor → ESCREVER.
subsecivo *adj.* 'demasiado, excessivo, supérfluo' | *subscessivo* 1813 | Do lat. *subsĕcīvus*.
subs·ecutivo, -equência, -equente → SEQUAZ.
sub·servi·ência, -ente → SERVIR.
subsídio *sm.* 'contribuição, auxílio, ajuda' | *sossidio* XV | Do lat. *subsidĭum -ĭī* || **subsidi**AR 1813 || **subsidiÁRIA** *sf.* 'empresa controlada por outra' 1844. Fem. substantivado de *subsidiário* || **subsidi**ÁRIO *adj.* 'relativo a subsídio' 'que concede subsídio' XVII. Do lat. *subsidiārĭus*.
subsistir *vb.* 'ser, existir' 'existir na sua substância' | *sussistir* XV | Do lat. *subsistĕre* || IN**subsist**ÊNCIA 1813 || IN**subsist**ENTE 1813 || **subsist**ÊNCIA XVII || **subsist**ENTE XVIII.
subsolo → SOLO¹.
sub·stabelec·er, -imento → ESTABELECER.
substância *sf.* 'a parte real ou essencial de alguma coisa' | *substança* XV, *sustancia* XIV | Do lat. *substantǐa* || CON**substanci**AL 1813. Adapt. do fr. *consubstantiel*, deriv. do lat. ecles. *cōnsubstantiālis* || **substanci**ADO 1813 || **substanci**AL | XVI, *sus-* XVI | Do lat. *substantiālis -e* || **substanci**AL·IDADE 1874. Do lat. tard. *substantiālǐtas -ātis* || **substanci**OSO XVII || **substant**IFIC·AR *vb.* 'dar forma concreta a' 1874 || **substanti**VAÇÃO 1899 || **substanti**VAR 1844. Do fr. *substantiver* || **substantivo** *adj. sm.* 'que tem substância' '(Gram.) classe de palavras que nomeiam os seres' 'nome' | XVII, *sus-* XVI | Do lat. *substantīvus* 'substancial' || SUPER**substanci**AL XX.
⇨ **substância — CON**substanci**AL | 1614 SGonç II.79.*1* || **substanti**VAR | 1836 SC || SUPER**substanci**AL | 1836 SC |.
subst·ar, -atório → SUSTAR.
substituir *vb.* 'colocar (pessoa ou coisa) em lugar de' 'trocar' | *sustytuyr* XV | Do lat. *substituĕre* || IN**substitu**ÍVEL XX || **substitu**IÇÃO | *sustituyçon* XIV | Adapt. do fr. *substitution*, deriv. do lat. tard. *substitutĭō -ōnis* || **substitu**IVO 1881. Do lat. tard. *substitutīvus* || **substituto** *adj. sm.* 'que, ou aquele que substitui outro' | XVI, *sus-* XV | Do lat. *substitūtus*, part. pass. de *substituĕre*.
substrato *sm.* 'o que constitui a parte essencial do ser' 'a essência' '*ext.* base, fundamento' '(Ling.) língua suplantada por outra num território, que deixa influência na língua dominante' | *-tratum* 1874 | Como *adj.* o voc. já se documenta no séc. XVII. Do lat. *substrātus ūs* 'ação de estender debaixo ou sobre'. Na última acepção, o voc. veio através do fr. *substrat*.
⇨ **substrato** | 1836 SC |.
substrução *sf.* 'fundamentos de um edifício' 'alicerce' | *-trucção* XVII Do lat. *substructǐō -ōnis*.
subsultar *vb.* '(Poét.) saltar repetidamente, saltitar' XVIII. Do lat. *subsultāre*.
subtender → TENDER.
subtensa → TENSÃO.

subterfúgio *sm.* 'pretexto, evasiva' 1813. Do lat. tard. *subterfugium* ‖ **subterfug**IR 1813. Do lat. *subterfugĕre*.
sub·terrâneo, -térreo → TERRA.
subt·il, -ileza, -ilidade → SUTIL.
subtítulo → TÍTULO.
subtrair *vb.* 'tirar, retirar, diminuir' XVII. Do lat. *subtrahĕre* ‖ **subtr**AÇÃO | *-tracção* XVII | Do lat. *subtractĭō -ōnis* ‖ **subtraendo** *sm.* '(Mat.) número que se tira do outro numa subtração' XX. Do lat. *subtrahendus*, gerundivo de *subtrahĕre* ‖ **subtr**ATIVO | *-trac-* 1813 | Do lat. med. *subtractīvus*.
subulado → SOVELA.
sub·urb·ano, -io → URBE.
subvenção *sf.* 'auxílio pecuniário, por via de regra concedido pelos poderes públicos' XVI. Do lat. tard. *subventĭō -ōnis* ‖ **subvencion**AR 1881. Adapt. do fr. *subventionner* ‖ **subventâneo** *adj.* '(ovo) infecundo' XVI. Do lat. cient. *subventāneus*.
sub·ver·são, -sivo, -sor, -ter → VERTER.
sucata *sf.* 'ferro inutilizado e que, uma vez refundido, é novamente lançado ao comércio' 'qualquer obra metálica inutilizada' 'depósito de ferro velho' 1899. Do ár. *suqāṭ* 'objeto sem valor'.
sucção → SUGAR.
suceder *vb.* 'dar-se (algum fato)' 'acontecer, ocorrer' | *subceder* XIV, *soceder* XIV | Do lat. *succēdĕre* ‖ **IN**sucesso 1899. Do fr. *insuccès* ‖ **sucedâneo** *adj. sm.* 'que, ou aquele que sucede a outrem' '(qualquer coisa) que pode substituir outra' 1890. Do lat. *succēdānĕus* ‖ **suced**IDO XVI ‖ **suced**IMENTO | *soçe-* XV | **sucessão** *sf.* 'ato ou efeito de suceder' | *sucessom* XIII, *-çessom* XV, *soçessom* XV etc. | Do lat. *successĭō -ōnis* ‖ **sucess**ÍVEL | *suçesiueles* pl. XV, *suçesibles* pl. XV ‖ **sucess**IVO XVI. Do lat. tard. *sucessīvus* ‖ **sucesso** *sm.* 'aquilo que sucede' 'bom êxito, resultado feliz' XVI. Do lat. *successus -ūs* ‖ **suces**SOR | *suscesor* XIII, *sossessor* XIV, *ssoçeçor* XIV etc. | Do lat. *successor -ōris*. No port. med. ocorria, também, *socedor* (séc. XIV) ‖ **sucess**ÓRIO 1813.
⇨ **suceder** — **suced**IMENTO | *succe-* 1836 SC ‖ **suc**CEDOR 'sucessor' | *socedor* XIV ORTO 273.5 ‖ **suces**SIVO | *suçessiuo* XV BENF 176.26 |.
súcia → SÓCIO.
sucinto *adj.* 'breve, resumido, conciso' XVI. Do lat. *succinctus*.
súcio → SÓCIO.
suco *sm.* 'líquido com propriedades nutritivas' 'sumo' *fig.* essência, substância' 'coisa excelente, bonita etc.' XVII. Do lat. *sūccus* ou *sūcus -i* ‖ **suc**OSO 1813. Do lat. *succōsus* ou *sūcōsus* ‖ **suculento** *adj.* 'que tem suco ou sumo' XVIII. Do lat. *sūcculentus* ou *sūculentus*.
sucre *sm.* 'unidade monetária, e moeda, do Equador' XX. Do antrop. *Sucre*, de Antônio José de *Sucre* (1795-1830), libertador de grande parte da América Espanhola.
suçuarana *sf.* 'mamífero carnívoro da fam. dos felídeos, onça-parda' '*ext.* indivíduo de má índole, perverso' | 1587, *suaçuarana* 1610, *susurana* 1618, *cissuarana* 1648, *ceçuarana* 1648 etc. | Do tupi *siүasua'rana*.
súcubo → SUCUMBIR.
suculento → SUCO.

sucumbir *vb.* 'abater-se, vergar, dobrar-se' 'não resistir, ceder' | *-ccum-* 1844 | Do lat. *succumbĕre* 'deitar-se abaixo' 'cair, sucumbir' ‖ **súcubo** *adj. sm.* 'que, ou aquele que se coloca por baixo' 'certo demônio feminino' XVII. Do lat. *succŭba* 'concubina' ‖ **sucumb**IDO | *-ccum-* 1844.
⇨ **sucumbir** | *-ccum-* 1836 SC ‖ **sucumb**IDO | *-ccum-* 1836 SC |.
sucupira *sf.* 'nome comum a várias árvores da fam. das leguminosas, que fornecem madeiras de lei muito apreciadas para a confecção de obras finas de marcenaria' | *sepepira* 1587, *sapopira* 1618, *cibipyra* 1663, *sicupira* 1685 etc. | Do tupi *seүi'pira*.
sucuri *sf. e m.* 'orig. 'espécie de cação' | *socori* 1587, *cucuri* c 1594 | ; '*ext.* réptil ofídio da fam. dos boídeos, subfam. dos boíneos *(Eunectes murinus)*, *sucurijuba*' | *securí* 1751, *sucuri* 1783 etc. | Do tupi *suku'ri* ‖ **sucurijuba** *sf.* 'réptil ofídio da fam. dos boídeos *(Eunectes murinus)*' | *çucurijuba* c 1584, *sucuriú* 1587 etc. | Do tupi *sukuri'juça* ‖ **sucuritinga** *sm.* 'espécie de cação' | *cucuritinga* c 1594 | Do tupi *sukuri'tiṇa* < *suku'ri* + *'tiṇa* 'branco'.
sucursal *adj. 2g. sf.* 'diz-se de, ou estabelecimento que depende de uma casa matriz' 'filial' XIX. Do fr. *succursale*, deriv. do lat. *succursus*, part. pass. de *succurrĕre*. Cp. SOCORRER.
sucussão → SACUDIR.
sucuuba *sf.* 'planta da fam. das apocináceas' | *sucúba* c 1777, *sucuba* 1817 etc. | Do tupi **suku'iүa*.
sud·ação, -âmina, -ário, -atório → SUAR.
sudeste → SUL.
súdito *adj. sm.* 'que, ou aquele que está submetido à vontade de outrem' | XVI, *subdito* XIV, *sobdito* XV | Do lat. *subdĭtus*, part. pass. de *subdĕre* 'pôr debaixo' 'submeter'.
sudoeste → SUL.
sudor·al, -ese, -ífero, -ífico, -íparo → SUAR.
sudra *sm.* 'a última das quatro grandes castas hindus (brâmane, xátria, vaixiá e sudra)' 'indivíduo dessa casta' | *chudrá* c 1615, *chudrer* c 1615, *sudra* 1687, *sudro* 1697 etc. | Do sânscr. *śūdra*.
sueco *adj. sm.* 'relativo à, ou natural da Suécia' 'idioma germânico do grupo setentrional (nórdico ou escandinavo)' XX. Do ant. *suécio* (1572), deriv. do top. *Suécia* ‖ **sueca** *sf.* 'espécie de bisca' '(Mús.) espécie de quadrilha' XIX. Fem. substantivado do adj. *sueco*.
⇨ **sueco** | 1660 FMMeIE 355.8 |.
sueira → SUAR.
suéter *sm. e f.* 'agasalho fechado, feito de malha de lã' XX. Do ing. *sweater*.
sueto *sm.* 'feriado, descanso, folga' XVII. Do lat. *suētus* 'acostumado, habitual'. Cp. DESSUETUDE.
suevo *adj. sm.* 'relativo a, ou indivíduo dos suevos, povo germânico que se fixou na Suábia' XIV. Do lat. *suēvus*.
suficiência *sf.* 'aptidão bastante, habilidade, capacidade' | *so-* XV | Do lat. *sufficientĭa* ‖ **IN**suficiência XVI. Do lat. *insufficientĭa* ‖ **IN**suficiENTE XVI. Do lat. *insufficiēns -ēntis* ‖ **sufici**ENTE | *-çi-* XIV | Do lat. *sufficiēns -ēntis*.
⇨ **suficiência** — **sufici**ENTE | *ssoffiçiente* XV BENF 35.32, *sofisciente* XV CAVA 7.18 |.

sufixo *sm.* '(Gram.) sílaba ou letras que, pospostas às raízes das palavras primitivas, as tornam derivadas' 'desinência' 1858. Do lat. *suffīxus*, part. pass. de *suffigĕre* 'fixar, prender debaixo ou por trás'.
sufocar *vb.* 'impedir ou reprimir a respiração de' '*ext.* extinguir, debelar, reprimir' XVII. Do lat. *suffocāre* || **sufoc**AÇÃO XVII. Do lat. *suffōcātiō -ōnis* || **sufoc**ANTE XVII || **sufoc**ATIVO | -*ffo-* "1813 || **sufoco** *sm.* 'aflição' XX. Dev. de *sufocar*.
sufragâneo *adj. sm.* 'diz-se de, ou bispo ou bispado dependente de um metropolitano' | *sufragano* XIV, *sofreganho* XIV, *sofraganho* XIV etc. | Do lat. *sŭffrāgănĕus* || **sufragar** *vb.* 'apoiar, aprovar com sufrágio' 1813. Do lat. *suffrāgāre* || **sufrágio** *sm.* 'voto, votação' XVII. Do lat. *suffrāgium -iī*.
⇨ **sufragâneo** — **sufrágio** | *suffragēes* f.pl. XV IMIT 19.*24*, *suffragio* 1573 NDias 270.*11* |.
su·fum·eiro, -igação, -igar → FUMO.
sufusão → FUNDIR.
sugar *vb.* 'chupar, sorver' XIV. Do lat. **sucāre*, de *sūcus* 'suco' || **sucção** *sf.* 'ato ou efeito de sugar' 1858. Do fr. *succion*, deriv. do lat. tard. *suctio -ōnis* || **sug**ADOR 1858.
sugerir *vb.* 'lembrar, propor, aventar' 'proporcionar, fornecer, ocasionar' XVII. Do lat. *suggĕrĕre* || **sugestão** *sf.* 'ato ou efeito de sugerir' XVI. Do lat. *suggestiō -ōnis* || **sugestion**AR 1899. Do fr. *suggestionner* || **sugest**IVO 1844. Adapt. do fr. *suggestif* || **sugesto** *sm.* 'tribuna da qual os oradores romanos discursavam ao povo' XVII. Do lat. *suggestum -i*.
⇨ **sugerir** — **sugestão** | *sogestoōees* pl. XV FRAD I.106.*9* || **sugest**IVO | -*gges-* 1836 SC |.
sugilar *vb.* 'produzir equimose(s) em' '*fig.* difamar, ultrajar' XVII. Do lat. *suggillāre* || **sugil**AÇÃO XVII. Do lat. *suggillātiō -ōnis*.
suí *sm.* 'peixe da fam. dos ranfictídeos *(Eigenmania viressens)*' *c* 1631. Do tupi *su'i*.
suia *sf.* 'ave da fam. dos psitacídeos, maitaca' | *sijá* 1587, *cyia* 1618, *xia c*1631| Do tupi *sĭ'ia*.
suíça → SUÍÇO.
suicid·a, -ar, -io → SE¹.
suíço *adj. sm.* 'relativo à, ou natural da Suíça' | *soiço* XVI | Do top. *Suíça* || **suíça** *sf.* 'guarda suíça (no Vaticano)' | *soyça* XVI | ; '*ant.* manobra militar' | *soyça* XVI | ; 'espécie de barba' | *suissa* 1858 | Na última acepção, o voc. provém do fr. *suisse*.
suindara *sf.* 'ave da ordem dos estrigiformes, fam. dos titonídeos, espécie de coruja' | *tuinda* 1618 | Do tupi *sui'ņara, tui'ņara*.
suíno *adj. sm.* 'relativo ao, ou o porco' XVII. Do lat. *suīnus* || **suino**CULT·OR XX || **suino**CULT·URA XX.
suiriri *sm.* 'pássaro da fam. dos tiranídeos' 1587. Do tupi *suiri'ri*.
suíte *sf.* '(Mús.) orig. qualquer sequência de danças destinadas a um coro ou à interpretação instrumental' '(Mús.) partita, sonata' 'quarto que se comunica com (que se segue a) um banheiro independente' XX. Do fr. *suite*, deriv. do lat. **sĕquitus*.
sujar → SUJO.
sujeição → SUJEITO.
sujeira → SUJO.
sujeito *adj. sm.* 'submetido' 'indivíduo indeterminado, ou cujo nome se quer omitir' '(Gram.) termo da proposição a respeito do qual se enuncia alguma coisa' | *sogeito* XIII, *sojeito* XIV, *soyeito* XIV etc.

| Do lat. *sŭbjēctus* || **sujeição** *sf.* 'ato ou efeito de sujeitar' | *suggeçon* XIII, *subjeiçom* XIV etc. | Do lat. *subjectiō -ōnis* || **sujeitar** *vb.* 'dominar, subjugar' 1813. Do lat. *subjectāre*. Cp. SUBJEÇÃO.
⇨ **sujeito** — **sujeit**AR | 1572 *Lus.* III.*19*, *sogeitar* Id.I.*31*, *subjectar* 1573 NDias 90.*2*, *subjeytar* Id.186.*17* |.
sujo *adj.* 'sem limpeza, porco, imundo' | *suzio* XIV, *çujo* XIV, *çuyo* XIV etc. | Do lat. *sūcĭdus* 'úmido' || EN**suj**AMENTO | -*çu-* XV || EN**suj**AR | *ensuzar* XIV, *enxuzar* XIV, *emçujar* XIV etc. || EN**suj**ENTAR | *ençu-* XV, *emxugemtado* part. XV || **suj**AMENTO | -*çu-* XV || **suj**AR XIV || **suj**EIRA XX || **suj**IDADE | -*zi-* XIV, *çugi-* XIV, *çogi-* XV etc.
sul *sm.* '(Geogr.) ponto cardeal que se opõe diretamente ao norte e fica à direita do observador voltado para o este' 1500. Do anglo-saxão *sûth* (> ing. *south*), provavelmente através do a. fr. *su* (hoje *sud*) || **sud**ESTE XX. Do fr. *sudest*. A forma *sueste* já se documenta em 1500 || **sud**OESTE | -*du-* XV | Do fr. *sud-ouest* || **sul**ANO *sm.* 'vento do sul' 1858 || **sulavento** *sm.* 'a sotavento' XVIII. Adapt. do fr. *sous-le-vent* || **sul**INO XX || **sul**ISTA 1899.
sula *sf.* 'planta ornamental da fam. das leguminosas' 1899. Do lat. tard. *sulla*.
sul·ano, -avento → SUL.
sulco *sm.* 'rego aberto pelo arado ou pela charrua' '*ext.* ruga, prega, carquilha' XVII, *surco* XIII | Do lat. *sulcus -i* || RE·**ssulc**AR XX || **sulc**AR XVII. Do lat. *sulcāre*.
sulf(o)- *elem. comp.*, do lat. *sulphur* (ou *sulfur*) *-ŭris* 'enxofre', que se documenta em alguns compostos formados no próprio latim (como *sulfúreo*) e em muitos outros introduzidos, a partir do séc. XIX, na linguagem científica internacional ▶ DE·**ssulfur**AR 1899 || **sulfa** *sf.* XX. Abrev. de *sulfanilamida* || **sulf**ANIL·AMIDA XX. De *sulf-* (abrev. de *sulfúrico*) + *anil-* (abrev. de *anilina*) + *amida* | **sulf**AT·AR 1881. Do fr. *sulfater* || **sulf**ATO *sm.* '(Quím.) qualquer sal do ácido sulfúrico' | -*te* 1844 | Do fr. *sulfate* || **sulf**ETO *sm.* '(Quím.) composto binário de enxofre e um elemento ou grupamento positivo' XX || **sulf**ÍDR·ICO | -*fhy-* 1874 | Do fr. *sulfhydrique* || **sulf**ITO *sm.* '(Quím.) designação comum aos sais e ésteres do ácido sulfuroso' 1874. Do fr. *sulfite* || **sulf**ONA *sf.* '(Quím.) composto orgânico que tem sido usado no tratamento da lepra' XX. Do al. *Sulfon* || **sulfur**ADO *adj.* '.que foi tratado ou combinado com enxofre' 1813. Adapt. do fr. *sulfuré*, deriv. do lat. *sulfurātus* || **sulfur**AR 1874 || **sulfúr**EO 1572. Do lat. *sulfurĕus* || **sulfur**ETO *sm.* 'sulfeto'. 1858 || **sulfúr**ICO 1858. Do fr. *sulfurique* || **sulfur**INO XVI || **sulfur**OSO 1844. Adapt. do fr. *sulfureux*, deriv. do lat. *sulfurōsus*.
⇨ **sulf(o)-** — **sulf**ATO | -*te* 1836 SC, -*phate* 1836 SC || **sulf**ITO|-*te, -phite*1836SC||**sulfur**ETO|1836SC,-*phu-* 1836 SC || **sulfúr**ICO | 1836 SC,-*phu-* 1836 SC || **sulfur**OSO | 1836 SC, *phu-* 1836 SC |.
sulino → SUL.
sulipa *sf.* 'chulipa' 'dormente de (estrada de ferro)' XX. Do ing. *sleeper* 'dormente'. Cp. CHULIPA.
sulista → SUL.
sultão *sm.* 'antigo título do imperador da Turquia' 'título dado a alguns príncipes maometanos e tártaros' | *a. soldan* XIII, *ssoldom* XIV, *soldom* XIV etc.;

β. *colyytam* XV, *sultão* 1500, *soltam* 1563 etc. | Do ár. *sulṭān*.
suma → SOMA¹.
sumaca *sf.* 'antigo navio a vela' XVII. Do neerl. *smak* (< m. neerl. *smacke*).
sumagre *sm.* 'planta da fam. das anacardiáceas' | *çu-* XIII | Do ár. *summāq* || A**çumagre** *sm.* XVIII. Var. de *sumagre*.
sumaré *sm.* 'planta da fam. das orquidáceas' 1863. De origem tupi, mas de étimo indeterminado.
sumarento → SUMO¹.
sumari·ar, -o → SOMA¹.
sumaúma *sf.* 'planta da fam. das bombacáceas, sumaumeira' 1693. Do tupi **suma'uma* || **sumaumeira** 1763.
súmeas *sf. pl.* '(Náut.) *ant.* tábuas com que se faz e se repara o leme' XVII. De provável origem árabe, mas de étimo indeterminado.
sumiço → SUMIR.
sumidade *sf.* 'qualidade de alto, eminente' 'cumeeira, cimo' '*fig.* pessoa que se sobressai às outras por seus talentos ou saber' | *-mmi-* XVI | Do lat. *summĭtās -ātis* || **sumo²** *adj.* 'que se acha no lugar mais elevado' 'máximo, supremo' | *-mmo* XVI | Do lat. *summus* || **supra**ssumo *sm.* 'o ponto mais alto' 'o mais alto grau' | *suprasúmmum* 1899.
sum·ido, -idouro → SUMIR.
sumilher *sm.* 'criado do paço' | *submilheres* pl. XVII | Do fr. *sommelier*, provavelmente através do cast. *sumiller*.
⇨ **sumilher** | *a* 1595 Jorn. 163.5 |.
sumir *vb.* 'fazer desaparecer' | XIII, *somyr* XIII | Do lat. *sūmĕre* || **sum**IÇO *sm.* 'desaparecimento' 1813 || **sum**IDO XVI || **sum**ID·OURO | *ssomjdoyro* XV.
⇨ **sumir** — **sum**IDO | *somido* XIV GREG 1.11.*4* |.
sumo¹ *sm.* 'suco' | *çumo* XIV | Do gr. *zōmós* 'sumo', 'suco', alterado num lat. vulg. hisp. **sumum*, por influência do *u* do sinônimo lat. *sūcus* || RE·**ssum**AR 'gotejar, destilar, filtrar' 1874 || RE·**ssumbr**AR *vb.* 'deixar(-se) transparecer' XVI. De origem incerta; talvez se trate de uma var. de *ressumar* || **suma**RENTO 1813.
sumo² → SUMIDADE
sump·ção, -to → SUNTUOSO.
súmula → SOMA¹.
suna *sf.* 'a ortodoxia muçulmana' | *-nna* 1899 | Do ár. *sūnnâ* 'forma, caminho' | **sun**ITA *s2g.* 'no islamismo, designação comum aos muçulmanos ortodoxos' | *-nni-* 1899 | Do ár. *sunnī*, masc. de *sūnnâ* + -ITA².
sundo *sm.* 'o ânus' 'as partes pudendas da mulher' XX. Do quimb. *'suṇu* 'vulva'.
sungar *vb.* 'suspender os cós de (calça ou saia)' 'erguer, levantar' 1899. Do quimb. *'suṇa* || **sunga** *sf.* 'tipo de calção curto' XX. Dev. de *sungar*.
sunita → SUNA.
suntuoso *adj.* 'com que se fez grande despesa' 'pomposo, magnificente, luxuoso' | XX, *sumptu-* XVI | Do lat. *sumptuōsus* || **sumpção** *sf.* 'orig. ato de tomar para si' 'a premissa de um silogismo' '*ext.* ato ou efeito de engolir' XVII. Do lat. *sumptĭō -ōnis* de *sumpto sm.* 'total de despesas' 'gasto' XVII. Do lat. *sumptus -ūs* || **suntuário** *adj.* 'referente a despesas ou a luxo' | XX, *sumptu-* XVIII | Do lat. *sumptuārĭus* || **suntuos**IDADE | 1844, *sumptu-* XVI | Do lat. tard. *sumptuōsĭtās -ātis*.

⇨ **suntuoso** | *sumptuosso* XV FRAD I.46.*28* || **suntuos**IDADE | 1836 SC |.
suor → SUAR.
⇨ **suorento** → SUAR.
supedâneo *sm.* 'banco para descanso dos pés' 'estrado' XVII. Do lat. tard. *suppĕdānĕus* 'sob os pés'.
supeditar *vb.* 'fornecer, ministrar, administrar' XVII. Do lat. *suppedĭtāre*.
super- *pref.*, do lat. *super-*, de *sŭper* 'por cima de, em cima de, sobre, a mais, além de', que se documenta em numerosos compostos portugueses de cunho erudito. Corresponde-lhe o pref. *sobr(e)-*, formador de vocs. de cunho popular ou semierudito. Registram-se em verbetes independentes, por ordem alfabética, os principais compostos que já se documentam no próprio latim; os compostos formados nas línguas modernas vão consignados nos verbetes primitivos: *superabundância* → ABUNDÂNCIA, *superalimentação* → ALIMENTO, *supercílio* → CÍLIO etc.
super·abund·ância, -ante, -ar → ABUNDÂNCIA.
super·aliment·ação, -ar → ALIMENTO.
super·aquec·er, -imento → AQUECER.
superar *vb.* 'vencer, subjugar, dominar' 'exceder, ultrapassar' 1572. Do lat. *sŭpĕrāre* || IN**super**ÁVEL XVII. Do lat. *īn-superābĭlis -e* || **super**ANTE 1899. Do lat. *sŭpĕrāns -āntis*, part. pres. de *sŭpĕrāre* || **super**ÁVEL 1844. Do lat. *superābĭlis -e* || **superávit** *sm.* 'a diferença a mais entre receita e despesa' XX. Do lat. *superavit* 'sobrou', 3.ª pess. sing. perf. ind. de *sŭpĕrāre*.
⇨ **superar** — **super**ÁVEL | 1836 SC |.
super·cíli·o, -oso → CÍLIO.
supercivilizado → CIVIL.
super·emin·ência, -ente → EMINENTE.
superestrato → SUPERSTRATO.
super·exalt·ado, -ar → EXALTAR.
superfetação *sf.* '(Med.) concepção de um feto quando já outro está em gestação' '*fig.* excrescência, redundância' XVIII. Do lat. tard. *superfētātĭo -ōnis*, de *superfētāre* 'conceber de novo'.
superfície *sf.* 'extensão de uma área limitada' 'a parte externa dos corpos' '(Geom.) configuração geométrica com duas dimensões' | XVI, *-cia* XVI | Do lat. *superficĭēs -ēī* || **superfici**AL XVI. Do lat. *superficĭālis -e* || **superfici**AL·IDADE 1813 || **superficial**·ISMO XX.
⇨ **superfície** — **superfici**AL | *-çial* XV BENF 223.*14* |.
superfino → FIM.
supérfluo *adj.* 'que é demais' 'desnecessário' XIV. Do lat. *superflŭus* || **superflu**IDADE | *-fluj* XV || Do lat. *superfluĭtās -ātis*.
super-homem → HOMEM.
superintender *vb.* 'dirigir na qualidade de chefe' 'inspecionar, supervisionar' XVII. Do lat. *super-intendĕre* || **superintend**ÊNCIA XVII || **superintend**ENTE XVII. Do lat. *superintendens -ēntis*, part. pres. de *super-intendĕre*.
super·ior, -ioridade → SÚPERO.
superlativo *adj. sm.* 'que exprime uma qualidade em grau muito alto ou no mais alto grau' '(Gram.) o adjetivo com a significação elevada ao mais alto grau' XVI. Do lat. *superlātĭvus*.
superlotar → LOTE.
supermercado → MERCAR.

superno *adj.* 'muito elevado' 'superior' XVI. Do lat. *supernus*.
supernumeral →NÚMERO.
súpero *adj.* 'superior, supremo' 1813. Do lat. *supĕrus* || **superior** *adj.* 2g. 'que está mais acima que' 'mais elevado' XVI. Do lat. *superior -ius*, comp. de *supĕrus* || **superior**IDADE 1813. Adapt. do fr. *supériorité*, deriv. do lat. med. *superiōritās -ātis* || **suprem**ACIA XIX. Adapt. do fr. *suprématie*, deriv. do ing. *supremacy*, de *supreme* e, este, por sua vez, do fr. *suprême* || **supremo** *adj.* 'que está acima de tudo' 'superior' XV. Do lat. *suprēmus*, superlativo de *supĕrus*.
superpor *vb.* 'pôr em cima ou por cima' XX. Do lat. *super-pōnĕre* || **superpos**IÇÃO 1858. Do lat. *superpositiō -ōnis* || **superposto** *adj.* 'colocado sobre' XX. Do lat. *superposĭtus*, part. pass. de *super-pōnĕre*.
⇨ **supepor** — **superpos**IÇÃO | 1836 SC |.
superprodução → PRODUTO.
supersensível → SENSO.
super·som, -sônico → SOM.
superstição *sf.* 'crença em presságios' 'crendice' | *-çam* XVI | Do lat. *superstitiō -ōnis* || **supersticio**SO XVI. Do lat. *superstitiōsus*.
⇨ **superstição** — **supertici**OSO | XV FRAD II. 88.*16* |.
supérstite *adj.* 2g. 'sobrevivente' XIX. Do lat. *superstes -ĭtis*.
superstrato, superestrato *sm.* '(Ling.) língua falada por um povo, considerada do ponto de vista de sua influência sobre a língua do lugar de seu novo estabelecimento' XX. Do fr. *superstrat*, deriv. do lat. *superstrātus*.
supersubstancial → SUBSTÂNCIA.
supervacâneo *adj.* 'supérfluo, vão, inútil' XVI. Do lat. *supervacānĕus*. Cp. VÁCUO.
supervácuo → VÁCUO.
superveniente *adj.* 2g. 'que sobrevém, que aparece ou vem depois' XVII. Do lat. *superveniens -entis*, part. pres. de *supervenīre;* cp. *sobrevir* [v. SOBR(E)-] || **supervenção** *sf.* 'ato ou efeito de sobrevir' 1844. Do lat. tard. *superventĭo -ōnis* || **superveni**ÊNCIA XVII.
⇨ **superveniente** — **supervenção** | 1836 SC |.
super·vis·ão, -ar, -or → VER.
supetão → SÚBITO.
supino *adj. sm.* 'alto, elevado, superior' 'deitado de costas' '(Gram.) forma nominal do verbo latino' XVII. Do lat. *supīnus* || **supin**AÇÃO *sf.* '(Anat.) movimento dos músculos supinadores do antebraço e da mão, de forma que a palma desta fique voltada para diante, quando o braço está pendente' 'a posição de um doente voltado de costas' XIX. Do lat. *supīnātiō -ōnis*.
⇨ **supino** *adj.* 'deitado de costas' | *sobĩho* XIV GREG 3.24.*22*, *sobinho* XIV ORTO 351.*12*, *sobyno* Id. 347.*9* |.
suplantar *vb.* 'calcar, pisar' 'abater, prostrar' | *-pplan-* XVIII | Do lat. *supplantāre* || **suplant**AÇÃO | *-pplan-* 1858 | Do lat. *supplantātĭō -ōnis* 'manha, ardil, traição' || **suplant**ADOR | *-pplan* 1844 | Do lat. *supplantātor -ōris*.
⇨ **suplantar** | *supplantar* XV IMIT 18.*19* || **suplanta**DOR | *-pplan-* 1836 SC |.
suplemento *sm.* 'complemento, reforço, acréscimo' | *-pple-* XVIII | Do lat. *supplēmentum -i* || **suplement**AR *adj.* 2g. | *-pple-* 1833 | Do fr. *supplémentaire*.
⇨ **suplemento** | *a* 1542 JCASE 101.*7* |.
supl·ência, -ente, -etivo, -etório → SUPRIR.
suplicar *vb.* 'rogar, implorar' | *subplicar* XIV, *supricar* XIV | Do lat. *supplĭcāre* || **súplica** *sf.* 'ato ou efeito de suplicar' XVI. Dev. de *suplicar* || **suplic**AÇÃO | *-caçõ* XIV | Do lat. *supplicātĭō -ōnis* || **suplic**AMENTO | *soplicamẽto* XIV || **suplic**ANTE XV || **súplice** *adj.* 2g. 'que suplica' 1813. Do lat. *supplex -ĭcis* || **suplic**IADO | *-ppli-* 1881 || **suplic**IAR | *-ppli-* 1813 || **suplício** *sm.* 'punição, tortura' 1572. Do lat. *supplicĭum -ĩ* 'súplica' 'sacrifício oferecido aos deuses' 'castigo, pena'.
⇨ **suplicar** — **suplic**AÇÃO | *-çõ* XIII FLOR 1047 || **suplic**IADO | *-ppli-* 1836 SC |.
supor *vb.* 'estabelecer ou alegar hipóteses' 'conjeturar, presumir' XVII. Do lat. *suppōnĕre* 'colocar por baixo' 'submeter' 'substituir' || **supos**IÇÃO XVII. Do lat. *suppositiō -ōnis* || **supositício** *adj.* 'suposto' 'fingido, falso' XVI. Do lat. *supposĭtīcĭus* || **suposi**TIVO | *-ppo-* 1858 || **supositório** *sm.* '(Med.) substância medicamentosa sólida que se introduz no ânus, na vagina ou na uretra' | *-ppo-* 1844 | Do lat. *suppositōrĭus* 'que está por baixo' || **suposto** *adj.* 'hipotético' XVI. Do lat. *supposĭtus*, part. pass. de *suppōnĕre*.
⇨ **supor** — **suposit**ÓRIO | *-ppo-* 1836 SC |.
suportar *vb.* 'ter sobre si, sustentar' '*ext.* sofrer, tolerar' | *so-* XIII | Do lat. *supportāre* || IN**suport**ÁVEL | *-ppor-* 1844 | Adapt. do fr. *insupportable* || **suport**AMENTO | *so-* XV || **suport**ANTE | *so-* XV || **suport**ÁVEL | *-ppor-* 1881 | Adapt. do fr. *supportable* || **suporte** *sm.* 'aquilo que suporta alguma coisa' | *-ppor* 1858 | Do fr. *support*.
⇨ **suportar** — **suport**ÁVEL | *soportauel* XV BENF 291.*1* |.
supo· sição, -sitício, -sitivo, -sitório, -sto → SUPOR.
supr(a)- *pref.*, do lat. *supra-*, de *suprā* 'acima de' 'precedentemente' 'superior'. Este prefixo, embora de grande potencialidade, é de muito menor vitalidade na língua portuguesa do que o seu correspondente *super-*. Cumpre ainda notar que, na linguagem coloquial, os dois chegam a apresentar matizes semânticos diferentes: *supernormal* 'bastante normal'/ *supranormal* 'além do normal, anormal'.
supracitado → CITAR.
supradito → DIZER.
suprarrenal → RIM.
suprassumo → SUMIDADE.
suprem·acia, -o → SÚPERO.
suprimir *vb.* 'impedir algo' 'cortar, abolir, anular' | *-pre-* XVI | Do lat. *supprĭmĕre* || **supressão** *sf.* 'ato ou efeito de suprimir' XVII. Do lat. *suppressĭō -ōnis* || **supress**IVO | *-ppre*1881 || **supresso** *adj.* 'suprimido' XVI. Do lat. *suppressus*, part. pass. de *supprĭmĕre* || **supress**OR XX || **supress**ÓR·IO XVI.
suprir *vb.* 'completar, inteirar, preencher' 'prover, abastecer' XV. Do lat. *supplēre* || **supl**ÊNCIA *sf.* 'ato de suprir' XX || **supl**ENTE | *-pplen-* 1881 | Do lat. *supplens -entis*, part. pres. de *supplēre* || **suplet**IVO | *-pple-* 1881 | Adapt. do fr. *supplétif*, deriv. do lat. tard. *supplētīvus* || **suplet**ÓRIO | *-pple-* 1813 | Adapt.

do fr. *supplétoire*, deriv. do lat. tard. *supplētōrius* ‖ supr**IDOR** 1844 ‖ supr**IMENTO** XVII.
⇨ **suprir** — supr**IDOR** | *-ppri-* 1836 SC |.
supurar *vb.* 'lançar ou expelir pus' XVII. Do lat. *suppūrāre* ‖ **supur**AÇÃO XVII. Do lat. *suppūrātiō -ōnis* ‖ **supur**ANTE | *-ppu-* 1874 ‖ **supur**ATIVO | *-ppu-* 1813 | Adapt. do fr. *suppuratif* ‖ **supur**AT·ÓRIO | *-ppu-* 1813 | Do lat. *suppūrātōrius*.
suputar *vb.* 'calcular, computar' | *-ppu-* 1858 | Do fr. *supputer*, deriv. do lat. *suppŭtāre* ‖ **suput**AÇÃO XVI. Do lat. *supputātiō -ōnis*.
⇨ **suputar** | *ppu-* 1836 SC |.
sura[1] *sf.* 'seiva da palmeira' XVI. Do concani *sūr*, deriv. do sânscr. *surā*.
sura[2] *sf.* 'panturrilha' XX. Do lat. *sūra* ‖ **sur**AL 1899.
-(s)ura *suf. nom.*, deriv. do lat. *-(s)ūra*, que se documenta em substantivos portugueses de cunho erudito e/ou semierudito, com a noção básica de 'resultado ou instrumento da ação': *censura, clausura* etc. Cp. -(D)URA, -(T)URA, -URA.
surd· ez, -ina → SURDO.
surdir *vb.* 'sair da terra' 'emergir, irromper' 'surgir' XV. Adapt. do fr. *sourdre*, deriv. do lat. *surgĕre* ‖ surd**ISTA** *s2g.* 'tripulante de salva-vidas a quem incumbe socorrer náufragos' 1881. Cp. SURGIR.
surdo *adj.* 'que não ouve ou quase não ouve' | XIV, *sordo* XIII | Do lat. *surdus* ‖ EN**surd**EC·EDOR XX ‖ EN**surd**ECER XVI ‖ EN**surd**EC·IMENTO 1813 ‖ **surd**EZ 1844 ‖ **surd**IDADE *sf.* '*ant.* surdez' XIV ‖ **surd**INA *sf.* 'pequena peça móvel que se aplica a diversos instrumentos musicais a fim de abafar-lhes a sonoridade e alterar-lhes o timbre' 1813. Do it. *sordina*, de *sórdo* 'surdo'.
⇨ **surdo** — sud**ENTAR** 'ensurdecer' | XV BENF 325.*28* ‖ **surd**EZ | 1836 SC |.
surfe *sm.* 'esporte em que a pessoa, de pé numa prancha, desliza na crista da onda' XX. Do ing. *surf* ‖ **surf**ISTA XX.
surgir *vb.* '*ant.* aportar, ancorar' 'emergir' 'aparecer (de repente), chegar' 'decorrer' XV. Do lat. *surgĕre* ‖ A·**surg**ENTE 1881 ‖ A·**surgir** *vb.* 'surgir' 1881. Do lat. *assurgĕre* ‖ Ex**surgir** *vb.* 'erguer-se' 1899. Do lat. *exsurgĕre* ‖ RE·**surg**IMENTO | *resur-* 1899 ‖ RE·**surgir** | *resor-* XIII, *resur-* XIII | Do lat. *re-surgĕre* ‖ **ressurreição** *sf.* 'ato ou efeito de ressurgir ou ressuscitar' 'festa católica comemorativa da ressurreição de Cristo' | *rresurreyçõ* XIV, *resurreiçom* XIV etc. | Do lat. *resurrēctiō -ōnis* ‖ **surg**IMENTO XX ‖ **surto** *adj. sm.* 'diz-se da embarcação ancorada, amarrada à boia ou ao cais' 'aparecimento repentino' XVI. Do lat. **surctus*, por *surrectus*, part. pass. de *surgĕre*. Cp. SURDIR.
⇨ **surgir** — A·**surg**ENTE | 1836 SC |.
surpreender *vb.* 'apanhar de improviso' 'aparecer inesperadamente' | *surprender* XVI | Do fr. *surprendre*, de *prendre* 'prender' ‖ **surpreend**ENTE | *-prehen-* 1874 ‖ **surpresa** *sf.* 'ato ou efeito de surpreender(-se)' | 1811, *-za* 1811 | Do fr. *surprise* ‖ **surpreso** *adj.* 'surpreendido' 1858. Do fr. *surpris*. Cp. PRENDER.
surrão *sm.* 'bolsa ou saco de couro, usado sobretudo para farnel de pastores' | *currão* XVI, *çarrõoes* pl. XIV, *çerroes* pl. XIV etc. | Do ár. *ṣurra* ou do vasco *zorro* ‖ **surra** *sf.* 'ação ou efeito de espancar' XVII. Dev. de *surrar* ‖ **surr**ADO 1813 ‖ **surr**AR *vb.* 'curtir, pisar ou machucar (peles)' 'dar surra em' 'gastar-se (peça de vestuário)' XVII ‖ **surro**[1] *sm.* '*ant.* surrão' XIII. Der. regres. de *surrão*.
sur·real·ismo, -ista → REAL[3].
surriada *sf.* 'descarga de artilharia ou de espingarda' | *çu-* XVI | De origem obscura, talvez de formação onomatopaica.
surribar → RIBA.
surriola *sf.* 'pau usado para amarrar as embarcações miúdas' 1874. De origem obscura.
surripiar, surrupiar *vb.* 'furtar, roubar' | *-rri-* XVII, *-rru-* XX | Adapt. do lat. *surrĭpĕre*.
surro[1] → SURRÃO.
surro[2] *sm.* 'sujeira, pó, cisco' XIX. De origem obscura.
surrupiar → SURRIPIAR.
surtida *sf.* 'investida, ataque, arremetida' 1881. Do it. *sortita*.
surtir → SORTE.
surto → SURGIR.
surtum *sm.* 'espécie de jaleco de baeta, usadíssimo outrora' 1844. Talvez do fr. *surtout*.
⇨ **surtum** | 1836 SC, *-tu* 1836 SC |.
surubim *sm.* 'peixe da fam. dos pimelodídeos' | *c* 1698, *çurubi* *c* 1594, *erubins* pl. 1624, *sorobim* *c* 1631 etc. | Do tupi *suru'ŭi*.
surucuá *sm.* 'ave da fam. dos trogonídeos' *c* 1777. Do tupi **suruku'a*.
surucucu *sf.* 'réptil ofídio da fam. dos viperídeos (*Lachesis muta*)' '*ext.* indivíduo de mau gênio, irascível' | *a* 1576, *çurucucú* *c* 1584 etc. | Do tupi *suruku'ku*.
sururu *sm.* 'molusco bivalve da fam. dos mitilídeos, mexilhão' 1587. Do tupi *seru'ru* ‖ **suru-ru**Z·EIRO XX.
sus- → SUB-.
susce(p)tível *adj. 2g.* 'passível de receber impressões, modificações ou qualidades' 'que se ofende com facilidade' 1813. Adapt. do fr. *susceptible*, deriv. do lat. med. *susceptibilis* ‖ **susce(p)tibil**IDADE XX. Adapt. do fr. *susceptibilité* ‖ **susce(p)-tibil**IZAR 1881.
suscitar *vb.* 'fazer nascer, fazer aparecer' 'provocar, causar' | *sucitar* XIV | Do lat. *suscĭtāre* ‖ **suscit**AÇÃO 1813. Do lat. *suscitātiō -ōnis* ‖ **suscit**ADOR 1813. Do lat. *suscitātōr -ōris* ‖ **suscit**ANTE XX.
suserano *adj. sm.* 'que, ou aquele que possui um feudo' XIX. Do fr. *suzerain*.
suspeitar *vb.* 'ter suspeita, desconfiar' | XVI, *sos-* XIII, *sospey-* XIII etc. | Do lat. *sŭspectāre* ‖ IN**sus-peição** XX ‖ IN**suspeito** 1858 ‖ **suspeição** *sf.* 'suspeita' | *-çõ* XVI | Do lat. *suspectiō -ōnis* ‖ **suspeita** *sf.* 'desconfiança, suposição' | *sos-* XIII, *sospey-* XIII etc. | Dev. de *suspeitar* ‖ **suspeito** *adj. sm.* 'que, ou aquele que infunde suspeita' | XVI, *-pecto* XIII | Do lat. *suspectus* ‖ **suspeit**OSO | *-osa* f. XIII, *sospeitoso* XIII etc. ‖ **suspic**ÁCIA XX ‖ **suspicaz** *adj. 2g.* 'suspeito' 1881. Do lat. *suspicāx -ācis*.
⇨ **suspeitar** — **suspeição** | *-çõ* XIV BENT 37.*8* |.
suspender *vb.* 'fixar, pendurar no ar' 'interromper, impedir (por algum tempo)' | *sos-* XV | Do lat. *suspendĕre* ‖ **suspensão** *sf.* 'ato ou efeito de suspender' | *-som* XIV | Do lat. *suspensiō -ōnis* ‖

suspensIVO 1844. Adapt. do fr. *suspensif*, deriv. do lat. med. *suspensivus* || **suspenso** *adj.* 'pendurado' 'parado, sustado' | *sospenso* XIV | Do lat. *suspēnsus*, part. pass. de *suspendĕre* || **suspens**ÓRIO *adj.* 'que suspende' XVII; *sm.* 'tiras que seguram as calças pelos cós' 1813.
⇨ **suspender** — **suspens**IVO | 1836 SC |.
suspic·ácia, -az → SUSPEITAR.
suspirar *vb.* 'significar por meio de suspiros' XIII. Do lat. *suspīrāre* || **suspiro** *sm.* 'respiração entrecortada e mais ou menos demorada, produzida por desgosto, incômodo físico, desejo ardente etc.' | *sospiro* XIII | ; 'pasta de claras de ovos batidas com açúcar' 1881.
sussurrar *vb.* 'causar murmúrio' 'segredar' 'zumbir' XV. Do lat. *susurrāre* || **sussurr**ANTE 1813 || **sussurro** *sm.* 'ato de falar em voz baixa' 'zumbido' 1813. Do lat. *susurrus -i*.
sustar, substar *vb.* 'fazer parar, interromper' | *sustar* XIX, *substar* 1874 | Do lat. *substare* || **sust**AT·ÓRIO, **subst**AT·ÓRIO | *sustatório* 1844, *substatório* XVII.
⇨ **sustar, substar** | 1836 SC || **sust**AT·ÓRIO, **subst**AT·ÓRIO | 1836 SC |.
sustenido → SUSTER.
sustentar *vb.* 'segurar por baixo, impedir que caia' 'fazer face a, resistir a' 'conservar, manter' 'alimentar física ou moralmente' XIV. Do lat. *sustentāre* || IN**sustent**ÁVEL XVIII || **sustent**ABIL·IDADE XX || **sustent**AÇÃO | -çõ XIII | Do lat. *sustentātiō -ōnis* || **sustentáculo** *sm.* 'aquilo que sustenta ou sustém' 1844. Do lat. *sustentācŭlum -i* || **sustent**AMENTO XVIII || **sustent**ANTE 1844 || **sustent**ÁVEL XVIII || **sustento** *sm.* 'ato ou efeito de sustentar' XVII. Dev. de *sustentar*.
⇨ **sustentar** — **sustentáculo** | *a* 1542 JCASE 43.*21* || **sustent**ANTE 1836 SC |.

suster *vb.* 'segurar para que não caia, sustentar' | *soster* XIII, *subtēer* XIV etc. | Do lat. *sŭstĭnēre* || **sustenido** *sm.* '(Mús.) acidente que eleva de um semitom o tom da nota que está à sua direita' 1813. Adapt. do it. *sostenuto* || **sustin**ENTE XVII. Do lat. *sustinens -ēntis*, part. pres. de *sŭstĭnere* || **sutiã** *sm.* 'porta-seios' XX. Do fr. *soutien-(gorge)*.
susto *sm.* 'medo repentino, sobressalto' XVII. De origem incerta; talvez de formação expressiva || A·**ssust**AD·IÇO 1881 || A·**ssust**ADOR 1813 || A·**ssust**AR XVII.
suta *sf.* 'instrumento com que se marcam ângulos no terreno' 1881. De origem obscura.
⇨ **suta** | 1684 *in* ZT |.
sutache *sf.* 'trancinha de seda, lã ou algodão, usada como enfeite de peças de vestuário' | 1881, *sotache* 1881 | Do fr. *soutache*, deriv. do húng. *sujtás*.
sutiã → SUSTER.
sutil, subtil *adj. 2g.* 'tênue, fino' '*fig.* perspicaz, hábil' | *sutil* XV, *subtil* XVI, *sotil* XIII etc. | Do lat. *sŭbtīlis -e* || **sutil**EZA, **subtil**EZA | *soteleza* XIII || **sutil**IDADE, **subtil**IDADE | *soti-* XV | Do lat. *subtīlĭtas -ātis*.
sútil *adj. 2g.* 'composto de pedaços cosidos' 'cosido' XIX. Do lat. *sūtĭlis -e* || **sutura** *sf.* 'juntura, costura' 1813. Do lat. *sūtūra* || **sutur**AL 1858 || **sutur**AR XX.
sutil·eza, -idade → SUTIL.
sutra *sm.* 'na literatura da Índia, tratado onde se reúnem, sob a forma de breves aforismos, as regras do rito, da moral, da vida cotidiana' 1883. Do sânscr. *sūtra*.
sutur·a, -al, -ar → SÚTIL.
suxar *vb.* 'tornar' frouxo, alargar' XVI. De origem obscura.
⇨ **suxar** — **suxo** | XV BENF 215.*17* |.

T

taba sf. 'aldeia dos índios do Brasil' c 1698. Do tupi 'taya.
tabaco sm. 'planta da fam. das solanáceas, cujas folhas, dessecadas, constituem o fumo ou tabaco' XVII. De origem incerta ‖ **tabac**ARIA 1881 ‖ **tabag**ISMO sm. 'abuso do tabaco' 1899. Do fr. *tabagisme*, de *tabagie* e, este, do algonquino *tabaguia* 'festejo': na acepção moderna, o voc. fr. *tabagisme* sofreu a influência de *tabac* ‖ **tabag**ISTA XX ‖ **tabaqu**EIRA sf. 'bolsa ou caixa para rapé' 1844.
⇨ **tabaco** — **tabaqu**EIRA | 1836 SC |.
tabarana sf. 'peixe da fam. dos caracídeos' *taibarana* c 1594 | Do tupi **taiya'rana*.
tabardo sm. 'antigo capote de mangas e capuz' XIII. Como o cast. *tabardo*, de origem incerta ‖ **tabard**ILHO sm. 'febre acompanhada de exantemas' XVI. Do cast. *tabardillo*, de *tabardo*.
tabaréu sm. 'indivíduo bisonho' 'caipira, matuto' | *tabarêo* 1711 | De provável origem tupi, mas de étimo indeterminado ‖ **tabaroa** sf. 'mulher bisonha' 1885.
tabatinga sf. 'argila sedimentar, mole e untuosa, geralmente esbranquiçada, a qual, dissolvida em água, é utilizada para caiar' 1610. Do tupi *toya'tiŋa*.
tabaxir sm. 'concreção silicosa depositada nas cavidades dos entrenós dos bambus (*Bambusa arundinacea* Retz)' XVI. Do persa *tabāšīr*.
tabebuia sf. 'planta da fam. das bignoniáceas' 1812. Do tupi **taŋe'muia*.
tabefe sm. 'orig. espécie de gemada preparada com leite, ovos e açúcar fervidos' *'pop.* tapa, soco, sopapo' XVIII. Do ár. *tabīḥ* 'cozido'.
tabel·a, -amento, -ar, -ião, -ioa, -ionato → TÁBUA.
taberna sf. 'casa onde se vende vinho a varejo' 'baiúca, bodega' | *taverna* XIII | Do lat. *taberna* ‖ **tabern**ÁRIO adj. 2g. 'próprio de taberna' | XVI, *taver-* 1858 | Do lat. *tabernārǐus* ‖ **tabern**EIRO | *taver-* 1540 | Divergente popular de *tabernário*.
tabernáculo sm. 'tenda portátil, que foi o santuário de Deus dos hebreus, durante a peregrinação destes pelo deserto' | XIV, *-colo* XIV, *-goo* XIV, *-quo* XIV | Do lat. *tabernācŭlum -ī*.
tabern·ário, -eiro → TABERNA.
tabes sf. 2n. 'ataxia locomotriz progressiva, doença da medula espinhal, sifilítica' 1899. Do lat. *tābēs -is* ‖ **tabescente** XX. Do fr. *tabescent*, deriv. do lat. *tābēscentem*, part. pres. de *tābēscěre* 'fundir-se' 'putrefazer-se' ‖ **tábido** adj. 'podre, corrupto' XVII.

Do lat. *tābĭdus* ‖ **tabífico** adj. 'que corrompe ou apodrece' 1874. Do lat. *tābifǐcus*.
tabi sm. '*ant.* certo tafetá grosso e ondeado' XIV. Do ár. *'attābî*, assim chamado porque o tecido era fabricado em *al-'Attābîya*, subúrbio de Bagdá.
tabica sf. '(Marinh.) sarrafo preso no topo das balizas, de proa a popa, rematando borda de embarcação miúda aberta' 'vegetal de hastes delgadas e flexíveis' 1813. Do ár. *taṭbīqâ*.
táb·ido, -ífico → TABES.
tabique sm. 'tapume' 1813. Do ár. *tašbîk*.
⇨ **tabique** | 1721 RB |.
tabl·a, -ada, -ado, -atura, -ete, -ilha, -oide → TÁBUA.
taboca sf. 'taquara' *fig.* logro, decepção' 1648. Do tupi *ta'yoka* ‖ **taboc**AL 1648 ‖ **taboqu**EAR vb. 'lograr' 1899 ‖ **taboqu**EIRA XX.
taborita s2g. '(Hist.) na antiga Boêmia, membro do setor mais radical do grupo político-religioso dos hussitas, liderado por J. Žižka (c 1360-1424)' | 1706, *tha-* 1651 | Do al. *Taboriten* pl., deriv. do checo *taboržina*, de *tabor* 'acampamento'.
tabu[1] sm. 'aquilo que, por convenção ético-religiosa, é proibido ou invulnerável' XX. Do ing. *taboo*, deriv. do tonga (idioma da Polinésia) *ta'bu*.
tabu[2] sm. 'açúcar que, por se haver queimado ao apurar, ou não ser bem limpo, não coalha bem na forma' 1813. De origem obscura.
tabua sf. 'planta comestível da fam. das tifáceas' XVI. De origem obscura.
tábua, tábula, távola, tabla sf. 'orig. mesa' '*ext.* peça plana de madeira' 'mesa de jogo' 'jogo' | *-boa* XIII, *-uoa* XIII, *-uola* XIV, *tabola* XVI, *tabla* XIV | Do lat. *tabŭla* ‖ EN**tabu**ADO, EN**tabul**ADO, EN**tavol**ADO, EN**tabl**ADO | *entablado* XIV, *entaboado*, XV ‖ EN**tabu**AR, EN**tabul**AR, EN**tavol**AR, EN**tabl**AR | *entaboar* 1813, *entabolar* 1813 ‖ **tab**ELA sf. 'orig. pequena tábua, quadro ou papel, onde se registram nomes de pessoas ou de coisas' '*ext.* relação, lista' XVII. Do lat. *tabella*, dim. de *tabŭla* ‖ **tabel**AMENTO XX. De *tabelar*[1] ‖ **tabel**AR[1] vb. 1881 ‖ **tabel**AR[2] adj. 2g. 1899 ‖ **tabelião** sm. 'notário público' | *-lliõ* XIII, *-lliom* XIII, *-lyõ* XIII etc. | Do lat. tard. *tabelliǒ -ōnis* ‖ **tabeli**OA adj. f. 'diz-se de certas palavras ou expressões que constituem forma usual' | *-lli-* 1874 | Fem. adjetivado de *tabelião* ‖ **tabelion**ATO sm. 'ofício e/ou escritório de tabelião' | *-lli-* 1881 ‖ **tabl**ADA sf. 'espécie de feira de gado' 1899. Do cast. *tablada*, de *tabla* 'tábua' ‖ **tabl**ADO sm. 'palco, pa-

lanque' 1813. Do cast. *tablado*, de *tabla* || **tabl**ATURA *sf.* '(Mús.) figuração gráfica de sons musicais' XX. Do fr. *tablature*, de *table* 'tábua' || **tabl**ETE XX. Do fr. *tablette*, de *table* || **tabl**ILHA *sf.* 'bordo interno da mesa de bilhar' 1813. Do cast. *tablilla*, de *tabla* || **tabl**OIDE XX. Do ing. *tabloid* || **tabu**ADA *sf.* 'tabela das operações aritméticas elementares, usada no aprendizado das quatro operações' 1813 || **tabu**ADO, **tabul**ADO *sm.* | *tauolado* XIII, *taulado* XIII, *tauoado* XV, *tabolado* XVII | Do lat. *tabŭlātum* || **tabul**AR *adj. 2g.* 1874. Do lat. *tabulāris -e* || **tabul**EIRO | *-vo-* XIII, *-uolejro* XIV, *-uolhejro* XIV || **tabul**ETA | *-bo-* XVIII || **tavol**AGEM *sf.* 'casa de jogo' 'jogo' XV || **tavol**AT·URA *sf.* 'sistema de notação musical' XX. Do it. *tavolatura*. Como se depreende dos registros de *tábua*, *tábula*, *távola* e *tabla*, todos estes vocs., bem como seus cognatos e derivados, são etimologicamente idênticos, embora apresentem matizes semânticos por vezes bem diferenciados.
⇨ **tábua** — **tabeli**OA | *-lli-* 1836 SC || **tabl**ADO | 1721 RB |.
tabujajá *sm.* 'ave da fam. dos ciconídeos, espécie de cegonha' 'jaburu' 1587. Do tupi *tau̯u̯ia'i̯a*.
tábul·a, -ado, -ar, -eiro, -eta → TÁBUA.
taburno *sm.* 'degraus, estrado, supedâneo' XVI. De origem obscura.
taça *sf.* '*orig.* vaso largo, de pouca profundidade, geralmente provida de pé, para beber' '*ext.* troféu com o feitio desse vaso' XIV. Do ár. *ṭāsa*.
tacacá *sm.* 'mingau quase líquido de goma de tapioca' 1899. De origem controvertida.
tacada → TACO.
tacamaca *sf.* 'goma ou resina de uma árvore do mesmo nome, proveniente da Índia' 1813. Do cast. *tacamaca*, de origem asteca.
tacanho *adj.* '*orig.* de pequena estatura' '*ext.* que não revela visão, largueza de vistas, nas ideias' XVI. De origem incerta; provavelmente do hebr. *taqanáh* 'ordenação, regulamento, convênio'.
tacaniça *sf.* 'lanço do telhado que resguarda os lados do edifício' 'viga' 1813. De origem obscura.
⇨ **tacaniça** | *tacanica* | 1721 RB |.
tacão → TACO.
tacape *sm.* 'arma ofensiva, espécie de clava, usada pelos índios do Brasil' 1781. De origem tupi, mas de étimo indeterminado.
tacha¹ → TACHO.
tacha² *sf.* 'pequeno prego de cabeça larga e chata' 1813. Do cast. *tacha*, deriv. do a. prov. *tacha*.
⇨ **tacha**² | 1508 *in* ZT |.
tacha³ *sf.* 'mancha, nódoa, mácula' XIV. Do fr. *tache*; a var. fr. *teche* vem, provavelmente, do frâncico *têkan* || **tach**AR XVII || **tach**ISMO *sm.* 'na pintura abstrata, maneira de usar a cor por meio de pequenas manchas imprecisas' XX. Do fr. *tachisme*, de *tache* || **tach**OSO *adj.* 'vituperável' XIV.
⇨ **tacha**³ — **tach**AR | *c* 1538 | JCASG 123.29 |.
tachada → TACHO.
tachim *sm.* 'capa de couro, ou caixa, com que se protege livro ou álbum de encadernação de luxo' 1844. De origem obscura.
⇨ **tachim** | 1836 SC |.
tachismo → TACHA³.
tacho *sm.* 'vaso de metal ou de barro, largo e de pouca fundura, em geral com asas' XVIII. De origem obscura || **tacha**¹ *sf.* 'tacho grande, usado nos engenhos de açúcar' 1858 || **tach**ADA 1844.
⇨ **tacho** — **tach**ADA | 1836 SC |.
tachoso → TACHA³.
taciaí *sm.* 'variedade de formiga' 1587. Do tupi *tasĭu̯a'i* < *ta'sĭu̯a, ita'sĭu̯a* + *'i* 'pequeno' || **tacibura** *sf.* 'variedade de formiga' 1587. Do tupi *tasĭ'u̯ura* || **tacicema** *sf.* 'variedade de formiga' 1587. Do tupi *tasĭ'sema* || **tacipitanga** *sf.* 'variedade de formiga' 1587. Do tupi *tasĭpĭ'taŋa*.
tácito *adj.* 'silencioso, calado' 'subentendido, implícito' | *-çi-* XV | Do lat. *tacĭtus* || **taciturn**IDADE XVII. Do lat. *taciturnĭtās -ātis* || **taciturno** *adj.* 'que fala pouco, calado, triste' 1813. Do lat. *taciturnus*.
taco *sm.* 'pau roliço, comprido, com que se impulsionam as bolas no jogo de bilhar' 'madeira de soalho para revestir pisos' 1813. De origem obscura || ESTAQUEAR² 1881 || **tac**ADA XV || **tac**ÃO *sm.* 'o salto do calçado' 1813. Do it. *taccóne* || **taqu**EAR XX. De *taco*, em sua segunda acepção' || **taqu**EIRA 1899.
⇨ **taco** | 1757 *in* ZT |.
taco- → TAQUEO-.
tacômetro → TAQUEO-.
tact·eante, -ear, -il, -ilidade, -ismo, -ura → TATO.
tacupapirema *sm.* 'variedade de corvina' 1587. Do tupi *ü̯atukupapi'rema* < *ü̯atuku'pa* 'corvina' + *pi'rema* (< *'pira* 'pele' + *'rema* 'fedorenta'). Cp. ATUCUPÁ.
tael *sm.* 'unidade monetária tradicional chinesa, cujo valor varia nas diversas regiões' XVI. Do malaio *tahil*.
tafetá *sm.* 'tecido lustroso e armado, de seda, de trama finíssima' XVI. Do fr. *taffetas*, deriv. do persa *tāftah* 'tecido, pano de seda'.
tafiá *sm.* 'cachaça' 1874. Do fr. *tafia*, de origem crioula.
taful *adj. 2g.* 'casquilho, garrido, luxuoso' | XIII, *-fur* XIII | De origem obscura; provavelmente do armênio *thaphúr* 'abandonado, nu, vagabundo' || **taful**ARIA | *-furaria* XIII, *fureria* XIII.
tagal, tagalo *adj. s2g.* 'filipino' | *tagal* 1899, *tagalo* 1899 | Do malaio *tugal*.
tagante *sm.* 'azorrague antigo' XIV. Do cast. *tajante*, de *tajar* 'cortar', deriv. do lat. vulg. *taleare*, de *tălĕa* 'rebento'. Cp. TALHAR.
tagarela *adj. s2g.* 'diz-se de, ou pessoa que fala muito e à toa' | *-lla* 1813 | De origem incerta, talvez de formação expressiva || **tagarel**AR | *-llar* 1844 || **tagarel**ICE | *-lli-* 1844.
tagarote *sm.* '*orig.* nome de ave usada na caça de altanaria' '*fig.* indivíduo pobre que vive à custa alheia' XV. De origem obscura.
tagaté *sm.* 'afago, carícia, cafuné' XIX. De origem incerta.
taguaíba *sm.* 'diabo, entre os índios do Brasil' | *taguaigba c* 1584, *tagoy c* 1594 | Do tupi *tau̯a'i̯a*.
taiaçu *sm.* 'nome genérico dos porcos do mato brasileiros que integram a fam. dos taiaçuídeos' | *tajacú* 1587, *teasu* 1610 etc. | Do tupi *taia'su* || **taiaçuetê** | *tajacueté* 1587, *taiaçuetem* 1610, *teasuitê* 1618 etc. | Do tupi *taiasue'te* < *taia'su* + *e'te* 'verdadeiro' || **taiaçupita** | *tayaçúpigta c* 1584, *taiaçupigtax* 1610 | Do tupi *taiasupĭ'ta* < *taia'su* + *pĭ'taŋa* 'avermelhado, pardo' || **taiaçutirica** | *taya-*

çutirica c 1584, taja- 1587, taiaçutirigua 1610, taiasùterîca 1648 | Do tupi taiasuti'rika < taia'su + ti'rika ruído de estalo'.
taifa sf. '(Mar.) ant. conjunto de soldados e marinheiros que guarneciam, durante o combate, a tolda e o castelo da proa' 1874. Do ár. ta'ifa 'nação, população, bando de gente' || **taif**EIRO sm. 'orig. qualquer homem que faz parte da taifa' 'ext. criado de bordo' 1899.
taiga sf. 'floresta boreal de coníferas, particularmente no norte da Europa, Ásia e América do Norte' XX. Do fr. taïga, deriv. do russo taĭgá e, este, de um idioma da família turco-tártara.
taimado adj. sm. 'diz-se de, ou indivíduo malicioso, velhaco, matreiro' XVI. Do cast. taimado.
tainha sf. 'designação comum a várias espécies de peixes teleósteos, percomorfos, da fam. dos mugilídeos' XIV. Provavelmente do lat. *tagēnia (> *taginia, por metafonia), deriv. do gr. tagēnías 'bom para frigir'.
taioba sf. 'planta da fam. das aráceas, cujas folhas, picadas e cozidas, são comestíveis e se assemelham à couve' 'tajá' | tajaoba c 1584 | Do tupi taia'oua < ta'ia 'tajá' + 'oua 'folha' || **taiob**EIRA XX || **taiobuçu** | taiaobuçu 1587 | Do tupi taiaouu'su < taia'oua + u'su 'grande'.
taioca sf. 'variedade de formiga' XX. Do tupi ta'oka.
taipa sf. 'tabique, estuque, pau a pique' | tapia XIII, tapea XIV, taypa XIV | De origem duvidosa || DES·ENtaipAR 1899 || ENtaipAR 1813 || taipAL sm. 'taipa' | taipaaes pl. XIV, tapial XIV || taipAR | XVI, tapear XIV.
⇨ **taipa** — taipEIRO sm. 'indivíduo que faz obras de taipa' | 1515 in ZT |.
taita adj. sm. 'valentão' XVII. Talvez do esp. plat. taita, deriv. do lat. tata 'papai'.
taiuiá sf. 'planta da fam. das cucurbitáceas, espécie de abobreira' | tayuya 1817 | Do tupi taiu'ia.
tajá sm. 'nome comum a várias plantas da fam. das aráceas' | 1721, taiazes pl. 1587, taia 1618 etc. | Do tupi ta'ia.
tajã sm. 'sabre mourisco, de folha curta e larga' | -jan 1899 | De origem obscura.
tajacica sf. 'peixe da fam. dos gobíídeos' 1721. Do tupi taia'sika.
tal pron. 'semelhante, análogo' 'este, aquele, um certo' | XIII, atal XIII | Do lat. tālis || **tal**VEZ adv. 'acaso, porventura, quiçá' 1813. O voc., antes de ter a acepção dubitativa, significou 'alguma vez' 'uma certa vez'.
tala[1] → TALAR[1].
tala[2] sf. 'peça de madeira, papelão, etc., usada como calço, para fins diversos' 1500. Do lat. tabŭla (> tabla > talla > tala). Cp. TÁBUA || DES·ENtalAR XVIII || ENtalAÇÃO 1813 || ENtalAR XVI.
talabarte sm. 'boldrié' XVI. Do a. prov. talabart, deriv. do a. fr. talevart, provavelmente através do cast. talabarte || **talabart**ARIA XX.
talagada → TRAGAR.
talagarça → TELA.
talambor sm. 'fechadura de segredo' 1813. De origem incerta.
tálamo sm. 'leito conjugal' 'ext. casamento, núpcias, boda' | taamo XIII, tamo XIV, taambo XIV | Do lat. thălămus, deriv. do gr. thálamos || **tambo**[1] sm. 'tálamo' | taamo XIII, tamo XIV, taambo XIV, tambo XIV | Forma divergente de tálamo, com extensão da bilabial m, que passou a mb; o mesmo fenômeno ocorreu em memŏrāre, que veio a dar lembrar, através das vars. ant. membrar XIII, nembrar XIII.
talante sm. 'vontade, desejo' 'empenho, diligência' | XIII, talan XIII, talã XIII, talent XIV etc. | Do lat. talĕntum, com influência do prov. ant. talant (talan, talen).
talão[1] sm. 'parte posterior do pé' 'calcanhar' XIII. Do lat. vulg. talo -ōnis (cláss. tālus -ī) || **tal**AR[2] adj. 2g. XVII. Do lat. tālāris -e.
talão[2] sm. 'orig. parte não destacável de certa espécie de blocos de cheques, recibos etc.' 'ext. o conjunto formado pelas duas partes dessa espécie de bloco' XX. Do fr. étalon 'marco ou tipo legal de pesos e medidas'.
talar[1] vb. 'abrir valas em, sulcar' XIII. Do cast. talar, provavelmente deriv. do germ. *tālôn, cuja existência pode-se deduzir do a. al. zâlôn 'roubar, arrebatar' e, este, do b. lat. talare || **tala**[1] sf. 'ato ou efeito de talar' XVII. Dev. de talar.
talar[2] → TALÃO[1].
-talass(o)- elem. comp., do gr. thalasso-, de thálassa 'mar' e thalássios 'marinho', que se documenta em alguns compostos formados no próprio grego (como talassocracia) e em muitos outros introduzidos, a partir do séc. XIX, na linguagem erudita ▶
talassa s2g. 'monarquista português' a 1610. Cp. gr. thálassa. O sentido político deste voc. em português deve-se ao fato de ele encimar uma mensagem enviada do Brasil ao Cons. João Franco, na qual se fazia alusão à exclamação de alegria proferida pelos soldados gregos, quando, após dezesseis meses de árdua retirada, avistaram as águas do Ponto Euxino; os gregos eram comandados por Xenofonte, que descreveu esse feito em sua obra Anábase || **talass**IA sf. 'enjoo de mar' XX || **taláss**ICO | tha- 1890 | Do lat. thalassĭcus, deriv. do gr. thalassikós || **talassi**ó·FITO | thalassiophito 1899 || **talasso**CRAC·IA | tha- 1844 | Do fr. thalassocratie, deriv. do gr. thalassokratía || **talasso**CRATA | tha- 1899 || **talassó**FOBO | tha- 1899 || **talasso**GRAF·IA | tha- 1899 | Do fr. thalassographie || **talass**ÔMETRO | tha- 1899 | Do fr. thalassomètre || **talasso**SFERA | thalassosphera 1899 || **talasso**TERAP·IA XX. Do fr. thalassothérapie.
talco sm. 'orig. mineral ortorrômbico ou monoclínico, constituído de silicato ácido de magnésio' 'ext. produto feito desse mineral pulverizado, e que se usa sobre a pele' XVIII. Provavelmente do it. talco, deriv. do ár. ṭalq 'amianto, mica, gesso', de origem persa.
⇨ **talco** | 1647 in ZT |.
taleiga sf. 'saco pequeno e largo' 'cesto' | 1813, teeiga XIII, teeyga XIII, teiga XVIII | Do ár. ta'lîqa 'saco, bolsa', de 'áliq 'estar pendente de algo'.
talento sm. 'peso e moeda da antiguidade grega e romana' XV; 'inteligência excepcional' XVI; 'aptidão natural, ou habilidade adquirida' XVII. Do lat. talentum -ī, deriv. do gr. tálanton || **talent**OSO | XV, -osso XIV.
táler sm. 'antiga moeda alemã, de prata' 1858. Do al. thaler, do top. T(h)aler, abrev. de Joachimsthaler, cidade mineira da Boêmia. Cp. DÓLAR.

talha[1] *sf.* 'vasilha' | XIV, *talla* XIII, *taalha* XIV | Do lat. **tenacŭla*, por **tīnacŭla*, de *tīna*.
talhar *vb.* 'cortar' XIII. Do lat. vulg. **tālĕāre* (lat. tard. *tālīāre*), de *tālĕa* || AtalhAR *vb.* 'talhar' | XIV, -*llar* XIII || Atalho XV. Dev. de *atalhar* || ENtalhADOR | -*ll-* XIV || ENtalhADURA | -*ll-* XIII || ENtalhAMENTO | -*ll-* XIII || ENtalhAR *vb.* 'abrir cortes (em madeira) a fim de criar uma escultura, ou a matriz de uma xilogravura | -*ll-* XIII || ENtalhe *sm.* 'ato ou efeito de entalhar' 1881. Dev. de *entalhar* || ENtalho *sm.* 'gravura ou escultura de madeira' 1813. Dev. de *entalhar* || REtalhAR XIII || REtalho XVI || talha[2] *sf.* 'orig. imposto, tributo' | -*lla* XIII |; '*ext.* ato ou efeito de talhar ou entalhar' XVI || talhADA *sf.* 'fatia, lasca' 1813 || talhAD·EIRA 1813 || talhADO | XIII, -*lla*- XIII || talhADOR | XIII, -*lla-* XIV || talhAMENTO XV || talhANTE | XIV, -*ll-* XIII || talhÃO *sm.* 'terreno para cultura' 'tabuleiro, talho' XVI || talharim *sm.* 'massa alimentícia em forma de tiras' 1844. Do it. *tagliarini*, de *tagliare* 'talhar' || talharola *sf.* 'instrumento de tecelão, utilizado para cortar os fios que ficam fora da trama na fabricação do veludo' XX. Do fr. *taillerole*, de *tailler* 'talhar' || talhe *sm.* 'talho' XV. Dev. de *talhar* || talher *sm.* 'o conjunto de garfo, faca e colher' XVIII. Provavelmente do it. *tagliére*, de *tagliare* || talho *sm.* 'talhe, feito ou feição do corpo (de um homem ou de uma mulher)' | *tallo* XIV |; 'talha[2], em sua segunda acepção' XVI.
⇨ **talhar** — Atalho | XIV TEST 246.*20*, XV BENF 239.*13* || ENtalho | *ētalho* 1571 FOlF 143.*27* || talhAD·EIRA | 1647 *in* ZT || talharim | 1836 SC |.
tália *sf.* 'planta da fam. das marantáceas, da América tropical' 1899. De origem obscura.
talião *sm.* '(usado na expressão *pena de talião*) pena antiga (a *lex taliōnis* dos romanos) pela qual se vingava o delito infligindo ao delinquente o mesmo dano ou mal que ele praticara' XVII. Do lat. *tălĭō -ōnis*.
talictro *sm.* 'planta ranunculácea, cuja haste semelha a da papoula' | *tha-* 1881 | Do lat. *thalictrum*, deriv. do gr. *tháliktron*.
talim *sm.* 'boldrié' XVII. Do ár. *tahlîl* 'ato de pronunciar uma fórmula religiosa'.
tálio → TALO.
talismã *sm.* 'objeto de formas e dimensões variadas, ao qual se atribuem poderes extraordinários' | -*man* 1813 | Do fr. *talisman*, deriv. do persa *țilismât*, pl. de *țilism* e, este, do gr. bizantino *télesma* 'cerimônia religiosa', de *teléō* 'faço um sacrifício, cumpro'.
tálitro *sm.* 'nó na articulação dos dedos' 'piparote' | *talítro* 1858 | Do lat. *tălītrum -ī*.
talmude *sm.* 'doutrina e jurisprudência da lei mosaica com explicações dos textos jurídicos do Pentateuco e a jurisprudência elaborada pelos comentadores entre os sécs. III e VI' | *talamud* XIV, *talimud* XIV | Do hebr. *talmū·d* 'instrução', de *lāma·d* 'instruir' || talmúdICO 1874 || talmudISMO XVI || talmudISTA *s2g.* XVI.
⇨ **talmude** — talmúdICO | 1614 SGONÇ I. 198.*30* |.
talo *sm.* 'corpo vegetativo das plantas inferiores, filamentoso ou laminar, constituído de células pouco diferenciadas' XVI. Do lat. *thallus -i*, deriv. do gr. *thallós* || tálIO *sm.* '(Quím.) elemento de número atômico 81, metálico, branco-azulado,

mole' 1890. Do lat. cient. *thallium* || talóFITO | *thallóphytas* f. pl. 1899 | Do fr. *thallophytes*, deriv. do lat. cient. *thallophyta* || talUDO *adj.* 'orig. que tem talo resistente' '*ext.* grande, corpulento' XVI.
talocha *sf.* 'desempenadeira' 1881. Do fr. *taloche*.
talófito → TALO.
talude *sm.* 'terreno inclinado, escarpa, rampa' | *talud* XVIII | Do cast. *talud*, deriv. do fr. *talus*, de origem incerta.
⇨ **talude** | *talus* 1513 *in* ZT, *talud* 1680 *in* RB |.
taludo → TALO.
talvegue *sm.* 'linha sinuosa, no fundo de um vale, pela qual as águas correm, e que divide os planos de duas encostas' | *thalweg* 1881 | Do al. *T(h)alweg* 'caminho do vale'.
talvez → TAL.
tamanco *sm.* 'calçado (grosseiro) cuja base é de madeira' 1813. De origem incerta || AtamancAR 1844 || tamanquEIRA *sf.* 'planta da fam. das rutáceas, cuja madeira é utilizada para móveis, cabos de ferramentas e tamancos' 1899.
⇨ **tamanco** — AtamancAR | 1836 SC |.
tamanduá *sm.* 'mamífero desdentado da fam. dos mirmecofagídeos' | *tamendoá* 1576, *tamĕdoá* 1576, *tamanduâ* c 1584 etc. | Do tupi *tamaņu'a*.
tamanho *adj. sm.* 'tão grande, tão distinto etc.' 'dimensão, volume' | XIII, *tamanno* XIII etc. | Do lat. *tam magnus*.
tamanqueira → TAMANCO.
tamaquaré *sm.* 'planta da fam. das gutíferas' | *-cuarí* 1833 | Do tupi **tamakųa're*.
tâmara *sf.* 'fruto da tamareira, palmeira ornamental, característica dos oásis dos desertos africanos, cultivada pelos árabes graças ao fruto, importante como matéria alimentar' XV. Do ár. *támra* || tamaREIRA 1813 || tamarindEIRO *sm.* 'planta da fam. das leguminosas, em cujos frutos há uma polpa ácida e comestível' | *tamarinneiro* 1609, *tamarynheyro* 1687, *tamarinheyro* 1782 || tamarindo *sm.* fruto do tamarindeiro' | 1516, *tamaranda* XV, *tamarinho* 1516 | Do ár. *támar híndi* 'tâmara indiana'.
⇨ **tâmara** — tamarEIRA | *c* 1608 NOreb 84.*26* |.
tamaracá *sm.* 'espécie de chocalho dos índios do Brasil, maracá' 1627. Do tupi *itamara'ka*.
tamarana *sm.* 'espécie de clava usada pelos índios do Brasil' a 1667. Do tupi **itama'rana < i'ta* 'pedra' + *ma'rana* 'guerra'.
tamargueira *sf.* 'planta da fam. das tamaricáceas' | *-guey-* XVI | De um lat. **tamaricărĭa*, de **tamarica* 'tamarga' || tamarga *sf.* 'tamargueira' XX. De um lat. **tamarica* || tamargAL *sm.* | *-gual* XV.
tamarind·eiro, -o → TÂMARA.
tamatarana *sf.* 'planta da fam. das marantáceas (*Saranthe marcgravii* Pickel)' | *a* 1667, *tamotarana* 1618 | Do tupi **itameta'rana < i'ta* 'pedra' + *me'tara* 'metara' + *'rana* 'semelhante'. Cp. METARA.
tamatiá *sm.* 'nome comum às aves piciformes da fam. dos buconídeos e às ciconiformes da fam. dos ardeídeos' | *tamatian* 1618 | Do tupi *tamati'ã*.
tambaca *sf.* 'liga de cobre e zinco' XVI. Do malaio *tambāga*, deriv. do sânscr. *tāmmraka*.
tambaqui *sm.* 'peixe da fam. dos caracídeos' *c* 1698. Do tupi **tamą'ki*.
tambeira → TAMBO[2].

também *adv.* 'da mesma forma' 'além disso' 'em compensação etc.' | *tã ben* XIII, *tan ben* XIII etc. | De *tan* (TÃO) + BEM.
tambica *sf.* 'chumbo de rede' 1899. De origem obscura.
tambo[1] → TÁLAMO.
tambo[2] *sm.* 'casa de campo' 'espécie de barracão' 'estábulo' XX. Do quíchua *támpu* 'pousada', através do castelhano || **tamb**EIRA *sf.* 'novilha mansa' XVII.
tambor *sm.* '(Mús.) instrumento de percussão' XV, *atanbor* XIII, *atambor* XIV | Do ár. *aṭṭanbûr* || **tambor**ETE *sm.* '(Marinh.) *orig.* peça de madeira que arremata o mastro na coberta de cima' XVI; '*ext.* banqueta' XVIII. Do fr. *tabouret*, com infl. de *tambor* || **tambor**IL *sm.* 'tamborim' | *-ry* 1500 || **tambor**IL·AR 1890 || **tambor**IL·EIRO | *-ley-* XVI || **tambor**IM *sm.* 'tambor pequeno' 1813 || **tambu** *sm.* 'grande atabaque usado no jongo e no batuque' XX.
tamiça *sf.* 'cordel de esparto, delgado' | *-sa* XVI | Do lat. cient. *tomex*, de *thōmix -ĭcis*, deriv. do gr. *thṓmigx -iggos* 'corda de junco'.
tamina *sf.* '*orig.* vaso com que se media a ração diária dos escravos' '*ext.* essa ração' 1813. Forma aferética do quimb. *ritamina* 'tigela'.
tamis *sm.* 'tipo de peneira' 'tecido inglês de lã' 1813. Do fr. *tamis*, deriv. do lat. pop. *tamīsium*, de origem gaulesa.
⇨ **tamis** | *tamiz* 1721 RB |.
tamo *sm.* 'planta da fam. das dioscoreáceas' 1844. Do lat. cient. *tamus*, adapt. do lat. *tammus*.
⇨ **tamo** | 1836 SC |.
tampa *sf.* 'peça movediça para tapar vaso ou caixa' XVII. Provavelmente do germânico, deriv. de um gót. *tappa* || DE**tamp**AR 1813 || DE**tamp**AT·ÓRIO 1813 || **tamp**ÃO | XVI, *tapom* XIII, *tampon* XIV etc. | Do fr. *tapon* || **tamp**AR XX || **tampo** *sm.* '(tipo de) tampa' XVI || **tampon**AR XX. Cp. TAPAR.
tampouco → TANTO.
tamuatá *sm.* 'peixe da fam. dos caliquitídeos' | *c* 1777, *tamoatá* 1576 | Do tupi *tamua'ta.*
tâmul *sm.* 'a mais culta das línguas dravídicas, falada no sul da Índia e no norte e oeste do Ceilão' XVI. Do tâmul *tamil*, de *tamiṛ* 'melodiosidade' || **tamúl**ICO 1697.
tanaceto *sm.* 'planta da fam. das compostas, cujas folhas têm propriedades insetífugas' 1881. Do lat. cient. *tanacētum* || **tanásia** *sf.* 'tanaceto' 1881. Adapt. do fr. *tanaisie*, do mesmo rad. de *ṭanaceto*.
tanado *adj.* 'que tem cor de castanha, trigueiro' 1844. Adapt. do fr. *tannée*.
⇨ **tanado** | 1836 SC |.
tânagra *sf.* 'estatueta grega de terracota' XX. Do ing. *tanagra*, deriv. do top. gr. *Tánagra*.
tanajura *sf.* 'designação vulgar das rainhas das formigas do gênero *Atta*, fêmea da saúva' XX. De origem tupi, mas de étimo indeterminado.
⇨ **tanajura** | 1836 SC |.
tananá *sm.* 'inseto ortóptero da fam. dos pseudofilídeos' | *tananans* pl. 1888 | De origem tupi, mas de étimo indeterminado.
tanásia → TANACETO.
tanato- *elem. comp.*, do gr. *thanato-*, de *thánatos* 'morte', que se documenta em alguns compostos introduzidos, a partir do séc. XIX, na linguagem erudita ♦ **tanato**FOB·IA | *tha-* 1899 || **tanato**GÊNESE XX || **tanato**GNOSE XX || **tanato**LOG·IA | *tha-* 1899 | Do lat. cient. *thanatologia* || **tanato**SCOP·IA XX.
tanchar *vb.* 'plantar ou cravar (estacas) na terra' XVI. Provavelmente forma metatética de CHANTAR || RE**tanch**AR 1844 || **tanch**AGEM *sf.* 'planta da fam. das plantagináceas' 1813. Provavelmente forma metatética de *chantagem*[2] || **tanchão** *sm.* 'estaca ou ramo de árvore para plantar sem raiz' 1844. Provavelmente forma metatética do ant. *chantão* || **tancho**EIRA *sf.* 'tanchão' 1844. Cp. CHANTAR.
⇨ **tanchar** — RE**tanch**AR | 1836 SC || **tanchão** | 1836 SC || **tancho**EIRA | 1836 SC |.
tandem *sm.* 'bicicleta com dois assentos, um atrás do outro' 1899. Do ing. *tandem*, deriv. do lat. *tandem* 'exatamente' 'finalmente'.
tanga[1] *sf.* 'espécie de avental usado por certos povos para cobrir o corpo desde o ventre até as coxas' 1813. Do quimb. *'ntaṇa* 'pano, capa' || **tan**GUEIRO *sm.* 'tanga' XVI.
tanga[2] *sf.* 'certa moeda asiática' XVI. Do hindust. *ṭaṅka* 'moeda com cunho', de origem sânscrita.
tanga[3] *sf.* 'chapa' XV. De origem obscura; talvez se relacione com *tanga*[2].
tangapema *sf.* 'espécie de tacape usado pelos índios do Brasil' | *entagapena* 1587, *tangapèma* 1663 etc. | Do tupi *itaiṇa'pema* 'espada de ferro' < *i'ta* 'pedra, ferro' + *iṇa'pema* (*iã'pema*) 'espada'.
tangará *sm.* 'nome comum aos pássaros da fam. dos piprídeos' *c* 1584. Do tupi *taṇa'ra*.
tanger[1] *vb.* 'tocar instrumentos' '*ext.* tocar o animal para estimulá-lo a andar' | XIII, *atanger* XIII | Do lat. *tangĕre* || CO**tang**ENTE *sf.* 1844. Do lat. cient. *cotangēns -entis* || IN**tang**IBIL·IDADE 1873. Adapt. do fr. *intangibilité* || IN**tang**ÍVEL 1873. Adapt. do fr. *intangible* || **tang**ÊNCIA 1890. Do fr. *tangence* || **tang**ENTE *adj. 2g.* 'que tange'; *sf.* '(Mat.) segmento de reta que tem um, e só um, ponto comum (ponto de tangência) com uma curva (ou uma superfície curva)' 1813. Do fr. *tangent(e)*, deriv. do lat. *tangens -entis*, part. pres. de *tangĕre* || **tang**ENT·OIDE XX || **tanger**[2] *sm.* 'tato' XIV; 'música, melodia' XIV || **tang**IMENTO | *-ge-* XIV, *-je-* XIV || **tang**ÍVEL 1844. Adapt. do fr. *tangible*, deriv. do lat. *tangibĭlis -e* || **tanj**ÃO *adj. sm.* 'que, ou aquele que só se movimenta quando o tocam' 1874 || **tanj**ASNO *sm.* 'ave considerada pelo povo como inimiga do asno' 1874.
⇨ **tanger**[1] | CO**tang**ENTE | 1836 SC || **tang**ÍVEL | 1836 SC || **tanj**ASNO | 1836 SC |.
tangerina *sf.* 'o fruto da tangerineira, planta da fam. das rutáceas' 1844. Substantivação do adj. f. *tangerina* na expressão (*laranja*) *tangerina* 'laranja de Tânger', do top. *Tânger* || **tangerin**EIRA 1881 || **tangerino** *adj. sm.* 'relativo a ou natural de Tânger' 1899.
tang·imento, -ível → TANGER.
tango *sm.* '*orig.* espécie de pequeno tambor africano' '*ext.* canto e dança sul-americana, originada nos subúrbios de Buenos Aires, em fins do séc. XIX' 1881. Do esp. plat. *tango*.
tangueiro → TANGA[1].
tanino *sm.* '(Quím.) classe de substâncias adstringentes encontradas em certos vegetais, que dão

coloração azul com sais de ferro' 1881. Do fr. *tanin*, de *tan* ‖ AtanADO *sm*. 'casca de plantas taninosas, empregada para curtir couros' XVI ‖ AtanAR *vb*. 'curtir com atanado' 1813 ‖ **tân**ICO *adj*. '(Quím.) tipo de ácido' 1890. Do fr. *tannique*.
tanj·ão, -asno → TANGER.
tan·oa, -oaria, -oeiro → TONA¹.
tanque¹ *sm*. 'reservatório de água ou de outro qualquer líquido' XV. De origem obscura; talvez se trate de uma forma aferética de *estanque* (v. ESTANCAR).
tanque² *sm*. 'carro de guerra, blindado' | XX, *tank* XX | Do ing. *tank* 'carro de guerra', de *tank* 'reservatório de água' e, este, provavelmente, do port. TANQUE¹.
tanseira *sf*. 'a parte do cano da bota onde se liga a presilha' 1881. De origem incerta.
tanso *adj. sm*. 'parvo, tolo' 'vagaroso, lento' 1881. De origem obscura.
tantã *sm*. 'gongo chinês' 'tambor africano' XIX. Do fr. *tam-tam*, deriv. de uma língua indiana (concani *ṭam'ṭam'*, bengali, *ṭanṭan* etc. vocs. de caráter onomatopaico).
tântalo *sm*. '(Quím.) elemento de número atômico 73, metálico, muito usado em ligas especiais' 1839. Do fr. *tantale*, deriv. do lat. cient. *tantalus* (cláss. *Tantălus -ī*) e, este, do mit. gr. *Tántalos*. Este nome foi dado ao metal em alusão ao suplício narrado na Odisseia, pelo muito que lhe custa absorver os ácidos em que é banhado ‖ **tantál**ICO *adj*. 'relativo a, ou próprio de Tântalo, figura lendária, cujo suplício, por haver roubado os manjares dos deuses para dá-los a conhecer aos homens, era o estar perto da água, que se afastava quando tentava bebê-la' '(Quím.) diz-se de qualquer dos ácidos fracos provenientes da hidratação do pentóxido de tântalo' 1874 ‖ **tantál**IO *sm*. '(Quím.) tântalo' 1899. Do lat. cient. *tantalium* ‖ **tantal**IZAR *vb*. 'atormentar, provocando desejos irrealizáveis em' XX. Do fr. *tantaliser*.
tanto *pron*. 'tão grande, tamanho'; *sm*. 'porção indeterminada'; *adv*. 'tantas vezes' | XIII, *atanto* XIII | Do lat. *tantus tanta* ‖ CON**tanto** (QUE)' *loc. conj*. 'sob condição de que, uma vez que' 1899. De COM + *tanto* ‖ **tam**POUCO *adv*. 'também não' 1858. De *tão* + POUCO ‖ **tão** *adv*. 'tanto' | XVI, *tan* XIII, *tam* XIV | Do lat. *tam* (ou apócope de *tantum*).
taoísmo *sm*. 'ensinamento filosófico-religioso desenvolvido por Lao Tsé (séc. VI a.C.)' 1899. Do fr. *taoïsme*, deriv. do chin. *tau* 'caminho' ‖ **tao**ÍSTA 1899.
tapa, tapa-boca → TAPAR.
tapacurá *sf*. 'adorno usado nas pernas pelas jovens índias do Brasil' | 1587, *tapicura* c 1596 | Do tupi *tapaku'ra*.
tapanhoacanga *sf*. 'minério de ferro, de coloração negra, que ocorre à superfície da terra, sob a forma de concreções' | *tapanhuacanga* 1711, *tapinhoacanga* 1730 | Do tupi **tapuïuna'kaŋa < tapuï'una* 'escravo negro' (< *ta'puïŋa* 'escravo' + *'una* 'negro') + *a'kaŋa* 'cabeça'.
tapar *vb*. 'cobrir, fechar, cerrar' XIII. Do gót. **tappa* ‖ DES**tapar** 1873 ‖ **tapa**¹ *sm*. 'ação ou efeito de tapar' 1899 ‖ **tapa**² *sm*. 'pancada' 1844. Red. de *tapa-boca* ‖ **tapa**-BOCA *sm*. 'bofetada na boca, para fazer calar' 1873 ‖ **tap**ADO *adj*. '*orig*. encoberto, tampado' '*ext*. estúpido, tolo' 1813 ‖ **tap**E·AÇÃO XX. De *tapear*² ‖ **tap**EAR¹ *vb*. 'esbofetear' XX ‖ **tap**EAR² *vb*. 'enganar, iludir' 1899 ‖ **tapigo** *sm*. 'tapume' 'barricada' XIV. Provavelmente relacionado com *tapar*, mas de formação obscura ‖ **tap**ONA *sf*. 'pancada, tapa' 1813 ‖ **tapulho** *sm*. 'aquilo que serve para tapar' | 1844, *-fu-* XVII | Talvez do cast. *tapujo*, de *tapar* ‖ **tap**UME *sm*. 'sebe, cerca' XVII. Cp. TAMPA.
⇨ **tapar** — DES**tapar** | XIV TEST 361.5, 1519 GNic 62v16 ‖ **tapa**² | 1836 SC ‖ **tapa**-BOCA | *tapa boca* 1836 SC s.v. *tapa* ‖ **tapa**DOURA | 1704 *Inv*. 18 ‖ **tap**ULHO | 1836 SC ‖ **tap**UME | 1561 *in* RB |.
tapeç·ar, -aria, -eiro → TAPETE.
tapejara *sm*. 'morador do lugar, conhecedor da região' 'guia' | 1656, *tapijara* 1585, *tapijar* 1624 etc. | Do tupi *tapi'iara* ‖ **tapejar** *vb*. 'proceder como um tapejara' XX. Der. regres. de *tapejara*.
tapera *sf*. 'aldeia indígena abandonada' 'habitação em ruínas' 1562. Do tupi *ta'pera < 'taua* 'taba' + *'pŭera* 'que foi' ‖ **taper**ADO *adj*. 'abandonado, em ruínas' XX ‖ **taper**IZ·AÇÃO XX.
taperá *sf*. 'pássaro da fam. dos hirundinídeos, andorinha' 1817. Do tupi *tape'ra*.
taperebá *sm*. 'planta da fam. das anacardiáceas, cujo fruto, também conhecido como cajá, é uma drupa de coloração amarela e de polpa saborosa' | c 1777, *tapareba* 1763 | Do tupi **taperï'ŭa < ta'pera* 'tapera' + *ï'ŭa* 'fruto' ‖ **tapereba**Z·EIRO / *-seiro* 1876, *-ribazeiro* XX.
taperização → TAPERA.
tapete *sm*. 'peça de estofo com que se recobre soalhos, escadas etc.' 'alcatifa' | XIV, *-de* XIII | Do lat. *tapēte -is*, deriv. do gr. *tápēs -ētos* ‖ Atap**et**ADO 1899 ‖ Atap**et**AR *vb*. 'cobrir com tapete' 1881 ‖ **tapeç**AR *vb*. 'atapetar' XIX. Do fr. *tapisser* ‖ **tape**çARIA XVI. Do fr. *tapisserie* ‖ **tapeç**EIRO XVII ‖ **tapet**AR *vb*. 'atapetar' 1844 ‖ **tapiz** *sm*. 'tapete' XVI. Do a. fr. *tapiz* (hoje *tapis*), deriv. do gr. bizantino *tapítion*, dim. do gr. *tápēs -ētos*.
⇨ **tapete** — **tapet**AR | 1836 SC |.
tapiaí *sf*. 'variedade de formiga' | *tapiahi* 1833 | Do tupi *tapija'ia*.
tapicuru *sm*. 'ave ciconiforme da fam. dos tresquiornitídeos' XX. Do tupi **tapiku'ru*.
tapigo → TAPAR.
tapinhoã *sm*. 'planta da fam. das lauráceas, cuja madeira dura e resistente, foi muito utilizada em construção civil, particularmente nos sécs. XVII e XVIII' | *tapapinhoà* 1663, *tapinhoam* a 1687 etc. | Do tupi **tapiño'ã*.
tapioca *sf*. 'fécula alimentícia da mandioca' | 1587, *-qua* 1618 etc. | Do tupi *tïpï'oka* ‖ **tapioc**ANO *a* 1837 ‖ **tapio**PUBA 1636. Do tupi **tïpïo'puŋa < tïpï'oka + 'puŋa* 'mole'.
tapir *sm*. 'mamífero perissodáctilo da fam. dos tapirídeos' 'anta' | *tapira* 1610, *tapyr* 1851 | Do tupi *tapi'ira* ‖ **tapir**ETÊ | *tapiretê c* 1584 | Do tupi *tapiire'te < tapi'ira + e'te* 'verdadeiro' ‖ **tapir**UÇU | *tapijruçû c* 1584 | Do tupi *tapiiru'su < tapi'ira + u'su* 'grande'.
tapiranga *sf*. 'pássaro da fam. dos traupídeos, variedade de tié' 1728. Provável alteração de *tiepiranga*, através de **tepiranga*; v. TIÉ.

tapireça sm. 'peixe da fam. dos carangídeos (*Seriola lalandi*), olho-de-boi' | *tapirsiçá* 1587 | Do tupi *tapiire'sa* < *tapi'ira* + *e'sa* 'olho'.
tapiretê → TAPIR.
tapiri sm. 'choupana, choça' XX. Do tupi **tapi'ri*.
tapiruçu → TAPIR.
tapiti sm. 'mamífero lagomorfo da fam. dos leporídeos, espécie de coelho' *c* 1584. Do tupi *tapi'ti*.
tapiucaba sm. 'espécie de vespa' XX. Do tupi *tapiu'kaųa* || **tapiúja** sf. 'espécie de vespa' 1587. Do tupi *tapi'u*.
tapiz → TAPETE.
tapona → TAPAR.
tápsia sf. 'planta medicinal da fam. das umbelíferas' 1890. Do lat. *thapsia*, deriv. do gr. *thapsía*.
tap·ulho, -ume → TAPAR.
tapuru sm. 'espécie de larva vermiforme de insetos dípteros, que depositam os ovos nas carnes em putrefação, bicheira' 1871. Do tupi *tapu'ru*.
taqu·ear, -eira → TACO.
taquara sf. 'planta da fam. das gramíneas, taboca, bambu' | 1627, *tacoara c* 1584 etc. |; '*ext.* ave coraciforme da fam. dos momotídeos' | *tacoára* 1817 | Do tupi *ta'kųara* || **taquar**AL 1783 || **taquara**TINGA XX. Do tupi **takųara'tiŋa* < *ta'kųara* + *'tiŋa* 'branco' || **taquari** 1873. Do tupi *takųa'ri* < *ta'kųara* + *'i* 'pequeno' || **taquari**ÇO XX || **taquari**RANA XX. Do tupi **takųari'rana* < *takųa'ri* + *'rana* 'semelhante' || **taquari**ÚBA XX. Do tupi **takųari'ïųa* < *takųa'ri* + *'ïųa* 'planta' || **taquar**UÇU 1856. Do tupi *takųaru'su* < *ta'kųara* + *u'su* 'grande'.
taqueo- (taco-), taqu(i)- *elem. comp.*, do gr. *tachy-*, de *tachýs*, *táchos* 'rápido, célere', que se documenta em alguns compostos introduzidos, a partir do séc. XIX, na linguagem erudita ♦ **tac**ÔMETRO sm. 'instrumento para medir velocidades' XX | Adapt. do fr. *tachéomètre* || **taqueó**GRAFO XX. 'aparelho usado na elaboração de cartas geográficas' XX. Do fr. *tachéographe* || **taqueô**METRO sm. 'instrumento que permite levantar rapidamente a topografia dum terreno' | *tacheo-* 1899 || **taqui**ANTESE XX || **taqui**CARD·IA | *-chy-* 1899 | Do fr. *tachycardie* || **taqui**FAG·IA XX || **taqui**GRAF·AR XX || **taqui**GRAF·IA | *tachygraphia* 1844 | Do fr. *tachygraphie* || **taqui**GRÁF·ICO | *tachygraphico* 1844 | Do fr. *tachygraphique* || **taquí**GRAFO | *tachygrapho* 1844 | Do fr. *tachygraphe*, deriv. do gr. *tachygráphos* || **taqui**METR·IA XX. Do fr. *tachymétrie* || **taquí**METRO | *-chy-* 1874 | Do fr. *tachymètre*.
⇨ **taqueo-, (taco-), taqu(i)-** — **taqui**GRAF·IA | *tachygraphia, taquigraphia* 1836 SC || **taqui**GRÁF·ICO | *tachygraphico* 1836 SC || **taquí**GRAFO | *tachygrapho* 1836 SC |.
tara¹ sf. '*orig*. abatimento no peso de mercadorias' '*ext.* defeito físico ou moral' 1790. Do ar. vulg. *ṭáraḥ*, (cláss. *ṭarḥ* 'dedução, subtração, desconto'), talvez através do italiano || **tar**ADO 1844 || **tar**AR 1813.
⇨ **tara**¹ — **tar**ADO | 1836 SC |.
tara² sf. 'antiga moeda de prata da Índia meridional' XVI. Do dravídico *tāra*, deriv. do sânscr. *tārā* 'estrela'.
tarado → TARA¹.
taralhão sm. 'animal molusco, bivalve, da fam. dos foladídeos' XVIII. De origem obscura.

⇨ **taralhão** | *taralhões* pl. *c* 1608 NOReb 128.*16* |.
tarambola sf. 'maçarico (em sua terceira acepção)' XVI. De origem obscura.
tarambote sf. 'concerto vocal e instrumental' 1813. De provável formação expressiva.
taramelear → TRAVE.
tarampabo sm. 'espécie de palmeira' 1899. De origem obscura.
tarampantão sm. 'onomatopeia do som do tambor' 1844. De origem onomatopaica.
⇨ **tarampantão** | 1836 SC |.
tarantás sm. 'antiga carroça russa de quatro rodas, sem capota e de tração animal' | *tarentass* 1877 | Do fr. *tarantass*, deriv. do rus. *tarantás*.
tarantela sf. 'dança popular napolitana' XVIII. Do it. *tarantèlla*.
tarântula sf. 'espécie de aranha europeia da fam. dos licosídeos' 1813. Do it. *taràntola*, de origem controversa || **tarant**ISMO sm. 'doença originada pela mordedura da tarântula' 1881. Do it. *tarantismo*.
⇨ **tarântula** | 1614 SGonç I. 217.*20* |.
tarar → TARA¹.
tarara sf. 'aparelho com que se limpa o grão de trigo' 1881. Do fr. *tarare*, de provável origem onomatopaica.
tararucu sm. 'planta da fam. das leguminosas, fedegoso' | 1587, *tareroquig c* 1584, *tararoqui c* 1594 | Do tupi *tarero'kï*.
tarasca sf. 'boneco que representa um animal monstruoso, e que era exibido no Pentecostes, em Tarascon e noutras cidades do sul da França' 'mulher feia e de mau gênio' XVI. De formação incerta, mas sem dúvida ligado ao top. fr. *Tarascon* || **tarasco** adj. sm. 'arisco, áspero, desabrido' 1881.
taraxoco sm. 'dente-de-leão' 1881. Do lat. med. *ṭaraxacum*, deriv. do ár. *ṭarahšaqūn* 'chicória selvagem'.
tarde adv. 'depois do tempo próprio ou ajustado'; sf. 'tempo entre o meio-dia e a noite' XIII. Do adv. lat. *tardē* || **tard**ECER 1881 || **tard**ADA sf. 'demora' XIII || **tard**AD·IÇO adj. 'tard.' XV || **tard**AMENTO sm. 'demora' XIII || **tard**ANÇA sf. 'demora' XIII || **tard**AR vb. 'demorar' XIII. Do lat. *tardāre* || **tardí**GRADO adj. '(Poét.) lentígrado'; sm. '*ext.* espécie de animal artrópode' 1844. Do lat. *tardigrădus* || **tard**INHA sf. 'o fim da tarde' 1858 || **tard**INH·EIRO adj. 'vagaroso' XV || **tard**IO adj. 'que vem fora de tempo' XVI. Do lat. tard. *tardīvus* || **tardo** adj. 'que anda vagarosamente' 'preguiçoso, tardio' XVI. Do lat. *tardus*.
tardoz sf. 'face tosca da cantaria que fica para o interior da parede' 1813. De origem obscura.
⇨ **tardoz** | 1533 *in* ZT, *trasdos* 1549 Id. |.
tareco sm. '*orig*. indivíduo irrequieto, buliçoso' '*ext.* utensílio de pouco valor, cacareco' XVIII. Do ár. *taräik*, pl. de *tarīkă* 'coisa abandonada'.
tarefa sf. 'trabalho que se deve concluir em determinado prazo e que, algumas vezes, é imposto por castigo' XVI. Do ár. vulg. *aǧríḥa* 'quantidade de trabalho que se impõe a alguém', deriv. do ár. *ṭáraḥ* 'lançar, arrojar' 'impor a aquisição de uma mercadoria a um preço determinado' || **A**tarefADO 1813 || **taref**EIRO XX || **tareia** sf. 'surra' | *tarea* 1881 | Do ár. vulg. *ṭarīḥa*, através do cast. *tarea*.

tarega sm. 'orig. almoxarife no Malabar e em Pegu' 'indivíduo que compra e vende objetos de pouco valor e/ou objetos usados' XVII. Do malaiala *taragan* (em tamul *taragu*).

tareia → TAREFA.

tarifa sf. 'pauta de direitos alfandegários' 'custo fixado para o transporte de um passageiro ou de uma unidade de carga, para determinada distância' 1813. Do cast. *tarifa*, deriv. do cat. *tarifa* e, este, do ár. *ta'rífa*, de *'árraf* 'informar, dar a conhecer' || **tarif**AR 1858. Do cast. *tarifar*.

tarima sf. 'estrado atapetado debaixo de um dossel' XVII. Do ár. hisp. *ṭaríma* (ár. *ṭárima*) || **tarimba** sf. 'orig. tarima' 'ext. estrado de madeira onde dormem os soldados, nos quartéis e postos de guarda' 'fig. grande experiência' 1813 || **tarimb**ADO adj. 'que tem muita experiência' XX || **tarimb**AR vb. 'servir no exército' 1881 || **tarimb**EIRO adj. sm. 'que, ou aquele que dorme em tarimba' 1881.

⇨ **tarima** — **tarimba** | 1721 RB |.

tarioba sm. 'molusco bivalve da fam. dos donacídeos' | *tarcoha* (sic) 1587 | Do tupi *tari'oṵa*.

tarja sf. 'ornato de pintura, desenho ou escultura na orla ou no contorno dalgum objeto' XVI. Do fr. *targe*, deriv. do frâncico **targa* || **tarj**ADO 1881 || **tarj**AR 1899.

tarlatana sf. 'certo tecido transparente e encorpado usado para forros de vestuários e aparelhos de fraturas' 1881. Do fr. *tarlatane*.

tarolo → TORO.

taroque sm. 'cornimboque' 1899. De origem incerta.

tarouco adj. 'idiota, apatetado, caduco' 1899. De origem incerta.

tarraco → ATARRACAR.

tarraconense adj. s2g. 'relativo a ou natural de Tarragona' 1899. Do lat. *Tarracōnēnsis -e*, do top. *Tarrăcŏ -ōnis* 'Tarragona'.

⇨ **tarraconense** | *terraconensse a* 1595 *Jorn* 5.22 |.

tarrada → TARRO.

tarrafa sf. 'tipo de rede de pescar' XV. Do ár. hisp. e magrebino *ṭarrāhâ*.

tárraga sf. 'dança espanhola do séc. XVII' 1899. Do cast. *tárraga*, do antrop. *Tárraga*, provavelmente em alusão a A. Tárraga, autor de comédias.

tarraxa sf. 'parafuso' | *-cha* XVIII | De origem incerta || AtarraxADO 1813 || DES·AtarraxAR 1881.

tarro sm. 'vaso para onde se ordenha o leite' XIII. Tal como o castelhano, de origem incerta || **tar**rADA 1899.

tarso sm. '(Anat.) parte posterior do pé' XVIII. Do lat. cient. *tarsus*, deriv. do gr. *társos* || **tars**ALG·IA 1874. Do fr. *tarsalgie*, deriv. do lat. cient. *tarsalgia* || **tars**ECTOM·IA XX. Do fr. *tarsectomie* || **társ**IO sm. 'cartilagem palpebral, onde se implantam os cílios' 'tarso' 1899.

tartana sf. 'tipo de embarcação' 1813. Do prov. *tartano*, deriv. do a. prov. *tartana*, de origem onomatopaica || **tartaranha** sf. 'ave da fam. dos falconiformes' XVI; 'rede de arrastar a reboque' XVII. Provavelmente relacionado com *tartana*.

tartarear → TÁRTARO³.

tartáreo → TÁRTARO¹.

tartari → TÁRTARO⁴.

tartárico → TÁRTARO².

tártaro¹ sm. '(Poét.) inferno' XVI. Do lat. *Tartărus -i*, deriv. do gr. *Tártaros -are(i)os* || **tártár**EO adj. '(Poét.) relativo ao Tártaro ou Inferno' XVI.

tártaro² sm. 'depósito salino, rico em tartarato, que o vinho deixa nas paredes dos tonéis' 'odontolite' 1813. Do fr. *tartare*, deriv. do lat. med. *tartarum* || **tartár**ICO XVI.

tártaro³ adj. sm. 'gago' 1813. De origem onomatopaica || **tartar**EAR vb. 'gaguejar' XVI. Cp. TÁTARO.

tártaro⁴ adj. sm. 'relativo a ou natural da Tartária' XIV. Do lat. med. *Tartarus*, deriv. do turco *Tātār* 'ramo da raça turca', com infl. paretimológica do lat. *Tartărus -i* 'Tártaro' || **tartari** sm. 'ant. tecido de luxo' XIV.

tartaruga sf. 'designação comum aos reptis quelônios aquáticos, que vêm à terra apenas para a desova' XV. Do it. *tartaruga*.

tartufo sm. 'homem hipócrita' 'devoto falso' XIX. Do fr. *tartufe*, do nome de um personagem da comédia italiana *Tartufo*, tornada célebre pela personagem de Molière (Le *Tartuffe*, 1664).

taruga sf. 'vicunha' 1874. Do hisp.-americano *taruga*, deriv. do quíchua *tarukha*.

tarugo sm. 'espécie de torno' 1844. De origem obscura, provavelmente pré-romana.

⇨ **tarugo** | 1721 RB || **tarug**AR | 1721 RB |.

tarumã sm. e f. 'planta da fam. das verbenáceas' | *-man* 1817, *turuman* XX | Do tupi **taru'mã* || **taru-man**EIRO 1876 || **tarumaz·**EIRO XX.

tasca¹ → TASCAR.

tasca² sf. 'taberna' 1858. De origem obscura || AtascAD·EIRO sm. 'atoleiro, lamaçal' XVIII || AtascAR vb. 'meter em atascadeiro' XVII.

tascar vb. 'orig. tasquinhar' 'ext. morder, roer' 'pop. bater, surrar' XVI. De origem obscura || **tasca**¹ sf. 'ato ou efeito de tascar' XX. Dev. de *tascar* || **tasco** sm. 'orig. casca de linho' 'ext. pedaço, bocado' XVI || **tasqu**INH·AR vb. 'separar o tasco do linho' 1813.

tassalho sm. 'fatia grande' 'grande naco' | *taçalhas* f. pl. XVI | De origem obscura || AtassalhAR XVIII.

⇨ **tassalho** — AtassalhAR | *a* 1595 *Jorn* 78.*13* |.

tasselo sm. '(Escult.) cada uma das peças, geralmente de gesso, de um modelo, estátua etc. | *-llo* 1899 | Do it. *tassèllo*.

tataíra sf. 'abelha da fam. dos meliponídeos' | *tatahyra* 1817 | Do tupi *tatae'ira*, de *ta'ta* 'fogo' + *e'ira* 'mel'.

tatajuba sf. 'planta da fam. das moráceas' | *a* 1667, *tatagiba* 1587 etc. | Do tupi *tata'ïṵa*.

tataoca sf. 'espécie de formiga' 1833. Do tupi **tata'oka*.

tatapecoaba sf. 'abanador (para o fogo)' *c* 1607. Do tupi *tatapeko'aṵa*.

tátaro adj. sm. 'que, ou quem fala trocando o *c* por *t*' 'gago' 1813. De formação expressiva || **tataranha** adj. s2g. 'diz-se de, ou pessoa tímida, atada' 1813. Cp. TÁRTARO³.

tate·ante, -ar → TATO.

tatibitate adj. s2g. 'que, ou aquele que fala trocando certas consoantes' 1813. De origem onomatopaica.

tática sf. 'parte da arte da guerra que trata da disposição e da manobra das forças durante o combate ou na iminência dele' 1874. Do fr. *tactique*, deriv.

do gr. *taktikḗ* (*téchnē*) || **tát**ICO 1874. Do fr. *tactique*, deriv. do gr. *taktikós* || **taticoGRAF·IA** | *tacticògraphia* 1899.
⇨ **tática** | *tacti-* 1836 SC |.
tato *sm.* 'o sentido através do qual recebemos as sensações de contato e pressão, as térmicas e dolorosas' | *tauto* XV | Do lat. *tāctus -us* || IN**tá(c)t**IL *adj. 2g.* 'intangível, intocável' 1803. Do lat. *intāctĭlis -e* || IN**ta(c)to** *adj.* 'não tocado' XVI. Do lat. *in-tāctus* || **ta(c)teANTE** XX || **ta(c)tEAR** *vb.* 'aplicar o tato a' 1813 || **tá(c)t**IL *adj. 2g.* 'relativo ao tato' 'tateável' 1839. Do lat. *tāctĭlis -e* || **ta(c)t**IL·IDADE 1899 || **ta(c)t**ISMO *sm.* 'influência que certas substâncias ou formas de energia exercem no desenvolvimento dos seres unicelulares' XX. Do fr. *tactisme* || **ta(c)tURA** 1813. Cp. TANGER.
tatu *sm.* 'nome comum aos mamíferos desdentados da fam. dos dasipodídeos' 1576. Do tupi *ta'tu* || **tatuapara** *c* 1594. Do tupi *tatua'para* < *ta'tu* + *a'para* 'torto' || **tatucaba** *sf.* 'espécie de vespa' XX. Do tupi **tatu'kaua* < *ta'tu* + *'kaua* 'vespa' || **tatuguaxima** *c* 1594. Do tupi *tatuüa'šïma* < *ta'tu* + *'uaia* 'rabo' + *'sïma* 'liso' || **tatuí** | *tatuig* 1610 | Do tupi *tatu'i* < *ta'tu* + *'i* 'pequeno' || **tatupeba** 1587. Do tupi *tatu'peua* < *ta'tu* + *'peua* 'chato' || **tatupebuçu** *c* 1594. Do tupi *tatupeuu'su* < *tatu'peua* + *u'su* 'grande' || **taturana** *sf.* 'espécie de vespa'. Do tupi *tatu'rana*.
tatuar *vb.* 'introduzir sob a epiderme substâncias corantes a fim de apresentar na pele desenhos e pinturas' 1899. Do fr. *tatouer*, deriv. do ing. *to tattoo* e, este, do taitiano *tatau* || **tatuAGEM** 1881. Do fr. *tatouage*.
tatu·caba, -guaxima, -í, -peba, -pebuçu → TATU.
tatura → TATO.
taturana → TATU.
tau *sm.* 'figura heráldica em forma de T, que os cônegos de Santo Antão usavam em seus hábitos' XVI. Do lat. *tau*, deriv. do gr. *tâu* 'a letra *t*', de origem semítica.
tauá *sf.* 'argila colorida por óxido de ferro, de que se extrai uma tinta de cor amarela' | *taguá* 1693, *tayá* 1763 etc. | Do tupi *ta'üa*.
tauari *sm.* 'planta da fam. das lecitidáceas, cuja casca serve como mortalha de cigarro' 1833. Do tupi **taua'ri*.
tauató *sm.* 'ave falconiforme da fam. dos falconídeos' | *toató* 1587, *toato c* 1594, *taguato* 1618 etc. | Do tupi *taüa'to*.
taumaturgo *adj. sm.* 'que, ou aquele que faz milagres' | 1858, *thau-* 1844 | Do fr. *thaumaturge*, deriv. do gr. *thaumatourgós* || **taumaturgIA** | *thau-* 1874 | Do fr. *thaumaturgie*.
⇨ **taumaturgo** | 1836 SC, *thau-* 1836 SC |.
taur(o)- *elem. comp.*, do gr. *tauro-*, de *táuros* 'touro', que se documenta em alguns vocábulos introduzidos, a partir do séc. XIX, na linguagem erudita: ▶ **táurEO** *adj.* '(Poét.) taurino' 1844. Do lat. *taurĕus* || **tauriCÓRN·EO** | *-corno* 1881 || **taurÍFERO** 1858. Do lat. *taurĭfĕrum* || **taurI·FORME** 1858. Do lat. *tauriformis -e* || **taurINO** *adj.* 'relativo a, ou próprio do touro' XVII. Do lat. *taurīnus* || **tauroCÉFALO** | XX, *tauricephalo* 1881 || **tauroMAQU·IA** | *-chia* 1858 | Do fr. *tauromachie*, deriv. do gr. *tauromachía* || **tauroMÁQU·ICO** | *-chico* 1874 | Do fr. *tauromachique*.

⇨ **taur(o)-** — **táurEO** | 1836 SC |.
tauto- *elem. comp.*, do gr. *tautó* 'o mesmo', que se documenta em alguns compostos formados no próprio grego (como *tautologia*) e em muitos outros introduzidos, a partir do séc. XIX, na linguagem erudita ▶ **tautóCRONO** | *-chrono* 1813 | Do fr. *tautochrone* || **tautoFON·IA** | *-pho-* 1874 || **tautoFÔN·ICO** XX || **tautoGRAMA** | *-mma* 1858 | Do fr. *tautogramme* || **tautoLOG·IA** 1858. Do fr. *tautologie*, deriv. do lat. tard. *tautologia* e, este, do gr. *tautología* || **tautoLÓG·ICO** 1899. Do fr. *tautologique* || **tautoMER·IA** XX || **tautoMETR·IA** 1858 || **tautos·SILÁB·ICO** XX. Do fr. *tautossyllabique* || **tautos·SILAB·ISMO** XX.
⇨ **tauto-** — **tautoLOG·IA** | 1836 SC |.
tauxia *sf.* 'obra de embutidos de couro, prata etc., em aço ou ferro' XVI. Do ár. *táušiya*, nome de ação do verbo *uášša* 'colorir, embelezar' || A**tauxiAR** *vb.* 'tauxiar' XVI | **tauxiAR** *vb.* 'ornamentar ou lavrar com tauxia' XVIII.
tavão *sm.* 'mosca-da-madeira' XVII. Do lat. *tabānus -ī* || A**tavanADO** *adj.* 'preto ou castanho com malhas brancas nos ilhais ou nas espáduas (equídeo)' 1871 || **EstabanADO**, **EstavanADO** *adj.* 'que tem maneiras precipitadas' 1813 || **EstouvADO** *adj.* 'estavanado' 1813 || **tavanÊS** *adj.* 'estouvado' | *tauanes* XVI.
⇨ **tavão** — A**tavanADO** | 1836 SC |.
távol·a, -agem, -atura → TÁBUA.
tax·ícola, -iforme → TEIXO.
taxar *vb.* 'estimar, avaliar' 'estabelecer ou regular a taxa do preço de' XIV. Do lat. *taxāre* || **taxa** *sf.* 'imposto, tributo' XIV. Dev. de *taxar* || **tax**AÇÃO | *-çon* XV | Do lat. *taxātĭō -ōnis* || **tax**ADOR 1813 || **tax**AT·IVO XVIII. Adapt. do fr. *taxatif* || **táxi** *sm.* 'orig. medidor de distância' 'automóvel de praça, provido de medidor de distância' XX. Abrev. de *taxímetro*, pelo modelo do fr. (ou do ing.) *taxi*, de *taximètre* (ou *taximeter*) || **taxÍMETRO** *sm.* 'aparelho que, nos carros de praça, registra o preço que se deve pagar pelo percurso efetuado' XX. Do fr. *taximètre* (ou do ing. *taximeter*).
táxi → TAXAR.
-taxi- *elem. comp.*, do gr. *taxi-*, de *táxis -eōs* 'ordem, orientação', que se documenta em alguns vocs. introduzidos, a partir do séc. XIX, na linguagem erudita ▶ **taxiDERM·IA** 1874. Do fr. *taxidermie* || **taxiDERM·ISTA** 1874 || **taxioLOG·IA** 1858. Do fr. *taxilogie* || **taxioNOM·IA** 1858. Do fr. *taxinomie*.
taxi *sm.* 'designação comum a várias plantas das fam. das leguminosas, gencianáceas e poligonáceas' XIX. Do tupi **ta'ši* || **taxiZ·EIRO** XIX.
taxímetro → TAXAR.
taxíneo → TEIXO.
taxio·logia, -nomia → -TAXI-.
taxizeiro → TAXI.
taylorismo *sm.* 'sistema de exploração industrial' XX. Do fr. *taylorisme* (ou diretamente do ing. *taylorism*), deriv. do antrop. *Taylor*, de Frederick W. Taylor, engenheiro e economista norte-americano (1856-1915) || **taylorISTA** XX.
tcheco *adj. sm.* 'pertencente ou relativo à Boêmia' 'língua eslávica do grupo ocidental, intimamente aparentada com o eslovaco e o polaco' | *tcheque* 1878, *cheque* 1904, *tcheco* 1911 | Do fr. *tchèque*, deriv. do tcheco *čech* || **tcheco-ESLOVACO** *adj. sm.*

'pertencente ou relativo à Tchecoslováquia, nação constituída em 1918 a 1922, pela união da Boêmia, da Morávia e da Eslováquia, províncias que pertenciam ao antigo império austro-húngaro (a partir de 1993 dividiu-se em dois Estados: Rep. Tcheca e Rep. Eslovaca' 'natural da Tcheco-Eslováquia' | *tcheco-slovaco* 1918 | O composto port. já ocorre em 1911 para denominar (desnecessária e impropriamente) uma subdivisão do grupo ocidental das línguas eslávicas, na qual se incluiriam o tcheco, o eslovaco e o moravo.
tchernoziom *sm.* 'terra vegetal negra, fértil e humosa do sul da Rússia' XX. Do fr. *tchernozion*, deriv. do russo *černozëm* 'terra preta', de *čërnyĭ* 'preta' e *zemlyá* 'terra'.
te *pron.* XIII. Do lat. *tē*.
te·ada, -agem → TEIA².
te·antrop·ia, -o → TE(O)-.
tear → TEIA².
teatino *sm.* 'religioso da congregação fundada em Roma, em 1524, por S. Caetano de Tiene e Gian Pietro Carrafa' | *the-* 1813 | Do it. *teatino*, deriv. do lat. *Teātīnus*, do top. lat. *Teāte* 'Teate'.
➪ **teatino** | 1614 SGonç II. 167.*21* |.
teatro *sm.* '*orig.* local onde se representam obras dramáticas, óperas etc.' '*ext.* a arte de representar, o palco' | *the-* XV | Do lat. *theātrum -i*, deriv. do gr. *théātron* || **teatr**AL XVII. Do lat. *theātrālis -e* || **teatr**AL·IDADE XX || **teatró**LOGO XX. Cp. *anfiteatro*; V. ANFI-.
tebano *adj. sm.* 'relativo a ou natural de Tebas, cidade da Grécia antiga e do antigo Egito' XVI. Do lat. *thēbānus*, do top. *Thēbae -ārum*, deriv. do gr. *Thēbai* 'Tebas' || **teb**AICO *adj. sm.* '*orig.* tebano' '*ext.* relativo ao ópio' | *the-* 1899 | Do ing. *thebaic*, deriv. do lat. *thēbaicus* e, este, do gr. *thēbaïkós* 'de Tebas, no Egito' || **tebaida** *sf.* '*fig.* retiro, solidão, ermo' 1793. Do fr. *thébaïde*, deriv. do lat. *thēbāis -idis* e, este, do gr. *Thēbaís -idos*, 'de Tebas, na Beócia' || **teba**ÍSMO *sm.* 'intoxicação pelo ópio' XX. Do fr. *thébaïsme*.
teca¹ *sf.* 'árvore de grande porte da fam. das verbenáceas, de grande importância pela excelente madeira' XVI. Do malaiala (e tamul) *tēkku*.
teca² *sf.* 'qualquer estrutura que forma um invólucro protetor' 1890. Do lat. *thēca*, deriv. do gr. *thḗkē* 'cofre, caixa'.
-teca *suf. nom.*, deriv. do gr. *thḗkē* 'caixa, cofre, receptáculo', que se documenta em compostos eruditos, alguns formados no próprio grego, como *biblioteca, hipoteca* etc., e vários outros de formação moderna, como *discoteca, mapoteca* etc.
tecer *vb.* 'entrelaçar regularmente os fios de' '*fig.* enredar, intrigar' | XIV, *texer* XIII, *teixer* XIV | Do lat. *těxĕre* || ENTRE**tecer** XVI || **tec**ED·EIRA XIV || **tec**EDOR XIII || **tec**ELAGEM 1797 || **tecelão** *sm.* 'aquele que tece' | *teçelam* XIII || **tec**IDO *sm.* 'conjunto formado pelo entrelaçamento dos fios' XVI || **tec**IMENTO | -*çi-* XV | Cp. TEIA², TELA.
-técio *suf. nom.*, deriv. do gr. *thḗkion*, dim. de *thḗkē* 'caixa, cofre, receptáculo', que se documenta na formação de alguns compostos eruditos, como *anfitécio, hipotécio* etc. Cp. -TECA.
tecla *sf.* '*ant.* armadilha' XV; 'cada uma das alavancas de madeira que, postas em movimento pelos dedos do executante, acionam o mecanismo que faz soar o piano, o cravo etc.' XVI. De origem incerta || **tecl**ADO *sm.* 1844.
➪ **tecla** — **tecl**ADO | 1836 sc |.
tecnécio *sm.* '(Quím.) elemento de número atômico 43, artificial, radioativo' XX. Do lat. cient. *technētium*, deriv. do gr. *technētós* 'artificial', por ter sido o primeiro elemento artificial produzido. O tecnécio foi descoberto em 1937 pelos químicos C. Perrier e E. Segrè, na Itália.
tecn(o)- *elem. comp.*, do gr. *techno-*, de *téchnē* 'arte, habilidade', que se documenta em alguns compostos formados no próprio grego (como *tecnologia*) e em muitos outros introduzidos, a partir do séc. XIX, na linguagem erudita ▶ A**tecn**IA² XX || **técn**ICA *sf.* 'conjunto de processos de uma arte' 'maneira ou habilidade especial de executar ou fazer algo' 1890. Fem. substantivado de *técnico* || **técn**ICO *adj.* 'peculiar a uma determinada arte, ofício, profissão ou ciência' | *technico* 1844; *sm.* 'especialista, perito' XX. Do fr. *technique*, deriv. do lat. *technĭcus -i*, e, este, do gr. *technikós* || **tecn**ICOLOR *adj. 2g.* 'diz-se de certo processo de cinema em cores' XX. Do ing. *technicolor* || **tecno**CRAC·IA XX || **tecno**CRATA XX || **tecno**GRAF·IA | **tecno**graphia 1858 || **tecno**LOG·IA | *tech-* 1844 | Do fr. *technologie*, deriv. do gr. *technología*.
➪ **tecn(o)-** — **técn**ICA | *technica* 1881 CA || **técn**ICO | *technico* 1783 *in* ZT || **tecno**LOG·IA | *technologia* 1783 *in* ZT ||.
tecodonte *sm.* 'réptil extinto, caracterizado pelos dentes implantados em alvéolos' | *the-* 1899 | Do lat. cient. *thecodontes*, do gr. *thḗkē* 'caixa, receptáculo' e *odoús odóntos* 'dente'.
tectônica *sf.* '*orig.* a arte de construir edifícios' 1899; '*ext.* parte da geologia que trata das deformações da crosta terrestre devidas às forças internas que sobre ela se exerceram' XX. Do fr. *tectonique*, deriv. do gr. *tektoniké* 'a arte de carpinteiro ou de marceneiro' || **tectôn**ICO 1899. Do gr. *tektonikós*, através do fr. *tectonique* ou do ing. *tectonic* || **tecton**ITO *sm.* XX.
tectriz *adj. sf.* 'diz-se de, ou cada uma das penas que recobrem a cauda e as asas das aves' 1899. Do lat. *tectrice, fem. de *tector, de *tegĕre* 'cobrir'.
tedífero → TEIA¹.
tédio *sm.* 'aborrecimento, fastio, desgosto' | *tedeo* XIII | Do lat. *taedĭum -iī* || EN**tedi**AR XIX || EN**tejar** '*ant.* entediar' | XIV, *-to-* XVI | Do lat. *intaediāre || EN**tejo** | *-to-* 1813 | Dev. de *entejar* || EN**ticar** *vb.* 'provocar, aborrecer' 1899. De um lat. *intaedĭcāre || **tedi**OSO XVIII. Do lat. *taediōsus*. Cp. ENOJAR.
tefromancia *sf.* 'adivinhação em que se usava a cinza dos sacrifícios' | *tephro-* 1874 | Do gr. *téphra* 'cinza' + *-mancia*, por via erudita || **tefro**MANTE XX.
tegão *sm.* 'canoura' 1881. De origem obscura.
tegme, tégmen, tégmina → TEGUMENTO.
tégula *sf.* 'escama que cobre a base da asa dos insetos de várias ordens' 1899. Do lat. *tēgŭla*. Cp. TELHA.
tegumento *sm.* 'o que cobre o corpo do homem e dos animais' 1858. Do lat. *tegumentum -i* || **tegme**, **tégmen** *sm.* 'tegumento interno das sementes que têm tegumento duplo' 1881. Do lat. *tegmen -ĭnis* || **tégmina** *sf.* 'a asa anterior, mais ou menos co-

riácea, dos ortópteros' XX. Do lat. *tegmina*, pl. de *tegmen -inis*.
teia¹ *sf.* '(Poét.) tocha, facho, archote' XIII. Do lat. *taeda* ou *tēda* || At**e**AR *vb.* 'soprar, avivar (o fogo)' XVI || ted**í**FERO *adj.* '(Poét.) que traz ou leva teia' 1844. Do lat. *taedifěrum*.
⇨ **teia**¹ — ted**í**FERO | 1836 SC |.
teia² *sf.* 'aquilo que foi tecido' | *tea* XIII, *tela* XIII | Do lat. *tēla* || te**A**DA *sf.* 'teia de pano' XIV || te**A**GEM *sf.* 'teia, tela' XVI || te**A**R *sm.* 'aparelho ou máquina destinada a produzir tecidos, tapeçaria etc.' | XV, *thear* XIV | Cp. TECER, TELA.
teiforme *adj.* 2g. 'semelhante a chá' 1874. Do fr. *théiforme*, de *thé* 'chá' || te**Í**NA *sf.* 'princípio ativo do chá' | *the-* 1874 | Do fr. *théine*, deriv. do lat. cient. *theīna*.
teima *sf.* 'insistência em fazer alguma coisa, ainda que enfrentando dificuldades ou obstáculos' XVI. Do lat. *thema -ătis*, deriv. do gr. *thêma -atos* || teim**A**R 1813 || teim**OS**·IA 1890 || teim**OSO** XVI. V. TEMA.
teína → TEIFORME.
teiró *sm.* 'uma das peças do arado' XVII. Do lat. **te(l)eiro(l)a*, de *tēlum* 'dardo'.
teiú *sm.* 'designação genérica do lagarto, em tupi' | *a* 1696, *teju* 1618, *teû* 1730 etc. | Do tupi *te'ju* || teiu**AÇU** | *tijuaçu* 1587 | Do tupi *teiuŭa'su* < *te'ju* + *ŭa'su* 'grande'.
teixo *sm.* 'planta ornamental da fam. das taxáceas' XVII. Do lat. *taxus -ī* || tax**Í**COLA 1899 || taxi**FORME** 1899 || tax**ÍN**·EO | *-neas* f. pl. 1899.
tejadilho → TETO.
tejoila, tejoula *sf.* 'um dos ossos do casco do cavalo' | *tejoila* XVIII, *tejoula* XX | De origem obscura.
tela *sf.* 'orig. tecido, teia' XIII; 'ext. tecido sobre o qual se pintam telas' 'ext. quadro pintado sobre tela' 1881. Do lat. *tēla* || tala**GARÇA** *sf.* 'tecido de fios ralos, onde se borda' | *-sa* 1844 || tel**ÃO** *sm.* 'pano com anúncios que, nos teatros, pende adiante do pano de boca' 1881. Do cast. *telón* || tel**ILHA** *sf.* 'tela fina' XVI. Do cast. *telilla*. Cp. TECER, TEIA².
telalgia *sf.* 'dor no bico do seio' | *the-* 1858 | Do gr. *thélē* 'mamilo' + -ALGIA, por via erudita || tel**ITE** | *the-* 1874.
telamão *sm.* 'estátua com figura de homem usada para suster entablamentos, cornijas, brasões etc.' | *telamones* pl. 1881 | Do fr. *télamon*, deriv. do lat. *telamōnes* pl. e, este, do gr. *telamón -ōnes*.
telão → TELA.
-tel(e)- *elem. comp.*, do gr. *têle-*, de *têle* 'longe, ao longe, longe de', que se documenta em inúmeros compostos introduzidos, a partir do séc. XIX, na linguagem erudita ♦ tel**ANGI**·ECTAS·IA 1890 || tele**ANGI**·OMA XX || tele**ATOR** XX || tele**COMUNICA**·ÇÃO XX. Do fr. *télécomunication* || tele**DINÂM**·ICO XX. Do fr. *télédynamique* || tele**FÉRICO** XX. Do fr. *téléphérique*, de *téléphérage*, deriv. do ing. *telpherage* (1883, Fleeming Jenkin) || tele**FON**·ADA XX || tele**FON**·AR XX. Do fr. *téléphoner* || tele**FONE** | *-pho-* 1899 | Do fr. *téléphone*. O voc. já se documenta em alemão (*Telephon*), desde 1796 || tele**FON**·EMA XX || tele**FON**·IA | *-pho-* 1858 | Do fr. *téléphonie* || tele**FÔN**·ICO | *-pho-* 1874 | Do fr. *téléphonique* || tele**FON**·ISTA XX. Do fr. *téléphoniste* || tele**FOTO** | *-phote* 1899 || tele**FOTO**·GRAF·IA | *-photographia*

1899 | Do fr. *téléphotographie* || tele**GON**·IA XX || tele**GRAF**·AR | *-phar* 1874 | Adapt. do fr. *télégraphier* || tele**GRAF**·IA | *-phia* 1874 | Do fr. *télégraphie* || tele**GRAF**·ISTA | *-phis-* 1874 | Do fr. *télégraphiste* || tel**É**GRAFO 1813. Do fr. *télégraphe*, voc. criado por Miot no final do séc. XVIII || tele**GRAMA** | *-mma* 1874 | Do fr. *télégramme* || tele**GUIAR** XX || tel**Ê**METRO 1874. Do fr. *télémètre* || tel**ENCÉFALO** XX || tele**NOVELA** XX || tele**OBJETIVA** XX. Adapt. do fr. *téléobjectif* || tele**PAT**·IA | *-thia* 1899 | Do fr. *télépathie*, deriv. do ing. *telepathy* || tel**ESCÓP**·ICO 1874. Do fr. *téléscopique* || tel**ESCÓP**·IO 1844. Do fr. *télescope*, deriv. do lat. cient. *telēscopium*. O voc. foi introduzido, com a forma italiana *telescopio*, na linguagem científica internacional, por Galileu, em 1611. Porta e Kepler usaram o lat. cient. *telescopium* em 1613 || tele**SPECTADOR**. Do fr. *téléspectateur* XX || tele**TEATRO** XX || tele**TIPO** XX. Do ing. *teletype* || tele**VISÃO** XX. Do ing. *television* || tele**VISION**·ADO XX || tele**VISION**·AR XX. Do fr. *télévisionner* || tele**VISOR** XX. Do ing. *televisor* || tev**Ê** XX. De *tê* e *vê*, nomes das letras T e V, pelo modelo do ing. TV, forma abreviada de *TeleVision*.
⇨ **-tel(e)-** — tel**ESCÓP**·IO | 1836 SC |.
telega *sf.* 'carroça de quatro rodas usada na Rússia para transportar mercadorias' 1877. Do fr. *téléga*, deriv. do russo *teléga*.
tele·gonia, -grafar, -grafia, -grafista, -grafo, -grama, -guiar, -metro, -ncéfalo, -novela, -objetiva → -TEL(E)-.
tele(o)- *elem. comp.*, do gr. *téleios* 'perfeito, acabado', que se documenta em alguns compostos introduzidos, a partir do séc. XIX, na linguagem científica internacional ♦ tele**OLOGIA** *sf.* 'estudo da finalidade' 1874. Do fr. *téléologie* || tele**ÓS**·TEO *sm.* 'a subclasse dos peixes com esqueleto ósseo' 1899. Adapt. do fr. *téléostéen* || tel**ÉSIA** *sf.* 'desus. corindon' 1899. Do fr. *télésie*, nome dado por Haüy, em 1796, a três pedras preciosas (rubi, safira e topázio do Oriente), deriv. do gr. *telésios* 'acabado, perfeito'.
tele·patia, -scópico, -scópio → -TEL(E)-.
telésia → TELE(O)-.
tele·spectator, -teatro, -tipo, -visão, -visionado, -visionar, -visor → -TEL(E)-.
telha *sf.* 'peça, em geral de barro cozido, usada na cobertura de edifícios' | XIV, *tella* XIII etc. | Do lat. *tēgŭla* || des**telhAR** 1813 || re**telhAR** XVII || telh**ADO** *sm.* 'o conjunto de telhas que cobrem uma construção' XIII || telh**AR** XVI || telh**EIRO** 1813 || **telho** *sm.* 'tampa de barro' 'pedaço de telha' XVIII. Do lat. *tēgŭlum -i* 'telhado'. Cp. TÉGULA.
⇨ **telha** — telh**EIRO** | 1647 *in* ZT |.
telilha → TELA.
telite → TELALGIA.
teliz *sf.* 'pano com que se cobre a sela do equídeo' XVI. Do lat. *trilix -īcis*; a queda do *r* se deve ao fato de o voc. lat. ter passado pelo ár. *tillīs*.
telso *sm.* 'último acne do abdome dos crustáceos' XX. Cp. gr. *télson* 'limite'.
telur(i)- *elem. comp.*, do lat. *tellūs -ūris* 'terra, solo', que se documenta em alguns compostos introduzidos, a partir do séc. XIX, na linguagem erudita ♦ tel**ÚRICO** | *-llu-* 1874 | Do fr. *tellurique* || telur**ÍDR**·ICO | *-llurhy-* 1874 | Do fr. *tellurhydrique*

|| **telurí·FERO** *adj.* 'que contém telúrio' | *-llu-* 1899 ||
telúrio *sm.* '(Quím.) elemento de número atômico 52, não metálico, pulverulento, preto-acinzentado' | *-llu-* 1881 | Do fr. *tellure*, deriv. do lat. cient. *tellūrium*. O voc. foi criado em 1798, pelo alemão M. H. Klaproth, em oposição a *urânio* || **telur**ISMO *sm.* 'influência do solo de uma região nos costumes, caráter etc., dos seus habitantes' | *-llu-* 1874 | Do fr. *tellurisme*.
tema *sm.* 'proposição que vai ser tratada ou demonstrada' 'assunto' '*ext.* (Gram.) radical de uma palavra, ao qual se acrescenta uma desinência ou sufixo' | *the-* XVI | Do lat. *thēma -ătis*, deriv. do gr. *théma -atos* || **tem**ÁTICO | *the-* 1899 | Do fr. *thématique*, deriv. do gr. *théma -atikós* || **temato**LOG·IA | *the-* 1899 | V. TEIMA.
tembetá *sm.* 'metara' XX. Do tupi **itaɱe'ta* < *i'ta* 'pedra' + *ɱe'tara* 'metara'. V. METARA.
temblar *vb.* 'afinar (instrumentos) uns pelos outros' 1858. Do cast. *templar* 'moderar, temperar', confundido com *temblar* 'tremer'.
temor *sm.* 'medo, susto' XIII. Do lat. *tĭmor -ōris* || A**temor**IZAR XVI || DES**tem**IDO 1813 || DES**temor** XVII || **tem**ENTE XIII || **tem**ER XIII. Do lat. *tĭmēre* || **temerÁRIO** *adj.* 'arriscado, perigoso' 'precipitado' XV. Do lat. *temerārius* || **temer**IDADE *sf.* 'imprudência, ousadia' XVI. Do lat. *temerĭtās -ātis* || **temero** *adj.* 'temível' 'temerário' 1899 || **temero**OSO XIII. De *temor*, com assimilação do segundo *e*, sem dúvida por influência de *temer* || **tem**IBIL·IDADE XX. Adapt. do it. *temibilità* || **tem**IDO XVII || **tem**ÍVEL 1874 || **timorato** *adj.* 'medroso, receoso, tímido' XVII. Do lat. *timōrātus -a -um*.
⇨ *temor* — tem**ÍVEL** | 1836 SC |.
temperar *vb.* 'deitar tempero em' 'suavizar, amenizar' 'misturar proporcionalmente' 'moderar, conter' 'conciliar, harmonizar' | *ten-* XIII | Do lat. *tĕmpĕrāre* || DES**temper**ADO XIV || DES**temper**AMENTO XIV || DES**temper**ANÇA XIV || DES**temperar** XIV || DES**tempero** 1844. Dev. de *destemperar* || IN**temper**ADO XVII. Do lat. *intemperātus* || IN**temper**ANÇA XVII. Do lat. *intemperantĭa* || IN**temper**ANTE XVII. Do lat. *in-temperāns -antis* || IN**temperar** XVII || IN**tempérie** *sf.* 'mau tempo' XVII. Do lat. *intemperĭēs -ēī* || RE**temperar** 1881 || **têmpera** *sf.* 'ato ou efeito de temperar' 'temperamento' XVI. Talvez do it. *tèmpera*, dev. de *temperare* 'temperar' || **temper**ADO XIV. Do lat. *temperātus*, part. pass. de *tĕmpĕrāre* || **temper**ADOR XVI. Do lat. *temperātor -ōris* || **temper**AMENT·AL XX || **temper**AMENTO *sm.* 'têmpera, em sua 1ª acepção' 'índole, feitio, caráter' XIV. Do lat. *temperāmentum -ī* || **temper**ANÇA *sf.* 'moderação, comedimento' | *tĕperāça* XIV | Do lat. *temperantĭa* || **temper**ANTE XVII. Do lat. *temperāns -antis*, part. pres. de *tĕmpĕrāre* || **temperat**·URA *sf.* 'quantidade de calor existente no ambiente ou num corpo' '*fig.* situação ou estado moral' 1813. Do lat. *temperātūra* || **temper**EIRO *sm.* 'utensílio que as tecedeiras usam para esticar o pano no tear' 1844 || **tempérie** *sf.* 'temperatura, em sua 1ª acepção' XVII. Do lat. *temperĭes -ēī* || **tempero** *sm.* XVI. Dev. de *temperar*.
⇨ *temperar* — DES**tempero** 1836 SC || **temper**EIRO | *-ros* pl. 1836 SC |.
tempest·ade, -ividade, -ivo, -uar, -uoso → TEMPO.

templo *sm.* 'edifício público destinado ao culto religioso' 'ordem militar e religiosa fundada em Jerusalém, em 1123, por Hugo de Payns, com o fim de proteger os peregrinos' XIII. Do lat. *templum -ī* || **templ**ÁRIO *sm.* 'cavaleiro do Templo' 1813. Do lat. med. *templārius* || **templ**EIRO *sm.* 'templário' | *tẽpreyro* XIII | Forma divergente popular de *templário*.
tempo *sm.* 'a sucessão dos anos, dos dias, das horas etc., que envolve, para o homem, a noção de presente, passado e futuro' 'momento ou ocasião apropriada para' '*ext.* as condições meteorológicas' XIII. Do lat. *tĕmpus -ŏris* || ANTE**tempo** *adv.* 'prematuramente' XVI || CON**temporiz**·ANTE 1858 || CON**temporiz**AR *vb.* '*orig.* dar tempo a' '*ext.* transigir' XVI || CON**temporiz**·ÁVEL XX || EX**temporâneo** 1844. Do lat. *extemporāneus* || IN**tempestividade** 1844. Do lat. tard. *intempestīvĭtās -ātis* || IN**tempestivo** 1844. Adapt. do fr. *intempestif*, deriv. do lat. *in-tempestīvus* || **tempestade** *sf.* 'agitação violenta da atmosfera, às vezes acompanhada de chuvas, ventos, granizo ou trovões' XIII. Do lat. *tĕmpĕstas -ātis* || **tempestividade** *sf.* 'oportunidade' XX. Do lat. *tempestīvĭtās -ātis* || **tempestivo** *adj.* 'oportuno' 1844. Do lat. *tempestīvus* || **tempestuAR** 1881 || **tempestuoso** *adj.* 'que traz tempestade' XVI. Do lat. *tempestuōsus* || **tempor**ADA | *ten-* XIV || **tempor**AL *adj.* 2g. '*orig.* relativo a tempo' XIII; *sm.* '*ext.* tempestade' XVI. Do lat. *temporālis -e* || **tempor**AL *adj.* XV. Do lat. *temporālĭtās -ātis* || **temporân**EO *adj.* 'temporário, XVII. Do lat. *tempŏrāneus* || **temporão** *adj.* 'que vem ou acontece fora do tempo próprio' XIII. Do lat. *tempŏrānus (cláss. *tempŏrāneus*) || **tempor**ÁRIO *adj.* 'transitório' XVI. Do lat. *temporārĭus* || **têmporas** *sf. pl.* 'partes laterais da cabeça entre o olho, a fronte, a orelha e a face' XIV. Do lat. *tĕmpŏra*, pl. de *tĕmpus*. O encanecimento das têmporas indica o início da velhice.
⇨ *tempo* — CON**temporiz**·ANTE | *-san-* 1836 SC || EX**temporâneo** | 1836 SC || IN**tempestividade** | 1836 SC || IN**tempestivo** | 1836 SC || **tempestivo** | 1836 SC |.
temulento *adj.* 'embriagado' XVIII. Do lat. *tēmulentus* || **temul**ÊNCIA XVII. Do lat. *tēmulentĭa*.
tenacidade → TENAZ.
tenalgia *sf.* 'dor em tendão' 1899. Do fr. *ténalgie*, deriv. do lat. cient. *tenalgia* e, este, do gr. *ténōn -ontos* 'tendão' + -ALGIA.
tenalha *sf.* 'pequena obra de fortificação' XVII. Do lat. *tenăcula*, pl. de *tenăculum*.
tênar *sm.* 'eminência da parte anteroexterna da mão, formada por certos músculos do polegar' | *the-* 1899 | Do fr. *thénar*, deriv. do gr. *thénar -aros* 'a palma da mão' 'a planta do pé'.
tenaz *adj.* 2g. 'muito aderente' 'obstinado'; *sm.* 'tipo de tesoura' | XVII, *tẽaça* XIII, *tẽace* XIII, *tenhaz* XIV | Do lat. *tenāx -ācis* || A**tanaz**AR *vb.* 'torturar, aborrecer' XVI || A**tanan**ADO 1813 || A**tazanaR** *vb.* 'atanazar' XVI || A**tanaz**AR *vb.* '*orig.* apertar com tenaz' '*ext.* atanazar' 1813 || **tenac**IDADE XVI. Do lat. *tenăcĭtās -ātis*.
tença *sf.* '*orig.* ação de ter, coisa que se tem' '*ext.* pensão em dinheiro que alguém recebe para seu sustento' | XIII, *teença* XIII etc. | Do lat. *tĕnentĭa* || **tenc**EIRO | XV, *teençyro* XIV.

tenção *sf.* 'resolução, plano, intenção' XIII. Do lat. *(con)tentiō -ōnis* ‖ **tencion**AR 1813. Cp. TENDER, TENSÃO.
tenceiro → TENÇA.
tend·ilhão, -inoso → TENDER.
tênder *sm.* 'vagão do carvão e da água engatado à locomotiva' 1881. Do ing. *tender*, de *to tend* 'atender, estar de serviço'.
tender *vb.* 'estirar, estender' 'ter vocação, inclinar-se' XIII. Do lat. *těnděre* ‖ sub**tender** 1844. Do lat. *sub-těnděre* ‖ **tenda** *sf.* 'barraca' XIII. Do b. lat. *těnda*, de *těnděre* ‖ **tend**AL XIV ‖ **tendão** *sm.* 'feixe de fibras, mais ou menos longo, em que terminam os músculos, e que se inserem nos ossos' 1813. Do lat. mod. *tendo -ĭnis*, talvez latinização do fr. *tendon*, e com a infl. do lat. *těnděre* 'tender' ‖ **tend**EIRA *sf.* | *-eyra* XIII ‖ **tend**EIRO *sm.* | *-eyro* XIII ‖ **tend**ÊNCIA *sf.* 'inclinação, propensão' 1813. Do fr. *tendance* ‖ **tend**ENCI·OSO XX. Adapt. do fr. *tendancieux* ‖ **tend**ENTE | *temdemte* XV ‖ **tend**ILHÃO | *-ilhões* pl. XIV, *-illon* XIV etc. ‖ **tendin**OSO *adj.* 'relativo aos tendões' 1844. Adapt. do fr. *tendineux* ‖ **tent**ÓRIO *sm.* 'barraca de campanha' XVII. Do lat. *tentōrĭum -iī*. Cp. TEN(O)-.
⇨ **tender** — sub**tender** | 1836 SC | **tendin**OSO | 1836 SC |.
tênebra *sf.* 'treva' 1844. Do lat. *teněbra -ārum* ‖ **tenebr**ÁRIO *sm.* 'candelabro cujas velas vão sendo apagadas progressivamente, durante o Oficio das Trevas, na Semana Santa' 1858 ‖ **tenebric**OS·IDADE 1858 ‖ **tenebric**OSO *adj.* 'acompanhado de escuridão ou perturbação da vista e do entendimento' XVII. Do lat. *tenebricōsus* ‖ **tenebr**OS·IDADE 1813 ‖ **tenebr**OSO *adj.* 'coberto de trevas, escuro' '*fig.* horrível, terrível' | XVI, *těevroso* XIII | Do lat. *tenebrōsus*. Cp. TREVAS.
⇨ **tênebra** | 1836 SC ‖ **tenebric**OS·IDADE | 1836 SC |.
ten·ência, -ente → TER.
tenesmo *sm.* 'sensação dolorosa na bexiga ou na região anal, com desejo contínuo, mas quase vão, de urinar ou de evacuar' 1813. Do fr. *ténesme*, deriv. do lat. *tēnesmos* e, este, do gr. *teinesmós* ‖ **tenesmód**ICO *adj.* 'acompanhado de tenesmo' 1813.
teni(o)- *elem. comp.*, do gr. *tainíā* 'fita, tira, tênia', que se documenta em alguns compostos introduzidos, a partir do séc. XIX, na linguagem científica internacional ▶ **tênia** *sf.* 'solitária' XIX. Do fr. *ténia*, deriv. do lat. cient. *taenia* e, este, do gr. *tainíā* ‖ **teni**FUGO 1858. Do fr. *ténifuge* ‖ **tenio**BRÂNQUIO | *-chio* 1899 ‖ **teni**OIDE | *-des* pl. 1881 | Do fr. *ténioïdés*, deriv. do lat. cient. *taenioīdēs* ‖ **teni**OPE | *-po* 1899 ‖ **teni**ÓPTERO 1899 ‖ **tenios·somo** | *teniosomo* 1899 ‖ **teni**OTO 1899.
tênis *sm. 2n.* 'jogo esportivo, de origem inglesa' '*ext.* tipo de calçado esportivo' XX. Do ing. *tennis*, deriv. do fr. *tenez*, fórmula que o servidor empregava no momento de lançar a bola; *tennis*, primeiramente, designava o jogo da péla, para, depois, se empregar como abrev. de *lawn-tennis* ‖ **ten**ISTA XX.
ten(o)- *elem. comp.*, do gr. *ténōn -ontos* 'tendão', que se documenta em alguns compostos eruditos introduzidos, a partir do séc. XIX, na linguagem da medicina ▶ **tenor·**RAF·IA 1890. Do lat. cient.

tenōrrhaphia ‖ **tenos·**SIN·ITE | *tenosy-* 1899 | Cp. TENDER.
tenor *sm.* 'a mais aguda das vozes masculinas' 'homem dotado dessa voz' XVI. Do it. *tenóre*, deriv. do lat. tard. *tenor -ōris* 'acento tônico de uma sílaba', de *tenēre*, com infl. do gr. *tónos*, donde 'voz alta, aguda' ‖ **tenor**INO *sm.* 'tenor ligeiro, que canta em falsete' XX. Do it. *tenórino*.
teno·rrafia, -ssinite → TEN(O)-.
tenro *adj.* 'mole, macio' 'delicado, mimoso' | *tenrra* f. XIV | Do lat. *teněrum* ‖ **tenr**EZA *sf.* | *tenrreza* XIV | Cp. TERNO².
tensão *sf.* 'qualidade ou estado do que é tenso' 'rigidez em certas partes do organismo' 'grande aplicação ou concentração física ou mental' 1813. Do fr. *tension*, deriv. do lat. tard. *tensiō -ōnis* ‖ CON**tensão** 1844. Do a. fr. *contençon*, deriv. do lat. *contentiō -ōnis* 'tensão' ‖ EN**tes**AR *vb.* 'fazer teso ou tenso' XIV ‖ sub**tensa** *sf.* '(Mat.) corda (de um arco)' XVIII. Fem. substantivado do adj. *subtenso*, deriv. do lat. *subtēnsus*, de *subtendēre* 'estender' ‖ **tenso** *adj.* 'esticado, retesado' 1858. Do lat. *tēnsus*, part. pass. de *tendēre* ‖ **tesão** *sf.* 'tesura' 'força, intensidade' | *tesoens* pl. XV | Forma divergente de *tensão* ‖ **teso** *adj.* 'esticado, retesado, tenso' XIV. Forma divergente de *tenso* ‖ **tes**URA *sf.* 'qualidade ou estado de teso' 1813. Cp. TENÇÃO, TENDER.
⇨ **tensão** — CON**tensão** | 1836 SC, *-ção* 1836 SC ‖ **teso** | 1836 SC |.
tent·a, -ação → TENTAR.
tentáculo *sm.* 'apêndice móvel, não articulado, na cabeça ou na parte anterior dos animais, e que lhes serve de órgão do tato ou de preensão' 1839. Do fr. *tentacule*, deriv. do lat. cient. *tentāculum*, de *temptāre* 'apalpar, tocar' ‖ **tentacul**í·FERO 1881 ‖ **tentacul**i·FORME 1899. Cp. TENTAR.
tentar *vb.* 'diligenciar, intentar' 'procurar, empreender' 'experimentar' 'sondar, tentear' 'instigar para o mal, para o pecado' XIII. Do lat. *tentāre* ou *temptāre* ‖ **tenta** *sf.* 'instrumento cirúrgico para sondar feridas ou dilatar aberturas' XVII. Dev. de *tentar* ‖ **tent**AÇÃO | *-çon* XIII | Do lat. *tentātiō -ōnis* ‖ **tent**ADOR *temptador* XV | Do lat. *tentātor -ōris* ‖ **tentame** *sm.* 'ensaio, tentativa' | *-men* XVII | Do lat. *tentāmen -ĭnis* ‖ **tent**AMENTO *sm.* 'tentação' | *tempt-* XV | Do lat. *tentāmentum -ī* ‖ **tent**ANTE 1858 ‖ **tent**ATIVA XVI. Do fr. *tentative*, deriv. do lat. escol. *tentativa* ‖ **tent**ATIVO 1858 ‖ **tent**EAR¹ *vb.* 'sondar, investigar' XVI ‖ **tento**³ *sm.* 'tira de couro, na parte posterior dos arreios, à qual se prende o que se deseja trazer à garupa' 1899. Do cast. *tiento*, de *tentar*. Cp. ATENTAR².
tento¹ *sm.* 'atenção, cuidado, tino, juízo' XIII. Do lat. *tentus*, part. pass. de *tenēre* 'segurar' ‖ **tent**E·AR² XVI.
tento² *sm.* 'peça com a qual se marcam pontos no jogo' 'ponto marcado no jogo' XVI. Do lat. *talentum -i* 'material de moeda, penhor' Cp. TALENTO.
tento³ → TENTAR.
tentório → TENDER.
tenu(i)- *elem. comp.*, do lat. *tenŭis -e* 'tênue, delgado, fino', que se documenta em alguns vocábulos introduzidos, a partir do séc. XIX, na linguagem científica internacional ▶ **tênue** *adj. 2g.* 'delgado, fino' 'frágil, grácil' XVII. Do lat. *tenŭis*

-*e* || **tenui**CÓRN·EO | *-corne* 1881 || **tenui**DADE XVII. Do lat. *tenŭitās -ātis* || **tenui**FLORO 1881 || **tenui**FOL·IADO 1881 || **tenuí**PEDE 1881 || **tenui**PENE | *-nne* 1881 || **tenui**R·ROSTRO | *-nuirostros* pl. 1881 | Do fr. *ténuirostre*.
te(o)- *elem. comp.*, do gr. *theo-*, de *theós* 'deus, divindade', que se documenta em alguns vocs. formados no próprio grego (como *teocracia*), e em muitos outros introduzidos, a partir do séc. XIX, na linguagem erudita ▶ **te**ANTROP·IA | *theanthro-* 1858 || **te**ANTROPO | *theanthro-* 1881 | Cp. gr. *theánthrōpos* || **te**ÍSMO | *the-* 1858 | Do fr. *théisme*, deriv. do ing. *theism* || **te**ÍSTA | *the-* 1844 | Do fr. *théiste* || **teo**BROMINA XX. Do fr. *théobromine* || **teo**CRAC·IA | *theo-* 1844 | Do fr. *théocratie*, deriv. do gr. *theokratía* || **teo**CRATA | *theo-* 1881 || **teodiceia** *sf.* '(Fil.) conjunto de doutrinas que procuram justificar a bondade divina, contra os argumentos tirados da existência do mal no mundo, refutando as doutrinas ateias ou dualistas que se apóiam nesses argumentos' | *theodicêa* 1874 | Do fr. *théodicée*, gr. *théos + dikē* 'justiça' || **teo**FAN·IA *sf.* 'manifestação de Deus em algum lugar, acontecimento ou pessoa' | *theopha-* 1844 | Do lat. med. *theophanĭa*, deriv. do gr. *theophâneia* || **teo**GON·IA | *theo-* 1844 | Do fr. *théogonie*, deriv. do lat. *theogŏnĭa* e, este, do gr. *theogonía* || **teo**LOG·AL | *theo-* 1844 | Do fr. *théologal* || **teo**LOG·IA | XIV, *theologia* XIV, *theoligia* XIV, *theolosia* XIV etc. | Do lat. *theologĭa*, deriv. do gr. *theología* || **teo**LÓG·ICO | *theo-* XIV | Do lat. *theologicus*, deriv. do gr. *theologikós* || **teó**LOGO | *theo-* 1844 | Do lat. *theolŏgus -i*, deriv. do gr. *theológos* || **teo**MANC·IA | *theo-* 1858 | Do ing. *theomancy*, deriv. do gr. *theomanteia* || **teo**MAN·IA | *theo-* 1881 | Do lat. cient. *theomania*, deriv. do gr. *theomanía* || **teo**MANÍ·ACO | *theo-* 1881 || **teo**MANTE XX || **teo**PS·IA | *theopsia* 1899 || **teose** *sf.* 'deificação, divinização' | *teosis* XIX | Cp. gr. *théōsis* || **teo**SOF·IA | *theosophia* 1858 | Do fr. *théosophie*, deriv. do gr. *theosophía* || **teó**SOFO | *theo-* 1874 | Do fr. *théosophe*, deriv. do gr. *theosóphos*.
⇨ **te(o)-** — **teo**CRAC·IA | *theo-* 1836 SC || **teo**GON·IA | *theo-* 1836 SC | **teo**LOG·AL | *theologaes* pl. XV CART 220.6 || **teó**LOGO | 1836 SC, *theo-* 1836 SC.
teodolito *sm.* 'instrumento óptico destinado a medir com precisão ângulos horizontais e verticais e, em alguns casos, a medir distâncias por processo indireto' | *theo-* 1844 | Do ing. *theodolite*.
teo·fania, -gonia, -logal, -logia, -lógico, -logo, -mancia, -mania, -maníaco, -mante, -psia → TE(O)-.
teor *sm.* 'texto ou conteúdo de uma escrita' *'fig.* norma, sistema, regra' | *tẽor* XIII, *tenor* XIII etc. | Do lat. *tenor -ōris*.
teoria *sf.* 'conhecimento especulativo, meramente racional' 'conjunto de princípios fundamentais duma arte ou duma ciência' 'noções, princípios' XVI. Do fr. *théorie*, deriv. do lat. *theorĭa* e, este, do gr. *theōría* || **teorema** *sm.* 'proposição que, para ser admitida ou se tornar evidente, necessita de demonstração' | *theo-* XVII | Do fr. *théorème*, deriv. do lat. tard. *theōrēma -atis* e, este, do gr. *theōrēma -atos* || **teorét**ICO *adj.* 'teórico' | *theo-* 1803 | Do fr. *théorétique*, deriv. do lat. tard. *theōrēticus* e, este, do gr. *theōrētikós* || **teór**ICA *sf.* '*ant.* teoria' | *theo-* XVI | Fem. substantivado de *teórico* || **teór**ICO *adj.* 'relativo à teoria' | *theo-* 1803 | Do fr. *théorique*, deriv. do lat. tard. *theōricus* e, este, do gr. *theōrikós*.
⇨ **teoria** — **teór**ICO | *theorico* 1537 PNun 218.*30* |.
teo·se, -sofia, -sofo → TE(O)-.
tepe *sm.* 'torrão cuneiforme usado na construção de muralhas' XVIII. Do pré-romano **tĭppe*.
tépido *adj.* 'morno' | *tepedo a* 1438 | Do lat. *tepĭdus* || **tep**ENTE *adj. 2g.* 'tépido' 1899 || **tepid**ÁRIO 1899. Do lat. *tepidārĭus* || **tepid**EZ XVIII || **tep**OR *sm.* 'tepidez' XVI. Do lat. *tepor -ōris*.
ter *vb.* 'estar na posse de' 'possuir, haver' | XIII, *teer* XIII etc. | Do lat. *tĕnēre* || **ten**ÊNCIA *sf.* 'cargo e/ou habitação de tenente' XVII. Do fr. *(lieu)tenance* || **ten**ENTE *sm.* 'substituto de um chefe na ausência deste' 'posto da hierarquia militar' XV. Do fr. *(lieu)tenant* || **teúdo** *adj.* 'obrigado' 'considerado' 'mantido' XIII.
terapêutica *sf.* 'parte da medicina que estuda e põe em prática os meios adequados para aliviar ou curar os doentes' | *the-* XIX | Do fr. *thérapeutique*, deriv. do lat. tard. *therapeutica* e, este, do gr. *therapeutikḗ*, de *therapéuō* 'eu curo' || **terapeuta** *s2g.* 'pessoa que exerce a terapêutica' | *the-* 1881 | Do fr. *thérapeute*, deriv. do gr. *therapeutḗs* || **terapêut**ICO | *the-* XVIII | Cp. gr. *therapeutikós* || **terap**IA *sf.* 'terapêutica' | *the-* 1899 | Do fr. *thérapie*, deriv. do lat. cient. *therapīa* e, este, do gr. *therapeía*.
⇨ **terapêutica** — **terapeuta** | *therapeuta* 1614 SGonç II.179.*20* |.
terat(o)- *elem. comp.*, do gr. *terato-*, de *téras -atos* 'prodígio, monstro', que se documenta em alguns compostos formados no próprio grego (como *teratologia*) e em muitos outros introduzidos, a partir do séc. XIX, na linguagem científica internacional ▶ **terato**GEN·IA 1881. Do fr. *tératogénie* || **terato**OIDE XX || **terato**LOG·IA 1881. Do fr. *tératologie*, deriv. do gr. *teratología* || **teratoLÓG·ICO** 1881. Do fr. *tératologique* || **terató**LOGO XX || **terat**OMA XX. Do ing. *teratoma*, deriv. do lat. cient. *teratōma -atis* || **terató**PAGO XX || **terato**SCOP·IA 1899. Do fr. *tératoscopie*, deriv. do gr. *teratoskopía*.
térbio *sm.* '(Quím.) elemento de número atômico 65, metal do grupo dos lantanídeos' 1899. Do fr. *terbium*, deriv. do lat. cient. *terbium*, do top. *Ytterby*, localidade na Suécia onde este elemento foi encontrado por Mosander, em 1843. Cp. ITÉRBIO.
terça → TERÇO.
terçã *adj. sf.* 'diz-se de, ou tipo de febre periódica' | *treçãa* XV | Do lat. *tertiāna (febris)*. Cp. TRÊS.
terçado → TERÇO.
terça-feira → FEIRA.
terção *sm.* 'rebento da cepa que não se cortou na ocasião da poda' XVIII. De origem incerta; talvez se ligue ao lat. *tertiānus*. Cp. TRÊS.
terç·ar, -eira, -eiro, -eto, -ia, -iarão, -iário → TERÇO.
terciopelo *sm.* 'veludo de pelos muito juntos' 1813. Do cast. *terciopelo*, por ser tecido com duas urdiduras e uma trama. Cp. TRÊS.
terço *num.* 'uma terça parte'; *sm.* 'a terça parte do rosário' XIII. Do lat. *tĕrtĭus* || **terça** *sf.* 'a terça parte' 'hora canônica' XIII; 'imposto eclesiástico equivalente à terça parte de um todo' XIV. Do lat. *tĕrtĭa* || **terç**ADO *sm.* 'espada de folha curta' | *tarçado* XVI | De *terço*, pois o seu tamanho era o de dois ter-

ços da espada || **terç**AR *vb.* 'lutar com insistência, interceder' XV || **terc**EIRA *sf.* 'medianeira, intercessora' XVII || **terc**EIRO *num.* 'ordinal equivalente a três' XIII. Do lat. *tĕrtĭārius* || **terc**ETO *sm.* 'estrofe de três versos' 1813. Adapt. do it. *terzétto* || **térc**IA *sf.* 'terça, em sua 1.ª acepção' 1873. Forma divergente culta de *terça* || **terc**IARÃO *sm.* '(Arquit.) arcos cujas extremidades partem dos ângulos de uma abóbada ogival' 1881. Do fr. *tierceron*, de *tiers*, deriv. do lat. *tĕrtĭus* || **terc**IÁRIO *adj.* 'que está ou vem em terceiro lugar ou ordem' 1858. Forma divergente culta de *terceiro*. Cp. TRÊS.
⇨ **terço** — **térc**IA | 1836 SC |.
terçol *sm.* 'pequeno abscesso no bordo das pálpebras' 1813. De origem controvertida.
terebinto *sm.* 'planta da fam. das anacardiáceas que exsuda, mediante incisão, uma goma transparente e aromática' | *-byn-* XIV | Do lat. *terebinthus -ī*, deriv. do gr. *terébinthos -inos* || **terebint**INA *sf.* 'designação comum às resinas extraídas de coníferas e de plantas da ordem *Terebinthales*' | *termentina* XIV | Do fr. *térébenthine*, deriv. do lat. med. *terebinthina*.
terebrar *vb.* 'orig. furar com verruma' 'ext. furar, perfurar' XVII. Do lat. *terĕbrāre* || **terebr**ANTE *adj.* 2g. 'que terebra'; *sm.* 'inseto da ordem dos himenópteros' 1881. Do fr. *térébrant*.
tereti- *elem. comp.*, do lat. *teres -ĕtis* 'arredondado, bem torneado' 'redondo, cilíndrico' 'polido, elegante, bem proporcionado', que se documenta em alguns compostos introduzidos, a partir do séc. XIX, na linguagem científica internacional ⟩ **tereti**CAUDE 1899 || **tereti**CAULE XX || **tereti**COLO | *-llo* 1899 || **tereti**FOLI·ADO 1899 || **tereti**FORME 1899 || **tereti**R·ROSTRO | *-tiros-* 1899.
tergal¹ → TERGO.
tergal² *sm.* 'certo tecido de fibra sintética' XX. Do fr. *tergal*, marca registrada desse produto.
tergêmino *adj.* 'tríplice, triplo' 'trigêmeo' XVII. Do lat. *ter-gemĭnus*. Cp. TRÊS.
térgito → TERGO.
tergiversar *vb.* 'voltar as costas' 'procurar rodeios, usar de subterfúgios' XVII. Do lat. *tergiversārī* || **tergivers**AÇÃO XVII. Do lat. *tergiversātĭō -ōnis* || **tergivers**ADOR 1813. Do lat. *tergiversātor -ōris* || **tergivers**ANTE 1858.
tergo *sm.* 'o dorso, as costas' XVII. Do lat. *tergum -ī* || **terg**AL¹ *adj.* 2g. XX || **terg**ITO *sm.* 'placa dorsal dos segmentos do corpo dos artrópodes' XX.
término, termo *sm.* 'fim, limite' | *termio* XIII, *termho* XIII, *termjno* XIV etc. |; 'palavra, dicção, vocábulo' | *termo* XVI | Do lat. *termĭnus* || CON**término** XVII. Do lat. *con-termĭnus* || EX**termin**AÇÃO XVII. Do lat. *exterminātĭō -ōnis* || EX**termin**ADOR 1844. Do lat. *exterminātor -ōris* || EX**termin**AR XVII. Do lat. *ex-termĭnāre* | **extermínio** XVII. Do lat. *exterminĭum -iī* | IN·EX**termin**ÁVEL 1858. Do lat. *inexterminābĭlis -e* || IN**termin**ÁVEL 1813. Do lat. *intermĭnābĭlis -e* || IN**término** 1874. Do lat. *intermĭnus* || **termin**AÇÃO | *termjnaçom* XIV | Do lat. *terminātĭō -ōnis* || **termin**AL *adj. 2g. sm.* XVI. Do lat. *terminālis -e* || **termin**ANTE 1813 || **termin**AR XIV. Do lat. *termĭnāre* || **termin**ATIVO 1858 || **termino**LOG·IA *sf.* 'nomenclatura' 1858. Do fr. *terminologie*.
⇨ **término** — CON**término** | *a* 1542 JCASE 100.*10* ||

EX**termin**ADOR | 1836 SC || IN·EX**termin**ÁVEL | 1836 SC || **termino**LOG·IA | 1841 *in* MS⁶ |.
térmite *sf.* 'cupim' XIX. Do lat. *termes -ĭtis*.
term(o)- *elem. comp.*, do gr. *thermo-*, de *thérmē* 'quente, calor', que se documenta em numerosos compostos introduzidos, a partir do séc. XIX, na linguagem científica internacional ⟩ A**térm**ANO *adj.* 'atérmico' | *ather-* 1871 | Do fr. *athermane* || A**térm**ICO | *ather-* 1871 | Do fr. *athermique*, do gr. *áthermos* 'sem calor' || **term**AL | *ther-* 1813 | Do fr. *thermal* || **term**ÂNTICO *adj.* 'que produz calor' | *ther-* 1890 | Do lat. *thermantĭcus*, deriv. do gr. *thermantikós* || **term**AS *sf. pl.* 'balneário' | *therma* 1813 | Do fr. *thermes*, deriv. do lat. *thermae -ārum* e, este, do gr. *thérmai*, de *thérmē* || **term**ELETRICIDADE | *thermo-electri* 1881 | Do fr. *thermoélectricité* || **term**ESTES·IA XX || **term**IA *sf.* '(Fís.) unidade de medida de calor' XX || **term**IATR·IA | *therm-* 1899 || **térm**ICO | *ther-* 1874 | Do fr. *thermique* || **termo**BARÔMETRO | *ther-* 1874 || **termo**CAUTÉRIO | *thermò-* 1899 | Do fr. *thermocautère* || **termo**DINÂMICA | *-dy-* 1874 | Do fr. *thermodynamique* || **termo**GÊNESE XX || **termo**GENIA XX || **termo**GRAF·IA | *thermographia* 1890 || **termo**LOG·IA | *ther-* 1890 | Do fr. *thermologie* || **termo**MAGNETISMO | *ther-* 1874 | Do fr. *thermomagnétisme* || **termo**MANÔMETRO | *thermo-* 1899 | Do fr. *thermomanomètre* || **term**ÔMETRO | 1813 | Do fr. *thermomètre* || **termo**NUCLEAR XX || **termo**PENETRAÇÃO XX || **termo**QUÍMICA | *ther-* 1890 | Adapt. do fr. *thermochimie* || **termo**SCOP·IA | *ther-* 1899 || **termo**SIFÃO | *thermosiphão* 1899 | Do fr. *thermosiphon* || **termo**STATO *sm.* '(Fís.) dispositivo destinado a manter constante a temperatura dum sistema' XX. Do fr. *thermostat*.
terno¹ *sm.* 'orig. grupo de três coisas ou pessoas' 'ext. vestuário masculino, composto, originariamente, de paletó, calça e colete' 1813. Do lat. *ternus*, mais vulgar no pl. *ternī* || **tern**ADO *adj.* '(Bot.) composto de três partes' 1858 || **tern**ÁRIO *adj.* 'orig. constituído de três' 'ext. diz-se do compasso musical que se divide em três tempos iguais' 1813. Adapt. do fr. *ternaire*, deriv. do lat. *ternārius*. Cp. TRÊS.
terno² *adj.* 'meigo, afetuoso' 1813. Do lat. *tĕnerum* || EN**tern**ECER XVI || EN**tern**EC·IMENTO 1844 || **tern**EIR·ADA XX || **tern**EIR·AGEM XX || **tern**EIRO *sm.* 'feto de gado vacum' 'bezerro' 1813 || **tern**URA 1813. Cp. TENRO.
terra *sf.* 'território, região' 'solo, chão' XIII. Do lat. *tĕrra* || A**terr**AR² *vb.* 'orig. encher de e/ou cobrir com terra' XV; 'ext. aterrissar' XX || A**terriss**AGEM XX. Do fr. *atterrissage* || A**terriss**AR *vb.* 'descer à terra, pousar (avião, helicóptero)' XX || A**terro** *sm.* 1871. Dev. de aterrar || A**terro**ADA *sf.* 'depressões que as patas dos animais deixam nos terrenos baixos ou alagadiços' 1899 || CON**terrâneo** *adj. sm.* 'que ou aquele que é da mesma terra' XVI | Do lat. *conterrāneus* || DES·EN**terr**AMENTO 1844 || DES·EN**terr**AR | *dess-* XIII || DES**terr**ADO XIII || DES**terr**AMENTO XIV || DES**terr**AR XIII || DES**terro** XVI, *sterro* XV || EN**terr**AMENTO XIII || EN**terro** XX. Dev. de enterrar || EN**terr**ADO XIII || ES**terr**AR XIII || ES**terro**·AR | 1844, *estorroar* 1813 || SO**terr**AÇÃO | *-çon* XIII, *ssuterrazon* XIV etc. || SO**terra**·MENTO XIV || SO**terr**AR | XIII, *suterrar* XIII, *subterrar* XIV etc.

| Do lat. *sŭbtĕrrāre ‖ SUBterrâneo | sobterranha f. XVI, soterrayo XIV, soterrainho XV etc. | Do lat. subterrānĕus ‖ SUBtérreo XVII ‖ **terraço** sm. 'varanda' 'cobertura plana dum edifício' XVIII. Do fr. terrasse, deriv. do a. prov. terrassa ‖ **terracota** sf. 'argila modelada e cozida em forno' | terra-cocta 1899 | Do it. terra còtta ‖ terrAL XVIII ‖ terrANT·ÉS adj. 'natural de uma terra ou povoação' | -tees XVI ‖ terraPLEN·AGEM sf. 'conjunto de operações de escavação, transporte, depósito e compactação de terras, necessárias à realização de uma obra' 1881 ‖ terraPLEN·AR | -planar XVI ‖ terraPLENO sm. 'terreno resultante da terraplenagem' XVI. Provavelmente do fr. terre-plein, deriv. do it. terrapièno e, este, do lat. med. terraplenum ‖ **terráqueo** adj. 'terrestre' XVII. Do lat. med. terraqueus ‖ terrEAL XIII ‖ terrEIRO XIII ‖ **terremoto** sm. 'sismo' XIV. Do it. terremòto, deriv. do lat. terraemōtus ‖ **terreno**[1] adj. 'terrestre' 'mundano' XVI. Do lat. terrēnus ‖ **terreno**[2] sm. 'espaço não construído de uma propriedade' | terrēo XIII, terreo XIII | Do lat. terrēnum -ī ‖ **térr**EO | tarreas f. pl. XIV | Do lat. terrĕus ‖ **terrestre** XVII. Do lat. terrestris -e 'da terra' ‖ **terréu** sm. 'baldio' | terreo 1844 ‖ terrIÇO sm. 'tipo de adubo' 1890 ‖ terrÍCOLA 1858. Do fr. terricole, deriv. do lat. terricola ‖ terrÍGENO XVIII. Do lat. terrigĕnus ‖ **terrina** sf. 'vaso de louça ou metal, ordinariamente com tampa, no qual se leva à mesa a sopa ou o caldo' XVIII. Do fr. terrine, deriv. do ant. adj. terrin (de terre 'terra'), do lat. pop. *terrīnus ‖ **terrís**·SONO 1858. Do lat. terrisŏmus ‖ **territori**AL 1813. Do lat. tard. territōriālis, através do francês ‖ **territ**ÓRIO | XV, territorio XV | Do lat. territōrĭum -ĭī ‖ **terr**ÍVOMO 1899 ‖ **terroso** 1813. Do lat. terrŏsus ‖ **torrão** sm. 'pedaço de terra endurecido' 'gleba' | terrom XIV, terrão XVI ‖ torroADA | te- XVI ‖ traMOLHADA sf. 'terra úmida' 1844. De t(er)ra molhada.
⇨ **terra**—DES·ENterrAMENTO | 1836 SC ‖ ESterro·AR | 1836 SC ‖ terrAÇO | 1656 in ZT ‖ **terracota** | 1894 in ZT ‖ terrADA 'certo tipo de embarcação usada no Oriente nos séculos XVI e XVII, especialmente' c 1608 NOReb 92.30 ‖ terrADO 'terraço' | c 1541 JCasR 262.2, c 1608 NOReb 92.7 ‖ terrAL | terrais pl. 1660. FMMelE 225.2 ‖ terraPLEN·AGEM | 1878 in ZT ‖ terréu | terreo 1836 SC ‖ territÓRIO | terrentorio XIV ORTO 346.38 ‖ tramolhADA | 1836 SC |.
terribilidade → TERROR.
terriço, terrícola → TERRA.
terrif·icante, -icar, -ico → TERROR.
terrígeno → TERRA.
terr·ina, -íssono, -itorial, -itório → TERRA.
terrível → TERROR.
terrívomo → TERRA.
terror sm. 'estado de grande pavor ou apreensão' 'grande medo ou susto' XVI. Do lat. terror -ōris ‖ AterrAR[1] vb. 'aterrorizar' | Aterroriz·ADOR XX ‖ AterrORIZ·ANTE XX ‖ AterrORIZAR vb. 'causar terror a' | -sar 1844 ‖ terrIBIL·IDADE XVI. Do lat. terribilĭtās -ātis ‖ **terrific**ANTE XVII ‖ **terrificar** vb. 'aterrorizar' XVII. Do lat. terrificāre ‖ **terrífico** XVII. Do lat. terrifĭcus ‖ terrÍVEL | XVI, terribil XVI | Do lat. terribĭlis -e ‖ terrORISMO sm. 'modo de coagir ou ameaçar outras pessoas, impondo-lhes a vontade pelo uso sistemático do terror' 'forma de ação política que combate o poder estabelecido mediante o emprego da violência' XIX. Do fr. terrorisme ‖ terrORISTA XIX. Do fr. terroriste.
terroso → TERRA.
terso adj. 'puro, limpo' XVI. Do lat. tersus.
tertúlia sf. 'reunião familiar' 'agrupamento de amigos' 'assembleia literária' XIX. Do cast. tertulia, de origem incerta.
tesão → TENSÃO.
tese sf. 'proposição' | these 1813 | Do fr. thèse, deriv. do lat. thesis -is e, este, do gr. thésis.
teso → TENSÃO.
tesoura sf. 'tipo de instrumento cortante' | -soi- XIV | Do lat. tōnsōrĭa (forpex) 'ferramenta de barbeiro' 'que serve para cortar, aparar' ‖ tesourADA | tisoy- XV ‖ tesourAR | -soi- 1881.
tesouro sm. 'grande porção de dinheiro ou de objetos preciosos' XIII. Do lat. thēsaurus, deriv. do gr. thēsaurós ‖ ENtesourAR | -the- XVI | No port. med., na acepção de entesourar, ocorrem as formas tesourar e thesaurizar, ambas no séc. XIV ‖ tesourARIA | -reria XIII ‖ tesourEIRO XIII. Do lat. thēsaurārĭus.
téssalo adj. sm. 'relativo a, ou natural da Tessália' | the- 1899 | Do lat. thessălus, deriv. do gr. thessalós ‖ tessálICO adj. sm. 'téssalo' | the- XVIII | Do lat. thessalĭcus, deriv. do gr. thessalikós ‖ **tessálio** adj. sm. 'téssalo' | the- 1899 | Do lat. thessălī -ōrum 'tessálios', deriv. do gr. thessálios.
⇨ **téssalo** | thessallo 1538 DCast 29v16 |.
tessalonicense adj. s2g. 'relativo a, ou natural de Tessalônica' | the- 1844 | Do lat. thessalonĭcēnsēs -ĭum, do top. Thessalonĭca.
⇨ **tessalonicense** | the- 1836 SC |.
téssera sf. 'orig. cubo' 'sinal, senha' 'ext. tabuleta com ordens militares' 1813. Do lat. tessĕra, deriv. do gr. (dialeto iônico) tésseres -ra (no dialeto ático, téssares -ra) ‖ **tessela** sf. 'cubo ou peça de mosaico' 'peça de mosaico' 'pedra quadrada com que se lajeiam compartimentos de edifícios' | -lla 1899 | Do fr. tessèle, deriv. do lat. tessela, dim. de tessĕra ‖ tesselÁRIO 1899. Do lat. tesselārĭus ‖ tesserÁRIO 1899. Do lat. tesserārĭus.
tessitura sf. '(Mús.) o conjunto dos sons que abrangem uma parte da escala geral e convêm melhor a uma determinada voz ou a um determinado instrumento' 1890. Do it. tessitura. Cp. TECER.
testa sf. 'parte do rosto entre os olhos e a raiz dos cabelos anteriores da cabeça' XIII. Do lat. testa ‖ ENtestAR XVI ‖ testÁCEO adj. 'que tem concha' 'vermelho da cor do tijolo' 1844. Do lat. testācĕus ‖ testADA sf. 'parte da rua ou da estrada que fica à frente de um prédio' XIII ‖ testICO sm. 'cada uma das cabeceiras da serra' 1813 ‖ testILHA sf. 'briga, luta' 1881 ‖ testILHO sm. 'frente de caixa' 'cada uma das duas faces laterais e internas da chaminé, da verga para cima' 1844 ‖ **testo**[1] sm. 'crânio' XIV. Do lat. testum -i ‖ **testo**[2] adj. 'enérgico, firme' XVI.
⇨ **testa** — testÁCEO | 1836 SC |.
testar[1] vb. 'deixar em testamento' XIII. Do lat. testārī ‖ INtestADO XVII. Do lat. intestātus ‖ INtestÁVEL XVI. Do lat. intestābĭlis -e ‖ testABIL·ADOR XIV. Do lat. testātor -ōris ‖ **testament**ÁRIO XV. Do lat. testamentārĭus ‖ **testament**EIRO | -eyro XIII | Divergente popular de testamentário ‖ **testamento** sm. '(Jur.) ato pelo

qual alguém, com observância da lei, dispõe de seu patrimônio para depois de sua morte' XIII. Do lat. *těstāměntum -ī* || **test**ANTE 1899.
teste *sm.* 'exame, verificação, prova' '(Psic.) medida ou cálculo de determinadas características afetivas, intelectuais, sensoriais ou motoras de um indivíduo' XX. Do ing. *test*, deriv. do lat. *testis -is* 'testemunha'. Na acepção de 'testemunha', *teste* ocorre já no port. med. (no séc. XIV) || **test**AR² XX. Cp. TESTEMUNHO.
testectomia → TESTÍCULO.
testemunho *sm.* 'a declaração duma testemunha em juízo' | *-temoyo* XIII, *-temõyo* XIII, *testimoyo* XIII etc. | Do lat. *těstĭmōnĭum* || **testemunha** *sf.* 'pessoa chamada a assistir a certos atos autênticos ou solenes' 'pessoa que é chamada a depor sobre aquilo que viu ou ouviu' | *-temoya* XIII, *-timoya* XIII etc. | Dev. de *testemunhar* || **testemunh**AR | XVI, *-timoyar* XIII | Do lat. **testimōnĭāre* || **testemunh**ÁVEL | *-monhauil* XIII.
téstico → TESTA.
testículo(s) *sm. (pl.)* 'a glândula sexual masculina' | *tex-* XVI | Do lat. *testĭculus -i*, dim. de *testēs -um* || **test**ECTOM·IA XX || **testosterona** *sf.* 'hormônio masculino' XX. Do ing. *testosterone*, composto de *test-* (de *tes*ticle 'testículo') + *-o-* + *-ster-* (de *sterol* 'esterol') + *-one* (de *hormone* 'hormônio').
testificar *vb.* 'testemunhar' XVI. Do lat. *testĭfĭcārī* || **testific**AÇÃO 1813. Do fr. *testification*, deriv. do lat. *testĭfĭcātĭō -ōnis* || **testific**ANTE 1899.
test·ilha, -ilho, -o → TESTA.
testosterona → TESTÍCULO.
⇨ **testúdino** *sm.* '(Mil.) espécie de cobertura que os antigos soldados usavam como escudos, colocando-a sobre as cabeças' | *tistudino* c 1539 JCASD 135.27 | Do lat. *testūdō -ĭnis* 'tartaruga' 'escudo', com provável interferência do it. *testùdine*, já documentado nesta acepção no séc. XIV.
tesura → TENSÃO.
teta *sf.* 'glândula mamária, mama' XIII. De formação expressiva || **titela** *sf.* 'a parte carnuda do peito da ave' | *-lla* XIV.
tétano *sm.* 'doença infecciosa que se caracteriza pela rigidez convulsiva dos músculos' 1813. Do fr. *tétanos*, deriv. do lat. *tetanus* e, este, do gr. *tétanos* || **tetân**ICO 1874. Do fr. *tétanique*, deriv. do lat. *tetanicus* || **tetani**FORME 1881 || **tetan**OIDE 1874. Do fr. *tétanoïde*.
teteia *sf.* 'dixe de criança' 'enfeite, berloque' | *-teya* 1874 | De formação expressiva.
⇨ **teteia** | 1836 SC |.
teto *sm.* 'cobertura, telhado' 'abrigo, casa' | *teito* XIII | Do lat. *tēctum -i* || **tejadilho** *sm.* 'teto de veículos' 1749. Do cast. *tejadillo*, de *techo* 'teto'.
tetr(a)- *elem. comp.*, do gr. *tetra-*, de *téttares, téttara* 'quatro', que se documenta em alguns compostos formados no próprio grego (como *tetrácero*) e em muitos outros introduzidos, a partir do séc. XIX, na linguagem erudita ♦ **tetra**CÁRP·ICO XX || **tetrácero** *adj.* '(Zool.) que tem quatro antenas ou tentáculos' 1874. Do fr. *tétracère*, deriv. do lat. cient. *tetracerus* e, este, do gr. *tetrákerōs* || **tetra**CÍCL·ICO XX || **tetracolo** *sm.* '(Gram.) período de quatro membros' XX. Do lat. *tetracōlon -ī*, deriv. do gr. *tetrákōlon* || **tetra**CÓRD·IO | *-do* 1813 | Do fr. *tétracorde*, deriv. do lat. *tetrachordon* e, este, do gr. *tetráchordon* || **tetra**CROM·IA XX || **tetra**DÁCTILO | *-ty-* 1874 | Do fr. *tétradactyle*, deriv. do gr. *tetradáktylos* || **tétrade** *sf.* '(Bot.) conjunto de quatro células produzidas por duas divisões sucessivas' | *-da* 1874 | Do lat. *tetras -ădis*, deriv. do gr. *tetrás -ádos* || **tetradelfo** XX || **tetra**DINAM·IA | *-dy-* 1874 | Do fr. *tétradynamie*, deriv. do lat. cient. *tetradynamia* || **tetra**EDRO 1813. Do fr. *tétraèdre*, deriv. do lat. cient. *tetrahedrum* e, este, do gr. *tetráedron* || **tetra**EXAEDRO | *-he-* 1899 || **tetráfido** | *-phyde* 1899 || **tetra**FOLIADO 1899 || **tetrá**GINO XX. Do lat. *tetragynus* || **tetrá**GONO *sm.* 'quadrilátero' 1844. Do fr. *tétragone*, deriv. do lat. tard. *tetragōnus* e, este, do gr. *tetrágōnos* || **tetra**GONO·CÉFALO XX || **tetra**GONÓ·PTERO XX || **tetra**GRAMA | *-mma* 1899 | Do fr. *tétragramme* || **tetra**LÉPIDE | *-do* 1899 || **tetra**LOG·IA 1874. Do fr. *tétralogie*, deriv. do lat. cient. *tetralogia* e, este, do gr. *tetralogía* || **tetrâ**MERO *adj.* '(Zool.) dividido em quatro partes' 1858. Do fr. *tétramère*, deriv. do gr. *tetramerḗs* || **tetrâ**METRO *sm.* 'verso grego ou latino de quatro pés' 1858. Do fr. *tétramètre*, deriv. do lat. tard. *tetrameter* e, este, do gr. *tetrámetros* || **tetr**ANDR·IA 1874. Do lat. cient. *tetraneTO* | 1899, *tataraneto* 1813 || **tetra**PÉTALO 1874 || **tetra**PLEG·IA XX || **tetrá**PODE *adj.* 2g. 'quadrúpede' 1874. Do fr. *tétrapode*, deriv. do lat. tard. *tetrapūs -odis* e, este, do gr. *tetrápous -odos* || **tetra**PODO·LOG·IA 1899 || **tetrá**PTERO 1874. Do fr. *tétraptère* || **tetra**RCA | *-cha* XVIII | Do fr. *tétrarque*, deriv. do lat. *tetrarcha* e, este, do gr. *tetrárchēs* || **tetr**ARQU·IA | *-chia* 1813 | Do fr. *tétrarchie*, deriv. do lat. *tetrarchia* e, este, do gr. *tetrarchía* || **tetr**ÁSCELE XX. 'a suástica de quatro pernas' XX. Do gr. *tetraskelēs* || **tetra**SPERMO 1874 || **tetras**·SÉPALO 1874 || **tetras**·SÍLABO | *-syllabo* 1858 | Do fr. *tetrasyllabe*, deriv. do lat. tard. *tetrasyllabus* e, este, do gr. *tetrasýllabos* || **tetra**STÊMONE XX || **tetrÁSTI**CO *adj.* 'que tem fileiras ou séries' 'de quatro versos' | *-cho* 1813 | Do lat. tard. *tetrastichus*, deriv. do gr. *tetrástichos* || **tetra**STILO *sm.* 'edifício com quatro ordens de colunas' XX. Do ing. *tetrastyle*, deriv. do lat. tard. *tetrastȳlos* e, este, do gr. *tetrástȳlos* || **tetra**VALENTE ad. 1874. Do ing. *tetravalent* || **tetr**AVÔ | 1899, *tataravô* 1844 || **tetr**OFTALMO *adj.* '(Zool.) que tem quatro olhos' | *-phthalmo* 1899| Cp. gr. *tetróphthalmos*.
⇨ **tetr(a)-** — **tetra**CÓRD·IO | 1836 SC || **tetrá**GONO | 1836 SC || **tetr**ARCA | XIV APOS 24.9 || **tetr**ARQU·IA | *tetra(r)quiaz* pl. 1614 SGonç I.307.7 | **tetr**ÁST·ICO | *tetrasticho* 1789 JS XIV |.
tétrico *adj.* 'muito' triste, fúnebre, lúgubre' 'horrível, medonho' XVIII. Do lat. *tetrĭcus* || **tetric**IDADE 1899. Do lat. *tetricitās -ātis* || **tetro** *adj.* 'negro, escuro, sombrio' 'tétrico' XVII. Do lat. *taetrus*.
⇨ **tétrico** — **tetro** | *a* 1595 *Jorn.* 68.2 |.
tetroftalmo → TETR(A)-.
teu *pron.* XIII. Do lat. *tǔus*, com infl. de *meu* || **tua** *pron. f.* XIII. Do lat. *tǔa*.
têucrio *sm.* 'carvalhinha' 1881. Do lat. cient. *teucrium* (cláss. *teucrion*), deriv. do gr. *teúkrion*.
teucro *adj. sm.* 'troiano' XVIII. Do lat. *teucrus*, deriv. do gr. *teûkros*.

teúdo → TER.
teurgia *sf.* 'espécie de magia baseada em relações com os espíritos celestes' | *the-* 1844 | Do fr. *théurgie*, deriv. do lat. *theūrgĭa* e, este, do gr. *theourgía* || **teúrg**ICO | *the-* 1874 | Do fr. *théurgique*, deriv. do lat. ecles. *theūrgicus* e, este, do gr. *theourgikós* || **teurgo** *sm.* 'pessoa que pratica a teurgia' | *the-* 1881 | Do lat. *theūrgus -i.* Cp. TE(O)-.
⇨ **teurgia** | *the-* 1836 SC || **teúrg**ICO | 1836 SC |.
téu-téu *sm.* 'ave da fam. dos caradrídeos, também chamada guirá-téu-téu e quero-quero' | *toitoy c* 1631, *tetem* 1763 etc. | Do tupi *teõte'õ*.
teutônico *adj.* 'relativo aos teutões, ou aos germanos' XVI. Do lat. *teutonĭcus* || **teutão** *adj. sm.* 'diz-se de, ou indivíduo dos teutões, povo antigo da Germânia' | *teutões* pl. 1899 | Do lat. *teutŏnes -um*.
tevê → TEL(E)-.
texto *sm.* 'as próprias palavras de um autor, livro ou escrito' | XIV, *textu* XIV | Do lat. *textum -i* 'entrelaçamento, tecido' 'contextura (duma obra)' || **têx**TIL *adj. 2g.* 'que se pode tecer' 'relativo a tecelões ou à tecelagem' 1899. Do lat. *textĭlis -e* | **textu**AL *adj. 2g.* 'relativo ao texto' XVII. Adapt. do fr. *textuel* || **text**URA *sf.* 'ato ou efeito de tecer' 'tecido, trama' 1813. Do lat. *textūra*. Cp. TECER.
texugo *sm.* 'mamífero plantígrado' XVI. Provavelmente do gót. *thahsuks*, dim. de *thahsus* (no lat. tard. *taxo -ōnis*).
tez *sf.* 'pele, cútis' XVI. De origem obscura.
ti *pron.* XIII. Do lat. *tī*, forma contrata de *tĭbi*, pelo modelo de *mihi > mī*.
tia → TIO.
tíade *sf.* 'bacante' | *thy-* 1899 | Do fr. *thyade*, deriv. do lat. *Thȳias -ădis* e, este, do gr. *Thyiás -ádos*.
tia·mida, -mina → TI(O)-, TI(ON)-.
tiara *sf.* 'mitra do Pontífice' XVII. Do lat. *tiāra*, deriv. do gr; *tiărā(s)*, de origem oriental.
⇨ **tiara** | 1571 FOLF 143.4 |.
tiberino *adj.* 'pertencente ou relativo ao rio Tibre ou à região por ele banhada' 1899. Do lat. *Tiberīnus*.
tíbia *sf.* '(Poét.) flauta de pastor' XVII; 'um dos dois ossos da perna' 1874. Do lat. *tībĭa* || **tibi**AL 1858. Do lat. *tībiālis -e*.
⇨ **tíbia** 'um dos dois ossos da perna' | 1836 SC |.
tíbio *adj.* 'morno, tépido' | XVI, *tibo* XV, *tybo* XIV | Do lat. *tepĭdus* || EN**tibi**AR XVII || **tibi**EZA XVI. Cp. TÉPIDO.
tiborna *sf.* 'pão quente embebido em azeite novo' XVI. De origem obscura.
tição *sm.* 'pedaço de lenha acesa ou meio queimada' 'fig. preto, negro' | *-çon* XIII | Do lat. *titĭō -ōnis* || **tiço**ADO XVI.
tico-tico *sm.* 'ave passeriforme da fam. dos fringilídeos' 1899. De formação onomatopaica.
ticuarapuã *sm.* 'espécie de búzio' | *tico-* 1587 | Do tupi *teikµarapu'a < tei'kµara* 'caramujo' *+ apu'a* 'redondo' || **ticuara**ÚNA | *ticoeraúna* 1587 | Do tupi *teikµara'una < tei'kµara + 'una* 'negro'.
tié *sm.* 'designação comum aos pássaros da fam. dos traupídeos' | 1587, *tihe c* 1631 etc. | Do tupi *ti'ie.* O voc. ocorre também, denominando diferentes espécies de *tiés,* em vários compostos *(tiéguaçu, tiejuba, tiepiranga, tié-una* etc.), todos já documentados no séc. XVI.

tífico → TIFO.
tifl(o)- *elem. comp.*, do gr. *typhlo-*, de *typhlós* 'cego' 'ceco', que se documenta em alguns vocs. introduzidos, a partir do séc. XIX, na linguagem da medicina ▶ **tifl**ECTAS·IA XX || **tifl**ECTOM·IA XX || **ti**flITE | *typhlite* 1899 | Do fr. *typhlite*, deriv. do lat. cient. *typhlītis* || **tiflo**GRAF·IA | *typhlographia* 1899 || **tiflo**LOG·IA | *typhlo-* 1899 || **tiflo**MEGAL·IA XX || **tiflo**PEX·IA XX || **tifl**OSE XX.
tifo *sm.* 'certa doença infecciosa' | *typhus* 1844 | Do fr. *typhus*, deriv. do gr. *týphos* || **tif**ICO | *typhico* 1874 | Do fr. *typhique* || **tif**OIDE | *typhoideo* 1874 | Do fr. *typhoïde*.
⇨ **tifo** | *typho* 1836 SC |.
tigela *sf.* 'vaso de barro, de louça, ou de metal, com ou sem asas, e sem gargalo' | *-jella* XVI | Do lat. *tegella*, por *tēgŭla* 'telha'. Cp. TELHA.
tigre *sm.* 'mamífero carnívoro, da fam. dos felídeos' | *tygris* XIV | Do lat. *tigris -is* ou *-ĭdis*, deriv. do gr. *tigris -idos*, de origem iraniana || **tigr**INO 1858.
tijolo *sm.* 'produto cerâmico, avermelhado, geralmente em forma de paralelepípedo, muito usado em construções | *tigello* XIV, *tegelo* XIV, *teiolo* XIV etc. | Do cast. *tejuelo*.
tijuco *sm.* 'lameiro, charco' | *c* 1607, *tijugo* 1585, *tejuco a* 1696 etc. | Do tupi *tu'įuka* | **tijuc**AL *c* 1698 || **tijucu**PAUA | *-copáua* 1886 | Do tupi *tuįuku'paµa < tu'įuka + 'paµa* 'todo'.
tijupá *sm.* 'cabana de índios, choça' *ext.* toda e qualquer construção rudimentar' | *α. tugipar* 1567, *tuyupar* 1567, *tajupar* 1587 etc.; *β. teigupába* 1585; *γ. tigepau* 1601, *tegipau* 1601 etc. | Do tupi *teïju'paµa*.
til → TÍTULO.
tílburi *sm.* 'carro de duas rodas e dois assentos, sem boleia, com capota, e tirado por um só animal' 1881. Do ing. *tilbury*, do antrop. *Tilbury*, nome do inventor desse tipo de carro, talvez através do fr. *tilbury*.
tilha *sf.* 'qualquer dos pavimentos de um navio' 'cobertura à proa ou à popa de embarcação, para resguardar da água do mar e para guarda de objetos da tripulação' XIV. Do fr. *tille*, deriv. do a. escandinavo *thilja* 'tábua que forma o solo de um navio' | **tilh**ADO | XIV, *ty-* XIV.
tília *sf.* 'planta ornamental da fam. das tiliáceas' | XVI, *til* XIX | Do lat. *tilĭa*.
tilintar *vb.* 'soar como campainha, sino, moedas que se chocam etc.' 1881. De origem onomatopaica.
tiloma *sm.* 'cabo' | *ty-* 1874 | Do lat. cient. *tylōma*, deriv. do gr. *týlōma*, de *týlos* 'calo, calosidade' || **til**OSE *sf.* 'tiloma' | *ty-* 1874 | Do lat. cient. *tylōsis*, deriv. do gr. *týlōsis*.
-ti(m)- *elem. comp.*, do tupi *'tī* 'focinho, nariz, bico', que se documenta em alguns vocs. port. de origem tupi: *boitiapuá, maracatim, timucu* etc.
timão *sm.* 'peça longa do arado ou do carro à qual se atrelam os animais que os puxam' 'leme de embarcação' | *temon* XIII, *timon* XV | Do lat. *tēmo -ōnis*, através de uma forma **tīmo -ōnis*, provavelmente existente no latim vulgar || **timon**EIRO *sm.* 'ant. timão' 'aquele que governa o timão da embarcação' | XVII, *temeeiro* XIV, *temoeiro* XIV, *temoieiro* XIV.
timbale *sm.* 'espécie de tambor' | XVIII. Do fr. *timbale*, que provém do cruzamento do ár. hisp. *ṭabál*

(ár. cláss. *ṭabl*) com os vocs. franceses *tambour* e *cymbale*.
⇨ **timbale** — Diretamente do ar. hisp. *ṭabal* (ár. cláss. *ṭabl*), procede o a. port. *tabal* (XIII CSM 165.68) 'timbale'.
timbaúba *sf.* 'planta da fam. das leguminosas' | *timbuhyba* 1817 | Do tupi **timo 'ïųa < ti 'mo* 'timbó + *'ïųa* 'planta'.
timbó *sm.* 'designação comum a várias plantas das fam. das leguminosas e das sapindáceas, cuja seiva é tóxica para peixes e, por isso, usada para pescar' | 1587, *timbo c* 1584, *tĩbo c* 1594 etc. | Do tupi *ti'mo* || **timb**ORANA 1587. Do tupi *timo 'rana < ti 'mo + 'rana* 'semelhante'.
timbre *sm.* 'marca' 'selo' 'qualidade sonora' XVI. Do fr. *timbre*, deriv. do gr. *týmpanon*, pronunciado mais tarde *týmbanon* 'tambor' || **timbr**AR 1813. Cp. TÍMPANO.
timbri *sm.* 'planta da fam. das ebenáceas' XIX. Do guzarate *timbrum*.
timbu *sm.* 'mamífero marsupial da fam. dos didelfídeos, espécie de gambá | *taibû* 1627 | De origem tupi, mas de étimo indeterminado.
timburé *sm.* 'peixe da fam. dos caracídeos' | *ximburé* 1783, *ximburú* 1792 | De origem tupi, mas de étimo indeterminado.
time *sm.* 'nos esportes coletivos, número de pessoas selecionadas que, na disputa de uma partida, constituem a equipe' XX. Do ing. *team*.
timiatecnia *sf.* 'arte de fabricar perfumes' | *thymiatechnia* 1874 | Do fr. *thymiatechnie*, composto do gr. *thymian* 'incensar, perfumar' + *-technía* (de *téchnē* 'técnica, arte').
tímido *adj.* 'receoso, acanhado' XVI. Do lat. *timĭdus* || IN**timid**AÇÃO 1844. Do fr. *intimidation* | IN**timid**AR XVI. Do fr. ecles. *intimidāre* || **timid**EZ 1813.
timixira *sf.* 'peixe da fam. dos pomadasídeos (*Conodon nobilis*), também conhecido por roncador' | *ytimmixira c* 1631 | De origem tupi, mas de étimo indeterminado.
timo[1] *sm.* 'tomilho' | *thy-* 1813 | Do lat. *thymum -i*, deriv. do gr. *thýmon thýmos*.
timo[2] *sm.* 'glândula situada na parte inferior do pescoço' | *thy-* 1874 | Do fr. *thymus*, deriv. do gr. *thýmos* 'glândula (do pescoço da vitela)'.
⇨ **timo**[2] — | *thy-* 1836 SC, *ty-* 1836 SC |.
timoneiro → TIMÃO.
timorato → TEMOR.
tímpano *sm.* 'peça metálica em forma de sino, que vibra, percutida pelo martelo, nas campainhas' '(Anat.) membrana que limita o ouvido médio do externo' 'peça usada em tipografia' | *tym-* 1813 | Do lat. *tympănum -i*, deriv. do gr. *týmpanon* 'tambor' || **timpân**ICO | *tym-* 1874 | Do fr. *tympanique*, deriv. do gr. *tympanikós* || **timpan**ILHO *sm.* 'caixilho de ferro que se encaixa no tímpano do prelo' | *tym-* 1858 | Do cast. *timpanillo* || **timpan**ISMO *sm.* 'intumescência no ventre, devida a excessivo acúmulo de gases no canal digestivo' | *tym-* 1881 | Do fr. *tympanisme*, deriv. do gr. *tympanismós* 'ação de bater tambor' || **timpan**ITE | *tympanitis* 1813 | Do fr. *tympanite*, deriv. do lat. *tympanītēs* e, este, do gr. *tympanítēs*.
timucu *sm.* 'peixe da fam. dos belonídeos (*Strongylura timuca*), também chamado de peixe-agulha' | 1587, *ytimmoquaju c* 1631 | Do tupi *timu'ku* < *'tĩ* 'nariz, focinho, bico' + *pu'ku* 'comprido',
tina *sf.* 'tipo de vasilha para água ou outros líquidos' | *tĩa* XIII, *tỹa* XIII, *tjnha* XIV, *tyna* XIV etc. | Do lat. *tina*, talvez através do castelhano || **tin**ALHA *sf.* 'tina pequena para vinho' | *tinala* XIII, *tinaia* XIV etc.
tincal *sm.* 'mineral monoclínico, usado originariamente em tinturaria e, modernamente, como fundente e antisséptico' XVI. Do ár. *tinkār*, de origem persa.
tinção → TINTO.
tinelo *sm.* 'refeitório' XVI. Do it. *tinèllo*.
-tinga *suf. nom.*, do tupi *'tiŋa* 'branco, claro', que se documenta em alguns vocs. port. de origem tupi: *ibiratinga, jacutinga* etc.
ting·imento, -ir → TINTO.
tingitano *adj. sm.* 'relativo a, ou natural de Tânger' 1572. Do lat. *Tingitānus*, do top. *Tingis -is* 'Tânger'.
tinguaciba *sf.* 'planta da fam. das rutáceas' | *-cyba* 1817 | Do tupi **tiŋua'sïųa*.
tingui *sm.* 'planta da fam. das leguminosas, cuja seiva é tóxica para peixes e, por isso, usada em pescarias' 'timbó' 1585. Do tupi *ti'ŋuï* || **tingui**JADA *sf.* 'pescaria com tingui' *c* 1698 || **tinguijar** *vb.* 'pescar com tingui' 'ext. envenenar' 1875. Do tupi *tiŋuï'ïara*.
⇨ **tingui** — **tinguijar** | 1836 SC |.
tinha *sf.* 'micose dos pelos' XV. Do lat. *tinĕa* || ES**tinh**AR XVIII || **tinh**OSO *adj.* 'orig. que tem tinha' 'fig. repugnante'; *sm.* 'ext. diabo' XIII.
tinhorão *sm.* 'planta da fam. das aráceas' | *tanharõn* 1730, *tanherom* 1782 | De origem tupi, mas de étimo indeterminado.
tinhoso → TINHA.
tinir *vb.* 'soar (vidro ou metal) aguda ou vibrantemente' XIV. Do lat. *tinnīre* || **tin**IDO *sm.* XVI. Do lat. *tinnītus*.
tino *sm.* 'juízo, discernimento' XVI. De origem incerta; talvez seja dev. de *atinar* 'apontar a um alvo', tirado de *destinar*, com troca de *des-* por *a-*, por se ter sentido no *des-* uma noção oposta à do significado de acerto que envolvia o verbo || A**ti**nAR XVI || DES·A**tin**AR XVI || DES·A**tino** XVI. Dev. de *desatinar* || **tin**OTE *sm.* 'cérebro' 1858.
tint·a, -eiro → TINTO.
tintinar *vb.* 'tilintar' 1899. Do lat. *tintinnāre* || **tintinábulo** *sm.* 'campainha, sineta' XX. Do lat. *tintinnābŭlum -i*.
tinto *adj.* 'tingido' | XIII, *tynto* XIV | Do lat. *tĭnctus*, part. de *tingĕre* || RE**tingir** 1858 || RE**tinto** XVI || **tinção** *sf.* 'ato de tingir' | *tincção* 1899 | Do lat. *tinctĭō -ōnis* 'batismo' || **ting**IMENTO XIV || **tingir** *vb.* 'meter ou molhar em tinta, alterando a cor primitiva' | XIII, *tinger* XIV | Do lat. *tingĕre* || **tinta** *sf.* 'substância química que tem a propriedade de aderir à superfície sobre a qual é aplicada, e que é usada para a pintura e para tingir' XIII. Fem. substantivado de *tinto* || **tint**EIRO XVII || **tint**OR *sm.* 'ant. tintureiro' XIII || **tint**ÓRIO *adj.* 'que produz substância empregada em tinturaria' | *tincto-* 1899 | Do lat. *tinctōrĭus* || **tint**URA *sf.* 'ato de tingir' XIV. Do lat. *tinctūra* || **tintur**ARIA *sf.* 'orig. exercício ou arte de tingir' 'ext. lavandaria' 1873 || **tintur**EIRA *sf.* 'peixe da fam. dos galeorídeos' 'planta legu-

minosa cesalpinácea' 1813. Fem. de *tintureiro* ‖ **tintur**EIRO 1813.
➪ **tinto** — **tintur**ARIA | 1836 SC |.
tio *sm.* 'irmão dos pais, em relação aos filhos destes' XIII. Do lat. tard. *thīus*, deriv. do gr. *theîos* ‖ **tia** *sf.* 'irmã dos pais, em relação aos filhos destes' XIII. Do lat. tard. *thīa*.
ti(o)-, ti(on)- *elem. comp.*, do gr. *thêion* 'enxofre', que se documenta em alguns compostos introduzidos, a partir do séc. XIX, na linguagem internacional da química ▸ **ti**AMIDA XX ‖ **ti**AMINA XX ‖ **tio**ÁCIDO XX ‖ **tiôn**ICO *adj.* 'diz-se de qualquer dos ácidos resultantes da ação do dióxido de enxofre sobre solução de tiossulfato' 1874. Do fr. *thionique* ‖ **tion**INA *sf.* 'substância orgânica violeta, empregada como corante' XX. Do fr. *thionine*.
tiorba *sf.* 'instrumento músico da fam. do alaúde' XVII. Do it. *tiórba*.
tiotê *sm.* 'dobras tubiformes em um tecido, usadas principalmente em folhos ou babados que adornam blusas' XX. Adapt. do fr. *tuyauté*.
típ·ico, -ificar → TIPO.
tipirati *sm.* 'farinha de mandioca crua' | *typyrati* 1663 | Do tu pi *tĩpĩra'ĩ*.
tipiti *sm.* 'cesto de palha, de forma cilíndrica, no qual se espreme a mandioca' | *tapeti* 1587, *tipity* 1663, *tapiti a* 1696 etc. | Do tupi *tepi'ti*.
tiple *s2g.* 'soprano' | XVI. -*pre* XVI | Do cast. *tiple*, de origem incerta; talvez do ant. *triple*, de igual sentido; essa designação para tal tipo de voz devia-se à classificação tripartida das vozes em contras, tenores e tiples, das quais esta era a mais alta.
tipo *sm.* 'orig. modelo, exemplar, símbolo' 'ext. (Tip.) letra de forma, de imprimir' XVII. Do lat. *typus -i*, deriv. do gr. *týpos* ‖ ATÍP·ICO | *aty*- 1858 ‖ **típ**ICO *adj.* 'que serve de tipo' 'característico' | *ty*- 1813 | Do lat. *typicus*, deriv. do gr. *typikós* ‖ tipIFIC·AR *vb.* 'tornar típico' XX. Adapt. do fr. *typifier* ‖ **tipo**CROM·IA | *typochro*- 1858 | Do fr. *typochromie* ‖ **tipo**FONE | *typophone* 1899 ‖ **tipo**FON·IA | *typopho*- 1899 ‖ **tipo**GRAF·IA | *typographia* 1813 | Do fr. *typographie* ‖ **tipo**GRÁF·ICO | *typographico* 1813 | Do fr. *typographique* ‖ **tipó**GRAFO | *typographo* 1874 | Do fr. *typographe* ‖ **tipó**LITA *sf.* '(Min.) pedra que tem impressa a forma de algumas plantas ou animais' | *typolitho* 1874 ‖ **tipo**LOG·IA XX. Do fr. *typologie* ‖ **tipô**METRO | *ty*- 1899 | Do fr. *typomètre*.
➪ **tipo** — **tipó**GRAFO | *typógrapho* 1836 SC |.
tipoia *sf.* 'orig. espécie de rede que as índias do Brasil usavam para transportar às costas os seus filhinhos' | *tipoya c* 1584 |; 'vestido sem mangas, espécie de camisola, usado pelas índias já catequizadas, particularmente nas cerimônias religiosas' *c* 1607; 'rede de dormir' | *typoya* 1761 |; 'pequena rede em que se faziam transportar homens e mulheres, palanquim' | *tipoya* 1799 |; 'modernamente, lenço ou tira de pano que, contornando o pescoço, desce até à altura da cintura, e serve para descansar o braço (ou a mão) doente' 1875. Do tupi *tĩ'poia*.
tipó·lita, -logia, -metro → TIPO.
tiptologia *sf.* 'experiência a que procedem os espíritas, com mesas giradoras, chapéus etc.' 'comunicação dos espíritos por meio de pancadas' | *typ*- 1899 | Do fr. *typtologie*, cunhado com base no gr. *týptō* 'eu bato'.

tiquara *sf.* 'refresco preparado com farinha de mandioca, água e açúcar ou mel' | *c* 1767, *ticuara* 1763 | Do tupi **ti'kuara*.
tique *sm.* 'cacoete, trejeito' 1881. Do fr. *tic*, de origem onomatopaica.
tíquete *sm.* 'cartão ou pedaço de papel impresso que confere a alguém determinado direito, como o de frequentar uma casa de diversão, o de viajar em coletivos etc.' XX. Do ing. *ticket* 'bilhete'.
tiquira *sf.* 'aguardente de mandioca' 1833. Do tupi *tĩ'kĩra*.
tir·a, -acolo → TIRAR.
tirada[1] *sf.* 'frase e/ou trecho longo' 1844. Do fr. *tirade*.
➪ **tirada**[1] | 1836 SC |.
tirad·a[2]**, -ador, -agem** → TIRAR.
tirano *sm.* 'indivíduo injusto, cruel, opressor' | XV, *tirãno* XIV etc. | Do lat. *tyrannus -i*, deriv. do gr. *týrannos* ‖ **tirana** *sf.* 'modalidade de canção e dança cantada' | *tyranna* 1881 ‖ **tiran**IA | *ty*- XIV ‖ **tiran**ICIDA | *tyranni*- 1858 | Do fr. *tyrannicide*, deriv. do lat. *tyrannicīda* ‖ **tiran**ICÍDIO | *ty*- XVIII | Do lat. *tyrannicīdĭum* ‖ **tirân**ICO | *ty*- 1813 | Do fr. *tyrannique*, deriv. do lat. *tyrannicus* e, este, do gr. *tyrannikós* ‖ **tiran**IZAR 1568.
➪ **tirano** — **tiran**ICIDA | *tyrannicida* 1836 SC ‖ **tiran**IZAR | 1538 DCast 76v25, *c* 1541 JCasR 238.*13* |.
tir·ante, -ão[1] → TIRAR.
tirão[2] *sm.* 'aprendiz' 1813. Do lat. *tīrō -ōnis*.
tirar *vb.* 'ant. atirar, lançar' 'retirar, extrair, separar' XIII. De origem desconhecida ‖ ATIRAD·EIRA *sf.* 'forquilha usada por crianças para matar passarinhos' XX ‖ ATIRAD·IÇO 1881 ‖ ATIRADOR XVII ‖ ATIRAR *vb.* 'arrojar, arremessar, lançar' | XVI, *atyrar* XIV ‖ ESTIRADA XX ‖ ESTIRÃO 1813 ‖ ESTIRAR *vb.* 'estender, esticar' 'alongar' XIII ‖ RETIRANTE XX ‖ RETIRAR XVI ‖ RETIRO *sm.* 'lugar solitário' 1813. Dev. de *retirar* ‖ **tira** *sf.* 'fita, faixa' XVI ‖ **tir**ACOLO | -*llo* XVI | Do a. fr. *tiracol* ‖ **tir**ADA[2] XIV ‖ **tir**ADOR 1813 ‖ **tir**AGEM 1858 ‖ **tir**AMENTO | XV, *ty*- XIV ‖ **tir**ANTE XVI ‖ **tirão**[1] *sm.* 'puxão' 1813 ‖ **tir**APÉ *sm.* 'correia com que os sapateiros prendem o calçado sobre a forma' 1813 ‖ **tirapeia** *sf.* 'jararaca-pintada' XX ‖ **tiro**[1] 'ato ou efeito de atirar' 'explosão, disparo' XIII ‖ **tiron**EAR *vb.* 'dar puxão ou tirão nas rédeas de (o cavalo), para o soltar' XX. Do cast. *tironear* ‖ **tirote**AR XX. Do cast. *tirotear* ‖ **tiroteio** *sm.* 'troca ou sucessão de tiros' XX. Do cast. *tiroteo*.
tireoide *adj. sf.* 'diz-se de, ou glândula de secreção interna situada na frente da laringe' | *thyroide* 1844 | Do fr. *thyroïde*, deriv. do lat. cient. *thyroīdēa* e, este, do gr. *thyreoeidēs* ‖ **tireoid**ECTOM·IA | *thy*- 1899 | Do fr. *thyroïdectomie* ‖ **tireoid**ITE | *thyroi*- 1881 ‖ **tireo**MEGALIA XX ‖ **tireo**TOM·IA XX.
➪ **tireoide** | *thyroide* 1836 SC |.
tirete *sm.* 'hífen' 1881. Do fr. *tiret*.
tiriba *sm.* 'nome comum às aves do gênero *Pyrrhura*, da fam. dos psitacídeos, espécie de papagaio' | *tiriuo a* 1667 | Do tupi **ti'riua*.
tírio *adj. sm.* 'orig. relativo a, ou natural de Tiro' 'ext. púrpura, purpúreo' XVI. Do lat. *Tyrĭus*, deriv. do gr. *Týrios*. Cp. TIRO[2].
tiririca *sf.* 'erva daninha, da fam. das ciperáceas, que cresce e se alastra veloz e extensamente nos terrenos cultivados' *a* 1696. Do tupi *tĩrĩ'rĩka* 'ir de

rastro, arrastar, alastrar'. Em sentido figurado (em alusão aos danos que a tiririca causa às culturas), o voc. ocorre modernamente em expressões verbais — *estar tiririca, ficar tiririca* etc. —, com o significado de 'irritado, aborrecido, furioso'.
tiritana *sf.* 'mantéu de seriguilha usado por algumas camponesas por cima de outro mantéu' 1813. Adapt. do fr. *tiretaine*.
tiritar *vb.* 'tremer e/ou bater os dentes com frio ou medo' XVII. De origem onomatopaica.
tiro[1] → TIRAR.
tiro[2] *sm.* '(Poét.) púrpura' XVII. Do a. fr. *tire*, deriv. do lat. *Tyrus* e, este, do gr. *Týros*, de origem fenícia. Cp. TÍRIO.
tirocínio 'primeiro ensino' 'prática, exercício, atividade' XVII. Do lat. *tīrōcinĭum -ĭī*.
tiro·near, -tear, -teio → TIRAR.
tirreno *adj. sm.* 'pertencente ou relativo à Tirrênia e/ou ao mar Tirreno' | *tyrrhênio* 1899 | Do lat. *Tyrrhēnus*, deriv. do gr. *Tyrrhēnós*.
tirso *sm.* '(Poét.) bastão, enfeitado com hera e pâmpanos, e terminado em forma de pinha, com que representam Baco e as Bacantes' XVI. Do lat. *thyrsus*, deriv. do gr. *thýrsos* ‖ **tirsí**GERO | *thyrsigeras* f. pl. XVIII | Do lat. *thyrsiger -erī*, calcado no gr. *thyrsophóros*.
tisana *sf.* 'cozimento de cevada' 'medicamento líquido que constitui a bebida comum de um enfermo' *a* 1438. Do lat. *ptisana*, deriv. do gr. *ptisánē*.
tisanuro *sm.* 'animal artrópode, da classe dos insetos, apterigoto' | *thysanuros* pl. 1899 | Do lat. cient. *thysanūra*, do gr. *thýsanos* 'franja: e *ourá* 'cauda' ‖ **tisan**ÓPTERO | *thysanópteros* pl. 1899 | Do lat. cient. *thysanoptera*.
tísico *adj. sm.* 'que, ou aquele que sofre de tísica' XVII. Do lat. tard. *phthisicus*, deriv. do gr. *phthisikós* ‖ ENtisicAR 1813 ‖ **tísica** *sf.* 'tuberculose pulmonar' XVI ‖ **tisio**·LOG·IA XX.
tisnar *vb.* 'tornar negro como carvão, fumo etc.' XVII. Talvez de um lat. vulg. *titionare*, de *titiō -ōnis*, através de *tiçonar > *tiç'nar ‖ **tisna** *sf.* 'ato ou efeito de tisnar' 'substância que enegrecer qualquer coisa' 1813 ‖ **tisne** *sf.* 'cor que o fogo ou a fumaça produzem na pele' 'fuligem' 1813. Cp. TIÇÃO.
titã *sm.* 'cada um dos gigantes que, segundo a mitologia, pretenderam escalar o Céu e destronar Júpiter' | *titano* XVI, *titão* 1813 | Do lat. *Tītān -ānis*, deriv. do gr. *Tītán -ânos* ‖ **titân**ICO[1] *adj.* 'relativo ou pertencente aos titãs' 1874. Do fr. *titanique* ‖ **titân**ICO[2] *adj.* 'relativo ao titânio' 1874. Do fr. *titanique* ‖ **titaní**·FERO *adj.* 'que contém titânio' 1874. Do ing. *titaniferous* ‖ **titân**IO *sm.* '(Quím.) elemento de número atômico 22' 1881. Do lat. cient. *titanium*, criado por Klaproth em 1795.
titara *sf.* 'espécie de palmeira do gênero *Desmonchus*' *a* 1696. Do tupi *ti'tara*.
titela → TETA.
titere *sm.* 'fantoche, marionete' 1813. Do cast. *títere*, de origem incerta, talvez onomatopaica.
titilar[1] *vb.* 'fazer cócegas a' 'causar prurido em' 'fig. afagar, lisonjear' | -*llar* 1813 | Do lat. *tītīllāre* ‖ titilAÇÃO | -*lla*- 1813 | Do lat. *tītīllātĭō -ōnis* ‖ titilANTE | -*llan*- 1881 ‖ titilAR[2] *adj.* 2g. 'diz-se de cada uma das veias situadas por baixo dos sova-
cos' | -*lla*- 1813 | Do lat. *titillus* 'cócegas' + -AR[2] ‖ **titil**OSO | -*llo*- 1881.
titímalo *sm.* 'planta da fam. das euforbiáceas' | *tithy*- 1813 | Do fr. *tithymale*, deriv. do lat. *tithymalus* e, este, do gr. *tithýmalos*.
titubar *vb.* 'titubear' XVI. Do lat. *titŭbāre* ‖ **titub**E·ANTE | -*bante* XVII ‖ **titub**EAR *vb.* 'cambalear' 'vacilar, duvidar' 1813. Frequentativo de *titubar*.
título *sm.* 'capítulo (de um livro), parágrafo (de uma lei) etc. ' | XIII, -*tolo* XIII, *titullo* XIII etc. | Do lat. *titŭlus* ‖ INtitulAR | *entitullar* XV ‖ SUBtítulo 1881 ‖ *til sm.* 'sinal gráfico que nasala a vogal à qual se sobrepõe' XVI. Do lat. *titulus*, através do cat. ou do prov. *tilde* ‖ **titul**AR *adj.* 2g. 'que tem título honorífico' 'honorário, nominal' 1813.
⇨ **título** — INtitulAR | XV FRAD II.264.*16* |.
tmese *sf.* '(Gram.) mesóclise' 1813. Do fr. *tmèse*, deriv. do lat. *tmēsis* e, este, do gr. *tmēsis*.
to·a, -ada → TOAR.
toalete *sf.* 'ato de se aprontar (lavando-se, penteando-se etc.), para aparecer em público'; *sm.* 'traje (feminino) requintado' 'compartimento com lavatório, espelho e gabinete sanitário' | *toilette* 1899 | Do fr. *toilette*.
toalha *sf.* 'peça para enxugar qualquer parte do corpo que se lave' 'tecido que se estende sobre a mesa às refeições' | XIV, *toalla* XIII | Do prov. *toalha*, deriv. do frâncico *thwahlja* ‖ AtoalhADO XVI ‖ **toalh**EIRO XX.
toar *vb.* 'soar em tom alto' 'trovejar' XIV. Do lat. *tonāre* ‖ à **toa** *adj.* 2g. 2n. 'orig. (levar) a reboque' 'impensado' 'inútil, sem importância' | *aa toya* XV | De à + *toa* ‖ AtoADA SF. 'notícia vaga, boato' XVI. Substantivação do fem. do part. de *atoar* ‖ AtoAR *vb.* 'levar à toa, a reboque' XVI ‖ AtoARDA *sf.* 'atoada' XVI ‖ **toa** *sf.* 'corda com que uma embarcação reboca a outra' XVI. Dev. de *(a) toar* ‖ toADA XVI ‖ toANTE 1813. Do lat. *tonāns -antis*, part. pres. de *tonāre* ‖ toEIRA *sf.* 'cada uma das duas cordas imediatas aos dois bordões da guitarra' 1899 ‖ **tona (à)** *loc.* 'em cima de' 1871. Cp. TOM.
⇨ **toar** — **tona (à)** | 1836 SC |.
tobi *sm.* 'peixe da fam. dos gimnotídeos' *c* 1631. De origem tupi, mas de étimo indeterminado.
tobogã *sm.* 'espécie de trenó' 'rampa com ondulações, para diversão coletiva' XX. Do ing. *toboggan*, deriv. do fr. do Canadá *tabaganne*, de origem algonquiana.
toca *sf.* 'covil, fuma' '*fig.* abrigo, refúgio' XIV. De possível origem pré-romana ‖ DES·ENtocAR 1899 ‖ ENtocAR 1881.
tocad·ilho, -o → TOCAR.
tocaia *sf.* '*orig.* pequena casa rústica em que o índio se recolhia sozinho para aguardar a oportunidade de atacar o inimigo ou matar a caça' *a* 1667; 'esconderijo em que se acolhe um caçador para espreitar a caça' '*ext.* ação de espreitar o inimigo, emboscada' 1872. Do tupi *to'kaia* ‖ **tocai**AR XX ‖ **tocai**EIRO XX.
tocaio *adj. sm.* 'xará' 1881. Do cast. *tocayo*, de origem incerta.
tocandira *sf.* 'espécie de formiga, cuja picada é muito dolorosa' | *tocandeira* 1833 | De origem tupi, mas de étimo indeterminado.

tocar *vb.* 'pôr a mão em, apalpar' 'ter contato com' 'fazer soar' XV. De origem onomatopaica, herdada, sem dúvida, do latim vulgar || INtocÁVEL XX || tocAD·ILHO *sm.* 'jogo semelhante ao do gamão' 1813 || tocADO *adj.* 'alegre, tonto' XVI || tocAMENTO XV || tocANTE XVI || tocarOLA *sf.* 'aperto de mãos' 'ato ou efeito de tocar instrumento' 1881 || tocATA *sf.* 'forma de composição musical' 1858. Do it. *toccata* || **toque**[1] *sm.* 'ato ou efeito de tocar' XVI. Dev. de *tocar*.
tocari *sm.* 'castanheira-do-pará' 1890. Do caribe *toka'ri*; o voc. foi adotado pelo tupi amazonense.
toc·arola, -ata → TOCAR.
tocha *sf.* 'grande vela de cera' 'facho, archote' XIV. Do fr. *torche* || tochEIRO XVII.
toco *sm.* 'parte do tronco vegetal que permanece ligada à terra depois de cortada a árvore' 'cacete, bordão' 'ponta' XVIII. De origem obscura || DEStocAR 1844.
⇨ **toco** — DEStocAR | 1836 SC |.
toco- *elem. comp.*, do gr. *tókos* 'parto', que se documenta em alguns compostos introduzidos, a partir do séc. XIX, na linguagem da medicina ▶ tocoGRAF·IA | *-phia* 1899 || tocoLOG·IA 1899.
toda → TODO.
todavia *conj.* 'sem embargo' 'contudo' XIII. De *toda* + *via*.
todo, toda *pron.* XIII. Do lat. *tōtus, tōta*.
toeira → TOAR.
toesa *sf.* 'antiga medida de comprimento de seis pés' XVII. Do fr. *toise*, deriv. do lat. pop. *te(n)sa*, fem. substantivado de *tensus*. Cp. TENSÃO.
tofo *sm.* '(Med.) depósitos de uratos que, no curso da gota, se formam em diversas partes do corpo' | *-pho* 1858 | Do lat. *tōfus* (*tōphus*), deriv. do gr. *týphos* 'fumo, vapor'.
toga *sf.* 'manto de lã, amplo e comprido, usado pelos antigos romanos' 'beca' XVI. Do lat. *toga* || togADO | 1813, *-ato* 1813 | Do lat. *togātus*.
toicinho *sm.* 'gordura dos porcos, subjacente à pele, com o respectivo couro' | 1813, *toucio* XIII | Provavelmente do lat. **tuccīnum* (*lardum*), deriv. do célt. *tūcca* 'suco manteigoso'.
tojo *sm.* 'planta da fam. das leguminosas' XIV. Provavelmente de uma base pré-romana **toju*.
tola[1] *sf.* 'a cabeça, o juízo' XVIII. De origem obscura.
tola[2] *sf.* 'espécie de torquês de madeira' 1899. De origem obscura.
tolano *sm.* 'sulco no palato das cavalgaduras' 1844. Do lat. *tōles* 'inchação das amígdalas', provavelmente através do castelhano.
toldo *sm.* 'cobertura destinada principalmente a abrigar, do sol e da chuva, porta, eirado etc.' | *tolldo* XIV | De uma forma germ. afim do a. neerl. *telt*, através do a. fr. dialetal *tialt* 'toldo de barco' || toldAR | XVI, *toldado* part. pass. XIV.
toledano *adj. sm.* 'relativo a, ou natural de Toledo' | *toledãa* f. XIII, *toledão* XIV | Do top. *Toledo*, cidade da Espanha.
tol·eima, -eirão → *TOLO.
tolerar *vb.* 'suportar, consentir' XVI. Do lat. *tolĕrāre* || INtolerÂNCIA XVI. Do lat. *intolerantīa* || INtolerANTE 1813. Do lat. *in-tolĕrāns -antis* || INtolerÁVEL 1813. Do lat. *intolerābĭlis -e* || tolerABIL·IDADE XX || tolerADO 1813. Do lat. *tolerātus*, part. pass. de *tolĕrāre* || tolerÂNCIA 1813. Do lat. *tolerantīa* || tolerANTE 1813. Do lat. *tolĕrāns -antis* || tolerÁVEL 1813. Do lat. *tolerābĭlis -e*.
⇨ **tolerar** — INtolerÁVEL | *intoleraues* pl. *a* 1542 JCASE 55.22 || tolerÁVEL | *tolerauel* 1660 FMMelE 17.19 |.
tolete *sm.* 'pequena haste que se prende verticalmente na borda de certas embarcações miúdas, a fim de servir de apoio ao remo, para remar' XVI. Do fr. *tolet*, deriv. do a. escandinavo *tholler*.
tolher *vb.* 'tomar, roubar' 'impedir, prejudicar' | XIII, *toller* XIII | Do lat. *tóllĕre* || tolhIDO | *tollido* XIII, *tolleito* XIII, *-lleyto* XIII etc. || tolhIMENTO XIII.
tolo *adj. sm.* 'sem inteligência ou sem juízo' 'tonto, simplório, ingênuo' XVI. De origem obscura || **toleima** *sf.* 'tolice' 1813 || tolEIRÃO 1813 || tolICE 1813 || tolINA *sf.* 'logro ou burla a um tolo' 1844.
⇨ **tolo** — tolINA | 1836 SC |.
tolontro *sm.* 'tumor causado por contusão' 'caroço, túbera' XVII. Do cast. *tolondro*, alter. da forma ant. *torondo*, deriv. do lat. tard. *tŭrŭndus*, var. do lat. *tŭrŭnda* 'bolo de sacrifício'.
tolu *sm.* 'substância que se extrai de uma planta das leguminosas largamente usada contra as bronquites' 1881. Do fr. *tolu*, do top. *Tolu*, cidade da Colômbia (Santiago de *Tolu*) || toluENO *sm.* '(Quím.) líquido incolor, obtido na destilação do petróleo e do carvão, usado como solvente' | *-ena* f. 1899 | Do fr. *toluène* | toluí·FERO 1899.
tom *sm.* 'tensão, tono' 'altura de um som' 'tonalidade' | XIV, *toom* XV | Do lat. *tonus -i*, deriv. do gr. *tónos* 'músculo, tendão' 'tensão, intensidade, força, energia' 'tensão de uma corda' 'som de instrumento' || DES·ENtoADO XVI || DES·ENtoAR XVI || DEStoANTE 1899 || DEStoAR XIX || ENtoAÇÃO 1813 || ENtoADO 1813 || ENtoAR XV || ENtoNAÇÃO XX || **tonadilha** *sf.* 'canção ligeira e rústica' XVIII. Do cast. *tonadilla* || tonAL 1881. Do fr. *tonal* || tonAL·IDADE 1881. Adapt. do fr. *tonalité* || **tônICA** *sf.* '(Gram.) sílaba ou vogal tônica' '(Mús.) o primeiro grau de uma escala diatônica qualquer' 1881. Fem. substantivado de *tônico* || tonicIDADE 1858. Adapt. do fr. *tonicité* || **tônICO** *adj.* 'relativo ao tom' 'que tonifica ou dá energia' 'diz-se do elemento que recebe o acento de intensidade' 1858. Do fr. *tonique*, deriv. do gr. *tonikós* || tonI·FIC·AR 1881. Adapt. do fr. *tonifier* || tonILHO *sm.* 'tom débil' 1813. Do cast. *tonillo* || tonISMO *sm.* 'tétano' 1881 || **tono**[1] *sm.* 'tom de voz' | *thono* XV || tonoMETR·IA XX || **tônus** *sm.* 'estado normal de resistência e elasticidade dum tecido ou dum órgão' XX. Do lat. *tonus -i*, deriv. do gr. *tonós*. Cp. TOAR.
tomar *vb.* 'pegar, segurar' 'arrancar, tirar' XIII. De origem incerta || REtomar XIII || tomADA *sf.* 'ato ou efeito de tomar' XIII. Substantivação do f. do adj. *tomado* || tomADOR XIII || tomAMENTO XIV.
tomate *sm.* 'fruto do tomateiro, planta da fam. das solanáceas' XVIII. Do cast. *tomate*, deriv. do asteca *tómatl* || AtomatAR 1899 || tomatEIRO 1844.
⇨ **tomate** — tomatEIRO | 1836 SC |.
tomba[1] *sf.* 'planta de caule trepador ou rasteiro, da fam. das cucurbitáceas, dotada de propriedades medicinais' 1899. De origem obscura.
tomba[2] *sf.* 'retângulo de pele que se cola na lombada de um livro' 1813. De origem obscura.

tombamento[1] → TOMBAR.[1]
tombamento[2] → TUMBA.
tombar[1] *vb.* '(fazer) cair, derribar' | *ton-* XIII | De uma base expressiva **tumb*, que indicaria o som causado pela pancada do objeto ao cair || **tombadilho** *sm.* '(Mar.) superestrutura levantada à popa, sobre a coberta superior, e destinada a câmaras e alojamentos' XVII. Do cast. *tumbadillo* || **tomb**AMENTO[1] 1881 || **tombo**[1] *sm.* 'queda' XV. Dev. de *tombar*.[1]
tombar[2] → TUMBA.
tombo[1] → TOMBAR[1].
tombo[2] → TUMBA.
tômbola *sf.* 'tipo de jogo' 1881. Do it. *tómbola*.
tomento *sm.* 'conjunto de pelos curtos e densos que revestem um órgão ou parte dele' XIV. Do lat. *tōmentum -i* || **toment**OSO 1858.
-tomia *elem. comp.*, do gr. *-tomía*, de *tomé* 'corte, amputação', que se documenta em vocs. formados no próprio grego, como *anatomia* e *flebotomia*, por exemplo, e em vários outros formados nas línguas modernas de cultura, como *androtomia*, *nevrotomia* etc. Cp. -TOMO.
tomilho *sm.* 'planta da fam. das labiadas da qual se extrai um óleo essencial, rico em timol, com apreciável poder antisséptico' 1813. Do cast. *tomillo*, dim. do arcaico *tomo*, deriv. do lat. *thymum*, (vulgarmente *tŭmum*) e, este, do gr. *thýmon*. Cp. TIMO[1].
tomismo *sm.* '(Fil.) doutrina escolástica de S. Tomás de Aquino' 1874. Do lat. ecles. *Thomīsmus*, do antrop. lat. *Thōmās*, de *Tomás* de Aquino, teólogo italiano (1225-1274)' || **tom**ISTA | *tho-* XVIII | Do lat. med. *thōmista*.
tomo *sm.* 'divisão bibliográfica de uma obra, que pode coincidir ou não com o volume' XVI. Do lat. *tomus -i*, deriv. do gr. *tómos* 'corte, incisão' 'parte, porção' || **tomí**PARO 1899 || **tomo**TOC·IA 1899.
-tomo *elem. comp.*, do gr. *-tómos*, de *tomé* 'corte, amputação', que se documenta em alguns vocs. eruditos: *anisótomo*, *geótomo* etc. Cp. -TOMIA.
tona[1] *sf.* 'casca, película' XV. Do lat. tard. *tunna*, de origem céltica || **tanoa** *sf.* 'ofício de tanoeiro' 1844. Alteração de **tonoa*, deriv. de *tona*, provavelmente || **tan**OARIA 1813 || **tan**OEIRO *sm.* 'aquele que faz e/ou conserta pipas, cubas, barris etc.' 1813.
⇨ **tona**[1] — **tanoa** | 1836 SC |.
tona[2] *sf.* 'barco de carga usado no Oriente' | *-ne* XVI | Do tamul (e malaiala) *tōni* (em canarês e concani *ḍoṇi*).
ton·adilha, -al, -alidade → TOM.
tonalito *sm.* 'variedade de diorito, rica em quartzo, biotita e anfibólio' XX. Provavelmente do ing. *tonalite*, do top. *Tonale* (passo de), desfiladeiro na Itália, e o suf. *-ite* (= *-ito*[3]: v. -ITA).
tonante → TONÍTRUO.
tondinho *sm.* 'pequena moldura na base das colunas' 1844. Do it. *tondino*.
tonel *sm.* 'vasilha grande para líquidos' XIII. Do a. fr. *tonel* (hoje *tonneau*), dim. de *tonne* 'tonel grande', deriv. do lat. tard. *tŭnna* e, este, do célt. *tunna* || **tonel**ADA *sf.* 'orig. antiga medida de peso' 'modernamente, unidade fundamental de medida de massa' XIV || **tonel**AGEM *sf.* 'a capacidade dum caminhão, trem etc.' 'medida dessa capacidade' 1881 || **tonel**ARIA *sf.* 'tanoaria' 1813.

-tonia *elem. comp.*, do gr. *-tonía*, de *tónos* 'tensão' 'corda, cabo', que se documenta em alguns vocs. eruditos: *anfotonia*, *hipotonia* etc.
tôn·ica, -icidade, -ico, -ificar, -ilho → TOM.
toninha *sf.* 'atum de pouca idade' XIV. De um lat. **thŭnnīna*, de *thunnus -i* 'atum', deriv. do gr. *thýnnos*, relacionado com o ár. *ṭunîna*.
tonismo → TOM.
tonítruo *adj.* 'que troveja' 1881. Do lat. *tonitrŭum -i* 'trovão' || **ton**ANTE *adj.* 2g. 'que troveja' 'forte, vibrante' XVI. Forma divergente culta de *toante* (v. TOAR), do lat. *tonāns -antis*, part. pres. de *tonāre* || **tonitru**ANTE *adj.* 2g. 'tonítruo' 1881. Do lat. tard. *tonitruans -antis*, part. pres. do lat. *tonitruāre* || **tonitru**OSO 1813. Cp. TOAR, TOM.
tono[1] → TOM.
tono[2] *sm.* 'senhor feudal no Japão' XVI. Do jap. *tono*.
tonometria → TOM.
tonsila *sf.* 'amígdala' 1813. Do lat. *tonsillae -arum*.
tonsura *sf.* 'corte circular, rente, do cabelo, na parte mais alta e posterior da cabeça, que se faz nos clérigos' 'cercilho, coroa' XVII. Do lat. *tōnsūra* || IN**tonso** 1572. Do lat. *in-tōnsus* || **tonsur**ADO 1813 || **tonsur**AR 1813. Do lat. *tōnsūrāre*.
tont·ear, -eira → TONTO.
tontina *sf.* 'associação na qual os capitais dos sócios que morrem passam para os sobreviventes' 1881. Do it. *tontina* (talvez através do fr. *tontine*), deriv. do antrop. Lorenzo *Tonti* (1630-1695), banqueiro napolitano que inventou este tipo de operações.
tonto *adj.* 'zonzo, aturdido' XVI. De provável formação expressiva || EN**tont**ECER XVIII || ES**tont**E·AMENTO 1881 || ES**tont**E·ANTE XX || ES**tont**EAR 1858 || **tont**EAR 1813 || **tont**EIRA 1813 || **tont**URA 1844.
⇨ **tonto** — ES**tont**EAR | 1836 SC || **tont**URA | 1836 SC |.
tônus → TOM.
topar *vb.* 'encontrar(-se) com' XIII. De origem onomatopaica || **topa** *sf.* 'certo brinquedo de crianças' 1813. Dev. de *topar* || **top**ADA XIV || **top**AMENTO XV || **topo**[1] *sm.* 'ato de topar' XVI. Dev. de *topar*.
toparca *sm.* 'chefe de uma toparquia' | *-cha* 1899 | Do lat. tard. *toparcha*, deriv. do gr. *topárchēs* || **toparquia** *sf.* 'na Antiguidade, espécie de principado independente' | *-chia* 1899 | Do lat. *toparchīa*, deriv. do gr. *toparchía*.
topázio *sm.* 'mineral ortorrômbico, constituído de fluossilicato fluorífero de alumínio' 'pedra preciosa' | XVI, *topas* XIV, *topaz* XIV, *topaza* XIV | Do lat. *topazĭus -ī*, deriv. do gr. *tópazos*, *topázion*.
tope *sm.* 'encontro ou choque de objetos' XVII; 'cimo, topo, sumidade' 1813. Do a. fr. *top* 'cume, cimo', deriv. do frâncico **top*, A**top**ET·AR *vb.* 'orig. chegar ao tope de' '*ext.* encher em demasia' 1858 || **top**ETE *sm.* 'parte da crina do cavalo que cai sobre a testa' 'cabelo levantado na parte anterior da cabeça' XIII. Do fr. *toupet*, deriv. do a. fr. *top* || **topo**[2] *sm.* 'tope, em sua segunda acepção' XV.
topiaria *sf.* 'arte de adornar os jardins' XVIII. Do lat. *topiarĭa* || **topi**ÁRIO *sm.* 'jardineiro que pratica a topiaria' 1899. Do lat. *topiarĭus -ī*.
topo[1] → TOPAR.
topo[2] → TOPE.

top(o)- *elem. comp.*, do gr. *topo-*, de *tópos* 'lugar', que se documenta em alguns compostos formados no próprio grego (como *topografia*) e em muitos outros introduzidos, a partir do séc. XIX, na linguagem erudita ▶ **Atóp**ICO XX || **tóp**ICO *adj. sm.* 'orig. relativo a lugar' 'relativo precisamente àquele de que se trata' 'diz-se de medicamento externo' '*ext.* assunto, tema' XVIII. Do lat. tard. *topicus*, deriv. do gr. *topikós* || **topo**FOB·IA | *-pho-* 1899 | Do lat. cient. *topophobia* || **topo**GRAF·IA XVII. Do lat. tard. *topographia*, deriv. do gr. *topographía* || **topo**GRÁF·ICO XVII || **top**ÓGRAFO | *-pho* 1844 | Do fr. *topographe* || **topo**LOG·IA 1881. Do fr. *topologie* || **top**ONÍM·IA | *-ny-* 1874 | Do fr. *toponymie* || **top**ÔNIMO XX. Do fr. *toponyme* || **top**ONOMÁSTICA 1899. Do fr. *toponomastique* || **top**ORAMA 1899.
⇨ **top(o)-** — **topo**GRAFIA | *-phia a* 1542 JCASE 111.*19* || **top**ÓGRAFO | *-pho* 1836 SC |.
toque¹ → TOCAR.
toque² *sm.* 'chapéu de senhora, de copa arredondada e sem aba' 1899. Do fr. *toque*.
toque³ *sm.* 'rubi' XVI. De provável origem asiática, mas de étimo indeterminado.
-(t)or *suf. nom.*, deriv. do lat. *-(t)or* or *-(t)õris*, que se documenta em substantivos portugueses eruditos, quase todos formados no próprio latim, com a noção de 'agente, instrumento da ação': *corretor, inspetor* etc. Cp. -(D)OR, -OR, -(S)OR.
tora → TORO.
torac(o)- *elem. comp.*, do gr. *thorac(o)-*, de *thórax -ãkos* 'tórax', que se documenta em muitos compostos introduzidos, a partir do séc. XIX, na linguagem científica internacional ▶ **toráci**CO | *tho-* 1813 | Do fr. *thoracique*, deriv. do gr. *thorãkikós* || **toraco**CENTESE | *thoracocenthese* 1874 || **toraco**GRAF·IA XX || **toraco**METR·IA | *tho-* 1899 || **toraco**PLAST·IA XX | Do fr. *thoracoplastie* || **toraco**PNEUMONIA XX || **toraco**SCOP·IA | *tho-* 1874 || **toraco**TOM·IA XX || **toraco**TOM·IA XX || **tórax** *sm.* *2n.* 'cavidade do peito' 'peito' | *tho-* 1813 | Do fr. *thorax*, deriv. do lat. *thõrãx -ãcis* e, este, do gr. *thórax -ãkos*.
toral → TORO.
toranja *sf.* 'toranjeira' 'o fruto da toranjeira' | 1651, *-ron-* 1813 | Do cast. *toronja*, deriv. do ár. *turúnya*, estrangeirismo de origem oriental em árabe || **toranj**EIRA *sf.* 'planta da fam. das rutáceas' 1899.
torar → TORO.
tórax → TORAC(O)-.
torbernita *sf.* 'uranita' XX. Do al. *Torbernit*, deriv. de *Torbernus*, forma latinizada do antrop. *Torber Bergmann*, químico sueco (1735-1784).
torça *sf.* 'pedra quadrilonga esquadriada' 'verga de porta' 1899. De origem obscura; talvez se ligue a TORCER.
torcer *vb.* 'orig. dobrar, vergar, entortar' '*ext.* alterar, desvirtuar' '*ext.* simpatizar, incentivar' XIII. Do lat. vulg. **tõrcẽre* (cláss. *tõrquẽre*) || CON**torção** | *-são* 1836 sc || Do lat. *contortiõ -õnis* || CON**torcer** *vb.* 'torcer muito, contrair' 1881. Do lat. vulg. **contõrcẽre* (cláss. *con-tõrquẽre*) || CON**torcion**ISTA XX || DES**torcer** 1844. Do lat. vulg. **distõrcẽre* (cláss. *dis-tõrquẽre*) || DIS**torção** 1844. Do lat. *distortiõ -õnis* || EN**torse** *sf.* 'distensão violenta dos ligamentos duma articulação'

1881. Do fr. *entorse* || EN**tort**AR XVII || ES**torcer** XIII || ES**torteg**AR *vb.* 'torcer com força' 1874 || RE**torcer** | *retrocer* XIV | Do lat. vulg. **retõrcẽre* (cláss. *re-tõrquẽre*) || **torç**AL *sm.* 'cordão de fios de retrós' 'cordão de seda com fios de ouro' XVI. Do cast. *torzal*, mas de formação duvidosa || **torção** *sf.* 'ato ou efeito de torcer' XVI. Do lat. *tortiõ -õnis* || **torc**AZ *adj.* 'diz-se da pomba-trocal' XVI. Do lat. **torquãce*, de *torques -is* 'colar, coleira' || **torc**ED·OR XVI || **torc**ED·URA XVI || **torcicolo** *sm.* 'orig. rodeio, sinuosidade' '*ext.* contração espasmódica dos músculos do pescoço' XVI. Do it. *torcicòllo* || **torc**IDA *sf.* 'ato ou efeito de torcer, em sua terceira acepção' 1844 || **torc**IDO XVI || **torço** *sm.* 'orig. torcedura' '*ext.* xale ou manta que se enrola na cabeça à guisa de turbante' | *troço* XVI | Dev. de *torcer* || **torso**¹ *adj.* 'torcido, sinuoso' 1881. Do lat. **torsus* || **tort**EIRO | *-eyro* XIV || **tortelos** *adj. sm.* *2n.* 'estrábico' 1874 || **torticeiro** *adj.* 'injusto, incorreto' XIII || **torto**¹ *adj.* 'vesgo, caolho' 'que não é certo' 'incorreto' XIII. Do lat. *tõrtus*, part. de *tõrquẽre* || **torto**² *sm.* 'injustiça' 'ofensa, dano' XIII || **tortu**AL *sm.* 'tranca que se atravessa no fuso do lagar para fazer que ele gire' 1813 || **tortu**OS·IDADE XVIII. Do lat. *tortuõsĭtãs -ãtis* || **tortu**OSO *adj.* 'torto' 'que dá muitas voltas' XVI. Do lat. *tortuõsus*.
⇨ **torcer** — CON**torção** | *-são* 1836 sc || DES**torcer** | 1836 sc || DIS**torção** | *-são* 1836 sc || ES**toreg**AR | 1836 sc || **torc**IDA | 1614 SGONÇ I.528.*4* || **torso**¹ | 1836 sc || **tort**ELOS | 1836 sc |.
tórculo *sm.* '*ant.* aparelho dotado de mós, para polir pedras preciosas' 'prelo tipográfico primitivo, feito à semelhança de prensa de lagar' XVII. Do lat. *torcŭlum -i*, de *tõrquẽre*. Cp. TORCER.
tordo *sm.* 'gênero de pássaros da fam. dos turdídeos, de plumagem de fundo branco-sujo, com manchas escuras' XVI. Do lat. *turdus -i* || **tord**ILHO *adj. sm.* 'que ou que tem colorido semelhante ao do tordo' 1813. Do cast. *tordillo*.
toré *sm.* 'espécie de flauta dos índios do Brasil' '*ext.* dança ao som desse instrumento' *c* 1767. De origem tupi, mas de étimo indeterminado.
toreumatografia *sf.* 'descrição dos momumentos esculpidos, em especial, os antigos baixos-relevos' | *-phia* 1858 | Do lat. med. *toreumatographia*, deriv. do lat. *toreuma -atis* e, este, do gr. *tóreuma -atos* 'cinzeladura em relevo' 'vaso cinzelado' || **toreuta** *s2g.* 'especialista em toreútica' XX. Do lat. *toreuta*, deriv. do gr. *toreutés* 'cinzelador' || **toreutica** *sf.* 'arte de esculpir ou cinzelar' 1881. Do lat. *toreuticẽ*, deriv. do gr. *toreutikế*.
⇨ **toreumatografia** — **toreut**ICA | 1875 *in* ZT |.
torga *sf.* 'urze' 'raiz de urze, da qual se faz carvão' 1813. Do lat. **torĭca*, de *torus -i* || ES**torga** *sf.* 'urze' 1844. Cp. TORO.
⇨ **torga** — ES**torga** | 1836 sc |.
tori *sm.* 'portão típico colocado, em regra, à entrada dos templos japoneses' XIX. Do jap. *tõri*.
torilo → TORO.
tório *sm.* '(Quím.) elemento de número atômico 92, metálico, denso, radioativo' | *tho-* 1874 | Do lat. cient. *thorium*, voc. criado pelo químico sueco Berzelius, em 1828, com base no mitônimo escandinavo *Thor*.

-(t)ório *suf. nom.*, deriv. do lat. *-(t)ōrium*, que se documenta em substantivos portugueses de cunho erudito e/ou semierudito, com as noções de: (i) lugar onde uma ação se pratica ou pode praticar: *lavatório*; (ii) meio ou instrumento: *vomitório*. Cp. -(D)OURO.
tormento *sm.* 'suplício, tortura' 'angústia, aflição' 'desgraça' XIII. Do lat. *tormentum -i* || AtormentAR | XV, *tormentar* XIII || **tormenta** *sf.* 'temporal violento' XIII. Do lat. tard. *tormenta* || **torment**OSO XVI.
torno *sm.* 'engenho em que se faz girar uma peça de madeira, ferro etc., para lavrá-la, ou para arredondá-la' XIV. Do lat. *tornus*, deriv. do gr. *tórnos* || ENtornAR | XVI, *entornado* part. pass. XIII || EstornicAR XX || REtornAMENTO XV || REtornANTE | *-āte* XIV || REtornAR XIX || REtorno *sm.* XIV. Dev. de *retornar* || **torna** *sf.* 'volta, devolução' 1844. Dev. de *tornar* || tornADA *sf.* 'volta, regresso' XIII || tornAD·IÇO XIV || tornADO XIII || tornAR *vb.* 'tornear' 'voltar, regressar' 'devolver' XIII. Do lat. *tornāre*. A segunda acepção do voc. (como a de quase todos os compostos formados com base em *torno*) relaciona-se com a ideia de 'dar voltas (como um torno)' || **tornas·SOL** *sm.* '(Quím.) indicador de pH extraído de certos líquidos (azul em meio alcalino, vermelho em meio ácido)' | *-ne-* 1874 || tornE·AMENTO XIII || tornE *vb.* 'fabricar ao torno' 'andar em torneio' XIV || tornEIO *sm.* 'combate, luta, disputa' | *tornei* XIII, *torney* XIII, *torneo* XIII etc. | Do prov. *tornei*, dev. de *tornejar*, de *torno* || tornEIRA *sf.* 'tubo com uma espécie de chave, usado para reter ou deixar sair um fluído' XVIII | tornEIRO *sm.* 'artífice que trabalha ao torno' XV || tornEJA *sf.* 'cada uma das cavilhas situadas na extremidade do eixo do carro' XVII || tornEL *sm.* 'argola cravada na extremidade duma haste, sobre a qual gira' XVII || tornILH·EIRO 1813. Do cast. *tornillero* | tornILHO *sm.* 'castigo que se infligia aos soldados, que os obrigava a curvarem-se' 1813. Do cast. *tornillo* || **torniquete** *sm.* 'antigo instrumento de tortura inquisitorial' XIX. Do fr. *tourniquet*, deriv. do a. fr. *tunicle* e, este, do lat. *tŭnīcula* 'pequena túnica' || **tornozelo** *sm.* 'saliência óssea na articulação do pé com a perna' XVI || TRANStornAR *vb.* 'desorganizar' 'perturbar' | *tras-* XIII || TRANStorno *sm.* 'ato ou efeito de transtornar(-se)' | *tras-* 1858 | Dev. de *transtornar*.
⇨ **torno** — REtornar | XIV ORTO 82.1 | **torna** | 1836 SC || **tornas·SOL** | *tornasol* 1836 SC |.
toro *sm.* 'tronco de árvore abatida, ainda com a casca' '(Bot.) a parte central, mais grossa, da membrana de uma pontoação' '*ext.* o corpo animal privado de membros' XIV. Do lat. *torus -i* || AtorAR XVII || tarOLO *sm.* 'pequeno toro ou acha de lenha' 1890 || **tora** *sf.* 'toro, em sua terceira acepção' XVI; 'grande tronco de madeira' 1813 || tor**AL** *sm.* 'a parte mais grossa e forte da lança' XVI || **tor**AR 1844 || **torilo** *sm.* 'ponto do pedúnculo onde nasce a flor' 1890 || **tor**OSO *adj.* 'polpudo, carnoso' 1874. Do lat. *torōsus*.
⇨ **toro** — torAR | 1836 SC |.
toroupirá *sm.* 'peixe da fam. dos anablepídeos (*Anableps tetrophthalmus*), também conhecido como tralhoto' | *torohupira c* 1631, *taraguipira c* 1631 | Do tupi *taraüïpi'ra* < *tara'üïra* 'lagartixa' + *pi'ra* 'peixe'.

torpe *adj. 2g.* 'indigno, imoral' XIII. Do lat. *turpis* || torpEZA XV || torpIDADE *sf.* 'torpeza' | XIII, *tur-XIV* || torpITUDE *sf.* 'torpeza' 1899 || **turpilóquio** *sm.* 'expressão torpe' 'dito obsceno' XVIII. Do lat. *turpiloquĭum -iī*.
torpedo *sm.* 'peixe da fam. dos torpedinídeos' '*fig.* engenho explosivo' 1813. Do lat. *torpēdo -ĭnis* || CONTRAtorpedEIRO | *contra-torpedeiro* 1899 || torpedEAR XX || torpedEIRO *sm.* 'navio de guerra lançador de torpedos' 1899.
torp·eza, -idade, -itude → TORPE.
torpor *sm.* 'falta de ação, desânimo, desalento' XVI. Do lat. *torpor -ōris* || DES·ENtorpECER 1844 || ENtorpEC·ENTE *adj. 2g. sm.* 'que ou aquilo que entorpece' XX || ENtorpECER *vb.* 'causar torpor a' 'tirar a energia a' XVII || ENtorpEC·IMENTO 1813 || torpENTE 1881. Do lat. *torpens -entis*, part. pres. de *torpēre* 'estar entorpecido' || **tórp**IDO 1881. Do lat. *torpĭdus*.
⇨ **torpor** — DES·ENtorpECER | 1836 SC || **tórp**IDO | 1836 SC |.
torquês *sf.* 'espécie de tenaz ou alicate' XIV. Do a. fr. *turcoises (tenailles)* 'tenazes turcas' (hoje *tricoises*), alter. de *turquoises*, fem. de *turc* 'turco'.
torr·a, -ada → TORRAR.
torrão → TERRA.
torrar *vb.* 'ressequir, queimar de leve' 'assar, tostar' XIV. Do lat. **torrāre* (cláss. *torrēre*) || EstorricAR *vb.* 'secar em excesso' 1899 || EsturrAR *vb.* 'torrar' 1813 || EsturrINHO *sm.* 'tabaco muito torrado' 1813 || EsturrO *sm.* 1813. Dev. de *esturrar* || **torra** *sf.* 'ato ou efeito de torrar' 1813. Dev. de *torrar* || tor·rADA *sf.* 'fatia de pão torrado' 1844. Fem. substantivado de *torrado* || **torrefação** *sf.* 'ato ou efeito de torrefazer' | *-facção* 1813 | Adapt. do fr. *torréfaction* || **torrefato** *adj.* 'torrado' | *-fac-* 1813 | Do lat. *torrefactus*, part. pass. de *torrēfacĕre* || **torrefazer** *vb.* 'tostar, torrar' XX. Do lat. *torrēfacĕre* || **tórr**IDO *adj.* 'muito quente, ardente' XVI. Do lat. *torrĭdus* || torri·FICAR *vb.* 'tornar tórrido' 1881 || **torrija** *sf.* 'torrada embebida em vinho e coberta com ovos e açúcar' 1813. Do cast. *torrija*. Cp. TOSTAR.
⇨ **torrar** — torrADA | 1836 SC |.
torre *sf.* '*orig.* fortaleza' '*ext.* campanário' XIII. Do lat. *tŭrris* || ENtorrADO 'fortificado com torre' XIV || torreÃO XVII.
⇨ **torre** — torreÃO | *torreões* pl. *c* 1539 JCASD 66.24, *torriões* pl. 1571 FOLO 151.21 |.
torre·fação, -fato, -fazer → TORRAR.
torrente *sf.* 'curso de água, temporário e violento, originário das enxurradas' XVI. Do lat. *torrēns -entis*, part. pres. de *torrēre* || **torrenci**AL 1881. Do fr. *torrentiel*. Cp. TORRAR.
torresmo → TOSTAR.
tórri·do, -ficar, -ja → TORRAR.
torroada → TERRA.
torso[1] → TORCER.
torso[2] *sm.* 'representação da figura humana truncada, sem cabeça e sem membros' 'busto de pessoa ou de estátua inteira' 1881. Do it. *tórso*.
⇨ **torso**[2] | 1836 SC |.
torta *sf.* 'espécie de pastelão doce ou salgado' 'bolo de camadas' XVI. Do it. *tórta*, deriv. do lat. vulg. *torta*.
tort·eiro, -elos, -iceiro, -o → TORCER.

tortor → TORTURA.
tortual → TORCER.
tortulho *sm.* 'designação comum aos cogumelos, principalmente antes de abertos' XIV. Talvez do lat. *tertublo* (< *terrae tuber*).
tortu·osidade, -oso → TORCER.
tortura *sf.* '*orig.* 'tortuosidade' XVI; '*ext.* suplício, tormento' XVII. Do lat. *tortūra* || **tort**OR *sm.* '*orig.* torturador' '*ext.* cada um dos cabos que abraçam o navio de madeira para evitar que se abra' 1881. Do lat. *tortor -ōris* || **tortur**ADOR XX || **tortur**ANTE 1881 || **tortur**AR 1881. Cp. TORCER.
tórulo *sm.* 'pequena saliência subcônica na ponta dos dedos' 1858. Do lat. *torŭlus -i*.
torv·a, -ação, -amento, -ar, -elinho → TURVO.
torvo *adj.* 'que causa terror' XIV. Do lat. *torvus*.
tosar[1] *vb.* 'tosquiar, cortar rente' XIV. Do lat. **to(n)sāre*, iterativo de *tondēre* 'cortar o cabelo' || **tosa** *sf.* 'operação de tosar a lã ou aparar-lhe a felpa' 1813. Dev. de *tosar* || **tosão** *sm.* 'velo de carneiro' XVI. Adapt. do fr. *toison*, deriv. do b. lat. *to(n)siō -ōnis*.
tosar[2] *vb.* 'bater, surrar' XVIII. Do lat. **tusāre*, frequentativo de *tundĕre* 'bater'.
toscano[1] *adj. sm.* 'pertencente ou relativo à Toscana' | *tus-* 1844 | Do lat. *Tuscanus*.
⇨ **toscano**[1] | 1614 SGONÇ II. 133.*20* |.
toscano[2] → TOSCO.
toscar *vb.* 'ver ao longe, avistar' 'perceber' 1881. De origem obscura.
tosco *adj.* 'tal como veio da natureza' 'bronco, grosseiro, rude' XVI. Do lat. vulg. *tŭscus*, em alusão à gente baixa ou libertina que vivia em Vicus *Tuscus*, o bairro etrusco de Roma (lat. cláss. *tuscus* 'etrusco, tosco, toscano') || **tosc**ANO[2] *adj.* 'narigudo' 1899.
tosquiar *vb.* 'cortar rente (pelo, lã ou cabelo)' | XIII, *trosquiar* XIII, *trusquiar* XIV etc. | De origem controversa || **tosquia** *sf.* 'ato ou efeito de tosquiar' | *trosquyia* 1500 | Dev. de *tosquiar*.
tossir *vb.* 'ter tosse' 'provocar a tosse' XIII. Do lat. *tŭssīre* || **tosse** *sf.* 'expiração súbita, e mais ou menos frequente, pela qual o ar, atravessando os brônquios e a traqueia, produz ruído característico' XIII. Do lat. *tussis -is* || **tosse**G·OSO *adj.* 'que tem tosse' XVI || **tussilagem** *sf.* 'planta medicinal da fam. das compostas' 1813. Do fr. *tussilage*, deriv. do lat. cient. *tussilāgō* e, este, do lat. *tussilāgō -ĭnis*, de *tussis* 'tosse' || **tuss**OL *sm.* 'medicamento contra a coqueluche' 1899.
tosta → TOSTAR.
tostão *sm.* 'antiga moeda portuguesa' XVI. Do fr. *teston*, deriv. do it. *testóne*.
tostar *vb.* 'torrar, crestar' XIV. Do lat. vulg. *tostāre*, intensivo de *torrēre* || **torresmo** *sm.* 'toicinho frito em pequenos pedaços' XVII. Adapt. do cast. *torrezno* || **tosta** *sf.* 'torrada' 1874. Dev. de *tostar* || **toste** *sm.* 'saudação ou brinde, em um banquete' XIX. Do ing. *toast* 'torrada'. Cp. TORRAR.
⇨ **tostar — tosta** | 1836 SC |.
tota[1] *sf.* 'pequeno impulso que se dá às castanhas, no jogo' XX. Palavra de formação expressiva.
tota[2] *sf.* 'passagem de rio, cais, em Ceilão' XVII. Do cingalês *tota*.
total *adj. 2g. sm.* 'que abrange um todo' 'resultado da adição' XVI. Do lat. med. *tōtālis*, de *tōtus* 'todo', talvez através do francês || **total**IDADE 1813. Adapt.

do fr. *totalité* || **totalitário** *adj.* 'diz-se do governo, país ou regime em que um grupo centraliza todos os poderes políticos e administrativos' XX. Do it. *totalitàrio* || **totalitar**ISMO XX || **totalitar**ISTA XX.
totem *sm.* 'animal, vegetal ou qualquer objeto considerado como ancestral ou símbolo de uma coletividade, sendo por isso protetor dela e objeto de tabus e deveres particulares' XX. Do ing. *totem*, deriv. de um idioma indígena da América do Norte, provavelmente da fam. algonquina.
touca *sf.* 'peça de vestuário usada na cabeça, por mulheres e crianças' XIII. De origem desconhecida || DES·ENtoucAR XIV || ENtoucADO XIV || ENtoucADURA XIV || ENtoucAR XIII || toucADOR 1813.
⇨ **touca — touc**ADOR | 1789 MS |.
touça *sf.* 'moita' XVI. Provavelmente de um pré-romano **taucia* 'mata' || **touc**EIRA XVI.
toucador → TOUCA.
touceira → TOUÇA.
toupeira *sf.* 'mamífero insetívoro, que vive sob a terra, minando-a' '*fig.* pessoa de olhos pequenos e piscos e/ou de inteligência muito curta' XVI. De **toupa* (deriv. do lat. *talpa*) + -EIRA.
tour·ada, -eador, -ear, -eiro → TOURO.
tourejão *sm.* 'cavilha destinada a amparar as rodas da carreta, nas extremidades do eixo' 1844. De origem obscura.
⇨ **tourejão** | 1836 SC |.
touro *sm.* 'boi inteiro, não castrado' XIII. Do lat. *taurus* 1874 || **tour**E·ADOR XVII || **tour**EAR XVII || **tour**EIRO XVI.
touta *sf.* 'a cabeça' 1813. De origem controversa || **tout**EAR *vb.* 'dizer ou praticar tolices' XVII || **tout**IÇO *sm.* 'cachaço, nuca' XIII || **tout**I·NEGRA *sf.* 'designação comum a certas espécies de pássaros, cuja espécie típica tem a cabeça negra' 1813.
tóxico *adj. sm.* 'que, ou o que envenena' XVII. Do lat. *toxĭcum -i*, deriv. do gr. *toxikón* (*phármakon*) 'veneno para flechas', de *tóxon* 'arco de atirar' || DES·INtoxicAR XX || INtoxicAÇÃO 1874. Do fr. *intoxication* || INtoxicAR 1874. Do fr. *intoxiquer*, deriv. do lat. med. *intoxicāre* || tox EM·IA 1899. Do fr. *toxémie* || **toxic**ÓFORO | -*pho-* 1899 || **toxico**GRAF·IA | -*phia* 1858 || **toxico**LOG·IA 1850. Do fr. *toxicologie* || **toxico**MAN·IA XX. Do fr. *toxicomanie* || **tox**INA XX. Do fr. *toxine* || **toxiqu**EM·IA XX || **toxo**FILO | -*phillo* 1899 || **tox**OIDE XX.
tra- → TRANS-.
trabal → TRAVE.
trabalhar *vb.* 'ocupar-se em algum mister' 'exercer o seu ofício' XIII. Do lat. vulg. **trĭpālĭāre* 'torturar', derivado de *trĭpālĭum* 'instrumento de tortura composto de três paus'; dá ideia inicial de 'sofrer', passou-se à de 'esforçar(-se), lutar, pugnar' e, por fim, 'trabalhar' || **trabalh**ADOR | -*llador* XV || **trabalh**AMENTO | -*llamento* XIV || **trabalh**EIRA 1881 || **trabalh**ISMO *sm.* 'as doutrinas ou opiniões sobre a situação econômica do operariado' XX || **trabalh**ISTA XX || **trabalho** XIII. Dev. de *trabalhar* || **trabalh**OSO | XIV, -*loso* XIV.
trab·écula, ·elho → TRAVE.
trabucar *vb.* 'perturbar' 'derrubar' XIV. Do prov. *trabucar* || **trabuc**ADOR XV || **trabuco** *sm.* 'balestra' 'espécie de bacamarte' | XVI, -*buque* XV | Do prov. *trabuc* || **trabuqu**ETE XIV. Do prov. *trabuquet*.

trabuzana *sf.* 'tempestade, temporal' XVIII. De origem obscura; talvez de formação expressiva.
traç·a, -ado → TRAÇAR.
tracajá *sm.* 'réptil quelônio da fam. dos pelomedusídeos, espécie de tartaruga' *c* 1777. De origem tupi, mas de étimo indeterminado.
tracalhaz → TRANCA.
tração *sf.* 'ação duma força que desloca um objeto móvel por meio de corda etc.' XVIII. Do fr. *traction*, deriv. do lat. tard. *tractiō -ōnis* ‖ **trat**OR *sm.* 'veículo motorizado capaz de rebocar cargas ou de operar, rebocando ou empurrando, equipamentos agrícolas, de terraplenagem etc.' XX. Do ing. *tractor* ‖ **tratório** *adj.* 'relativo à tração' | *trac-* 1813 | Do lat. *tractōrĭus*. Cp. TRAZER.
traçar¹ *vb.* 'riscar, fazer uma linha' XVI. Do lat. vulg. **tractiāre*, deriv. do lat. *trahĕre* 'tirar' ‖ **traça¹** *sf.* 'esboço, traço' XVI. Dev. de *traçar¹* ‖ **traça²** *sf.* 'designação comum aos insetos tisanuros, especialmente os da fam. dos lepismatídeos' XVI. Provavelmente deriv. de *traça¹*, em alusão às marcas que esse inseto deixa nos objetos' ‖ **traç**ADO¹ *sm.* 'lona estreita, para velas' 1899. Provavelmente relacionado com *traçar²* ‖ **traç**ADO² *adj. sm.* 'representado por meio de traços' 'ato ou efeito de traçar' XVI. De *traça¹* ‖ **traçar²** *vb.* 'orig. roer ou corroer (a traça)' *ext.* partir em pedaços, consumir' 1844, De *traça²* ‖ **trac**EJAR *vb.* 'fazer linhas ou traços' 1858. De *traçar¹* ‖ **traço** *sm.* 'ato ou efeito de traçar' XVI. Dev. de *traçar¹*.
⇨ **traçar¹** — **traç**AR² 'roer ou corroer (a traça)' | 1836 SC |.
trácio *adj. sm.* 'pertencente ou relativo à Trácia' | *thracio* 1844 | Do lat. *thrācĭus -a -um* (≤ gr. *thrákios -os*). A var. *trace* (< lat. *thrāx -acis* ≤ gr. *thrāx*) ocorre em 1572, em *Os Lusíadas*.
⇨ **trácio** | *tracyo* XIV ORTO 98.*12* ‖ **trác**ICO | 1538 DCast 22.*7* |.
traço → TRAÇAR.
tracoma *sm.* 'conjuntivite granulosa' | *-choma* 1813 | Do fr. *trachoma*, deriv. do lat. cient. *trachōma -atis* e, este, do gr. *tráchōma -atos* ‖ **tracomat**OSO XX.
tracuá *sm.* 'espécie de formiga do gênero Camponotus' XX. Do tupi **taraku'a*.
tradescância *sf.* 'designação comum a várias espécies de plantas da fam. das comelináceas' 1881. Do lat. cient. *tradescantia*, voc. introduzido por Lineu na linguagem da botânica, em homenagem ao naturalista holandês J. *Tradtscant*.
tradição *sf.* 'ato de transmitir ou entregar' 'transmissão oral de lendas, fatos, valores espirituais etc., através de gerações' XVII. Do lat. *trādĭtĭō -ōnis* ‖ **tradicion**AL 1858. Adapt. do fr. *traditionnel* ‖ **tradicion**AL·ISMO 1874. Do fr. *traditionalisme* ‖ **tradicion**AL·ISTA 1874. Do fr. *traditionaliste*. Cp. TRAIÇÃO.
trado *sm.* 'verruma grande, usada por carpinteiros e tanoeiros' | *traado* XIV | Do lat. tard. *talatru* (> **taladro* > **taadro* > **tadro* > *trado*), de origem céltica.
traduzir *vb.* 'transpor de uma língua para outra' XVI. Do lat. *trādūcĕre* ‖ **tradução** *sf.* 'ato ou efeito de traduzir' XVII. Do lat. *trāductĭō -ōnis* ‖ **tradut**OR | *-duc-* 1813 | Do lat. *trāductor -ōris*.

tráfico *sm.* 'orig. comércio, negócio, tráfego' '*ext.* negócio indecoroso' XVI. Do it. *traffico* ‖ **trafeg**AR *vb.* 'orig. negociar' '*ext.* transitar' XVI. De *tráfego* ‖ **tráfego** *sm.* 'orig. tráfico' '*ext.* 'trânsito' XV. Forma divergente de *tráfico* ‖ **trafic**ÂNCIA 1813 ‖ **trafic**ANTE 1813. Do it. *trafficante* ‖ **tracific**AR 1813. Do it. *trafficare*.
tragacanto *sm.* 'alcatira' | *-tho* 1844 | Do lat. *tragacantha*, deriv. do gr. *tragákantha -ēs*.
⇨ **tragacanto** | *-tho* 1836 SC |.
tragar *vb.* 'beber, engolir, de um trago' 'fazer desaparecer, absorver' '*ext.* inalar a fumaça do tabaco' XIII. De origem obscura ‖ **talag**ADA *sf.* 'porção de bebida alcoólica que se toma duma só vez' XX. Alter. de *tragada* ‖ **trag**ADA *sf.* 'ato de tragar' XX ‖ **trago¹** *sm.* 'gole' XVI. Dev. de *tragar*.
trágico *adj.* 'relativo a, ou próprio de tragédia' '*fig.* funesto, sinistro' XVII. Do lat. *tragĭcus*, deriv. do gr. *tragikós* ‖ **tragédia** *sf.* '(Teat.) peça de ordinário em verso, e que termina, em regra, por acontecimentos fatais' '*fig.* acontecimento funesto' | XVI, *-jidia* XV | Do lat. *tragoedĭa*, deriv. do gr. *trago(i)día*, originariamente, 'canto do bode', 'canto religioso com que se acompanhava o sacrifício dum bode nas festas de Baco' ‖ **tragi**COMÉDIA 1813. Do fr. *tragi-comédie*, deriv. do lat. *tragi(co)comoedia* ‖ **tragi**CÔMICO 1813. Do fr. *tragi-comique*.
⇨ **trágico** | *a* 1595 *Jorn.* 65.*9* |.
trago¹ → TRAGAR.
trago² *sm.* 'pequena saliência, à entrada do ouvido externo, a qual se cobre de pelos quando se chega a certa idade' | 1899, *-gus* 1858 | Do lat. cient. *tragus*, deriv. do gr. *tragos* 'bode'.
traição *sf.* 'perfídia, deslealdade' | *trayçon* XIII, *-çom* XIII, *traiçon* XIII, *treyço* XIV etc. | Do lat. *trāditĭō -ōnis* ‖ A**traiço**ADOR 1899 ‖ A**traiço**AR XVI ‖ **traiço**EIRO 1858 ‖ **traid**OR | *traydor* XIII, *traedor* XIII, *treedor* XIII etc. Do lat. *trāditor -ōris* ‖ **trair** *vb.* 'enganar por traição' | *traer* XIII | Do lat. *tradĕre*. Cp. TRADIÇÃO.
traina *sf.* 'tipo de rede de pescar' 1899. Do cast. *traina*, de *traer* ‖ **train**EIRA *sf.* 'embarcação motorizada, com rede de arrastar pelo bordo' XX. Cp. TRAÇÃO, TRAZER.
trair → TRAIÇÃO.
traíra *sf.* 'peixe da fam. dos caracídeos' | *tareira* 1587, *tareira* 1610, *tararira* 1618, *tarayra c* 1631 etc. | Do tupi *tare'ïra*.
trairamboia *sf.* 'réptil ofídio da fam. dos colubrídeos (*Liophis miliaris* L.), também conhecido por cobra-lisa' | *taraïboia* 1587 |; 'peixe da fam. dos lepidossirenídeos, piramboia' XX. Do tupi *tareïra'moïa* < *tare'ïra* 'traíra' + *'moïa* 'cobra'.
traj·ar, -e → TRAZER.
trajeto *sm.* 'espaço que alguém ou algo tem de percorrer para ir de um lugar ao outro' | *-jecto* 1844 | Do lat. *trājectus -ūs* ‖ **trajet**ÓRIA *sf.* 'linha descrita ou percorrida por um corpo em movimento' | *-jec-* 1874.
⇨ **trajeto** | *-jec-* 1836 SC |.
tralha *sf.* 'rede pequena, que pode ser lançada ou armada por um só homem' 'malha de rede' XV. Do lat. *trāgŭla* ‖ EN**tralh**AR XVII ‖ **tralh**AR 1813.
trama *sf.* 'orig. o conjunto dos fios passados no sentido transversal do tear, entre os fios da ur-

didura' *'fig.* enredo, intriga' XVI. Do lat. *trãma* || **tram**AR XVII || **trem**AR² *vb.* 'decompor os fios de, destramar' 1813. Provável alteração de *tramar*.
trambolho *sm.* '*orig.* espécie de corda com que se amarrava o prisioneiro' *'ext.* embaraço, estorvo, empecilho' | *tranbollo* XIV, *trãbollo* XIV | De origem incerta || **trambolh**ÃO *sm.* 'ato de cair, rebolando' 'queda com estrondo' | *-lhões* pl. 1813.
⇨ **tramela** → TRAVE.
trâmite *sm.* 'caminho ou atalho determinado' 1844. Do lat. *trãmes -ĭtis* || **tramit**AR XX.
tramoia *sf.* 'intriga, enredo' 'trapaça' XVIII. Do cast. *tramoya*.
tramolhada → TERRA.
tramontana *sf.* 'estrela polar' 'vento ou lado do Norte' *'fig.* rumo, direção' XVI. Do it. *tramontana*.
trampa¹ *sf.* 'ardil, trama, tramoia' XVI. De uma raiz onomatopaica *trap-, tramp*, que imita o ruído de um corpo pesado em marcha || **tramp**EAR XVI ||
trampolim *sm.* 'prancha comprida, fixa numa das extremidades, de onde os acrobatas, os nadadores etc., tomam impulso para os saltos' 1890. Do it. *trampolino* || **trampol**INA *sf.* 'embuste, trapaça' 1858 || **trampolin**EIRO 1858 || **tramp**OSO¹ XVI.
trampa² *sf.* 'excremento, fezes' 1813. De origem incerta; talvez tenha a mesma origem de TRAMPA¹ || **tramp**OSO² 1881.
tramp·ear, -olim, -olina, -olineiro, -oso¹ → TRAMPA¹.
tramposo² → TRAMPA².
tranar *vb.* 'transnadar' 'atravessar, cruzar' 1813. Do lat. *tranãre*.
tranca *sf.* 'barra de ferro ou de madeira que se põe transversalmente atrás das portas para segurá-las' | *tramca* XV | De origem incerta, provavelmente pré-romana || **destranc**AR 1813 || **re**tranca 1813 ||
tracalhaz *sm.* 'grande fatia ou naco' 'grande porção' 1813. De uma var. **trancalhaz* || **trancafiar** *vb.* 'prender, trancar' 1858 || **tranc**AR *vb.* 'segurar ou fechar com tranca(s)' XV || **tranco** *sm.* 'solavanco' XV || **trangalha**DANÇAS *s2g. 2n.* 'pessoa alta e desajeitada' 1874. De um **trangalhar*, cuja base é *trangalho*, + DANÇA || **trangalho** *sm.* 'trambolho' 'toro de madeira' 1899. Do cast. *trangallo* || **tran**GOLA *sm.* 'homem alto, magricela e feio' XVII. De uma forma **trancola* || **tranqu**IA *sf.* 'pau atravessado para impedir a passagem' XVI.
⇨ **tranca** — **re**tranca | *rretramca* XV ESOP 29.4 |.
trança *sf.* 'entrelaçamento de três ou mais madeixas' XV. De origem controversa || **destranç**AR XVII || **en**trançAMENTO 1899 || **en**trançAR XVI | *trançado sm.* 'trança' XVI || **tranç**ÃO | *-çom* XIV || **tranç**AR 1813 || **trancelim** *sm.* 'galão ou trança fina de seda, ouro ou prata' XVII. Do cast. *trencellín*.
tranc·afiar, -ar → TRANCA.
tran·çar, -celim → TRANÇA.
trancha *sf.* 'ferramenta com que os funileiros viram beiradas das folhas de flandres' XX. Do fr. *tranche*.
tranco, trangalh·adanças, -o → TRANCA.
trangla *sf.* 'barra de metal para prender passadeiras aos degraus das escadas' XX. Do fr. *tringle*, deriv. do neerl. *tingel, tengel*.
tran·gola, -guia → TRANCA.
tranquilo *adj.* 'manso, quieto, sereno, sossegado' | 1572, *-llo* XVII | Do lat. *tranquillus* || **in**tranquilo XX

|| **tranquil**IDADE | *-lli-* 1844 | Do lat. *tranquillĭtãs -ãtis* || **tranquil**IZ·ANTE *adj. 2g. sm.* 'diz-se de, ou medicamento calmante' XX. Do fr. *tranquillisant* || **tranquil**IZAR | *-llisar* XVIII | Do fr. *tranquilliser*.
⇨ **tranquilo** — **tranquil**IDADE | 1614 SGONÇ I.448.*31, trãquilidade* 1568 *Dial. Espir.* A viii. *v*22 |.
trans- (tra-, tras-, tres-) *pref.*, do lat. *trans-*, deriv. da prep. *trans* 'através de, para além de', que se documenta em vocs. eruditos e/ou semieruditos formados no próprio latim, como *transcendĕre* → *transcender, transcrĭbĕre* → *transcrever* etc., e em vários outros formados nas línguas modernas, como *transatlântico, transepto* etc. O lat. *trans-* reduz-se a *trã-* em vocs. iniciados por consoante, como *tradūcĕre* → *traduzir*, entre outros. Em português, além dos vocs. iniciados por *trans-* e *tra-*, documentam-se, ainda, formações em *tras-* (*traspassar*) e em *tres* (*tresnoitar*). Convém assinalar que nos textos antigos portugueses há grande flutuação no emprego do prefixo latino: *traladar* (séc. XIII)/*trasladar* (séc. XIII)/*treladar* (séc. XIV)/ *terladar* (séc. XVI), *traspassar* (séc. XIII)/*trespassar* (séc. XV).
transação *sf.* 'ato ou efeito de transigir' | *trãsauçõ* XIV | Do lat. *transāctĭõ -õnis* || **transato** *adj.* 'passado, anterior' | *-sac-* 1881 | Do lat. *transāctus*, part. pass. de *transĭgĕre* || **transator** *adj. sm.* 'que, ou aquele que realiza transação' | *-sac-* 1813 | Do lat. *transāctor -õris* || **transig**ÊNCIA 1881 || **transi**gENTE 1881 || **transigir** *vb.* 'chegar a acordo' 'condescender' 1844. Do lat. *transĭgĕre*.
⇨ **transação** — **transigir** | 1836 SC |.
transalpino *adj.* 'situado além dos Alpes' 1881. Do fr. *transalpin*, deriv. do lat. *Trãnsalpĭnus*.
transatlântico *adj.* 'situado além do Atlântico' 1874; *sm.* 'navio que faz a carreira da Europa para a América' *'ext.* grande navio para transporte de passageiros' XX. Do fr. *transatlantique*.
trans·ato, -ator → TRANSAÇÃO.
transbordar *vb.* '(fazer) sair fora das bordas' 'derramar, verter' | 1844, *tras-* XVI | De TRANS- + BORD·A + -AR¹ || **transbord**AMENTO | *tras-* 1858 || **transbord**ANTE | *tras-* 1844 || **transbordo** *sm.* 'transbordamento' 1899. Dev. de *transbordar*.
transcender *vb.* 'ser superior a' 'exceder, ultrapassar' 'elevar-se acima de' | XVI. *tras-* XIV | Do lat. *transcendĕre* || **transcend**ENTE | *tramsçemdemte* XV.
transcoar *vb.* 'coar através de, destilar, filtrar' 1874. Do lat. tard. *trãnscõlãre*.
transcorrer *vb.* 'decorrer, perpassar' XIX. Do lat. *trãns-currĕre* || **transcorr**ÊNCIA XX || **transcursão** *sf.* 'transcurso' 1881 || **transcurso** *sm.* 'ato ou efeito de transcorrer' 1858. Do lat. *trãnscursus -us*.
transcrever *vb.* 'reproduzir, copiando' 1813. Do lat. *transcrĭbĕre* || **transcrição** *sf.* 'ato ou efeito de transcrever' | *-crip-* 1858 | Do lat. *transcrĭptĭõ -õnis* || **transcrito** *adj. sm.* 'que se transcreveu' | *-crip-* 1813 | Do lat. *transcrĭptus* || **transcrit**OR | *-crip-* 1844.
transcurs·ão, -o → TRANSCORRER.
transe → TRANSIR.
transepto *sm.* 'galeria transversal que, numa igreja, separa a nave do coro, e que forma os braços da cruz nas igrejas que apresentam essa disposição'

xx. Do ing. *transept*, formado sobre o lat. *trans-* + *septum -i* 'cercado, tapume'.
⇨ **transepto** | *transeptum* 1892 *in* ZT |.
transeunte → TRÂNSITO.
transferir *vb.* 'deslocar' 'adiar, retardar' XVI. Do lat. **transferĕre*, deduzido de *transferre* || INtransferÍVEL 1881 || transferÊNCIA XVIII || transferÍVEL 1858.
transfigurar *vb.* 'mudar a figura, feição ou caráter de' | *tras-* XIV, *tres-* XV | Do lat. *trānsfigūrāre* || transfigurAÇÃO 1813. Do lat. *trānsfigūrātiō -ōnis* || transfigurADOR 1881. Do lat. *transfigūrātor -ōris* || transfigurAMENTO | *trasfeguramento* XIV || transfigurÁVEL 1881.
⇨ **transfigurar** — transfigurAÇÃO | *transfiguraçam* 1573 NDias 174.2 |.
transfixão *sf.* 'ação de ferir de lado a lado' 1844. Do lat. tard. *transfixionem* || transfixAR XX.
⇨ **transfixão** | 1836 SC |.
transformar *vb.* 'transfigurar' 'converter, mudar' XIV. Do lat. *trans-formāre* || transformAÇÃO XVI. Do lat. *trānsfōrmātiō -ōnis* || transformADOR 1813 || transformANTE 1858 || transformATIVO XVII || transformÁVEL XX || transformISMO XIX. Do fr. *transformisme*.
⇨ **transformar** — transformANTE | 1836 SC |.
transfretano *adj.* 'de além-mar, ultramarino' XIX. Do lat. *transfretānus*.
transfugir *vb.* 'fugir de um lugar para outro como trânsfuga' XVIII. Do lat. *transfugĕre* || **trânsfuga** *s2g.* 'desertor' XVII. Do lat. *transfŭga*.
transfundir *vb.* 'orig. transvasar' 'ext. espalhar, derramar, difundir' XVI. Do lat. *trānsfundĕre* || **transfusão** *sf.* 'orig. ato ou efeito de transfundir(-se)' 'ext. (Med.) operação de inocular, com lentidão, sangue, plasma ou outra solução na corrente sanguínea do paciente' XVII. Do lat. *trānsfūsiō -ōnis*.
transgressão *sf.* 'infração, violação' XVI. Do lat. *trānsgressiō -ōnis* || **transgredir** *vb.* 'passar além de' 'infringir, violar' 1813. Do lat. **transgredere*, por *trānsgredi* || transgressIVO 1881 || transgressOR XV. Do lat. ecles. *trānsgressor -ōris*.
transição → TRÂNSITO.
transido → TRANSIR.
transiente → TRÂNSITO.
transig·ência, -ente, -ir → TRANSAÇÃO.
transir *vb.* 'penetrar, repassar' | XIII. *transsir* XIII | Do lat. *trānsīre* || EStransILH·AR *vb.* 'estafar-se (o cavalo)' XX || **transe** *sm.* 'momento aflitivo' || XVI, *trance* XV | Do fr. *transe* || transIDO | XVI, *transsido* XIII.
transistor *sm.* 'dispositivo constituído por semicondutores, e que pode funcionar como um amplificador de maneira análoga a uma válvula eletrônica' 'rádio provido desse dispositivo' XX. Do ing. *transistor*, deriv. de *transfer-resistor*, de *to transfer* 'transferir' e *to resist* 'resistir'.
trânsito *sm.* 'caminho, trajeto, passagem' XVI. Do lat. *trānsitus -ūs* || INtransitÁVEL 1844 || INtransitIVO 1844. Do lat. tard. *intrānsitīvus* || transeunte *adj.* *s2g.* 'passante, caminhante' XVI. Do lat. *trānseūns -untis*, part. pres. de *trānsīre* || **transição** *sf.* 'ato ou efeito de transitar' 1813. Do lat. *transitiō -ōnis* || **transiente** *adj.* *2g.* 'transitório' 1899. Do lat. **transiente*, por *trānseūns -untis* || transitAR XIX. Do fr. *transiter* || transitÁVEL 1844 || transitIVO XV. Do lat. tard. *transitīvus* || transitÓRIO *adj.* 'passageiro' XV. Do lat. *trānsitōrius*.
⇨ **trânsito** — INtransitÁVEL | 1836 SC || INtransitIVO | 1836 SC || **transiente** | 1836 SC || transitÓRIO | XIV ORTO 177.4 |.
translação *sf.* 'ato ou efeito de transladar' 'transladação' | *tralaçõ* XIV | Do lat. *translātiō -ōnis* || transladAÇÃO | *trelladaçõ* XIV, *trasladaçõ* XIV, *traladaçom* XV, *treladaçom* XV, *tresladaçom* XV, *tresladação* XVI etc. || transladAR *vb.* 'transferir, transportar' 'traduzir, verter' | *trasladar* XIII, *traladar* XIII, *treladar* XIV etc. | De *translato*, var. de *translatum* || **translatício** *adj.* '(Gram.) metafórico, figurado' 1813. Do lat. *translātīcĭus* || **translato** | 1813, *traslado* XIII, *treslado* XIV etc. | Do lat. *translātus*.
transliterar *vb.* 'representar (os caracteres de um vocábulo) por caracteres diferentes no correspondente vocábulo de outra língua' XX. Do ing. *to transliterate*. Cp. LETRA.
translúcido *adj.* 'que deixa passar a luz sem permitir que se vejam os objetos' XVI. Do lat. *trānslūcĭdus* || transluzENTE 1813 || transluzIMENTO 1813 || **transluzIR** XVI.
translumbrar → DESLUMBRAR.
transluz·ente, -imento, -ir → TRANSLÚCIDO.
transmeável *adj.* *2g.* 'que se pode atravessar, permeável' XVII. Do lat. *transmeabĭlis -e*.
transmigrar *vb.* 'mudar de uma região, um país (para outro)' XVI. Do lat. *trāns-mĭgrāre* || transmigrAÇÃO | *transmigraçom* XV | Do lat. *transgrātiō -ōnis* || transmigrANTE XVI || transmigrAT·ÓRIO XX.
transmitir *vb.* 'expedir, enviar' 'deixar passar além' 'ext. noticiar, referir' XVII. Do lat. *trans-mittĕre* || INtransmissÍVEL 1844 || REtransmissÍVEL 1844 || REtransmitir XX || **transmissão** *sf.* 'ato ou efeito de transmitir(-se)' XVII. Do lat. *trānsmissiō -ōnis* || **transmissiBIL·IDADE** 1881. Adapt. do fr. *transmissibilité* || transmissÍVEL 1844. Adapt. do fr. *transmissible* || transmissIVO 1881 || transmissOR 1881. Do lat. tard. *trānsmissor -ōris*.
⇨ **transmitir** — transmissÍVEL | 1836 SC |.
transmontano, trasmontano *adj.* 'situado além dos montes' | 1844, *tras-* 1874 | Do lat. *trānsmontānus* || transmontAR | XVI, *tres-* XVI.
⇨ **transmontano, trasmontano** | *tras-* 1836 SC |.
transmutar *vb.* 'alterar, transformar, mudar' | XVI, *trasmudar* XIV, *transmudar* XV | Do lat. *trāns-mūtāre* || transmutAÇÃO | *transmudação* XV, *trāsmutações* pl. XVI | Do lat. *transmūtātiō -ōnis*. No séc. XV, com o mesmo significado de *transmutação*, ocorrem as formas *trasmudamēto* e *tresmudamento* || transmutABIL·IDADE 1881 || transmutATIVO XVII.
⇨ **transmutar** — transmutAÇÃO | *tremudaçom* XIV ORTO 155.37 || transmudAMENTO | *tresmudamento* XIV ORTO 119.7 |.
transnominação *sf.* 'metonímia' | *-çám* XVI | Do lat. *transnominātiō -ōnis*.
transoceânico *adj.* 'ultramarino' 1881. De TRANS- + OCEAN(O) + -ICO.
transparente *adj.* *2g.* 'que se deixa atravessar pela luz' XVI. Do lat. med. *trānspărēns -entis* || transparÊNCIA 1813. Do fr. *transparence* || transparECER 1813. Adapt. do fr. *transparaître*.

transpassar → TRASPASSAR.
transpirar *vb.* 'fazer sair pelos poros' 'exalar' XVII. Do lat. med. *trānspīrāre* ‖ **transpir**AÇÃO 1813. Do lat. med. *transpīrātiō -ōnis*.
transplantar *vb.* 'arrancar (planta, árvore) de um lugar e plantar em outro' 1813; 'substituir um órgão do corpo humano por outro retirado de um ser vivo ou de um cadáver' XX. Do fr. *transplanter*, deriv. do lat. tard. *trānsplantāre* ‖ **transplant**AÇÃO 1813. Do fr. *transplantation* ‖ **transplant**AT·ÓRIO 1813 ‖ **transpl**ANTE *sm.* 'transplantação' XX. Dev. de *transplantar*.
transpor *vb.* 'transportar, transferir, transplantar' | XV, *tras-* XIII | Do lat. *trāns-pōnĕre* ‖ IN**transponí**VEL XX ‖ **transpos**IÇÃO 1813. Do fr. *transposition* ‖ **transposto** *adj.* 'que sofreu transposição' | *tras-* XIII, *tres-* XVI | Do lat. *trānspositus*.
transportar *vb.* 'conduzir ou levar de um lugar para o outro' | *tras-* XV | Do lat. *trānsportāre* ‖ **transport**AÇÃO XVI. Do lat. *trānsportātiō -ōnis* ‖ **transport**A-DOR XX ‖ **transporte** *sm.* 'ato, efeito ou operação de transportar' XVIII. Dev. de *transportar*.
trans·pos·ição, -to → TRANSPOR.
transtagano *adj.* 'situado além do rio Tejo' XVI. De *trans-* + top. lat. *Tagus -i* 'Tejo' + -ANO.
trans·tornar, -torno → TORNO.
transubstanciar *vb.* 'mudar a substância' XVI. Do lat. med. *trānsubstantiāre*.
trans·udar, -udato → SUAR.
transunto *sm.* 'cópia, traslado' | *-sumpto* XIV | Do lat. *transumptus -us*, de *transūmĕre* 'transportar' e, este, de *sūmĕre* 'tomar'.
transvasar *vb.* 'passar dum vaso para outro' 1858. Do fr. *transvaser*, deriv. do lat. med. *trānsvasāre*.
transverberar *vb.* 'fazer transparecer' 'refletir' XVIII. Do lat. *trāns-verbĕrāre*.
transverter *vb.* 'transtornar' 'transformar, converter' 1844. Do lat. *trāns-vertĕre* ‖ **transvers**AL XVI ‖ **transverso** *adj.* 'situado de través' 'oblíquo, atravessado' | *-ssa* f. XV | Do lat. *trānsversus*, part. pass. de *trāns-vertĕre*.
⇨ **transverter** | 1836 SC |.
transviar *vb.* 'desviar do dever' 1873. De TRANS- + VI·A + -AR¹.
⇨ **transviar** | 1836 SC |.
transvoar *vb.* 'transpor voando' 1899. Do a. fr. *transvoler*, deriv. do lat. *trānsvolāre*.
tranvia *sf.* 'trilho chato para bondes' 'bonde' 1899. Do cast. *tranvía*, adapt. do ing. *tramway*.
trapa¹ *sf.* 'cova apropriada para capturar feras' XVI. Do fr. *trappe*, deriv. do frâncico *trappa* ‖ **trapa·ça** *sf.* 'contrato fraudulento' XV; 'traição' XVII ‖ **trapac**EAR 1813 ‖ **trapac**EIRO XVII ‖ **trap**ALH·ADA¹ *sf.* 'confusão' 1813 ‖ **trap**EIRA *sf.* 'armadilha para caça' XVI ‖ **trápola** *sf.* 'armadilha para caça' 1813. Do it. *tràppola*. Conquanto etimologicamente distintos, *trapa*¹ e TRAPO apresentam (bem como alguns de seus derivados) conotações semânticas bem acentuadas.
trapa² *sf.* 'ordem religiosa nascida de uma reforma cisterciense, empreendida na França no séc. XVII' 1899. Do fr. *trappe*, do top. *La Trappe*, onde se operou a reforma ‖ **trap**ISTA 1899. Do fr. *trappiste*. Cp. TRAPA¹.
trapalhada¹ → TRAPA¹.

trapalhada² → TRAPO.
trape *interj.* (designa som produzido por pancada ou golpe) XVI. De origem onomatopaica.
trapeira → TRAPA¹.
trapeiro → TRAPO.
trapézio *sm.* '(Geom.) quadrilátero com dois lados paralelos' 'aparelho de circo' 1813. Do fr. *trapèze*, deriv. do lat. tard. *trapezium* e, este, do gr. *trapézion*, dim. de *trápeza* 'mesa' ‖ **trapez**IFORME 1873 ‖ **trapez**ISTA XX ‖ **trapezo**·EDRO *sm.* 'poliedro cujas faces são trapézios' 1873. Do fr. *trapézoèdre* ‖ **trapez**OIDE 1873. Do fr. *trapézoïde*, deriv. do gr. *trapezoeidés*.
⇨ **trapézio** | 1680 *in* RB |.
trapiá *sm.* 'planta da fam. das caparidáceas, também chamada cataurí' XX. Do tupi *tarapi'a*.
trapiche *sm.* 'orig. engenho de açúcar movimentado por animais' '*ext.* armazém onde se guardam mercadorias importadas ou para exportar' XVI. Do cast. *trapiche*, deriv. do dialeto moçárabe, onde é alteração normal do lat. *trapētus* 'moinho de azeite' e, este, de origem grega ‖ **trapich**EIRO 1844.
⇨ **trapiche – trapich**EIRO | 1836 SC |.
trapista → TRAPA².
trapizonda, trapizonga *sf.* 'coisa confusa' '*pop.* bebedeira' | *trapisonda* 1899 | Do top. *Trapizonda*.
trapo *sm.* 'pedaço de pano velho ou usado' 'farrapo' 1813. Do lat. tard. *drappus*, de origem céltica ou pré-céltica ‖ A**trap**ALH·AÇÃO 1813 ‖ A**trap**ALH·ADO XVII ‖ A**trap**ALH·AR *vb.* 'confundir, embaraçar, perturbar' 1813 ‖ **trap**ALH·ADA² *sf.* 'porção de trapos' 1813 ‖ **trap**EIRO *sm.* 'vendedor de tecidos' | -EYRO XIV. Cp. TRAPA¹.
trapoeraba *sf.* 'planta da fam. das comelináceas' | *trapoiraba* 1888 | Do tupi *tarapoe'raṇa*.
trápola → TRAPA¹.
trapuz *sm. interj.* 'ruído de coisa que cai estrondosamente' 1858. De origem onomatopaica.
traque *sm.* 'ventosidade que sai pelo ânus' XVI. Da onomatopeia *trac-trac*, que indica ruído repetido ‖ **traqu**EJAR *vb.* 'tornar apto, exercitar' XVI; 'soltar traques' 1813 ‖ **traqu**EJO *sm.* 'prática, experiência' 1899. Dev. de *traquejar*.
traqueia *sf.* 'canal que comunica a laringe com os brônquios' | *trachea* 1858 | Do fr. *trachée*, deriv. do lat. cient. *trāchēa* e, este, do gr. *trácheia* ‖ **traqueo**·CELE | *trache-* 1881 ‖ **traqueo**·R·RAGIA | *-cheorrha-* 1899 ‖ **traqueo**·TOM·IA | *-cheo-* 1858 | Do fr. *trachéotomie*, deriv. do lat. cient. *trachēotomia*.
⇨ **traqueia** | *trachea* 1836 SC ‖ **traqueo**TOM·IA | *tracheo-* 1836 SC |.
traqu·ejar, -ejo → TRAQUE.
traquel(o)- *elem. comp.*, do gr. *tráchēlos* 'pescoço, nuca', que se documenta em alguns compostos formados no próprio grego (como *traquelismo*) e em alguns outros introduzidos, a partir do séc. XIX, na linguagem internacional da medicina ▶ **traquel**ECTOM·IA *sf.* 'extirpação do colo do útero' XX ‖ **traquelí**·PODE | *-chelipodo* 1874 ‖ **traquel**ISMO *sm.* 'contração espasmódica dos músculos do pescoço' | *-che-* 1874 | Do fr. *trachélisme*, deriv. do lat. cient. *trachēlismus* e, este, do gr. *trachēlismós*.
traque·ocele, -orragia, -otomia → TRAQUEIA.

traquete *sm.* 'a vela redonda que enverga na verga mais baixa do mastro de proa' xv. Adapt. do a. fr. *triquet* (hoje *trinquet*), deriv. do it. *trinchétto*, de origem incerta.
traquinas *adj.* 2g. 2n. 'travesso, inquieto' 1813. De origem incerta, talvez onomatopaica, ligada a *traque* || **traquin**AR XIX || **traquin**ICE 1874.
traquitana *sf.* 'carruagem de quatro rodas para duas pessoas' | *tran-* XVI | De origem obscura.
traquito *sm.* 'rocha magmática, extrusiva, de composição química correspondente à do sienito' | *-chy-* 1874 | Do fr. *trachyte*, deriv. do gr. *trachýtēs -ētos* || **traquit**OIDE | *-chy-* 1899.
trás *prep.*, *adv.* 'atrás, detrás' 'em seguida, após' XIII. Do lat. *trans* || **A trás** *adv.* 'na parte posterior' 'após' XIII || **A tras**ADO | *-za-* XVIII || **A tras**AR *vb.* 'pôr para trás' 'adiar, retardar' | *-zar* XVI || **A tras**O *sm.* 'ato ou efeito de atrasar' | *-zo* 1813 | Dev. de *atrasar* || **DE trás** *adv.* 'posteriormente' 'em seguida, depois' XIII || **RE tras**AR XX || **tras**EIRA | *-seyra* XIII | Fem. substantivado de *traseiro* || **tras**EIRO *adj.* 'situado detrás' XV; *sm.* 'nádegas' XVI || **tras**FLOR *sm.* 'lavor de ouro sobre esmalte' 1813 || **tras**FOGU·EIRO *sm.* 'toro de lenha, ou travessão de ferro ou de pedra, em que se apóiam as achas no lume ou na lareira' XVII || **tras**FOLI·AR *vb.* 'copiar (pintura ou desenho) em papel transparente' 1813.
tras- → TRANS-.
trasanteontem *adv.* 'no dia anterior ao de anteontem' | *-hontem* 1813 | De *tras-* + *anteontem.* V. ONTEM.
tras·eira, -eiro → TRÁS.
trasfegar *vb.* 'orig. ter negócios, azafamar-se, lidar' 'ext. transvasar' | *tres-* XV | De origem controversa.
⇨ **trasfegar** | XIV DICT 2442 |.
tras·flor, -foliar → TRÁS.
trasgo *sm.* 'aparição fantástica' 'diabrete, duende' 1813. De origem incerta.
traslad·ação, -ar, -o → TRANSLAÇÃO.
trasmontano → TRANSMONTANO.
traspassar, transpassar, trespassar *vb.* 'passar além de' 'transpor, atravessar' | XIII, *tres-* XV | Do a. fr. *trespasser* (hoje *trépasser*) || **traspass**A-ÇÃO | *-asaçon* XV || **traspass**AD·EIRO | *-eyro* XIV || **traspass**AD·OIRO | *-oyro* XV || **traspass**ADOR | XV, *trespasa-* XV, *trespassa-* XV || **traspass**AMENTO | *trespasa-* XV, *trespassa-* XV || **traspass**ANTE | *-ssãte* XIV | *-sante* XIV || **traspasse** *sm.* 'ato ou efeito de traspassar(-se)' | *trespasso* XV.
⇨ **traspassar** — **traspass**AD·OIRO | *trespassadoyro* XIV ORTO 107.*23* || **traspass**AMENTO | *trespassamento* XIV ORTO 119.*4* || **traspasse** | *trespaso* XIV ORTO 268.*9* |.
traste *sm.* 'móvel caseiro' 'ext. móvel ou utensílio velho de escasso ou nenhum valor' 'corda ou arame que se atravessa no braço de alguns instrumentos de corda' | 1758, *trasto* XVII | Do lat. *trānstrum* || **traste**JAR XIX. De *traste*, em sua segunda acepção.
trato *sm.* 'contrato, ajuste, pacto' 'procedimento, modos, maneiras' | XV, *tracto* XIV | Do lat. *trăctus -ūs* || **DE strat**AR XVII || **DI strato** XVI. Do lat. *distractus* || **INtrat**ADO XVI. Do lat. *in-tractātus* || **INtrat**ÁVEL XVI. Do lat. *intractābĭlis -e* || **trat**ADO *sm.* 'contrato internacional referente a comércio, paz etc.' 'estudo ou obra desenvolvida a respeito de uma ciência, arte etc.' | *traut-* XV, *trauct-* XV, *tract-* XV | Do lat. *tractātus -ūs* || **trat**ADOR XVI. Do lat. *tractātor -ōris* || **trat**AMENTO | *traut-* XIII, *tract-* XV || **trat**ANT·ADA 1881 || **trat**ANTE *adj. s2g.* 'orig. comerciante' *'ext.* diz-se de, ou indivíduo que trata de qualquer coisa ardilosamente, ou procede com velhacaria' XVI || **trat**AR | XV, *tract-* XIII | Do lat. *tractāre* || **trat**ÁVEL XVI. Do lat. *tractābĭlis -e.*
⇨ **trato** — **trat**ADO | *tractado* XIV AVES VII.*5*, *trautado* XIV ORTO 271.*38* |.
trat·or, -ório → TRAÇÃO.
trauma *sm.* 'choque violento capaz de desencadear perturbações somáticas e psíquicas' 1899. Do fr. *trauma*, deriv. do lat. cient. *trauma* e, este, do gr. *trâuma -atos* || **traumát**ICO 1858. Do fr. *traumatique*, deriv. do lat. cient. *traumaticus* e, este, do gr. *traumatikós* || **traumat**ISMO *sm.* 'trauma' 1874. Do fr. *traumatisme* || **traumat**IZAR XX || **traumato**LOG·IA XX. Do lat. cient. *traumatologia.*
trautear *vb.* 'cantarolar' 1881. De possível origem onomatopaica.
trave *sf.* 'grande tronco usado para sustentar o sobrado ou o teto de uma construção' 'viga' XIII. Do lat. *trabs -is* || **A RQUItrave** | *-chi-* XVI || **A travan**-CAMENTO 1899 || **A travanc**AR 1813. De *travanca* || **DEstrambelh**ADO 1899. De *trambelho*, var. de *trabelho* || **DEstrav**AR 1813 || **ENtrav**AR XVII || **ENtrave** 1858. Dev. de *entravar* || **ENtrev**ADO *adj. sm.* 'tolhido, paralítico' XV || **taramel**EAR *vb.* 'tagarelar' XVI. De *taramela*, var. de *tramela* || **trabal** XVIII. Do lat. *trabālis -e* || **trabécula** *sf.* 'trave pequena' 1899. Do lat. *trabēcŭla* || **trab**ELHO *sm.* 'peça de madeira com que se torce a corda da serra para retesá-la' 1881. Do lat. **trabēcŭlum* || **tramela** *sf.* 'peça de madeira, que gira ao redor de um prego, para fechar porta, porteira etc.' | 1844, *taramela* 1485 | Do lat. vulg. **trabella* || **trava** *sf.* 'ato ou efeito de travar' XVI. Dev. de *travar* || **trav**AL 1813. Do lat. *trabālis -e*; é, portanto, forma divergente de *trabal* || **travanca** *sf.* 'obstáculo' XIV. De *trava* || **trav**ÃO 1858 || **trav**AR *vb.* 'segurar, agarrar' 'tirar, puxar' XIII || **travej·AMENTO** XVIII || **travej**AR 1813 || **travinca** *sf.* 'trabécula' | *-vyn-* XV || **travo** *sm.* 'sabor adstringente de comida ou de bebida' XVII. Dev. de *travar.*
⇨ **trave** — **tramela** | 1836 SC || **trav**ÃO | 1836 SC || **travej**AR | 1531 *in* ZT |.
travertino *sm.* 'tufo calcário de água doce' 1881. Do it. *travertino*, deriv. do lat. (*lapis*) *Tīburtīnus*.
⇨ **travertino** | 1875 *in* ZT |.
través *sm.* 'esguelha, soslaio, obliquidade' XIV. Do lat. *trāsversē* || **A través** *adv.* 'de lado a lado' 'atravessadamente' XV || **A travess**ADOR 1844 || **A travess**AR *vb.* 'pôr ao través' 'transpor' XIII || **travessa** *sf.* 'rua transversal entre duas outras mais importantes' XIV; 'peça de madeira atravessada sobre outra(s)' XVII. Fem. substantivado de *travesso* || **travess**ÃO *adj.* 'muito atravessado' | *trauessam* XVI |; *sm.* sinal de pontuação' 1881 || **travess**AR *vb.* 'atravessar' XIII. Do lat. *transvĕrsāre* || **travess**EIRO *sm.* 'almofada que serve de apoio à cabeça' | *traueyseyro* XIV || **travess**IA XV || **travesso** *adj.* 'orig. atravessado, de través' *'ext.* irrequieto, levado' XIV. Do lat. *trānsversus* || **travess**URA XIII.
⇨ **través** — **A travess**ADOR | 1836 SC |.

travesti *sm.* 'disfarce no trajar'; *s2g.* 'indivíduo que, geralmente em espetáculos teatrais, se traja com roupas do sexo oposto' XX. Do fr. *travesti*, de *travestir*, deriv. do it. *travestire*.
trav·inca, -o → TRAVE.
trazer *vb.* 'conduzir ou transportar para cá' | XV, *trager* XIII | Do ant. *trager*, deriv. de uma forma lat. **tragĕre*, por *trahĕre* || **traj**AR 1813. De *traje* || **traje** *sm.* 'vestuário, roupa' | XVII, *trajo* XV | Dev. do ant. *trager*, var. de *trazer*.
trebelhar *vb.* 'jogar' XIII. De origem incerta || **trebelho** *sm.* 'jogo' XIII.
tre·cent·ésimo, -ista → TRÊS.
trecho *sm.* 'espaço de tempo ou de lugar' 'porção de um todo' XVII. Do cast. *trecho*, deriv. do lat. *tractus -us*, de *trahĕre* || **treta** *sf.* 'ardil, estratagema' 'habilidade na luta ou na esgrima' XVI. Do cast. *treta*, deriv. do fr. *traite*, termo de esgrima. Cp. TRAZER.
trêfego *adj.* 'turbulento, irrequieto' | *trefo (sic)* XVII | De origem controversa.
trégua *sf.* 'suspensão ou cessação temporária de' | XIII, *-goa* XIII | Do gót. *trĩgwa* 'acordo, tratado, convênio' | **A**tregoAR *vb.* 'dar trégua' XIV.
treinar *vb.* 'adestrar as aves para a caça' 'tornar apto, adestrar, habilitar' XVI. Do a. fr. *traïner* (hoje *traîner*), deriv. do lat. pop. **tragīnāre*, do **tragere*, alteração de *trahĕre* || **treina** *sf.* 'animal sobre o qual os caçadores davam de comer ao falcão, para o treinarem na caça' XVI. Do fr. *traîne* || **trein**ADOR XX || **trein**AMENTO XX || **treino** *sm.* 'adestramento' XX. Dev. de *treinar*. Cp. TRAZER.
treito *sm.* 'trecho' 'distância (de um tiro de canhão)' | *treyto* XIV, *trayto* XIV, *trauto* XIV | Do lat. *tractus*. Cp. TRECHO.
trejeito *sm.* 'gesto, movimento' 'careta, esgar' | *trageyto* XIV | De origem obscura || **trejeit**ADOR | *traieytador* XIII | **trejeit**AR | *traieytar* XIII.
⇨ **trejeito** | *trasgeito* XIII CSM 77.42 |.
trela *sf.* 'correia ou corda com que se prende o cão de caça' XV; **trela (dar-)** *loc.* 'conversar com, dar confiança a, dar corda a' XVI. Do lat. **tragĕlla*, dim. de *trăgŭla* 'espécie de dardo' 'rede de arrasto' | **A**trelADO | *-lla-* XVI || **A**trelAR XVI || DES·**A**trelAR 1874.
⇨ **trela** — DES·**A**trelAR | 1836 SC |.
trelho *sm.* 'instrumento usado para bater a nata no preparo da manteiga' 1858. De origem obscura.
treliça *sf.* 'sistema de vigas cruzadas empregado no travejamento das pontes' '*ext.* trabalho de ripas de madeiras cruzadas, utilizado com fins ornamentais ou funcionais' XX. Adapt. do fr. *treillis*, deriv. do lat. pop. **trilīcius*.
⇨ **treliça** | 1880 *in* ZT |.
trem *sm.* '*orig.* conjunto de objetos' 'carruagem' XVII; '*bras.* comboio' XX. Do fr. *train*, deriv. de *traîner*. Cp. TREINAR.
trema *sm.* 'sinal ortográfico' 1874. Do fr. *tréma*, deriv. do gr. *trêma -atos* 'buraco, abertura, orifício' || **trem**AR¹ *vb.* 'pôr trema em' 1881.
tremar² → TRAMA.
tremate *sf.* 'planta da fam. das compostas' 1858. De origem obscura.
trematódeo *adj. sm.* 'diz-se de, ou animal platelminto, parasita que se fixa por meio de ventosas ou ganchos' XX. Do fr. *trématode*, deriv. do gr. *trematōdes*, de *trêma -atos*. Cp. TREMA.
tremebundo → TREMER.
tremecém → TRÊS.
trem·edal, -edeira, -edor, -emelicar, -elique, -eluzir → TREMER.
tremembé *sm.* 'terreno encharcado, pântano' XX. Do tupi **tĩrĩme'me*.
tremer *vb.* 'temer, recear' 'agitar, tremular' 'tiritar por causa de' XIII. Do lat. *trĕmĕre* || EStremEÇÃO 1874 || EStremECER *vb.* 'causar tremor a, sacudir, abalar' XVI. De ES- + lat. *tremiscĕre*, incoativo de *trĕmĕre* || EStremEC·IDO XVI || EStremEC·IMENTO XVI || INtrêmulo 1874 || **tremebundo** *adj.* 'tremedor' XVII. Do lat. *tremebundus* || **tremedal** *sm.* 'terreno pantanoso' XIV || **trem**ED·EIRA 1899 || **trem**EDOR XIV || **tremelic**AR *vb.* 'tremer' | 1881, *-lhi-* 1874 || **tremelique** *sm.* 'ato de tremelicar' | 1899, *-lhi-* 1899 | Dev. de *tremelicar* || **treme**LUZIR 1881 || **tremendo** *adj.* 'que faz tremer, horrível' XVII. Do lat. *tremendus* || **trem**ENTE 1874. Do lat. *tremēns -entis*, part. pres. de *trĕmĕre* || **tremi**FUSA *sf.* 'nota musical equivalente à metade de uma semifusa' 1899. A repetição desta pequena nota dá ideia de um tremor || **trem**ÍVEL | *-vell* XV || **tremor** *sm.* 'ato ou efeito de tremer' XIII. Do lat. *tremor -ōris* || **tremul**ANTE XVII || **tremul**AR *vb.* 'mover com tremor, agitar' | *-mo-* XVII | Do lat. tard. *tremulāre* || **trêmulo** *adj.* 'que treme' XVIII. Do lat. *tremŭlus* || **trem**URA XVII.
⇨ **tremer** — INtrêmulo || 1836 SC || **tremelic**AR | *tremelhi-* 1836 SC || **trem**ENTE | 1836 SC |.
tremês → TRÊS.
tremifusa → TREMER.
tremó *sm.* 'tipo de aparador' XVIII. Adapt. do fr. *trumeau*.
tremoço *sm.* 'grão de tremoceiro, planta leguminosa papilionácea' | *tra-* XV | Do hispano-árabe *turmûs*, deriv. do gr. *thermós* 'quente' || **tremoc**EIRO 1844.
tremolita *sf.* 'mineral ortorrômbico do grupo dos anfibólios' | *-lite* 1858 | Do ing. *tremolite*, do top. *Tremola*, vale onde este minério foi encontrado.
tremonha *sf.* 'canoura' XVI. De origem controversa.
tremor → TREMER.
trempe *sf.* 'arco de ferro com três pés sobre o qual se põem panelas que vão ao fogo' XVI. Do lat. *tripēs -pedis* 'de três pés', mas de formação obscura. Cp. TRÊS.
tremul·ante, -ar, -o, tremura → TREMER.
trena → TRÊS.
treno *sm.* 'canto plangente' XIX. Do fr. *thrène*, deriv. do lat. tard. *thrēnus* e, este, do gr. *thrēnos* || **trenodia** *sf.* 'ode de caráter fúnebre' XX. Do lat. med. *thrēnōdia*, deriv. do gr. *thrēnō(i)día*.
trenó *sm.* 'veículo provido de esquis em vez de rodas, apropriado para deslizar sobre gelo ou neve' XVII. Do fr. *traîneau*, de *traîner*. Cp. TREINAR.
trenodia → TRENO.
trepadeira → TREPAR.
trépano *sm.* 'instrumento cirúrgico próprio para perfurar os ossos, em especial os do crânio' 1813. Do fr. *trépan*, deriv. do b. lat. *trepanum* e, este, do gr. *trýpanon* 'instrumento para furar' || **trepan**AÇÃO 1813. Do fr. *trépanation* || **trepan**AR 1813. Do fr. *trépaner*.

trepar *vb.* 'subir a, valendo-se das mãos e/ou dos pés' 'ir para cima' XVI. Da onomatopeia *trip* ou *trep*, imitativa do ruído de pisar ‖ trepAD·EIRA *adj. sf.* 'diz-se de, ou planta que trepa, apoiando-se em suportes dos mais variados tipos' XVII.
trepidar *vb.* 'tremer com medo ou susto' 'vacilar, hesitar' 1844. Do lat. *trepĭdāre* ‖ trepidAÇÃO 1813. Do lat. *trepidatĭō -ōnis* ‖ trepidANTE XVI. Do lat. *trepĭdans -antis*, part. pres. de *trepĭdāre* ‖ **trépido** *adj.* 'trêmulo, assustado' XVII. Do lat. *trepĭdus*.
⇨ **trepidar** | 1836 SC ‖ trepidAÇÃO | *a* 1542 JCASE 35.5 |.
treplicar *vb.* 'responder com tréplica (uma réplica)' 1844. Forma divergente de *triplicar* ‖ **tréplica** *sf.* 'resposta a uma réplica' XVIII. Dev. de *treplicar.* Cp. TRIPLICAR.
⇨ **treplicar** | 1836 SC |.
treponemo *sm.* 'gênero de micróbios, ao qual pertencem os germes da sífilis e da bouba' XX. Do fr. *tréponème*, deriv. do lat. cient. *treponēma* e, este, do gr. *trépō* 'eu volto, eu viro' + gr. *néma* 'fio'.
três *num.* '3, III' XIII. Do lat. *trēs* ‖ treCENT·ÉSIMO *num.* 'ordinal e fracionário correspondente a trezentos' 1874. Do lat. *trecentēsimus* ‖ treCENT·ISTA *adj. 2g.* 'pertencente ou relativo ao trecentismo ou ao séc. XIV' 1899. Do it. *trecentista* ‖ **tremecém** *adj. 2g.* 'tremês' 1874. Trata-se de um divergente de *tremês*, cuja formação é duvidosa ‖ treMÊS *adj. 2g.* 'que dura três meses' 'que nasce e amadurece em três meses' XV. De *três meses*, com apócope do *s* de *três* ‖ **trena** *sf.* 'fita de seda, ouro ou prata para atar o cabelo' XV; 'baraço de pião' 1813; 'fita (metálica) usada para medições' XX. Do lat. *trīnī* ‖ tresQUIÁLTERA *sf.* 'quiáltera de três figuras, que tomam o lugar de duas' 1881. Formado de *três* e *quiáltera*, pelo modelo de *sesquiáltera* ‖ **trevo** *sm.* 'designação comum a diversas plantas herbáceas' 1813. Do lat. *trifolĭum*, talvez através de uma forma vulgar *trifŭlu*, ou resultante do cruzamento verbal e acentual de *trifolium* e do gr. *tríphyllon* ‖ **treze** *num.* '13, XIII' XIII. Do lat. *trēdĕcim* ‖ trezENO *num.* 'décimo terceiro' XIV ‖ **trezentos** *num.* '300, CCC' XIII. Do lat. *trēcĕntos* ‖ **trinca**¹ *sf.* 'reunião de três coisas semelhantes' XVI ‖ **trinta** *num.* '30, XXX' XIII. Do lat. *trīgĭnta* ‖ **trintanário** *sm.* 'ant. missa de três, que se celebra trinta dias após o falecimento de alguém' XIV ‖ trintÁRIO *sm.* 'ant. trintanário' | *-ayro* XV ‖ **trintena** XIII ‖ **trio** *sm.* 'trecho musical próprio para três vozes ou instrumentos' 'grupo ou conjunto de três pessoas' 1873. Do it. *trio* ‖ **tríquetro** *adj.* 'que tem três ângulos' 1881. Do lat. *triquĕtrus*. Cp. TRI-.
⇨ **três** — tremecém ‖ 1836 SC ‖ **trevo** | 1570 *in* ZT ‖ trezENO | *trezēo* XIII CSM 12.1 |.
tres- → TRANS-.
tresandar *vb.* 'fazer andar para trás' 'desandar' XVI. De uma forma *trasandar*, por dissimilação.
trescalar *vb.* 'emitir cheiro forte de' XVII. De *tres-* + CALAR, na acepção de 'repercutir, penetrar'.
tresler *vb.* 'ler às avessas' 'perder o juízo, enlouquecer, por ler muito' XVI. De *tres-* + LER.
tresloucado *adj. sm.* 'desvairado, louco' XVIII. De *tres-* + LOUC·O + -ADO.
tresmalhar *vb.* 'tirar do rebanho ou da malhada' 'deixar fugir, escapar ou perder' | *tras-* XVI | De *tres-* + MALH·A² + -AR¹.
tresnoitar *vb.* 'passar a noite (acordado), caminhar de noite' | *trasnoytar* XIII, *trasnoitar* XIV etc. | De *tras-* (< lat. *trans-*) + NOIT·E + -AR¹ ‖ **tresnoit**ADA *sf.* 'caminhada à noite' | *-noy-* XIV.
trespassar → TRASPASSAR.
tresquiáltera → TRÊS.
⇨ **tressuar** → SUAR.
treta → TRECHO.
treva(s) *sf. (pl.)* 'escuridão absoluta' 'noite' | *têeuras* pl. XIII, *teebras* pl. XIV etc. | Do lat. *tĕnĕbra* (cláss. *tĕnĕbrae -arum*) ‖ ENtenebrECER XVI. De EN- + lat. *tenebrēscĕre* ‖ **trev**OSO XVI. Forma divergente de *tenebroso*. Cp. TÊNEBRA.
trevo → TRÊS.
⇨ **trevo, trezeno** → TRÊS.
trevoso → TREVA.
trez·e, -eno, -entos → TRÊS.
tri-, tris- *elem. comp.*, do lat. *tri-* (< *trēs*) e/ou do gr. *tri-* (< *treîs*) 'três', que se documenta em alguns compostos formados no próprio grego (como *tríade*), ou no latim (como *triângulo*), e em muitos outros introduzidos, a partir do séc. XIX, na linguagem erudita. Registram-se, a seguir, os derivados e compostos eruditos formados nas línguas modernas de cultura. Os demais, já formados em latim ou em grego, vão consignados em verbetes independentes, na sua respectiva ordem alfabética ♦ triACANTO | *-tho* 1899 | Do lat. cient. *triacantha* ‖ **triadelfo** | *-pho* 1899 ‖ triANDRO 1874. Do fr. *triandre* ‖ triCÉFALO | *-pha-* 1874 | Do fr. *tricéphale* ‖ triCICLO *sm.* 'veículo de três rodas' | *-cy-* 1890 | Do fr. *tricycle* ‖ triCLÍN·ICO *adj.* 'que tem três ângulos desiguais, os quais se cortam em ângulos oblíquos' 1899 ‖ triCROM·IA XX. Do fr. *trichromie* ‖ triEDRO 1874. Do fr. *trièdre*, deriv. do lat. cient. *trihedrum* ‖ triFÁS·ICO XX ‖ triFLORO 1858 ‖ triFÓRIO *sm.* 'galeria apertada, numa igreja, sobre as arquivoltas das naves laterais, e que em geral apresenta três aberturas em cada vão' 1899. Do lat. med. *triforium*, de *tri-* + *fores -ĭum* 'porta' ‖ triFURC·AR *vb.* 'dividir em três partes, ramos, caminhos etc.' 1881. De *tri-* + lat. *furc·a* + -AR¹ ‖ triGINO | *-gy-* 1874 | Do fr. *trigyne*, deriv. do lat. cient. *trigynia* ‖ triGLOTA | *-tta* 1899 ‖ triGRAMA *sm.* 'palavra de três letras' 1890 ‖ triJUG·ADO *adj.* '(Bot.) constituído de três pares de folíolos' | *-das* f. pl. 1874 | Do lat. *trijugus* 'triplo' + -ADO ‖ triLEMA *sm.* 'situação difícil, de que só se logra sair por um de três modos, todos muito penosos' | *-mma* 1899 | Voc. criado pelo modelo de *dilema* ‖ triLIÃO *num.* 'a décima segunda potência de dez' XX. Do fr. *trillion*, formado pelo modelo de *million* 'milhão' ‖ triLÍTERO | *-lli-* 1881 | De *tri-* + lat. *littĕra* 'letra' ‖ triLONGO 1881 ‖ triMENS·AL XVII ‖ triNETO XIX ‖ tríODO *sm.* 'válvula eletrônica com três eletrodos' XX. De *tri-* + a terminação de *eletrodo*, através do ing. *triode* ‖ triOICO *adj.* 'que tem flores masculinas, femininas e hermafroditas em três indivíduos separados' 1899. De *tri-* + gr. *oîkos* 'casa' ‖ triPÉ *sm.* 'banco e/ou suporte de três pés' 1881 ‖ triR·REGNO *sm.* 'domínio de três reinos' 'a tiara papal' XVIII. Do lat. ecles. *triregnum* ‖ trisAVÔ | *trasavóó* XIV ‖ triSPERMO 1858 ‖ tris·SECAR *vb.* 'dividir (especialmente o ângulo) em três partes iguais' | *trise-* 1899 | De *tri-* + lat. *secāre* 'cortar' ‖ **tritongo** *sm.* '(Gram.) união em uma sílaba só,

de três vogais, ou melhor, de uma vogal (a base) cercáda de semivogais' 1813. Do fr. *triphtongue*, de *tri-* + gr. *phtóggos* 'som, tom'.
⇨ **tri-** — **tri**FÓRIO | 1878 *in* ZT || **tri**PÊ | 1836 SC || **tritongo** | *triphthōgo* 1576 DNLeo 26v7 |.
tríade *sf.* 'conjunto de três pessoas ou três coisas' 'acorde de três sons' 1890. Do fr. *triade*, deriv. do lat. ecles. *trias -adis* e, este, do gr. *triás -ados*.
triadelfo → TRI-.
triaga *sf.* 'medicamento que os antigos empregavam contra a mordida de qualquer animal venenoso' | XV, *tjryaga* XIV, *teriaga* XVI | Do lat. tard. *thēriaca*, deriv. do gr. *thēriaké* || **teria**CAL | *-the-* 1899.
triagem *sf.* 'seleção, escolha' XX. Do fr. *triage*.
triandro → TRI-.
triângulo *sm.* '(Geom.) polígono de três lados' XVI. Do lat. *triangŭlum -i* || **triangul**AR *adj. 2g.* XVI. Do lat. tard. *trianguláris*.
triarquia *sf.* 'governo de três indivíduos' | *-chia* 1881 | Do ing. *triarchy*, deriv. do gr. *triarchía*.
triásico, triássico *adj. sm.* 'diz-se de, ou primeiro período da era mesozoica' 1890. Do fr. *triasique*, de *trias*, deriv. do lat. *trias -adis* e, este, do gr. *triás -ados*. Cp. TRÍADE.
tríbade → TRIB(O)-.
tribo *sm.* 'cada uma das partes em que se dividiam algumas nações ou povos antigos' 'grupo étnico unido pela língua, pelos costumes, e que vive em comunidade' XIV. Do lat. *tribus -ūs*.
trib(o)- *elem. comp.*, do gr. *tribō* 'atrito', que se documenta em alguns vocs. introduzidos, a partir do séc. XIX, na linguagem erudita ♦ **tríbade** *sf.* 'mulher que pratica o tribadismo, homossexualismo consistente no atrito recíproco dos órgãos genitais' 1874. Do fr. *tribade*, deriv. do gr. *tribás -ádos* || **tribo**ELETRICIDADE XX || **tribo**LUMINESCÊNCIA XX || **tribô**METRO 1874. Do fr. *tribomètre*.
tríbraco *sm.* 'pé de verso grego ou latino, formado de três sílabas' XVIII. Do lat. *tribrachus*, deriv. do gr. *tríbrachys*.
tribulação *sf.* 'adversidade, contrariedade' | *trebolaçães* pl. XIII | Do lat. *tribulātĭō -ōnis* || AtribulAÇÃO 1813 || AtribulADO XIV || AtribulAR XIV. Cp. TRILHAR.
tribuno *sm.* 'magistrado' XIV. Do lat. *tribūnus -i* || **tribuna** *sf.* 'púlpito' XVI. Do fr. *tribune* || **tribu**NADO *sm.* 'cargo de tribuno' 'tempo de exercício desse cargo' XVI. Forma divergente de *tribunato* || **tribunal** *sm.* 'orig. cadeira de juiz ou magistrado' '*ext.* local de julgamento judicial' XVII. Do lat. *tribūnāl -ālis* || **tribunato** *sm.* 'tribunado' 1813. Do lat. *tribūnātus -ūs* || **tribunício** *adj.* 'relativo a, ou próprio de tribuno' 1858. Do lat. *tribūnĭcĭus*.
⇨ **tribuno** — **tribun**AL | 1549 SNor 104.*21* |.
tributo *sm.* 'imposto, contribuição' 'homenagem, preito' XIII. Do lat. *trĭbūtum* || **tribut**AÇÃO XX || **tribut**AR | *tre-* XV || **tribut**ÁRIO XIV. Do lat. *tribūtārĭus*.
⇨ **tric(o)-, triqui(i)-** — **triqui**ÁSE | *-chiasis* 1836 SC |.
trica *sf.* 'chicana, trapaça, tramoia' 1813. Do lat. *trīca*, mais comum no pl. *tricae -ārum*.
tricana *sf.* 'espécie de burel antigo' 'a saia feita desse burel' 1813. De origem obscura.

tricéfalo → TRI-.
tricenal *adj. 2g.* 'que dura trinta anos' | *-nnal* 1874 | Do fr. *tricennal*, deriv. do lat. tard. *trīcennālis*.
triciclo → TRI-.
tricípite *adj. 2g.* 'que tem três cabeças'; *sm.* 'cada um dos músculos que têm três feixes fibrosos em uma das extremidades' | 1881, *tríceps* 1874 | Do fr. *triceps*, deriv. do lat. *triceps -ĭtis*.
triclínico → TRI-.
triclínio *sm.* 'na Roma antiga, refeitório com três ou mais leitos inclinados, dispostos em redor de uma mesa' XVI. Do lat. *trīclīnium -ĭī*, deriv. do gr. *triklī́nion*, de *klínē -ēs* 'leito'.
tricô *sm.* 'tecido utilizado na confecção de peças de vestuário e outras, executado à mão com duas agulhas onde se armam as malhas' 'o mesmo tecido feito à máquina' XX. Do fr. *tricot* || **tricotar** *vb.* 'fazer tricô' XX. Do fr. *tricoter*.
tric(o)-, triqui(i)- *elem. comp.*, do gr. *tricho-*, de *tríx trichós* 'cabelo, pelo', que se documenta em alguns compostos eruditos introduzidos, a partir do séc. XIX, na linguagem científica internacional ♦ **trico**CISTE | *trichocysto* 1881 || **trico**GLOSS·IA | *tricho-* 1874 || **trico**IDE | *-choi-* 1881 || **trico**LOG·IA | *-cho-* 1874 || **triquíase** *sf.* 'desvio das pestanas, que se voltam para dentro' | *-chiasis* 1844 | Do ing. *trichiasis*, deriv. do lat. tard. *trichiāsis* e, este, do gr. *trichíāsis* || **triqui**NA *sf.* 'gênero de vermes intestinais' | *-chi-* 1874 | Do fr. *trichine*, deriv. do lat. cient. *trichina* e, este, do gr. *tríchinos* (f. *-inē*).
⇨ **tric·ociste, -oglossia, -oide, -ologia** → TRIC(O)-, TRIQU(I)-.
tricolor *adj. 2g.* 'que tem três cores' | 1858 *tricoloreo* XVI | Do lat. tard. *tricolor -ōris*.
tricorne *adj. 2g.* 'que tem três cornos, pontas ou bicos' XIX. Do lat. *tricornis -e* || **tricórn**IO *sm.* 'chapéu de três bicos' 1881. Do fr. *tricorne*.
tricotar → TRICÔ.
tricótomo *adj.* 'dividido em três' | *-cho-* 1881 | Do lat. cient. *trichotomus*, formado com base no gr. *trichotoméō* 'eu divido em três partes' || **tricoto**MIA | *-cho-* 1881 | Do fr. *trichotomie*, deriv. do lat. cient. *trichotomia*.
tricromia → TRI-.
tricúspide *adj. 2g.* 'que tem três pontas' 1858. Do fr. *tricuspide*, deriv. do lat. *tricuspis -ĭdis*.
tridá(c)tilo *adj.* 'que tem três dedos' | *-dacty-* 1874 | Do lat. cient. *tridactylus*, deriv. do gr. *tridáktylos*.
tridente *adj. 2g.* 'que tem três dentes'; *sm.* 'o cetro mitológico de Netuno, terminado por três dentes' XVI. Do lat. *tridēns -dentis* || **tridentí**·FERO 1899. Do lat. *tridentĭfĕrum* || **tridentí**·GERO XVIII. Do lat. *tridentĭgĕrum*.
tridimita *sf.* '(Min.) uma das três fases cristalinas da sílica' XX. Do ing. *tridymite*, deriv. do gr. *trídymos* 'triplo'.
tríduo *sm.* 'espaço de três dias consecutivos' XVIII. Do lat. *trīdŭum -i* || **triduano** *adj.* 'que dura um tríduo' 1899. Do lat. *trīdŭānus*.
triedro → TRI-.
triênio *sm.* 'espaço de três anos' XVI. Do lat. *triennĭum -ĭī* || **trien**AL 1569. Do lat. tard. *triennālis* || **trien**ÁRIO 1568.
trifásico → TRI-.

trifauce *adj. 2g.* '(Poét.) que tem três fauces' 1572. Do lat. *trifaux -faucis*.
trífido *adj.* 'dividido em três, ou que tem três partes' 1813. Do lat. *trifídus*.
trifilo *adj.* '(Bot.) diz-se do cálice formado de três peças' | *-phyllo* 1899 | Do fr. *triphylle*, deriv. do gr. *tríphyllos*.
trifloro → TRI-.
trifólio *sm.* 'trevo' 1813. Do lat. *trifolium -ĩi*, calcado no gr. *tríphyllon* || **trifoli**ADO 1890.
trifório → TRI-.
triforme *adj. 2g.* 'que tem três formas' XVI. Do lat. *triformis -e*, calcado no gr. *trímorphos*.
trifurcar → TRI-.
triga *sf.* 'pressa, afã, azáfama' 1858. Do lat. *trīga* 'carro puxado por três cavalos'.
trigal → TRIGO.
trígamo *sm.* 'indivíduo casado com três mulheres ao mesmo tempo, ou que se casou três vezes' 1890. Do fr. *trigame*, deriv. do lat. ecles. *trigamus* e, este, do gr. *trígamos* || **trigam**IA 1858. Do fr. *trigamie*, deriv. do lat. ecles. *trigamia*.
trigêmino *adj.* 'dividido em três, ou que tem três partes' | *-na* f. XVI | Do lat. *trigemĭnus* || **trigêmeo** *sm.* 'cada um dos três indivíduos nascidos do mesmo parto' 1881. Forma divergente de *trigêmino* || **trigemin**ADO 1899.
trigésimo *num.* 'ordinal e fracionário correspondente a trinta' 1813. Do lat. *trĭgēsĭmus*.
⇨ **trigésimo** | *tricesimo* XIV BENT 33.*36* |.
trígino → TRI-.
tríglifo *sm.* 'ornato arquitetônico em um friso de ordem dórica, e que consta de três sulcos' | *-pho* 1813 | Do fr. *triglyphe*, deriv. do lat. *triglyphus* e, este, do gr. *tríglyphos*.
⇨ **tríglifo** | *triglypho* 1721 RB |.
triglota → TRI-.
trigo *sm.* 'planta herbácea da fam. das gramíneas, de frutos alimentícios' | *trijgo* XIII, *triigo* XIII etc. | Do lat. *trītĭcum* || **trig**AL *sm.* 'campo de trigo' 1899 || **trigu**EIRO *adj.* 'que tem a cor do trigo maduro' 1813 || **trigu**ILHO *sm.* 'resíduo ou farelo de trigo' XX.
⇨ **trigo** — **trigu**EIRO | *c* 1608 NOReb 126.7 |.
trigon(o)- *elem. comp.*, do gr. *trigōno-*, de *trigōnos* 'triângulo', que se documenta em alguns compostos introduzidos, a partir do séc. XIX, na linguagem científica internacional ▶ **trigon**AL XX || **trígono** *sm.* '(Astr.) agregado de três signos da mesma natureza' 1813; 'gênero de moluscos' '(Anat.) região triangular da bexiga' 1874; *adj.* 'triangular' 1874. Do lat. *trigōnum*, deriv. do gr. *trígōnon*; na segunda acepção, o voc. é deriv. do lat. *trỹgōn* e, este, do gr. *trýgōn -onos* || **trigono**CARPO 1899 || **trigono**CÉFALO | *-pha-* 1874 | Do lat. cient. *trigonacephalus* || **trigono**CÓRN·EO | *-goni-* 1899 || **trigono**METR·IA *sf.* 'parte da matemática em que se estudam as funções circulares' | 1813, *trigometria* XVIII | Do ing. *trigonometry*, deriv. do lat. cient. *trigōnometria*, criado, em 1595, pelo matemático B. Pitiscus || **trigono**MÉTR·ICO 1858.
tri·grama → TRI-.
trigu·eiro, -ilho → TRIGO.
trijugado → TRI-.
trilar → TRILO.

trilátero *adj.* 'que tem três lados' 1844. Do lat. tard. *trilaterus*.
⇨ **trilátero** | 1836 SC |.
trilema → TRI-.
trilha → TRILHAR.
trilhão → TRI-.
trilhar *vb.* 'debulhar' 'moer, triturar' '*ext.* percorrer, palmilhar' XIII. Do lat. *tribŭlāre* || **trilha** *sf.* 'ato ou efeito de trilhar' XVI. Dev. de *trilhar* || **trilho**¹ *sm.* 'grade para debulhar o trigo' XIII. Do lat. *trībŭlum -i* || **trilho**² *sm.* 'caminho, vereda' 'rumo, direção' XVIII. Dev. de *trilhar*. Cp. TRIBULAÇÃO.
trílice *adj. 2g.* 'que tem três fios' XVI. Do lat. *trilīce*.
trilíngue *adj. s2g.* 'diz-se de, ou escrito em três línguas' 'que, ou quem conhece ou fala três línguas' XVII. Do lat. *trilinguis -e*.
trilítero → TRI-.
trilo *sm.* 'trinado, gorjeio' 1899. Do it. *trillo* || **tril**IAR 1899.
trilobite *sf.* 'classe extinta de artrópodes' 1899. Do ing. *trilobite*, deriv. do lat. cient. *trilobitae* e, este, do gr. *trílobos* 'de três lobos' || **trilob**ADO 1858. Adapt. do fr. *trilobé*.
trilogia *sf.* '*orig.* na Grécia antiga, poema dramático formado de três tragédias' '*ext.* trindade, trio' 1881. Do fr. *trilogie*, deriv. do gr. *trilogíā*.
trilongo → TRI-.
trimembre *adj. 2g.* 'que tem três membros' 1881. Do lat. *trimembris*.
trimensal → TRI-.
trímero *adj.* 'dividido em três partes' 1858; *sm.* 'substância cujo peso molecular é o triplo do de outra' XX. Do fr. *trimères*, deriv. do lat. cient. *trimera* e, este, do gr. *trimerḗs* 'tripartido'.
trimestre *sm.* 'período de três meses' 1858. Do lat. *trimestris -e*, através do francês.
trímetro *sm.* 'na métrica greco-romana, verso de três pés' 1858. Do fr. *trimètre*, deriv. do lat. *trimĕtrus* e, este, do gr. *trímetron*.
trimorfo *adj.* 'diz-se das substâncias que podem cristalizar sob três diferentes fases cristalinas' | *-pho* 1874 | Do lat. cient. *trimorphus*, deriv. do gr. *trímorphos*.
trinar *vb.* 'gorjear, trilar' XVIII. De origem onomatopaica || **trin**ADO *sm.* 'gorjeio' 1813 || **trino**¹ *sm.* 'trinado' 1881. Dev. de *trinar*.
trinca¹ → TRÊS.
trincar *vb.* 'apertar, comprimir' 'cortar com os dentes' 'comer, mastigar' XVI. De origem incerta; talvez alteração do fr. *tringler, tingler* 'unir as tábuas de uma embarcação', deriv. do a. escandinavo *tengja* 'unir, atar' || **trinca**² *sf.* 'cabo náutico' XVI || **trinca**³ *sf.* 'arranhão, dentada' XX || **trinco** *sm.* 'tranqueta com que se trancam portas' XVI. Dev. de *trincar*.
⇨ **trincar** — **trinco** 'ação de trincar' | 1614 SGonç I.431.*5* |.
trinchar *vb.* 'cortar em pedaços (a carne que se serve à mesa)' XVII. Do a. fr. *trenchier* (hoje *trancher*), deriv. do lat. pop. **trīnicare*, deriv. do lat. *trīni* || **trinch**ANTE XVI. Do fr. *tranchant* || **trinch**ETE *sm.* 'faca de sapateiro' XVII. Do fr. *tranchet* || **trincho** *sm.* 1813. Dev. de *trinchar*.
trincheira *sf.* 'escavação no terreno, para proteção dos combatentes' | *-chey-* XIII, *trinchea* XVI | Do a.

fr. *trenchier* (hoje *trancher*) ‖ EN**trincheir**AMENTO 1813 ‖ EN**tricheir**AR XVIII.
⇨ **trincheira** — EN**trincheir**ADO | *intrincheirado* 1634 MNor 138.*5* |.
trinch·ete, -o → TRINCHAR.
trinco → TRINCAR.
trincolejar *vb.* 'tilintar' 1881. De origem onomatopaica.
trindade *sf.* 'na doutrina cristã, dogma da união de três pessoas distintas (o Pai, o Filho e o Espírito Santo)' *ext.* grupo de três pessoas ou coisas análogas' | *triĩdade* XIII, *trijdade* XIII etc. | Do lat. *trīnitas -tātis* ‖ **trinit**ÁRIO XVII. Adapt. do fr. *trinitaire*.
trineto → TRI-.
trinfar *vb.* 'grinfar' 1899. De origem onomatopaica.
trinitário → TRINDADE.
trino[1] → TRINAR.
trino[2] *adj.* 'composto de três' XV. Do lat. *trīnus*.
trinômine *adj. 2g.* '(Poét.) que tem três nomes' | *-mo* XVIII | Do lat. *trinōmĭnis -e*.
trinômio *sm.* '(Mat.) polinômio cujo número de termos é três' *ext.* aquilo que tem três termos ou partes' 1881. Do fr. *trinôme*, deriv. do lat. tard. *trinōmius*.
⇨ **trinômio** 'de três nomes' | 1836 SC |.
trinque *sm.* 'cabide de algibebe' '*fig.* elegância, esmero' XVII. De origem controvertida.
trint·a, -anário, -ário, -ena, trio → TRÊS.
tríodo, trioico → TRI-.
triolé *sm.* 'tipo de estrofe de oito versos' XX. Do fr. *triolet*.
tripa *sf.* 'intestino do animal' XIV. De origem incerta ‖ ES**trip**AR XVI ‖ **trip**EIRO XV.
tripanossomo *sm.* 'designação comum às espécies de protozoários, mastigóforos, zoomastiginos' XX. Do fr. *trypanosome*, deriv. do gr. *trýpanon* 'verruma' + *sóma -atos* 'corpo'.
tripartir *vb.* 'partir em três partes' 1881. Do lat. tard. *tripartīrī* ‖ **tripart**IDO 1858. Do lat. *tripartītus*.
⇨ **tripartir** — **tripart**IDO | *-tito* 1836 SC |.
tripé → TRI-.
tripeça *sf.* 'tripé' | *tre-* XIII | Do lat. tard. *trĭpeccĭa* (lat. cláss. *trĭpĕtĭa*).
tripeiro → TRIPA.
triplicar *vb.* 'tornar triplo' XVI. Do lat. *triplicāre* ‖ **triplic**AÇÃO 1858. Do lat. *triplicātĭō -ōnis* ‖ **triplicata** *sf.* 'terceiro cópia' 1858. Do lat. *triplicata* ‖ **tríplice** *num.* 'triplo' 1813. Do lat. *triplex -ĭcis* ‖ **triplo** *num.* 'que é três vezes maior que outro' XVIII. Do lat. *triplus* ‖ **tripló**PTERO 1889 ‖ **triplos**TÊMONE 1899.
⇨ **triplicar** — **triplo** | *tryplo* 1519 GNic 37.7 |.
trípode *adj. 2g.* 'que tem três pés' XVII. Do lat. *tripūs -odis*, deriv. do gr. *trípous -odos*.
tripófago *adj.* '(Zool.) que se nutre de insetos e de pequenos vermes' XX. Do gr. *thrips thripós* 'bicho de madeira, verme' + -FAGO, por via erudita.
tripsina *sf.* 'diástase que age sobre as substâncias albuminoides nos intestinos' | *tryp-* 1899 | Do ing. *trypsin*, deriv. do gr. *trýps* 'ato de amolecer', modelado sobre *pepsin* 'pepsina' ‖ **tripsino**·GÊN·IO XX.
tríptico *sm.* 'obra de pintura ou de escultura, constituída de um painel central e duas meias-portas laterais capazes de se fecharem sobre ele, recobrindo-o completamente' 'livrinho de três folhas' |

-tyco 1899 | Do ing. *tryptic*, deriv. do gr. *triptychos* 'formado por uma pele dobrada em três partes'.
tripudiar *vb.* '*orig.* saltar ou dançar batendo com os pés' '*ext.* levar ou pretender levar vantagem sobre alguém, humilhando-o' XVIII. Do lat. *tripudĭāre* ‖ **tripudi**ANTE 1813 ‖ **tripúdio** *sm.* 'ato ou efeito de tripudiar' 1813. Do lat. *tripudĭum -ĭī*.
tripular *vb.* 'prover (uma embarcação ou uma aeronave) do pessoal necessário para as manobras e mais serviços' 'dirigir (uma embarcação ou um avião)' XIX. Talvez do cast. *tripular*, deriv. do lat. *ĭnterpŏlare* 'fazer reformas ou retoques em algo' 'falsificar, alterar', trocado popularmente em **intrepolar* e, logo, em **entripular, tripular* ‖ **tripul**AÇÃO | *-po* 1813 ‖ **tripul**ANTE | *-po-* 1858.
⇨ **tripular** | 1660 FMMeIE 196.*27* |.
triques-troques → TROCAR.
triquete (a cada —) *loc. adv.* 'a cada passo, a cada movimento' 1813. De origem onomatopaica.
tríquetro → TRÊS.
triqu·íase, -ina → TRIC(O)-.
⇨ **triquíase** → TRIC(O)-, TRIQUI(I)-.
trirregno → TRI.
trirreme *sf.* 'tipo de embarcação antiga, impelida a remos armados em três pavimentos' | *trireme* 1844 | Do fr. *trirème*, deriv. do lat. *trirēmis -e*.
⇨ **trirreme** | *trire-* 1836 SC |.
tris *interj.* 1813. De origem onomatopaica.
tris- → TRI-.
triságio *sm.* 'aclamação litúrgica em que três vezes se repete a mesma palavra, especialmente Santo, Santo, Santo' XVII. Do lat. med. *trisagium*, deriv. do gr. *triságion*.
trisavô → TRI-.
triscar *vb.* 'fazer bulha, ruído' 'aprontar desordem' 1874. Do gót. *thriskan* 'trilhar' ‖ **trisca** *sf.* 'ato ou efeito de triscar' XVI. Dev. de *triscar*.
⇨ **triscar** | 1836 SC |.
tríscele *sm.* 'variante da suástica, com três pernas em vez de quatro' XX. Do lat. tard. *triscelum*, deriv. do gr. *triskelés*.
trismegisto *adj.* 'três vezes grande' 'sobrenome que os antigos gregos davam a Hermes e ao deus Tot dos egípcios' XVI. Do lat. tard. *Trismegistus*, deriv. do gr. *Trismégistos*.
trismo *sm.* 'cerração involuntária da boca' XVII. Do lat. cient. *trismus*, deriv. do gr. *trismós* 'sibilo, rangido'.
tris·permo, -secar → TRI-.
⇨ **trissilábico** → SÍLABA.
trissílabo *sm.* 'vocábulo de três sílabas' | *-ssy-* 1813 | Do fr. *trisyllabe*, deriv. do lat. *trisyllabus* e, este, do gr. *trisýllabos* ‖ **trissiláb**ICO | *-ssylla-* 1881 | Do fr. *trisyllabique*.
trissulco *adj.* 'que tem três sulcos' XVII. Do lat. *trisulcus*.
triste *adj.* 'magoado, aflito, sem alegria' | *trist* XIII | Do lat. *trĭstis* ‖ DES·EN**trist**ECER 1844 ‖ EN**trist**EC·EDOR XX ‖ EN**trist**ECER | *entres-* XIII ‖ EN**trist**EC·IDO XVI ‖ **trist**EZA XIII. Do lat. *trĭstitĭa* ‖ **tristi**MANIA 1899 ‖ **trist**ONHO XVI ‖ **trist**URA *sf.* '*ant.* tristeza' XIII.
⇨ **triste** — DES·EN**trist**ECER | 1836 SC |.
trístico *adj.* '(Bot.) disposto em três fileiras' | *-cho* 1881 | Do ing. *tristich*, deriv. do gr. *tristichos*.

trist·imania, -onho, -ura → TRISTE.
tritão sm. '*orig.* (Mit.) deus marítimo' '*ext.* animal cordado, anfíbio, mutabílio, da fam. dos salamandrídeos' XVI. Do mit. lat. *Trítōn -ōnis* ou *ōnos*, deriv. do mit. gr. *Trítōn -ōnos*.
tritíceo *adj.* 'relativo ao trigo' 1899. Do lat. *trīticĕus* || **triti**CULT·OR XX || **triti**CULT·URA XX. Cp. TRIGO.
trítio sm. '(Fís.) 'isótopo do hidrogênio, de número de massa 3, gasoso e radioativo' XX. Do lat. cient. mod. *tritium*, deriv. do gr. *trítos* 'terceiro'.
tritongo → TRI-.
trítono sm. '(Mús.) intervalo dissonante, constituído por três tons' 1813. Do lat. med. *tritonus*, deriv. do gr. *trítonos*.
triturar vb. 'moer, pulverizar' '*fig.* afligir, magoar' 1813. Do fr. *triturer*, deriv. do lat. tard. *trītūrāre* || EN**trita** *sf.* 'papa feita com migalhas de pão' 1813. Do lat. *intrīta* || **tritur**AÇÃO 1813. Do fr. *trituration*, deriv. do lat. tard. *triturātiō -ōnis*.
triunfar vb. 'conseguir vitória, sair vencedor' XVI. Do lat. *triumphāre* || **triunf**ADOR XVI. Do lat. *triumphātor -ōris* || **triunf**AL XVI. Do lat. *triumphālis -e* || **triunf**ANTE 1813 || **triunfo** sm. 'ato ou efeito de triunfar' | *triumpho* XIV, *triũffo* XV | Do lat. *triumphus -i* || **trunfo** sm. 'naipe que prevalece aos outros em certos jogos carteados' XVI. Alteração de *triunfo*.
⇨ **triunfar** — **triunf**ANTE | 1571 FOLF 128.3, *triumphante* XIV ORTO 17.34, 1614 SGonç I.181.29 |.
triúnviro sm. '*orig.* magistrado romano incumbido, com mais dois colegas, de uma parte da administração pública' '*ext.* membro de qualquer triunvirato' XVII. Do lat. *triumvĭrum* || **triunvir**AL 1844. Do lat. *triumvirālis -e* || **triunvir**ATO sm. '*orig.* magistratura dos triúnviros' '*ext.* associação e/ou governo de três indivíduos' | XVI, *-rado* 1899 | Do lat. *triumvirātus -ūs*.
⇨ **triúnviro** — **triunvir**AL | *trium-* 1836 SC |.
trívio sm. 'na Idade Média, nome dado à divisão inferior das artes liberais' 'lugar onde se cruzam três ruas ou três caminhos' | *triuio* XIV | Do lat. *trivĭum -iī* || **trivi**AL *adj.* 2g. 'notório, comum, vulgar, corriqueiro' XVIII. Do lat. *triviālis -e* || **trivi**AL·IDADE XIX.
tro·ante, ar → TROM-.
troca → TROCAR.
troça → TROÇAR.
troc·abilidade, -adilho, -ador → TROCAR.
trocaico → TROQUEU.
trocano sm. 'espécie de tambor dos índios do Brasil' 1833. De origem tupi, mas de étimo indeterminado.
trocanter sm. '(Anat.) cada uma das duas tuberosidades existentes na parte superior do fêmur' | *-chan-* 1899 | Do fr. *trochanter*, deriv. do lat. cient. *trochantēr* e, este, do gr. *trochantḗr -ēros*.
trocar vb. 'permutar, substituir' 'alterar, modificar' XIV. De origem incerta || **triques-troques** sm. 2n. 'trocadilho' 1874. De formação expressiva, com base em *trocar* || **troca** *sf.* 'ato ou efeito de trocar' XVI. Dev. de *trocar* || **troc**ABIL·IDADE XX || **troc**AD·ILHO sm. 'jogo de palavras que dá margem a equívocos' 1890. De *trocado*, com influência do cast. *trocadilla* || **troc**ADOR 1874 || **troc**AMENTO XV || **troco** sm. 'troca' XV. Dev. de *trocar*.

⇨ **trocar** — **triques-troques** | 1836 SC || **troc**AD·ILHO | 1836 SC || **troc**ADOR | 1836 SC |.
troçar vb. 'zombar de, escarnecer, ridicularizar' 1881. De origem obscura || **troça** *sf.* 'zombaria' 1881. Dev. de *troçar* || **troc**ISTA 1881.
trocarte sm. '(Cir.) cânula terminada em ponta triangular que se usa para punções' | *-cate* 1881 | Do fr. *trocart*.
trocha *sf.* '*ant.* caminho torcido, rodeio que leva a algum lugar por desvios' 1813. Do cast. *trocha* 'atalho', de origem incerta, provavelmente pré-romana.
trochar vb. 'torcer (cano de espingarda) para reforçar' 1858. De origem controvertida. Cp. TROCHA.
⇨ **trochar** | 1836 SC |.
trocisco sm. 'tipo de preparação farmacêutica' 1813. Do fr. *trochisque*, deriv. do lat. tard. *trochiscus* e, este, do gr. *trochískos*.
trocista → TROÇAR.
tróclea *sf.* '(Anat.) proeminência articular da extremidade inferior do úmero' | *trochlea* 1858 | Do lat. *trochlĕa* 'roldana, guindaste'.
troco → TROCAR.
troço sm. 'pedaço de madeira' XVI. De origem incerta; talvez do cast. *tros* 'pedaço' || DES**troç**AR vb. 'debandar, dispersar' 'quebrar, despedaçar' XVI || DES**troço** sm. 'ruína' XVI. Dev. de *destroçar*.
troc(o)- *elem. comp.*, do gr. *trocho-*, de *tróchos* 'roda', que se documenta em alguns vocs. introduzidos, a partir do séc. XIX, na linguagem científica internacional ▶ **troco**CÉFALO | *-chocépha-* 1899 || **troc**OID·EO | *-choi-* 1899, *-choideo* 1899 | Do fr. *trochoïde*, deriv. do gr. *trochoeidēs*.
troféu sm. 'despojos do inimigo vencido' 'taça ou qualquer objeto comemorativo de uma vitória' | *trofeo* 1572 | Do lat. tard. *trophaeum* (cláss. *tropaeum*), do gr. *trópaion*.
⇨ **troféu** | *trofeo* 1571 FOLF 124.6, 1572 *Lus.* III.53, *tropheo* 1572 Id.I.25 |.
trof(o)- *elem. comp.*, do gr. *trophḗ* 'ato de sustentar, de alimentar' 'alimento' 'geração', que se documenta em alguns compostos introduzidos, a partir do séc. XIX, na linguagem científica internacional ▶ **tróf**ICO | *-phi-* 1874 | Do fr. *trophique*, deriv. do gr. *trophikós* || **trofo**NEUR·OSE | *-phònevrose* 1899 | Do fr. *trophonévrose* || **trofo**SPERMA | *-phos-* 1858.
trogalho sm. 'pequena corda que serve para atilho' 1813. Do lat. **torquaculo*, de *tŏrquēre* 'torcer'.
troglodita *adj. s2g.* 'diz-se de, ou pessoa que vive sob a terra' 'diz-se de, ou membro de comunidade pré-histórica que habitava em cavernas' | *trogo-* XVI | Do lat. *trōglodўtae -ārum* m. pl., deriv. do gr. *trōglodýtēs*.
⇨ **troglodita** | 1538 DCAST 73.14, *c* 1538 JCASG 255.5 *toglodita c* 1541 JCASR 343.11 |.
troiano *adj. sm.* 'relativo a, ou natural de Troia' | *troyão* XIV, *troyaão* XIV | Do lat. *Trōjānus*, do top. *Trōja* 'Troia' || **troia** *sf.* 'jogo antigo, que simulava um combate' XVII. Do top. *Troia*.
troica *sf.* 'veículo russo puxado por três cavalos emparelhados' XX. Do fr. *troïka*, deriv. do rus. *troïka*.
trole sm. 'pequeno carro descoberto que anda sobre os trilhos das ferrovias e é movido pelos operários por meio de varas ou paus ferrados' 'carruagem

rústica que se usava nas fazendas e nas cidades do interior, antes do uso habitual do automóvel' xx. Do ing. *trolley.*
trolha *sf.* '*ant.* vasilha para água, vinho etc.' | *trol* xv | Do lat. *trulia,* var. de *trulla.*
trom *sm.* 'som de canhão' | xv, *troos* pl. xv | De origem onomatopaica, mas relacionado, sem dúvida, com *troar* || ATROADOR XVII || ATROAR *vb.* 'fazer estremecer com o estrondo' 'fazer retumbar' xvi || troANTE | *troãte* XVI || **troar, tronar** *vb.* 'atroar' | XVIII, *tronar* XIV | Do lat. *tŏnāre,* com influência de *tŏnitrus.*
tromba *sf.* '*ant.* trompa' | xiv, *tron-* XIII, *tro-* XIV |; 'focinho' 'órgão do olfato e aparelho de preensão dos proboscídeos, como o elefante, o tapir etc.' 1813. Possível alteração de *trompa* || ESTROMPAR *vb.* 'estragar, gastar, romper' 'esfalfar, fatigar' 1873 || trombADA 1881 || trombAR *vb.* 'chocar-se, colidir, bater' xx || trombETA *sf.* 'qualquer instrumento musical de sopro, em cuja feitura, rudimentar, se utiliza o chifre de um animal, uma concha etc.' XIV. Do it. *trombétta* || trombET·EAR XX || trombET·EIRO XVIII || **trombone** *sf.* 'tipo de instrumento musical de sopro' 1858. Do it. *trombóne* || trombUDO 1813 || **trompa** *sf.* 'instrumento musical de sopro' | *tron-* XIII, *trõ-* XIII | Do frâncico **trŭmpa,* de origem onomatopaica || trompAÇO *sm.* 'pancada com a tromba (em sua segunda acepção)' '*ext.* empurrão, tapa' xx || trompETE *sm.* 'instrumento musical de sopro' | *-ta* xv | Do fr. *trompette.*
⇨ **tromba** — **trombone** | 1836 SC |.
trombo *sm.* 'coágulo sanguíneo' xx. Do lat. cient. *thrombus,* deriv. do gr. *thrómbos* || trombOSE 1899. Do fr. *trombose,* deriv. do lat. cient. *thrombōsis* e, este, do gr. *thrómbōsis.*
trombone → TROMBA.
trombose → TROMBO.
trombudo, trom·pa, -paço, -pete → TROMBA.
tronar → TROM.
tronco *sm.* 'o caule das árvores' 'parte do corpo humano, excetuada a cabeça e os membros' XIII. Do lat. *truncus -i* || DESTRONCAR XVII || ENTRONCAMENTO 1844 || ENTRONCAR XVI || **troncho** *sm.* 'privado de algum membro ou ramo' XVI. Do cast. *troncho,* deriv. do lat. *trŭncŭlus* 'pequeno tronco' || troncUDO XX || **truncar** *vb.* 'separar do tronco' 'mutilar' 1874. Do lat. *truncāre.*
⇨ **tronco** — ENTRONCAMENTO | 1836 SC || **truncar** | 1836 SC |.
troneira *sf.* 'intervalos dos merlões, por onde se enfia a boca do canhão ou da bombarda' XVII. Do cast. *tronera,* de *tronar.* Cp. TROM.
trono *sm.* 'sólio elevado em que os soberanos se assentam nas ocasiões solenes' '*fig.* poder soberano, autoridade' | XIV, *trõo* XIII || Do lat. *thrŏnus* || DESTRONAMENTO XX || DESTRONARXX || ENTRONIZ·AÇÃO 1813 || ENTRONIZAR XVI. Do lat. ecles. *inthronizāre,* deriv. do gr. *enthronizō.*
⇨ **trono** — DESTRONAR | 1836 SC |.
tropa *sf.* 'conjunto de soldados' 'multidão' 'grande porção de animais' XVII. Do fr. *troupe,* provavelmente deriv. regress. de *troupeau,* a. fr. *tropel* 'rebanho' (logo empregado adverbialmente, com o sentido de 'muito, demasiadamente') || ENTROPILH·AR XX || tropEIRO 1844 || tropILHA *sf.* 'tropa de cavalos com o mesmo pelame e que seguem uma éguamadrinha' 1881. Do cast. *tropilla.*
⇨ **tropa** — tropEIRO | 1836 SC |.
tropeçar *vb.* 'dar topada, esbarrar' | *ontrepeçar* XIV, *entrepeçar* XIII | Talvez do lat. **ĭnterpediāre* (de *ĭnterpedīre*) || **tropeço** *sm.* 'coisa em que se tropeça' XVII. Dev. de *tropeçar.*
trôpego *adj.* 'que anda a custo' XVII. Do lat. *hydrōpĭcus* 'hidrópico', em alusão ao andar vacilante dos doentes de hidropisia || **tropicAR** *vb.* 'tropeçar numerosas vezes' 1813. Liga-se, provavelmente, ao arc. **tropigo* 'trôpego'.
tropeiro → TROPA.
tropel *sm.* 'ruído ou tumulto produzido por multidão a andar ou a se agitar' 'tropear estrepitoso de cavalos' XIII. Do a. fr. *tropel,* deriv. do frâncico **throp* || ATROPELADOR XX || ATROPELAMENTO | *-lha-* 1844 || ATROPELAR *vb.* 'fazer cair, derrubar, por impacto' | *-llar* XIV || ATROPELO *sm.* 'ato ou efeito de atropelar' | *-llo* 1844 | Dev. de *atropelar* || **estripulia** *sf.* 'tropelia' | *-tre-* 1844 || **tropelIA** *sf.* 'efeito produzido por muitas pessoas em tropel' XVI. Cp. TROPA.
⇨ **tropel** — ATROPELAMENTO | *-lla-* 1836 SC || ATROPELO | 1836 SC || ESTRIPULIA | *estrepo-* 1836 SC |.
tropical → TRÓPICO.
tropicar → TRÔPEGO.
trópico *sm.* 'cada um dos dois paralelos situados em latitudes simétricas e iguais à obliquidade da eclíptica' | *-quo* xv | Do lat. tard. *tropicus,* deriv. do gr. *tropikós* || INTERTROPICAL 1873 || **tropicAL** 1874.
⇨ **trópico** — tropicAL | 1836 SC |.
tropilha → TROPA.
trop(o)- *elem. comp.,* do gr. *trópos* 'volta, giro', que se documenta em alguns compostos formados no próprio grego (como *tropologia*) e em alguns outros introduzidos, a partir do séc. XIX, na linguagem erudita ♦ **tropISMO** *sm.* '(Biol.) reação de aproximação ou de afastamento do organismo em relação à fonte de um estímulo' xx. Do ing. *tropism,* deriv. do lat. cient. *tropismus* || **tropo** *sm.* '(Gram.) emprego de palavra ou expressão em sentido figurado' '*ext.* (Mús.) canto, melodia' | *tropos* XVII, *tropus* XV | Do lat. tard. *tropus,* deriv. do gr. *trópos* || tropoLOG·IA 1813. Do fr. *tropologie,* deriv. do lat. tard. *tropologia* e, este, do gr. *tropología* || tropoLÓG·ICO XV || troponÔM·ICO 1899 || tropOSFERA XX. Do fr. *troposphère.*
troquel *sm.* 'forma para a cunhagem de moedas e medalhas' 1881. Do cast. *troquel,* de origem incerta.
troqueu *sm.* 'pé de verso grego ou latino, constituído de uma sílaba longa ou breve' | *trocheo* 1813 | Adapt. do fr. *trochée,* deriv. do lat. *trochaeus -i,* e, este, do gr. *trochâios* || DItroqueu | *-cheo* 1858 | Adapt. do fr. *ditrochée,* deriv. do lat. tard. *ditrochaeus* e, este, do gr. *ditróchaios* || **trocaico** *adj. sm.* 'diz-se de, ou verso formado de troqueus' | *-chai-* 1881 | Do fr. *trochaïque,* deriv. do lat. *trochăĭcus* e, este, do gr. *trochāĭkós.*
tróquilo *sm.* 'moldura côncava' | *-chi-* 1881 | Do fr. *trochile,* deriv. do lat. *trochilus* e, este, do gr. *trochilos.*
trotar *vb.* 'andar (o cavalo) a trote' xv. Do fr. *trotter,* deriv. do a. a. al. *trottôn,* intensivo de *trëtan*

'caminhar' || **trote** *sm.* 'andadura natural das cavalgaduras' 1813. Dev. de *trotar* || **trot**EIRO XIV.
trouxa *sf.* 'fardo de roupa' 'grande pacote' XIV. Do a. cast. *troja, troxa* || E**n**t**rouxa**R 1813 || **troux**ADO || XIV, *tro*- XV.
trov·a, -ador → TROVAR.
trovão *sm.* 'estrondo causado por descarga de eletricidade atmosférica' | *torvões* pl. XIII, *toruõ* XIV etc. | Do lat. vulg. *tŭrbo -onis* (cláss. *tŭrbo -ĭnis*) || **trov**E-JAR *vb.* 'estrondear ou ribombar o trovão' XIV || **tro**-**vo**ADA *sf.* 'tempestade com trovões' 'trovão' XIV.
trovar *vb.* 'fazer ou cantar trovas' | *trouar* XIII, *trobar* XIII | Do ant. *trobar*, deriv. do a. prov. *trobar*, do lat. **trŏpāre*, de *trŏpus* || **trova** *sf.* 'composição lírica ligeira e mais ou menos popular' XIII. Dev. de *trovar* || **trov**ADOR XVI || **trov**EIRO 1899.
⇨ **trovar** — **trov**ADOR | *trobador* XIII CSM 10.*21* |.
trovejar → TROVÃO.
trovisco *sm.* 'planta da fam. das timeláceas' XV. Do lat. tard. *turbiscum*.
trovoada → TROVÃO.
truão *sm.* 'pessoa que provoca riso' XIII. Do fr. *truand*, voc. de origem céltica || **truan**IA *sf.* 'momice ou dito de truão' XV || **truan**ICE *sf.* 'truania' 1813.
trucar *vb.* 'no jogo do truque, propor a primeira parada' 1844. Do cat. ou do prov. *trucar* 'golpear', de provável origem onomatopaica || RE**trucar** *vb.* 'replicar, redarguir, retorquir' 'em certos jogos, revidar a aposta de (o adversário), propondo outra mais alta' 1858 || **truque**[1] *sm.* 'certo jogo de cartas' XVI. Do cat. *truc*, dev. de *trucar* || **truque**[2] *sm.* 'ardil, tramoia' 1844. Do fr. *truc*, da mesma origem de *trucar*.
⇨ **trucar** | 1836 SC || RE**trucar** | 1836 SC |.
trucidar *vb.* 'matar barbaramente, com crueldade' XVII. Do lat. *trucīdāre* || **trucid**AÇÃO XX. Do lat. *trucīdātiō -ōnis*.
trucilar *sm.* 'o cantar do tordo' XVIII. Do lat. *trucīlāre*.
truculento *adj.* 'atroz, terrível, cruel' XVI. Do lat. *truculentus* || **trucul**ÊNCIA XVIII. Do lat. *truculentĭa*.
trufa[1] *sf.* 'cogumelo subterrâneo da fam. das entuberáceas, comestível pelo sabor e pelo aroma agradáveis' 1874. Do fr. *truffe*, deriv. do a. prov. *trufa* e, este, do lat. *tūber -ĕris* 'espécie de trufa', vulgarmente *tūfĕra*. Cp. TÚBERA.
trufa[2] *sf.* 'zombaria, embuste' | *-pha* XV | Do lat. tard. *trufa*.
⇨ **trufa**[2] | XIV ORTO 331.*5* |.
truísmo *sm.* 'verdade trivial, tão evidente que não é necessário ser enunciada' XX. Do ing. *truism*, de *true* 'verdadeiro'.
truncar → TRONCO.
trunfa *sf.* 'certo toucado antigo' 'turbante' XVII. De origem obscura.
trunfo → TRIUNFAR.
truque[1,2] → TRUCAR.
truque[3] *sm.* 'plataforma sobre rodas ou vagão sem caixa' 1899. Do ing. *truck*.
truste *sm.* 'associação financeira que realiza a fusão de várias firmas em uma única empresa' XX. Do anglo-americano *trust*, de *to trust* 'ter confiança'.
truta *sf.* 'peixe salmônida' | *truita* XIII | Do b. lat. *tructa*, deriv. do gr. *tróktēs* || **trut**ÍFERO XVII.

truz *interj.* | *trus* XVIII | De origem onomatopaica.
tsar → CZAR.
tsé-tsé *sf.* 'designação comum a diversas moscas africanas, capazes, quase todas, de transmitir doenças, inclusive, a do sono' | *tsétsé* 1881 | Do fr. *tsé-tsé*, voc. do dialeto dos sechuanas, na África austral.
tu *pron.* XIII. Do lat. *tū* || **tute**AR *vb.* 'tratar (alguém) por *tu*' 1881. Adapt. do fr. *tutoyer*.
tua → TEU.
tuba *sf.* '(Mús.) designação comum aos baixos da fam. dos saxornes, especialmente do saxorne contrabaixo' XVI. Do lat. *tuba*.
tubagem → TUBO.
tubarão *sm.* 'designação comum a todos os peixes elasmobrânquios, pleurotremados, com fendas branquiais laterais, particularmente as espécies de grande tamanho' 1500. De origem incerta.
tubel *sm.* 'escama que ressalta do metal candente, ao ser batido' 1899. De possível origem árabe.
túbera *sf.* 'trufa ' | *-ba-* XVI | Do lat. *tūber -ĕris*. Cp. TUBÉRCULO.
tubérculo *sm.* 'pequena saliência, pequeno tumor' XVII. Do lat. *tŭbercŭlum -i*, dim. de *tūber -ĕris* 'tumor, excrescência' || **tuberculí**·FERO 1874 || **tuberculi**·FORME 1874 || **tuberculI**NA *sf.* 'substância que se extrai do meio de cultura do bacilo de Koch, ou do próprio bacilo, e usada para fins diagnósticos e terapêuticos' XX. Do fr. *tuberculine* || **tuberculos**E *sf.* 'doença causada pelo bacilo de Koch' XIX. Do fr. *tuberculose* || **tuberculoso** XIX. Adapt. do fr. *tuberculeux* || **tuber**IFORME *adj.* 2g. 'que tem forma de tubérculo' 1874 || **tuber**OIDE 1881 || **tuber**OSA *sf.* 'planta da fam. das amarilidáceas' 1813. Do lat. cient. *tŭberōsa* || **tuber**OS·IDADE 1844. Adapt. do fr. *tubérosité* || **tuber**OS·IT·ÁRIO 1874 || **tuber**OSO *adj.* 'tuberiforme' 1844. Do lat. *tŭberōsus*.
⇨ **tubérculo** — **tuberoso** | 1836 SC |.
tubi *sf.* 'espécie de abelha da fam. dos meliponídeos' | *tubim* 1817 | De origem tupi, mas de étimo indeterminado.
tubo *sm.* 'canal cilíndrico, por onde passam ou saem fluidos, líquidos etc.' XVII. Do lat. *tubus -i* || **tub**AGEM 1881. Do fr. *tubage* || **tubi**·FERO 1874 || **tubi**·FLORO 1899 || **tubi**·FORME 1874. Do fr. *tubiforme* || **tubulação** *sf.* 'colocação de tubos' 'conjunto de tubos' 1858. Do lat. *tubulātiō -ōnis* || **tubulado** *adj.* 'que tem forma de tubo' 1858. Do lat. *tubulātus* || **tubulura** *sf.* 'abertura num vaso para a adaptação de um tubo' 1899. Do fr. *tubulure*. Cp. TUBUL(I)-.
tubul(i)- *elem. comp.*, do lat. cient. *tubuli-*, do lat. *tubŭlus -i* 'pequeno tubo', que se documenta em alguns compostos introduzidos, a partir do séc. XIX, na linguagem científica internacional ▶ **tubuli**·FERO 1899. Do lat. cient. *tubulifera* || **tubuli**FLORO 1899. Do lat. cient. *tubuliflōrae* || **tubuli**FORME XX || **túbulo** *sm.* 'pequeno tubo' 1858. Do lat. *tubŭlus -i*. Cp. TUBO.
tubulura → TUBO.
tucano *sm.* 'ave da fam. dos ranfastídeos' | 1587, *tucána c* 1584 | Do tupi *tu'kana* || A**tucan**ADO 'aborrecido, molestado' 1898 || A**tucan**AR 1899.
tucum *sm.* 'nome comum a várias espécies de palmeiras dos gêneros *Astrocaryum* (como a *A. vul-*

gare Mart.) e *Bactris* (como a *B. setosa*)' | 1627, *tocum* 1587, *tucu* 1618 etc. | Do tupi *tu'kũ*.

tucumã *sm.* 'palmeira do gênero *Astrocaryum* (*A. tucuma*)' | *c* 1777, *tocumá* 1763 etc. | Do tupi **tuku'mã* || **tucuman**Z·EIRO 1895.

tucunaré *sm.* 'peixe da fam. dos ciclídeos (*Cichla ocellaris* Schneider)' | *cucunare c* 1631, *tucunare c* 1631 etc. | Do tupi *tukuna're*.

tucupi *sm.* 'tempero preparado com o suco da mandioca, misturado com pimenta' *c* 1767. De origem tupi, mas de étimo indeterminado.

tucura *sf.* 'nome tupi do gafanhoto' | *tacura* 1587 | Do tupi *tu'kura* || **tucu**RANA | *tacuranda* 1587.

-tude → -DÃO.

tudel *sm.* 'tubo de metal no qual se coloca a palheta de certos instrumentos musicais' 1858. Do prov. *tudel* 'tubo', de origem onomatopaica.

tudesco *adj.* 'relativo aos, ou próprio dos antigos germanos' XVI. Do fr. *tudesque*, deriv. do it. *tédesco* e, este, do lat. med. *Teutiscus*, adapt. do ger. *thiudiska*.

tudo *pron.* 'a totalidade das coisas e/ou animais e/ou pessoas' XIII. Do lat. *tōtus*.

tufão *sm.* 'vento fortíssimo, furacão' XVI. Do ár. *ţufān* 'inundação, dilúvio', derivado de um idioma do Extremo Oriente.

tufo[1] *sm.* 'porção de plantas, flores, penas, pelos, juntos' XVI. Talvez do fr. *touffe* || **tuf**AR 1813.

tufo[2] *sm.* 'denominação ambígua dada aos calcários com grandes poros, gerados por fontes de águas ricas em bicarbonato de cálcio' XVII. Do fr. *tuf*, deriv. de uma var. lat. *tūfus* (cláss. *tōfus -i*).

tugir *vb.* '*ant.* enterrar' 'murmurar' XVI. De origem obscura.

tugue *sm.* 'membro de uma seita religiosa da Índia que, em honra da deusa Cáli, praticava sacrifícios humanos' XVIII. Do ing. *thug*, deriv. do hindustani (e marata) *ţhag* 'embusteiro, velhaco'.

tugúrio *sm.* 'cabana' 'refúgio, abrigo' | *te-* XVIII | Do lat. *tugurĭum -ii*.

tuição *sf.* '(Jur.) ato de defender ou patrocinar' 'defesa judicial' 1899. Do lat. *tuĭtĭō -ōnis* || **tuit**IVO *adj.* 'que defende ou protege' 'próprio para defesa' XVII. Do lat. *tuitus*, part. pass. de *tŭēri* 'olhar, proteger, defender' + -IVO. Cp. TUTELA, TUTOR.

tuijuba *sm.* 'ave da fam. dos psitacídeos, espécie de tuim' | *cujujuba* 1618 | Do tupi *tui'įuįa < tu'ĩ* 'tuim' + *'įυųa* 'amarelo'.

tuim *sm.* 'ave da fam. dos psitacídeos, espécie de periquito' | *toy* 1511, *toym* 1511, *tuyns* pl. 1576 etc. | Do tupi *tu'ĩ*.

tuitivo → TUIÇÃO.

tuiuiú *sm.* 'ave da fam. dos ciconídeos, espécie de cegonha' 1587. Do tupi *tuįu'įu*.

tule *sm.* 'filó, especialmente de seda' | *-lle* 1881 | Do fr. *tulle*, do top. *Tulle*, cidade onde, originariamente, esse tecido era fabricado.

tulha *sf.* 'celeiro' 'cova onde se aumenta e se comprime a azeitona, antes de ir para o lagar' XIV. De origem controvertida || A**tulh**AR *vb.* 'entulhar' XV || DES·EN**tulh**AR 1813 || EN**tulh**AR *vb.* 'meter em tulha' 'abarrotar' XVI || EN**tulh**o *sm.* | *entullo* XIV | Dev. de *entulhar*.

túlio *sm.* '(Quím.) elemento de número atômico 69' XX. Do lat. cient. *thulium*, através do francês ou inglês *thulium*.

tulipa *sf.* 'planta ornamental pequena, com bolbo tunicado, da fam. das liliáceas' XVIII. Do fr. *tulipe*, deriv. do turco *tul(i)band* (hoje *tülbend*) 'planta-turbante', aplicado à tulipa branca, dada a comparação da forma da flor com a do turbante. Cp. TURBANTE.

tumba *sf.* 'pedra sepulcral' ' sepultura' | XV, *tonba* XV | Do lat. ecles. *tumba*, deriv. do gr. *týmbos* || **tomb**AMENTO[2] 1858 || **tomb**AR[2] *vb.* 'arrolar, inventariar, registrar' 1874 || **tombo**[2] *sm.* 'inventários de terrenos demarcados' 'arquivo' 1813. Dev. de *tombar*[2].

⇨ **tumba** — **tomb**AR[2] | 1836 SC |.

tume·fação, -faciente, -facto, -fazer, -ficar → TÚMIDO.

tume·nte, -scência, -scente → TUMOR.

túmido *adj.* 'inchado, saliente, proeminente' 1572. Do lat. *tumĭdus* || **tumef**AÇÃO | *-facção* 1858 | Do fr. *tuméfaction* || **tumefaci**ENTE 1881 || **tumefacto** *adj.* 'inchado' 1858. Do lat. *tumefactus*, de *tumēre* 'estar inchado' e *facĕre* 'fazer' || **tumefazer** *vb.* 'tornar(-se) túmido' 1890. Do lat. *tumefacěre* 'inchar' || **tum**E·FICAR *vb.* 'tumefazer' 1881. Adapt. do fr. *tuméfier*. Cp. TUMOR.

tumor *sm.* '(Pat.) aumento de volume desenvolvido numa parte qualquer do corpo' 1813. Do lat. *tumor -ōris* || **intumesc**ÊNCIA | *-mecen-* 1844 | Do fr. *intumescence* || **intumesc**ENTE 1874. Do fr. *intumescent*, deriv. do part. pres. do lat. *intumēscere* || **intumescer** *vb.* 'tornar túmido, inchar' | *intumecer* XVII, *entumecer* 1813 | Do lat. *intumēscere* || **tumente** *adj. 2g.* 'inchado' XVII. Do lat. *tumens -entis*, part. pres. de *tumēre* || **tumesc**ÊNCIA *sf.* 'intumescência' | *-mecen-* 1813 | Do fr. *tumescence* || **tumesc**ENTE *adj. 2g.* 'intumescente' XVII. Do fr. *tumescent*. Cp. TÚMIDO.

⇨ **tumor** — I**Ntumesc**ÊNCIA | 1836 SC |.

túmulo *sm.* 'sepultura' 'monumento fúnebre erguido em memória de alguém, no lugar onde se acha sepultado' 1813. Do lat. *tumŭlus -i* || **tumular** *vb.* 'sepultar' XVII. Do lat. *tumŭlāre*.

⇨ **túmulo** | 1721 RB |.

tumulto *sm.* 'grande movimento, bulício, agitação' XVI. Do lat. *tumultus -ūs* || **tumultu**AR XVI. Do lat. *tumultŭāre* || **tumultu**ÁRIO 1813. Do lat. *tumultuārĭus* || **tumultu**OSO XVI. Do lat. *tumultuōsus*.

⇨ **tumulto** — A**tumultu**ADO | 1680 AOCAD 1.569.4 || **tumultu**ÁRIO | *a* 1595 *Jorn.* 96.32, 1660 FMMElE 35.4 |.

tuna[1] *sf.* 'vadiagem, ociosidade' XVIII. Do ant. calão fr. *tune* 'hospício de mendigos' 'mendicância', deriv. do nome do 'Rei de *Túnes*', o chefe dos vagabundos franceses, a quem se deu esse título por alusão ao do 'Duque do Baixo Egito', que se dava ao chefe dos ciganos, quando seus bandos chegaram pela primeira vez a Paris, em 1427 || EN**tuna** *sf.* 'o andar pelos montes caçando ou vadiando' '*ext.* a caça' XVIII || **tuno** *adj. sm.* 'vadio, vagabundo' 1881.

tuna[2] *sf.* 'designação comum a duas plantas da fam. das cactáceas' XVI. Do hisp.-americ. *tuna*, voc. do Haiti || **tun**AL *sm.* 1813.

tunda *sf.* 'surra' 1813. Provavelmente relacionado com o lat. *tundĕre* 'golpear'.

tundá *sm.* 'orig. vestido de roda com muitas saias debaixo' '*ext.* nádegas, traseiro' 1899. Do quimb. *kutuṇa* 'ultrapassar, exceder, sobressair'.
tundra *sf.* 'vegetação que vive sobre solos rochosos e turfosos, própria da região ártica e subártica' 1899. Do fr. *toundra*, deriv. do rus. *túndra* e, este, do finlandês *tunturi* (= lapão *tundar*).
túnel *sm.* 'caminho ou passagem subterrânea' | *tunnel* 1855 | Do ing. *tunnel*, deriv. do a. fr. *tonel*.
tunesino *adj. sm.* 'relativo a, ou natural de Túnis' | *tuneciis* pl. XVI | Do top. *Túnis* + -INO.
tunga *sf.* 'inseto sifonáptero da fam. dos hectopsilídeos (*Tunga penetrans* L.), bicho-de-pé' 1587. Do tupi *'tuṇa* || **tungaçu** *sm.* 'inseto sifonáptero da fam. dos pulicídeos (*Pulex irritans* L.), pulga-do-homem' 1587. Do tupi *tuṇa'su* < *'tuṇa* + *a'su* 'grande'.
tungstênio *sm.* '(Quím.) elemento de número atômico 74, metálico, usado em filamentos de lâmpadas de incandescência' | *túng-steno* 1858 | Do fr. *tungstène*, deriv. do sueco *tungsten* 'pedra' || **tungstATO** 1890. Do fr. *tungstate* || **túngstICO** 1874. Do fr. *tungstique*.
túnica *sf.* 'antigo vestuário, longo e ajustado ao corpo' 'dalmática' '*ext.* tipo de vestimenta feminina' XVI. Do lat. *tunĭca* || **tunicADO** XX. Do lat. *tunicātus*.
tuno → TUNA¹.
tupã *sm.* 'designação tupi do raio e do trovão' '*ext.* deus' | *c* 1584, *tupana* 1549 | Do tupi *tu'pã* (*tu'pana*) 'gênio do trovão e do raio'.
tupé *sm.* 'espécie de esteira' XIX. De origem tupi, mas de étimo indeterminado.
tupia *sf.* 'máquina de fazer molduras' 'aparelho para levantar pesos' XX. De origem obscura.
tupuxuara *sm.* 'entre os índios do Brasil, espírito que presidia os lares' 1610. Do tupi *tupi'ṣuara* 'espírito familiar'.
-(t)ura *suf. nom.*, deriv. do lat. *-(t)ūra*, que se documenta em substantivos portugueses de cunho erudito e/ou semierudito, ora com a noção de 'resultado ou instrumento da ação' (*escritura*), ora com noção coletiva (*magistratura*). Cp. -(D)URA, -(S)URA, -URA.
turba *sf.* 'multidão em desordem' XVI. Do lat. *turba* || **turbamulta** *sf.* 'grande turba agitada' XVI. Do lat. *turba multa* 'grande multidão' || **turbelÁRIO** *sm.* 'animal platelminto, cujo corpo é revestido de epiderme ciliada com numerosas glândulas mucosas' XX. Do lat. cient. *turbellāria*, do lat. *turbellae -ārum* 'perturbação, desordem'.
turb·ação, -ador, -amento → TURVO.
turbante 'tipo de cobertura da cabeça' | XVI, *turbão* XVI | Do it. *turbante*, deriv. do turco *tülband* (ou *tülbend*) e, este, do persa *dulband*.
turb·ar, -ativo → TURVO.
turbelário → TURBA.
túrbido *adj.* 'perturbador' 'sombrio, escuro' XVI. Do lat. *turbĭdus*. Cp. TURVO.
turbilhão *sm.* 'redemoinho de vento' 'aquilo que excita ou impele violentamente' XVIII. Do fr. *tourbillon*, deriv. do lat. pop. *turbiniō (ou *turbelliō*, ou *turbiculo*) e, este, do lat. *turbo -ĭnis* || **turbilhonAR** *adj.* 2g. XX. Do fr. *tourbillonner*. Cp. TURVO.
turbina *sf.* 'máquina que transforma em trabalho mecânico a energia cinética de um fluido em movimento' 1881. Do fr. *turbine*, deriv. do lat. *tŭrbo -ĭnis* || **turbinADO** *adj.* 'em forma de cone invertido, ou de pião' 1844. Do lat. *turbinātus* || **turbinI·FORME** *adj.* 2g. 'que tem forma cônica ou de volta de pião' XX || **turbinOSO** *adj.* 'que gira em derredor de um eixo ou centro' 1844.
⇨ **turbina** — **turbinADO** | 1836 SC || **turbinOSO** | 1836 SC |.
turbito *sm.* 'planta convolvulácea, cuja raiz é purgativa' XVI. Do ár. *turbeḍ*, deriv. do persa *turbud*.
turboja(c)to *sm.* 'veículo (especialmente aeronave) provido de turbopropulsor' 'o motor desse veículo' XX. Adapt. do ing. *turbojet*.
turbulento *adj.* 'irrequieto, buliçoso' 'agitado, tumultuoso' XVI. Do lat. *turbulentus* || **turbulÊNCIA** XVII. Do lat. *turbulentĭa*. Cp. TURBA.
⇨ **turbulento** | *torvoēto* XIV BENT 40.*4* || **turbulEJAR** | *torbolegar* XIV DICT 2457 |.
turco *adj. sm.* 'relativo a, ou natural da Turquia' XIV. Do lat. med. *turcus* (= gr. biz. *toûrkos*), deriv. do persa *turk* || **túrcICA** *sf.* '(Anat.) a cavidade ou fossa onde está localizada a glândula pituitária' | *-co* m. 1890 | Do lat. med. *turcicus*, deriv. do gr. med. *turkikós* 'turco', pela forma do arco usado pelos turcos || **turcomano** *adj. sm.* 'diz-se de, ou as populações turcas da Ásia Central' 1608. Do ár. (e persa) *turkumān*, do turco *türkmen* || **turquESCO** *adj. sm.* 'turco' XVI. Do it. *turchésco* || **turqui** *adj.* '*ant.* turco'; *adj.* 2g. '*ext.* diz-se da cor azul retinta e sem brilho' | *torquijs* pl. XIV, *torquios* pl. XIV | Do ár. *turkī* (*turqī*) [*torqui* ocorre no port. med. na expressão *arco torqui'* = arco usado pelos turcos] || **turquISCO** *adj. sm.* 'turco' | *torquisco* XVI, *troquisco* XVI | Forma dialetal (cp. calabrês *turchisco*) do it. *turchésco*.
turfa *sf.* 'matéria esponjosa, mais ou menos escura, constituída de restos vegetais em variados graus de decomposição' 1858. Do al. *Torf* (*Zurf*).
turfe *sm.* 'hipódromo' 'hipismo' XIX. Do ing. *turf* 'relva' || **turfISTA** XX.
túrgido *adj.* 'dilatado, túmido, inchado' XVII. Do lat. *turgĭdus*. || **intur****gescENTE** 1873 || **intur****gescER** *vb.* 'tornar túrgido' 1873. Do lat. *inturgēscere* || **turgÊNCIA** *sf.* 'turgidez' 1813 || **turgENTE** *adj.* 2g. 'túrgido' 1813 || **turgescÊNCIA** *sf.* 'turgência' 1881. Do fr. *turgescence* || **turgescENTE** *adj.* 2g. 'turgente' 1858. Do fr. *turgescent*, deriv. do lat. *turgēscens -entis*, part. pres. de *turgēscere* || **turgescER** *vb.* 'inturgescer' 1881. Do lat. *turgēscere* || **turgidEZ** *sf.* 'inchação' 1844.
turgimão *sm.* 'intérprete' | *trochoman* XIV, *torgiman* XV, *torgimon* XV etc. | Do ár. *turǧumān*.
turião *sm.* 'rebento de ervas vivazes, que brota da parte subterrânea do caule' 1881. Do lat. *turiō -ōnis*.
turíbulo *sm.* 'vaso onde se queima incenso nos templos' | XIV, *tribulo* XIV | Do lat. *tūribŭlum -i* || **turícremo** *adj.* '(Poét.) em que se queima incenso' XVIII. Do lat. *tūricrĕmus* || **turiferÁRIO** | *thu-* 1813 | Do fr. *thuriféraire*, deriv. do lat. med. *thuriferarius* || **turífero** *adj.* 'que produz incenso' XVI. Do lat. *tūrĭfĕrum* || **turificAÇÃO** | *thu-* 1813 | Do a. fr. *thurification*, deriv. do lat. ecles. *turificātĭō -ōnis* || **turificADOR** | *thu-* 1813 | Do lat. *tūrificātor -ōris*

|| **turific**ANTE | *thu-* 1874 || **turific**AR *vb.* 'queimar incenso em honra de' | *thu-* 1844 | Do lat. ecles. *tūrificāre* || **tur**INO¹ *adj.* 'relativo a incenso' 1899. Do lat. ecles. *turīnus*.
⇨ **turíbulo** — **turific**ANTE | *thu-* 1836 SC || **turific**AR | 1836 SC, *thu-* 1836 SC |.

turino² *adj.* 'diz-se de, ou espécie de uma variedade portuguesa de gado bovino de uma raça holandesa' XX. De origem obscura.

turismo *sm.* 'viagem ou excursão feita por prazer, a locais que despertam interesse' 'o conjunto dos serviços necessários ao atendimento às pessoas que fazem esse tipo de viagem' XX. Do ing. *tourism* (de *tour*, do fr. *tour*), talvez através do fr. *tourisme* || **tur**ISTA XX. Do ing. *tourist*, talvez através do fr. *touriste* || **tur**ÍST·ICO XX. Do fr. *touristique*.

turma *sf.* 'grupo, bando' XVI. Do lat. *turma*.

turmalina *sf.* 'mineral trigonal, pedra semipreciosa' 1899. Do fr. *tourmatine*, deriv. do cingalês *toramalli*.

túrnepo *sm.* 'variedade de nabo' 1881. Do ing. *turnip*, talvez através do fr. *turnep*.

turno *sm.* 'cada um dos grupos de pessoas que se alternam em certos atos ou serviços' 'cada uma das divisões do horário de trabalho' XVI. Do fr. *tourne*, de *tourner*, deriv. do lat. *tornāre*.

turpilóquio → TORPE.

turquesa *sf.* mineral triclínico, azulado ou esverdeado, usado como pedra preciosa' | *-za* XVI | Do fr. *turquoise*, fem. substantivado do ant. adj. *turquois*, deriv. de *turc* (essa pedra foi primeiramente encontrada na Turquia). Cp. TURCO.

turqu·esco, -i, -isco → TURCO.

turra *sf.* 'pancada com a testa' 1844. Talvez de formação onomatopaica || **turrão** *adj. sm.* 'teimoso, pertinaz' 1813 || **turr**AR *vb.* 'bater com a testa' 1813.

turrígero *adj.* '(Poét.) que tem torre ou castelo' XVII. Do lat. *turrĭgĕrum* || **turricul**ADO *adj.* 'diz-se de certas conchas univalves que têm a espiral muito alongada' 1881. Do lat. *turricŭla* 'torre pequena' + -ADO || **turri**FORME XX || **turrí**FRAGO 1813. Cp. TORRE.

turturino *adj.* 'relativo ou pertencente à, ou própria da rola' XVII. Do lat. *turtur -ŭris* 'rola' + -INO. No port. med. ocorre o pl. *tortores* (séc. XIII) 'pomba, rola', de imediata procedência latina.

turu *sm.* 'molusco bivalve da fam. dos teredinídeos, de aspecto vermiforme' 1833. De origem tupi, mas de étimo indeterminado.

turuçã *sf.* 'variedade de formiga' | *turusã* 1587 | Do tupi *tara'saṇa*.

turvo *adj.* 'opaco, embaciado, escuro' 'revolto, agitado' XVI, *turbio* XIV | Do lat. *turbĭdus* || **Estur**VINH·AR *vb.* 'perturbar' XX || **torva** *sf.* 'torvação' XIV. Dev. de *torvar* || **torvelinho** *sm.* 'remoinho, redemoinho' | *-lino* XV, *-lhino* XV | Do cast. *torbellino*, dim. do lat. *tŭrbo -īnis* || **turv**AÇÃO, **turb**AÇÃO, **torv**AÇÃO | *turvação* XVI, *turbação* XVIII, *toruação* XV, *toruaçaom* XV etc. | Do lat. *turbātiō -ōnis* || **turv**ADOR, **turb**ADOR | *turbador* 1813 | Do lat. *turbātor -ōris* || **turv**AMENTO, **turb**AMENTO, **torv**AMENTO | *torvamento* XV, *turbamento* 1899 || **turv**AR, **turb**AR, **torv**AR *vb.* 'escurecer, toldar' 'agitar, perturbar, alterar' | *turvar* XVI, *turbar* XIV, *torvar* XIII | Do lat. *tŭrbāre* || **turv**ATIVO, **turb**ATIVO | *turbativo* XVII.

tuss·ilagem, -ol → TOSSIR.

tussor *sm.* 'tecido fino de seda, semelhante ao xantungue' XX. Do fr. *tussor*, deriv. do ing. *tussore* e, este, do hindustani *tasar*.

tutano *sm.* 'substância mole e gordurosa, do interior dos ossos' XVI. Da onomatopeia *tut-*, imitação do som de um instrumento de sopro.

tutear → TU.

tutela *sf.* 'encargo ou autoridade que se confere a alguém para administrar os bens e dirigir e proteger outra pessoa' XVI. Do lat. *tūtela* || **tutel**ADO 1813. Do lat. *tutelātus* || **tutel**AR¹ *adj. 2g.* XVIII. Do lat. *tutelāris* || **tutel**AR² *vb.* 1813 || **tutel**ARIA | *-llaria* XV. Cp. TUIÇÃO, TUTOR.

tutia *sf.* 'óxido de zinco impuro que adere às chaminés dos fornos onde se calcinam certos minérios' XVI. Do persa *tūtiyā*.

tutor *sm.* 'protetor, defensor' 'pessoa legalmente encarregada de tutelar alguém' | XIII, *tetor* XIII | Do lat. *tūtor -ōris* || **tutor**IA XV. Do lat. *tūtōria* || **tutr**IZ 1844. Fem. irregular de *tutor*. Cp. TUIÇÃO, TUTELA.
⇨ **tutor** — **tutr**IZ | 1836 SC |.

tutu¹ *sm.* 'bicho-papão' 1899. Provavelmente do quimb. *kitu'tu* 'papão'.
⇨ **tutu**¹ | 1836 SC |.

tutu² *sm.* 'iguaria feita com feijão e farinha' 1899. De origem africana, mas de étimo incerto; talvez seja derivado do quimbundo.

tutu³ *sm.* 'saia curta de várias camadas, de tule franzido, usada pelas bailarinas' XX. Do fr. *tutu*.

tuxaua *sm.* 'chefe. entre os índios do Brasil, morubixaba' | *tabuxaba* 1685, *tuxauha* 1817 etc. | Do tupi *tuuị'šaụa*.

tzar → CZAR.

U

uacã *sf.* 'planta da fam. das sapotáceas (*Ecclinusa ramiflora* Mart.)' | *huacã* 1587 | Do tupi **ïua'kaa*.
uacumã *sf.* 'variedade de palmeira (*Syagrus campestris*)' | *guacuman* 1792 | Do tupi **ïuaku'mã*.
uapé *sm.* 'nome tupi da vitória-régia (*Victoria regia*), planta da fam. das ninfeáceas' 1874. Do tupi **ïua'pe* < *'ïua* 'planta' + *'peua* 'chata, plana'.
uariá *sm.* 'planta herbácea da fam. das marantáceas' | *uarca (sic) c* 1777 | Do tupi **ïuari'* a.
uba- → -IBÁ-.
ubá[1] *sm.* 'planta da fam. das gramíneas (*Gyneryum sagittatum* Aubl.), com cujos colmos os índios do Brasil preparavam suas flechas' 1587. Do tupi *uu'ua*.
ubá[2] *sf.* 'embarcação indígena, canoa' 1656. Provavelmente de *ubá*[1] (< tupi *uu'ua*); é possível, também, que proceda do tupi *'ïua* 'árvore', com deslocamento da tônica (pois esse étimo tupi preconizaria a forma paroxítona *uba*), por influência de *ubá*[1].
-uba → -IBA-.
ubaém *sm.* 'planta da fam. das cucurbitáceas (*Citrullus vulgaris*), melancia' | *hubahem c* 1631 | Do tupi *ïua'eẽ* < *ï'ua* 'fruta' + *e'ẽ* 'sápido, que tem muito sabor (doce)'.
ubaia *sf.* 'planta da fam. das mirtáceas, ubaieira' 1702. Do tupi *ï'uaia* < *ï'ua* 'fruta' + *'aia* 'ácida, azeda' || **ubai**EIRA | *ubayêra* 1817.
ubapeba *sf.* 'planta da fam. das hipocrateáceas (*Salacia laevigata*)' | *ubapeua c* 1631, *hubapeua c* 1631 | Do tupi *ïua'peua* < *ï'ua* 'fruta' + *'peua* 'chata'.
ubapitanga *sf.* 'planta da fam. das mirtáceas, pitanga' | *vbapitangua* 1618 | Do tupi *ïuapï'taŋa* < *ï'ua* 'fruta' + *pï'taŋa* 'avermelhada, parda'.
ubarana *sf.* 'peixe da fam. dos elopídeos' 1587. Do tupi *uuua'rana* < *uu'ua* 'cana-flecha, ubá*[1]* + *'rana* 'semelhante'.
ubatinga *sf.* 'planta da fam. das tileáceas, também chamada açoita-cavalo' xx. Do tupi **ïua'tiŋa* < *ï'ua* 'fruta' + *'tiŋa* 'branca'.
ubaxainha *sf.* 'planta da fam. das mirtáceas (*Eugenia brasiliensis*), grumixama, ibanemixama' | *vuaxainha c* 1631 | Do tupi **ïuaesa'i* < *ï'ua* 'fruta' + *e'sa* 'olho' + -*'i* 'pequeno'.
úbere *sm.* 'mama de vaca ou de outra fêmea de animal' | *ubre* XVI |; *adj. 2g.* 'fig. fecundo, abundante' 1813. Do lat. *über -ĕris* || **uber**DADE 1813. Do lat. *ūbertās -ātis* || **ubert**OSO 1874.

-úbil, -ubilidade → -ÚVEL.
ubim *sm.* 'nome comum às palmeiras dos gêneros *Geonoma, Bactris* e *Calyptrogyne*' | *ubi* 1654 | De provável origem tupi, mas de étimo indeterminado.
ubíquo *adj.* 'que está ao mesmo tempo em toda a parte' 1881. Adjetivação do adv. lat. *ubīque* 'por toda parte, em qualquer lugar' || **ubiqu**AÇÃO | -*cação* 1813 | Do ing. *ubication*, deriv. do lat. med. *ubicatio -ōnis* || **ubiqu**IDADE 1813. Do fr. *ubiquité*.
ubuçu *sm.* 'espécie de palmeira (*Manicaria saccifera*), buçu' | *ubussú* 1817, *ubassú* 1863 | Do tupi **iṃu'su*. Cp. BUÇU.
uçá *sm.* 'crustáceo decápode da fam. dos gecarcinídeos, caranguejo' | 1587, *vçá c*1584 etc. | Do tupi *u'sa*.
-uça *suf. nom.*, do lat. *-ūcea*, que forma derivados com as noções básicas de 'grandeza, coleção' (*carduça, dentuça*), que, por vezes, assumem uma conotação irônica e/ou pejorativa.
ucasse *sm.* '(Hist.) na Rússia imperial, decreto do tsar' *ext.* ação discricionária, decisão arbitrária' | *ukase* XIX | Do fr. *ukase*, deriv. do rus. *ukáz* 'ordem, decreto'.
ucha *sf.* 'caixa, arca para guardar o pão ou outro alimento' XIII. Do fr. *huche* deriv. do lat. med. *hūtĭca*, de origem germânica || **uch**ARIA *sf.* 'despensa, especialmente para carnes, nas casas reais ou abastadas' XVI.
-ucho (-ucha) *suf. nom.*, do lat. *-uscŭlum* (> **-usc'lu* > -*ucho*), que se documenta, com valor diminutivo, em alguns substantivos portugueses, quase sempre com noção depreciativa: *casucha, gorducho -a, papelucho* etc. Cp. -USCO.
-uçu → AÇU.
-udo, -uda *suf. nom.*, do lat. *-utu, -uta*, que se documentam na formação de adjetivos oriundos de substantivos, com a noção de 'provido ou cheio de' (*ponta* → *pontudo -a*), e que, por vezes, apresentam conotações irônicas e/ou pejorativas (*barriga* → *barrigudo -a*).
udômetro *sm.* 'pluviômetro' 1858. Do fr. *udomètre*, ou do ing. *udometer*, deriv. do lat. *ūdum* 'úmido' + -METRO.
-uera → -PUERA.
uéua *sf.* 'peixe da fam. dos caracídeos' | *huéua* 1833 | De provável origem tupi, mas de étimo indeterminado.
ufa *interj.* (exprime admiração, ironia, cansaço ou enfado) XVII. De formação expressiva.

ufania *sf.* 'vaidade descabida, vanglória, jactância, soberba' | *huf-* XIII, *ouf-* XIII, *ouffana* XIII etc. | Do cast. *ufania*, de *ufano* e, este, do prov. *ufana*, de origem controversa || **ufan**AR XVIII. Do cast. *ufanarse* || **ufan**IOSO | *ouf-* XIV || **ufan**ISMO XX || **ufano** *adj.* 'arrogante, ostentoso, vaidoso' 1572. Do cast. *ufano*, do a. *ufana* 'ufania'.

-ugem *suf. nom.*, do lat. *-ūgĭnem*, acusativo de *-ūgo -ūgĭnis*, que se documenta em substantivos oriundos de outros substantivos, com a noção de 'semelhança', quase todos já formados no próprio latim: *ferrugem, lanugem* etc.

uiçu *sm.* 'farinha de peixe torrada' 1781. Do tupi *ui'su* < *u'i* 'farinha' + *u'su* 'grande'.

uísque *sm.* 'aguardente feita de grãos fermentados de centeio, milho ou cevada' | *whisky* 1881 | Do ing. *whisky*, deriv. do irl. *uisce*, redução da expressão *uisce beatha*, propriamente 'água da vida' (= aguardente: cp. fr. *eau-de-vie*), de *uisce* 'água' e *beatha* 'vida' || **uisqu**ERIA XX.

uíste *sm.* 'jogo de cartas, considerado o ancestral do bridge' | *whist* 1858 | Do ing. *whist*.
⇨ **uíste** | *whist* 1836 SC |.

uivar *vb.* 'orig. dar uivos, ululular' '*ext.* berrar, vociferar' | XVI, *uyuar* XIV, *huyuar* XIV | De origem controversa; talvez do lat. *ulŭlāre* (> **uuar* > **uvar* > *uivar*) || **uivo** 1813. Cp. ULULAR, URRAR.

-ula *suf. nom.*, deriv. do lat. *-ŭla*, que já se documenta, com valor diminutivo, em substantivos formados no próprio latim (como *gêmula, nótula* etc.) e em alguns vocs. eruditos introduzidos na linguagem científica internacional, a partir do séc. XIX: *actínula, anfiblástula* etc.

ulano *sm.* '(Hist.) cavaleiro armado de lança, que servia nos exércitos da Polônia, Rússia, Áustria e Alemanha nos sécs. XVII-XIX' 1760. Do fr. *uhlan*, deriv. do al. *Ulan* e, este, do pol. *ułan* (> turco *oğlan* 'rapaz, jovem').

úlcera *sf.* 'ferida, chaga' | *ucera* XIV, *huçara* XV | Do lat. *ulcus -ĕris* || **ulcer**AÇÃO XVII. Do lat. *ulcerātĭō -ōnis* || **ulcer**AR XVI. Do lat. *ulcĕrāre* || **ulcer**ATIVO 1874 || **ulcer**OIDE 1890 || **ulcer**OSO 1813.

ulemá *sm.* 'teólogo, entre os islamitas' 1874. Do fr. *uléma*, deriv. do ár. *ᶜulamā*, pl. de *ᶜālim* 'sábio', de *ᶜalama* 'saber'.

uliginoso *adj.* 'pantanoso, lamacento, alagadiço' XVII. Do *ūlĭgĭnōsus* || **ulig**INÁRIO 1858.

ulite → UL(O)-.

ulmácea → OLMO.

ulmanita *sf.* 'mineral monométrico, constituído de sulfantimonieto de níquel' XX. Do ing. *ullmannite*, do nome do químico alemão J.C. *Ullmann* (1771-1821).

ulm·ária, -árico, -ico, -ina → OLMO.

ulna *sf.* 'antiga medida de comprimento, equivalente a uma braça' XVI. Do lat. *ulna* 'antebraço, braço'.

ul(o)- *elem. comp.* do gr. *oûlon* 'gengiva', que se documenta em alguns compostos introduzidos, a partir do séc. XIX, na linguagem da medicina ⁍ **ul**ITE | *-lli-* 1874 || **ulo**ATROF·IA XX || **ul**ONC·IA 1874 || **ulor**·RAGIA 1873.

ulótrico *adj. sm.* 'que, ou aquele que tem cabelos crespos, lanosos' 1874. Do lat. cient. *ulotrichus*, do gr. *oûlos* 'crespo' e *-trichos*, de *trich- thríx* 'cabelo'.

ulterior *adj.* 2g. 'situado além' 'que está ou ocorre depois' 1813. Do lal. *ulterĭor -ĭus*.

ultimar *vb.* 'concluir, inteirar, completar' XVII. Do lat. *ultĭmāre* || **ultim**AÇÃO XX || **ultim**ATO *sm.* 'orig. 'últimas exigências que um Estado apresenta a outro e cuja não aceitação implica declaração de guerra' '*ext.* declaração final e irrevogável para satisfação de certas exigências' 1834. Do fr. *ultimatum* || **último** *adj.* 'que está ou vem depois' 'derradeiro, final' XIV. Do lal. *ultĭmus*.

ultra- *elem. comp.*, do lat. *ŭltra* 'para além de, em excesso', que se documenta em alguns derivados e compostos introduzidos, sobre tudo a partir do séc. XIX, na linguagem erudita ⁍ **ultraj**ANTE XIX. Adapt. do fr. *outrageant* || **ultraj**AR *vb.* 'ofender, injuriar' XVII. Adapt. do fr. *outrager* || **ultraje** *sm.* 'ato ou efeito de ultrajar' 1813. Adapt. do fr. *outrage*, de *outre*, deriv. do lat. *ŭltra* || **ultra**MAR XIII || **ultra**MAR·INO XVII || **ultra**PASS·ADO 1874 || **ultra**PASS·AGEM XX || **ultra**PASS·AR 1874 || **ultra**ROMÂNTICO XX || **ultra**SSENSÍVEL XX. Adapt. do fr. *ultra-sensible* || **ultra**SSOM XX. Do fr. *ultra-son* || **ultra**VIOLETA | *-te* 1874 | Do fr. *ultra-violet*.

ultriz *adj. sf.* '(Poét.) diz-se da ou a mulher que se vinga, vingadora' | *-trice* XVI | Do lat. *ultrīx -īcis*.

ulular *vb.* 'orig. ganir, uivar' '*ext.* vociferar, bradar' XVI. Do lat. *ulŭlāre* || **ulul**AÇÃO 1881 || **ulul**ANTE 1881. Cp. UIVAR, URRAR.
⇨ **ulular** — **ulul**ANTE | 1836 SC |.

ulva *sf.* 'gênero de algas verdes, marinhas da fam. das clorofíceas' 1874. Do lat. *ulva*.

um, uma *art. pron. num.* '1', 'I' | *hum* XIII, *hũm* XIII etc.; *hũa* XIII, *ũa* XIII etc. | Do lat. *ūnus*, através do arc. *ũu*; o fem. *uma* provém do lat. *ūna*, através do arc. *ũa*. As formas atuais — um, uma, uns, umas — só se generalizaram a partir do séc. XVII || **único** *adj.* 'que é só um, exclusivo, excepcional' XVIII. Do lat. *ūnĭcus* || **unidade** *sf.* 'quantidade que se toma arbitrariamente para termo de comparação entre grandezas da mesma espécie' XIII. Do lat. *ūnĭtās -ātis* || **unit**ÁRIO 1858. Do fr. *unitaire*, deriv. do lat. *ūnĭtās -ātis* || **uno** *adj.* 'singular, um, único' XVII. Do lat. *ūnus*. V. UN(I)-.

-um *suf. nom.*, deriv. provavelmente do lat. *-ūnum*, que se documenta em vocs. port. que designam 'qualidade, raça (animal)': *ovelhum, vacum* etc.
⇨ **um** — **único** | *vnico* c 1539 JCASD 64.3 |.

umari *sm.* 'planta da fam. das icacináceas' | *vmary* 1618, *vmari* 1663 | Do tupi *ume'ri*.

umbanda *sm.* 'forma cultual originada da assimilação de elementos religiosos afro-brasileiros pelo espiritismo brasileiro urbano' XX. Do quimbundo *u'ṃana* (de *u-* 'pref. para termos abstratos' + *'ṃana* 'preceito') || **umband**ISMO XX || **umband**ISTA XX.

umbela *sf.* 'guarda-chuva' 'qualquer objeto com a forma de umbela' XVIII. Do lat. *umbella*, dim. de *umbra*. Cp. UMBR(A)-.

umbigo *sm.* 'cicatriz no meio do ventre, originada pelo corte do cordão umbilical' | XVI, *embiigo* XIII, | *ynbiigo* XIV, *embijgo* XIV etc. | Do lat. *umbilīcus -ī* || **umbig**ADA XX || **umbilic**ADO 1858. Do lat. *umbilīcātus* || **umbilic**AL XVI.

umbr(a)- *elem. comp.*, do lat. *umbra* 'sombra, penumbra', que se documenta em alguns compostos

formados no próprio lat. (como *umbráculo*) e em muitos outros introduzidos na linguagem erudita. umbraCUL·ÍFERO 1890 || umbraCUL·IFORME 1874 || **umbráCULO** *sm.* '(Bot.) espécie de disco que coroa o pedúnculo de algumas plantas criptogâmicas' 1839. Do lat. *umbrăcŭlum -ī* || **umbr**ÁT·ICO XVII. Do lat. *umbrātĭcus* || **umbr**ÁT·IL *adj. 2g.* 'imaginário, fantástico, quimérico' XVII. Do lat. *umbrātīlis -e* || **umbr**IA *sf.* '(Poét.) lugar sombrio' 1844 || **umbrí-COLA** 1899 || **umbrí**FERO XVII. Do lat. *umbrĭfĕrum* || **umbr**OSO XVI. Do lat. *umbrōsus*.
⇨ **umbr(a)** — umbrIA | 1836 SC |.
umbral *sm.* 'ombreira' 'limiar, entrada' XVIII. Do cast. *umbral*, deriv. do a. cat. *limbrar* (séc. XIII) e, este, do lat. *līmĭnāris* (> *limen* 'umbral').
umbr·ático, -átil, -ia → UMBR(A)-.
úmbrico → UMBRO.
umbrí·cola, -fero → UMBR(A)-.
umbro *adj. sm.* 'diz-se de, ou povo itálico antigo que vivia entre o Tibre e o Adriático' 1844. Do lat. *Umbrī -ōrum* 'umbros', do top. *Umbrĭa* 'Úmbria' || **úmbr**ICO *sm.* 'o dialeto falado na Úmbria' 1899.
⇨ **umbro** | 1836 SC |.
umbroso → UMBR(A)-.
ume *sm.* 'pedra-ume' XV. Do lat. *alūmen -ĭnis*, através da seguinte evolução: *alūmĭnem* > *alumene* → *aumẽe* → *aúme* (*ahume* séc. XIV) → *ume*; o *a-* da penúltima forma foi assimilado ao *-a* de *pedra* no composto *pedra-ume*. Cp. ALÚMEN.
-ume *suf. nom.*, do lat. *-ūmen -ūmĭnis*, que forma substantivos portugueses oriundos de outros substantivos, com noção de 'quantidade' 'coleção': *cardume, negrume, tapume* etc.
umect·ação, -ante, -ar, -ativo, umedecer, umente → ÚMIDO.
ume·ral, -rário, -ro → OMBRO.
úmido *adj.* 'levemente molhado' | *humido* XIV, *humydo* XIV | Do lat. *(h)ūmĭdus* || **umect**AÇÃO | *hu-* 1844 | Do lat. *(h)ūmectātĭō -ōnis* || **umect**ANTE | *hu-* 1844 || **umect**AR *vb.* 'molhar, umedecer' | *hu-* 1813 | Do lat. *(h)ūmectāre* || **umect**ATIVO | *hu-* 1813 || **umed**ECER *vb.* 'tornar(-se) úmido' | *hu-* XVI || **um**ENTE *adj. 2g.* '(Poét.) úmido' | *hu-* 1813 | Do lat. *(h)ūmēns -ēntis* || **umi**DADE | *humy-* XV | Do lat. *(h)umitās -ātis* || **umid**ÍFOBO XX.
umiri *sm.* 'planta da fam. das humiriáceas' (*Humirium floribundum* Mart.), umirizeiro' | α. *mery* 1685, *merim* 1763; β. *umeri* 1721, *vmeri* 1721, *umirî* 1730 | Do tupi **umi" ri* || **umiriz**·EIRO XX.
-una *elem. comp.*, do tupi '*una* 'preto, negro, escuro', que se documenta em alguns vocs. port. de origem tupi: *araraúna, boiúna, graúna* etc.
unânime *adj. 2g.* 'que é do mesmo sentimento ou da mesma opinião que outrem' XVI. Do fr. *unanime*, deriv. do lat. *ūnanĭmus -is* || **unanim**IDADE 1813. Do lat. *ūnamĭmĭtās -ātis*.
unaúna *sm.* 'espécie de besouro' 1587. Do tupi *una'una* 'muito negro' < '*una* 'negro' + '*una* 'negro'.
unção → UNGIR.
unci- *elem. comp.*, do lat. *unci-*, de *uncus* 'gancho, garra, âncora, curvo, adunco', que se documenta em compostos formados no próprio latim (como *uncinado*) e em alguns outros introduzidos, a partir do séc. XIX, na linguagem erudita ▶ **unci**FORME 1874. Do fr. *unciforme* || **uncinado** 1844. Adapt. do fr. *unciné*, deriv. do lat. *uncīnātus* || **uncinario-se** XX. Do lat. cient. *uncīnāriosis* || **uncir**·ROSTRO | *-ciros-* 1858.
⇨ **unci-** — uncinado | 1836 SC |.
úncia *sf.* 'polegada' XX. Do lat. *ŭncĭa* || **unci**AL 1899. Do lat. *uncĭālis -e* || **unci**ÁRIO 1899. Do lat. *unciārĭus*. Cp. ONÇA[1].
unci·forme, -nado, -nariose, -rrostro → UNCI-.
und(a)- *elem. comp.*, do lat. *ŭnda* 'onda', que se documenta em alguns compostos formados no próprio latim (como *undoso*) e em muitos outros introduzidos, a partir do séc. XVI, na linguagem erudita ▶ **und**AÇÃO 'orig. inundação' 'ext. corrente de rio' XVI. Do lat. *undātĭō -ōnis* || **und**ANTE XVII. Do lat. *undāns āntis*, part. de *undāre* 'estar agitado (o mar)' || **und**ÍCOLA 1858. Do lat. *undicŏla* || **und**ÍFERO || **und**IFLA VO XVIII || **und**ÍFLUO *adj.* 'que corre em ondas' XX. Do lat. tard. *undĭflŭus* || **undís**·SONO | *-diso-* XVII | Do lat. *undisŏnus* || **und**ÍVAGO 1572. Do lat. *undĭvăgus* || **und**OSO 1572. Do lat. *undōsus*. Cp. ONDA.
undécimo → ONZE.
und·ícola, -ífero, -iflavo,- ífluo, -íssono, -ívago, -oso → UND(A)-.
ungir *vb.* 'orig. aplicar óleos sagrados a, sagrar' '*ext.* untar com óleo ou unguento' | XIII, *ongir* XIII etc. | Do lat. *ŭngĕre* || BESuntAR 1813; V. BIS || **un**ÇÃO *sf.* 'ato ou efeito de ungir' | *onçon* XIII, *onçió* XIV, *hunçom* XIV etc. | Do lat. *ūnctĭō -ōnis* || **ung**IMENTO | *om-* XIV || **unguent**ÁRIO | *hunguentayro* XIV || **unguento** *sm.* 'medicamento de escassa consistência, para uso externo, e que tem por base uma gordura' | XIV, *onguento* XIII, *enguento* XIII, *inguento* XIV etc. | Do lat. *ŭnguĕntum* || **unguin**OSO *adj.* 'gorduroso, oleoso' XVII. Do lat. *unguinōsus* || **unt**AR *vb.* 'aplicar óleo ou unto a' XIII. Do lat. **unctāre*, de *unctum -ī* || **unto** *sm.* 'óleo, unguento, gordura' XIII. Do lat. *unctum -ī* || **untu**OSO XVII. Do lat. med. *unctuōsus* || **unt**URA XIV. Do lat. *unctūra*.
ungueal → UNHA.
ungu·entário, -ento, -inoso → UNGIR.
unha *sf.* 'lâmina córnea semitransparente que recobre a extremidade dorsal dos dedos' | *unna* XIV, *unlla* XIII etc. | Do lat. *ungŭla* || **ungue**AL 1873. Do lat. **unguĭnāle*, de *unguis -is* || **unguicul**ADO 1890. Do lat. cient. *unguiculātu*, de *unguicŭlus*, dim. de *unguis* || **unguí**FERO 1873. Do lat. tard. *unguifer -erī* || **ungui**FORME 1881 || **únguis** *sm. 2n.* 'unha' 1873. Do lat. *unguis -is* || **úngula** *sf.* 'orig. unha, casco' '*ext.* saliência membranosa do ângulo interno do olho' XVII. Forma divergente erudita de *unha*, do lat. *ungŭla* || **ungul**ADO XVI. Do lat. *ungulātus* || **unh**ADA XVII || **unh**AR *vb.* 'ferir ou riscar com as unhas' XVII || **unh**EIRO *sm.* 'panarício, especialmente o superficial' 1813.
un(i)- *elem. comp.*, do lat. *uni-*, de *unus* 'um, único', que se documenta em alguns compostos formados no próprio lat. (como *unicaule*) e em muitos outros introduzidos, sobretudo a partir do séc. XIX, na linguagem científica internacional ▶ **uni**CAULE 1890. Do lat. *unicaule* || **uni**COLOR 1874. Do fr. *unicolore*, deriv. do latim *ūnĭcŏlor -ōris* || **unicorne** 1813. Do fr. *unicorne*, deriv. do lat. *ūnicornis -e* || **uni**CÓRN·EO | *-nio* XIV || **uni**FIC·AR *vb.* 'tornar uno'

1890. Adapt. do fr. *unifier* || **uni**FORME XVI. Do lat. *ūniformis -e* || **uni**FORM·IDADE XVII || **uni**FORM·IZAR 1844. Do fr. *uniformiser* || **uni**GÊNITO XV. Do lat. *ūnigenĭtus* || **uni**JUG·ADO 1858 || **uni**LATER·AL 1874. Do fr. *unilatéral* || **uní**PARO | *-ra* f. 1874 | Do fr. *unipare* || **uni**PED·AL 1890 || **unís**·SONO | *unisono* XVI | Do lat. tard. *ūnisonus* || **univers**AL | *hunyuersal* XIV | Do lat. *ūniversālis -e* || **univers**AL·IDADE 1813. Adapt. do fr. *universalité*, deriv. do lat. *ūniversalĭtās -ātis* || **univers**IDADE *sf.* 'orig. universalidade' | *huniuersidade* XIV |; 'ext. instituição de ensino superior que compreende um conjunto de faculdades ou escolas' 1813. Do fr. *université*, deriv. do lat. *ūniversĭtās -ātis*. Na primeira acepção o voc. é de imediata origem latina || **univers**IT·ÁRIO 1890. Do fr. *universitaire* || **universo** *sm.* 'o cosmo' XVI. Do lat. *ūniversum -i* || **uní**VOCO 1813. Do fr. *univoque*, deriv. do lat. tard. *ūnivocus* || **un**ÓCULO 1858. Do lat. *ūnocŭlus*. Cp. UM.
união *sf.* 'junção, ligação, adesão' | *huniam* XIV, *onyam* XIV, *hunion* XV | Do lat. *ūnĭō -ōnis* || DES**união** 1813 || DES**uni**DO 1813 || DES**uni**R 1813 || RE**união** 1813 || RE**unir** XVI || **uni**R | *unyr* XV | Do lat. *ūnīre* || **uni**TIVO XVI. Do lat. ecles. *unitīvus*.
unicaule → UN(I)-.
único → UM.
uni·color, -corne, -córneo → UN(I)-.
unidade → UM.
uni·ficar, -forme, -formidade, -formizar, -gênito, -jugado, -lateral, -paro, -pedal → UN(I)-.
unir → UNIÃO.
uníssono → UN(I)-.
unitário → UM.
unitivo → UNIÃO.
uni·versal, -versalidade, -versidade, -versitário, -verso, -voco → UN(I)-.
uno → UM.
unóculo → UN(I)-.
unt·ar, -o, -uoso, -ura → UNGIR.
-ur- → -ÚRIA.
-ura *suf. nom.*, do lat. *-ūra*, que se documenta em substantivos oriundos de adjetivos, com as noções de 'qualidade' 'propriedade' 'maneira de ser'; *alvura, doçura* etc. V. -DURA, -SURA, -TURA.
úraco → URETER.
uraçu *sf.* 'nome comum às aves de rapina das famílias dos falconídeos e dos acipitrídeos, gavião' | *uraoaçu* 1587, *guraausu c* 1631, *hurauasu c* 1631 etc. | Do tupi *ÿïraÿa'su < ÿï'ra* 'ave' + *ÿa'su* 'grande'.
uralita *sf.* '(Min.) piroxênio alterado para anfibólio' XX. Do ing. *uralite*, do top. *Ural*, porque foi observado pela primeira vez numa rocha dos montes Urais.
uran(o)- *elem. comp.*, do gr. *ourano-*, de *ouranós* 'céu, abóbada celeste, céu da boca', que se documenta em alguns compostos formados no próprio grego (como *uranografia*) e em muitos outros introduzidos, a partir do séc. XIX na linguagem científica internacional ♦ **urânio, urano** *sm.* 'elemento de número atômico 92, metálico, branco, radioativo, usado na produção de energia nuclear' | *urânio* 1858, *urano* 1874 | Do fr. *uranium*, voc. criado em 1841 por Péligot, que derivou o nome do al. *Uran*, metal descoberto em 1789 por Klaproth e assim chamado em homenagem à descoberta do planeta Urano, por William Herschel, em 1781. O nome do planeta é derivado do mit. lat. *Urănus*, deriv. do gr. *ouranós* || **uran**ISMO *sm.* 'inversão sexual, homossexualismo' XX. Do fr. *uranisme*, do mit. lat. *Ūranĭ(a) + -isme*; V. -ISMO || **urano**GRAF·IA | *-phia* 1844 | Do fr. *uranographie*, deriv. do gr. *ouranographiā* || **uran**ÓLITO XX || **uran**OLOG·IA 1858. Do fr. *uranologie* || **uran**ÔMETRO 1881 || **urano**PLAST·IA XX. Do fr. *uranoplastie* || **uran**ORAMA 1858 || **urano**SCOP·IA 1899.
urat·o, -úria → UREIA.
urbe *sf.* 'cidade' XX. Do lat. *urbs urbis* || INTER**urb**ANO XX || SUB**urb**ANO XVI. Do lat. *sub-urbānus* || SU**búrb**IO 1720. Do lat. *suburbĭum -ī* || **urb**AN·IDADE XVI. Do lat. *urbănĭtās -ātis* || **urb**AN·ISMO XX. Do fr. *urbanisme* || **urb**AN·ISTA 1874. Do fr. *urbaniste* || **urb**AN·IZ·AÇÃO XX. Do fr. *urbanisation* || **urb**AN·IZAR 1813. Do fr. *urbaniser* || **urb**ANO XVII. Do lat. *urbānus*.
⇨ **urbe** – **urb**ANO | *a* 1595 *Jorn.* 15.22 |.
urca *sf.* 'tipo de embarcação antiga' | *urqua* XV | Do fr. *hourque*, deriv. do med. neerl. *hulke*, cruzado com *hoeker*, outro tipo de embarcação || **urco** *sm.* 'cavalo forte, corpulento, originário da Frísia' 1813.
urcéolo *sm.* '(Bot.) órgão vegetal de base dilatada, e provido de abertura pequena' 1899. Do fr. *urcéole*, deriv. do lat. *urceŏlus -ī*, dim. de *urcĕus -ī* 'pote, vaso' || **urceol**AR *adj. 2g.* 1874. Adapt. do fr. *urcéolaire*.
urco → URCA.
urdir *vb.* 'tecer, dispor os fios da tela' '*fig.* enredar, tramar' | 1572, *ordir* XIII | Do lat. *ordīrī* || **urd**IDO | 1572, *ordido* XIII | Do lat. *ōrdĭtus*, part. de *ordīrī* || **urd**IDOR XVI || **urd**ID·URA XVII.
uréase → UREIA.
uredo *sm.* 'ardor, comichão, prurido' 'espécie de cogumelo, representante típico da ordem dos uredíneos' 1899. Do lat. *ūrēdō -ĭnis* (provavelmente através de uma adapt. do fr. *urédinée*).
ureia *sf.* '(Quím.) substância cristalina, incolor, existente na urina, obtida sinteticamente, usada em medicina e na fabricação de polímeros' 1839. Adapt. do fr. *urée*, deriv. do gr. *oûron* 'urina' || **ur**ATO *sm.* '(Quím.) designação comum aos sais e ésteres do ácido úrico' 1899. Do fr. *urate* || **ur**AT·ÚR·IA *sf.* '(Pat.) presença de quantidade excessiva de uratos na urina' XX || **ur**ÉASE *sf.* 'enzima existente em muitos vegetais, e que hidrolisa quantitativamente a ureia, formando carbonato de amônia' XX || **ur**EM·IA *sf.* '(Pat.) intoxicação resultante da depuração insuficiente do organismo pelo rim' 1874. Do fr. *urémie* || **ure**ô·METRO *sm.* 'instrumento com que se dosa a ureia' XX. Do fr. *uréomètre* || **ur**ET·ANA *sf.* '(Quím.) qualquer éster do ácido carbônico' 1899. Cp. URINA.
urente → USTÃO.
ur·eômetro, -etana → UREIA.
ureter *sm.* '(Anat.) cada um dos dois canais que conduzem a urina dos rins à bexiga' 1813. Do fr. *uretère*, deriv. do gr. *ourētēr -êros* || **úraco** *sm.* 'canal urinário do feto' 1844. Do fr. *ouraque*, deriv. do lat. cient. *ūrachus* e, este, do gr. *urachós* || **ureter**ALG·IA 1858 || **uretero**·LITÍ·ASE | *-thiase* 1874

|| **urético** 1844. Do lat. tard. *ūrēticus*, deriv. do gr. *ourētikós*. Cp. URETRA.
⇨ **ureter** — **úraco** | 1836 SC |.
uretra *sf.* '(Anat.) canal excretor da urina 1844. Do fr. *urètre*, deriv. do lat. tard. *ūrēthra* e, este, do gr. *ourḗthrā* || **uretr**ALG·IA | *-thral-* 1873 || **uretrofraxia** *sf.* 'obstrução da uretra' | *-phra-* 1858 | Do lat. cient. *urethrophraxia*, composto do gr. *ourḗthra* e *-phraxia* (> *phráxō*, fut. de *phrássō* 'tapar, obstruir'). Cp. URETER.
⇨ **uretra** | 1836 SC, *-thra* 1836 SC |.
-urg- → -URGIA.
urgebão *sm.* 'erva prostrada, da fam. das verbenáceas, tida por medicinal' | *-vão* 1813 | De origem obscura.
urgente *adj. 2g.* 'orig. que é necessário ser feito com rapidez' *ext.* indispensável, imprescindível' XVI. Do lat. *urgēns -entis*, part. de *urgēre* || **urg**ÊNCIA XVII. Do lat. tard. *urgentia* || **urg**IR 1813. Do lat. *urgēre*.
-urgia *suf. nom.*, do lat. *-ūrgia*, deriv. do gr. *-ourgía*, de *ergon* 'trabalho' 'esforço', que se documenta em compostos eruditos, quase todos já formados no próprio grego: *cirurgia, liturgia, siderurgia* etc.
-úria (-uria) *suf. nom.*, do lat. *-uria*, deriv. do gr. *-ouría*, de *oûron* 'urina', que se documenta em alguns vocs. eruditos da linguagem da medicina, designando certas condições patológicas da urina: *albuminúria (albuminuria), glicosúria (glicosuria)* etc. Cp. UR(O)¹-.
uri·cemia, oco → UR(O)¹.
urina *sf.* 'líquido excrementício segregado pelos rins, donde corre pelos ureteres para a bexiga' | *ourina* XIV | Do lat. *ūrīna*, deriv. do gr. *oûron* || **urin**AR 1874 | Do fr. *uriner* || **urin**ÁRIO XVII || **uriní**·FERO 1874. Do fr. *urinifère* || **uriní**·PARO 1874 || **urin**OL | *ou-* XVI | Cp. UR(O)¹.
⇨ **urina** — **urin**AR | 1836 SC |.
uritinga *sm.* 'espécie de bagre' 1833. Do tupi *ü̃ri'tiña* < *ü̃'ri* 'bagre' + '*tiña* 'branco'.
urna *sf.* 'vaso, caixa' XVI. Do lat. *urna* || **urn**ÁRIO *sm.* 'mesa sobre a qual os romanos assentavam as urnas de água' 1858. Do lat. *urnārĭum* || **urní**·GERO 1899.
-ur(o)¹-, -ur(o)²- *elem. comp.*, ambos de origem grega, mas de étimos e funções distintas: (i) *-ur(o)-¹*, do gr. *ouro-*, de *oûron* 'urina', ocorre em vários compostos eruditos, particularmente na linguagem da medicina: *-ur(o)²-*, do gr. *our-*, de *ourá* 'cauda', também se documenta em compostos eruditos, introduzidos na linguagem científica internacional, a partir do séc. XIX. Registram-se, a seguir, por ordem alfabética, apenas os principais compostos desses dois elementos: para distinguí-los, adotou-se o critério de indicar com (i), adiante do vocábulo, os do primeiro grupo e com (ii), os do segundo ▶ **uri**·CEM·IA (i) 1899. Do fr. *uricémie* || **úr**ICO (i) 1874. Do fr. *urique* || **urobil**·INA (i) 1899. Do fr. *urobiline* || **urobil**·IN·EM·IA (i) XX || **urobil**·I·N·O·GÊNIO (i) *sm.* 'cremógeno incolor da urobilina' XX || **urobil**·IN·ÚR·IA (i) XX || **uro**CELE (i) 1899. Do fr. *urocèle*, deriv. do lat. cient. *ūrocēlē* || **uro**CRIS·IA (i) 1874 || **uro**CRÍT·ICO (i) 1899 || **uro**CROMA (i) | *-chromo* 1874 | Do fr. *urochrome* || **uro**delo (ii) 1874. Do fr. *urodèles*, deriv. do lat. cient.

ūrodēlae || **uro**DIÁLISE (i) | *-dy-* 1899 || **uro**DIN·IA (i) | *-dy-* 1874 || **uró**LITO (i) | *-tho-* 1874 | Do lat. cient. *ūrolithus* || **uro**LOG·IA (i) XX. Do fr. *urologie* || **uro**LOG·ISTA (i) XX || **uro**MORFO (ii) XX || **uro**NEFR·OSE (i) XX || **uropígio** (ii) 1874. Do lat. *ūropȳgĭum -ĭī*, deriv. do gr. *ouropýgion* || **uro**SCOP·IA (i) 1874. Do fr. *uroscopie*. Cp. URINA.
⇨ **-ur(o)¹** — **uropígio** | 1836 SC |.
urrar *vb.* 'dar urros, rugir, bramir' XVI. De um lat. **urulare*, | forma dissimilada de *ulŭlāre* || **urro** XV. Dev. de *urrar*. Cp. UIVAR, ULULAR.
urso *sm.* 'animal cordado, mamífero, da fam. dos ursídeos' | XIV, *usso* XIII, *husso* XIII, *osso* XIV | Do lat. *ŭrsus -ī* || **urs**ADA *sf.* '*pop.* mau procedimento, traição' XX || **urs**INO 1813. Do lat. *ursīnus*.
ursulina *sf.* 'religiosa de várias ordens femininas e, em particular, da Ordem de Santa Úrsula, cujo objetivo principal é a educação' 1813. Do fr. *ursuline*, do antrop. *Ursule* 'Úrsula'.
urtiga¹ *sf.* 'designação comum a diversas plantas da fam. das urticáceas, cujas folhas são cobertas de pelos finos, os quais, em contato com a pele, produzem um ardor irritante, devido à ação do ácido fórmico' | 1813, *or-* XIV | Do lat. *urtīca* || **urtic**AÇÃO *sf.* 'ato ou efeito de flagelar a pele com urtigas para irritá-la' | 1881, *-gação* 1858 | Do ing. *urtication* || **urtic**ANTE *adj. 2g.* 'urente' 1881. Do fr. *urticant* || **urtic**ÁRIA *sf.* '(Pat.) erupção cutânea pruriginosa' 1881. Adapt. do fr. *urticaire*.
⇨ **urtiga¹** — **urtic**AÇÃO | 1836 SC |.
urtiga² *sf.* 'tiro de pelouro de pedra' | *or-* XVI | Talvez se relacione com *urtiga¹*.
uru¹ *sm.* 'nome comum às aves galiformes da fam. dos fasianídeos' *c* 1584. Do tupi *u'ru*.
uru² *sm.* 'cesto de palha' XIX. Do tupi *u'ru*.
uruá¹ *sm.* 'molusco gastrópode da fam. dos ampularídeos, espécie de caramujo' '*fig.* tolo, ingênuo (em alusão à facilidade com que esses caramujos são apanhados)' XX. Do tupi *uru'ü̃a*.
uruá² *sm.* 'planta da fam. das borragináceas' XIX. De origem incerta; talvez se relacione com URUÁ¹.
uruana *sf.* 'espécie de tartaruga' | *oroana c* 1631 | Do tupi *unũa'nã*.
urubu *sm.* 'nome comum às aves falconiformes da fam. dos catartídeos' 1587. Do tupi *uru'ü̃u* || **uru**buTINGA 1587 || **urubu**Z·ADA XX.
urucá *sm.* 'instrumento de música dos índios do Brasil' | *vrucá* 1663 | Do tupi **uru'ka*.
urucatu *sm.* 'planta da fam. das amarilidáceas' 1663. Do tupi *uruka'tu*.
urucu *sm.* 'fruto de uma planta da fam. das bixáceas (*Bixa orellana*), de cuja polpa os índios do Brasil extraíam uma substância tintorial de cor vermelha, semelhante à do almagre, com que pintavam o corpo e tingiam peças de algodão e artefatos diversos' 1592. Do tupi *uru'ku* || **urucu**RANA | *vrucurana* c 1574 || **urucu**Z·EIRO *c* 1698.
urucubaca *sf.* 'azar' XX. De formação expressiva, com base em *urubu* (**urubucaca* > *urucubaca*).
urucuri *sm.* 'espécie de palmeira' | *ururucri* 1587, *urucurî* 1711 etc. | Do tupi *uriku'ri* || **urucu**Z·EIRO XX.
urucuriá *sf.* 'variedade de coruja' | *urucuream* 1587, *vrucuria c* 1594, *orucuriá c* 1631 | Do tupi *urukuri'a*.

urucurizeiro → URUCURI.
urucuzeiro → URUCU.
urumaru sm. 'peixe da fam. dos orectolobídeos (*Ginglymostona cirratum*), também conhecido como cação-lixa e barroso' | *guaromaru c* 1631 | Do tupi *uruma'ru*.
urumbeba sf. e m. 'espécie de cacto' 1663; '*fig.* indivíduo crédulo, ingênuo, caipira, matuto' XX. Do tupi *ururume'ua*.
urumutum sm. 'ave galiforme da fam. dos cracídeos' c 1777. Do tupi *urumĩ'tũ* < *u'ru* 'uru[1]' + *mĩ'tũ* 'mutum'.
urundeúva sf. 'planta da fam. das anacardiáceas (*Astronium urundeuva*), espécie de aroeira' | *vremdeuba* 1618 | De provável origem tupi, mas de étimo indeterminado.
urupê sm. 'espécie de fungo da fam. das poliporáceas, cogumelo' XX. Do tupi *uru'pe*.
urupema sf. 'espécie de peneira' 1587; '*ext.* trançado de fibra vegetal usado para encosto de cadeira, para vedação de portas e janelas etc.' XIX. Do tupi *uru'pema*.
urururau sm. 'réptil crocodiliano da fam. dos aligatorídeos, também chamado jacaré-de-papo-amarelo' | *vrurugua c* 1594 | Do tupi *uru'ra*.
urutau sm. 'ave caprimulgiforme da fam. dos nictibídeos, coruja' | *vrutagui c* 1594 | Do tupi *uruta'ỹi* || **urutaurana** sf. 'espécie de gavião' | *garatavrana* 1618 | Do tupi *urutau'rana* < *uruta'ỹi* 'urutau' + '*rana* 'semelhante'.
urutu[1] sm. 'variedade de bagre' 1587. Do tupi *uru'tu*.
urutu[2] sm. e f. 'réptil ofídio da fam. dos crotalídeos' XIX. De origem incerta; talvez se relacione com *urutu*[1].
urze sf. 'designação comum a diversas plantas europeias da fam. das ericáceas' XVI. Do lat. *ulex -icis*, através de uma forma **ulce*.
urzela sf. 'espécie de líquen tintorial' | *-lla* 1874 | Do moçárabe *orchêlla*.
usagre sm. 'eczema' | XVI, *ozagre* XVII | De origem obscura.
usar vb. 'ter por costume' 'empregar habitualmente, praticar' XIII. Do lat. **ūsāre*, frequentativo de *ūti* || DESUSADO XVI || DESUSO XVII || **inusitado** adj. 'não usado, incomum, estranho' 1572. Do lat. *inūsitātus* || USADOR XIX || USAGEM *-ge* XIII || USANÇA XIII || USÁVEL | *usauil* XIII || USEIRO | *oseiro* XV || **uso** sm. 'ato ou efeito de usar' XIII. Do lat. *usus* || USUAL | XIV, *usal* XIII | Do lat. tard. *ūsuālis* || USUÁRIO 1873. Do lat. tard. *ūsuārius* || **usucapião** sf. '(Júr.) modo de adquirir propriedade móvel ou imóvel pela posse pacífica e ininterrupta da coisa durante certo tempo' XVII. Do lat. *ūsūcapĭō -ōnis* || USUCAPIENTE 1873 || **usucapir** vb. 'adquirir por usucapião' XVII. Do lat. *ūsūcăpĕre* || USUCAPTO 1873. Do lat. *ūsūcaptus*, part. de *ūsūcăpĕre* || **usufruir** vb. 'ter a posse ou o gozo de' 'desfrutar' 1890. Do lat. *usu fruī* || **usufruto** sm. 'ato ou efeito de usufruir' | *uso froito* XIV, *usofruito* XVII | Da expressão lat. *ūsus et frūctus* || USUFRUTUÁRIO 1813. Do lat. tard. *ūsūfrūctuārius* || US URA sf. 'juro de capital, juro excessivo' 'mesquinharia, avareza' XIII. Do lat. *ūsūra* || USURÁRIO XIX. Forma divergente erudita de *usureiro*, do lat. *ūsūrārĭus* || USUREIRO XIII. Cp. ÚTIL.

⇨ **usar** — USUÁRIO | 1836 SC || **usucapiente** | 1836 SC || USURÁRIO | 1614 SGONÇ I. 109.*34* |.
-usco (-usca) suf. nom., do lat. *-uscŭlum* (> **-uscuu* > *-usco*), que se documenta, com valor diminutivo, em alguns substantivos portugueses, quase sempre com noção depreciativa: *chamusco, farrusca, velhusco* etc. Cp. -UCHO.
usina sf. 'qualquer estabelecimento industrial equipado com máquina' XX. Do fr. *usine* || USINEIRO XX.
úsnea sf. 'gênero de líquens' 1813. Do lat. cient. *usnea*, deriv. do ár. *ušna* 'musgo, líquen'.
uso → USAR.
ustão sf. 'ato ou efeito de queimar(-se), combustão' 1858. Do lat. *ustĭō -ōnis* || **urente** 1899. Do lat. *ūrēns -ēntis*, part. de *ūrere* 'queimar' || USTÓRIO adj. 'que serve para queimar' 1844. Do lat. *ustor -ōris* || USTULAÇÃO 1855. Do lat. tard. *ustulātĭō -ōnis* || **ustular** vb. 'queimar de leve' 'secar ao fogo' 1858. Do lat. *ustŭlāre*. Cp. COMBUSTÃO.
usu-al, -ário, -capião, -capiente, -capir, -capto, -fruir, -fruto, -frutuário, -ra, -rário, -reiro → USAR.
usurpar vb. 'apossar-se violentamente de' 'alcançar sem direito' XV. Do lat. *ūsurpāre* || USURPAÇÃO 1808. Do lat. *ūsurpātĭō -ōnis* || USURPADOR 1813. Do lat. tard. *usurpātor -ōris*.
ut → DÓ[2].
utensílio → ÚTIL.
útero sm. 'órgão onde se gera o feto dos mamíferos' 1813. Do fr. *utérus*, deriv. do lat. *utĕrus -ī* || UTERALGIA 1873 || UTEREMIA 1899 || UTERINO 1813. Do fr. *utérin*, deriv. do lat. *utĕrīnus* || **uteróceps** 1874. Formado pelo modelo de FÓRCEPS || UTEROMANIA 1874 || UTERORRAGIA | *-rrha-* 1874 || UTEROSCOPIA 1874 || UTEROTOMIA 1874.
útil adj. 2g. 'que pode ter algum uso ou serventia' | *utile* XV | Do lat. *ūtĭlis -e* || INÚTIL | *-lle* XV | Do lat. *in-ūtĭlis -e* || INUTILIDADE 1813. Do lat. *inūtilĭtās -ātis* || INUTILIZAR 1813. Do fr. *inutiliser* || **utensílio** sm. 'objeto que tem utilidade' XVII. Do fr. *utensile*, deriv. do lat. tard. *ūtēnsilium* (cláss. *ūtēnsilĭa* nom. pl.) || UTILIDADE XVI. Do lat. *ūtilĭtās -ātis* || UTILITÁRIO 1874. Adapt. do fr. *utilitaire* || UTILITARISMO sm. 'sistema ou modo de agir do indivíduo utilitário' '(Fil.) doutrina moral que põe como fundamento das ações humanas a busca egoística do prazer individual' 1881. Do ing. *utilitarism* || UTILIZAÇÃO 1881. Adapt. do fr. *utilisation* || UTILIZAR vb. 'tornar útil' 'fazer uso de' 1813. Adapt. do fr. *utiliser* || UTILIZÁVEL 1881. Adapt. do fr. *utilisable*. Cp. USAR.
utopia sf. 'projeto irrealizável, quimera, fantasia' XVII. Do fr. *utopie*, do topo *Utopia*, nome de um país imaginário, criado por Thomas More, escritor inglês (1480-1535), que formou o voc. com os elementos gregos *ou* 'não' e *tópos* 'lugar' || UTÓPICO 1881. Do fr. *utopique* || UTOPISTA 1874. Do fr. *utopiste*.
utrículo sm. 'pequeno saco' 'cálice da flor' 1874. Do fr. *utricule*, deriv. do lat. *utricŭlus -i*, dim. de *uter -tris* 'odre' || UTRICULAR 1874. Adapt. do fr. *utriculaire* || UTRICULARIFORME 1899 || UTRIFORME adj. 2g. 'que tem forma de odre' XX.
uva sf. 'fruto da videira' | *uua* XIV, *vua* XIV, *huua* XIV etc. | Do lat. *ūva* || ÚVEA sf. '(Anat.) camada pigmentária da íris' 1813. Do ing. *uvea* || UVÍFERO 1874. Do fr. *uvifère*, deriv. do lat. tard. *ūvĭfĕrum* ||

uviFORME 1874 ‖ **úvula** *sf.* '(Anat.) saliência cônica na parte posterior do véu palatino' 1874. Do lat. cient. med. *ūvula* ‖ **uvul**IFORME 1899.
-uva → -IBA-.
uvarovita *sf.* 'mineral monométrico, esverdeado, do grupo das granadas' XX. Do ing. *uvarovite*, do nome do cientista russo S.S. *Uvarov*.
úvea → UVA.
-úvel *suf. nom.*, deriv. do lat. *-ūbĭlis -ūbĭle*, que já se documenta em adjetivos formados no próprio latim (como *solúvel*); os substantivos derivados de adjetivos em *-úvel* retomam a forma etimológica (*-ubilidade*), segundo o modelo dos substantivos já formados no próprio latim (*solubilidade* < lat. *solūbilĭtās -ātis*).
úvido *adj.* '(Poét.) úmido' XVIII. Do lat. *ūvĭdus*.
uv·ífero, -iforme, -ula, -uliforme → UVA.
uxi *sm.* 'planta da fam. das rosáceas' XX. Do tupi **u'ši* ‖ **uxiz·**EIRO XX.
uxório *adj.* 'respeitante à mulher casada' XX. Do lat. *uxōrĭus* ‖ **uxori**CIDA XIX. Do fr. *uxoricide* ‖ **uxori**CÍD·IO XIX.

V

vaca *sf.* 'a fêmea do *touro*' XIII. Do lat. *vacca* ‖ A**vac**ALH·AR *vb.* '*pop.* pôr em ridículo, desmoralizar' XX ‖ **vac**AGEM XX. Do esp. plat. *vacaje* ‖ **vac**ARIA XVI ‖ **vac**UM *adj. 2g. sm.* 'diz-se de, ou gado constituído de vacas, bois e novilhos' XVI ‖ **vaque**ANO *sm.* 'prático, conhecedor de caminhos ou de uma região' XX. Do esp. plat. *vaqueano* ‖ **vaqu**EIRO | *-eyro* XIII ‖ **vaqu**EJ·ADA *sf.* 'rodeio e reunião do gado de uma fazenda nos últimos meses de inverno' XX ‖ **vaqu**ETA *sf.* 'couro delgado para forros' XVII. Do cast. *vaqueta*.
vacar *vb.* 'estar ou ficar vago, desocupado' XVII. Do lat. *vacāre* ‖ **vac**ÂNCIA XVII. Adapt. do fr. *vacance* ‖ **vac**ANTE XVII. Do lat. *vacāns -antis*, part. de *vacāre* ‖ **vac**AT·URA XVI. Do lat. *vacātus* (part. de *vacāre*) + -URA. Cp. VÁCUO, VAGAR², VAZIO.
vacaria → VACA.
vacilar *vb.* 'orig. oscilar, balançar' 'ext. hesitar' XVI. Do lat. *vacillāre* ‖ **vacil**AÇÃO XVII. Do lat. *vacillātĭō -ōnis* ‖ **vacil**ANTE XVI ‖ **vacil**AT·ÓRIO | -*lla* 1874.
⇨ **vacilar** | *uaçilar* XIV BARL 25.28 |.
vacina *sf.* 'orig. doença infecciosa, contagiosa, que acomete o gado, sob a forma de pústulas, e cuja transmissão acidental ao homem o imuniza contra a varíola' 'ext. substância de origem microbiana que se introduz no organismo a fim de obrigá-lo a formar anticorpos que o defendam contra determinada doença' | -*cci*- 1844 | Do fr. *vaccine*, do adj. *vaccin*, deriv. do lat. *vaccīnus* 'de vaca' ‖ **vacin**AÇÃO | -*cci*- 1858 | Adapt. do fr. *vaccination* ‖ **vacin**AR | -*cci*- 1844 | Adapt. do fr. *vacciner* ‖ **vacin**O·GEN·IA 1899 ‖ **vacin**OIDE XX ‖ **vacin**OSE XX ‖ **vacin**O·TERAP·IA XX. Cp. VACA.
⇨ **vacina** | -*acci*- 1836 SC ‖ **vacin**AR | -*acci*- 1836 SC |.
vacuidade → VÁCUO.
vacum → VACA.
vácuo¹ *adj.* 'oco, despejado, vazio' 1572. Do lat. *vaccŭus* ‖ **vacu**IDADE XVIII. Do lat. *vacuĭtās -ātis* ‖ **vácuo**² *sm.* 'espaço não ocupado por coisa alguma' XVIII. Do lat. *vaccŭum -i* ‖ SUPER**vácuo** XX. Cp. VACAR.
⇨ **vácuo** — SUPER**vácuo** | 1836 SC |.
vade·ar, -ável → VAU.
vadio *adj.* 'ocioso, desocupado, vagabundo' | XV, *vaadio* XIV | Do lat. *vagātĭvus ‖ **vadi**AÇÃO 1813 ‖ **vadi**AGEM 1858 ‖ **vadi**AR 1844. Cp. VAGAR¹.
⇨ **vadio** — **vadi**AR | 1836 SC |.
vadoso → VAU.

vaga·bund·agem, -ar, -ear, -o → VAGAR¹.
vag·ação, -ado → VAGAR².
vaga¹ *sf.* 'onda' XVI. Do fr. *vague*, deriv. do a. escandinavo *vâgr*.
vaga² → VAGAR².
vagante¹ → VAGAR¹.
vagante² → VAGAR².
vagão *sm.* 'veículo ferroviário' | *wagon* 1858, *vagom* 1873 | Do fr. *wagon*, deriv. do ing. *waggon*.
vagar¹ *vb.* 'andar sem destino, errar, vaguear' XV, *uaguar* XIV | Do lat. *vagārī (-āre)* ‖ DE**vag**AR *adv.* 'sem pressa, lentamente' XV ‖ E**vag**AÇÃO *sf.* 'distração, divagação' 1881. Do fr. *évagation*, deriv. do lat. *ēvagātĭō -ōnis* ‖ **vagabund**AGEM 1899. Do fr. *vagabondage* ‖ **vagabund**AR XX. Adapt. do fr. *vagabonder* ‖ **vagabund**EAR 1881 ‖ **vagabundo** *adj. sm.* 'diz-se de, ou indivíduo que leva uma vida errante' 'vadio' | -*bondo* XIV, *vagamundo* XVI | Do lat. *vagābundus* ‖ **vag**ANTE¹ 1844 ‖ **vagaroso** XIII ‖ **vago**¹ *adj. sm.* 'errante' '*fig.* aquilo que é indeterminado, indefinido' 1572. Do lat. *vagus* ‖ **vagu**EAR *vb.* 'vagar' XVI ‖ **vagu**EJAR *vb.* 'vagar' XIV. Cp. VADIO.
⇨ **vagar**¹ — **vag**ANTE¹ | 1836 SC |.
vagar² *vb.* 'estar vago' | *uagar* XIII | Do lat. *vacāre* ‖ **vaga**² | *uaga* XIII | Dev. de *vagar* ‖ **vag**AÇÃO | *uagaçõ* XIII | Do lat. *vacātĭō -ōnis* ‖ **vág**ADO *sm.* 'vertigem' 1813 ‖ **vag**AMENTO XV ‖ **vag**ANTE² XVI. Do lat. *vacāns -antis* ‖ **vagar**³ *sm.* 'ócio, descanso, sossego' XIII. Dev. de *vagar*² ‖ **vag**AT·URA XX ‖ **vago**² *adj.* 'vazio' XIV. Do lat. *vacŭus* ‖ **vagu**EZA *sf.* 'qualidade ou estado de vago' '(Pint.) ligeireza e finura da tinta, suave e docemente distribuída' XX. Na segunda acepção, o voc. é derivado do it. *vaghezza*.
vagem *sf.* 'fruto seco, que se abre por duas fendas, característico das leguminosas' 1813. Forma divergente e popular de *vagina*, do lat. *vāgīna*, através de *vaginha*, tomado como diminutivo de *vage* (forma ainda hoje popular), de onde, com nasalação do -*e*, *vagem* ‖ **vagina** *sf.* '(Anat.) canal entre o útero e a vulva' 1818. Do lat. *vāgīna* ‖ **vagin**AL 1858. Do fr. *vaginal* ‖ **vagin**ANTE *adj. 2g.* 'diz-se das asas superiores dos insetos coleópteros e ortópteros' 1899 ‖ **vagin**ELA | -*lla* 1899 ‖ **vagini**·FORME 1874 ‖ **vagini**TE | -*tis* 1858 | Do ing. *vaginitis*, deriv. do lat. cient. *vaginitis* ‖ **vagin**O·PEX·IA XX ‖ **vagin**O·TOM·IA XX ‖ **vagín**ULA 1874. Do lat. *vāgīnŭla*, dim. de *vāgīna*. Cp. BAINHA.
vagido → VAGIR.

vagin·a, -al, -ante, -ela, -iforme, -ite, -opexia, -otomia, -ula → VAGEM.
vagir *vb.* 'gemer, chorar, gritar' XIX. Do fr. *vagir*, deriv. do lat. *vāgīre* ‖ **vag**IDO *sm.* 'choro, gemido, lamentação' 1813. Do lat. *vāgītus*.
vago¹ → VAGAR¹.
vago² → VAGAR².
vagomestre *sm.* 'no exército francês, suboficial que se incumbe do serviço postal dos soldados' XX. Do fr. *vaguemestre*, deriv. do al. *Wagenmeister*.
vagu·ear, -ejar → VAGAR¹.
vagueza → VAGAR².
vaia *sf.* 'apupo' XVI. Do cast. *vaya*, deriv. do it. *baia* ‖ **vai**AR XX.
vaidade *sf.* 'qualidade do que é vão, ilusório' 'desejo imoderado de atrair admiração ou homenagem' | XIV, *vãydade* XIII, *ueydade* XIV etc. | Do lat. *vānĭtas -ātis* ‖ ENvaidAR *vb.* 'envaidecer' 1873 ‖ ENvaidECER *vb.* 'tornar vaidoso, enfatuar' 1899 ‖ vaidOSO XIX.
⇨ **vaidade** — ENvaidAR | 1836 SC |.
vaivém *sm.* 'movimento de pessoa ou coisa que vai e vem' | *uay e uem* XIV, *vayuees* pl. XVI | De *vai* (3ª pess. do sing. do pres. do ind. do vb. *ir*) + *vem* (idem do vb. *vir*).
vaixiá *sm.* 'a terceira das quatro grandes castas hindus (brâmane, xátria, vaixiá e sudra), a que pertencem os agricultores, pastores e comerciantes' 'indivíduo dessa casta' | α. *vayxiã c* 1615, *vayxier c* 1615, *vaissá* XVII etc.; β. *oyxes* pl. 1687, *oixos* pl. 1824 etc. | Do sânscr. *vaisya* 'camponês, trabalhador'.
val·a, -ada, -ado → VALO.
valão *adj. sm.* 'relativo a ou natural da Valônia' 1899. Do fr. *wallon*. Como nome de tecido, o voc. já se documenta no séc. XIV.
valáquio *adj. sm.* 'de, ou pertencente ou relativo à Valáquia, na Romênia' 'natural da Valáquia' 'romeno' | 1739, *-cho* 1538, 1651, *-co* 1688, *-cko* 1715, *-ko* 1716, *-ckho* 1717, *-que* 1791 etc. | Do lat. med. *Valachus*, de *Valachia*, de origem eslávica (a. esl. *vlachŭ* ≥ sérvio *vlach* = checo *vlach* etc.); os vocs. eslávicos procedem do germânico (a. alto al. *Walh*, m. alto al. *Walch*, a. ing. *Wealh* etc.).
valar → VALO.
valdevinos *sm. 2n.* 'vagabundo' XIX. Do antrop. *Balduíno* (> *Valduíno> *Valduuino > *valdevino), nome de cavaleiro que aparece nos antigos romances de cavalaria.
vale¹ *sm.* 'depressão entre montanhas' XIII. Do lat. *vallis*.
vale², **valência** → VALER.
valenciana¹ *sf.* 'tipo de renda' 1899. Do fr. *valenciennes*, do top. *Valenciennes*, onde originariamente se fabricava esse tipo de renda.
valenciana² *sf.* 'sistema de armação fixa de pesca' 1899. Do top. esp. *Valênci(a)* + -ANA ‖ **valenc**INA *sf.* 'ant. tecido de lã fina fabricado em Valência' | *vilaçina* XIV, *ualēçina* XIV, *valaciña* XIV | Do top. esp. *Valênc(ia)* + -INA.
val·então, -ente, -entia → VALER.
valentiniano *sm.* 'membro dos valentinianos, hereges que afirmavam existirem dois mundos, um visível e outro invisível' 1873. Adapt. do fr. *valentinien*, do lat. *Valentīniāni -ōrum*, do antrop.

Valentīnus -ī 'Valentino', célebre heresiarca do séc. II.
valer *vb.* 'ter valor, custar' XIII. Do lat. *vălēre* ‖ AVALIAÇÃO 1813 ‖ AVALIADO XIV ‖ AVALIADOR XVI ‖ AVALIAMENTO | *aualliamento* XIV ‖ AVALIAR XVI ‖ AVALIÁVEL XX ‖ DESvalIA XVI ‖ DESvalIDO XVI ‖ DESvalIOSO 1899 ‖ DESvalor 1858 ‖ DESvalorIZ·AÇÃO 1899 ‖ DESvalorIZAR 1899 ‖ INvalID·EZ XX ‖ INVÁlIDO *adj. sm.* 'que não vale' 'diz-se de ou indivíduo enfermo, fraco ou mutilado' XVI. Do lat. *in-valĭdus* ‖ REvalidar 1813 ‖ vale² *sm.* 'escrito sem formalidade legal, representativo de dívida, por empréstimo ou por adiantamento' 1844. Da 3ª pess. do sing. do pres. do ind. do vb. *valer* ‖ valEDOR XVI ‖ valÊNCIA 1899. Adapt. do fr. *vaillance*, deriv. do lat. *valentia* ‖ valENTÃO 1844 ‖ valENTE *adj.* 'corajoso' XIII. Do lat. *vălēns -entis*, part. de *vălēre* ‖ valentIA XIII ‖ valhacouto *sm.* 'refúgio abrigo' XVI. De *valha* (do vb. *valer*) + COUTO ‖ valIA *sf.* 'socorro, ajuda' XIII ‖ valIDAÇÃO XVII. Adapt. do fr. *validation* ‖ valIDADE XVII ‖ validAR *vb.* 'dar validade a, tornar válido' 1813. Do fr. *valider*, deriv. do lat. tard. *validāre* ‖ valIDO *sm.* 'indivíduo particularmente protegido' 1572 ‖ VÁLIDO *adj. orig.* sadio, forte' '*ext.* que tem valor ou valia' XVI. Do lat. *valĭdus* ‖ valIMENTO 1813 ‖ valIOSO | *uallioso* XIII ‖ valor *sm.* 'audácia, vigor' 'mérito, importância' 'preço' XIII. Do lat. tard. *valor -ōris* ‖ valorIZ·AÇÃO 1899. Adapt. do fr. *valorisation* ‖ valorIZAR *vb.* 'dar valor a' 1890. Adapt. do fr. *valoriser* ‖ valorOSO | *-le-* XVI.
⇨ **valer** — DESvalor | 1836 SC ‖ valÊNCIA | 1836 SC ‖ valENTÃO | 1836 SC |.
valeriana *sf.* 'planta herbácea da fam. das valerianáceas, de uso em medicina como sedativo do sistema nervoso' 1813. Do fr. *valériane*, deriv. do lat. cient. *Valeriāna*, do top. *Valéria*, ant. província da Panônia, de onde provinha essa planta.
valeta → VALO.
valete *sm. orig.* escudeiro a serviço de um nobre' '*ext.* figura de cartas de jogar' 1844. Do fr. *valet*, deriv. do lat. pop. *vassellitus*, dim. do b. lat. *vassus* e, este, do lat. *vassallus* 'vassalo'.
valetudinário *adj. sm.* 'diz-se de, ou indivíduo de compleição muito fraca, doentio ou, até, inválido' 1844. Adapt. do fr. *valétudinaire*, deriv. do lat. *Valētūdinărĭus*.
⇨ **valetudinário** | 1836 SC |.
valhacouto → VALER.
váli *sm.* 'entre os árabes, governante de província' XIX. Do ár. *wālī*, provavelmente através do fr. *vali*. De imediata procedência oriental é a var. port. *bale* (< malaiala *bāli* < ár. *wālī*), documentada em 1498, no *Roteiro de Vasco da Gama*.
val·ia, -idação, -idade, -idar, -ido, -imento, -ioso → VALER.
valise *sf.* 'mala de mão' XX. Do fr. *valise*, deriv. do it. *valigia*. Diretamente do italiano provém o a. port. *balyja*, documentado no trecho adiante transcrito de uma carta do Comendador-mor D. Afonso, datada de Roma aos 13 de dezembro de 1558: "Depoys destarem ja as balyjas çeradas [= *cerradas* 'fechadas'] e Francisco Coelho pera partir chegou a esta ora [= *hora*] coreo [= *correio*] de França [...]".

valo *sm.* 'orig. parapeito, trincheira, liça' '*ext.* rego' | *-llo* XIII | Do lat. *vallus -ī* || **vala** *sf.* 'espécie de fosso' | *ualla* XV || val̞ADA XIII. Feminino de *valado* || val̞ADO *sm.* 'vala pouco funda' 'fosso' XIV. Substantivação do adj. lat. *vallātus* 'entrincheirado, fortificado' || valAR¹ *vb.* 'fazer valas em' XIV. Do lat. *vallāre* || valAR² *adj.* 2g. 'referente a vala' XX. Do lat. *vallāris -e* || valETA | *-lle-* 1874.
valor, -ização, -izar, -oso → VALER.
valquíria *sf.* 'na mitologia escandinava, cada uma das três divindades de categoria inferior, mensageiras de Odim' | 1899, *walkiria* 1899 | Do fr. *valkyrie* (*walkyrie*), deriv. do a. escandinavo *valkyrja*.
valsa *sf.* 'dança de par, de salão, em compasso de 3 por 4' 1858. Do fr. *valse*, deriv. do al. *walzer*, de *walzen* 'rodar, girar' || **vals**AR 1858. Do fr. *valser*.
valva *sf.* 'qualquer das peças sólidas que revestem o corpo de um molusco' 1813. Do lat. *valva* (mais frequente no pl. *valvae*) 'porta de dois batentes' || EvalvE *adj.* 2g. 'diz-se do fruto que não se abre' | *-vo* 1873 || **válv**ULA *sf.* 'orig. pequena valva' 'ext. espécie de tampa que fecha por si, e hermeticamente um tubo' 1813. Do lat. *valvŭlae -ārum.*
⇨ **valva** — **válv**ULA | 1721 RB |.
valverde *sf.* 'planta ornamental, espécie de linho bravo, de pequenas flores rubras, e que tem a configuração de pirâmide' XVIII. Adapt. do fr. *belvédère*, deriv. do it. *bèlvedére*, com influência de VALE¹ e de VERDE. Cp. BELVEDER.
válvula → VALVA.
vampiro *sm.* 'entidade lendária que, de acordo com a superstição popular, sai das sepulturas, à noite, para sugar o sangue dos vivos' '*ext.* morcego hematófago' | 1857, *-pire c 1784, -pyro* 1815 | Do fr. *vampire*, deriv. do al. *Vampir* e, este, do sérvio *vampir* || **vampe** *sf.* 'orig. atriz que faz o papel de mulher fatal' '*ext.* mulher fatal' XX. Do anglo-americ. *vamp* | **vampir**EIRO *sm.* 'certa árvore frutífera' 1899 || **vampir**IZAR XIX.
vanádio *sm.* '(Quím.) elemento de número atômico 23, usado em ligas especiais e como catalisador' 1858. Do lat. cient. *vanadium*, voc. introduzido na linguagem científica internacional em 1830, pelo químico sueco Sefström (1787-1845), que o derivou do mitônimo escandinavo *Vana-dís*.
vândalo *sm.* 'membro de um povo germânico que, no séc. V, invadiu o sul da Europa e o norte da África' XIV; 'indivíduo que tudo destrói, quebra' XVIII. Do lat. *Vandalus* (no pl. *Vandălī -ōrum*) || **vandáli**CO 1858 || **vandal**ISMO 1844. Do fr. *vandalisme*.
van·glór·ia, -iar, -ioso → VÃO.
vanguarda *sf.* 'orig. parte dianteira de uma unidade militar (ou subunidade) em campanha' '*ext.* frente, dianteira' '*ext.* grupo de indivíduos que exerce papel de precursor ou pioneiro em determinado movimento cultural, artístico, científico etc.' | XV, *avomguoarda* XV etc. | Do fr. *avant-garde*, através da var. ant. *avanguarda* || **vanguard**EIRO XX || **vanguard**ISMO XX.
vanilóquio *sm.* 'palavras vazias, arrazoado inútil' 1813. Do lat. *vāniloquĭum* || **vaniloqu**ÊNCIA 1858. Do lat. *vāniloquentĭa* || **vaniloqu**ENTE 1899 || **vaníloquo** *adj.* 'que fala à toa, em vão, ou diz palavras sem sentido ou inúteis' XVII. Do lat. *vanilŏquus*. Cp. VÃO.

vantagem *sf.* 'fator, benefício, primazia, proveito' | XV, *avãtajem* XIV, *aavantage* XIV etc. | Do fr. *avantage* || **avantaj**ADO | *-ejado* XIV || **avantaj**AMENTO XV || **avantaj**AR | *-ejar* XIV | Do fr. *avantager* || **desvantagem** 1844 || **desvantaj**OSO 1844 || **vantaj**OSO XX.
⇨ **vantagem** — **desvantagem** | 1836 SC || **desvantaj**OSO | 1836 SC |.
vante → AVANTE.
vão, vã *adj.* 'vazio, oco' 'sem valor' 'fútil'; *sm.* 'espaço vazio' | *vão* XIII, *vã* XIII | Do lat. *vānus, vāna* || **desvão** *sm.* 'espaço entre o telhado e o forro de uma casa' | *desuaos* pl. XV || **esva**ECER, **esva**nECER *vb.* 'apagar, desfazer' | *-vãeçer* XIII || **esva**IR *vb.* 'fazer evaporar, esgotar(-se)' XVI || **esvão** *sm.* 'desvão' XVI || **van**GLÓRIA *sf.* 'presunção infundada' | XV, *uããgloria* XIV | De *vã glória*, por aglutinação || **vanglori**AR || *vãa-* 1844 || **vanglori**OSO || *vãa-* 1844.
⇨ **vão, vã** — **vanglori**AR | 1836 SC || **vanglori**OSO | 1836 SC |.
vápido *adj.* '(Poét.) sem sabor, insípido' | *-ppi-* XVII | Do lat. *vapĭdus*.
vapor *sm.* '(Fís.) gás em temperatura inferior à crítica' XIV. Do lat. *vapor -ōris* || **evapor**AÇÃO XVIII. Do lat. *ēvaporātĭō -ōnis* || **evapor**AR *vb.* 'transformar um líquido em vapor' 1813. Do lat. *e-vapōrāre* || **evapor**ATIVO 1873. Do lat. *ēvaporātīvus* || **evapor**AT·ÓRIO XVII || **evaporô**·METRO XX || **vapor**AÇÃO XVI. Do lat. *vapōrātĭō -ōnis* || **vapor**AR *vb.* 'exalar ou lançar vapores' XVI. Do lat. *vapōrāre* || **vapor**ÍFERO XX. Do lat. *vapōrĭfĕrum* || **vapor**IZ·AÇÃO | *-sa-* 1858 | Do fr. *vaporisation* || **vapor**IZAR *vb.* 'converter em vapor' 1839. Do fr. *vaporiser* || **vapor**OSO 1813. Adapt. do fr. *vaporeux*, deriv. do lat. *vapōrōsus*.
⇨ **vapor** — **evapor**ATIVO | 1836 SC |.
vapular *vb.* 'açoitar, bater, flagelar' XVII. Do lat. *vāpŭlāre*.
vaqu·eano, -eiro, -ejada, -eta → VACA.
vara *sf.* 'ramo fino e flexível' XIII. Do lat. *vāra* || **var**AÇÃO || **var**AL *sm.* 'orig. cada uma das duas grossas varas que saem dos lados de um veículo e entre as quais se atrela o animal que o puxa' '*ext.* arame esticado onde se penduram as roupas para que sequem' 1874 || **varapau** *sm.* 'orig. pau comprido' '*ext.* pessoa alta e magra' | *-pao* XVI | De *vara* + *pau* || **var**AR *vb.* 'bater com vara' 'furar, traspassar' XVI. Do lat. med. *vārāre* || **var**EDO *sm.* 'conjunto de vigotas de madeira ou de ferro, que sustém o ripado no telhado' 1899 || **var**EJÃO 1813. Aumentativo irregular de *vara* || **var**EJAR XVI || **var**EJ·EIRA *sf.* 'espécie de mosca' XVII || **var**EJ·ISTA XX || **var**EJO XV. Dev. de *varejar* || **var**ETA 1813 || **var**ET·EIRO *sm.* 'planta da fam. das ulmáceas' XX.
⇨ **vara** — **var**ADOURO | *c* 1539 JCasD 114.*30* || **var**AL | 1836 SC || **var**EJA | 1614 SGonç I. 197.*22* |.
varanda *sf.* 'balcão sacada, terraço coberto' XV. De origem incerta || **avarand**ADO XX || **varand**IM 1899.
varão → BARÃO.
var·apau, -ar, -edo, -ejão, -ejar, -ejeira, -ejista, -ejo → VARA.
varela *sf.* '(Hist.) ídolo, nos mosteiros budistas' 1548; 'mosteiro budista na Indochina, na China e

no Japão' | 1552, *bralla a* 1583 | Do mal. *barāhlā* (ou *brāhlā*) 'ídolo'; na acepção de 'mosteiro, templo' o voc. mal. é a forma elíptica de *rūmahbarāhlā* 'a casa dos ídolos'; igual extensão de sentido ('ídolo' → 'mosteiro, templo') verificou-se, também, com o voc. PAGODE.
varem *sm.* 'peixe da fam. dos mugilídeos (*Mugil brasiliensis*), também chamado parati' *c* 1631. Provavelmente de origem tupi, mas de étimo indeterminado.
var·et·a, -eiro → VARA.
varga *sf.* 'armadilha de pesca, espécie de rede' | *avarga* XV | De origem pré-romana, talvez céltica.
varg·edo, -em → VÁRZEA.
variar *vb.* 'alterar, diversificar, mudar' XVI. Do lat. *variāre* || invariABIL·IDADE 1813. Adapt. do fr. *invariabilité* || INVARIÁVEL 1813. Adapt. do fr. *invariable* || variABIL·IDADE 1874. Adapt. do fr. *variabilité* || variAÇÃO XVI. Do lat. *variātiō -ōnis* || variADO XVI. Do lat. *variātus*, part. de *variāre* || variANTE *adj. 2g. sf.* 1813 || variÁVEL | *variabile* XV | Do lat. tard. *variābilis* || variEDADE *sf.* 'qualidade de vário' XVI. Do lat. *variětās -ātis* || variegADO 1813 || variegar *vb.* 'matizar' 'variar' 1881. Do lat. *variěgāre* || **vário** *adj.* 'variado, diverso, diferente' XVI. Do lat. *variŭs* || variôMETRO *sm.* '(Fís.) indutância variável constituída por duas bobinas, uma dentro da outra, e cujo acoplamento pode modificar-se entre certos limites' XX. Do ing. *variometer* || varioSPERMO XX ||
veiro *sm.* '(Her.) guarnição metálica dos brasões' | *-ros* pl. 1813 | Do fr. *vair*, deriv. do lat. *variŭs*.
varicela → VARÍOLA.
varic·ocele, -oso → VARIZ(ES).
vari·edade, -egado, -egar → VARIAR.
varina *sf.* '*orig.* tipo de embarcação' '*ext.* vendedora ambulante de peixe, do norte de Portugal' XVII. Forma aferética de *ovarina*, do top. *Ovar*.
vário → VARIAR.
varíola *sf.* 'doença infecciosa, contagiosa e epidêmica, que se manifesta por febre alta, com erupção de pústulas na pele' 1873. Do fr. *variole*, deriv. do b. lat. *variola*, de *variŭs* || varicela *sf.* 'catapora' 1858. Do fr. *varicelle*, de *variole* 'varíola', com provável infl. de *varicocèle* 'varicocele' || varioliFORME 1873 || variolOIDE 1873. Do fr. *varioloïde*. Cp. VARIAR.
⇨ **varíola** | 1836 SC |.
vari·ômetro, -ospermo → VARIAR.
variz(es) *sf. (pl)* 'dilatação permanente duma veia' 1813. Do lat. *varix -ĭcis* || varicoCELE *sf.* 'tumor produzido pela dilatação varicosa das veias do cordão espermático' 1839. Do fr. *varicocèle* || varicOSO XVII. Adapt. do fr. *variqueux*, deriv. do lat. *varicōsus*.
varon·ia, -il, -ilidade → BARÃO.
varrão *sm.* 'porco novo e não castrado, que serve de reprodutor' | XVI, *uerrões* pl. XIII | Do lat. *verrēs -is* || varrASCO *sm.* 'varrão' 1858.
varrer *vb.* 'limpar (com vassoura)' XIII. Do lat. *verrěre* || varrED·ELA 1874 || varrEDOR 1813 || varrIDO XX. Cp. VASSOURA.
varsoviana *sf.* 'dança de origem francesa mas de caráter polonês, em compasso ternário, misto de mazurca e polca' 1899. Do fr. *varsovienne*, do top. *Varsovie* 'Varsóvia'.

várzea *sf.* 'planície fértil e cultivada, em um vale' | *vargea* XV | De origem obscura || vargEDO *sm.* 'conjunto ou sequência de vargens' XX || **vargem** *sf.* 'várzea' 1813. De *várzea*, por infl. de vocs. terminados em -AGEM.
vasa *sf.* 'lama, lodo' | XVI, *basa* XV | Do fr. *vase*, deriv. do méd. neerl. *wase*.
vasca *sf.* 'grande convulsão' 'trejeito' XVI. De origem incerta; talvez do célt. *waskā* 'opressão' || vasquEIRO | XVI, *vaasqueiro* XV.
vascolejar → VASO.
vasconço *sm.* 'idioma vernáculo dos Pireneus' XVI; como etnônimo, já é documentado no séc. XIV. Adapt. do cast. *vascuence*, deriv. do lat. *Vascōnes -um* 'Vascões' || **vascongado** *adj. sm.* 'pertencente ou relativo à região das Vascongadas' XVII. Do cast. *vascongado*, de um lat. **vasconicātus* 'tornado vascão'.
vascular → VASO.
vasculhar *vb.* '*orig.* varrer com vasculho' '*ext.* pesquisar, investigar, esquadrinhar' | *bas-* XIX | Do lat. **vasculeare*, de *vāscŭlum -ī* 'vaso pequeno' || vasculhADOR XX || **vasculho** *sm.* 'vassoura' 1813. Der. regress. de *vasculhar*. Cp. VASO.
vaselina *sf.* '(Quím.) parafina de baixo ponto de fusão' XIX. Do fr. *vaseline*, deriv. do anglo-americano *vaseline*, voc. criado nos EUA, em 1872, por R. Chesebrough, com base no al. *Wass(er)* 'água' + gr. *él(aion)* 'óleo' + *-ine* [v. -INO (iv)].
vaso *sm.* 'qualquer objeto côncavo próprio para conter substâncias líquidas ou sólidas' XIII. Do lat. vulg. *vasum* (cláss. *vas vasis*) || ENvasilhAR 1813 || EXTRAvasAR 1813 || vascolEJAR *vb.* 'agitar (um líquido)' XVI. De *vāscŭlum -ī* 'vaso pequeno' + -EJAR || vasculAR *adj. 2g.* 1874. Do lat. *vāscŭlum -ī* + -AR || vasILHA *sf.* '*orig.* vaso' '*ext.* recipiente de uso doméstico para conter ou guardar alimentos' XV. Do b. lat. *vasīlĭa*, formado com a terminação, no feminino, do sinônimo *utensílio* || vasilhAME 1797 || vasoTRÓF·ICO XX. Cp. VASCULHAR.
vasqueiro → VASCA.
vasquinha *sf.* '*ant.* corpete de vestido de mulher' | XVI, *vasquim* n. 1899 | Diminutivo de *vasca*, fem. de *vasco*, povo.
vassalo *sm.* 'súdito, subordinado' XIII. De um lat. **vassallus*, de *vassus* 'servidor' || AvassalAR XVI || vassalAGEM XIV.
⇨ **vassalo** — DES·AvassalADO | *desauassalado* 1582 Liv. Fort. 65.9 |.
vassoura *sf.* 'objeto feito de ramos de giesta, piaçaba etc. usado principalmente para varrer' 1813. Do lat. **versōria*, de *versus*, part. de *verrěre* || vassourADA 1813 || vassourEIRO | *-ssoi-* 1881 || **vassouro** *sm.* 'varredouro para fornos' | *-ssoi-* 1899 | Cp. VARRER.
vasto *adj.* 'muito extenso, amplo' XVI. Do lat. *vastus* || vastIDÃO *sf.* 'extensão, amplidão' XVII. *vastitŭdō -ĭnis*.
vatapá *sm.* 'prato típico da cozinha baiana' 1899. Do ioruba *vata'pa*.
vate *sm.* 'profeta, adivinho' '*ext.* poeta' XVI. Do lat. *vātēs* e *vātis -is* || vaticinAÇÃO 1858. Do fr. *vatication*, deriv. do lat. *vāticinātĭō -ōnis* || vaticinADOR 1813. Adapt. do fr. *vaticinateur*, deriv. do lat. *vāticinātōr -ōris* || vaticinANTE XVIII || vatici-

nAR XVI. Do lat. *vāticinārī* ‖ **vaticínio** XVII. Do lat. *vāticinĭum -ĭī*.

vau *sm.* 'baixio, trecho raso de rio, lago etc., que se pode passar a pé' | *uaao* XIII | Do lat. *vădum* ‖ **vad**EAR *vb.* 'passar ou atravessar a vau' XVI. Do cast. *vadear* ‖ **vad**E·ÁVEL 1844 ‖ **vad**OSO *adj.* 'onde há vau' 1813. Do lat. *vadōsus*.

⇨ **vau** — **vad**E·ÁVEL | 1836 SC |.

vaza[1] *sf.* 'conjunto de cartas jogadas pelos parceiros em cada lance ou vez, e que são recolhidas pelo ganhador' XVII. Do it. *bazza*.

vazio *adj.* 'que não contém nada, ou só contém ar' XIII. Do lat. *văcīvus* ‖ ESVAZIAMENTO 1881 ‖ ESVAZIAR | *-siar* 1844 ‖ **vaza**[2] *sf.* 'lavor ou feitio vazado ou escavado (de rio)' XVI. Dev. de *vazar* ‖ **vaz**AD·OURO XX ‖ **vaz**AMENTO 1881 ‖ **vaz**ANTE *adj. 2g.* 'que vaza'; *sf.* 'refluxo' | *-san* XV ‖ **vaz**ÃO *sf.* 'vazamento, escoamento' *fig.* extração, venda, consumo' | *-são* XVI ‖ **vaz**AR *vb.* 'tornar vazio, esvaziar' | *uazar* XIV | De um *vaziar*, de *vazio*. Cp. VACAR, VAGAR[2].

veado *sm.* 'qualquer animal que se caça habitualmente' 'mamífero artiodáctilo, da fam. dos cervídeos' XIV. Do lat. *vēnātus -ūs* 'caça' 'produto da caça' ‖ **veação** *sf.* 'lugar onde se corre caça grossa' | *-çom* XV | Do lat. *vēnātĭō -ōnis* 'caça, produto da caça' ‖ **veador** *sm. 'ant.* caçador' XVI. Do lat. *venātor -ōris* ‖ **venábulo** *sm.* 'dardo' | XVII, *venabre* XIII, *veablo* XIV, *ueabro* XIV etc. | Do lat. *vēnābŭlum -ī* ‖ **venatório** *adj.* 'respeitante à caça' XVII. Do lat. *vēnātōrĭus*.

vectação *sf.* 'ato de ser transportado em veículo, a cavalo' XVII. Do lat. *vectātĭō -ōnis*.

ved·ação, -ar → VETAR.

veda(s) *sm. (pl)* 'livro(s) sagrado(s) dos hindus, base(s) primária(s) da sua religião (os quatro vedas: *Rigveda, Yajurveda, Sāmaveda e Atharvaveda*)' | *vedãos* pl. 1612, *vendam c* l615, *veddãos* pl. 1687, *veddos* pl. 1687 etc. | Do sânscr. *vēda* 'conhecimento' ‖ **véd**ICO 1881.

vedeta *sf.* 'guarita de sentinela em lugar alto' 'vigia' 1890. Do fr. *vedette*, deriv. do it. *vedétta* ‖ **vedete** *sf.* '*orig.* atriz que sobressai no teatro de revista' '*ext.* atriz principal de um espetáculo' XX.

védico → VEDA(S).

vedor → VER.

veeiro → VEIA.

veemência *sf.* 'impetuosidade, intensidade' | *femença* XIII | Do lat. *věhěmentĭa* ‖ **veem**ENTE | *vehe-* XVII | Do lat. *věhěmēns -ēntis*.

vegetar *vb.* 'viver e desenvolver-se (uma planta)' 'desenvolver-se com exuberância' '*ext.* viver sem interesse, na inércia' XVII. Do fr. *végéter*, deriv. do lat. *vegĕtāre* 'animar, vivificar' ‖ **veget**ABIL·IDADE 1874. Do fr. *végétabilité* ‖ **veget**AÇÃO *sf.* 'ato ou efeito de vegetar' '(Bot.) conjunto de plantas que cobre uma região' 1813. Do fr. *végétation* ‖ **veget**AL *adj. 2g.* 'relativo às plantas'; *sm.* 'planta' 1813. Do fr. *végétal* ‖ **veget**ANTE 1813 ‖ **veget**ARIANO *adj. sm.* 'diz-se do, ou partidário da alimentação exclusivamente vegetal' 1899. Do fr. *végétarien*, deriv. do ing. *vegetarian* ‖ **veget**ATIVO XVI. Adapt. do fr. *végétatif* ‖ **végeto** *adj.* 'vejetativo' 1813. Do lat. *vegĕtus*.

veia *sf.* 'canal que conduz ao coração o sangue distribuído pelas artérias em todas as partes do corpo' | *vēa* XIII, *vea* XV | Do lat. *vēna* ‖ CORDO**veia**s *sf. pl.* 'nome que se dá às veias jugulares' XVIII ‖ **ve**EIRO *sm.* 'fendimento numa rocha, preenchido por substâncias de origem hidrotermal' 'linha pela qual uma pedra se quebra quando batida' | *ueero* XIII, *ueeyro* XIII, *vyeiro* XIV etc. | De *vei(a)* + -EIRO ‖ **veio** *sm.* 'faixa de terra ou de rocha que se diferença da que a ladeia pela natureza ou pela cor' 1813 ‖ **ven**ADO 1881 ‖ **ven**ETA *sf.* '*orig.* acesso de loucura' '*ext.* impulso repentino' 1813 ‖ **vení**·FLUO XVII ‖ **ven**OSO XVI. Do lat. *vēnōsus* ‖ **vên**ULA 1899. Do lat. *vēnŭla*, dim. de *vēna*.

veículo *sm.* 'qualquer dos meios utilizados para transportar ou conduzir pessoas, objetos etc.' | *vehi-* 1813 | Do fr. *véhicule*, deriv. do lat. *vehicŭlum -ī* ‖ **veicul**AR | *vehi-* 1899 | Do fr. *véhiculer*.

veiga *sf.* 'várzea' | *ueiga* XIII, *ueyga* XIII etc. | Provavelmente de origem pré-romana.

veio → VEIA.

veiro → VARIAR.

vela[1] → VÉU.

vela[2] → VELAR[2].

velado → VÉU.

velador → VELAR[2].

vel·ame, -ar[1] → VÉU.

velar[2] *vb.* 'vigiar' XIII. Do lat. *vĭgĭlāre* ‖ **vela**[2] *sf.* 'sentinela, vigia' XIV. Dev. de *velar* ‖ **vel**ADOR *sm.* 'sentinela, vigia' XIV ‖ **vel**ÓRIO *sm.* 'ato de velar, com outros, um defunto' XX.

⇨ **velar**[2] — **vel**AÇÃO | *velações* pl. *c* 1608 NOReb 72.28 |.

vel·ar[3], **-ário, -atura** → VÉU.

veleidade *sf.* '*orig.* vontade imperfeita, hesitante' '*ext.* pretensão' | *-llei-* XVII | Adapt. do fr. *velléité*, deriv. do lat. mod. *velleitās -ātis*, de *velle* 'querer'.

vel·eiro, -ejar → VÉU.

velenho *sm.* 'meimendro' 1858. De uma base lat. **belenium*, de origem céltica.

veleta *sf.* 'cata-vento' XVII. Do cast. *veleta*, de *velo* 'véu'. Cp. VÉU.

velhaco *adj.* 'que ludibria propositadamente, ou por má índole' XIV. Do cast. *bellaco*, de origem incerta ‖ **velhac**ARIA 1813. Do cast. *bellaquería* ‖ **velhaqu**EAR XVII.

⇨ **velhaco** — **velhac**ARIA | *c* 1608 NOReb 118.26, 1634 MNor 94.34 |.

velhada → VELHO.

velhaquear → VELHACO.

velho *adj. sm.* 'remoto, antigo, idoso, antiquado, gasto pelo uso' XIII. Do lat. *větŭlus*, dim. de *větus -ěris* ‖ A**velh**ANT·ADO | *-lhen-* XVII | EN**velh**ECER | *emuelhecer* XIII ‖ EN**velh**EC·IDO XVII ‖ EN**velh**EC·IMENTO 1899 ‖ **velh**ADA 1813 ‖ **velh**ARIA 1881 ‖ **velh**ICE | *velleçe* XIII, *velhece* XIII etc. ‖ **velh**OTE 1890 ‖ **velh**USCO XVIII. Cp. VETERANO.

⇨ **velho** — **velh**USTRO 'velhote, velhusco' | 1657 FMMelv 46.8 |.

velhori *adj. 2g.* 'diz-se do animal cavalar de cor acinzentada' 1813. Do cast. *vellorí*, de *vello* 'pelo dos animais ou dos tecidos'.

velh·ote, -usco → VELHO.

velí·vago, -volo → VÉU.

velicar *vb.* 'beliscar' XVII. Do lat. *vellicāre* ‖ **veli**CAÇÃO XVIII. Do lat. *vellicātĭō -ōnis* ‖ **velic**ATIVO 1874.

velífero → VÉU.
velino *adj. sm.* 'diz-se de, ou pergaminho fino, preparado com pele de animais recém-nascidos ou natimortos' 1858. Do fr. *vélin*, de *veau*, deriv. do lat. *vitellus -i* 'vitelo'.
vélite *sm.* 'soldado armado ligeiramente para escaramuças' XVII. Do fr. *vélite*, deriv. do lat. *vēles -ĭtis*.
velo *sm.* 'lã de carneiro, ovelha ou cordeiro' | *-llo* XVI | Do lat. *villus -ī* || **velocino** *sm.* 'orig. pele de carneiro, ovelha ou cordeiro, com lã' 'ext. carneiro mitológico, de velo de ouro' | *-cyo* XIII | Do lat. vulg. **vellŭscīnum*, dim. de *vellus -ĕris*.
velocidade *sf.* 'rapidez, ligeireza, pressa' 'movimento rápido' XVII. Do lat. *vēlōcĭtās -ātis* || **velocíMANO** *sm.* 'cavalo de pau instalado sobre um velocípede' XX. Do fr. *vélocimane* || **velocíMETRO** XX. Do ing. *velocimeter* || **velocíPEDE** *sm.* 'triciclo infantil' 1874. Do fr. *vélocipède* || **velóDROMO** 1899. Do fr. *vélodrome* || **veloz** *adj.* 2g. 'rápido, ligeiro' XVI. Do lat. *vēlōx -ōcis*.
velocino → VELO.
vel·ocípede, -ódromo → VELOCIDADE.
velório → VELAR².
veloso *adj.* 'lanoso, felpudo' XIII. Do lat. *villōsus* || AveludADO | *-tado* XVI || AveludAR 1871 || **veludo** *sm.* 'orig. 'tecido coberto de pelos cerrados, curtos e presos pelos fios da tela' *'ext.* objeto ou superfície macia' XV. Do prov. *velut*, deriv. do lat. tard. *villūtus*, de *villus -ī*, 'pelos' || **veludOSO** XX || **velutíNEO** *adj.* 'aveludado' XX || **vilíFERO** XX. Do lat. cient. *villifer*, de *villus -ī* || **vilosITE** XX || **vilOSO** *adj.* 'cabeludo, hirsuto, coberto de pelos' | *-llo-* 1881 | Adapt. do fr. *villeux*, deriv. do lat. *villōsus*. Cp. VELO.
⇨ **veloso** — AveludAR | 1836 SC, *-llu-* 1836 SC |.
veloz → VELOCIDADE.
velu·do, -doso, -tíneo → VELOSO.
venábulo → VEADO.
venado → VEIA.
venal *adj.* 2g. 'que pode ser vendido' *'fig.* subornável' XVI. Do lat. *vēnālis -e* || INvenal XX || venalIDADE XVI. Do b. lat. *vēnālĭtās -ātis*.
venatório → VEADO.
vencelho → VÍNCULO.
vencer *vb.* 'conseguir vitória sobre, triunfar, obter vantagem' XIII. Do lat. *vĭncĕre* || Evencer *vb.* 'despojar, desapossar' 1881. Do fr. *évincer*, deriv. do lat. *evincĕre* || INvencIBIL·IDADE 1844 || INvencÍVEL XVI || INvicto *adj.* 'não vencido, que nunca sofreu derrota' 1572. Do lat. *in-victus* || vencEDOR XIII || vencIMENTO || XIV, *-çe-* XIV, *-çi-* XIV etc. || vencÍVEL 1813. Do lat. *vincĭbĭlis -e* || **vincendo** *adj.* 'diz-se de juros, dívidas etc. que estão por acabar' XX. Do lat. *vincendus*, part. de *vĭncĕre* || vincETÓXICO *sm.* 'certa planta apocinácea' XVIII. Do lat. cient. *vincetoxicum*.
⇨ **vencer** — INvencIBILIDADE | 1836 SC |.
venda¹ *sf.* 'tira de pano com que se cobrem os olhos' XVII. Do al. *Binde* 'faixa, tira' || DESvendAR 1844 || vendAGEM XVIII || vendAR 1813.
⇨ **venda¹** — DESvendAR | 1836 SC |.
venda² → VENDER.
vend·agem, -ar → VENDA¹.
vendaval → VENTO.
vender *vb.* 'alienar ou ceder por certo preço' 'trocar por dinheiro' XIII. Do lat. *vendĕre* || INvendÁVEL 1844. Adapt. do fr. *invendable* || INvendÍVEL 1844. Do lat. *in-vendibĭlis -e* || REvenda 1844 || REvendEDOR 1844 || REvendER XIII || **venda²** *sf.* 'ato ou efeito de vender' XIII || vendÁVEL XVI. Adapt. do fr. *vendable* || vendEDOR XIII || vendEIRO 1844 || vendIÇÃO *sf.* 'venda' | *-çon* XIII | Do lat. *vendĭtĭō -ōnis* || vendIDO XVI || vendILH·ÃO 1803 || vendÍVEL | *-ibil* 1572.
⇨ **vender** — INvendÁVEL | 1836 SC || INvendÍVEL | 1836 SC || REvenda | 1836 SC || REvendEDOR | 1836 SC | vendEIRO | 1836 SC |.
veneno *sm.* 'substância que altera ou destrói as funções vitais' | XVI, *venino* XV | Do lat. *venēnum -ī* || CONTRAveneno XVI || **venefício** *sm.* 'ato ou efeito de preparar veneno para fins criminosos' XVI. Do lat. *venēficĭum -ĭī* || **venéfico** *adj.* 'respeitante a venefício' XVII. Do lat. *venēficus* || **veneníFERO** *adj.* 'venenoso' 1890. Do lat. *venēnĭfĕrum* || **veneníPARO** 1890 || venenOSO | XVI, *veni-* XV | Do lat. *venēnōsus*.
venera → VENÉREO.
venerar *vb.* 'render culto a' 'reverenciar, adorar' XVI. Do lat. *venĕrāre* || venerABIL·IDADE XVIII || **venerabundo** *adj.* 'que venera' XVII. Do lat. *venerābundus* || venerAÇÃO XVI. Do lat. *venerātĭō -ōnis* || venerADOR 1813. Do lat. *venerātor -ōris* || venerANDO *adj.* 'venerável' XVI. Do lat. *venerandus* || venerÁVEL | XVI, *-belle* XV | Do lat. *venerābĭlis -e*.
venéreo *adj.* 'orig. referente a Vênus, deusa da formosura' *'ext.* relativo à aproximação sexual' XV. Do lat. *venerĕus*, do mit. *Venus -ĕris* 'Vênus' || **venera** *sf.* 'vieira ou concha de romeiro' XVIII. Do cast. *venera*, deriv. do lat. *venērĭa* 'espécie de concha', assim chamada devido à semelhança com a concha em que pintam Vênus saindo das águas || venereoLOG·IA XX || **vênero** *adj.* '(Poét.) venéreo, em sua primeira acepção' 1848. Do mit. lat. *Venus -ĕris* || **venusto** *adj.* 'muito formoso ou gracioso' XVI. Do lat. *venustus*, de *Venus -ĕris* || **vieira** *sf.* 'molusco bivalve da fam. dos pectinídeos' | *vyeiros* m. pl. XV | Do lat. *venērĭa*.
⇨ **venéreo** — **vênero** | 1836 SC |.
veneta → VEIA.
vêneto *adj. sm.* 'diz-se de, ou indivíduo dos vênetos, antigo povo da Gália' XIX. Do lat. *Venetus*.
veneziano *adj. sm.* 'relativo a ou natural de Veneza' | 1501, *-ze-* 1501, *-tiano* 1522, *-ciano* 1523 | Do it. *veneziano*, do top. *Venezia* 'Veneza' || **veneziana** *sf.* 'janela de lâminas de madeira, metal etc., que, fechada, deixa penetrar o ar, mas obscurece o ambiente' XX. Fem. substantivado de *veneziano*.
vênia *sf.* 'licença, permissão, consentimento' XVI. Do lat. *venĭa* || venIAL | XIV, *-ny-* XV | Do lat. *venĭālis -e*.
veniaga *sf.* 'mercadoria, produto' 'comércio, tráfico' | 1552, *benyaguaa* 1525 | Do mal. *bĕrnyāga* 'comerciar', deriv. do sânscr. *vāṇijaka* (*vāṇijyaka*), de *vaṇij* 'mercador'.
venial → VÊNIA.
venida → VIR.
ven·íf luo, -oso → VEIA.
vento *sm.* 'o ar em movimento' XIII. Do lat. *ventus -ī* || AventAR *vb.* 'orig. ventilar' *'ext.* levantar hipótese(s)' XX || **vendaval** *sm.* 'vento tempestuoso' XIV. Do fr. *vent d'aval* 'vento de baixo', em

oposição a *vent d'amont* 'vento do Nascente' || **venta** *sf.* 'narina' | *-tãa* XIV | Do lat. **ventãna* 'lugar por onde passa o vento' || **ventana** *sf.* 'janela' 1813. Do cast. *ventana* || **ventan**IA *sf.* 'vento forte' XVI || **ventan**ILHA *sf.* 'cada uma das aberturas da mesa de bilhar por onde cai a bola' 1813. Do cast. *ventanilla* || **vent**AR XIV || **ventar**OLA *sf.* 'espécie de leque' XIX. Do it. *ventar(u)òla* || **ventifacto** XX. De *venti-*, do lat. *ventus -ī* + *factu* 'feito, produzido' || **vent**ÍGENO 1874. Do lat. *ventigĕnus* || **ventilabro** *sm.* 'espécie de joeira com que se limpa o trigo' | XV, *vin-* XV | Do lat. *ventilābrum* || **ventil**AÇÃO 1813. Do lat. *ventilātiō -ōnis* || **ventil**ADOR *adj. sm.* 1813. Do lat. *ventilātŏr -ōris* || **ventil**ANTE XVII || **ventil**AR *vb.* 'introduzir vento a, renovar o ar de' XVI. Do lat. *ventĭlāre* || **ventil**ATIVO 1844 || **ventoinha** *sf.* 'grimpa' *fig.* cata-vento' 1813. De *vento*, mas por processo obscuro || **vent**OR *sm.* 'cão de bom faro' 1813 || **vent**OSA 'vaso cônico que, aplicado sobre a pele, depois de nele ser rarefeito o ar, provoca efeito repulsivo e local' XVI. Do lat. tard. *ventōsa* || **vent**OS·IDADE *a* 1438. Do lat. *ventōsĭtās -ātis* || **vent**OSO XIV. Do lat. *ventōsus*.
⇨ **vento** — AVENTAR 'ventilar' | 1836 SC || **ventil**ADOR | 1785 *in* ZT || **ventoinha** | 1789 MS |.
ventre *sm.* 'cavidade abdominal XIII. Do lat. *vĕnter -tris* || DEVENTRE *sm.* 'intestino dos animais' XVII || **ventr**AL 1858. Do lat. tard. *ventrālis* || **ventrí**CULO *sm.* 'designação comum a certas cavidades de alguns órgãos' XVII. Do lat. *ventrĭcŭlus -ī* || **ventriLAVADO** *adj.* 'diz-se do equídeo que tem o ventre esbranquiçado' 1881 || **ventríloquo** *adj. sm.* 'diz-se de ou aquele que sabe falar sem abrir a boca' 1858. Do lat. *ventrĭlŏquus* || **ventri**POTENTE 1858 || **ventr**UDO 1858 || **ventr**ULHO XIII.
⇨ **ventre** — **ventríloquo** | 1836 SC |.
ventrecha *sf.* 'posta de peixe que se segue à cabeça' XVII. Do a. fr. *ventresche*, deriv. do dim. lat. **ventrĭscula*, de *vĕnter -tris* 'ventre'. Cp. VENTRE.
ventr·ículo, -ilavado, -íloquo, -ipotente, -udo, -ulho → VENTRE.
ventura *sf.* 'fado, destino, sorte, fortuna' | XIII, *uentuyra* XIII etc. | Do lat. *ventūra* || AVENTURA | XIII, *-tuyra* XIII, *-tuira* XIII etc. | Do fr. *aventure*, deriv. do lat. **adventūra* || AVENTURADO | XIII, *-tuyrado* XV | O voc. ocorre com frequência, desde o port. med., nos compostos *bem-aventurado* e *mal--aventurado* || AVENTURANÇA XIV || AVENTURAR | XIII, *auētuyrar* XIV, *auimturar* XIV etc. || AVENTUREIRO XVI || DES·AVENTURA, DESVENTURA | *desauentura* XIII, *desuentura* XIII etc. || DESVENTURADO XVII || **ventu**ROSO || 1572, *auēnturoso* XIV.
venturo → VIR.
vênula → VEIA.
venusino *adj. sm.* 'orig. relativo a ou natural de Venúsia, terra de Horácio' '*ext.* relativo a, ou o poeta Horácio' XVIII. Do it. *venosino*, deriv. do lat. *Venusīnus*, do top. *Venusĭa* 'Venúsia'.
venusto → VENÉREO.
ver *vb.* 'conhecer ou perceber pela visão' 'olhar para, contemplar' 'distinguir' XIII. Do lat. *vĭdēre* || AVISTAR 1813 || AVISTÁVEL XX || ENTREVER *vb.* 'ver confusamente' XVI. Calcado no fr. *entrevoir*, deriv. do lat. *intervĭdēre* || ENTREVISTA¹ *sf.* 'vista e conferência entre duas ou mais pessoas em local com-

binado' 'comentário fornecido a entrevistadores para ser divulgado em jornal, revista etc.' XIX. Do fr. *entrevue*, deriv. do anglo-americ. *interview* || ENTREVISTA² *sf.* '*ant.* peça de vestuário' XVI || ENTREVISTAR XX || INVISIBIL·IDADE 1813. Do fr. *invisibilité*, deriv. do lat. *invīsĭbĭlĭtās -ātis* || INVISÍVEL | *inuisiuel* XV, *envisibil* XV | Do lat. *in-vīsĭbĭlis -e* || INVISO¹ *adj.* 'invisível' XVII. Do lat. *in-vīsus* || REVER¹ | *rreuer* XIV || REVISÃO 1813. Do lat. *revīsĭō -ōnis* || REVISAR 1881. Do fr. *réviser*, deriv. do lat. *revīsĕre* || REVISOR XIX. Adapt. do fr. *reviseur*, deriv. do lat. med. *revīsor* || REVISTA¹ *sf.* 'ato de revistar' XVI || REVISTA² *sf.* 'publicação periódica' 1833. Trad. do ing. *review* || REVISTAR *vb.* 'rever, examinar' 1844 || REVISTO 1858 || SUPERVISÃO XX. Do ing. *supervision* || SUPERVISAR *vb.* 'dirigir, orientar' XX. Do ing. *supervise* || SUPERVISOR. Do ing. *supervisor* || VEDOR *adj. sm.* 'que ou aquele que vê | *veedor* XIV, *vehedor* XIV etc. || VIDÊNCIA 1899 || VIDENTE XVI. Do lat. *vidēns -entis* || **vídeo** *sm.* 'a parte do equipamento do circuito de televisão que atua sobre os sinais de imagem, e permite a percepção visual das emissões' '*ext.* televisão' XX. Do ing. *video*, deriv. do lat. *vidĕō*, 1ª pess. do sing. do pres. do ind. de *vĭdēre* || **videoteipe** *sm.* 'fita plástica usada para registrar imagens de televisão, em geral associadas com o som, e destinada a futuras transmissões' XX. Do ing. *video tape* 'fita de vídeo' || **visão** *sf.* 'ato ou efeito de ver' 'o sentido de vista' | *vison* XIII, *vision* XIII etc. | Do lat. *vīsĭō -ōnis* || VISEIRA *sf.* 'orig. a parte anterior do capacete, a qual protege e defende o rosto' '*ext.* pala de boné' XX. Do fr. *visière* || VISIBIL·IDADE 1858. Adapt. do fr. *visibilité*, deriv. do lat. *visibilĭtās -ātis* || VISIÔMETRO 1874. De *visio-*, do lat. *vīsĭō -ōnis* 'visão' + *-METRO* || **visionário** *adj.* 'relativo a visões' 'excêntrico' 1858; *sm.* 'aquele que tem visões ou acredita ver fantasmas' 1858. Do fr. *visionnaire* || VISIVA *sf.* 'visão' 1858. Fem. substantivado de *visivo* || VISÍVEL | *visiuel* XIV, *vesyvel* XV | Do lat. *vīsĭbĭlis -e* || VISIVO 1813 || **viso** *sm.* 'cume, outeiro' XIII; 'aspecto, aparência' XIII. Do lat. **vīsus* 'aspecto' || VISOR *adj. sm.* 'que ou aquilo que permite ou ajuda a ver' XX. Adapt. do fr. *viseur* || **vista** *sf.* 'orig. visão' '*ext.* panorama' XIII. De *visto* || **visto** *sm.* 'declaração de autoridade ou funcionário num documento para validá-lo' 1881. Do part. de *ver* || VISTOR·IA *sf.* 'revista, inspeção' 1813 || VISTORI·AR XX || VISTOSO *adj.* 'ostentoso' XV || VISUAL XVI. Do lat. tard. *vīsuālis* || VISUAL·IDADE XX. Do lat. *visuālĭtās -ātis*.
⇨ **ver** — REVISTAR | 1836 SC || VISIBIL·IDADE | 1836 SC || **visionário** | 1836 SC || **visto** | 1836 SC |.
ver·as, -ascópio → VERDADE.
veracidade → VERDADE.
verão *sm.* 'estação do ano que sucede à primavera e antecede o outono' XIII. Do lat. **vēranum* (*tempus*) || VERANEAR *vb.* 'passar o verão' 1874 || **veraneio** *sm.* XX. Dev. de *veranear* || **veran**ICO XVII || **veranista** XX.
veratro *sm.* 'planta de raiz espessa e caule reto, da fam. das ranunculáceas' XVI. Do lat. *vĕrātrum -ī*.
veraz → VERDADE.
verb·a, -al → VERBO.
verbasco *sm.* 'designação comum a diversas plantas da fam. das verbenáceas' 1813. Do lat. *ver-*

bascum -ī || **barbasco** *sm.* 'designação comum a diversas plantas das famílias das compostas e das escrofulariáceas' XVI.
verbena *sf.* 'designação geral de plantas da fam. das verbenáceas' XVII. Do lat. *verbēna.*
verberar *vb.* 'açoitar, fustigar, flagelar' XVII. Do lat. *verbĕrāre* || **verber**AÇÃO XVII. Do lat. *verberātĭō -ōnis* || **verber**ADOR XX || **verber**ANTE XX || **verber**ATIVO XVII.
verbo *sm.* 'palavra' '(Gram.) palavra que designa ação, estado, qualidade ou existência de pessoa, animal ou coisa' | XIII, *vervo* XIII | Do lat. *vĕrbum* || AVERBAÇÃO 1899 || AVERBADOR XX || AVERBAR XVII || **verba** *sf.* 'orig. cada uma das cláusulas ou artigos de um documento' '*ext.* soma de dinheiro' XIII. Do lat. *verba*, pl. de *vĕrbum* || **verb**AL XVI. Do lat. tard. *verbālis* || **verb**ETE *sm.* 'vocábulo tratado isoladamente (em dicionários, vocabulários etc.)' 1890 || **verbor**·RAGIA *sf.* 'grande abundância de palavras, mas com poucas ideias' XX || **verbor**·REIA *sf.* 'verborragia' 1899 || **verb**OS·IDADE XVII. Do lat. *verbōsĭtās -ātis* || **verb**OSO *adj.* 'loquaz' XV. Do lat. *verbōsus.*
verça *sf.* '*ant.* couve' XIII. Do lat. vulg. **vĭrdĭa*, de *vĭrĭdis -e* 'verde'.
verdade *sf.* 'orig. conformidade com o real' '*ext.* franqueza, sinceridade' XIII. Do lat. *vērĭtas -ātis* || INVEROSSÍMIL | *inverosimil* 1813 || INVEROSSIMILHANÇA | *inverosi-* 1813 || **veracidade** *sf.* 'qualidade de veraz' XVII. Do lat. med. *vērācĭtās -ātis* || **veras** *sf. pl.* 'coisas verdadeiras' XVII. Provavelmente pl. de *vera*, de *vero*, ou deriv. de *veraz* || **ver**ASCÓP·IO XX || **veraz** *adj. 2g.* 'que diz a verdade' 1813. Do lat. *vērāx -ācis* || **verdad**EIRO XIII || **verídico** *adj.* 'veraz' XVII. Do lat. *vērĭdĭcus* || **verific**AÇÃO XVI || **verific**AR *vb.* 'provar a verdade' XVI. Do lat. tard. *verificāre* || **verific**ATIVO 1874 || **ver**ISMO *sm.* 'movimento literário, de caráter naturalista, surgido na Itália no fim do séc. XIX, em oposição ao romantismo' '(Mús.). na ópera, a escola que surgiu na mesma época, na qual ao intenso realismo do libreto se associa vivo sentimentalismo musical' XX. Do it. *verismo*, calcado no ing. *truism* 'truísmo' || **ver**ISTA XX. Do it. *verista* || **vero** *adj.* 'real, verdadeiro' XVI. Do lat. *vērus* || **verossímil** *adj. 2g.* 'semelhante à verdade' | XVI, *veri-* 1813 | Do lat. *verīsimĭlis -e* || **verossimilhança** *sf.* 'qualidade de verossímil' | *veri-* 1813 | De *verossímil*.
⇨ **verdade** — **verific**ATIVO | 1836 SC |.
verde *adj. 2g.* 'da cor mais comum nas ervas e nas folhas das árvores' XIII. Do lat. *vĭrĭdis* || ENVERDECER XIV || ESVERDE·ADO 1844 || ESVERDAR 1874 || REVERDECER XVI || **verd**EAR XVII || **verd**ECER XVI || **verdeia** *sf.* 'vinho branco de cor esverdeada' 1813 || **verdeio** *sm.* 'ato de verdear' 'forragem verde para o cavalo' XX. Dev. de *verdear* || **verd**EJAR 1813 || **verd**EJO sm. De *verdejar* || **verd**ETE *sm.* 'o acetato de cobre' 1844. Do fr. *verdet* || **verdizela** *sf.* 'vara flexível com que se arma a boiz' XVI || **verd**OR *sm.* 'propriedade do que é verde' 'verdejante' 1813 || **verdugo** *sm.* 'carrasco' XVI. Do lat. **vir(i)ducum* 'vara que se corta verde usada como açoite' e, depois, por metonímia, 'o carrasco' || **verd**URA *sf.* 'orig. a cor verde dos vegetais' '*ext.* vegetais' XIV || **verd**UR·EIRO XX || **vergel** *sm.* 'jardim, pomar'

| XIV, *vergeu* XIII, *virgeu* XIII | Do a. prov. *vergier*, deriv. do lat. vulg. *vĭrĭdĭārius* (cláss. *vĭrĭdārium*). Cp. VIRIDANTE.
⇨ **verde** — ESVERDE·ADO | 1836 SC || **verd**ETE | 1570 in ZT |.
vereador *sm.* 'membro de câmara municipal, edil' XIV. Do arc. **VERE·A*, por *vereda*, + -ADOR || **vere**AÇÃO | -*çam* XIV || **ver**EAR 1813. Cp. VEREDA.
verecúnd·ia, -o → VERGONHA.
vereda *sf.* 'caminho estreito, atalho' '*fig.* rumo, direção' XV. Do b. lat. *verēda*, do lat. *verēdus* 'cavalo de posta' || ENVEREDAR 1899.
veredicto *sm.* 'decisão proferida pelo júri' 'sentença' | 1890, *-dict* 1858 | Do ing. *verdict*, deriv. do a. fr. *verdi(c)t* e, este, do lat. med. *vere dictum* 'verdadeiramente dito'. Cp. VERDADE.
verga *sf.* 'vara flexível' | XIII, *virga* XIII | Do lat. *virga* || ENVERGADO XVII || ENVERGAD·URA XVII || ENVERGAR XVII || **verg**ALH·ÃO *sm.* 'orig. órgão genital dos bois e dos cavalos' 'chicote feito desse órgão' | *vargallon* XIII, *uerghalon* XIII |; 'barra de metal que se emprega nas armaduras para concreto' 1873 || **verg**ALH·AR XX || **verg**ALHO *sm.* 'chicote' 1813 || **verg**ÃO *sm.* 'vinco ou marca na pele, produzido por pancada' 1813 || **verg**AR *vb.* 'curvar' 1813 || **vergasta** *sf.* 'pequena verga' XVII. Dim. irregular de *verga* || **vergast**ADA XVII || **vergast**AR *vb.* 'bater com vergasta' 1881 || **vergôntea** *sf.* 'rebento' XV. De *verga*, correspondente ao lat. *virgulta -ōrum* || **vergu**EIRO *sm.* 'vergasta' 1813. Como antrop. já é documentado no séc. XIII || **vergu**ETA *sf.* '(Her.) pala estreita nos escudos' 1899.
⇨ **verga** — **verg**ALH·ÃO 'barra de ferro estreita' | 1836 SC |.
vergel → VERDE.
vergonha *sf.* '(sentimento de) desonra humilhante' | XIII, *uergonça* XIII etc. | Do lat. *verēcŭndia* || DES·AVERGONHADO XVI || ENVERGONHADO | -*nnado* XIII, *enuer-* XIV || ENVERGONHAR | XIV, *enuergunar* XIII etc. || **verecúndia** *sf.* 'vergonha' XIX. Divergente de *vergonha*, deriv. do lat. *vĕrēcŭndia* || **verecundo** *adj.* 'vergonhoso' 1813. Do lat. *verēcundus* || **vergonh**OSO | XIII, -*nnoso* XIII etc.
verg·ôntea, -ueiro, -ueta → VERGA.
ver·ídico, -ificação, -ificar, -ificativo, -ismo, -ista → VERDADE.
verme *sm.* 'designação comum às larvas de muitos insetos desprovidos de patas' | XIV, *vermen* XIII | Do lat. *vermis -is* || **vermí**CIDA *adj. 2g. sm.* 1874 || **vermicul**ADO 1858. Do lat. *vermiculātus* || **vermicul**ÁRIA *sf.* 'planta perene e cespitosa, da fam. das crassuláceas' 1858 || **vermícul**ITA *sf.* 'grupo de minerais micáceos, originados da alteração de micas' XX || **vermículo** *sm.* 'pequeno verme' 1844. Do lat. *vermicŭlus*, dim. de *vermis -is* || **vermicul**OSO 1881 || **vermicul**URA *sf.* 'ornato arquitetônico imitante ao sulco feito pelos vermes a se arrastarem' 1881. Do fr. *vermiculure* || **vermi**FORME 1858. Do fr. *vermiforme* || **vermí**FUGO 1858. Do fr. *vermifuge* || **vérm**INA *sf.* 'verminose' 1899. Do fr. *vermine*, deriv. do lat. *vermina -um* || **vermin**AÇÃO 1858. Do fr. *vermination*, deriv. do lat. *vermĭnātĭō -ōnis* || **vermin**AR *vb.* 'orig. criar vermes' '*ext.* corromper(-se)' XX. Do lat. *vermĭnāre* || **vermin**OSE 1899. Do lat. cient. *vermĭnōsis* || **vermin**OSO 1844. Do lat.

verminōsus || **vermí**voro 1890. Do fr. *vermivore* || **vermizela** *sf.* 'verme de terra, nocivo às raízes de certas plantas' | *-lla* 1899 | Do it. *vermicèllo*, deriv. do lat. *vermicellus, dim. de *vermicŭlus*.
⇨ **verme** — **vermículo** 1836 sc || **vermin**oso | 1836 sc |.
vermelho *adj.* 'da cor do sangue' xiii. Do lat. *vĕrmĭcŭlus* || Avermelhado 1500 || Avermelhar xviii || vermelhão | *-lhon* xiv || vermelhidão | *-idom* xv, *-idoen* xiv.
verm·icida, -iculado, -iculária, -iculita, -ículo, -iculoso, -iculura, -iforme, -ífugo, -ina, -inação, -inar, -inose, -inoso, -ívoro, -izela → VERME.
vermute *sm.* 'tipo de vinho' | *-muth* 1881 | Do fr. *vermouth*, deriv. do al. *Wermut*.
vern·al, -ante → VERNO.
vernáculo *adj. sm.* 'próprio da região em que está, nacional' xvii. Do lat. *vernācŭlus* || **vernacul**IDADE 1881.
verniz *sm.* 'solução de goma ou de resina, usada para recobrir e proteger metais, madeiras etc.' xiii. Do a. fr. *verniz* (hoje *vernis*), ou do it. *vernice*, deriv. do lat. tard. *veronīncē* e, este, do b. gr. *vernonikē*, do top. *Berenī'kē*, cidade da Cirenaica de onde vieram os primeiros vernizes || des·envernizar 1899 || envernizado | *emvernizadas* f. pl. xv || envernizar | *-sar* 1813.
⇨ **verno** *adj.* 'vernal' 1844. Do lat. *vernus* || vernal *adj.* 2g. 'relativo à primavera' xvi. Do lat. tard. do *vernālis* || vernante 1858. Do. lat. *vernans -antis*, part. de *vernāre* 'estar na primavera'.
verno | *a* 1542 jcase 77.23 |.
ver·o, -ossímil, -ossimilhança → VERDADE.
verrina *sf.* 'orig. cada um dos discursos de Cícero (106-43 a.C.), político, escritor e o maior dos oradores romanos, contra Verres, procônsul romano (ii-i a.C.)' 'ext. censura violenta' xix. Do lat. *verrīna*, do antrop. *Verres -is*.
verruga *sf.* 'pequena saliência consistente, na pele' | xv, *be-* xiv | Do lat. *verrūca* || verrucal xvii || verrucária *sf.* 'girassol' 1813. Do lat. cient. *verrūcāria* || verrucí·fero 1899 || verrucí·forme 1899. Do ing. *verruciform* || verrugoso 1813. Do lat. *verrūcōsus*.
verruma *sf.* 'instrumento cuja extremidade inferior é lavrada em hélice e acaba em ponta, usada para abrir furos na madeira' xvi. De origem obscura || verrumar 1813.
versa[1] *sf.* 'estado das searas acamadas pela chuva ou por outra causa' xx. Do fr. *verse* || versudo *adj.* 'diz-se do pão das searas, muito acamado' xvii. Cp. VERSAR.
⇨ **versa**[1] 'estado das searas acamadas pela chuva ou por outra causa' | 1657 fmme1v 32.20 |.
versa[2] → VERSO[1].
versado → VERSAR.
versal, -ete → VERSO[1].
versar *vb.* 'orig. volver, manejar' 'ext. considerar' xvii. Do fr. *verser*, deriv. do lat. *versāre* || versa·do *adj.* 'bom conhecedor' 1813. Do lat. *versātus*, part. de *versāre* || versão *sf.* 'orig. ato ou efeito de verter ou de voltar' 'ext. tradução' xvi. Adapt. do fr. *version* || versátil *adj.* 2g. 'orig. inconstante, volúvel' 'ext. que tem qualidades variadas' xvi. Do lat. *versātĭlis -e*.

vers·ej·ador, -ar → VERSO[1].
versicolor → VERSO[2].
verso[1] *sm.* 'cada uma das linhas constitutivas de um poema' 'a unidade rítmica de uma poesia' | xiv, *uesso* xiii | Do lat. *versus -ūs* || versa[2] *sf.* 'versos pobres' xvii || versal *adj. sf.* '(Tip.) diz-se de, ou letra de caixa-alta' 1874 || versal·ete *sm.* '(Tip.) tipo que tem a forma de versal e a altura de letra de caixa-baixa da fonte a que pertence' 1874 || versej·ador 1813 || versejar *vb.* 'fazer versos' 1813. || versículo *sm.* 'divisão de artigos ou parágrafos' 1813. Do lat. *versicŭlus -ī*, dim. de *versus* || versífero xvii || versific·ação 1784. Do lat. *versificātiō -ōnis* || versific·ador xiv. Do lat. *versĭfĭcātor -ōris* || versific·ar *vb.* 'versejar' xiv. Do lat. *versificāre* || versífico *adj.* 'respeitante a versos ou à versificação' xviii. Do lat. tard. *versificus*.
⇨ **verso**[1] — **versículo** | 1614 sgonç 147.25 || versific·at·ória | 1660 fmmele 267.15 |.
verso[2] *sm.* 'página oposta à da frente' 'lado oposto a' 1813. Do lat. *versum* 'na direção de, do lado de', part. de *vertĕre* || versicolor *adj.* 2g. 'de várias cores, matizado' 1874. Do lat. *versicŏlor -ōris* || vessar *vb.* 'lavrar com regos profundos, para a preparação de sementeira(s)' xvii. Do lat. *versāre*. Cp. REVERSÃO, VERTER.
versta *sf.* 'antiga medida itinerária russa, equivalente a 1067m' | 1788, *voerste* 1716, *voerte* 1738, *verste* 1781, *werste* 1782 etc. | Do fr. *verste*, deriv. do russo *verstá*.
versudo → VERSA[1].
versuto *adj.* 'manhoso, sagaz, astuto' 1813. Do lat. *versūtus*.
vértebra *sf.* 'cada um dos ossos que formam a espinha dorsal do homem e de outros vertebrados' 1813. Do lat. *vertĕbra* || invertebrado 1873 || vertebró 1873. Do lat. *vertebrātus* || vertebral xix. Do fr. *vertébral*.
⇨ **vértebra** — **vertebr**ADO | 1836 sc |.
verter *vb.* 'derramar, entornar, fazer transbordar' xiii. Do lat *vĕrtĕre* || inversa *sf.* 'proposição de termos invertidos' 1890. Fem. substantivado de *inverso* || inversão *sf.* 'ato ou efeito de inverter(-se)' 1874. Do lat. *inversiō -ōnis* || inversionista xx || inverso *adj.* 'que segue sentido, ordem etc. contrário ao natural' xviii. Do lat. *inversus*, part. de *invertĕre* || inversor 1881 || inverter *vb.* 'voltar ou virar em sentido contrário ao natural' xvii. Do lat. *invertĕre* || invertido 1881 || invertina *sf.* 'diástese que faz a inversão da sacarose' xx || invés *sm.* 'lado oposto, avesso' xvi. Do lat. *inverse, de *inversus* || subversão *sf.* 'ato ou efeito de subverter(-se)' xvi. Do lat. *subversiō -ōnis* || subversivo xix. || subversor 1874. Do lat. *subversor -ōris* || subverter *vb.* 'orig. voltar de baixo para cima' 'ext. destruir, aniquilar' | xvi, *soverter* 1568 | Do lat. *sub-vertĕre* || vertente xvii || vertical *adj.* 2g. 'perpendicular ao plano horizontal' 1813. Do fr. *vertical*, deriv. do lat. tard. *verticālis* || vertical·idade 1881. Do fr. *verticalité* || vértice *sm.* 'cimo, cume, ápice' 1813. Do lat. *vertex -ĭcis* || verticilo *sm.* '(Bot.) conjunto de peças foliáceas colocadas no mesmo nível' 1874. Do fr. *verticile*, deriv. do lat. *verticillus* || vertigem *sf.* 'tonteira, desfalecimento' xvii. Do lat. *vertīgō -ĭnis* || vertiginoso xviii. Do lat. *vertīginōsus*. Cp. VERSO[2].

⇨ **verter** — INVERSOR | 1836 SC || INVERTIDO | 1836 SC || SUBVERSOR | 1836 SC || SUBVERTER | *souerter* XIV BARL 35.*14*, ORTO 152.*15* |.
verve *sf.* 'calor de imaginação que anima o artista, o orador, o conversador etc.' XIX. Do fr. *verve*, deriv. do lat. pop. **verva* (cláss. *verba*, pl. neutro, empregado como fem., de *verbum* 'palavra'). Cp. VERBO.
vesânia *sf.* 'designação comum às várias espécies de alienação mental' 1874. Do fr. *vésanie*, deriv. do lat. *vēsānia* || **vesân**ICO 1899 || **vesano** *adj.* 'demente, insensato' 1844. Do lat. *vē-sānus*.
⇨ **vesânia** — **vesano** | 1836 SC |.
vesco *adj.* 'comestível' 1844. Do lat. *vescus*.
⇨ **vesco** | 1836 SC |.
vesgo *adj.* 'estrábico' | XVIII, *uizco* XIV | De origem controvertida || ENVESGAR 1813.
vesícula *sf.* 'pequena bexiga ou cavidade' 1873. Do fr. *vésicule*, deriv. do lat. *vēsīcŭla*, dim. de *vēsīca* 'bexiga' || **vesic**AL 1873. Do fr. *vésical*, deriv. do b. lat. *vēsīcālis* || **vesic**ANTE 1873. Do fr. *vésicant* || **vesic**AR *vb.* 'produzir vesículas' 1873. Do b. lat. *vēsicāre* || **vesic**AT·ÓRIO 1813. Do fr. *vésicatoire* || **vesicul**OSO 1858. Adapt. do fr. *vésiculeux*, deriv. do lat. *vēsiculōsus*. Cp. BEXIGA.
⇨ **vesícula** — **vesic**ANTE | 1836 SC |.
vespa *sf.* 'designação comum aos insetos himenópteros providos de ferrão na extremidade do abdome e com patas posteriores não achatadas' XIV. Do lat. *vespa*||A**besp**INH·ADO 1844||A**besp**INH·AMENTO 1881 || A**besp**INH·AR *vb.* 'irritar(-se)' 1871 || **vesp**EIRO 1890.
véspera *sf.* 'tarde' 'o dia anterior' XIII. Do lat. *vĕspĕra*. Houve mudança de sentido, porque a tarde é a parte do dia que precede o imediatamente posterior || **vesper**AL¹ *adj.* 2g. XVIII. Do lat. tard. *vesperālis* || **vesper**AL² *sf.* 'festa, cerimônia etc. realizados à tarde' 1920. Nesta acepção o voc. foi introduzido na língua portuguesa, para traduzir o fr. *matinée*, por Cláudio de Sousa, em 1920 || **vespertino** *adj.* 'relativo à, ou próprio da tarde' XVII. Do lat. *vespertīnus*.
vessar → VERSO².
vestal *sf.* 'orig. sacerdotisa de Vesta, deusa do fogo dos romanos'; *adj.* 2g. 'ext. relativo ou semelhante às vestais' XVI. Do lat. *vestālis*, do mit. *Vesta*.
vestíbulo *sm.* 'átrio, portal, entrada' XVI. Do lat. *vestibŭlum -ī* || **vestibul**AR *adj.* 2g. *sm.* XX.
vestid·o, -ura → VESTIR.
vestígio *sm.* 'rastro, pegada, pista' XVI. Do lat. *vestīgĭum -ī*.
vestir *vb.* 'cobrir com veste ou roupa' XIII. Do lat. *vĕstīre* || RE**vest**IMENTO 1844 || RE**vest**IR XIII. Do lat. *revestīre* || **veste** *sf.* 'vestimenta' 1813. Do lat. *vestis -is* || **vést**IA *sf.* 'tipo de casaco curto, folgado na cintura' 1813 || **vesti**ARIA *sf.* 'o conjunto das vestes' XIV || **vesti**ÁRIO | *vestiairo* 1813 || *vestiārĭum -ī* || **vest**IDO *sm.* 'vestimenta feminina' 1813. Do lat. *vestītus -ūs* || **vestid**URA *sf.* 'veste' XIII. Do lat. *vĕstītūra* || **vestimenta** *sf.* 'veste' XIII. Do lat. *vestimenta*, pl. de *vĕstīmĕntum* || **vestu**ÁRIO 1873. Do lat. med. *vestuarĭum*.
vesuvianita *sf.* '(Min.) idocrásio' XX. Do ing. *vesuvianite*, deriv. do lat. *Vesuvĭānus*, do top. *Vesuvĭus -ĭī*, 'Vesúvio'. Com a forma *vesuviana* (< *Vesúvi·o* + -ANA) o voc. ocorre já em 1874.

vetar, vedar *vb.* 'proibir' 'opor o veto a (uma lei)' | *vedar* XIII, *vetar* XX | Do lat. *vĕtāre*. Os dois verbos, embora etimologicamente idênticos, apresentam hoje ligeira gradação semântica: *vedar* tem o sentido geral de 'proibir' e *vetar* liga-se, geralmente, a *veto*, em sua segunda acepção || **ved**AÇÃO 1874 || **veto** *sm.* 'proibição' 'direito que assiste ao chefe de Estado de recusar sua sanção a uma lei votada pelas câmaras legislativas' XIX. Do lat. *vĕto*, 1ª pess. do sing. do pres. do ind. do vb. *vĕtāre*.
vest·e, -ia, -iário → VESTIR.
veterano *adj. sm.* 'antigo no serviço militar' 'antigo e tarimbado em qualquer atividade' 1813. Do lat. *veterānus* || **vetusto** *adj.* 'muito velho' XVII. Do lat. *vetustus*. Cp. VELHO.
⇨ **veterano** | 1582 *Liv. Fort.* 7.*4* |.
veterinário *adj. sm.* diz-se de, ou aquele que exerce a veterinária, medicina dos animais' XVI. Do lat. *veterīnārĭus* || **veterin**ÁRIA 1858.
⇨ **veterinário** — **veterin**ÁRIA | 1836 SC |.
vetiver *sm.* 'planta gramínea originária da Malásia' 1881. Do fr. *vétiver*, deriv. do tamul *veṭṭivēru*.
veto → VETAR.
vetor *sm.* 'segmento de reta orientado' 1813. Adapt. do fr. *vecteur*, deriv. do lat. *vector -ōris*.
vetusto → VETERANO.
véu *sm.* 'tecido com que se cobre qualquer coisa' 'mantilha' *fig.* pretexto' | *veo* XIII, *ueeo* XIV etc. | Do lat. *vēlum* || **bioco** *sm.* 'mantilha para envolver o rosto' XVI. Do *véu*, através de uma forma **veoco* || DES**vel**AR¹ *vb.* 'tirar o véu a' 'descobrir, revelar' XVII || EM**bioc**ADO 1813 || EM**bioc**AR 1813 || **vela**¹ *sf.* 'peça de lona ou de brim destinada a, recebendo o sopro do vento, impelir embarcações ou movimentar moinhos' | XIV, *uea* XIV | Do lat. *vēla*, pl. de *vēlum* || **vel**ADO *adj.* 'coberto com véu' XIX. Do lat. *vēlātus* || **velAME** XVI || **vel**AR¹ *vb.* 'cobrir com véu' XVI. Do lat. *vēlāre* || **vel**AR³ *adj.* 2g. XIX. Do lat. *vēlāris -e* || **vel**ÁRIO *sm.* 'toldo com que, na Antiguidade, se cobriam os circos e teatros, para os defender da chuva' 1899. Do fr. *vélarium*, deriv. do lat. *vēlārĭum* || **velat**URA *sf.* 'ato de cobrir uma pintura com uma leve mão de tinta, de sorte que transpareça a tinta anterior' XX. Do lat. *vēlātus* 'velado' + -URA || **vel**EIRO *adj.* 'diz-se de, ou navio que anda à vela' | *-lleira* f. XV || **vel**EJ·AR *vb.* 'navegar à vela' | *-lle-* XVI | Talvez do it. *veleggiare* ou, mais provavelmente, do cast. *velejar* || **velí·**FERO *adj.* '(Poét.) diz-se da embarcação que tem velas' XVII. Do lat. *velīfĕrum* || **velí·**VAGO 1873 || **velí·**VOLO *adj.* 'que veleja com rapidez' XVII. Do it. *velivolo*, deriv. do lat. *vēlivolus*.
vexar *vb.* 'atormentar, molestar, maltratar, humilhar' XVI. Do lat. *vexāre* || **vex**AÇÃO *vexaçom* XIV, *uexacion* XV | Do lat. *vexātĭō -ōnis* || **vex**ADOR 1874. Do lat. *vexātor -ōris* || **vexame** *sm.* 'vexação, vergonha, ultraje' 1746. Do lat. *vexāmen -ĭnis* || **vexANTE** 1881 || **vex**ATIVO 1881 || **vex**AT·ÓRIO 1858. Adapt. do fr. *vexatoire*.
⇨ **vexar** — A**vex**ADO | 1582 *Liv. Fort.* 44*v*8 | **vex**ADOR | 1836 SC || **vexame** | *uexame a* 1595 *Jorn.* 189.*12* |.
vexilo *sm.* 'ant. estandarte, bandeira' | *-llo* XVII |; '(Bot.) pétala superior ou posterior, maior e dife-

rentemente conformada, da corda papilonácea' XX. Do fr. *vexille*, deriv. do lat. *vexillum -ī* || **vexil**AR *adj. 2g.* '(Bot.) relativo ao, ou que apresenta vexilo' | *-llar* 1899 | Do fr. *vexillaire*.
vez *sf.* 'termo que indica um fato na sua unidade ou na repetição' 'ensejo, ocasião' XIII. Do lat. *vĭcĭs* || RE**vez**AR *vb.* 'trocar de posição, alternar' XV || RE**vezo** *sm.* 'posto para onde se transfere o gado, enquanto se espera recrescer o capim no lugar onde ele pastava' XVI. Dev. de *revezar*. Cp. VICÁRIO.
vezo *sm.* 'costume vicioso ou criticável' XVI. Do lat. *vĭtĭum -ī* || A**vez**AR 1500 || **vez**EIRO 1844. Cp. VÍCIO.
⇨ **vezo** — **vez**EIRO | 1836 SC |.
via *sf.* 'caminho' XIII. Do lat. *vĭa* || A**vi**ADOR² *sm.* 'aquele que avia' XX || A**vi**AMENTO | XVI, *auj-* XIV, *avy-* XV || A**vi**AR *vb.* 'executar, concluir' | *aujar* XIV || DES**vi**ADO XIV || DES**vi**AMENTO XV || DES**vi**AR *vb.* 'mudar a direção de' 'afastar' XIII. Do lat. *dēvĭāre* || DES**vio** *sm.* | XVI, *-vyo* XIV | Der. regress. de *desviar* || EXTRA**vi**AR XVII || EXTRA**vio** *sm.* 1813. Dev. de *extraviar* || IN**vi**ABIL·IDADE 1899 || IN**vi**ÁVEL 1899 || ÍN**vio** *adj.* 'em que não há caminho' XVI. Do lat. *invĭus* || I**vi**ABIL·IDADE *sf.* 'qualidade de viável' 1899. Adapt. do fr. *viabilité* || **vi**AÇÃO *sf.* 'conjunto de estradas e caminhos' XIX || **vi**ADOR *sm.* 'viajante, passageiro, mensageiro' XIII. Do lat. *viātor -ōris* || **viaduto** *sm.* 'construção destinada a transpor uma depressão do terreno ou a servir de passagem superior' 1854. Adapt. do ing. *viaduct*, criado pelo modelo de *aqueduct* 'aqueduto' || **vi**AND·ANTE XIII || **vi**ANDAR *vb.* 'viajar, peregrinar' XVIII || **viário** *adj.* 'referente à viação' 1899. Do lat. *viārius* || **viático** *sm.* 'farnel' XVI. Do lat. *viātĭcum -i* || **vi**ATURA *sf.* 'qualquer veículo' | 1890, *vectura* XVII | Adapt. do fr. *voiture*, deriv. do lat. *vectūra* || **vi**ÁVEL *adj. 2g.* 'orig. transitável' '*ext.* exequível, realizável' 1858. Adapt. do fr. *viable* || **vi**ELA³ *sf.* 'beco' | *-lla* 1874.
⇨ **via** — **vi**ELA³ | 1836 SC |.
viagem *sf.* 'ato de ir de um a outro lugar relativamente afastados' | XIV, *-ge* XIII | Do prov. *viatge*, deriv. do lat. *viatĭcum -i* 'provisões de viagem', de *vĭa* || **viag**EIRO XVIII || **viaj**ADO 1899 || **viaj**ANTE 1813 || **viaj**AR 1813 || **viaj**OR *sm.* 'viageiro' 1844. Cp. VIA.
⇨ **viagem** — **viaj**OR | 1836 SC |.
vianda *sf.* 'comida' XIII. Do fr. *viande*, deriv. do lat. vulg. *vivanda*, alter. de *vivenda*, neutro pl. substantivado de *vivendus*, adj. verbal de *vīvĕre* 'viver' || **viand**EIRO XV.
vi·andante, -andar → VIA.
viandeiro → VIANDA.
viário → VIA.
viatã *sf.* 'farinha de mandioca seca' | *vyatà* 1663, *vuatá* 1675 | Do tupi *uia'tã* < *u'i* 'farinha' + *a'tã* 'dura'.
vi·ático, -atura, -ável → VIA.
víbora *sf.* 'réptil ofídio, da fam. dos viperídeos ou cobrídeos' '*fig.* pessoa de má índole ou de mau gênio' | XVII, *bibera* XIV, *bibora* XVI | Do lat. *vīpĕra* || EN**viper**AR 1813 || **viper**EO *-rea* f. XVIII | Do lat. *vīpĕrĕus* || **viper**INO *adj.* XVI. Do lat. *viperīnus*.
vibrar *vb.* 'orig. agitar, brandir' '*ext.* pulsar, dedilhar, tanger, ferir' XVI. Do lat. *vibrāre* || **vibr**A-ÇÃO 1813. Adapt. do fr. *vibration*, deriv. do lat. *vibrātĭō -ōnis* || **vibr**ANTE XVII || **vibr**ÁT·IL 1873. Do fr. *vibratile* || **vibr**AT·IL·IDADE XX || **vibr**ATO *sm.* '(Mús.) efeito técnico que consiste em produzir uma ligeira oscilação na altura de um som, a fim de reforçar o valor expressivo das notas' XX. Do it. *vibrato* || **vibr**AT·ÓRIO 1813. Adapt. do fr. *vibratoire* || **vibrião** *sm.* 'gênero de bactérias' 1873. Do fr. *vibrion* || **vibrissas** *sf. pl.* 'pelos que crescem nas fossas nasais' | *-ssa* sing. 1873 | Do fr. *vibrisse*, deriv. do lat. tard. *vibrissae*.
⇨ **vibrar** — **vibr**AÇÃO | 1721 RB |.
viburno *sm.* 'designação comum a plantas da fam. das caprifoliáceas, cultivadas como ornamentais' 1873. Do lat. *vīburnum -ī*.
vicário *adj.* 'que faz as vezes de outrem ou de outra coisa' | *uicarios* pl. XIV, *vicairio* XV | Do lat. *vicārĭus* || **vicari**ATO *sm.* 'cargo ou exercício de vigário' 1813. Do it. *vicàriato*. Cp. VEZ, VIGÁRIO.
vice- *elem. comp.*, deriv. do lat. *vice-*, da prep. *vice* 'em lugar de' 'que substitui a', que já se documenta em um ou outro composto no lat. tard. (como *vicequaestor*) mas que, no lat. med., ocorre com bastante frequência (como *vicecomes*, *viceconsul*, *vicedecanus* etc.). Em português e nas demais línguas de cultura o pref. ocorre, quase sempre precedido de hífen, para designar aqueles indivíduos que substituem outros, temporária e/ou regularmente, em cargos diversos, na ausência do titular do cargo ou, então, como seu assistente imediato: *vice-almirante, vice-chanceler, vice-presidente* etc. O pref. evoluiu para *vis-* (*biz-, viz-*) em *visconde* (cp. *bisconde* e *bizconde* no séc. XIV, *vizconde* no séc. XV) e para *viso-* no a. port. *viso-rei* (hoje *vice-rei*), fartamente documentado em textos do séc. XVI.
vicenal *adj. 2g.* 'que se faz ou renova de 20 em 20 anos' 1873. Do fr. *vicennal*, deriv. do lat. *vicēnālis -e* || **vicênio** *sm.* 'período de vinte anos' 1854. Do lat. tard. *vīcennium*. Cp. VINTE.
⇨ **vice-provincialado** → PROVÍNCIA.
vicéssimo → VINTE.
vicinal → VIZINHO.
vício *sm.* 'defeito grave que torna uma pessoa ou coisa inadequadas para certos fins ou funções' 'costume prejudicial e condenável' XIII. Do lat. *vĭtĭum -ī* || **vici**AÇÃO 1873. Do lat. *vitiātĭō -ōnis* || **vici**ADOR 1813. Do lat. *vitiātōr -ōris* || **vici**OS·IDADE 1813. Do lat. *vitiōsĭtās -ātis* || **vici**OSO XIV. Do lat. *vitiōsus* || **viço** *sm.* 'vigor, exuberância de vida' XIII. Forma divergente popular de *vício*, do lat. *vĭtĭum -ī*. Até o séc. XV, os vocs. *vício* e *viço* eram usados, indiferentemente, nas duas acepções 'vigor, gozo, deleite' e 'defeito de caráter, pecado'; a partir daí, *viço* assumiu a 1ª acepção e *vício*, a 2ª || **viço**OSO *adj.* 'feliz, contente' XIII. Forma divergente de *vicioso*, do lat. *vitiōsus*. Cp. VEZO.
vicissitude *sf.* 'mudança ou variação de coisas que se sucedem' 'alternativa' 1813. Do fr. *vicissitude*, deriv. do lat. *vicissitūdō -ĭnis*.
viç·o, -oso → VÍCIO.
vicunha *sf.* 'quadrúpede ruminante que produz lã finíssima' 'a lã da vicunha' 'tecido feito dessa lã' XVII. Do cast. *vicuña*, deriv. do quíchua *uikúña*.
vida *sf.* 'conjunto de propriedades e qualidades graças às quais animais e plantas se mantêm em

contínua atividade' XIII. Do lat. *vīta* ‖ **A**vit**AMIN**·**OSE** XX. Do fr. *avitaminose* ‖ vit**AL** | XVI, *-dal* XV | Do lat. *vītālis -e* ‖ vital**ICI**·**EDADE** XX ‖ vital**ÍCIO** *adj.* que dura a vida inteira' 1813 ‖ vital**IDADE** XVII. Do lat. *vītālītās -ātis* ‖ vital**IZAR** XX ‖ vit**AMINA** XX. Do ing. *vitamine* 'amina vital', voc. criado em 1912, com base no lat. *vīta* 'vida' e o ing. *amine* 'amina'.
vidama *sm.* 'governador temporal de terras de um bispado, ou que mantinha a posse delas como feudo hereditário' 1813. Do fr. *vidame*, deriv. do lat. ecles. *vicedomĭnus* 'lugar-tenente de príncipe'.
vidar *sm.* 'instrumento com que se fabricavam os dentes aos pentes' 1881. De origem obscura.
vide *sf.* 'ramo de videira' XIV. Do lat. *vītis -is* ‖ **ES**-vidig**AR** *vb.* 'podar as videiras' 1813 ‖ vid**EIRA** *sf.* 'trepadeira lenhosa, da fam. das vitáceas, cultivada no mundo inteiro por seus apreciados frutos, as uvas' XIV. Cp. VITI-.
vid·**ência, -ente, -eo, -eoteipe** → VER.
vidoeiro *sm.* 'bétula' | *bidueyro* XIII | De **vido* (< **vidoo* < lat. **betula*) + -EIRO.
vidro *sm.* 'substância sólida, transparente e quebradiça, que se obtém pela fusão e consequente solidificação duma mistura de quartzo, carbonato de cálcio e carbonato de sódio' XIII. Do lat. *vĭtrĕum* 'vítreo, de vidro', deriv. de *vĭtrum* 'vidro' ‖ **EN**vidraç·**AR** 1813 ‖ vidr**AÇA** *sf.* '*orig.* lâmina de vidro' *'ext.* caixilhos com vidros para janela ou porta' | XVI, *-ço* m. XV ‖ vidraç·**ARIA** *sf.* 'conjunto de vidraças' 1844; 'vidraria' XX ‖ vidr**AC**·**EIRO** XVII ‖ vidr**ADO** XIV ‖ vidr**ARIA** 1813 ‖ vidr**EIRA** *sf.* '*ant.* vitral' XIII ‖ vidr**ILHO** *sm.* 'espécie de conta ou miçanga de vidro, usado na confecção de ornatos e bordados sobre tecido' XIX ‖ vitr**AL** *sm.* 'vidraça de cores ou com pinturas sobre o vidro' 1899. Adapt. do fr. *vitrail* ‖ **vítreo** *adj.* 'de vidro' XVI. Do lat. *vĭtrĕum* ‖ vitresc**IBIL**·**IDADE** 1874 ‖ **vitrescível** *adj.* 2g. 'vitrificável' 1874. Adapt. do fr. *vitrescible*, deriv. do lat. *vitrēscĕre* ‖ vitri**FIC**·**AÇÃO** 1813. Do fr. *vitrification* ‖ vitri**FIC**·**AR** *vb.* 'converter em vidro' 1813. Adapt. do fr. *vitrifier*, deriv. do lat. med. *vitrificāre* ‖ **vitr**ina, vitr**INE** *sf.* 'vidraça através da qual ficam expostos objetos destinados à venda' 1873. Do fr. *vitrine* ‖ **vitríolo** *sm.* 'designação comum a vários sulfatos' 1813. Do lat. med. *vitriolum*, devido à aparência vítrea dos sulfatos ‖ vitró·**FIRO** *sm.* 'rocha magmática de textura porfírica, na qual os fenocristais se encontram em meio de uma matriz de aspecto vítreo' XX. De *vitro* (< lat. *vĭtrum*) + *-firo*, da terminação de *(pór)firo*.
⇨ **vidro** — vidr**AÇ**·**ARIA** 'conjunto de vidraças' | 1836 SC ‖ vitresc**ÍVEL** | 1836 SC ‖ vitr**INA** | *vitrine* 1861 *in* ZT |.
vidual → VIÚVA.
vieçacoatinga *sf.* 'farinha de mandioca cozida' | *vyêçacoátinga* 1663 | Do tupi *uiesakųa'tiṅa*.
vieira → VENÉREO.
viela[1] *sf.* '(Mús.) cada um dos diversos tipos de instrumentos de cordas friccionáveis que apareceram por volta do séc. XI' 1844. Do fr. *vielle*.
viela[2] *sf.* 'ferro com argolas no rodízio dos moinhos' 1813. Do fr. *bielle*. Cp. BIELA.
⇨ **viela**[3] → VIA.
viés *sm.* 'direção oblíqua' | *vyees* XV | Do fr. *biais* ‖ **EN**vies**ADO** 1813 ‖ **EN**vies**AR** 1813.

⇨ **viés** — **EN**vies**ADO** | *imuiasado c* 1541 JCASR 289.8 |.
viga *sf.* 'peça de construção horizontal, utilizada em construções' XIII. De origem incerta; provavelmente do lat. *bīga* 'parelha de cavalos' 'carro puxado por dois cavalos', supondo-se que tomou mais tarde o sentido de 'timão de carreta', de onde 'madeira larga, viga' ‖ vig**AMENTO** 1813.
⇨ **viga** — vig**AMENTO** | 1789 MS ‖ vig**AR** | 1721 RB ‖ vig**OTA** | 1789 MS |.
vigário *sm.* '*orig.* vicário' '*ext.* padre que faz as vezes do prelado, ou que substitui o pároco' XIII. Do lat. *vĭcārĭus* ‖ vigar**ISTA** *s2g.* 'velhaco, trapaceiro' XX. Cp. VICÁRIO.
vig·**ência, -ente, -er** → VIGOR.
vigésimo → VINTE.
vigiar *vb.* 'observar atentamente' 'velar por' 'espreitar' XIII. Do lat. *vigĭlāre* ‖ **IN**vigil**ÂNCIA** 1813 ‖ **IN**vigil**ANTE** 1813 ‖ **vigia** *sf.* 'vigília' XIII. Do lat. *vĭgĭlĭa* ‖ vigi**ANTE** XIV ‖ **vígil** *adj.* 2g. 'que está velando, que vigia' 1899. Do lat. *vigil -ĭlis* ‖ vigil**ÂNCIA** XVI. Do lat. *vigilantĭa* ‖ vigil**ANTE** XVI. Forma divergente erudita de *vigiante*, do lat. *vigĭlāns -antis* ‖ vigil**AR** *vb.* 'vigiar' 1881. Do lat. *vigĭlāre* ‖ **vigília** *sf.* | XIII, *-llia,* XIV | Do lat. *vĭgĭlĭa.* Cp. VELAR[2].
vigintivi·**rado, -rato, -ro** → VINTE.
vigor *sm.* '*orig.* força, robustez, energia' '*ext.* valor' 'vigência' XV. Do lat. *vigŏr -ōris* ‖ **A**vigor**AR** 1881 ‖ **RE**vigor**AR** 1858 ‖ vig**ÊNCIA** XX ‖ vig**ENTE** 1844. Do lat. *vigens -entis*, part. de *vĭgēre* ‖ vig**ER** *vb.* 'ter vigor, ou estar em vigor, ou em execução' XIX. Do lat. *vĭgēre* ‖ vigor**ANTE** 1813. Do lat. *vigorans -antis*, part. de *vigōrāre* ‖ vigor**AR** *vb.* 'dar vigor a' 1813. Do lat. *vigōrāre* ‖ vigor**OSO** XVII.
vil *adj.* 2g. 'reles, ordinário, desprezível, infame' XIII. Do lat. *vīlis -e* ‖ **A**vilt**ADO** | XIV, *vil-* XIII ‖ **A**vilt**AMENTO** 1813 ‖ **A**vilt**ANTE** 1881 ‖ **A**vilt**AR** XIII ‖ **EN**vilec·**ER** *vb.* 'tornar vil' 1813. Do lat. tard. *invīlēscere* ‖ **vilan**ia | *-llanya* XIV, *vylanya* XIV | De *vilão* ‖ **vilão** *sm.* 'patife, abjeto, vil' XIII. Do lat. vulg. **villanus* ‖ vil**EZA** XIII ‖ **vili**·**FICAR** *vb.* 'envilecer' XVIII | Do lat. ecles. *vilificare* ‖ **vilipêndio** *sm.* 'desprezo' XVI. Do b. lat. *vilipendium* ‖ **vilta** *sf.* XIV. Der. regress. de *viltar* ‖ **vilt**ança *sf.* '*ant.* desprezo' XIII ‖ vilt**AR** *vb.* 'aviltar' XIII. Do lat. tard. *vīltāre.* Cp. VILA.
vila *sf.* 'povoação, cidade' XIII. Do lat. *vīlla* ‖ vil**AR** *sm.* 'pequena vila' | *-llar* 1874 | Substantivação do adj. lat. *vīllāris -e* ‖ vilar**EJO** *sm.* 'vilar' XX ‖ **vile**·**giatura** *sf.* 'temporada que se passa numa casa de campo' 'veraneio' | *-lle* 1899 | Do it. *villeggiatura.* Cp. VIL.
⇨ **vila** — vil**AGEM** *sf.* 'vila, pequena povoação' | *villagens* pl. 1660 FMMElE 260.*2* | do fr. *village* ‖ vil**AR** | *villar* 1836 SC |.
vilancete *sm.* 'composição poética, em geral curta e de caráter campesino' XVI. Do cast. *villancete*, de *villa* 'vila' ‖ **vilancico** *sm.* 'gênero de canção do séc. XVI, cujo tema é amoroso ou elogioso' XIX. Do cast. *villancico.* Cp. VIL, VILA.
vil·**ania, -ão** → VIL.
vil·**ar, -arejo, -egiatura** → VILA.
vil·**ta, -tar** → VIL.
vileza → VIL.
vilífero → VELOSO.

vili·ficar, -pendiar, -pêndio → VIL.
vilos·ite, -o → VELOSO.
vime *sm.* 'vara de vimeiro tenra e flexível' | *-men* XIV, *uimees* pl. XIV | Do lat. *vīmen -ĭnis* || **vim**EIRO *sm.* 'salgueiro' 1858 || **vimín**EO 1858. Do lat. *vimĭnĕus* || **vim**INOSO XVII.
↪ **vime** — **vimín**EO | 1836 SC |.
vimojipaba *sf.* 'recipiente para cozinhar a farinha de mandioca' | *vymoyipaba* 1663 | Do tupi *uimoïi'paµa* < *u'i* 'farinha' + *moïi'paµa* 'recipiente para cozinhar' (cp. tupi *maemoïi'paµa* 'cozinha').
vin·áceo, -agre, -agreira, -ário → VINHO.
vinc·endo, -etóxico → VENCER.
vinco *sm.* 'aresta ou marca produzida por uma dobra' XIII. De origem obscura || **desvinc**AR 1899 || **vinc**AR XX.
vínculo *sm.* 'tudo o que ata, liga ou aperta' XVI. Do lat. *vincŭlum -i* || **desvencilh**AR 1844. De *vencelho* || **vencelho** *sm.* 'atilho de vime, palha etc.' | XVI, *-llo* XIII | Do lat. **vencĭcŭlum*, de *vincŭlum* || **vincul**AR[1] *adj. 2g.* XV || **vincul**AR[2] *vb.* XV. Do lat. *vinculāre* || **vincul**ATIVO 1813 || **vincul**AT·ÓRIO 1813.
↪ **vínculo** — **desvencilh**AR | 1836 SC |.
vinda → VIR.
vindicar *vb.* '*orig.* vingar' '*ext.* reclamar ou exigir em juízo' XVI. Do lat. *vĭndĭcāre*. Forma divergente culta de *vingar* || **REIvindic**AÇÃO 1813. Adapt. do fr. *revendication*, deriv. do lat. *jur. rei vindicātĭō* 'ação de reclamar uma coisa' || **REIvindic**AR 1813. De *reivindicação* || **REvindi(c)ta** 1844 || **vindic**AÇÃO XVII. Do lat. *vindicātĭō -ōnis* || **vindic**ANTE XX || **víndice** *adj. s.2g.* 'vingador' 1881. Do lat. *vindex -ĭcis* || **vindíci**A *sf.* 'ato ou efeito de vindicar' 1881. Do lat. *vindicĭa* || **vindi(c)ta** *sf.* 'punição legal' 'vingança' | XVI, *vendeita* XIII, *vendita* XIV, *vin-* XIV | Do lat. *vindicta* || **ving**ADOR XIII || **ving**ANÇA XIII || **ving**AR *vb.* 'desforrar, castigar' XIII. Do lat. *vĭndĭcāre* || **ving**ATIVO 1813.
↪ **vindicar** — **REvind(c)ta** | 1836 SC || **vindíci**A | 1836 SC || **ving**ATIVO | 1660 FMMeIE 104.6 |.
vindima *sf.* 'colheita de uvas' | XVI, *vendimia* XIII, *-ma* XIV | Do lat. *vindēmĭa* || **vindim**ADOR 1813. Do lat. *vindēmĭātor -ōris* || **vindim**AL 1881. Do lat. tard. *vīndēmĭālis* || **vindim**AR | XVI, *uendimiar* XIII | Do lat. *vindēmĭāre*.
vindouro → VIR.
víneo → VINHO.
ving·ador, -ança, -ar, -ativo → VINDICAR.
vinho *sm.* 'bebida alcoólica de amplo consumo, resultante da fermentação total ou parcial do mosto da uva' XIII. Do lat. *vīnum -ī* || **avinagr**ADO XVIII || **avinh**ADO[1] *sm.* 'bras. curió' XX || **avinh**ADO[2] *adj.* XVI || **avinh**AR XVII || **vin**ÁCEO XVII. Do lat. *vīnācĕus* 'de vinho, de uvas' || **vinagre** *sm.* 'produto oriundo da transformação em ácido acético do álcool contido em certas bebidas, pela fermentação' 1813. Do cast. *vinagre*, deriv. do lat. *vīnum acre* || **vinagr**EIRA 1813 || **vin**ÁRIO *adj.* 'do, ou referente ao vinho' 1873. Do lat. *vīnārĭus* || **vín**EO *adj.* '(Poét.) vináceo' XVIII. Do lat. *vīnĕus* || **vinha** *sf.* 'terreno plantado de videiras' | *vinna* XIII, *vÿa* XIII etc. | Do lat. *vīnĕa* || **vinhático** *sm.* 'designação comum a duas espécies de plantas da fam. das leguminosas, providas de excelentes madeiras amarelas' 1813. Do lat. *vīneātĭcus* 'de vinha' || **vinh**EDO 1813 || **vinh**ETA *sf.* 'tipo de ornato tipográfico' 1838. Do fr. *vignette*, de *vigne* 'vinha', pois, originariamente, tais ornatos representavam cachos e folhas de videira || **vín**ICO 1881. Do fr. *vinique* || **viní·**COLA 1881. Do fr. *vinicole* || **vini·**CULT·OR 1890 || **vini·**CULT·URA 1881. Do fr. *viniculture* || **viní·**FERO 1881. Do fr. *vinifère*, deriv. do lat. *vīnĭfĕrum* || **vini·**FICAR XX || **vinolência** 1844. Do lat. *vīnolentĭa* || **vinolento** *adj.* 'que ingere muito vinho' 1813. Do lat. *vīnolentus* || **vin**OS·IDADE 1881. Do lat. *vīnōsĭtās -ātis* || **vin**OSO *adj.* 'que produz vinho' 1844. Do lat. *vīnōsus*. Cp. VITI-.
↪ **vinho** — **avinagr**ADO | 1539 *in* CDP IV.150.5 || **vinagre** | XIV ORTO 242.*24*, XV LOPP 31.*95* || **vinagr**EIRO | 1657 FMMeIv 17*v*14 || **vin**ÁRIO | 1836 SC || **vinolência** | 1836 SC || **vin**OSO | 1836 SC |.
vinte *num.* '20, XX' | XIII, *viinte* XIII etc. | Do lat. *vĭgĭntī* || **vicéssimo** XIII. Forma divergente erudita de *vigésimo*, do lat. *vīcēsĭmus* || **vigésimo** *num.* 'ordinal e fracionário correspondente a vinte' | *-ssimo* XVI | Do lat. *vĭgēsĭmus* || **vigintivirado, vigintivirato** *sm.* 'cargo ou dignidade de vigintíviro' 1899. Do lat. *vĭgintīvirātus* || **vigintíviro** *sm.* 'cada um dos 20 magistrados romanos' 1899. Do lat. *vigintīvĭrī -ōrum* || **vintém** *sm.* 'antiga moeda, equivalente a 20 réis' | *vintees* pl. XVI | Do arc. *vinteno* (< *vinte*) || **vintena** *num.* '*ant.* vigésimo' XIII. Fem. do arc. *vinteno*. Cp. VICENAL.
viola[1] → VIOLETA[1].
viola[2] *sf.* '(Mús.) instrumento de cordas dedilháveis e que se assemelha ao violão na forma e na sonoridade' XVI. Do prov. *viola, viula*, deriv. do lat. med. *vĭdula, vĭtula* || **viol**ÃO *sm.* 'instrumento musical de madeira, com seis cordas, dedilháveis, dotado de caixa de ressonância em forma de 8' 1844 || **viol**AR[2] *vb.* '*ant.* tocar viola[2]' XIII || **viol**EIRO 1844 || **viol**ETA[2] *sf.* 'viola[2]' | *-tta* 1858 | Do it. *violetta*, de *viòla* 'viola[2]'.
↪ **viola**[2] | XIII CSM 8.*2* || **viol**ÃO | *violões* pl. 1634 MNor 274.*16* | **viol**EIRO | 1836 SC || **viol**ETA[2] | 1836 SC |.
viol·abilidade, -ação → VIOLAR[1].
violáceo → VIOLETA[1].
violador → VIOLAR[1].
violão → VIOLA[2].
violar[1] *vb.* 'ofender com violência' 'transgredir, profanar' XV. Do lat. *vĭŏlāre* || **inviol**ABIL·IDADE 1813. Do fr. *inviolabilité*, deriv. do lat. tard. *invĭŏlābĭlĭtās -ātis* || **inviol**ADO XVI. Do lat. *in-violātus* || **inviolÁVEL** XVII. Adapt. do fr. *inviolable*, deriv. do lat. *invĭolābĭlis -e* || **viol**ABIL·IDADE XX || **viol**AÇÃO 1813. Do fr. *violation*, deriv. do lat. *violātĭō -ōnis* || **violADOR** XVI. Do lat. *violātor -ōris* || **viol**ÁVEL XVI. Do lat. *violābĭlis -e* || **viol**ÊNCIA *sf.* 'qualidade de violento' | *-lemçia* XV | Do lat. *violentĭa* || **viol**ENT·AÇÃO XX || **viol**ENT·AR *vb.* 'exercer violência sobre' 'forçar, coagir' 1813. Do fr. *violenter* || **viol**ENTO *adj.* 'impetuoso' XVI. Do lat. *violentus*.
↪ **violar**[1] — **des·enviol**AR | 1614 SGonç II.443.*30* || **inviol**ÁVEL | *a* 1542 JCASE 25.*3* || **viol**ENTAR | *c* 1644 Aned. 41.*18* |.
viol·ar[2], **-eiro** → VIOLA[2].
viol·ência, -entação, -entar, -ento → VIOLAR[1].
violeta[1] *sf.* 'erva humílima, da fam. das violáceas, de origem europeia, muito cultivada pelo valor decorativo e pelo perfume, e que floresce mal em cli-

mas quentes'; *adj. 2g. 2n.* 'da cor da violeta, roxo' XIII. Do fr. *violette*, deriv. do a. fr. *viole* e, este, do lat. *viŏla* 'violeta' || **viola**¹ *sf.* 'violeta' XIV. Do a. fr. *viole* || **viol**ÁCEO *adj.* 'referente ou semelhante à (cor da) violeta' XVII. Do lat. *violācĕus*.
violeta² → VIOLA².
violino *sm.* 'instrumento tipo (e o de tessitura mais aguda) do moderno quarteto de arcos, feito de madeira e dotado de quatro cordas afinadas em quintas justas, e que se ferem com um arco' 1874. Do it. *violino* || **violin**ISTA 1881. Do it. *violinista* || **violoncel**ISTA | *-llon-* 1881 | Do it. *violoncèllista* || **violoncelo** *sm.* 'instrumento musical com a forma do violino, mas de grandes dimensões' | *-llo* 1858 | Do it. *violoncèllo*. Cp. VIOLA².
⇨ **violino** | 1836 SC |.
vipér·eo, -ino → VÍBORA.
vipuba *sf.* 'variedade de farinha de mandioca' | *vypuba* 1663 | Do tupi *ui'puŋa* < *u'i* 'farinha' + *'puŋa* 'mole'.
vir *vb.* 'transportar-se de um lugar (para aquele em que estamos)' | *uijr* XIII, *viinr* XIII etc. | Do lat. *vĕnīre* || PORvir *sm.* 'futuro' XVI || ven IDA *sf.* 'investida repentina do inimigo' 'golpe de espada, na esgrima, para ferir' XX. Do cast. *venida*, de *venir* 'vir' || **venturo** *adj.* 'vindouro' 1873. Do lat. *ventūrus*, part. de *vĕnīre* || **vinda** *sf.* 'ato ou efeito de vir' | XV, *viĭda* XIII etc. | Do lat. **venita* | **vindouro** *adj.* 'que há de vir ou acontecer' | *vījdoyra* f. XIV | De vindo, part. de *vir.*
⇨ **vir** — ven IDA | 1836 SC || **venturo** | 1836 SC |.
vira¹ *sf.* 'tira de couro, especialmente a que se costura entre as solas do calçado, junto à borda destas' XVI. Do lat. *viriae -ārum* 'espécie de bracelete'.
vira² → VIRAR.
vira³ *sf.* '*ant.* seta aguda' XIV. De origem incerta; provavelmente do a. fr. *vire*, deriv. de um lat. vulg. **vĕrĭa* (cláss. *vĕrŭa*, pl. de *veru* 'dardo') || **virot**ÃO *sm.* 'virote grande' | *biratooes* pl. XV, *ujratooes* pl. XV, *viratã* XV || **vir**OTE *sm.* 'seta curta' XV.
virabrequim *sm.* 'em um motor de explosão, peça que possibilita o movimento alternado dos êmbolos' XX. Do fr. dialetal *virebrequin* (fr. *vilebrequin*), deriv. do méd. neerl. *wimmelkiÿn*, dim. de *wimmel*, com infl. do flam. *boorkin*.
vir·ação, -acento, -ado → VIRAR.
virago *sf.* 'mulher robusta e de maneiras grosseiras' 'machão' XIV. Do lat. *virāgō -ĭnis* 'mulher forte ou corajosa como um homem'.
virar *vb.* 'mudar de um para outro lado a direção ou a posição de' XVII. Do fr. *virer*, deriv. do lat. **virāre*, que se supõe resultar do cruzamento de *gyrāre* 'girar' com *vibrāre* 'vibrar' ou com *vertere* 'voltar, virar' || DESviRAR 1899 || REvira *sf.* 'certa dança negra' 1899 || REvirADO 1844 || REviRAR XVII || REviraVOLTA *sf.* 'ato de (fazer) voltar em direção oposta à que se seguia' 1858 || REvirETE *sm.* 'dito picante, gracejo' XVII || **vira**² *sf.* 'música popular e dança acompanhada de instrumentos típicos' XX || vir AÇÃO *sf.* 'vento brando, aragem, brisa' XV. Provavelmente adapt. do it. *virazione* || viraCENTO *sm.* 'apóstrofo' 1813 || virADO 1813 || viraVOLTA *sf.* 'volta completa' 'reviravolta' 1813.
⇨ **virar** — REvirADO | 1836 SC |.
virente → VERDE.

virgem *sf.* 'mulher que não teve relações sexuais com homem' 'donzela' XIII. Do lat. *vĭrgō -ĭnis* || DESvirginAR 1899. Do lat. *dēvirgĭnāre* || **virgin**AL XIV. Do lat. *virgĭnālis -e* || **virgindade** *sf.* 'estado ou qualidade de virgem' | *uergĩidade* XIII, *uir-* XIII, *virgĩjndade* XIV, *virgen-* XV | Do lat. *virgĭnĭtas -ātis* || **virgín**EO 1572. Do lat. *virgĭnĕus* 'de virgem' || **virgo** *sf.* '*ant.* virgem' XIII; *sm.* 'o sexto signo do Zodíaco' 'Virgem' 1813. Do nom. lat. *vĭrgō*.
virgiliano *adj.* '*orig.* pertencente ou relativo a Virgílio, poeta latino (70-19 a.C.)' '*ext.* que tem o caráter da poesia de Virgílio' 1899. Do lat. *Virgiliānus*, do antrop. *Virgĭlĭus* 'Virgílio'.
virg·inal, -indade, -íneo, -o → VIRGEM.
vírgula *sf.* 'sinal de pontuação que se destina a marcar as pequenas pausas' 1813. Do fr. *virgule*, deriv. do lat. *virgŭla* 'varinha' 'pequeno traço ou linha' || **virgul**AR 1813.
viridante *adj. 2g.* 'virente' 1813. Do lat. *virĭdāns -antis*, part. de *virĭdāre* || **víride** *adj. 2g.* 'verde' XX. Do lat. *virĭde -is* || **virid**ENTE *adj. 2g.* 'virente' 1881. Cp. VERDE.
viril *adj. 2g.* 'respeitante a, ou próprio do homem' XVI. Do lat. *virīlis -e*, de *vir viri* 'homem (em oposição à mulher)' || **virilha** *sf.* 'ponto de junção da coxa com o ventre' | *virilla* XIII, *verilla* XIII | Do lat. *virīlĭa -ium* 'as partes sexuais do homem' || **viril**iDADE XVI. Do lat. *virīlĭtās -ātis* || **viri**POTENTE XVII. Do lat. *viripŏtēns -entis*.
virola *sf.* 'aro metálico que aperta ou reforça um objeto e, às vezes, serve para ornamento' 1858. Do fr. *virole*, deriv. do lat. *viriŏla* e, do gaulês *viria* 'pequeno bracelete'.
vir·ologia, -ose, -oso → VÍRUS.
vir·otão, -ote → VIRA³.
virtude *sf.* 'disposição firme e constante para a prática do bem' | XIII, *ver-* XIII | Do lat. *vĭrtūs -ūtis* || DESvirtuADO XX || DESvirtuAMENTO XX || DESvirtuAR 1873 || DESvirtude XVI || **virtu**AL *adj. 2g.* 'que existe como faculdade, porém sem exercício ou efeito atual' 1813. Adapt. do fr. *virtuel*, deriv. do lat. escol. *virtuālis*, de *vĭrtūs -ūtis* || **virtu**OSE *s2g.* 'toda pessoa que domina em alto grau a técnica de uma arte' XX. Do fr. *virtuose*, deriv. do it. *virtuóso* || **virtu**OSO *sm.* 'que tem virtudes' | *vertuoso* XIII | Do lat. tard. *virtuōsus*.
vírus *sm. 2n.* '(Biol.) microrganismo capaz de atravessar os filtros bacteriológicos, causador de inúmeras doenças aos animais e às plantas' 1813. Do fr. *virus*, deriv. do lat. *vīrus -ī* || viroLOG·IA XX || virOSE XX. Do lat. cient. *vīrōsis* || viroso 1899. Do lat. *vīrōsus* || **virulência** 1873. Do lat. tard. *virulentia* || **virulento** *adj.* 'que tem vírus ou veneno' XIX. Do lat. tard. *vīrulentus*.
⇨ **vírus** — viroso | 1836 SC || virulÊNCIA | 1836 SC || virulENTO | 1836 SC |.
visão → VER.
visar *vb.* '*orig.* mirar' '*ext.* pôr o sinal de visto em' 1874. Do fr. *viser*, deriv. do lat. *visāre*, frequentativo de *vidēre* 'ver' || visADA XX || visAGEM 1873. Do fr. *visage*.
⇨ **visar** — visADA | 1873 *in* ZT || visAGEM | 1836 SC |.
víscera *sf.* '(Anat.) designação comum a qualquer órgão alojado na cavidade craniana, na torácica ou

na abdominal' 1813. Do fr. *viscère*, deriv. do lat. *vīscĕra -um* ‖ EVISCERAÇÃO *sf.* 'eventração' 1899. Do fr. *éviscération*, deriv. do lat. *ēvīscerātĭō -ōnis* ‖ EVISCERAR 1899. Do fr. *éviscérer*, deriv. do lat. *ēvīscĕrāre* ‖ VISCERAL 1858. Do fr. *viscéral*, deriv. do lat. tard. *vīscerālis* ‖ VISCERÓ·TOMO XX.
⇨ **víscera** — VISCERAL | 1836 SC |.
visco *sm.* 'planta parasita, das regiões temperadas do hemisfério norte, pertencente à fam. das lorantáceas' 'suco vegetal glutinoso' '*fig.* isca, engodo' XIII. Do lat. *viscum -ī* ‖ ENVISCAR XIV. Do lat. tard. *inviscāre* ‖ **víscido** *adj.* 'viscoso' XVII. Do lat. tard. *viscīdus* ‖ VISCÍVORO 1899 ‖ VISCOS·IDADE XX. Adapt. do fr. *viscosité*, deriv. do lat. med. *viscōsĭtās -ātis* ‖ **viscoso** *adj.* 'que tem visco, pegajoso' 1844. Adapt. do fr. *visqueux*, deriv. do lat. tard. *viscōsus* ‖ **visgo** *sm.* 'planta da fam. das leguminosas, rizomatosa, setosa e de glândulas viscosas' XX. Forma divergente de *visco*, do lat. *viscum -ī* ‖ **visguento** 1874.
⇨ **visco** — VISCOSO | 1836 SC |.
visconde *sm.* 'título de nobreza' | *bisconde* XIV, *bizXIV, viz-* XV | Do baixo lat. *vice comitis* 'substituto do conde' ‖ VINCONDADO 1813 ‖ VISCONDESSA *sf.* 1813.
viscos·idade, -o → VISCO.
viseira → VER.
visg·o, -uento → VISCO.
vis·ibilidade, -iômetro, -ionário → VER.
visitar *vb.* 'ir ver (alguém) em casa ou em outro lugar, por cortesia, dever, afeição etc.' XIV. Do lat. *vīsĭtāre* ‖ **visita** *sf.* 'ato ou efeito de visitar' XVII. Do fr. *visite* ‖ VISITAÇÃO | *visitaçom* XIV | Do lat. *vīsĭtātĭō -ōnis* ‖ VISITADOR XIII. Do lat. *vīsĭtātor -ōris* ‖ VISITANTE 1874.
visiv·a, -el, -o → VER.
vislumbrar *vb.* '*orig.* alumiar frouxamente' '*ext.* entrever, lobrigar' XVIII. Do cast. *vislumbrar*, deriv. do lat. *vix lumināre* ‖ **vislumbre** *sm.* XVII. Do cast. *vislumbre*.
visor → VER.
víspora *sf.* 'loto' | *-pe-* 1899 | Da interjeição *víspere*, deriv. do fr. *disparais* 'desaparece', do vb. *disparaître*, de *paraître* e, este, do b. lat. *parescere* (cláss. *parēre*) 'aparecer'.
vis·ta, -to, -toria, -toriar, -toso, -ual, -ualidade → VER.
vit·al, -alício, -alidade, -alizar, -amina → VIDA.
vitando *adj.* 'que deve ser evitado' 'abominável, detestável' 1813. Do lat. *vitandus*, de *vītāre* 'evitar' ‖ VITAT·ÓRIO XIV ‖ VITÁVEL XX. Do lat. *vītābĭlis -e*. Cp. EVITAR.
vitelo[1] *sm.* 'novilho menor de um ano' | *-llo* XVIII | Do lat. *vitellus -ī*, dim. de *vitŭlus* 'bezerro' ‖ **vitela** *sf.* '*orig.* novilha menor de um ano' '*ext.* carne de novilho ou novilha' | *-lla* 1813.
vitelo[2] *sm.* 'o protoplasma de reserva do óvulo dos animais' | *-llo* 1874 | Do lat. *vitellus -ī* ‖ VITELI·FERO | *-lli-* 1874 ‖ VITELINO | *-lli-* 1813 | Do fr. *vitellin*.
viti- *elem. comp.,* do lat. *vītis -is* 'vide, videira, vinho', que se documenta em alguns compostos formados no próprio latim (como *vitifero*) e em alguns outros introduzidos, a partir do séc. XIX,

na linguagem erudita ▶ **viticola** 1873. Do fr. *viticole*, formado pelo modelo de *agricole, horticole* etc. ‖ VITICOM·ADO *adj.* 'coroado de parras' XVIII. Do lat. tard. *vītĭçomus* + -ADO ‖ VITICULT·OR 1890. Adapt. do fr. *viticulteur* ‖ VITICULT·URA 1874. Do fr. *viticulture* ‖ VITÍFERO 1874. Do lat. *vītĭfĕrum* ‖ VITIVINI·CULT·OR 1899. Cp. VIDE, VINHO.
vitiligo *sm.* 'afecção cutânea que se caracteriza por zonas de despigmentação cingidas de zonas mais pigmentadas' 1873. Do fr. *vitiligo*, deriv. do lat. *vitīlīgō -ĭnis*.
vítima *sf.* '*orig.* homem ou animal imolado em holocausto aos deuses' '*ext.* pessoa arbitrariamente condenada à morte, ou torturada' '*ext.* pessoa que morre num acidente, guerra etc.' | *victima* 1572 | Do lat. *victĭma* ‖ **vitimar** | *victimar* XVIII | Do lat. *victĭmāre* ‖ **vitimário** | *victi-* XVIII | Do lat. *victimărĭus*.
vitinga *sf.* 'farinha de mandioca parcialmente cozida' | *vytinga* 1663, *vytingga* 1675 | Do tupi *ui'tiŋa < u'i* 'farinha' + *'tiŋa* 'branca'.
vitivinicultor → VITI-.
vitori·ar, -oso → VITÓRIA.
vitória *sf.* 'triunfo, bom êxito, sucesso' XIV. Do lat. *victōrĭa* ‖ **vitoriar** *vb.* 'aplaudir, aclamar' | *victo-* 1813 ‖ VITORIOSO XIV. Do lat. *victōrĭōsus*.
vitoriano *adj.* 'pertencente ou relativo à rainha Vitória (1819-1901), da Inglaterra, ou ao período de seu reinado' | *victorianno* 1874 | Do ing. *victorian*, do antrop. *Victoria* 'Vitória'.
vitr·al, -eo, -escibilidade, -escível, -ificação, -ificar, -ina, -ine, -íolo, -ófiro → VIDRO.
vitualha(s) *sf. (pl.)* 'víveres' | *bitualha* XIV | Do lat. *vĭctuālĭa -ĭum*.
vituperar *vb.* 'injuriar, insultar, afrontar' XVI. Do lat. *vitŭpĕrāre* ‖ **vituperação** XVII. Do lat. *vituperātĭō -ōnis* ‖ **vituperador** 1813. Do lat. *vituperātor -ōris* ‖ **vituperável** XVII. Do lat. *vituperābĭlis -e* ‖ **vitupério** *sm.* 'insulto, injúria' XIV. Do lat. tard. *vituperĭum*.
viúva *sf.* 'mulher a quem morreu o marido e que não voltou a casar-se' | XIII, *uiuuoa* XIII, *uyuuoa* XIII, *veuda* XIV etc. | Do lat. *vĭdŭa* (> *viduva > viúva*) ‖ ENVIUVAR XVI | VIDUAL 1761. Do lat. *vĭduālis -e* 'de viúva' ‖ **viuvez** XVI ‖ **viúvo** *sm.* 'homem a quem morreu a mulher e que não voltou a casar-se' XIII. Masculino de *viúva*.
viver *vb.* 'ter ou estar com vida, existir' XIII. Do lat. *vīvĕre* ‖ AVIVAMENTO XIV ‖ AVIVAR *vb.* 'animar, estimular' XIV ‖ CONVIVÊNCIA 1769 ‖ CONVIVENTE 1873 ‖ CONVIVER 'viver em comum com outrem' 1873. Do lat. *convīvĕre* ‖ CONVÍVIO 1873. Do lat. *convīvĭum -ĭī* ‖ RE·AVIVAR XX ‖ **redivivo** *adj.* 'que retornou à vida' XVII. Do lat. *redĭvīvus* ‖ REVIVENTE 1899 ‖ REVIVER XV ‖ REVIVESC·ENTE | *-vivis-* 1874 | Do fr. *revivéscent*, part. do lat. *revīvīscere* ‖ REVIVESCER *vb.* 'reviver' XIX. Do lat. *revīvīscere* ‖ **viva** *sf.* 'exclamação de aplauso ou de felicitação' 1813 ‖ VIVACIDADE *sf.* 'qualidade de vivaz' XVI. Do lat. *vīvācĭtās -ātis* ‖ **vivandeira** *sf.* 'mulher que vende mantimentos, que os leva, acompanhando tropas em marcha' XVII. Adapt. do fr. *vivandière* ‖ **vivaz** *adj.* 2*g.* 'vivedouro' 'vivo' 1813. Do lat. *vīvāx -ācis* ‖ VIVEDOURO *adj.* 'duradouro' XVII. Do lat. *viviturus*, part. do fut. ativo de *vīvĕre* ‖ VIVEIRO | *-vey-*

XVI | Do lat. *vīvārĭum -ĭī* || viv**ÊNCIA** XX || **vivenda** *sf.* 'orig. subsistência,' passadio' | *ujuenda* XIV |; 'casa, chalé' XIX. Do lat. *vivenda* || viv**ENTE** | *viuente* XIV || **víveres** *sm. pl.* 'gêneros alimentícios' XVI. Do fr. *vivres* || viv**EZA** | *uiueza* XV || **vívido** *adj.* 'que tem vivacidade' XVII. Do lat. *vīvĭdus* || vivi**FIC·AÇÃO** 1813. Do fr. *vivification*, deriv. do lat. *vivifĭātĭō -ōnis* || vivi**FIC·ADOR** 1813. Adapt. do fr. *vivificateur*, deriv. do lat. *vivificātor -ōris* || vivi**FIC·ANTE** 1813 || vivi**FIC·AR** *vb.* 'dar vida ou existência a' XVI. Do lat. *vivificāre* || vivi**FIC·ATIVO** 1813 || **vivífico** *adj.* 'vivificante' XVII. Do lat. *vīvifĭcus* || viví**PARO** 1873. Do lat. *vīvipărus* || **vivissecção** *sf.* 'operação feita em animais vivos para estudo de fenômenos fisiológicos' | *vivisecção* 1881 | Do fr. *vivisection*, deriv. do lat. cient. *vīvisectĭō -ōnis* || **vivo** *adj.* XIII. Do lat. *vīvus vīva* || **vívULA** *sf.* 'inflamação da pele e tendões na parte anterior da quartela das cavalgaduras' 1881. Do lat. tard. *vivŭla*.
⇨ **viver** — con**vivENTE** | 1836 SC | con**viver** | 1836 SC | con**vívio** | 1836 SC || vivi**FICO** | 1614 SGONÇ II.151.*16* || vivi**PARO** | 1836 SC |.
vivia *sf.* 'espécie de lontra' 1587. Do tupi **u̯i*'*u̯ia*.
vixnu *sm.* 'o segundo deus da tríade hindu (Brama, Vixnu, Xiva)' | *bisnu* 1612, *vesnú* 1613, *viznú c* 1615 | Do sânscr. *viṣṇu* 'o poder conservador' || **vixnuísmo** | *vis-* XIX || **vixnuíta** | *vish-* XX.
vizinho *adj. sm.* 'que está ou mora perto' | *uezīo* XIII, *vezẏo* XIII etc. | Do lat. *vīcīnus* || a**vizinhAR** | *ave-* XVIII || vicin**AL** *adj. 2g.* 'vizinho' 1854. Do lat. *vīcīnālis -e* || **vizindade** *sf.* 'ant. vizinhança' | *ve-* XIII | Do lat. *vīcīnĭtas -ātis* || **vizinhANÇA** || XV, *uiziâça* XIII || **vizinhAR** | *ve-* XVI.
⇨ **vizinho** — a**vizinhAR** | *auezinhar* 1615 FNun 46*v*6, *auesinhar* 1660 FMMelE 83.*24* |.
vizir *sm.* 'ministro de príncipe muçulmano' XVI. Do turco *vezīr*, deriv. do ár. *u̯azīr* 'ministro', de *u̯āzar* 'levar uma carga'. Cp. **AGUAZIL**.
voar *vb.* 'sustentar-se ou mover-se no ar por meio de asas (aves) ou de aeronaves (gente)' XIII. Do lat. *vŏlāre* || a**voaDO** 1899 || a**voaMENTO** XVI || a**voANTE** XX || a**voar** *vb.* 'voar' XVI || esvo**AÇAR** *vb.* 'voejar, volatear' 1813 || ev**olAR** *vb.* 'orig. elevar-se voando' '*ext.* desaparecer (no espaço)' XVII. Do lat. *e- vŏlāre* || rev**oADA** XVII. Fem. substantivado de *revoado*, part. de *revoar* || rev**oAR** XVII. Do lat. *re-vŏlāre* || vo**ADOR** XVI || vo**AD·URA** 1844. Do lat. *volātūra* || vo**AGEM** *sf.* 'a limpadura dos cereais debulhados nas eiras' 1899 || vo**ANTE** XVI || vo**EJAR** *vb.* 'esvoaçar' 1844 || vol**ANTE** *adj. 2g. sm.* XVI || vol**ATA** *sf.* 'série de tons executados com rapidez' 1881. Do it. *volata* || volat**ARIA** *sf.* 'arte de caçar com falcões ou outras aves' XVII. Do cast. *volatería*, provavelmente do cat. *volateria* 'conjunto das aves' || vol**ÁTIL** *adj. 2g. 'orig.* que pode voar' '*fig.* instável, volúvel' '*ext.* que pode ser reduzido a gás ou vapor' XVII. Do lat. *volātĭlis -e* || volatil·**IZAR** 1813. Do fr. *volatiliser* || **volatim** *sm.* 'funâmbulo' XVII. Provavelmente do cast. *volatín*, do a. *buratín* 'acrobata', alterado por infl. do sinônimo *volteador*; *buratín* é derivado do it. *burattinó* || **volatina** *sf.* 'trecho musical simples, de andamento rápido' 1899. Do it. *volatina* || vol**AT·ÓRIO** 1899.
⇨ **voar** — vo**AD·URA** | 1836 SC |.

vocábulo *sm.* 'palavra, termo, dicção' | *bocavollo* XIV | Do lat. *vocābŭlum -ī* || vocabul**AR** *adj. 2g.* XX || vocabul**ÁRIO** XVIII. Do lat. med. *vocābulārium*.
⇨ **vocábulo** — vocabul**ÁRIO** 1614 SGONÇ I.274.*21* || vocabul**ista** 'vocabularista' | 1657 FMMelv 81*v*14 |.
vocação *sf. 'orig.* ato de chamar' '*ext.* tendência, aptidão' | *-çon* XIII | Do lat. *vocātĭō -ōnis*. Cp. voz.
vocal → **VOZ**.
vocálico → **VOGAL**.
voc·alise, -ativo → **VOZ**.
você *pron.* | *vosse* 1813 | De *vosmecê* < *vossemecê* < *Vossa Mercê*.
vocifer·ação, -ador, -ante, -ar → **VOZ**.
vodca *sf.* 'aguardente muito usada na Rússia, na Polônia e nos países vizinhos' XX. Do fr. *vodka*, deriv. do russ. *vódka*, dim. de *vodá* 'água'.
vodu *sm.* 'nome genérico das divindades jeje, correspondentes aos orixás do nagô' XX. Do ewe *vodu*.
voejar → **VOAR**.
voga → **VOGAR**.
vogal *adj. 2g. sf.* 'diz-se do, ou fonema sonoro que se produz mediante o livre escapamento de ar pela boca' | *uogaes* pl. XIV | Do lat. *vōcālēs -ĭum* 'as vogais' || voc**álico** 1899. Cp. voz.
vogar *vb.* 'navegar, flutuar, boiar' XV. Do it. *vogare* ou do a. prov. *vogar*, deriv. do lat. *vocāre* 'chamar' || **voga** *sf.* XVI. Dev. de *vogar*. Cp. voz.
voivoda *sm. 'orig.* comandante militar, nos países eslávicos' '*ext.* governador da Moldávia, da Valáquia (província da Romênia), da Sérvia e do Montenegro, durante o domínio otomano' 'modernamente, chefe de distrito, na Polônia' | *vaivoda c 1533, 1537, 1538* etc., *vayvoda* 1651, 1688 etc., *wayvoda* 1716, *wayvode* 1739, *vaivode* 1782 | Do a. it. *vaivoda* (do séc. xv), deriv. do a. húng. *vajvoda* (hoje *vajda*), de origem eslávica. Cumpre notar que nas línguas eslávicas, em lugar de *a* na primeira sílaba, ocorre sistematicamente *o* (cp. rus. *voevóda*, búlg. *voĭvoda*, servo-croata *vòjvoda*, pol. *wajewoda* etc.) ou *e* (tcheco-eslovaco *vévoda*, *vejvoda*); as vars. ants. com *a*, que se documentaram nos sécs. xv-xvi em português, italiano, francês, inglês, alemão etc., devem ter sofrido a influência do a. húng. *vajvoda*.
volante → **VOAR**.
volapuque *sm.* 'língua auxiliar de comunicação internacional, lançada em 1879 pelo alemão Johann Martin Schleyer (1831-1912)' XX. Do ing. *volapuk*, de *vol*, deformação do ing. *world* 'mundo', *-a-*, vogal de ligação no *volapuque*, e de *puk*, deformação do ing. *to speak* 'falar'.
volat·a, -aria, -il, -ilizar, -im, -ina, -ório → **VOAR**.
voleibol *sf.* 'jogo entre duas equipes de seis jogadores, separadas por uma rede, no qual se manda por cima dessa rede uma bola, batendo-lhe com a mão ou com o punho' XX. Do ing. *volley-ball* ||.
vôlei *sm.* XX. Red. de *voleibol*.
volfrâmio *sm.* 'tungstênio' XIX. Do lat. cient. *volframium*, deriv. do al. *Wolfram*.
volição → **VOLITIVO**.
volitar *vb.* 'esvoaçar, voltear' XIX. Do lat. *volĭtāre* || volit**ANTE** 1899.
volitivo *adj.* 'respeitante à volição' XVIII. Adapt. do fr. *volitif*, de *vouloir* 'querer', deriv. do lat. pop. *volēre || **volição** *sf.* 'ato pelo qual a vontade se

determina a alguma coisa' 1813. Do fr. *volition*, modelado pelo antônimo *nolition* || vol**í**vel 1813.
volt *sm.* '(Fís.) unidade de medida de diferença de potencial elétrico' xx. Do fr. *volt*. do antrop. *Volta*, do nome do físico italiano Alessandro Volta (1745-1827) || volt**agem** 1899. Do fr. *voltage* || volta**ico** | *-ica* f. 1874 | Do fr. *voltaïque* || volta**ísmo** *sm.* 'teoria de Alessandro Volta; acerca da geração de eletricidade' 1899. Do fr. *voltaisme* || volt**â**·metro 1874. Do fr. *voltamètre* || volt**í**·metro 1899. Do ing. *voltmeter*.
volta → volver.
volt·agem, -aico, -aísmo, -âmetro → VOLT.
volt·ar, -arete, -ário, -e, -ear, -ejar → VOLVER.
voltímetro → VOLT.
voltívolo → VOLVER.
volub·ilado, -ilidade → VOLÚVEL.
volume *sm.* '*orig.* livro' '*ext.* medida do espaço ocupado por um sólido' XIII. Do lat. *volūmen -ĭnis* || Avolum**ar** XVI || vol**ú**metro 1899. Do fr. *volumètre* || volumin**oso** 1813. Do lat. tard. *volūminōsus* || volum**oso** 1844.
⇨ **volume** — volum**oso** | 1836 sc |.
voluntári·o, -oso → VONTADE.
volúpia *sf.* 'grande prazer (dos sentidos)' XVIII. Do lat. *volupĭa*, do mit. *Volupĭa* 'Volúpia', a deusa do prazer || voluptu**ário** | *-tario* 1813 || voluptuos·**idade** 1813 || voluptu**oso** 1813. Do lat. *voluptuōsus*, de *voluptās -ātis* 'prazer'.
voluta *sf.* '(Arquit.) ornato espiralado de um capitel de coluna' 1813. Do it. *voluta*, deriv. do lat. *volūta*.
⇨ **voluta** | 1721 RB |.
volutabro *sm.* 'lamaçal, lodaçal' XVII. Do lat. *volūtābrum -ī*.
volutear → VOLVER.
volúvel *adj.* 2g. 'que gira com facilidade' '*fig.* inconstante, instável' | XVII, *-bil* 1572 | Do lat. *volūbĭlis -e*, de *vŏlvĕre* || volubil**ado** *adj.* '(Bot.) diz-se do caule de certas plantas que, não podendo suster por si próprias, tem a propriedade de enroscar-se nos corpos vizinhos' 1899 || volubil**idade** 1813. Do lat. *volūbilĭtās -ātis*. Cp. VOLVER.
volva → VULVA.
volver *vb.* 'mudar de posição ou direção de' 'voltar, revolver' XIII. Do lat. *vŏlvĕre* || Avol**to** *adj.* 'revolto' XIV || Avolv**er** *vb.* 'revolver, lutar' XIV || DES·Envol**to** *adj.* 'desembaraçado, expedito' xx || DES·Envolt**ura** XVI || DES·Envolv**er** *vb.* 'fazer crescer, progredir' | XIV, *desbolver* XIII || DES·Envolv**ido** 1813 || DES·Envolv**imento** 1844 || Envol**to** XIII. Do lat. *involūtus*, part. de *in-vŏlvĕre* || Envolt**ório** *sm.* 'invólucro' XVI || Envolt**ura** 1844 || Envolv**edor** XVI || Envolv**ente** XX || Envolv**er** *vb.* 'abranger, abarcar' 'prender, cercar' XIV. Do lat. *in-vŏlvĕre* || Envolv**ido** 1813 || Envolv**imento** 1873 || SUB·DES·Envolv**er** XX || SUB·DES·Envolv**ido** XX || SUB·DES·Envolv**imento** XX || **volta** *sf.* '*ant.*' 'tumulto, confusão' 'misturado, envolto' XIII; 'retorno, regresso' XVI. Dev. de *voltar* || **voltar** *vb.* 'regressar, retornar' XVI. Do lat. *voltāre (*volvĭtāre), iterativo de *vŏlvĕre* || volta**rete** *sm.* 'tipo de jogo de cartas' 1844. Adapt. do cast. *voltereta* || volt**ário** *adj.* 'volúvel' 1899 || vol**te** *sm.* 'um dos lances do voltarete' 1881 || volt**ear** *vb.* 'andar à volta de' XV || volt**ejar** *vb.* 'voltear' 1844. Do it. *volteggiare* || volt**ívolo** *adj.* 'que dá muitas voltas' XVII || volut**ear** *vb.* 'dar voltas' 'esvoaçar' 1881 || volv**ente** XX || **volvo** 1873. Alter. de *vólvulo* || v**ó**lvulo *sm.* 'oclusão intestinal' 1813. Do lat. tard. *volvulus*.
⇨ **volver** — DES·Envolv**imento** | 1836 SC || Envolt**ura** | 1836 SC || Envolv**imento** | 1836 SC || volt**ejar** | 1836 SC |.
vômer *sm.* '(Anat.) pequeno osso que constitui a parte posterior da parede divisória das fossas nasais' 1858. Do fr. *vomer*, deriv. do lat. cient. *vōmer* (cláss. *vōmer -ĕris* 'arado, relha do arado')·
vomitar *vb.* 'expelir pela boca (substâncias que já estavam no estômago)' XVII. Do lat. *vomĭtāre*, iterativo de *vomere* || **vômica** *sf.* 'coleção purulenta numa víscera, especialmente no pulmão' 'vômito purulento' 1813. Do lat. *vomĭca* || vom**ição** *sf.* 'vômito' 1813. Do lat. *vomitĭō -ōnis* || vôm**ico** *adj.* 'que faz vomitar' xx. Do lat. *vomĭcus* || vomífi·co *adj.* 'vômico' xx. Do lat. *vomifĭcus* || vomit**ivo** *adj. sm.* 1873. Adapt. do fr. *vomitif* || **vômito** *sm.* 'ato ou efeito de vomitar' | XVI, *bomito* XV | Do lat. *vomĭtus -ūs* || vomit**ório** *adj. sm.* 'que ou o que faz vomitar' XVIII. Do lat. *vomitōrĭus*.
⇨ **vomitar** — vomit**ivo** | 1836 SC |.
vontade *sf.* 'capacidade de escolha, de decisão' 'anseio, desejo' | XIV, *uoontade* XIII etc. | Do lat. *vŏlŭntas -ātis* || Involunt**ário** 1844. Adapt. do fr. *involontaire*, deriv. do lat. tard. *involuntārĭus* || volunt**ário** *adj.* 'espontâneo' XV. Do lat. *voluntārĭus* || voluntari**oso** | *volumtariosa* f. XVI | O adv. *voluntariosamente* já se documenta no séc. xv.
⇨ **vontade** — Involunt**ário** | 1836 SC |.
voragem *sf.* 'aquilo que sorve ou devora' 'turbilhão, abismo' XVI. Do lat. *vorāgō -ĭnis* || **voracidade** *sf.* 'qualidade de voraz' XVII. Do lat. *vorācĭtās -ātis* || voragin**oso** 1813. Do lat. *vorāginōsus* || **voraz** *adj.* 2g. 'que devora' XVIII. Do lat. *vorāx -ācis*.
vórmio *sm.* '(Anat.) diz-se de pequenos ossos, variáveis no número e na forma, que se encontram nos ângulos das suturas cranianas' 1899. Do lat. cient. *vormius*, do antrop. *Wormius*, forma latina do nome de Ole *Worm*, médico e anatomista dinamarquês (1588-1654).
-voro *suf. nom.*, deriv. do lat. *-vorus*, de *vorāre* 'devorar, comer', que já se documenta em alguns vocs. formados no próprio latim, como *carnivorus* 'que come carne', *omnivorus* 'que come tudo' etc., e que ocorre na formação de vários derivados portugueses de cunho erudito: *aerívoro, ovívoro* etc.
vórtice *sm.* 'redemoinho, remoinho, voragem' '*fig.* furacão' *-ces* pl. 1844 | Do lat. *vortex -ĭcis* || vortic**oso** 1858. Do lat. *vorticōsus*.
⇨ **vórtice** | *-ces* pl. 1836 SC |.
vos *pron.* XIII. Do lat. *vōs*, forma átona || **vós** *pron.* XIV. Do lat. *vōs*, forma tônica.
vosso, vossa *pron.* XIII. Do lat. vulg. *vŏster vŏstra* (cláss. *vester*), por analogia com *nŏster*.
voto *sm.* '*orig.* promessa, oferenda em paga de promessa' '*ext.* votação' XIV. Do lat. *votum -ī* || vot**ação** *sf.* 'ato ou efeito de votar' 'o conjunto dos votos de uma assembleia eleitoral' 1844. Adapt.

do fr. *votation* ‖ votANTE XVII. Do fr. *votant* ‖ votar *vb.* 'orig. prometer solenemente' '*ext.* aprovar ou eleger por meio de voto' XVI. Do lat. *vōtāre, iterativo de *vovēre*; na 2ª acepção, o voc. é derivado do fr. *voter* ‖ votivo | *uotivas* f. pl. xv | Do lat. *vōtīvus* ‖ voVENTE *adj. s2g.* 'que ou quem faz votos ou promessas' 1899. Do lat. *vovens -entis*, part. de *vovēre*.
⇨ **voto** — votAÇÃO | 1836 SC |.
voz *sf.* 'som ou conjunto de sons emitidos pelo aparelho fonador' XIII. Do lat. *vox vocis* ‖ vocAL *adj. 2g.* 'referente à voz' XVII. Do lat. *vōcālis -e* ‖ vocALISE *sf.* 'tipo de exercício vocal' XX. Do fr. *vocalise* ‖ vocativo *sm.* '(Gram.) nas línguas declinativas, o caso que se usa para chamar alguém' 'expressão de pessoa ou coisa à qual nos dirigimos no discurso direto' 1813. Adapt. do fr. *vocatif*, deriv. do lat. *vocātīvus (casus)* ‖ vociferAÇÃO 1572. Do lat. *vociferātiō -ōnis* ‖ vociferADOR 1844. Do lat. *vociferātor -ōris* ‖ vociferANTE 1844 ‖ vociferAR *vb.* 'clamar, bradar, exclamar' 1572. Do lat. *vociferāre* ‖ voze·ARIA *sf.* 'clamor de muitas vozes juntas' XVI ‖ vozeirA *sf.* '*ant.* advogada, intercessora' XIII ‖ vozeirÃO *sm.* 'voz muito forte' 1890.
⇨ **voz** — vocAL | *vocaes* pl. 1573 NDias 13.*12* ‖ vociFER·ADOR | 1836 SC ‖ vociFER·ANTE | 1836 SC |.
vulcão *sm.* 'conduto que liga a superfície da Terra com uma câmara íntima e profunda que fornece o material magmático que aflora à superfície' | *-can* XIV | Do mit. lat. *Vulcānus* 'Vulcano, deus do fogo' ‖ vulcânEO *adj.* 'relativo ou pertencente a Vulcano' 1572 ‖ vulcânICO *adj.* 'pertencente ou relativo a vulcão' 1813. Adapt. do fr. *volcanique* ‖ vulcanITE *sf.* 'ebonite' | 1890, *-nito* 1873 | Do ing. *vulcanite* ‖ vulcanIZ·AÇÃO *sf.* 'ato ou efeito de vulcanizar(-se)' '(Quím.) processo em que se torna elástica, resistente, insolúvel, a borracha natural' 1873. Do fr. *vulcanisation*, deriv. do ing. *vulcanization* ‖ vulcanIZAR *vb.* 'tratar (a borracha) pelo processo de vulcanização' 'tornar ardente, abrasar' XIX. Do fr. *vulcaniser*, deriv. do ing. *to vulcanize*, tirado do mit. *Vulcano*, por Brockedon, amigo de Hancock, que inventou o processo de vulcanização, em 1843 ‖ vulcanoLOG·IA 1899. Do ing. *vulcanology*.
vulgo *sm.* 'o povo, a plebe' XVI. Do lat. *vulgus -ī* ‖ INvulgAR XX ‖ vulgAR *adj. 2g.* XIV. Do lat. *vulgāris -e* ‖ vulgAR·IDADE 1813. Adapt. do fr. *vulgarité*, deriv. do b. lat. *vulgaritās -ātis* ‖ vulgAR·IZ·AÇÃO | *-sação* 1813 | Adapt. do fr. *vulgarisation* ‖ vulgAR·IZ·ADOR 1813. Adapt. do fr. *vulgarisateur* ‖ vulgAR·IZAR *vb.* 'tornar vulgar, propagar, difundir' 1813. Adapt. do fr. *vulgariser* ‖ vulgÍVAGO *adj. sm.* 'que ou o que se avilta' 1873. Do lat. *vulgivăgus* ‖ vulgoCRAC·IA 1899.
vulnerar *vb.* 'ferir, melindrar, ofender' XVI. Do lat. *vulnĕrāre* ‖ INvulnerABIL·IDADE 1881. Adapt. do fr. *invulnérabilité* ‖ INvulnerADO 1873. Do lat. *in-vulnĕrātus* ‖ INvulnerÁVEL 1813. Adapt. do fr. *invulnérable*, deriv. do b. lat. *in-vulnĕrābĭlis -e* ‖ vulnerABIL·IDADE XX. Adapt. do fr. *vulnérabilité* ‖ vulnerAÇÃO XVII. Do lat. *vulnĕrātiō -ōnis* ‖ vulnerANTE 1874 ‖ vulnerÁRIO *adj.* 'próprio para curar feridas' 1813. Adapt. do fr. *vulnéraire*, deriv. do lat. *vulnĕrārĭus* ‖ vulnerATIVO 1813 ‖ vulnerÁVEL XVII. Adapt. do fr. *vulnérable*, deriv. do b. lat. *vulnĕrābĭlis* ‖ vulnÍFICO *adj.* 'que fere ou pode ferir' XVII. Do lat. *vulnifĭcus*.
⇨ **vulnerar** — INvulnerADO | 1836 SC |.
vulpina → VULPINO.
vulpinita *sf.* '(Min.) anidrita compacta, sacaroide, de grã média, capaz de receber um belo polimento' 1899. Do fr. *vulpinite*, do top. it. *Volpino*.
vulpino *adj.* 'respeitante à, ou próprio da raposa' 1890. Do lat. *vulpīnus*, de *vulpēs -is* 'raposa' ‖ vulpINA *sf.* 'matéria corante extraída de um líquen' 1899. Fem. substantivado do adj. lat. *vulpīnus*.
vulto *sm.* 'orig. rosto, aspecto, semblante' '*ext.* figura indistinta, imagem' '*ext.* tamanho, volume, porte' XIV. Do lat. *vultus -ūs* ‖ AvultADO XVII ‖ AvultAR *vb.* 'orig. representar em vulto ou em relevo' '*ext.* aumentar, intensificar' XVII ‖ vultOSO XVI ‖ vultOS·IDADE *sf.* 'congestão da face' 1873 ‖ vultUOSO *adj.* 'atacado de vultuosidade' 1873. Do lat. *vultuōsus*.
vulturino *adj.* 'respeitante ao abutre, ou próprio dele' XVII. Do lat. *vulturīnus*, de *vultur -ŭris* 'abutre'.
vulva *sf.* 'a parte exterior do aparelho genital da mulher' | *uulua* XV | Do lat. *vulva, volva* ‖ volvA *sf.* 'porção inferior do véu que permanece em torno da base de estipe, à maneira de uma bainha, nos corpos frutíferos de muitos cogumelos' 1858. Do fr. *volve*, deriv. do lat. cient. *volva*.
vurmo *sm.* 'o pus das úlceras' | XVII, *burmo* XIV | De origem obscura ‖ ESvurmAR XVI.

W

wagneriano *adj. sm.* 'relativo ou pertencente a Wagner' 'grande admirador e/ou profundo conhecedor de sua obra' xx. Do fr. *wagnérien*, do antrop. Wilhelm Richard *Wagner* (1813-1883), célebre compositor alemão || **wagner**ISMO *sm.* '(Mús.) o sistema musical de Wagner' xx.

watt *sm.* '(Fís.) unidade de medida de potência' xx. Do ing. *watt*, do antrop. James *Watt* (1736-1819), físico escocês || **watt**ADO *adj.* xx | **wattí**·METRO xx.

wavellita *sf.* 'mineral ortorrômbico, constituído de fosfato hidratado de alumínio que contém flúor' xx. Do ing. *wavellite*, do antrop. W. *Wavell* (? -1839).

weber *sm.* '(Fís.) unidade de medida de fluxo de indução magnética' xx. Do fr. *weber*, do antrop. Wilhelm Eduard *Weber*, físico alemão (1804-1891).

wesleyanismo *sm.* 'metodismo' xx. Do ing. *wesleyanism*, do antrop. John *Wesley*, teólogo inglês, fundador do metodismo (1703-1791).

willemita *sf.* 'mineral trigonal, constituído de silicato de zinco' xx. Do ing. *willemite*, deriv. do neerl. *Willemit*, nome que foi dado ao mineral em 1829, por A. Levy, em homenagem ao rei *Willem* I (Guilherme I) da Holanda (1772-1843).

witherita *sf.* 'mineral ortorrômbico, constituído de carbonato de bário' xx. Do ing. *witherite*, de *Wither*, abrev. do antrop. *Withering* (William *Withering*), médico inglês (1741-1799).

wollastonita *sf.* 'mineral monoclínico, constituído de silicato de cálcio' xx. Do ing. *wollastonite*, do antrop. W.H. *Wollaston*, físico e químico inglês (1766-1828).

wronskiano *adj. sm.* 'relativo ou pertencente a Wronski' 'seguidor e/ou grande conhecedor de suas teorias' xx. Do antrop. Hoene *Wronski*, matemático e filósofo polonês (1778-1853).

wulfenita *sf.* 'mineral tetragonal, constituído de molibdato de chumbo'. Do ing. *wulfenite*, deriv. do al. *Wulfenit*, do antrop. F.X. von *Wulfen*, mineralogista austríaco (1728-1805).

wurtzita *sf.* 'mineral hexagonal, preto-acastanhado, constituído de sulfato de zinco' xx. Do fr. *wurtzite*, do antrop. Chr. Ad. *Wurtz*, químico francês (1817-1884).

wycliffismo *sm.* 'heresia de Wycliffe' xx. Do ing. *wycliffism*, do antrop. John *Wycliffe*, teólogo inglês do séc. XIV, precursor das reformas religiosas na Europa.

X

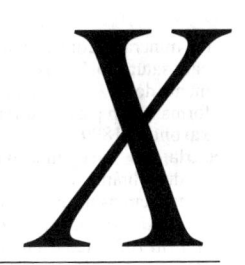

xá *sm.* 'título do soberano da Pérsia (hoje Irã)' XVI. Do persa *šaḥ* 'rei'.
xabraque *sm.* 'xairel que cobre a anca dos cavalos e os coldres' XX. Do fr. *chabraque*, deriv. do al. *Schabrake* e, este, do turco *čaprak̦*.
xácara *sf.* 'narrativa popular em verso' XVII. Provavelmente forma analógica de *jácara*, deriv. do cast. *jácara* e, este, de *jácaro* 'rufião'.
xacoco *adj. sm.* 'diz-se de, ou indivíduo que fala mal uma língua estrangeira' 'desenxabido, desengraçado' XX. Do quimb. *ša'koko* 'linguareiro'.
⇨ **xacoso** | 1836 SC |.
xadrez *sm.* 'jogo, sobre um tabuleiro de 64 casas, alternativamente brancas e pretas' 'ext. tecido cujas cores estão dispostas em quadrados alternados, semelhante ao tabuleiro de xadrez' | XVI, *xedrez* XIV, *exedrez* XIV, *eixedrez* XIV, *asederex* XIV, *ssederez* XIV, *açederenche* XIV, *açedrêche* XIV, *enxadrez* 1500 etc. | Do ár. *aš-šiṭranǧ*, deriv. do persa *-šiṭranǧ* (*šatranǧ*), o qual remonta ao sânscr. *čaturaṅga* 'os quatro componentes do exército indiano, a saber, elefantes, cavalos, carros e infantes' || ACEDRENCHADO XIV. De *acedrenche*, ant. var. de *xadrez* || AXADREZADO 1899 || ENXADREZAR *vb.* 'dividir em quadrados, à feição do tabuleiro de xadrez' 1844 || ENXADRISMO *sm.* 'a arte ou o gosto do jogo de xadrez' XX || ENXADRISTA XVIII.
⇨ **xadrez** — ENXADREZAR | 1836 SC |.
xairel *sm.* 'cobertura de besta, feita de tecido ou de couro, sobre a qual se põe a sela ou a albarda' | XVII, *xarel* XVI | Do ár. vulg. *jilāl* (cláss. *jalāl*).
xale *sm.* 'espécie de manta com que as mulheres cobrem e agasalham os ombros e o tronco e, às vezes, a cabeça' XVIII. Do fr. *châle*, deriv. do persa *šāl*.
xalmas *sf. pl.* 'engradamento que se faz num carro ou num barco para segurar-lhe a carga' 1813. Do lat. tard. *sauma* (cláss. *sagma*), deriv. do gr. *ságma -atos* 'basto, carregado'.
xamã *sm.* 'mago xamanista' | *xamães* pl. 1899, *chaman* 1899 | Do fr. *chaman*, deriv. do al. *Schamane* e, este, do rus. *šamán*; o voc. russo provém do tungúsio *šaman* || **xamanismo** *sm.* 'religião de certos povos do norte da Ásia, baseada na crença de que os espíritos maus ou bons são dirigidos pelos xamãs' | 1889, *cha-* 1899.
xamete *sm.* 'ant. tecido rico de seda fabricado no Oriente e introduzido na Europa na Idade Média' | XIV, *xamēt* XIV, *examete* XIV, *eixamete* XIV | Do lat. *hexametum*, deriv. do gr. *hexámitos* 'de seis fios'.

xampu *sm.* 'substância saponácea, em geral líquida, usada para a lavagem dos cabelos' XX. Do ing. *shampoo*, deriv. do hind. *čāmpo*, imper. de *čāmpnā* 'amassar, apertar',
xangô *sm.* 'grande e poderoso orixá, deus do raio e do trovão, nos cultos afro-brasileiros' XX. Do ioruba *šo'ŋo*.
xant(o)- *elem. comp.*, do gr. *xantho-*, de *xanthós* 'amarelo, amarelado', que se documenta em alguns compostos introduzidos, a partir do séc. XIX, na linguagem científica internacional ▶ **xanteína** *sf.* 'matéria corante que se extrai da dália amarela' | *-theina* 1899 || **xantelasma** *sf.* 'forma de xantoma' | *-the-* 1899 | Do gr. *xanthós* + gr. *elasmós* 'lâmina metálica', por via erudita || **xântico** | *-thi-* 1874 | Do ing. *xanthic* || **xantina** | *-thi-* 1874 | Do fr. *xanthine* || **xantin·úr·ia** XX || **xantocrom·ia** XX || **xantoderm·ia** XX. Do ing. *xanthodermia* || **xantofila** | *-thophylla* 1874 | Do fr. *xanthophylle* || **xantogên·ico** XX || **xantoma** | *-tho-* 1899 | Do fr. *xanthome*, deriv. do lat. cient. *xanthōma* || **xantoma·t·ose** XX || **xantops·ia** | *-tho* 1899 | Do ing. *xanthopsia* || **xantóptero** | *-tho-* 1899 || **xantor·rizo** | *-thorrhi-* 1874 || **xantose** | *-tho-* 1874 | Do ing. *xanthosis* || **xantospermo** | *-thos-* 1899 | Do ing. *xanthospermous* || **xantóxilo** | *-tho-* 1874 | Do ing. *xanthoxyl*.
xáquima *sf.* 'ant. cabeçada de cabresto' 'tecido grosso usado para cilhas' | *-que-* 1813 | Do ár. *šakīma* 'cabresto'.
xará *s2g.* 'pessoa que tem o mesmo nome que outra' 1899. Do tupi *ša'ra, de *še rera* 'meu nome'.
xara¹ *sf.* 'seta feita de pau tostado' XVII. Do sânscr. *sara*.
xara² *sf.* 'bosque, mata' XIII. Do ár. *šá'ra* 'mata, brenha'.
xarelete → XARÉU.
xareta *sf.* 'ant. rede com que se cobria a tolda e o convés das naus e galeões de guerra' XVII. Do ár. vulg. *šarīṭa* 'corda, cinta' (cláss. *šarīt* 'corda de fibras de palmeira trançadas').
xaréu *sm.* 'designação comum a várias espécies de peixes teleósteos, percomorfos, da fam. dos carangídeos' XVII. De origem obscura, talvez tupi || **xarelete** *cha-* 1873 | Dim. de *xaréu*.
⇨ **xaréu** — xarelete | 1836 SC |.
xaroco → SIROCO.
xarope *sm.* 'medicamento líquido e pegajoso, proveniente da mistura de certas substâncias vegetais

ou minerais, com a porção de açúcar necessária para saturá-los' | *sarope* XIII, *xerope* XV | Provavelmente do ár. *šaráb* 'bebida, poção', através de uma forma *šarōb* || ENXAROPAR XVI || XAROPADA 1813 || XAROPOSO 1899.

xátria *sm.* 'a segunda das quatro grandes castas hindus (brâmane, xátria, vaixiá e sudra), a que pertencem os militares' 'indivíduo dessa casta' | *α. chateriá c* 1615, *chatiriá c* 1615, *chatriâr c* 1615, *chatria* 1829 etc.; *β. charoddó* 1697, *charodó* 1716 etc.; *γ. cateré* 1600, *qhatri* XVII, *qhetri* 1687, *ketri* 1697 etc. | Do sânscr. *kṣatrya*, através do neoárico *chātri* (vars. *α*), do conc. *tçãrḍó, tçãroḍó* (vars. *β*) e *khatrī, khetrī* (vars. *γ*).

xaveco *sm.* 'tipo de navio mourisco' | 1874, *enxabeque* XV | Do ár. *šábaka* 'rede', da raiz *šábak* 'enredar, entrelaçar'.

⇨ **xaveco** | 1836 SC |.

xelim *sm.* 'moeda divisionária inglesa que, até fevereiro de 1971, representou a vigésima parte da libra' | 1813, *sheli* 1709, *shelins* pl. 1709 | Do ing. *shilling*.

xen(o)- *elem. comp.*, do gr. *xeno-, de xénos* 'estrangeiro, estranho', que se documenta em alguns compostos formados no próprio grego (como *xenagia*) e em muitos outros introduzidos, a partir do séc. XIX, na linguagem erudita ♦ **xenagia** *sf.* 'na Grécia antiga, a princípio, o encarregado de questões relacionadas com estrangeiros' 'posteriormente, o corpo de infantaria de Esparta, ou o comando desse corpo' 'finalmente, o comando dos corpos mercenários' 1899. Cp. gr. *xenagía* | xenARTRO *sm.* 'mamífero cuja coluna vertebral tem zigapófises nos arcos das vértebras lombares' XX. Do fr. *xénarthres* || **xenelasia** *sf.* 'na Grécia antiga, impedimento que se fazia a estrangeiros de entrarem numa cidade-estado' 1874. Cp. gr. *xenēlasía* | xenENT·ESE *sf.* '(Med.) introdução de substâncias estranhas no organismo' XX || **xênia** *sf.* 'na Grécia antiga, a qualidade de estrangeiro' 'hospitalidade' XX. Cp. gr. *xénia* || xenOBLÁST·ICO XX || xenOFIL·IA XX. Do fr. *xénophilie* || xenÓFILO XX. Do fr. *xénophile*, deriv. do gr. *xenóphilos* || xenOFOB·IA XX. Do fr. *xénophobie* || xenÓFOBO XX. Do fr. *xénophobe* || xenOFON·IA XX. Cp. gr. *xenophonía* || xenoMAN·IA 1858 || xenoMÓRF·ICO XX || **xenônio** *sm.* '(Quím.) elemento de número atômico 54, pertencente ao grupo dos gases nobres' XX. Adapt. do ing. *xénon*, deriv. do gr. *xénon*, neutro de *xénos* || **xenotima** *sf.* 'mineral tetragonal, constituído de fosfato de ítrio' XX. Do ing. *xenotime*, composto do gr. *xénos* + gr. *timé* 'honra'.

xeque[1] *sm.* 'entre os árabes, chefe de tribo, ou soberano' XVI. Do ár. *šéiḥ* 'velho, ancião'.

xeque[2] *sm.* 'no jogo de xadrez, lance em que o rei fica numa casa atacada por uma peça adversária' XX. Do ár. *šāh* 'rei, no jogo de xadrez', deriv. do persa *šāh* 'rei dos persas' || ENXequetADO *adj.* '(Her.) enxadrezado' 1844 || **xeque-mate** *sm.* 'xeque em que o rei atacado não pode escapar' | *xaque-maate* 1813 | Do ár. *aššāh māt* 'o rei (o xá) morreu'.

xerasia → XER(O)-.

xerém *sm.* 'milho pilado grosso, que não passa na peneira' 1844; 'chocalho de cobre usado no culto de Xangô' XX. Do ioruba *še'ree* (*šo'ŋo*) 'cabaça-chocalho, de pescoço longo (que anuncia Xangô)'.

⇨ **xerém** | 1836 SC |.

xeret·a, -ar → CHEIRAR.

xerez *sm.* 'casta de uva tinta' 'vinho generoso espanhol, seco ou doce' 1874. Do top. *Xerez*, cidade da Andaluzia onde se fabrica o vinho.

xerga *sf.* 'tecido grosseiro, espécie de burel' XVI. Do b. lat. *sarica*, de *seríca* 'panos de seda'.

xerife[1] *sm.* 'título adotado por príncipes mouros descendentes de Maomé' 'título de muçulmano que já fez três ou mais visitas ao templo de Meca' | XVI, *chariffe* XV, *xa-* XV | Do ár. *šarīf* 'nobre, ilustre, de qualidade superior'.

xerife[2] *sm.* 'Na Inglaterra, funcionário graduado de um condado' 'nos EUA, o funcionário mais graduado de um município, investido de poder policial e judicial limitado' XIX. Do ing. *sheriff*.

xerimbabo *sm.* 'animal de criação' | 1895, *che-*1888 | Do tupi *šereï'maŭo*.

xer(o)- *elem. comp.*, do gr. *xērós* 'seco, descarnado, magro', que se documenta em alguns compostos formados no próprio grego (como *xerofagia*) e em muitos outros introduzidos, a partir do séc. XIX, na linguagem científica internacional ♦ **xerasia** *sf.* 'afecção que impede o crescimento do cabelo e das sobrancelhas' 1858. Do ing. *xerasia*, deriv. do gr. *xērasia* 'secura' || xeroFAG·IA *sf.* 'dieta que proíbe o beber' | *-pha-* 1844 | Do lat. *xērophagĭa*, deriv. do gr. *xērophagía* || xerÓFILO XX. Do fr. *xérophile* || xerÓFITO XX. Adapt. do fr. *xérophytes* || xerOFTALM·IA | *-phtal-* 1844 | Do fr. *xérophtalmie*, deriv. do lat. tard. *xērophtalmia* e, este, do gr. *xerophtalmía* || xeroGRAF·IA XX || xeroMORFO XX || xeroSE 1899. Do ing. *xerosis*, deriv. do gr. *xérōsis* || **xerotribia** *sf.* 'fricção seca, feita com a mão' 1858. Cp. gr. *xērotribía*.

⇨ **xer(o)-** — xerOFTALM·IA | *xerophthalmia* 1836 SC |.

xerox *sf.* 'processo empregado para se obterem fotocópias por meio da xerografia' 'a fotocópia obtida por esse processo' 'a máquina empregada nesse processo' XX. Do ing. *xerox*, nome comercial, cunhado com base no gr. *xērós*, 'seco' || xerocAR, xeroxAR *vb.* 'reproduzir por xerox' XX. Cp. XER(O)-.

xexéu *sm.* 'pássaro da fam. dos icterídeos' | *chexéo* 1833, *checheó* 1875, *chechéu* 1878 etc. | De provável origem tupi, mas de étimo indeterminado.

xiba → CHIBO.

xibaro *sm.* 'mestiço de caboclo e negro' XX. Do cast. *jibaro*, de origem incerta, provavelmente de um idioma indígena americano.

xicaca *sf.* 'balaio, cesto' 1681. De origem africana, mas de étimo indeterminado.

xícara *sf.* 'pequena vasilha com asa para servir, em especial, bebidas quentes' XVIII. Do cast. *jícara*, provavelmente do náuatle *xicálli*.

xif(o)- *elem. comp.*, do gr. *xíphos* 'espada, punhal', que se documenta em alguns compostos formados no próprio grego (como *xifoide*) e em alguns outros introduzidos, a partir do séc. XIX, na linguagem científica internacional ♦ **xifódimo** *adj. sm.* 'diz-se de, ou monstro composto de dois corpos

distintos até a proximidade do apêndice xifoide' | *-phody-* 1874 | Do lat. cient. *xiphodymus*, contração de *xiphodimus*, do gr. *xíphos* + *dídymos* 'gêmeo' || **xifó**FILO | *-phophyllo* 1874 || **xif**OIDE | *-phoi* 1813 | Do fr. *xifoïde*, deriv. do gr. *xiphoeidēs* || **xifó**PAGO | *-pho-* 1844.
xiita *adj. s2g.* 'diz-se de, ou membro dos xiitas, muçulmanos partidários de Ali, primo e genro de Maomé' 1899. Do ár. *šīʻiī*, com adaptação do *-iī*, partícula do adj. relativo ou ético árabe, à terminação -ITA, que se documenta em *jacobita, jesuíta* etc.
xila *sf.* 'imundície, sujidade' XX. Do quimb., mas de étimo indeterminado.
xil(o)- *elem. comp.*, do gr. *xylo-*, de *xýlon* 'madeira, tronco, pau', que se documenta em alguns vocs. formados no próprio grego (como *xiloide*) e em muitos outros introduzidos, a partir do séc. XIX, na linguagem erudita internacional ▶ **xil**ARMÔN·ICO *sm.* 'xilofone' | *xylhar-* 1874 || **xilema** *sf.* 'lenho' XX. Do lat. cient. *xylēma* || **xil**ÊN·IO *sm.* 'produto líquido resultante da destilação da madeira' | *xyleno* 1874 | Do fr. *xylène* || **xilo**CARPO | *xy-* 1874 | Do lat. cient. *xylocarpus* || **xiló**COPO | *xylocope* 1874 | Do fr. *xylocope*, deriv. do lat. cient. *xylocopa* || **xilóFAGO** | *xylophago* 1858 | Do fr. *xylophage*, deriv. do lat. cient. *xylophagus* || **xiló**FILO | *xylophilo* 1881 | Do lat. cient. *xylophilus* || **xilo**FONE *sm.* '(Mús.) instrumento de percussão que consta, basicamente, de lâminas de madeira' | *xylophone* 1874 | Do fr. *xylophone* || **xiló**GLIFO | *xylóglypho* 1899 || **xilo**GRAF·IA | *-phia* 1844 | Do fr. *xylographie*, deriv. do gr. *xylographéō* 'eu escrevo sobre a madeira' || **xiló**GRAFO | *xylographo* 1874 | Do fr. *xylographe* || **xilo**GRAV·URA XX || **xil**OIDE | *xy-* 1899. Cp. gr. *xyloeidēs* || **xilo**LATR·IA | *xy-* 1858 || **xilo**LOG·IA | *xy-* 1844 || **xilo**MA | *xy-* 1899 || **xilo**MANC·IA | *xy-* 1874 || **xilo**MANTE XX. Cp. HIL(O)-.
⇨ **xil(o)-** — **xiló**FAGO | *xylophage* 1828 *in* ZT |.
xingar *vb.* 'descompor, insultar, injuriar' XVII. Do quimb. *šiʻŋa*.
xintó *sm.* 'ant. xintoísmo' | 1560, *seutó* 1612 | Do jap. *šintō* 'caminho dos deuses' || **xintoísmo** *sm.* 'a religião nacional do Japão, anterior ao budismo' | *shintoismo* 1874.
xinxim *sm.* 'comida da culinária afro-baiana, da preferência de Oxum' XX. Do ioruba *šinʻšin*.
xiró *sm.* 'caldo de arroz temperado com sal' | *siro* 1568, *xiro* 1588 | Do jap. *širu* 'caldo, sopa'.
xisto[1] *sm.* 'rocha metamórfica que exibe xistosidade ou laminação acentuada e lineação definida' | *shisto* 1874 | Adapt. do fr. *schiste*, deriv. do lat. cient. *schistus* e, este, do gr. *schistós*.
⇨ **xisto**[1] | *schisto* 1836 SC |.
xisto[2] *sm.* 'entre os gregos, pórtico coberto em que se exercitavam os atletas' 'entre os romanos, galeria descoberta, para passeio' | *xysto* 1874 | Do lat. *xystus*, deriv. do gr. *xystós*.
xistrópode *sm.* 'divisão da classe das aves que compreende as galináceas e as columbinas' | *xystropodes* pl. 1899 | Do lat. cient. *xystropodes*, do gr. *xystra* 'escova' + *poús podós* 'pé'.
xiva *sm.* 'o terceiro deus da tríade hindu (Brama, Vixnu, Xiva)' | *xivên c* 1615, *siva* 1837, *shiva* 1886 etc. | Do sânscr. *şiva* 'o auspicioso' || **xivaísmo** 1883 || **xivaíta** || *si-* 1898.
xodó *sm.* 'namoro, namorado' 'amor, estima especial' XX. De formação expressiva.
xofrango *sm.* 'a águia pesqueira, quando nova' 1813. Talvez do lat. *ossifrăgus* 'que quebra os ossos'.
xógum *sm.* 'chefe do exército, no antigo regime japonês' | 1607, *-un* 1634, *xougun* 1697 | Do jap. *šogun*.
xucro *adj.* 'orig. diz-se do animal de sela ainda não domesticado' '*ext.* diz-se do indivíduo ainda não treinado em qualquer tarefa' '*ext.* ignorante, rude, bronco' | 1899, *chucro* 1899 | Do hisp.-americ. *chúcaro* 'arisco', de origem incerta, talvez do quíchua *čúkru* 'duro'.
xumbergar *vb.* 'ingerir bebidas alcoólicas, embriagar-se' | *chum-* 1845 | Da alcunha *Xumbergas*, do governador de Pernambuco, Jerônimo de Mendonça Furtado, que usava bigodes à moda do general alemão F.H. *Schomberg* (1615-1690); este governador se daria ao vício da embriaguez || **xumberga** *sf.* 'bebedeira' XX. Dev. de *xumbergar*.

Z

-z- consoante de ligação que, na formação de derivados portugueses, une a forma derivante ao sufixo; segundo tudo indica, o *-z-* tem por única função tornar eufônicos os derivados, desfazendo os hiatos: *abacaxi·z·al, cafe·z·eiro, mão·z·ada* etc. Em razão de seu emprego generalizado na formação de diminutivos em *-inho*, o *-z-* aglutinou-se ao sufixo, dando origem ao sufixo composto *-zinho: homen·zinho, par·zinho* etc. Cumpre notar, ainda, que são mais ou menos frequentes as formações paralelas *filh·inho/filho·zinho, menin·inho/menino·zinho, pen·inha/pena·zinha* etc., ora sem o *-z-*, ora com ele.

zabelê *s2g.* 'jaó' 1899. De origem obscura; talvez se trate de uma formação onomatopaica.

zabra *sf.* 'ant. embarcação' | *zaura* XIV | Do ár. *zaụraq*.

zabucai *sm.* 'peixe da fam. dos carangídeos, abacatuaia' 1587. De provável origem tupi, mas de étimo indeterminado.

zabumba *s2g.* 'bombo' XVIII. De provável formação onomatopaica.

zaburro *adj. sm.* 'diz-se de, ou certa variedade de milho' XVI. De origem obscura.

zaga *sf.* '(Fut.) posição dos dois jogadores da defesa, entre a linha média e o gol' XX. Do esp. plat. *zaga*, deriv. do ár. *sāqa* 'retaguarda'. No port. med., na acepção de 'retaguarda das tropas em combate', ocorrem as formas *çaga* (séc. XIV) e *saga* (séc. XVI), de imediata procedência árabe || **zagu**EIRO XX.

zagal *sm.* 'pastor, pegureiro' XVI. Do ár. vulg. *zaġáll* 'valente, forte' || **zagal**EJO XVI | **zagal**OTE *sm.* 'ant. pequena bala de chumbo para espingarda' 1881.

zagueiro → ZAGA.

zaino *adj.* 'orig. diz-se de cavalo castanho-escuro sem mescla' '*fig.* dissimulado, traiçoeiro' XVI. De origem incerta; talvez do ár. *ṣâ'in* 'o que guarda segredos'.

zambê *sm.* 'orig. dança popular de roda' '*ext.* festa popular, pagode' XX. De origem africana, mas de étimo indeterminado.

zambo, zambro *adj. sm.* 'cambaio' | *zambo* XVI, *zambro* XVI | De origem incerta; provavelmente alter. do lat. vulg. *strambus* (cláss. *strabus*) 'estrábico, vesgo'.

zamboa *sf.* 'espécie de cidra' 1813. Do ár. *zambû'a*, de origem berbere || **zambo**EIRA *sf.* 'variedade de limão' 1813.

zamboque *sm.* 'variedade de abelha' XX. De origem obscura.

zambro → ZAMBO.

zampar *vb.* 'comer muito, com pressa e voracidade' 1890. Do cast. *zampar*, de origem incerta.

zangão *sm.* 'macho da abelha' XVII. Provavelmente de *zang*, onomatopeia do zumbido do inseto || **zanga** *sf.* 1844. Dev. de *zangar* || **zângano** *sm.* 'indivíduo que não trabalha, habituado a viver à custa alheia' XVIII. Do cast. *zángano* 'zangão' || **zang**AR *vb.* 'molestar, afligir, aborrecer' 'irritar-se, irar-se' 1813 || **zang**AR·R·EAR *vb.* 'tocar viola' 1813.

⇨ *zangão* — *zanga* | 1836 SC |.

zanzar *vb.* 'vaguear' 1899. De origem onomatopaica.

zanzo *sm.* 'planta ruderal da fam. das malváceas' 1899. De origem obscura.

zápete *sm.* 'no jogo do truque, o quatro de paus' 'o jogo do truque' 1813. De origem obscura.

zarabatana *sf.* 'tubo comprido pelo qual se impelem, com o sopro, setas e pequenos projetis' | *zaraua-* XVI | Do ár. vulg. *zarbatānâ* (cláss. *zabaṭānâ*), de origem persa.

zaraga *sf.* 'espécie de cretone de algodão' 1899. De origem obscura.

zaragata *sf.* 'desordem, confusão' 1890. Do cast. *zaragata*, de origem incerta, talvez do cruzamento do a. fr. *eschargaite* 'patrulha que monta a guarda' com o ár. vulg. *zalgata* 'grito agudo de alegria que lançam as mulheres'.

zaragatoa *sf.* 'designação comum a duas ervas humildes da fam. das plantagináceas' | XV, *zargatoa* XIV | Do cast. *zaragatona*, deriv. do ár. *bazr qatûnâ*, do ár. *bazr* 'semente' e um nome estrangeiro da *zaragatoa* (de origem siríaca ou persa).

zaranga *adj. s2g.* 'atabalhoado, aturdido, perturbado' 1881. De origem controversa.

zarcão *sm.* 'óxido salino de chumbo, muito usado, especialmente a bordo das embarcações, para a primeira demão de pintura nas peças de ferro ou de aço, por dificultar a formação de ferrugem' | 1813, *azarcão* XVII | Do ár. *zarqún*.

⇨ *zarcão* | 1508 in ZT |.

zarco *adj.* 'que tem olhos azul-claros' XVI. Do ár. vulg. *zárqa* (cláss. *zarqá'*), fem. de '*ázraq* 'azul'.

zarolho → OLHO.

zarpar *vb.* 'levantar âncora, fazer-se ao mar, partir' XVII. Do cast. *zarpar*, deriv. do a. it. *sarpare* (hoje

salpare), deriv. do lat. tard. **exharpare* e, este, do gr. *exharpázō*.
zarro *sm.* 'cabo náutico' 1881. De origem obscura.
zarzuela *sf.* 'obra dramática e musical especificamente espanhola, na qual alternadamente se declama e se canta' XIX. Do cast. *zarzuela*, de *zarza* 'sarça', de origem incerta, seguramente pré-romana.
zebra *sf.* 'designação comum aos mamíferos africanos da fam. dos equídeos, caracterizados pela pelagem listrada' | *zeura* XVI | De origem incerta; o voc. deve estar relacionado com o a. port. *zevra* (séc. XIII), fem. de *zevro* (séc. XIII) *zebro* (séc. XIII) 'cavalo selvagem', do lat. vulg. **ecĭfĕrus* (cláss. *equĭfĕrus* 'cavalo selvagem') || zebrADO 1881 || zebrAL 1813 || zebrAR *vb.* 'listrar, dando a aparência da pele da zebra' 1899 || zebrÁRIO *adj.* 'zebral' 1899 || zebrOIDE 1899 || zebrUNO *adj.* 'diz-se do cavalo de pelo baio' XVIII. Do cast. *cebruno*, de *cebra* 'zebra'.
zebu *adj. sm.*' 'diz-se de, ou espécime de um gado bovino indiano, por via de regra corpulento e dotado de grande corcova, e que compreende várias raças' XIX. Do fr. *zébu*, de origem obscura || zebuEIRO, zebuZ·EIRO | *zebueiro* XX, *zebuzeiro* XX.
zedoária *sf.* 'planta herbácea e medicinal, da fam. das zingiberáceas' | *zedoaira* XVI | Do b. lat. *zedoarium*, deriv. do ár. *zadu̯âr* e, este, do persa *žadivâr*.
zéfiro *sm.* '*orig.* entre os antigos, vento do ocidente' '*ext.* aragem, brisa' XVI. Do lat. *zephŷrus -ī*, deriv. do gr. *zéphyros* || **zefir** *sm.* 'tecido de algodão, leve e transparente' | *zephyre* 1899 || Do fr. *zéphyr* 'zéfiro', em alusão à leveza do tecido || zefirINO *adj.* 'referente ao zéfiro' XX. Adapt. do fr. *zéphyrien*.
zelador → ZELO.
zelandês *adj. sm.* 'relativo a, ou natural da Zelândia' XX. Do top. *Zelând(ia)* + -ês.
zelo *sm.* 'cuidado, desvelo ardente' | XIV, *ceo* XIII, *zeo* XIV | Do lat. *zēlus*, transliteração do gr. *zēlos* '(objeto de) emulação' || zelADOR XV || zelANTE XVII || zelAR *vb.* 'ter zelo por' 'ter ciúmes de' XIV. Do lat. *zēlāre* || zelOSO | XV, *ceoso* XIII, *cioso* XV || zeloTE *adj.* 'que finge ter zelos' XVII. Do lat. *zēlōtes -ae*, deriv. do gr. *zēlṓtēs* || zeloTIP·IA *sf.* 'inveja (por amor)' XVI. Do lat. *zelotypĭa*, deriv. do gr. *zēlotypía*. Cp. CIO, CIÚME.
zende *adj. 2g. sm.* 'avéstico' 'língua do grupo indo-iraniano' XIX. Do persa *zand(a)* 'conhecimento'; na literatura dos parses significa 'comentário, glosa' e aplica-se, particularmente, aos textos do Avesta, redigidos em pelvi.
zênite *sm.* '(Astr.) interseção da vertical superior do lugar com a esfera celeste' '*ext.* auge, apogeu' | *zenith* XVI | Do fr. *zénith*, deriv. do ár. *samt* 'caminho', lido *senit*, erroneamente, pelos escribas medievais; o *m* manuscrito é, com certa frequência, confundido com *ni* em textos antigos.
zeófago *adj. sm.* 'diz-se de, ou animal que se alimenta de milho' | -*pha*- 1874 | Do gr. *zéa zeiá* 'trigo' + -FAGO, por via erudita.
zeólita *sf.* 'denominação comum aos silicatos hidratados de alumínio e a um ou mais metais alcalinos ou alcalino-terrosos, mais comumente o sódio e o cálcio' | -*the* 1858 | Do fr. *zéolithe*, deriv. do gr. *zéin* 'ferver' + gr. *líthos* 'pedra'.

zepelim *sm.* 'aeróstato dirigível, formado por uma armação de duralumínio em feitio de grande charuto' XX. Do antrop. F. von *Zeppelin*, aperfeiçoador do dirigível (1838-1917).
zero *num.* 'cardinal dos conjuntos vazios' 'algarismo representativo do número zero (0)' 1858. Do fr. *zéro*, deriv. do it. *z'èro*, do b. lat. *zephŷrum* e, este, do ár. *ṣifr* 'vazio, zero', pronunciado vulgarmente *ṣéfer*.
⇨ zero | 1836 sc |.
zerumba, zerumbete *sf.* e *m.* 'gengibre silvestre da Índia' | *zerumba* XVI, *zerumbete* XVI | Do persa *zarambād*.
zesto *sm.* 'a camada mais externa das frutas cítricas' | *zeste* 1858 | Do fr. *zeste*.
zeta *sm.* 'nome da sexta letra do alfabeto grego' 1899. Do lat. *zēta*, deriv. do gr. *zēta* || zetAC·ISMO *sm.* 'defeito de pronunciação que consiste na passagem de uma consoante ao som de zê' 1899.
zetética *sf.* método de investigação, ou conjunto de preceitos, para a resolução de um problema filosófico ou matemático' 1874. Do fr. *zététique*, deriv. do gr. *zētētiké* 'a doutrina dos céticos'.
zeugma *s2g.* '(Ret.) figura pela qual uma palavra, expressa em determinada parte do período, é subentendida em outra(s) parte(s), porterior(es) ou anterior(es) àquela' | *zeuma* XVI | Do lat. *zeugma -atis*, deriv. do gr. *zeûgma* 'jugo, cadeia'.
zeugo *sm.* 'instrumento musical, na Grécia antiga, composto de duas flautas reunidas' XX. Cp. gr. *zeûgos* 'jugo, junta de bois'. Cp. ZIG(O)-.
zeunerita *sf.* '(Min.) uranita' XX. Do al. *Zeunerit*, deriv. do antrop. G. A. *Zeuner*, engenheiro alemão (1828-1907); o voc. foi criado por Weisbach, em 1872, em homenagem a Zeuner.
zibelina *adj. sf.* 'diz-se de um mamífero carnívoro da fam. dos mustelídeos (*Mustela zibellina*) 'espécie de marta das regiões árticas e subárticas da Europa e da Ásia' 'a pele desse animal, muito apreciada para a confecção de agasalhos' 'agasalho confeccionado com essa pele' | *zyuryna* 1452, *zebelij* XV, *zebelina* XVI, *zebellino* XVI, *gibelina* 1665 etc. | Do it. *zibellino*, deriv. do russ. *sóbol'*. A var. *zyuryna* parece ter sido influenciada pelo a. port. *zevro* (v. ZEBRA), e a forma atual, já documentada no séc. XVI, deve provir imediatamente do fr. *zibeline* (< it. *zibellino*). No lat. méd. o voc. se documenta, com diferentes grafias, em várias regiões da Europa; em território galego-português já ocorre, com a forma *cebelinis*, em texto de meados do séc. XIII.
zig(o)- *elem. comp.*, do gr. *zygón* 'jugo, fiel de balança', que traduz as ideias de 'jugo, par, duplo, ligação', que se documenta em alguns compostos formados no próprio grego (como *zigoma*) e em muitos outros introduzidos, a partir do séc. XIX, na linguagem científica internacional ▶ zigóCERO | *zy*- 1874 || zigoDÁCTILO | *zygodactylo* 1874 || zigoFILO 1899 || Do lat. cient. *zygophylum* || **zigoma** *sm.* 'o osso da maçã do rosto' | *zy*- 1874 | Do fr. *zygome*, do lat. cient. *zygōma* e, este, do gr. *zygōma* 1874 || zigomÁTICO | *zy*- 1874 | Do fr. *zygomatique* || zigoMORFO XX. Do fr. *zygomorphe* || zigóSPORO | *zy*- 1874 || **zigoto** *sm.* 'célula reprodutora resultante da fusão de dois gametas de sexo oposto' XX. Do fr. *zygote*, deriv. do gr. *zygōtós*.

⇨ **zig(o)-** — **zigoma** | *zy-* 1836 SC | **zigom**ÁTICO | *zy-* 1836 SC |.
zigue-zague *sm.* 'linha quebrada, ou sinuosa, que forma ângulos salientes e reentrantes alternados' | *zigues-zagues* pl. XVIII | Adapt. do fr. *zigzag*, deriv. do al. *Zickzack*, de origem onomatopaica || **ziguezagu**EAR 1899 || **zigue-zigue** *sm.* 'certa brincadeira de criança' XVIII.
zímase → ZIM(O)-.
zimbório *sm.* '(Arquit.) a parte superior, geralmente convexa, que exteriormente remata a cúpula de uma edificação, sobretudo de igrejas' | XVI, *çinborio* XIV | Do lat. *cibōrium*, deriv. do gr. *kibórion* 'fruto do nenúfar do Egito', porque com esse fruto eram feitas as cúpulas.
zimbro[1] *sm.* 'planta da fam. das pináceas, cujos frutos se utilizam na preparação do gim ou da genebra e na aromatização de conservas ou carnes defumadas' XVI. Do lat. **jinip(erus)*, por *jūnipĕrus -ī* 'zimbro'. Cp. GENEBRA, GIM[1], JUNÍPERO.
zimbro[2] *sm.* 'orvalho' 1881. De origem obscura.
zim(o)- *elem. comp.*, do gr. *zy'mē* 'fermento', que se documenta em alguns compostos formados no próprio grego (como *zimose*) e em muitos outros introduzidos, a partir do séc. XIX, na linguagem científica internacional ♦ **zím**ASE | *zy-* 1899 | Do fr. *zymase* || **zime**OSE | *zy-* 1881 || **zím**ICO | *zy-* 1881 | Do fr. *zymique*||**zimo**GEN·IA|*zy-* 1899||**zimo**LOG·IA | *zy-* 1881 | Do fr. *zymologie* || **zimo**SCÓP·IO | *zymoscopo* 1874 || **zimose** *sf.* 'fermento solúvel' | *zymosa* 1874 | Do fr. *zymose*, deriv. do gr. *zymōsis* 'fermentação' | **zimo**TECN·IA | *zymotecnia* 1874 | Do fr. *zymotechnie* || **zimo**TÉRM·ICO XX || **zimót**·ICO *adj.* 'próprio para a fermentação' | *zy-* 1874 | Do fr. *zymotique*, deriv. do gr. *zymotikós*.
⇨**zimo**LOG·IA|*zy-* 1836 SC||**zimo**TECN·IA | *zymotechnia* 1836 SC |.
zina *sf.* 'auge, apogeu' 1858. De origem obscura; talvez se trate de uma alteração de *zênite*.
zinco *sm.* '(Quím.) elemento de número atômico 30, metálico, branco-acinzentado, denso, usado em ligas e, quando puro, para diversos fins' 1858. Do fr. *zinc*, deriv. do al. *Zink*, de origem incerta || **zinc**AR 1881 || **zinco**GRAF·AR | *-phar* 1874 || **zinco**GRAF·IA | *-phia* 1858 | Do fr. *zincographie* || **zinco**GRAVURA XX.
⇨ **zinco** | 1786 *in* ZT || **zinc**AGEM | *zincage* 1874 DV |.
zinga *sf.* 'vara comprida, usada na propulsão de embarcações em lugares de pouco fundo' 1899. De origem controversa.
zingamocho *sm.* 'remate de zimbório, cúpula' 1813. De origem obscura.
zíngaro *sm.* 'cigano músico' | *-ri* 1874 | Do it. *zíngaro* || **zingar**EAR *vb.* 'vadiar' 1899.
zingrar *vb.* 'zombar, escarnecer' 1813. De origem controversa.
-zinho → -Z-.
zínia *sf.* 'planta decorativa da fam. das compostas' | *zinnia* 1899 | Do lat. cient. *zinnia*, do antrop. G.G. *Zinn*, botânico alemão (1727-1759).
zinir → ZUNIR.
zinzilular *vb.* 'soltar a sua voz (algumas aves, principalmente a andorinha)' XX. Do lat. *zinzilulāre*, de origem onomatopaica.
zircão *sm.* 'silicato de zircônio' | *-con* 1874 | Do fr.

zircon, alter. de *jargon* 'jacinto, pedra preciosa' || **zircônio** *sm.* '(Quím.) elemento de número atômico 40' 1858. Do fr. *zirconium*, de *zircon*.
-zo- → -ZO(O)-.
zo·antário, -antropia → -ZO(O)-.
zoar *vb.* 'soar fortemente' 'ter som forte e confuso' XVI. De origem onomatopaica; talvez seja uma alter. de *soar* || **zo**ADA 1813 || **zo**EIRA 1899.
zodíaco *sm.* 'um dos círculos maiores da esfera por onde os planetas se movem, e que está dividido em doze signos' XVI. Do lat. *zŏdĭăcus*, deriv. do gr. *zōidiakós*.
⇨ **zodíaco** | XV BENF 162.*3* |.
zoécio → -ZO(O)-.
zoeira → ZOAR.
-zoico *elem. comp.*, do gr. *zōikós* 'animal' 'relativo aos animais', que se documenta na formação de alguns compostos eruditos: *antropozoico, hipozoico* etc.
zoilo *sm.* 'crítico injusto e/ou invejoso' XVI. Do antrop. lat. *Zōīlus -i*, deriv. do antrop. gr. *Zôilos* 'Zoilo', célebre crítico de Homero, do séc. III a.C.
zoina *adj. 2g.* 'tonto, aturdido' 1874. Provavelmente relacionado com o cast. *zaino*. Cp. ZAINO.
⇨ **zoina** 'meretriz' | 1836 SC |.
zoisita *sf.* '(Min.) epídoto ortorrômbico, constituído de silicato ácido de alumínio e cálcio' XX. Do antrop. S. *Zois* von Edelstein, nobre eslavônio (1747-1819).
zoísmo → -ZO(O)-.
zombar *vb.* 'debochar, escarnecer, ludibriar' XVI. De origem controvertida || **zomb**ADOR XVI || **zombaria** XV || **zomb**ET·EIRO XVIII.
zona *sf.* 'cinta, faixa' 'ponto, local, região' XIV. Do lat. *zŏna*, deriv. do gr. *zṓnē*.
zonzo *adj.* 'tonto' 1899. De origem onomatopaica || **zonz**EIRA *sf.* 'vertigem' XX.
zo(o)- *elem. comp.*, do gr. *zôon* 'qualquer ser vivo, animal', que se documenta em alguns compostos formados no próprio grego (como *zooide*) e em muitos outros introduzidos, a partir do séc. XIX, na linguagem científica internacional ♦ **zo**ANT·ÁRIO | *-tharios* 1874 || **zo**ANTROP·IA | *-thro-* 1874 | Do lat. cient. *zoanthropia* || **zo**ÉC·IO *sm.* 'célula ou tubo que encerra o zooide de um briozoário' | *-cia* f. 1874 | Do ing. *zooecium* || **zoísmo** 1874 || **zoo**BIO·LOG·IA 1899 || **zoo**COROGRAF·IA | *zoochorographia* 1899 || **zoo**EMAT·INA 1899 || **zoo**ÉTICA | *-thi-* 1874 || **zoo**FAG·IA | *-pha-* 1874 | Cp. gr. *zōophagía* || **zoo**FIL·IA XX. Do fr. *zoophilie* || **zoófito** | *-phi-* 1858 | Do fr. *zoophite*, deriv. do gr. *zōophyton* || **zoo**FOB·IA | *-pho-* 1899 | Do fr. *zoophobie* || **zoó**FORO *sm.* '(Arquit.) espaço entre a arquitrave e a cornija, ornado outrora com cabeças de animais' | *-pho-* 1858 | Do gr. *zoophore* || **zoo**GEN·IA 1874 || **zoo**GÊN·IO *sm.* 'substância viscosa existente nas águas termais' | *-neo* 1858 | Cp. gr. *zōogenés* 'nascido de um animal' || **zoo**GEO·GRAF·IA | *-phia* 1874 | Do fr. *zoogéographie* || **zoogleia** XX. Adapt. do fr. *zooglée*, deriv. do lat. cient. *zooglaea* || **zoo**GLIF·ITO | *-glyphta* f. 1874 || **zoo**GRAF·IA | *-phia* 1858 | Do fr. *zoographie*, deriv. do gr. *zōographía* || **zoo**IATRA | *-tro* m. 1874 || **zoo**IATR·IA 1874 || **zoo**IÁTR·ICO 1874 || **zoo**OIDE 1874. Do fr. *zooïde*, deriv. do gr. *zôoeidés* || **zoo**LATRIA

1858. Do fr. *zoolâtrie* || **zoó**LITE *sm.* 'animal fóssil' | 1858, *-the* 1858 | Do fr. *zoolit(h)e* || **zoo**LOG·IA 1858. Do fr. *zoologie* || **zoo**LÓG·ICO 1858. Do fr. *zoologique* || **zoó**LOGO 1890. Do fr. *zoologue* || **zoo**MAGNETISMO 1858. Do ing. *zoomagnetism* || **zoo**MANC·IA XX. Do ing. *zoomancy* || **zoo**MANIA XX || **zoo**MANTE XX || **zoo**MORF·IA | *-phia* 1874 || **zoo**MORF·ISMO | *-phis-* 1874 | Do fr. *zoomorphisme* || **zoo**MORF·ITE *sm.* 'zoólite' | *-phita* 1874 || **zoon**ITO *sm.* 'cada uma das partes constitutivas do corpo de certos animais, conhecidas como segmentos ou somitos' | *-te* 1874 || **zoo**NOM·IA 1874 || **zoo**NOSE XX || **zoon**OSO·LOG·IA 1874 || **zoo**PARASITO | *-ta* f. 1874 || **zoo**QUÍMICA XX || **zoo**SCOP·IA XX || **zoo**SPORÂNG·IO XX. Do fr. *zoosporange* || **zoó**SPORO 1874. Do fr. *zoospore* || **zoo**TÁ(C)T·ICO 1874 || **zoo**TAX·IA 1858. Do fr. *zootaxie* || **zoo**TECN·IA | *-technia* 1858 | Do fr. *zootechnie* || **zoo**TÉCN·ICO | *-techni-* 1899 | Do fr. *zootechnique* || **zoo**TERAPÊUTICA 1899 || **zoo**TERAP·IA | *-the-* 1858 || **zoo**TOM·IA 1874. Do fr. *zootomie* || **zoo**TRÓP·IO *sm.* 'aparelho por meio do qual podem observar-se as diversas fases do movimento dos seres animados' 1899.
⇨ **zo(o)-** — **zoó**FITO | *-phy-* 1836 SC || **zoo**LATRIA | 1836 SC || **zoo**LOG·IA | 1836 SC || **zoó**LOGO | 1836 SC || **zoo**NOM·IA | 1836 SC || **zoo**TOM·IA | 1836 SC |.
zopo *adj.* 'que anda com dificuldade' | *çopo* XIII | De origem incerta.
zorô *sm.* 'iguaria brasileira tradicional do norte' 1899. De origem africana, mas de étimo indeterminado.
zorra *sf.* 'raposa velha' XVI. Do cast. *zorra* || **zorr**EIRO *adj. sm.* 'diz-se de, ou indivíduo lerdo, preguiçoso' XVI || **zorr**ILHO *sm.* 'mamífero carnívoro da fam. dos mustelídeos' 1899. Do cast. *zorrillo*, de *zorra* || **zorro** *sm.* 'orig. raposo' *ext.* criado velho' XVI.
zoster *sm.* 'faixa, cinta, zona' 1874. Do lat. cient. *zoster*, deriv. do gr. *zōstḗr*.
zuarte *sm.* 'tipo de tecido de algodão' XVIII. De origem controvertida, talvez do neerl. *zwart* 'preto'.
zuavo *sm.* 'soldado de infantaria argelino, outrora a serviço da França' | *zouáve* 1858 | Do fr. *zouave*, deriv. do árabe-berbere *zu̯au̯a*, nome de uma tribo cabila.
⇨ **zuavo** — **azuavo** '*ant.* tribo de árabes argelinos, famosos por sua coragem e destreza nas guerras' | *azuaos* pl. *a* 1595 *Jorn.* 83.*12* | Diretamente do árabe-berbere *zu̯au̯a*.
zumbaia *sf.* 'salamaleque' | *çumbaya* XVI | Do malaio *sembahyang* 'saudação reverencial'.
zumbi *sm.* 'espírito de um morto que, segundo a crença dos nativos de Angola, vagueia pela noite assustando e/ou perseguindo os vivos' 1681. Do quimb. *ńu'mi* 'defunto, cadáver'. Em texto de 1681, relativo a Angola, lê-se: "[...] zumbi he couza que os poem [*sc.* aos nativos de Angola] em muito cuidado, que vem a ser sonharem com algum defunto [...] logo imaginam que lhe vem pedir alguma couza [...] ou buscar para lhe hirem fazer companhia, [...]". Tal como outros vocs. de procedência africana (cp. LIBAMBO, MOCAMBO etc.), *zumbi* difundiu-se no Brasil, desde o período colonial, em decorrência do intenso e progressivo convívio dos brancos com os negros escravos oriundos da África. Ficou famoso no Brasil com o nome Zumbi, alcunha do chefe do quilombo dos Palmares, grande reduto de escravos foragidos, que se estendia pelo norte e nordeste do país.
zumbir *vb.* 'fazer ruído ao esvoaçar (insetos)' 1813. De origem onomatopaica || **zumb**IDO *sm.* 'ato ou efeito de zumbir' XVI.
zumbrir *vb.* 'curvar-se, dobrar-se' 1813. De origem obscura.
zungu *sm.* 'habitação coletiva das classes pobres, cortiço' 1899. Do quimb. *ńa'ńu* 'rixa'.
zunir, zinir *vb.* 'produzir (o vento) som agudo e sibilante' | *zunir* XVI, *zinir* XVIII | De origem onomatopaica || **zun**IDO *sm.* 'ato ou efeito de zunir' XVI.
zurrapa *sf.* 'vinho de má qualidade' XVIII. De origem obscura; talvez se relacione com o cast. *churre*.
zurrar *vb.* 'emitir zurros' | 1813, *azurrar* XV | De origem onomatopaica || **zurro** *sm.* 'voz do burro, ornejo' XVII. Dev. de *zurrar*.
⇨ **zurrar** — **zurro** | XV ZURG 249.*21* |.

SIGLAS DOS TEXTOS-FONTES DAS DATAÇÕES
(O asterisco remete o consulente para as Referências Bibliográficas)

ABejA = Frei António de Beja, *Contra os juyzos dos astrologos*. Lisboa, 1523 [Citam-se, nas transcrições, o número do fólio (que é seguido de *v* quando se refere ao *verso* do fólio) em algarismos arábicos (embora no texto original a numeração dos fólios esteja em romanos maiúsculos) e o número da linha, também em algarismos arábicos].

ABejP = Frei António de Beja, *Breve doutrina e ensinança de príncipes*. Reprodução fac-similada da edição de 1525. Introdução de Mário Tavares Dias. Lisboa, 1965 [Citam-se, nas transcrições, feitas diretamente do fac-símile, o número do fólio (que é seguido de *v* quando se refere ao *verso* do fólio) em algarismos arábicos (embora no texto original a numeração dos fólios esteja em romanos maiúsculos) e o número da linha, também em algarismos arábicos].

AF → *Ferreira (Aurélio Buarque de Holanda), *Novo dicionário* ...

AGal = António Galvão, *Tratado dos descobrimentos* [*a* 1557]. 3ª ed. Minuciosamente anotada e comentada pelo visconde de Lagoa, com a colaboração de Elaine Sanceau. Reprodução diplomática da raríssima edição *princeps* [1563]... Livraria Civilização-Editora. Porto, 1944 [Citam-se, nas transcrições, os números da página e da linha].

AM → *Magne (Augusto)

ANCO = *Livro que fez o mui nobre rei d'Ancos* in Gunnar Tilander, *Dois tratados portugueses inéditos de falcoaria...* [texto do séc. XV conservado em um manuscrito do séc. XVI] Karlshamn, 1966 [Citam-se, nas transcrições, o número do livro, em algarismos romanos, e os números do capítulo e da cláusula, em arábicos, de acordo com o critério de numeração adotado pelo editor].

Aned. = *Anedotas portuguesas e memórias biográficas da corte quinhentista. Istorias e ditos galantes que sucederão e se disserão no Paço* ... [texto manuscrito do séc. XVII (*c* 1644)]. Leitura do texto. Introdução. Notas e Índices por Christopher C. Lund. Coimbra, 1980 [Citam-se, nas transcrições, os números da página e da linha].

ANTI = Nunes, J.J., *A vyda do duque Antioco* [reprodução de parte do códice alcobacense nº 771, do séc. XV] in *Revista Lusitana* XIX, 1916, 65-73 [Citam-se, nas transcrições, os números da página e da linha].

AOCad = António Oliveira de Cadornega, *História Geral das Guerras Angolanas* [Tomos I e II: texto de 1680; Tomo III: texto de 1681]. Anotado e corrigido por José Matias Delgado. Agência-Geral do Ultramar. Lisboa, 1972 [Citam-se, nas transcrições, o número do tomo, em algarismos romanos, e os números da página e da linha, em arábicos].

APOS = *Vidas e Paixões dos Apóstolos* [texto do séc. XIV conservado em um manuscrito do séc. XV]. Edição crítica e estudo por Isabel Vilares Cepeda. Centro de Linguística da Universidade de Lisboa. V. I. Lisboa, 1982 [Citam-se, nas transcrições, os números da página e da linha].

ARes = *Vocabulário da 'Vida de Frei Pedro' de André de Resende*. Seguido da reprodução fac-similar da edição quinhentista [1570]. Preparado pelo Professor Samuel da Costa Grillo (Dicionário da Língua Portuguesa – Textos e Vocabulários, 7). Instituto Nacional do Livro. [Rio de Janeiro] 1966.

ARIM = *The Portuguese Book of Joseph of Arimathea* [Texto do séc. XIV conservado em um manuscrito do séc. XVI]. Paleographical edition with Introduction, Linguistic

Study, Notes, Plates and Glossary by Henry Hare Carter. Chapel Hill. The University of North Caroline Press, 1967 [Citam-se, nas transcrições, o número do fólio (que é seguido de *v* quando se refere ao *verso* do fólio) e o número da linha].

ARos = Frei António do Rosário, *Frutas do Brasil numa nova, e ascetica monarchia* [...] Lisboa, na Officina de Antonio Pedrozo Galram [...] Anno de 1702.

Arq. Ang. = *Arquivos de Angola*. Publicação oficial editada pelo Museu de Angola, 2ª série. V. I. Luanda, 1943 [Citam-se, nas transcrições, os números do volume e da página].

AVES = *Livro das Aves*. Reprodução fac-similar do manuscrito do séc. XIV; introdução, leitura crítica, notas e glossário [integral]. Edição preparada por Jacira Andrade Mota, Rosa Virgínia Matos, Vera Lúcia Sampaio e N. Rossi, sob a orientação e direção deste. Instituto Nacional do Livro. Rio de Janeiro, 1965 (Dicionário da Língua Portuguesa. Textos e vocabulários, 4) [Citam-se, nas transcrições, o número da coluna de cada um dos fólios do manuscrito, em algarismos romanos, e o número da linha, em arábicos, de acordo com o critério de numeração adotado pelos editores].

BARL = Lacerda, Margarida Corrêa de, *Vida do honrado infante Josaphate filho del rey Avenir* [reprodução fac-similar e leitura diplomática do texto do séc. XIV da *Lenda de Barlaam e Josaphate*, constante do códice alcobacense nº 266]. Introdução e notas por –. Junta de Investigações do Ultramar. Lisboa, 1963 [Citam-se, nas transcrições, o número do fólio (que é seguido de *v* quando se refere ao *verso* do fólio) e o número da linha, de acordo com o critério de numeração adotado pela editora].

BENF = Costa, Joaquim, *O Livro da Virtuosa Benfeitoria do Infante Dom Pedro* [reprodução do manuscrito do séc. XV da Biblioteca Municipal de Viseu] 2ª edição, com introdução e notas por –. Porto, 1940 [Citam-se, nas transcrições, os números da página e da linha].

BENT = Silva Neto, Serafim da, *Regra de São Bento*, edição crítica da mais antiga versão portuguesa [do séc. XIV] acompanhada de breves notas filológicas, in RBF V, 1959-1960, 21-46 [Citam-se, nas transcrições, os números da página e da linha].

BERN = Carter, Henry Hare, *Paleographical edition of an old portuguese version of the Rule of Saint Bernard* (Codex Alcobacensis 200). Published by the Modem Language Association of America, v. LV, June, 1940, number 2 [Cita-se, nas transcrições, o número da linha, de acordo com o critério de numeração adotado pelo editor].

BOSC = Magne, A., *Boosco deleitoso*. Edição do texto [impresso] de 1515 [que é reprodução de um texto manuscrito do séc. XV], com introdução, anotações e glossário [as anotações e o glossário não foram publicados]. V. I, texto crítico. Rio de Janeiro, Instituto Nacional do Livro, 1950 [Cita-se, nas transcrições, o número do parágrafo, de acordo com o critério de numeração adotado pelo editor].

BRIG = Roseira, Abílio. *Documentos velhos brigantinos* [reprodução diplomática de quatro documentos manuscritos, datados de 1328, 1340, 1344 e 1346, respectivamente] in BF III, 1934-1935, 153-165 [Cita-se, nas transcrições, o número da linha de cada um dos documentos, de acordo com o critério de numeração adotado pelo editor].

CAMI = Pereira, Sílvio Batista, *Vocabulário da "Carta" de Pero Vaz de Caminha*. Seguido da reprodução fac-similar e da leitura diplomática do manuscrito autógrafo [de 1500]. Preparado pelo Professor –. Instituto Nacional do Livro. Rio de Janeiro, 1964 (Dicionário da Língua Portuguesa. Textos e Vocabulários, 3) [Citam-se, nas transcrições, o número do fólio (que é seguido de *v* quando se refere ao verso do fólio) e o número da linha, de acordo com o critério de numeração adotado pelo editor].

CART = Livro dos Conselhos de el-rei D. Duarte *(Livro da Cartuxa)*. [Texto do séc. XV]. Edição diplomática. Transcrição de João José Alves Dias. Introdução de A.H. Oliveira Marques e João José Alves Dias. Revisão de A.H. de Oliveira Marques e Teresa F. Rodrigues. Editorial Estampa. Lisboa, 1982 [Citam-se, nas transcrições, os números da página e da linha].

CATI = Roseira, Abílio, *Vida do Cativo Monge Confesso* [reprodução das fls. 153*v* a 158*v* do códice alcobacense nº 181 da Biblioteca Nacional de Lisboa, do séc. XV] *in* BF I 1932, 40-52, 125-162 [Cita-se, nas transcrições, o número da linha, de acordo com o critério de numeração adotado pelo editor].

CAVA = Piel, Joseph M., *Livro da ensinança de bem cavalgar toda sela que fez el rey dom Eduarte*. Edição crítica [de parte do códice do séc. XV da Biblioteca Nacional de Paris, Fundo Português: 5] acompanhada de notas e dum glossário por –. Lisboa, 1944 [Citam-se, nas transcrições, os números da página e da linha].

CBN = *Cancioneiro da Biblioteca Nacional (antigo Colocci-Brancuti)*. Leitura, comentários e glossário por Elza Paxeco Machado e José Pedro Machado, Lisboa, 1947-1964 (8 v.) [Citam-se, nas transcrições, os números da poesia e do verso].

CDGH = *Colección Diplomática de Galicia Histórica*. I, Santiago de Compostela, 1901.

CDP = *Corpo Diplomático Português* contendo os Atos e Relações Políticas e Diplomáticas de Portugal com as diversas potências do Mundo desde o séc. XVI até os nossos dias. Publicado de ordem da Academia das Sciencias de Lisboa, por Luís Augusto Rebello da Silva [apenas os v. I-IV; os v. V-IX foram preparados por José da Silva Mendes Leal, e os v. X-XI por Jayme Constantino de Freitas Muniz]. Lisboa, 1862-1898 [Citam-se, nas transcrições, o número do volume, em algarismos romanos, e os números da página e da linha, em arábicos].

CEF = Estevam Fernandes d'Elvas, *Il Canzoniere* [séc. XIII]. Edizione critica, introduzione, note e glossario a cura di Carmen M. Radulet. Adriatica Editrice, Bari, 1979 [Cita-se, nas transcrições, o número do verso, de acordo com o critério de numeração adotado pela editora].

CESA = Mateus, Maria Helena Mira, *Vida e feitos de Júlio Cesar*. Edição crítica da tradução portuguesa quatrocentista de "Li fet des Romains" por –. Fundação Calouste Gulbenkian. 2 v. Lisboa, 1970 [Citam-se, nas transcrições, o número da parte, em algarismos romanos, e os números do capítulo, do parágrafo e da linha, em arábicos (assim: III. 19§45.*2*), de acordo com o critério de numeração adotado pela editora. Vem sendo publicado no BF, a partir do v. XXIII (1974), o *Glossário* exaustivo desse texto] .

CFV = Giulia Lanciani, *Il Canzoniere* [séc. XIII] di Fernan Velho. Edizione critica, con introduzione, note e glossario. Jopadre Editore – L'Aquila, 1977 [Cita-se, nas transcrições, o número do verso, de acordo com o critério de numeração adotado pela editora].

CHEL = Azevedo, Pedro A. de, *Documentos portugueses do mosteiro de Chellas* [reprodução diplomática de quinze documentos, manuscritos do séc. XIII, datados de 1221, 1260 etc., até 1299] in *Revista Lusitana* IX, 1907, 259-276 [Citam-se, nas transcrições, o número do documento, em algarismos romanos, e o número da linha, em arábicos, de acordo com o critério de numeração adotado pelo editor].

CITR = Gunnar Tilander, *Uma tradução portuguesa do tratado de cetraria do rei Dancus* [texto do séc. XV conservado em um ms. do séc. XVI] *in* BF VI, 439-457 [Citam-se, nas transcrições, o número do capítulo, em algarismos romanos, e o número da linha, em arábicos, de acordo com o critério de numeração adotado pelo editor].

CJB = Ettore Finazzi-Agro, *Il Canzoniere di Johan Mendiz de Briteyros* [séc. XIII].

Edizione crítica, introduzione, note e glossario. Jopadre Editore – L'Aquila, 1979 [Cita-se, nas transcrições, o número do verso, de acordo com o critério de numeração adotado pelo editor].

CJG = NOBILING, OSKAR, *As Cantigas de D. Joan Garcia de Guilhade. Trovador do século XIII*. Edição crítica, com Notas e Introdução... por – Erlangen, 1907 [Citam-se, nas transcrições, os números da poesia e do verso].

COND = *Cronica do Condestabre de Portugal* [reprodução fac-similar da 1ª edição, de 1526, de um texto redigido no séc. XV]. Ministério da Educação Nacional. Lisboa, 1969 [Citam-se, nas transcrições, os números do fólio e da linha, adotando-se o critério de fazer preceder o número da linha da letra *b*, para a segunda coluna do fólio reto, *c*, para a primeira coluna do fólio verso, e *d*, para a segunda coluna do fólio verso].

CONF = MARTINS, JOSÉ V. DE PINA, *Tratado de Confissom* (Chaves, 8 de agosto de 1489). Fac-símile, leitura diplomática e estudo bibliográfico por –. Lisboa, 1973 [Citam-se, nas transcrições, feitas diretamente do fac-símile do incunábulo, o número da página, seguido da letra *a*, relativa à primeira coluna, ou da letra *b*, relativa à segunda coluna, de acordo com o critério de numeração adotado pelo editor].

CONT = MACHADO, JOSÉ PEDRO, *Contemplaçom que fez o santo sam Bernardo segundo as seis oras canonicas do dia* [reprodução de parte do códice alcobacense 266, do séc. XV] *in* BF VI, 1939, 97-157 [Citam-se, nas transcrições, o número do fólio (que é seguido de *v* quando se refere ao *verso* do fólio) e o número da linha, de acordo com o critério de numeração adotado pelo editor].

CPB = Pierre Blasco, *Les Chansons de Pero Garcia Burgalês, troubadour galicien-portugais du XIIIᵉ siècle*. Introduction, Édition critique, Notes et Glossaire. Fondation Calouste Gulbenkian. Centre Culturel Portugais. Paris, 1984 [Cita-se, nas transcrições, o número do verso, de acordo com o critério de numeração adotado pelo editor].

CRON = CINTRA, LUÍS F. LINDLEY, *Crónica Geral de Espanha de 1344*, edição crítica do texto português do séc. XIV [conservado em manuscritos dos séc. XV, XVI e XVII]. I, Lisboa, 1951; II, 1954; III, 1961. [Citam-se, nas transcrições, o número do volume, em algarismos romanos, e os números da página e da linha, em arábicos].

CSM = METTMANN, WALTER, Afonso X, o Sábio, *Cantigas de Santa Maria* [séc. XIII] editadas por –. V. IV (glossário). Por ordem da Universidade [de Coimbra] 1972 [Citam-se, nas transcrições, os números da poesia e do verso, de acordo com o critério de numeração adotado pelo editor].

(D) → *DALGADO (Sebastião Rodolfo).

DA → *Dic. Acad.

DCast = DIOGO DE CASTILHO, *Liuro da origem dos Turcos he de seus Emperadores. Collegido por ho Padre frei – monge do Mosteiro Dalcobaça. Impresso em Louem... anno de 1538* [Citam-se, nas transcrições, feitas pela fotocópia do exemplar da Bibl. Nac. do Rio de Janeiro, o número do fólio (que é seguido de *v* quando se refere ao *verso* do fólio) e o número da linha].

DESC = MARQUES, JOÃO MARTINS DA SILVA, *Descobrimentos Portugueses*. Documentos para a sua história publicados e prefaciados por –. V. I (1147-1460). Lisboa, 1944 (edição do Instituto para a Alta Cultura). *Suplemento* ao v. I (1057-1460). Lisboa, 1944 [Citam-se, nas transcrições, os números da página e da linha; o número da página é precedido de S, quando a transcrição se faz do *Suplemento*].

Dial. Espir. = *Dialogo Espiritual, agora novamente impresso...* Anno de 1568 [Citam-se, nas transcrições, o número do fólio (que é seguido de *v* quando se refere ao *verso* do fólio) e o número da linha, de acordo com a numeração literal do texto fac-similado publicado pela Biblioteca Nacional, Lisboa, 1983, com uma nota introdutória de Luís Fernando de Carvalho Dias].

DICT = CARTER, HENRY HARE, *A Fourteenth-Century Latin-Old Portuguese Verb Dictionary*, in *Romance Philology* VI, 1952-1953, 71-103 [Cita-se, nas transcrições, o número do verbo, de acordo com o critério de numeração adotado pelo editor].

DNLeO = *Orthographia da Lingoa Portuguesa...* Pelo Licenciado Duarte Nunez do Lião. Em Lisboa, per Ioão de Barreira impressor dellRei N.S. M.D.LXXVI [Citam-se, nas transcrições, o número do fólio (que é seguido de *v* quando se refere ao *verso* do fólio) e o número da linha].

DPPer = Sociedade de Geographia de Lisboa. *Esmeraldo de Situ Orbis* [texto de *c* 1508, conservado em manuscritos do séc. XVIII] de Duarte Pacheco Pereira. Edição crítica annotada por Augusto Epiphanio da Silva Dias. Lisboa, 1905 [Citam-se, nas transcrições, os números da página e da linha].

ESOP = VASCONCELLOS, DR. J. LEITE DE, *O livro de Esopo*. Fabulario Português Medieval. Publicado conforme a um manuscrito do séc. XV, existente na Bibliotheca Palatina de Vienna de Austria pelo –. (Separata da *Revista Lusitana*, v. VIII e IX) Lisboa, 1906 [Citam-se, nas transcrições, os números da fábula e da linha, de acordo com o critério de numeração adotado pelo editor].

ESTO = LÓPEZ, RAMÓN M., *General Estoria*, versión gallega dei siglo XIV. Edición, introducción linguística, notas y vocabulario de –. Ovieda, 1963 [Citam-se, nas transcrições, os números da página e da linha].

FÁlv = PADRE FRANCISCO ÁLVARES, *Verdadeira informação das Terras do Preste João das Índias*. Nova edição (conforme a de 1540, ilustrada de diversos fac-símiles). Lisboa. Imprensa Nacional, 1889 [Citam-se, nas transcrições, os números da página e da linha].

FBFreR = FRANCISCO DE BRITO FREIRE, *Relação* [de 1654], *in* Virgínia Rau, *Relação inédita de – sobre a capitulação do Recife*. Coimbra Editora, Limitada, 1954.

FCarC = PADRE FERNÃO CARDIM, *Do Clima & terra do Brasil c*1584... [Citam-se, nas transcrições, o número do fólio (que é seguido de *v* quando se refere ao *verso* do fólio) e o número da linha do manuscrito CXVI/1-33 da Bibl. de Évora].

FCarI = PADRE FERNÃO CARDIM, *Enformação da missão do Pe. Christovão de Gouvea* 1585... [Citam-se, nas transcrições, o número do fólio (que é seguido de *v* quando se refere ao *verso* do fólio) e o número da linha do manuscrito CXVI/1-33 da Bibl. de Évora].

FCarO = PADRE FERNÃO CARDIM, *Do principio & Origem dos Indios do Brasil c* 1584... [Citam-se, nas transcrições, o número do fólio (que é seguido de *v* quando se refere ao *verso* do fólio) e o número da linha do manuscrito CXVI/1-33 da Bibl. de Évora].

FERR = COUSELO, XESÚS FERRO, *A vida e a fala dos devanceiros. Escolma de documentos em galego dos séculos XIII ao XVI*. Edición de –. Tomo I, Terras de Ourense, v. III, Vigo, Galaxia, 1967 [Citam-se, nas transcrições, o número do volume, em algarismos romanos, e os números da página e da linha, em arábicos].

FLOR = MERÊA, MANUEL PAULO, *A versão portuguesa* [do séc. XIII] *das "Flores de las leyes" de Jácome Ruiz*. Revista da Universidade de Coimbra VI, 1917, 343-371 [Cita-se, nas transcrições, o número da linha, de acordo com o critério de numeração adotado pelo editor].

FMMelE = *Epanaphoras de varia historia portugueza ... por Dom Francisco Manuel* [de MeIo] Lisboa ... Anno 1660 [Citam-se, nas transcrições, os números da página e da linha].

FMMelV = D. FRANCISCO MANUEL DE MELO, *A Visita das Fontes* ... Edição fac-similada e leitura do autógrafo (1657). Introdução e comentário por Giacinto Manuppella. Coimbra, 1962 [Citam-se, nas transcrições, os números da página e da linha relativos ao fac-símile do manuscrito].

FMPin = FERNÃO MENDES PINTO. *Peregrinação* [*a* 1583]. Nova edição conforme a de 1614 [1ª ed.], prefaciada e organizada por A.J. da Costa Pimpão e César Pegado. 7 v. Porto, 1944-1945 [Citam-se, nas transcrições, o número do volume, em algarismos romanos, e os números da página e da linha, em arábicos].

FNun = *Arte da Pintura, Symmetria e Perspectiva*. Composta por Philippe Nunes, natural de Villa Real. Em Lisboa. Anno 1615 [Citam-se, nas transcrições, o número do fólio (que é seguido de *v* quando se refere ao *verso* do fólio) e o número da linha].

FOIF = *Da Fabrica que falece ha Cidade de Lysboa*. Por Frãcisco dolãda. Anno de 1571 in JORGE SEGURADO, *Francisco D'ollanda...* Edições Excelsior, Lisboa, 1970 [Citam-se, nas transcrições, o número da página do texto manuscrito fac-similado, de acordo com a numeração do editor moderno, e o número da linha do texto].

FOIG = *Grammatica da Lingoagem Portuguesa* por Fernão de Oliveira. 3ª ed. feita de harmonia com a primeira (1536) sob a direcção de Rodrigo de Sá Nogueira. Seguida de um estudo e de um glossário de Aníbal Ferreira Henriques. Lisboa, 1933 [Citam-se, nas transcrições, os números da página e da linha. Consultou-se, também, a reprodução fac-similada do único exemplar conhecido da edição de 1536 (da Bibl. Nac. de Lisboa: Res. 274 V), na qual foram conferidas todas as passagens documentais recolhidas da edição acima mencionada].

FRAD = NUNES, J.J., *Crónica da Ordem dos Frades Menores (1209-1285)*. Manuscrito do séc. XV, agora publicado inteiramente pela primeira vez e acompanhado de introdução, anotações, glossário e índice onomástico por –. I e II. Coimbra, 1918 [Citam-se, nas transcrições, o número do volume, em algarismos romanos, e os números da página e da linha, em arábicos].

Frol. = *Relaçam verdadeira dos trabalhos... no descobrimẽto da prouincia da frolida... feita per hú fidalgo Deluas*. Évora, 1557 [Citam-se, nas transcrições, o número do fólio (que é seguido de *v* quando se refere ao *verso* do fólio) e o número da linha].

FUER = FERREIRA, JOSÉ DE AZEVEDO. *Alphonse X, Fuero Real*. Édition, Étude, Glossaire et Concordance de Ia version portugaise [do séc. XIII]. Thèse pour le Doctorat ès Lettres présentée par –. Paris, 1982 [Citam-se, nas transcrições, o número do livro, em algarismos romanos, e o número da linha, em arábicos, de acordo com o critério de numeração adotado pelo editor].

GFer = GILBERTO FERREZ, *O Rio de Janeiro e a defesa do seu porto* 1555-1800. Serviço de Documentação Geral da Marinha. Rio de Janeiro, 1972 [Citam-se, nas transcrições, os números da página e da linha].

GFTran = *Tratado do, Pe. Gonçalo Fernandes Trancoso sobre o hinduísmo* (Maduré 1616). Edição crítica anotada por José Wicki S.J. Lisboa, 1973 [Citam-se, nas transcrições, os números da página e da linha].

GLeão = D. GASPAR DE LEÃO, *Desengano de Perdidos*. Reprodução do único exemplar conhecido [impresso em 1573] com uma introdução por Eugenio Asensio. Por ordem da Universidade. Coimbra, 1958 [Citam-se, nas transcrições, os números da página e da linha].

GNic = GASPAR NICOLAS, *Tratado da Pratica Darismetyca* [reprodução fac-similada da edição de 1519] Livraria Civilização-Editora. Porto, 1963 [Citam-se, nas transcrições, o número do fólio (que é seguido de *v* quando se refere ao *verso* do fólio) e o número da linha].

GRAL = MAGNE S.J., AUGUSTO. *A Demanda do Santo Graal* [texto do séc. XIV] Reprodução fac-similar e transcrição crítica do códice 2594 [do séc. XV] da Biblioteca Nacional de Viena, por –. Instituto Nacional do Livro. Rio de Janeiro, v. I, 1955; v. II, 1970 [Citam-se, nas transcrições, feitas diretamente do fac-símile do códice, o número do fólio (seguido de *a, b, c,* ou *d,* quando se refiram à primeira ou segunda colunas do fólio reto, ou à primeira ou segunda colunas do fólio verso, respectivamente) e o número da linha. Em 1967 foi publicado o v. I do *Glossário*, de A a D. Magne já havia publicado, em 1944, uma edição da *Demanda*, em três volumes, dois de texto crítico (desacompanhado dos fac-símiles) e um constituído pelo Glossário (de A a Z)].

GREG = SILVA, ROSA VIRGÍNIA MATTOS E., *A mais antiga versão portuguesa dos "Quatro Livros dos Diálogos de São Gregório"* [do séc. XIV] Universidade de São Paulo, 1971 [Tese para Doutoramento em Letras, ainda não impressa. Citam-se, nas transcrições, feitas diretamente das cópias xerográficas gentilmente cedidas pela Prof.ª Rosa Virgínia, os números do livro, do capítulo e da cláusula, de acordo com o critério de numeração adotado pela editora].

IMIT = CEPEDA, ISABEL VILARES, *A linguagem da "Imitação de Cristo", versão portuguesa* [do séc. XV] de Fr. João Álvares, por –. Publicação do Centro de Estudos Filológicos. Lisboa, 1962 [Citam-se, nas transcrições, o número do capítulo, em algarismos romanos, e o número da cláusula, em arábicos, de acordo com o critério de numeração adotado pela editora].

INFA = CALADO, ADELINO DE ALMEIDA, Frei João Álvares, *Obras*. Edição crítica com Introdução e Notas de –. V. I, *Trautado da vida e feitos do muito vertuoso Sor Ifante D. Fernando*. Acta Universitatis Conimbrigensis, 1966 [Citam-se, nas transcrições, os números da página e da linha].

Inv. = *Inventário dos bens do Conde de Vila Nova, D. Luís de Lancastre*. 1704. [Edição de Maria Teresa de Andrade e Sousa. Lisboa, 1956]. [Cita-se, nas transcrições, o número da página].

JBarD = JOÃO DE BARROS, *Décadas: I. Asia de Ioam de Barros dos fectos que os Portugue-*

ses fizeram no descobrimento & conquista dos mares & terras do Oriente... Lisboa, 1552; II. *Segunda decada da Asia...* Lisboa, 1553; III. *Terceira decada da Asia...* Lisboa, 1563.

JBarR = JOÃO DE BARROS, *Ropica Pnefma*. Reprodução fac-similada da edição de 1532. Leitura modernizada, notas e estudos de I.S. Révah. V. I [Texto fac-similado]. Lisboa, 1952 [Citam-se, nas transcrições, os números da página e da linha].

JC → * CARDOSO (Jerônimo)

JCasD = D. JOÃO DE CASTRO, *Roteiro de Goa a Diu* [c 1539] in *Obras Completas de –.* Edição crítica por Armando Cortesão e Luís de Albuquerque. V. II, Págs. 11-163, Coimbra, 1971 [Citam-se, nas transcrições, os números da página e da linha].

JCasE = D. JOÃO DE CASTRO, *Tratado da Esfera* [*a* 1542] in *Obras Completas de –.* Edição crítica por Armando Cortesão e Luís de Albuquerque. V. I, págs. 23-114, Coimbra, 1968 [Citam-se, nas transcrições, os números da página e da linha].

JCasG = D. JOÃO DE CASTRO, *Roteiro de Lisboa a Goa* [*c* 1538] in *Obras completas de –.* Edição crítica por Armando Cortesão e Luís de Albuquerque. V. I, págs. 121-279, Coimbra, 1968 [Citam-se, nas transcrições, os números da página e da linha].

JCasR = D. JOÃO DE CASTRO, *Roteiro do Mar Roxo* [*c* 1541] in *Obras Completas de –.* Edição crítica por Armando Cortesão e Luís de Albuquerque. V. II, págs. 181-379, Coimbra, 1971 [Citam-se, nas transcrições, os números da página e da linha].

Jorn. = *Jornada del-rei dom Sebastião à Africa. Crónica de dom Henrique*. Prefácio do Prof. Dr. Francisco de Sales Mascarenhas Loureiro. Lisboa, Imprensa Nacional – Casa da Moeda, 1978 [texto de fins do séc. XVI (*a* 1595)] [Citam-se, nas transcrições, os números da página e da linha].

JS = FR. JOÃO DE SOUSA, *Vestigios da Lingua arabica em Portugal ou Lexicon Etymologico das palavras, e nomes portuguezes,* *que tem origem arabica* [...] Lisboa [...] Anno M.DCC.LXXXIX.

(**L¹**) → *LORENZO (Ramón), Sobre cronologia do vocabulário Galego-Português...

(**L²**) → *LORENZO (Ramón), La traducción gallega de la Crónica General...

LEAL = PIEL, JOSEPH M., *Leal Conselheiro o qual fez Dom Eduarte Rey de Portugal e do Algarve e Senhor de Cepta*. Edição crítica e anotada [de parte do códice do séc. XV da Biblioteca Nacional de Paris, Fundo Português, 5], organizada por –. Lisboa, 1942 [Citam-se, nas transcrições, os números da página e da linha].

Liv. Fort. = *Livro das Cidades e Fortalezas que a Coroa de Portugal tem nas partes da India, e das Capitanias, e mais cargos que nelas há, e da importância delles*. [Texto redigido em 1582]. Edição preparada pelo Dr. Francisco Paulo Mendes da Luz. Lisboa, 1960 [Citam-se, nas transcrições, o número do fólio do manuscrito (que é seguido de *v* quando se refere ao *verso* do fólio) e o número da linha].

LOPF = MACCHI, GIULIANO, Fernão Lopes, *Crónica de D. Fernando*. Edição crítica por –. Imprensa Nacional – Casa da Moeda. Lisboa, 1975 [Citam-se, nas transcrições, os números do capítulo e da linha, de acordo com o critério de numeração adotado pelo editor; para os vocábulos que ocorrem no Prólogo, indica-se o número da linha precedido da letra P].

LOPJ = *Cronica del rei Dom Joham I... Parte Primeira* escrita por Fernão Lopes. Reprodução fac-similada da edição do Arquivo Histórico Português (1915) preparada por ANSELMO BRAAMCAMP FREIRE. Prefácio por, Luís F. Lindley Cintra. Lisboa, 1977. *Parte Segunda* escrita por Fernão Lopes e agora copiada fielmente dos melhores manuscritos por WILLIAM J. ENTWISTLE. Lisboa, 1977 [Citam-se, nas transcrições, o número da parte, em algarismos romanos, e os números da página e da linha, em arábicos].

LOPO = LOPO D'ALMEIDA, *Cartas de Itália* [1452]. Editadas por Rodrigues Lapa, Lisboa, 1935 [Citam-se, nas transcrições, os números da página e da linha].

LOPP = MACCHI, GIULIANO, Fernão Lopes, *Crónica de D. Pedro*, Edizione crítica, con introduzione e glossario [integral] a cura di –. Edizioni del'Ateneo, Roma, 1966 [Citam-se, nas transcrições, os números do capítulo e da linha, de acordo com o critério de numeração adotado pelo editor; para os vocábulos que ocorrem no Prólogo, indica-se o número da linha precedido da letra P].

Lus. → *CUNHA (A[ntônio] G[eraldo da]), *Índice analítico* ...

(**M¹**) → *MACHADO (José Pedro), *Dicionário etimológico ...* 1ª ed.

(**M²**) → * MACHADO (José Pedro), *Dicionário etimológico ...* 2.ª ed.

MARR = *Documentos das Chancelarias Reais anteriores a* 1531 *relativos a Marrocos*... Publicados por ordem da Academia das Sciências de Lisboa e sob a direção de Pedro de Azevedo. Tomo I (1415-1450). Lisboa, 1915. – Tomo II (1450-1456). Lisboa, 1934 [Citam-se, nas transcrições, o número do volume, em algarismos romanos, e os números da página e da linha, em arábicos].

MENI = *Livro de Falcoaria* [séc. XIV] de Pero Menino. Publicado, com introdução, notas e glossário por Rodrigues Lapa. Coimbra, 1931 [Citam-se, nas transcrições, os números da página e da linha].

MIRA = PENSADO, JOSÉ L., *Miragres de Santiago* [séc. XIV], edición y estudio crítico por –. Madrid, 1958.

MMA = *Monumenta Missionaria Africana*. Coligida e anotada pelo Padre António Brásio. Agência Geral do Ultramar. Lisboa, 1952- [Citam-se, nas transcrições, o número do volume, em algarismos romanos, e os números da página e da linha, em arábicos].

MNor = *Diário* [1634-1635] *do 3º Conde de Linhares* [D. Miguel de Noronha], *vice-rei da Índia*. Biblioteca Nacional. Lisboa, 1937

SIGLAS DOS TEXTOS-FONTES DAS DATAÇÕES

[Citam-se, nas transcrições, os números da página e da linha].

MONJ = NUNES, J.J., *Dicto de huum monje de Roma* [reprodução de parte do códice alcobacense nº 771, do séc. XV] in *Revista Lusitana* XIX, 1916, 73-75 [Citam-se, nas transcrições, os números da página e da linha].

MONT = *Libro de Monteria composto polo Señor Rey Dom Joaom de Portugal e dos Algarues, e Señor de Ceuta* [texto do séc. XV conservado em um manuscrito datado de 1626] in *Obras dos Príncipes de Avis...* Introdução e revisão de M. Lopes de Almeida. Porto, 1981 [Citam-se, nas transcrições, os números da página e da linha].

MS → *MORAIS SILVA (Antônio de)

NDias = FREI NICOLAU DIAS, *Livro do Rosayro de Nossa Senhora*. Feyto por o P. Frey Nicolao Diaz... Em Lixboa... 1573 [Citam-se, nas transcrições, os números da página e da linha do texto fac-similado publicado pela Biblioteca Nacional, Lisboa, 1982, com uma nota prévia de Fr. Raul de Almeida Rolo, O.P.].

NOReb = *Relação da Jornada que fez Nicolao Dorta Rabello* [*c* 1608] in Joaquim Veríssimo Serrão, *Un voyageur portugais en Parse au début du XVIIe siécle: Nicolau de Orta Rebelo*. Lisbonne, 1972 [Citam-se, nas transcrições, os números da página e da linha].

OFIC = PIEL, JOSEPH M., *Livro dos Ofícios de Marco Tullio Ciceram...* Edição crítica, segundo o ms. de Madrid [códice C/66, do séc. XV, da Academia Real de História de Madrid], prefaciada, anotada e acompanhada de glossário, por –. Coimbra, 1948 [Citam-se, nas transcrições, os números da página e da linha].

ORTO = MALER, BERTIL, *Orto do Esposo*. Texto inédito do fim do séc. XIV ou começo do XV. Edição crítica [do ms. CCLXXIII/198, da Biblioteca Nacional de Lisboa, designado pelo editor *ms.A*, confrontado com o de nº CCLXXIV/212, da mesma Biblioteca, nomeado *ms.B*], com introdução, anotações e glossário. V. I, *Texto crítico*. Instituto Nacional do Livro, Rio de Janeiro, 1956. V. II, *Comentário*. Instituto Nacional do Livro. Rio de Janeiro, 1956. V. 111. *Correcções dos v. I e II, estudo das fontes e do estado da língua, glossário* [integral], *lista dos livros citados e índice geral*. Acta Universitatis Stockholmiensis. Uppsala, 1964 [Citam-se, nas transcrições, os números da página e da linha].

PAUL = PEREIRA, FRANCISCO MARIA ESTEVES. *Marco Paulo...* conforme a impressão de Valentim Fernandes, feita em Lisboa em 1502 [de um texto manuscrito do séc. XV]... por –. Lisboa, 1922 [Citam-se, nas transcrições, o número do fólio (que é seguido de *v* quando se refere ao *verso* do fólio) e o número da linha, de acordo com o critério de numeração adotado pelo editor].

PAvei = FR. PANTALEÃO DE AVEIRO, *ltinerario da Terra Sancta...* 7ª ed. conforme à primeira [de 1593]. Revista e prefaciada por António Baião. Coimbra, Imprensa da Universidade, 1927 [Citam-se, nas transcrições, os números da página e da linha].

PELA = *Vida de Santa Pelágia* [texto do séc. XIV, conservado no códice alcobacense CCLXVI (=ANTT, ms. da Livraria 2274) do séc. XV] ed. Luiz Fagundes Duarte *in* RL, nova série, 4, p. 20-29, Lisboa, 1982-1983 [Cita-se, nas transcrições, o número da cláusula, de acordo com o critério de numeração adotado pelo editor].

PEND = AZEVEDO, PEDRO A. DE, *Documentos portugueses de Pendorada do século XIII* [reprodução diplomática de onze documentos, datados de 1275, 1277, 1278 etc.] in *Revista Lusitana* XI, 79-95 [Citam-se, nas transcrições, o número do documento, em algarismos romanos, e o da linha, em arábicos, de acordo com o critério de numeração adotado pelo editor].

PEST = *Regimento proueytoso contra ha pestenença* [Reprodução fac-similar do incunábulo português, impresso em Lisboa pelo alemão Valentim Fernandes de Morávia, entre os anos de 1496 e 1500]. Edições fac-similadas. Livraria Civilização-Editora, Porto, 1962 [Citam-se, nas transcrições, o número da linha, de acordo com o critério que adotamos de numerar as linhas do incunábulo seguidamente, do primeiro ao último fólio].

PFE = Fernand'Esquyo, *Le Poesie* [séc. XIII]. Edizione crítica, introduzione, note e glossario a cura di Fernanda Toriello. Adriatica Editrice. Bari, 1976 [Cita-se, nas transcrições, o número do verso, de acordo com o critério de numeração adotado pela editora]. Edizione critica, introduzione, commento e glossario a cura di Luciana Stegagno Pichio. Edizioni Del'Ateneo. Roma, 1968 [Cita-se, nas transcrições, o número do verso, de acordo com o critério de numeração adotado pela editora].

PNun = PEDRO NUNES, *Tratado da Sphera...* Lisboa, 1537 *in* Pedro Nunes, *Obras*. Academia das Ciências de Lisboa. Imprensa Nacional de Lisboa, 1940 [Citam-se, nas transcrições, os números da página e da linha, de acordo com o critério de numeração dos editores da Academia].

RB → *BLUTEAU (Rafael).

REIX = TAROUCA S.J., CARLOS DA SILVA, *Crónica dos sete primeiros reis de Portugal*. Edição crítica [do códice 965 da Biblioteca da Casa Cadaval] pelo Acadêmico de Número – V. I-II. Academia Portuguesa da História. Lisboa, 1952 [Citam-se, nas transcrições, o número do volume, em algarismos romanos, e os números da página e da linha, em arábicos, de acordo com o critério de numeração adotado pelo editor].

ROBI = CARTER, HENRY HARE, *Paleographical edition and study of the language of a portion of Codex Alcobacensis 200* [reprodução do texto quatrocentista do *Diálogo de Robim e do teólogo*] Philadelphia, 1938 [Citam-se, nas transcrições, o número do fólio (que é seguido de *v* quando se refere ao *verso* do fólio) e o número da linha, de acordo com o critério de numeração adotado pelo editor].

SBER = SHARPE, LAWRENCE A., *The old portuguese* Vida de Sam Bernardo, *edited from Alcobaça manuscript CCXCI/200* [do séc. XV], *with Introduction, Linguistic Study, Notes, Table of proper names, and Glossary* by –. Chapel Hill. The University of North Caroline Press, 1971 [Citam-se, nas transcrições, os números da página e da linha].

SC → *CONSTÂNCIO (Francisco Solano).

SEGR = SÁ, A. MOREIRA DE, *Segredo dos segredos*. Tradução portuguesa, segundo um manuscrito inédito do séc. XV, Lisboa, 1960 [Cita-se, nas transcrições, o número do fólio (que é seguido de *v* quando se refere ao *verso* do fólio)].

SESiIR = *Relação Sũmaria das cousas do Maranhão. Escrita pello Capitão Symão Estácio da Sylveira [...] Em Lisboa [...] Anno de 1624* [Citam-se, nas transcrições, o número da página (de acordo com a numeração aposta ao texto fac-similado publicado nos ABN, v. 94, de 1976) e o número da linha].

SGonç = *Primeira parte da História dos Religiosos da Companhia de Jesus...* Composta pello Pe. Sebastiam Gonçalves Anno do Senhor 1614. (Original, Bibl. Nacional, Fundo Geral 915). Publicada por José Wicki S. I 2 v. Coimbra, 1957-1967 [Citam-se, nas transcrições, o número do volume, em algarismos romanos, e os números da página e da linha, em arábicos].

SINA = MARTINS, MÁRIO. *Livros de Sinais* [reprodução de parte do códice alcobacense 218, do séc. XV] *in* BF, XVII, 1958, 311-326 [Cita-se, nas transcrições, o número do parágrafo, de acordo com o critério de numeração adotado pelo editor].

SNor = D. SANCHO DE NORONHA, *Tratado moral de louvores e perigos de alguns estados seculares* [com a reprodução fac-similada da 1ª edição de 1549]. Introdução e Notas por Martim de Albuquerque. Lisboa, 1969 [Citam-se, nas transcrições, os números da página e da linha].

SOLI = CINTRA, MARIA ADELAIDE VALLE, *Livro de Solilóquio de Santo Agostinho* (Cód. Alcob. CCLXXIII/198, do séc. XV). Edição crítica e glossário [integral] por –. Lisboa, 1957 [Citam-se, nas transcrições, os números da página e da linha].

SPON = SPONER, MARGOT, *Documentos antiguos de Galicia* in Anuari de L'Oficina Romànica de Linguistica i Literatura, VII, 1934, 113-192.

SRPitP = SEBASTIÃO DA ROCHA PITA, *Tratado político* [1706-1715]. Edição preparada por Heitor Martins. Instituto Nacional do Livro. Brasília, 1972 [Cita-se, nas transcrições, o número da linha da leitura diplomática, de acordo com o critério de numeração adotado pelo editor].

Studia = *Studia.* Revista semestral. Centro de Estudos Históricos Ultramarinos. Lisboa [1961: nº 8 (documentos de 1568 e 1569)]. [Citam-se, nas transcrições, os números da página e da linha].

TEOL = PEDRO DE AZEVEDO, *Fragmento de um tratado de teologia do séc. XV em português* in *Revista Lusitana*, XIX, 1916, 36-39 [Citam-se, nas transcrições, os números da página e da linha].

TEST = *Bíblia Medieval Portuguesa. I Histórias d'abreviado Testamento Velho...* Texto [do séc. XIV] apurado por Serafim da Silva Neto. Instituto Nacional do Livro. Rio de Janeiro, 1958 [Citam-se, nas transcrições, os números da página e da linha].

TROY = PARKER, KELVIN M., *Vocabulario de la Crónica Troyana* [Códice galego do séc. XIV, nº 10.233 da Biblioteca Nacional de Madrid]. Acta Salmanticensia, Filosofía y Letras, t. XII, nº 1 Salamanca 1958 [Citam-se, nas transcrições, o número do volume, em algarismos romanos, e os números da página e da linha, em arábicos, de acordo com o critério de numeração adotado por Parker].

(V³) → *VITERBO.

VERD = *Livro Verde da Universidade de Coimbra* (Cartulário do Séc. XV). Leitura, revisão e prefácio de António Gomes da Rocha Madaíl. Coimbra, 1940.

VERE = *Vereaçoens. Anos de 1390-1395.* O mais antigo dos *Livros de Vereações* do Município do Porto existentes no seu Arquivo. Comentário e notas de A. de Magalhães Basto. Porto *s.d.*

VERT = CARSTENS-GROKENBERGER, DOROTHEE, Christine de Pisan, Buch von den drei Tugendem [= *O livro das tres vertudes*, ms. 11.515 (do séc. XV) da Biblioteca Nacional de Madrid] in portugiesischen übersetzung, von –. Münster, 1961 [Citam-se, nas transcrições, os números da página e da linha].

VESP = *História do mui nobre Vespasiano, Imperador de Roma.* Edição fac-similada [do exemplar único do incunábulo de 1496, da Bibl. Nac. de Lisboa] Biblioteca Nacional, Lisboa, 1981. [Citam-se, nas transcrições, o número da página da edição de 1981, e o número da linha do texto original de 1496].

VIRG = VEIGA, ALBINO DE BEM, *Virgeu de Consolaçon.* Edição crítica [do códice alcobacense CCXLIV /211] de um texto arcaico inédito [do séc. XV]. Introdução, gramática e glossário. Porto Alegre, 1959 [Citam-se, nas transcrições, o número da Parte, em algarismos romanos, e o número da linha, em arábicos, de acordo com o critério de numeração adotado pelo editor].

VITA = MAGNE S.J., AUGUSTO, *O livro de Vita Christi em Lingoagem português.* Edição fac-similar [do fólio 1 ao *93v* do *Livro primeiro*] e crítica do Incunábulo de 1495, cotejado com os apógrafos por –. V. I. Rio de Janeiro, Casa de Rui Barbosa, 1957. V. II [do fólio 94 ao 185*v*, último do *Livro primeiro*] Rio de Janeiro, Casa de Rui Barbosa, 1968 [Citam-se, nas transcrições, feitas diretamente do fac-símile do Incunábulo de 1495, os números do fólio e da linha, adotando-se o critério de fazer preceder o número da linha da letra *b*, para a segunda coluna do fólio reto, *c*, para a primeira coluna do fólio verso, e *d*, para a segunda coluna do fólio verso].

YSAC = *Liuro de Ysaac.* Manuscrito do séc. XV da Biblioteca Nacional do Rio de

Janeiro [É o número 20 do Catálogo da exposição realizada em março e abril de 1973, publicado pela Divisão de Publicações e Divulgação da Biblioteca Nacional, Rio de Janeiro, 1973. Citam-se, nas transcrições, feitas diretamente de fotocópias do manuscrito o número do fólio (seguido de *v* quando se refere ao *verso* do fólio) e o número da linha].

ZT = ZAKE TACLA, O *Livro da Arte de Construir*. Editora Unipress Editorial. São Paulo, 1984. [Trata-se de um dicionário da terminologia da *Arte de Construir* em que, a par das definições, minuciosas e precisas, o Autor indica a data de primeira ocorrência de cada vocábulo (ou expressão) e de cada uma das acepções registadas].

ZURC = PEREIRA, FRANCISCO M. ESTEVES, *Crónica da tomada de Ceuta por el rei D. João I* [do séc. XV] composta por Gomes Eannes de Zurara, publicada por ordem da Academia das Sciências de Lisboa segundo os manuscritos n° 368 e 355 do Arquivo Nacional, por –. Lisboa, 1915 [Citam-se, nas transcrições, os números da página e da linha].

ZURD = KING, LARRY, Gomes Eanes de Zurara, *Crónica do Conde D. Duarte de Meneses*. Edição diplomática [do manuscrito do séc. XV do Arquivo Nacional da Torre do Tombo. Lisboa, Livraria, 520] de –. Universidade Nova de Lisboa. Faculdade de Ciências Sociais e Humanas. Lisboa, 1978 [Citam-se, nas transcrições, os números da página e da linha].

ZURG = SOARES, TORQUATO DE SOUSA, *Crónica dos feitos notáveis que se passaram na conquista da Guiné... por Gomes Eanes de Zurara* [reprodução diplomática do manuscrito do séc. XV da Biblioteca Nacional de Paris]. Introdução e notas pelo Académico de Mérito –. Academia Portuguesa da História. V. I. Lisboa, 1978 [Citam-se, nas transcrições, os números da página e da linha].

REFERÊNCIAS BIBLIOGRÁFICAS

ARVEILLER, Raymond. *Contribution à l'étude des termes de voyage en français (1505-1722)*. Paris, 1963.
AULETE, Francisco Júlio Caldas. *Diccionario contemporaneo da lingua portugueza*. 2 v. Lisboa, 1881.
_____. 5ª ed. [= 2ª ed. brasileira], 5 v. Rio de Janeiro, 1970.
AYROSA, Plínio. *Termos tupis no português do Brasil*. São Paulo, 1937.
BALDINGER, Kurt. *Dictionnaire étymologique de l'ancien français* (= DEAF) com a colaboração de Jean-Denis Gendron e Georges Straka. Québec, Presses de l'Univ. Laval; Tübingen, Niemeyer; Paris, Klinksieck, 1974.
BARBOSA, A. Lemos. *Curso de tupi antigo; gramática, exercícios, texto*. Rio de Janeiro, 1956.
_____. *Pequeno vocabulário tupi-português*. 3ª ed. Rio de Janeiro, 1967.
_____. *Pequeno vocabulário português-tupi*. Rio de Janeiro, 1970.
BÁRCZI, Géza. *Magyar Szófejtö Szótár*. Budapest, 1941.
BASLER: v. SCHULZ-BASLER.
BASTOS, J.T. Silva. *Diccionario etymologico, prosodico e orthographico da lingua portugueza*. 2ª ed. Lisboa, 1928.
BATTAGLIA, Salvatore. *Grande dizionario della lingua italiana*. Torino, UTET, 1961.
BEAUREPAIRE-ROHAN, Tenente-General Visconde de. *Diccionario de vocabulos brazileiros*. Rio de Janeiro, 1889.
BENSE, J.F. *A dictionary of the low-dutch element in the english vocabulary*. The Hague, 1939.
BERNEKER, Erich. *Slavisches etymologisches Worterbuch*, v. I (A-L). [2ª ed. (= 1ª ed. 1908-1913)] Heidelberg, 1924.
BF = *Boletim de Filologia*. Publicado pelo Centro de Estudos Filológicos. Lisboa 1932-.
BFR = *Boletim de Filologia*. Publicação trimestral das edições Dois Mundos. Brasil/Portugal. Rio de Janeiro, 1946-.
BLOCH, Oscar & WARTBURG, Walther von. *Dictionnaire étymologique de la langue française*. 2ª ed. revista por W. von Wartburg. Paris, 1950.
_____. 5ª ed. rev. e aum. por W. von Wartburg. Paris, 1968.
_____. 6ª ed. Paris, 1975.
BLUTEAU, Rafael. *Vocabulario portuguez e latino*. 8 v. em fol. e 2 de *Suplemento*. Coimbra-Lisboa, 1712-1728.
BOLÉO, Manuel de Paiva. *Introdução ao estudo da filologia portuguesa*. Lisboa, 1946.
BOULAN, Henri René. *Les Mots d'origine étrangere en français (1650-1700)*. Amsterdam, 1934.
BRUCKNER, Aleksander. *Sĕownik etymologiczny jĕzyka polskiego*. 2ª ed. Warszawa, 1957 [1ª ed. 1927].
CACCIATORE, Olga Gudolle. *Dicionário de cultos afro-brasileiros*. Rio de Janeiro, 1977.

CARDOSO, Armando Levy. *Amerigenismos.* Tomo I. Rio de Janeiro, 1961.
CARDOSO, Jerônimo = HIERONYMI CARDOSI LAMACENSIS. *Dictionarium ex Lusitanico in Latinum Sermonem.* Vlissypone. Ex officina Ioannis Aluari typographi Regij. M.D. LXII.
CASANOVAS, Carlos Francisco de Freitas. *Provérbios e frases proverbiais do século XVI.* Rio de Janeiro, 1973.
CASARES, Julio. *Introducción a la lexicografia moderna.* Madrid, 1950.
CASCUDO, Luís da Câmara. *Dicionário do folclore brasileiro.* 2 v., 3ª ed. rev. e aum. Brasília, 1972.
CASTRO, Eugênio de. *Geografia linguística e cultura brasileira.* Rio de Janeiro, 1937.
Cento Dict. = *The Century Dictionary. An encyclopedic lexicon of the English Language.* Preparado sob a supervisão de W. D. Whitney. 10 v. New York, 1889-1891.
CHANTRAINE, Pierre. *Dictionnaire étymologique de la langue grecque. Histoire des mots.* Paris, Ed. Klincksieck, 1984.
COELHO, Francisco Adolfo. *Diccionario manual etymologico da lingua portuguesa.* Lisboa, 1899.
COLLINDER, Björn. *Fenno-ugric vocabulary. An etymological dictionary of the uralic languages.* Stockholm, 1955.
CONSTÂNCIO, Francisco Solano. *Novo diccionario critico e etymologico da lingua portugueza.* Paris, 1836.
COROMINAS, Joan. *Diccionario crítico etimológico de la lengua castellana.* 4 v. Madrid. 1954-1957.
_____. *Breve diccionario etimológico de la lengua castellana.* Madrid, 1961.
_____ & PASCUAL, José A. *Diccionario crítico etimológico castellano e hispánico,* v. I (A-Ca); v. II (Ce-F); v. III (G-Ma). Madrid, Gredos, 1984.
CORREIA, Manuel Pio. *Diccionario das plantas uteis do Brasil e das exoticas cultivadas,* v. I (A-Cap), v. II (Car-E), v. III (F-G), v. IV (H-L), v. V (M-R), v. VI (S-Z). Rio de Janeiro, 1926-1975.
COSTA, F.A.P.; V. PEREIRA DA COSTA & CUNHA (A[ntônio] G[eraldo da]. *A cronologia dos empréstimos* [Separata do n° 4 de *Letras*, p. 90-94]. Curitiba, 1955.
CUNHA, A.G. *A cronologia do vocabulário português (notas ao 'Dicionário etimológico' de José Pedro Machado)* [Separatas do v. 3, tomos I e II, e do v. 4, tomos I e II, da RBF] Rio de Janeiro, 1957-1958.
_____. *Dicionário histórico das palavras portuguesas de origem tupi.* São Paulo, 1978.
_____. *Hússar (História de uma palavra viageira)* [Separata do v. XXIII, p. 167-180, da RP] Lisboa, 1958.
_____. *Índice analítico do vocabulário de 'Os Lusíadas'.* Rio de Janeiro, 1966 [2ª ed.1980].
_____. *Influências eslávicas na língua portuguesa* [Separatas dos v. VI, VII, VIII e IX da RAL] Rio de Janeiro, 1953-1956.
_____. *Notas ao 'Glossário Luso-Asiático'* [Separata do número especial do Boletim da Sociedade de Língua Portuguesa, p. 37-48]. Lisboa, 1959.
_____. *Novas notas ao 'Glossário Luso-Asiático'* [Separata do n° 10 de *Letras*, p. 115-121]. Curitiba, 1959.
_____. *Os eslavismos do 'Livro da origem dos Turcos'* [Separata do v. XXII, p. 277-283, da RP]. Lisboa, 1957.

REFERÊNCIAS BIBLIOGRÁFICAS

_____. Os *Eslavos num clássico português do século XVII* [Separata do nº 3 de *Letras*, p. 112-119]. Curitiba, 1955.

_____. *Pistola, pistolete e derivados (Notas para a redação de alguns verbetes de um dicionário da língua, baseado em princípios históricos)* [Separata do v. I, tomo 2, da RBF]. Rio de Janeiro, 1955.

_____. *Uma tradução portuguesa da 'Histoire de Charles XII', de Voltaire* [Separata do v. XXIII, p. 351-359, da RP]. Lisboa, 1958.

DALGADO, Sebastião Rodolfo. *Glossário luso-asiático.* 2 v. Coimbra, 1919-1921.

DAUZAT, Albert. *Dictionnaire étymologique de la langue française.* 10° ed. 11° tir. Paris, 1954.

_____; DUBOIS, Jean & MITTERAND, Henri. *Nouveau dictionnaire étymologique et historique*, 3° ed. rev. e corr. Paris, 1973.

DEAF: v. BALDINGER.

DEI = BATTISTI, Carlo & ALESSIO, Giovanni. *Dizionario etimologico italiano.* 5 v. Firenze, 1950-1957.

DEROY, Louis. *L'emprunt linguistique.* Paris, 1956.

DEVOTO, Giacomo & OLI, Gian Carlo. *Dizionario della lingua italiana.* Firenze, 1971.

DE VRIES: v. VRIES.

Dic. Acad. = Academia Real das Sciencias de Lisboa. *Diccionario da lingua portuguesa.* Tomo I, A. Lisboa, 1793.

_____. Academia das Ciências de Lisboa. *Dicionário da língua Portuguesa.* V. I (A-azuverte). Lisboa, 1976-.

Dic. Hist. Esp. = *Diccionario histórico de la lengua española.* Seminário de lexicografia [dirigido por] Julio Casares. Madrid, 1960-.

Dic. Leng. Esp. = Real Academia Española.

Diccionario de la lengua española. 19ª ed. Madrid, 1970.

Dic. Melhoramentos = *Grande dicionário brasileiro Melhoramentos.* 5 v., 8ª ed. rev. e ampl. São Paulo, 1975.

Dict. Gén. = HATZFELD, Adolphe & DARMESTETER, Arsène. *Dictionnaire général de la langue française du commencement du XVIIIe siècle jusqu'à nos jours.* 2 v., 9ᵉ ed. Paris, 1932.

DUBOIS, Jean. *Le vocabulaire politique et social en France, de 1869 à 1872.* Paris, 1962.

EDELWEISS, Frederico G. *Estudos tupis e tupi-guaranis; confrontos e revisões.* Rio de Janeiro, 1969.

Encicl. Delta-Lar. = *Grande enciclopédia Delta-Larousse.* 12 v. Rio de Janeiro, 1970.

Encicl. Mirador = *Enciclopédia Mirador Internacional.* 20 v. São Paulo, Encyclopaedia Britannica do Brasil Publicações Ltda., 1975.

Encycl. Brit. = *Encyclopaedia Britannica.* 30 v. Chicago, Encyclopaedia Britannica, Inc., 1974.

ENGLER = A. *Englers Syllabus der Pflanzenfamilien.* Zwölfte, völlig neugest. Aufl. von Prof. Dr. Hans Melchior e Prof. Dr. Erich Werdermann. 2 v. Berlin, 1954-1964.

FERREIRA, Aurélio Buarque de Holanda. *Novo dicionário da língua portuguesa.* Rio de Janeiro, 1975.

_____. *Dicionário da língua portuguesa* (= *Médio dicionário Aurélio*). Rio de Janeiro, 1980.

FIGUEIREDO, Cândido de. *Novo dicionário da língua portuguesa.* 2 v. Lisboa, 1899. – 4ª ed. corr. e ampl. 2 v. Lisboa, 1926.

FRANCK, J. *Etymologisch Woordenboek der nederlandsche Taal* [3ª ed. corr. e ampl. por N. van Wijk e com um Suplemento de C.B. van Haeringen] S-Gravenhage, 1949.
FREIRE, Laudelino. *Grande dicionário da língua portuguesa.* 5 v. Organizado por Laudelino Freire com a colaboração técnica do prof. J.L. de Campos. Rio de Janeiro, 1939-1944.
FRIEDERICI, Georg. *Amerikanistisches Wörterbuch.* Hamburg, 1947.
GARCIA, Rodolfo. *Glossário das palavras e frases da lingua tupi.* Rio, 1919.
_____. *Diccionário de brasileirismos.* Rio de Janeiro, 1915.
GILI GAYA, Samuel. *Tesoro lexicografico (1492-1726).* Madrid, 1960-.
GONÇALVES VIANA, Aniceto dos Reis. *Apostilas aos dicionários portugueses.* 2 v. Lisboa, 1906.
_____. *Ortografia nacional.* Lisboa, 1904.
_____. *Palestras filológicas.* 2ª ed. Lisboa, 1931.
GRZIMEK = *Grzimeks Tierleben. Enzyklopädie des Tierreiches,* herausgegeben von Bernhard Grzimek. 15 v. Kindler Verlag A.G., Zürich, 1971.
GUÉRIOS, Rosário Farâni Mansur. *Dicionário de etimologias da língua portuguesa.* São Paulo, 1979.
_____. *Os empréstimos italianos da língua portuguesa.* [Separata do 4º Congresso Brasileiro de Língua e Literatura]. Rio de Janeiro, 1973.
GUIRAUD, Pierre. *Problèmes et Méthodes de la statistique linguistique.* Paris, 1960.
HELLQUIST, Elof. *Svensk etymologisk ordbok.* 2 v., 3ª ed., Lund, 1948.
HEYSE = Dr. J.C.A. Heyse's *allgemeines verdeutschendes und erklärendes Fremdwörterbuch.* 16ª ed. Hannover, 1879.
HOLUB, Dr. Josef & KOPECNY, Dr. František. *Etymologický slovník jazyka českého.* Praha, 1952.
HOUAISS, Antônio. *Elementos de bibliologia.* 2 v. Rio de Janeiro, 1967.
Ibérida. Revista de Filologia Ibero-Americana. Rio de Janeiro, 1959-.
IHERING, Rodolfo Von. *Dicionário dos animais do Brasil.* São Paulo, 1968.
JUCÁ FILHO, Cândido. *Gramática histórica do português contemporâneo.* Rio de Janeiro, 1945.
KALIMA, Jalo. *Die slavischen Lehnwörter im Ostseefinnischen.* Berlin, 1956.
KLUGE, Friedrich & GÖTZE, Alfred. *Etymologisches Wörterbuch der deutschen Sprache.* 14. unveränderte Auflage. Berlin, 1948.
_____. 15. völlig neubearbeitete Auflage. Berlin, 1951.
_____. 20. Auflage bearbeitet von Walther Mitzka, Berlin, 1967.
KNIEZSA, István. *A magyar nyelv szláv jövevényszavai.* 2 v. Budapest, 1955.
KÖNIG, Karl. *Überseeische Wörter im Französischen (16-18 Jahrhundert).* Halle, 1939.
Lar. lang. fr. = *Grand Larousse de la langue française.* Tome I (A-Cip); tome II (Cir-Ery); tome III (Es-Ind); tome IV (Ind-Ny); tome V (O-Psi); tome VI (Pso-Sur); tome VII (Sus-Z). Paris, 1971-1978.
LEI: v. PFISTER.
Letras. Revista dos Cursos de Letras da Fac. de Filosofia da Univ. do Paraná. Curitiba, 1954-.
Littera. Revista para professor de português e de literaturas de língua portuguesa. Rio de Janeiro, 1971-.
LOKOTSCH, Karl. *Etymologisches Wörterbuch der Amerikanischen (Indianischen) Wörter im Deutschen.* Heidelberg, 1926.

_____. *Etymologisches Wörterbuch der europäischen (germanischen, romanischen und slavischen) Wörter orientalischen Ursprungs.* Heidelberg, 1927.

LORENZO, Ramón. *La traducción gallega de la Crónica General y de la Crónica de Castilla,* v. 1: *Introducción, texto anotado e indice onomástico,* v. 2: *Glosário.* Orense, 1975-1977.

_____. *Sobre cronologia do vocabulário Galego-Português (Anotações ao 'Dicionário etimológico' de José Pedro Machado).* Vigo, 1968.

MACEDO SOARES, Antônio Joaquim de. *Dicionário brasileiro da língua portuguesa.* 2 v., corrig., rev. e completado por Julião Rangel de Macedo Soares. Rio de Janeiro, 1954-1955.

MACHADO, José Pedro. *Dicionário etimológico da língua portuguesa.* 2 v., 1ª ed. Lisboa, 1952-1959.

_____. 2ª ed., 3 v., Lisboa, 1967-1973.

_____. *Influência arábica no vocabulário português.* 2 v. Lisboa, 1958-1961.

MACHEK, Václav. *Etymologický slovník jazyka českého a slovenského.* Praha, 1957.

MAGNE, Augusto. *Dicionário da língua portuguesa, especialmente dos períodos medieval e clássico,* v. I (A-Af), Rio de Janeiro, 1950; v. II, tomo I (Ag-Al), Rio de Janeiro, 1954.

MATHEWS, Mitford M. *A dictionary of americanisms, on historical principles.* 2nd impr. Chicago, 1956.

MATORÉ, Georges. *La Méthode en lexicologie.* Paris, 1953.

_____. *Histoire des dictionnaires français.* Paris, 1968.

MCGRAW-HILL = *McGraw-Hill Encyclopedia of science and, technology.* 15 v. New York, 1971.

MENDONÇA, Renato. *A influência africana no português do Brasil.* 2ª ed. São Paulo, 1955.

MENGES, Karl Heinrich. *The Oriental Elements in the Vocabulary of the Oldest Russian Epos, The Igor' Tale. Supplement to WORD,* v. 7. New York, 1951.

MEYER-LÜBKE, Wilhelm. *Romanisches etymalogisches Wörterbuch.* Dritte neu bearbeitete Auflage. Heidelberg, 1935.

MIGLIORINI, Bruno & DURO, Aldo. *Prontuario etimologico della lingua italiana.* Torino, 1950.

MLADENOV, Stefan. *Etimologičeski i pravopisen' rečnik b'lgarskiia knižoven' ezik'.* Sofia, 1941.

MORAIS SILVA, Antônio de. *Diccionario da lingua portugueza.* 2 v., 2ª ed. Lisboa, 1813.

_____. 5ª ed. Lisboa, 1844.

_____. 6ª ed. com acrésc. e melhorada pelo desembargador Agostinho de Mendonça Falcão. Lisboa, 1858.

_____. 10ª ed. rev., corr., ampliada e actualizada. 12 v. Lisboa (1948).

MULLER, Charles. *Initiation à la statistique linguistique.* Paris, 1968.

NASCENTES, Antenor. *Dicionário etimológico da língua portuguesa.* Rio de Janeiro, 1932.

_____. v. II (nomes próprios). Rio de Janeiro, 1952.

_____. *Dicionário etimológico resumido.* Rio de Janeiro, 1966.

NEIVA, Artur. *Estudos da língua nacional.* São Paulo, 1940.

NIMER, Miguel. *Influências Orientais na Língua Portuguesa.* 2 v. São Paulo, 1943.

ODEE = *The Oxford dictionary of English etymology.* Ed. by C.T. Onions with the assistance of G.W.S. Friedrichsen and R.W. Burchfield. Oxford, 1976 [1ª ed. 1966].

OED = *The Oxford english Dictionary, being a corrected re-issue, with an introduction, supplement and bibliography, of A new english dictionary on historical principles, founded mainly* on the materials collected by the Philological Society and edited by James A.H. Murray, Henry Bradley, W.A. Craigie, C.T. Onions. Oxford at the Clarendon Press, 1933 (12 v. + 1 v. de Suplemento).

_____. *A Supplement to the Oxford English Dictionary*, 2 v. Edited by R.W. Burchfield. Oxford, 1972-1976.

PALMER, Philip Motley. *Neuweltwörter im Deutschen*, Heidelberg, 1939.

PELLEGRINI, Giovan Battista. *Gli arabismi nelle lingue neolatine, con speciale riguardo all' Italia*. 2 v. Brescía, 1972.

PEREIRA, Bento. *Thesouro da lingoa portuguesa*. Lisboa, 1647.

PEREIRA DA COSTA, F.A. *Vocabulário pernambucano*. Separata do v. XXXIV da RIHP. Recife, 1937.

PFISTER, Max. *Lessico etimologico italiano* (= LEI). V. I, fascículo 1º Wiesbaden, 1979; Suplemento bibliográfico com a colaboração de Dieter Hauck. Id., 1979; V. I, fascículo 2º Id., 1980.

PICOCHE, Jacqueline. *Nouveau dictionnaire étymologique du français*. Paris, 1971.

PIEL, Joseph M. *Miscelânea de etimologia portuguesa e galega (primeira série)*. Coimbra, 1953.

PINTO, Pedro A. *Os Sertões de Euclides da Cunha. Vocabulário e notas lexicológicas*. Rio de Janeiro, 1930.

PRATI, Angélico). *Vocabolario etimologico italiano*. Garzanti. Torino, 1951.

PREOBRAZIĔNSKIĬ, A. *"Etymologičeskiĭ slovar' russkogo ĭazyka* [Fascículos 1-14: *a-suleĭa*]. Moskva, 1910-1918.

RAIMUNDO, Jacques. *O elemento afro-negro na lingua portuguesa*. Rio, 1933.

RAL = *Revista da Academia Fluminense de Letras*. Niterói, 1949-.

RAMIZ GALVÃO, *Vocabulario etymologico, orthographico e prosodico das palavras portuguezas derivadas da lingua grega*. Rio de Janeiro, 1909.

RBF = *Revista Brasileira de Filologia*. 6 v. Rio de Janeiro, 1955-1961.

REW: v. MEYER-LÜBKE.

RF = *Revista Filológica*, nº 1-29, Rio de Janeiro, 1940-1944.

RFH = *Revista de Philologia e de Historia*. 2 tomos. Rio de Janeiro, 1931-1934.

RL = *Revista do Livro*. Órgão do Instituto Nacional do Livro. Rio de Janeiro, 1956-.

ROBERT, Paul. *Dictionnaire alphabétique et analogique de la langue française*. 6 v. Paris, 1970.

_____. *Supplément*. 1 v. Paris, 1970.

RODRIGUES, Aryon Dall'Igna. *Contribuição para a etimologia dos brasileirismos* in RPF IX. p. 1-54, 1958.

RP = *Revista de Portugal. Série A. Lingua Portuguesa*. Lisboa, 1942-.

RPF = *Revista Portuguesa de Filologia*. Coimbra. 1947-.

SAID ALI, Manuel. *Grammatica historica da lingua portugueza*. 2ª ed. aum. e melhorada. São Paulo, s.d.

_____. *Meios de expressão e alterações semânticas*. 2ª ed. Rio de Janeiro, 1951.

SAMPAIO, Teodoro. *O tupi na geografia nacional*. 3ª ed. Bahia, 1928.

SANTOS, Eurico. *Nossos peixes marinhos (vida e costumes dos peixes do Brasil)*. Rio de Janeiro, 1952.

_____. *O mundo dos artrópodes*. Rio de Janeiro, 1959.

_____. *Os insetos (vida e costumes)*. Rio de Janeiro, 1961.
_____. *Os moluscos (vida e costumes)*. Rio de Janeiro, 1955.
_____. *Pássaros do Brasil (vida e costumes)*. 3ª ed. rev. e ampl. Rio de Janeiro, 1960.
_____. *Peixes de água doce (vida e costumes dos peixes do Brasil)*. Rio de Janeiro, 1962.
SCHULZ, Hanz & BASLER, Otto. *Deutsches Fremdwörterbuch*, v. I (A-K), Strassburg, 1913; v. II (L-P), Berlin, 1942.
SERJEANTSON, Mary S. *A history of foreign words in English*. 2nd impr., London, 1961.
SGUAITAMATTI-BASSI, Suzanne. *Les emprunts directs faits par le français à l'arabe jusqu'à la fin du XIIIe siècle*. Zurich, 1974.
SILVA, A. M.: v. MORAIS,
SILVA JUNIOR, M. Pacheco da. *Grammatica historica da lingua portuguesa*. Rio de Janeiro, 1878.
_____. *Noções de Semantica*. Rio de Janeiro, 1903.
SILVA NETO, Serafim da. *História da língua portuguesa*. Rio de Janeiro, 1952-1957.
_____. *Manual de filologia portuguesa*. 2ª ed. melhorada e acrescentada. Rio de Janeiro, 1957.
SILVEIRA, A.F.S.: v. SOUSA DA SILVEIRA.
SKEAT, Walter W. *An etymological dictionary of the english Language*. Nova ed. rev. e aum. [= 4ª ed., 1910]. Oxford, 1924.
SOUSA DA SILVEIRA, Álvaro Ferdinando de. *Lições de português*. 6ª ed. melhorada, rev. crítica, em consulta com o A., pelo prof. Maximiano de Carvalho e Silva. Rio de Janeiro, 1960.
SOUZA, Bernardino José de. *Dicionário da terra e da gente do Brasil*. 5ª ed. da "Onomástica geral da Geografia Brasileira". São Paulo, 1961.
TASTEVIN, Constantin. *Gramática tupi*. São Paulo, 1923.
TESCHAUER, Carlos S.J. *Novo Diccionario Nacional*. 2ª ed. (das tres series de vocabulos brasileiros) muito augmentada. Porto Alegre, 1928.
TLF = *Trésor de la langue française. Dictionnaire de la langue du XIXe et du XXe siècle (1789-1960)* – Publié sous la direction de Paul Imbs. Tome premier (A-Affiner); tome deuxième' (Affinerie-Anfractuosité); tome troisième (Ange-Badin); tome quatrième (Badinage-Cage); tome cinquième (Cageot-Constat); tome sixième (Constatation-Désobliger); tome septième (Désobstruer-Épicurisme). Paris, 1971-1979.
TOIVONEN, Y.H. *Suomen kielen etymologinen sanakirja*. Helsinki, 1955.
TRÜBNER = *Trübners deutsches Wörterbuch*. 8 v. Berlin, 1939-1957.
UREÑA, Pedro Henríquez. *Para la historia de los indigenismos*. Buenos Aires, 1938.
VALKHOFF, Marius. *Étude sur les mots français d'origine néerlandaise*. Amersfoort, 1931.
VASMER, Max. *Russisches etymologisches Wörterbuch*. 3 v. Heidelberg, 1950-1958.
VIANA: v. GONÇALVES VIANA.
VIDOS, B. E. *Storia delle parole marinaresche italiane passate in francese*. Firenze, 1939.
VIEIRA, Frei Domingos. *Grande diccionario portuguez ou Thesouro da lingua portugueza*. 5 v. Porto, 1871-1874.
VITERBO, Joaquim de Santa Rosa de. *Elucidário das palavras, termos e frases que em Portugal antigamente se usaram e que hoje regularmente se ignoram ... ed. critica ... por Mário Fiúza*. 2 v. Porto, 1965-1966.
VLB = *Vocabulário na língua brasílica*. 2ª ed. revista e confrontada com o Ms. fg. 3144 da

Bibl. Nac. de Lisboa, por Carlos Drumond. 1º v. (A-H) – Boletim nº 137 da Fac. de Filos., Ciências e Letras da Univ. de São Paulo, São Paulo, 1952; 2º v. (I-Z) – Boletim nº 164 da Fac. de Filos. Ciências e Letras da Univ. de São Paulo, São Paulo, 1953.

Voc. Ort. Acad. = Academia das Ciências de Lisboa. *Vocabulário ortográfico da língua portuguesa.* Lisboa 1940.

VRIES, Jan de. *Nederlands etymologisch Woordenboek.* Leiden, 1971.

WAGNER, Max Leopold. *Dizionario etimologico sardo.* 3 v. Heidelberg, 1960-1964.

WALKER, Ernest P.) et al., *Mammals of the world.* 2 v., 2ª ed. rev. por John L. Paradiso. Baltimore, 1968.

WEBSTER = *Webster's third international dictionary of the English language unabridge with seven language dictionary.* 3 v. Chicago, Encyclopaedia Britannica, c 1961.

WEEKLEY, Ernest. *An etymological dictionary of modern english.* London, 1921.

WICK, Philipp. *Die slavischen Lehnwörter in der neuhochdeutschen Schriftsprache.* Marburg, 1939.

WIND, Bartina Harmina. *Les mots italiens introduits en français au XVIe siècle.* Deventer, 1928.

YOUNG, Robert. *Analytical Concordance to the Rible.* Michigan, 1976.

YULE, Henry; BURNELL, A. C *Hobson-Jobson: a glossary of Colloquial Anglo-Indian Words and Phrases, and of Kindred Terms, Etymological, Historical, Geographical and Discursive.* London: John Murray, 1903. [reimpr. em 1968 e 1969].

ZGUSTA, Ladislav. *Manual of lexicography.* Academia, Publishing House of the Czechoslovak Academy of Sciences, 1971.

Editor
Paulo Geiger

Produção
Sonia Hey

Revisão
Fatima Amendoeira Maciel
Michele Mitie Sudoh

Diagramação
Nathanael Souza

Capa
Ilustrarte Design e Produção Editorial

Este livro foi impresso em São Paulo, em outubro, 2022,
pela Oceano Gráfica para a Lexikon Editora.
As fontes usadas são: a calibri para a entrada
e a times no corpo dos verbetes, em corpo, em corpo 8/8,3.
O papel do miolo é offset 63g/m^2 e o da capa é cartão 300g/m^2.